BERTHOLD TYPES

H–Z

Vol. 2

1985 Berthold Berlin & Callwey München

CIP-Kurztitelaufnahme der Deutschen Bibliothek
H. Berthold AG: Berthold Types
1985 Berthold Berlin & Callwey München
ISBN 3-7667-0786-8
ISBN 3-7667-0787-6
ISBN 3-7667-0788-4

Redaktionsteam:
Günter Gerhard Lange
Klaus Matthes
Armin Wernitz
Arnold Ihlenfeld
Wolfgang Marlow

Gestaltung: Hansjörg Dorschel
Satz: Typecraft, Berlin
Grundschrift: Berthold Imago Buch und
Akzidenz-Grotesk Buch mager
Druck: Kupijai & Prochnow, Berlin
Bindearbeiten: Lüderitz & Bauer Buchgewerbe GmbH, Berlin
Papier: Sprint Offset, matt gestrichen fein holzhaltig, 90 g/qm

1. Auflage: 10000

KATALOG

schmalfett
bold condensed
étroit gras

HAENEL-ANTIQUA

negra estrecha
nero stretto
smalfet

Berthold-Schriften überzeugen durch Schärfe und Qualität. S chriftqualität ist eine Frage der Erfahrung. Berthold hat diese Erfahrung seit über hundert Jahren. Zuerst im Schriftguß, da nn im Fotosatz. Berthold-Schriften sind weltweit geschätzt. Im Sc hriftenatelier München wird jeder Buchstabe in der Größe von zw ölf Zentimetern neu gezeichnet. Mit messerscharfen Konturen, um für die Schriftscheiben das Optimale an Konturenschärfe herausz uholen. Um die Qualität des Einzelzeichens im Belichtungsvorgang zu bewahren, wird durch die ruhende, nicht rotierende Schriftsch

1,60 mm (6 p), Zeilenabstand 2,50 mm

Berthold-Schriften überzeugen durch Schärfe und Qua lität. Schriftqualität ist eine Frage der Erfahrung. Bert hold hat diese Erfahrung seit über hundert Jahren. Zue rst im Schriftguß, dann im Fotosatz. Berthold-Schriften s ind weltweit geschätzt. Im Schriftenatelier München wird jeder Buchstabe in der Größe von zwölf Zentimetern neu gezeichnet. Mit messerscharfen Konturen, um für die Sc hriftscheiben das Optimale an Konturenschärfe herausz

1,86 mm (7 p), Zeilenabstand 3,00 mm

Berthold-Schriften überzeugen durch Schärfe u nd Qualität. Schriftqualität ist eine Frage der Erf ahrung. Berthold hat diese Erfahrung seit über h undert Jahren. Zuerst im Schriftguß, dann im Foto satz. Berthold-Schriften sind weltweit geschätzt. I m Schriftenatelier München wird jeder Buchstabe in der Größe von zwölf Zentimetern neu gezeichnet Mit messerscharfen Konturen, um für die Schriftsc

2,15 mm (8 p), Zeilenabstand 3,50 mm

H. Berthold AG

ABCDEFGHIJKLMNOPQ
RSTUVWXYZ
abcdefghijklmnopqrstuvwxyz
1/1234567890%
(.,-;:!¡?¿–)·[''„""»«]
+−=/$£†*&§
ÄÅÆÖØŒÜäåæıöøœßü
ÁÀÂÃÇČÉÈÊËÍÌÎÏĹŇÑÓÒÔÕ
ŔŘŠŤÚÙÛŴẄÝŶŸŽ
áàâãçčéèêëíìîïĺňñóòôõŕřš
úùûŵẅýỳÿž

Berthold-Schriftweite weit
Berthold-Schriftweite normal
Berthold-Schriftweite eng
Berthold-Schriftweite sehr eng
Berthold-Schriftweite extrem eng

In general, bodytypes are measu red in the typographical point siz e. The sizes of Berthold Fototype faces can be exactly determined All faces of same point size have the same capital height–irrespect ive of their x-height. In hot metal a nd many other phototypesetting sy stems the capital heights often diff er considerably from one face to th e other. For measuring point sizes a transparent size gauge is provid ed. To determine the point size, bri ng a capital letter into coincidence with that field which precisely circ umscribes the letter at its upper an d lower margin. Below the field you

3,20 mm (12 p), Zeilenabstand 5,25 mm

Berthold's quick brown fox jumps over the lazy dog and feels as if he were in the seventh heaven
3,72 mm (14 p)

Berthold's quick brown fox jumps over the lazy dog and feels as if he were in the seve
4,25 mm (16 p)

Berthold's quick brown fox jumps over the lazy dog and feels as if he were in
4,75 mm (18 p)

Berthold's quick brown fox jumps over the lazy dog and feels as if he
5,30 mm (20 p)

Berthold's quick brown fox jumps over the lazy dog and f
6,35 mm (24 p)

Berthold's quick brown fox jumps over the lazy d
7,40 mm (28 p)

Berthold's quick brown fox jumps over the
8,50 mm (32 p)

Berthold's quick brown fox jumps over
9,55 mm (36 p)

Berthold-Schriften überzeugen durch Schärfe und Qualität. Schriftqualität ist eine Frage de r Erfahrung. Berthold hat diese Erfahrung se it über hundert Jahren. Zuerst im Schriftguß dann im Fotosatz. Berthold-Schriften sind we ltweit geschätzt. Im Schriftenatelier München wird jeder Buchstabe in der Größe von zwölf Zentimetern neu gezeichnet. Mit messerscha

2,40 mm (9 p), Zeilenabstand 4,00 mm

Größe		Zeilenabstand			100 Zeichen		
mm	p	kp	Êp	Ex	0	−1	−2
1,33	5	1,75	2,13	–	78	75	72
1,60	6	2,13	2,50	2,50	92	88	84
1,86	7	2,44	2,94	3,00	106	102	98
2,15	8	2,81	3,38	3,50	120	115	110
2,40	9	3,13	3,75	4,00	134	128	122
2,65	10	3,44	4,19	4,00	148	141	134
2,92	11	3,81	4,56	–	162	155	148
3,20	12	4,13	5,00	5,25	176	168	160
3,45	13	4,50	5,44	–	190	182	174
3,72	14	4,81	5,81	–	203	194	185
3,98	15	5,19	6,25	–	217	208	199
4,25	16	5,50	6,63	–	231	221	211

WZ 12 E, NSW 0, MZB 0,56, F 0,23:0,03 (7,9), IV
H 1–x 0,70–k 1,00–p 0,29–Ê 1,27–kp 1,29–Êp 1,56
BF 089 1432, Belegung 051: 085 1510 (095 1510)

Berthold-Schriften überzeugen durch Sc härfe und Qualität. Schriftqualität ist eine Frage der Erfahrung. Berthold hat diese Erfahrung seit über hundert Jahren. Zue rst im Schriftguß, dann im Fotosatz. Bert hold-Schriften sind weltweit geschätzt. I m Schriftenatelier München wird jeder B uchstabe in der Größe von zwölf Zentimet

2,65 mm (10 p), Zeilenabstand 4,00 mm

ultraleicht
ultra light
ultra maigre

HELVETICA

muy fina
ultra chiarissimo
ultra mager

Berthold-Schriften überzeugen durch Schärfe und Qualität. Schriftq
ualität ist eine Frage der Erfahrung. Berthold hat diese Erfahrung seit
über hundert Jahren. Zuerst im Schriftguß, dann im Fotosatz. Berthol
d-Schriften sind weltweit geschätzt. Im Schriftenatelier München wird
jeder Buchstabe in der Größe von zwölf Zentimetern neu gezeichnet
Mit messerscharfen Konturen, um für die Schriftscheiben das Optim
ale an Konturenschärfe herauszuholen. Um die Qualität des Einzelz
eichens im Belichtungsvorgang zu bewahren, wird durch die ruhen
de, nicht rotierende Schriftscheibe belichtet. Dieses optische System

1,33 mm (5 p) 20 30 40 50

Berthold-Schriften überzeugen durch Schärfe und Qualität. S
chriftqualität ist eine Frage der Erfahrung. Berthold hat diese Er
fahrung seit über hundert Jahren. Zuerst im Schriftguß, dann im
Fotosatz. Berthold-Schriften sind weltweit geschätzt. Im Schrift
enatelier München wird jeder Buchstabe in der Größe von zwölf
Zentimetern neu gezeichnet. Mit messerscharfen Konturen, um
für die Schriftscheiben das Optimale an Konturenschärfe hera
uszuholen. Um die Qualität des Einzelzeichens im Belichtungs
vorgang zu bewahren, wird durch die ruhende, nicht rotierende

1,45 mm (5,5 p) 20 30 40 50 6

Berthold-Schriften überzeugen durch Schärfe und Qual
ität. Schriftqualität ist eine Frage der Erfahrung. Berthold
hat diese Erfahrung seit über hundert Jahren. Zuerst im S
chriftguß, dann im Fotosatz. Berthold-Schriften sind welt
weit geschätzt. Im Schriftenatelier München wird jeder B
uchstabe in der Größe von zwölf Zentimetern neu gezeic
hnet. Mit messerscharfen Konturen, um für die Schriftsc
heiben das Optimale an Konturenschärfe herauszuholen
Um die Qualität des Einzelzeichens im Belichtungsvorga

1,60 mm (6 p) 20 30 40 5

Berthold-Schriften überzeugen durch Schärfe und
Qualität. Schriftqualität ist eine Frage der Erfahrung
Berthold hat diese Erfahrung seit über hundert Jahre
n. Zuerst im Schriftguß, dann im Fotosatz. Berthold-S
chriften sind weltweit geschätzt. Im Schriftenatelier M
ünchen wird jeder Buchstabe in der Größe von zwölf
Zentimetern neu gezeichnet. Mit messerscharfen Ko
nturen, um für die Schriftscheiben das Optimale an K
onturenschärfe herauszuholen. Um die Qualität des

1,75 mm (6,5 p) 20 30 40 50

Berthold-Schriften überzeugen durch Schärfe un
d Qualität. Schriftqualität ist eine Frage der Erfahru
ng. Berthold hat diese Erfahrung seit über hundert
Jahren. Zuerst im Schriftguß, dann im Fotosatz. Be
rthold-Schriften sind weltweit geschätzt. Im Schrift
enatelier München wird jeder Buchstabe in der Gr
öße von zwölf Zentimetern neu gezeichnet. Mit me
sserscharfen Konturen, um für die Schriftscheiben
das Optimale an Konturenschärfe herauszuholen

1,86 mm (7 p) 20 30 40

Berthold-Schriften überzeugen durch Schärfe
und Qualität. Schriftqualität ist eine Frage der E
rfahrung. Berthold hat diese Erfahrung seit üb
er hundert Jahren. Zuerst im Schriftguß, dann i
m Fotosatz. Berthold-Schriften sind weltweit g
eschätzt. Im Schriftenatelier München wird jed
er Buchstabe in der Größe von zwölf Zentimet
ern neu gezeichnet. Mit messerscharfen Kont
uren, um für die Schriftscheiben das Optimale

2,00 mm (7,5 p) 20 30 40

Berthold-Schriften überzeugen durch Schä
rfe und Qualität. Schriftqualität ist eine Frage
der Erfahrung. Berthold hat diese Erfahrung
seit über hundert Jahren. Zuerst im Schriftg
uß, dann im Fotosatz. Berthold-Schriften sin
d weltweit geschätzt. Im Schriftenatelier Mün
chen wird jeder Buchstabe in der Größe von
zwölf Zentimetern neu gezeichnet. Mit mess
erscharfen Konturen, um für die Schriftschei

2,15 mm (8 p) 20 30 40

1970
Haas'sche Schriftgießerei AG
H. Berthold AG

ABCDEFGHIJKLMNOPQ
RSTUVWXYZ
abcdefghijklmnopqrstuvwxyz
1/1234567890%
(.,-;:!¡?¿–)·[''„""»«]
+–=/$£†*&§
ÄÅÆÖØŒÜäåæıöøœßü
ÁÀÂÃÇČÉÈÊËÍÌÎÏĹŇÑÓÒÔÕ
ŔŘŠŤÚÙÛŴẄÝŶŸŽ
áàâãçčéèêëíìîïĺňñóòôõŕřš
úùûŵẅýỳÿž

Berthold-Schriftweite weit
Berthold-Schriftweite normal
Berthold-Schriftweite eng
Berthold-Schriftweite sehr eng
Berthold-Schriftweite extrem eng

Berthold
3,75 mm (14 p)

Berthold
4,25 mm (16 p)

Berthold
4,75 mm (18 p)

Berthold
5,30 mm (20 p)

Berthold
6,35 mm (24 p)

Berthold
7,40 mm (28 p)

Berthold
8,50 mm (32 p)

Berthold
9,55 mm (36 p)

Größe mm	p	Zeilenabstand kp	Êp	Ex	100 Zeichen 0	−1	−2
1,33	5	1,69	1,94	2,00	88	85	82
1,60	6	2,00	2,31	2,50	104	100	96
1,86	7	2,31	2,69	3,00	120	116	112
2,15	8	2,69	3,13	3,50	136	131	126
2,40	9	3,00	3,50	3,75	152	146	140
2,65	10	3,31	3,88	4,25	168	161	154
2,92	11	3,63	4,25	4,75	184	177	170
3,20	12	4,00	4,63	5,25	199	191	183
3,45	13	4,31	5,00	5,75	215	207	199
3,72	14	4,63	5,38	–	231	222	213
3,98	15	4,94	5,75	–	246	237	228
4,25	16	5,31	6,13	–	262	252	242

WZ 14 E, NSW +1, MZB 0,63, F 0,025:0,025 (1,0), VI
H 1–x 0,71–k 1,00–p 0,24–Ê 1,20–kp 1,24–Êp 1,44
BF 089 0927, Belegung 051: 085 0950 (095 0950)

Berthold-Schriften überzeugen durch
Schärfe und Qualität. Schriftqualität ist e
ine Frage der Erfahrung. Berthold hat di
ese Erfahrung seit über hundert Jahren
Zuerst im Schriftguß, dann im Fotosatz
Berthold-Schriften sind weltweit gesch
ätzt. Im Schriftenatelier München wird j
eder Buchstabe in der Größe von zwölf

2,40 mm (9 p) 20 30

Berthold-Schriften überzeugen du
rch Schärfe und Qualität. Schriftqu
alität ist eine Frage der Erfahrung. B
erthold hat diese Erfahrung seit über
hundert Jahren. Zuerst im Schriftg
uß, dann im Fotosatz. Berthold-Sch
riften sind weltweit geschätzt. Im Sc
hriftenatelier München wird jeder B

2,65 mm (10 p) 20 30

Berthold-Schriften überzeugen
durch Schärfe und Qualität. Schr
iftqualität ist eine Frage der Erfa
hrung. Berthold hat diese Erfahr
ung seit über hundert Jahren. Zu
erst im Schriftguß, dann im Fotos
atz. Berthold-Schriften sind welt
weit geschätzt. Im Schriftenatelier

2,92 mm (11 p) 10 20 30

Berthold-Schriften überzeuge
n durch Schärfe und Qualität. S
chriftqualität ist eine Frage der
Erfahrung. Berthold hat diese
Erfahrung seit über hundert J
ahren. Zuerst im Schriftguß d
ann im Fotosatz. Berthold-Sc
hriften sind weltweit geschätzt

3,20 mm (12 p) 10 20

Berthold-Schriften überzeu
gen durch Schärfe und Qu
alität. Schriftqualität ist eine
Frage der Erfahrung. Berth
old hat diese Erfahrung seit
über hundert Jahren. Zuerst
im Schriftguß, dann im Foto
satz. Berthold-Schriften sind

3,45 mm (13 p) 10 20

ultraleicht
ultra light
ultra maigre

HELVETICA

muy fina
ultra chiarissimo
ultra mager

Berthold-Schriften überzeugen durch Schärfe und Qualität. Schriftqualit ät ist eine Frage der Erfahrung. Berthold hat diese Erfahrung seit über hu ndert Jahren. Zuerst im Schriftguß, dann im Fotosatz. Berthold-Schriften sind weltweit geschätzt. Im Schriftenatelier München wird jeder Buchsta be in der Größe von zwölf Zentimetern neu gezeichnet. Mit messerscha rfen Konturen, um für die Schriftscheiben das Optimale an Konturensch ärfe herauszuholen. Um die Qualität des Einzelzeichens im Belichtungs vorgang zu bewahren, wird durch die ruhende, nicht rotierende Schrifts cheibe belichtet. Dieses optische System, verbunden mit Präzisions-Chr

4,25 mm (16 p), Zeilenabstand 6,75 mm

HELVETICA ULTRA LIGHT

In general, bodytypes are measured in the typogr aphical point size. The sizes of Berthold Fototype faces can be exactly determined. All faces of same point size have the same capital height–irrespec tive of their x-height. In hot metal and many other phototypesetting systems the capital heights ofte n differ considerably from one face to the other. F or measuring point sizes, a transparent size gaug e is provided. To determine the point size, bring a capital letter into coincidence with that field which precisely circumscribes the letter at its upper and lower margin. Below the field you find the typogra phical point and below that the millimeter value which also refers to the height of a capital letter In Berthold-phototypesetting, the typewidth can be modified. The standard setting width of typefa ces is determined by the principle of optimum leg ibility. You should not depart from this typewidth without cogent reason. A typeface which is con sidered optically right when looked in a greater context, often seems bulky when applied for a small amount of text, e. g. labels and ads. Here, a

2,40 mm (9 p), Zeilenabstand 4,25 mm

HELVETICA ULTRA MAIGRE

La valeur de la force de corps des caractères de labeur èst généralement exprimée en points typographiques. La force de corps des caractères Berthold-Fototype peut être déterminée avec précision. Tous les carac tères du même corps ont des capitales d'une hauteur identique, indépendamment de la hauteur des bas de casse sans jamba ge. Dans la composition plomb, ainsi que d ans certains systèmes de photocompositio n, la hauteur des capitales, varie souvent d'un caractère à l'autre. Pour déterminer la f orce de corps de nos caractères, nous avon s mis au point une réglette de hauteur d'œil transparente. On cherche le rectangle qui d élimite exactement la hauteur d'œil d'une ca pitale du caractère choisi. Sous le rectangle correspondant la valeur de la force de corps est indiquée en points Didots et en millimèt res. La valeur en millimètres exprime égale

2,65 mm (10 p), Zeilenabstand 4,69 mm

La indicación de las dimensiones para cuer pos de letra vásicos tiene lugar en general en puntos tipográficos. Los cuerpos de letra de los caracteres Berthold Fototype pueden de terminarse exactemente par medición. Con independencia de la altura de sus longitudes centrales, todos los caracteres de idéntico cuerpo de letra presentan altura de mayús culas idéntica. En la composición en plomo y

2,15 mm (8 p), –1, Zeilenabstand 3,38 mm

123,– $	456,– £	7890,– DM	1 %
234,– $	789,– £	1234,– DM	2 %
567,– $	12,– £	5678,– DM	3 %
890,– $	345,– £	9012,– DM	4 %
123,– $	678,– £	3456,– DM	5 %
456,– $	901,– £	7890,– DM	6 %
789,– $	234,– £	1234,– DM	7 %
12,– $	567,– £	5678,– DM	8 %
345,– $	890,– £	9012,– DM	9 %

BF 089 0928

Le misure relative al corpo dei caratteri ven gono generalmente indicate in punti tipogra fici. Il corpo dei caratteri Fototypes può essere determinato con esattezza per semplice mi surazione. Tutti i caratteri di uguale grandez za in punti hanno, indipendentemente dalla loro lunghezza, uguale altezza delle maius cole. Nella composizione in piombo ed in molti altri sistemi di fotocomposizione, l'altez

2,15 mm (8 p), –2, Zeilenabstand 3,38 mm

leicht
light
maigre

HELVETICA

fina
chiarissimo
mager

Berthold-Schriften überzeugen durch Schärfe und Qualität. Schriftq
ualität ist eine Frage der Erfahrung. Berthold hat diese Erfahrung seit
über hundert Jahren. Zuerst im Schriftguß, dann im Fotosatz. Berthol
d-Schriften sind weltweit geschätzt. Im Schriftenatelier München wird
jeder Buchstabe in der Größe von zwölf Zentimetern neu gezeichnet
Mit messerscharfen Konturen, um für die Schriftscheiben das Opti
male an Konturenschärfe herauszuholen. Um die Qualität des Einzel
zeichens im Belichtungsvorgang zu bewahren, wird durch die ruhen
de, nicht rotierende Schriftscheibe belichtet. Dieses optische Syste

1,33 mm (5 p) 20 30 40 50 60

Berthold-Schriften überzeugen durch Schärfe und Qualität. Sch
riftqualität ist eine Frage der Erfahrung. Berthold hat diese Erfah
rung seit über hundert Jahren. Zuerst im Schriftguß, dann im Fot
osatz. Berthold-Schriften sind weltweit geschätzt. Im Schriftena
telier München wird jeder Buchstabe in der Größe von zwölf Zen
timetern neu gezeichnet. Mit messerscharfen Konturen, um für
die Schriftscheiben das Optimale an Konturenschärfe herauszu
holen. Um die Qualität des Einzelzeichens im Belichtungsvorga
ng zu bewahren, wird durch die ruhende, nicht rotierende Schrif

1,45 mm (5,5 p) 20 30 40 50 6

Berthold-Schriften überzeugen durch Schärfe und Qualit
ät. Schriftqualität ist eine Frage der Erfahrung. Berthold hat
diese Erfahrung seit über hundert Jahren. Zuerst im Schrif
tguß, dann im Fotosatz. Berthold-Schriften sind weltweit g
eschätzt. Im Schriftenatelier München wird jeder Buchsta
be in der Größe von zwölf Zentimetern neu gezeichnet. Mit
messerscharfen Konturen, um für die Schriftscheiben das
Optimale an Konturenschärfe herauszuholen. Um die Qu
alität des Einzelzeichens im Belichtungsvorgang zu bewa

1,60 mm (6 p) 20 30 40 50

Berthold-Schriften überzeugen durch Schärfe und Q
ualität. Schriftqualität ist eine Frage der Erfahrung. Be
rthold hat diese Erfahrung seit über hundert Jahren. Z
uerst im Schriftguß, dann im Fotosatz. Berthold-Schrif
ten sind weltweit geschätzt. Im Schriftenatelier Münc
hen wird jeder Buchstabe in der Größe von zwölf Zent
imetern neu gezeichnet. Mit messerscharfen Konture
n, um für die Schriftscheiben das Optimale an Kontur
enschärfe herauszuholen. Um die Qualität des Einzel

1,75 mm (6,5 p) 20 30 40 50

Berthold-Schriften überzeugen durch Schärfe und
Qualität. Schriftqualität ist eine Frage der Erfahrun
g. Berthold hat diese Erfahrung seit über hundert J
ahren. Zuerst im Schriftguß, dann im Fotosatz. Bert
hold-Schriften sind weltweit geschätzt. Im Schrifte
natelier München wird jeder Buchstabe in der Größ
e von zwölf Zentimetern neu gezeichnet. Mit mess
erscharfen Konturen, um für die Schriftscheiben da
s Optimale an Konturenschärfe herauszuholen. Um

1,86 mm (7 p) 20 30 40

Berthold-Schriften überzeugen durch Schärfe
und Qualität. Schriftqualität ist eine Frage der Er
fahrung. Berthold hat diese Erfahrung seit über
hundert Jahren. Zuerst im Schriftguß, dann im F
otosatz. Berthold-Schriften sind weltweit gesch
ätzt. Im Schriftenatelier München wird jeder Buc
hstabe in der Größe von zwölf Zentimetern neu
gezeichnet. Mit messerscharfen Konturen, um f
ür die Schriftscheiben das Optimale an Konture

2,00 mm (7,5 p) 20 30 40

Berthold-Schriften überzeugen durch Schärf
e und Qualität. Schriftqualität ist eine Frage d
er Erfahrung. Berthold hat diese Erfahrung se
it über hundert Jahren. Zuerst im Schriftguß
dann im Fotosatz. Berthold-Schriften sind we
ltweit geschätzt. Im Schriftenatelier München
wird jeder Buchstabe in der Größe von zwölf
Zentimetern neu gezeichnet. Mit messersch
arfen Konturen, um für die Schriftscheiben d

2,15 mm (8 p) 20 30 40

1965
D. Stempel AG
H. Berthold AG

ABCDEFGHIJKLMNOPQ
RSTUVWXYZ
abcdefghijklmnopqrstuvwxyz
1/1234567890%
(.,-;:!¡?¿–)·[‘„”“»«]
+−=/$£†*&§
ÄÅÆÖØŒÜäåæıöøœßü
ÁÀÂÃÇČÉÈÊËÍÌÎÏĹŇÑÓÒÔÕ
ŔŘŠŤÚÙÛŴẄÝŶŸŽ
áàâãçčéèêëíìîïĺňñóòôõŕřš
úùûŵẅýỳÿž

Berthold-Schriftweite weit
Berthold-Schriftweite normal
Berthold-Schriftweite eng
Berthold-Schriftweite sehr eng
Berthold-Schriftweite extrem eng

Berthold
3,75 mm (14 p)

Berthold
4,25 mm (16 p)

Berthold
4,75 mm (18 p)

Berthold
5,30 mm (20 p)

Berthold
6,35 mm (24 p)

Berthold
7,40 mm (28 p)

Berthold
8,50 mm (32 p)

Berthold
9,55 mm (36 p)

Größe mm	p	Zeilenabstand kp	Êp	Ex	100 Zeichen 0	−1	−2
1,33	5	1,69	2,06	2,00	86	83	80
1,60	6	2,06	2,50	2,50	102	98	94
1,86	7	2,38	2,88	3,00	117	113	109
2,15	8	2,75	3,31	3,50	133	128	123
2,40	9	3,06	3,69	3,75	149	143	137
2,65	10	3,38	4,06	4,25	164	157	150
2,92	11	3,69	4,50	4,75	180	173	166
3,20	12	4,06	4,94	5,25	195	187	179
3,45	13	4,38	5,31	5,75	210	202	194
3,72	14	4,69	5,75	–	225	216	207
3,98	15	5,06	6,13	–	241	232	223
4,25	16	5,38	6,56	–	256	246	236

WZ 14 E, NSW 0, MZB 0,62, F 0,092:0,071 (1,3), VI
H 1–x 0,73–k 1,00–p 0,26–Ê 1,27–kp 1,26–Êp 1,53
BF 089 0428, Belegung 051: 085 4971 (095 4971)

Berthold-Schriften überzeugen durch Sc
härfe und Qualität. Schriftqualität ist eine
Frage der Erfahrung. Berthold hat diese
Erfahrung seit über hundert Jahren. Zuer
st im Schriftguß, dann im Fotosatz. Berth
old-Schriften sind weltweit geschätzt. Im
Schriftenatelier München wird jeder Buc
hstabe in der Größe von zwölf Zentimeter

2,40 mm (9 p) 20 30

Berthold-Schriften überzeugen durc
h Schärfe und Qualität. Schriftqualit
ät ist eine Frage der Erfahrung. Berth
old hat diese Erfahrung seit über hu
ndert Jahren. Zuerst im Schriftguß, d
ann im Fotosatz. Berthold-Schriften
sind weltweit geschätzt. Im Schriften
atelier München wird jeder Buchsta

2,65 mm (10 p) 20 30

Berthold-Schriften überzeugen d
urch Schärfe und Qualität. Schrift
qualität ist eine Frage der Erfahru
ng. Berthold hat diese Erfahrung
seit über hundert Jahren. Zuerst
im Schriftguß, dann im Fotosatz. B
erthold-Schriften sind weltweit ge
schätzt. Im Schriftenatelier Münch

2,92 mm (11 p) 20 30

Berthold-Schriftenüberzeugen
durch Schärfe und Qualität. Sc
hriftqualität ist eine Frage der E
rfahrung. Berthold hat diese Erf
ahrung seit über hundert Jahre
n. Zuerst im Schriftguß, dann im
Fotosatz. Berthold-Schriften si
nd weltweit geschätzt. Im Schri

3,20 mm (12 p) 10 20

Berthold-Schriften überzeug
en durch Schärfe und Qualit
ät. Schriftqualität ist eine Fra
ge der Erfahrung. Berthold h
at diese Erfahrung seit über
hundert Jahren. Zuerst im Sc
hriftguß, dann im Fotosatz. B
erthold-Schriften sind weltw

3,45 mm (13 p) 10 20

leicht
light
maigre

HELVETICA

fina
chiaro
mager

Berthold-Schriften überzeugen durch Schärfe und Qualität. Schriftqualität ist eine Frage der Erfahrung. Berthold hat diese Erfahrung seit über hunde rt Jahren. Zuerst im Schriftguß, dann im Fotosatz. Berthold-Schriften sind weltweit geschätzt. Im Schriftenatelier München wird jeder Buchstabe in der Größe von zwölf Zentimetern neu gezeichnet. Mit messerscharfen Ko nturen, um für die Schriftscheiben das Optimale an Konturenschärfe her auszuholen. Um die Qualität des Einzelzeichens im Belichtungsvorgang zu bewahren, wird durch die ruhende, nicht rotierende Schriftscheibe beli chtet. Dieses optische System, verbunden mit Präzisions-Chromglassch

4,25 mm (16 p), Zeilenabstand 6,75 mm

HELVETICA LIGHT

In general, bodytypes are measured in the typo graphical point size. The sizes of Berthold Foto type faces can be exactly determined. All faces of same point size have the same capital heigth–ir respective of their x-heigth. In hot metal and many other phototypesetting systems the capital heigths often differ considerably from one face to the other. For measuring point sizes, a transparent size gauge is provided. To determine the point size, bring a capital letter into coincidence with that field which precisely circumscribes the letter at its upper and lower margin. Below the field you find the typographical point and below that the mil limeter value, which also refers to the height of a capital letter. In Berthold-phototypesetting, the typewidth can be modified. The standard setting width of typefaces is determined by the principle of optimum legibility. You should not depart from this typewidth without cogent reason. A typeface which is considered optically right when looked in a greater context, often seems bulky when applied for a small amount of text, e. g. labels and ads

2,40 mm (9 p), Zeilenabstand 4,25 mm

HELVETICA MAIGRE

La valeur de la force de corps des caractères de labeur èst généralement exprimée en points typographiques. La force de corps des caractères Berthold-Fototype peut être déter minée avec précision. Tous les caractères du même corps ont des capitales d'une hauteur identique, indépendamment de la hauteur des bas de casse sans jambage. Dans la composition plomb, ainsi que dans certains systèmes de photocomposition, la hauteur des capitales, varie souvent d'un caractère à l'autre. Pour déterminer la force de corps de nos caractères, nous avons mis au point une réglette de hauteur d'œil transparente. On cherche le rectangle qui délimite exactement la hauteur d'œil d'une capitale du caractère choisi. Sous le rectangle correspondant la valeur de la force de corps est indiquée en points Didots et en millimètres. La valeur en millimètres exprime également la hauteur

2,65 mm (10 p), Zeilenabstand 4,69 mm

La indicación de las dimensiones para cuerpos de letra vásicos tiene lugar en general en pun tos tipográficos. Los cuerpos de letra de los ca racteres Berthold Fototype pueden determinar se exactemente par medición. Con indepen dencia de la altura de sus longitudes cen trales, todos los caracteres de idéntico cuerpo de letra presentan altura de mayúsculas idénti ca. En la composición en plomo y en muchos o

2,15 mm (8 p), –1, Zeilenabstand 3,38 mm

123,– $	456,– £	7890,– DM	1 %
234,– $	789,– £	1234,– DM	2 %
567,– $	12,– £	5678,– DM	3 %
890,– $	345,– £	9012,– DM	4 %
123,– $	678,– £	3456,– DM	5 %
456,– $	901,– £	7890,– DM	6 %
789,– $	234,– £	1234,– DM	7 %
12,– $	567,– £	5678,– DM	8 %
345,– $	890,– £	9012,– DM	9 %

BF 089 0429

Le misure relative al corpo dei caratteri vengono generalmente indicate in punti tipografici. Il corpo dei caratteri Fototypes può essere determinato con esattezza per semplice misurazione. Tutti i caratteri di uguale grandezza in punti hanno, indi pendentemente dalla loro lunghezza, uguale al tezza delle maiuscole. Nella composizione in piombo ed in molti altri sistemi di fotocomposizio ne, l'altezza delle maiuscole varia spesso da ca

2,15 mm (8 p), –2, Zeilenabstand 3,38 mm

kursiv leicht
light italic
italique maigre

HELVETICA

fina cursiva
chiarissimo cursivo
kursiv mager

Måttangivelse för grundstilsgrad er sker i allmänhet i typografiska punkter. Stilar av Berthold Fototy pe kan efter mätning exakt grad bestämmas. Alla typsnitt är av sa mma punktstorlek och har ober oende av x-höjden en identisk ve rsalhöjd. I blysättning och i mån ga andra fotosättsystem varierar versalhöjden avsevärt från typsn itt till typsnitt. För mätning av stilg rader finns en transparent mätlin jal. Vid mätningen placerar man en versal bokstav så att rutorna begränsar tecknet upptill och ne dtill. Under rutorna finns stilstorl eken i typografiska didotpunkter och i mm. Även millimeteruppgif ten avser versalhöjden. Vid stilst

2,92 mm (11 p), Zeilenabstand 4,69 mm

1967
D. Stempel AG
H. Berthold AG

ABCDEFGHIJKLMNOPQ
RSTUVWXYZ
abcdefghijklmnopqrstuvwxyz
1/1234567890%
(.,-;:!¡?¿–)·[‘„”“»«]
+—=/$£†&§*
ÄÅÆÖØŒÜäåæıöøœßü
ÁÀÂÃÇČÉÈÊËÍÌÎÏĹŇÑÓÒÔÕ
ŔŘŠŤÚÙÛŴẄÝŶŸŽ
áàâãçčéèêëíìîïĺňñóòôõŕřš
úùûŵẅýỳÿž

Berthold-Schriftweite weit
Berthold-Schriftweite normal
Berthold-Schriftweite eng
Berthold-Schriftweite sehr eng
Berthold-Schriftweite extrem eng

In general, bodytypes are me asured in the typographical point size. The sizes of Bertho ld Fototype faces can be exac tly determined. All faces of sa me point size have the same capital height–irrespective of their x-height. In hot metal and many other phototypesetting systems the capital heights often differ considerably from one face to the other. For mea suring point sizes, a transpare nt size gauge is provided. To determine the point size, brin g a capital letter into coincide nce with that field which prec

3,20 mm (12 p), Zeilenabstand 5,25 mm

HELVETICA KURSIV LEICHT

Die Maßangabe zu Grundschriftgrößen erfolgt im allgemeinen in typographischen Punkten. Die S chriftgrößen der Berthold-Fotosatz-Schriften s ind nach Messung exakt bestimmbar. Alle Sch riften gleicher Punktgröße weisen, unabhängig von der Höhe ihrer Mittellängen, eine identische Versalhöhe auf. Im Bleisatz und bei vielen ande ren Fotosatz-Systemen differieren die Versalhö hen von Schrift zu Schrift oft erheblich. Zum Mes sen von Schriftgrößen steht ein transparentes Größenmaß zur Verfügung. Zum Messen wird ein Versalbuchstabe mit dem Feld in Deckung geb racht, das den Buchstaben oben und unten sc harf begrenzt. Unter dem Feld ist die Schriftgrö ße in typographischen Didot-Punkten, darunter in Millimetern angegeben. Auch die Millimetera ngaben beziehen sich auf die Höhe der Versalb uchstaben. Die Schriftweite kann im Berthold-Fo

2,40 mm (9 p), Zeilenabstand 4 mm

HELVETICA ITALIQUE MAIGRE

La valeur de la force de corps des carac tères de labeur èst généralement exprimée en points typographiques. La force de corps des caractères Berthold-Fototype peut être déterminée avec précision. Tous les caract ères du même corps ont des capitales d'u ne hauteur identique, indépendamment de la hauteur des bas de casse sans jambag e. Dans la composition plomb, ainsi que dan s certains systèmes de photocomposition la hauteur des capitales, varie souvent d'un caractère à l'autre. Pour déterminer la for ce de corps de nos caractères, nous avons mis au point une réglette de hauteur d'œil transparente. On cherche le rectangle qui délimite exactement la hauteur d'œil d'une

2,65 mm (10 p), Zeilenabstand 4,50 mm

La indicación de las dimensiones para cuerpos de letra vásicos tiene lugar en general en puntos tipográficos Los cuerpos de letra de los caracteres Berthold Fototype pueden determinarse exactemente par medición. Con independencia de la altura de sus longitudes centrales todos los caracteres de idéntico cuerpo de letra presen tan altura de mayúsculas idéntica. En la composición en plomo y en muchos otros sistemas de fotocomposición las alturas de mayúsculas varían frecuentemmente en forma considerable de tipo de letra a tipo de letra. Para medir los cuerpos de letra se dispone de un tipómetro véase la figura. Para la medición se hace coincidir una

1,60 mm (6 p), Zeilenabstand 2,50 mm

Größe		Zeilenabstand			100 Zeichen		
mm	p	kp	Êp	Ex	0	−1	−2
1,33	5	1,75	2,06	–	87	84	81
1,60	6	2,06	2,50	2,50	103	99	95
1,86	7	2,38	2,94	–	118	114	110
2,15	8	2,75	3,38	3,38	134	129	124
2,40	9	3,06	3,75	4,00	150	144	138
2,65	10	3,38	4,13	4,50	165	158	151
2,92	11	3,75	4,56	4,69	181	174	167
3,20	12	4,13	5,00	5,25	196	188	180
3,45	13	4,44	5,38	–	212	204	196
3,72	14	4,75	5,81	–	227	218	209
3,98	15	5,06	6,19	–	243	234	225
4,25	16	5,44	6,63	–	258	248	238

WZ 14 E, NSW 0, MZB 0,62, F 0,088:0,075 (1,2), VI
H 1–x 0,74–k 1,00–p 0,27–Ê 1,28–kp 1,27–Êp 1,55
BF 089 0430, Belegung 051: 085 4972 (095 4972)

Le misure relative al corpo dei caratteri ven gono generalmente indicate in punti tipogra fici. Il corpo dei caratteri Fototypes può esse re determinato con esattezza per semplice misurazione. Tutti i caratteri di uguale gran dezza in punti hanno, indipendentemente dalla loro lunghezza, uguale altezza delle maiuscole. Nella composizione in piombo ed in molti altri sistemi di fotocomposizione

2,15 mm (8 p), Zeilenabstand 3,38 mm

normal
regular
normal

HELVETICA

normal
chiaro tondo
normal

Berthold-Schriften überzeugen durch Schärfe und Qualität. Schri
ftqualität ist eine Frage der Erfahrung. Berthold hat diese Erfahrun
g seit über hundert Jahren. Zuerst im Schriftguß, dann im Fotosatz
Berthold-Schriften sind weltweit geschätzt. Im Schriftenatelier M
ünchen wird jeder Buchstabe in der Größe von zwölf Zentimetern
neu gezeichnet. Mit messerscharfen Konturen, um für die Schrifts
cheiben das Optimale an Konturenschärfe herauszuholen. Um die
Qualität des Einzelzeichens im Belichtungsvorgang zu bewahren
wird durch die ruhende, nicht rotierende Schriftscheibe belichtet

1,33 mm (5 p) 20 30 40 50 60

Berthold-Schriften überzeugen durch Schärfe und Qualität
Schriftqualität ist eine Frage der Erfahrung. Berthold hat dies
e Erfahrung seit über hundert Jahren. Zuerst im Schriftguß, d
ann im Fotosatz. Berthold-Schriften sind weltweit geschätzt
Im Schriftenatelier München wird jeder Buchstabe in der Grö
ße von zwölf Zentimetern neu gezeichnet. Mit messerscharfe
n Konturen, um für die Schriftscheiben das Optimale an Kont
urenschärfe herauszuholen. Um die Qualität des Einzelzeich
ens im Belichtungsvorgang zu bewahren, wird durch die ruh

1,45 mm (5,5 p) 20 30 40 50

Berthold-Schriften überzeugen durch Schärfe und Qu
alität. Schriftqualität ist eine Frage der Erfahrung. Berth
old hat diese Erfahrung seit über hundert Jahren. Zuerst
im Schriftguß, dann im Fotosatz. Berthold-Schriften sin
d weltweit geschätzt. Im Schriftenatelier München wird
jeder Buchstabe in der Größe von zwölf Zentimetern neu
gezeichnet. Mit messerscharfen Konturen, um für die S
chriftscheiben das Optimale an Konturenschärfe herau
szuholen. Um die Qualität des Einzelzeichens im Belic

1,60 mm (6 p) 20 30 40 50

Berthold-Schriften überzeugen durch Schärfe und
Qualität. Schriftqualität ist eine Frage der Erfahrun
g. Berthold hat diese Erfahrung seit über hundert J
ahren. Zuerst im Schriftguß, dann im Fotosatz. Bert
hold-Schriften sind weltweit geschätzt. Im Schrifte
natelier München wird jeder Buchstabe in der Größ
e von zwölf Zentimetern neu gezeichnet. Mit messe
rscharfen Konturen, um für die Schriftscheiben das
Optimale an Konturenschärfe herauszuholen. Um

1,75 mm (6,5 p) 20 30 40 5

Berthold-Schriften überzeugen durch Schärfe
und Qualität. Schriftqualität ist eine Frage der Er
fahrung. Berthold hat diese Erfahrung seit über
hundert Jahren. Zuerst im Schriftguß, dann im F
otosatz. Berthold-Schriften sind weltweit gesch
ätzt. Im Schriftenatelier München wird jeder Buc
hstabe in der Größe von zwölf Zentimetern neu g
ezeichnet. Mit messerscharfen Konturen, um für
die Schriftscheiben das Optimale an Konturensc

1,86 mm (7 p) 20 30 40

Berthold-Schriften überzeugen durch Schär
fe und Qualität. Schriftqualität ist eine Frage
der Erfahrung. Berthold hat diese Erfahrung s
eit über hundert Jahren. Zuerst im Schriftg
uß, dann im Fotosatz. Berthold-Schriften sind
weltweit geschätzt. Im Schriftenatelier Münc
hen wird jeder Buchstabe in der Größe von z
wölf Zentimetern neu gezeichnet. Mit messer
scharfen Konturen, um für die Schriftscheibe

2,00 mm (7,5 p) 20 30 40

Berthold-Schriften überzeugen durch Sc
härfe und Qualität. Schriftqualität ist eine F
rage der Erfahrung. Berthold hat diese Erfa
hrung seit über hundert Jahren. Zuerst im
Schriftguß, dann im Fotosatz. Berthold-Sc
hriften sind weltweit geschätzt. Im Schrifte
natelier München wird jeder Buchstabe in
der Größe von zwölf Zentimetern neu gezei
chnet. Mit messerscharfen Konturen, um f

2,15 mm (8 p) 20 30 40

Max Miedinger
1958
Haas'sche Schriftgießerei AG
H. Berthold AG

ABCDEFGHIJKLMNOPQ
RSTUVWXYZ
abcdefghijklmnopqrstuvwxyz
1/1234567890%
(.,-;:!¡?¿–)·['',,""»«]
+−=/$£†*&§
ÄÅÆÖØŒÜäåæıöøœßü
ÁÀÂÃÇČÉÈÊËÍÌÎÏĹŇÑÓÒÔÕ
ŔŘŠŤÚÙÛŴẄÝŶŸŽ
áàâãçčéèêëíìîïĺňñóòôõŕřš
úùûŵẅýỳÿž

Berthold-Schriftweite weit
Berthold-Schriftweite normal
Berthold-Schriftweite eng
Berthold-Schriftweite sehr eng
Berthold-Schriftweite extrem eng

Berthold
3,75 mm (14 p)

Berthold
4,25 mm (16 p)

Berthold
4,75 mm (18 p)

Berthold
5,30 mm (20 p)

Berthold
6,35 mm (24 p)

Berthold
7,40 mm (28 p)

Berthold
8,50 mm (32 p)

Berthold
9,55 mm (36 p)

Größe mm	p	Zeilenabstand kp	Êp	Ex	100 Zeichen 0	−1	−2
1,33	5	1,69	2,00	2,00	90	87	84
1,60	6	2,00	2,38	2,50	106	102	98
1,86	7	2,31	2,75	3,00	121	117	113
2,15	8	2,69	3,19	3,50	138	133	128
2,40	9	3,00	3,56	3,75	155	149	143
2,65	10	3,31	3,88	4,25	170	163	156
2,92	11	3,63	4,31	4,75	186	179	172
3,20	12	3,94	4,69	5,25	202	194	186
3,45	13	4,25	5,06	5,75	218	210	202
3,72	14	4,63	5,44	–	234	225	216
3,98	15	4,94	5,81	–	250	241	232
4,25	16	5,25	6,25	–	266	256	246

WZ 14 E, NSW 0, MZB 0,64, F 0,14:0,10 (1,4), VI
H 1–x 0,73–k 1,00–p 0,23–Ê 1,23–kp 1,23–Êp 1,46
BF 089 0431, Belegung 051: 085 6221 (095 6221)

Berthold-Schriften überzeugen durch
Schärfe und Qualität. Schriftqualität ist
eine Frage der Erfahrung. Berthold hat
diese Erfahrung seit über hundert Jahr
en. Zuerst im Schriftguß, dann im Fotos
atz. Berthold-Schriften sind weltweit g
eschätzt. Im Schriftenatelier München
wird jeder Buchstabe in der Größe von

2,40 mm (9 p) 20 30

Berthold-Schriften überzeugen du
rch Schärfe und Qualität. Schriftqu
alität ist eine Frage der Erfahrung
Berthold hat diese Erfahrung seit ü
ber hundert Jahren. Zuerst im Schr
iftguß, dann im Fotosatz. Berthold
Schriften sind weltweit geschätzt. I
m Schriftenatelier München wird je

2,65 mm (10 p) 20 30

Berthold-Schriften überzeugen
durch Schärfe und Qualität. Sch
riftqualität ist eine Frage der Erf
ahrung. Berthold hat diese Erfa
hrung seit über hundert Jahren
Zuerst im Schriftguß, dann im Fo
tosatz. Berthold-Schriften sind
weltweit geschätzt. Im Schriften

2,92 mm (11 p) 10 20 30

Berthold-Schriften überzeug
en durch Schärfe und Qualität
Schriftqualität ist eine Frage
der Erfahrung. Berthold hat di
ese Erfahrung seit über hund
ert Jahren. Zuerst im Schriftg
uß, dann im Fotosatz. Berthol
d-Schriften sind weltweit ges

3,20 mm (12 p) 10 20

Berthold-Schriften überzeu
gen durch Schärfe und Qua
lität. Schriftqualität ist eine
Frage der Erfahrung. Berth
old hat diese Erfahrung seit
über hundert Jahren. Zuerst
im Schriftguß, dann im Foto
satz. Berthold-Schriften sin

3,45 mm (13 p) 10 20

normal
regular
normal

HELVETICA

normal
chiaro tondo
normal

Berthold-Schriften überzeugen durch Schärfe und Qualität. Schriftq ualität ist eine Frage der Erfahrung. Berthold hat diese Erfahrung seit über hundert Jahren. Zuerst im Schriftguß, dann im Fotosatz. Bertho ld-Schriften sind weltweit geschätzt. Im Schriftenatelier München wird jeder Buchstabe in der Größe von zwölf Zentimetern neu gezeichnet Mit messerscharfen Konturen, um für die Schriftscheiben das Optima le an Konturenschärfe herauszuholen. Um die Qualität des Einzelzeic hens im Belichtungsvorgang zu bewahren, wird durch die ruhende nicht rotierende Schriftscheibe belichtet. Dieses optische System, ve

4,25 mm (16 p), Zeilenabstand 6,75 mm

HELVETICA REGULAR

In general, bodytypes are measured in the typo graphical point size. The sizes of Berthold Foto type faces can be exactly determined. All faces of same point size have the same capital heigth irrespective of their x-heigth. In hot metal and many other phototypesetting systems the capi tal heigths often differ considerably from one face to the other. For measuring point sizes, a transparent size gauge is provided. To deter mine the point size, bring a capital letter into co incidence with that field which precisely cir cumscribes the letter at its upper and lower margin. Below the field you find the typographi cal point and below that the millimeter value which also refers to the height of a capital letter In Berthold-phototypesetting, the typewidth can be modified. The standard setting width of typefaces is determined by the principle of optimum legibility. You should not depart from this typewidth without cogent reason. A type face which is considered optically right when looked in a greater context, often seems bulky

2,40 mm (9 p), Zeilenabstand 4,25 mm

HELVETICA NORMAL

La valeur de la force de corps des caractè res de labeur èst généralement exprimée en points typographiques. La force de corps des caractères Berthold-Fototype peut être déterminée avec précision. Tous les caractères du même corps ont des ca pitales d'une hauteur identique, indépen damment de la hauteur des bas de casse sans jambage. Dans la composition plomb ainsi que dans certains systèmes de pho tocomposition, la hauteur des capitales varie souvent d'un caractère à l'autre. Pour déterminer la force de corps de nos carac tères, nous avons mis au point une réglette de hauteur d'œil transparente. On cherche le rectangle qui délimite exactement la hauteur d'œil d'une capitale du caractère choisi. Sous le rectangle correspondant la valeur de la force de corps est indiquée en points Didots et en millimètres. La valeur en

2,65 mm (10 p), Zeilenabstand 4,69 mm

La indicación de las dimensiones para cuer pos de letra vásicos tiene lugar en general en puntos tipográficos. Los cuerpos de letra de los caracteres Berthold Fototype pueden de terminarse exactemente par medición. Con independencia de la altura de sus longitudes centrales, todos los caracteres de idéntico cuerpo de letra presentan altura de mayús culas idéntica. En la composición en plomo y

2,15 mm (8 p), −1, Zeilenabstand 3,38 mm

123,– $	456,– £	7890,– DM	1 %
234,– $	789,– £	1234,– DM	2 %
567,– $	12,– £	5678,– DM	3 %
890,– $	345,– £	9012,– DM	4 %
123,– $	678,– £	3456,– DM	5 %
456,– $	901,– £	7890,– DM	6 %
789,– $	234,– £	1234,– DM	7 %
12,– $	567,– £	5678,– DM	8 %
345,– $	890,– £	9012,– DM	9 %

BF 089 0432

Le misure relative al corpo dei caratteri vengo no generalmente indicate in punti tipografici. Il corpo dei caratteri Fototypes può essere deter minato con esattezza per semplice misurazi one. Tutti i caratteri di uguale grandezza in punti hanno, indipendentemente dalla loro lunghez za, uguale altezza delle maiuscole. Nella com posizione in piombo ed in molti altri sistemi di fotocomposizione, l'altezza delle maiuscole va

2,15 mm (8 p), −2, Zeilenabstand 3,38 mm

kursiv
italic
italique

HELVETICA

cursiva
corsivo
kursiv

Måttangivelse för grundstilsgrader sker i allmänhet i typografiska punkter. Stilar av Berthold Fototype kan efter mätning exakt gradbestämmas. Alla typsnitt är av samma punktstorlek och har oberoende av x-höjden en identisk versalhöjd. I blysättning och i många andra fotosättsystem varierar versalhöjden avsevärt från typsnitt till typsnitt. För mätning av stilgrader finns en transparent mätlinjal. Vid mätningen placerar man en versal bokstav så att rutorna begränsar tecknet upptill och nedtill. Under rutorna finns stilstorleken i typografiska didotpunkter och i mm. Även millimeteruppgiften avser versalhöjden

2,92 mm (11 p), Zeilenabstand 4,69 mm

Max Miedinger
1961
Haas'sche Schriftgießerei AG
H. Berthold AG

ABCDEFGHIJKLMNOPQ
RSTUVWXYZ
abcdefghijklmnopqrstuvwxyz
1/1234567890%
(.,-;:!¡?¿–)·['‘„"“»«]
+−=/$£†&§*
ÄÅÆÖØŒÜäåæıöøœßü
ÁÀÂÃÇČÉÈÊËÍÌÎÏĹŇÑÓÒÔÕ
ŔŘŠŤÚÙÛŴẄÝỲŸŽ
áàâãçčéèêëíìîïĺňñóòôõŕřš
úùûŵẅýỳÿž

Berthold-Schriftweite weit
Berthold-Schriftweite normal
Berthold-Schriftweite eng
Berthold-Schriftweite sehr eng
Berthold-Schriftweite extrem eng

In general, bodytypes are measured in the typographical point size. The sizes of Berthold Fototype faces can be exactly determined. All faces of same point size have the same capital heigth–irrespective of their x-heigth. In hot metal and many other phototype setting systems the capital heigths often differ considerably from one face to the other. For measuring point sizes a transparent size gauge is provided. To determine the point size, bring a capital letter into coincidence with that field

3,20 mm (12 p), Zeilenabstand 5,25 mm

HELVETICA KURSIV

Die Maßangabe zu Grundschriftgrößen erfolgt im allgemeinen in typographischen Punkten. Die Schriftgrößen der Berthold-Fotosatz-Schriften sind nach Messung exakt bestimmbar. Alle Schriften gleicher Punktgröße weisen, unabhängig von der Höhe ihrer Mittellängen, eine identische Versalhöhe auf. Im Bleisatz und bei vielen anderen Fotosatz-Systemen differieren die Versalhöhen von Schrift zu Schrift oft erheblich Zum Messen von Schriftgrößen steht ein transparentes Größenmaß zur Verfügung. Zum Messen wird ein Versalbuchstabe mit dem Feld in Deckung gebracht, das den Buchstaben oben und unten scharf begrenzt. Unter dem Feld ist die Schriftgröße in typographischen Didot-Punkten darunter in Millimetern angegeben. Auch die Millimeterangaben beziehen sich auf die Höhe der Versalbuchstaben. Die Schriftweite kann im Ber

2,40 mm (9 p), Zeilenabstand 4 mm

HELVETICA ITALIQUE

La valeur de la force de corps des caractères de labeur èst généralement exprimée en points typographiques. La force de corps des caractères Berthold-Fototype peut être déterminée avec précision. Tous les caractères du même corps ont des capitales d'une hauteur identique, indépendamment de la hauteur des bas de casse sans jambage. Dans la composition plomb, ainsi que dans certains systèmes de photocomposition, la hauteur des capitales, varie souvent d'un caractère à l'autre. Pour déterminer la force de corps de nos caractères nous avons mis au point une réglette de hauteur d'œil transparente. On cherche le rectangle qui délimite exactement la hau

2,65 mm (10 p), Zeilenabstand 4,50 mm

La indicación de las dimensiones para cuerpos de letra vásicos tiene lugar en general en puntos tipográficos Los cuerpos de letra de los caracteres Berthold Fototype pueden determinarse exactemente par medición. Con independencia de la altura de sus longitudes centrales todos los caracteres de idéntico cuerpo de letra presentan altura de mayúsculas idéntica. En la composición en plomo y en muchos otros sistemas de fotocomposición las alturas de mayúsculas varían frecuentemmente en forma considerable de tipo de letra a tipo de letra. Para medir los cuerpos de letra se dispone de un tipómetro véase la figura. Para la medición se hace coincidir una

1,60 mm (6 p), Zeilenabstand 2,50 mm

Größe		Zeilenabstand			100 Zeichen		
mm	p	kp	Êp	Ex	0	−1	−2
1,33	5	1,69	2,06	–	87	84	81
1,60	6	2,06	2,50	2,50	103	99	95
1,86	7	2,38	2,88	–	118	114	110
2,15	8	2,75	3,31	3,38	134	129	124
2,40	9	3,06	3,69	4,00	150	144	138
2,65	10	3,38	4,06	4,50	165	158	151
2,92	11	3,69	4,50	4,69	181	174	167
3,20	12	4,06	4,94	5,25	196	188	180
3,45	13	4,38	5,31	–	212	204	196
3,72	14	4,69	5,75	–	227	218	209
3,98	15	5,06	6,13	–	243	234	225
4,25	16	5,38	6,56	–	258	248	238

WZ 13 E, NSW 0, MZB 0,62, F 0,13:0,10 (1,3), VI
H 1–x 0,74–k 1,00–p 0,26–Ê 1,27–kp 1,26–Êp 1,53
BF 089 0433, Belegung 051: 085 6222 (095 6222)

Le misure relative al corpo dei caratteri vengono generalmente indicate in punti tipografici. Il corpo dei caratteri Fototypes può essere determinato con esattezza per semplice misurazione. Tutti i caratteri di uguale grandezza in punti hanno, indipendentemente dalla loro lunghezza, uguale altezza delle maiuscole. Nella composizione in piombo ed in molti altri sistemi di fotocom

2;15 mm (8 p), Zeilenabstand 3,38 mm

halbfett
medium
demi-gras

HELVETICA

seminegra
neretto
halvfet

Berthold-Schriften überzeugen durch Schärfe und Qu alität. Schriftqualität ist eine Frage der Erfahrung. Bert hold hat diese Erfahrung seit über hundert Jahren. Zu erst im Schriftguß, dann im Fotosatz. Berthold-Schrift en sind weltweit geschätzt. Im Schriftenatelier Münch en wird jeder Buchstabe in der Größe von zwölf Zentim etern neu gezeichnet. Mit messerscharfen Konturen um für die Schriftscheiben das Optimale an Konturens chärfe herauszuholen. Um die Qualität des Einzelzeic

1,60 mm (6 p), Zeilenabstand 2,50 mm

Berthold-Schriften überzeugen durch Schärfe und Qualität. Schriftqualität ist eine Frage der Erfahrung. Berthold hat diese Erfahrung seit über hundert Jahren. Zuerst im Schriftguß, dann im Fotosatz. Berthold-Schriften sind weltweit geschätzt. Im Schriftenatelier München wird je der Buchstabe in der Größe von zwölf Zentimet ern neu gezeichnet. Mit messerscharfen Kontur

1,86 mm (7 p), Zeilenabstand 3,00 mm

Berthold-Schriften überzeugen durch Sc härfe und Qualität. Schriftqualität ist eine Frage der Erfahrung. Berthold hat diese Er fahrung seit über hundert Jahren. Zuerst im Schriftguß dann im Fotosatz. Berthold Schriften sind weltweit geschätzt. Im Schr iftenatelier München wird jeder Buchstabe in der Größe von zwölf Zentimetern neu ge

2,15 mm (8 p), Zeilenabstand 3,50 mm

Max Miedinger
1957
Haas'sche Schriftgießerei
H. Berthold AG

ABCDEFGHIJKLMNOPQ
RSTUVWXYZ
abcdefghijklmnopqrstuvwxyz
1/1234567890%
(.,-;:!¡?¿–)·["„"“»«]
+−=/$£†*&§
ÄÅÆÖØŒÜäåæıöøœßü
ÁÀÂÃÇČÉÈÊËÍÌÎÏĹŇÑÓÒÔÕ
ŔŘŠŤÚÙÛŴẄÝŶŸŽ
áàâãçčéèêëíìîïĺňñóòôõŕřš
úùûŵẅýỳÿž

Berthold-Schriftweite weit
Berthold-Schriftweite normal
Berthold-Schriftweite eng
Berthold-Schriftweite sehr eng
Berthold-Schriftweite extrem eng

In general, bodytypes are m easured in the typographical point size. The sizes of Ber thold Fototype faces can be exactly determined. All faces of same point size have the s ame capital heigth–irrespec tive of their x-heigth. In hot metal and many other photo typesetting systems the cap ital heigths often differ cons iderably from one face to the other. For measuring point s izes, a transparent size gau ge is provided. To determine the point size, bring a capital letter into coincidence with t

3,20 mm (12 p), Zeilenabstand 5,25 mm

Berthold's quick brown fox jumps over the lazy dog and feels as if he were in th
3,75 mm (14 p)

Berthold's quick brown fox jumps over the lazy dog and feels as if he
4,25 mm (16 p)

Berthold's quick brown fox jumps over the lazy dog and feels
4,75 mm (18 p)

Berthold's quick brown fox jumps over the lazy dog and
5,30 mm (20 p)

Berthold's quick brown fox jumps over the lazy
6,35 mm (24 p)

Berthold's quick brown fox jumps over t
7,40 mm (28 p)

Berthold's quick brown fox jumps
8,50 mm (32 p)

Berthold's quick brown fox jum
9,55 mm (36 p)

Berthold-Schriften überzeugen durch Schärfe und Qualität. Schriftqualität i st eine Frage der Erfahrung. Bertho ld hat diese Erfahrung seit über hund ert Jahren. Zuerst im Schriftguß, dann im Fotosatz. Berthold-Schriften sind weltweit geschätzt. Im Schriftenatel ier München wird jeder Buchstabe in

2,40 mm (9 p), Zeilenabstand 4,00 mm

Größe		Zeilenabstand			100 Zeichen		
mm	p	kp	Êp	Ex	0	−1	−2
1,33	5	1,69	2,00	–	90	87	84
1,60	6	2,00	2,38	2,50	106	102	98
1,86	7	2,31	2,81	3,00	122	118	114
2,15	8	2,69	3,19	3,50	139	134	129
2,40	9	3,00	3,56	4,00	156	150	144
2,65	10	3,31	3,94	4,00	172	165	158
2,92	11	3,63	4,38	–	188	181	174
3,20	12	3,94	4,75	5,25	204	196	188
3,45	13	4,25	5,13	–	220	212	204
3,72	14	4,63	5,56	–	236	227	218
3,98	15	4,94	5,94	–	252	243	234
4,25	16	5,25	6,31	–	268	258	248

WZ 13 E, NSW 0, MZB 0,65, F 0,21:0,15 (1,4), VI
H 1–x 0,72–k 1,00–p 0,23–Ê 1,25–kp 1,23–Êp 1,48
BF 089 0434, Belegung 051: 085 6223 (095 6223)

Berthold-Schriften überzeugen d urch Schärfe und Qualität. Schrift qualität ist eine Frage der Erfahru ng. Berthold hat diese Erfahrung seit über hundert Jahren. Zuerst i m Schriftguß, dann im Fotosatz. B erthold-Schriften sind weltweit g eschätzt. Im Schriftenatelier Mün

2,65 mm (10 p), Zeilenabstand 4,00 mm

kursiv halbfett
medium italic
italique demi-gras

HELVETICA

cursiva seminegra
neretto corsivo
kursiv halvfet

Berthold-Schriften überzeugen durch Schärfe und Qu alität. Schriftqualität ist eine Frage der Erfahrung. Bert hold hat diese Erfahrung seit über hundert Jahren. Zue rst im Schriftguß, dann im Fotosatz. Berthold-Schriften sind weltweit geschätzt. Im Schriftenatelier München wird jeder Buchstabe in der Größe von zwölf Zentimet ern neu gezeichnet. Mit messerscharfen Konturen, um für die Schriftscheiben das Optimale an Konturenschä rfe herauszuholen. Um die Qualität des Einzelzeichens

1,60 mm (6 p), Zeilenabstand 2,50 mm

Berthold-Schriften überzeugen durch Schärfe und Qualität. Schriftqualität ist eine Frage der Er fahrung. Berthold hat diese Erfahrung seit über hundert Jahren. Zuerst im Schriftguß, dann im Fotosatz. Berthold-Schriften sind weltweit gesc hätzt. Im Schriftenatelier München wird jeder Buchstabe in der Größe von zwölf Zentimetern neu gezeichnet. Mit messerscharfen Konturen

1,86 mm (7 p), Zeilenabstand 3,00 mm

Berthold-Schriften überzeugen durch Sch ärfe und Qualität. Schriftqualität ist eine Fr age der Erfahrung. Berthold hat diese Erfa hrung seit über hundert Jahren. Zuerst im Schriftguß, dann im Fotosatz. Berthold-Sc hriften sind weltweit geschätzt. Im Schrifte natelier München wird jeder Buchstabe in der Größe von zwölf Zentimetern neu gez

2,15 mm (8 p), Zeilenabstand 3,50 mm

1957
Haas'sche Schriftgießerei AG
H. Berthold AG

ABCDEFGHIJKLMNOPQ
RSTUVWXYZ
abcdefghijklmnopqrstuvwxyz
1/1234567890%
(.,-;:!¡?¿–) · [’‘„”“»«]
+−=/$£†*&§
ÄÅÆÖØŒÜäåæıöøœßü
ÁÀÂÃÇČÉÈÊËÍÌÎÏĹŇÑÓÒÔÕ
ŔŘŠŤÚÙÛŴẄÝŶŸŽ
áàâãçčéèêëíìîïĺňñóòôõŕřš
úùûŵẅýŷÿž

Berthold-Schriftweite weit
Berthold-Schriftweite normal
Berthold-Schriftweite eng
Berthold-Schriftweite sehr eng
Berthold-Schriftweite extrem eng

In general, bodytypes are m easured in the typographical point size. The sizes of Ber thold Fototype faces can be exactly determined. All faces of same point size have the same capital height–irrespe ctive of their x-height. In hot metal and many other photo typesetting systems the capi tal heights often differ cons iderably from one face to the other. For measuring point si zes, a transparent size gauge is provided. To determine the point size, bring a capital let ter into coincidence with that

3,20 mm (12 p), Zeilenabstand 5,25 mm

Berthold's quick brown fox jumps over the lazy dog and feels as if he were in the
3,75 mm (14 p)

Berthold's quick brown fox jumps over the lazy dog and feels as if he
4,25 mm (16 p)

Berthold's quick brown fox jumps over the lazy dog and feels
4,75 mm (18 p)

Berthold's quick brown fox jumps over the lazy dog and
5,30 mm (20 p)

Berthold's quick brown fox jumps over the lazy
6,35 mm (24 p)

Berthold's quick brown fox jumps over t
7,40 mm (28 p)

Berthold's quick brown fox jumps
8,50 mm (32 p)

Berthold's quick brown fox jum
9,55 mm (36 p)

Berthold-Schriften überzeugen durch Schärfe und Qualität. Schriftqualität is t eine Frage der Erfahrung. Berthold hat diese Erfahrung seit über hundert Jahren. Zuerst im Schriftguß, dann im Fotosatz. Berthold-Schriften sind wel tweit geschätzt. Im Schriftenatelier Mü nchen wird jeder Buchstabe in der Gr

2,40 mm (9 p), Zeilenabstand 4,00 mm

Größe		Zeilenabstand			100 Zeichen		
mm	p	kp	Êp	Ex	0	−1	−2
1,33	5	1,75	2,06	—	90	87	84
1,60	6	2,13	2,50	2,50	106	102	98
1,86	7	2,44	2,94	3,00	212	117	113
2,15	8	2,81	3,38	3,50	138	133	128
2,40	9	3,13	3,75	4,00	155	149	143
2,65	10	3,44	4,13	4,00	170	163	156
2,92	11	3,81	4,56	—	186	179	172
3,20	12	4,19	5,00	5,25	202	194	186
3,45	13	4,50	5,38	—	218	210	202
3,72	14	4,81	5,81	—	234	225	216
3,98	15	5,19	6,19	—	250	241	232
4,25	16	5,50	6,63	—	266	256	246

WZ 13 E, NSW 0, MZB 0,64, F 0,20:0,15 (1,4), VI
H 1–x 0,72–k 1,00–p 0,28–Ê 1,27–kp 1,28–Êp 1,55
BF 089 0435, Belegung 051: 085 4973 (095 4973)

Berthold-Schriften überzeugen d urch Schärfe und Qualität. Schrift qualität ist eine Frage der Erfahru ng. Berthold hat diese Erfahrung s eit über hundert Jahren. Zuerst im Schriftguß, dann im Fotosatz. Bert hold-Schriften sind weltweit gesch ätzt. Im Schriftenatelier München

2,65 mm (10 p), Zeilenabstand 4,00 mm

fett
bold
gras

HELVETICA

negra
nero
fet

Berthold-Schriften überzeugen durch Schärfe un d Qualität. Schriftqualität ist eine Frage der Erfah rung. Berthold hat diese Erfahrung seit über hund ert Jahren. Zuerst im Schriftguß, dann im Fotosat z. Berthold-Schriften sind weltweit geschätzt. Im Schriftenatelier München wird jeder Buchstabe in der Größe von zwölf Zentimetern neu gezeichnet Mit messerscharfen Konturen, um für die Schrifts cheiben das Optimale an Konturenschärfe herau

1,60 mm (6 p), Zeilenabstand 2,50 mm

Berthold-Schriften überzeugen durch Sch ärfe und Qualität. Schriftqualität ist eine Fr age der Erfahrung. Berthold hat diese Erfa hrung seit über hundert Jahren. Zuerst im Schriftguß, dann im Fotosatz. Berthold-Sc hriften sind weltweit geschätzt. Im Schrift enatelier München wird jeder Buchstabe in der Größe von zwölf Zentimetern neu gezei

1,86 mm (7 p), Zeilenabstand 3,00 mm

Berthold-Schriften überzeugen durch Schärfe und Qualität. Schriftqualität i st eine Frage der Erfahrung. Berthold hat diese Erfahrung seit über hundert Jahren. Zuerst im Schriftguß, dann im Fotosatz. Berthold-Schriften sind wel tweit geschätzt. Im Schriftenatelier M ünchen wird jeder Buchstabe in der G

2,15 mm (8 p), Zeilenabstand 3,50 mm

Max Miedinger
1959
Haas'sche Schriftgießerei
H. Berthold AG

ABCDEFGHIJKLMNOPQ
RSTUVWXYZ
abcdefghijklmnopqrstuvwxyz
1/1234567890%
(.,-;:!¡?¿–)· ['',,""»«]
+–=/$£†*&§
ÄÅÆÖØŒÜäåæıöøœßü
ÁÀÂÃÇČÉÈÊËÍÌÎÏĹŇÑÓÒÔÕ
ŔŘŠŤÚÙÛŴẄÝŶŸŽ
áàâãçčéèêëíìîïĺňñóòôõŕřš
úùûŵẅýỳÿž

Berthold-Schriftweite weit
Berthold-Schriftweite normal
Berthold-Schriftweite eng
Berthold-Schriftweite sehr eng
Berthold-Schriftweite extrem eng

In general, bodytypes are measured in the typogra phical point size. The size s of Berthold Fototype fac es can be exactly determi ned. All faces of same poi nt size have the same cap ital height–irrespective of their x-height. In hot met al and many other photot ypesetting systems the c apital heights often differ considerably from one fa ce to the other. For measu ring point sizes, a transpa rent size gauge is provide d. To determine the point

3,20 mm (12 p), Zeilenabstand 5,25 mm

Berthold's quick brown fox jumps over the lazy dog and feels as if he w
3,72 mm (14 p)

Berthold's quick brown fox jumps over the lazy dog and feels a
4,25 mm (16 p)

Berthold's quick brown fox jumps over the lazy dog and
4,75 mm (18 p)

Berthold's quick brown fox jumps over the lazy do
5,30 mm (20 p)

Berthold's quick brown fox jumps over the
6,35 mm (24 p)

Berthold's quick brown fox jumps o
7,40 mm (28 p)

Berthold's quick brown fox jum
8,50 mm (32 p)

Berthold's quick brown fox
9,55 mm (36 p)

Berthold-Schriften überzeugen d urch Schärfe und Qualität. Schrift qualität ist eine Frage der Erfahr ung. Berthold hat diese Erfahrung seit über hundert Jahren. Zuerst im Schriftguß, dann im Fotosatz Berthold-Schriften sind weltweit geschätzt. Im Schriftenatelier Mü

2,40 mm (9 p), Zeilenabstand 4,00 mm

Größe		Zeilenabstand			100 Zeichen		
mm	p	kp	Êp	Ex	0	–1	–2
1,33	5	1,69	2,00	–	101	98	95
1,60	6	2,00	2,44	2,50	119	115	111
1,86	7	2,31	2,81	3,00	137	133	129
2,15	8	2,69	3,25	3,50	156	151	146
2,40	9	3,00	3,63	4,00	175	169	163
2,65	10	3,31	4,00	4,00	193	186	179
2,92	11	3,63	4,44	–	211	204	197
3,20	12	3,94	4,81	5,25	229	221	213
3,45	13	4,25	5,19	–	246	238	230
3,72	14	4,63	5,63	–	264	255	246
3,98	15	4,94	6,00	–	282	273	264
4,25	16	5,25	6,38	–	300	290	280

WZ 14 E, NSW 0, MZB 0,73, F 0,28:0,15 (1,9), VI
H 1–x 0,72–k 1,00–p 0,23–Ê 1,27–kp 1,23–Êp 1,50
BF 089 0436, Belegung 051: 085 6224 (095 6224)

Berthold-Schriften überzeuge n durch Schärfe und Qualität Schriftqualität ist eine Frage d er Erfahrung. Berthold hat die se Erfahrung seit über hundert Jahren. Zuerst im Schriftguß dann im Fotosatz. Berthold-Sc hriften sind weltweit geschätz

2,65 mm (10 p), Zeilenabstand 4,00 mm

kursiv fett
bold italic
italique gras

HELVETICA

negra cursiva
nero corsivo
kursiv fet

Berthold-Schriften überzeugen durch Schärfe und Qualität. Schriftqualität ist eine Frage der Er fahrung. Berthold hat diese Erfahrung seit über hundert Jahren. Zuerst im Schriftguß, dann im Fo tosatz. Berthold-Schriften sind weltweit geschät zt. Im Schriftenatelier München wird jeder Buchs tabe in der Größe von zwölf Zentimetern neu gez eichnet. Mit messerscharfen Konturen, um für die Schriftscheiben das Optimale an Konturens

1,60 mm (6 p), Zeilenabstand 2,50 mm

Berthold-Schriften überzeugen durch Sch ärfe und Qualität. Schriftqualität ist eine Fr age der Erfahrung. Berthold hat diese Erfa hrung seit über hundert Jahren. Zuerst im Schriftguß, dann im Fotosatz. Berthold-Sc hriften sind weltweit geschätzt. Im Schrifte natelier München wird jeder Buchstabe in der Größe von zwölf Zentimetern neu gezei

1,86 mm (7 p), Zeilenabstand 3,00 mm

Berthold-Schriften überzeugen durch Schärfe und Qualität. Schriftqualität ist eine Frage der Erfahrung. Berthold hat diese Erfahrung seit über hundert Jahren. Zuerst im Schriftguß, dann im Fotosatz. Berthold-Schriften sind wel tweit geschätzt. Im Schriftenatelier München wird jeder Buchstabe in der

2,15 mm (8 p), Zeilenabstand 3,50 mm

1967
Haas'sche Schriftgießerei
H. Berthold AG

ABCDEFGHIJKLMNOPQ
RSTUVWXYZ
abcdefghijklmnopqrstuvwxyz
1/1234567890%
(.,-;:!¡?¿–)·[‚‘„"“»«]
+–=/$£†*&§
ÄÅÆÖØŒÜäåæıöøœßü
ÁÀÂÃÇČÉÈÊËÍÌÎÏĹŇÑÓÒÔÕ
ŔŘŠŤÚÙÛŴẄÝỲŸŽ
áàâãçčéèêëíìîïĺňñóòôõŕřš
úùûŵẅýỳÿž

Berthold-Schriftweite weit
Berthold-Schriftweite normal
Berthold-Schriftweite eng
Berthold-Schriftweite sehr eng
Berthold-Schriftweite extrem eng

In general, bodytypes are measured in the typogra phical point size. The siz es of Berthold Fototype f aces can be exactly dete rmined. All faces of same point size have the same capital height–irrespecti ve of their x-height. In hot metal and many other ph ototypesetting systems t he capital heights often differ considerably from one face to the other. For measuring point sizes a t ransparent size gauge is provided. To determine th

3,20 mm (12 p), Zeilenabstand 5,25 mm

Berthold's quick brown fox jumps over the lazy dog and feels as if he
3,75 mm (14 p)

Berthold's quick brown fox jumps over the lazy dog and feels
4,25 mm (16 p)

Berthold's quick brown fox jumps over the lazy dog and
4,75 mm (18 p)

Berthold's quick brown fox jumps over the lazy d
5,30 mm (20 p)

Berthold's quick brown fox jumps over th
6,35 mm (24 p)

Berthold's quick brown fox jumps
7,40 mm (28 p)

Berthold's quick brown fox ju
8,50 mm (32 p)

Berthold's quick brown fox
9,55 mm (36 p)

Berthold-Schriften überzeugen d urch Schärfe und Qualität. Schrif tqualität ist eine Frage der Erfahr ung. Berthold hat diese Erfahrung seit über hundert Jahren. Zuerst im Schriftguß, dann im Fotosatz Berthold-Schriften sind weltweit geschätzt. Im Schriftenatelier M

2,40 mm (9 p), Zeilenabstand 4,00 mm

Größe		Zeilenabstand			100 Zeichen		
mm	p	kp	Êp	Ex	0	−1	−2
1,33	5	1,69	2,06	–	101	98	95
1,60	6	2,00	2,44	2,50	119	115	111
1,86	7	2,38	2,88	3,00	137	133	129
2,15	8	2,69	3,31	3,50	156	151	146
2,40	9	3,00	3,69	4,00	175	169	163
2,65	10	3,31	4,06	4,00	193	186	179
2,92	11	3,69	4,50	–	211	204	197
3,20	12	4,00	4,88	5,25	229	221	213
3,45	13	4,31	5,25	–	246	238	230
3,72	14	4,69	5,69	–	264	255	246
3,98	15	5,00	6,06	–	282	273	264
4,25	16	5,31	6,50	–	300	290	280

WZ 15 E, NSW 0, MZB 0,73, F 0,28:0,15 (1,8), VI
H 1–x 0,71 k 1,00–p 0,25–Ê 1,27–kp 1,25–Êp 1,52
BF 089 0437, Belegung 051: 085 4974 (095 4974)

Berthold-Schriften überzeuge n durch Schärfe und Qualität Schriftqualität ist eine Frage d er Erfahrung. Berthold hat die se Erfahrung seit über hundert Jahren. Zuerst im Schriftguß dann im Fotosatz. Berthold-S chriften sind weltweit geschät

2,65 mm (10 p), Zeilenabstand 4,00 mm

HELVETICA DIAGONAL

Berthold-Schriften überzeugen durch Sc härfe und Qualität. Schriftqualität ist eine Frage der Erfahrung. Berthold hat diese Erfahrung seit über hundert Jahren. Zuerst im Schriftguß, dann im Fotosatz. Berthold Schriften sind weltweit geschätzt. Im Sch riftenatelier München wird jeder Buchsta be in der Größe von zwölf Zentimetern neu gezeichnet. Mit messerscharfen Konture

1,60 mm (6 p), Zeilenabstand 2,50 mm

Berthold-Schriften überzeugen durc h Schärfe und Qualität. Schriftqualit ät ist eine Frage der Erfahrung. Bert hold hat diese Erfahrung seit über hu ndert Jahren. Zuerst im Schriftguß, d ann im Fotosatz. Berthold-Schriften sind weltweit geschätzt. Im Schrifte natelier München wird jeder Buchst

1,86 mm (7 p), Zeilenabstand 3,00 mm

Berthold-Schriften überzeugen durch Schärfe und Qualität. Sch riftqualität ist eine Frage der Erf ahrung. Berthold hat diese Erfah rung seit über hundert Jahren. Z uerst im Schriftguß, dann im Fot osatz. Berthold-Schriften sind w eltweit geschätzt. Im Schriftena

2,15 mm (8 p), Zeilenabstand 3,50 mm

Haas'sche
Schriftgießerei AG
H. Berthold AG

ABCDEFGHIJKLMNOPQ
RSTUVWXYZ
abcdefghijklmnopqrstuv
wxyz 1/1234567890%
(.,-;:!i?¿–)·['',,""»«]
+–=/$£†*&§
ÄÅÆÖØŒÜäåæıöøœßü
ÁÀÂÃÇČÉÈÊËÍÌÎÏĹŇÑÓÒ
ÔÕŔŘŠŤÚÙÛŴẄÝŶŸŽ
áàâãçčéèêëíìîïĺňñóòôõŕř
šúùûŵẅýỳÿž

Schriftweite weit
Schriftweite normal
Schriftweite eng
Schriftweite sehr eng
Schriftweite extrem eng

In general, bodytypes are measured in the t ypographical point si ze. The sizes of Berth old Fototype faces ca n be exactly determin ed. All faces of same point size have the sa me capital height–irr espective of their x-h eight. In hot metal and many other phototyp esetting systems the capital heights often differ considerably fr om one face to the oth er. For measuring poi

3,20 mm (12 p), Zeilenabstand 5,25 mm

Berthold's quick brown fox jumps over the lazy dog and feel
3,72 mm (14 p)

Berthold's quick brown fox jumps over the lazy dog
4,25 mm (16 p)

Berthold's quick brown fox jumps over the lazy
4,75 mm (18 p)

Berthold's quick brown fox jumps over the
5,30 mm (20 p)

Berthold's quick brown fox jumps
6,35 mm (24 p)

Berthold's quick brown fox ju
7,40 mm (28 p)

Berthold's quick brown fo
8,50 mm (32 p)

Berthold's quick brown
9,55 mm (36 p)

Berthold-Schriften überzeug en durch Schärfe und Qualit ät. Schriftqualität ist eine Fr age der Erfahrung. Berthold hat diese Erfahrung seit über hundert Jahren. Zuerst im Sc hriftguß, dann im Fotosatz. B erthold-Schriften sind weltw

2,40 mm (9 p), Zeilenabstand 4,00 mm

Größe mm	p	Zeilenabstand kp	Êp	Ex	100 Zeichen 0	−1	−2
1,33	5	1,81	2,19	–	123	120	117
1,60	6	2,13	2,63	2,50	145	141	137
1,86	7	2,50	3,06	3,00	167	163	159
2,15	8	2,88	3,56	3,50	189	184	179
2,40	9	3,25	3,94	4,00	212	206	200
2,65	10	3,56	4,38	4,00	234	227	220
2,92	11	3,94	4,81	–	255	248	241
3,20	12	4,31	5,25	5,25	277	269	261
3,45	13	4,63	5,63	–	299	291	283
3,72	14	5,00	6,13	–	320	311	302
3,98	15	5,31	6,50	–	343	334	325
4,25	16	5,69	6,94	–	364	354	344

WZ 16 E, NSW 0, MZB 0,88, F 0,34:0,18 (2,0), VI
H 1–x 0,72–k 1,00–p 0,33–Ê 1,30–kp 1,33–Êp 1,63
BF 089 1433, Belegung 051: 085 1468 (095 1468)

Berthold-Schriften überz eugen durch Schärfe und Qualität. Schriftqualität ist eine Frage der Erfahrung Berthold hat diese Erfahr ung seit über hundert Jah ren. Zuerst im Schriftguß dann im Fotosatz. Berthol

2,65 mm (10 p), Zeilenabstand 4,00 mm

schmalleicht
extra light condensed
étroit extra maigre

HELVETICA

muy fina estrecha
ultra chiaro stretto
smal ultramager

Berthold-Schriften überzeugen durch Schärfe und Qualität. Schriftqualit ät ist eine Frage der Erfahrung. Berthold hat diese Erfahrung seit über hun dert Jahren. Zuerst im Schriftguß, dann im Fotosatz. Berthold-Schriften si nd weltweit geschätzt. Im Schriftenatelier München wird jeder Buchstabe in der Größe von zwölf Zentimetern neu gezeichnet. Mit messerscharfen Konturen, um für die Schriftscheiben das Optimale an Konturenschärfe h erauszuholen. Um die Qualität des Einzelzeichens im Belichtungsvorgang zu bewahren, wird durch die ruhende, nicht rotierende Schriftscheibe beli chtet. Dieses optische System, verbunden mit Präzisions-Chromglassch

1,60 mm (6 p), Zeilenabstand 2,50 mm

Berthold-Schriften überzeugen durch Schärfe und Qualität. Sc hriftqualität ist eine Frage der Erfahrung. Berthold hat diese Erf ahrung seit über hundert Jahren. Zuerst im Schriftguß, dann im Fotosatz. Berthold-Schriften sind weltweit geschätzt. Im Schrift enatelier München wird jeder Buchstabe in der Größe von zwölf Zentimetern neu gezeichnet. Mit messerscharfen Konturen um für die Schriftscheiben das Optimale an Konturenschärfe herau szuholen. Um die Qualität des Einzelzeichens im Belichtungsvo

1,86 mm (7 p), Zeilenabstand 3,00 mm

Berthold-Schriften überzeugen durch Schärfe und Qualit ät. Schriftqualität ist eine Frage der Erfahrung. Berthold h at diese Erfahrung seit über hundert Jahren. Zuerst im Sc hriftguß, dann im Fotosatz. Berthold-Schriften sind welt weit geschätzt. Im Schriftenatelier München wird jeder B uchstabe in der Größe von zwölf Zentimetern neu gezeich net. Mit messerscharfen Konturen, um für die Schriftsch eiben das Optimale an Konturenschärfe herauszuholen

2,15 mm (8 p), Zeilenabstand 3,50 mm

1983
D. Stempel AG
H. Berthold AG

ABCDEFGHIJKLMNOPQ
RSTUVWXYZ
abcdefghijklmnopqrstuvwxyz
1/1234567890%
(.,-;:!¡?¿–)·[‘‘„”“»«]
+–=/$£†*&§
ÄÅÆÖØŒÜäåæıöøœßü
ÁÀÂÃÇČÉÈÊËÍÌÎÏĹŇÑÓÒÔÕ
ŔŘŠŤÚÙÛŴẄÝŶŸŽ
áàâãçčéèêëíìîïĺňñóòôõŕřš
úùûŵẅýỳÿž

Berthold-Schriftweite weit
Berthold-Schriftweite normal
Berthold-Schriftweite eng
Berthold-Schriftweite sehr eng
Berthold-Schriftweite extrem eng

In general, bodytypes are measured in the typographical point size. The sizes of Berthold Fototype faces can be exac tly determined. All faces of same point size have the same capital height–irre spective of their x-height. In hot met al and many other phototypesetting sy stems the capital heights often differ c onsiderably from one face to the other For measuring point sizes, a transpare nt size gauge is provided. To determine the point size, bring a capital letter into coincidence with that field which preci sely circumscribes the letter at its upp er and lower margin. Below the field you find the typographical point and below t hat the millimeter value, which also ref

3,20 mm (12 p), Zeilenabstand 5,25 mm

Berthold's quick brown fox jumps over the lazy dog and feels as if he were in the seventh heaven of typogra
3,72 mm (14 p)

Berthold's quick brown fox jumps over the lazy dog and feels as if he were in the seventh heaven
4,25 mm (16 p)

Berthold's quick brown fox jumps over the lazy dog and feels as if he were in the seve
4,75 mm (18 p)

Berthold's quick brown fox jumps over the lazy dog and feels as if he were in
5,30 mm (20 p)

Berthold's quick brown fox jumps over the lazy dog and feels as if
6,35 mm (24 p)

Berthold's quick brown fox jumps over the lazy dog and
7,40 mm (28 p)

Berthold's quick brown fox jumps over the lazy d
8,50 mm (32 p)

Berthold's quick brown fox jumps over the
9,55 mm (36 p)

Berthold-Schriften überzeugen durch Schärfe und Qualität. Schriftqualität ist eine Frage der Erfahrung Berthold hat diese Erfahrung seit über hundert Jahr en. Zuerst im Schriftguß, dann im Fotosatz. Berthol d-Schriften sind weltweit geschätzt. Im Schriftenat elier München wird jeder Buchstabe in der Größe von zwölf Zentimetern neu gezeichnet. Mit messerscha rfen Konturen, um für die Schriftscheiben das Optim

2,40 mm (9 p), Zeilenabstand 4,00 mm

Größe mm	p	Zeilenabstand kp	Êp	Ex	100 Zeichen 0	−1	−2
1,33	5	1,69	2,06	–	66	63	60
1,60	6	2,00	2,44	2,50	78	74	70
1,86	7	2,38	2,81	3,00	90	86	82
2,15	8	2,69	3,25	3,50	102	97	92
2,40	9	3,00	3,63	4,00	114	108	102
2,65	10	3,31	4,06	4,00	126	119	112
2,92	11	3,69	4,44	–	138	131	124
3,20	12	4,00	4,88	5,25	149	141	133
3,45	13	4,31	5,25	–	161	153	145
3,72	14	4,69	5,63	–	173	164	155
3,98	15	5,00	6,06	–	185	176	167
4,25	16	5,31	6,44	–	196	186	176

WZ 11 E, NSW 0, MZB 0,48, F 0,08:0,07 (1,2), VI
H 1–x 0,73–k 1,00–p 0,25–Ê 1,26–kp 1,25–Êp 1,51
BF 089 1333, Belegung 051: 085 1361 (095 1361)

Berthold-Schriften überzeugen durch Schärfe und Qualität. Schriftqualität ist eine Frage der Erfahrung. Berthold hat diese Erfahrung seit ü ber hundert Jahren. Zuerst im Schriftguß, dann im Fotosatz. Berthold-Schriften sind weltweit geschätzt. Im Schriftenatelier München wird j eder Buchstabe in der Größe von zwölf Zentim etern neu gezeichnet. Mit messerscharfen Ko

2,65 mm (10 p), Zeilenabstand 4,00 mm

kursiv schmalleicht
extra light condensed italic
italique extra maigre

HELVETICA

muy fina estrecha cursiva
ultra chiaro stretto corsivo
kursiv smal ultramager

Berthold-Schriften überzeugen durch Schärfe und Qualität. Schriftqua lität ist eine Frage der Erfahrung. Berthold hat diese Erfahrung seit über hundert Jahren. Zuerst im Schriftguß, dann im Fotosatz. Berthold-Schr iften sind weltweit geschätzt. Im Schriftenatelier München wird jeder B uchstabe in der Größe von zwölf Zentimetern neu gezeichnet. Mit mess erscharfen Konturen, um für die Schriftscheiben das Optimale an Kontu renschärfe herauszuholen. Um die Qualität des Einzelzeichens im Belic htungsvorgang zu bewahren, wird durch die ruhende, nicht rotierende S chriftscheibe belichtet. Dieses optische System, verbunden mit Präzisi

1,60 mm (6 p), Zeilenabstand 2,50 mm

Berthold-Schriften überzeugen durch Schärfe und Qualität. S chriftqualität ist eine Frage der Erfahrung. Berthold hat diese Erfahrung seit über hundert Jahren. Zuerst im Schriftguß, da nn im Fotosatz. Berthold-Schriften sind weltweit geschätzt. Im Schriftenatelier München wird jeder Buchstabe in der Größe v on zwölf Zentimetern neu gezeichnet. Mit messerscharfen Ko nturen, um für die Schriftscheiben das Optimale an Konturens chärfe herauszuholen. Um die Qualität des Einzelzeichens im

1,86 mm (7 p), Zeilenabstand 3,00 mm

Berthold-Schriften überzeugen durch Schärfe und Qua lität. Schriftqualität ist eine Frage der Erfahrung. Bertho ld hat diese Erfahrung seit über hundert Jahren. Zuerst i m Schriftguß, dann im Fotosatz. Berthold-Schriften sind weltweit geschätzt. Im Schriftenatelier München wird je der Buchstabe in der Größe von zwölf Zentimetern neu gezeichnet. Mit messerscharfen Konturen, um für die S chriftscheiben das Optimale an Konturenschärfe herau

2,15 mm (8 p), Zeilenabstand 3,50 mm

1983
D. Stempel AG
H. Berthold AG

ABCDEFGHIJKLMNOPQ
RSTUVWXYZ
abcdefghijklmnopqrstuvwxyz
1/1234567890 %
(.,-;:!i?¿–) ·[',„"“»«]
+–=/$£†&§*
ÄÅÆÖØŒÜäåæıöøœßü
ÁÀÂÃÇČÉÈÊËÍÌÎÏĹŇÑÓÒÔÕ
ŔŘŠŤÚÙÛŴẄÝŶŸŽ
áàâãçčéèêëíìîïĺňñóòôõŕřš
úùûŵẅýỳÿž

Berthold-Schriftweite weit
Berthold-Schriftweite normal
Berthold-Schriftweite eng
Berthold-Schriftweite sehr eng
Berthold-Schriftweite extrem eng

In general, bodytypes are measured in the typographical point size. The sizes of Berthold Fototype faces can be exa ctly determined. All faces of same poi nt size have the same capital height–i rrespective of their x-height. In hot m etal and many other phototypesetting systems the capital heights often diff er considerably from one face to the ot her. For measuring point sizes, a trans parent size gauge is provided. To dete rmine the point size, bring a capital let ter into coincidence with that field whi ch precisely circumscribes the letter at its upper and lower margin. Below the the field you find the typographical po int and below that the millimeter value

3,20 mm (12 p), Zeilenabstand 5,25 mm

Berthold's quick brown fox jumps over the lazy dog and feels as if he were in the seventh heaven of typogr
3,72 mm (14 p)

Berthold's quick brown fox jumps over the lazy dog and feels as if he were in the seventh heav
4,25 mm (16 p)

Berthold's quick brown fox jumps over the lazy dog and feels as if he were in the sev
4,75 mm (18 p)

Berthold's quick brown fox jumps over the lazy dog and feels as if he were in
5,30 mm (20 p)

Berthold's quick brown fox jumps over the lazy dog and feels as
6,35 mm (24 p)

Berthold's quick brown fox jumps over the lazy dog an
7,40 mm (28 p)

Berthold's quick brown fox jumps over the lazy
8,50 mm (32 p)

Berthold's quick brown fox jumps over the
9,55 mm (36 p)

Berthold-Schriften überzeugen durch Schärfe un d Qualität. Schriftqualität ist eine Frage der Erfahr ung. Berthold hat diese Erfahrung seit über hunde rt Jahren. Zuerst im Schriftguß, dann im Fotosatz Berthold-Schriften sind weltweit geschätzt. Im Sc hriftenatelier München wird jeder Buchstabe in d er Größe von zwölf Zentimetern neu gezeichnet Mit messerscharfen Konturen, um für die Schrifts

2,40 mm (9 p), Zeilenabstand 4,00 mm

Größe		Zeilenabstand			100 Zeichen		
mm	p	kp	Êp	Ex	0	–1	–2
1,33	5	1,69	2,00	–	70	67	64
1,60	6	2,00	2,44	2,50	83	79	75
1,86	7	2,38	2,81	3,00	95	91	87
2,15	8	2,69	3,25	3,50	108	103	98
2,40	9	3,00	3,63	4,00	121	115	109
2,65	10	3,31	4,00	4,00	133	126	119
2,92	11	3,69	4,44	–	146	139	132
3,20	12	4,00	4,81	5,25	158	150	142
3,45	13	4,31	5,19	–	171	163	155
3,72	14	4,69	5,63	–	183	174	165
3,98	15	5,00	6,00	–	195	186	177
4,25	16	5,31	6,38	–	208	198	188

WZ 11 E, NSW 0, MZB 0,50, F 0,08:0,06 (1,3), VI
H 1–x 0,73–k 1,00–p 0,25–Ê 1,25–kp 1,25–Êp 1,50
BF 089 1356, Belegung 051: 085 1362 (095 1362)

Berthold-Schriften überzeugen durch Schär fe und Qualität. Schriftqualität ist eine Frage der Erfahrung. Berthold hat diese Erfahrung seit über hundert Jahren. Zuerst im Schriftg uß, dann im Fotosatz. Berthold-Schriften sind weltweit geschätzt. Im Schriftenatelier Münc hen wird jeder Buchstabe in der Größe von z wölf Zentimetern neu gezeichnet. Mit messe

2,65 mm (10 p), Zeilenabstand 4,00 mm

schmalmager
light condensed
étroit maigre

HELVETICA

fina estrecha
chiarissimo stretto
smalmager

Berthold-Schriften überzeugen durch Schärfe und Qualität. Schriftqu alität ist eine Frage der Erfahrung. Berthold hat diese Erfahrung seit üb er hundert Jahren. Zuerst im Schriftguß, dann im Fotosatz. Berthold Schriften sind weltweit geschätzt. Im Schriftenatelier München wird je der Buchstabe in der Größe von zwölf Zentimetern neu gezeichnet. Mit messerscharfen Konturen, um für die Schriftscheiben das Optimale an Konturenschärfe herauszuholen. Um die Qualität des Einzelzeichens im Belichtungsvorgang zu bewahren, wird durch die ruhende, nicht rot ierende Schriftscheibe belichtet. Dieses optische System, verbunden

1,60 mm (6 p), Zeilenabstand 2,50 mm

Berthold-Schriften überzeugen durch Schärfe und Qualität. S chriftqualität ist eine Frage der Erfahrung. Berthold hat diese Erfahrung seit über hundert Jahren. Zuerst im Schriftguß, da nn im Fotosatz. Berthold-Schriften sind weltweit geschätzt. I m Schriftenatelier München wird jeder Buchstabe in der Grö ße von zwölf Zentimetern neu gezeichnet. Mit messerscharf en Konturen, um für die Schriftscheiben das Optimale an Kon turenschärfe herauszuholen. Um die Qualität des Einzelzeic

1,86 mm (7 p), Zeilenabstand 3,00 mm

Berthold-Schriften überzeugen durch Schärfe und Qu alität. Schriftqualität ist eine Frage der Erfahrung. Ber thold hat diese Erfahrung seit über hundert Jahren. Zu erst im Schriftguß, dann im Fotosatz. Berthold-Schrift en sind weltweit geschätzt. Im Schriftenatelier Münch en wird jeder Buchstabe in der Größe von zwölf Zentim etern neu gezeichnet. Mit messerscharfen Konturen, u m für die Schriftscheiben das Optimale an Konturensc

2,15 mm (8 p), Zeilenabstand 3,50 mm

1963
D. Stempel AG
H. Berthold AG

ABCDEFGHIJKLMNOPQ
RSTUVWXYZ
abcdefghijklmnopqrstuvwxyz
1⁄1234567890 %
(.,-;:!¡?¿–) · [‘‚’“„”»«]
+−=/$£†*&§
ÄÅÆÖØŒÜäåæıöøœßü
ÁÀÂÃÇČÉÈÊËÍÌÎÏĹŇÑÓÒÔÕ
ŔŘŠŤÚÙÛŴẄÝỲŸŽ
áàâãçčéèêëíìîïĺňñóòôõŕřš
úùûŵẅýỳÿž

Berthold-Schriftweite weit
Berthold-Schriftweite normal
Berthold-Schriftweite eng
Berthold-Schriftweite sehr eng
Berthold-Schriftweite extrem eng

In general, bodytypes are measured in the typographical point size. The si zes of Berthold Fototype faces can be exactly determined. All faces of same point size have the same capital heig ht–irrespective of their x-height. In h ot metal and many other phototypes etting systems the capital heights oft en differ considerably from one face t o the other. For measuring point size s, a transparent size gauge is provid ed. To determine the point size, bring a capital letter into coincidence with that field which precisely circumscri bes the letter at its upper and lower margin. Below the field you find the t ypographical point and below that the

3,20 mm (12 p), Zeilenabstand 5,25 mm

Berthold's quick brown fox jumps over the lazy dog and feels as if he were in the seventh heaven of typ
3,75 mm (14 p)

Berthold's quick brown fox jumps over the lazy dog and feels as if he were in the seventh h
4,25 mm (16 p)

Berthold's quick brown fox jumps over the lazy dog and feels as if he were in the
4,75 mm (18 p)

Berthold's quick brown fox jumps over the lazy dog and feels as if he were
5,30 mm (20 p)

Berthold's quick brown fox jumps over the lazy dog and feels
6,35 mm (24 p)

Berthold's quick brown fox jumps over the lazy dog
7,40 mm (28 p)

Berthold's quick brown fox jumps over the laz
8,50 mm (32 p)

Berthold's quick brown fox jumps over t
9,55 mm (36 p)

Berthold-Schriften überzeugen durch Schärfe u nd Qualität. Schriftqualität ist eine Frage der Erf ahrung. Berthold hat diese Erfahrung seit über h undert Jahren. Zuerst im Schriftguß, dann im Fo tosatz. Berthold-Schriften sind weltweit geschät zt. Im Schriftenatelier München wird jeder Buch stabe in der Größe von zwölf Zentimetern neu ge zeichnet. Mit messerscharfen Konturen, um für d

2,40 mm (9 p), Zeilenabstand 4,00 mm

Größe mm	p	Zeilenabstand kp	Êp	Ex	100 Zeichen 0	−1	−2
1,33	5	1,69	2,06	—	69	66	63
1,60	6	2,00	2,44	2,50	82	78	74
1,86	7	2,38	2,88	3,00	94	90	86
2,15	8	2,69	3,31	3,50	107	102	97
2,40	9	3,00	3,69	4,00	120	114	108
2,65	10	3,31	4,06	4,00	133	126	119
2,92	11	3,69	4,50	—	145	138	131
3,20	12	4,00	4,88	5,25	157	149	141
3,45	13	4,31	5,25	—	169	161	153
3,72	14	4,69	5,69	—	182	173	164
3,98	15	5,00	6,06	—	194	185	176
4,25	16	5,31	6,50	—	206	196	186

WZ 12 E, NSW 0, MZB 0,50, F 0,11:0,083 (1,3), VI
H 1−x 0,74−k 1,00−p 0,25−Ê 1,27−kp 1,25−Êp 1,52
BF 089 0438, Belegung 051: 085 6225 (095 6225)

Berthold-Schriften überzeugen durch Schär fe und Qualität. Schriftqualität ist eine Frage der Erfahrung. Berthold hat diese Erfahrung seit über hundert Jahren. Zuerst im Schriftg uß, dann im Fotosatz. Berthold-Schriften si nd weltweit geschätzt. Im Schriftenatelier M ünchen wird jeder Buchstabe in der Größe v on zwölf Zentimetern neu gezeichnet. Mit m

2,65 mm (10 p), Zeilenabstand 4,00 mm

kursiv schmalmager
light condensed italic
italique étroit maigre

HELVETICA

fina estrecha cursiva
chiarissimo stretto corsivo
kursiv smalmager

Berthold-Schriften überzeugen durch Schärfe und Qualität. Schriftqualität ist eine Frage der Erfahrung. Berthold hat diese Erfahrung seit über hundert Jahren. Zuerst im Schriftguß, dann im Fotosatz. Berthold-Schriften sind weltweit geschätzt. Im Schriftenatelier München wird jeder Buchstabe in der Größe von zwölf Zentimetern neu gezeichnet. Mit messerscharfen Konturen, um für die Schriftscheiben das Optimale an Konturenschärfe herauszuholen. Um die Qualität des Einzelzeichens im Belichtungsvorgang zu bewahren, wird durch die ruhende, nicht rotierende Schriftscheibe belichtet. Dieses optische Syste

1,60 mm (6 p), Zeilenabstand 2,50 mm

Berthold-Schriften überzeugen durch Schärfe und Qualität Schriftqualität ist eine Frage der Erfahrung. Berthold hat diese Erfahrung seit über hundert Jahren. Zuerst im Schriftguß dann im Fotosatz. Berthold-Schriften sind weltweit geschätzt. Im Schriftenatelier München wird jeder Buchstabe in der Größe von zwölf Zentimetern neu gezeichnet. Mit messerscharfen Konturen, um für die Schriftscheiben das Optimale an Konturenschärfe herauszuholen. Um die Qualität des Einzel

1,86 mm (7 p), Zeilenabstand 3,00 mm

Berthold-Schriften überzeugen durch Schärfe und Qualität. Schriftqualität ist eine Frage der Erfahrung. Berthold hat diese Erfahrung seit über hundert Jahren Zuerst im Schriftguß, dann im Fotosatz. Berthold-Schriften sind weltweit geschätzt. Im Schriftenatelier München wird jeder Buchstabe in der Größe von zwölf Zentimetern neu gezeichnet. Mit messerscharfen Konturen, um für die Schriftscheiben das Optimale an Ko

2,15 mm (8 p), Zeilenabstand 3,50 mm

1983
D. Stempel AG
H. Berthold AG

ABCDEFGHIJKLMNOPQ
RSTUVWXYZ
abcdefghijklmnopqrstuvwxyz
1/1234567890 %
(.,-;:!¡?¿–)·['‚„"“»«]
+−=/$£†&§*
ÄÅÆÖØŒÜäåæıöøœßü
ÁÀÂÃÇČÉÈÊËÍÌÎÏĹŇÑÓÒÔÕ
ŔŘŠŤÚÙÛŴẄÝŶŸŽ
áàâãçčéèêëíìîïĺňñóòôõŕřš
úùûŵẅýỳÿž

Berthold-Schriftweite weit
Berthold-Schriftweite normal
Berthold-Schriftweite eng
Berthold-Schriftweite sehr eng
Berthold-Schriftweite extrem eng

In general, bodytypes are measured in the typographical point size. The sizes of Berthold Fototype faces can be exactly determined. All faces of same point size have the same capital height– irrespective of their x-height In hot metal and many other phototypesetting systems the capital heights often differ considerably from one face to the other. For measuring point sizes, a transparent size gauge is provided. To determine the point size, bring a capital letter into coincidence with that field which precisely circumscribes the letter at its upper and lower margin. Below the field you find the typographical point and b

3,20 mm (12 p), Zeilenabstand 5,25 mm

Berthold's quick brown fox jumps over the lazy dog and feels as if he were in the seventh heaven of t
3,72 mm (14 p)

Berthold's quick brown fox jumps over the lazy dog and feels as if he were in the seventh
4,25 mm (16 p)

Berthold's quick brown fox jumps over the lazy dog and feels as if he were in the
4,75 mm (18 p)

Berthold's quick brown fox jumps over the lazy dog and feels as if he w
5,30 mm (20 p)

Berthold's quick brown fox jumps over the lazy dog and feel
6,35 mm (24 p)

Berthold's quick brown fox jumps over the lazy dog
7,40 mm (28 p)

Berthold's quick brown fox jumps over the la
8,50 mm (32 p)

Berthold's quick brown fox jumps over
9,55 mm (36 p)

Berthold-Schriften überzeugen durch Schärfe und Qualität. Schriftqualität ist eine Frage der Erfahrung. Berthold hat diese Erfahrung seit über hundert Jahren. Zuerst im Schriftguß, dann im Fotosatz. Berthold-Schriften sind weltweit geschätzt. Im Schriftenatelier München wird jeder Buchstabe in der Größe von zwölf Zentimetern neu gezeichnet. Mit messerscharfen Konturen, u

2,40 mm (9 p), Zeilenabstand 4,00 mm

Größe		Zeilenabstand			100 Zeichen		
mm	p	kp	Êp	Ex	0	−1	−2
1,33	5	1,69	2,06	–	74	71	68
1,60	6	2,00	2,44	2,50	87	83	79
1,86	7	2,38	2,88	3,00	100	96	92
2,15	8	2,69	3,31	3,50	114	109	104
2,40	9	3,00	3,69	4,00	128	122	116
2,65	10	3,31	4,06	4,00	141	134	127
2,92	11	3,69	4,50	–	154	147	140
3,20	12	4,00	4,88	5,25	167	159	151
3,45	13	4,31	5,25	–	180	172	164
3,72	14	4,69	5,69	–	193	184	175
3,98	15	5,00	6,06	–	206	197	188
4,25	16	5,31	6,50	–	219	209	199

WZ 12 E, NSW 0, MZB 0,53, F 0,10:0,08 (1,2), VI
H 1–x 0,74–k 1,00–p 0,25–Ê 1,27–kp 1,25–Êp 1,52
BF 089 1357, Belegung 051: 085 1364 (095 1364)

Berthold-Schriften überzeugen durch Schärfe und Qualität. Schriftqualität ist eine Frage der Erfahrung. Berthold hat diese Erfahrung seit über hundert Jahren. Zuerst im Schriftguß, dann im Fotosatz. Berthold-Schriften sind weltweit geschätzt. Im Schriftenatelier München wird jeder Buchstabe in der Größe von zwölf Zentimetern neu gezeichn

2,65 mm (10 p), Zeilenabstand 4,00 mm

schmalhalbfett
medium condensed
étroit demi-gras

HELVETICA

seminegra estrecha
neretto stretto
smalhalvfet

Berthold-Schriften überzeugen durch Schärfe und Qualität. Schriftqualität ist eine Frage der Erfahrung. Berthold hat diese Erfahrung seit über hundert Jahr en. Zuerst im Schriftguß, dann im Fotosatz. Berthold-Schriften sind weltweit ge schätzt. Im Schriftenatelier München wird jeder Buchstabe in der Größe von zw ölf Zentimetern neu gezeichnet. Mit messerscharfen Konturen, um für die Schri ftscheiben das Optimale an Konturenschärfe herauszuholen. Um die Qualität des Einzelzeichens im Belichtungsvorgang zu bewahren, wird durch die ruhende, ni cht rotierende Schriftscheibe belichtet. Dieses optische System, verbunden mit Präzisions-Chromglasscheiben, führt zu einer Schriftqualität, die im Layoutsatz

1,60 mm (6 p), Zeilenabstand 2,50 mm

Berthold-Schriften überzeugen durch Schärfe und Qualität. Schriftqu alität ist eine Frage der Erfahrung. Berthold hat diese Erfahrung seit über hundert Jahren. Zuerst im Schriftguß, dann im Fotosatz. Bertho ld-Schriften sind weltweit geschätzt. Im Schriftenatelier München wi rd jeder Buchstabe in der Größe von zwölf Zentimetern neu gezeichnet Mit messerscharfen Konturen, um für die Schriftscheiben das Optima le an Konturenschärfe herauszuholen. Um die Qualität des Einzelzeich ens im Belichtungsvorgang zu bewahren, wird durch die ruhende, nicht

1,86 mm (7 p), Zeilenabstand 3,00 mm

Berthold-Schriften überzeugen durch Schärfe und Qualität. Sc hriftqualität ist eine Frage der Erfahrung. Berthold hat diese Erfahrung seit über hundert Jahren. Zuerst im Schriftguß, da nn im Fotosatz. Berthold-Schriften sind weltweit geschätzt. Im Schriftenatelier München wird jeder Buchstabe in der Größe von zwölf Zentimetern neu gezeichnet. Mit messerscharfen Konturen, um für die Schriftscheiben das Optimale an Konture nschärfe herauszuholen. Um die Qualität des Einzelzeichens i

2,15 mm (8 p), Zeilenabstand 3,50 mm

1940
Haas'sche Schriftgießerei AG
H. Berthold AG

ABCDEFGHIJKLMNOPQ
RSTUVWXYZ
abcdefghijklmnopqrstuvwxyz
1/1234567890 %
(.,-;:!i?¿–)·['‘„”“»«]
+–=/$£†*&§
ÄÅÆÖØŒÜäåæıöøœßü
ÁÀÂÃÇČÉÈÊËÍÌÎÏĹŇÑÓÒÔÕ
ŔŘŠŤÚÙÛŴẄÝŶŸŽ
áàâãçčéèêëíìîïĺňñóòôõŕřš
úùûŵẅýỳÿž

Berthold-Schriftweite weit
Berthold-Schriftweite normal
Berthold-Schriftweite eng
Berthold-Schriftweite sehr eng
Berthold-Schriftweite extrem eng

In general, bodytypes are measured in the typographical point size. The sizes of Berth old Fototype faces can be exactly determin ed. All faces of same point size have the sa me capital height-irrespective of their x-he ight. In hot metal and many other phototyp esetting systems the capital heights often differ considerably from one face to the oth er. For measuring point sizes, a transpare nt size gauge is provided. To determine the point size, bring a capital letter into coinci dence with that field which precisely circu mscribes the letter at its upper and lower margin. Below the field you find the typogr aphical point and below that the millimeter value, which also refers to the height of a capital letter. In Berthold-phototype setting

3,20 mm (12 p), Zeilenabstand 5,25 mm

Berthold's quick brown fox jumps over the lazy dog and feels as if he were in the seventh heaven of typography togeth
3,75 mm (14 p)

Berthold's quick brown fox jumps over the lazy dog and feels as if he were in the seventh heaven of typog
4,25 mm (16 p)

Berthold's quick brown fox jumps over the lazy dog and feels as if he were in the seventh heav
4,75 mm (18 p)

Berthold's quick brown fox jumps over the lazy dog and feels as if he were in the sev
5,30 mm (20 p)

Berthold's quick brown fox jumps over the lazy dog and feels as if he w
6,35 mm (24 p)

Berthold's quick brown fox jumps over the lazy dog and feels
7,40 mm (28 p)

Berthold's quick brown fox jumps over the lazy dog a
8,50 mm (32 p)

Berthold's quick brown fox jumps over the lazy
9,55 mm (36 p)

Berthold-Schriften überzeugen durch Schärfe und Quali tät. Schriftqualität ist eine Frage der Erfahrung. Berthold hat diese Erfahrung seit über hundert Jahren. Zuerst im Schriftguß, dann im Fotosatz. Berthold-Schriften sind we ltweit geschätzt. Im Schriftenatelier München wird jeder Buchstabe in der Größe von zwölf Zentimetern neu gezeic hnet. Mit messerscharfen Konturen, um für die Schriftsc heiben das Optimale an Konturenschärfe herauszuholen

2,40 mm (9 p), Zeilenabstand 4,00 mm

Größe		Zeilenabstand			100 Zeichen		
mm	p	kp	Êp	Ex	0	–1	–2
1,33	5	1,69	2,00	—	61	58	55
1,60	6	2,00	2,44	2,50	72	68	64
1,86	7	2,38	2,81	3,00	83	79	75
2,15	8	2,69	3,25	3,50	94	89	84
2,40	9	3,00	3,63	4,00	105	99	93
2,65	10	3,31	4,00	4,00	116	109	102
2,92	11	3,69	4,38	—	127	120	113
3,20	12	4,00	4,81	5,25	138	130	122
3,45	13	4,31	5,19	—	149	141	133
3,72	14	4,69	5,56	—	159	150	141
3,98	15	5,00	5,94	—	170	161	152
4,25	16	5,31	6,38	—	181	171	161

WZ 10 E, NSW 0, MZB 0,44, F 0,15:0,11 (1,3), VI
H 1–x 0,75–k 1,00–p 0,25–Ê 1,24–kp 1,25–Êp 1,49
BF 089 0439, Belegung 051: 085 6228 (095 6228)

Berthold-Schriften überzeugen durch Schärfe und Qualität. Schriftqualität ist eine Frage der Erfahru ng. Berthold hat diese Erfahrung seit über hundert Jahren. Zuerst im Schriftguß, dann im Fotosatz. Be rthold-Schriften sind weltweit geschätzt. Im Schrif tenatelier München wird jeder Buchstabe in der Gr öße von zwölf Zentimetern neu gezeichnet. Mit me sserscharfen Konturen, um für die Schriftscheiben

2,65 mm (10 p), Zeilenabstand 4,00 mm

schmalfett
bold condensed
étroit gras

HELVETICA

negra estrecha
nero stretto
smalfet

Berthold-Schriften überzeugen durch Schärfe und Qualität Schriftqualität ist eine Frage der Erfahrung. Berthold hat diese Erfahrung seit über hundert Jahren. Zuerst im Schriftguß, dann im Fotosatz. Berthold-Schriften sind weltweit geschätzt. Im Schriftenatelier München wird jeder Buchstabe in der Größe von zwölf Zentimetern neu gezeichnet. Mit messerscharfen Konturen, um für die Schriftscheiben das Optimale an Kontur enschärfe herauszuholen. Um die Qualität des Einzelzeichens im Belichtungsvorgang zu bewahren, wird durch die ruhende

1,60 mm (6 p), Zeilenabstand 2,50 mm

Berthold-Schriften überzeugen durch Schärfe und Qu alität. Schriftqualität ist eine Frage der Erfahrung. Ber thold hat diese Erfahrung seit über hundert Jahren. Zu erst im Schriftguß, dann im Fotosatz. Berthold-Schrift en sind weltweit geschätzt. Im Schriftenatelier Münc hen wird jeder Buchstabe in der Größe von zwölf Zenti metern neu gezeichnet. Mit messerscharfen Kontur en, um für die Schriftscheiben das Optimale an Kontur

1,86 mm (7 p), Zeilenabstand 3,00 mm

Berthold-Schriften überzeugen durch Schärfe und Qualität. Schriftqualität ist eine Frage der Erfahrung. Berthold hat diese Erfahrung seit üb er hundert Jahren. Zuerst im Schriftguß, dann im Fotosatz. Berthold-Schriften sind weltweit geschätzt. Im Schriftenatelier München wird je der Buchstabe in der Größe von zwölf Zentimet ern neu gezeichnet. Mit messerscharfen Kontu

2,15 mm (8 p), Zeilenabstand 3,50 mm

1946
Haas'sche Schriftgießerei AG
H. Berthold AG

ABCDEFGHIJKLMNOPQ
RSTUVWXYZ
abcdefghijklmnopqrstuvwxyz
1/1234567890%
(.,-;:!¡?¿–)·['‘„"“»«]
+−=/$£†*&§
ÄÅÆÖØŒÜäåæıöøœßü
ÁÀÂÃÇČÉÈÊËÍÌÎÏĽŇÑÓÒÔÕ
ŔŘŠŤÚÙÛŴẄÝŶŸŽ
áàâãçčéèêëíìîïľňñóòôõŕřš
úùûŵẅýỳÿž

Berthold-Schriftweite weit
Berthold-Schriftweite normal
Berthold-Schriftweite eng
Berthold-Schriftweite sehr eng
Berthold-Schriftweite extrem eng

In general, bodytypes are meas ured in the typographical point size. The sizes of Berthold Fotot ype faces can be exactly dete rmined. All faces of same point s ize have the same capital height irrespective of their x-height. In hot metal and many other pho totypesetting systems the capit al heights often differ consider ably from one face to the other For measuring point sizes, a tra nsparent size gauge is provided To determine the point size, bri ng a capital letter into coincide nce with that field which precis ely circumscribes the letter at i

3,20 mm (12 p), Zeilenabstand 5,25 mm

Berthold's quick brown fox jumps over the lazy dog and feels as if he were in the seventh
3,75 mm (14 p)

Berthold's quick brown fox jumps over the lazy dog and feels as if he were in th
4,25 mm (16 p)

Berthold's quick brown fox jumps over the lazy dog and feels as if he
4,75 mm (18 p)

Berthold's quick brown fox jumps over the lazy dog and feels as
5,30 mm (20 p)

Berthold's quick brown fox jumps over the lazy dog a
6,35 mm (24 p)

Berthold's quick brown fox jumps over the la
7,40 mm (28 p)

Berthold's quick brown fox jumps over
8,50 mm (32 p)

Berthold's quick brown fox jumps
9,55 mm (36 p)

Berthold-Schriften überzeugen durch Sch ärfe und Qualität. Schriftqualität ist eine F rage der Erfahrung. Berthold hat diese Erfa hrung seit über hundert Jahren. Zuerst im Schriftguß, dann im Fotosatz. Berthold Schriften sind weltweit geschätzt. Im Sch riftenatelier München wird jeder Buchsta be in der Größe von zwölf Zentimetern ne

2,40 mm (9 p), Zeilenabstand 4,00 mm

Größe		Zeilenabstand			100 Zeichen		
mm	p	kp	Êp	Ex	0	−1	−2
1,33	5	1,63	2,00	—	81	78	75
1,60	6	1,94	2,38	2,50	95	91	87
1,86	7	2,31	2,81	3,00	109	105	101
2,15	8	2,63	3,19	3,50	124	119	114
2,40	9	2,94	3,56	4,00	139	133	127
2,65	10	3,25	3,94	4,00	153	146	139
2,92	11	3,56	4,38	—	167	160	153
3,20	12	3,88	4,75	5,25	182	174	166
3,45	13	4,19	5,13	—	196	188	180
3,72	14	4,56	5,56	—	210	201	192
3,98	15	4,88	5,94	—	224	215	206
4,25	16	5,19	6,31	—	239	229	219

WZ 12 E, NSW 0, MZB 0,58, F 0,23:0,14 (1,7), VI
H 1–x 0,76–k 1,00–p 0,21–Ê 1,27–kp 1,21–Êp 1,48
BF 089 0440, Belegung 051: 085 6229 (095 6229)

Berthold-Schriften überzeugen durch Schärfe und Qualität. Schriftqualität ist eine Frage der Erfahrung. Berthold hat diese Erfahrung seit über hundert Jah ren. Zuerst im Schriftguß, dann im Fot osatz. Berthold-Schriften sind weltw eit geschätzt. Im Schriftenatelier Mün chen wird jeder Buchstabe in der Größe

2,65 mm (10 p), Zeilenabstand 4,00 mm

breit leicht
extra light extended
large extra maigre

HELVETICA

muy fina ancha
ultra chiaro largo
bred ultramager

Berthold-Schriften überzeugen durch Schärfe und Qualität. Schriftqualität ist eine Frage der Erfahrung Berthold hat diese Erfahrung seit über hundert Jah ren. Zuerst im Schriftguß, dann im Fotosatz. Berthol d-Schriften sind weltweit geschätzt. Im Schriftenat elier München wird jeder Buchstabe in der Grö ße von zwölf Zentimetern neu gezeichnet. Mit mes serscharfen Konturen, um für die Schriftscheiben d as Optimale an Konturenschärfe herauszuholen. U

1,60 mm (6 p), Zeilenabstand 2,50 mm

Berthold-Schriften überzeugen durch Schä rfe und Qualität. Schriftqualität ist eine Frage der Erfahrung. Berthold hat diese Erfahrung seit über hundert Jahren. Zuerst im Schriftg uß, dann im Fotosatz. Berthold-Schriften sind weltweit geschätzt. Im Schriftenatelier Mü nchen wird jeder Buchstabe in der Größe von zwölf Zentimetern neu gezeichnet. Mit mess

1,86 mm (7 p), Zeilenabstand 3,00 mm

Berthold-Schriften überzeugen durch Schärfe und Qualität. Schriftqualität ist eine Frage der Erfahrung. Berthold hat diese Erfahrung seit über hundert Jahr en. Zuerst im Schriftguß, dann im Fotos atz. Berthold-Schriften sind weltweit ge schätzt. Im Schriftenatelier München wi rd jeder Buchstabe in der Größe von z

2,15 mm (8 p), Zeilenabstand 3,50 mm

1983
D. Stempel AG
H. Berthold AG

ABCDEFGHIJKLMNOPQ
RSTUVWXYZ
abcdefghijklmnopqrstuvwxyz
1/1234567890%
(.,-;:!i?¿–)·[',„""»«]
+–=/$£†*&§
ÄÅÆÖØŒÜäåæıöøœßü
ÁÀÂÃÇČÉÈÊËÍÌÎĽŇÑÓÒÔÕ
ŔŘŠŤÚÙÛŴẄÝŶŸŽ
áàâãçčéèêëíìîľňñóòôõŕřš
úùûŵẅýỳÿž

Berthold-Schriftweite weit
Berthold-Schriftweite normal
Berthold-Schriftweite eng
Berthold-Schriftweite sehr eng
Berthold-Schriftweite extrem eng

In general, bodytypes are measured in the typograp hical point size. The sizes of Berthold Fototype faces can be exactly determined All faces of same point size have the same capital hei ght–irrespective of their x height. In hot metal and m any other phototypesetting systems the capital heights often differ considerably fr om one face to the other. F or measuring point sizes, a transparent size gauge is provided. To determine the point size, bring a capital le

3,20 mm (12 p), Zeilenabstand 5,25 mm

Berthold's quick brown fox jumps over the lazy dog and feels as if he were
3,72 mm (14 p)

Berthold's quick brown fox jumps over the lazy dog and feels as if
4,25 mm (16 p)

Berthold's quick brown fox jumps over the lazy dog and f
4,75 mm (18 p)

Berthold's quick brown fox jumps over the lazy dog
5,30 mm (20 p)

Berthold's quick brown fox jumps over the
6,35 mm (24 p)

Berthold's quick brown fox jumps ov
7,40 mm (28 p)

Berthold's quick brown fox jum
8,50 mm (32 p)

Berthold's quick brown fox j
9,55 mm (36 p)

Berthold-Schriften überzeugen du rch Schärfe und Qualität. Schriftqu alität ist eine Frage der Erfahrung Berthold hat diese Erfahrung seit ü ber hundert Jahren. Zuerst im Schr iftguß, dann im Fotosatz. Berthold Schriften sind weltweit geschätzt. I m Schriftenatelier München wird je

2,40 mm (9 p), Zeilenabstand 4,00 mm

Größe		Zeilenabstand			100 Zeichen		
mm	p	kp	Êp	Ex	0	–1	–2
1,33	5	1,69	2,06	–	99	96	93
1,60	6	2,06	2,50	2,50	116	112	108
1,86	7	2,38	2,88	3,00	134	130	126
2,15	8	2,75	3,38	3,50	152	147	142
2,40	9	3,06	3,75	4,00	170	164	158
2,65	10	3,38	4,13	4,00	188	181	174
2,92	11	3,75	4,50	–	205	198	191
3,20	12	4,13	4,94	5,25	223	215	207
3,45	13	4,44	5,38	–	240	232	224
3,72	14	4,75	5,75	–	258	249	240
3,98	15	5,06	6,13	–	275	266	257
4,25	16	5,44	6,56	–	293	283	273

WZ 16 E, NSW 0, MZB 0,71, F 0,10:0,08 (1,3), VI
H 1–x 0,73–k 1,00–p 0,27–Ê 1,27–kp 1,27–Êp 1,54
BF 089 1332, Belegung 051: 085 1365 (095 1365)

Berthold-Schriften überzeugen durch Schärfe und Qualität. Sch riftqualität ist eine Frage der Erf ahrung. Berthold hat diese Erfa hrung seit über hundert Jahren Zuerst im Schriftguß, dann im F otosatz. Berthold-Schriften sind weltweit geschätzt. Im Schriften

2,65 mm (10 p), Zeilenabstand 4,00 mm

breitmager
light extended
large maigre

HELVETICA

fina ancha
chiarissimo largo
bredmager

Berthold-Schriften überzeugen durch Schärfe und Qualität. Schriftqualität ist eine Frage der Erf ahrung. Berthold hat diese Erfahrung seit über hundert Jahren. Zuerst im Schriftguß, dann im Fo tosatz. Berthold-Schriften sind weltweit geschät zt. Im Schriftenatelier München wird jeder Buchs tabe in der Größe von zwölf Zentimetern neu gez eichnet. Mit messerscharfen Konturen, um für die Schriftscheiben das Optimale an Konturensc

1,60 mm (6 p), Zeilenabstand 2,50 mm

Berthold-Schriften überzeugen durch Sch ärfe und Qualität. Schriftqualität ist eine Fra ge der Erfahrung. Berthold hat diese Erfah rung seit über hundert Jahren. Zuerst im Schriftguß, dann im Fotosatz. Berthold-Sc hriften sind weltweit geschätzt. Im Schrifte natelier München wird jeder Buchstabe in der Größe von zwölf Zentimetern neu geze

1,86 mm (7 p), Zeilenabstand 3,00 mm

Berthold-Schriften überzeugen durch Schärfe und Qualität. Schriftqualität ist eine Frage der Erfahrung. Berthold hat diese Erfahrung seit über hundert Jah ren. Zuerst im Schriftguß, dann im Fot osatz. Berthold-Schriften sind weltwe it geschätzt. Im Schriftenatelier Münc hen wird jeder Buchstabe in der Grö

2,15 mm (8 p), Zeilenabstand 3,50 mm

1964
D. Stempel AG
H. Berthold AG

ABCDEFGHIJKLMNOPQ
RSTUVWXYZ
abcdefghijklmnopqrstuvwxyz
1/1234567890%
(.,-;:!¡?¿–) · ["„"“»«]
+−=/$£†*&§
ÄÅÆÖØŒÜäåæıöøœßü
ÁÀÂÃÇČÉÈÊËÍÌÎĨĽŇÑÓÒÔÕ
ŔŘŠŤÚÙÛŴẄÝŶŸŽ
áàâãçčéèêëíìîĩľňñóòôõŕřš
úùûŵẅýỳÿž

Berthold-Schriftweite weit
Berthold-Schriftweite normal
Berthold-Schriftweite eng
Berthold-Schriftweite sehr eng
Berthold-Schriftweite extrem eng

In general, bodytypes are measured in the typogra phical point size. The size s of Berthold Fototype fa ces can be exactly deter mined. All faces of same point size have the same capital height–irrespecti ve of their x-height. In hot metal and many other p hototypesetting systems the capital heights often differ considerably from one face to the other. For measuring point sizes, a transparent size gauge is provided. To determine th

3,20 mm (12 p), Zeilenabstand 5,25 mm

Berthold's quick brown fox jumps over the lazy dog and feels as if he
3,75 mm (14 p)

Berthold's quick brown fox jumps over the lazy dog and feels
4,25 mm (16 p)

Berthold's quick brown fox jumps over the lazy dog an
4,75 mm (18 p)

Berthold's quick brown fox jumps over the lazy d
5,30 mm (20 p)

Berthold's quick brown fox jumps over t
6,35 mm (24 p)

Berthold's quick brown fox jumps
7,40 mm (28 p)

Berthold's quick brown fox ju
8,50 mm (32 p)

Berthold's quick brown fox
9,55 mm (36 p)

Berthold-Schriften überzeugen d urch Schärfe und Qualität. Schrift qualität ist eine Frage der Erfahru ng. Berthold hat diese Erfahrung seit über hundert Jahren. Zuerst im Schriftguß, dann im Fotosatz Berthold-Schriften sind weltweit geschätzt. Im Schriftenatelier Mü

2,40 mm (9 p), Zeilenabstand 4,00 mm

Größe mm	p	Zeilenabstand kp	Êp	Ex	100 Zeichen 0	−1	−2
1,33	5	1,69	2,06	–	102	99	96
1,60	6	2,00	2,44	2,50	120	116	112
1,86	7	2,38	2,88	3,00	138	134	130
2,15	8	2,69	3,31	3,50	157	152	147
2,40	9	3,00	3,69	4,00	176	170	164
2,65	10	3,31	4,06	4,00	194	187	180
2,92	11	3,69	4,50	–	212	205	198
3,20	12	4,00	4,88	5,25	230	222	214
3,45	13	4,31	5,25	–	248	240	232
3,72	14	4,69	5,69	–	266	257	248
3,98	15	5,00	6,06	–	284	275	266
4,25	16	5,31	6,50	–	302	292	282

WZ 17 E, NSW 0, MZB 0,73, F 0,14:0,11 (1,3), VI
H 1–x 0,74–k 1,00–p 0,25–Ê 1,27–kp 1,25–Êp 1,52
BF 089 0441, Belegung 051: 085 0431 (095 0431)

Berthold-Schriften überzeug en durch Schärfe und Qualität Schriftqualität ist eine Frage d er Erfahrung. Berthold hat die se Erfahrung seit über hundert Jahren. Zuerst im Schriftguß, d ann im Fotosatz. Berthold-Sch riften sind weltweit geschätzt

2,65 mm (10 p), Zeilenabstand 4,00 mm

breithalbfett
medium extended
large demi-gras

HELVETICA

seminegra ancha
neretto largo
bredhalvfet

Berthold-Schriften überzeugen durch Sch
ärfe und Qualität. Schriftqualität ist eine Fr
age der Erfahrung. Berthold hat diese Erfa
hrung seit über hundert Jahren. Zuerst im
Schriftguß, dann im Fotosatz. Berthold-Sc
hriften sind weltweit geschätzt. Im Schrifte
natelier München wird jeder Buchstabe in
der Größe von zwölf Zentimetern neu geze
ichnet. Mit messerscharfen Konturen, um

1,60 mm (6 p), Zeilenabstand 2,50 mm

Berthold-Schriften überzeugen durch
Schärfe und Qualität. Schriftqualität
ist eine Frage der Erfahrung. Berthold
hat diese Erfahrung seit über hundert
Jahren. Zuerst im Schriftguß, dann im
Fotosatz. Berthold-Schriften sind we
ltweit geschätzt. Im Schriftenatelier
München wird jeder Buchstabe in der

1,86 mm (7 p), Zeilenabstand 3,00 mm

Berthold-Schriften überzeugen d
urch Schärfe und Qualität. Schrif
tqualität ist eine Frage der Erfahr
ung. Berthold hat diese Erfahrun
g seit über hundert Jahren. Zuers
t im Schriftguß, dann im Fotosatz
Berthold-Schriften sind weltweit
geschätzt. Im Schriftenatelier Mü

2,15 mm (8 p), Zeilenabstand 3,50 mm

1961
D. Stempel AG
H. Berthold AG

ABCDEFGHIJKLMNOPQ
RSTUVWXYZ
abcdefghijklmnopqrstuvw
xyz 1/1234567890%
(.,-;:!¡?¿–) · [’‘„”“›‹]
+−=/$£†*&§
ÄÅÆÖØŒÜäåæıöøœßü
ÁÀÂÃÇČÉÈÊËÍÌÎÏĹŇÑÓÒÔ
ÕŔŘŠŤÚÙÛŴẄÝŶŸŽ
áàâãçčéèêëíìîïĺňñóòôõŕř
šúùûŵẅýỳÿž

Schriftweite weit
Schriftweite normal
Schriftweite eng
Schriftweite sehr eng
Schriftweite extrem eng

In general, bodytypes
are measured in the ty
pographical point size
The sizes of Berthold F
ototype faces can be
exactly determined. Al
l faces of same point s
ize have the same cap
ital height–irrepective
of their x-height. In hot
metal and many other
phototypesetting syst
ems the capital height
often differ considera
bly from one face to t
he other. For measurin
g point sizes, a transp

3,20 mm (12 p), Zeilenabstand 5,25 mm

Berthold’s quick brown fox jumps over the lazy dog and feels
3,75 mm (14 p)

Berthold’s quick brown fox jumps over the lazy dog a
4,25 mm (16 p)

Berthold’s quick brown fox jumps over the lazy
4,75 mm (18 p)

Berthold’s quick brown fox jumps over the
5,30 mm (20 p)

Berthold’s quick brown fox jumps o
6,35 mm (24 p)

Berthold’s quick brown fox ju
7,40 mm (28 p)

Berthold’s quick brown fox
8,50 mm (32 p)

Berthold’s quick brown
9,55 mm (36 p)

Berthold-Schriften überzeuge
n durch Schärfe und Qualität
Schriftqualität ist eine Frage
der Erfahrung. Berthold hat di
ese Erfahrung seit über hund
ert Jahren. Zuerst im Schriftg
uß, dann im Fotosatz. Berthol
d-Schriften sind weltweit ges

2,40 mm (9 p), Zeilenabstand 4,00 mm

Größe		Zeilenabstand			100 Zeichen		
mm	p	kp	Êp	Ex	0	−1	−2
1,00	5	1,75	2,06		115	110	100
1,60	6	2,06	2,44	2,50	135	131	127
1,86	7	2,38	2,88	3,00	156	152	148
2,15	8	2,75	3,31	3,50	177	172	167
2,40	9	3,06	3,69	4,00	198	192	186
2,65	10	3,38	4,06	4,00	219	212	205
2,92	11	3,75	4,50	–	239	232	225
3,20	12	4,13	4,88	5,25	259	251	243
3,45	13	4,44	5,25	–	280	272	264
3,72	14	4,75	5,69	–	300	291	282
3,98	15	5,06	6,06	–	320	311	302
4,25	16	5,44	6,50	–	341	331	321

WZ 17 E, NSW +1, MZB 0,82, F 0,24:0,14 (1,7), VI
H 1–x 0,74–k 1,00–p 0,27–Ê 1,25–kp 1,27–Êp 1,52
BF 089 0442, Belegung 051: 085 0432 (095 0432)

Berthold-Schriften überze
ugen durch Schärfe und Q
ualität. Schriftqualität ist e
ine Frage der Erfahrung. B
erthold hat diese Erfahrun
g seit über hundert Jahren
Zuerst im Schriftguß, dann
im Fotosatz. Berthold-Schr

2,65 mm (10 p), Zeilenabstand 4,00 mm

breitfett
bold extended
large gras

HELVETICA

negra ancha
nero largo
bredfet

Berthold-Schriften überzeugen dur ch Schärfe und Qualität. Schriftquali tät ist eine Frage der Erfahrung. Bert hold hat diese Erfahrung seit über h undert Jahren. Zuerst im Schriftguß dann im Fotosatz. Berthold-Schriften sind weltweit geschätzt. Im Schriften atelier München wird jeder Buchsta be in der Größe von zwölf Zentimeter

1,60 mm (6 p), Zeilenabstand 2,50 mm

Berthold-Schriften überzeugen durch Schärfe und Qualität. Sc hriftqualität ist eine Frage der E rfahrung. Berthold hat diese Erf ahrung seit über hundert Jahre n. Zuerst im Schriftguß, dann im Fotosatz. Berthold-Schriften si nd weltweit geschätzt. Im Schrif

1,86 mm (7 p), Zeilenabstand 3,00 mm

Berthold-Schriften überzeu gen durch Schärfe und Qua lität. Schriftqualität ist eine Frage der Erfahrung. Berth old hat diese Erfahrung seit über hundert Jahren. Zuerst im Schriftguß, dann im Foto satz. Berthold-Schriften sin

2,15 mm (8 p), Zeilenabstand 3,50 mm

Haas'sche
Schriftgießerei AG
H. Berthold AG

ABCDEFGHIJKLMNOPQ
RSTUVWXYZ
abcdefghijklmnopqrst
uvwxyz+−=/$£†*&§
1/1 234567890%
(.,-;:!¡?¿—)·["„"“»«]
ÄÅÆÖØŒÜäåæıöøœßü
ÁÀÂÃÇČÉÈÊËÍÌÎÏĹÑŇÓ
ÒÔÕŔŘŠŤÚÙÛŴẄÝŶŸŽ
áàâãçčéèêëíìîïĺňñóòô
õŕřšúùûŵẅýỳÿž

Schriftweite weit
Schriftweite normal
Schriftweite eng
Schriftweite sehr eng
Schriftweite extrem eng

In general, bodyty pes are measured in the typographic al point size. The si zes of Berthold Fo totype faces can b e exactly determin ed. All faces of sa me point size have the same capital h eight—irrespective of their x-height. In hot metal and many other phototypese tting systems the c apital heights often differ considerably

3,20 mm (12 p), Zeilenabstand 5,25 mm

Berthold's quick brown fox jumps over the lazy dog
3,75 mm (14 p)

Berthold's quick brown fox jumps over the la
4,25 mm (16 p)

Berthold's quick brown fox jumps over t
4,75 mm (18 p)

Berthold's quick brown fox jumps o
5,30 mm (20 p)

Berthold's quick brown fox ju
6,35 mm (24 p)

Berthold's quick brown fo
7,40 mm (28 p)

Berthold's quick brow
8,50 mm (32 p)

Berthold's quick bro
9,55 mm (36 p)

Berthold-Schriften über zeugen durch Schärfe u nd Qualität. Schriftqualit ät ist eine Frage der Erfa hrung. Berthold hat diese Erfahrung seit über hun dert Jahren. Zuerst im S chriftguß, dann im Fotos

2,40 mm (9 p), Zeilenabstand 4,00 mm

Größe		Zeilenabstand			100 Zeichen		
mm	p	kp	Êp	Ex	0	−1	−2
1,33	5	1,69	2,00	—	141	138	135
1,60	6	2,00	2,38	2,50	166	162	158
1,86	7	2,31	2,81	3,00	191	187	183
2,15	8	2,69	3,19	3,50	217	212	207
2,40	9	3,00	3,56	4,00	243	237	231
2,65	10	3,31	3,94	4,00	268	261	254
2,92	11	3,63	4,38	—	293	286	279
3,20	12	4,00	4,75	5,25	318	310	302
3,45	13	4,31	5,13	—	343	335	327
3,72	14	4,63	5,56	—	368	359	350
3,98	15	4,94	5,94	—	393	384	375
4,25	16	5,31	6,31	—	418	408	398

WZ 20 E, NSW 0, MZB 1,01, F 0,36:0,19 (1,9), VI
H 1–x 0,77–k 1,00–p 0,24–Ê 1,24–kp 1,24–Êp 1,48
BF 089 0443, Belegung 051: 085 0433 (095 0433)

Berthold-Schriften üb erzeugen durch Schä rfe und Qualität. Schrif tqualität ist eine Frage der Erfahrung. Bertho ld hat diese Erfahrung seit über hundert Jahr en. Zuerst im Schriftg

2,65 mm (10 p), Zeilenabstand 4,00 mm

HELVETICA INSERAT

Berthold-Schriften überzeugen durch Schärfe und Qualität. Schriftq ualität ist eine Frage der Erfahrung. Berthold hat diese Erfahrung seit über hundert Jahren. Zuerst im Schriftguß, dann im Fotosatz. Berthol d-Schriften sind weltweit geschätzt. Im Schriftenatelier München wi rd jeder Buchstabe in der Größe von zwölf Zentimetern neu gezeichne t. Mit messerscharfen Konturen, um für die Schriftscheiben das Opti male an Konturenschärfe herauszuholen. Um die Qualität des Einzelz eichens im Belichtungsvorgang zu bewahren, wird durch die ruhend e, nicht rotierende Schriftscheibe belichtet. Dieses optische System

1,60 mm (6 p), Zeilenabstand 2,50 mm

Berthold-Schriften überzeugen durch Schärfe und Qualität Schriftqualität ist eine Frage der Erfahrung. Berthold hat di ese Erfahrung seit über hundert Jahren. Zuerst im Schriftg uß, dann im Fotosatz. Berthold-Schriften sind weltweit ges chätzt. Im Schriftenatelier München wird jeder Buchstabe i n der Größe von zwölf Zentimetern neu gezeichnet. Mit mes serscharfen Konturen um für die Schriftscheiben das Opti male an Konturenschärfe herauszuholen. Um die Qualität d

1,86 mm (7 p), Zeilenabstand 3,00 mm

Berthold-Schriften überzeugen durch Schärfe und Q ualität. Schriftqualität ist eine Frage der Erfahrung. B erthold hat diese Erfahrung seit über hundert Jahren Zuerst im Schriftguß, dann im Fotosatz. Berthold-Sch riften sind weltweit geschätzt. Im Schriftenatelier M ünchen wird jeder Buchstabe in der Größe von zwölf Zentimetern neu gezeichnet. Mit messerscharfen Ko nturen, um für die Schriftscheiben das Optimale an K

2,15 mm (8 p), Zeilenabstand 3,50 mm

1969
D. Stempel AG
H. Berthold AG

ABCDEFGHIJKLMNOPQ
RSTUVWXYZ
abcdefghijklmnopqrstuvwxyz
1/1234567890%
(.,-;:!¡?¿–)·["„"“»«]
+–=/$£†*&§
ÄÅÆÖØŒÜäåæıöøœßü
ÁÀÂÃÇČÉÈÊËÍÌÎÏĹŇÑÓÒÔÕ
ŔŘŠŤÚÙÛŴẄÝỲŸŽ
áàâãçčéèêëíìîïĺňñóòôõŕřš
úùûŵẅýỳÿž

Berthold-Schriftweite weit
Berthold-Schriftweite normal
Berthold-Schriftweite eng
Berthold-Schriftweite sehr eng
Berthold-Schriftweite extrem eng

In general, bodytypes are measured in the typographical point size. The s izes of Berthold Fototype faces can be exactly determined. All faces of s ame point size have the same capital height–irrespective of their x-heigh t. In hot metal and many other photo typesetting systems the capital hei ghts often differ considerably from one face to the other. For measuring point sizes, a transparent size gauge is provided. To determine the point s ize, bring a capital letter into coinci dence with that field which precisely circumscribes the letter at its upper and lower margin. Below the field yo u find the typographical point and b

3,20 mm (12 p), Zeilenabstand 5,25 mm

Berthold's quick brown fox jumps over the lazy dog and feels as if he were in the seventh heaven of t
3,72 mm (14 p)

Berthold's quick brown fox jumps over the lazy dog and feels as if he were in the seventh
4,25 mm (16 p)

Berthold's quick brown fox jumps over the lazy dog and feels as if he were in th
4,75 mm (18 p)

Berthold's quick brown fox jumps over the lazy dog and feels as if he w
5,30 mm (20 p)

Berthold's quick brown fox jumps over the lazy dog and fee
6,35 mm (24 p)

Berthold's quick brown fox jumps over the lazy dog
7,40 mm (28 p)

Berthold's quick brown fox jumps over the la
8,50 mm (32 p)

Berthold's quick brown fox jumps over
9,55 mm (36 p)

Berthold-Schriften überzeugen durch Schärfe und Qualität. Schriftqualität ist eine Frage der E rfahrung. Berthold hat diese Erfahrung seit über hundert Jahren. Zuerst im Schriftguß, dann im Fotosatz. Berthold-Schriften sind weltweit gesc hätzt. Im Schriftenatelier München wird jeder B uchstabe in der Größe von zwölf Zentimetern ne u gezeichnet. Mit messerscharfen Konturen, um

2,40 mm (9 p), Zeilenabstand 4,00 mm

Größe		Zeilenabstand			100 Zeichen		
mm	p	kp	Êp	Ex	0	–1	–2
1,33	5	1,56	1,88	—	74	71	68
1,60	6	1,88	2,25	2,50	87	83	79
1,86	7	2,19	2,63	3,00	100	96	92
2,15	8	2,50	3,06	3,50	114	109	104
2,40	9	2,81	3,38	4,00	128	122	116
2,65	10	3,06	3,75	4,00	141	134	127
2,92	11	3,38	4,13	—	154	147	140
3,20	12	3,69	4,50	5,25	167	159	151
3,45	13	4,00	4,88	—	180	172	164
3,72	14	4,31	5,25	—	193	184	175
3,98	15	4,63	5,63	—	206	197	188
4,25	16	4,94	6,00	—	219	209	199

WZ 12 E, NSW 0, MZB 0,53, F 0,22:0,15 (1,4), VI
H 1–x 0,80–k 1,00–p 0,15–Ê 1,25–kp 1,15–Êp 1,40
BF 089 0929, Belegung 051: 085 0072 (095 0072)

Berthold-Schriften überzeugen durch Sch ärfe und Qualität. Schriftqualität ist eine Fr age der Erfahrung. Berthold hat diese Erfah rung seit über hundert Jahren. Zuerst im S chriftguß, dann im Fotosatz. Berthold-Schr iften sind weltweit geschätzt. Im Schriften atelier München wird jeder Buchstabe in d er Größe von zwölf Zentimetern neu gezeic

2,65 mm (10 p), Zeilenabstand 4,00 mm

kursiv
italic
italique

HELVETICA INSERAT

cursiva
chiaro corsivo
kursiv

*Berthold-Schriften überzeugen durch Schärfe und Qualität. Schrif
tqualität ist eine Frage der Erfahrung. Berthold hat diese Erfahrung
seit über hundert Jahren. Zuerst im Schriftguß, dann im Fotosatz
Berthold-Schriften sind weltweit geschätzt. Im Schriftenatelier M
ünchen wird jeder Buchstabe in der Größe von zwölf Zentimetern n
eu gezeichnet. Mit messerscharfen Konturen, um für die Schriftsc
heiben das Optimale an Konturenschärfe herauszuholen. Um die Q
ualität des Einzelzeichens im Belichtungsvorgang zu bewahren, w
ird durch die ruhende, nicht rotierende Schriftscheibe belichtet. Di*

1,60 mm (6 p), Zeilenabstand 2,50 mm

*Berthold-Schriften überzeugen durch Schärfe und Qualitä
t. Schriftqualität ist eine Frage der Erfahrung. Berthold hat
diese Erfahrung seit über hundert Jahren. Zuerst im Schrif
tguß, dann im Fotosatz. Berthold-Schriften sind weltweit
geschätzt. Im Schriftenatelier München wird jeder Buchst
abe in der Größe von zwölf Zentimetern neu gezeichnet. M
it messerscharfen Konturen, um für die Schriftscheiben d
as Optimale an Konturenschärfe herauszuholen. Um die Q*

1,86 mm (7 p), Zeilenabstand 3,00 mm

*Berthold-Schriften überzeugen durch Schärfe und
Qualität. Schriftqualität ist eine Frage der Erfahrun
g. Berthold hat diese Erfahrung seit über hundert Ja
hren. Zuerst im Schriftguß, dann im Fotosatz. Berth
old-Schriften sind weltweit geschätzt. Im Schrifte
natelier München wird jeder Buchstabe in der Größe
von zwölf Zentimetern neu gezeichnet. Mit messers
charfen Konturen, um für die Schriftscheiben das O*

2,15 mm (8 p), Zeilenabstand 3,50 mm

*D. Stempel AG
(Hausschnitt 1970)
H. Berthold AG*

*ABCDEFGHIJKLMNOPQ
RSTUVWXYZ
abcdefghijklmnopqrstuvwxyz
1/1234567890 %
(.,-;:!¡?¿–)·['‚,"‟»«]
+−=/$£†*&§
ÄÅÆÖØŒÜäåæıöøœßü
ÁÀÂÃÇČÉÈÊËÍÌÎÏĹŇÑÓÒÔÕ
ŔŘŠŤÚÙÛŴẄÝỲŸŽ
áàâãçčéèêëíìîïĺňñóòôõŕřš
úùûŵẅýỳÿž*

*Berthold-Schriftweite weit
Berthold-Schriftweite normal
Berthold-Schriftweite eng
Berthold-Schriftweite sehr eng
Berthold-Schriftweite extrem eng*

*In general, bodytypes are measu
red in the typographical point siz
e. The sizes of Berthold Fototype
faces can be exactly determined
All faces of same point size have
the same capital height–irrespecti
ve of their x-height. In hot metal an
d many other phototypesetting sys
tems the capital heights often differ
considerably from one face to the o
ther. For measuring point sizes, a tr
ansparent size gauge is provided
To determine the point size, bring a
capital letter into coincidence with
that field which precisely circums
cribes the letter at its upper and lo
wer margin. Below the field you fin*

3,20 mm (12 p), Zeilenabstand 5,25 mm

Berthold's quick brown fox jumps over the lazy dog and feels as if he were in the seventh heaven
3,72 mm (14 p)

Berthold's quick brown fox jumps over the lazy dog and feels as if he were in the seve
4,25 mm (16 p)

Berthold's quick brown fox jumps over the lazy dog and feels as if he were in
4,75 mm (18 p)

Berthold's quick brown fox jumps over the lazy dog and feels as if he
5,30 mm (20 p)

Berthold's quick brown fox jumps over the lazy dog and f
6,35 mm (24 p)

Berthold's quick brown fox jumps over the lazy d
7,40 mm (28 p)

Berthold's quick brown fox jumps over the
8,50 mm (32 p)

Berthold's quick brown fox jumps over
9,55 mm (36 p)

*Berthold-Schriften überzeugen durch Schärfe
und Qualität. Schriftqualität ist eine Frage der
Erfahrung. Berthold hat diese Erfahrung seit
über hundert Jahren. Zuerst im Schriftguß, d
ann im Fotosatz. Berthold-Schriften sind welt
weit geschätzt. Im Schriftenatelier München
wird jeder Buchstabe in der Größe von zwölf Z
entimetern neu gezeichnet. Mit messerscharf*

2,40 mm (9 p), Zeilenabstand 4,00 mm

Größe		Zeilenabstand			100 Zeichen		
mm	p	kp	Êp	Ex	0	−1	−2
1,33•	5	1,50	1,75	—	77	74	71
1,60	6	1,81	2,13	2,50	91	87	83
1,86	7	2,06	2,44	3,00	105	101	97
2,15	8	2,38	2,75	3,50	119	114	109
2,40	9	2,69	3,13	4,00	133	127	121
2,65	10	2,94	3,50	4,00	147	140	133
2,92	11	3,25	3,81	—	161	154	147
3,20	12	3,56	4,19	5,25	174	166	158
3,45	13	3,81	4,50	—	188	180	172
3,72	14	4,13	4,88	—	202	193	184
3,98	15	4,38	5,19	—	215	206	197
4,25	16	4,69	5,56	—	229	219	209

WZ 12 E, NSW 0, MZB 0,55, F 0,21:0,14 (1,5), VI
H 1–x 0,80–k 1,00–p 0,10–Ê 1,20–kp 1,10–Êp 1,30
BF 089 1434, Belegung 051: 085 1515 (095 1515)

*Berthold-Schriften überzeugen durch Sch
ärfe und Qualität. Schriftqualität ist eine F
rage der Erfahrung. Berthold hat diese Erf
ahrung seit über hundert Jahren. Zuerst im
Schriftguß, dann im Fotosatz. Berthold-Sc
hriften sind weltweit geschätzt. Im Schrift
enatelier München wird jeder Buchstabe i
n der Größe von zwölf Zentimetern neu ge*

2,65 mm (10 p), Zeilenabstand 4,00 mm

normal
regular
normal

HEROLD REKLAMESCHRIFT

normal
chiaro tondo
normal

Berthold-Schriften überzeugen durch Schärfe und Qualität. Schriftqualität ist eine Frage der Erfahrung. Berthold hat diese Erfahrung seit über hundert Jahren. Zuerst im Schriftg uß, dann im Fotosatz. Berthold-Schriften sind weltweit geschätzt. Im Schriftenatelier M ünchen wird jeder Buchstabe in der Größe von zwölf Zentimetern neu gezeichnet. Mit mes serscharfen Konturen, um für die Schriftscheiben das Optimale an Konturenschärfe hera uszuholen. Um die Qualität des Einzelzeichens im Belichtungsvorgang zu bewahren, wird durch die ruhende, nicht rotierende Schriftscheibe belichtet. Dieses optische System, ver bunden mit Präzisions-Chromglasscheiben, führt zu einer Schriftqualität, die im Layout und Mengensatz nicht ihresgleichen findet. Bei den hier gezeigten Zeilen handelt es sich

1,60 mm (6 p), Zeilenabstand 2,50 mm

Berthold-Schriften überzeugen durch Schärfe und Qualität. Schriftqualität ist eine Frage der Erfahrung. Berthold hat diese Erfahrung seit über hundert Jahr en. Zuerst im Schriftguß, dann im Fotosatz. Berthold-Schriften sind weltweit g eschätzt. Im Schriftenatelier München wird jeder Buchstabe in der Größe von z wölf Zentimetern neu gezeichnet. Mit messerscharfen Konturen, um für die Sch riftscheiben das Optimale an Konturenschärfe herauszuholen. Um die Qualität des Einzelzeichens im Belichtungsvorgang zu bewahren, wird durch die ruhen de, nicht rotierende Schriftscheibe belichtet. Dieses optische System verbunde

1,86 mm (7 p), Zeilenabstand 3,00 mm

Berthold-Schriften überzeugen durch Schärfe und Qualität. Schriftqu alität ist eine Frage der Erfahrung. Berthold hat diese Erfahrung seit über hundert Jahren. Zuerst im Schriftguß, dann im Fotosatz. Berthol d-Schriften sind weltweit geschätzt. Im Schriftenatelier München wird jeder Buchstabe in der Größe von zwölf Zentimetern neu gezeichnet. M it messerscharfen Konturen, um für die Schriftscheiben das Optimale an Konturenschärfe herauszuholen. Um die Qualität des Einzelzeiche ns im Belichtungsvorgang zu bewahren, wird durch die ruhende, nicht

2,15 mm (8 p), Zeilenabstand 3,50 mm

H. Hoffmann
1904
H. Berthold AG

ABCDEFGHIJKLMNOPQ
RSTUVWXYZ
abcdefghijklmnopqrstuvwxyz
1/1234567890 %
(.,-;:!¡?¿–)·[‘‚“„”»«]
+–=/$£†*&§
ÄÅÆÖØŒÜäåæıöøœßü
ÁÀÂÃÇČÉÈÊËÍÌÎÏĹŇÑÓÒÔÕ
ŔŘŠŤÚÙÛŴẂÝỲŸŽ
áàâãçčéèêëíìîïĺňñóòôõŕřš
úùûŵẃýỳÿž

Berthold-Schriftweite weit
Berthold-Schriftweite normal
Berthold-Schriftweite eng
Berthold-Schriftweite sehr eng
Berthold-Schriftweite extrem eng

In general, bodytypes are measured in the typo graphical point size. The sizes of Berthold Fotot ype faces can be exactly determined. All faces of same point size have the same capital height-ir respective of their x-height. In hot metal and m any other phototypesetting systems the capital heights often differ considerably from one face to the other. For measuring point sizes, a trans parent size gauge is provided. To determine the point size, bring a capital letter into coincide nce with that field which precisely circums cribes the letter at its upper and lower margin Below the field you find the typographical point and below that the millimeter value, which also refere to the height of a capital letter. In Bertho ld-phototypesetting, the typewidth can be modi fied. The standard setting width of typefaces

3,20 mm (12 p), Zeilenabstand 5,25 mm

Berthold's quick brown fox jumps over the lazy dog and feels as if he were in the seventh heaven of typography together with Herm
3,72 mm (14 p)

Berthold's quick brown fox jumps over the lazy dog and feels as if he were in the seventh heaven of typography togeth
4,25 mm (16 p)

Berthold's quick brown fox jumps over the lazy dog and feels as if he were in the seventh heaven of typo
4,75 mm (18 p)

Berthold's quick brown fox jumps over the lazy dog and feels as if he were in the seventh heav
5,30 mm (20 p)

Berthold's quick brown fox jumps over the lazy dog and feels as if he were in the
6,35 mm (24 p)

Berthold's quick brown fox jumps over the lazy dog and feels as if he
7,40 mm (28 p)

Berthold's quick brown fox jumps over the lazy dog and feel
8,50 mm (32 p)

Berthold's quick brown fox jumps over the lazy dog a
9,55 mm (36 p)

Berthold-Schriften überzeugen durch Schärfe und Qualität. Sc hriftqualität ist eine Frage der Erfahrung. Berthold hat diese Erfahrung seit über hundert Jahren. Zuerst im Schriftguß, da nn im Fotosatz. Berthold-Schriften sind weltweit geschätzt. Im Schriftenatelier München wird jeder Buchstabe in der Größe v on zwölf Zentimetern neu gezeichnet. Mit messerscharfen Ko nturen, um für die Schriftscheiben das Optimale an Konturens chärfe herauszuholen. Um die Qualität des Einzelzeichens im

2,40 mm (9 p), Zeilenabstand 4,00 mm

Größe		Zeilenabstand			100 Zeichen		
mm	p	kp	Êp	Ex	0	–1	–2
1,33	5	1,50	1,81	–	57	54	51
1,60	6	1,81	2,13	2,50	67	63	59
1,86	7	2,13	2,50	3,00	77	73	69
2,15	8	2,44	2,88	3,50	87	82	77
2,40	9	2,69	3,19	4,00	97	91	85
2,65	10	3,00	3,50	4,00	107	100	93
2,92	11	3,25	3,88	–	117	110	103
3,20	12	3,56	4,25	5,25	127	119	111
3,45	13	3,81	4,56	–	137	129	121
3,72	14	4,13	4,94	–	147	138	129
3,98	15	4,44	5,31	–	157	148	139
4,25	16	4,75	5,63	–	167	157	147

WZ 9 E, NSW +1, MZB 0,40, F 0,13:0,15 (0,9), VII
H 1–x 0,84–k 1,00–p 0,11–Ê 1,21–kp 1,11–Êp 1,32
BF 089 0930, Belegung 051: 085 1089 (095 1089)

Berthold-Schriften überzeugen durch Schärfe und Qualit ät. Schriftqualität ist eine Frage der Erfahrung. Berthold hat diese Erfahrung seit über hundert Jahren. Zuerst im Schriftguß, dann im Fotosatz. Berthold-Schriften sind w eltweit geschätzt. Im Schriftenatelier München wird jeder Buchstabe in der Größe von zwölf Zentimetern neu gezeic hnet. Mit messerscharfen Konturen, um für die Schriftsc heiben das Optimale an Konturenschärfe herauszuholen

2,65 mm (10 p), Zeilenabstand 4,00 mm

normal
regular
normal

HORLEY OLD STYLE

normal
chiaro tondo
normal

Berthold-Schriften überzeugen durch Schärfe und Qualität. Schriftqu alität ist eine Frage der Erfahrung. Berthold hat diese Erfahrung seit über hundert Jahren. Zuerst im Schriftguß, dann im Fotosatz. Berthold-Schr iften sind weltweit geschätzt. Im Schriftenatelier München wird jeder B uchstabe in der Größe von zwölf Zentimetern neu gezeichnet. Mit mess erscharfen Konturen, um für die Schriftscheiben das Optimale an Kont urenschärfe herauszuholen. Um die Qualität des Einzelzeichens im Be lichtungsvorgang zu bewahren, wird durch die ruhende, nicht rotierende Schriftscheibe belichtet. Dieses optische System, verbunden mit Präzis

1,33 mm (5 p) 20 30 40 50 60

Berthold-Schriften überzeugen durch Schärfe und Qualität. Schr iftqualität ist eine Frage der Erfahrung. Berthold hat diese Erfahru ng seit über hundert Jahren. Zuerst im Schriftguß, dann im Fotosat z. Berthold-Schriften sind weltweit geschätzt. Im Schriftenatelier München wird jeder Buchstabe in der Größe von zwölf Zentimete rn neu gezeichnet. Mit messerscharfen Konturen, um für die Schri ftscheiben das Optimale an Konturenschärfe herauszuholen. Um die Qualität des Einzelzeichens im Belichtungsvorgang zu bewahr en, wird durch die ruhende, nicht rotierende Schriftscheibe belic

1,45 mm (5,5 p) 20 30 40 50 60

Berthold-Schriften überzeugen durch Schärfe und Qualität Schriftqualität ist eine Frage der Erfahrung. Berthold hat diese Erfahrung seit über hundert Jahren. Zuerst im Schriftguß, da nn im Fotosatz. Berthold-Schriften sind weltweit geschätzt. I m Schriftenatelier München wird jeder Buchstabe in der Grö ße von zwölf Zentimetern neu gezeichnet. Mit messerscharfen Konturen, um für die Schriftscheiben das Optimale an Kont urenschärfe herauszuholen. Um die Qualität des Einzelzeich ens im Belichtungsvorgang zu bewahren, wird durch die ruhe

1,60 mm (6 p) 20 30 40 50

Berthold-Schriften überzeugen durch Schärfe und Qu alität. Schriftqualität ist eine Frage der Erfahrung. Berth old hat diese Erfahrung seit über hundert Jahren. Zuerst im Schriftguß, dann im Fotosatz. Berthold-Schriften si nd weltweit geschätzt. Im Schriftenatelier München wir d jeder Buchstabe in der Größe von zwölf Zentimetern neu gezeichnet. Mit messerscharfen Konturen, um für die Schriftscheiben das Optimale an Konturenschärfe herauszuholen. Um die Qualität des Einzelzeichens im

1,75 mm (6,5 p) 20 30 40 50

Berthold-Schriften überzeugen durch Schärfe und Qualität. Schriftqualität ist eine Frage der Erfahrung Berthold hat diese Erfahrung seit über hundert Jahre n. Zuerst im Schriftguß, dann im Fotosatz. Berthold Schriften sind weltweit geschätzt. Im Schriftenatelier München wird jeder Buchstabe in der Größe von zw ölf Zentimetern neu gezeichnet. Mit messerscharfen Konturen, um für die Schriftscheiben das Optimale an Konturenschärfe herauszuholen. Um die Qualität

1,86 mm (7 p) 20 30 40 50

Berthold-Schriften überzeugen durch Schärfe u nd Qualität. Schriftqualität ist eine Frage der Erfa hrung. Berthold hat diese Erfahrung seit über hu ndert Jahren. Zuerst im Schriftguß, dann im Foto satz. Berthold-Schriften sind weltweit geschätzt Im Schriftenatelier München wird jeder Buchsta be in der Größe von zwölf Zentimetern neu gezei chnet. Mit messerscharfen Konturen, um für die Schriftscheiben das Optimale an Konturenschärfe

2,00 mm (7,5 p) 20 30 40

Berthold-Schriften überzeugen durch Schärfe und Qualität. Schriftqualität ist eine Frage der Erfahrung. Berthold hat diese Erfahrung seit ü ber hundert Jahren. Zuerst im Schriftguß, dann im Fotosatz. Berthold-Schriften sind weltweit geschätzt. Im Schriftenatelier München wird j eder Buchstabe in der Größe von zwölf Zentim etern neu gezeichnet. Mit messerscharfen Kon turen, um für die Schriftscheiben das Optimale

2,15 mm (8 p) 20 30 40

1925
Monotype Corp. Ltd.
H. Berthold AG

ABCDEFGHIJKLMNOPQ
RSTUVWXYZ
abcdefghijklmnopqrstuvwxyz
1/1234567890%
(.,-;:!¡?¿–)·[‘„”“»«]
+−=/$£†*&§
ÄÅÆÖØŒÜäåæıöøœßü
ÁÀÂÃÇČÉÈÊËÍÌÎÏĹŇÑÓÒÔÕ
ŔŘŠŤÚÙÛŴẄÝŶŸŽ
áàâãçčéèêëíìîïĺňñóòôõŕřš
úùûŵẅýỳÿž

Berthold-Schriftweite weit
Berthold-Schriftweite normal
Berthold-Schriftweite eng
Berthold-Schriftweite sehr eng
Berthold-Schriftweite extrem eng

Berthold
3,75 mm (14 p)

Berthold
4,25 mm (16 p)

Berthold
4,75 mm (18 p)

Berthold
5,30 mm (20 p)

Berthold
6,35 mm (24 p)

Berthold
7,40 mm (28 p)

Berthold
8,50 mm (32 p)

Berthold
9,55 mm (36 p)

Größe mm	p	Zeilenabstand kp	Êp	Ex	100 Zeichen 0	−1	−2
1,33	5	1,88	2,19	2,00	81	78	75
1,60	6	2,25	2,63	2,50	96	92	88
1,86	7	2,56	3,06	3,00	110	106	102
2,15	8	3,00	3,56	3,50	125	120	115
2,40	9	3,31	3,94	3,75	140	134	128
2,65	10	3,69	4,38	4,25	154	147	140
2,92	11	4,06	4,81	4,75	169	162	155
3,20	12	4,44	5,25	5,25	183	175	167
3,45	13	4,75	5,63	5,75	197	189	181
3,72	14	5,13	6,13	–	212	203	194
3,98	15	5,50	6,50	–	226	217	208
4,25	16	5,88	6,94	–	241	231	221

WZ 11 E, NSW 0, MZB 0,58, F 0,10:0,050 (2,1), II
H 1–x 0,58–k 1,01–p 0,36–Ê 1,27–kp 1,37–Êp 1,63
BF 089 0444, Belegung 051: 085 0434 (095 0434)

Berthold-Schriften überzeugen durch Sc härfe und Qualität. Schriftqualität ist eine Frage der Erfahrung. Berthold hat diese E rfahrung seit über hundert Jahren. Zuerst im Schriftguß, dann im Fotosatz. Berthol d-Schriften sind weltweit geschätzt. Im S chriftenatelier München wird jeder Buch stabe in der Größe von zwölf Zentimetern

2,40 mm (9 p) 20 30 40

Berthold-Schriften überzeugen durch Schärfe und Qualität. Schriftqualität ist eine Frage der Erfahrung. Berthold hat diese Erfahrung seit über hundert Jah ren. Zuerst im Schriftguß, dann im Fo tosatz. Berthold-Schriften sind weltw eit geschätzt. Im Schriftenatelier Mün chen wird jeder Buchstabe in der Grö

2,65 mm (10 p) 20 30

Berthold-Schriften überzeugen du rch Schärfe und Qualität. Schriftq ualität ist eine Frage der Erfahrung Berthold hat diese Erfahrung seit ü ber hundert Jahren. Zuerst im Sch riftguß, dann im Fotosatz. Berthol d-Schriften sind weltweit geschät zt. Im Schriftenatelier München w

2,92 mm (11 p) 20 30

Berthold-Schriften überzeugen durch Schärfe und Qualität. Sc hriftqualität ist eine Frage der E rfahrung. Berthold hat diese Er fahrung seit über hundert Jahre n. Zuerst im Schriftguß, dann im Fotosatz. Berthold-Schriften sin d weltweit geschätzt. Im Schrift

3,20 mm (12 p) 10 20 30

Berthold-Schriften überzeug en durch Schärfe und Qualität Schriftqualität ist eine Frage der Erfahrung. Berthold hat d iese Erfahrung seit über hun dert Jahren. Zuerst im Schrif tguß, dann im Fotosatz. Bert hold-Schriften sind weltweit g

3,45 mm (13 p) 10 20

normal
regular
normal

HORLEY OLD STYLE

normal
chiaro tondo
normal

Berthold-Schriften überzeugen durch Schärfe und Qualität. Schriftqualität ist eine Frage der Erfahrung. Berthold hat diese Erfahrung seit über hundert Jah ren. Zuerst im Schriftguß, dann im Fotosatz. Berthold-Schriften sind weltweit geschätzt. Im Schriftenatelier München wird jeder Buchstabe in der Größe von zwölf Zentimetern neu gezeichnet. Mit messerscharfen Konturen, um für die Schriftscheiben das Optimale an Konturenschärfe herauszuholen. Um die Qualität des Einzelzeichens im Belichtungsvorgang zu bewahren, wird durch die ruhende, nicht rotierende Schriftscheibe belichtet. Dieses optische Syst em, verbunden mit Präzisions-Chromglasscheiben, führt zu einer Schriftqu

4,25 mm (16 p), Zeilenabstand 6,75 mm

HORLEY OLD STYLE

In general, bodytypes are measured in the typo graphical point size. The sizes of Berthold Fototype faces can be exactly determined. All faces of same point size have the same capital heigth–irrespective of their x-heigth. In hot metal and many other pho totypesetting systems the capital heigths often differ considerably from one face to the other. For measur ing point sizes, a transparent size gauge is provided To determine the point size, bring a capital letter into coincidence with that field which precisely circum scribes the letter at its upper and lower margin. Below the field you find the typographical point and below that the millimeter value, which also refers to the height of a capital letter. In Berthold-phototypeset ting, the typewidth can be modified. The standard setting width of typefaces is determined by the prin ciple of optimum legibility. You should not depart from this typewidth without cogent reason. A type face which is considered optically right when looked in a greater context, often seems bulky when applied for a small amount of text, e. g. labels and ads. Here, a width reduction will be conducive to legibility. Small

2,40 mm (9 p), Zeilenabstand 4,25 mm

HORLEY OLD STYLE

La valeur de la force de corps des caractères de labeur èst généralement exprimée en points ty pographiques. La force de corps des caractères Berthold-Fototype peut être déterminée avec précision. Tous les caractères du même corps ont des capitales d'une hauteur identique, indé pendamment de la hauteur des bas de casse sans jambage. Dans la composition plomb, ainsi que dans certains systèmes de photocomposition, la hauteur des capitales, varie souvent d'un carac tère à l'autre. Pour déterminer la force de corps de nos caractères, nous avons mis au point une réglette de hauteur d'œil transparente. On cher che le rectangle qui délimite exactement la hau teur d'œil d'une capitale du caractère choisi Sous le rectangle correspondant la valeur de la force de corps est indiquée en points Didots et en millimètres. La valeur en millimètres ex prime également la hauteur des capitales. Pour toutes les indications concernant la force de

2,65 mm (10 p), Zeilenabstand 4,69 mm

La indicación de las dimensiones para cuerpos de letra vásicos tiene lugar en general en puntos tipo gráficos. Los cuerpos de letra de los caracteres Berthold Fototype pueden determinarse exacte mente par medición. Con independencia de la al tura de sus longitudes centrales, todos los caracte res de idéntico cuerpo de letra presentan altura de mayúsculas idéntica. En la composición en plomo y en muchos otros sistemas de fotocomposición

2,15 mm (8 p), –1, Zeilenabstand 3,38 mm

123,– $	456,– £	7890,– DM	1 %
234,– $	789,– £	1234,– DM	2 %
567,– $	12,– £	5678,– DM	3 %
890,– $	345,– £	9012,– DM	4 %
123,– $	678,– £	3456,– DM	5 %
456,– $	901,– £	7890,– DM	6 %
789,– $	234,– £	1234,– DM	7 %
12,– $	567,– £	5678,– DM	8 %
345,– $	890,– £	9012,– DM	9 %

BF 089 0445

Le misure relative al corpo dei caratteri vengono ge neralmente indicate in punti tipografici. Il corpo dei caratteri Fototypes può essere determinato con esat tezza per semplice misurazione. Tutti i caratteri di uguale grandezza in punti hanno, indipendente mente dalla loro lunghezza, uguale altezza delle mai uscole. Nella composizione in piombo ed in molti altri sistemi di fotocomposizione, l'altezza delle mai uscole varia spesso da carattere a carattere. Per misu

2,15 mm (8 p), –2, Zeilenabstand 3,38 mm

kursiv
italic
italique

HORLEY OLD STYLE

cursiva
corsivo
kursiv

Måttangivelse för grundstilsgrader sker i allmänhet i typografiska punkter. Stil ar av Berthold Fototype kan efter mätn ing exakt gradbestämmas. Alla typsnitt är av samma punktstorlek och har ober oende av x-höjden en identisk versalhö jd. I blysättning och i många andra foto sättsystem varierar versalhöjden avsev ärt från typsnitt till typsnitt. För mätning av stilgrader finns en transparent mätli njal. Vid mätningen placerar man en v ersal bokstav så att rutorna begränsar t ecknet upptill och nedtill. Under rutorn a finns stilstorleken i typografiska didot punkter och i mm. Även millimeterupp giften avser versalhöjden. Vid stilstorlek suppgifter anges alltid måttenheten efte r sifferuppgiften t ex 14 punkter eller 14 p. Berthold-skrifter övertygar genom sk

2,92 mm (11 p), Zeilenabstand 4,69 mm

1925
Monotype Corp. Ltd.
H. Berthold AG

ABCDEFGHIJKLMNOPQ
RSTUVWXYZ
abcdefghijklmnopqrstuvwxyz
1/1234567890%
(.,-;:!¡?¿–) · [‘‚“„”«»]
+−=/$£†&§*
ÄÅÆÖØŒÜäåæıöøœßü
ÁÀÂÃÇČÉÈÊËÍÌÎÏĹŇÑÓÒÔÕ
ŔŘŠŤÚÙÛŴẄÝỲŶŸŽ
áàâãçčéèêëíìîïĺňñóòôõŕřš
úùûŵẅýỳÿž

Berthold-Schriftweite weit
Berthold-Schriftweite normal
Berthold-Schriftweite eng
Berthold-Schriftweite sehr eng
Berthold-Schriftweite extrem eng

In general, bodytypes are measured in the typographical point size. The sizes of Berthold Fototype faces can be exactly determined. All faces of s ame point size have the same capital height–irrespective of their x-height In hot metal and many other photot ypesetting systems the capital heigh ts often differ considerably from one face to the other. For measuring poi nt sizes, a transparent size gauge is provided. To determine the point siz e, bring a capital letter into coincide nce with that field which precisely ci rcumscribes the letter at its upper an d lower margin. Below the field you find the typographical point and bed

3,20 mm (12 p), Zeilenabstand 5,25 mm

HORLEY OLD STYLE KURSIV

Die Maßangabe zu Grundschriftgrößen erfolgt im allge meinen in typographischen Punkten. Die Schriftgrößen der Berthold-Fotosatz-Schriften sind nach Messung exak t bestimmbar. Alle Schriften gleicher Punktgröße weisen unabhängig von der Höhe ihrer Mittellängen, eine identi sche Versalhöhe auf. Im Bleisatz und bei vielen anderen Fotosatz-Systemen differieren die Versalhöhen von Schri ft zu Schrift oft erheblich. Zum Messen von Schriftgrößen steht ein transparentes Größenmaß zur Verfügung. Zum Messen wird ein Versalbuchstabe mit dem Feld in Decku ng gebracht, das den Buchstaben oben und unten scharf b egrenzt. Unter dem Feld ist die Schriftgröße in typograph ischen Didot-Punkten, darunter in Millimetern angegeben Auch die Millimeterangaben beziehen sich auf die Höhe d er Versalbuchstaben. Die Schriftweite kann im Berthold-F otosatz beliebig verändert werden. Die Festlegung der Nor malschriftweite erfolgt nach dem Prinzip der optimalen Le sbarkeit bei größeren Textmengen. Man sollte nicht ohne

2,40 mm (9 p), Zeilenabstand 4 mm

HORLEY OLD STYLE ITALIQUE

La valeur de la force de corps des caractères de labeur èst généralement exprimée en points typographiques La force de corps des caractères Berthold-Fototype peut être déterminée avec précision. Tous les carac tères du même corps ont des capitales d'une hauteur identique, indépendamment de la hauteur des bas de casse sans jambage. Dans la composition plomb, ainsi que dans certains systèmes de photocomposition, la hauteur des capitales, varie souvent d'un caractère à l'autre. Pour déterminer la force de corps de nos cara ctères, nous avons mis au point une réglette de haute ur d'œil transparente. On cherche le rectangle qui dé limite exactement la hauteur d'œil d'une capitale du caractère choisi. Sous le rectangle correspondant la v aleur de la force de corps est indiquée en points Dido ts et en millimètres. La valeur en millimètres exprime

2,65 mm (10 p), Zeilenabstand 4,50 mm

La indicación de las dimensiones para cuerpos de letra vásicos tiene lugar en general en puntos tipográficos. Los cuerpos de letra de los caracteres Berthold Fototype pueden determinarse exactemente par medición. Con independencia de la altura de sus longitudes centra les, todos los caracteres de idéntico cuerpo de letra presentan altura de mayúsculas idéntica. En la composición en plomo y en muchos o tros sistemas de fotocomposición, las alturas de mayúsculas varían frecuentemmente en forma considerable de tipo de letra a tipo de letra. Para medir los cuerpos de letra se dispone de un tipómetro véase la figura. Para la medición se hace coincidir una letra mayús cula con la casilla cuyos extremos coinciden con los extremos superi or e inferior de la letra. Bajo la casilla se indica el cuerpo de letra en

1,60 mm (6 p), Zeilenabstand 2,50 mm

Größe		Zeilenabstand			100 Zeichen		
mm	p	kp	Êp	Ex	0	−1	−2
1,33	5	1,88	2,19	–	71	68	65
1,60	6	2,25	2,63	2,50	83	79	75
1,86	7	2,63	3,06	–	96	92	88
2,15	8	3,00	3,56	3,38	109	104	99
2,40	9	3,31	3,94	4,00	122	116	110
2,65	10	3,69	4,38	4,50	135	128	121
2,92	11	4,06	4,81	4,69	147	140	133
3,20	12	4,44	5,25	5,25	160	152	144
3,45	13	4,81	5,63	–	172	164	156
3,72	14	5,19	6,13	–	185	176	167
3,98	15	5,50	6,50	–	197	188	179
4,25	16	5,88	6,94	–	210	200	190

WZ 11 E, NSW 0, MZB 0,51, F 0,10:0,046 (2,2), II
H 1–x 0,58–k 1,03–p 0,35–Ê 1,28–kp 1,38–Êp 1,63
BF 089 0446, Belegung 051: 085 0178 (095 0178)

Le misure relative al corpo dei caratteri vengono ge neralmente indicate in punti tipografici. Il corpo dei caratteri Fototypes può essere determinato con esat tezza per semplice misurazione. Tutti i caratteri di uguale grandezza in punti hanno, indipendentemen te dalla loro lunghezza, uguale altezza delle maiusco le. Nella composizione in piombo ed in molti altri sis temi di fotocomposizione, l'altezza delle maiuscole varia spesso da carattere a carattere. Per misurare il

2,15 mm (8 p), Zeilenabstand 3,38 mm

halbfett
bold
demi-gras

HORLEY OLD STYLE

seminegra
neretto
halvfet

Berthold-Schriften überzeugen durch Schärfe und Quali tät. Schriftqualität ist eine Frage der Erfahrung. Berthold hat diese Erfahrung seit über hundert Jahren. Zuerst im Schriftguß, dann im Fotosatz. Berthold-Schriften sind we ltweit geschätzt. Im Schriftenatelier München wird jeder Buchstabe in der Größe von zwölf Zentimetern neu gezei chnet. Mit messerscharfen Konturen, um für die Schriftsc heiben das Optimale an Konturenschärfe herauszuholen Um die Qualität des Einzelzeichens im Belichtungsvorga

1,60 mm (6 p), Zeilenabstand 2,50 mm

Berthold-Schriften überzeugen durch Schärfe und Qualität. Schriftqualität ist eine Frage der Erfahru ng. Berthold hat diese Erfahrung seit über hundert Jahren. Zuerst im Schriftguß, dann im Fotosatz. Be rthold-Schriften sind weltweit geschätzt. Im Schri ftenatelier München wird jeder Buchstabe in der Größe von zwölf Zentimetern neu gezeichnet. Mit messerscharfen Konturen, um für die Schriftschei

1,86 mm (7 p), Zeilenabstand 3,00 mm

Berthold-Schriften überzeugen durch Schä rfe und Qualität. Schriftqualität ist eine Frage der Erfahrung. Berthold hat diese Erfahrung seit über hundert Jahren. Zuerst im Schriftg uß dann im Fotosatz. Berthold-Schriften si nd weltweit geschätzt. Im Schriftenatelier München wird jeder Buchstabe in der Grö ße von zwölf Zentimetern neu gezeichnet. M

2,15 mm (8 p), Zeilenabstand 3,50 mm

1925
Monotype Corp. Ltd.
H. Berthold AG

ABCDEFGHIJKLMNOPQ
RSTUVWXYZ
abcdefghijklmnopqrstuvwxyz
1/1234567890 %
(.,-;:!¡?¿–) · [",""»«]
+−=/$£†*&§
ÄÅÆÖØŒÜäåæıöøœßü
ÁÀÂÃÇČÉÈÊËÍÌÎÏĹŇÑÓÒÔÕ
ŔŘŠŤÚÙÛŴẄÝỲŶŸŽ
áàâãçčéèêëíìîïĺňñóòôõŕřš
úùûŵẅýỳŷÿž

Berthold-Schriftweite weit
Berthold-Schriftweite normal
Berthold-Schriftweite eng
Berthold-Schriftweite sehr eng
Berthold-Schriftweite extrem eng

In general, bodytypes are me asured in the typographical p oint size. The sizes of Berthold Fototype faces can be exactly determined. All faces of same point size have the same capit al heigth-irrespective of their x-heigth. In hot metal and ma ny other phototypesetting sys tems the capital heigths often differ considerably from one f ace to the other. For measurin g point sizes, a transparent size gauge is provided. To determi ne the point size, bring a capital letter into coincidence with th at field which precisely circum

3,20 mm (12 p), Zeilenabstand 5,25 mm

Berthold's quick brown fox jumps over the lazy dog and feels as if he were in the sev
3,75 mm (14 p)

Berthold's quick brown fox jumps over the lazy dog and feels as if he were
4,25 mm (16 p)

Berthold's quick brown fox jumps over the lazy dog and feels as if
4,75 mm (18 p)

Berthold's quick brown fox jumps over the lazy dog and fe
5,30 mm (20 p)

Berthold's quick brown fox jumps over the lazy
6,35 mm (24 p)

Berthold's quick brown fox jumps over th
7,40 mm (28 p)

Berthold's quick brown fox jumps o
8,50 mm (32 p)

Berthold's quick brown fox jum
9,55 mm (36 p)

Berthold-Schriften überzeugen durch Schärfe und Qualität. Schriftqualität ist eine Frage der Erfahrung. Berthold hat diese Erfahrung seit über hundert Jahre n. Zuerst im Schriftguß, dann im Fotosa tz. Berthold-Schriften sind weltweit ges chätzt. Im Schriftenatelier München wi rd jeder Buchstabe in der Größe von zw

2,40 mm (9 p), Zeilenabstand 4,00 mm

Größe		Zeilenabstand			100 Zeichen		
mm	p	kp	Êp	Ex	0	−1	−2
1,33	5	1,81	2,10	—	87	84	81
1,60	6	2,19	2,63	2,50	103	99	95
1,86	7	2,56	3,00	3,00	118	114	110
2,15	8	2,94	3,50	3,50	134	129	124
2,40	9	3,25	3,88	4,00	150	144	138
2,65	10	3,63	4,31	4,00	165	158	151
2,92	11	4,00	4,75	—	181	174	167
3,20	12	4,38	5,19	5,25	196	188	180
3,45	13	4,69	5,56	—	212	204	196
3,72	14	5,06	6,00	—	227	218	209
3,98	15	5,38	6,44	—	243	234	225
4,25	16	5,75	6,88	—	258	248	238

WZ 12 E, NSW 0, MZB 0,62, F 0,15:0,067 (2,3), II
H 1–x 0,61–k 1,02–p 0,33–Ê 1,28–kp 1,35–Êp 1,61
BF 089 0447, Belegung 051: 085 0435 (095 0435)

Berthold-Schriften überzeugen dur ch Schärfe und Qualität. Schriftqua lität ist eine Frage der Erfahrung. Be rthold hat diese Erfahrung seit über hundert Jahren. Zuerst im Schriftgu ß, dann im Fotosatz. Berthold-Schri ften sind weltweit geschätzt. Im Sch riftenatelier München wird jeder B

2,65 mm (10 p), Zeilenabstand 4,00 mm

IMPACT

Berthold-Schriften überzeugen durch Schärfe und Qualität. Schriftqualität ist eine Frage der Erfahrung. Berthold hat diese Erfahrung seit über hundert Jahren. Zuerst im Schriftguß, dann im Fotosatz. Berthold-Schriften sind weltweit geschätzt. Im Schriftenatelier München wird jeder Buchstabe in der Größe von zwölf Zentimetern neu gezeichnet. Mit messerscharfen Konturen, um für die Schriftscheiben das Optimale an Konturenschärfe herauszuholen. Um die Qualität des Einzelzeichens im Belichtungsvorgang zu bewahren, wird durch die ruhende, nicht rotierende Schriftscheibe belichtet. Di

1,60 mm (6 p), Zeilenabstand 2,50 mm

Berthold-Schriften überzeugen durch Schärfe und Qualität. Schriftqualität ist eine Frage der Erfahrung. Berthold hat diese Erfahrung seit über hundert Jahren. Zuerst im Schriftguß, dann im Fotosatz. Berthold-Schriften sind weltweit geschätzt. Im Schriftenatelier München wird jeder Buchstabe in der Größe von zwölf Zentimetern neu gezeichnet. Mit messerscharfen Konturen, um für die Schriftscheiben das Optimale an Konturenschärfe herauszuholen. Um die Q

1,86 mm (7 p), Zeilenabstand 3,00 mm

Berthold-Schriften überzeugen durch Schärfe und Qualität. Schriftqualität ist eine Frage der Erfahrung Berthold hat diese Erfahrung seit über hundert Jahren. Zuerst im Schriftguß, dann im Fotosatz. Berthold Schriften sind weltweit geschätzt. Im Schriftenatelier München wird jeder Buchstabe in der Größe von zwölf Zentimetern neu gezeichnet. Mit messerscharfen Konturen, um für die Schriftscheibe das Optim

2,15 mm (8 p), Zeilenabstand 3,50 mm

Geoffrey Lee
1965
Lettergieterij Amsterdam
H. Berthold AG

ABCDEFGHIJKLMNOPQ
RSTUVWXYZ
abcdefghijklmnopqrstuvwxyz
1/1234567890 %
(.,-;:!i?¿–)·[",""»«]
+–=/$£†*&§
ÄÅÆÖØŒÜäåæıöøœßü
ÁÀÂÃÇČÉÈÊËÍÌÎÏĹŇÑÓÒÔÕ
ŔŘŠŤÚÙÛŴẄÝŶŸŽ
áàâãçčéèêëíìîïĺňñóòôõŕřš
úùûŵẅýỳÿž

Berthold-Schriftweite weit
Berthold-Schriftweite normal
Berthold-Schriftweite eng
Berthold-Schriftweite sehr eng
Berthold-Schriftweite extrem eng

In general, bodytypes are measured in the typographical point size. The sizes of Berthold Fototype faces can be exactly determined. All faces of same point size have the same capital height–irrespective of their x-height. In hot metal and many other phototypesetting systems the capital heights often differ considerably from one face to the other. For measuring point sizes, a transparent size gauge is provided. To determine the point size, bring a capital letter into coincidence with that field which precisely circumscribes the letter at its upper and lower margin. Below the field you find the

3,20 mm (12 p), Zeilenabstand 5,25 mm

Berthold's quick brown fox jumps over the lazy dog and feels as if he were in the seventh heaven
3,72 mm (14 p)

Berthold's quick brown fox jumps over the lazy dog and feels as if he were in the sev
4,25 mm (16 p)

Berthold's quick brown fox jumps over the lazy dog and feels as if he were in
4,75 mm (18 p)

Berthold's quick brown fox jumps over the lazy dog and feels as if he
5,30 mm (20 p)

Berthold's quick brown fox jumps over the lazy dog and f
6,35 mm (24 p)

Berthold's quick brown fox jumps over the lazy d
7,40 mm (28 p)

Berthold's quick brown fox jumps over the
8,50 mm (32 p)

Berthold's quick brown fox jumps over
9,55 mm (36 p)

Berthold-Schriften überzeugen durch Schärfe und Qualität. Schriftqualität ist eine Frage der Erfahrung. Berthold hat diese Erfahrung seit über hundert Jahren. Zuerst im Schriftguß, dann im Fotosatz. Berthold-Schriften sind weltweit geschätzt. Im Schriftenatelier München wird jeder Buchstabe in der Größe von zwölf Zentimetern neu gezeichnet. Mit messerschar

2,40 mm (9 p), Zeilenabstand 4,00 mm

Größe		Zeilenabstand			100 Zeichen		
mm	p	kp	Êp	Ex	0	–1	–2
1,33	5	1,50	1,81	–	77	74	71
1,60	6	1,81	2,13	2,50	91	87	83
1,86	7	2,13	2,50	3,00	105	101	97
2,15	8	2,44	2,88	3,50	119	114	109
2,40	9	2,69	3,25	4,00	133	127	121
2,65	10	3,00	3,56	4,00	147	140	133
2,92	11	3,31	3,94	–	161	154	147
3,20	12	3,63	4,31	5,25	174	166	158
3,45	13	3,88	4,63	–	188	180	172
3,72	14	4,19	5,00	–	202	193	184
3,98	15	4,50	5,31	–	215	206	197
4,25	16	4,81	5,69	–	229	219	209

WZ 12 E, NSW 0, MZB 0,55, F 0,25:0,13 (1,9), VI
H 1–x 0,82–k 1,00–p 0,12–Ê 1,21–kp 1,12–Êp 1,33
BF 089 1079, Belegung 051: 085 1190 (095 1190)

Berthold-Schriften überzeugen durch Schärfe und Qualität. Schriftqualität ist eine Frage der Erfahrung. Berthold hat diese Erfahrung seit über hundert Jahren. Zuerst im Schriftguß, dann im Fotosatz. Berthold Schriften sind weltweit geschätzt. Im Schriftenatelier München wird jeder Buchstabe in der Größe von zwölf Zentimetern neu

2,65 mm (10 p), Zeilenabstand 4,00 mm

mager
light
maigre

IMPRESSUM

fina
chiarissimo
mager

Berthold-Schriften überzeugen durch Schärfe und Qualität
Schriftqualität ist eine Frage der Erfahrung. Berthold hat di
ese Erfahrung seit über hundert Jahren. Zuerst im Schriftgu
ß, dann im Fotosatz. Berthold-Schriften sind weltweit gesch
ätzt. Im Schriftenatelier München wird jeder Buchstabe in d
er Größe von zwölf Zentimetern neu gezeichnet. Mit messers
charfen Konturen, um für die Schriftscheiben das Optimale
an Konturenschärfe herauszuholen. Um die Qualität des Ei
nzelzeichens im Belichtungsvorgang zu bewahren, wird

1,33 mm (5 p) 20 30 40 50

Berthold-Schriften überzeugen durch Schärfe und Qu
alität. Schriftqualität ist eine Frage der Erfahrung. Ber
thold hat diese Erfahrung seit über hundert Jahren. Zu
erst im Schriftguß, dann im Fotosatz. Berthold-Schrifte
n sind weltweit geschätzt. Im Schriftenatelier München
wird jeder Buchstabe in der Größe von zwölf Zentimete
rn neu gezeichnet. Mit messerscharfen Konturen, um fü
r die Schriftscheiben das Optimale an Konturenschärfe
herauszuholen. Um die Qualität des Einzelzeichens im

1,45 mm (5,5 p) 20 30 40 50

Berthold-Schriften überzeugen durch Schärfe und
Qualität. Schriftqualität ist eine Frage der Erfahr
ung. Berthold hat diese Erfahrung seit über h
undert Jahren. Zuerst im Schriftguß, dann im Foto
satz. Berthold-Schriften sind weltweit geschätzt. I
m Schriftenatelier München wird jeder Buchstabe
in der Größe von zwölf Zentimetern neu gezeichnet
Mit messerscharfen Konturen, um für die Schriftsc
heiben das Optimale an Konturenschärfe herausz

1,60 mm (6 p) 20 30 40 5

Berthold-Schriften überzeugen durch Schärfe
und Qualität. Schriftqualität ist eine Frage der
Erfahrung. Berthold hat diese Erfahrung seit ü
ber hundert Jahren. Zuerst im Schriftguß, dan
n im Fotosatz. Berthold-Schriften sind weltweit
geschätzt. Im Schriftenatelier München wird j
eder Buchstabe in der Größe von zwölf Zenti
metern neu gezeichnet. Mit messerscharfen K
onturen, um für die Schriftscheiben das Optim

1,75 mm (6,5 p) 20 30 40

Berthold-Schriften überzeugen durch Schär
fe und Qualität. Schriftqualität ist eine Frag
e der Erfahrung. Berthold hat diese Erfahru
ng seit über hundert Jahren. Zuerst im Schri
ftguß, dann im Fotosatz. Berthold-Schriften
sind weltweit geschätzt. Im Schriftenatelier
München wird jeder Buchstabe in der Größ
e von zwölf Zentimetern neu gezeichnet. Mit
messerscharfen Konturen, um für die Schrif

1,86 mm (7 p) 20 30 40

Berthold-Schriften überzeugen durch Sc
härfe und Qualität. Schriftqualität ist ei
ne Frage der Erfahrung. Berthold hat di
ese Erfahrung seit über hundert Jahren
Zuerst im Schriftguß, dann im Fotosatz
Berthold-Schriften sind weltweit geschät
zt. Im Schriftenatelier München wird jed
er Buchstabe in der Größe von zwölf Zent
imetern neu gezeichnet. Mit messerscha

2,00 mm (7,5 p) 20 30 4

Berthold-Schriften überzeugen durch
Schärfe und Qualität. Schriftqualität i
st eine Frage der Erfahrung. Berthold h
at diese Erfahrung seit über hundert J
ahren. Zuerst im Schriftguß, dann im F
otosatz. Berthold-Schriften sind weltw
eit geschätzt. Im Schriftenatelier Mün
chen wird jeder Buchstabe in der Größe
von zwölf Zentimetern neu gezeichnet

2,15 mm (8 p) 20 30

Konrad F. Bauer, Walter Baum
1963
Fundición Tipográfica Neufville
H. Berthold AG

ABCDEFGHIJKLMNOPQ
RSTUVWXYZ
abcdefghijklmnopqrstuvwxyz
1/1234567890%
(.,-;:!¡?¿–)·['‘„"“»«]
+−=/$£†*&§
ÄÅÆÖØŒÜäåæıöøœßü
ÁÀÂÃÇČÉÈÊËÍÌÎÏĹŇÑÓÒÔÕ
ŔŘŠŤÚÙÛŴẄÝŶŸŽ
áàâãçčéèêëíìîïĺňñóòôõŕřš
úùûŵẅýỳÿž

Berthold-Schriftweite weit
Berthold-Schriftweite normal
Berthold-Schriftweite eng
Berthold-Schriftweite sehr eng
Berthold-Schriftweite extrem eng

Berthold
3,75 mm (14 p)

Berthold
4,25 mm (16 p)

Berthold
4,75 mm (18 p)

Berthold
5,30 mm (20 p)

Berthold
6,35 mm (24 p)

Berthold
7,40 mm (28 p)

Berthold
8,50 mm (32 p)

Berthold
9,55 mm (36 p)

Größe mm	p	Zeilenabstand kp	Êp	Ex	100 Zeichen 0	−1	−2
1,33	5	1,75	2,06	2,00	97	94	91
1,60	6	2,06	2,50	2,50	115	111	107
1,86	7	2,44	2,88	3,00	132	128	124
2,15	8	2,81	3,31	3,50	150	145	140
2,40	9	3,13	3,69	3,75	168	162	156
2,65	10	3,44	4,06	4,25	185	178	171
2,92	11	3,75	4,50	4,75	202	195	188
3,20	12	4,13	4,94	5,25	220	212	204
3,45	13	4,44	5,31	5,75	237	229	221
3,72	14	4,81	5,75	–	254	245	236
3,98	15	5,13	6,13	–	271	262	253
4,25	16	5,50	6,56	–	289	279	269

WZ 15 E, NSW 0, MZB 0,70, F 0,13:0,079 (1,7), V
H 1–x 0,69–k 1,02–p 0,26–Ê 1,27–kp 1,28–Êp 1,53
BF 089 0448, Belegung 051: 085 2218 (095 2218)

Berthold-Schriften überzeugen du
rch Schärfe und Qualität. Schriftq
ualität ist eine Frage der Erfahru
ng. Berthold hat diese Erfahrung s
eit über hundert Jahren. Zuerst im
Schriftguß, dann im Fotosatz. B
erthold-Schriften sind weltweit ge
schätzt. Im Schriftenatelier Münc

2,40 mm (9 p) 10 20 30

Berthold-Schriften überzeugen
durch Schärfe und Qualität. Sc
hriftqualität ist eine Frage der
Erfahrung. Berthold hat diese
Erfahrung seit über hundert Ja
hren. Zuerst im Schriftguß, da
nn im Fotosatz. Berthold-Schri
ften sind weltweit geschätzt. Im

2,65 mm (10 p) 10 20 30

Berthold-Schriften überzeu
gen durch Schärfe und Qual
ität. Schriftqualität ist eine
Frage der Erfahrung. Bertho
ld hat diese Erfahrung seit ü
ber hundert Jahren. Zuerst
im Schriftguß, dann im Foto
satz. Berthold-Schriften sind

2,92 mm (11 p) 10 20

Berthold-Schriften überze
ugen durch Schärfe und Q
ualität. Schriftqualität ist
eine Frage der Erfahrung
Berthold hat diese Erfahru
ng seit über hundert Jahr
en. Zuerst im Schriftguß
dann im Fotosatz. Berthol

3,20 mm (12 p) 10 20

Berthold-Schriften über
zeugen durch Schärfe u
nd Qualität. Schriftqual
ität ist eine Frage der Er
fahrung. Berthold hat di
ese Erfahrung seit über
hundert Jahren. Zuerst
im Schriftguß, dann im

3,45 mm (13 p) 10 20

mager
light
maigre

IMPRESSUM

fina
chiarissimo
mager

Berthold-Schriften überzeugen durch Schärfe und Qualität. Sc hriftqualität ist eine Frage der Erfahrung. Berthold hat diese Erfahrung seit über hundert Jahren. Zuerst im Schriftguß dann im Fotosatz. Berthold-Schriften sind weltweit geschätzt Im Schriftenatelier München wird jeder Buchstabe in der Grö ße von zwölf Zentimetern neu gezeichnet. Mit messerscha rfen Konturen, um für die Schriftscheiben das Optimale an Ko nturenschärfe herauszuholen. Um die Qualität des Einzelzeic hens im Belichtungsvorgang zu bewahren, wird durch die ru

4,25 mm (16 p), Zeilenabstand 6,75 mm

IMPRESSUM LIGHT

In general, bodytypes are measured in the typographical point size. The sizes of Bert hold Fototype faces can be exactly deter mined. All faces of same point size have the same capital heigth–irrespective of their x heigth. In hot metal and many other photo typesetting systems the capital heigths of ten differ considerably from one face to the other. For measuring point sizes, a trans parent size gauge is provided. To deter mine the point size, bring a capital letter into coincidence with that field which pre cisely circumscribes the letter at its upper and lower margin. Below the field you find the typographical point and below that the millimeter value, which also refers to the height of a capital letter. In Berthold-pho totypesetting, the typewidth can be modi fied. The standard setting width of typefac es is determined by the principle of opti mum legibility. You should not depart from this typewidth without cogent reason. A

2,40 mm (9 p), Zeilenabstand 4,25 mm

IMPRESSUM MAIGRE

La valeur de la force de corps des carac tères de labeur èst généralement expri mée en points typographiques. La force de corps des caractères Berthold Fototype peut être déterminée avec précision. Tous les caractères du même corps ont des capitales d'une hauteur identique, indépendamment de la hau teur des bas de casse sans jambage Dans la composition plomb, ainsi que dans certains systèmes de photocom position, la hauteur des capitales, va rie souvent d'un caractère à l'autre Pour déterminer la force de corps de nos caractères, nous avons mis au point une réglette de hauteur d'œil transparente. On cherche le rectangle qui délimite exactement la hauteur d'œil d'une capitale du caractère choi si. Sous le rectangle correspondant la

2,65 mm (10 p), Zeilenabstand 4,69 mm

La indicación de las dimensiones para cuerpos de letra vásicos tiene lugar en general en puntos tipográficos. Los cuer pos de letra de los caracteres Berthold Fo totype pueden determinarse exactemen te par medición. Con independencia de la altura de sus longitudes centrales, to dos los caracteres de idéntico cuerpo de letra presentan altura de mayúsculas

2,15 mm (8 p), –1, Zeilenabstand 3,38 mm

123,– $	456,– £	7890,– DM	1 %
234,– $	789,– £	1234,– DM	2 %
567,– $	12,– £	5678,– DM	3 %
890,– $	345,– £	9012,– DM	4 %
123,– $	678,– £	3456,– DM	5 %
456,– $	901,– £	7890,– DM	6 %
789,– $	234,– £	1234,– DM	7 %
12,– $	567,– £	5678,– DM	8 %
345,– $	890,– £	9012,– DM	9 %

BF 089 0449

Le misure relative al corpo dei caratteri vengono generalmente indicate in punti tipografici. Il corpo dei caratteri Fototypes può essere determinato con esattezza per semplice misurazione. Tutti i caratteri di uguale grandezza in punti hanno, indi pendentemente dalla loro lunghezza uguale altezza delle maiuscole. Nella com posizione in piombo ed in molti altri sis

2,15 mm (8 p), –2, Zeilenabstand 3,38 mm

kursiv mager
light italic
italique maigre

IMPRESSUM

fina cursiva
chiarissimo corsivo
kursiv mager

Måttangivelse för grundstilsg rader sker i allmänhet i typogr afiska punkter. Stilar av Berth old Fototype kan efter mätning exakt gradbestämmas. Alla ty psnitt är av samma punktstorl ek och har oberoende av x-höj den en identisk versalhöjd. I bl ysättning och i många andra fotosättsystem varierar versal höjden avsevärt från typsnitt till typsnitt. För mätning av sti lgrader finns en transparent mätlinjal. Vid mätningen plac erar man en versal bokstav så att rutorna begränsar tecknet upptill och nedtill. Under ruto rna finns stilstorleken i typogr afiska didotpunkter och i mm

2,92 mm (11 p), Zeilenabstand 4,69 mm

Konrad F. Bauer, Walter Baum
1964
Fundición Tipográfica Neufville
H. Berthold AG

ABCDEFGHIJKLMNOPQ
RSTUVWXYZ
abcdefghijklmnopqrstuvwxyz
1/1234567890%
(.,-;:!¡?¿–)·['‘„”“»«]
+—=/$£†&§*
ÄÅÆÖØŒÜäåæıöøœßü
ÁÀÂÃÇČÉÈÊËÍÌÎÏĹŇÑÓÒÔÕ
ŔŘŠŤÚÙÛŴẄÝŶŸŽ
áàâãçčéèêëíìîïĺňñóòôõŕřš
úùûŵẅýỳÿž

Berthold-Schriftweite weit
Berthold-Schriftweite normal
Berthold-Schriftweite eng
Berthold-Schriftweite sehr eng
Berthold-Schriftweite extrem eng

In general, bodytypes are measured in the typographi cal point size. The sizes of Berthold Fototype faces can be exactly determined. All faces of same point size have the same capital heigth–irr espective of their x-heigth. In hot metal and many other phototypesetting systems the capital heigths often diff er considerably from one fa ce to the other. For measuri ng point sizes, a transparent size gauge is provided. To determine the point size, br ing a capital letter into coin

3,20 mm (12 p), Zeilenabstand 5,25 mm

IMPRESSUM

Die Maßangabe zu Grundschriftgrößen er folgt im allgemeinen in typographischen Punkten. Die Schriftgrößen der Berthold-Fo tosatz-Schriften sind nach Messung exakt be stimmbar. Alle Schriften gleicher Punktgröße weisen, unabhängig von der Höhe ihrer Mit tellängen, eine identische Versalhöhe auf. Im Bleisatz und bei vielen anderen Fotosatz-Sy stemen differieren die Versalhöhen von Schrift zu Schrift oft erheblich. Zum Messen von Schriftgrößen steht ein transparentes Größenmaß zur Verfügung. Zum Messen wird ein Versalbuchstabe mit dem Feld in Deckung gebracht, das den Buchstaben oben und unten scharf begrenzt. Unter dem Feld ist die Schriftgröße in typographischen Didot Punkten, darunter in Millimetern angegeben Auch die Millimeterangaben beziehen sich

2,40 mm (9 p), Zeilenabstand 4 mm

IMPRESSUM

La valeur de la force de corps des carac tères de labeur èst généralement exprimée en points typographiques. La force de corps des caractères Berthold-Fototype peut être déterminée avec précision. Tous les caractères du même corps ont des capi tales d'une hauteur identique, indépen damment de la hauteur des bas de casse sans jambage. Dans la composition plomb, ainsi que dans certains systèmes de photocomposition, la hauteur des ca pitales, varie souvent d'un caractère à l'autre. Pour déterminer la force de corps de nos caractères, nous avons mis au point une réglette de hauteur d'œil trans parente. On cherche le rectangle qui déli

2,65 mm (10 p), Zeilenabstand 4,50 mm

La indicación de las dimensiones para cuerpos de le tra vásicos tiene lugar en general en puntos tipográfi cos. Los cuerpos de letra de los caracteres Berthold Fo totype pueden determinarse exactemente par medi ción. Con independencia de la altura de sus longitu des centrales, todos los caracteres de idéntico cuerpo de letra presentan altura de mayúsculas idéntica. En la composición en plomo y en muchos otros sistemas de fotocomposición, las alturas de mayúsculas varían frecuentemmente en forma considerable de tipo de letra a tipo de letra. Para medir los cuerpos de letra se dispone de un tipómetro, véase la figura. Para la medi

1,60 mm (6 p), Zeilenabstand 2,50 mm

Größe		Zeilenabstand			100 Zeichen		
mm	p	kp	Êp	Ex	0	−1	−2
1,33	5	1,75	2,00		[illegible]	[illegible]	[illegible]
1,60	6	2,13	2,50	2,50	108	104	100
1,86	7	2,44	2,88	—	124	120	116
2,15	8	2,81	3,31	3,38	141	136	131
2,40	9	3,13	3,75	4,00	158	152	146
2,65	10	3,44	4,13	4,50	174	167	160
2,92	11	3,81	4,50	4,69	190	183	176
3,20	12	4,19	4,94	5,25	207	199	191
3,45	13	4,50	5,38	—	223	215	207
3,72	14	4,81	5,75	—	239	230	221
3,98	15	5,19	6,19	—	255	246	237
4,25	16	5,50	6,56	—	271	261	251

WZ 14 E, NSW 0, MZB 0,65, F 0,15:0,13 (1,2), V
H 1–x 0,69–k 1,02–p 0,27–Ê 1,27–kp 1,29–Êp 1,54
BF 089 0450, Belegung 051: 085 2219 (095 2219)

Le misure relative al corpo dei caratteri vengono generalmente indicate in punti tipografici. Il corpo dei caratteri Fototypes può essere determinato con esattezza per semplice misurazione. Tutti i caratteri di uguale grandezza in punti hanno, indi pendentemente dalla loro lunghezza uguale altezza delle maiuscole. Nella composizione in piombo ed in molti altri

2,15 mm (8 p), Zeilenabstand 3,38 mm

halbfett
medium
demi-gras

IMPRESSUM

seminegra
neretto
halvfet

Berthold-Schriften überzeugen durch Schärfe und Qualität. Schriftqualität ist eine Frage der Erfahru ng. Berthold hat diese Erfahrung seit über hundert Jahren. Zuerst im Schriftguß, dann im Fotosatz. Be rthold-Schriften sind weltweit geschätzt. Im Schrift enatelier München wird jeder Buchstabe in der Grö ße von zwölf Zentimetern neu gezeichnet. Mit messe rscharfen Konturen, um für die Schriftscheiben das Optimale an Konturenschärfe herauszuholen. Um

1,60 mm (6 p), Zeilenabstand 2,50 mm

Berthold-Schriften überzeugen durch Schär fe und Qualität. Schriftqualität ist eine Frage der Erfahrung. Berthold hat diese Erfahrung seit über hundert Jahren. Zuerst im Schriftg uß, dann im Fotosatz. Berthold-Schriften si nd weltweit geschätzt. Im Schriftenatelier München wird jeder Buchstabe in der Größe von zwölf Zentimetern neu gezeichnet. Mit m

1,86 mm (7 p), Zeilenabstand 3,00 mm

Berthold-Schriften überzeugen durch Schärfe und Qualität. Schriftqualität ist eine Frage der Erfahrung. Berthold hat diese Erfahrung seit über hundert Jahren. Zuerst im Schriftguß, dann im Fotosatz. Berthold-Schriften sind weltw eit geschätzt. Im Schriftenatelier Münc hen wird jeder Buchstabe in der Größ

2,15 mm (8 p), Zeilenabstand 3,50 mm

Konrad Bauer, Walter Baum
1964
Fundición Tipográfica Neufville
H. Berthold AG

ABCDEFGHIJKLMNOPQ
RSTUVWXYZ
abcdefghijklmnopqrstuvwxyz
1/1234567890%
(.,-;:!¡?¿–)·['‘„"“»«]
+−=/$£†*&§
ÄÅÆÖØŒÜäåæıöøœßü
ÁÀÂÃÇČÉÈÊËÍÌÎÏĹŇÑÓÒÔÕ
ŔŘŠŤÚÙÛŴẄÝŶŸŽ
áàâãçčéèêëíìîïĺňñóòôõŕřš
úùûŵẅýỳÿž

Berthold-Schriftweite weit
Berthold-Schriftweite normal
Berthold-Schriftweite eng
Berthold-Schriftweite sehr eng
Berthold-Schriftweite extrem eng

In general, bodytypes are measured in the typograp hical point size. The sizes of Berthold Fototype faces ca n be exactly determined. A ll faces of same point size h ave the same capital heigt h–irrespective of their x-he igth. In hot metal and many other phototypesetting sys tems the capital heigths of ten differ considerably fro m one face to the other. For measuring point sizes, a tr ansparent size gauge is pr ovided. To determine the p oint size, bring a capital let

3,20 mm (12 p), Zeilenabstand 5,25 mm

Berthold's quick brown fox jumps over the lazy dog and feels as if he were
3,75 mm (14 p)

Berthold's quick brown fox jumps over the lazy dog and feels as if
4,25 mm (16 p)

Berthold's quick brown fox jumps over the lazy dog and f
4,75 mm (18 p)

Berthold's quick brown fox jumps over the lazy dog
5,30 mm (20 p)

Berthold's quick brown fox jumps over the l
6,35 mm (24 p)

Berthold's quick brown fox jumps ov
7,40 mm (28 p)

Berthold's quick brown fox jum
8,50 mm (32 p)

Berthold's quick brown fox j
9,55 mm (36 p)

Berthold-Schriften überzeugen du rch Schärfe und Qualität. Schriftq ualität ist eine Frage der Erfahrung Berthold hat diese Erfahrung seit ü ber hundert Jahren. Zuerst im Schr iftguß, dann im Fotosatz. Berthold Schriften sind weltweit geschätzt. I m Schriftenatelier München wird j

2,40 mm (9 p), Zeilenabstand 4,00 mm

Größe mm	p	Zeilenabstand kp	Êp	Ex	100 Zeichen 0	−1	−2
1,33	5	1,75	2,06	–	97	94	91
1,60	6	2,13	2,50	2,50	114	110	106
1,86	7	2,44	2,88	3,00	131	127	123
2,15	8	2,81	3,31	3,50	149	144	139
2,40	9	3,13	3,69	4,00	167	161	155
2,65	10	3,44	4,06	4,00	184	177	170
2,92	11	3,81	4,50	–	201	194	187
3,20	12	4,19	4,94	5,25	218	210	202
3,45	13	4,50	5,31	–	235	227	219
3,72	14	4,81	5,75	–	253	244	235
3,98	15	5,19	6,13	–	270	261	252
4,25	16	5,50	6,56	–	287	277	267

WZ 14 E, NSW 0, MZB 0,69, F 0,19:0,071 (2,6), V H 1–x 0,69–k 1,03–p 0,26–Ê 1,27–kp 1,29–Êp 1,53 BF 089 0451, Belegung 051: 085 2220 (095 2220)

Berthold-Schriften überzeugen durch Schärfe und Qualität. Sc hriftqualität ist eine Frage der E rfahrung. Berthold hat diese Erf ahrung seit über hundert Jahre n. Zuerst im Schriftguß, dann im Fotosatz. Berthold-Schriften sin d weltweit geschätzt. Im Schrift

2,65 mm (10 p), Zeilenabstand 4,00 mm

normal
regular
normal

IMPRINT

normal
chiaro tondo
normal

Berthold-Schriften überzeugen durch Schärfe und Qualität. Schrift
qualität ist eine Frage der Erfahrung. Berthold hat diese Erfahrung s
eit über hundert Jahren. Zuerst im Schriftguß, dann im Fotosatz. Ber
thold-Schriften sind weltweit geschätzt. Im Schriftenatelier Münch
en wird jeder Buchstabe in der Größe von zwölf Zentimetern n
eu gezeichnet. Mit messerscharfen Konturen, um für die Schriftsch
eiben das Optimale an Konturenschärfe herauszuholen. Um die Qua
lität des Einzelzeichens im Belichtungsvorgang zu bewahren, wird d
urch die ruhende, nicht rotierende Schriftscheibe belichtet. Dieses

1,33 mm (5 p) 20 30 40 50 60

Berthold-Schriften überzeugen durch Schärfe und Qualität. Sc
hriftqualität ist eine Frage der Erfahrung. Berthold hat diese Erf
ahrung seit über hundert Jahren. Zuerst im Schriftguß, dann im
Fotosatz. Berthold-Schriften sind weltweit geschätzt. Im Schrif
tenatelier München wird jeder Buchstabe in der Größe von zwölf
Zentimetern neu gezeichnet. Mit messerscharfen Konturen, um
für die Schriftscheiben das Optimale an Konturenschärfe hera
uszuholen. Um die Qualität des Einzelzeichens im Belichtungs
vorgang zu bewahren, wird durch die ruhende, nicht rotierende

1,45 mm (5,5 p) 20 30 40 50 6

Berthold-Schriften überzeugen durch Schärfe und Qualit
ät. Schriftqualität ist eine Frage der Erfahrung. Berthold h
at diese Erfahrung seit über hundert Jahren. Zuerst im Sc
hriftguß, dann im Fotosatz. Berthold-Schriften sind welt
weit geschätzt. Im Schriftenatelier München wird jeder B
uchstabe in der Größe von zwölf Zentimetern neu gezeich
net. Mit messerscharfen Konturen, um für die Schriftsche
iben das Optimale an Konturenschärfe herauszuholen. U
m die Qualität des Einzelzeichens im Belichtungsvorgang

1,60 mm (6 p) 20 30 40 50

Berthold-Schriften überzeugen durch Schärfe und Q
ualität. Schriftqualität ist eine Frage der Erfahrung. B
erthold hat diese Erfahrung seit über hundert Jahren
Zuerst im Schriftguß, dann im Fotosatz. Berthold-Sc
hriften sind weltweit geschätzt. Im Schriftenatelier M
ünchen wird jeder Buchstabe in der Größe von zwölf
Zentimetern neu gezeichnet. Mit messerscharfen Ko
nturen, um für die Schriftscheiben das Optimale an K
onturenschärfe herauszuholen. Um die Qualität des

1,75 mm (6,5 p) 20 30 40 50

Berthold-Schriften überzeugen durch Schärfe und
Qualität. Schriftqualität ist eine Frage der Erfahru
ng. Berthold hat diese Erfahrung seit über hundert
Jahren. Zuerst im Schriftguß, dann im Fotosatz. Be
rthold-Schriften sind weltweit geschätzt. Im Schri
ftenatelier München wird jeder Buchstabe in der G
röße von zwölf Zentimetern neu gezeichnet. Mit m
esserscharfen Konturen, um für die Schriftscheib
en das Optimale an Konturenschärfe herauszuhol

1,86 mm (7 p) 20 30 40

Berthold-Schriften überzeugen durch Schärfe
und Qualität. Schriftqualität ist eine Frage der
Erfahrung. Berthold hat diese Erfahrung seit ü
ber hundert Jahren. Zuerst im Schriftguß, dann
im Fotosatz. Berthold-Schriften sind weltweit g
eschätzt. Im Schriftenatelier München wird jed
er Buchstabe in der Größe von zwölf Zentimete
rn neu gezeichnet. Mit messerscharfen Kontur
en, um für die Schriftscheiben das Optimale an

2,00 mm (7,5 p) 20 30 40

Berthold-Schriften überzeugen durch Schär
fe und Qualität. Schriftqualität ist eine Frage
der Erfahrung. Berthold hat diese Erfahrung
seit über hundert Jahren. Zuerst im Schriftgu
ß, dann im Fotosatz. Berthold-Schriften sin
d weltweit geschätzt. Im Schriftenatelier Mü
nchen wird jeder Buchstabe in der Größe von
zwölf Zentimetern neu gezeichnet. Mit mess
erscharfen Konturen, um für die Schriftsche

2,15 mm (8 p) 20 30 40

Meynell, Mason, Jackson, Johnston
1912
Monotype Corp. Ltd.
H. Berthold AG

ABCDEFGHIJKLMNOPQ
RSTUVWXYZ
abcdefghijklmnopqrstuvwxyz
1/1234567890%
(.,-;:!¡?¿–) · [’‘„”“»«]
+−=/$£†*&§
ÄÅÆÖØŒÜäåæıöøœßü
ÁÀÂÃÇČÉÈÊËÍÌÎÏĹŇÑÓÒÔÕ
ŔŘŠŤÚÙÛŴẄÝŶŸŽ
áàâãçčéèêëíìîïĺňñóòôõŕřš
úùûŵẅýỳÿž

Berthold-Schriftweite weit
Berthold-Schriftweite normal
Berthold-Schriftweite eng
Berthold-Schriftweite sehr eng
Berthold-Schriftweite extrem eng

Berthold
3,75 mm (14 p)

Berthold
4,25 mm (16 p)

Berthold
4,75 mm (18 p)

Berthold
5,30 mm (20 p)

Berthold
6,35 mm (24 p)

Berthold
7,40 mm (28 p)

Berthold
8,50 mm (32 p)

Berthold
9,55 mm (36 p)

Größe		Zeilenabstand			100 Zeichen		
mm	p	kp	Êp	Ex	0	−1	−2
1,33	5	1,81	2,19	2,00	88	83	80
1,60	6	2,19	2,63	2,50	101	97	93
1,86	7	2,56	3,00	3,00	116	112	108
2,15	8	2,94	3,50	3,50	132	127	122
2,40	9	3,25	3,88	3,75	148	142	136
2,65	10	3,63	4,31	4,25	163	156	149
2,92	11	4,00	4,75	4,75	178	171	164
3,20	12	4,38	5,19	5,25	193	185	177
3,45	13	4,69	5,56	5,75	209	201	193
3,72	14	5,06	6,00	–	224	215	206
3,98	15	5,38	6,44	–	239	230	221
4,25	16	5,75	6,88	–	254	244	234

WZ 13 E, NSW 0, MZB 0,61, F 0,12:0,050 (2,3), III
H 1–x 0,63–k 1,01–p 0,34–Ê 1,27–kp 1,35–Êp 1,61
BF 089 0452, Belegung 051: 085 0751 (095 0751)

Berthold-Schriften überzeugen durch
Schärfe und Qualität. Schriftqualität ist
eine Frage der Erfahrung. Berthold hat
diese Erfahrung seit über hundert Jahre
n. Zuerst im Schriftguß, dann im Fotosa
tz. Berthold-Schriften sind weltweit ges
chätzt. Im Schriftenatelier München wi
rd jeder Buchstabe in der Größe von zw

2,40 mm (9 p) 20 30

Berthold-Schriften überzeugen dur
ch Schärfe und Qualität. Schriftqual
ität ist eine Frage der Erfahrung. Ber
thold hat diese Erfahrung seit über
hundert Jahren. Zuerst im Schriftg
uß, dann im Fotosatz. Berthold-Sch
riften sind weltweit geschätzt. Im Sc
hriftenatelier München wird jeder B

2,65 mm (10 p) 20 30

Berthold-Schriften überzeugen d
urch Schärfe und Qualität. Schr
iftqualität ist eine Frage der Erfah
rung. Berthold hat diese Erfahru
ng seit über hundert Jahren. Zue
rst im Schriftguß, dann im Fotos
atz. Berthold-Schriften sind wel
tweit geschätzt. Im Schriftenateli

2,92 mm (11 p) 10 20 30

Berthold-Schriften überzeuge
n durch Schärfe und Qualität
Schriftqualität ist eine Frage d
er Erfahrung. Berthold hat die
se Erfahrung seit über hundert
Jahren. Zuerst im Schriftguß
dann im Fotosatz. Berthold-S
chriften sind weltweit geschät

3,20 mm (12 p) 10 20

Berthold-Schriften überzeu
gen durch Schärfe und Qual
ität. Schriftqualität ist eine F
rage der Erfahrung. Berthold
hat diese Erfahrung seit übe
r hundert Jahren. Zuerst im
Schriftguß, dann im Fotosat
z. Berthold-Schriften sind w

3,45 mm (13 p) 10 20

normal
regular
normal

IMPRINT

normal
chiaro tondo
normal

Berthold-Schriften überzeugen durch Schärfe und Qualität. Schriftqualit ät ist eine Frage der Erfahrung. Berthold hat diese Erfahrung seit über hu ndert Jahren. Zuerst im Schriftguß, dann im Fotosatz. Berthold-Schriften sind weltweit geschätzt. Im Schriftenatelier München wird jeder Buchsta be in der Größe von zwölf Zentimetern neu gezeichnet. Mit messerscha rfen Konturen, um für die Schriftscheiben das Optimale an Konturensch ärfe herauszuholen. Um die Qualität des Einzelzeichens im Belichtungsv organg zu bewahren, wird durch die ruhende, nicht rotierende Schriftsch eibe belichtet. Dieses optische System, verbunden mit Präzisions-Chro

4,25 mm (16 p), Zeilenabstand 6,75 mm

IMPRINT REGULAR

In general, bodytypes are measured in the typo graphical point size. The sizes of Berthold Foto type faces can be exactly determined. All faces of same point size have the same capital heigth–irre spective of their x-heigth. In hot metal and many other phototypesetting systems the capital heigths often differ considerably from one face to the other. For measuring point sizes, a transpar ent size gauge is provided. To determine the point size, bring a capital letter into coincidence with that field which precisely circumscribes the letter at its upper and lower margin. Below the field you find the typographical point and below that the millimeter value, which also refers to the height of a capital letter. In Berthold-phototypesetting, the typewidth can be modified. The standard setting width of typefaces is determined by the principle of optimum legibility. You should not depart from this typewidth without cogent reason. A typeface which is considered optically right when looked in a greater context, often seems bulky when ap plied for a small amount of text, e. g. labels and

2,40 mm (9 p), Zeilenabstand 4,25 mm

IMPRINT NORMAL

La valeur de la force de corps des caractères de labeur èst généralement exprimée en points typographiques. La force de corps des carac tères Berthold-Fototype peut être déterminée avec précision. Tous les caractères du même corps ont des capitales d'une hauteur iden tique, indépendamment de la hauteur des bas de casse sans jambage. Dans la composition plomb, ainsi que dans certains systèmes de photocomposition, la hauteur des capitales varie souvent d'un caractère à l'autre. Pour dé terminer la force de corps de nos caractères nous avons mis au point une réglette de hauteur d'œil transparente. On cherche le rectangle qui délimite exactement la hauteur d'œil d'une capitale du caractère choisi. Sous le rectangle correspondant la valeur de la force de corps est indiquée en points Didots et en millimètres. La valeur en millimètres ex prime également la hauteur des capitales de

2,65 mm (10 p), Zeilenabstand 4,69 mm

La indicación de las dimensiones para cuerpos de letra vásicos tiene lugar en general en puntos tipográficos. Los cuerpos de letra de los caracte res Berthold Fototype pueden determinarse ex actemente par medición. Con independencia de la altura de sus longitudes centrales, todos los caracteres de idéntico cuerpo de letra presentan altura de mayúsculas idéntica. En la composi ción en plomo y en muchos otros sistemas de

2,15 mm (8 p), –1, Zeilenabstand 3,38 mm

123,– $	456,– £	7890,– DM	1 %
234,– $	789,– £	1234,– DM	2 %
567,– $	12,– £	5678,– DM	3 %
890,– $	345,– £	9012,– DM	4 %
123,– $	678,– £	3456,– DM	5 %
456,– $	901,– £	7890,– DM	6 %
789,– $	234,– £	1234,– DM	7 %
12,– $	567,– £	5678,– DM	8 %
345,– $	890,– £	9012,– DM	9 %

BF 089 0453

Le misure relative al corpo dei caratteri vengono generalmente indicate in punti tipografici. Il corpo dei caratteri Fototypes può essere determinato con esattezza per semplice misurazione. Tutti i ca ratteri di uguale grandezza in punti hanno, indi pendentemente dalla loro lunghezza, uguale altez za delle maiuscole. Nella composizione in piombo ed in molti altri sistemi di fotocomposizione, l'al tezza delle maiuscole varia spesso da carattere a

2,15 mm (8 p), –2, Zeilenabstand 3,38 mm

kursiv
italic
italique

IMPRINT

cursiva
corsivo
kursiv

Måttangivelse för grundstilsgrader sker i allmänhet i typografiska punk ter. Stilar av Berthold Fototype kan efter mätning exakt gradbestämmas Alla typsnitt är av samma punktsto rlek och har oberoende av x-höjden en identisk versalhöjd. I blysättni ng och i många andra fotosättsystem varierar versalhöjden avsevärt från typsnitt till typsnitt. För mätning av stilgrader finns en transparent mätli njal. Vid mätningen placerar man en versal bokstav så att rutorna begrän sar tecknet upptill och nedtill. Under rutorna finns stilstorleken i typogr afiska didotpunkter och i mm. Även millimeteruppgiften avser versalhöj den. Vid stilstorleksuppgifter anges alltid måttenheten efter sifferuppgift

2,92 mm (11 p), Zeilenabstand 4,69 mm

Meynell, Mason, Jackson, Johnston
1912
Monotype Corp. Ltd.
H. Berthold AG

ABCDEFGHIJKLMNOPQ
RSTUVWXYZ
abcdefghijklmnopqrstuvwxyz
1/1234567890 %
(.,-;:!¡?¿–) · [’‘„ ”“»«]
+−=/$£†&§*
ÄÅÆÖØŒÜäåæıöøœßü
ÁÀÂÃÇČÉÈÊËÍÌÎÏĹŇÑÓÒÔÕ
ŔŘŠŤÚÙÛŴẄÝỲŸŽ
áàâãçčéèêëíìîïĺňñóòôõŕřš
úùûŵẅýỳÿž

Berthold-Schriftweite weit
Berthold-Schriftweite normal
Berthold-Schriftweite eng
Berthold-Schriftweite sehr eng
Berthold-Schriftweite extrem eng

In general, bodytypes are measur ed in the typographical point size The sizes of Berthold Fototype fa ces can be exactly determined. All faces of same point size have the same capital height–irrespective of their x-height. In hot metal and many other phototypesetting syst ems the capital heights often differ considerably from one face to the other. For measuring point sizes a transparent size gauge is pro vided. To determine the point si ze, bring a capital letter into coin cidence with that field which prec isely circumscribes the letter at its upper and lower margin. Below

3,20 mm (12 p), Zeilenabstand 5,25 mm

IMPRINT KURSIV

Die Maßangabe zu Grundschriftgrößen erfolgt im all gemeinen in typographischen Punkten. Die Schrift größen der Berthold-Fotosatz-Schriften sind nach Messung exakt bestimmbar. Alle Schriften gleicher Punktgröße weisen, unabhängig von der Höhe ihrer Mittellängen, eine identische Versalhöhe auf. Im Blei satz und bei vielen anderen Fotosatz-Systemen diffe rieren die Versalhöhen von Schrift zu Schrift oft er heblich. Zum Messen von Schriftgrößen steht ein transparentes Größenmaß zur Verfügung. Zum Mes sen wird ein Versalbuchstabe mit dem Feld in Dec kung gebracht, das den Buchstaben oben und unten scharf begrenzt. Unter dem Feld ist die Schriftgröße in typographischen Didot-Punkten, darunter in Mil limetern angegeben. Auch die Millimeterangaben be ziehen sich auf die Höhe der Versalbuchstaben. Die Schriftweite kann im Berthold-Fotosatz beliebig ver ändert werden. Die Festlegung der Normalschriftweite

2,40 mm (9 p), Zeilenabstand 4 mm

IMPRINT ITALIQUE

La valeur de la force de corps des caractères de la beur èst généralement exprimée en points typo graphiques. La force de corps des caractères Bert hold-Fototype peut être déterminée avec préci sion. Tous les caractères du même corps ont des ca pitales d'une hauteur identique, indépendam ment de la hauteur des bas de casse sans jambage Dans la composition plomb, ainsi que dans cer tains systèmes de photocomposition, la hauteur des capitales, varie souvent d'un caractère à l'au tre. Pour déterminer la force de corps de nos caractères, nous avons mis au point une réglette de hauteur d'œil transparente. On cherche le rec tangle qui délimite exactement la hauteur d'œil d'une capitale du caractère choisi. Sous le rec tangle correspondant la valeur de la force de corps

2,65 mm (10 p), Zeilenabstand 4,50 mm

La indicación de las dimensiones para cuerpos de letra vásicos tiene lugar en general en puntos tipográficos. Los cuerpos de le tra de los caracteres Berthold Fototype pueden determinarse ex actemente par medición. Con independencia de la altura de sus longitudes centrales, todos los caracteres de idéntico cuerpo de letra presentan altura de mayúsculas idéntica. En la composi ción en plomo y en muchos otros sistemas de fotocomposición, las alturas de mayúsculas varían frecuentemmente en forma consi derable de tipo de letra a tipo de letra. Para medir los cuer pos de letra se dispone de un tipómetro, véase la figura. Para la medición se hace coincidir una letra mayúscula con la casilla cu yos extremos coinciden con los extremos superior e inferior de la

1,60 mm (6 p), Zeilenabstand 2,50 mm

Größe		Zeilenabstand			100 Zeichen		
mm	p	kp	Êp	Ex	0	−1	−2
1,33	5	1,81	2,06	—	77	74	71
1,60	6	2,13	2,50	2,50	91	87	83
1,86	7	2,50	2,94	—	105	101	97
2,15	8	2,88	3,38	3,38	119	114	109
2,40	9	3,19	3,75	4,00	133	127	121
2,65	10	3,50	4,13	4,50	147	140	133
2,92	11	3,88	4,56	4,69	161	154	147
3,20	12	4,25	5,00	5,25	174	166	158
3,45	13	4,56	5,38	—	188	180	172
3,72	14	4,94	5,81	—	202	193	184
3,98	15	5,31	6,19	—	215	206	197
4,25	16	5,63	6,63	—	229	219	209

WZ 12 E, NSW 0, MZB 0,55, F 0,11:0,042 (2,6), III
H 1–x 0,65–k 1,02–p 0,30–Ê 1,25–kp 1,32–Êp 1,55
BF 089 0454, Belegung 051: 085 0758 (095 0758)

Le misure relative al corpo dei caratteri vengono generalmente indicate in punti tipografici. Il cor po dei caratteri Fototypes può essere determinato con esattezza per semplice misurazione. Tutti i ca ratteri di uguale grandezza in punti hanno, indi pendentemente dalla loro lunghezza, uguale al tezza delle maiuscole. Nella composizione in piombo ed in molti altri sistemi di fotocomposizi one, l'altezza delle maiuscole varia spesso da ca

2,15 mm (8 p), Zeilenabstand 3,38 mm

halbfett
bold
demi-gras

IMPRINT

seminegra
neretto
halvfet

Berthold-Schriften überzeugen durch Schärfe und Qualität. Schriftqualität ist eine Frage der Erfahrung. Berthold hat diese Erfahrung seit über hundert Jahren Zuerst im Schriftguß, dann im Fotosatz. Berthold-Schriften sind weltweit geschätzt. Im Schriftenatelier München wird jeder Buchstabe in der Größe von zwölf Zentimetern neu gezeichnet. Mit messerscharfen Konturen, um für die Schriftscheiben das Optimale an Konturenschärfe herauszuholen. Um die Qualität des

1,60 mm (6 p), Zeilenabstand 2,50 mm

Berthold-Schriften überzeugen durch Schärfe und Qualität. Schriftqualität ist eine Frage der Erfahrung. Berthold hat diese Erfahrung seit über hundert Jahren. Zuerst im Schriftguß, dann im Fotosatz. Berthold-Schriften sind welt weit geschätzt. Im Schriftenatelier München wird jeder Buchstabe in der Größe von zwölf Zentimetern neu gezeichnet. Mit messerschar

1,86 mm (7 p), Zeilenabstand 3,00 mm

Berthold-Schriften überzeugen durch Schärfe und Qualität. Schriftqualität ist eine Frage der Erfahrung. Berthold hat diese Erfahrung seit über hundert Jahren. Zuerst im Schriftguß, dann im Fotosatz. Berthold-Schriften sind weltweit geschätzt Im Schriftenatelier München wird jeder Buchstabe in der Größe von zwölf Zenti

2,15 mm (8 p), Zeilenabstand 3,50 mm

Meynell, Mason, Jackson, Johnston
1912
Monotype Corp. Ltd.
H. Berthold AG

ABCDEFGHIJKLMNOPQ
RSTUVWXYZ
abcdefghijklmnopqrstuvwxyz
1/1234567890%
(.,-;:!¡?¿–) · [’‘„”“»«]
+−=/$£†*&§
ÄÅÆÖØŒÜäåæıöøœßü
ÁÀÂÃÇČÉÈÊËÍÌÎÏĹŇÑÓÒÔÕ
ŔŘŠŤÚÙÛŴẄÝŶŸŽ
áàâãçčéèêëíìîïĺňñóòôõŕřš
úùûŵẅýỳÿž

Berthold-Schriftweite weit
Berthold-Schriftweite normal
Berthold-Schriftweite eng
Berthold-Schriftweite sehr eng
Berthold-Schriftweite extrem eng

In general, bodytypes are measured in the typographical point size. The sizes of Berthold Fototype faces can be exactly determined. All faces of same point size have the same capital height-irrespective of their x-height. In hot metal and many other phototypesetting systems the capital heights often differ considerably from one face to the other. For measuring point sizes, a transparent size gauge is provided. To determine the point size, bring a capital letter into coinci

3,20 mm (12 p), Zeilenabstand 5,25 mm

Berthold's quick brown fox jumps over the lazy dog and feels as if he were in
3,75 mm (14 p)

Berthold's quick brown fox jumps over the lazy dog and feels as if
4,25 mm (16 p)

Berthold's quick brown fox jumps over the lazy dog and fe
4,75 mm (18 p)

Berthold's quick brown fox jumps over the lazy dog
5,30 mm (20 p)

Berthold's quick brown fox jumps over the l
6,35 mm (24 p)

Berthold's quick brown fox jumps ov
7,40 mm (28 p)

Berthold's quick brown fox jum
8,50 mm (32 p)

Berthold's quick brown fox ju
9,55 mm (36 p)

Berthold-Schriften überzeugen durch Schärfe und Qualität. Schriftqualität ist eine Frage der Erfahrung. Berthold hat diese Erfahrung seit über hundert Jahren. Zuerst im Schriftguß, dann im Fotosatz. Berthold-Schriften sind weltweit geschätzt. Im Schriftenatelier München wird jeder Bu

2,40 mm (9 p), Zeilenabstand 4,00 mm

Größe mm	p	Zeilenabstand kp	Êp	Ex	100 Zeichen 0	−1	−2
1,33	5	1,88	2,19	–	96	93	90
1,60	6	2,25	2,63	2,50	113	109	105
1,86	7	2,63	3,06	3,00	130	126	122
2,15	8	3,06	3,50	3,50	148	143	138
2,40	9	3,38	3,94	4,00	166	160	154
2,65	10	3,75	4,31	4,00	183	176	169
2,92	11	4,13	4,75	–	200	193	186
3,20	12	4,50	5,19	5,25	217	209	201
3,45	13	4,88	5,63	–	234	226	218
3,72	14	5,25	6,06	–	251	242	233
3,98	15	5,63	6,50	–	268	259	250
4,25	16	6,00	6,94	–	285	275	265

WZ 14 E, NSW 0, MZB 0,69, F 0,20:0,083 (2,4), III
H 1–x 0,66–k 1,05–p 0,35–Ê 1,27–kp 1,40–Êp 1,62
BF 089 0455, Belegung 051: 085 0755 (095 0755)

Berthold-Schriften überzeugen durch Schärfe und Qualität. Schriftqualität ist eine Frage der Erfahrung. Berthold hat diese Erfahrung seit über hundert Jahren. Zuerst im Schriftguß, dann im Fotosatz. Berthold-Schriften sind weltweit geschätzt. Im Schriftenatelier

2,65 mm (10 p), Zeilenabstand 4,00 mm

kursiv halbfett
bold italic
italique demi-gras

IMPRINT

seminegra cursiva
neretto corsivo
kursiv halvfet

Berthold-Schriften überzeugen durch Schärfe und Qu alität. Schriftqualität ist eine Frage der Erfahrung. Be rthold hat diese Erfahrung seit über hundert Jahr en. Zuerst im Schriftguß, dann im Fotosatz. Berthold Schriften sind weltweit geschätzt. Im Schriftenatelier München wird jeder Buchstabe in der Größe von zwölf Zentimetern neu gezeichnet. Mit messerscharfen Kont uren, um für die Schriftscheiben das Optimale an Kon turenschärfe herauszuholen. Um die Qualität des Einz

1,60 mm (6 p), Zeilenabstand 2,50 mm

Berthold-Schriften überzeugen durch Schärfe und Qualität. Schriftqualität ist eine Frage der Erfahrung. Berthold hat diese Erfahrung seit über hundert Jahren. Zuerst im Schriftguß, da nn im Fotosatz. Berthold-Schriften sind weltwe it geschätzt. Im Schriftenatelier München wird jeder Buchstabe in der Größe von zwölf Zentim etern neu gezeichnet. Mit messerscharfen Kont

1,86 mm (7 p), Zeilenabstand 3,00 mm

Berthold-Schriften überzeugen durch Sch ärfe und Qualität. Schriftqualität ist eine Frage der Erfahrung. Berthold hat diese E rfahrung seit über hundert Jahren. Zue rst im Schriftguß, dann im Fotosatz. Bert hold-Schriften sind weltweit geschätzt. Im Schriftenatelier München wird jeder Buc hstabe in der Größe von zwölf Zentimetern

2,15 mm (8 p), Zeilenabstand 3,50 mm

Meynell, Mason, Jackson Johnston
1912
Monotype Corp. Ltd.
H. Berthold AG

ABCDEFGHIJKLMNOPQ
RSTUVWXYZ
abcdefghijklmnopqrstuvwxyz
1/1234567890%
(.,-;:!¡?¿–)·[’‘„”“»«]
+−=/$£†&§*
ÄÅÆÖØŒÜäåæıöøœßü
ÁÀÂÃÇČÉÈÊËÍÌÎÏĹŇÑÓÒÔÕ
ŔŘŠŤÚÙÛŴẄÝỲŸŽ
áàâãçčéèêëíìîïĺňñóòôõŕřš
úùûŵẅýỳÿž

Berthold-Schriftweite weit
Berthold-Schriftweite normal
Berthold-Schriftweite eng
Berthold-Schriftweite sehr eng
Berthold-Schriftweite extrem eng

In general, bodytypes are m easured in the typographical point size. The sizes of Ber thold Fototype faces can be e xactly determined. All faces of same point size have the s ame capital height-irrespec tive of their x-height. In hot metal and many other photo typesetting systems the capi tal heights often differ cons iderably from one face to the other. For measuring point s izes, a transparent size gauge is provided. To determine the point size, bring a capital lett er into coincidence with that

3,20 mm (12 p), Zeilenabstand 5,25 mm

Berthold's quick brown fox jumps over the lazy dog and feels as if he were in the
3,75 mm (14 p)

Berthold's quick brown fox jumps over the lazy dog and feels as if he
4,25 mm (16 p)

Berthold's quick brown fox jumps over the lazy dog and feels
4,75 mm (18 p)

Berthold's quick brown fox jumps over the lazy dog and
5,30 mm (20 p)

Berthold's quick brown fox jumps over the lazy
6,35 mm (24 p)

Berthold's quick brown fox jumps over t
7,40 mm (28 p)

Berthold's quick brown fox jumps
8,50 mm (32 p)

Berthold's quick brown fox jum
9,55 mm (36 p)

Berthold-Schriften überzeugen durch Schärfe und Qualität. Schriftqualität ist eine Frage der Erfahrung. Bertho ld hat diese Erfahrung seit über hund ert Jahren. Zuerst im Schriftguß, dann im Fotosatz. Berthold-Schriften sind weltweit geschätzt. Im Schriftenate lier München wird jeder Buchstabe in

2,40 mm (9 p), Zeilenabstand 4,00 mm

Größe		Zeilenabstand			100 Zeichen		
mm	p	kp	Êp	Ex	0	−1	−2
1,33	5	1,81	2,19	—	90	87	84
1,60	6	2,19	2,63	2,50	106	102	98
1,86	7	2,56	3,00	3,00	122	118	114
2,15	8	2,94	3,50	3,50	139	134	129
2,40	9	3,31	3,88	4,00	156	150	144
2,65	10	3,63	4,31	4,00	172	165	158
2,92	11	4,00	4,75	—	188	181	174
3,20	12	4,38	5,19	5,25	204	196	188
3,45	13	4,75	5,56	—	220	212	204
3,72	14	5,06	6,00	—	236	227	218
3,98	15	5,44	6,44	—	252	243	234
4,25	16	5,81	6,88	—	268	258	248

WZ 14 E, NSW 0, MZB 0,65, F 0,19:0,071 (2,7), III
H 1–x 0,66–k 1,02–p 0,34–Ê 1,27–kp 1,36–Êp 1,61
BF 089 0456, Belegung 051: 085 0761 (095 0761)

Berthold-Schriften überzeugen d urch Schärfe und Qualität. Schrif tqualität ist eine Frage der Erfahr ung. Berthold hat diese Erfahrung seit über hundert Jahren. Zuerst i m Schriftguß, dann im Fotosatz. B erthold-Schriften sind weltweit g eschätzt. Im Schriftenatelier Mün

2,65 mm (10 p), Zeilenabstand 4,00 mm

Impuls

In general, bodytypes are measured in the typographical point size. The sizes of Berthold Fototype faces can be exactly determined. All faces of same point size have the same capital heigth-irrespective of their x-heigth In hot metal and many other photot ypesetting systems the capital heigths often differ considerably from one fa ce to the other. For measuring point sizes, a transparent size gauge is pro vided. To determine the point size bring a capital letter into coincidence with that field which precisely circum scribes the letter at its upper and low er margin. Below the field you find the typographical point and below th

3,20 mm (12 p), Zeilenabstand 5,25 mm

P. Zimmermann
1954
Johannes Wagner GmbH
H. Berthold AG

ABCDEFGHIJKLMNOPQ
RSTUVWXYZ
abcdefghijklmnopqrstuvwxyz
1/1234567890%
(.,-;:!¡?¿-)·['„"“»«]
+−=/$£†*&§
ÄÅÆÖØŒÜäåæıöøœßü
ÁÀÂÃÇČÉÈÊËÍÌÎÏĽŇÑÓÒ
ÔÕŔŘŠŤÚÙÛẂẀÝỲŸŽ
áàâãçčéèêëíìîïľňñóòôõŕřš
úùûẃẁýỳÿž

Berthold-Schriftweite weit
Berthold-Schriftweite normal
Berthold-Schriftweite eng
Berthold-Schriftweite sehr eng
Berthold-Schriftweite extrem eng

Bouillabaisse................. 7,95
Frisch gebeizter Ostseelachs.. 16,70
Japanische Wachteleier...... 13,75
Gegrillte Scampi............. 17,80
Lammkotelett Provençale ... 15,30
Hasenkeule Chasseur 19,50
Ente pochiert in der Blase ... 22,50
Kalbsmedaillons Gourmet ... 18,50
Kalbsfilet Grand Seigneur .. 24,50
Weinhändlertopf............. 16,80
Mistchratzerli mit Rosmarin. 19,50
Entrecôte Double Paris 28,50
Tournedos Phantasie......... 27,50
Fondue Bourguignonne...... 39,50
Walderdbeeren 7,50
Eisbaiser Schlaccamadilla ... 8,50
Feigen mit Pfeffer auf Eis .. 9,75

3,20 mm (12 p), Zeilenabstand 5,25 mm

Barbara Helga Agnes Joana Natalie Gaby Sonja Karen Rebekka Christiane Ortrud Lydia Eva
3,75 mm (14 p)

Barbara Helga Agnes Joana Natalie Gaby Sonja Karen Rebekka Christiane Ortrud
4,25 mm (16 p)

Barbara Helga Agnes Joana Natalie Gaby Sonja Karen Rebekka Maria
4,75 mm (18 p)

Barbara Helga Agnes Joana Natalie Gaby Sonja Karen Rebekka
5,30 mm (20 p)

Barbara Helga Agnes Joana Natalie Gaby Sonja Eva
6,35 mm (24 p)

Barbara Helga Agnes Joana Natalie Eva Gaby
7,40 mm (28 p)

Barbara Helga Agnes Joana Natalie Eva
8,50 mm (32 p)

Barbara Helga Agnes Joana Natalie
9,55 mm (36 p)

Berthold-Schriften überzeugen durch Sch ärfe und Qualität. Schriftqualität ist eine Frage der Erfahrung. Berthold hat diese Erfahrung seit über hundert Jahren. Zuerst im Schriftguß, dann im Fotosatz. Berthold Schriften sind weltweit geschätzt. Im Schr iftenatelier München wird jeder Buchstabe in der Größe von zwölf Zentimetern neu ge

2,65 mm (10 p), Zeilenabstand 4,00 mm

Größe mm	p	Zeilenabstand kp	Êp	Ex	100 Zeichen 0	−1	−2
1,33	5	1,75	2,19	—	70	67	64
1,60	6	2,13	2,56	—	82	78	74
1,86	7	2,44	3,00	—	94	90	86
2,15	8	2,81	3,50	—	107	102	97
2,40	9	3,13	3,88	—	120	114	108
2,65	10	3,44	4,25	4,00	132	125	118
2,92	11	3,81	4,69	4,63	144	137	130
3,20	12	4,19	5,13	5,25	157	149	141
3,45	13	4,50	5,56	—	169	161	153
3,72	14	4,81	6,00	—	181	172	163
3,98	15	5,19	6,38	—	194	185	176
4,25	16	5,50	6,81	—	206	196	186

WZ 13 E, NSW 0, MZB 0,50, F 0,16:0,050 (3,3), VIII
H 1–x 0,59–k 1,01–p 0,28–Ê 1,32–kp 1,29–Êp 1,60
BF 089 0457, Belegung 051: 085 2084 (095 2084)

Berthold-Schriften überzeugen durch Schärfe und Qualität. Schriftqualität ist eine Frage der Erfahrung. Berthold hat diese Erfahrung seit über hundert Jahren. Zuerst im Schriftguß, dann im Fotosatz. Berthold-Schriften sind wel tweit geschätzt. Im Schriftenatelier M

2,92 mm (11 p), Zeilenabstand 4,63 mm

Buch
book
romain labeur

ISBELL

libro
libro
buch

Berthold-Schriften überzeugen durch Schärfe und Qualität. Sch
riftqualität ist eine Frage der Erfahrung. Berthold hat diese Erfa
hrung seit über hundert Jahren. Zuerst im Schriftguß, dann im F
otosatz. Berthold-Schriften sind weltweit geschätzt. Im Schrifte
natelier München wird jeder Buchstabe in der Größe von zwölf Z
entimetern neu gezeichnet. Mit messerscharfen Konturen, um f
ür die Schriftscheiben das Optimale an Konturenschärfe herau
szuholen. Um die Qualität des Einzelzeichens im Belichtungsv
organg zu bewahren, wird durch die ruhende, nicht rotierende S

1,33 mm (5 p) 20 30 40 50 60

Berthold-Schriften überzeugen durch Schärfe und Qualität
Schriftqualität ist eine Frage der Erfahrung. Berthold hat di
ese Erfahrung seit über hundert Jahren. Zuerst im Schriftgu
ß, dann im Fotosatz. Berthold-Schriften sind weltweit gesc
hätzt. Im Schriftenatelier München wird jeder Buchstabe in
der Größe von zwölf Zentimetern neu gezeichnet. Mit mess
erscharfen Konturen, um für die Schriftscheiben das Optim
ale an Konturenschärfe herauszuholen. Um die Qualität des
Einzelzeichens im Belichtungsvorgang zu bewahren, wird

1,45 mm (5,5 p) 20 30 40 50

Berthold-Schriften überzeugen durch Schärfe und Qu
alität. Schriftqualität ist eine Frage der Erfahrung. Be
rthold hat diese Erfahrung seit über hundert Jahren. Z
uerst im Schriftguß, dann im Fotosatz. Berthold-Schri
ften sind weltweit geschätzt. Im Schriftenatelier Mün
chen wird jeder Buchstabe in der Größe von zwölf Zent
imetern neu gezeichnet. Mit messerscharfen Konture
n, um für die Schriftscheiben das Optimale an Kontur
enschärfe herauszuholen. Um die Qualität des Einzel

1,60 mm (6 p) 20 30 40 50

Berthold-Schriften überzeugen durch Schärfe und
Qualität. Schriftqualität ist eine Frage der Erfahr
ung. Berthold hat diese Erfahrung seit über hunde
rt Jahren. Zuerst im Schriftguß, dann im Fotosatz
Berthold-Schriften sind weltweit geschätzt. Im Sc
hriftenatelier München wird jeder Buchstabe in d
er Größe von zwölf Zentimetern neu gezeichnet. M
it messerscharfen Konturen, um für die Schriftsch
eiben das Optimale an Konturenschärfe herauszu

1,75 mm (6,5 p) 20 30 40

Berthold-Schriften überzeugen durch Schärfe
und Qualität. Schriftqualität ist eine Frage der
Erfahrung. Berthold hat diese Erfahrung seit ü
ber hundert Jahren. Zuerst im Schriftguß, da
nn im Fotosatz. Berthold-Schriften sind weltw
eit geschätzt. Im Schriftenatelier München wird
jeder Buchstabe in der Größe von zwölf Zentim
etern neu gezeichnet. Mit messerscharfen Kont
uren, um für die Schriftscheiben das Optimale

1,86 mm (7 p) 20 30 40

Berthold-Schriften überzeugen durch Schär
fe und Qualität. Schriftqualität ist eine Frage
der Erfahrung. Berthold hat diese Erfahrung
seit über hundert Jahren. Zuerst im Schriftg
uß, dann im Fotosatz. Berthold-Schriften si
nd weltweit geschätzt. Im Schriftenatelier M
ünchen wird jeder Buchstabe in der Größe v
on zwölf Zentimetern neu gezeichnet. Mit m
esserscharfen Konturen, um für die Schrifts

2,00 mm (7,5 p) 20 30 40

Berthold-Schriften überzeugen durch Sc
härfe und Qualität. Schriftqualität ist eine
Frage der Erfahrung. Berthold hat diese E
rfahrung seit über hundert Jahren. Zuerst
im Schriftguß, dann im Fotosatz. Berthol
d-Schriften sind weltweit geschätzt. Im Sc
hriftenatelier München wird jeder Buchst
abe in der Größe von zwölf Zentimetern n
eu gezeichnet. Mit messerscharfen Kontu

2,15 mm (8 p) 20 30

Dick Isbell, Jerry Campbell
1981
International Typeface Corp.
H. Berthold AG

ABCDEFGHIJKLMNOPQ
RSTUVWXYZ
abcdefghijklmnopqrstuvwxyz
1/1234567890%
(.,-;:!¡?¿–)·['‘„"“»«]
+–=/$£†*&§
ÄÅÆÖØŒÜäåæıöøœßü
ÁÀÂÃÇČÉÈÊËÍÌÎÏĹŇÑÓÒÔÕ
ŔŘŠŤÚÙÛŴẄÝŶŸŽ
áàâãçčéèêëíìîïĺňñóòôõŕřš
úùûŵẅýỳÿž

Berthold-Schriftweite weit
Berthold-Schriftweite normal
Berthold-Schriftweite eng
Berthold-Schriftweite sehr eng
Berthold-Schriftweite extrem eng

Berthold
3,72 mm (14 p)

Berthold
4,25 mm (16 p)

Berthold
4,75 mm (18 p)

Berthold
5,30 mm (20 p)

Berthold
6,35 mm (24 p)

Berthold
7,40 mm (28 p)

Berthold
8,50 mm (32 p)

Berthold
9,55 mm (36 p)

Größe		Zeilenabstand			100 Zeichen		
mm	p	kp	Êp	Ex	0	−1	−2
1,33	5	1,75	2,13	2,00	93	90	87
1,00	0	2,00	2,50	2,50	109	105	101
1,86	7	2,44	2,94	3,00	126	122	118
2,15	8	2,81	3,44	3,50	143	138	133
2,40	9	3,13	3,81	3,75	160	154	148
2,65	10	3,44	4,19	4,25	177	170	163
2,92	11	3,75	4,63	4,75	193	186	179
3,20	12	4,13	5,06	5,25	209	201	193
3,45	13	4,44	5,50	5,75	226	218	210
3,72	14	4,81	5,88	–	242	233	224
3,98	15	5,13	6,31	–	259	250	241
4,25	16	5,44	6,75	–	275	265	255

WZ 13 E, NSW 0, MZB 0,67, F 0,13:0,054 (2,3), III
H 1–x 0,75–k 1,00–p 0,28–Ê 1,30–kp 1,28–Êp 1,58
BF 089 1004, Belegung 051: 085 1132 (095 1132)

Berthold-Schriften überzeugen durch
Schärfe und Qualität. Schriftqualität
ist eine Frage der Erfahrung. Berthold
hat diese Erfahrung seit über hundert
Jahren. Zuerst im Schriftguß, dann im
Fotosatz. Berthold-Schriften sind we
ltweit geschätzt. Im Schriftenatelier
München wird jeder Buchstabe in der

2,40 mm (9 p) 20 30

Berthold-Schriften überzeugen d
urch Schärfe und Qualität. Schrift
qualität ist eine Frage der Erfahr
ung. Berthold hat diese Erfahrung
seit über hundert Jahren. Zuerst i
m Schriftguß, dann im Fotosatz. B
erthold-Schriften sind weltweit g
eschätzt. Im Schriftenatelier Mün

2,65 mm (10 p) 10 20 30

Berthold-Schriften überzeuge
n durch Schärfe und Qualität. S
chriftqualität ist eine Frage der
Erfahrung. Berthold hat diese
Erfahrung seit über hundert Ja
hren. Zuerst im Schriftguß, da
nn im Fotosatz. Berthold-Schr
iften sind weltweit geschätzt. I

2,92 mm (11 p) 10 20

Berthold-Schriften überzeu
gen durch Schärfe und Qual
ität. Schriftqualität ist eine F
rage der Erfahrung. Berthol
d hat diese Erfahrung seit ü
ber hundert Jahren. Zuerst i
m Schriftguß, dann im Foto
satz. Berthold-Schriften sin

3,20 mm (12 p) 10 20

Berthold-Schriften überze
ugen durch Schärfe und Q
ualität. Schriftqualität ist
eine Frage der Erfahrung
Berthold hat diese Erfahr
ung seit über hundert Jahr
en. Zuerst im Schriftguß d
ann im Fotosatz. Berthold

3,45 mm (13 p) 10 20

Buch
book
romain labeur

ISBELL

libro
libro
buch

Berthold-Schriften überzeugen durch Schärfe und Qualität. Schrift qualität ist eine Frage der Erfahrung. Berthold hat diese Erfahrung seit über hundert Jahren. Zuerst im Schriftguß, dann im Fotosatz. Be rthold-Schriften sind weltweit geschätzt. Im Schriftenatelier Münch en wird jeder Buchstabe in der Größe von zwölf Zentimetern neu ge zeichnet. Mit messerscharfen Konturen, um für die Schriftscheiben das Optimale an Konturenschärfe herauszuholen. Um die Qualität des Einzelzeichens im Belichtungsvorgang zu bewahren, wird dur ch die ruhende, nicht rotierende Schriftscheibe belichtet. Dieses opt

4,25 mm (16 p), Zeilenabstand 6,75 mm

ISBELL BOOK

In general, bodytypes are measured in the typ ographical point size. The sizes of Berthold F ototype faces can be exactly determined. All f aces of same point size have the same capital height–irrespective of their x-height. In hot metal and many other phototypesetting syste ms the capital heights often differ considerab ly from one face to the other. For measuring p oint sizes, a transparent size gauge is provid ed. To determine the point size, bring a capital letter into coincidence with that field which p recisely circumscribes the letter at its upper a nd lower margin. Below the field you find the typographical point and below that the milli meter value, which also refers to the height of a capital letter. In Berthold-phototypesetting the typewidth can be modified. The standard setting width of typefaces is determined by the principle of optimum legibility. You should not depart from this typewidth without cogent reason. A typeface which is considered optica lly right when looked in a greater context, of

2,40 mm (9 p), Zeilenabstand 4,25 mm

ISBELL ROMAIN LABEUR

La valeur de la force de corps des caractèr es de labeur èst généralement exprimée e n points typographiques. La force de cor ps des caractères Berthold-Fototype peut être déterminée avec précision. Tous les c aractères du même corps ont des capitale s d'une hauteur identique, indépendam ment de la hauteur des bas de casse sans j ambage. Dans la composition plomb, ai nsi que dans certains systèmes de photoc omposition, la hauteur des capitales, var ie souvent d'un caractère à l'autre. Pour d éterminer la force de corps de nos caractè res, nous avons mis au point une réglette de hauteur d'œil transparente. On cherch e le rectangle qui délimite exactement la hauteur d'œil d'une capitale du caractère choisi. Sous le rectangle correspondant la valeur de la force de corps est indiquée en points Didots et en millimètres. La valeur

2,65 mm (10 p), Zeilenabstand 4,69 mm

La indicación de las dimensiones para cuer pos de letra vásicos tiene lugar en general e n puntos tipográficos. Los cuerpos de letra de los caracteres Berthold Fototype pueden determinarse exactemente par medición. C on independencia de la altura de sus longit udes centrales, todos los caracteres de idén tico cuerpo de letra presentan altura de ma yúsculas idéntica. En la composición en pl

2,15 mm (8 p), –1, Zeilenabstand 3,38 mm

123,– $	456,– £	7890,– DM	1 %	
234,– $	789,– £	1234,– DM	2 %	
567,– $	12,– £	5678,– DM	3 %	
890,– $	345,– £	9012,– DM	4 %	
123,– $	678,– £	3456,– DM	5 %	
456,– $	901,– £	7890,– DM	6 %	
789,– $	234,– £	1234,– DM	7 %	
12,– $	567,– £	5678,– DM	8 %	
345,– $	890,– £	9012,– DM	9 %	

BF 089 1005

Le misure relative al corpo dei caratteri veng ono generalmente indicate in punti tipografi ci. Il corpo dei caratteri Fototypes può essere determinato con esattezza per semplice misu razione. Tutti i caratteri di uguale grandezza i n punti hanno, indipendentemente dalla loro lunghezza, uguale altezza delle maiuscole. N ella composizione in piombo ed in moltialtri sistemi di fotocomposizione, l'altezza delle

2,15 mm (8 p), –2, Zeilenabstand 3,38 mm

Buch
book
romain labeur

ISBELL CAPS

libro
libro
buch

BERTHOLD-SCHRIFTEN ÜBE RZEUGEN DURCH SCHÄRFE UND QUALITÄT. SCHRIFTQU ALITÄT IST EINE FRAGE DER ERFAHRUNG. BERTHOLD HA T DIESE ERFAHRUNG SEIT Ü BER HUNDERT JAHREN. ZUE RST IM SCHRIFTGUSS, DANN IM FOTOSATZ. BERTHOLD-S CHRIFTEN SIND WELTWEIT GESCHÄTZT. IM SCHRIFTEN ATELIER MÜNCHEN WIRD JE DER BUCHSTABE IN DER GR ÖSSE VON ZWÖLF ZENTIME TERN NEU GEZEICHNET. MIT MESSERSCHARFEN KONTUR EN, UM FÜR DIE SCHRIFTSC

3,20 mm (12 p), Zeilenabstand 5,25 mm

DICK ISBELL, JERRY CAMPBELL
1981
INTERNATIONAL TYPEFACE CORP.
H. BERTHOLD AG

ABCDEFGHIJKLMNOPQ
RSTUVWXYZ
ABCDEFGHIJKLMNOPQRSTUVWXYZ
1234567890%
(.,-;:!¡?¿—)·[‘‚„”“»«›‹]
+-=/$£†*&§©
ÄÅÆÖØŒÜÄÅÆÖØŒÜ
ÁÀÂÃÇČÉÈÊËÍÌÎÏĹŇÑÓÒÔÕ
ŔŘŠŤÚÙÛŴẄÝŶŸŽ
ÁÀÂÃÇČÉÈÊËÍÌÎÏĹŇÑÓÒÔÕŔŘŠ
ÚÙÛŴẄÝỲŸŽ

SCHRIFTWEITE WEIT
SCHRIFTWEITE NORMAL
SCHRIFTWEITE ENG
SCHRIFTWEITE SEHR ENG
SCHRIFTWEITE EXTREM ENG

LA VALEUR DE LA FORCE DE CORPS DES CARACTE RES DE LABEUR EST GEN ERALEMENT EXPRIMEE EN POINTS TYPOGRAPHI QUES. LA FORCE DE COR PS DES CARACTERES BE RTHOLD FOTOTYPE PEUT ETRE DETERMINEE AVE C PRECISION. TOUS LES CARACTERES DU MEME CORPS ONT DES CAPITAL ES D'UNE HAUTEUR IDE NTIQUE, INDEPENDAMM ENT DE LA HAUTEUR DES BAS DE CASSE SANS JAM BAGE. DANS LA COMPOSI

3,20 mm (12 p), Zeilenabstand 5,25 mm

8/5

MARIE-THERÈSE ROCHEFORT
DIRECTRICE

RUE VICTOR HUGO 69, PARIS, TÉLÉPHONE 37 25 86

BERLIN
3,72 mm (14 p)
BERLIN
4,25 mm (16 p)
BERLIN
4,75 mm (18 p)
BERLIN
5,30 mm (20 p)
BERLIN
6,35 mm (24 p)
BERLIN
7,40 mm (28 p)
BERLIN
8,50 mm (32 p)
BERLIN
9,55 mm (36 p)

9/6

HANS-OTTO VON SCHLICK
LANDRAT

AM HORST 10, KAPPELN, TEL. 66 34

10/7

FLORENTINO CAVALLO
MAÎTRE DE PLAISIR

VIA LUDOVICA ARETINO 33, FIRENZE

11/8

JAN VAN DER FALK
DETEKTIVBÜRO

HALVE STRAAT 78, AMSTERDAM

12/9

EULALIA LOEFFEL
DIÄTKÖCHIN

VILSHOFEN, AM GÄNSEMARKT 2

13/10

VLADIMIR IRIBOZOV
SAXOPHONIST

DOMGASSE 2, MÜNCHEN

LA INDICACIÓN DE LAS DIMENSIONES PARA CUERPOS DE LETRA VÁSICOS TIENE LUGAR EN GENERAL EN PUNTOS TIPOGRÁFICOS LOS CUERPOS DE LETRA DE LOS CARACTERES BERTHOLD FOTO TYPE PUEDEN DETERMINARSE EXACTEMENTE PAR MEDICIÓN CON INDEPENDENCIA DE LA ALTURA DE SUS LONGITUDES CEN TRALES, TODOS LOS CARACTERES DE IDÉNTICO CUERPO DE LET RA PRESENTAN ALTURA DE MAYÚSCULAS IDÉNTICA. EN LA COM POSICIÓN EN PLOMO Y EN MUCHOS OTROS SISTEMAS DE FOTO COMPOSICIÓN, LAS ALTURAS DE MAYÚSCULAS VARÍAN FRE CUENTEMMENTE EN FORMA CONSIDERABLE DE TIPO DE LETRA A TIPO DE LETRA. PARA MEDIR LOS CUERPOS DE LETRA SE DISPO NE DE UN TIPÓMETRO, VÉASE LA FIGURA. PARA LA MEDICIÓNSE HACE COINCIDIR UNA LETRA MAYÚSCULA CON LA CASILLACUY OS EXTREMOS COINCIDEN CON LOS EXTREMOS SUPERIOR E INF ERIOR DE LA LETRA. BAJO LA CASILLA SE INDICA EL CUERPO DE

1,33 mm (5 p), Zeilenabstand 1,94 mm

LE MISURE RELATIVE AL CORPO DEI CARATTERI VENGONO GENERALMENTE INDICATE IN PUNTI TIPOGRAFICI. IL CORPO DEI CARATTERI FOTOTY PES PUÒ ESSERE DETERMINATO CON ESATTEZZA PER SEMPLICE MISURAZIONE. TUTTI I CARATTE RI DI UGUALE GRANDEZZA IN PUNTI HANNO, IN DIPENDENTEMENTE DALLA LORO LUNGHEZZA U GUALE ALTEZZA DELLE MAIUSCOLE. NELLA CO MPOSIZIONE IN PIOMBO ED IN MOLTI ALTRI SIS TEMI DI FOTOCOMPOSIZIONE, L'ALTEZZA DELLE MAIUSCOLE VARIA SPESSO DA CARATTERE A CA RATTERE. PER MISURARE IL CORPO DEI CARATT

1,60 mm (6 p), Zeilenabstand 2,44 mm
WZ 15 E, NSW +1, III
BF 089 1031, Belegung 127: 085 1134 (095 1134)

IN GENERAL BODYTYPES ARE MEASURED IN T HE TYPOGRAPHICAL POINT SIZE. THE SIZES OF BERTHOLD-FOTOTYPE FACES CAN BE EXACTLY DETERMINED. ALL FACES OF SAME POINT SIZE HAVE THE SAME CAPITAL HEIGHT—IRRESPECT IVE OF THEIR X-HEIGHT. IN HOT METAL AND M ANY OTHER PHOTOTYPE SETTING SYSTEMS THE CAPITAL HEIGHTS OFTEN DIFFER CONSIDERA BLY FROM ONE FACE TO THE OTHER. FOR MEA SURING POINT SIZES, A TRANSPARENT SIZE GA

1,86 mm (7 p), Zeilenabstand 3,00 mm

Buch kursiv
book italic
italique romain labeur

ISBELL

libro cursiva
libro corsivo
buch kursiv

Måttangivelse för grundstilsgrader sker i allmänhet i typografiska punkter. Stilar av Berthold Fototype kan efter mätning exakt gradbestämmas. Alla typsnitt är av samma punktstorlek och har oberoende av x-höjden en identisk versalhöjd. I blysättning och i många andra fotosättsystem varierar versalhöjden avsevärt från typsnitt till typsnitt. För mätning av stilgrader finns en transparent mätlinjal. Vid mätningen placerar man en versal bokstav så att rutorna begränsar tecknet upptill och nedtill. Under rutorna finns stilstorleken i typografiska didotpunkter och i mm. Även mill

2,92 mm (11 p), Zeilenabstand 4,69 mm

Dick Isbell, Jerry Campbell
1981
International Typeface Corp.
H. Berthold AG

ABCDEFGHIJKLMNOPQ
RSTUVWXYZ
abcdefghijklmnopqrstuvwxyz
1/1234567890%
(.,-;:!¡?¿–)·[''„""»«]
+–=/$£†&§*
ÄÅÆÖØŒÜäåæıöøœßü
ÁÀÂÃÇČÉÈÊËÍÌÎÏĹŇÑÓÒÔÕ
ŔŘŠŤÚÙÛŴẄÝŶŸŽ
áàâãçčéèêëíìîïĺňñóòôõŕřš
úùûŵẅýỳÿž

Berthold-Schriftweite weit
Berthold-Schriftweite normal
Berthold-Schriftweite eng
Berthold-Schriftweite sehr eng
Berthold-Schriftweite extrem eng

In general, bodytypes are measured in the typographical point size. The sizes of Berthold Fototype faces can be exactly determined. All faces of same point size have the same capital height–irrespective of their x-height. In hot metal and many other photototypesetting systems the capital heights often differ considerably from one face to the other. For measuring point sizes, a transparent size gauge is provided. To determine the point size, bring a capital letter into coincidence with that

3,20 mm (12 p), Zeilenabstand 5,25 mm

ISBELL BUCH KURSIV

Die Maßangabe zu Grundschriftgrößen erfolgt im allgemeinen in typographischen Punkten Die Schriftgrößen der Berthold-Fotosatz-Schriften sind nach Messung exakt bestimmbar Alle Schriften gleicher Punktgröße weisen, unabhängig von der Höhe ihrer Mittellängen, eine identische Versalhöhe auf. Im Bleisatz und bei vielen anderen Fotosatz-Systemen differieren die Versalhöhen von Schrift zu Schrift oft erheblich. Zum Messen von Schriftgrößen steht ein transparentes Größenmaß zur Verfügung. Zum Messen wird ein Versalbuchstabe mit dem Feld in Deckung gebracht, das den Buchstaben oben und unten scharf begrenzt. Unter dem Feld ist die Schriftgröße in typographischen Didot-Punkten, darunter in Millimetern angegeben. Auch die Millimeterangaben beziehen sich auf die Höhe der Versalbuchstaben. Die Schriftweite

2,40 mm (9 p), Zeilenabstand 4 mm

ISBELL ROMAIN LABEUR

La valeur de la force de corps des caractères de labeur èst généralement exprimée en points typographiques. La force de corps des caractères Berthold-Fototype peut être déterminée avec précision. Tous les caractères du même corps ont des capitales d'une hauteur identique, indépendamment de la hauteur des bas de casse sans jambage. Dans la composition plomb, ainsi que dans certains systèmes de photocomposition, la hauteur des capitales, varie souvent d'un caractère à l'autre. Pour déterminer la force de corps de nos caractères, nous avons mis au point une réglette de hauteur d'œil transparente. On cherche le rectangle qui délimite exactement la

2,65 mm (10 p), Zeilenabstand 4,50 mm

La indicación de las dimensiones para cuerpos de letra vásicos tiene lugar en general en puntos tipográficos Los cuerpos de letra de los caracteres Berthold Foto type pueden determinarse exactemente par medición Con independencia de la altura de sus longitudes centrales, todos los caracteres de idéntico cuerpo de letra presentan altura de mayúsculas idéntica. En la composición en plomo y en muchos otros sistemas de foto composición, las alturas de mayúsculas varían frecuentemente en forma considerable de tipo de letra a tipo de letra. Para medir los cuerpos de letra se dispone de un tipómetro, véase la figura. Para la medición se hace

1,60 mm (6 p), Zeilenabstand 2,50 mm

Größe		Zeilenabstand			100 Zeichen		
mm	p	kp	Êp	Ex	0	–1	–2
1,33	5	1,75	2,13	–	92	89	86
1,60	6	2,13	2,56	2,50	108	104	100
1,86	7	2,44	2,94	–	124	120	116
2,15	8	2,81	3,38	3,38	141	136	131
2,40	9	3,13	3,81	4,00	158	152	146
2,65	10	3,44	4,19	4,50	174	167	160
2,92	11	3,81	4,63	4,69	190	183	176
3,20	12	4,13	5,06	5,25	207	199	191
3,45	13	4,50	5,44	–	223	215	207
3,72	14	4,81	5,88	–	239	230	221
3,98	15	5,19	6,25	–	255	246	237
4,25	16	5,50	6,69	–	271	261	251

WZ 13 E, NSW 0, MZB 0,66, F 0,12:0,05 (2,4), III
H 1–x 0,74–k 1,00–p 0,29–Ê 1,28–kp 1,29–Êp 1,57
BF 089 1006, Belegung 051: 085 1133 (095 1133)

Le misure relative al corpo dei caratteri vengono generalmente indicate in punti tipografici. Il corpo dei caratteri Fototypes può essere determinato con esattezza per semplice misurazione. Tutti i caratteri di uguale grandezza in punti hanno, indipendentemente dalla loro lunghezza, uguale altezza delle maiuscole. Nella composizione in piombo ed in molti altri sistemi di fo

2,15 mm (8 p), Zeilenabstand 3,38 mm

normal
medium
normal

ISBELL

normal
chiaro tondo
normal

Berthold-Schriften überzeugen durch Schärfe und Qualität
Schriftqualität ist eine Frage der Erfahrung. Berthold hat die
se Erfahrung seit über hundert Jahren. Zuerst im Schriftguß
dann im Fotosatz. Berthold-Schriften sind weltweit geschätzt
Im Schriftenatelier München wird jeder Buchstabe in der Gr
öße von zwölf Zentimetern neu gezeichnet. Mit messerscharf
en Konturen, um für die Schriftscheiben das Optimale an Kon
turenschärfe herauszuholen. Um die Qualität des Einzelzeic
hens im Belichtungsvorgang zu bewahren, wird durch die ru

1,33 mm (5 p) 20 30 40 50

Berthold-Schriften überzeugen durch Schärfe und Qual
ität. Schriftqualität ist eine Frage der Erfahrung. Berthold
hat diese Erfahrung seit über hundert Jahren. Zuerst im S
chriftguß, dann im Fotosatz. Berthold-Schriften sind wel
tweit geschätzt. Im Schriftenatelier München wird jeder
Buchstabe in der Größe von zwölf Zentimetern neu gezei
chnet. Mit messerscharfen Konturen, um für die Schriftsc
heiben das Optimale an Konturenschärfe herauszuholen
Um die Qualität des Einzelzeichens im Belichtungsvorga

1,45 mm (5,5 p) 20 30 40 50

Berthold-Schriften überzeugen durch Schärfe und
Qualität. Schriftqualität ist eine Frage der Erfahrun
g. Berthold hat diese Erfahrung seit über hundert Ja
hren. Zuerst im Schriftguß, dann im Fotosatz. Berth
old-Schriften sind weltweit geschätzt. Im Schriften
atelier München wird jeder Buchstabe in der Größe
von zwölf Zentimetern neu gezeichnet. Mit messe
rscharfen Konturen, um für die Schriftscheiben das
Optimale an Konturenschärfe herauszuholen. Um

1,60 mm (6 p) 20 30 40 5

Berthold-Schriften überzeugen durch Schärfe
und Qualität. Schriftqualität ist eine Frage der E
rfahrung. Berthold hat diese Erfahrung seit über
hundert Jahren. Zuerst im Schriftguß, dann im F
otosatz. Berthold-Schriften sind weltweit gesch
ätzt. Im Schriftenatelier München wird jeder Bu
chstabe in der Größe von zwölf Zentimetern neu
gezeichnet. Mit messerscharfen Konturen, um f
ür die Schriftscheiben das Optimale an Konture

1,75 mm (6,5 p) 20 30 40

Berthold-Schriften überzeugen durch Schär
fe und Qualität. Schriftqualität ist eine Frage
der Erfahrung. Berthold hat diese Erfahrung
seit über hundert Jahren. Zuerst im Schriftgu
ß, dann im Fotosatz. Berthold-Schriften sind
weltweit geschätzt. Im Schriftenatelier Münc
hen wird jeder Buchstabe in der Größe von z
wölf Zentimetern neu gezeichnet. Mit messer
scharfen Konturen, um für die Schriftscheibe

1,86 mm (7 p) 20 30 40

Berthold-Schriften überzeugen durch Sc
härfe und Qualität. Schriftqualität ist eine
Frage der Erfahrung. Berthold hat diese E
rfahrung seit über hundert Jahren. Zuerst
im Schriftguß, dann im Fotosatz. Berthold
Schriften sind weltweit geschätzt. Im Schr
iftenatelier München wird jeder Buchstabe
in der Größe von zwölf Zentimetern neu g
ezeichnet. Mit messerscharfen Konturen

2,00 mm (7,5 p) 20 30 40

Berthold-Schriften überzeugen durch
Schärfe und Qualität. Schriftqualität ist
eine Frage der Erfahrung. Berthold hat
diese Erfahrung seit über hundert Jahre
n. Zuerst im Schriftguß, dann im Fotosa
tz. Berthold-Schriften sind weltweit ges
chätzt. Im Schriftenatelier München wi
rd jeder Buchstabe in der Größe von zw
ölf Zentimetern neu gezeichnet. Mit me

2,15 mm (8 p) 20 30

Dick Isbell, Jerry Campbell
1981
International Typeface Corp.
H. Berthold AG

ABCDEFGHIJKLMNOPQ
RSTUVWXYZ
abcdefghijklmnopqrstuvwxyz
1/1 234567890%
(.,-;:!¡?¿–)·['',,""»«]
+−=/$£†*&§
ÄÅÆÖØŒÜäåæıöøœßü
ÁÀÂÃÇČÉÈÊËÍÌÎÏĹŇÑÓÒÔÕ
ŔŘŠŤÚÙÛŴẄÝŶŸŽ
áàâãçčéèêëíìîïĺňñóòôõŕřš
úùûŵẅýỳÿž

Berthold-Schriftweite weit
Berthold-Schriftweite normal
Berthold-Schriftweite eng
Berthold-Schriftweite sehr eng
Berthold-Schriftweite extrem eng

Berthold
3,72 mm (14 p)

Berthold
4,25 mm (16 p)

Berthold
4,75 mm (18 p)

Berthold
5,30 mm (20 p)

Berthold
6,35 mm (24 p)

Berthold
7,40 mm (28 p)

Berthold
8,50 mm (32 p)

Berthold
9,55 mm (36 p)

Größe mm	p	Zeilenabstand kp	Êp	Ex	100 Zeichen 0	−1	−2
1,33	5	1,75	2,13	2,00	97	94	91
1,60	6	2,06	2,56	2,50	115	111	107
1,86	7	2,44	2,94	3,00	132	128	124
2,15	8	2,81	3,38	3,50	150	145	140
2,40	9	3,13	3,81	3,75	168	162	156
2,65	10	3,44	4,19	4,25	185	178	171
2,92	11	3,75	4,63	4,75	202	195	188
3,20	12	4,13	5,06	5,25	220	212	204
3,45	13	4,44	5,44	5,75	237	229	221
3,72	14	4,81	5,88	–	254	245	236
3,98	15	5,13	6,25	–	271	262	253
4,25	16	5,44	6,69	–	289	279	269

WZ 13 E, NSW 0, MZB 0,70, F 0,16:0,067 (2,4), III
H 1–x 0,75–k 1,00–p 0,28–Ê 1,29–kp 1,28–Êp 1,57
BF 089 1032, Belegung 051: 085 1135 (095 1135)

Berthold-Schriften überzeugen du
rch Schärfe und Qualität. Schriftqu
alität ist eine Frage der Erfahrung
Berthold hat diese Erfahrung seit ü
ber hundert Jahren. Zuerst im Schrif
tguß, dann im Fotosatz. Berthold-S
chriften sind weltweit geschätzt. Im
Schriftenatelier München wird jed

2,40 mm (9 p) 10 20 30

Berthold-Schriften überzeugen
durch Schärfe und Qualität. Sch
riftqualität ist eine Frage der Er
fahrung. Berthold hat diese Erf
ahrung seit über hundert Jahren
Zuerst im Schriftguß, dann im F
otosatz. Berthold-Schriften sind
weltweit geschätzt. Im Schriften

2,65 mm (10 p) 10 20 30

Berthold-Schriften überzeug
en durch Schärfe und Qualit
ät. Schriftqualität ist eine Fr
age der Erfahrung. Berthold
hat diese Erfahrung seit über
hundert Jahren. Zuerst im Sc
hriftguß, dann im Fotosatz. B
erthold-Schriften sind weltw

2,92 mm (11 p) 10 20

Berthold-Schriften überze
ugen durch Schärfe und Qu
alität. Schriftqualität ist ei
ne Frage der Erfahrung. Be
rthold hat diese Erfahrung
seit über hundert Jahren. Z
uerst im Schriftguß, dann i
m Fotosatz. Berthold-Schr

3,20 mm (12 p) 10 20

Berthold-Schriften überz
eugen durch Schärfe und
Qualität. Schriftqualität i
st eine Frage der Erfahru
ng. Berthold hat diese Erf
ahrung seit über hundert
Jahren. Zuerst im Schriftg
uß, dann im Fotosatz. Ber

3,45 mm (13 p) 10 20

normal
medium
normal

ISBELL

normal
chiaro tondo
normal

Berthold-Schriften überzeugen durch Schärfe und Qualität. Sch riftqualität ist eine Frage der Erfahrung. Berthold hat diese Erfa hrung seit über hundert Jahren. Zuerst im Schriftguß, dann im Fo tosatz. Berthold-Schriften sind weltweit geschätzt. Im Schriften atelier München wird jeder Buchstabe in der Größe von zwölf Ze ntimetern neu gezeichnet. Mit messerscharfen Konturen, um für die Schriftscheiben das Optimale an Konturenschärfe herauszu holen. Um die Qualität des Einzelzeichens im Belichtungsvorga ng zu bewahren, wird durch die ruhende, nicht rotierende Schrif

4,25 mm (16 p), Zeilenabstand 6,75 mm

ISBELL REGULAR

In general, bodytypes are measured in the typographical point size. The sizes of Berth old Fototype faces can be exactly determine d. All faces of same point size have the same capital height–irrespective of their x-heig ht. In hot metal and many other phototypes etting systems the capital heights often diff er considerably from one face to the other. F or measuring point sizes, a transparent size gauge is provided. To determine the point s ize, bring a capital letter into coincidence w ith that field which precisely circumscribes the letter at its upper and lower margin. Be low the field you find the typographical poi nt and below that the millimeter value, whi ch also refers to the height of a capital letter In Berthold-phototypesetting, the typewid th can be modified. The standard setting wi dth of typefaces is determined by the princi ple of optimum legibility. You should not d epart from this typewidth without cogent r eason. A typeface which is considered optic

2,40 mm (9 p), Zeilenabstand 4,25 mm

ISBELL NORMAL

La valeur de la force de corps des caract ères de labeur èst généralement exprim ée en points typographiques. La force de corps des caractères Berthold-Fototype peut être déterminée avec précision. To us les caractères du même corps ont des capitales d'une hauteur identique, indé pendamment de la hauteur des bas de c asse sans jambage. Dans la composition plomb, ainsi que dans certains systèmes de photocomposition, la hauteur des capitales, varie souvent d'un caractère à l'autre. Pour déterminer la force de corp s de nos caractères, nous avons mis au p oint une réglette de hauteur d'œil transp arente. On cherche le rectangle qui déli mite exactement la hauteur d'œil d'une capitale du caractère choisi. Sous le rec tangle correspondant la valeur de la fo rce de corps est indiquée en points Didot

2,65 mm (10 p), Zeilenabstand 4,69 mm

La indicación de las dimensiones para cu erpos de letra vásicos tiene lugar en gene ral en puntos tipográficos. Los cuerpos de letra de los caracteres Berthold Fototype pueden determinarse exactemente par m edición. Con independencia de la altura d e sus longitudes centrales, todos los cara cteres de idéntico cuerpo de letra present an altura de mayúsculas idéntica. En la c

2,15 mm (8 p), –1, Zeilenabstand 3,38 mm

123,–	$	456,–	£	7890,–	DM	1 %
234,–	$	789,–	£	1234,–	DM	2 %
567,–	$	12,–	£	5678,–	DM	3 %
890,–	$	345,–	£	9012,–	DM	4 %
123,–	$	678,–	£	3456,–	DM	5 %
456,–	$	901,–	£	7890,–	DM	6 %
789,–	$	234,–	£	1234,–	DM	7 %
12,–	$	567,–	£	5678,–	DM	8 %
345,–	$	890,–	£	9012,–	DM	9 %

BF 089 1033

Le misure relative al corpo dei caratteri ve ngono generalmente indicate in punti tipo grafici. Il corpo dei caratteri Fototypes può essere determinato con esattezza per sempl ice misurazione. Tutti i caratteri di uguale g randezza in punti hanno, indipendenteme nte dalla loro lunghezza, uguale altezza de lle maiuscole. Nella composizione in piom bo ed in molti altri sistemi di fotocomposizi

2,15 mm (8 p), –2, Zeilenabstand 3,38 mm

normal
medium
normal

ISBELL CAPS

normal
chiaro tondo
normal

Berthold-Schriften üb erzeugen durch Schärf e und Qualität. Schriftq ualität ist eine Frage de r Erfahrung. Berthold hat diese Erfahrung se it über hundert Jahren zuerst im Schriftguss, d ann im Fotosatz. Bertho ld-Schriften sind weltw eit geschätzt. Im Schrift enatelier München wir d jeder Buchstabe in der Grösse von zwölf Zenti metern neu gezeichnet Mit messerscharfen Ko nturen, um für die Schri

3,20 mm (12 p), Zeilenabstand 5,25 mm

Dick Isbell, Jerry Campbell
1981
International Typeface Corp.
H. Berthold AG

ABCDEFGHIJKLMNOPQ
RSTUVWXYZ
ABCDEFGHIJKLMNOPQRSTUVWXYZ
1234567890%
(.,-;:!¡?¿—)·[''„""»«›‹]
+−=/$£†*&§©
ÄÅÆÖØŒÜÄÅÆÖØŒÜ
ÁÀÂÃÇČÉÈÊËÍÌÎÏĹŇÑÓÒÔÕ
ŔŘŠŤÚÙÛŴẄÝŶŸŽ
ÁÀÂÃÇČÉÈÊËÍÌÎÏĹŇÑÓÒÔÕŔŘŠ
ÚÙÛŴẄÝỲŸŽ

Schriftweite weit
Schriftweite normal
Schriftweite eng
Schriftweite sehr eng
Schriftweite extrem eng

LA VALEUR DE LA FORCE DE CORPS DES CARACT ERES DE LABEUR EST G ENERALEMENT EXPRIM EE EN POINTS TYPOGRA PHIQUES. LA FORCE DE CORPS DES CARACTERE S BERTHOLD FOTOTYPE PEUT ETRE DETERMINEE AVEC PRECISION. TOUS LES CARACTERES DU M EME CORPS ONT DES CA PITALES D'UNE HAUTEU R IDENTIQUE, INDEPEN DAMMENT DE LA HAUT EUR DES BAS DE CASSE SANS JAMBAGE. DANS L

3,20 mm (12 p), Zeilenabstand 5,25 mm

8/5

MARIE-THERÈSE ROCHEFORT
Directrice

Rue Victor Hugo 69, Paris, Téléphone 37 25 86

Berlin
3,72 mm (14 p)

Berlin
4,25 mm (16 p)

Berlin
4,75 mm (18 p)

Berlin
5,30 mm (20 p)

Berlin
6,35 mm (24 p)

Berlin
7,40 mm (28 p)

Berlin
8,50 mm (32 p)

Berlin
9,55 mm (36 p)

9/6

HANS-OTTO VON SCHLICK
Landrat

Am Horst 10, Kappeln, Tel. 66 34

10/7

FLORENTINO CAVALLO
Maître de Plaisir

Via Ludovica Aretino 33, Firenze

11/8

JAN VAN DER FALK
Detektivbüro

Halve Straat 78, Amsterdam

12/9

EULALIA LOEFFEL
Diätköchin

Am Gänsemarkt 2, Vilshofen

13/10

VLADIMIR IRIBOZOV
Saxophonist

Domgasse 2, München

La indicación de las dimensiones para cuerpos de letra vásicos tiene lugar en general en puntos tipográficos Los cuerpos de letra de los caracteres Berthold Foto type pueden determinarse exactemente par medición Con independencia de la altura de sus longitudes cen trales, todos los caracteres de idéntico cuerpo de let ra presentan altura de mayúsculas idéntica. En la com posición en plomo y en muchos otros sistemas de foto composición, las alturas de mayúsculas varían fre cu entemmente en forma considerable de tipo de letra a t ipo de letra. Para medir los cuerpos de letra se dispone de un tipómetro, véase la figura. Para la medición se h ace coincidir una letra mayúscula con la casilla cuyos extremos coinciden con los extremos superior e inferio r de la letra. Bajo la casilla se indica el cuerpo de letr

1,33 mm (5 p), Zeilenabstand 1,94 mm

Le misure relative al corpo dei caratteri vengono generalmente indicate in punti tipografici. Il corpo dei caratteri fototy pes può essere determinato con esat tezza per semplice misurazione. Tutti i caratte ri di uguale grandezza in punti hanno, in dipendentemente dalla loro lunghezza, u guale altezza delle maius cole. Nella co mposizione in piombo ed in molti altri sis temi di fotocomposizione l'altezza delle maiuscole varia spesso da carattere a ca rattere. Per misurare il corpo dei caratt

1,60 mm (6 p), Zeilenabstand 2,44 mm
WZ 15 E, NSW +1, III
BF 089 1034, Belegung 127: 085 1137 (095 1137)

In general bodytypes are measured in t he typographical point size. The sizes of Berthold-Fototype faces can be exactly determined. All faces of same point size have the same capital height–irrespect ive of their x-height. In hot metal and m any other phototypesetting systems the capital heights often differ considerab ly from one face to the other. For measu ring point sizes, a transparent size gaug

1,86 mm (7 p), Zeilenabstand 3,00 mm

kursiv
italic
italique

ISBELL

cursiva
chiaro corsivo
kursiv

Måttangivelse för grundstils grader sker i allmänhet i typ ografiska punkter. Stilar av Berthold Fototype kan efter mätning exakt gradbestämm as. Alla typsnitt är av samm a punktstorlek och har ober oende av x-höjden en identisk versalhöjd. I blysättning och i många andra fotosättsystem varierar versalhöjden avsev ärt från typsnitt till typsnitt För mätning av stilgrader finn s en transparent mätlinjal. Vid mätningen placerar man en v ersal bokstav så att rutorna begränsar tecknet upptill och nedtill. Under rutorna finns st ilstorleken i typografiska dido

2,92 mm (11 p), Zeilenabstand 4,69 mm

Richard Isbell, Jerry Campbell
1981
International Typeface Corp.
H. Berthold AG

ABCDEFGHIJKLMNOPQ
RSTUVWXYZ
abcdefghijklmnopqrstuvwxyz
1/1234567890%
(.,-;:!¡?¿–)·['',,""»«]
+−=/$£†&§*
ÄÅÆÖØŒÜäåæıöøœßü
ÁÀÂÃÇČÉÈÊËÍÌÎÏĹŇÑÓÒÔÕ
ŔŘŠŤÚÙÛŴẄÝỲŸŽ
áàâãçčéèêëíìîïĺňñóòôõŕřš
úùûŵẅýỳÿž

Berthold-Schriftweite weit
Berthold-Schriftweite normal
Berthold-Schriftweite eng
Berthold-Schriftweite sehr eng
Berthold-Schriftweite extrem eng

In general, bodytypes are measured in the typograp hical point size. The sizes of Berthold Fototype faces ca n be exactly determined. All faces of same point size ha ve the same capital height irrespective of their x-heig ht. In hot metal and many other phototypesetting sys tems the capital heights oft en differ considerably from one face to the other. For m easuring point sizes, a tran sparent size gauge is pro vided. To determine the poi nt size, bring a capital letter

3,20 mm (12 p), Zeilenabstand 5,25 mm

ISBELL KURSIV

Die Maßangabe zu Grundschriftgrößen erf olgt im allgemeinen in typographischen Pu nkten. Die Schriftgrößen der Berthold-Foto satz-Schriften sind nach Messung exakt be stimmbar. Alle Schriften gleicher Punktgrö ße weisen, unabhängig von der Höhe ihrer Mittellängen, eine identische Versalhöhe a uf. Im Bleisatz und bei vielen anderen Fotos atz-Systemen differieren die Versalhöhen v on Schrift zu Schrift oft erheblich. Zum Mess en von Schriftgrößen steht ein transparentes Größenmaß zur Verfügung. Zum Messen wi rd ein Versalbuchstabe mit dem Feld in Dec kung gebracht, das den Buchstaben oben und unten scharf begrenzt. Unter dem Feld i st die Schriftgröße in typographischen Dido t-Punkten, darunter in Millimetern angege ben. Auch die Millimeterangaben beziehen

2,40 mm (9 p), Zeilenabstand 4 mm

ISBELL ITALIQUE

La valeur de la force de corps des carac tères de labeur èst généralement expri mée en points typographiques. La force de corps des caractères Berthold-Fotot ype peut être déterminée avec précision Tous les caractères du même corps ont des capitales d'une hauteur identique, i ndépendamment de la hauteur des bas de casse sans jambage. Dans la compo sition plomb, ainsi que dans certains sy stèmes de photocomposition, la hauteur des capitales, varie souvent d'un caract ère à l'autre. Pour déterminer la force de corps de nos caractères, nous avons mis au point une réglette de hauteur d'œil tr ansparente. On cherche le rectangle qui

2,65 mm (10 p), Zeilenabstand 4,50 mm

La indicación de las dimensiones para cuerpos de le tra vásicos tiene lugar en general en puntos tipográf icos. Los cuerpos de letra de los caracteres Berthold Fototype pueden determinarse exactemente par me dición. Con independencia de la altura de sus longit udes centrales, todos los caracteres de idéntico cuer po de letra presentan altura de mayúsculas idéntica En la composición en plomo y en muchos otros siste mas de fotocomposición, las alturas de mayúsculas varían frecuentemmente en forma considerable de t ipo de letra a tipo de letra. Para medir los cuerpos de letra se dispone de un tipómetro, véase la figura. P

1,60 mm (6 p), Zeilenabstand 2,50 mm

Größe		Zeilenabstand			100 Zeichen		
mm	p	kp	Êp	Ex	0	−1	−2
1,33	5	1,75	2,13	–	96	93	90
1,60	6	2,06	2,50	2,50	113	109	105
1,86	7	2,44	2,94	–	130	126	122
2,15	8	2,81	3,38	3,38	148	143	138
2,40	9	3,13	3,75	4,00	166	160	154
2,65	10	3,44	4,19	4,50	183	176	169
2,92	11	3,75	4,56	4,69	200	193	186
3,20	12	4,13	5,00	5,25	217	209	201
3,45	13	4,44	5,44	–	234	226	218
3,72	14	4,81	5,81	–	251	242	233
3,98	15	5,13	6,25	–	268	259	250
4,25	16	5,44	6,63	–	285	275	265

WZ 14 E, NSW 0, MZB 0,69, F 0,16:0,07 (2,4), III
H 1–x 0,75–k 1,00–p 0,28–Ê 1,28–kp 1,28–Êp 1,56
BF 089 1080, Belegung 051: 085 1136 (095 1136)

Le misure relative al corpo dei caratteri vengono generalmente indicate in punti tipografici. Il corpo dei caratteri Fototy pes può essere determinato con esattez za per semplice misurazione. Tutti i car atteri di uguale grandezza in punti han no, indipendentemente dalla loro lungh ezza, uguale altezza delle maiuscole. Ne lla composizione in piombo ed in molti

2,15 mm (8 p), Zeilenabstand 3,38 mm

halbfett
bold
demi-gras

ISBELL

seminegra
neretto
halvfet

Berthold-Schriften überzeugen durch Schärfe und Qualität. Schriftqualität ist eine Frage der Erfahru ng. Berthold hat diese Erfahrung seit über hundert Jahren. Zuerst im Schriftguß, dann im Fotosatz. Ber thold-Schriften sind weltweit geschätzt. Im Schrift enatelier München wird jeder Buchstabe in der Grö ße von zwölf Zentimetern neu gezeichnet. Mit mess erscharfen Konturen, um für die Schriftscheiben d as Optimale an Konturenschärfe herauszuholen. U

1,60 mm (6 p), Zeilenabstand 2,50 mm

Berthold-Schriften überzeugen durch Schär fe und Qualität. Schriftqualität ist eine Frage der Erfahrung. Berthold hat diese Erfahrung seit über hundert Jahren. Zuerst im Schriftgu ß, dann im Fotosatz. Berthold-Schriften sind weltweit geschätzt. Im Schriftenatelier Mü nchen wird jeder Buchstabe in der Größe von zwölf Zentimetern neu gezeichnet. Mit mess

1,86 mm (7 p), Zeilenabstand 3,00 mm

Berthold-Schriften überzeugen durch Schärfe und Qualität. Schriftqualität ist eine Frage der Erfahrung. Berthold hat diese Erfahrung seit über hundert Jahr en. Zuerst im Schriftguß, dann im Fotos atz. Berthold-Schriften sind weltweit g eschätzt. Im Schriftenatelier München wird jeder Buchstabe in der Größe von

2,15 mm (8 p), Zeilenabstand 3,50 mm

Richard Isbell, Jerry Campbell
1981
International Typeface Corp.
H. Berthold AG

ABCDEFGHIJKLMNOPQ
RSTUVWXYZ
abcdefghijklmnopqrstuvwxyz
1/1234567890%
(.,-;:!¡?¿–)·['‚„"“»«]
+–=/$£†*&§
ÄÅÆÖØŒÜäåæıöøœßü
ÁÀÂÃÇČÉÈÊËÍÌÎÏĹŇÑÓÒÔÕ
ŔŘŠŤÚÙÛŴẄÝŶŸŽ
áàâãçčéèêëíìîïĺňñóòôõŕřš
úùûŵẅýỳÿž

Berthold-Schriftweite weit
Berthold-Schriftweite normal
Berthold-Schriftweite eng
Berthold-Schriftweite sehr eng
Berthold-Schriftweite extrem eng

In general, bodytypes are measured in the typograp hical point size. The sizes of Berthold Fototype faces can be exactly determined All faces of same point size have the same capital heig ht–irrespective of their x height. In hot metal and m a ny other phototypesettin g systems the capital heig hts often differ considera bly from one face to the ot her. For measuring point s izes, a transparent size ga uge is provided. To determ ine the point size, bring a c

3,20 mm (12 p), Zeilenabstand 5,25 mm

Berthold's quick brown fox jumps over the lazy dog and feels as if he were
3,72 mm (14 p)

Berthold's quick brown fox jumps over the lazy dog and feels as
4,25 mm (16 p)

Berthold's quick brown fox jumps over the lazy dog and f
4,75 mm (18 p)

Berthold's quick brown fox jumps over the lazy dog
5,30 mm (20 p)

Berthold's quick brown fox jumps over the
6,35 mm (24 p)

Berthold's quick brown fox jumps ov
7,40 mm (28 p)

Berthold's quick brown fox jum
8,50 mm (32 p)

Berthold's quick brown fox j
9,55 mm (36 p)

Berthold-Schriften überzeugen du rch Schärfe und Qualität. Schriftq ualität ist eine Frage der Erfahrung Berthold hat diese Erfahrung seit ü ber hundert Jahren. Zuerst im Schr iftguß, dann im Fotosatz. Berthold Schriften sind weltweit geschätzt. I m Schriftenatelier München wird j

2,40 mm (9 p), Zeilenabstand 4,00 mm

Größe mm	p	Zeilenabstand kp	Êp	Ex	100 Zeichen 0	–1	–2
1,33	5	1,75	2,13	–	99	96	93
1,60	6	2,06	2,56	2,50	116	112	108
1,86	7	2,44	2,94	3,00	134	130	126
2,15	8	2,81	3,38	3,50	152	147	142
2,40	9	3,13	3,81	4,00	170	164	158
2,65	10	3,44	4,19	4,00	188	181	174
2,92	11	3,75	4,63	–	205	198	191
3,20	12	4,13	5,06	5,25	223	215	207
3,45	13	4,44	5,44	–	240	232	224
3,72	14	4,81	5,88	–	258	249	240
3,98	15	5,13	6,25	–	275	266	257
4,25	16	5,44	6,69	–	293	283	273

WZ 13 E, NSW –1, MZB 0,71, F 0,20:0,07 (3,0), III
H 1–x 0,75–k 1,00–p 0,28–Ê 1,29–kp 1,28–Êp 1,57
BF 089 1193, Belegung 051: 085 1138 (095 1138)

Berthold-Schriften überzeugen durch Schärfe und Qualität. Sc hriftqualität ist eine Frage der Erfahrung. Berthold hat diese E rfahrung seit über hundert Jahr en. Zuerst im Schriftguß, dann i m Fotosatz. Berthold-Schriften sind weltweit geschätzt. Im Sch

2,65 mm (10 p), Zeilenabstand 4,00 mm

kursiv halbfett
bold italic
italique demi-gras

ISBELL

seminegra cursiva
neretto corsivo
kursiv halvfet

Berthold-Schriften überzeugen durch Schärfe und Qualität. Schriftqualität ist eine Frage der Erfahr ung. Berthold hat diese Erfahrung seit über hund ert Jahren. Zuerst im Schriftguß, dann im Fotosatz Berthold-Schriften sind weltweit geschätzt. Im Sc hriftenatelier München wird jeder Buchstabe in d er Größe von zwölf Zentimetern neu gezeichnet Mit messerscharfen Konturen, um für die Schrifts cheiben das Optimale an Konturenschärfe herau

1,60 mm (6 p), Zeilenabstand 2,50 mm

Berthold-Schriften überzeugen durch Schä rfe und Qualität. Schriftqualität ist eine Fra ge der Erfahrung. Berthold hat diese Erfahr ung seit über hundert Jahren. Zuerst im Schr iftguß, dann im Fotosatz. Berthold-Schriften sind weltweit geschätzt. Im Schriftenatelier München wird jeder Buchstabe in der Größe von zwölf Zentimetern neu gezeichnet. Mit

1,86 mm (7 p), Zeilenabstand 3,00 mm

Berthold-Schriften überzeugen durch Schärfe und Qualität. Schriftqualität i st eine Frage der Erfahrung. Berthold hat diese Erfahrung seit über hundert J ahren. Zuerst im Schriftguß, dann im Fotosatz. Berthold-Schriften sind welt weit geschätzt. Im Schriftenatelier Mü nchen wird jeder Buchstabe in der Grö

2,15 mm (8 p), Zeilenabstand 3,50 mm

Dick Isbell, Jerry Campbell
1981
International Typeface Corp.
H. Berthold AG

ABCDEFGHIJKLMNOPQ
RSTUVWXYZ
abcdefghijklmnopqrstuvwxyz
I/1234567890%
(.,-;:!¡?¿–)·['‘„"“»«]
+−=/$£†&§*
ÄÅÆÖØŒÜäåæıöøœßü
ÁÀÂÃÇČÉÈÊËÍÌÎÏĹŇÑÓÒÔÕ
ŔŘŠŤÚÙÛŴẄÝŶŸŽ
áàâãçčéèêëíìîïĺňñóòôõŕřš
úùûŵẅýỳÿž

Berthold-Schriftweite weit
Berthold-Schriftweite normal
Berthold-Schriftweite eng
Berthold-Schriftweite sehr eng
Berthold-Schriftweite extrem eng

In general, bodytypes are measured in the typogra phical point size. The sizes of Berthold Fototype face s can be exactly determin ed. All faces of same point size have the same capital height–irrespective of th eir x-height. In hot metal and many other phototyp esetting systems the capi tal heights often differ co nsiderably from one face t o the other. For measuring point sizes, a transparent size gauge is provided. To determine the point size, b

3,20 mm (12 p), Zeilenabstand 5,25 mm

Berthold's quick brown fox jumps over the lazy dog and feels as if he we

3,72 mm (14 p)

Berthold's quick brown fox jumps over the lazy dog and feels as

4,25 mm (16 p)

Berthold's quick brown fox jumps over the lazy dog and

4,75 mm (18 p)

Berthold's quick brown fox jumps over the lazy do

5,30 mm (20 p)

Berthold's quick brown fox jumps over the

6,35 mm (24 p)

Berthold's quick brown fox jumps o

7,40 mm (28 p)

Berthold's quick brown fox jum

8,50 mm (32 p)

Berthold's quick brown fox j

9,55 mm (36 p)

Berthold-Schriften überzeugen d urch Schärfe und Qualität. Schrift qualität ist eine Frage der Erfahru ng. Berthold hat diese Erfahrung seit über hundert Jahren. Zuerst im Schriftguß, dann im Fotosatz. Bert hold-Schriften sind weltweit gesch ätzt. Im Schriftenatelier München

2,40 mm (9 p), Zeilenabstand 4,00 mm

Größe		Zeilenabstand			100 Zeichen		
mm	p	kp	Êp	Ex	0	−1	−2
1,33	5	1,81	2,13	–	101	98	95
1,60	6	2,13	2,56	2,50	119	115	111
1,86	7	2,50	3,00	3,00	137	133	129
2,15	8	2,88	3,44	3,50	156	151	146
2,40	9	3,19	3,88	4,00	175	169	163
2,65	10	3,50	4,25	4,00	193	186	179
2,92	11	3,88	4,69	–	211	204	197
3,20	12	4,25	5,13	5,25	229	221	213
3,45	13	4,56	5,56	–	246	238	230
3,72	14	4,94	6,00	–	264	255	246
3,98	15	5,31	6,38	–	282	273	264
4,25	16	5,63	6,81	–	300	290	280

WZ 13 E, NSW 0, MZB 0,73, F 0,20:0,08 (2,5), III
H 1–x 0,74–k 1,04–p 0,28–Ê 1,32–kp 1,32–Êp 1,60
BF 089 1035, Belegung 051: 085 1139 (095 1139)

Berthold-Schriften überzeugen durch Schärfe und Qualität. Sc hriftqualität ist eine Frage der Erfahrung. Berthold hat diese Erfahrung seit über hundert Ja hren. Zuerst im Schriftguß, dan n im Fotosatz. Berthold-Schrift en sind weltweit geschätzt. Im

2,65 mm (10 p), Zeilenabstand 4,00 mm

fett
heavy
gras

ISBELL

negra
nero
fet

Berthold-Schriften überzeugen durch Schärfe und Qualität. Schriftqualität ist eine Frage der Erfahrung. Berthold hat diese Erfahrung seit ü ber hundert Jahren. Zuerst im Schriftguß, da nn im Fotosatz. Berthold-Schriften sind weltwe it geschätzt. Im Schriftenatelier München wird jeder Buchstabe in der Größe von zwölf Zentim etern neu gezeichnet. Mit messerscharfen Kont uren, um für die Schriftscheiben das Optimale

1,60 mm (6 p), Zeilenabstand 2,50 mm

Berthold-Schriften überzeugen durch Sc härfe und Qualität. Schriftqualität ist ein e Frage der Erfahrung. Berthold hat diese Erfahrung seit über hundert Jahren. Zue rst im Schriftguß, dann im Fotosatz. Bert hold-Schriften sind weltweit geschätzt. I m Schriftenatelier München wird jeder B uchstabe in der Größe von zwölf Zentimet

1,86 mm (7 p), Zeilenabstand 3,00 mm

Berthold-Schriften überzeugen dur ch Schärfe und Qualität. Schriftqual ität ist eine Frage der Erfahrung. Be rthold hat diese Erfahrung seit über hundert Jahren. Zuerst im Schriftgu ß, dann im Fotosatz. Berthold-Schri ften sind weltweit geschätzt. Im Schr iftenatelier München wird jeder Buc

2,15 mm (8 p), Zeilenabstand 3,50 mm

Dick Isbell, Jerry Campbell
1981
International Typeface Corp.
H. Berthold AG

ABCDEFGHIJKLMNOPQ
RSTUVWXYZ
abcdefghijklmnopqrstuvw
xyz 1/1234567890%
(.,-;:!¡?¿–)·['„"«»]
+–=/$£†*&§
ÄÅÆÖØŒÜäåæıöøœßü
ÁÀÂÃÇČÉÈÊËÍÌÎÏĹÑŇÓÒÔÕ
ŔŘŠŤÚÙÛŴẂỲÝŽ
áàâãçčéèêëíìîïĺñňóòôõŕřš
úùûŵẃỳýž

Berthold-Schriftweite weit
Berthold-Schriftweite normal
Berthold-Schriftweite eng
Berthold-Schriftweite sehr eng
Berthold-Schriftweite extrem eng

In general, bodytypes a re measured in the typo graphical point size. The sizes of Berthold Fototy pe faces can be exactly d etermined. All faces of s ame point size have the same capital height–irr espective of their x-heig ht. In hot metal and man y other phototypesetting systems the capital heig hts often differ consider ably from one face to the other. For measuring po int sizes, a transparent s ize gauge is provided. To

3,20 mm (12 p), Zeilenabstand 5,25 mm

Berthold's quick brown fox jumps over the lazy dog and feels as if he
3,72 mm (14 p)

Berthold's quick brown fox jumps over the lazy dog and feel
4,25 mm (16 p)

Berthold's quick brown fox jumps over the lazy dog
4,75 mm (18 p)

Berthold's quick brown fox jumps over the lazy
5,30 mm (20 p)

Berthold's quick brown fox jumps over
6,35 mm (24 p)

Berthold's quick brown fox jumps
7,40 mm (28 p)

Berthold's quick brown fox j
8,50 mm (32 p)

Berthold's quick brown fo
9,55 mm (36 p)

Berthold-Schriften überzeugen durch Schärfe und Qualität. Sch riftqualität ist eine Frage der Erf ahrung. Berthold hat diese Erfa hrung seit über hundert Jahren Zuerst im Schriftguß, dann im F otosatz. Berthold-Schriften sind weltweit geschätzt. Im Schriften

2,40 mm (9 p), Zeilenabstand 4,00 mm

Größe mm	p	Zeilenabstand kp	Êp	Ex	100 Zeichen 0	−1	−2
1,33	5	1,75	2,13	–	107	104	101
1,60	6	2,06	2,50	2,50	126	122	118
1,86	7	2,44	2,94	3,00	145	141	137
2,15	8	2,81	3,38	3,50	165	160	155
2,40	9	3,13	3,75	4,00	185	179	173
2,65	10	3,44	4,19	4,00	204	197	190
2,92	11	3,75	4,56	–	223	216	209
3,20	12	4,13	5,00	5,25	242	234	226
3,45	13	4,44	5,44	–	261	253	245
3,72	14	4,81	5,81	–	280	271	262
3,98	15	5,13	6,25	–	299	290	281
4,25	16	5,44	6,63	–	318	308	298

WZ 13 E, NSW 0, MZB 0,77, F 0,26:0,08 (3,5), III
H 1–x 0,75–k 1,00–p 0,28–Ê 1,28–kp 1,28–Êp 1,56
BF 089 1036, Belegung 051: 085 1140 (095 1140)

Berthold-Schriften überzeug en durch Schärfe und Qualit ät. Schriftqualität ist eine Fr age der Erfahrung. Berthold hat diese Erfahrung seit über hundert Jahren. Zuerst im Sc hriftguß, dann im Fotosatz. B erthold-Schriften sind weltw

2,65 mm (10 p), Zeilenabstand 4,00 mm

kursiv fett
heavy italic
italique gras

ISBELL

negra cursiva
nero corsivo
kursiv fet

Berthold-Schriften überzeugen durch Schärfe und Qualität. Schriftqualität ist eine Frage der Erfahrung. Berthold hat diese Erfahrung seit ü ber hundert Jahren. Zuerst im Schriftguß, da nn im Fotosatz. Berthold-Schriften sind weltwe it geschätzt. Im Schriftenatelier München wird jeder Buchstabe in der Größe von zwölf Zentim etern neu gezeichnet. Mit messerscharfen Kont uren, um für die Schriftscheiben das Optimale a

1,60 mm (6 p), Zeilenabstand 2,50 mm

Berthold-Schriften überzeugen durch S chärfe und Qualität. Schriftqualität ist e ine Frage der Erfahrung. Berthold hat di ese Erfahrung seit über hundert Jahren Zuerst im Schriftguß, dann im Fotosatz Berthold-Schriften sind weltweit geschä tzt. Im Schriftenatelier München wird je der Buchstabe in der Größe von zwölf Ze

1,86 mm (7 p), Zeilenabstand 3,00 mm

Berthold-Schriften überzeugen dur ch Schärfe und Qualität. Schriftqua lität ist eine Frage der Erfahrung. B erthold hat diese Erfahrung seit üb er hundert Jahren. Zuerst im Schrift guß, dann im Fotosatz. Berthold-Sc hriften sind weltweit geschätzt. Im Schriftenatelier München wird jeder

2,15 mm (8 p), Zeilenabstand 3,50 mm

Richard Isbell, Jerry Campbell
1981
International Typeface Corp.
H. Berthold AG

ABCDEFGHIJKLMNOPQ
RSTUVWXYZ
abcdefghijklmnopqrstuvw
xyz 1/1234567890%
(.,-;:!¡?¿–)·['',,""»«]
+–=/$£†*&§
ÄÅÆÖØŒÜäåæıöøœßü
ÁÀÂÃÇČÉÈÊËÍÌÎÏĹŇÑÓÒÔÕ
ŔŘŠŤÚÙÛŴẄÝỲŶŸŽ
áàâãçčéèêëíìîïĺňñóòôõŕřš
úùûŵẅýỳÿž

Berthold-Schriftweite weit
Berthold-Schriftweite normal
Berthold-Schriftweite eng
Berthold-Schriftweite sehr eng
Berthold-Schriftweite extrem eng

In general, bodytypes a re measured in the typo graphical point size. The sizes of Berthold Fototy pe faces can be exactly determined. All faces of same point size have the same capital height–irr espective of their x-heig ht. In hot metal and man y other phototypesettin g systems the capital he ights often differ consid erably from one face to the other. For measuring point sizes, a transpare nt size gauge is provided

3,20 mm (12 p), Zeilenabstand 5,25 mm

Berthold's quick brown fox jumps over the lazy dog and feels as if he
3,72 mm (14 p)

Berthold's quick brown fox jumps over the lazy dog and fe
4,25 mm (16 p)

Berthold's quick brown fox jumps over the lazy dog
4,75 mm (18 p)

Berthold's quick brown fox jumps over the lazy
5,30 mm (20 p)

Berthold's quick brown fox jumps over
6,35 mm (24 p)

Berthold's quick brown fox jumps
7,40 mm (28 p)

Berthold's quick brown fox j
8,50 mm (32 p)

Berthold's quick brown fo
9,55 mm (36 p)

Berthold-Schriften überzeugen durch Schärfe und Qualität. Sch riftqualität ist eine Frage der Er fahrung. Berthold hat diese Erf ahrung seit über hundert Jahren Zuerst im Schriftguß, dann im F otosatz. Berthold-Schriften sind weltweit geschätzt. Im Schriften

2,40 mm (9 p), Zeilenabstand 4,00 mm

Größe mm	p	Zeilenabstand kp	Êp	Ex	100 Zeichen 0	−1	−2
1,33	5	1,75	2,13	–	107	104	101
1,60	6	2,06	2,50	2,50	126	122	118
1,86	7	2,44	2,94	3,00	145	141	137
2,15	8	2,81	3,38	3,50	165	160	155
2,40	9	3,13	3,75	4,00	185	179	173
2,65	10	3,44	4,19	4,00	204	197	190
2,92	11	3,75	4,56	–	223	216	209
3,20	12	4,13	5,00	5,25	242	234	226
3,45	13	4,44	5,44	–	261	253	245
3,72	14	4,81	5,81	–	280	271	262
3,98	15	5,13	6,25	–	299	290	281
4,25	16	5,44	6,63	–	318	308	298

WZ 14 E, NSW 0, MZB 0,77, F 0,26:0,08 (3,3), III
H 1–x 0,75–k 1,00–p 0,28–Ê 1,28–kp 1,28–Êp 1,56
BF 089 1081, Belegung 051: 085 1141 (095 1141)

Berthold-Schriften überzeug en durch Schärfe und Qualit ät. Schriftqualität ist eine Fr age der Erfahrung. Berthold hat diese Erfahrung seit über hundert Jahren. Zuerst im Sc hriftguß, dann im Fotosatz. B erthold-Schriften sind weltw

2,65 mm (10 p), Zeilenabstand 4,00 mm

vertikal
vertical
vertical

ISO 3098 (DIN 6776) A

normal
chiaro tondo
normal

Berthold-Schriften überzeugen durch Schärfe und Qualität. Schriftqu alität ist eine Frage der Erfahrung. Berthold hat diese Erfahrung seit ü ber hundert Jahren. Zuerst im Schriftguß, dann im Fotosatz. Berthold Schriften sind weltweit geschätzt. Im Schriftenatelier München wird je der Buchstabe in der Größe von zwölf Zentimetern neu gezeichnet. Mit messerscharfen Konturen, um für die Schriftscheiben das Optimale an Konturenschärfe herauszuholen. Um die Qualität des Einzelzeichens im Belichtungsvorgang zu bewahren, wird durch die ruhende, nicht roti erende Schriftscheibe belichtet. Dieses optische System, verbunden

1,60 mm (6 p), Zeilenabstand 2,50 mm

Berthold-Schriften überzeugen durch Schärfe und Qualität. Sc hriftqualität ist eine Frage der Erfahrung. Berthold hat diese E rfahrung seit über hundert Jahren. Zuerst im Schriftguß, dann i m Fotosatz. Berthold-Schriften sind weltweit geschätzt. Im Sc hriftenatelier München wird jeder Buchstabe in der Größe von zwölf Zentimetern neu gezeichnet. Mit messerscharfen Kontu ren, um für die Schriftscheiben das Optimale an Konturenschä rfe herauszuholen. Um die Qualität des Einzelzeichens im Belic

1,86 mm (7 p), Zeilenabstand 3,00 mm

Berthold-Schriften überzeugen durch Schärfe und Qual ität. Schriftqualität ist eine Frage der Erfahrung. Berth old hat diese Erfahrung seit über hundert Jahren. Zuerst im Schriftguß, dann im Fotosatz. Berthold-Schriften sind weltweit geschätzt. Im Schriftenatelier München wird j eder Buchstabe in der Größe von zwölf Zentimetern neu gezeichnet. Mit messerscharfen Konturen, um für die Sc hriftscheiben das Optimale an Konturenschärfe heraus

2,15 mm (8 p), Zeilenabstand 3,50 mm

1981
H. Berthold AG

ABCDEFGHIJKLMNOPQ
RSTUVWXYZ
aabcdefghijklmnopqrstuvwxyz
1/1234567 7890 %IVX
(.,-;:!?)·[',„"»«]
+±=×/□ø√&§
ÄÅÆÖØŒÜäåååæıöøœßü
ÁÀÂÃÇÉÈÊËÍÌÎÏĹÑÓÒÔÕ
ŔÚÙÛŴẄÝŶŸ
áàâãçéèêëíìîïĺñóòôõŕ
úùûŵẅýỳÿ

Berthold-Schriftweite weit
Berthold-Schriftweite normal
Berthold-Schriftweite eng
Berthold-Schriftweite sehr eng
Berthold-Schriftweite extrem eng

In general, bodytypes are measured in the typographical point size. The sizes of Berthold Fototype faces can be ex actly determined. All faces of same p oint size have the same capital height irrespective of their x-height. In hot m etal and many other phototypesett ing systems the capital heights often differ considerably from one face to t he other. For measuring point sizes, a transparent size gauge is provided. To determine the point size, bring a capit al letter into coincidence with that fiel d which precisely circumscribes the le tter at its upper and lower margin. Be low the field you find the typographic al point and below that the millimeter

3,20 mm (12 p), Zeilenabstand 5,25 mm

Berthold's quick brown fox jumps over the lazy dog and feels as if he were in the seventh heaven
3,72 mm (14 p)

Berthold's quick brown fox jumps over the lazy dog and feels as if he were in the seventh he
4,25 mm (16 p)

Berthold's quick brown fox jumps over the lazy dog and feels as if he were in t
4,75 mm (18 p)

Berthold's quick brown fox jumps over the lazy dog and feels as if he were
5,30 mm (20 p)

Berthold's quick brown fox jumps over the lazy dog and feels
6,35 mm (24 p)

Berthold's quick brown fox jumps over the lazy dog a
7,40 mm (28 p)

Berthold's quick brown fox jumps over the lazy
8,50 mm (32 p)

Berthold's quick brown fox jumps over the
9,55 mm (36 p)

Berthold-Schriften überzeugen durch Schärfe und Qualität. Schriftqualität ist eine Frage der Erfahr ung. Berthold hat diese Erfahrung seit über hunde rt Jahren. Zuerst im Schriftguß, dann im Fotosatz Berthold-Schriften sind weltweit geschätzt. Im S chriftenatelier München wird jeder Buchstabe in d er Größe von zwölf Zentimetern neu gezeichnet Mit messerscharfen Konturen, um für die Schrifts

2,40 mm (9 p), Zeilenabstand 4,00 mm

Größe		Zeilenabstand			100 Zeichen		
mm	p	kp	Êp	Ex	0	−1	−2
1,33	5	1,75	2,19	—	70	67	64
1,60	6	2,06	2,63	2,50	83	79	75
1,86	7	2,44	3,00	3,00	95	91	87
2,15	8	2,81	3,50	3,50	108	103	98
2,40	9	3,13	3,88	4,00	121	115	109
2,65	10	3,44	4,31	4,00	133	126	119
2,92	11	3,75	4,75	—	146	139	132
3,20	12	4,13	5,19	5,25	158	150	142
3,45	13	4,44	5,56	—	171	163	155
3,72	14	4,81	6,00	—	183	174	165
3,98	15	5,13	6,44	—	195	186	177
4,25	16	5,44	6,88	—	208	198	188

WZ 12 E, NSW 0, MZB 0,50, F 0,07:0,07 (1,0), VI
H 1–x 0,71–k 1,00–p 0,28–Ê 1,33–kp 1,28–Êp 1,61
BF 089 1194, Belegung 083: 085 1110 (095 1110)

Berthold-Schriften überzeugen durch Schär fe und Qualität. Schriftqualität ist eine Frage der Erfahrung. Berthold hat diese Erfahrung seit über hundert Jahren. Zuerst im Schriftg uß, dann im Fotosatz. Berthold-Schriften sind weltweit geschätzt. Im Schriftenatelier Mün chen wird jeder Buchstabe in der Größe von z wölf Zentimetern neu gezeichnet. Mit messe

2,65 mm (10 p), Zeilenabstand 4,00 mm

kursiv
italic
italique

ISO 3098 (DIN 6776) A

cursiva
chiaro corsivo
kursiv

Berthold-Schriften überzeugen durch Schärfe und Qualität. Schriftqualität ist eine Frage der Erfahrung. Berthold hat diese Erfahrung seit über hundert Jahren. Zuerst im Schriftguß, dann im Fotosatz. Berthold-Schriften sind weltweit geschätzt. Im Schriftenatelier München wird jeder Buchstabe in der Größe von zwölf Zentimetern neu gezeichnet. Mit messerscharfen Konturen, um für die Schriftscheiben das Optimale an Konturenschärfe herauszuholen. Um die Qualität des Einzelzeichens im Belichtungsvorgang zu bewahren, wird durch die ruhende, nicht rotierende Schriftscheibe belichtet. Dieses optische Syste

1,60 mm (6 p), Zeilenabstand 2,50 mm

Berthold-Schriften überzeugen durch Schärfe und Qualität Schriftqualität ist eine Frage der Erfahrung. Berthold hat diese Erfahrung seit über hundert Jahren. Zuerst im Schriftguß, dann im Fotosatz. Berthold-Schriften sind weltweit geschätzt. Im Schriftenatelier München wird jeder Buchstabe in der Größe von zwölf Zentimetern neu gezeichnet. Mit messerscharfen Konturen, um für die Schriftscheiben das Optimale an Konturenschärfe herauszuholen. Um die Qualit

1,86 mm (7 p), Zeilenabstand 3,00 mm

Berthold-Schriften überzeugen durch Schärfe und Qualität. Schriftqualität ist eine Frage der Erfahrung Berthold hat diese Erfahrung seit über hundert Jahren. Zuerst im Schriftguß, dann im Fotosatz. Berthold Schriften sind weltweit geschätzt. Im Schriftenatelier München wird jeder Buchstabe in der Größe von zwölf Zentimetern neu gezeichnet. Mit messerscharfen Konturen, um für die Schriftscheiben das Optimale

2,15 mm (8 p), Zeilenabstand 3,50 mm

1981
H. Berthold AG

ABCDEFGHIJKLMNOPQ
RSTUVWXYZ
aabcdefghijklmnopqrstuvwxyz
1/1234567789O %IVX
(.,-;:!?)·[',,"»«]
+±=×/□ø√&§
ÄÅÆÖØŒÜäaåå æıöøœßü
ÁÀÂÃÇÉÈÊËÍÌÎÏĹÑÓÒÔÕ
ŔÚÙÛŴẄÝŶŸ
áàâãçéèêëíìîïĺñóòôõŕ
úùûŵẅýỳÿ

Berthold-Schriftweite weit
Berthold-Schriftweite normal
Berthold-Schriftweite eng
Berthold-Schriftweite sehr eng
Berthold-Schriftweite extrem eng

In general, bodytypes are measured in the typographical point size. The sizes of Berthold Fototype faces can be exactly determined. All faces of same point size have the same capital height-irrespective of their x-height. In hot metal and many other phototypesetting systems the capital heights often differ considerably from one face to the other. For measuring point sizes a transparent size gauge is provided. To determine the point size, bring a capital letter into coincidence with that field which precisely circumscribes the letter at its upper and lower margin Below the field you find the typogr

3,20 mm (12 p), Zeilenabstand 5,25 mm

Berthold's quick brown fox jumps over the lazy dog and feels as if he were in the seventh heav
3,72 mm (14 p)

Berthold's quick brown fox jumps over the lazy dog and feels as if he were in the sev
4,25 mm (16 p)

Berthold's quick brown fox jumps over the lazy dog and feels as if he were
4,75 mm (18 p)

Berthold's quick brown fox jumps over the lazy dog and feels as if h
5,30 mm (20 p)

Berthold's quick brown fox jumps over the lazy dog and f
6,35 mm (24 p)

Berthold's quick brown fox jumps over the lazy dog
7,40 mm (28 p)

Berthold's quick brown fox jumps over the la
8,50 mm (32 p)

Berthold's quick brown fox jumps over
9,55 mm (36 p)

Berthold-Schriften überzeugen durch Schärfe und Qualität. Schriftqualität ist eine Frage der Erfahrung. Berthold hat diese Erfahrung seit über hundert Jahren. Zuerst im Schriftguß, dann im Fotosatz. Berthold-Schriften sind weltweit geschätzt. Im Schriftenatelier München wird jeder Buchstabe in der Größe von zwölf Zentimetern neu gezeichnet. Mit messerscharfen Konture

2,40 mm (9 p), Zeilenabstand 4,00 mm

Größe mm	p	Zeilenabstand kp	Êp	Ex	100 Zeichen 0	−1	−2
1,33	5	1,75	2,19	–	75	72	69
1,60	6	2,06	2,63	2,50	88	84	80
1,86	7	2,44	3,06	3,00	101	97	93
2,15	8	2,81	3,50	3,50	115	110	105
2,40	9	3,13	3,94	4,00	129	123	117
2,65	10	3,44	4,31	4,00	142	135	128
2,92	11	3,75	4,75	–	155	148	141
3,20	12	4,13	5,19	5,25	168	160	152
3,45	13	4,44	5,63	–	182	174	166
3,72	14	4,81	6,06	–	195	186	177
3,98	15	5,13	6,50	–	208	199	190
4,25	16	5,44	6,94	–	221	211	201

WZ 14 E, NSW 0, MZB 0,54, F 0,07:0,07 (1,0), VI
H 1–x 0,72–k 1,00–p 0,28–Ê 1,34–kp 1,28–Êp 1,62
BF 089 1156, Belegung 083: 085 1111 (095 1111)

Berthold-Schriften überzeugen durch Schärfe und Qualität. Schriftqualität ist eine Frage der Erfahrung. Berthold hat diese Erfahrung seit über hundert Jahren. Zuerst im Schriftguß, dann im Fotosatz. Berthold Schriften sind weltweit geschätzt. Im Schriftenatelier München wird jeder Buchstabe in der Größe von zwölf Zentimetern neu ge

2,65 mm (10 p), Zeilenabstand 4,00 mm

vertikal
vertical
vertical

ISO 3098 (DIN 6776) B

normal
chiaro tondo
normal

Berthold-Schriften überzeugen durch Schärfe und Qualität. Schriftqualität ist eine Frage der Erfahrung. Berthold hat diese Erfahrung seit über hundert Jahren. Zuerst im Schriftguß, dann im Fotosatz. Berthold-Schriften sind weltweit geschätzt. Im Schriftenatelier München wird jeder Buchstabe in der Größe von zwölf Zentimetern neu gezeichnet. Mit messerscharfen Konturen, um für die Schriftscheiben das Optimale an Konturenschärfe herauszuholen. Um die Qualität des Einzelzeichens im Belichtungsvorgang zu bewahren, wird durch die ruhende, nicht rotierende Schrif

1,60 mm (6 p), Zeilenabstand 2,50 mm

Berthold-Schriften überzeugen durch Schärfe und Qualität. Schriftqualität ist eine Frage der Erfahrung. Berthold hat diese Erfahrung seit über hundert Jahren. Zuerst im Schriftguß, dann im Fotosatz. Berthold-Schriften sind weltweit geschätzt. Im Schriftenatelier München wird jeder Buchstabe in der Größe von zwölf Zentimetern neu gezeichnet. Mit messerscharfen Konturen, um für die Schriftscheiben das Optimale an Konturenschärfe hera

1,86 mm (7 p), Zeilenabstand 3,00 mm

Berthold-Schriften überzeugen durch Schärfe und Qualität. Schriftqualität ist eine Frage der Erfahrung. Berthold hat diese Erfahrung seit über hundert Jahren. Zuerst im Schriftguß, dann im Fotosatz. Berthold-Schriften sind weltweit geschätzt. Im Schriftenatelier München wird jeder Buchstabe in der Größe von zwölf Zentimetern neu gezeichnet. Mit messerscharfen Konturen, um für die

2,15 mm (8 p), Zeilenabstand 3,50 mm

1982
H. Berthold AG

ABCDEFGHIJKLMNOPQ
RSTUVWXYZ
aabcdefghijklmnopqrstuvwxyz
1⁄12345677890 %IVX
(.,-;:!?)·[',,"»«]
+±=×/□ø√&§
ÄÅÆÖØŒÜäääåæıöøœßü
ÁÀÂÃÇÉÈÊËÍÌÎÏĹÑÓÒÔÕ
ŔÚÙÛŴẄÝŶŸ
áàâãçéèêëíìîïĺñóòôõŕ
úùûŵẅýỳÿ

Berthold-Schriftweite weit
Berthold-Schriftweite normal
Berthold-Schriftweite eng
Berthold-Schriftweite sehr eng
Berthold-Schriftweite extrem eng

In general, bodytypes are measured in the typographical point size. The sizes of Berthold Fototype faces can be exactly determined All faces of same point size have the same capital height-irrespective of their x-height. In hot metal and many other phototypesetting systems the capital heights often differ considerably from one face to the other. For measuring point sizes, a transparent size gauge is provided. To determine the point size, bring a capital letter into coincidence with that field which precisely circumscribes the letter at its upper and lower margin. Below

3,20 mm (12 p), Zeilenabstand 5,25 mm

Berthold's quick brown fox jumps over the lazy dog and feels as if he were in the seventh h
3,72 mm (14 p)

Berthold's quick brown fox jumps over the lazy dog and feels as if he were in the
4,25 mm (16 p)

Berthold's quick brown fox jumps over the lazy dog and feels as if he w
4,75 mm (18 p)

Berthold's quick brown fox jumps over the lazy dog and feels as
5,30 mm (20 p)

Berthold's quick brown fox jumps over the lazy dog and
6,35 mm (24 p)

Berthold's quick brown fox jumps over the lazy d
7,40 mm (28 p)

Berthold's quick brown fox jumps over the
8,50 mm (32 p)

Berthold's quick brown fox jumps over
9,55 mm (36 p)

Berthold-Schriften überzeugen durch Schärfe und Qualität. Schriftqualität ist eine Frage der Erfahrung. Berthold hat diese Erfahrung seit über hundert Jahren. Zuerst im Schriftguß, dann im Fotosatz. Berthold Schriften sind weltweit geschätzt. Im Schriftenatelier München wird jeder Buchstabe in der Größe von zwölf Zentimetern neu gez

2,40 mm (9 p), Zeilenabstand 4,00 mm

Größe mm	p	Zeilenabstand kp	Êp	Ex	100 Zeichen 0	−1	−2
1,33	5	1,75	2,19	—	79	76	73
1,60	6	2,13	2,63	2,50	93	89	85
1,86	7	2,44	3,06	3,00	107	103	99
2,15	8	2,81	3,50	3,50	122	117	112
2,40	9	3,13	3,94	4,00	137	131	125
2,65	10	3,50	4,31	4,00	151	144	137
2,92	11	3,81	4,75	—	165	158	151
3,20	12	4,19	5,19	5,25	179	171	163
3,45	13	4,50	5,63	—	193	185	177
3,72	14	4,88	6,06	—	207	198	189
3,98	15	5,19	6,50	—	221	212	203
4,25	16	5,56	6,94	—	235	225	215

WZ 12 E, NSW −2, MZB 0,57, F 0,1:0,1 (1,0), VI
H 1–x 0,70–k 1,00–p 0,30–Ê 1,32–kp 1,30–Êp 1,62
BF 089 1197, Belegung 083: 085 1112 (095 1112)

Berthold-Schriften überzeugen durch Schärfe und Qualität. Schriftqualität ist eine Frage der Erfahrung. Berthold hat diese Erfahrung seit über hundert Jahren. Zuerst im Schriftguß, dann im Fotosatz. Berthold-Schriften sind weltweit geschätzt. Im Schriftenatelier München wird jeder Buchstabe in der Größe von

2,65 mm (10 p), Zeilenabstand 4,00 mm

kursiv
italic
italique

ISO 3098 (DIN 6776) B

cursiva
chiaro corsivo
kursiv

Berthold-Schriften überzeugen durch Schärfe und Qualit ät. Schriftqualität ist eine Frage der Erfahrung. Berthold hat diese Erfahrung seit über hundert Jahren. Zuerst im S chriftguß, dann im Fotosatz. Berthold-Schriften sind welt weit geschätzt. Im Schriftenatelier München wird jeder Bu chstabe in der Größe von zwölf Zentimetern neu gezeichne t. Mit messerscharfen Konturen, um für die Schriftscheiben das Optimale an Konturenschärfe herauszuholen. Um die Qualität des Einzelzeichens im Belichtungsvorgang zu be

1,60 mm (6 p), Zeilenabstand 2,50 mm

Berthold-Schriften überzeugen durch Schärfe und Qualität. Schriftqualität ist eine Frage der Erfah rung. Berthold hat diese Erfahrung seit über hund ert Jahren. Zuerst im Schriftguß, dann im Fotosat z. Berthold-Schriften sind weltweit geschätzt. Im Schriftenatelier München wird jeder Buchstabe in der Größe von zwölf Zentimetern neu gezeichnet Mit messerscharfen Konturen, um für die Schrifts

1,86 mm (7 p), Zeilenabstand 3,00 mm

Berthold-Schriften überzeugen durch Schä rfe und Qualität. Schriftqualität ist eine Fr age der Erfahrung. Berthold hat diese Erfah rung seit über hundert Jahren. Zuerst im Sc hriftguß, dann im Fotosatz. Berthold-Schrif ten sind weltweit geschätzt. Im Schriftenat elier München wird jeder Buchstabe in der Gr öße von zwölf Zentimetern neu gezeichnet

2,15 mm (8 p), Zeilenabstand 3,50 mm

1981
H. Berthold AG

ABCDEFGHIJKLMNOPQ
RSTUVWXYZ
aabcdefghijklmnopqrstuvwxyz
1/1234567789 0 %IVX
(.,-;:!?)·[',,"»«]
+±=x/□ø√&§
ÄÅÆÖØŒÜäääåæıöøœßü
ÁÀÂÃÇÉÈÊËÍÎÏĹÑÓÒÔÕ
ŔÚÙÛŴẄÝŶŸ
áàâãçéèêëíîïĺñóòôõŕ
úùûŵẅýỳÿ

Berthold-Schriftweite weit
Berthold-Schriftweite normal
Berthold-Schriftweite eng
Berthold-Schriftweite sehr eng
Berthold-Schriftweite extrem eng

In general, bodytypes are me asured in the typographical p oint size. The sizes of Berthol d Fototype faces can be exac tly determined. All faces of s ame point size have the same capital height-irrespective of their x-height. In hot metal and many other phototypesetting systems the capital heights o ften differ considerably from one face to the other. For me asuring point sizes, a transp arent size gauge is provided To determine the point size, b ring a capital letter into coinc idence with that field which pr

3,20 mm (12 p), Zeilenabstand 5,25 mm

Berthold's quick brown fox jumps over the lazy dog and feels as if he were in the se
3,72 mm (14 p)

Berthold's quick brown fox jumps over the lazy dog and feels as if he were
4,25 mm (16 p)

Berthold's quick brown fox jumps over the lazy dog and feels as if
4,75 mm (18 p)

Berthold's quick brown fox jumps over the lazy dog and fe
5,30 mm (20 p)

Berthold's quick brown fox jumps over the lazy d
6,35 mm (24 p)

Berthold's quick brown fox jumps over the
7,40 mm (28 p)

Berthold's quick brown fox jumps ov
8,50 mm (32 p)

Berthold's quick brown fox jumps
9,55 mm (36 p)

Berthold-Schriften überzeugen durch S chärfe und Qualität. Schriftqualität ist eine Frage der Erfahrung. Berthold hat diese Erfahrung seit über hundert Jahr en. Zuerst im Schriftguß, dann im Fotos atz. Berthold-Schriften sind weltweit g eschätzt. Im Schriftenatelier München w ird jeder Buchstabe in der Größe von zw

2,40 mm (9 p), Zeilenabstand 4,00 mm

Größe		Zeilenabstand			100 Zeichen		
mm	p	kp	Êp	Ex	0	−1	−2
1,33	5	1,75	2,19	–	87	84	81
1,60	6	2,13	2,63	2,50	103	99	95
1,86	7	2,44	3,06	3,00	118	114	110
2,15	8	2,81	3,50	3,50	134	129	124
2,40	9	3,13	3,94	4,00	150	144	138
2,65	10	3,50	4,31	4,00	165	158	151
2,92	11	3,81	4,75	–	181	174	167
3,20	12	4,19	5,19	5,25	196	188	180
3,45	13	4,50	5,63	–	212	204	196
3,72	14	4,88	6,06	–	227	218	209
3,98	15	5,19	6,50	–	243	234	225
4,25	16	5,56	6,94	–	258	248	238

WZ 14 E, NSW −1, MZB 0,62, F 0,1:0,1 (1,0), VI
H 1–x 0,70–k 1,00–p 0,30–Ê 1,32–kp 1,30–Êp 1,62
BF 089 1082, Belegung 083: 085 1113 (095 1113)

Berthold-Schriften überzeugen du rch Schärfe und Qualität. Schriftq ualität ist eine Frage der Erfahrung Berthold hat diese Erfahrung seit ü ber hundert Jahren. Zuerst im Schri ftguß, dann im Fotosatz. Berthold Schriften sind weltweit geschätz. I m Schriftenatelier München wird jer

2,65 mm (10 p), Zeilenabstand 4,00 mm

Buch
book
romain labeur

ITALIA

libro
libro
buch

Berthold-Schriften überzeugen durch Schärfe und Qualität. Schriftqu
alität ist eine Frage der Erfahrung. Berthold hat diese Erfahrung seit üb
er hundert Jahren. Zuerst im Schriftguß, dann im Fotosatz. Berthold-S
chriften sind weltweit geschätzt. Im Schriftenatelier München wird je
der Buchstabe in der Größe von zwölf Zentimetern neu gezeichnet. Mit
messerscharfen Konturen, um für die Schriftscheiben das Optimale an
Konturenschärfe herauszuholen. Um die Qualität des Einzelzeichens
im Belichtungsvorgang zu bewahren, wird durch die ruhende, nicht r
otierende Schriftscheibe belichtet. Dieses optische System, verbunde

1,33 mm (5 p) 20 30 40 50 60

Berthold-Schriften überzeugen durch Schärfe und Qualität. Sch
riftqualität ist eine Frage der Erfahrung. Berthold hat diese Erfah
rung seit über hundert Jahren. Zuerst im Schriftguß, dann im Fot
osatz. Berthold-Schriften sind weltweit geschätzt. Im Schriftena
telier München wird jeder Buchstabe in der Größe von zwölf Ze
ntimetern neu gezeichnet. Mit messerscharfen Konturen, um für
die Schriftscheiben das Optimale an Konturenschärfe herauszu
holen. Um die Qualität des Einzelzeichens im Belichtungsvorga
ng zu bewahren, wird durch die ruhende, nicht rotierende Schrif

1,45 mm (5,5 p) 20 30 40 50 6

Berthold-Schriften überzeugen durch Schärfe und Qualität
Schriftqualität ist eine Frage der Erfahrung. Berthold hat di
ese Erfahrung seit über hundert Jahren. Zuerst im Schriftgu
ß, dann im Fotosatz. Berthold-Schriften sind weltweit gesc
hätzt. Im Schriftenatelier München wird jeder Buchstabe in
der Größe von zwölf Zentimetern neu gezeichnet. Mit mes
serscharfen Konturen, um für die Schriftscheiben das Opti
male an Konturenschärfe herauszuholen. Um die Qualität
des Einzelzeichens im Belichtungsvorgang zu bewahren

1,60 mm (6 p) 20 30 40 50

Berthold-Schriften überzeugen durch Schärfe und Qu
alität. Schriftqualität ist eine Frage der Erfahrung. Berth
old hat diese Erfahrung seit über hundert Jahren. Zuerst
im Schriftguß, dann im Fotosatz. Berthold-Schriften si
nd weltweit geschätzt. Im Schriftenatelier München w
ird jeder Buchstabe in der Größe von zwölf Zenti
metern neu gezeichnet. Mit messerscharfen Konturen
um für die Schriftscheiben das Optimale an Konturens
chärfe herauszuholen. Um die Qualität des Einzelzeic

1,75 mm (6,5 p) 20 30 40 50

Berthold-Schriften überzeugen durch Schärfe und
Qualität. Schriftqualität ist eine Frage der Erfahrung
Berthold hat diese Erfahrung seit über hundert Jahr
en. Zuerst im Schriftguß, dann im Fotosatz. Berthol
d-Schriften sind weltweit geschätzt. Im Schriftenat
elier München wird jeder Buchstabe in der Größ
e von zwölf Zentimetern neu gezeichnet. Mit messe
rscharfen Konturen, um für die Schriftscheiben das
Optimale an Konturenschärfe herauszuholen. Um

1,86 mm (7 p) 20 30 40

Berthold-Schriften überzeugen durch Schärfe u
nd Qualität. Schriftqualität ist eine Frage der Erf
ahrung. Berthold hat diese Erfahrung seit über
hundert Jahren. Zuerst im Schriftguß, dann im F
otosatz. Berthold-Schriften sind weltweit gesch
ätzt. Im Schriftenatelier München wird jeder Bu
chstabe in der Größe von zwölf Zentimetern ne
u gezeichnet. Mit messerscharfen Konturen, um
für die Schriftscheiben das Optimale an Kontur

2,00 mm (7,5 p) 20 30 40

Berthold-Schriften überzeugen durch Schärfe
und Qualität. Schriftqualität ist eine Frage der
Erfahrung. Berthold hat diese Erfahrung seit
über hundert Jahren. Zuerst im Schriftguß, da
nn im Fotosatz. Berthold-Schriften sind welt
weit geschätzt. Im Schriftenatelier München
wird jeder Buchstabe in der Größe von zwölf
Zentimetern neu gezeichnet. Mit messerscha
rfen Konturen, um für die Schriftscheiben das

2,15 mm (8 p) 20 30 40

Colin Brignall
1977
International Typeface Corp.
H. Berthold AG

ABCDEFGHIJKLMNOPQ
RSTUVWXYZ
abcdefghijklmnopqrstuvwxyz
1/1234567890%
(.,-;:!¡?¿–)·['‘„”“»«]
+–=/$£†*&§
ÄÅÆÖØŒÜäåæıöøœßü
ÁÀÂÃÇČÉÈÊËÍÌÎÏĹŇÑÓÒÔÕ
ŔŘŠŤÚÙÛŴẄÝỲŶŸŽ
áàâãçčéèêëíìîïĺňñóòôõŕřš
úùûŵẅýỳŷÿž

Berthold-Schriftweite weit
Berthold-Schriftweite normal
Berthold-Schriftweite eng
Berthold-Schriftweite sehr eng
Berthold-Schriftweite extrem eng

Berthold
3,75 mm (14 p)

Berthold
4,25 mm (16 p)

Berthold
4,75 mm (18 p)

Berthold
5,30 mm (20 p)

Berthold
6,35 mm (24 p)

Berthold
7,40 mm (28 p)

Berthold
8,50 mm (32 p)

Berthold
9,55 mm (36 p)

Größe mm	p	Zeilenabstand kp	Êp	Ex	100 Zeichen 0	–1	–2
1,33	5	1,81	2,00	2,00	86	83	80
1,60	6	2,19	2,44	2,50	101	97	93
1,86	7	2,50	2,81	3,00	116	112	108
2,15	8	2,88	3,25	3,50	132	127	122
2,40	9	3,25	3,63	3,75	148	142	136
2,65	10	3,56	4,00	4,25	163	156	149
2,92	11	3,94	4,44	4,75	178	171	164
3,20	12	4,31	4,81	5,25	193	185	177
3,45	13	4,63	5,19	5,75	209	201	193
3,72	14	5,00	5,63	–	224	215	206
3,98	15	5,31	6,00	–	239	230	221
4,25	16	5,69	6,38	–	254	244	234

WZ 13 E, NSW 0, MZB 0,61, F 0,10:0,083 (1,3), V
H 1–x 0,68–k 1,04–p 0,29–Ê 1,21–kp 1,33–Êp 1,50
BF 089 0458, Belegung 051: 087 3341 (097 3341)

Berthold-Schriften überzeugen durch Sc
härfe und Qualität. Schriftqualität ist eine
Frage der Erfahrung. Berthold hat diese
Erfahrung seit über hundert Jahren. Zuer
st im Schriftguß, dann im Fotosatz. B
erthold-Schriften sind weltweit geschätz
t. Im Schriftenatelier München wird jeder
Buchstabe in der Größe von zwölf Zenti

2,40 mm (9 p) 20 30

Berthold-Schriften überzeugen durc
h Schärfe und Qualität. Schriftqualit
ät ist eine Frage der Erfahrung. Berth
old hat diese Erfahrung seit über hu
ndert Jahren. Zuerst im Schriftguß, d
ann im Fotosatz. Berthold-Schriften
sind weltweit geschätzt. Im Schrifte
natelier München wird jeder Buchst

2,65 mm (10 p) 20 30

Berthold-Schriften überzeugen d
urch Schärfe und Qualität. Schrift
qualität ist eine Frage der Erfahru
ng. Berthold hat diese Erfahrung
seit über hundert Jahren. Zuerst
im Schriftguß, dann im Fotosatz
Berthold-Schriften sind weltweit
geschätzt. Im Schriftenatelier Mü

2,92 mm (11 p) 10 20 30

Berthold-Schriften überzeugen
durch Schärfe und Qualität. Sc
hriftqualität ist eine Frage der
Erfahrung. Berthold hat diese
Erfahrung seit über hundert Ja
hren. Zuerst im Schriftguß, da
nn im Fotosatz. Berthold-Schri
ften sind weltweit geschätzt. I

3,20 mm (12 p) 10 20

Berthold-Schriften überzeug
en durch Schärfe und Qualit
ät. Schriftqualität ist eine Fra
ge der Erfahrung. Berthold h
at diese Erfahrung seit über
hundert Jahren. Zuerst im Sc
hriftguß, dann im Fotosatz. B
erthold-Schriften sind weltw

3,45 mm (13 p) 10 20

Buch
book
romain labeur

ITALIA

libro
libro
buch

Berthold-Schriften überzeugen durch Schärfe und Qualität. Schriftqualität ist eine Frage der Erfahrung. Berthold hat diese Erfahrung seit über hunde rt Jahren. Zuerst im Schriftguß, dann im Fotosatz. Berthold-Schriften sind weltweit geschätzt. Im Schriftenatelier München wird jeder Buchstabe in der Größe von zwölf Zentimetern neu gezeichnet. Mit messerscharfen Ko nturen, um für die Schriftscheiben das Optimale an Konturenschärfe hera uszuholen. Um die Qualität des Einzelzeichens im Belichtungsvorgang zu bewahren, wird durch die ruhende, nicht rotierende Schriftscheibe belich tet. Dieses optische System, verbunden mit Präzisions-Chromglasschei

4,25 mm (16 p), Zeilenabstand 6,75 mm

ITALIA BOOK

In general, bodytypes are measured in the typo graphical point size. The sizes of Berthold Fototype faces can be exactly determined. All faces of same point size have the same capital heigth–irrespec tive of their x-heigth. In hot metal and many other phototypesetting systems the capital heigths of ten differ considerably from one face to the other For measuring point sizes, a transparent size gauge is provided. To determine the point size, bring a capital letter into coincidence with that field which precisely circumscribes the letter at its upper and lower margin. Below the field you find the typo graphical point and below that the millimeter val ue, which also refers to the height of a capital letter In Berthold-phototypesetting, the typewidth can be modified. The standard setting width of typefac es is determined by the principle of optimum legi bility. You should not depart from this typewidth without cogent reason. A typeface which is consid ered optically right when looked in a greater con text, often seems bulky when applied for a small a mount of text, e. g. labels and ads. Here, a width re

2,40 mm (9 p), Zeilenabstand 4,25 mm

ITALIA ROMAIN LABEUR

La valeur de la force de corps des caractères de labeur èst généralement exprimée en points typographiques. La force de corps des caractères Berthold-Fototype peut être déter minée avec précision. Tous les caractères du même corps ont des capitales d'une hauteur identique, indépendamment de la hauteur des bas de casse sans jambage. Dans la com position plomb, ainsi que dans certains sys tèmes de photocomposition, la hauteur des capitales, varie souvent d'un caractère à l'au tre. Pour déterminer la force de corps de nos caractères, nous avons mis au point une ré glette de hauteur d'œil transparente. On cher che le rectangle qui délimite exactement la hauteur d'œil d'une capitale du caractère choisi. Sous le rectangle correspondant la valeur de la force de corps est indiquée en points Didots et en millimètres. La valeur en millimètres exprime également la hauteur

2,65 mm (10 p), Zeilenabstand 4,69 mm

La indicación de las dimensiones para cuerpos de letra vásicos tiene lugar en general en puntos tipográficos. Los cuerpos de letra de los caracte res Berthold Fototype pueden determinarse ex actemente par medición. Con independencia de la altura de sus longitudes centrales, todos los caracteres de idéntico cuerpo de letra presentan altura de mayúsculas idéntica. En la composi ción en plomo y en muchos otros sistemas de

2,15 mm (8 p), −1, Zeilenabstand 3,38 mm

123,– $	456,– £	7890,– DM	1 %
234,– $	789,– £	1234,– DM	2 %
567,– $	12,– £	5678,– DM	3 %
890,– $	345,– £	9012,– DM	4 %
123,– $	678,– £	3456,– DM	5 %
456,– $	901,– £	7890,– DM	6 %
789,– $	234,– £	1234,– DM	7 %
12,– $	567,– £	5678,– DM	8 %
345,– $	890,– £	9012,– DM	9 %

BF 089 0459

Le misure relative al corpo dei caratteri vengono generalmente indicate in punti tipografici. Il corpo dei caratteri Fototypes può essere determinato con esattezza per semplice misurazione. Tutti i ca ratteri di uguale grandezza in punti hanno, indi pendentemente dalla loro lunghezza, uguale al tezza delle maiuscole. Nella composizione in piombo ed in molti altri sistemi di fotocomposizio ne, l'altezza delle maiuscole varia spesso da carat

2,15 mm (8 p), −2, Zeilenabstand 3,38 mm

normal
medium
normal

ITALIA

normal
chiaro tondo
normal

Berthold-Schriften überzeugen durch Schärfe und Qualität. Schriftq
ualität ist eine Frage der Erfahrung. Berthold hat diese Erfahrung seit
über hundert Jahren. Zuerst im Schriftguß, dann im Fotosatz. Bertho
ld-Schriften sind weltweit geschätzt. Im Schriftenatelier München w
ird jeder Buchstabe in der Größe von zwölf Zentimetern neu gezeich
net. Mit messerscharfen Konturen, um für die Schriftscheiben das O
ptimale an Konturenschärfe herauszuholen. Um die Qualität des Ei
nzelzeichens im Belichtungsvorgang zu bewahren, wird durch die r
uhende, nicht rotierende Schriftscheibe belichtet. Dieses optische S

1,33 mm (5 p) 20 30 40 50 60

Berthold-Schriften überzeugen durch Schärfe und Qualität. Sc
hriftqualität ist eine Frage der Erfahrung. Berthold hat diese E
rfahrung seit über hundert Jahren. Zuerst im Schriftguß, dann i
m Fotosatz. Berthold-Schriften sind weltweit geschätzt. Im Sc
hriftenatelier München wird jeder Buchstabe in der Größe v
on zwölf Zentimetern neu gezeichnet. Mit messerscharfen Ko
nturen, um für die Schriftscheiben das Optimale an Konturens
chärfe herauszuholen. Um die Qualität des Einzelzeichens im
Belichtungsvorgang zu bewahren, wird durch die ruhende, nic

1,45 mm (5,5 p) 20 30 40 50

Berthold-Schriften überzeugen durch Schärfe und Qualit
ät. Schriftqualität ist eine Frage der Erfahrung. Berthold h
at diese Erfahrung seit über hundert Jahren. Zuerst im Sch
riftguß, dann im Fotosatz. Berthold-Schriften sind weltw
eit geschätzt. Im Schriftenatelier München wird jeder Bu
chstabe in der Größe von zwölf Zentimetern neu gezeichn
et. Mit messerscharfen Konturen, um für die Schriftscheib
en das Optimale an Konturenschärfe herauszuholen. Um
die Qualität des Einzelzeichens im Belichtungsvorgang zu

1,60 mm (6 p) 20 30 40 50

Berthold-Schriften überzeugen durch Schärfe und Q
ualität. Schriftqualität ist eine Frage der Erfahrung
Berthold hat diese Erfahrung seit über hundert Jahre
n. Zuerst im Schriftguß, dann im Fotosatz. Berthold
Schriften sind weltweit geschätzt. Im Schriftenat
elier München wird jeder Buchstabe in der Größe von
zwölf Zentimetern neu gezeichnet. Mit messerscharf
en Konturen, um für die Schriftscheiben das Optimal
e an Konturenschärfe herauszuholen. Um die Qualit

1,75 mm (6,5 p) 20 30 40 5

Berthold-Schriften überzeugen durch Schärfe und
Qualität. Schriftqualität ist eine Frage der Erfahru
ng. Berthold hat diese Erfahrung seit über hundert
Jahren. Zuerst im Schriftguß, dann im Fotosatz. Be
rthold-Schriften sind weltweit geschätzt. Im Schrif
tenatelier München wird jeder Buchstabe in der G
röße von zwölf Zentimetern neu gezeichnet. Mit m
esserscharfen Konturen, um für die Schriftscheib
en das Optimale an Konturenschärfe herauszuhol

1,86 mm (7 p) 20 30 40

Berthold-Schriften überzeugen durch Schärfe
und Qualität. Schriftqualität ist eine Frage der
Erfahrung. Berthold hat diese Erfahrung seit ü
ber hundert Jahren. Zuerst im Schriftguß, dann
im Fotosatz. Berthold-Schriften sind weltweit
geschätzt. Im Schriftenatelier München wird je
der Buchstabe in der Größe von zwölf Zentime
tern neu gezeichnet. Mit messerscharfen Kont
uren, um für die Schriftscheiben das Optimale

2,00 mm (7,5 p) 20 30 40

Berthold-Schriften überzeugen durch Schär
fe und Qualität. Schriftqualität ist eine Frage
der Erfahrung. Berthold hat diese Erfahrung
seit über hundert Jahren. Zuerst im Schriftgu
ß, dann im Fotosatz. Berthold-Schriften sin
d weltweit geschätzt. Im Schriftenatelier Mü
nchen wird jeder Buchstabe in der Größe vo
n zwölf Zentimetern neu gezeichnet. Mit me
sserscharfen Konturen, um für die Schriftsc

2,15 mm (8 p) 20 30 40

Colin Brignall
1977
International Typeface Corp.
H. Berthold AG

ABCDEFGHIJKLMNOPQ
RSTUVWXYZ
abcdefghijklmnopqrstuvwxyz
1/1234567890%
(.,-;:!¡?¿–)·[‘‚„”“»«]
+—=/$£†*&§
ÄÅÆÖØŒÜäåæıöøœßü
ÁÀÂÃÇČÉÈÊËÍÌÎÏĹŇÑÓÒÔÕ
ŔŘŠŤÚÙÛŴẄÝŶŸŽ
áàâãçčéèêëíìîïĺňñóòôõŕřš
úùûŵẅýỳÿž

Berthold-Schriftweite weit
Berthold-Schriftweite normal
Berthold-Schriftweite eng
Berthold-Schriftweite sehr eng
Berthold-Schriftweite extrem eng

Berthold
3,75 mm (14 p)

Berthold
4,25 mm (16 p)

Berthold
4,75 mm (18 p)

Berthold
5,30 mm (20 p)

Berthold
6,35 mm (24 p)

Berthold
7,40 mm (28 p)

Berthold
8,50 mm (32 p)

Berthold
9,55 mm (36 p)

Größe		Zeilenabstand			100 Zeichen		
mm	p	kp	Êp	Ex	0	−1	−2
1,33	5	1,81	2,06	2,00	87	84	81
1,60	6	2,19	2,50	2,50	103	99	95
1,86	7	2,50	2,88	3,00	118	114	110
2,15	8	2,94	3,31	3,50	134	129	124
2,40	9	3,25	3,69	3,75	150	144	138
2,65	10	3,56	4,06	4,25	165	158	151
2,92	11	3,94	4,50	4,75	181	174	167
3,20	12	4,31	4,94	5,25	196	188	180
3,45	13	4,63	5,31	5,75	212	204	196
3,72	14	5,00	5,75	—	227	218	209
3,98	15	5,38	6,13	—	243	234	225
4,25	16	5,75	6,56	—	258	248	238

WZ 14 E, NSW 0, MZB 0,62, F 0,15:0,13 (1,2), V
H 1–x 0,68–k 1,03–p 0,31–Ê 1,22–kp 1,34–Êp 1,53
BF 089 0460, Belegung 051: 087 3342 (097 3342)

Berthold-Schriften überzeugen durch S
chärfe und Qualität. Schriftqualität ist e
ine Frage der Erfahrung. Berthold hat di
ese Erfahrung seit über hundert Jahren
Zuerst im Schriftguß, dann im Fotosatz
Berthold-Schriften sind weltweit gesch
ätzt. Im Schriftenatelier München wird j
eder Buchstabe in der Größe von zwölf

2,40 mm (9 p) 20 30

Berthold-Schriften überzeugen dur
ch Schärfe und Qualität. Schriftqual
ität ist eine Frage der Erfahrung. Be
rthold hat diese Erfahrung seit über
hundert Jahren. Zuerst im Schriftg
uß, dann im Fotosatz. Berthold-Sch
riften sind weltweit geschätzt. Im S
chriftenatelier München wird jeder

2,65 mm (10 p) 20 30

Berthold-Schriften überzeugen
durch Schärfe und Qualität. Schr
iftqualität ist eine Frage der Erfa
hrung. Berthold hat diese Erfahr
ung seit über hundert Jahren. Zu
erst im Schriftguß, dann im Foto
satz. Berthold-Schriften sind wel
tweit geschätzt. Im Schriftenatel

2,92 mm (11 p) 10 20 30

Berthold-Schriften überzeug
en durch Schärfe und Qualität
Schriftqualität ist eine Frage
der Erfahrung. Berthold hat di
ese Erfahrung seit über hund
ert Jahren. Zuerst im Schriftgu
ß, dann im Fotosatz. Berthold
Schriften sind weltweit gesch

3,20 mm (12 p) 10 20

Berthold-Schriften überzeu
gen durch Schärfe und Qua
lität. Schriftqualität ist eine
Frage der Erfahrung. Berth
old hat diese Erfahrung seit
über hundert Jahren. Zuerst
im Schriftguß, dann im Foto
satz. Berthold-Schriften sind

3,45 mm (13 p) 10 20

normal
medium
normal

ITALIA

normal
chiaro tondo
normal

Berthold-Schriften überzeugen durch Schärfe und Qualität. Schriftqualit ät ist eine Frage der Erfahrung. Berthold hat diese Erfahrung seit über hu ndert Jahren. Zuerst im Schriftguß, dann im Fotosatz. Berthold-Schriften sind weltweit geschätzt. Im Schriftenatelier München wird jeder Buchst abe in der Größe von zwölf Zentimetern neu gezeichnet. Mit messerscha rfen Konturen, um für die Schriftscheiben das Optimale an Konturensch ärfe herauszuholen. Um die Qualität des Einzelzeichens im Belichtungs vorgang zu bewahren, wird durch die ruhende, nicht rotierende Schrifts cheibe belichtet. Dieses optische System, verbunden mit Präzisions-Chr

4,25 mm (16 p), Zeilenabstand 6,75 mm

ITALIA MEDIUM

In general, bodytypes are measured in the typo graphical point size. The sizes of Berthold Foto type faces can be exactly determined. All faces of same point size have the same capital heigth irrespective of their x-heigth. In hot metal and many other phototypesetting systems the capi tal heigths often differ considerably from one face to the other. For measuring point sizes, a transparent size gauge is provided. To determine the point size, bring a capital letter into coinci dence with that field which precisely circum scribes the letter at its upper and lower margin Below the field you find the typographical point and below that the millimeter value, which also refers to the height of a capital letter. In Berthold phototypesetting, the typewidth can be modi fied. The standard setting width of typefaces is determined by the principle of optimum legibili ty. You should not depart from this typewidth without cogent reason. A typeface which is con sidered optically right when looked in a greater context, often seems bulky when applied for a

2,40 mm (9 p), Zeilenabstand 4,25 mm

ITALIA NORMAL

La valeur de la force de corps des caractères de labeur èst généralement exprimée en points typographiques. La force de corps des caractères Berthold-Fototype peut être déterminée avec précision. Tous les carac tères du même corps ont des capitales d'une hauteur identique, indépendamment de la hauteur des bas de casse sans jambage Dans la composition plomb, ainsi que dans certains systèmes de photocomposition, la hauteur des capitales, varie souvent d'un ca ractère à l'autre. Pour déterminer la force de corps de nos caractères, nous avons mis au point une réglette de hauteur d'œil transpa rente. On cherche le rectangle qui délimite exactement la hauteur d'œil d'une capitale du caractère choisi. Sous le rectangle corres pondant la valeur de la force de corps est in diquée en points Didots et en millimètres. La valeur en millimètres exprime également la

2,65 mm (10 p), Zeilenabstand 4,69 mm

La indicación de las dimensiones para cuerpos de letra vásicos tiene lugar en general en pun tos tipográficos. Los cuerpos de letra de los ca racteres Berthold Fototype pueden determi narse exactemente par medición. Con inde pendencia de la altura de sus longitudes cen trales, todos los caracteres de idéntico cuerpo de letra presentan altura de mayúsculas idén tica. En la composición en plomo y en muchos

2,15 mm (8 p), –1, Zeilenabstand 3,38 mm

123,– $	456,– £	7890,– DM	1 %
234,– $	789,– £	1234,– DM	2 %
567,– $	12,– £	5678,– DM	3 %
890,– $	345,– £	9012,– DM	4 %
123,– $	678,– £	3456,– DM	5 %
456,– $	901,– £	7890,– DM	6 %
789,– $	234,– £	1234,– DM	7 %
12,– $	567,– £	5678,– DM	8 %
345,– $	890,– £	9012,– DM	9 %

BF 089 0461

Le misure relative al corpo dei caratteri vengono generalmente indicate in punti tipografici. Il cor po dei caratteri Fototypes può essere determina to con esattezza per semplice misurazione. Tutti i caratteri di uguale grandezza in punti hanno, in dipendentemente dalla loro lunghezza, uguale altezza delle maiuscole. Nella composizione in piombo ed in molti altri sistemi di fotocomposizi one, l'altezza delle maiuscole varia spesso da ca

2,15 mm (8 p), –2, Zeilenabstand 3,38 mm

halbfett
bold
demi-gras

ITALIA

seminegra
neretto
halvfet

Berthold-Schriften überzeugen durch Schärfe und Qua lität. Schriftqualität ist eine Frage der Erfahrung. Berth old hat diese Erfahrung seit über hundert Jahren. Zuerst im Schriftguß, dann im Fotosatz. Berthold-Schriften si nd weltweit geschätzt. Im Schriftenatelier München wi rd jeder Buchstabe in der Größe von zwölf Zentimetern neu gezeichnet. Mit messerscharfen Konturen, um für die Schriftscheiben das Optimale an Konturenschärfe herauszuholen. Um die Qualität des Einzelzeichens im

1,60 mm (6 p), Zeilenabstand 2,50 mm

Berthold-Schriften überzeugen durch Schärfe und Qualität. Schriftqualität ist eine Frage der Er fahrung. Berthold hat diese Erfahrung seit über hundert Jahren. Zuerst im Schriftguß, dann im Fotosatz. Berthold-Schriften sind weltweit gesch ätzt. Im Schriftenatelier München wird jeder Buc hstabe in der Größe von zwölf Zentimetern neu gezeichnet. Mit messerscharfen Konturen, um f

1,86 mm (7 p), Zeilenabstand 3,00 mm

Berthold-Schriften überzeugen durch Sch ärfe und Qualität. Schriftqualität ist eine Fr age der Erfahrung. Berthold hat diese Erfa hrung seit über hundert Jahren. Zuerst im Schriftguß, dann im Fotosatz. Berthold-Sch riften sind weltweit geschätzt. Im Schriften atelier München wird jeder Buchstabe in der Größe von zwölf Zentimetern neu geze

2,15 mm (8 p), Zeilenabstand 3,50 mm

Colin Brignall
1977
International Typeface Corp.
H. Berthold AG

ABCDEFGHIJKLMNOPQ
RSTUVWXYZ
abcdefghijklmnopqrstuvwxyz
1/1234567890 %
(.,-;:!¡?¿–) · [",""»«]
+−=/$£†*&§
ÄÅÆÖØŒÜäåæıöøœßü
ÁÀÂÃÇČÉÈÊËÍÌÎÏĹŇÑÓÒÔÕ
ŔŘŠŤÚÙÛŴẄÝŶŸŽ
áàâãçčéèêëíìîïĺňñóòôõŕřš
úùûŵẅýỳÿž

Berthold-Schriftweite weit
Berthold-Schriftweite normal
Berthold-Schriftweite eng
Berthold-Schriftweite sehr eng
Berthold-Schriftweite extrem eng

In general, bodytypes are m easured in the typographical point size. The sizes of Ber thold Fototype faces can be e xactly determined. All faces of same point size have the s ame capital heigth–irrespect ive of their x-heigth. In hot m etal and many other phototy pesetting systems the capital heigths often differ consider ably from one face to the oth er. For measuring point sizes a transparent size gauge is pr ovided. To determine the poi nt size, bring a capital letter i nto coincidence with that fiel

3,20 mm (12 p), Zeilenabstand 5,25 mm

Berthold's quick brown fox jumps over the lazy dog and feels as if he were in the
3,75 mm (14 p)

Berthold's quick brown fox jumps over the lazy dog and feels as if he
4,25 mm (16 p)

Berthold's quick brown fox jumps over the lazy dog and feels
4,75 mm (18 p)

Berthold's quick brown fox jumps over the lazy dog and
5,30 mm (20 p)

Berthold's quick brown fox jumps over the lazy
6,35 mm (24 p)

Berthold's quick brown fox jumps over
7,40 mm (28 p)

Berthold's quick brown fox jumps
8,50 mm (32 p)

Berthold's quick brown fox ju
9,55 mm (36 p)

Berthold-Schriften überzeugen durch Schärfe und Qualität. Schriftqualität ist eine Frage der Erfahrung. Berthold hat diese Erfahrung seit über hundert Jah ren. Zuerst im Schriftguß, dann im Fot osatz. Berthold-Schriften sind weltwe it geschätzt. Im Schriftenatelier Münc hen wird jeder Buchstabe in der Größe

2,40 mm (9 p), Zeilenabstand 4,00 mm

Größe mm	p	Zeilenabstand kp	Êp	Ex	100 Zeichen 0	−1	−2
1,33	5	1,01	2,13		89	80	83
1,60	6	2,19	2,56	2,50	105	101	97
1,86	7	2,50	2,94	3,00	121	117	113
2,15	8	2,88	3,44	3,50	137	132	127
2,40	9	3,25	3,81	4,00	153	147	141
2,65	10	3,56	4,19	4,00	169	162	155
2,92	11	3,94	4,63	—	185	178	171
3,20	12	4,31	5,06	5,25	201	193	185
3,45	13	4,63	5,44	—	216	208	200
3,72	14	5,00	5,88	—	232	223	214
3,98	15	5,31	6,25	—	248	239	230
4,25	16	5,69	6,69	—	264	254	244

WZ 14 E, NSW 0, MZB 0,64, F 0,20:0,15 (1,3), V
H 1–x 0,68–k 1,03–p 0,30–Ê 1,27–kp 1,33–Êp 1,57
BF 089 0462, Belegung 051: 087 3343 (097 3343)

Berthold-Schriften überzeugen d urch Schärfe und Qualität. Schrift qualität ist eine Frage der Erfahru ng. Berthold hat diese Erfahrung s eit über hundert Jahren. Zuerst im Schriftguß, dann im Fotosatz. Bert hold-Schriften sind weltweit gesc hätzt. Im Schriftenatelier München

2,65 mm (10 p), Zeilenabstand 4,00 mm

normal
regular
normal

ITALIAN OLD STYLE

normal
chiaro tondo
normal

Berthold-Schriften überzeugen durch Schärfe und Qualität. Schriftqua lität ist eine Frage der Erfahrung. Berthold hat diese Erfahrung seit über hundert Jahren. Zuerst im Schriftguß, dann im Fotosatz. Berthold-Sch riften sind weltweit geschätzt. Im Schriftenatelier München wird jeder Buchstabe in der Größe von zwölf Zentimetern neu gezeichnet. Mit me sserscharfen Konturen, um für die Schriftscheiben das Optimale an Ko nturenschärfe herauszuholen. Um die Qualität des Einzelzeichens im B elichtungsvorgang zu bewahren, wird durch die ruhende, nicht rotiere nde Schriftscheibe belichtet. Dieses optische System, verbunden mit P

1,33 mm (5 p) 20 30 40 50 60

Berthold-Schriften überzeugen durch Schärfe und Qualität. Schrif tqualität ist eine Frage der Erfahrung. Berthold hat diese Erfahrung seit über hundert Jahren. Zuerst im Schriftguß, dann im Fotosatz Berthold-Schriften sind weltweit geschätzt. Im Schriftenatelier M ünchen wird jeder Buchstabe in der Größe von zwölf Zentimetern neu gezeichnet. Mit messerscharfen Konturen, um für die Schrifts cheiben das Optimale an Konturenschärfe herauszuholen. Um die Qualität des Einzelzeichens im Belichtungsvorgang zu bewahren wird durch die ruhende, nicht rotierende Schriftscheibe belichtet

1,45 mm (5,5 p) 20 30 40 50 60

Berthold-Schriften überzeugen durch Schärfe und Qualität Schriftqualität ist eine Frage der Erfahrung. Berthold hat die se Erfahrung seit über hundert Jahren. Zuerst im Schriftguß dann im Fotosatz. Berthold-Schriften sind weltweit geschätz t. Im Schriftenatelier München wird jeder Buchstabe in der Größe von zwölf Zentimetern neu gezeichnet. Mit messe rscharfen Konturen, um für die Schriftscheiben das Optimale an Konturenschärfe herauszuholen. Um die Qualität des Ein zelzeichens im Belichtungsvorgang zu bewahren, wird durch

1,60 mm (6 p) 20 30 40 50

Berthold-Schriften überzeugen durch Schärfe und Qua lität. Schriftqualität ist eine Frage der Erfahrung. Bertho ld hat diese Erfahrung seit über hundert Jahren. Zuerst i m Schriftguß, dann im Fotosatz. Berthold-Schriften sind weltweit geschätzt. Im Schriftenatelier München wird je der Buchstabe in der Größe von zwölf Zentimetern neu gezeichnet. Mit messerscharfen Konturen, um für die Schriftscheiben das Optimale an Konturenschärfe hera uszuholen. Um die Qualität des Einzelzeichens im Belic

1,75 mm (6,5 p) 20 30 40 50

Berthold-Schriften überzeugen durch Schärfe und Q ualität. Schriftqualität ist eine Frage der Erfahrung. B erthold hat diese Erfahrung seit über hundert Jahren Zuerst im Schriftguß, dann im Fotosatz. Berthold-Sc hriften sind weltweit geschätzt. Im Schriftenatelier M ünchen wird jeder Buchstabe in der Größe von zwölf Zentimetern neu gezeichnet. Mit messerscharfen Ko nturen, um für die Schriftscheiben das Optimale an K onturenschärfe herauszuholen. Um die Qualität des

1,86 mm (7 p) 20 30 40 50

Berthold-Schriften überzeugen durch Schärfe u nd Qualität. Schriftqualität ist eine Frage der Erfa hrung. Berthold hat diese Erfahrung seit über hu ndert Jahren. Zuerst im Schriftguß, dann im Foto satz. Berthold-Schriften sind weltweit geschätzt. I m Schriftenatelier München wird jeder Buchstabe in der Größe von zwölf Zentimetern neu gezeich net. Mit messerscharfen Konturen, um für die Sc hriftscheiben das Optimale an Konturenschärfe

2,00 mm (7,5 p) 20 30 40

Berthold-Schriften überzeugen durch Schärfe und Qualität. Schriftqualität ist eine Frage der Erfahrung. Berthold hat diese Erfahrung seit ü ber hundert Jahren. Zuerst im Schriftguß, dann im Fotosatz. Berthold-Schriften sind weltweit geschätzt. Im Schriftenatelier München wird jeder Buchstabe in der Größe von zwölf Zenti metern neu gezeichnet. Mit messerscharfen K onturen, um für die Schriftscheiben das Optim

2,15 mm (8 p) 20 30 40

Frederic W. Goudy
1924
Monotype
H. Berthold AG

ABCDEFGHIJKLMNOPQ
RSTUVWXYZ
abcdefghijklmnopqrstuvwxyz
1/1234567890%
(.,-;:!¡?¿–)·[’‘„”“»«]
+−=/$£†*&§
ÄÅÆÖØŒÜäåæıöøœßü
ÁÀÂÃÇČÉÈÊËÍÌÎÏĹŇÑÓÒÔÕ
ŔŘŠŤÚÙÛŴẄÝŶŸŽ
áàâãçčéèêëíìîïĺňñóòôõŕřš
úùûŵẅýỳÿž

Berthold-Schriftweite weit
Berthold-Schriftweite normal
Berthold-Schriftweite eng
Berthold-Schriftweite sehr eng
Berthold-Schriftweite extrem eng

Berthold
3,75 mm (14 p)

Berthold
4,25 mm (16 p)

Berthold
4,75 mm (18 p)

Berthold
5,30 mm (20 p)

Berthold
6,35 mm (24 p)

Berthold
7,40 mm (28 p)

Berthold
8,50 mm (32 p)

Berthold
9,55 mm (36 p)

Größe		Zeilenabstand			100 Zeichen		
mm	p	kp	Êp	Ex	0	−1	−2
1,33	5	1,69	2,00	2,00	82	79	76
1,60	6	2,06	2,44	2,50	96	92	88
1,86	7	2,38	2,81	3,00	111	107	103
2,15	8	2,75	3,25	3,50	126	121	116
2,40	9	3,06	3,63	3,75	141	135	129
2,65	10	3,38	4,00	4,25	156	149	142
2,92	11	3,69	4,38	4,75	170	163	156
3,20	12	4,06	4,81	5,25	185	177	169
3,45	13	4,38	5,19	5,75	199	191	183
3,72	14	4,69	5,56	—	214	205	196
3,98	15	5,06	5,94	—	228	219	210
4,25	16	5,38	6,38	—	243	233	223

WZ 13 E, NSW 0, MZB 0,58, F 0,11:0,067 (1,7), II
H 1–x 0,65–k 1,02–p 0,24–Ê 1,25–kp 1,26–Êp 1,49
BF 089 0463, Belegung 051: 085 0436 (095 0436)

Berthold-Schriften überzeugen durch Sc härfe und Qualität. Schriftqualität ist eine Frage der Erfahrung. Berthold hat diese Erfahrung seit über hundert Jahren. Zuerst im Schriftguß, dann im Fotosatz. Berthol d-Schriften sind weltweit geschätzt. Im Sc hriftenatelier München wird jeder Buchst abe in der Größe von zwölf Zentimetern n

2,40 mm (9 p) 20 30 4

Berthold-Schriften überzeugen durch Schärfe und Qualität. Schriftqualität ist eine Frage der Erfahrung. Berthold h at diese Erfahrung seit über hundert J ahren. Zuerst im Schriftguß, dann im Fotosatz. Berthold-Schriften sind wel tweit geschätzt. Im Schriftenatelier M ünchen wird jeder Buchstabe in der G

2,65 mm (10 p) 20 30

Berthold-Schriften überzeugen d urch Schärfe und Qualität. Schrift qualität ist eine Frage der Erfahrun g. Berthold hat diese Erfahrung seit über hundert Jahren. Zuerst im Sc hriftguß, dann im Fotosatz. Berth old-Schriften sind weltweit geschä tzt. Im Schriftenatelier München

2,92 mm (11 p) 20 30

Berthold-Schriften überzeugen durch Schärfe und Qualität. Sc hriftqualität ist eine Frage der E rfahrung. Berthold hat diese Er fahrung seit über hundert Jahre n. Zuerst im Schriftguß, dann im Fotosatz. Berthold-Schriften si nd weltweit geschätzt. Im Schrif

3,20 mm (12 p) 10 20 30

Berthold-Schriften überzeug en durch Schärfe und Qualitä t. Schriftqualität ist eine Frage der Erfahrung. Berthold hat diese Erfahrung seit über hun dert Jahren. Zuerst im Schrift guß, dann im Fotosatz. Berth old-Schriften sind weltweit ge

3,45 mm (13 p) 10 20

normal
regular
normal

ITALIAN OLD STYLE

normal
chiaro tondo
normal

Berthold-Schriften überzeugen durch Schärfe und Qualität. Schriftqualität ist eine Frage der Erfahrung. Berthold hat diese Erfahrung seit über hundert Ja hren. Zuerst im Schriftguß, dann im Fotosatz. Berthold-Schriften sind weltw eit geschätzt. Im Schriftenatelier München wird jeder Buchstabe in der Grö ße von zwölf Zentimetern neu gezeichnet. Mit messerscharfen Konturen, um für die Schriftscheiben das Optimale an Konturenschärfe herauszuholen Um die Qualität des Einzelzeichens im Belichtungsvorgang zu bewahren, wi rd durch die ruhende, nicht rotierende Schriftscheibe belichtet. Dieses optis che System, verbunden mit Präzisions-Chromglasscheiben, führt zu einer

4,25 mm (16 p), Zeilenabstand 6,75 mm

ITALIAN OLD STYLE

In general, bodytypes are measured in the typo graphical point size. The sizes of Berthold Fototype faces can be exactly determined. All faces of same point size have the same capital heigth–irrespective of their x-heigth. In hot metal and many other pho totypesetting systems the capital heigths often differ considerably from one face to the other. For meas uring point sizes, a transparent size gauge is provid ed. To determine the point size, bring a capital letter into coincidence with that field which precisely cir cumscribes the letter at its upper and lower margin Below the field you find the typographical point and below that the millimeter value, which also refers to the height of a capital letter. In Berthold-phototype setting, the typewidth can be modified. The stand ard setting width of typefaces is determined by the principle of optimum legibility. You should not de part from this typewidth without cogent reason. A typeface which is considered optically right when looked in a greater context, often seems bulky when applied for a small amount of text, e. g. labels and ads. Here, a width reduction will be conducive to

2,40 mm (9 p), Zeilenabstand 4,25 mm

ITALIAN OLD STYLE

La valeur de la force de corps des caractères de labeur èst généralement exprimée en points ty pographiques. La force de corps des caractères Berthold-Fototype peut être déterminée avec précision. Tous les caractères du même corps ont des capitales d'une hauteur identique, indé pendamment de la hauteur des bas de casse sans jambage. Dans la composition plomb, ain si que dans certains systèmes de photocompo sition, la hauteur des capitales, varie souvent d'un caractère à l'autre. Pour déterminer la force de corps de nos caractères, nous avons mis au point une réglette de hauteur d'œil trans parente. On cherche le rectangle qui délimite exactement la hauteur d'œil d'une capitale du caractère choisi. Sous le rectangle correspon dant la valeur de la force de corps est indiquée en points Didots et en millimètres. La valeur en millimètres exprime également la hauteur des capitales. Pour toutes les indications concerna

2,65 mm (10 p), Zeilenabstand 4,69 mm

La indicación de las dimensiones para cuerpos de letra vásicos tiene lugar en general en puntos tipo gráficos. Los cuerpos de letra de los caracteres Berthold Fototype pueden determinarse exacte mente par medición. Con independencia de la al tura de sus longitudes centrales, todos los caracte res de idéntico cuerpo de letra presentan altura de mayúsculas idéntica. En la composición en plo mo y en muchos otros sistemas de fotocomposic

2,15 mm (8 p), –1, Zeilenabstand 3,38 mm

123,– $	456,– £	7890,– DM	1 %
234,– $	789,– £	1234,– DM	2 %
567,– $	12,– £	5678,– DM	3 %
890,– $	345,– £	9012,– DM	4 %
123,– $	678,– £	3456,– DM	5 %
456,– $	901,– £	7890,– DM	6 %
789,– $	234,– £	1234,– DM	7 %
12,– $	567,– £	5678,– DM	8 %
345,– $	890,– £	9012,– DM	9 %

BF 089 0464

Le misure relative al corpo dei caratteri vengono ge neralmente indicate in punti tipografici. Il corpo dei caratteri Fototypes può essere determinato con esattezza per semplice misurazione. Tutti i caratteri di uguale grandezza in punti hanno, indipendente mente dalla loro lunghezza, uguale altezza delle maiuscole. Nella composizione in piombo ed in molti altri sistemi di fotocomposizione, l'altezza del le maiuscole varia spesso da carattere a carattere

2,15 mm (8 p), –2, Zeilenabstand 3,38 mm

kursiv
italic
italique

ITALIAN OLD STYLE

cursiva
corsivo
kursiv

Måttangivelse för grundstilsgrader sker i allmänhet i typografiska punkt er. Stilar av Berthold Fototype kan ef ter mätning exakt gradbestämmas. Al la typsnitt är av samma punktstorl ek och har oberoende av x-höjden en identisk versalhöjd. I blysättning och i många andra fotosättsystem varierar versalhöjden avsevärt från typsnitt ti ll typsnitt. För mätning av stilgrader finns en transparent mätlinjal. Vid mätningen placerar man en versal bo kstav så att rutorna begränsar tecknet upptill och nedtill. Under rutorna fin ns stilstorleken i typografiska didotp unkter och i mm. Även millimeterupp giften avser versalhöjden. Vid stilstor leksuppgifter anges alltid måttenheten efter sifferuppgiften t ex 14 punkter elle

2,92 mm (11 p), Zeilenabstand 4,69 mm

Frederic W. Goudy
1924
Monotype Corp. Ltd.
H. Berthold AG

ABCDEFGHIJKLMNOPQ
RSTUVWXYZ
abcdefghijklmnopqrstuvwxyz
1/1234567890%
(.,-;:!¡?¿–)·['',,""»«]
+−=/$£†&§*
ÄÅÆÖØŒÜäåæıöøœßü
ÁÀÂÃÇČÉÈÊËÍÌÎÏĹŇÑÓÒÔÕ
ŔŘŠŤÚÙÛŴẄÝỲŸŽ
áàâãçčéèêëíìîïĺňñóòôõŕřš
úùûŵẅýỳÿž

Berthold-Schriftweite weit
Berthold-Schriftweite normal
Berthold-Schriftweite eng
Berthold-Schriftweite sehr eng
Berthold-Schriftweite extrem eng

In general, bodytypes are measur ed in the typographical point size The sizes of Berthold Fototype fac es can be exactly determined. All faces of same point size have the sa me capital height–irrespective of their x-height. In hot metal and many other phototypesetting syste ms the capital heights often differ considerably from one face to the other. For measuring point sizes, a transparent size gauge is provided To determine the point size, br ing a capital letter into coincidence with that field which precisely circ umscribes the letter at its upper and lower margin. Below the field

3,20 mm (12 p), Zeilenabstand 5,25 mm

ITALIAN OLD STYLE KURSIV

Die Maßangabe zu Grundschriftgrößen erfolgt im allge meinen in typographischen Punkten. Die Schriftgrößen der Berthold-Fotosatz-Schriften sind nach Messung ex akt bestimmbar. Alle Schriften gleicher Punktgröße weisen, unabhängig von der Höhe ihrer Mittellängen eine identische Versalhöhe auf. Im Bleisatz und bei vie len anderen Fotosatz-Systemen differieren die Versal höhen von Schrift zu Schrift oft erheblich. Zum Messen von Schriftgrößen steht ein transparentes Größenmaß zur Verfügung. Zum Messen wird ein Versalbuchstabe mit dem Feld in Deckung gebracht, das den Buchstaben oben und unten scharf begrenzt. Unter dem Feld ist die Schriftgröße in typographischen Didot-Punkten, da runter in Millimetern angegeben. Auch die Millimeter angaben beziehen sich auf die Höhe der Versalbuchsta ben. Die Schriftweite kann im Berthold-Fotosatz belie big verändert werden. Die Festlegung der Normal schriftweite erfolgt nach dem Prinzip der optimalen Les

2,40 mm (9 p), Zeilenabstand 4 mm

ITALIAN OLD STYLE ITALIQUE

La valeur de la force de corps des caractères de la beur èst généralement exprimée en points typogra phiques. La force de corps des caractères Berthold Fototype peut être déterminée avec précision. Tous les caractères du même corps ont des capitales d'une hauteur identique, indépendamment de la hauteur des bas de casse sans jambage. Dans la composition plomb, ainsi que dans certains sys tèmes de photocomposition, la hauteur des capi tales, varie souvent d'un caractère à l'autre. Pour déterminer la force de corps de nos caractères, nous avons mis au point une réglette de hauteur d'œil transparente. On cherche le rectangle qui délimite exactement la hauteur d'œil d'une capitale du ca ractère choisi. Sous le rectangle correspondant la valeur de la force de corps est indiquée en points

2,65 mm (10 p), Zeilenabstand 4,50 mm

La indicación de las dimensiones para cuerpos de letra vásicos ti ene lugar en general en puntos tipográficos. Los cuerpos de letra de los caracteres Berthold Fototype pueden determinarse exacte mente par medición. Con independencia de la altura de sus longi tudes centrales, todos los caracteres de idéntico cuerpo de letra presentan altura de mayúsculas idéntica. En la composición en plomo y en muchos otros sistemas de fotocomposición, las alturas de mayúsculas varían frecuentemmente en forma considerable de tipo de letra a tipo de letra. Para medir los cuerpos de letra se dis pone de un tipómetro, véase la figura. Para la medici ón se hace coincidir una letra mayúscula con la casilla cuyos extremos coinciden con los extremos superior e inferior de la letra. Bajo la

1,60 mm (6 p), Zeilenabstand 2,50 mm

Größe mm	p	Zeilenabstand kp	Êp	Ex	100 Zeichen 0	−1	−2
1,33	5	1,69	2,00	–	75	72	69
1,60	6	2,06	2,44	2,50	89	85	81
1,86	7	2,38	2,81	–	102	98	94
2,15	8	2,75	3,25	3,38	116	111	106
2,40	9	3,06	3,63	4,00	130	124	118
2,65	10	3,38	4,00	4,50	143	136	129
2,92	11	3,69	4,44	4,69	157	150	143
3,20	12	4,06	4,81	5,25	170	162	154
3,45	13	4,38	5,19	–	183	175	167
3,72	14	4,69	5,63	–	197	188	179
3,98	15	5,06	6,00	–	210	201	192
4,25	16	5,38	6,38	–	223	213	203

WZ 12 E, NSW +1, MZB 0,54, F 0,11:0,054 (2,0), II
H 1–x 0,63–k 1,01–p 0,25–Ê 1,25–kp 1,26–Êp 1,50
BF 089 0465, Belegung 051: 085 0437 (095 0437)

Le misure relative al corpo dei caratteri vengono generalmente indicate in punti tipografici. Il corpo dei caratteri Fototypes può essere determinato con esattezza per semplice misurazione. Tutti i caratte ri di uguale grandezza in punti hanno, indipenden temente dalla loro lunghezza, uguale altezza delle maiuscole. Nella composizione in piombo ed in molti altri sistemi di fotocomposizione, l'altezza delle maiuscole varia spesso da carattere a caratte

2,15 mm (8 p), Zeilenabstand 3,38 mm

halbfett
bold
demi-gras

ITALIAN OLD STYLE

seminegra
neretto
halvfet

Berthold-Schriften überzeugen durch Schärfe und Quali tät. Schriftqualität ist eine Frage der Erfahrung. Berthold hat diese Erfahrung seit über hundert Jahren. Zuerst im Schriftguß, dann im Fotosatz. Berthold-Schriften sind weltweit geschätzt. Im Schriftenatelier München wird jed er Buchstabe in der Größe von zwölf Zentimetern neu gez eichnet. Mit messerscharfen Konturen, um für die Schrift scheiben das Optimale an Konturenschärfe herauszuhol en. Um die Qualität des Einzelzeichens im Belichtungsvo

1,60 mm (6 p), Zeilenabstand 2,50 mm

Berthold-Schriften überzeugen durch Schärfe und Qualität. Schriftqualität ist eine Frage der Erfahru ng. Berthold hat diese Erfahrung seit über hundert Jahren. Zuerst im Schriftguß, dann im Fotosatz Berthold-Schriften sind weltweit geschätzt. Im Sc hriftenatelier München wird jeder Buchstabe in der Größe von zwölf Zentimetern neu gezeichnet Mit messerscharfen Konturen, um für die Schrifts

1,86 mm (7 p), Zeilenabstand 3,00 mm

Berthold-Schriften überzeugen durch Schär fe und Qualität. Schriftqualität ist eine Frage der Erfahrung. Berthold hat diese Erfahrung seit über hundert Jahren. Zuerst im Schriftg uß, dann im Fotosatz. Berthold-Schriften si nd weltweit geschätzt. Im Schriftenatelier München wird jeder Buchstabe in der Grö ße von zwölf Zentimetern neu gezeichnet. Mit

2,15 mm (8 p), Zeilenabstand 3,50 mm

Frederic W. Goudy
1924
Monotype Corp. Ltd.
H. Berthold AG

ABCDEFGHIJKLMNOPQ
RSTUVWXYZ
abcdefghijklmnopqrstuvwxyz
1/1234567890%
(.,-;:!¡?¿–)·[’‘„”“»«]
+−=/$£†*&§
ÄÅÆÖØŒÜäåæıöøœßü
ÁÀÂÃÇČÉÈÊËÍÌÎÏĹŇÑÓÒÔÕ
ŔŘŠŤÚÙÛŴẄÝŶŸŽ
áàâãçčéèêëíìîïĺňñóòôõŕřš
úùûŵẅýỳÿž

Berthold-Schriftweite weit
Berthold-Schriftweite normal
Berthold-Schriftweite eng
Berthold-Schriftweite sehr eng
Berthold-Schriftweite extrem eng

In general, bodytypes are me asured in the typographical p oint size. The sizes of Berthold Fototype faces can be exactly determined. All faces of same point size have the same capital height–irrespective of their x height. In hot metal and many other phototypesetting syste ms the capital heights often dif fer considerably from one fa ce to the other. For measuring point sizes, a transparent size gauge is provided. To determi ne the point size, bring a capital letter into coincidence with th at field which precisely circum

3,20 mm (12 p), Zeilenabstand 5,25 mm

Berthold's quick brown fox jumps over the lazy dog and feels as if he were in the sev
3,75 mm (14 p)

Berthold's quick brown fox jumps over the lazy dog and feels as if he were
4,25 mm (16 p)

Berthold's quick brown fox jumps over the lazy dog and feels as if
4,75 mm (18 p)

Berthold's quick brown fox jumps over the lazy dog and fe
5,30 mm (20 p)

Berthold's quick brown fox jumps over the lazy d
6,35 mm (24 p)

Berthold's quick brown fox jumps over the
7,40 mm (28 p)

Berthold's quick brown fox jumps o
8,50 mm (32 p)

Berthold's quick brown fox jum
9,55 mm (36 p)

Berthold-Schriften überzeugen durch Schärfe und Qualität. Schriftqualität ist eine Frage der Erfahrung. Berthold hat diese Erfahrung seit über hundert Jahre n. Zuerst im Schriftguß, dann im Fotos atz. Berthold-Schriften sind weltweit ge schätzt. Im Schriftenatelier München w ird jeder Buchstabe in der Größe von zw

2,40 mm (9 p), Zeilenabstand 4,00 mm

Größe		Zeilenabstand			100 Zeichen		
mm	p	kp	Êp	Ex	0	−1	−2
1,00	5	1,00	2,00		00	00	00
1,60	6	2,06	2,50	2,50	101	97	93
1,86	7	2,38	2,88	3,00	116	112	108
2,15	8	2,75	3,31	3,50	132	127	122
2,40	9	3,06	3,75	4,00	148	142	136
2,65	10	3,38	4,13	4,00	163	156	149
2,92	11	3,69	4,50	–	178	171	164
3,20	12	4,06	4,94	5,25	193	185	177
3,45	13	4,38	5,38	–	209	201	193
3,72	14	4,69	5,75	–	224	215	206
3,98	15	5,06	6,19	–	239	230	221
4,25	16	5,38	6,56	–	254	244	234

WZ 13 E, NSW 0, MZB 0,61, F 0,16:0,063 (2,5), II
H 1–x 0,64–k 1,02–p 0,24–Ê 1,30–kp 1,26–Êp 1,54
BF 089 0466, Belegung 051: 085 0438 (095 0438)

Berthold-Schriften überzeugen dur ch Schärfe und Qualität. Schriftqua lität ist eine Frage der Erfahrung. B erthold hat diese Erfahrung seit über hundert Jahren. Zuerst im Schriftg uß, dann im Fotosatz. Berthold-Sch riften sind weltweit geschätzt. Im Sc hriftenatelier München wird jeder

2,65 mm (10 p), Zeilenabstand 4,00 mm

mager
light
maigre

JAEGER-ANTIQUA

fina
chiarissimo
mager

Berthold-Schriften überzeugen durch Schärfe und Qualität. Sc
hriftqualität ist eine Frage der Erfahrung. Berthold hat diese Erf
ahrung seit über hundert Jahren. Zuerst im Schriftguß, dann im
Fotosatz. Berthold-Schriften sind weltweit geschätzt. Im Schrift
enatelier München wird jeder Buchstabe in der Größe von zwö
lf Zentimetern neu gezeichnet. Mit messerscharfen Konturen
um für die Schriftscheiben das Optimale an Konturenschärfe h
erauszuholen. Um die Qualität des Einzelzeichens im Belichtu
ngsvorgang zu bewahren, wird durch die ruhende, nicht rotiere

1,33 mm (5 p) 20 30 40 50

Berthold-Schriften überzeugen durch Schärfe und Qualitä
t. Schriftqualität ist eine Frage der Erfahrung. Berthold hat
diese Erfahrung seit über hundert Jahren. Zuerst im Schrift
guß, dann im Fotosatz. Berthold-Schriften sind weltweit ge
schätzt. Im Schriftenatelier München wird jeder Buchsta
be in der Größe von zwölf Zentimetern neu gezeichnet. Mi
t messerscharfen Konturen, um für die Schriftscheiben das
Optimale an Konturenschärfe herauszuholen. Um die Qua
lität des Einzelzeichens im Belichtungsvorgang zu bewahr

1,45 mm (5,5 p) 20 30 40 50

Berthold-Schriften überzeugen durch Schärfe und Q
ualität. Schriftqualität ist eine Frage der Erfahrung. B
erthold hat diese Erfahrung seit über hundert Jahren
Zuerst im Schriftguß, dann im Fotosatz. Berthold-Sch
riften sind weltweit geschätzt. Im Schriftenatelier M
ünchen wird jeder Buchstabe in der Größe von zwölf
Zentimetern neu gezeichnet. Mit messerscharfen Ko
nturen, um für die Schriftscheiben das Optimale an K
onturenschärfe herauszuholen. Um die Qualität des

1,60 mm (6 p) 20 30 40 5

Berthold-Schriften überzeugen durch Schärfe un
d Qualität. Schriftqualität ist eine Frage der Erfah
rung. Berthold hat diese Erfahrung seit über hun
dert Jahren. Zuerst im Schriftguß, dann im Foto
satz. Berthold-Schriften sind weltweit geschätzt
Im Schriftenatelier München wird jeder Buchsta
be in der Größe von zwölf Zentimetern neu gezei
chnet. Mit messerscharfen Konturen, um für die
Schriftscheiben das Optimale an Konturenschär

1,75 mm (6,5 p) 20 30 40

Berthold-Schriften überzeugen durch Schärfe
und Qualität. Schriftqualität ist eine Frage der
Erfahrung. Berthold hat diese Erfahrung seit ü
ber hundert Jahren. Zuerst im Schriftguß, dan
n im Fotosatz. Berthold-Schriften sind weltwe
it geschätzt. Im Schriftenatelier München wird
jeder Buchstabe in der Größe von zwölf Zenti
metern neu gezeichnet. Mit messerscharfen K
onturen, um für die Schriftscheiben das Optim

1,86 mm (7 p) 20 30 40

Berthold-Schriften überzeugen durch Schä
rfe und Qualität. Schriftqualität ist eine Frag
e der Erfahrung. Berthold hat diese Erfahru
ng seit über hundert Jahren. Zuerst im Schri
ftguß, dann im Fotosatz. Berthold-Schriften
sind weltweit geschätzt. Im Schriftenatelier
München wird jeder Buchstabe in der Größ
e von zwölf Zentimetern neu gezeichnet. M
it messerscharfen Konturen, um für die Schr

2,00 mm (7,5 p) 20 30 40

Berthold-Schriften überzeugen durch Sc
härfe und Qualität. Schriftqualität ist eine
Frage der Erfahrung. Berthold hat diese E
rfahrung seit über hundert Jahren. Zuerst
im Schriftguß, dann im Fotosatz. Berthold
Schriften sind weltweit geschätzt. Im Sch
riftenatelier München wird jeder Buchst
abe in der Größe von zwölf Zentimetern
neu gezeichnet. Mit messerscharfen Kon

2,15 mm (8 p) 20 30

Gustav Jaeger
1984
Gustav Jaeger
H. Berthold AG

ABCDEFGHIJKLMNOPQ
RSTUVWXYZ
abcdefghijklmnopqrstuvwxyz
1/1234567890%
(.,-;:!¡?¿–)·[‘‘„”“»«]
+–=/$£†*&§
ÄÅÆÖØŒÜäåæıöøœßü
ÁÀÂÃÇČÉÈÊËÍÌÎÏĹŇÑÓÒÔÕ
ŔŘŠŤÚÙÛŴẄÝŶŸŽ
áàâãçčéèêëíìîïĺňñóòôõŕřš
úùûŵẅýỳÿž

Berthold-Schriftweite weit
Berthold-Schriftweite normal
Berthold-Schriftweite eng
Berthold-Schriftweite sehr eng
Berthold-Schriftweite extrem eng

Berthold
3,72 mm (14 p)

Berthold
4,25 mm (16 p)

Berthold
4,75 mm (18 p)

Berthold
5,30 mm (20 p)

Berthold
6,35 mm (24 p)

Berthold
7,40 mm (28 p)

Berthold
8,50 mm (32 p)

Berthold
9,55 mm (36 p)

Größe		Zeilenabstand			100 Zeichen		
mm	p	kp	Êp	Ex	0	–1	–2
1,33	5	2,00	2,25	2,00	96	93	90
1,60	6	2,38	2,69	2,50	112	108	104
1,86	7	2,75	3,13	3,00	129	125	121
2,15	8	3,19	3,56	3,50	147	142	137
2,40	9	3,56	4,00	3,75	165	159	153
2,65	10	3,88	4,38	4,25	182	175	168
2,92	11	4,31	4,88	4,75	198	191	184
3,20	12	4,69	5,31	5,25	215	207	199
3,45	13	5,06	5,75	5,75	232	224	216
3,72	14	5,44	6,19	–	249	240	231
3,98	15	5,88	6,63	–	266	257	248
4,25	16	6,25	7,06	–	283	273	263

WZ 14 E, NSW 0, MZB 0,68, F 0,13:0,03 (4,0), IV
H 1–x 0,67–k 1,08–p 0,38–Ê 1,27–kp 1,46–Êp 1,65
BF 089 1474, Belegung 051: 085 1529 (095 1529)

Berthold-Schriften überzeugen durc
h Schärfe und Qualität. Schriftqualit
ät ist eine Frage der Erfahrung. Berth
old hat diese Erfahrung seit über hun
dert Jahren. Zuerst im Schriftguß, da
nn im Fotosatz. Berthold-Schriften si
nd weltweit geschätzt. Im Schriftena
telier München wird jeder Buchstabe

2,40 mm (9 p) 10 20 30

Berthold-Schriften überzeugen d
urch Schärfe und Qualität. Schrif
tqualität ist eine Frage der Erfahr
ung. Berthold hat diese Erfahrung
seit über hundert Jahren. Zuerst i
m Schriftguß, dann im Fotosatz. B
erthold-Schriften sind weltweit g
eschätzt. Im Schriftenatelier Mü

2,65 mm (10 p) 10 20 30

Berthold-Schriften überzeuge
n durch Schärfe und Qualität
Schriftqualität ist eine Frage d
er Erfahrung. Berthold hat die
se Erfahrung seit über hundert
Jahren. Zuerst im Schriftguß, d
ann im Fotosatz. Berthold-Sch
riften sind weltweit geschätzt

2,92 mm (11 p) 10 20

Berthold-Schriften überzeu
gen durch Schärfe und Qua
lität. Schriftqualität ist eine
Frage der Erfahrung. Bertho
ld hat diese Erfahrung seit ü
ber hundert Jahren. Zuerst i
m Schriftguß, dann im Fotos
atz. Berthold-Schriften sind

3,20 mm (12 p) 10 20

Berthold-Schriften überze
ugen durch Schärfe und
Qualität. Schriftqualität ist
eine Frage der Erfahrung
Berthold hat diese Erfahr
ung seit über hundert Jah
ren. Zuerst im Schriftguß
dann im Fotosatz. Berthol

3,45 mm (13 p) 10 20

mager
light
maigre

JAEGER-ANTIQUA

fina
chiarissimo
mager

Berthold-Schriften überzeugen durch Schärfe und Qualität. Schrift
qualität ist eine Frage der Erfahrung. Berthold hat diese Erfahrung s
eit über hundert Jahren. Zuerst im Schriftguß, dann im Fotosatz. Ber
thold-Schriften sind weltweit geschätzt. Im Schriftenatelier Münch
en wird jeder Buchstabe in der Größe von zwölf Zentimetern neu g
ezeichnet. Mit messerscharfen Konturen, um für die Schriftscheibe
n das Optimale an Konturenschärfe herauszuholen. Um die Qualit
ät des Einzelzeichens im Belichtungsvorgang zu bewahren, wird d
urch die ruhende, nicht rotierende Schriftscheibe belichtet. Dieses

4,25 mm (16 p), Zeilenabstand 6,75 mm

JAEGER-ANTIQUA LIGHT

In general, bodytypes are measured in the ty
pographical point size. The sizes of Berthold F
ototype faces can be exactly determined. All f
aces of same point size have the same capital
height–irrespective of their x-height. In hot
metal and many other phototypesetting syste
ms the capital heights often differ considera
bly from one face to the other. For measurin
g point sizes, a transparent size gauge is prov
ided. To determine the point size, bring a ca
pital letter into coincidence with that field w
hich precisely circumscribes the letter at its u
pper and lower margin. Below the field you fi
nd the typographical point and below that the
millimeter value, which also refers to the hei
ght of a capital letter. In Berthold-phototypes
etting, the typewidth can be modified. The st
andard setting width of typefaces is determin
ed by the principle of optimum legibility. You
should not depart from this typewidth witho
ut cogent reason. A typeface which is conside
red optically right when looked in a greater c

2,40 mm (9 p), Zeilenabstand 4,25 mm

JAEGER-ANTIQUA MAIGRE

La valeur de la force de corps des caractè
res de labeur èst généralement exprimée
en points typographiques. La force de cor
ps des caractères Berthold-Fototype peut
être déterminée avec précision. Tous les
caractères du même corps ont des capita
les d'une hauteur identique, indépenda
mment de la hauteur des bas de casse sa
ns jambage. Dans la composition plomb
ainsi que dans certains systèmes de phot
ocomposition, la hauteur des capitales, v
arie souvent d'un caractère à l'autre. Pour
déterminer la force de corps de nos carac
tères, nous avons mis au point une réglett
e de hauteur d'œil transparente. On cher
che le rectangle qui délimite exactement
la hauteur d'œil d'une capitale du caract
ère choisi. Sous le rectangle corresponda
nt la valeur de la force de corps est indiqu
ée en points Didots et en millimètres. La

2,65 mm (10 p), Zeilenabstand 4,69 mm

La indicación de las dimensiones para cuer
pos de letra vásicos tiene lugar en general e
n puntos tipográficos. Los cuerpos de letra
de los caracteres Berthold Fototype puede
n determinarse exactemente par medición
Con independencia de la altura de sus long
itudes centrales, todos los caracteres de idé
ntico cuerpo de letra presentan altura de m
ayúsculas idéntica. En la composición en pl

2,15 mm (8 p), –1, Zeilenabstand 3,38 mm

123,– $	456,– £	7890,– DM	1 %
234,– $	789,– £	1234,– DM	2 %
567,– $	12,– £	5678,– DM	3 %
890,– $	345,– £	9012,– DM	4 %
123,– $	678,– £	3456,– DM	5 %
456,– $	901,– £	7890,– DM	6 %
789,– $	234,– £	1234,– DM	7 %
12,– $	567,– £	5678,– DM	8 %
345,– $	890,– £	9012,– DM	9 %

BF 089 1475

Le misure relative al corpo dei caratteri veng
ono generalmente indicate in punti tipografi
ci. Il corpo dei caratteri Fototypes può essere
determinato con esattezza per semplice mis
urazione. Tutti i caratteri di uguale grandezza
in punti hanno, indipendentemente dalla lor
o lunghezza, uguale altezza delle maiuscole
Nella composizione in piombo ed in molti alt
ri sistemi di fotocomposizione, l'altezza delle

2,15 mm (8 p), –2, Zeilenabstand 3,38 mm

kursiv mager
light italic
italique maigre

JAEGER-ANTIQUA

fina cursiva
chiarissimo corsivo
kursiv mager

*Måttangivelse för grundstilsgra
der sker i allmänhet i typografis
ka punkter. Stilar av Berthold F
ototype kan efter mätning exakt
gradbestämmas. Alla typsnitt är
av samma punktstorlek och har
oberoende av x-höjden en ident
isk versalhöjd. I blysättning och i
många andra fotosättsystem va
rierar versalhöjden avsevärt fr
ån typsnitt till typsnitt. För mätn
ing av stilgrader finns en transp
arent mätlinjal. Vid mätningen
placerar man en versal bokstav
så att rutorna begränsar tecknet
upptill och nedtill. Under rutorn
a finns stilstorleken i typografis
ka didotpunkter och i mm. Även
millimeteruppgiften avser versal*

2,92 mm (11 p), Zeilenabstand 4,69 mm

*Gustav Jaeger
1984
Gustav Jaeger
H. Berthold AG*

*ABCDEFGHIJKLMNOPQ
RSTUVWXYZ
abcdefghijklmnopqrstuvwxyz
1/1234567890%
(.,-;:!¡?¿–)·[",,""»«]
+–=/$£†*&§
ÄÅÆÖØŒÜäåæıöøœßü
ÁÀÂÃÇČÉÈÊËÍÌÎÏĹŇÑÓÒÔÕ
ŔŘŠŤÚÙÛŴẄÝỲŸŽ
áàâãçčéèêëíìîïĺňñóòôõŕřš
úùûŵẅýỳÿž*

*Berthold-Schriftweite weit
Berthold-Schriftweite normal
Berthold-Schriftweite eng
Berthold-Schriftweite sehr eng
Berthold-Schriftweite extrem eng*

*In general, bodytypes are me
asured in the typographical p
oint size. The sizes of Berthold
Fototype faces can be exactly
determined. All faces of same
point size have the same capi
tal height–irrespective of thei
r x-height. In hot metal and m
any other phototypesetting s
ystems the capital heights oft
en differ considerably from o
ne face to the other. For meas
uring point sizes, a transpare
nt size gauge is provided. To
determine the point size, brin
g a capital letter into coincid
ence with that field which pr*

3,20 mm (12 p), Zeilenabstand 5,25 mm

JAEGER-ANTIQUA KURSIV MAGER

*Die Maßangabe zu Grundschriftgrößen erfolgt
im allgemeinen in typographischen Punkten. Di
e Schriftgrößen der Berthold-Fotosatz-Schriften
sind nach Messung exakt bestimmbar. Alle Schr
iften gleicher Punktgröße weisen, unabhängig v
on der Höhe ihrer Mittellängen, eine identische
Versalhöhe auf. Im Bleisatz und bei vielen ande
ren Fotosatz-Systemen differieren die Versalh
öhen von Schrift zu Schrift oft erheblich. Zum
Messen von Schriftgrößen steht ein transparent
es Größenmaß zur Verfügung. Zum Messen wird
ein Versalbuchstabe mit dem Feld in Deckung g
ebracht, das den Buchstaben oben und unten sc
harf begrenzt. Unter dem Feld ist die Schriftgrö
ße in typographischen Didot-Punkten, darunter
in Millimetern angegeben. Auch die Millimeter
angaben beziehen sich auf die Höhe der Versalb
uchstaben. Die Schriftweite kann im Berthold*

2,40 mm (9 p), Zeilenabstand 4 mm

JAEGER-ANTIQUA ITALIQUE MAIGRE

*La valeur de la force de corps des caractères
de labeur èst généralement exprimée en po
ints typographiques. La force de corps des c
aractères Berthold-Fototype peut être déte
rminée avec précision. Tous les caractères
du même corps ont des capitales d'une hau
teur identique, indépendamment de la hau
teur des bas de casse sans jambage. Dans la
composition plomb, ainsi que dans certains
systèmes de photocomposition, la hauteur
des capitales, varie souvent d'un caractère à
l'autre. Pour déterminer la force de corps de
nos caractères, nous avons mis au point une
réglette de hauteur d'œil transparente. On
cherche le rectangle qui délimite exacteme
nt la hauteur d'œil d'une capitale du caract*

2,65 mm (10 p), Zeilenabstand 4,50 mm

*La indicación de las dimensiones para cuerpos de letra
vásicos tiene lugar en general en puntos tipográficos. Los
cuerpos de letra de los caracteres Berthold Fototype pu
eden determinarse exactemente par medición. Con ind
ependencia de la altura de sus longitudes centrales, tod
os los caracteres de idéntico cuerpo de letra presentan a
ltura de mayúsculas idéntica. En la composición en plo
mo y en muchos otros sistemas de fotocomposición, las
alturas de mayúsculas varían frecuentemmente en for
ma considerable de tipo de letra a tipo de letra. Para me
dir los cuerpos de letra se dispone de un tipómetro, véase
la figura. Para la medición se hace coincidir una letra m*

1,60 mm (6 p), Zeilenabstand 2,50 mm

Größe mm	p	Zeilenabstand kp	Êp	Ex	100 Zeichen 0	–1	–2
1,33	5	2,00	2,25	–	89	86	83
1,60	6	2,38	2,69	2,50	105	101	97
1,86	7	2,81	3,13	–	121	117	113
2,15	8	3,19	3,63	3,38	137	132	127
2,40	9	3,56	4,06	4,00	153	147	141
2,65	10	3,94	4,44	4,50	169	162	155
2,92	11	4,38	4,88	4,69	185	178	171
3,20	12	4,75	5,38	5,25	201	193	185
3,45	13	5,13	5,81	–	216	208	200
3,72	14	5,56	6,25	–	232	223	214
3,98	15	5,94	6,69	–	248	239	230
4,25	16	6,31	7,13	–	264	254	244

WZ 13 E, NSW 0, MZB 0,64, F 0,11:0,03 (3,4), IV
H 1–x 0,66–k 1,08–p 0,40–Ê 1,27–kp 1,48–Êp 1,67
BF 089 1476, Belegung 051: 085 1530 (095 1530)

*Le misure relative al corpo dei caratteri ven
gono generalmente indicate in punti tipogr
afici. Il corpo dei caratteri Fototypes può es
sere determinato con esattezza per semplice
misurazione. Tutti i caratteri di uguale gran
dezza in punti hanno, indipendentemente d
alla loro lunghezza, uguale altezza delle ma
iuscole. Nella composizione in piombo ed in
molti altri sistemi di fotocomposizione, l'alt*

2,15 mm (8 p), Zeilenabstand 3,38 mm

normal
regular
normal

JAEGER-ANTIQUA

normal
chiaro tondo
normal

Berthold-Schriften überzeugen durch Schärfe und Qualität
Schriftqualität ist eine Frage der Erfahrung. Berthold hat die
se Erfahrung seit über hundert Jahren. Zuerst im Schriftguß
dann im Fotosatz. Berthold-Schriften sind weltweit geschätz
t. Im Schriftenatelier München wird jeder Buchstabe in der
Größe von zwölf Zentimetern neu gezeichnet. Mit messersc
harfen Konturen, um für die Schriftscheiben das Optimale a
n Konturenschärfe herauszuholen. Um die Qualität des Einz
elzeichens im Belichtungsvorgang zu bewahren, wird durch

1,33 mm (5 p) 20 30 40 50

Berthold-Schriften überzeugen durch Schärfe und Qua
lität. Schriftqualität ist eine Frage der Erfahrung. Bertho
ld hat diese Erfahrung seit über hundert Jahren. Zuerst i
m Schriftguß, dann im Fotosatz. Berthold-Schriften sind
weltweit geschätzt. Im Schriftenatelier München wird j
eder Buchstabe in der Größe von zwölf Zentimetern neu
gezeichnet. Mit messerscharfen Konturen, um für die S
chriftscheiben das Optimale an Konturenschärfe herau
szuholen. Um die Qualität des Einzelzeichens im Belich

1,45 mm (5,5 p) 20 30 40 50

Berthold-Schriften überzeugen durch Schärfe und
Qualität. Schriftqualität ist eine Frage der Erfahru
ng. Berthold hat diese Erfahrung seit über hundert
Jahren. Zuerst im Schriftguß, dann im Fotosatz. Ber
thold-Schriften sind weltweit geschätzt. Im Schrift
enatelier München wird jeder Buchstabe in der Gr
öße von zwölf Zentimetern neu gezeichnet. Mit me
sserscharfen Konturen, um für die Schriftscheiben
das Optimale an Konturenschärfe herauszuholen

1,60 mm (6 p) 20 30 40

Berthold-Schriften überzeugen durch Schärfe
und Qualität. Schriftqualität ist eine Frage der
Erfahrung. Berthold hat diese Erfahrung seit ü
ber hundert Jahren. Zuerst im Schriftguß, dann
im Fotosatz. Berthold-Schriften sind weltweit g
eschätzt. Im Schriftenatelier München wird je
der Buchstabe in der Größe von zwölf Zentim
etern neu gezeichnet. Mit messerscharfen Ko
nturen, um für die Schriftscheiben das Optima

1,75 mm (6,5 p) 20 30 40

Berthold-Schriften überzeugen durch Schär
fe und Qualität. Schriftqualität ist eine Frage
der Erfahrung. Berthold hat diese Erfahrung
seit über hundert Jahren. Zuerst im Schriftg
uß, dann im Fotosatz. Berthold-Schriften sind
weltweit geschätzt. Im Schriftenatelier Mün
chen wird jeder Buchstabe in der Größe von
zwölf Zentimetern neu gezeichnet. Mit mess
erscharfen Konturen, um für die Schriftsche

1,86 mm (7 p) 20 30 40

Berthold-Schriften überzeugen durch Sc
härfe und Qualität. Schriftqualität ist eine
Frage der Erfahrung. Berthold hat diese E
rfahrung seit über hundert Jahren. Zuerst
im Schriftguß, dann im Fotosatz. Berthold
Schriften sind weltweit geschätzt. Im Sch
riftenatelier München wird jeder Buchst
abe in der Größe von zwölf Zentimetern
neu gezeichnet. Mit messerscharfen Kont

2,00 mm (7,5 p) 20 30

Berthold-Schriften überzeugen durch
Schärfe und Qualität. Schriftqualität ist
eine Frage der Erfahrung. Berthold hat
diese Erfahrung seit über hundert Jahr
en. Zuerst im Schriftguß, dann im Fotos
atz. Berthold-Schriften sind weltweit g
eschätzt. Im Schriftenatelier München
wird jeder Buchstabe in der Größe von
zwölf Zentimetern neu gezeichnet. Mit

2,15 mm (8 p) 20 30

Gustav Jaeger
1984
Gustav Jaeger
H. Berthold AG

ABCDEFGHIJKLMNOPQ
RSTUVWXYZ
abcdefghijklmnopqrstuvwxyz
1/1234567890%
(.,-;:!¡?¿–)·[‘„”“»«]
+−=/$£†*&§
ÄÅÆÖØŒÜäåæıöøœßü
ÁÀÂÃÇČÉÈÊËÍÌÎÏĹŇÑÓÒÔÕ
ŔŘŠŤÚÙÛŴẄÝŶŸŽ
áàâãçčéèêëíìîïĺňñóòôõŕřš
úùûŵẅýỳÿž

Berthold-Schriftweite weit
Berthold-Schriftweite normal
Berthold-Schriftweite eng
Berthold-Schriftweite sehr eng
Berthold-Schriftweite extrem eng

Berthold
3,72 mm (14 p)

Berthold
4,25 mm (16 p)

Berthold
4,75 mm (18 p)

Berthold
5,30 mm (20 p)

Berthold
6,35 mm (24 p)

Berthold
7,40 mm (28 p)

Berthold
8,50 mm (32 p)

Berthold
9,55 mm (36 p)

Größe mm	p	Zeilenabstand kp	Êp	Ex	100 Zeichen 0	−1	−2
1,33	5	2,00	2,25	2,00	100	97	94
1,60	6	2,38	2,69	2,50	118	114	110
1,86	7	2,75	3,13	3,00	136	132	128
2,15	8	3,19	3,63	3,50	154	149	144
2,40	9	3,56	4,06	3,75	172	166	160
2,65	10	3,88	4,44	4,25	190	183	176
2,92	11	4,31	4,88	4,75	208	201	194
3,20	12	4,69	5,38	5,25	226	218	210
3,45	13	5,06	5,81	5,75	243	235	227
3,72	14	5,44	6,25	–	261	252	243
3,98	15	5,88	6,69	–	279	270	261
4,25	16	6,25	7,13	–	296	286	276

WZ 14 E, NSW 0, MZB 0,72, F 0,18:0,03 (5,7), IV
H 1–x 0,67–k 1,08–p 0,38–Ê 1,29–kp 1,46–Êp 1,67
BF 089 1477, Belegung 051: 085 1531 (095 1531)

Berthold-Schriften überzeugen du
rch Schärfe und Qualität. Schriftqu
alität ist eine Frage der Erfahrung
Berthold hat diese Erfahrung seit
über hundert Jahren. Zuerst im Sc
hriftguß, dann im Fotosatz. Berthol
d-Schriften sind weltweit geschätzt
Im Schriftenatelier München wird

2,40 mm (9 p) 10 20 30

Berthold-Schriften überzeugen
durch Schärfe und Qualität. Sc
hriftqualität ist eine Frage der
Erfahrung. Berthold hat diese E
rfahrung seit über hundert Jah
ren. Zuerst im Schriftguß, dann
im Fotosatz. Berthold-Schriften
sind weltweit geschätzt. Im Sch

2,65 mm (10 p) 10 20 3

Berthold-Schriften überzeug
en durch Schärfe und Qualit
ät. Schriftqualität ist eine Fr
age der Erfahrung. Berthold
hat diese Erfahrung seit über
hundert Jahren. Zuerst im Sc
hriftguß, dann im Fotosatz. B
erthold-Schriften sind weltw

2,92 mm (11 p) 10 20

Berthold-Schriften überze
ugen durch Schärfe und Q
ualität. Schriftqualität ist e
ine Frage der Erfahrung. B
erthold hat diese Erfahrun
g seit über hundert Jahren
Zuerst im Schriftguß, dann
im Fotosatz. Berthold-Schr

3,20 mm (12 p) 10 20

Berthold-Schriften über
zeugen durch Schärfe u
nd Qualität. Schriftquali
tät ist eine Frage der Erf
ahrung. Berthold hat die
se Erfahrung seit über h
undert Jahren. Zuerst im
Schriftguß, dann im Fot

3,45 mm (13 p) 10 20

normal
regular
normal

JAEGER-ANTIQUA

normal
chiaro tondo
normal

Berthold-Schriften überzeugen durch Schärfe und Qualität. Sc hriftqualität ist eine Frage der Erfahrung. Berthold hat diese Erf ahrung seit über hundert Jahren. Zuerst im Schriftguß, dann im Fotosatz. Berthold-Schriften sind weltweit geschätzt. Im Schrift enatelier München wird jeder Buchstabe in der Größe von zwölf Zentimetern neu gezeichnet. Mit messerscharfen Konturen, um für die Schriftscheiben das Optimale an Konturenschärfe hera uszuholen. Um die Qualität des Einzelzeichens im Belichtungsv organg zu bewahren, wird durch die ruhende, nicht rotierende

4,25 mm (16 p), Zeilenabstand 6,75 mm

JAEGER-ANTIQUA REGULAR

In general, bodytypes are measured in the typographical point size. The sizes of Berth old Fototype faces can be exactly determin ed. All faces of same point size have the sa me capital height–irrespective of their x-h eight. In hot metal and many other phototy pesetting systems the capital heights often differ considerably from one face to the ot her. For measuring point sizes, a transpare nt size gauge is provided. To determine the point size, bring a capital letter into coinci dence with that field which precisely circu mscribes the letter at its upper and lower margin. Below the field you find the typogr aphical point and below that the millimeter value, which also refers to the height of a ca pital letter. In Berthold-phototypesetting, t he typewidth can be modified. The stand ard setting width of typefaces is determine d by the principle of optimum legibility. Yo u should not depart from this typewidth w ithout cogent reason. A typeface which is c

2,40 mm (9 p), Zeilenabstand 4,25 mm

JAEGER-ANTIQUA NORMAL

La valeur de la force de corps des carac tères de labeur èst généralement expr imée en points typographiques. La for ce de corps des caractères Berthold-Fo totype peut être déterminée avec préci sion. Tous les caractères du même corp s ont des capitales d'une hauteur identi que, indépendamment de la hauteur d es bas de casse sans jambage. Dans la c omposition plomb, ainsi que dans cert ains systèmes de photocomposition, la hauteur des capitales, varie souvent d un caractère à l'autre. Pour déterminer la force de corps de nos caractères, nou s avons mis au point une réglette de hauteur d'œil transparente. On cherch e le rectangle qui délimite exactement la hauteur d'œil d'une capitale du cara ctère choisi. Sous le rectangle correspo ndant la valeur de la force de corps est

2,65 mm (10 p), Zeilenabstand 4,69 mm

La indicación de las dimensiones para c uerpos de letra vásicos tiene lugar en ge neral en puntos tipográficos. Los cuerpos de letra de los caracteres Berthold Fototy pe pueden determinarse exactemente p ar medición. Con independencia de la al tura de sus longitudes centrales, todos los caracteres de idéntico cuerpo de letra presentan altura de mayúsculas idéntica

2,15 mm (8 p), –1, Zeilenabstand 3,38 mm

123,– $	456,– £	7890,– DM	1 %
234,– $	789,– £	1234,– DM	2 %
567,– $	12,– £	5678,– DM	3 %
890,– $	345,– £	9012,– DM	4 %
123,– $	678,– £	3456,– DM	5 %
456,– $	901,– £	7890,– DM	6 %
789,– $	234,– £	1234,– DM	7 %
12,– $	567,– £	5678,– DM	8 %
345,– $	890,– £	9012,– DM	9 %

BF 089 1478

Le misure relative al corpo dei caratteri ve ngono generalmente indicate in punti tipo grafici. Il corpo dei caratteri Fototypes può essere determinato con esattezza per sem plice misurazione. Tutti i caratteri di uguale grandezza in punti hanno, indipendente mente dalla loro lunghezza, uguale altezza delle maiuscole. Nella composizione in pi ombo ed in molti altri sistemi di fotocomp

2,15 mm (8 p), –2, Zeilenabstand 3,38 mm

kursiv
italic
italique

JAEGER-ANTIQUA

cursiva
chiaro corsivo
kursiv

Måttangivelse för grundstilsg rader sker i allmänhet i typog rafiska punkter. Stilar av Bert hold Fototype kan efter mätni ng exakt gradbestämmas. Alla typsnitt är av samma punktst orlek och har oberoende av x höjden en identisk versalhöjd I blysättning och i många and ra fotosättsystem varierar ve rsalhöjden avsevärt från typs nitt till typsnitt. För mätning a v stilgrader finns en transpar ent mätlinjal. Vid mätningen placerar man en versal bokst av så att rutorna begränsar te cknet upptill och nedtill. Und er rutorna finns stilstorleken i typografiska didotpunkter oc

2,92 mm (11 p), Zeilenabstand 4,69 mm

Gustav Jaeger
1984
Gustav Jaeger
H. Berthold AG

ABCDEFGHIJKLMNOPQ
RSTUVWXYZ
abcdefghijklmnopqrstuvwxyz
1/1234567890%
(.,-;:!¡?¿–)·[",""»«]
+−=/$£†℮§*
ÄÅÆÖØŒÜäåæıöøœßü
ÁÀÂÃÇČÉÈÊËÍÌÎÏĹŇÑÓÒÔÕ
ŔŘŠŤÚÙÛŴẄÝŶŸŽ
áàâãçčéèêëíìîïĺňñóòôõŕřš
úùûŵẅýỳÿž

Berthold-Schriftweite weit
Berthold-Schriftweite normal
Berthold-Schriftweite eng
Berthold-Schriftweite sehr eng
Berthold-Schriftweite extrem eng

In general, bodytypes are measured in the typograph ical point size. The sizes of Berthold Fototype faces can be exactly determined. All f aces of same point size have the same capital height–irr espective of their x-height In hot metal and many othe r phototypesetting systems the capital heights often dif fer considerably from one f ace to the other. For measu ring point sizes, a transpar ent size gauge is provided To determine the point size bring a capital letter into co

3,20 mm (12 p), Zeilenabstand 5,25 mm

JAEGER-ANTIQUA KURSIV

Die Maßangabe zu Grundschriftgrößen erfo lgt im allgemeinen in typographischen Punk ten. Die Schriftgrößen der Berthold-Fotosatz Schriften sind nach Messung exakt bestimm bar. Alle Schriften gleicher Punktgröße weis en, unabhängig von der Höhe ihrer Mittellän gen, eine identische Versalhöhe auf. Im Bleis atz und bei vielen anderen Fotosatz-System en differieren die Versalhöhen von Schrift zu Schrift oft erheblich. Zum Messen von Schrif tgrößen steht ein transparentes Größenma ß zur Verfügung. Zum Messen wird ein Vers albuchstabe mit dem Feld in Deckung gebra cht, das den Buchstaben oben und unten sch arf begrenzt. Unter dem Feld ist die Schriftgr öße in typographischen Didot-Punkten, dar unter in Millimetern angegeben. Auch die M illimeterangaben beziehen sich auf die Höhe

2,40 mm (9 p), Zeilenabstand 4 mm

JAEGER-ANTIQUA ITALIQUE

La valeur de la force de corps des caract ères de labeur èst généralement exprim ée en points typographiques. La force de corps des caractères Berthold-Fototype peut être déterminée avec précision. To us les caractères du même corps ont des capitales d'une hauteur identique, indép endamment de la hauteur des bas de c asse sans jambage. Dans la composition plomb, ainsi que dans certains systèmes de photocomposition, la hauteur des cap itales, varie souvent d'un caractère à l'a utre. Pour déterminer la force de corps de nos caractères, nous avons mis au point une réglette de hauteur d'œil transparen te. On cherche le rectangle qui délimite

2,65 mm (10 p), Zeilenabstand 4,50 mm

La indicación de las dimensiones para cuerpos de let ra vásicos tiene lugar en general en puntos tipográfic os. Los cuerpos de letra de los caracteres Berthold Fot otype pueden determinarse exactemente par medici ón. Con independencia de la altura de sus longitudes centrales, todos los caracteres de idéntico cuerpo de l etra presentan altura de mayúsculas idéntica. En la c omposición en plomo y en muchos otros sistemas de fotocomposición, las alturas de mayúsculas varían fr ecuentemmente en forma considerable de tipo de letr a a tipo de letra. Para medir los cuerpos de letra se dis pone de un tipómetro, véase la figura. Para la medir

1,60 mm (6 p), Zeilenabstand 2,50 mm

Größe mm	p	Zeilenabstand kp	Êp	Ex	100 Zeichen 0	−1	−2
1,33	5	2,00	2,01		00	00	00
1,60	6	2,38	2,81	2,50	113	109	105
1,86	7	2,81	3,25	–	130	126	122
2,15	8	3,19	3,75	3,38	148	143	138
2,40	9	3,56	4,13	4,00	166	160	154
2,65	10	3,94	4,56	4,50	183	176	169
2,92	11	4,38	5,06	4,69	200	193	186
3,20	12	4,75	5,56	5,25	217	209	201
3,45	13	5,13	5,94	–	234	226	218
3,72	14	5,56	6,44	–	251	242	233
3,98	15	5,94	6,88	–	268	259	250
4,25	16	6,31	7,31	–	285	275	265

WZ 13 E, NSW 0, MZB 0,69, F 0,17:0,04 (4,6), IV
H 1–x 0,66–k 1,08–p 0,40–Ê 1,32–kp 1,48–Êp 1,72
BF 089 1479, Belegung 051: 085 1532 (095 1532)

Le misure relative al corpo dei caratteri v engono generalmente indicate in punti ti pografici. Il corpo dei caratteri Fototypes può essere determinato con esattezza p er semplice misurazione. Tutti i caratteri di uguale grandezza in punti hanno, indi pendentemente dalla loro lunghezza, ug uale altezza delle maiuscole. Nella comp osizione in piombo ed in molti altri siste

2,15 mm (8 p), Zeilenabstand 3,38 mm

halbfett
medium
demi-gras

JAEGER-ANTIQUA

seminegra
neretto
halvfet

Berthold-Schriften überzeugen durch Schärfe und Qualität. Schriftqualität ist eine Frage der Erfahrung. Berthold hat diese Erfahrung seit ü ber hundert Jahren. Zuerst im Schriftguß, dan n im Fotosatz. Berthold-Schriften sind weltwe it geschätzt. Im Schriftenatelier München wird jeder Buchstabe in der Größe von zwölf Zentim etern neu gezeichnet. Mit messerscharfen Kont uren, um für die Schriftscheiben das Optimale a

1,60 mm (6 p), Zeilenabstand 2,50 mm

Berthold-Schriften überzeugen durch Sc härfe und Qualität. Schriftqualität ist eine Frage der Erfahrung. Berthold hat diese E rfahrung seit über hundert Jahren. Zuer st im Schriftguß, dann im Fotosatz. Berth old-Schriften sind weltweit geschätzt. Im Schriftenatelier München wird jeder Buc hstabe in der Größe von zwölf Zentimete

1,86 mm (7 p), Zeilenabstand 3,00 mm

Berthold-Schriften überzeugen dur ch Schärfe und Qualität. Schriftqual ität ist eine Frage der Erfahrung. Ber thold hat diese Erfahrung seit über h undert Jahren. Zuerst im Schriftguß dann im Fotosatz. Berthold-Schriften sind weltweit geschätzt. Im Schrifte natelier München wird jeder Buchst

2,15 mm (8 p), Zeilenabstand 3,50 mm

Gustav Jaeger
1984
Gustav Jaeger
H. Berthold AG

ABCDEFGHIJKLMNOPQ
RSTUVWXYZ
abcdefghijklmnopqrstuvw
xyz1/1234567890%
(.,-;:!¡?¿–)·['',,""»«]
+−=/$£†*&§
ÄÅÆÖØŒÜäåæıöøœßü
ÁÀÂÃÇČÉÈÊËÍÌÎÏĹŇÑÓÒÔÕ
ŔŘŠŤÚÙÛŴẄÝŶŸŽ
áàâãçčéèêëíìîïĺňñóòôõŕřš
úùûŵẅýỳÿž

Berthold-Schriftweite weit
Berthold-Schriftweite normal
Berthold-Schriftweite eng
Berthold-Schriftweite sehr eng
Berthold-Schriftweite extrem eng

In general, bodytypes ar e measured in the typog raphical point size. The s izes of Berthold Fototype faces can be exactly dete rmined. All faces of same point size have the same capital height–irrespect ive of their x-height. In h ot metal and many other phototypesetting system s the capital heights oft en differ considerably fr om one face to the other For measuring point size s, a transparent size gau ge is provided. To deter

3,20 mm (12 p), Zeilenabstand 5,25 mm

Berthold's quick brown fox jumps over the lazy dog and feels as if he
3,72 mm (14 p)

Berthold's quick brown fox jumps over the lazy dog and fee
4,25 mm (16 p)

Berthold's quick brown fox jumps over the lazy dog a
4,75 mm (18 p)

Berthold's quick brown fox jumps over the lazy
5,30 mm (20 p)

Berthold's quick brown fox jumps over
6,35 mm (24 p)

Berthold's quick brown fox jumps
7,40 mm (28 p)

Berthold's quick brown fox ju
8,50 mm (32 p)

Berthold's quick brown fo
9,55 mm (36 p)

Berthold-Schriften überzeugen d urch Schärfe und Qualität. Sch riftqualität ist eine Frage der Erf ahrung. Berthold hat diese Erfa hrung seit über hundert Jahren Zuerst im Schriftguß, dann im F otosatz. Berthold-Schriften sind weltweit geschätzt. Im Schriften

2,40 mm (9 p), Zeilenabstand 4,00 mm

Größe		Zeilenabstand			100 Zeichen		
mm	p	kp	Êp	Ex	0	−1	−2
1,33	5	2,00	2,31	–	109	106	103
1,60	6	2,38	2,75	2,50	128	124	120
1,86	7	2,75	3,19	3,00	147	143	139
2,15	8	3,19	3,69	3,50	167	162	157
2,40	9	3,56	4,13	4,00	187	181	175
2,65	10	3,88	4,56	4,00	206	199	192
2,92	11	4,31	5,00	–	225	218	211
3,20	12	4,69	5,44	5,25	245	237	229
3,45	13	5,06	5,88	–	264	256	248
3,72	14	5,44	6,38	–	283	274	265
3,98	15	5,88	6,81	–	302	293	284
4,25	16	6,25	7,25	–	321	311	301

WZ 14 E, NSW 0, MZB 0,78, F 0,24:0,03 (7,1), IV
H 1–x 0,67–k 1,08–p 0,38–Ê 1,32–kp 1,46–Êp 1,70
BF 089 1480, Belegung 051: 085 1533 (095 1533)

Berthold-Schriften überzeug en durch Schärfe und Qualit ät. Schriftqualität ist eine Fra ge der Erfahrung. Berthold h at diese Erfahrung seit über h undert Jahren. Zuerst im Sch riftguß, dann im Fotosatz. Be rthold-Schriften sind weltwe

2,65 mm (10 p), Zeilenabstand 4,00 mm

kursiv halbfett
medium italic
italique demi-gras

JAEGER-ANTIQUA

seminegra cursiva
neretto corsivo
kursiv halvfet

Berthold-Schriften überzeugen durch Schärfe u nd Qualität. Schriftqualität ist eine Frage der Erf ahrung. Berthold hat diese Erfahrung seit über h undert Jahren. Zuerst im Schriftguß, dann im Fot osatz. Berthold-Schriften sind weltweit geschätz t. Im Schriftenatelier München wird jeder Buchs tabe in der Größe von zwölf Zentimetern neu gez eichnet. Mit messerscharfen Konturen, um für di e Schriftscheiben das Optimale an Konturensch

1,60 mm (6 p), Zeilenabstand 2,50 mm

Berthold-Schriften überzeugen durch Sch ärfe und Qualität. Schriftqualität ist eine F rage der Erfahrung. Berthold hat diese Erf ahrung seit über hundert Jahren. Zuerst im Schriftguß, dann im Fotosatz. Berthold-Sc hriften sind weltweit geschätzt. Im Schrift enatelier München wird jeder Buchstabe in der Größe von zwölf Zentimetern neu geze

1,86 mm (7 p), Zeilenabstand 3,00 mm

Berthold-Schriften überzeugen durch Schärfe und Qualität. Schriftqualität ist eine Frage der Erfahrung. Berthold hat diese Erfahrung seit über hundert Jahren. Zuerst im Schriftguß, dann im Fotosatz. Berthold-Schriften sind wel tweit geschätzt. Im Schriftenatelier München wird jeder Buchstabe in der

2,15 mm (8 p), Zeilenabstand 3,50 mm

Gustav Jaeger
1984
Gustav Jaeger
H. Berthold AG

ABCDEFGHIJKLMNOPQ
RSTUVWXYZ
abcdefghijklmnopqrstuvwxyz
1/1234567890%
(.,-;:!¡?¿–)·['‚„"“»«]
+–=/$£†&§*
ÄÅÆÖØŒÜäåæıöøœßü
ÁÀÂÃÇČÉÈÊËÍÌÎÏĹŇÑÓÒÔÕ
ŔŘŠŤÚÙÛŴẄÝỲŶŸŽ
áàâãçčéèêëíìîïĺňñóòôõŕřš
úùûŵẅýỳÿž

Berthold-Schriftweite weit
Berthold-Schriftweite normal
Berthold-Schriftweite eng
Berthold-Schriftweite sehr eng
Berthold-Schriftweite extrem eng

In general, bodytypes are measured in the typogra phical point size. The size s of Berthold Fototype fac es can be exactly determi ned. All faces of same poi nt size have the same cap ital height–irrespective of their x-height. In hot met al and many other photot ypesetting systems the ca pital heights often differ considerably from one fa ce to the other. For measu ring point sizes, a transp arent size gauge is provi ded. To determine the poi

3,20 mm (12 p), Zeilenabstand 5,25 mm

Berthold's quick brown fox jumps over the lazy dog and feels as if he
3,72 mm (14 p)

Berthold's quick brown fox jumps over the lazy dog and feels
4,25 mm (16 p)

Berthold's quick brown fox jumps over the lazy dog an
4,75 mm (18 p)

Berthold's quick brown fox jumps over the lazy d
5,30 mm (20 p)

Berthold's quick brown fox jumps over t
6,35 mm (24 p)

Berthold's quick brown fox jumps
7,40 mm (28 p)

Berthold's quick brown fox ju
8,50 mm (32 p)

Berthold's quick brown fox
9,55 mm (36 p)

Berthold-Schriften überzeugen d urch Schärfe und Qualität. Schrif tqualität ist eine Frage der Erfahr ung. Berthold hat diese Erfahrung seit über hundert Jahren. Zuerst im Schriftguß, dann im Fotosatz Berthold-Schriften sind weltweit geschätzt. Im Schriftenatelier M

2,40 mm (9 p), Zeilenabstand 4,00 mm

Größe mm	p	Zeilenabstand kp	Êp	Ex	100 Zeichen 0	−1	−2
1,33	5	2,00	2,31	–	106	103	100
1,60	6	2,38	2,81	2,50	125	121	117
1,86	7	2,81	3,25	3,00	143	139	135
2,15	8	3,19	3,75	3,50	163	158	153
2,40	9	3,56	4,13	4,00	183	177	171
2,65	10	3,94	4,56	4,00	201	194	187
2,92	11	4,38	5,06	–	220	213	206
3,20	12	4,75	5,56	5,25	239	231	223
3,45	13	5,13	5,94	–	258	250	242
3,72	14	5,56	6,44	–	276	267	258
3,98	15	5,94	6,88	–	295	286	277
4,25	16	6,31	7,31	–	314	304	294

WZ 13 E, NSW 0, MZB 0,76, F 0,23:0,04 (5,5), IV
H 1–x 0,66–k 1,08–p 0,40–Ê 1,32–kp 1,48–Êp 1,72
BF 089 1481, Belegung 051: 085 1534 (095 1534)

Berthold-Schriften überzeuge n durch Schärfe und Qualitä t. Schriftqualität ist eine Frage der Erfahrung. Berthold hat d iese Erfahrung seit über hund ert Jahren. Zuerst im Schriftg uß, dann im Fotosatz. Berthol d-Schriften sind weltweit gesc

2,65 mm (10 p), Zeilenabstand 4,00 mm

fett
bold
gras

JAEGER-ANTIQUA

negra
nero
fet

Berthold-Schriften überzeugen durch Schär fe und Qualität. Schriftqualität ist eine Frage der Erfahrung. Berthold hat diese Erfahrung seit über hundert Jahren. Zuerst im Schriftg uß, dann im Fotosatz. Berthold-Schriften sin d weltweit geschätzt. Im Schriftenatelier M ünchen wird jeder Buchstabe in der Größe v on zwölf Zentimetern neu gezeichnet. Mit m esserscharfen Konturen, um für die Schriftsc

1,60 mm (6 p), Zeilenabstand 2,50 mm

Berthold-Schriften überzeugen durch Schärfe und Qualität. Schriftqualität i st eine Frage der Erfahrung. Berthold hat diese Erfahrung seit über hundert Jahren. Zuerst im Schriftguß, dann im Fotosatz. Berthold-Schriften sind welt weit geschätzt. Im Schriftenatelier Mü nchen wird jeder Buchstabe in der Grö

1,86 mm (7 p), Zeilenabstand 3,00 mm

Berthold-Schriften überzeugen d urch Schärfe und Qualität. Schrift qualität ist eine Frage der Erfahru ng. Berthold hat diese Erfahrung seit über hundert Jahren. Zuerst i m Schriftguß, dann im Fotosatz. B erthold-Schriften sind weltweit g eschätzt. Im Schriftenatelier Mün

2,15 mm (8 p), Zeilenabstand 3,50 mm

Gustav Jaeger
1984
Gustav Jaeger
H. Berthold AG

ABCDEFGHIJKLMNOPQ
RSTUVWXYZ
abcdefghijklmnopqrstuvw
xyz 1/1234567890%
(.,-;:!¡?¿–)·['‘„"“»«]
+–=/$£†*&§
ÄÅÆÖØŒÜäåæıöøœßü
ÁÀÂÃÇČÉÈÊËÍÌÎÏĹŇÑ
ÓÒÔÕŔŘŠŤÚÙÛŴẄÝŶŸŽ
áàâãçčéèêëíìîïĺňñóòôõŕřš
úùûŵẅýỳÿž

Schriftweite weit
Schriftweite normal
Schriftweite eng
Schriftweite sehr eng
Schriftweite extrem eng

In general, bodytypes are measured in the ty pographical point size The sizes of Berthold F ototype faces can be e xactly determined. All faces of same point size have the same capital height–irrespective of their x-height. In hot metal and many other phototypesetting syste ms the capital heights often differ considerab ly from one face to the other. For measuring p oint sizes, a transpare

3,20 mm (12 p), Zeilenabstand 5,25 mm

Berthold's quick brown fox jumps over the lazy dog and feels as
3,72 mm (14 p)

Berthold's quick brown fox jumps over the lazy dog and
4,25 mm (16 p)

Berthold's quick brown fox jumps over the lazy d
4,75 mm (18 p)

Berthold's quick brown fox jumps over the l
5,30 mm (20 p)

Berthold's quick brown fox jumps ov
6,35 mm (24 p)

Berthold's quick brown fox jum
7,40 mm (28 p)

Berthold's quick brown fox
8,50 mm (32 p)

Berthold's quick brown f
9,55 mm (36 p)

Berthold-Schriften überzeuge n durch Schärfe und Qualität Schriftqualität ist eine Frage d er Erfahrung. Berthold hat die se Erfahrung seit über hundert Jahren. Zuerst im Schriftguß d ann im Fotosatz. Berthold-Sch riften sind weltweit geschätzt

2,40 mm (9 p), Zeilenabstand 4,00 mm

Größe		Zeilenabstand			100 Zeichen		
mm	p	kp	Êp	Ex	0	–1	–2
1,33	5	2,00	2,31	–	118	115	112
1,60	6	2,38	2,81	2,50	138	134	130
1,86	7	2,75	3,25	3,00	159	155	151
2,15	8	3,19	3,75	3,50	181	176	171
2,40	9	3,56	4,13	4,00	203	197	191
2,65	10	3,94	4,56	4,00	224	217	210
2,92	11	4,31	5,06	–	244	237	230
3,20	12	4,75	5,56	5,25	265	257	249
3,45	13	5,13	5,94	–	286	278	270
3,72	14	5,50	6,44	–	307	298	289
3,98	15	5,88	6,88	–	328	319	310
4,25	16	6,25	7,31	–	348	338	328

WZ 14 E, NSW 0, MZB 0,84, F 0,30:0,05 (6,5), IV
H 1–x 0,67–k 1,09–p 0,38–Ê 1,34–kp 1,47–Êp 1,72
BF 089 1482, Belegung 051: 085 1535 (095 1535)

Berthold-Schriften überzeu gen durch Schärfe und Qu alität. Schriftqualität ist ei ne Frage der Erfahrung. Be rthold hat diese Erfahrung seit über hundert Jahren. Z uerst im Schriftguß, dann i m Fotosatz. Berthold-Schri

2,65 mm (10 p), Zeilenabstand 4,00 mm

kursiv fett
bold italic
italique gras

JAEGER-ANTIQUA

negra cursiva
nero corsivo
kursiv fet

Berthold-Schriften überzeugen durch Schärf e und Qualität. Schriftqualität ist eine Frage der Erfahrung. Berthold hat diese Erfahrung seit über hundert Jahren. Zuerst im Schriftgu ß, dann im Fotosatz. Berthold-Schriften sind weltweit geschätzt. Im Schriftenatelier Mün chen wird jeder Buchstabe in der Größe von z wölf Zentimetern neu gezeichnet. Mit messer scharfen Konturen, um für die Schriftscheib

1,60 mm (6 p), Zeilenabstand 2,50 mm

Berthold-Schriften überzeugen durch Schärfe und Qualität. Schriftqualität i st eine Frage der Erfahrung. Berthold h at diese Erfahrung seit über hundert Ja hren. Zuerst im Schriftguß, dann im Fo tosatz. Berthold-Schriften sind weltwe it geschätzt. Im Schriftenatelier Münc hen wird jeder Buchstabe in der Größe

1,86 mm (7 p), Zeilenabstand 3,00 mm

Berthold-Schriften überzeugen du rch Schärfe und Qualität. Schriftq ualität ist eine Frage der Erfahrun g. Berthold hat diese Erfahrung sei t über hundert Jahren. Zuerst im S chriftguß, dann im Fotosatz. Berth old-Schriften sind weltweit geschä tzt. Im Schriftenatelier München

2,15 mm (8 p), Zeilenabstand 3,50 mm

Gustav Jaeger
1984
Gustav Jaeger
H. Berthold AG

ABCDEFGHIJKLMNOPQ
RSTUVWXYZ
abcdefghijklmnopqrstuvw
xyz 1/1234567890%
(.,-;:!¡?¿–)·['‚"""»«]
+−=/$£†*&§
ÄÅÆÖØŒÜäåæıöøœßü
ÁÀÂÃÇČÉÈÊËÍÌÎÏĹŇÑ
ÓÒÔÕŔŘŠŤÚÙÛŴẄÝŶŸŽ
áàâãçčéèêëíìîïĺňñóòôõŕřš
úùûŵẅýỳÿž

Schriftweite weit
Schriftweite normal
Schriftweite eng
Schriftweite sehr eng
Schriftweite extrem eng

In general, bodytypes are measured in the ty pographical point size The sizes of Berthold Fo totype faces can be exa ctly determined. All fa ces of same point size h ave the same capital he ight–irrespective of the ir x-height. In hot met al and many other pho totypesetting systems t he capital heights often differ considerably fro m one face to the other For measuring point si zes, a transparent size

3,20 mm (12 p), Zeilenabstand 5,25 mm

Berthold's quick brown fox jumps over the lazy dog and feels as
3,72 mm (14 p)

Berthold's quick brown fox jumps over the lazy dog and
4,25 mm (16 p)

Berthold's quick brown fox jumps over the lazy d
4,75 mm (18 p)

Berthold's quick brown fox jumps over the la
5,30 mm (20 p)

Berthold's quick brown fox jumps ov
6,35 mm (24 p)

Berthold's quick brown fox jum
7,40 mm (28 p)

Berthold's quick brown fox
8,50 mm (32 p)

Berthold's quick brown f
9,55 mm (36 p)

Berthold-Schriften überzeugen durch Schärfe und Qualität. Sc hriftqualität ist eine Frage der Erfahrung. Berthold hat diese Erfahrung seit über hundert Ja hren. Zuerst im Schriftguß, da nn im Fotosatz. Berthold-Schri ften sind weltweit geschätzt. Im

2,40 mm (9 p), Zeilenabstand 4,00 mm

Größe		Zeilenabstand			100 Zeichen		
mm	p	kp	Êp	Ex	0	−1	−2
1,33	5	2,00	2,38	–	116	113	110
1,60	6	2,38	2,81	2,50	137	133	129
1,86	7	2,81	3,25	3,00	158	154	150
2,15	8	3,19	3,75	3,50	179	174	169
2,40	9	3,56	4,19	4,00	200	194	188
2,65	10	3,94	4,56	4,00	221	214	207
2,92	11	4,38	5,13	–	242	235	228
3,20	12	4,75	5,63	5,25	262	254	246
3,45	13	5,13	6,06	–	283	275	267
3,72	14	5,56	6,50	–	303	294	285
3,98	15	5,94	6,94	–	324	315	306
4,25	16	6,31	7,44	–	345	335	325

WZ 14 E, NSW 0, MZB 0,83, F 0,29:0,05 (5,8), IV
H 1–x 0,66–k 1,08–p 0,40–Ê 1,34–kp 1,48–Êp 1,74
BF 089 1483, Belegung 051: 085 1536 (095 1536)

Berthold-Schriften überzeu gen durch Schärfe und Qua lität. Schriftqualität ist eine Frage der Erfahrung. Berth old hat diese Erfahrung seit über hundert Jahren. Zuerst im Schriftguß, dann im Foto satz. Berthold-Schriften sin

2,65 mm (10 p), Zeilenabstand 4,00 mm

kursiv extrafett
extra bold italic
italique extra gras

JERSEY

muy negra cursiva
nerissimo corsivo
kursiv extrafet

Berthold-Schriften überzeugen durch Schärfe und Qualität. Schriftqualität ist eine Frage der Erfahr ung. Berthold hat diese Erfahrung seit über hund ert Jahren. Zuerst im Schriftguß, dann im Fotosat z. Berthold-Schriften sind weltweit geschätzt. Im Schriftenatelier München wird jeder Buchstabe in der Größe von zwölf Zentimetern neu gezeichnet Mit messerscharfen Konturen, um für die Schrifts cheiben das Optimale an Konturenschärfe heraus

1,60 mm (6 p), Zeilenabstand 2,50 mm

Berthold-Schriften überzeugen durch Schä rfe und Qualität. Schriftqualität ist eine Fr age der Erfahrung. Berthold hat diese Erfa hrung seit über hundert Jahren. Zuerst im S chriftguß, dann im Fotosatz. Berthold-Sch riften sind weltweit geschätzt. Im Schriften atelier München wird jeder Buchstabe in der Größe von zwölf Zentimetern neu gezeichn

1,86 mm (7 p), Zeilenabstand 3,00 mm

Berthold-Schriften überzeugen durch Schärfe und Qualität. Schriftqualität i st eine Frage der Erfahrung. Berthold hat diese Erfahrung seit über hundert Jahren. Zuerst im Schriftguß, dann im Fotosatz. Berthold-Schriften sind wel tweit geschätzt. Im Schriftenatelier M ünchen wird jeder Buchstabe in der Gr

2,15 mm (8 p), Zeilenabstand 3,50 mm

Gustav Jaeger
1985
Gustav Jaeger
H. Berthold AG

ABCDEFGHIJKLMNOPQ
RSTUVWXYZ
abcdefghijklmnopqrstuvwxyz
1/1234567890%
(.,-;:!¡?¿–)·['',,""»«]
+−=/$£†*&§
ÄÅÆÖØŒÜäåæıöøœßü
ÁÀÂÃÇČÉÈÊËÍÌÎÏĹŇÑÓÒÔÕ
ŔŘŠŤÚÙÛŴẄÝŶŸŽ
áàâãçčéèêëíìîïĺňñóòôõŕřš
úùûŵẅýỳÿž

Berthold-Schriftweite weit
Berthold-Schriftweite normal
Berthold-Schriftweite eng
Berthold-Schriftweite sehr eng
Berthold-Schriftweite extrem eng

In general, bodytypes are measured in the typograp hical point size. The sizes of Berthold Fototype faces can be exactly determine d. All faces of same point size have the same capital height–irrespective of the ir x-height. In hot metal and many other phototy pesetting systems the cap ital heights often differ c onsiderably from one face to the other. For measuri ng point sizes, a transpar ent size gauge is provided To determine the point si

3,20 mm (12 p), Zeilenabstand 5,25 mm

Berthold's quick brown fox jumps over the lazy dog and feels as if he we
3,72 mm (14 p)

Berthold's quick brown fox jumps over the lazy dog and feels as
4,25 mm (16 p)

Berthold's quick brown fox jumps over the lazy dog and
4,75 mm (18 p)

Berthold's quick brown fox jumps over the lazy do
5,30 mm (20 p)

Berthold's quick brown fox jumps over the
6,35 mm (24 p)

Berthold's quick brown fox jumps o
7,40 mm (28 p)

Berthold's quick brown fox ju
8,50 mm (32 p)

Berthold's quick brown fox
9,55 mm (36 p)

Berthold-Schriften überzeugen d urch Schärfe und Qualität. Schrift qualität ist eine Frage der Erfahr ung. Berthold hat diese Erfahrung seit über hundert Jahren. Zuerst im Schriftguß, dann im Fotosatz Berthold-Schriften sind weltweit geschätzt. Im Schriftenatelier Mü

2,40 mm (9 p), Zeilenabstand 4,00 mm

Größe		Zeilenabstand			100 Zeichen		
mm	p	kp	Êp	Ex	0	−1	−2
1,33	5	2,00	2,38	–	101	98	95
1,60	6	2,38	2,88	2,50	119	115	111
1,86	7	2,75	3,31	3,00	137	133	129
2,15	8	3,19	3,75	3,50	156	151	146
2,40	9	3,56	4,25	4,00	175	169	163
2,65	10	3,94	4,69	4,00	193	186	179
2,92	11	4,31	5,19	–	211	204	197
3,20	12	4,75	5,69	5,25	229	221	213
3,45	13	5,13	6,13	–	246	238	230
3,72	14	5,50	6,56	–	264	255	246
3,98	15	5,88	7,06	–	282	273	264
4,25	16	6,25	7,50	–	300	290	280

WZ 14 E, NSW 0, MZB 0,73, F 0,25:0,08 (3,4), II
H 1–x 0,67–k 1,04–p 0,43–Ê 1,33–kp 1,47–Êp 1,76
BF 089 1527, Belegung 051: 085 1617 (095 1617)

Berthold-Schriften überzeugen durch Schärfe und Qualität. Sc hriftqualität ist eine Frage der Erfahrung. Berthold hat diese Erfahrung seit über hundert J ahren. Zuerst im Schriftguß, d ann im Fotosatz. Berthold-Sc hriften sind weltweit geschätzt

2,65 mm (10 p), Zeilenabstand 4,00 mm

mager
light
maigre

JOANNA

fina
chiarissimo
mager

Berthold-Schriften überzeugen durch Schärfe und Qualität. Schriftqualität ist eine Frage der Erfahrung. Berthold hat diese Erfahrung seit über hundert Jahren. Zuerst im Schriftguß, dann im Fotosatz. Berthold-Schriften sind weltweit geschätzt. Im Schriftenatelier München wird jeder Buchstabe in der Größe von zwölf Zentimetern neu gezeichnet. Mit messerscharfen Konturen, um für die Schriftscheiben das Optimale an Konturenschärfe herauszuholen. Um die Qualität des Einzelzeichens im Belichtungsvorgang zu bewahren, wird durch die ruhende, nicht rotierende Schriftscheibe b

1,33 mm (5 p) 20 30 40 50 60

Berthold-Schriften überzeugen durch Schärfe und Qualität Schriftqualität ist eine Frage der Erfahrung. Berthold hat diese Erfahrung seit über hundert Jahren. Zuerst im Schriftguß, dann im Fotosatz. Berthold-Schriften sind weltweit geschätzt Im Schriftenatelier München wird jeder Buchstabe in der Größe von zwölf Zentimetern neu gezeichnet. Mit messerscharfen Konturen, um für die Schriftscheiben das Optimale an Konturenschärfe herauszuholen. Um die Qualität des Einzelzeichens im Belichtungsvorgang zu bewahren, wird durch die r

1,45 mm (5,5 p) 20 30 40 50

Berthold-Schriften überzeugen durch Schärfe und Qualität. Schriftqualität ist eine Frage der Erfahrung. Berthold hat diese Erfahrung seit über hundert Jahren. Zuerst im Schriftguß, dann im Fotosatz. Berthold-Schriften sind weltweit geschätzt. Im Schriftenatelier München wird jeder Buchstabe in der Größe von zwölf Zentimetern neu gezeichnet. Mit messerscharfen Konturen, um für die Schriftscheiben das Optimale an Konturenschärfe herauszuholen. Um die Qualität des Einzelzeichens im Belic

1,60 mm (6 p) 20 30 40 50

Berthold-Schriften überzeugen durch Schärfe und Qualität. Schriftqualität ist eine Frage der Erfahrung. Berthold hat diese Erfahrung seit über hundert Jahren. Zuerst im Schriftguß, dann im Fotosatz. Berthold-Schriften sind weltweit geschätzt. Im Schriftenatelier München wird jeder Buchstabe in der Größe von zwölf Zentimetern neu gezeichnet. Mit messerscharfen Konturen, um für die Schriftscheiben das Optimale an Konturenschärfe herauszuholen. U

1,75 mm (6,5 p) 20 30 40

Berthold-Schriften überzeugen durch Schärfe und Qualität. Schriftqualität ist eine Frage der Erfahrung. Berthold hat diese Erfahrung seit über hundert Jahren. Zuerst im Schriftguß, dann im Fotosatz. Berthold-Schriften sind weltweit geschätzt. Im Schriftenatelier München wird jeder Buchstabe in der Größe von zwölf Zentimetern neu gezeichnet. Mit messerscharfen Konturen, um für die Schriftscheiben das Optimale an Konturensc

1,86 mm (7 p) 20 30 40

Berthold-Schriften überzeugen durch Schärfe und Qualität. Schriftqualität ist eine Frage der Erfahrung. Berthold hat diese Erfahrung seit über hundert Jahren. Zuerst im Schriftguß, dann im Fotosatz. Berthold-Schriften sind weltweit geschätzt. Im Schriftenatelier München wird jeder Buchstabe in der Größe von zwölf Zentimetern neu gezeichnet. Mit messerscharfen Konturen, um für die Schriftscheiben das

2,00 mm (7,5 p) 20 30 40

Berthold-Schriften überzeugen durch Schärfe und Qualität. Schriftqualität ist eine Frage der Erfahrung. Berthold hat diese Erfahrung seit über hundert Jahren. Zuerst im Schriftguß, dann im Fotosatz. Berthold-Schriften sind weltweit geschätzt. Im Schriftenatelier München wird jeder Buchstabe in der Größe von zwölf Zentimetern neu gezeichnet. Mit messerscharfen Konturen, um f

2,15 mm (8 p) 20 30 4

Eric Gill
1930
Monotype Corp. Ltd.
H. Berthold AG

ABCDEFGHIJKLMNOPQ
RSTUVWXYZ
abcdefghijklmnopqrstuvwxyz
1/1234567890%
(.,-;:!¡?¿–)·['‘„”“»«]
+-=/$£†*&§
ÄÅÆÖØŒÜäåæıöøœßü
ÁÀÂÃÇČÉÈÊËÍÌÎÏĹŇÑÓÒÔÕ
ŔŘŠŤÚÙÛŴẄÝŶŸŽ
áàâãçčéèêëíìîïĺňñóòôõŕřš
úùûŵẅýỳÿž

Berthold-Schriftweite weit
Berthold-Schriftweite normal
Berthold-Schriftweite eng
Berthold-Schriftweite sehr eng
Berthold-Schriftweite extrem eng

Berthold
3,72 mm (14 p)

Berthold
4,25 mm (16 p)

Berthold
4,75 mm (18 p)

Berthold
5,30 mm (20 p)

Berthold
6,35 mm (24 p)

Berthold
7,40 mm (28 p)

Berthold
8,50 mm (32 p)

Berthold
9,55 mm (36 p)

Größe mm	p	Zeilenabstand kp	Êp	Ex	100 Zeichen 0	−1	−2
1,33	5	2,13	2,31	2,00	92	88	86
1,60	6	2,56	2,81	2,50	108	104	100
1,86	7	2,94	3,25	3,00	124	120	116
2,15	8	3,38	3,75	3,50	141	136	131
2,40	9	3,81	4,19	3,75	158	152	146
2,65	10	4,19	4,63	4,25	174	167	160
2,92	11	4,63	5,06	4,75	190	183	176
3,20	12	5,06	5,56	5,25	207	199	191
3,45	13	5,44	6,00	5,75	223	215	207
3,72	14	5,88	6,44	–	239	230	221
3,98	15	6,25	6,94	–	255	246	237
4,25	16	6,69	7,38	–	271	261	251

WZ 14 E, NSW 0, MZB 0,66, F 0,12:0,06 (1,9), V
H 1-x 0,68-k 1,12-p 0,45-Ê 1,28-kp 1,57-Êp 1,73
BF 089 1383, Belegung 051: 085 1195 (095 1195)

Berthold-Schriften überzeugen durch Schärfe und Qualität. Schriftqualität ist eine Frage der Erfahrung. Berthold hat diese Erfahrung seit über hundert Jahren. Zuerst im Schriftguß, dann im Fotosatz. Berthold-Schriften sind weltweit geschätzt. Im Schriftenatelier München wird jeder Buchstabe in der Größe

2,40 mm (9 p) 20 30

Berthold-Schriften überzeugen durch Schärfe und Qualität. Schriftqualität ist eine Frage der Erfahrung Berthold hat diese Erfahrung seit über hundert Jahren. Zuerst im Schriftguß, dann im Fotosatz. Berthold-Schriften sind weltweit geschätzt. Im Schriftenatelier München

2,65 mm (10 p) 10 20 30

Berthold-Schriften überzeugen durch Schärfe und Qualität. Schriftqualität ist eine Frage der Erfahrung. Berthold hat diese Erfahrung seit über hundert Jahren Zuerst im Schriftguß, dann im Fotosatz. Berthold-Schriften sind weltweit geschätzt. Im Schrifte

2,92 mm (11 p) 10 20 3

Berthold-Schriften überzeugen durch Schärfe und Qualität. Schriftqualität ist eine Frage der Erfahrung. Berthold hat diese Erfahrung seit über hundert Jahren. Zuerst im Schriftguß, dann im Fotosatz. Berthold-Schriften sind weltw

3,20 mm (12 p) 10 20

Berthold-Schriften überzeugen durch Schärfe und Qualität. Schriftqualität ist eine Frage der Erfahrung. Berthold hat diese Erfahrung seit über hundert Jahren. Zuerst im Schriftguß, dann im Fotosatz. Berthold-Schri

3,45 mm (13 p) 10 20

mager
light
maigre

JOANNA

fina
chiarissimo
mager

Berthold-Schriften überzeugen durch Schärfe und Qualität. Schriftqu alität ist eine Frage der Erfahrung. Berthold hat diese Erfahrung seit üb er hundert Jahren. Zuerst im Schriftguß, dann im Fotosatz. Berthold-S chriften sind weltweit geschätzt. Im Schriftenatelier München wird je der Buchstabe in der Größe von zwölf Zentimetern neu gezeichnet Mit messerscharfen Konturen, um für die Schriftscheiben das Optima le an Konturenschärfe herauszuholen. Um die Qualität des Einzelzeic hens im Belichtungsvorgang zu bewahren, wird durch die ruhende, n icht rotierende Schriftscheibe belichtet. Dieses optische System, verb

4,25 mm (16 p), Zeilenabstand 6,75 mm

JOANNA LIGHT

In general, bodytypes are measured in the typo graphical point size. The sizes of Berthold Foto type faces can be exactly determined. All faces of same point size have the same capital height irrespective of their x-height. In hot metal and many other phototypesetting systems the capi tal heights often differ considerably from one f ace to the other. For measuring point sizes, a tra nsparent size gauge is provided. To determine t he point size, bring a capital letter into coinci dence with that field which precisely circumsc ribes the letter at its upper and lower margin. B elow the field you find the typographical point and below that the millimeter value, which also refers to the height of a capital letter. In Berthol d-phototypesetting, the typewidth can be mod ified. The standard setting width of typefaces is determined by the principle of optimum legibi lity. You should not depart from this typewidth without cogent reason. A typeface which is con sidered optically right when looked in a greater context, often seems bulky when applied for a

2,40 mm (9 p), Zeilenabstand 4,25 mm

JOANNA MAIGRE

La valeur de la force de corps des caractères de labeur èst généralement exprimée en p oints typographiques. La force de corps des caractères Berthold-Fototype peut être dé terminée avec précision. Tous les caractères du même corps ont des capitales d'une ha uteur identique, indépendamment de la h auteur des bas de casse sans jambage. Dans la composition plomb, ainsi que dans certa ins systèmes de photocomposition, la hau teur des capitales, varie souvent d'un carac tère à l'autre. Pour déterminer la force de c orps de nos caractères, nous avons mis au point une réglette de hauteur d'œil transp arente. On cherche le rectangle qui délimi te exactement la hauteur d'œil d'une capit ale du caractère choisi. Sous le rectangle co rrespondant la valeur de la force de corps e st indiquée en points Didots et en millimè tres. La valeur en millimètres exprime égal

2,65 mm (10 p), Zeilenabstand 4,69 mm

La indicación de las dimensiones para cuerp os de letra vásicos tiene lugar en general en p untos tipográficos. Los cuerpos de letra de los caracteres Berthold Fototype pueden deter minarse exactemente par medición. Con ind ependencia de la altura de sus longitudes cen trales, todos los caracteres de idéntico cuerpo de letra presentan altura de mayúsculas idént ica. En la composición en plomo y en much

2,15 mm (8 p), –1, Zeilenabstand 3,38 mm

123,– $	456,– £	7890,– DM	1 %
234,– $	789,– £	1234,– DM	2 %
567,– $	12,– £	5678,– DM	3 %
890,– $	345,– £	9012,– DM	4 %
123,– $	678,– £	3456,– DM	5 %
456,– $	901,– £	7890,– DM	6 %
789,– $	234,– £	1234,– DM	7 %
12,– $	567,– £	5678,– DM	8 %
345,– $	890,– £	9012,– DM	9 %

BF 089 1384

Le misure relative al corpo dei caratteri vengon o generalmente indicate in punti tipografici. Il corpo dei caratteri Fototypes può essere deter minato con esattezza per semplice misurazi one. Tutti i caratteri di uguale grandezza in punti hanno, indipendentemente dalla loro lunghez za, uguale altezza delle maiuscole. Nella comp osizione in piombo ed in molti altri sistemi di f otocomposizione, l'altezza delle maiuscole var

2,15 mm (8 p), –2, Zeilenabstand 3,38 mm

kursiv mager
light italic
italique maigre

JOANNA

fina cursiva
chiarissimo corsivo
kursiv mager

Måttangivelse för grundstilsgrader sk er i allmänhet i typografiska punkter Stilar av Berthold Fototype kan efter mätning exakt gradbestämmas. Alla typsnitt är av samma punktstorlek och har oberoende av x-höjden en identisk versalhöjd. I blysättning och i många andra fotosättsystem varierar versalh öjden avsevärt från typsnitt till typsni tt. För mätning av stilgrader finns en t ransparent mätlinjal. Vid mätningen placerar man en versal bokstav så att r utorna begränsar tecknet upptill och nedtill. Under rutorna finns stilstorle ken i typografiska didotpunkter och i mm. Även millimeteruppgiften avser versalhöjden. Vid stilstorleksuppgifter anges alltid måttenheten efter sifferu ppgiften t ex 14 punkter eller 14 p. Bert

2,92 mm (11 p), Zeilenabstand 4,69 mm

Eric Gill
1930
Monotype Corp. Ltd.
H. Berthold AG

ABCDEFGHIJKLMNOPQ
RSTUVWXYZ
abcdefghijklmnopqrstuvwxyz
1/1234567890 %
(.,-;:!¡?¿–)·[’‘„”“»«]
+–=/$£†&§*
ÄÅÆÖØŒÜäåæıöøœßü
ÁÀÂÃÇČÉÈÊËÍÌÎÏĹŇÑÓÒÔÕ
ŔŘŠŤÚÙÛŴẄÝŶŸŽ
áàâãçčéèêëíìîïĺňñóòôõŕřš
úùûŵẅýỳÿž

Berthold-Schriftweite weit
Berthold-Schriftweite normal
Berthold-Schriftweite eng
Berthold-Schriftweite sehr eng
Berthold-Schriftweite extrem eng

In general, bodytypes are measured in the typographical point size. The sizes of Berthold Fototype faces can be exactly determined. All faces of same point size have the same capi tal height–irrespective of their x-h eight. In hot metal and many other phototypesetting systems the capit al heights often differ considerably from one face to the other. For mea suring point sizes, a transparent size gauge is provided. To determine the point size, bring a capital letter into coincidence with that field which p recisely circumscribes the letter at i ts upper and lower margin. Below the field you find the typographical

3,20 mm (12 p), Zeilenabstand 5,25 mm

JOANNA KURSIV MAGER

Die Maßangabe zu Grundschriftgrößen erfolgt im allge meinen in typographischen Punkten. Die Schriftgrößen der Berthold-Fotosatz-Schriften sind nach Messung ex akt bestimmbar. Alle Schriften gleicher Punktgröße wei sen, unabhängig von der Höhe ihrer Mittellängen, eine i dentische Versalhöhe auf. Im Bleisatz und bei vielen and eren Fotosatz-Systemen differieren die Versalhöhen von Schrift zu Schrift oft erheblich. Zum Messen von Schriftg rößen steht ein transparentes Größenmaß zur Verfügung Zum Messen wird ein Versalbuchstabe mit dem Feld in D eckung gebracht, das den Buchstaben oben und unten sc harf begrenzt. Unter dem Feld ist die Schriftgröße in typo graphischen Didot-Punkten, darunter in Millimetern a ngegeben. Auch die Millimeterangaben beziehen sich auf die Höhe der Versalbuchstaben. Die Schriftweite kann im Berthold-Fotosatz beliebig verändert werden. Die Festleg ung der Normalschriftweite erfolgt nach dem Prinzip der optimalen Lesbarkeit bei größeren Textmengen. Man soll

2,40 mm (9 p), Zeilenabstand 4 mm

JOANNA ITALIQUE MAIGRE

La valeur de la force de corps des caractères de labeur èst généralement exprimée en points typographiqu es. La force de corps des caractères Berthold-Fototy pe peut être déterminée avec précision. Tous les car actères du même corps ont des capitales d'une haut eur identique, indépendamment de la hauteur des bas de casse sans jambage. Dans la composition pl omb, ainsi que dans certains systèmes de photoco mposition, la hauteur des capitales, varie souvent d un caractère à l'autre. Pour déterminer la force de co rps de nos caractères, nous avons mis au point une r églette de hauteur d'œil transparente. On cherche le rectangle qui délimite exactement la hauteur d'œil d'une capitale du caractère choisi. Sous le rectangle correspondant la valeur de la force de corps est indiq uée en points Didots et en millimètres. La valeur en

2,65 mm (10 p), Zeilenabstand 4,50 mm

La indicación de las dimensiones para cuerpos de letra vásicos tiene lugar en general en puntos tipográficos. Los cuerpos de letra de los c aracteres Berthold Fototype pueden determinarse exactamente por medición. Con independencia de la altura de sus longitudes central es, todos los caracteres de idéntico cuerpo de letra presentan altura de mayúsculas idéntica. En la composición en plomo y en muchos o tros sistemas de fotocomposición, las alturas de mayúsculas varían frecuentemmente en forma considerable de tipo de letra a tipo de let ra. Para medir los cuerpos de letra se dispone de un tipómetro, véase la figura. Para la medición se hace coincidir una letra mayúscula c on la casilla cuyos extremos coinciden con los extremos superior e i nferior de la letra. Bajo la casilla se indica el cuerpo de letra en punt

1,60 mm (6 p), Zeilenabstand 2,50 mm

Größe		Zeilenabstand			100 Zeichen		
mm	p	kp	Êp	Ex	0	–1	–2
1,33	5	2,13	2,63	–	77	74	71
1,60	6	2,56	3,13	2,50	91	87	83
1,86	7	3,00	3,63	–	105	101	97
2,15	8	3,44	4,25	3,38	119	114	109
2,40	9	3,88	4,69	4,00	133	127	121
2,65	10	4,25	5,19	4,50	147	140	133
2,92	11	4,69	5,75	4,69	161	154	147
3,20	12	5,13	6,25	5,25	174	166	158
3,45	13	5,56	6,75	–	188	180	172
3,72	14	6,00	7,31	–	202	193	184
3,98	15	6,38	7,81	–	215	206	197
4,25	16	6,81	8,31	–	229	219	209

WZ 12 E, NSW 0, MZB 0,55, F 0,12:0,05 (2,3), V
H 1–x 0,68–k 1,13–p 0,47–Ê 1,48–kp 1,60–Êp 1,95
BF 089 1385, Belegung 051: 085 1196 (095 1196)

Le misure relative al corpo dei caratteri vengono gen eralmente indicate in punti tipografici. Il corpo dei c aratteri Fototypes può essere determinato con esatte zza per semplice misurazione. Tutti i caratteri di ug uale grandezza in punti hanno, indipendentemente dalla loro lunghezza, uguale altezza delle maiuscole Nella composizione in piombo ed in molti altri siste mi di fotocomposizione, l'altezza delle maiuscole va ria spesso da carattere a carattere. Per misurare il cor

2,15 mm (8 p), Zeilenabstand 3,38 mm

normal
regular
normal

JOANNA

normal
chiaro tondo
normal

Berthold-Schriften überzeugen durch Schärfe und Qualität. S
chriftqualität ist eine Frage der Erfahrung. Berthold hat diese
Erfahrung seit über hundert Jahren. Zuerst im Schriftguß, dan
n im Fotosatz. Berthold-Schriften sind weltweit geschätzt. Im
Schriftenatelier München wird jeder Buchstabe in der Größe
von zwölf Zentimetern neu gezeichnet. Mit messerscharfen Ko
nturen, um für die Schriftscheiben das Optimale an Konturens
chärfe herauszuholen. Um die Qualität des Einzelzeichens im
Belichtungsvorgang zu bewahren, wird durch die ruhende, ni

1,33 mm (5 p) 20 30 40 50

Berthold-Schriften überzeugen durch Schärfe und Quali
tät. Schriftqualität ist eine Frage der Erfahrung. Berthold
hat diese Erfahrung seit über hundert Jahren. Zuerst im S
chriftguß, dann im Fotosatz. Berthold-Schriften sind wel
tweit geschätzt. Im Schriftenatelier München wird jeder
Buchstabe in der Größe von zwölf Zentimetern neu gezei
chnet. Mit messerscharfen Konturen, um für die Schrifts
cheiben das Optimale an Konturenschärfe herauszuhole
n. Um die Qualität des Einzelzeichens im Belichtungsvor

1,45 mm (5,5 p) 20 30 40 50

Berthold-Schriften überzeugen durch Schärfe und
Qualität. Schriftqualität ist eine Frage der Erfahrung
Berthold hat diese Erfahrung seit über hundert Jahr
en. Zuerst im Schriftguß, dann im Fotosatz. Berthold
Schriften sind weltweit geschätzt. Im Schriftenatelier
München wird jeder Buchstabe in der Größe von zw
ölf Zentimetern neu gezeichnet. Mit messerscharfen
Konturen, um für die Schriftscheiben das Optimale
an Konturenschärfe herauszuholen. Um die Qualität

1,60 mm (6 p) 20 30 40

Berthold-Schriften überzeugen durch Schärfe
und Qualität. Schriftqualität ist eine Frage der E
rfahrung. Berthold hat diese Erfahrung seit über
hundert Jahren. Zuerst im Schriftguß, dann im
Fotosatz. Berthold-Schriften sind weltweit gesc
hätzt. Im Schriftenatelier München wird jeder
Buchstabe in der Größe von zwölf Zentimetern
neu gezeichnet. Mit messerscharfen Konturen
um für die Schriftscheiben das Optimale an Kon

1,75 mm (6,5 p) 20 30 40

Berthold-Schriften überzeugen durch Schärfe
und Qualität. Schriftqualität ist eine Frage der
Erfahrung. Berthold hat diese Erfahrung seit
über hundert Jahren. Zuerst im Schriftguß, da
nn im Fotosatz. Berthold-Schriften sind welt
weit geschätzt. Im Schriftenatelier München
wird jeder Buchstabe in der Größe von zwölf
Zentimetern neu gezeichnet. Mit messerscha
rfen Konturen, um für die Schriftscheiben das

1,86 mm (7 p) 20 30 40

Berthold-Schriften überzeugen durch Sch
ärfe und Qualität. Schriftqualität ist eine F
rage der Erfahrung. Berthold hat diese Erf
ahrung seit über hundert Jahren. Zuerst im
Schriftguß, dann im Fotosatz. Berthold-Sc
hriften sind weltweit geschätzt. Im Schrift
enatelier München wird jeder Buchstabe
in der Größe von zwölf Zentimetern neu g
ezeichnet. Mit messerscharfen Konturen

2,00 mm (7,5 p) 20 30 4

Berthold-Schriften überzeugen durch S
chärfe und Qualität. Schriftqualität ist e
ine Frage der Erfahrung. Berthold hat di
ese Erfahrung seit über hundert Jahren
Zuerst im Schriftguß, dann im Fotosatz
Berthold-Schriften sind weltweit gesch
ätzt. Im Schriftenatelier München wird
jeder Buchstabe in der Größe von zwölf
Zentimetern neu gezeichnet. Mit messe

2,15 mm (8 p) 20 30

Eric Gill
1930
Monotype Corp. Ltd.
H. Berthold AG

ABCDEFGHIJKLMNOPQ
RSTUVWXYZ
abcdefghijklmnopqrstuvwxyz
1/1234567890%
(.,-;:!¡?¿–)·[’‘„”“»«]
+−=/$£†*&§
ÄÅÆÖØŒÜäåæıöøœßü
ÁÀÂÃÇČÉÈÊĖÍÌÎİĹŇÑÓÒÔÕ
ŔŘŠŤÚÙÛŴẆÝŶẎŽ
áàâãçčéèêëíìîïĺňñóòôõŕřš
úùûŵẅýỳÿž

Berthold-Schriftweite weit
Berthold-Schriftweite normal
Berthold-Schriftweite eng
Berthold-Schriftweite sehr eng
Berthold-Schriftweite extrem eng

Berthold
3,72 mm (14 p)

Berthold
4,25 mm (16 p)

Berthold
4,75 mm (18 p)

Berthold
5,30 mm (20 p)

Berthold
6,35 mm (24 p)

Berthold
7,40 mm (28 p)

Berthold
8,50 mm (32 p)

Berthold
9,55 mm (36 p)

Größe mm	p	Zeilenabstand kp	Êp	Ex	100 Zeichen 0	−1	−2
1,33	5	2,13	2,31	2,00	99	96	93
1,60	6	2,56	2,81	2,50	116	112	108
1,86	7	2,94	3,25	3,00	134	130	126
2,15	8	3,44	3,75	3,50	152	147	142
2,40	9	3,81	4,19	3,75	170	164	158
2,65	10	4,19	4,63	4,25	188	181	174
2,92	11	4,63	5,06	4,75	205	198	191
3,20	12	5,06	5,56	5,25	223	215	207
3,45	13	5,50	6,00	5,75	240	232	224
3,72	14	5,88	6,44	–	258	249	240
3,98	15	6,31	6,94	–	275	266	257
4,25	16	6,75	7,38	–	293	283	273

WZ 14 E, NSW 0, MZB 0,71, F 0,17:0,08 (2,2), V
H 1–x 0,68–k 1,12–p 0,46–Ê 1,27–kp 1,58–Êp 1,73
BF 089 1386, Belegung 051: 085 1404 (095 1404)

Berthold-Schriften überzeugen dur
ch Schärfe und Qualität. Schriftqu
alität ist eine Frage der Erfahrung
Berthold hat diese Erfahrung seit ü
ber hundert Jahren. Zuerst im Schr
iftguß, dann im Fotosatz. Berthold-S
chriften sind weltweit geschätzt. Im
Schriftenatelier München wird jed

2,40 mm (9 p) 10 20 30

Berthold-Schriften überzeugen
durch Schärfe und Qualität. Sch
riftqualität ist eine Frage der Erf
ahrung. Berthold hat diese Erfa
hrung seit über hundert Jahren
Zuerst im Schriftguß, dann im F
otosatz. Berthold-Schriften sind
weltweit geschätzt. Im Schriften

2,65 mm (10 p) 10 20 3

Berthold-Schriften überzeug
en durch Schärfe und Qualitä
t. Schriftqualität ist eine Frage
der Erfahrung. Berthold hat
diese Erfahrung seit über hu
ndert Jahren. Zuerst im Schri
ftguß, dann im Fotosatz. Bert
hold-Schriften sind weltweit

2,92 mm (11 p) 10 20

Berthold-Schriften überze
ugen durch Schärfe und Q
ualität. Schriftqualität ist e
ine Frage der Erfahrung. B
erthold hat diese Erfahru
ng seit über hundert Jahren
Zuerst im Schriftguß, dann
im Fotosatz. Berthold-Schr

3,20 mm (12 p) 10 20

Berthold-Schriften über
zeugen durch Schärfe un
d Qualität. Schriftqualität
ist eine Frage der Erfahr
ung. Berthold hat diese E
rfahrung seit über hund
ert Jahren. Zuerst im Sch
riftguß, dann im Fotosatz

3,45 mm (13 p) 10 20

normal
regular
normal

JOANNA

normal
chiaro tondo
normal

Berthold-Schriften überzeugen durch Schärfe und Qualität. Schr
iftqualität ist eine Frage der Erfahrung. Berthold hat diese Erfahr
ung seit über hundert Jahren. Zuerst im Schriftguß, dann im Foto
satz. Berthold-Schriften sind weltweit geschätzt. Im Schriftenatel
ier München wird jeder Buchstabe in der Größe von zwölf Zenti
metern neu gezeichnet. Mit messerscharfen Konturen, um für die
Schriftscheiben das Optimale an Konturenschärfe herauszuhole
n. Um die Qualität des Einzelzeichens im Belichtungsvorgang zu
bewahren, wird durch die ruhende, nicht rotierende Schriftschei

4,25 mm (16 p), Zeilenabstand 6,75 mm

JOANNA REGULAR

In general, bodytypes are measured in the ty
pographical point size. The sizes of Berthold
Fototype faces can be exactly determined. A
ll faces of same point size have the same
capital height-irrespective of their x-height
In hot metal and many other phototypesetti
ng systems the capital heights often differ co
nsiderably from one face to the other. For m
easuring point sizes, a transparent size gauge
is provided. To determine the point size, bri
ng a capital letter into coincidence with that
field which precisely circumscribes the lett
er at its upper and lower margin. Below the f
ield you find the typographical point and be
low that the millimeter value, which also ref
ers to the height of a capital letter. In Berthol
d-phototypesetting, the typewidth can be m
odified. The standard setting width of typef
aces is determined by the principle of optim
um legibility. You should not depart from th
is typewidth without cogent reason. A typef
ace which is considered optically right when

2,40 mm (9 p), Zeilenabstand 4,25 mm

JOANNA NORMAL

La valeur de la force de corps des caract
ères de labeur èst généralement exprim
ée en points typographiques. La force de
corps des caractères Berthold-Fototype
peut être déterminée avec précision. To
us les caractères du même corps ont des
capitales d'une hauteur identique, indé
pendamment de la hauteur des bas de c
asse sans jambage. Dans la composition
plomb, ainsi que dans certains systèmes
de photocomposition, la hauteur des ca
pitales, varie souvent d'un caractère à
l'autre. Pour déterminer la force de cor
ps de nos caractères, nous avons mis au
point une réglette de hauteur d'œil tran
sparente. On cherche le rectangle qui d
élimite exactement la hauteur d'œil d'u
ne capitale du caractère choisi. Sous le r
ectangle correspondant la valeur de la f
orce de corps est indiquée en points Did

2,65 mm (10 p), Zeilenabstand 4,69 mm

La indicación de las dimensiones para cu
erpos de letra vásicos tiene lugar en gener
al en puntos tipográficos. Los cuerpos de l
etra de los caracteres Berthold Fototype
pueden determinarse exactemente par m
edición. Con independencia de la altura de
sus longitudes centrales, todos los caracte
res de idéntico cuerpo de letra presentan
altura de mayúsculas idéntica. En la comp

2,15 mm (8 p), –1, Zeilenabstand 3,38 mm

123,– $	456,– £	7890,– DM	1 %
234,– $	789,– £	1234,– DM	2 %
567,– $	12,– £	5678,– DM	3 %
890,– $	345,– £	9012,– DM	4 %
123,– $	678,– £	3456,– DM	5 %
456,– $	901,– £	7890,– DM	6 %
789,– $	234,– £	1234,– DM	7 %
12,– $	567,– £	5678,– DM	8 %
345,– $	890,– £	9012,– DM	9 %

BF 089 1387

Le misure relative al corpo dei caratteri ven
gono generalmente indicate in punti tipogr
afici. Il corpo dei caratteri Fototypes può ess
ere determinato con esattezza per semplice
misurazione. Tutti i caratteri di uguale gran
dezza in punti hanno, indipendentemente
dalla loro lunghezza, uguale altezza delle m
aiuscole. Nella composizione in piombo ed
in molti altri sistemi di fotocomposizione

2,15 mm (8 p), –2, Zeilenabstand 3,38 mm

halbfett
demi-bold
demi-gras

JOANNA

seminegra
neretto
halvfet

Berthold-Schriften überzeugen durch Schärfe un d Qualität. Schriftqualität ist eine Frage der Erfah rung. Berthold hat diese Erfahrung seit über hun dert Jahren. Zuerst im Schriftguß, dann im Fotosa tz. Berthold-Schriften sind weltweit geschätzt. Im Schriftenatelier München wird jeder Buchstabe in der Größe von zwölf Zentimetern neu gezeichnet Mit messerscharfen Konturen, um für die Schrifts cheiben das Optimale an Konturenschärfe heraus

1,60 mm (6 p), Zeilenabstand 2,50 mm

Berthold-Schriften überzeugen durch Sch ärfe und Qualität. Schriftqualität ist eine Fr age der Erfahrung. Berthold hat diese Erfa hrung seit über hundert Jahren. Zuerst im S chriftguß, dann im Fotosatz. Berthold-Sch riften sind weltweit geschätzt. Im Schriften atelier München wird jeder Buchstabe in d er Größe von zwölf Zentimetern neu gezeic

1,86 mm (7 p), Zeilenabstand 3,00 mm

Berthold-Schriften überzeugen durch Schärfe und Qualität. Schriftqualität i st eine Frage der Erfahrung. Berthold hat diese Erfahrung seit über hundert Jahren. Zuerst im Schriftguß, dann im Fotosatz. Berthold-Schriften sind wel tweit geschätzt. Im Schriftenatelier M ünchen wird jeder Buchstabe in der Gr

2,15 mm (8 p), Zeilenabstand 3,50 mm

Eric Gill
1930
Monotype Corp. Ltd.
H. Berthold AG

ABCDEFGHIJKLMNOPQ
RSTUVWXYZ
abcdefghijklmnopqrstuvwxyz
1/1234567890 %
(.,-;:!¡?¿–)·[’‘„”“»«]
+−=/$£†*&§
ÄÅÆÖØŒÜäåæıöøœßü
ÁÀÂÃÇČÉÈÊËÍÌÎÏĹŇÑÓÒÔÕ
ŔŘŠŤÚÙÛŴẄÝŶŸŽ
áàâãçčéèêëíìîïĺňñóòôõŕřš
úùûŵẅýỳÿž

Berthold-Schriftweite weit
Berthold-Schriftweite normal
Berthold-Schriftweite eng
Berthold-Schriftweite sehr eng
Berthold-Schriftweite extrem eng

In general, bodytypes are measured in the typogra phical point size. The sizes of Berthold Fototype faces can be exactly determined All faces of same point size have the same capital heig ht-irrespective of their x-h eight. In hot metal and m any other phototypesettin g systems the capital heigh ts often differ considerabl y from one face to the oth er. For measuring point si zes, a transparent size gau ge is provided. To determi ne the point size, bring a c

3,20 mm (12 p), Zeilenabstand 5,25 mm

Berthold's quick brown fox jumps over the lazy dog and feels as if he w
3,72 mm (14 p)

Berthold's quick brown fox jumps over the lazy dog and feels
4,25 mm (16 p)

Berthold's quick brown fox jumps over the lazy dog and
4,75 mm (18 p)

Berthold's quick brown fox jumps over the lazy do
5,30 mm (20 p)

Berthold's quick brown fox jumps over th
6,35 mm (24 p)

Berthold's quick brown fox jumps o
7,40 mm (28 p)

Berthold's quick brown fox jum
8,50 mm (32 p)

Berthold's quick brown fox j
9,55 mm (36 p)

Berthold-Schriften überzeugen d urch Schärfe und Qualität. Schrift qualität ist eine Frage der Erfahru ng. Berthold hat diese Erfahrung seit über hundert Jahren. Zuerst im Schriftguß, dann im Fotosatz Berthold-Schriften sind weltweit geschätzt. Im Schriftenatelier Mü

2,40 mm (9 p), Zeilenabstand 4,00 mm

Größe		Zeilenabstand			100 Zeichen		
mm	p	kp	Êp	Ex	0	−1	−2
1,33	5	2,19	2,38	–	103	100	97
1,60	6	2,63	2,88	2,50	122	118	114
1,86	7	3,00	3,31	3,00	140	136	132
2,15	8	3,50	3,81	3,50	159	154	149
2,40	9	3,88	4,25	4,00	178	172	166
2,65	10	4,31	4,69	4,00	196	189	182
2,92	11	4,75	5,19	–	215	208	201
3,20	12	5,19	5,69	5,25	233	225	217
3,45	13	5,56	6,13	–	251	243	235
3,72	14	6,00	6,56	–	270	261	252
3,98	15	6,44	7,06	–	288	279	270
4,25	16	6,88	7,50	–	306	296	286

WZ 14 E, NSW 0, MZB 0,74, F 0,21:0,09 (2,4), V H 1–x 0,68–k 1,12–p 0,49–Ê 1,27–kp 1,61–Êp 1,76
BF 089 1388, Belegung 051: 085 1416 (095 1416)

Berthold-Schriften überzeuge n durch Schärfe und Qualität Schriftqualität ist eine Frage d er Erfahrung. Berthold hat die se Erfahrung seit über hundert Jahren. Zuerst im Schriftguß d ann im Fotosatz. Berthold-Sch riften sind weltweit geschätzt

2,65 mm (10 p), Zeilenabstand 4,00 mm

fett
bold
gras

JOANNA

negra
nero
fet

Berthold-Schriften überzeugen durch Schärfe und Qualität. Schriftqualität ist eine Frage der Erfahrung. Berthold hat diese Erfahrung seit ü ber hundert Jahren. Zuerst im Schriftguß, da nn im Fotosatz. Berthold-Schriften sind weltwe it geschätzt. Im Schriftenatelier München wird jeder Buchstabe in der Größe von zwölf Zentim etern neu gezeichnet. Mit messerscharfen Kont uren, um für die Schriftscheiben das Optimale a

1,60 mm (6 p), Zeilenabstand 2,50 mm

Berthold-Schriften überzeugen durch Sc härfe und Qualität. Schriftqualität ist eine Frage der Erfahrung. Berthold hat diese Erfahrung seit über hundert Jahren. Zue rst im Schriftguß, dann im Fotosatz. Bert hold-Schriften sind weltweit geschätzt. I m Schriftenatelier München wird jeder B uchstabe in der Größe von zwölf Zentime

1,86 mm (7 p), Zeilenabstand 3,00 mm

Berthold-Schriften überzeugen dur ch Schärfe und Qualität. Schriftqual ität ist eine Frage der Erfahrung. Ber thold hat diese Erfahrung seit über h undert Jahren. Zuerst im Schriftguß dann im Fotosatz. Berthold-Schrifte n sind weltweit geschätzt. Im Schrift enatelier München wird jeder Buch

2,15 mm (8 p), Zeilenabstand 3,50 mm

Eric Gill
1930
Monotype Corp. Ltd.
H. Berthold AG

ABCDEFGHIJKLMNOPQ
RSTUVWXYZ
abcdefghijklmnopqrstuvw
xyz 1/1234567890%
(.,-;:!i?¿–)·[‘‘„“”«»‹›]
+–=/$£†*&§
ÄÅÆÖØŒÜäåæıöøœßü
ÁÀÂÃÇČÉÈÊËÍÌÎÏŁÑŇÓÒÔÕ
ŔŘŠŤÚÙÛŴẄÝỲŶŽ
áàâãçčéèêëíìîïłñňóòôõŕřš
úùûŵẅýỳŷž

Berthold-Schriftweite weit
Berthold-Schriftweite normal
Berthold-Schriftweite eng
Berthold-Schriftweite sehr eng
Berthold-Schriftweite extrem eng

In general, bodytypes are measured in the typogra phical point size. The siz es of Berthold Fototype faces can be exactly dete rmined. All faces of same point size have the same capital height–irrespect ive of their x-height. In h ot metal and many other phototypesetting system s the capital heights ofte n differ considerably fro m one face to the other. F or measuring point sizes a transparent size gauge i s provided. To determine

3,20 mm (12 p), Zeilenabstand 5,25 mm

Berthold's quick brown fox jumps over the lazy dog and feels as if he
3,72 mm (14 p)

Berthold's quick brown fox jumps over the lazy dog and fee
4,25 mm (16 p)

Berthold's quick brown fox jumps over the lazy dog
4,75 mm (18 p)

Berthold's quick brown fox jumps over the lazy
5,30 mm (20 p)

Berthold's quick brown fox jumps over
6,35 mm (24 p)

Berthold's quick brown fox jumps
7,40 mm (28 p)

Berthold's quick brown fox ju
8,50 mm (32 p)

Berthold's quick brown fox
9,55 mm (36 p)

Berthold-Schriften überzeugen d urch Schärfe und Qualität. Schri ftqualität ist eine Frage der Erfa hrung. Berthold hat diese Erfahr ung seit über hundert Jahren. Zu erst im Schriftguß, dann im Foto satz. Berthold-Schriften sind we ltweit geschätzt. Im Schriftenatel

2,40 mm (9 p), Zeilenabstand 4,00 mm

Größe		Zeilenabstand			100 Zeichen		
mm	p	kp	Êp	Ex	0	−1	−2
1,00	5	2,10	2,00		100	100	100
1,60	6	2,56	2,81	2,50	128	124	120
1,86	7	3,00	3,25	3,00	147	143	139
2,15	8	3,44	3,75	3,50	167	162	157
2,40	9	3,88	4,19	4,00	187	181	175
2,65	10	4,25	4,63	4,00	206	199	192
2,92	11	4,69	5,13	–	225	218	211
3,20	12	5,13	5,63	5,25	245	237	229
3,45	13	5,50	6,06	–	264	256	248
3,72	14	5,94	6,50	–	283	274	265
3,98	15	6,38	6,94	–	302	293	284
4,25	16	6,81	7,44	–	321	311	301

WZ 14 E, NSW 0, MZB 0,78, F 0,26:0,10 (2,6), V
H 1–x 0,71–k 1,12–p 0,47–Ê 1,27–kp 1,59–Êp 1,74
BF 089 1389, Belegung 051: 085 1405 (095 1405)

Berthold-Schriften überzeug en durch Schärfe und Qualit ät. Schriftqualität ist eine Fr age der Erfahrung. Berthold hat diese Erfahrung seit über hundert Jahren. Zuerst im Sc hriftguß, dann im Fotosatz. B erthold-Schriften sind weltw

2,65 mm (10 p), Zeilenabstand 4,00 mm

Buch
book
romain labeur

KABEL

libro
libro
buch

Berthold-Schriften überzeugen durch Schärfe und Qualität. Schrif
tqualität ist eine Frage der Erfahrung. Berthold hat diese Erfahrung
seit über hundert Jahren. Zuerst im Schriftguß, dann im Fotosatz. B
erthold-Schriften sind weltweit geschätzt. Im Schriftenatelier Mün
chen wird jeder Buchstabe in der Größe von zwölf Zentimetern n
eu gezeichnet. Mit messerscharfen Konturen, um für die Schriftsch
eiben das Optimale an Konturenschärfe herauszuholen. Um die Q
ualität des Einzelzeichens im Belichtungsvorgang zu bewahren, w
ird durch die ruhende, nicht rotierende Schriftscheibe belichtet

1,33 mm (5 p) 20 30 40 50 60

Berthold-Schriften überzeugen durch Schärfe und Qualität
Schriftqualität ist eine Frage der Erfahrung. Berthold hat diese
Erfahrung seit über hundert Jahren. Zuerst im Schriftguß, dann
im Fotosatz. Berthold-Schriften sind weltweit geschätzt. Im S
chriftenatelier München wird jeder Buchstabe in der Größe v
on zwölf Zentimetern neu gezeichnet. Mit messerscharfen Ko
nturen, um für die Schriftscheiben das Optimale an Konturen
schärfe herauszuholen. Um die Qualität des Einzelzeichens im
Belichtungsvorgang zu bewahren, wird durch die ruhende, n

1,45 mm (5,5 p) 20 30 40 50

Berthold-Schriften überzeugen durch Schärfe und Qual
ität. Schriftqualität ist eine Frage der Erfahrung. Berthold
hat diese Erfahrung seit über hundert Jahren. Zuerst im
Schriftguß, dann im Fotosatz. Berthold-Schriften sind w
eltweit geschätzt. Im Schriftenatelier München wird jed
er Buchstabe in der Größe von zwölf Zentimetern neu g
ezeichnet. Mit messerscharfen Konturen, um für die Sch
riftscheiben das Optimale an Konturenschärfe herausz
uholen. Um die Qualität des Einzelzeichens im Belic

1,60 mm (6 p) 20 30 40 50

Berthold-Schriften überzeugen durch Schärfe und
Qualität. Schriftqualität ist eine Frage der Erfahrung
Berthold hat diese Erfahrung seit über hundert Jahr
en. Zuerst im Schriftguß, dann im Fotosatz. Berthold
Schriften sind weltweit geschätzt. Im Schriftenat
elier München wird jeder Buchstabe in der Größe v
on zwölf Zentimetern neu gezeichnet. Mit messers
charfen Konturen, um für die Schriftscheiben das O
ptimale an Konturenschärfe herauszuholen. Um die

1,75 mm (6,5 p) 20 30 40 5

Berthold-Schriften überzeugen durch Schärfe un
d Qualität. Schriftqualität ist eine Frage der Erfahr
ung. Berthold hat diese Erfahrung seit über hund
ert Jahren. Zuerst im Schriftguß, dann im Fotosatz
Berthold-Schriften sind weltweit geschätzt. Im S
chriftenatelier München wird jeder Buchstabe in
der Größe von zwölf Zentimetern neu gezeichne
t. Mit messerscharfen Konturen, um für die Schrift
scheiben das Optimale an Konturenschärfe hera

1,86 mm (7 p) 20 30 40

Berthold-Schriften überzeugen durch Schärfe
und Qualität. Schriftqualität ist eine Frage der
Erfahrung. Berthold hat diese Erfahrung seit ü
ber hundert Jahren. Zuerst im Schriftguß, dann
im Fotosatz. Berthold-Schriften sind weltweit
geschätzt. Im Schriftenatelier München wird j
eder Buchstabe in der Größe von zwölf Zenti
metern neu gezeichnet. Mit messerscharfen K
onturen, um für die Schriftscheiben das O

2,00 mm (7,5 p) 20 30 40

Berthold-Schriften überzeugen durch Sch
ärfe und Qualität. Schriftqualität ist eine Fra
ge der Erfahrung. Berthold hat diese Erfahr
ung seit über hundert Jahren. Zuerst im Sch
riftguß, dann im Fotosatz. Berthold-Schrifte
n sind weltweit geschätzt. Im Schriftenateli
er München wird jeder Buchstabe in der Gr
öße von zwölf Zentimetern neu gezeichnet
Mit messerscharfen Konturen, um für die Sc

2,15 mm (8 p) 20 30 40

Photo-Lettering Inc. 1976
(Rudolf Koch 1927)
International Typeface Corp.
H. Berthold AG

ABCDEFGHIJKLMNOPQ
RSTUWWXYZ
abcdefghijklmnopqrstuvwxyz
1/1234567890%
(.,-;:!¡?¿–)·[',„"“»«]
+−=/$£†*&§
ÄÅÆÖØŒÜäåæıöøœßü
ÁÀÂÃÇČÉÈÊËÍÌÎÏĹŇÑÓÒÔÕ
ŔŘŠŤÚÙÛŴẄÝŶŸŽ
áàâãçčéèêëíìîïĺňñóòôõŕřš
úùûŵẅýỳÿž

Berthold-Schriftweite weit
Berthold-Schriftweite normal
Berthold-Schriftweite eng
Berthold-Schriftweite sehr eng
Berthold-Schriftweite extrem eng

Berthold
3,75 mm (14 p)

Berthold
4,25 mm (16 p)

Berthold
4,75 mm (18 p)

Berthold
5,30 mm (20 p)

Berthold
6,35 mm (24 p)

Berthold
7,40 mm (28 p)

Berthold
8,50 mm (32 p)

Berthold
9,55 mm (36 p)

Größe mm	p	Zeilenabstand kp	Êp	Ex	100 Zeichen 0	−1	−2
1,33	5	1,75	2,06	2,00	89	86	83
1,60	6	2,13	2,50	2,50	105	101	97
1,86	7	2,44	2,94	3,00	121	117	113
2,15	8	2,88	3,38	3,50	137	132	127
2,40	9	3,19	3,75	3,75	153	147	141
2,65	10	3,50	4,13	4,25	169	162	155
2,92	11	3,88	4,56	4,75	185	178	171
3,20	12	4,25	5,00	5,25	201	193	185
3,45	13	4,56	5,38	5,75	216	208	200
3,72	14	4,88	5,81	–	232	223	214
3,98	15	5,25	6,19	–	248	239	230
4,25	16	5,63	6,63	–	264	254	244

WZ 14 E, NSW +1, MZB 0,64, F 0,092:0,083 (1,1), VI
H 1–x 0,72–k 1,03–p 0,28–Ê 1,27–kp 1,31–Êp 1,55
BF 089 0467, Belegung 051: 085 2676 (095 2676)

Berthold-Schriften überzeugen durch
Schärfe und Qualität. Schriftqualität ist
eine Frage der Erfahrung. Berthold hat
diese Erfahrung seit über hundert Jahr
en. Zuerst im Schriftguß, dann im Fotos
atz. Berthold-Schriften sind weltweit g
eschätzt. Im Schriftenatelier München
wird jeder Buchstabe in der Größe von

2,40 mm (9 p) 20 30

Berthold-Schriften überzeugen du
rch Schärfe und Qualität. Schriftqu
alität ist eine Frage der Erfahrung. B
erthold hat diese Erfahrung seit üb
er hundert Jahren. Zuerst im Schrift
guß, dann im Fotosatz. Berthold-S
chriften sind weltweit geschätzt. Im
Schriftenatelier München wird jed

2,65 mm (10 p) 20 30

Berthold-Schriften überzeugen
durch Schärfe und Qualität. Sch
riftqualität ist eine Frage der Erfa
hrung. Berthold hat diese Erfahr
ung seit über hundert Jahren. Zu
erst im Schriftguß, dann im Foto
satz. Berthold-Schriften sind we
ltweit geschätzt. Im Schriftenate

2,92 mm (11 p) 10 20 30

Berthold-Schriften überzeug
en durch Schärfe und Qualit
ät. Schriftqualität ist eine Frag
e der Erfahrung. Berthold hat
diese Erfahrung seit über hun
dert Jahren. Zuerst im Schrift
guß, dann im Fotosatz. Bert
hold-Schriften sind weltweit

3,20 mm (12 p) 10 20

Berthold-Schriften überzeu
gen durch Schärfe und Qu
alität. Schriftqualität ist ein
e Frage der Erfahrung. Bert
hold hat diese Erfahrung se
it über hundert Jahren. Zue
rst im Schriftguß, dann im F
otosatz. Berthold-Schriften

3,45 mm (13 p) 10 20

Buch
book
romain labeur

KABEL

libro
libro
buch

Berthold-Schriften überzeugen durch Schärfe und Qualität. Schriftqua lität ist eine Frage der Erfahrung. Berthold hat diese Erfahrung seit über hundert Jahren. Zuerst im Schriftguß, dann im Fotosatz. Berthold-Schri ften sind weltweit geschätzt. Im Schriftenatelier München wird jeder Buchstabe in der Größe von zwölf Zentimetern neu gezeichnet. Mit messerscharfen Konturen, um für die Schriftscheiben das Optimale an Konturenschärfe herauszuholen. Um die Qualität des Einzelzeichens im Belichtungsvorgang zu bewahren, wird durch die ruhende, nicht ro tierende Schriftscheibe belichtet. Dieses optische System, verbunden

4,25 mm (16 p), Zeilenabstand 6,75 mm

KABEL BOOK

In general, bodytypes are measured in the ty pographical point size. The sizes of Berthold Fo totype faces can be exactly determined. All fac es of same point size have the same capital heigth–irrespective of their x-heigth. In hot met al and many other phototypesetting systems the capital heigths often differ considerably from one face to the other. For measuring point sizes, a transparent size gauge is provided. To determine the point size, bring a capital letter in to coincidence with that field which precisely circumscribes the letter at its upper and lower margin. Below the field you find the typographi cal point and below that the millimeter value which also refers to the height of a capital letter In Berthold-phototypesetting, the typewidth can be modified. The standard setting width of typefaces is determined by the principle of optimum legibility. You should not depart from this typewidth without cogent reason. A type face which is considered optically right when looked in a greater context, often seems bulky

2,40 mm (9 p), Zeilenabstand 4,25 mm

KABEL ROMAIN LABEUR

La valeur de la force de corps des caractè res de labeur èst généralement exprimée en points typographiques. La force de corps des caractères Berthold-Fototype peut être déterminée avec précision. Tous les caractères du même corps ont des ca pitales d'une hauteur identique, indépen damment de la hauteur des bas de casse sans jambage. Dans la composition plomb ainsi que dans certains systèmes de photo composition, la hauteur des capitales, varie souvent d'un caractère à l'autre. Pour dé terminer la force de corps de nos carac tères, nous avons mis au point une réglette de hauteur d'œil transparente. On cherche le rectangle qui délimite exactement la hau teur d'œil d'une capitale du caractère choi si. Sous le rectangle correspondant la va leur de la force de corps est indiquée en points Didots et en millimètres. La valeur en

2,65 mm (10 p), Zeilenabstand 4,69 mm

La indicación de las dimensiones para cuer pos de letra vásicos tiene lugar en general en puntos tipográficos. Los cuerpos de letra de los caracteres Berthold Fototype pueden de terminarse exactemente par medición. Con independencia de la altura de sus longitudes centrales, todos los caracteres de idéntico cuerpo de letra presentan altura de mayús culas idéntica. En la composición en plomo y

2,15 mm (8 p), –1, Zeilenabstand 3,38 mm

123,– $	456,– £	7890,– DM	1 %
234,– $	789,– £	1234,– DM	2 %
567,– $	12,– £	5678,– DM	3 %
890,– $	345,– £	9012,– DM	4 %
123,– $	678,– £	3456,– DM	5 %
456,– $	901,– £	7890,– DM	6 %
789,– $	234,– £	1234,– DM	7 %
12,– $	567,– £	5678,– DM	8 %
345,– $	890,– £	9012,– DM	9 %

BF 089 0468

Le misure relative al corpo dei caratteri vengo no generalmente indicate in punti tipografici. Il corpo dei caratteri Fototypes può essere de terminato con esattezza per semplice misurazi one. Tutti i caratteri di uguale grandezza in punti hanno, indipendentemente dalla loro lunghez za, uguale altezza delle maiuscole. Nella com posizione in piombo ed in molti altri sistemi di fotocomposizione, l'altezza delle maiuscole

2,15 mm (8 p), –2, Zeilenabstand 3,38 mm

normal
medium
normal

KABEL

normal
chiaro tondo
normal

Berthold-Schriften überzeugen durch Schärfe und Qualität. Schri
ftqualität ist eine Frage der Erfahrung. Berthold hat diese Erfahru
ng seit über hundert Jahren. Zuerst im Schriftguß, dann im Fotosat
z. Berthold-Schriften sind weltweit geschätzt. Im Schriftenatelier
München wird jeder Buchstabe in der Größe von zwölf Zentimet
ern neu gezeichnet. Mit messerscharfen Konturen, um für die Schr
iftscheiben das Optimale an Konturenschärfe herauszuholen. Um
die Qualität des Einzelzeichens im Belichtungsvorgang zu bewah
ren, wird durch die ruhende, nicht rotierende Schriftscheibe beli

1,33 mm (5 p) 20 30 40 50 6

Berthold-Schriften überzeugen durch Schärfe und Qualität
Schriftqualität ist eine Frage der Erfahrung. Berthold hat dies
e Erfahrung seit über hundert Jahren. Zuerst im Schriftguß, d
ann im Fotosatz. Berthold-Schriften sind weltweit geschätzt
Im Schriftenatelier München wird jeder Buchstabe in der Gr
öße von zwölf Zentimetern neu gezeichnet. Mit messerscha
rfen Konturen, um für die Schriftscheiben das Optimale an K
onturenschärfe herauszuholen. Um die Qualität des Einzelze
ichens im Belichtungsvorgang zu bewahren, wird durch

1,45 mm (5,5 p) 20 30 40 50

Berthold-Schriften überzeugen durch Schärfe und Qu
alität. Schriftqualität ist eine Frage der Erfahrung. Berth
old hat diese Erfahrung seit über hundert Jahren. Zuerst
im Schriftguß, dann im Fotosatz. Berthold-Schriften sind
weltweit geschätzt. Im Schriftenatelier München wird j
eder Buchstabe in der Größe von zwölf Zentimetern n
eu gezeichnet. Mit messerscharfen Konturen, um für die
Schriftscheiben das Optimale an Konturenschärfe hera
uszuholen. Um die Qualität des Einzelzeichens im Belic

1,60 mm (6 p) 20 30 40 5

Berthold-Schriften überzeugen durch Schärfe und
Qualität. Schriftqualität ist eine Frage der Erfahrun
g. Berthold hat diese Erfahrung seit über hundert J
ahren. Zuerst im Schriftguß, dann im Fotosatz. Bert
hold-Schriften sind weltweit geschätzt. Im Schrifte
natelier München wird jeder Buchstabe in der Grö
ße von zwölf Zentimetern neu gezeichnet. Mit mes
serscharfen Konturen, um für die Schriftscheiben d
as Optimale an Konturenschärfe herauszuholen. U

1,75 mm (6,5 p) 20 30 40

Berthold-Schriften überzeugen durch Schärfe u
nd Qualität. Schriftqualität ist eine Frage der Erf
ahrung. Berthold hat diese Erfahrung seit über h
undert Jahren. Zuerst im Schriftguß, dann im Fot
osatz. Berthold-Schriften sind weltweit geschät
zt. Im Schriftenatelier München wird jeder Buch
stabe in der Größe von zwölf Zentimetern neu g
ezeichnet. Mit messerscharfen Konturen, um für
die Schriftscheiben das Optimale an Kontur

1,86 mm (7 p) 20 30 40

Berthold-Schriften überzeugen durch Schärf
e und Qualität. Schriftqualität ist eine Frage d
er Erfahrung. Berthold hat diese Erfahrung se
it über hundert Jahren. Zuerst im Schriftg
uß, dann im Fotosatz. Berthold-Schriften sind
weltweit geschätzt. Im Schriftenatelier Münc
hen wird jeder Buchstabe in der Größe von z
wölf Zentimetern neu gezeichnet. Mit messe
rscharfen Konturen, um für die Schriftscheib

2,00 mm (7,5 p) 20 30 40

Berthold-Schriften überzeugen durch Sch
ärfe und Qualität. Schriftqualität ist eine Fr
age der Erfahrung. Berthold hat diese Erfa
hrung seit über hundert Jahren. Zuerst im S
chriftguß, dann im Fotosatz. Berthold-Schr
iften sind weltweit geschätzt. Im Schriften
atelier München wird jeder Buchstabe in d
er Größe von zwölf Zentimetern neu gezei
chnet. Mit messerscharfen Konturen, um für

2,15 mm (8 p) 20 30

Photo-Lettering Inc. 1976
(Rudolf Koch 1927)
International Typeface Corp.
H. Berthold AG

ABCDEFGHIJKLMNOPQ
RSTUVWXYZ
abcdefghijklmnopqrstuvwxyz
1/1234567890%
(.,-;:!¡?¿–) · ["„"“»«]
+—=/$£†*&§
ÄÅÆÖØŒÜäåæıöøœßü
ÁÀÂÃÇČÉÈÊËÍÌÎÏĹŇÑÓÒÔÕ
ŔŘŠŤÚÙÛŴẄÝỲŶŸŽ
áàâãçčéèêëíìîïĺňñóòôõŕřš
úùûŵẅýỳŷÿž

Berthold-Schriftweite weit
Berthold-Schriftweite normal
Berthold-Schriftweite eng
Berthold-Schriftweite sehr eng
Berthold-Schriftweite extrem eng

Berthold
3,75 mm (14 p)

Berthold
4,25 mm (16 p)

Berthold
4,75 mm (18 p)

Berthold
5,30 mm (20 p)

Berthold
6,35 mm (24 p)

Berthold
7,40 mm (28 p)

Berthold
8,50 mm (32 p)

Berthold
9,55 mm (36 p)

Größe		Zeilenabstand			100 Zeichen		
mm	p	kp	Êp	Ex	0	−1	−2
1,33	5	1,75	2,06	2,00	92	89	86
1,60	6	2,13	2,50	2,50	108	104	101
1,86	7	2,44	2,88	3,00	124	120	116
2,15	8	2,81	3,31	3,50	141	136	131
2,40	9	3,13	3,69	3,75	158	152	146
2,65	10	3,44	4,06	4,25	173	166	159
2,92	11	3,81	4,50	4,75	190	183	176
3,20	12	4,19	4,94	5,25	206	198	190
3,45	13	4,50	5,31	5,75	223	215	207
3,72	14	4,81	5,75	—	238	229	220
3,98	15	5,19	6,13	—	255	246	237
4,25	16	5,50	6,56	—	271	261	251

WZ 14 E, NSW 0, MZB 0,65, F 0,14:0,13 (1,1), VI
H 1–x 0,75–k 1,03–p 0,26–Ê 1,27–kp 1,29–Êp 1,53
BF 089 0469, Belegung 051: 085 2679 (095 2679)

Berthold-Schriften überzeugen durch
Schärfe und Qualität. Schriftqualität ist
eine Frage der Erfahrung. Berthold hat
diese Erfahrung seit über hundert Jahr
en. Zuerst im Schriftguß, dann im Foto
satz. Berthold-Schriften sind weltweit
geschätzt. Im Schriftenatelier Münche
n wird jeder Buchstabe in der Größe v

2,40 mm (9 p) 20 30

Berthold-Schriften überzeugen d
urch Schärfe und Qualität. Schriftq
ualität ist eine Frage der Erfahrung
Berthold hat diese Erfahrung seit ü
ber hundert Jahren. Zuerst im Schr
iftguß, dann im Fotosatz. Berthold
Schriften sind weltweit geschätzt
Im Schriftenatelier München wird j

2,65 mm (10 p) 10 20 30

Berthold-Schriften überzeugen
durch Schärfe und Qualität. Sch
riftqualität ist eine Frage der Erf
ahrung. Berthold hat diese Erfa
hrung seit über hundert Jahren
Zuerst im Schriftguß, dann im
Fotosatz. Berthold-Schriften sin
d weltweit geschätzt. Im Schrift

2,92 mm (11 p) 10 20

Berthold-Schriften überzeug
en durch Schärfe und Qualit
ät. Schriftqualität ist eine Frag
e der Erfahrung. Berthold hat
diese Erfahrung seit über hun
dert Jahren. Zuerst im Schri
ftguß, dann im Fotosatz. Bert
hold-Schriften sind weltweit

3,20 mm (12 p) 10 20

Berthold-Schriften überze
ugen durch Schärfe und Q
ualität. Schriftqualität ist ei
ne Frage der Erfahrung. Be
rthold hat diese Erfahrung
seit über hundert Jahren. Z
uerst im Schriftguß, dann im
Fotosatz. Berthold-Schrifte

3,45 mm (13 p) 10 20

normal
medium
normal

KABEL

normal
chiaro tondo
normal

Berthold-Schriften überzeugen durch Schärfe und Qualität. Schriftqu alität ist eine Frage der Erfahrung. Berthold hat diese Erfahrung seit üb er hundert Jahren. Zuerst im Schriftguß, dann im Fotosatz. Berthold Schriften sind weltweit geschätzt. Im Schriftenatelier München wird jeder Buchstabe in der Größe von zwölf Zentimetern neu gezeichnet Mit messerscharfen Konturen, um für die Schriftscheiben das Optima le an Konturenschärfe herauszuholen. Um die Qualität des Einzelzeic hens im Belichtungsvorgang zu bewahren, wird durch die ruhende, ni cht rotierende Schriftscheibe belichtet. Dieses optische System, verb

4,25 mm (16 p), Zeilenabstand 6,75 mm

KABEL MEDIUM

In general, bodytypes are measured in the ty pographical point size. The sizes of Berthold Fototype faces can be exactly determined. All faces of same point size have the same capital heigth–irrespective of their x-heigth. In hot metal and many other phototypesetting sys tems the capital heigths often differ consider ably from one face to the other. For measur ing point sizes, a transparent size gauge is pro vided. To determine the point size, bring a capi tal letter into coincidence with that field which precisely circumscribes the letter at its upper and lower margin. Below the field you find the typographical point and below that the millimeter value, which also refers to the height of a capital letter. In Berthold-phototypeset ting, the typewidth can be modified. The stand ard setting width of typefaces is determined by the principle of optimum legibility. You should not depart from this typewidth without cogent reason. A typeface which is considered optically right when looked in a greater con

2,40 mm (9 p), Zeilenabstand 4,25 mm

KABEL NORMAL

La valeur de la force de corps des caractè res de labeur èst généralement exprimée en points typographiques. La force de corps des caractères Berthold-Fototype peut être déterminée avec précision. Tous les caractères du même corps ont des ca pitales d'une hauteur identique, indépen damment de la hauteur des bas de casse sans jambage. Dans la composition plomb ainsi que dans certains systèmes de pho tocomposition, la hauteur des capitales varie souvent d'un caractère à l'autre. Pour déterminer la force de corps de nos carac tères, nous avons mis au point une réglette de hauteur d'œil transparente. On cher che le rectangle qui délimite exactement la hauteur d'œil d'une capitale du caractère choisi. Sous le rectangle correspondant la valeur de la force de corps est indiquée en points Didots et en millimètres. La valeur en

2,65 mm (10 p), Zeilenabstand 4,69 mm

La indicación de las dimensiones para cuer pos de letra vásicos tiene lugar en general en puntos tipográficos. Los cuerpos de letra de los caracteres Berthold Fototype pueden determinarse exactemente par medición Con Independencia de la altura de sus longi tudes centrales, todos los caracteres de idéntico cuerpo de letra presentan altura de mayúsculas idéntica. En la composición en

2,15 mm (8 p), –1, Zeilenabstand 3,38 mm

123,– $	456,– £	7890,– DM	1 %
234,– $	789,– £	1234,– DM	2 %
567,– $	12,– £	5678,– DM	3 %
890,– $	345,– £	9012,– DM	4 %
123,– $	678,– £	3456,– DM	5 %
456,– $	901,– £	7890,– DM	6 %
789,– $	234,– £	1234,– DM	7 %
12,– $	567,– £	5678,– DM	8 %
345,– $	890,– £	9012,– DM	9 %

BF 089 0470

Le misure relative al corpo dei caratteri vengo no generalmente indicate in punti tipografici. Il corpo dei caratteri Fototypes può essere de terminato con esattezza per semplice misura zione. Tutti i caratteri di uguale grandezza in punti hanno, indipendentemente dalla loro lunghezza, uguale altezza delle maiuscole. Nel la composizione in piombo ed in molti altri sis temi di fotocomposizione, l'altezza delle mai

2,15 mm (8 p), –2, Zeilenabstand 3,38 mm

halbfett
demi
demi-gras

KABEL

seminegra
neretto
halvfet

Berthold-Schriften überzeugen durch Schärfe und Qu alität. Schriftqualität ist eine Frage der Erfahrung. Bert hold hat diese Erfahrung seit über hundert Jahren. Zu erst im Schriftguß, dann im Fotosatz. Berthold-Schrift en sind weltweit geschätzt. Im Schriftenatelier Münch en wird jeder Buchstabe in der Größe von zwölf Zenti metern neu gezeichnet. Mit messerscharfen Konturen um für die Schriftscheiben das Optimale an Konturens chärfe herauszuholen. Um die Qualität des Einzelzeich

1,60 mm (6 p), Zeilenabstand 2,50 mm

Berthold-Schriften überzeugen durch Schärfe und Qualität. Schriftqualität ist eine Frage der Erfahrung. Berthold hat diese Erfahrung seit über hundert Jahren. Zuerst im Schriftguß, dann im Fotosatz. Berthold-Schriften sind weltweit geschätzt. Im Schriftenatelier München wird je der Buchstabe in der Größe von zwölf Zentimet ern neu gezeichnet. Mit messerscharfen Kontur

1,86 mm (7 p), Zeilenabstand 3,00 mm

Berthold-Schriften überzeugen durch Sch ärfe und Qualität. Schriftqualität ist eine Fr age der Erfahrung. Berthold hat diese Erfa hrung seit über hundert Jahren. Zuerst im Schriftguß, dann im Fotosatz. Berthold-Sc hriften sind weltweit geschätzt. Im Schrift enatelier München wird jeder Buchstabe in der Größe von zwölf Zentimetern neu

2,15 mm (8 p), Zeilenabstand 3,50 mm

Photo-Lettering Inc. 1976
(Rudolf Koch 1927)
International Typeface Corp.
H. Berthold AG

ABCDEFGHIJKLMNOPQ
RSTUVWXYZ
abcdefghijklmnopqrstuvwxyz
1/1234567890%
(.,-;:!¡?¿–)·[‘‚„“»«]
+−=/$£†*&§
ÄÅÆÖØŒÜäåæıöøœßü
ÁÀÂÃÇČÉÈÊËÍÌÎÏĹŇÑÓÒÔÕ
ŔŘŠŤÚÙÛŴẄÝŶŸŽ
áàâãçčéèêëíìîïĺňñóòôõŕřš
úùûŵẅýỳÿž

Berthold-Schriftweite weit
Berthold-Schriftweite normal
Berthold-Schriftweite eng
Berthold-Schriftweite sehr eng
Berthold-Schriftweite extrem eng

In general, bodytypes are m easured in the typographical point size. The sizes of Ber thold Fototype faces can be exactly determined. All face s of same point size have the same capital height–irre spective of their x-height. In hot metal and many other phototypesetting systems t he capital heights often diff er considerably from one fa ce to the other. For measurin g point sizes, a transparent si ze gauge is provided. To det ermine the point size, bring a capital letter into coinciden

3,20 mm (12 p), Zeilenabstand 5,25 mm

Berthold's quick brown fox jumps over the lazy dog and feels as if he were in t
3,75 mm (14 p)

Berthold's quick brown fox jumps over the lazy dog and feels as if he
4,25 mm (16 p)

Berthold's quick brown fox jumps over the lazy dog and feels
4,75 mm (18 p)

Berthold's quick brown fox jumps over the lazy dog an
5,30 mm (20 p)

Berthold's quick brown fox jumps over the laz
6,35 mm (24 p)

Berthold's quick brown fox jumps over
7,40 mm (28 p)

Berthold's quick brown fox jumps
8,50 mm (32 p)

Berthold's quick brown fox ju
9,55 mm (36 p)

Berthold-Schriften überzeugen durch Schärfe und Qualität. Schriftqualität i st eine Frage der Erfahrung. Bertho ld hat diese Erfahrung seit über hund ert Jahren. Zuerst im Schriftguß, dann im Fotosatz. Berthold-Schriften sind weltweit geschätzt. Im Schriftenateli er München wird jeder Buchstabe in d

2,40 mm (9 p), Zeilenabstand 4,00 mm

Größe		Zeilenabstand			100 Zeichen		
mm	p	kp	Êp	Ex	0	−1	−2
1,33	5	1,69	2,13	–	91	88	85
1,60	6	2,06	2,50	2,50	107	103	99
1,86	7	2,38	2,94	3,00	123	119	115
2,15	8	2,75	3,38	3,50	140	135	130
2,40	9	3,06	3,75	4,00	157	151	145
2,65	10	3,38	4,19	4,00	173	166	159
2,92	11	3,69	4,56	–	189	182	175
3,20	12	4,06	5,00	5,25	205	197	189
3,45	13	4,38	5,44	–	221	213	205
3,72	14	4,69	5,81	–	237	228	219
3,98	15	5,06	6,25	–	253	244	235
4,25	16	5,38	6,69	–	269	259	249

WZ 14 E, NSW +1, MZB 0,65, F 0,18:0,14 (1,3), VI
H 1–x 0,75–k 1,01–p 0,25–Ê 1,31–kp 1,26–Êp 1,56
BF 089 0471, Belegung 051: 085 2680 (095 2680)

Berthold-Schriften überzeugen d urch Schärfe und Qualität. Schrift qualität ist eine Frage der Erfahru ng. Berthold hat diese Erfahrung s eit über hundert Jahren. Zuerst im Schriftguß, dann im Fotosatz. B erthold-Schriften sind weltweit g eschätzt. Im Schriftenatelier Münc

2,65 mm (10 p), Zeilenabstand 4,00 mm

fett
bold
gras

KABEL

negro
nero
fet

Berthold-Schriften überzeugen durch Schärfe und Qualität. Schriftqualität ist eine Frage der Erfahrung Berthold hat diese Erfahrung seit über hundert Jahr en. Zuerst im Schriftguß, dann im Fotosatz. Berthold Schriften sind weltweit geschätzt. Im Schriftenatelier München wird jeder Buchstabe in der Größe von zwölf Zentimetern neu gezeichnet. Mit messerscharfen Ko nturen, um für die Schriftscheiben das Optimale an Konturenschärfe herauszuholen. Um die Qualität des

1,60 mm (6 p), Zeilenabstand 2,50 mm

Berthold-Schriften überzeugen durch Schärfe und Qualität. Schriftqualität ist eine Frage der Erfahrung. Berthold hat diese Erfahrung seit über hundert Jahren. Zuerst im Schriftguß, da nn im Fotosatz. Berthold-Schriften sind weltw eit geschätzt. Im Schriftenatelier München wi rd jeder Buchstabe in der Größe von zwölf Ze ntimetern neu gezeichnet. Mit messerscharfen

1,86 mm (7 p), Zeilenabstand 3,00 mm

Berthold-Schriften überzeugen durch Sc härfe und Qualität. Schriftqualität ist eine Frage der Erfahrung. Berthold hat diese Erfahrung seit über hundert Jahren. Zuer st im Schriftguß, dann im Fotosatz. Berth old-Schriften sind weltweit geschätzt. Im Schriftenatelier München wird jeder Buc hstabe in der Größe von zwölf Zentimet

2,15 mm (8 p), Zeilenabstand 3,50 mm

Photo-Lettering Inc. 1976
(Rudolf Koch 1927)
International Typeface Corp.
H. Berthold AG

ABCDEFGHIJKLMNOPQ
RSTUVWXYZ
abcdefghijklmnopqrstuvwxyz
1/1234567890%
(.,-;:!¡?¿–)·[',,"“»«]
+−=/$£†*&§
ÄÅÆÖØŒÜäåæıöøœßü
ÁÀÂÃÇČÉÈÊËÍÌÎÏĹŇÑÓÒÔÕ
ŔŘŠŤÚÙÛŴẄÝŶŸŽ
áàâãçčéèêëíìîïĺňñóòôõŕřš
úùûŵẅýỳÿž

Berthold-Schriftweite weit
Berthold-Schriftweite normal
Berthold-Schriftweite eng
Berthold-Schriftweite sehr eng
Berthold-Schriftweite extrem eng

In general, bodytypes are measured in the typograph ical point size. The sizes of Berthold Fototype faces ca n be exactly determined. A ll faces of same point size h ave the same capital heigth irrespective of their x-hei gth. In hot metal and many other phototypesetting sy stems the capital heigths of ten differ considerably fro m one face to the other. For measuring point sizes, a tra nsparent size gauge is prov ided. To determine the poi nt size, bring a capital letter

3,20 mm (12 p), Zeilenabstand 5,25 mm

Berthold's quick brown fox jumps over the lazy dog and feels as if he were in
3,75 mm (14 p)

Berthold's quick brown fox jumps over the lazy dog and feels as if
4,25 mm (16 p)

Berthold's quick brown fox jumps over the lazy dog and fe
4,75 mm (18 p)

Berthold's quick brown fox jumps over the lazy dog a
5,30 mm (20 p)

Berthold's quick brown fox jumps over the la
6,35 mm (24 p)

Berthold's quick brown fox jumps over
7,40 mm (28 p)

Berthold's quick brown fox jumps
8,50 mm (32 p)

Berthold's quick brown fox ju
9,55 mm (36 p)

Berthold-Schriften überzeugen dur ch Schärfe und Qualität. Schriftquali tät ist eine Frage der Erfahrung. Bert hold hat diese Erfahrung seit über hu ndert Jahren. Zuerst im Schriftguß, d ann im Fotosatz. Berthold-Schriften sind weltweit geschätzt. Im Schrifte natelier München wird jeder Buchsta

2,40 mm (9 p), Zeilenabstand 4,00 mm

Größe		Zeilenabstand			100 Zeichen		
mm	p	kp	Êp	Ex	0	−1	−2
1,33	5	1,75	2,06		93	90	87
1,60	6	2,06	2,50	2,50	109	105	101
1,86	7	2,38	2,88	3,00	126	122	118
2,15	8	2,75	3,31	3,50	143	138	133
2,40	9	3,06	3,75	4,00	160	154	148
2,65	10	3,38	4,13	4,00	177	170	163
2,92	11	3,75	4,50	–	193	186	179
3,20	12	4,13	4,94	5,25	209	201	193
3,45	13	4,44	5,38	–	226	218	210
3,72	14	4,75	5,75	–	242	233	224
3,98	15	5,06	6,19	–	259	250	241
4,25	16	5,44	6,56	–	275	265	255

WZ 14 E, NSW 0, MZB 0,67, F 0,23:0,16 (1,4), VI
H 1–x 0,75–k 1,01–p 0,26–Ê 1,28–kp 1,27–Êp 1,54
BF 089 0472, Belegung 051: 085 2678 (095 2678)

Berthold-Schriften überzeugen durch Schärfe und Qualität. Schr iftqualität ist eine Frage der Erfa hrung. Berthold hat diese Erfahr ung seit über hundert Jahren. Zu erst im Schriftguß, dann im Fotos atz. Berthold-Schriften sind welt weit geschätzt. Im Schriftenateli

2,65 mm (10 p), Zeilenabstand 4,00 mm

ultra
ultra
ultra

KABEL

ultra
ultra
ultra

Berthold-Schriften überzeugen durch Schärfe und Qu alität. Schriftqualität ist eine Frage der Erfahrung. Bert hold hat diese Erfahrung seit über hundert Jahren. Zu erst im Schriftguß, dann im Fotosatz. Berthold-Schrift en sind weltweit geschätzt. Im Schriftenatelier Münch en wird jeder Buchstabe in der Größe von zwölf Zentim etern neu gezeichnet. Mit messerscharfen Konturen um für die Schriftscheiben das Optimale an Konturens chärfe herauszuholen. Um die Qualität des Einzelzeich

1,60 mm (6 p), Zeilenabstand 2,50 mm

Berthold-Schriften überzeugen durch Schärfe und Qualität. Schriftqualität ist eine Frage der Erfahrung. Berthold hat diese Erfahrung seit über hundert Jahren. Zuerst im Schriftguß, dann im Fotosatz. Berthold-Schriften sind weltweit geschätzt. Im Schriftenatelier München wird je der Buchstabe in der Größe von zwölf Zentimet ern neu gezeichnet. Mit messerscharfen Kontur

1,86 mm (7 p), Zeilenabstand 3,00 mm

Berthold-Schriften überzeugen durch Sch ärfe und Qualität. Schriftqualität ist eine Frage der Erfahrung. Berthold hat diese Er fahrung seit über hundert Jahren. Zuerst im Schriftguß, dann im Fotosatz. Berthold Schriften sind weltweit geschätzt. Im Schri ftenatelier München wird jeder Buchstabe in der Größe von zwölf Zentimetern neu

2,15 mm (8 p), Zeilenabstand 3,50 mm

**Photo-Lettering Inc. 1976
(Rudolf Koch 1927)
International Typeface Corp.
H. Berthold AG**

**ABCDEFGHIJKLMNOPQ
RSTUVWXYZ
abcdefghijklmnopqrstuvwxyz
1/1234567890%
(.,-;:!¡?¿–)·["„""»«]
+−=/$£†*&§
ÄÅÆÖØŒÜäåæıöøœßü
ÁÀÂÃÇČÉÈÊËÍÌÎÏĹŇÑÓÒÔÕ
ŔŘŠŤÚÙÛŴẄÝỲŶŸŽ
áàâãçčéèêëíìîïĺňñóòôõŕřš
úùûŵẅýỳŷÿž**

**Berthold-Schriftweite weit
Berthold-Schriftweite normal
Berthold-Schriftweite eng
Berthold-Schriftweite sehr eng
Berthold-Schriftweite extrem eng**

In general, bodytypes are m easured in the typographical point size. The sizes of Ber thold Fototype faces can be exactly determined. All fac es of same point size have the same capital heigth–irre spective of their x-heigth. In hot metal and many other phototypesetting systems t he capital heigths often diff er considerably from one fa ce to the other. For measurin g point sizes, a transparent s ize gauge is provided. To det ermine the point size, bring a capital letter into coinciden

3,20 mm (12 p), Zeilenabstand 5,25 mm

Berthold's quick brown fox jumps over the lazy dog and feels as if he were in t
3,75 mm (14 p)

Berthold's quick brown fox jumps over the lazy dog and feels as if he
4,25 mm (16 p)

Berthold's quick brown fox jumps over the lazy dog and feels
4,75 mm (18 p)

Berthold's quick brown fox jumps over the lazy dog and
5,30 mm (20 p)

Berthold's quick brown fox jumps over the laz
6,35 mm (24 p)

Berthold's quick brown fox jumps over
7,40 mm (28 p)

Berthold's quick brown fox jumps
8,50 mm (32 p)

Berthold's quick brown fox ju
9,55 mm (36 p)

Berthold-Schriften überzeugen durch Schärfe und Qualität. Schriftqualität i st eine Frage der Erfahrung. Bertho ld hat diese Erfahrung seit über hund ert Jahren. Zuerst im Schriftguß, dann im Fotosatz. Berthold-Schriften sind weltweit geschätzt. Im Schriftenatel ier München wird jeder Buchstabe in

2,40 mm (9 p), Zeilenabstand 4,00 mm

Größe		Zeilenabstand			100 Zeichen		
mm	p	kp	Êp	Ex	0	−1	−2
1,33	5	1,75	2,06	—	90	87	84
1,60	6	2,06	2,50	2,50	106	102	98
1,86	7	2,38	2,94	3,00	122	118	114
2,15	8	2,75	3,38	3,50	139	134	129
2,40	9	3,06	3,75	4,00	156	150	144
2,65	10	3,38	4,13	4,00	172	165	158
2,92	11	3,75	4,56	—	188	181	174
3,20	12	4,13	5,00	5,25	204	196	188
3,45	13	4,44	5,38	—	220	212	204
3,72	14	4,75	5,81	—	236	227	218
3,98	15	5,06	6,19	—	252	243	234
4,25	16	5,44	6,63	—	268	258	248

WZ 14 E, NSW 0, MZB 0,65, F 0,29:0,15 (2,0), VI
H 1–x 0,75–k 1,04–p 0,23–Ê 1,32–kp 1,27–Êp 1,55
BF 089 0473, Belegung 051: 085 2677 (095 2677)

Berthold-Schriften überzeugen d urch Schärfe und Qualität. Schrift qualität ist eine Frage der Erfahru ng. Berthold hat diese Erfahrung s eit über hundert Jahren. Zuerst im Schriftguß, dann im Fotosatz. B erthold-Schriften sind weltweit g eschätzt. Im Schriftenatelier Mün

2,65 mm (10 p), Zeilenabstand 4,00 mm

leicht
light
maigre

KABEL

fina
chiarissimo
mager

Berthold-Schriften überzeugen durch Schärfe und Qualität. Schriftqualität ist eine Frage d
er Erfahrung. Berthold hat diese Erfahrung seit über hundert Jahren. Zuerst im Schriftguß, d
ann im Fotosatz. Berthold-Schriften sind weltweit geschätzt. Im Schriftenatelier München
wird jeder Buchstabe in der Größe von zwölf Zentimetern neu gezeichnet. Mit messersch
arfen Konturen, um für die Schriftscheiben das Optimale an Konturenschärfe herauszuhole
n. Um die Qualität des Einzelzeichens im Belichtungsvorgang zu bewahren, wird durch die
ruhende, nicht rotierende Schriftscheibe belichtet. Dieses optische System, verbunden mit
Präzisions-Chromglasscheiben, führt zu einer Schriftqualität, die im Layout- und Mengensa
tz nicht ihresgleichen findet. Bei den hier gezeigten Zeilen handelt es sich um einen fingierte

1,33 mm (5 p) 30 40 50 60 70 80

Berthold-Schriften überzeugen durch Schärfe und Qualität. Schriftqualität ist eine Fra
ge der Erfahrung. Berthold hat diese Erfahrung seit über hundert Jahren. Zuerst im Sch
riftguß, dann im Fotosatz. Berthold-Schriften sind weltweit geschätzt. Im Schriftenatel
ier München wird jeder Buchstabe in der Größe von zwölf Zentimetern neu gezeich
net. Mit messerscharfen Konturen, um für die Schriftscheiben das Optimale an Kontur
enschärfe herauszuholen. Um die Qualität des Einzelzeichens im Belichtungsvorgang
zu bewahren, wird durch die ruhende, nicht rotierende Schriftscheibe belichtet. Dies
es optische System, verbunden mit Präzisions-Chromglasscheiben, führt zu einer Schri
ftqualität, die im Layout- und Mengensatz nicht ihresgleichen findet. Bei den hier geze

1,45 mm (5,5 p) 30 40 50 60 70 80

Berthold-Schriften überzeugen durch Schärfe und Qualität. Schriftqualität ist
eine Frage der Erfahrung. Berthold hat diese Erfahrung seit über hundert Jahr
en. Zuerst im Schriftguß, dann im Fotosatz. Berthold-Schriften sind weltweit g
eschätzt. Im Schriftenatelier München wird jeder Buchstabe in der Größe vo
n zwölf Zentimetern neu gezeichnet. Mit messerscharfen Konturen, um für die
Schriftscheiben das Optimale an Konturenschärfe herauszuholen. Um die Q
ualität des Einzelzeichens im Belichtungsvorgang zu bewahren, wird durch di
e ruhende, nicht rotierende Schriftscheibe belichtet. Dieses optische System
verbunden mit Präzisions-Chromglasscheiben, führt zu einer Schriftqualität, d

1,60 mm (6 p) 30 40 50 60 70

Berthold-Schriften überzeugen durch Schärfe und Qualität. Schriftquali
tät ist eine Frage der Erfahrung. Berthold hat diese Erfahrung seit über hun
dert Jahren. Zuerst im Schriftguß, dann im Fotosatz. Berthold-Schriften s
ind weltweit geschätzt. Im Schriftenatelier München wird jeder Buchsta
be in der Größe von zwölf Zentimetern neu gezeichnet. Mit messersch
arfen Konturen, um für die Schriftscheiben das Optimale an Konturensch
ärfe herauszuholen. Um die Qualität des Einzelzeichens im Belichtungsv
organg zu bewahren, wird durch die ruhende, nicht rotierende Schriftsc
cheibe belichtet. Dieses optische System, verbunden mit Präzisions-Chr

1,75 mm (6,5 p) 30 40 50 60 7

Berthold-Schriften überzeugen durch Schärfe und Qualität. Schriftq
ualität ist eine Frage der Erfahrung. Berthold hat diese Erfahrung seit ü
ber hundert Jahren. Zuerst im Schriftguß, dann im Fotosatz. Berthold
Schriften sind weltweit geschätzt. Im Schriftenatelier München wird
jeder Buchstabe in der Größe von zwölf Zentimetern neu gezeichne
t. Mit messerscharfen Konturen, um für die Schriftscheiben das Opti
imale an Konturenschärfe herauszuholen. Um die Qualität des Einze
lzeichens im Belichtungsvorgang zu bewahren, wird durch die ruhen
de, nicht rotierende Schriftscheibe belichtet. Dieses optische System

1,86 mm (7 p) 20 30 40 50 60

Berthold-Schriften überzeugen durch Schärfe und Qualität. Sch
riftqualität ist eine Frage der Erfahrung. Berthold hat diese Erfahru
ng seit über hundert Jahren. Zuerst im Schriftguß, dann im Fotos
atz. Berthold-Schriften sind weltweit geschätzt. Im Schriftenateli
er München wird jeder Buchstabe in der Größe von zwölf Zen
timetern neu gezeichnet. Mit messerscharfen Konturen, um für di
e Schriftscheiben das Optimale an Konturenschärfe herauszuho
len. Um die Qualität des Einzelzeichens im Belichtungsvorgang
zu bewahren, wird durch die ruhende, nicht rotierende Schriftsc

2,00 mm (7,5 p) 20 30 40 50 60

Berthold-Schriften überzeugen durch Schärfe und Qualität.
Schriftqualität ist eine Frage der Erfahrung. Berthold hat diese
Erfahrung seit über hundert Jahren. Zuerst im Schriftguß, dan
n im Fotosatz. Berthold-Schriften sind weltweit geschätzt. Im
Schriftenatelier München wird jeder Buchstabe in der Größ
e von zwölf Zentimetern neu gezeichnet. Mit messerscharfen
Konturen, um für die Schriftscheiben das Optimale an Kontu
renschärfe herauszuholen. Um die Qualität des Einzelzeiche
ns im Belichtungsvorgang zu bewahren, wird durch die ruhe

2,15 mm (8 p) 20 30 40 50

Rudolf Koch
1927
D. Stempel AG
H. Berthold AG

ABCDEFGHIJKLMNOPQ
RSTUVWXYZ
abcdefghijklmnopqrstuvwxyz
1/1234567890%
(.,-;:!¡?¿–)·[',„""»«]
+–=/$£†*&§
ÄÅÆÖØŒÜäåæıöøœßü
ÁÀÂÃÇČÉÈÊËÍÌÎÏĹŇÑÓÒÔÕ
ŔŘŠŤÚÙÛŴẄÝŶŸŽ
áàâãçčéèêëíìîïĺňñóòôõŕřš
úùûŵẅýỳÿž

Berthold-Schriftweite weit
Berthold-Schriftweite normal
Berthold-Schriftweite eng
Berthold-Schriftweite sehr eng
Berthold-Schriftweite extrem eng

Berthold
3,72 mm (14 p)

Berthold
4,25 mm (16 p)

Berthold
4,75 mm (18 p)

Berthold
5,30 mm (20 p)

Berthold
6,35 mm (24 p)

Berthold
7,40 mm (28 p)

Berthold
8,50 mm (32 p)

Berthold
9,55 mm (36 p)

Größe		Zeilenabstand			100 Zeichen		
mm	p	kp	Êp	Ex	0	–1	–2
1,33	5	[illegible]	1,94	2,00	64	61	58
1,60	6	1,94	2,38	2,50	75	71	67
1,86	7	2,31	2,75	3,00	86	82	78
2,15	8	2,63	3,13	3,50	98	93	88
2,40	9	2,94	3,50	3,75	110	104	98
2,65	10	3,25	3,88	4,25	121	114	107
2,92	11	3,56	4,25	4,75	132	125	118
3,20	12	3,88	4,69	5,25	144	136	128
3,45	13	4,19	5,06	5,75	155	147	139
3,72	14	4,56	5,44	–	166	157	148
3,98	15	4,88	5,81	–	177	168	159
4,25	16	5,19	6,19	–	189	179	169

WZ 10 E, NSW 0, MZB 0,46, F 0,05:0,046 (1,1), VI
H 1–x 0,51–k 1,00–p 0,21–Ê 1,24–kp 1,21–Êp 1,45
BF 089 0862, Belegung 051: 085 0946 (095 0946)

Berthold-Schriften überzeugen durch Schärfe und Qu
alität. Schriftqualität ist eine Frage der Erfahrung. Bertho
ld hat diese Erfahrung seit über hundert Jahren. Zuerst i
m Schriftguß, dann im Fotosatz. Berthold-Schriften sind
weltweit geschätzt. Im Schriftenatelier München wird j
eder Buchstabe in der Größe von zwölf Zentimetern n
eu gezeichnet. Mit messerscharfen Konturen, um für die
Schriftscheiben das Optimale an Konturenschärfe hera

2,40 mm (9 p) 20 30 40 50

Berthold-Schriften überzeugen durch Schärfe un
d Qualität. Schriftqualität ist eine Frage der Erfahr
ung. Berthold hat diese Erfahrung seit über hunde
rt Jahren. Zuerst im Schriftguß, dann im Fotosatz
Berthold-Schriften sind weltweit geschätzt. Im Sc
hriftenatelier München wird jeder Buchstabe in d
er Größe von zwölf Zentimetern neu gezeichnet
Mit messerscharfen Konturen, um für die Schriftsc

2,65 mm (10 p) 20 30 40

Berthold-Schriften überzeugen durch Schärf
e und Qualität. Schriftqualität ist eine Frage d
er Erfahrung. Berthold hat diese Erfahrung seit
über hundert Jahren. Zuerst im Schriftguß, da
nn im Fotosatz. Berthold-Schriften sind weltw
eit geschätzt. Im Schriftenatelier München wir
d jeder Buchstabe in der Größe von zwölf Z
entimetern neu gezeichnet. Mit messerscharfe

2,92 mm (11 p) 20 30 40

Berthold-Schriften überzeugen durch Sc
härfe und Qualität. Schriftqualität ist eine F
rage der Erfahrung. Berthold hat diese Erf
ahrung seit über hundert Jahren. Zuerst im
Schriftguß, dann im Fotosatz. Berthold-Sc
hriften sind weltweit geschätzt. Im Schrifte
natelier München wird jeder Buchstabe i
n der Größe von zwölf Zentimetern neu

3,20 mm (12 p) 20 30

Berthold-Schriften überzeugen durch
Schärfe und Qualität. Schriftqualität ist
eine Frage der Erfahrung. Berthold hat
diese Erfahrung seit über hundert Jahr
n. Zuerst im Schriftguß, dann im Fotosa
tz. Berthold-Schriften sind weltweit ges
chätzt. Im Schriftenatelier München wi
rd jeder Buchstabe in der Größe von z

3,45 mm (13 p) 20 30

leicht light maigre	KABEL	fina chiarissimo mager

Berthold-Schriften überzeugen durch Schärfe und Qualität. Schriftqualität ist eine Frage der Erfahrun g. Berthold hat diese Erfahrung seit über hundert Jahren. Zuerst im Schriftguß, dann im Fotosatz. Bert hold-Schriften sind weltweit geschätzt. Im Schriftenatelier München wird jeder Buchstabe in der G röße von zwölf Zentimetern neu gezeichnet. Mit messerscharfen Konturen, um für die Schriftscheibe n das Optimale an Konturenschärfe herauszuholen. Um die Qualität des Einzelzeichens im Belichtu ngsvorgang zu bewahren, wird durch die ruhende, nicht rotierende Schriftscheibe belichtet. Dieses optische System, verbunden mit Präzisions-Chromglasscheiben, führt zu einer Schriftqualität, die im Qualitätssatz ihresgleichen sucht. Bei den hier gezeigten Zeilen handelt es sich um einen fingierten Bli ndtext, der lediglich die Aufgabe hat, Ihnen ein optisch gültiges Bild der von Ihnen für Ihren Text vorg

4,25 mm (16 p), Zeilenabstand 6,75 mm

KABEL LIGHT

In general, bodytypes are measured in the typographical point size The sizes of Berthold Fototype faces can be exactly determined. A ll faces of same point size have the same capital height–irrespective of their x-height. In hot metal and many other phototypesetting syste ms the capital heights often differ considerably from one face to the other. For measuring point sizes, a transparent size gauge is provide d. To determine the point size, bring a capital letter into coincidenc e with that field which precisely circumscribes the letter at its upper and lower margin. Below the field you find the typographical point and below that the millimeter value, which also refers to the height of a capital letter. In Berthold-phototypesetting, the typewidth can be modified. The standard setting width of typefaces is determined by t he principle of optimum legibility. You should not depart from this t ypewidth without cogent reason. A typeface which is considered optically right when looked in a greater context, often seems bulky when applied for a small amount of text, e. g. labels and ads. Here a width reduction will be conducive to legibility. Small amounts of t ext seem to be optically compact when set somewhat closer, withou t this having a negative effect on legibility. The interline space is mea sured and determined from one base line to the other. Leading is mo stly carried out in increments of 0.25 mm. Typefaces with long desc enders require a larger interline space than faces with short descend

2,40 mm (9 p), Zeilenabstand 4,25 mm

KABEL MAIGRE

La valeur de la force de corps des caractères de labeur èst gé néralement exprimée en points typographiques. La force de c orps des caractères Berthold-Fototype peut être déterminée a vec précision. Tous les caractères du même corps ont des ca pitales d'une hauteur identique, indépendamment de la haut eur des bas de casse sans jambage. Dans la composition plom b, ainsi que dans certains systèmes de photocomposition, la h auteur des capitales, varie souvent d'un caractère à l'autre. Po ur déterminer la force de corps de nos caractères, nous avons mis au point une réglette de hauteur d'œil transparente. On c herche le rectangle qui délimite exactement la hauteur d'œil d'une capitale du caractère choisi. Sous le rectangle corresp ondant la valeur de la force de corps est indiquée en points Didots et en millimètres. La valeur en millimètres exprime égal ement la hauteur des capitales. Pour toutes les indications co ncernant la force de corps, il est utile de préciser l'unité de m esure après le chiffre, par exemple 14 points ou 14 p. L'appr oche des caractères Berthold Fototype peut également être m odifée. L'approche normale a été déterminée en fonction d'u ne lisibilité optimale dans un texte continu. Il ne faut pas chan

2,65 mm (10 p), Zeilenabstand 4,69 mm

La indicación de las dimensiones para cuerpos de letra vásicos ti ene lugar en general en puntos tipográficos. Los cuerpos de letra de los caracteres Berthold Fototype pueden determinarse exacte mente par medición. Con independencia de la altura de sus long itudes centrales, todos los caracteres de idéntico cuerpo de letra presentan altura de mayúsculas idéntica. En la composición en pl omo y en muchos otros sistemas de fotocomposición, las alturas d e mayúsculas varían frecuentemmente en forma considerable de ti po de letra a tipo de letra. Para medir los cuerpos de letra se dispo

2,15 mm (8 p), −1, Zeilenabstand 3,38 mm

123,– $	456,– £	7890,– DM	1 %
234,– $	789,– £	1234,– DM	2 %
567,– $	12,– £	5678,– DM	3 %
890,– $	345,– £	9012,– DM	4 %
123,– $	678,– £	3456,– DM	5 %
456,– $	901,– £	7890,– DM	6 %
789,– $	234,– £	1234,– DM	7 %
12,– $	567,– £	5678,– DM	8 %
345,– $	890,– £	9012,– DM	9 %

BF 089 0863

Le misure relative al corpo dei caratteri vengono generalmente indica te in punti tipografici. Il corpo dei caratteri Fototypes può essere deter minato con esattezza per semplice misurazione. Tutti i caratteri di ugua le grandezza in punti hanno, indipendentemente dalla loro lunghezz a, uguale altezza delle maiuscole. Nella composizione in piombo ed i n molti altri sistemi di fotocomposizione, l'altezza delle maiuscole varia s pesso da carattere a carattere. Per misurare il corpo dei caratteri è indi spensabile un apposito tipometro trasparente. La misurazione si effett ua coprendo una lettera maiuscola con il riquadro che delimita con pr

2,15 mm (8 p), −2, Zeilenabstand 3,38 mm

Buch
book
romain labeur

KABEL

libro
libro
buch

Berthold-Schriften überzeugen durch Schärfe und Qualität. Schriftqualität ist eine Frage
der Erfahrung. Berthold hat diese Erfahrung seit über hundert Jahren. Zuerst im Schriftgu
ß, dann im Fotosatz. Berthold-Schriften sind weltweit geschätzt. Im Schriftenatelier Mün
chen wird jeder Buchstabe in der Größe von zwölf Zentimetern neu gezeichnet. Mit me
sserscharfen Konturen, um für die Schriftscheiben das Optimale an Konturenschärfe her
auszuholen. Um die Qualität des Einzelzeichens im Belichtungsvorgang zu bewahren, wi
rd durch die ruhende, nicht rotierende Schriftscheibe belichtet. Dieses optische System
verbunden mit Präzisions-Chromglasscheiben, führt zu einer Schriftqualität, die im Layo
ut- und Mengensatz nicht ihresgleichen findet. Bei den hier gezeigten Zeilen handelt es s

1,33 mm (5 p) 30 40 50 60 70 80

Berthold-Schriften überzeugen durch Schärfe und Qualität. Schriftqualität ist
eine Frage der Erfahrung. Berthold hat diese Erfahrung seit über hundert Jahren. Z
uerst im Schriftguß, dann im Fotosatz. Berthold-Schriften sind weltweit geschätzt. I
m Schriftenatelier München wird jeder Buchstabe in der Größe von zwölf Zentim
etern neu gezeichnet. Mit messerscharfen Konturen, um für die Schriftscheiben das
Optimale an Konturenschärfe herauszuholen. Um die Qualität des Einzelzeichens
im Belichtungsvorgang zu bewahren, wird durch die ruhende, nicht rotierende Sch
riftscheibe belichtet. Dieses optische System, verbunden mit Präzisions-Chromgla
sscheiben, führt zu einer Schriftqualität, die im Layout- und Mengensatz nicht ihres

1,45 mm (5,5 p) 30 40 50 60 70

Berthold-Schriften überzeugen durch Schärfe und Qualität. Schriftquali
tät ist eine Frage der Erfahrung. Berthold hat diese Erfahrung seit über h
undert Jahren. Zuerst im Schriftguß, dann im Fotosatz. Berthold-Schrift
en sind weltweit geschätzt. Im Schriftenatelier München wird jeder Bu
chstabe in der Größe von zwölf Zentimetern neu gezeichnet. Mit messers
charfen Konturen, um für die Schriftscheiben das Optimale an Kontur
enschärfe herauszuholen. Um die Qualität des Einzelzeichens im Belic
htungsvorgang zu bewahren, wird durch die ruhende, nicht rotierende S
chriftscheibe belichtet. Dieses optische System, verbunden mit Präzisions

1,60 mm (6 p) 20 30 40 50 60 70

Berthold-Schriften überzeugen durch Schärfe und Qualität. Schr
iftqualität ist eine Frage der Erfahrung. Berthold hat diese Erfahr
ung seit über hundert Jahren. Zuerst im Schriftguß, dann im Fotosatz
Berthold-Schriften sind weltweit geschätzt. Im Schriftenatelier Münc
hen wird jeder Buchstabe in der Größe von zwölf Zentimetern neu g
ezeichnet. Mit messerscharfen Konturen, um für die Schriftscheiben
das Optimale an Konturenschärfe herauszuholen. Um die Qualität d
es Einzelzeichens im Belichtungsvorgang zu bewahren, wird durch di
e ruhende, nicht rotierende Schriftscheibe belichtet. Dieses optische

1,75 mm (6,5 p) 30 40 50 60

Berthold-Schriften überzeugen durch Schärfe und Qualität. S
chriftqualität ist eine Frage der Erfahrung. Berthold hat diese
Erfahrung seit über hundert Jahren. Zuerst im Schriftguß, dann im
Fotosatz. Berthold-Schriften sind weltweit geschätzt. Im Schriften
atelier München wird jeder Buchstabe in der Größe von zwölf Z
entimetern neu gezeichnet. Mit messerscharfen Konturen, um für
die Schriftscheiben das Optimale an Konturenschärfe herauszuh
olen. Um die Qualität des Einzelzeichens im Belichtungsvorgang
zu bewahren, wird durch die ruhende, nicht rotierende Schhriftsc

1,86 mm (7 p) 20 30 40 50 60

Berthold-Schriften überzeugen durch Schärfe und Qualität
Schriftqualität ist eine Frage der Erfahrung. Berthold hat diese
Erfahrung seit über hundert Jahren. Zuerst im Schriftguß, dann
im Fotosatz. Berthold-Schriften sind weltweit geschätzt. Im Sc
hriftenatelier München wird jeder Buchstabe in der Größe vo
n zwölf Zentimetern neu gezeichnet. Mit messerscharfen Kon
turen, um für die Schriftscheiben das Optimale an Konturensc
härfe herauszuholen. Um die Qualität des Einzelzeichens im
Belichtungsvorgang zu bewahren, wird durch die ruhende, ni

2,00 mm (7,5 p) 20 30 40 50

Berthold-Schriften überzeugen durch Schärfe und Qualit
ät. Schriftqualität ist eine Frage der Erfahrung. Berthold hat
diese Erfahrung seit über hundert Jahren. Zuerst im Schrift
guß, dann im Fotosatz. Berthold-Schriften sind weltweit
geschätzt. Im Schriftenatelier München wird jeder Buchst
abe in der Größe von zwölf Zentimetern neu gezeichnet
Mit messerscharfen Konturen, um für die Schriftscheiben
das Optimale an Konturenschärfe herauszuholen. Um die
Qualität des Einzelzeichens im Belichtungsvorgang zu be

2,15 mm (8 p) 20 30 40 50

Rudolf Koch
1928–1930
D. Stempel AG
H. Berthold AG

ABCDEFGHIJKLMNOPQ
RSTUVWXYZ
abcdefghijklmnopqrstuvwxyz
1/1234567890%
(.,-;:!¡?¿–)·[',,"" »«]
+−=/$£†*&§
ÄÅÆÖØŒÜäåæıöøœßü
ÁÀÂÃÇČÉÈÊËÍÌÎÏĹŇÑÓÒÔÕ
ŔŘŠŤÚÙÛŴẄÝỲŶŸŽ
áàâãçčéèêëíìîïĺňñóòôõŕřš
úùûŵẅýỳÿž

Berthold-Schriftweite weit
Berthold-Schriftweite normal
Berthold-Schriftweite eng
Berthold-Schriftweite sehr eng
Berthold-Schriftweite extrem eng

Berthold
3,72 mm (14 p)

Berthold
4,25 mm (16 p)

Berthold
4,75 mm (18 p)

Berthold
5,30 mm (20 p)

Berthold
6,35 mm (24 p)

Berthold
7,40 mm (28 p)

Berthold
8,50 mm (32 p)

Berthold
9,55 mm (36 p)

Größe		Zeilenabstand			100 Zeichen		
mm	p	kp	Êp	Ex	0	−1	−2
1,33	5	1,69	2,00	2,00	66	63	60
1,60	6	2,00	2,38	2,50	78	74	70
1,86	7	2,31	2,81	3,00	90	86	82
2,15	8	2,69	3,19	3,50	102	97	92
2,40	9	3,00	3,56	3,75	114	108	102
2,65	10	3,31	3,94	4,25	126	119	112
2,92	11	3,63	4,38	4,75	138	131	124
3,20	12	3,94	4,75	5,25	149	141	133
3,45	13	4,25	5,13	5,75	161	153	145
3,72	14	4,63	5,56	–	173	164	155
3,98	15	4,94	5,94	–	185	176	167
4,25	16	5,25	6,31	–	196	186	176

WZ 10 E, NSW 0, MZB 0,48, F 0,09:0,08 (1,1), VI
H 1–x 0,52–k 1,02–p 0,21–Ê 1,27–kp 1,23–Êp 1,48
BΓ 089 1435, Belegung 051: 085 1441 (095 1441)

Berthold-Schriften überzeugen durch Schärfe und
Qualität. Schriftqualität ist eine Frage der Erfahru
ng. Berthold hat diese Erfahrung seit über hundert
Jahren. Zuerst im Schriftguß, dann im Fotosatz. Berth
old-Schriften sind weltweit geschätzt. Im Schriftenat
elier München wird jeder Buchstabe in der Größe v
on zwölf Zentimetern neu gezeichnet. Mit messersc
harfen Konturen, um für die Schriftscheiben das Opt

2,40 mm (9 p) 20 30 40

Berthold-Schriften überzeugen durch Schärfe
und Qualität. Schriftqualität ist eine Frage der E
rfahrung. Berthold hat diese Erfahrung seit über
hundert Jahren. Zuerst im Schriftguß, dann im F
otosatz. Berthold-Schriften sind weltweit gesch
ätzt. Im Schriftenatelier München wird jeder B
uchstabe in der Größe von zwölf Zentimetern
neu gezeichnet. Mit messerscharfen Konturen

2,65 mm (10 p) 20 30 40

Berthold-Schriften überzeugen durch Sch
ärfe und Qualität. Schriftqualität ist eine Fra
ge der Erfahrung. Berthold hat diese Erfahr
ung seit über hundert Jahren. Zuerst im Sch
riftguß, dann im Fotosatz. Berthold-Schrifte
n sind weltweit geschätzt. Im Schriftenatelier
München wird jeder Buchstabe in der Grö
ße von zwölf Zentimetern neu gezeichnet

2,92 mm (11 p) 20 30 40

Berthold-Schriften überzeugen durch S
chärfe und Qualität. Schriftqualität ist ei
ne Frage der Erfahrung. Berthold hat die
se Erfahrung seit über hundert Jahren. Z
uerst im Schriftguß, dann im Fotosatz. B
erthold-Schriften sind weltweit geschät
zt. Im Schriftenatelier München wird je
der Buchstabe in der Größe von zwölf

3,20 mm (12 p) 20 30

Berthold-Schriften überzeugen durch
Schärfe und Qualität. Schriftqualität i
st eine Frage der Erfahrung. Berthold
hat diese Erfahrung seit über hundert
Jahren. Zuerst im Schriftguß, dann im
Fotosatz. Berthold-Schriften sind wel
tweit geschätzt. Im Schriftenatelier M
ünchen wird jeder Buchstabe in der

3,45 mm (13 p) 20 30

Buch book romain labeur	# KABEL	libro libro buch

Berthold-Schriften überzeugen durch Schärfe und Qualität. Schriftqualität ist eine Frage der Erfa hrung. Berthold hat diese Erfahrung seit über hundert Jahren. Zuerst im Schriftguß, dann im Fotos atz. Berthold-Schriften sind weltweit geschätzt. Im Schriftenatelier München wird jeder Buchsta be in der Größe von zwölf Zentimetern neu gezeichnet. Mit messerscharfen Konturen, um für di e Schriftscheiben das Optimale an Konturenschärfe herauszuholen. Um die Qualität des Einzel zeichens im Belichtungsvorgang zu bewahren, wird durch die ruhende, nicht rotierende Schrifts cheibe belichtet. Dieses optische System, verbunden mit Präzisions-Chromglasscheiben, führt zu einer Schriftqualität, die im Qualitätssatz ihresgleichen sucht. Bei den hier gezeigten Zeilen hand elt es sich um einen fingierten Blindtext, der lediglich die Aufgabe hat, Ihnen ein optisch gültiges

4,25 mm (16 p), Zeilenabstand 6,75 mm

KABEL BOOK

In general, bodytypes are measured in the typographical point size. The sizes of Berthold Fototype faces can be exactly determi ned. All faces of same point size have the same capital height—irr espective of their x-height. In hot metal and many other phototyp esetting systems the capital heights often differ considerably from one face to the other. For measuring point sizes, a transparent size gauge is provided. To determine the point size, bring a capital lett er into coincidence with that field which precisely circumscribes t he letter at its upper and lower margin. Below the field you find the typographical point and below that the millimeter value which also refers to the height of a capital letter. In Berthold phototypesetting, the typewidth can be modified. The stand ard setting width of typefaces is determined by the principle of optimum legibility. You should not depart from this typewidth without cogent reason. A typeface which is considered opti cally right when looked in a greater context, often seems bulky wh en applied for a small amount of text, e. g. labels and ads. Here, a width reduction will be conducive to legibility. Small amounts of text seem to be optically compact when set somewhat closer, wit hout this having a negative effect on legibility. The interline space is measured and determined from one base line to the other. Lea ding is mostly carried out in increments of 0.25 mm. Typefaces wi

2,40 mm (9 p), Zeilenabstand 4,25 mm

KABEL ROMAIN LABEUR

La valeur de la force de corps des caractères de labeur èst généralement exprimée en points typographiques. La f orce de corps des caractères Berthold-Fototype peut être déterminée avec précision. Tous les caractères du même c orps ont des capitales d'une hauteur identique, indépend amment de la hauteur des bas de casse sans jambage. Dans la composition plomb, ainsi que dans certains systèmes de photocomposition, la hauteur des capitales, varie souvent d'un caractère à l'autre. Pour déterminer la force de corps de nos caractères, nous avons mis au point une réglette de hauteur d'œil transparente. On cherche le rectangle qui d élimite exactement la hauteur d'œil d'une capitale du cara ctère choisi. Sous le rectangle correspondant la valeur de la force de corps est indiquée en points Didots et en millimèt res. La valeur en millimètres exprime également la hauteur des capitales. Pour toutes les indications concernant la for ce de corps, il est utile de préciser l'unité de mesure après le chiffre, par exemple 14 points ou 14 p. L'approche des car actères Berthold Fototype peut également être modifée. L approche normale a été déterminée en fonction d'une lisi

2,65 mm (10 p), Zeilenabstand 4,69 mm

La indicación de las dimensiones para cuerpos de letra vásicos tiene lugar en general en puntos tipográficos. Los cuerpos de l etra de los caracteres Berthold Fototype pueden determinarse exactemente par medición. Con independenci a de la altura de sus longitudes centrales, todos los caracteres de idéntico c uerpo de letra presentan altura de mayúsculas idéntica. En la c omposición en plomo y en muchos otros sistemas de fotoco mposición, las alturas de mayúsculas varían frecuentemmente en forma considerable de tipo de letra a tipo de letra. Para me

2,15 mm (8 p), –1, Zeilenabstand 3,38 mm

123,– $	456,– £	7890,– DM	1 %
234,– $	789,– £	1234,– DM	2 %
567,– $	12,– £	5678,– DM	3 %
890,– $	345,– £	9012,– DM	4 %
123,– $	678,– £	3456,– DM	5 %
456,– $	901,– £	7890,– DM	6 %
789,– $	234,– £	1234,– DM	7 %
12,– $	567,– £	5678,– DM	8 %
345,– $	890,– £	9012,– DM	9 %

BF 089 1436

Le misure relative al corpo dei caratteri vengono generalmente in dicate in punti tipografici. Il corpo dei caratteri Fototypes può esse re determinato con esattezza per semplice misurazione. Tutti i cara tteri di uguale grandezza in punti hanno, indipendentemente dalla loro lunghezza, uguale altezza delle maiuscole. Nella composizio ne in piombo ed in molti altri sistemi di fotocomposizione, l'altezza delle maiuscole varia spesso da carattere a carattere. Per misurare il corpo dei caratteri è indispensabile un apposito tipometro trasp arente. La misurazione si effettua coprendo una lettera maiuscola

2,15 mm (8 p), –2, Zeilenabstand 3,38 mm

grob
medium
demi-gras

KABEL

seminegra
neretto
halvfet

Berthold-Schriften überzeugen durch Schärfe und Qualität. Schriftqualität ist eine Frage
der Erfahrung. Berthold hat diese Erfahrung seit über hundert Jahren. Zuerst im Schriftguß
dann im Fotosatz. Berthold-Schriften sind weltweit geschätzt. Im Schriftenatelier Münche
n wird jeder Buchstabe in der Größe von zwölf Zentimetern neu gezeichnet. Mit messers
charfen Konturen, um für die Schriftscheiben das Optimale an Konturenschärfe herauszuh
olen. Um die Qualität des Einzelzeichens im Belichtungsvorgang zu bewahren, wird durch
die ruhende, nicht rotierende Schriftscheibe belichtet. Dieses optische System, verbunde
n mit Präzisions-Chromglasscheiben, führt zu einer Schriftqualität, die im Layout- und Me
ngensatz nicht ihresgleichen findet. Bei den hier gezeigten Zeilen handelt es sich um einen

1,33 mm (5 p) 30 40 50 60 70 80

Berthold-Schriften überzeugen durch Schärfe und Qualität. Schriftqualität ist eine F
rage der Erfahrung. Berthold hat diese Erfahrung seit über hundert Jahren. Zuerst im
Schriftguß, dann im Fotosatz. Berthold-Schriften sind weltweit geschätzt. Im Schrift
enatelier München wird jeder Buchstabe in der Größe von zwölf Zentimetern neu
gezeichnet. Mit messerscharfen Konturen, um für die Schriftscheiben das Optimale
an Konturenschärfe herauszuholen. Um die Qualität des Einzelzeichens im Belichtu
ngsvorgang zu bewahren, wird durch die ruhende, nicht rotierende Schriftscheibe b
elichtet. Dieses optische System, verbunden mit Präzisions-Chromglasscheiben, fü
hrt zu einer Schriftqualität, die im Layout- und Mengensatz nicht ihresgleichen find

1,45 mm (5,5 p) 30 40 50 60 70

Berthold-Schriften überzeugen durch Schärfe und Qualität. Schriftqualität
ist eine Frage der Erfahrung. Berthold hat diese Erfahrung seit über hunder
t Jahren. Zuerst im Schriftguß, dann im Fotosatz. Berthold-Schriften sind we
ltweit geschätzt. Im Schriftenatelier München wird jeder Buchstabe in der
Größe von zwölf Zentimetern neu gezeichnet. Mit messerscharfen Kontur
en, um für die Schriftscheiben das Optimale an Konturenschärfe herauszuh
olen. Um die Qualität des Einzelzeichens im Belichtungsvorgang zu bewahr
en, wird durch die ruhende, nicht rotierende Schriftscheibe belichtet. Dies
es optische System, verbunden mit Präzisions-Chromglasscheiben, führt zu

1,60 mm (6 p) 20 30 40 50 60 70

Berthold-Schriften überzeugen durch Schärfe und Qualität. Schriftqu
alität ist eine Frage der Erfahrung. Berthold hat diese Erfahrung seit übe
r hundert Jahren. Zuerst im Schriftguß, dann im Fotosatz. Berthold-Sch
riften sind weltweit geschätzt. Im Schriftenatelier München wird jeder
Buchstabe in der Größe von zwölf Zentimetern neu gezeichnet. Mit m
esserscharfen Konturen, um für die Schriftscheiben das Optimale an K
onturenschärfe herauszuholen. Um die Qualität des Einzelzeichens im
Belichtungsvorgang zu bewahren, wird durch die ruhende, nicht rotier
ende Schriftscheibe belichtet. Dieses optische System, verbunden mit

1,75 mm (6,5 p) 30 40 50 60

Berthold-Schriften überzeugen durch Schärfe und Qualität. Schrif
tqualität ist eine Frage der Erfahrung. Berthold hat diese Erfahrung
seit über hundert Jahren. Zuerst im Schriftguß, dann im Fotosatz. B
erthold-Schriften sind weltweit geschätzt. Im Schriftenatelier Mün
chen wird jeder Buchstabe in der Größe von zwölf Zentimetern n
eu gezeichnet. Mit messerscharfen Konturen, um für die Schriftsch
eiben das Optimale an Konturenschärfe herauszuholen. Um die Q
ualität des Einzelzeichens im Belichtungsvorgang zu bewahren, wir
d durch die ruhende, nicht rotierende Schriftscheibe belichtet. Die

1,86 mm (7 p) 20 30 40 50 60

Berthold-Schriften überzeugen durch Schärfe und Qualität. Sc
hriftqualität ist eine Frage der Erfahrung. Berthold hat diese Erfa
hrung seit über hundert Jahren. Zuerst im Schriftguß, dann im F
otosatz. Berthold-Schriften sind weltweit geschätzt. Im Schrifte
natelier München wird jeder Buchstabe in der Größe von zwö
lf Zentimetern neu gezeichnet. Mit messerscharfen Konturen, u
m für die Schriftscheiben das Optimale an Konturenschärfe he
rauszuholen. Um die Qualität des Einzelzeichens im Belichtun
gsvorgang zu bewahren, wird durch die ruhende, nicht rotieren

2,00 mm (7,5 p) 20 30 40 50

Berthold-Schriften überzeugen durch Schärfe und Qualität
Schriftqualität ist eine Frage der Erfahrung. Berthold hat die
se Erfahrung seit über hundert Jahren. Zuerst im Schriftguß
dann im Fotosatz. Berthold-Schriften sind weltweit geschät
zt. Im Schriftenatelier München wird jeder Buchstabe in der
Größe von zwölf Zentimetern neu gezeichnet. Mit messers
charfen Konturen, um für die Schriftscheiben das Optimale
an Konturenschärfe herauszuholen. Um die Qualität des Ei
nzelzeichens im Belichtungsvorgang zu bewahren, wird dur

2,15 mm (8 p) 20 30 40 50

Rudolf Koch
1928
D. Stempel AG
H. Berthold AG

ABCDEFGHIJKLMNOPQ
RSTUVWXYZ
abcdefghijklmnopqrstuvwxyz
1/1234567890%
(.,-;:!¡?¿–)·[",""»«]
+−=/$£†*&§
ÄÅÆÖØŒÜäåæıöøœßü
ÁÀÂÃÇČÉÈÊËÍÌÎÏĹŇÑÓÒÔÕ
ŔŘŠŤÚÙÛŴẄÝỲŸŽ
áàâãçčéèêeíìîïĺňñóòôõŕřš
úùûŵẅýỳÿž

Berthold-Schriftweite weit
Berthold-Schriftweite normal
Berthold-Schriftweite eng
Berthold-Schriftweite sehr eng
Berthold-Schriftweite extrem eng

Berthold
3,72 mm (14 p)

Berthold
4,25 mm (16 p)

Berthold
4,75 mm (18 p)

Berthold
5,30 mm (20 p)

Berthold
6,35 mm (24 p)

Berthold
7,40 mm (28 p)

Berthold
8,50 mm (32 p)

Berthold
9,55 mm (36 p)

Größe mm	p	Zeilenabstand kp	Êp	Ex	100 Zeichen 0	−1	−2
1,33	5	1,69	2,06	2,00	66	63	60
1,60	6	2,00	2,44	2,50	78	74	70
1,86	7	2,31	2,81	3,00	90	86	82
2,15	8	2,69	3,25	3,50	102	97	92
2,40	9	3,00	3,63	3,75	114	108	102
2,65	10	3,31	4,06	4,25	126	119	112
2,92	11	3,63	4,44	4,75	138	131	124
3,20	12	3,94	4,88	5,25	149	141	133
3,45	13	4,25	5,25	5,75	161	153	145
3,72	14	4,63	5,63	—	173	164	155
3,98	15	4,94	6,06	—	185	176	167
4,25	16	5,25	6,44	—	196	186	176

WZ 10 E, NSW −1, MZB 0,48, F 0,14:0,11 (1,3), VI
H 1–x 0,54–k 1,00–p 0,23–Ê 1,28–kp 1,23–Êp 1,51
BF 089 0865, Belegung 051: 085 0947 (095 0947)

Berthold-Schriften überzeugen durch Schärfe und Q
ualität. Schriftqualität ist eine Frage der Erfahrung. Ber
thold hat diese Erfahrung seit über hundert Jahren. Zu
erst im Schriftguß, dann im Fotosatz. Berthold-Schrift
en sind weltweit geschätzt. Im Schriftenatelier Münch
en wird jeder Buchstabe in der Größe von zwölf Zen
timetern neu gezeichnet. Mit messerscharfen Konture
n, um für die Schriftscheiben das Optimale an Kontur

2,40 mm (9 p) 20 30 40

Berthold-Schriften überzeugen durch Schärfe u
nd Qualität. Schriftqualität ist eine Frage der Erf
ahrung. Berthold hat diese Erfahrung seit über h
undert Jahren. Zuerst im Schriftguß, dann im Fo
tosatz. Berthold-Schriften sind weltweit geschät
zt. Im Schriftenatelier München wird jeder Buch
stabe in der Größe von zwölf Zentimetern neu
gezeichnet. Mit messerscharfen Konturen, um fü

2,65 mm (10 p) 20 30 40

Berthold-Schriften überzeugen durch Schär
fe und Qualität. Schriftqualität ist eine Frage
der Erfahrung. Berthold hat diese Erfahrung
seit über hundert Jahren. Zuerst im Schriftgu
ß, dann im Fotosatz. Berthold-Schriften sind
weltweit geschätzt. Im Schriftenatelier Münc
hen wird jeder Buchstabe in der Größe von
zwölf Zentimetern neu gezeichnet. Mit mess

2,92 mm (11 p) 20 30 40

Berthold-Schriften überzeugen durch Sc
härfe und Qualität. Schriftqualität ist eine
Frage der Erfahrung. Berthold hat diese E
rfahrung seit über hundert Jahren. Zuerst
im Schriftguß, dann im Fotosatz. Berthold
Schriften sind weltweit geschätzt. Im Schr
iftenatelier München wird jeder Buchsta
be in der Größe von zwölf Zentimetern n

3,20 mm (12 p) 20 30

Berthold-Schriften überzeugen durch
Schärfe und Qualität. Schriftqualität is
t eine Frage der Erfahrung. Berthold ha
t diese Erfahrung seit über hundert Jah
ren. Zuerst im Schriftguß, dann im Fot
osatz. Berthold-Schriften sind weltwei
t geschätzt. Im Schriftenatelier Münch
en wird jeder Buchstabe in der Größe

3,45 mm (13 p) 20 30

grob
medium
demi-gras

KABEL

seminegra
neretto
halvfet

Berthold-Schriften überzeugen durch Schärfe und Qualität. Schriftqualität ist eine Frage der Erfa hrung. Berthold hat diese Erfahrung seit über hundert Jahren. Zuerst im Schriftguß, dann im Fotos atz. Berthold-Schriften sind weltweit geschätzt. Im Schriftenatelier München wird jeder Buchstab e in der Größe von zwölf Zentimetern neu gezeichnet. Mit messerscharfen Konturen, um für die Schriftscheiben das Optimale an Konturenschärfe herauszuholen. Um die Qualität des Einzelzeic hens im Belichtungsvorgang zu bewahren, wird durch die ruhende, nicht rotierende Schriftscheib e belichtet. Dieses optische System, verbunden mit Präzisions-Chromglasscheiben, führt zu einer Schriftqualität, die im Qualitätssatz ihresgleichen sucht. Bei den hier gezeigten Zeilen handelt es si ch um einen fingierten Blindtext, der lediglich die Aufgabe hat, Ihnen ein optisch gültiges Bild von

4,25 mm (16 p), Zeilenabstand 6,75 mm

KABEL MEDIUM

In general, bodytypes are measured in the typographical point siz e. The sizes of Berthold Fototype faces can be exactly determined All faces of same point size have the same capital height–irrespec tive of their x-height. In hot metal and many other phototypesetting systems the capital heights often differ considerably from one face to the other. For measuring point sizes, a transparent size gauge is provided. To determine the point size, bring a capital letter into c oincidence with that field which precisely circumscribes the letter at its upper and lower margin. Below the field you find the typogr aphical point and below that the millimeter value, which also refers to the height of a capital letter. In Berthold-phototypesetting, the t ypewidth can be modified. The standard setting width of typefac es is determined by the principle of optimum legibility. You shoul d not depart from this typewidth without cogent reason. A typefa ce which is considered optically right when looked in a greater co ntext, often seems bulky when applied for a small amount of text e. g. labels and ads. Here, a width reduction will be conducive to legibility. Small amounts of text seem to be optically compact whe n set somewhat closer, without this having a negative effect on legi bility. The interline space is measured and determined from one base line to the other. Leading is mostly carried out in increments of 0.25 mm. Typefaces with long descenders require a larger interl

2,40 mm (9 p), Zeilenabstand 4,25 mm

KABEL DEMI-GRAS

La valeur de la force de corps des caractères de labeur èst g énéralement exprimée en points typographiques. La force de corps des caractères Berthold-Fototype peut être déter minée avec précision. Tous les caractères du même corps ont des capitales d'une hauteur identique, indépendamme nt de la hauteur des bas de casse sans jambage. Dans la co mposition plomb, ainsi que dans certains systèmes de phot ocomposition, la hauteur des capitales, varie souvent d'un c aractère à l'autre. Pour déterminer la force de corps de nos caractères, nous avons mis au point une réglette de hauteur d'œil transparente. On cherche le rectangle qui délimite ex actement la hauteur d'œil d'une capitale du caractère choi si. Sous le rectangle correspondant la valeur de la force de corps est indiquée en points Didots et en millimètres. La v aleur en millimètres exprime également la hauteur des capi tales. Pour toutes les indications concernant la force de co rps, il est utile de préciser l'unité de mesure après le chiffre par exemple 14 points ou 14 p. L'approche des caractères Berthold Fototype peut également être modifée. L'approc he normale a été déterminée en fonction d'une lisibilité op

2,65 mm (10 p), Zeilenabstand 4,69 mm

La indicación de las dimensiones para cuerpos de letra vásicos tiene lugar en general en puntos tipográficos. Los cuerpos de l etra de los caracteres Berthold Fototype pueden determinarse exactemente par medición. Con independencia de la altura de sus longitudes centrales, todos los caracteres de idéntico cuerp o de letra presentan altura de mayúsculas idéntica. En la comp osición en plomo y en muchos otros sistemas de fotocomposic ión, las alturas de mayúsculas varían frecuentemmente en forma considerable de tipo de letra. Para medir los cuerpos de letra s

2,15 mm (8 p), —1, Zeilenabstand 3,38 mm

123,– $	456,– £	7890,– DM	1 %
234,– $	789,– £	1234,– DM	2 %
567,– $	12,– £	5678,– DM	3 %
890,– $	345,– £	9012,– DM	4 %
123,– $	678,– £	3456,– DM	5 %
456,– $	901,– £	7890,– DM	6 %
789,– $	234,– £	1234,– DM	7 %
12,– $	567,– £	5678,– DM	8 %
345,– $	890,– £	9012,– DM	9 %

BF 089 0881

Le misure relative al corpo dei caratteri vengono generalmente ind icate in punti tipografici. Il corpo dei caratteri Fototypes può essere determinato con esattezza per semplice misurazione. Tutti i caratteri di uguale grandezza in punti hanno, indipendentemente dalla loro lunghezza, uguale altezza delle maiuscole. Nella composizione in pi ombo ed in molti altri sistemi di fotocomposizione, l'altezza delle m aiuscole varia spesso da carattere a carattere. Per misurare il corpo dei caratteri è indispensabile un apposito tipometro trasparente. La misurazione si effetua coprendo una lettera maiuscola con il riquadr

2,15 mm (8 p), —2, Zeilenabstand 3,38 mm

fett
heavy
gras

KABEL

negra
nero
fet

Berthold-Schriften überzeugen durch Schärfe und Qualität
Schriftqualität ist eine Frage der Erfahrung. Berthold hat die
se Erfahrung seit über hundert Jahren. Zuerst im Schriftguß
dann im Fotosatz. Berthold-Schriften sind weltweit geschätz
t. Im Schriftenatelier München wird jeder Buchstabe in der
Größe von zwölf Zentimetern neu gezeichnet. Mit messersc
harfen Konturen, um für die Schriftscheiben das Optimale a
n Konturenschärfe herauszuholen. Um die Qualität des Einz
elzeichens im Belichtungsvorgang zu bewahren, wird durch

1,60 mm (6 p), Zeilenabstand 2,50 mm

Berthold-Schriften überzeugen durch Schärfe und
Qualität. Schriftqualität ist eine Frage der Erfahrung
Berthold hat diese Erfahrung seit über hundert Jahr
en. Zuerst im Schriftguß, dann im Fotosatz. Berthold
Schriften sind weltweit geschätzt. Im Schriftenatelier
München wird jeder Buchstabe in der Größe von zw
ölf Zentimetern neu gezeichnet. Mit messerscharfe
n Konturen, um für die Schriftscheiben das Optimal

1,86 mm (7 p), Zeilenabstand 3,00 mm

Berthold-Schriften überzeugen durch Schärfe
und Qualität. Schriftqualität ist eine Frage der
Erfahrung. Berthold hat diese Erfahrung seit ü
ber hundert Jahren. Zuerst im Schriftguß, dann
im Fotosatz. Berthold-Schriften sind weltweit g
eschätzt. Im Schriftenatelier München wird jed
er Buchstabe in der Größe von zwölf Zentimet
ern neu gezeichnet. Mit messerscharfen Kontu

2,15 mm (8 p), Zeilenabstand 3,50 mm

Rudolf Koch
1929
D. Stempel AG
H. Berthold AG

ABCDEFGHIJKLMNOPQ
RSTUVWXYZ
abcdefghijklmnopqrstuvwxyz
1/1234567890%
(.,-;:!¡?¿–)·[",""»«]
+−=/$£†*&§
ÄÅÆÖØŒÜäåæıöøœßü
ÁÀÂÃÇČÉÈÊËÍÌÎÏĹŇÑÓÒÔÕ
ŔŘŠŤÚÙÛŴẄÝŶŸŽ
áàâãçčéèêëíìîïĺňñóòôõŕřš
úùûŵẅýỳÿž

Berthold-Schriftweite weit
Berthold-Schriftweite normal
Berthold-Schriftweite eng
Berthold-Schriftweite sehr eng
Berthold-Schriftweite extrem eng

In general, bodytypes are mea
sured in the typographical poin
t size. The sizes of Berthold Foto
type faces can be exactly deter
mined. All faces of same point s
ize have the same capital heigh
t–irrespective of their x-height
In hot metal and many other ph
ototypesetting systems the cap
ital heights often differ conside
rably from one face to the other
For measuring point sizes, a tra
nsparent size gauge is provide
d. To determine the point size
bring a capital letter into coinci
dence with that field which prec
isely circumscribes the letter at

3,20 mm (12 p), Zeilenabstand 5,25 mm

Berthold's quick brown fox jumps over the lazy dog and feels as if he were in the seve
3,72 mm (14 p)

Berthold's quick brown fox jumps over the lazy dog and feels as if he were i
4,25 mm (16 p)

Berthold's quick brown fox jumps over the lazy dog and feels as if h
4,75 mm (18 p)

Berthold's quick brown fox jumps over the lazy dog and feel
5,30 mm (20 p)

Berthold's quick brown fox jumps over the lazy do
6,35 mm (24 p)

Berthold's quick brown fox jumps over the l
7,40 mm (28 p)

Berthold's quick brown fox jumps ove
8,50 mm (32 p)

Berthold's quick brown fox jumps
9,55 mm (36 p)

Berthold-Schriften überzeugen durch Sch
ärfe und Qualität. Schriftqualität ist eine F
rage der Erfahrung. Berthold hat diese Erf
ahrung seit über hundert Jahren. Zuerst i
m Schriftguß, dann im Fotosatz. Berthold
Schriften sind weltweit geschätzt. Im Schri
ftenatelier München wird jeder Buchstab
e in der Größe von zwölf Zentimetern neu

2,40 mm (9 p), Zeilenabstand 4,00 mm

Größe mm	p	Zeilenabstand kp	Êp	Ex	100 Zeichen 0	−1	−2
1,00	5	1,00	2,00		00	03	00
1,60	6	2,00	2,50	2,50	101	97	93
1,86	7	2,31	2,88	3,00	116	112	108
2,15	8	2,69	3,31	3,50	132	127	122
2,40	9	3,00	3,69	4,00	148	142	136
2,65	10	3,31	4,06	4,00	163	156	149
2,92	11	3,63	4,50	—	178	171	164
3,20	12	3,94	4,94	5,25	193	185	177
3,45	13	4,25	5,31	—	209	201	193
3,72	14	4,63	5,75	—	224	215	206
3,98	15	4,94	6,13	—	239	230	221
4,25	16	5,25	6,56	—	254	244	234

WZ 10 E, NSW −1, MZB 0,61, F 0,25:0,17 (1,4), VI
H 1–x 0,72–k 1,00–p 0,23–Ê 1,30–kp 1,23–Êp 1,53
BF 089 0864, Belegung 051: 085 0718 (095 0718)

Berthold-Schriften überzeugen durc
h Schärfe und Qualität. Schriftqualität
ist eine Frage der Erfahrung. Berthold
hat diese Erfahrung seit über hundert
Jahren. Zuerst im Schriftguß, dann im
Fotosatz. Berthold-Schriften sind welt
weit geschätzt. Im Schriftenatelier Mü
nchen wird jeder Buchstabe in der Gr

2,65 mm (10 p), Zeilenabstand 4,00 mm

normal
regular
normal

KARTEN-AUGUSTEA

normal
chiaro tondo
normal

Berthold-Schriften überzeugen durch Schärfe und Qualität. Schriftqualität ist eine Frage der Erfahrung. Berthold hat diese Erfahrung seit über hundert Jahren. Zuerst im Schriftguß, dann im Fotosatz. Berthold-Schriften sind weltweit geschätzt. Im Schriftenatelier München wird jeder Buchstabe in der Größe von zwölf Zentimetern neu gezeichnet Mit messerscharfen Konturen, um für die Schriftscheiben das Optimale an Konturenschärfe herauszuholen. Um die Qualität des Einzelzeichens im Belichtungsvorgang zu be

1,60 mm (6 p), Zeilenabstand 2,50 mm

Berthold-Schriften überzeugen durch Schärfe und Qualität. Schriftqualität ist eine Frage der Erfahrung. Berthold hat diese Erfahrung seit über hundert Jahren. Zuerst im Schriftguß, dann im Fotosatz. Berthold-Schriften sind weltweit geschätzt. Im Schriftenatelier München wird jeder Buchstabe in der Größe von zwölf Zentimetern neu gezeichnet. Mit messerscharfen Konturen, um für die Schriftscheiben das O

1,86 mm (7 p), Zeilenabstand 3,00 mm

Berthold-Schriften überzeugen durch Schärfe und Qualität. Schriftqualität ist eine Frage der Erfahrung. Berthold hat diese Erfahrung seit über hundert Jahren. Zuerst im Schriftguß dann im Fotosatz. Berthold-Schriften sind weltweit geschätzt. Im Schriftenatelier München wird jeder Buchstabe in der Größe von zwölf Zentimetern neu gezeichnet. Mit messerscha

2,15 mm (8 p), Zeilenabstand 3,50 mm

1964
H. Berthold AG

ABCDEFGHIJKLMNOPQ
RSTUVWXYZ
abcdefghijklmnopqrstuvwxyz
1/1234567890%
(.,-;:!¡?¿–)·[’‘„”“»«]
+−=/$£†*&§
ÄÅÆÖØŒÜäåæıöøœßü
ÁÀÂÃÇČÉÈÊËÍÎÏĹŇÑÓÒÔÕ
ŔŘŠŤÚÙÛŴẄÝŶŸŽ
áàâãçčéèêëíîïĺňñóòôõŕřš
úùûŵẅýŷÿž

Berthold-Schriftweite weit
Berthold-Schriftweite normal
Berthold-Schriftweite eng
Berthold-Schriftweite sehr eng
Berthold-Schriftweite extrem eng

In general, bodytypes are measured in the typographical point size. The sizes of Berthold Fototype faces can be exactly determined. All faces of same point size have the same capital height–irrespective of their x-height. In hot metal and many other phototypesetting systems the capital heights often differ considerably from one face to the other. For measuring point sizes, a transparent size gauge is provided. To determine the point size, bring a capital letter into coincidence with that field which precisely circumscri

3,20 mm (12 p), Zeilenabstand 5,25 mm

Berthold’s quick brown foxjumps over the lazy dog and feels as if he were in the seve
3,72 mm (14 p)

Berthold’s quick brown foxjumps over the lazy dog and feels as if he were in
4,25 mm (16 p)

Berthold’s quick brown foxjumps over the lazy dog and feels as if he
4,75 mm (18 p)

Berthold’s quick brown foxjumps over the lazy dog and feels
5,30 mm (20 p)

Berthold’s quick brown foxjumps over the lazy dog
6,35 mm (24 p)

Berthold’s quick brown fox jumps over the
7,40 mm (28 p)

Berthold’s quick brown fox jumps ov
8,50 mm (32 p)

Berthold’s quick brown foxjumps
9,55 mm (36 p)

Berthold-Schriften überzeugen durch Schärfe und Qualität. Schriftqualität ist eine Frage der Erfahrung. Berthold hat diese Erfahrung seit über hundert Jahren. Zuerst im Schriftguß, dann im Fotosatz. Berthold-Schriften sind weltweit geschätzt. Im Schriftenatelier München wird jeder Buchstabe in der Größe von zwölf Zen

2,40 mm (9 p), Zeilenabstand 4,00 mm

Größe mm	p	Zeilenabstand kp	Êp	Ex	100 Zeichen 0	−1	−2
1,33	5	1,88	2,25	–	89	86	83
1,60	6	2,25	2,69	2,50	105	101	97
1,86	7	2,56	3,13	3,00	121	117	113
2,15	8	3,00	3,63	3,50	137	132	127
2,40	9	3,31	4,00	4,00	153	147	141
2,65	10	3,69	4,44	4,00	169	162	155
2,92	11	4,06	4,88	–	185	178	171
3,20	12	4,44	5,38	5,25	201	193	185
3,45	13	4,75	5,75	–	216	208	200
3,72	14	5,13	6,19	–	232	223	214
3,98	15	5,50	6,63	–	248	239	230
4,25	16	5,88	7,06	–	264	254	244

WZ 13 E, NSW 0, MZB 0,64, F 0,13:0,04 (3,1), IV
H 1–x 0,67–k 1,01–p 0,36–Ê 1,30–kp 1,37–Êp 1,66
BF 089 1146, Belegung 051: 085 1108 (095 1108)

Berthold-Schriften überzeugen durch Schärfe und Qualität. Schriftqualität ist eine Frage der Erfahrung. Berthold hat diese Erfahrung seit über hundert Jahren. Zuerst im Schriftguß dann im Fotosatz. Berthold-Schriften sind weltweit geschätzt. Im Schriftenatelier München wird jeder Buchst

2,65 mm (10 p), Zeilenabstand 4,00 mm

kursiv
italic
italique

KARTEN-AUGUSTEA

cursiva
chiaro corsivo
kursiv

*Berthold-Schriften überzeugen durch Schärfe und Qualitä
t. Schriftqualität ist eine Frage der Erfahrung. Berthold hat
diese Erfahrung seit über hundert Jahren. Zuerst im Schrif
tguß, dann im Fotosatz. Berthold-Schriften sind weltweit g
eschätzt. Im Schriftenatelier München wird jeder Buchsta
be in der Größe von zwölf Zentimetern neu gezeichnet. Mit
messerscharfen Konturen, um für die Schriftscheiben das
Optimale an Konturenschärfe herauszuholen. Um die Qua
lität des Einzelzeichens im Belichtungsvorgang zu bewahr*

1,60 mm (6 p), Zeilenabstand 2,50 mm

*Berthold-Schriften überzeugen durch Schärfe und
Qualität. Schriftqualität ist eine Frage der Erfahrun
g. Berthold hat diese Erfahrung seit über hundert Ja
hren. Zuerst im Schriftguß, dann im Fotosatz. Berth
old-Schriften sind weltweit geschätzt. Im Schriften
atelier München wird jeder Buchstabe in der Größe
von zwölf Zentimetern neu gezeichnet. Mit messers
charfen Konturen, um für die Schriftscheiben das O*

1,86 mm (7 p), Zeilenabstand 3,00 mm

*Berthold-Schriften überzeugen durch Schärf
e und Qualität. Schriftqualität ist eine Frage d
er Erfahrung. Berthold hat diese Erfahrung s
eit über hundert Jahren. Zuerst im Schriftguß
dann im Fotosatz. Berthold-Schriften sind we
ltweit geschätzt. Im Schriftenatelier München
wird jeder Buchstabe in der Größe von zwölf
Zentimetern neu gezeichnet. Mit messerscha*

2,15 mm (8 p), Zeilenabstand 3,50 mm

1964
H. Berthold AG

*ABCDEFGHIJKLMNOPQ
RSTUVWXYZ
abcdefghijklmnopqrstuvwxyz
1/1234567890 %
(.,-;:!¡?¿–)·[",""»«]
+−=/$£†*&§
ÄÅÆÖØŒÜäåæıöøœßü
ÁÀÂÃÇČÉÈÊËÍÌÎÏĹŇÑÓÒÔÕ
ŔŘŠŤÚÙÛŴẄÝỲŶŸŽ
áàâãçčéèêëíìîïĺňñóòôõŕřš
úùûŵẅýỳŷÿž*

Berthold-Schriftweite weit
Berthold-Schriftweite normal
Berthold-Schriftweite eng
Berthold-Schriftweite sehr eng
Berthold-Schriftweite extrem eng

*In general, bodytypes are meas
ured in the typographical point
size. The sizes of Berthold Fot
otype faces can be exactly dete
rmined. All faces of same point
size have the same capital heig
ht–irrespective of their x-heig
ht. In hot metal and many other
phototypesetting systems the c
apital heights often differ cons
iderably from one face to the ot
her. For measuring point sizes
a transparent size gauge is pro
vided. To determine the point s
ize, bring a capital letter into co
incidence with that field which
precisely circumscribes the let*

3,20 mm (12 p), Zeilenabstand 5,25 mm

Berthold's quick brown fox jumps over the lazy dog and feels as if he were in the seven
3,72 mm (14 p)

Berthold's quick brown fox jumps over the lazy dog and feels as if he were in
4,25 mm (16 p)

Berthold's quick brown fox jumps over the lazy dog and feels as if he
4,75 mm (18 p)

Berthold's quick brown fox jumps over the lazy dog and feels
5,30 mm (20 p)

Berthold's quick brown fox jumps over the lazy dog
6,35 mm (24 p)

Berthold's quick brown fox jumps over the
7,40 mm (28 p)

Berthold's quick brown fox jumps ove
8,50 mm (32 p)

Berthold's quick brown fox jumps
9,55 mm (36 p)

*Berthold-Schriften überzeugen durch S
chärfe und Qualität. Schriftqualität ist ei
ne Frage der Erfahrung. Berthold hat die
se Erfahrung seit über hundert Jahren. Z
uerst im Schriftguß, dann im Fotosatz. B
erthold-Schriften sind weltweit geschät
zt. Im Schriftenatelier München wird jed
er Buchstabe in der Größe von zwölf Zen*

2,40 mm (9 p), Zeilenabstand 4,00 mm

Größe		Zeilenabstand			100 Zeichen		
mm	p	kp	Êp	Ex	0	−1	−2
1,00	5	1,75	2,13		87	84	81
1,60	6	2,13	2,50	2,50	103	99	95
1,86	7	2,44	2,94	3,00	118	114	110
2,15	8	2,81	3,38	3,50	134	129	124
2,40	9	3,13	3,75	4,00	150	144	138
2,65	10	3,50	4,19	4,00	165	158	151
2,92	11	3,81	4,56	—	181	174	167
3,20	12	4,19	5,00	5,25	196	188	180
3,45	13	4,50	5,44	—	212	204	196
3,72	14	4,88	5,81	—	227	218	209
3,98	15	5,19	6,25	—	243	234	225
4,25	16	5,56	6,63	—	258	248	238

WZ 12 E, NSW 0, MZB 0,62, F 0,13:0,04 (3,2), IV
H 1–x 0,68–k 1,01–p 0,29–Ê 1,27–kp 1,30–Êp 1,56
BF 089 1185, Belegung 051: 085 1109 (095 1109)

*Berthold-Schriften überzeugen durc
h Schärfe und Qualität. Schriftqualit
ät ist eine Frage der Erfahrung. Bert
hold hat diese Erfahrung seit über hu
ndert Jahren. Zuerst im Schriftguß, d
ann im Fotosatz. Berthold-Schriften
sind weltweit geschätzt. Im Schriften
atelier München wird jeder Buchsta*

2,65 mm (10 p), Zeilenabstand 4,00 mm

normal
regular
normal

KENNERLEY OLD STYLE

normal
chiaro tondo
normal

Berthold-Schriften überzeugen durch Schärfe und Qualität. Schriftq
ualität ist eine Frage der Erfahrung. Berthold hat diese Erfahrung seit
über hundert Jahren. Zuerst im Schriftguß, dann im Fotosatz. Berthol
d-Schriften sind weltweit geschätzt. Im Schriftenatelier München wir
d jeder Buchstabe in der Größe von zwölf Zentimetern neu gezeichnet
Mit messerscharfen Konturen, um für die Schriftscheiben das Opti
male an Konturenschärfe herauszuholen. Um die Qualität des Einzelz
eichens im Belichtungsvorgang zu bewahren, wird durch die ruhende
nicht rotierende Schriftscheibe belichtet. Dieses optische System, ver

1,33 mm (5 p) 20 30 40 50 60

Berthold-Schriften überzeugen durch Schärfe und Qualität. Schr
iftqualität ist eine Frage der Erfahrung. Berthold hat diese Erfahr
ung seit über hundert Jahren. Zuerst im Schriftguß, dann im Fotos
atz. Berthold-Schriften sind weltweit geschätzt. Im Schriftenatel
ier München wird jeder Buchstabe in der Größe von zwölf Zenti
metern neu gezeichnet. Mit messerscharfen Konturen, um für
die Schriftscheiben das Optimale an Konturenschärfe herauszuh
olen. Um die Qualität des Einzelzeichens im Belichtungsvorgang
zu bewahren, wird durch die ruhende, nicht rotierende Schriftsc

1,45 mm (5,5 p) 20 30 40 50 6

Berthold-Schriften überzeugen durch Schärfe und Qualität
Schriftqualität ist eine Frage der Erfahrung. Berthold hat die
se Erfahrung seit über hundert Jahren. Zuerst im Schriftguß
dann im Fotosatz. Berthold-Schriften sind weltweit geschät
zt. Im Schriftenatelier München wird jeder Buchstabe in der
Größe von zwölf Zentimetern neu gezeichnet. Mit messe
rscharfen Konturen, um für die Schriftscheiben das Optimal
e an Konturenschärfe herauszuholen. Um die Qualität des Ei
nzelzeichens im Belichtungsvorgang zu bewahren, wird dur

1,60 mm (6 p) 20 30 40 50

Berthold-Schriften überzeugen durch Schärfe und Qu
alität. Schriftqualität ist eine Frage der Erfahrung. Bert
hold hat diese Erfahrung seit über hundert Jahren. Zue
rst im Schriftguß, dann im Fotosatz. Berthold-Schriften
sind weltweit geschätzt. Im Schriftenatelier München
wird jeder Buchstabe in der Größe von zwölf Zenti
metern neu gezeichnet. Mit messerscharfen Konturen
um für die Schriftscheiben das Optimale an Konturens
chärfe herauszuholen. Um die Qualität des Einzelzeich

1,75 mm (6,5 p) 20 30 40 50

Berthold-Schriften überzeugen durch Schärfe und
Qualität. Schriftqualität ist eine Frage der Erfahrung
Berthold hat diese Erfahrung seit über hundert Jahr
en. Zuerst im Schriftguß, dann im Fotosatz. Berthol
d-Schriften sind weltweit geschätzt. Im Schriftenate
lier München wird jeder Buchstabe in der Größ
e von zwölf Zentimetern neu gezeichnet. Mit messe
rscharfen Konturen, um für die Schriftscheiben das
Optimale an Konturenschärfe herauszuholen. Um d

1,86 mm (7 p) 20 30 40

Berthold-Schriften überzeugen durch Schärfe u
nd Qualität. Schriftqualität ist eine Frage der Erfa
hrung. Berthold hat diese Erfahrung seit über hu
ndert Jahren. Zuerst im Schriftguß, dann im Foto
satz. Berthold-Schriften sind weltweit geschätzt
Im Schriftenatelier München wird jeder Buchsta
be in der Größe von zwölf Zentimetern neu gezei
chnet. Mit messerscharfen Konturen, um für die
Schriftscheiben das Optimale an Konturenschär

2,00 mm (7,5 p) 20 30 40

Berthold-Schriften überzeugen durch Schärfe
und Qualität. Schriftqualität ist eine Frage der
Erfahrung. Berthold hat diese Erfahrung seit ü
ber hundert Jahren. Zuerst im Schriftguß, dann
im Fotosatz. Berthold-Schriften sind weltweit
geschätzt. Im Schriftenatelier München wird
jeder Buchstabe in der Größe von zwölf Zenti
metern neu gezeichnet. Mit messerscharfen K
onturen, um für die Schriftscheiben das Optim

2,15 mm (8 p) 20 30 40

Frederic W. Goudy
1911
H. Berthold AG

ABCDEFGHIJKLMNOPQ
RSTUVWXYZ
abcdefghijklmnopqrstuvwxyz
1/1234567890%
(.,-;:!¡?¿–)·[’‘„”“»«]
+−=/$£†*&§
ÄÅÆÖØŒÜäåæıöøœßü
ÁÀÂÃÇČÉÈÊËÍÌÎÏĹŇÑÓÒÔÕ
ŔŘŠŤÚÙÛŴẄÝŶŸŽ
áàâãçčéèêëíìîïĺňñóòôõŕřš
úùûŵẅýỳÿž

Berthold-Schriftweite weit
Berthold-Schriftweite normal
Berthold-Schriftweite eng
Berthold-Schriftweite sehr eng
Berthold-Schriftweite extrem eng

Berthold
3,72 mm (14 p)

Berthold
4,25 mm (16 p)

Berthold
4,75 mm (18 p)

Berthold
5,30 mm (20 p)

Berthold
6,35 mm (24 p)

Berthold
7,40 mm (28 p)

Berthold
8,50 mm (32 p)

Berthold
9,55 mm (36 p)

Größe mm	p	Zeilenabstand kp	Êp	Ex	100 Zeichen 0	−1	−2
1,33	5	1,94	2,19	2,00	86	83	80
1,60	6	2,31	2,63	2,50	101	97	93
1,86	7	2,69	3,06	3,00	116	112	108
2,15	8	3,06	3,56	3,50	132	127	122
2,40	9	3,44	3,94	3,75	148	142	136
2,65	10	3,81	4,38	4,25	163	156	149
2,92	11	4,19	4,81	4,75	178	171	164
3,20	12	4,56	5,25	5,25	193	185	177
3,45	13	4,94	5,69	5,75	209	201	193
3,72	14	5,31	6,13	–	224	215	206
3,98	15	5,69	6,56	–	239	230	221
4,25	16	6,06	7,00	–	254	244	234

WZ 12 E, NSW 0, MZB 0,61, F 0,10:0,05 (2,0), II
H 1–x 0,60–k 1,06–p 0,36–Ê 1,28–kp 1,42–Êp 1,64
BF 089 1390, Belegung 051: 085 1074 (095 1074)

Berthold-Schriften überzeugen durch Sc
härfe und Qualität. Schriftqualität ist eine
Frage der Erfahrung. Berthold hat diese
Erfahrung seit über hundert Jahren. Zuer
st im Schriftguß, dann im Fotosatz. Berth
old-Schriften sind weltweit geschätzt. Im
Schriftenatelier München wird jeder Buc
hstabe in der Größe von zwölf Zentimete

2,40 mm (9 p) 20 30

Berthold-Schriften überzeugen durch
Schärfe und Qualität. Schriftqualität i
st eine Frage der Erfahrung. Berthold
hat diese Erfahrung seit über hundert
Jahren. Zuerst im Schriftguß, dann im
Fotosatz. Berthold-Schriften sind we
ltweit geschätzt. Im Schriftenatelier
München wird jeder Buchstabe in der

2,65 mm (10 p) 20 30

Berthold-Schriften überzeugen d
urch Schärfe und Qualität. Schrift
qualität ist eine Frage der Erfahru
ng. Berthold hat diese Erfahrung s
eit über hundert Jahren. Zuerst im
Schriftguß, dann im Fotosatz. Bert
hold-Schriften sind weltweit gesc
hätzt. Im Schriftenatelier Münche

2,92 mm (11 p) 10 20 30

Berthold-Schriften überzeugen
durch Schärfe und Qualität. Sc
hriftqualität ist eine Frage der E
rfahrung. Berthold hat diese Er
fahrung seit über hundert Jahre
n. Zuerst im Schriftguß, dann im
Fotosatz. Berthold-Schriften si
nd weltweit geschätzt. Im Schri

3,20 mm (12 p) 10 20

Berthold-Schriften überzeug
en durch Schärfe und Quali
tät. Schriftqualität ist eine Fr
age der Erfahrung. Berthold
hat diese Erfahrung seit über
hundert Jahren. Zuerst im Sc
hriftguß, dann im Fotosatz. B
erthold-Schriften sind weltw

3,45 mm (13 p) 10 20

normal
regular
normal

KENNERLEY OLD STYLE

normal
chiaro tondo
normal

Berthold-Schriften überzeugen durch Schärfe und Qualität. Schriftqualität i st eine Frage der Erfahrung. Berthold hat diese Erfahrung seit über hundert J ahren. Zuerst im Schriftguß, dann im Fotosatz. Berthold-Schriften sind welt weit geschätzt. Im Schriftenatelier München wird jeder Buchstabe in der Gr öße von zwölf Zentimetern neu gezeichnet. Mit messerscharfen Konturen um für die Schriftscheiben das Optimale an Konturenschärfe herauszuholen Um die Qualität des Einzelzeichens im Belichtungsvorgang zu bewahren, w ird durch die ruhende, nicht rotierende Schriftscheibe belichtet. Dieses opti sche System, verbunden mit Präzisions-Chromglasscheiben, führt zu einer

4,25 mm (16 p), Zeilenabstand 6,75 mm

KENNERLEY OLD STYLE REGULAR

In general, bodytypes are measured in the typogra phical point size. The sizes of Berthold Fototype fa ces can be exactly determined. All faces of same poi nt size have the same capital height–irrespective of their x-height. In hot metal and many other photot ypesetting systems the capital heights often differ c onsiderably from one face to the other. For measur ing point sizes, a transparent size gauge is provided To determine the point size, bring a capital letter int o coincidence with that field which precisely circu mscribes the letter at its upper and lower margin. B elow the field you find the typographical point and below that the millimeter value, which also refers to the height of a capital letter. In Berthold-phototype setting, the typewidth can be modified. The stand ard setting width of typefaces is determined by the principle of optimum legibility. You should not depa rt from this typewidth without cogent reason. A ty peface which is considered optically right when loo ked in a greater context, often seems bulky when a pplied for a small amount of text, e. g. labels and ads. Here, a width reduction will be conducive to le

2,40 mm (9 p), Zeilenabstand 4,25 mm

KENNERLEY OLD STYLE NORMAL

La valeur de la force de corps des caractères de labeur èst généralement exprimée en points ty pographiques. La force de corps des caractères Berthold-Fototype peut être déterminée avec précision. Tous les caractères du même corps o nt des capitales d'une hauteur identique, indép endamment de la hauteur des bas de casse sans jambage. Dans la composition plomb, ainsi que dans certains systèmes de photocomposition la hauteur des capitales, varie souvent d'un car actère à l'autre. Pour déterminer la force de cor ps de nos caractères, nous avons mis au point u ne réglette de hauteur d'œil transparente. On c herche le rectangle qui délimite exactement la hauteur d'œil d'une capitale du caractère chois i. Sous le rectangle correspondant la valeur de l a force de corps est indiquée en points Didots et en millimètres. La valeur en millimètres expri me également la hauteur des capitales. Pour to utes les indications concernant la force de corp

2,65 mm (10 p), Zeilenabstand 4,69 mm

La indicación de las dimensiones para cuerpos de letra vásicos tiene lugar en general en puntos tipo gráficos. Los cuerpos de letra de los caracteres Be rthold Fototype pueden determinarse exacteme nte par medición. Con independencia de la altura de sus longitudes centrales, todos los caracteres de idéntico cuerpo de letra presentan altura de m ayúsculas idéntica. En la composición en plomo y en muchos otros sistemas de fotocomposición, la

2,15 mm (8 p), –1, Zeilenabstand 3,38 mm

123,– $	456,– £	7890,– DM	1 %
234,– $	789,– £	1234,– DM	2 %
567,– $	12,– £	5678,– DM	3 %
890,– $	345,– £	9012,– DM	4 %
123,– $	678,– £	3456,– DM	5 %
456,– $	901,– £	7890,– DM	6 %
789,– $	234,– £	1234,– DM	7 %
12,– $	567,– £	5678,– DM	8 %
345,– $	890,– £	9012,– DM	9 %

BF 089 1391

Le misure relative al corpo dei caratteri vengono ge neralmente indicate in punti tipografici. Il corpo dei caratteri Fototypes può essere determinato con esa ttezza per semplice misurazione. Tutti i caratteri di u guale grandezza in punti hanno, indipendentemente dalla loro lunghezza, uguale altezza delle maiuscole Nella composizione in piombo ed in molti altri sis temi di fotocomposizione, l'altezza delle maiuscole varia spesso da carattere a carattere. Per misurare il

2,15 mm (8 p), –2, Zeilenabstand 3,38 mm

normal
regular
normal

Kennerley Old Style Caps

normal
chiaro tondo
normal

T. S. Eliot *Old Possums Katzenbuch*
Günter Eich *Träume.* Vier Spiele
Jean Giraudoux *Eglantine.* Roman
Walter Benjamin *Einbahnstraße*
Antonio Machado *Juan de Mairena*
G. B. Shaw *Musik in London.* Kritiken
Paul Valéry *Über Kunst.* Essays
Ernst Bloch *Spuren.* Parabeln
William Faulkner *Der Bär*
Truman Capote *Die Grasharfe*
André Gide *Paludes.* Satire
Guiseppe Ungaretti *Gedichte*
Jean Giraudoux *Simon.* Roman
William Carlos Williams *Gedichte*
Bertholt Brecht *Geschichten*
Henry Green *Schwärmerei.* Roman
Ezra Pound *ABC des Lesens*
Th. W. Adorno *Mahler.* Monographie

2,15 mm (8 p), Zeilenabstand 5,00 mm

Frederic W. Goudy
1911
H. Berthold AG

ABCDEFGHIJKLMNOPQ
RSTUVWXYZ
ABCDEFGHIJKLMNOPQRSTUVW
XYZ 1234567890%
(.,·;:!¡?¿–)·[‘‚"„"»«›‹]
+–=/$£†*&§©
ÄÅÆÖØŒÜÄÅÆÖØŒÜ
ÁÀÂÃÇČÉÈÊËÍÌÎÏĹŇÑ
ÓÒÔÕŔŘŠÚÙÛŴẄÝŶŸŽ
ÁÀÂÃÇČÉÈÊËÍÌÎÏĹŇÑÓÒÔÕŔŘŠ
ÚÙÛŴẄÝŶŸŽ

Schriftweite weit
Schriftweite normal
Schriftweite eng
Schriftweite sehr eng
Schriftweite extrem eng

Calan: Hast du Furcht, daß sein Vermögen nicht ausreicht? Mein Wort schlägt Hände ab – horch, ob sein Wort sie ihm behält. *Man hört schreien.* Wer, sagst du, Noah, wer, sagst du, wer, wenn nicht ich, ist der Herr?
Noah: Sprich ein zweites Wort, Calan. *Das Schreien dauert an.* Töte ihn vollends, daß nicht sein Schreien in meinen Eingeweiden schauert, sprich, Calan, sprich!
Calan: Darum, daß dein Eingeweide sich besänftigt? Darum, Noah, bitte ihn, den andern. Das Opfer ist getan, mag er sich sättigen am Schreien, denn es schreien viele, ohne daß er ihr Schreien in Gnade ersäuft. Mag er sich auch eine Mühe machen mit einem Wort, wenn ihm an der Stille gelegen ist. Ich habe das Opfer von mir gegeben, und da es sein ist, soll er damit tun nach seinem Wohlgefallen. *Chus kommt mit zwei blutigen Händen.* Gut, Chus, nagle sie hier an den Pfosten, daß er sieht, was Calan dargebracht, das nimmt er nicht wieder an sich. *Chus tut wie befohlen.*
Calan *zu Noah, der sich die Ohren zuhält:* Nimm die Hände herunter und höre, was dein Gott dir zu hören gibt. Wenn es an dem ist, daß er ihn schreien läßt, so hat er Wohlgefallen an seinem Schreien, und es kitzelt ihm die Eingeweide. Oder sollte sein Wort keine Kraft haben, wenn ihn nach

1,86 mm (7 p), Zeilenabstand 3,00 mm

The Quick Brown Fox Jumps over the Lazy Dog and Feels as if he were in the s
3,72 mm (14 p)
The Quick Brown Fox Jumps over the Lazy Dog and Feels as if he we
4,25 mm (16 p)
The Quick Brown Fox Jumps over the Lazy Dog and Feels as if
4,75 mm (18 p)
The Quick Brown Fox Jumps over the Lazy Dog and Fee
5,30 mm (20 p)
The Quick Brown Fox Jumps over the Lazy Do
6,35 mm (24 p)
The Quick Brown Fox Jumps over the L
7,40 mm (28 p)
The Quick Brown Fox Jumps over
8,50 mm (32 p)
The Quick Brown Fox Jumps o
9,55 mm (36 p)

9/6

Charlotte Duvalier
Pianistin

Peter-Paul-Rubens-Platz 2, 1000 Berlin 13
Telefon 030 – 66 22 84

2,40 mm (9 p) und 1,60 mm (6 p)

Monday		4	11	18	25
Tuesday		5	12	19	26
Wednesday		6	13	20	27
Thursday		7	14	21	28
Friday	1	8	15	22	29
Saturday	2	9	16	23	30
Sunday	3	10	17	24	

2,40 mm (9 p) und 3,20 mm (12 p)
WZ 16 E, NSW +1, II
BF 089 1392, Belegung 127: 085 1319 (095 1319)

10/7

Jochen van Dijk
Lehrer

Hinterm Dom 3, 5000 Köln am Rhein
Telefon 02 21 – 67 33 58

2,65 mm (10 p) und 1,86 mm (7 p)

kursiv
italic
italique

KENNERLEY OLD STYLE

cursiva
chiaro corsivo
kursiv

Måttangivelse för grundstilsgrader s ker i allmänhet i typografiska punkter Stilar av Berthold Fototype kan efter mätning exakt gradbestämmas. Alla typsnitt är av samma punktstorlek och har oberoende av x-höjden en identisk versalhöjd. I blysättning och i många andra fotosättsystem varierar versal höjden avsevärt från typsnitt till typs nitt. För mätning av stilgrader finns en transparent mätlinjal. Vid mätni ngen placerar man en versal bokstav så att rutorna begränsar tecknet uppt ill och nedtill. Under rutorna finns sti lstorleken i typografiska didotpunkter och i mm. Även millimeteruppgiften avser versalhöjden. Vid stilstorleksu ppgifter anges alltid måttenheten efter sifferuppgiften t ex 14 punkter eller 14

2,92 mm (11 p), Zeilenabstand 4,69 mm

Frederic W. Goudy
1911
H. Berthold AG

ABCDEFGHIJKLMNOPQ
RSTUVWXYZ
abcdefghijklmnopqrstuvwxyz
1/1234567890%
(.,‹;:!¡?¿–)·[‘‚"“»«]
+–=/$£†&§*
ÄÅÆÖØŒÜäåæıöøœßü
ÁÀÂÃÇČÉÈÊËÍÌÎÏĹŇÑÓÒÔÕ
ŔŘŠŤÚÙÛŴẄÝŶŸŽ
áàâãçčéèêëíìîïĺňñóòôõŕřš
úùûŵẅýỳÿž

Berthold-Schriftweite weit
Berthold-Schriftweite normal
Berthold-Schriftweite eng
Berthold-Schriftweite sehr eng
Berthold-Schriftweite extrem eng

In general, bodytypes are measure d in the typographical point size The sizes of Berthold Fototype fac es can be exactly determined. All f aces of same point size have the sa me capital height–irrespective of t heir x-height. In hot metal and ma ny other phototypesetting systems the capital heights often differ con siderably from one face to the othe r. For measuring point sizes, a tran sparent size gauge is provided. To determine the point size, bring a c apital letter into coincidence with that field which precisely circums cribes the letter at its upper and lo wer margin. Below the field you fi

3,20 mm (12 p), Zeilenabstand 5,25 mm

KENNERLEY OLD STYLE KURSIV

Die Maßangabe zu Grundschriftgrößen erfolgt im allg emeinen in typographischen Punkten. Die Schriftgröße n der Berthold-Fotosatz-Schriften sind nach Messung exakt bestimmbar. Alle Schriften gleicher Punktgröße weisen, unabhängig von der Höhe ihrer Mittellängen, e ine identische Versalhöhe auf. Im Bleisatz und bei vielen anderen Fotosatz-Systemen differieren die Versalhöhen von Schrift zu Schrift oft erheblich. Zum Messen von S chriftgrößen steht ein transparentes Größenmaß zur V erfügung. Zum Messen wird ein Versalbuchstabe mit dem Feld in Deckung gebracht, das den Buchstaben obe n und unten scharf begrenzt. Unter dem Feld ist die Sch riftgröße in typographischen Didot-Punkten, darunter in Millimetern angegeben. Auch die Millimeterangabe n beziehen sich auf die Höhe der Versalbuchstaben. Die Schriftweite kann im Berthold-Fotosatz beliebig verän dert werden. Die Festlegung der Normalschriftweite er folgt nach dem Prinzip der optimalen Lesbarkeit bei grö

2,40 mm (9 p), Zeilenabstand 4 mm

KENNERLEY OLD STYLE ITALIQUE

La valeur de la force de corps des caractères de labe ur èst généralement exprimée en points typographi ques. La force de corps des caractères Berthold-Fot otype peut être déterminée avec précision. Tous les caractères du même corps ont des capitales d'une h auteur identique, indépendamment de la hauteur des bas de casse sans jambage. Dans la composition plomb, ainsi que dans certains systèmes de photoco mposition, la hauteur des capitales, varie souvent d'un caractère à l'autre. Pour déterminer la force de corps de nos caractères, nous avons mis au point un e réglette de hauteur d'œil transparente. On cherch e le rectangle qui délimite exactement la hauteur d œil d'une capitale du caractère choisi. Sous le recta ngle correspondant la valeur de la force de corps est indiquée en points Didots et en millimètres. La val

2,65 mm (10 p), Zeilenabstand 4,50 mm

La indicación de las dimensiones para cuerpos de letra vásicos tie ne lugar en general en puntos tipográficos. Los cuerpos de letra del os caracteres Berthold Fototype pueden determinarse exactement e par medición. Con independencia de la altura de sus longitudes centrales, todos los caracteres de idéntico cuerpo de letra presentan altura de mayúsculas idéntica. En la composición en plomo y en m uchos otros sistemas de fotocomposición, las alturas de mayúscula s varían frecuentemmente en forma considerable de tipo de letra a tipo de letra. Para medir los cuerpos de letra se dispone de un tipó metro, véase la figura. Para la medición se hace coincidir una letra mayúscula con la casilla cuyos extremos coinciden con los extremos superior e inferior de la letra. Bajo la casilla se indica el cuerpo del

1,60 mm (6 p), Zeilenabstand 2,50 mm

Größe		Zeilenabstand			100 Zeichen		
mm	p	kp	Êp	Ex	0	–1	–2
1,00	5	1,00	2,10		70	75	72
1,60	6	2,25	2,63	2,50	92	88	84
1,86	7	2,63	3,00	–	106	102	98
2,15	8	3,00	3,50	3,38	120	115	110
2,40	9	3,31	3,88	4,00	134	128	122
2,65	10	3,69	4,31	4,50	148	141	134
2,92	11	4,06	4,75	4,69	162	155	148
3,20	12	4,44	5,19	5,25	176	168	160
3,45	13	4,81	5,56	–	190	182	174
3,72	14	5,19	6,00	–	203	194	185
3,98	15	5,50	6,44	–	217	208	199
4,25	16	5,88	6,88	–	231	221	211

WZ 12 E, NSW 0, MZB 0,56, F 0,09:0,05 (1,7), II
H 1–x 0,59–k 1,04–p 0,34–Ê 1,27–kp 1,38–Êp 1,61
BF 089 1393, Belegung 051: 085 1076 (095 1076)

Le misure relative al corpo dei caratteri vengono ge neralmente indicate in punti tipografici. Il corpo d ei caratteri Fototypes può essere determinato con e sattezza per semplice misurazione. Tutti i caratteri di uguale grandezza in punti hanno, indipendente mente dalla loro lunghezza, uguale altezza delle m aiuscole. Nella composizione in piombo ed in molti altri sistemi di fotocomposizione, l'altezza delle m aiuscole varia spesso da carattere a carattere. Per

2,15 mm (8 p), Zeilenabstand 3,38 mm

halbfett
medium
demi-gras

KENNERLEY OLD STYLE

seminegra
neretto
halvfet

Berthold-Schriften überzeugen durch Schärfe und Qu alität. Schriftqualität ist eine Frage der Erfahrung. Bert hold hat diese Erfahrung seit über hundert Jahren. Zue rst im Schriftguß, dann im Fotosatz. Berthold-Schriften sind weltweit geschätzt. Im Schriftenatelier München wird jeder Buchstabe in der Größe von zwölf Zentimet ern neu gezeichnet. Mit messerscharfen Konturen, um f ür die Schriftscheiben das Optimale an Konturenschär fe herauszuholen. Um die Qualität des Einzelzeichens

1,60 mm (6 p), Zeilenabstand 2,50 mm

Berthold-Schriften überzeugen durch Schärfe und Qualität. Schriftqualität ist eine Frage der E rfahrung. Berthold hat diese Erfahrung seit über hundert Jahren. Zuerst im Schriftguß, dann im Fotosatz. Berthold-Schriften sind weltweit ges chätzt. Im Schriftenatelier München wird jeder Buchstabe in der Größe von zwölf Zentimetern neu gezeichnet. Mit messerscharfen Konturen

1,86 mm (7 p), Zeilenabstand 3,00 mm

Berthold-Schriften überzeugen durch Sch ärfe und Qualität. Schriftqualität ist eine F rage der Erfahrung. Berthold hat diese Erf ahrung seit über hundert Jahren. Zuerst im Schriftguß, dann im Fotosatz. Berthold-Sc hriften sind weltweit geschätzt. Im Schrift enatelier München wird jeder Buchstabe i n der Größe von zwölf Zentimetern neu

2,15 mm (8 p), Zeilenabstand 3,50 mm

Frederic W. Goudy
1911
H. Berthold AG

ABCDEFGHIJKLMNOPQ
RSTUVWXYZ
abcdefghijklmnopqrstuvwxyz
1/1234567890%
(.,-;:!¡?¿–)·[’‘„”“»«]
+–=/$£†*&§
ÄÅÆÖØŒÜäåæıöøœßü
ÁÀÂÃÇČÉÈÊËÍÌÎÏĹŇÑÓÒÔÕ
ŔŘŠŤÚÙÛŴẄÝŶŸŽ
áàâãçčéèêëíìîïĺňñóòôõŕřš
úùûŵẅýỳÿž

Berthold-Schriftweite weit
Berthold-Schriftweite normal
Berthold-Schriftweite eng
Berthold-Schriftweite sehr eng
Berthold-Schriftweite extrem eng

In general, bodytypes are me asured in the typographical point size. The sizes of Berth old Fototype faces can be exa ctly determined. All faces of same point size have the same capital height–irrespective of their x-height. In hot metal and many other phototypes etting systems the capital hei ghts often differ considerably from one face to the other. F or measuring point sizes a tr ansparent size gauge is provi ded. To determine the point size, bring a capital letter into coincidence with that field w

3,20 mm (12 p), Zeilenabstand 5,25 mm

Berthold's quick brown fox jumps over the lazy dog and feels as if he were in the
3,72 mm (14 p)

Berthold's quick brown fox jumps over the lazy dog and feels as if he
4,25 mm (16 p)

Berthold's quick brown fox jumps over the lazy dog and feels
4,75 mm (18 p)

Berthold's quick brown fox jumps over the lazy dog and
5,30 mm (20 p)

Berthold's quick brown fox jumps over the lazy
6,35 mm (24 p)

Berthold's quick brown fox jumps over
7,40 mm (28 p)

Berthold's quick brown fox jumps
8,50 mm (32 p)

Berthold's quick brown fox jum
9,55 mm (36 p)

Berthold-Schriften überzeugen durch Schärfe und Qualität. Schriftqualität ist eine Frage der Erfahrung. Berthold hat diese Erfahrung seit über hundert Jahren. Zuerst im Schriftguß, dann im Fotosatz. Berthold-Schriften sind we ltweit geschätzt. Im Schriftenatelier München wird jeder Buchstabe in der

2,40 mm (9 p), Zeilenabstand 4,00 mm

Größe mm	p	Zeilenabstand kp	Êp	Ex	100 Zeichen 0	−1	−2
1,33	5	1,81	2,06	–	92	89	86
1,60	6	2,13	2,50	2,50	108	104	100
1,86	7	2,50	2,94	3,00	124	120	116
2,15	8	2,88	3,38	3,50	141	136	131
2,40	9	3,19	3,75	4,00	158	152	146
2,65	10	3,50	4,13	4,00	174	167	160
2,92	11	3,88	4,56	–	190	183	176
3,20	12	4,25	5,00	5,25	207	199	191
3,45	13	4,56	5,38	–	223	215	207
3,72	14	4,94	5,81	–	239	230	221
3,98	15	5,31	6,19	–	255	246	237
4,25	16	5,63	6,63	–	271	261	251

WZ 12 E, NSW 0, MZB 0,66, F 0,14:0,05 (2,8), II
H 1–x 0,60–k 1,04–p 0,28–Ê 1,27–kp 1,32–Êp 1,55
BF 089 1394, Belegung 051: 085 1075 (095 1075)

Berthold-Schriften überzeugen d urch Schärfe und Qualität. Schrift qualität ist eine Frage der Erfahru ng. Berthold hat diese Erfahrung s eit über hundert Jahren. Zuerst im Schriftguß, dann im Fotosatz. Ber thold-Schriften sind weltweit ges chätzt. Im Schriftenatelier Münch

2,65 mm (10 p), Zeilenabstand 4,00 mm

kursiv halbfett
medium italic
italique demi-gras

KENNERLEY OLD STYLE

seminegra cursiva
neretto corsivo
kursiv halvfet

Berthold-Schriften überzeugen durch Schärfe und Q ualität. Schriftqualität ist eine Frage der Erfahrung Berthold hat diese Erfahrung seit über hundert Jahre n. Zuerst im Schriftguß, dann im Fotosatz. Berthold-S chriften sind weltweit geschätzt. Im Schriftenatelier München wird jeder Buchstabe in der Größe von zwö lf Zentimetern neu gezeichnet. Mit messerscharfen Konturen, um für die Schriftscheiben das Optimale an Konturenschärfe herauszuholen. Um die Qualität des

1,60 mm (6 p), Zeilenabstand 2,50 mm

Berthold-Schriften überzeugen durch Schärfe und Qualität. Schriftqualität ist eine Frage der Erfahrung. Berthold hat diese Erfahrung seit ü ber hundert Jahren. Zuerst im Schriftguß, dann im Fotosatz. Berthold-Schriften sind weltweit g eschätzt. Im Schriftenatelier München wird je der Buchstabe in der Größe von zwölf Zentimet ern neu gezeichnet. Mit messerscharfen Kontu

1,86 mm (7 p), Zeilenabstand 3,00 mm

Berthold-Schriften überzeugen durch Sc härfe und Qualität. Schriftqualität ist eine Frage der Erfahrung. Berthold hat diese Erfahrung seit über hundert Jahren. Zuer st im Schriftguß, dann im Fotosatz. Berth old-Schriften sind weltweit geschätzt. Im Schriftenatelier München wird jeder B uchstabe in der Größe von zwölf Zentimet

2,15 mm (8 p), Zeilenabstand 3,50 mm

Frederic W. Goudy
1911
H. Berthold AG

ABCDEFGHIJKLMNOPQ
RSTUVWXYZ
abcdefghijklmnopqrstuvwxyz
1/1234567890%
(.,-;:!i?¿-)·[['„"“»«]
+−=/$£†&§*
ÄÅÆÖØŒÜäåæıöøœßü
ÁÀÂÃÇČÉÈÊËÍÌÎÏĹÑŇÓÒÔÕ
ŔŘŠŤÚÙÛŴẂŶỲŽ
áàâãçčéèêëíìîïĺňñóòôõŕřš
úùûŵẃýỳÿž

Berthold-Schriftweite weit
Berthold-Schriftweite normal
Berthold-Schriftweite eng
Berthold-Schriftweite sehr eng
Berthold-Schriftweite extrem eng

In general, bodytypes are m easured in the typographic al point size. The sizes of Be rthold Fototype faces can be exactly determined. All fac es of same point size have the same capital height-irr espective of their x-height. In hot metal and many other p hototypesetting systems the capital heights often differ c onsiderably from one face to the other. For measuring po int sizes, a transparent size gauge is provided. To deter mine the point size, bring a capital letter into coinciden

3,20 mm (12 p), Zeilenabstand 5,25 mm

Berthold's quick brown fox jumps over the lazy dog and feels as if he were in the
3,72 mm (14 p)

Berthold's quick brown fox jumps over the lazy dog and feels as if he
4,25 mm (16 p)

Berthold's quick brown fox jumps over the lazy dog and feels
4,75 mm (18 p)

Berthold's quick brown fox jumps over the lazy dog and
5,30 mm (20 p)

Berthold's quick brown fox jumps over the lazy
6,35 mm (24 p)

Berthold's quick brown fox jumps over
7,40 mm (28 p)

Berthold's quick brown fox jumps
8,50 mm (32 p)

Berthold's quick brown fox jum
9,55 mm (36 p)

Berthold-Schriften überzeugen dur ch Schärfe und Qualität. Schriftqual ität ist eine Frage der Erfahrung. Ber thold hat diese Erfahrung seit über h undert Jahren. Zuerst im Schriftguß dann im Fotosatz. Berthold-Schriften sind weltweit geschätzt. Im Schriften atelier München wird jeder Buchsta

2,40 mm (9 p), Zeilenabstand 4,00 mm

Größe mm	p	Zeilenabstand kp	Êp	Ex	100 Zeichen 0	−1	−2
1,33	5	1,88	2,19	–	93	90	87
1,60	6	2,25	2,63	2,50	109	105	101
1,86	7	2,63	3,06	3,00	126	122	118
2,15	8	3,00	3,50	3,50	143	138	133
2,40	9	3,38	3,94	4,00	160	154	148
2,65	10	3,69	4,31	4,00	177	170	163
2,92	11	4,06	4,75	–	193	186	179
3,20	12	4,44	5,19	5,25	209	201	193
3,45	13	4,81	5,63	–	226	218	210
3,72	14	5,19	6,06	–	242	233	224
3,98	15	5,50	6,50	–	259	250	241
4,25	16	5,88	6,94	–	275	265	255

WZ 13 E, NSW 0, MZB 0,67, F 0,13:0,06 (2,3), II
H 1–x 0,63–k 1,04–p 0,34–Ê 1,28–kp 1,38–Êp 1,62
BF 089 1395, Belegung 051: 085 1077 (095 1077)

Berthold-Schriften überzeugen d urch Schärfe und Qualität. Schri ftqualität ist eine Frage der Erfah rung. Berthold hat diese Erfahru ng seit über hundert Jahren. Zuer st im Schriftguß, dann im Fotosa tz. Berthold-Schriften sind weltw eit geschätzt. Im Schriftenatelier

2,65 mm (10 p), Zeilenabstand 4,00 mm

normal
regular
normal

KORINNA

normal
chiaro tondo
normal

Berthold-Schriften überzeugen durch Schärfe und Qualität. Schrift
qualität ist eine Frage der Erfahrung. Berthold hat diese Erfahrung s
eit über hundert Jahren. Zuerst im Schriftguß, dann im Fotosatz. Be
rthold-Schriften sind weltweit geschätzt. Im Schriftenatelier Münch
en wird jeder Buchstabe in der Größe von zwölf Zentimetern n
eu gezeichnet. Mit messerscharfen Konturen, um für die Schriftsch
eiben das Optimale an Konturenschärfe herauszuholen. Um die Qu
alität des Einzelzeichens im Belichtungsvorgang zu bewahren, wird
durch die ruhende, nicht rotierende Schriftscheibe belichtet. Dieses

1,33 mm (5 p) 20 30 40 50 60

Berthold-Schriften überzeugen durch Schärfe und Qualität. S
chriftqualität ist eine Frage der Erfahrung. Berthold hat diese
Erfahrung seit über hundert Jahren. Zuerst im Schriftguß, dan
n im Fotosatz. Berthold-Schriften sind weltweit geschätzt. Im
Schriftenatelier München wird jeder Buchstabe in der Größe v
on zwölf Zentimetern neu gezeichnet. Mit messerscharfen Ko
nturen, um für die Schriftscheiben das Optimale an Konturens
chärfe herauszuholen. Um die Qualität des Einzelzeichens im
Belichtungsvorgang zu bewahren, wird durch die ruhende, nic

1,45 mm (5,5 p) 20 30 40 50 6

Berthold-Schriften überzeugen durch Schärfe und Qual
ität. Schriftqualität ist eine Frage der Erfahrung. Berthold
hat diese Erfahrung seit über hundert Jahren. Zuerst im
Schriftguß, dann im Fotosatz. Berthold-Schriften sind w
eltweit geschätzt. Im Schriftenatelier München wird jeder
Buchstabe in der Größe von zwölf Zentimetern neu geze
ichnet. Mit messerscharfen Konturen, um für die Schrifts
cheiben das Optimale an Konturenschärfe herauszuhol
en. Um die Qualität des Einzelzeichens im Belichtungsv

1,60 mm (6 p) 20 30 40 50

Berthold-Schriften überzeugen durch Schärfe und Q
ualität. Schriftqualität ist eine Frage der Erfahrung. B
erthold hat diese Erfahrung seit über hundert Jahren
Zuerst im Schriftguß, dann im Fotosatz. Berthold-Sc
hriften sind weltweit geschätzt. Im Schriftenatelier M
ünchen wird jeder Buchstabe in der Größe von zwölf
Zentimetern neu gezeichnet. Mit messerscharfen Ko
nturen, um für die Schriftscheiben das Optimale an K
onturenschärfe herauszuholen. Um die Qualität des

1,75 mm (6,5 p) 20 30 40 50

Berthold-Schriften überzeugen durch Schärfe un
d Qualität. Schriftqualität ist eine Frage der Erfahr
ung. Berthold hat diese Erfahrung seit über hund
ert Jahren. Zuerst im Schriftguß, dann im Fotosat
z. Berthold-Schriften sind weltweit geschätzt. Im S
chriftenatelier München wird jeder Buchstabe in d
er Größe von zwölf Zentimetern neu gezeichnet
Mit messerscharfen Konturen, um für die Schrifts
cheiben das Optimale an Konturenschärfe herau

1,86 mm (7 p) 20 30 40

Berthold-Schriften überzeugen durch Schärfe
und Qualität. Schriftqualität ist eine Frage der
Erfahrung. Berthold hat diese Erfahrung seit ü
ber hundert Jahren. Zuerst im Schriftguß, dan
n im Fotosatz. Berthold-Schriften sind weltweit
geschätzt. Im Schriftenatelier München wird j
eder Buchstabe in der Größe von zwölf Zenti
metern neu gezeichnet. Mit messerscharfen
Konturen, um für die Schriftscheiben das O

2,00 mm (7,5 p) 20 30 40

Berthold-Schriften überzeugen durch Schä
rfe und Qualität. Schriftqualität ist eine Frag
e der Erfahrung. Berthold hat diese Erfahru
ng seit über hundert Jahren. Zuerst im Schri
ftguß, dann im Fotosatz. Berthold-Schriften
sind weltweit geschätzt. Im Schriftenatelier
München wird jeder Buchstabe in der Größe
von zwölf Zentimetern neu gezeichnet. Mit
messerscharfen Konturen, um für die Schrif

2,15 mm (8 p) 20 30 40

Ed Benguiat, Vic Caruso 1974
(H. Berthold AG 1904)
International Typeface Corp.
H. Berthold AG

ABCDEFGHIJKLMNOPQ
RSTUVWXYZ
abcdefghijklmnopqrstuvwxyz
1/1234567890%
(.,-;:!¡?¿–)·[‘‘„”“»«]
+−=/$£†*&§
ÄÅÆÖØŒÜäåæıöøœßü
ÁÀÂÃÇČÉÈÊËÍÌÎÏĹŇÑÓÒÔÕ
ŔŘŠŤÚÙÛŴẄÝŶŸŽ
áàâãçčéèêëíìîïĺňñóòôõŕřš
úùûŵẅýỳÿž

Berthold-Schriftweite weit
Berthold-Schriftweite normal
Berthold-Schriftweite eng
Berthold-Schriftweite sehr eng
Berthold-Schriftweite extrem eng

Berthold
3,75 mm (14 p)

Berthold
4,25 mm (16 p)

Berthold
4,75 mm (18 p)

Berthold
5,30 mm (20 p)

Berthold
6,35 mm (24 p)

Berthold
7,40 mm (28 p)

Berthold
8,50 mm (32 p)

Berthold
9,55 mm (36 p)

Größe mm	p	Zeilenabstand kp	Êp	Ex	100 Zeichen 0	−1	−2
1,33	5	1,75	2,13	2,00	88	85	82
1,60	6	2,13	2,56	2,50	104	100	96
1,86	7	2,44	2,94	3,00	120	116	112
2,15	8	2,81	3,44	3,50	136	131	126
2,40	9	3,13	3,81	3,75	152	146	140
2,65	10	3,50	4,19	4,25	168	161	154
2,92	11	3,81	4,63	4,75	184	177	170
3,20	12	4,19	5,06	5,25	199	191	183
3,45	13	4,50	5,44	5,75	215	207	199
3,72	14	4,88	5,88	—	231	222	213
3,98	15	5,19	6,25	—	246	237	228
4,25	16	5,56	6,69	—	262	252	242

WZ 13 E, NSW 0, MZB 0,63, F 0,13:0,083 (1,5), III
H 1–x 0,67–k 1,00–p 0,30–Ê 1,27–kp 1,30–Êp 1,57
BF 089 0474, Belegung 051: 085 0050 (095 0050)

Berthold-Schriften überzeugen durch
Schärfe und Qualität. Schriftqualität ist
eine Frage der Erfahrung. Berthold hat
diese Erfahrung seit über hundert Jahr
en. Zuerst im Schriftguß, dann im Foto
satz. Berthold-Schriften sind weltweit g
eschätzt. Im Schriftenatelier München
wird jeder Buchstabe in der Größe von

2,40 mm (9 p) 20 30

Berthold-Schriften überzeugen du
rch Schärfe und Qualität. Schriftqu
alität ist eine Frage der Erfahrung
Berthold hat diese Erfahrung seit ü
ber hundert Jahren. Zuerst im Schr
iftguß, dann im Fotosatz. Berthold
Schriften sind weltweit geschätzt. I
m Schriftenatelier München wird je

2,65 mm (10 p) 20 30

Berthold-Schriften überzeugen
durch Schärfe und Qualität. Sch
riftqualität ist eine Frage der Erf
ahrung. Berthold hat diese Erfa
hrung seit über hundert Jahren
Zuerst im Schriftguß, dann im F
otosatz. Berthold-Schriften sind
weltweit geschätzt. Im Schriften

2,92 mm (11 p) 10 20 30

Berthold-Schriften überzeug
en durch Schärfe und Qualitä
t. Schriftqualität ist eine Frage
der Erfahrung. Berthold hat d
iese Erfahrung seit über hund
ert Jahren. Zuerst im Schriftg
uß, dann im Fotosatz. Berthol
d-Schriften sind weltweit gesc

3,20 mm (12 p) 10 20

Berthold-Schriften überzeu
gen durch Schärfe und Qua
lität. Schriftqualität ist eine
Frage der Erfahrung. Berth
old hat diese Erfahrung seit
über hundert Jahren. Zuerst
im Schriftguß, dann im Fot
osatz. Berthold-Schriften si

3,45 mm (13 p) 10 20

normal
regular
normal

KORINNA

normal
chiaro tondo
normal

Berthold-Schriften überzeugen durch Schärfe und Qualität. Schriftqual ität ist eine Frage der Erfahrung. Berthold hat diese Erfahrung seit über hundert Jahren. Zuerst im Schriftguß, dann im Fotosatz. Berthold-Schri ften sind weltweit geschätzt. Im Schriftenatelier München wird jeder Bu chstabe in der Größe von zwölf Zentimetern neu gezeichnet. Mit messe rscharfen Konturen, um für die Schriftscheiben das Optimale an Kontu renschärfe herauszuholen. Um die Qualität des Einzelzeichens im Beli chtungsvorgang zu bewahren, wird durch die ruhende, nicht rotierende Schriftscheibe belichtet. Dieses optische System, verbunden mit Präzis

4,25 mm (16 p), Zeilenabstand 6,75 mm

KORINNA REGULAR

In general, bodytypes are measured in the typo graphical point size. The sizes of Berthold Foto type faces can be exactly determined. All faces of same point size have the same capital heigth–ir respective of their x-heigth. In hot metal and many other phototypesetting systems the capi tal heigths often differ considerably from one face to the other. For measuring point sizes, a transparent size gauge is provided. To deter mine the point size, bring a capital letter into coin cidence with that field which precisely circum scribes the letter at its upper and lower margin Below the field you find the typographical point and below that the millimeter value, which also refers to the height of a capital letter. In Berthold phototypesetting, the typewidth can be modi fied. The standard setting width of typefaces is determined by the principle of optimum legibili ty. You should not depart from this typewidth without cogent reason. A typeface which is con sidered optically right when looked in a greater context, often seems bulky when applied for a

2,40 mm (9 p), Zeilenabstand 4,25 mm

KORINNA NORMAL

La valeur de la force de corps des caractères de labeur èst généralement exprimée en points typographiques. La force de corps des caractères Berthold-Fototype peut être déterminée avec précision. Tous les carac tères du même corps ont des capitales d'u ne hauteur identique, indépendamment de la hauteur des bas de casse sans jambage Dans la composition plomb, ainsi que dans certains systèmes de photocomposition, la hauteur des capitales, varie souvent d'un caractère à l'autre. Pour déterminer la force de corps de nos caractères nous avons mis au point une réglette de hauteur d'œil trans parente. On cherche le rectangle qui déli mite exactement la hauteur d'œil d'une ca pitale du caractère choisi. Sous le rectangle correspondant la valeur de la force de corps est indiquée en points Didots et en millimè tres. La valeur en millimètres exprime éga

2,65 mm (10 p), Zeilenabstand 4,69 mm

La indicación de las dimensiones para cuer pos de letra básicos tiene lugar en general en puntos tipográficos. Los cuerpos de letra de los caracteres Berthold Fototype pueden de terminarse exactemente par medición. Con independencia de la altura de sus longitudes centrales, todos los caracteres de idéntico cuerpo de letra presentan altura de mayúscu las idéntica. En la composición en plomo y en

2,15 mm (8 p), –1, Zeilenabstand 3,38 mm

123,– $	456,– £	7890,– DM	1 %
231, $	780, £	1231, DM	2 %
567,– $	12,– £	5678,– DM	3 %
890,– $	345,– £	9012,– DM	4 %
123,– $	678,– £	3456,– DM	5 %
456,– $	901,– £	7890,– DM	6 %
789,– $	234,– £	1234,– DM	7 %
12,– $	567,– £	5678,– DM	8 %
345,– $	890,– £	9012,– DM	9 %

BF 089 0475

Le misure relative al corpo dei caratteri vengono generalmente indicate in punti tipografici. Il cor po dei caratteri Fototypes può essere determi nato con esattezza per semplice misurazione Tutti i caratteri di uguale grandezza in punti han no, indipendentemente dalla loro lunghezza uguale altezza delle maiuscole. Nella composizi one in piombo ed in molti altri sistemi di foto composizione, l'altezza delle maiuscole varia

2,15 mm (8 p), –2, Zeilenabstand 3,38 mm

kursiv
italic
italique

KORINNA

cursiva
corsivo
kursiv

Måttangivelse för grundstilsgr ader sker i allmänhet i typograf iska punkter. Stilar av Berthold Fototype kan efter mätning exa kt gradbestämmas. Alla typsni tt är av samma punktstorlek och har oberoende av x-höjden en identisk versalhöjd. I blysätt ning och i många andra fotosät tsystem varierar versalhöjden avsevärt från typsnitt till typsni tt. För mätning av stilgrader fin ns en transparent mätlinjal. Vid mätningen placerar man en ve rsal bokstav så att rutorna begr änsar tecknet upptill och nedtill Under rutorna finns stilstorlek en i typografiska didotpunkter och i mm. Även millimeteruppg

2,92 mm (11 p), Zeilenabstand 4,69 mm

Ed Benguiat
1977
International Typeface Corp.
H. Berthold AG

ABCDEFGHIJKLMNOPQ
RSTUVWXYZ
abcdefghijklmnopqrstuvwxyz
1/1234567890%
(.,-;:!¡?¿–)·[‘‚„”“»«]
+–=/$£†&§*
ÄÅÆÖØŒÜäåæıöøœßü
ÁÀÂÃÇČÉÈÊËÍÌÎÏĹŇÑÓÒÔÕ
ŔŘŠŤÚÙÛŴẄÝŶŸŽ
áàâãçčéèêëíìîïĺňñóòôõŕřš
úùûŵẅýỳÿž

Berthold-Schriftweite weit
Berthold-Schriftweite normal
Berthold-Schriftweite eng
Berthold-Schriftweite sehr eng
Berthold-Schriftweite extrem eng

In general, bodytypes are measured in the typographi cal point size. The sizes of Be rthold Fototype faces can be exactly determined. All faces of same point size have the same capital heigth–irrespe ctive of their x-heigth. In hot metal and many other photo typesetting systems the capi tal heigths often differ consi derably from one face to the other. For measuring point sizes, a transparent size gau ge is provided. To determine the point size, bring a capital letter into coincidence with

3,20 mm (12 p), Zeilenabstand 5,25 mm

KORINNA KURSIV

Die Maßangabe zu Grundschriftgrößen erfolgt im allgemeinen in typographischen Punkten Die Schriftgrößen der Berthold-Fotosatz Schriften sind nach Messung exakt bestimm bar. Alle Schriften gleicher Punktgröße weisen unabhängig von der Höhe ihrer Mittellängen eine identische Versalhöhe auf. Im Bleisatz und bei vielen anderen Fotosatz-Systemen dif ferieren die Versalhöhen von Schrift zu Schrift oft erheblich. Zum Messen von Schriftgrößen steht ein transparentes Größenmaß zur Verfü gung. Zum Messen wird ein Versalbuchstabe mit dem Feld in Deckung gebracht, das den Buchstaben oben und unten scharf begrenzt Unter dem Feld ist die Schriftgröße in typogra phischen Didot-Punkten, darunter in Millime tern angegeben. Auch die Millimeterangaben beziehen sich auf die Höhe der Versalbuchsta

2,40 mm (9 p), Zeilenabstand 4 mm

KORINNA ITALIQUE

La valeur de la force de corps des carac tères de labeur èst généralement exprimée en points typographiques. La force de corps des caractères Berthold-Fototype peut être déterminée avec précision. Tous les caractères du même corps ont des ca pitales d'une hauteur identique, indépen damment de la hauteur des bas de casse sans jambage. Dans la composition plomb, ainsi que dans certains systèmes de photocomposition, la hauteur des capi tales, varie souvent d'un caractère à l'au tre. Pour déterminer la force de corps de nos caractères, nous avons mis au point une réglette de hauteur d'œil transpa rente. On cherche le rectangle qui délimite

2,65 mm (10 p), Zeilenabstand 4,50 mm

La indicación de las dimensiones para cuerpos de letra vásicos tiene lugar en general en puntos tipográficos Los cuerpos de letra de los caracteres Berthold Foto type pueden determinarse exactemente par medición Con independencia de la altura de sus longitudes cen trales, todos los caracteres de idéntico cuerpo de letra presentan altura de mayúsculas idéntica. En la compo sición en plomo y en muchos otros sistemas de foto-composición, las alturas de mayúsculas varían fre cuentemmente en forma considerable de tipo de letra a tipo de letra. Para medir los cuerpos de letra se dispone de un tipómetro, véase la figura. Para la medición se ha

1,60 mm (6 p), Zeilenabstand 2,50 mm

Größe		Zeilenabstand			100 Zeichen		
mm	p	kp	Êp	Ex	0	–1	–2
1,33	5	1,88	2,19	–	91	88	85
1,60	6	2,25	2,56	2,50	107	103	99
1,86	7	2,56	3,00	–	123	119	115
2,15	8	3,00	3,50	3,38	140	135	130
2,40	9	3,31	3,88	4,00	157	151	145
2,65	10	3,69	4,25	4,50	173	166	159
2,92	11	4,06	4,69	4,69	189	182	175
3,20	12	4,44	5,13	5,25	205	197	189
3,45	13	4,75	5,56	–	221	213	205
3,72	14	5,13	6,00	–	237	228	219
3,98	15	5,50	6,38	–	253	244	235
4,25	16	5,88	6,81	–	269	259	249

WZ 14 E, NSW +1, MZB 0,65, F 0,11:0,054 (2,0), III
H 1–x 0,70–k 1,04–p 0,33–Ê 1,27–kp 1,37–Êp 1,60
BF 089 0476, Belegung 051: 087 2251 (097 2251)

Le misure relative al corpo dei caratteri vengono generalmente indicate in punti ti pografici. Il corpo dei caratteri Fototypes può essere determinato con esattezza per semplice misurazione. Tutti i caratteri di uguale grandezza in punti hanno, indipen dentemente dalla loro lunghezza, uguale altezza delle maiuscole. Nella composizi one in piombo ed in molti altri sistemi di fo

2,15 mm (8 p), Zeilenabstand 3,38 mm

halbfett
bold
demi-gras

KORINNA

seminegra
neretto
halvfet

Berthold-Schriften überzeugen durch Schärfe und Qua lität. Schriftqualität ist eine Frage der Erfahrung. Berth old hat diese Erfahrung seit über hundert Jahren. Zuerst im Schriftguß, dann im Fotosatz. Berthold-Schriften si nd weltweit geschätzt. Im Schriftenatelier München wi rd jeder Buchstabe in der Größe von zwölf Zentimetern neu gezeichnet. Mit messerscharfen Konturen, um für die Schriftscheiben das Optimale an Konturenschärfe herauszuholen. Um die Qualität des Einzelzeichens im

1,60 mm (6 p), Zeilenabstand 2,50 mm

Berthold-Schriften überzeugen durch Schärfe und Qualität. Schriftqualität ist eine Frage der Er fahrung. Berthold hat diese Erfahrung seit über hundert Jahren. Zuerst im Schriftguß, dann im Fotosatz. Berthold-Schriften sind weltweit gesc hätzt. Im Schriftenatelier München wird jeder Bu chstabe in der Größe von zwölf Zentimetern neu gezeichnet. Mit messerscharfen Konturen, um

1,86 mm (7 p), Zeilenabstand 3,00 mm

Berthold-Schriften überzeugen durch Sch ärfe und Qualität. Schriftqualität ist eine Fr age der Erfahrung. Berthold hat diese Erfa hrung seit über hundert Jahren. Zuerst im Schriftguß, dann im Fotosatz. Berthold-Sc hriften sind weltweit geschätzt Im Schriften atelier München wird jeder Buchstabe in d er Größe von zwölf Zentimetern neu gezei

2,15 mm (8 p), Zeilenabstand 3,50 mm

Ed Benguiat, Vic Caruso 1974
(H. Berthold AG 1904)
International Typeface Corp.
H. Berthold AG

ABCDEFGHIJKLMNOPQ
RSTUVWXYZ
abcdefghijklmnopqrstuvwxyz
1/1234567890%
(.,-;:!¡?¿–)·[’‘„”“»«]
+–=/$£†*&§
ÄÅÆÖØŒÜäåæıöøœßü
ÁÀÂÃÇČÉÈÊËÍÌÎÏĹŇÑÓÒÔÕ
ŔŘŠŤÚÙÛŴẄÝŶŸŽ
áàâãçčéèêëíìîïĺňñóòôõŕřš
úùûŵẅýỳÿž

Berthold-Schriftweite weit
Berthold-Schriftweite normal
Berthold-Schriftweite eng
Berthold-Schriftweite sehr eng
Berthold-Schriftweite extrem eng

In general, bodytypes are me asured in the typographical p oint size. The sizes of Berthol d Fototype faces can be ex actly determined. All faces o f same point size have the sa me capital heigth–irrespect ive of their x-heigth. In hot me tal and many other phototyp esetting systems the capital h eigths often differ considera bly from one face to the othe r. For measuring point sizes a transparent size gauge is pro vided. To determine the poin t size, bring a capital letter int o coincidence with that field

3,20 mm (12 p), Zeilenabstand 5,25 mm

Berthold's quick brown fox jumps over the lazy dog and feels as if he were in the
3,75 mm (14 p)

Berthold's quick brown fox jumps over the lazy dog and feels as if he w
4,25 mm (16 p)

Berthold's quick brown fox jumps over the lazy dog and feels a
4,75 mm (18 p)

Berthold's quick brown fox jumps over the lazy dog and
5,30 mm (20 p)

Berthold's quick brown fox jumps over the lazy
6,35 mm (24 p)

Berthold's quick brown fox jumps over t
7,40 mm (28 p)

Berthold's quick brown fox jumps
8,50 mm (32 p)

Berthold's quick brown fox jum
9,55 mm (36 p)

Berthold-Schriften überzeugen durch Schärfe und Qualität. Schriftqualität i st eine Frage der Erfahrung. Bertho ld hat diese Erfahrung seit über hunde rt Jahren. Zuerst im Schriftguß, dann i m Fotosatz. Berthold-Schriften sind w eltweit geschätzt. Im Schriftenatelier München wird jeder Buchstabe in der

2,40 mm (9 p), Zeilenabstand 4,00 mm

Größe		Zeilenabstand			100 Zeichen		
mm	p	kp	Êp	Ex	0	−1	−2
1,33	5	1,75	2,13	—	89	86	83
1,60	6	2,13	2,56	2,50	105	101	97
1,86	7	2,44	3,00	3,00	121	117	113
2,15	8	2,81	3,44	3,50	137	132	127
2,40	9	3,13	3,81	4,00	153	147	141
2,65	10	3,50	4,19	4,00	169	162	155
2,92	11	3,81	4,63	—	185	178	171
3,20	12	4,19	5,06	5,25	201	193	185
3,45	13	4,50	5,50	—	216	208	200
3,72	14	4,88	5,94	—	232	223	214
3,98	15	5,19	6,31	—	248	239	230
4,25	16	5,56	6,75	—	264	254	244

WZ 13 E, NSW 0, MZB 0,64, F 0,17:0,096 (1,8), III
H 1–x 0,69–k 1,00–p 0,30–Ê 1,28–kp 1,30–Êp 1,58
BF 089 0477, Belegung 051: 085 0066 (095 0066)

Berthold-Schriften überzeugen d urch Schärfe und Qualität. Schrift qualität ist eine Frage der Erfahru ng. Berthold hat diese Erfahrung s eit über hundert Jahren. Zuerst im Schriftguß, dann im Fotosatz. B erthold-Schriften sind weltweit ge schätzt. Im Schriftenatelier Münc

2,65 mm (10 p), Zeilenabstand 4,00 mm

kursiv halbfett
bold italic
italique demi-gras

KORINNA

seminegra cursiva
neretto corsivo
kursiv halvfet

Berthold-Schriften überzeugen durch Schärfe und Qualität. Schriftqualität ist eine Frage der Erfahrung Berthold hat diese Erfahrung seit über hundert Jahr en. Zuerst im Schriftguß, dann im Fotosatz. Berthold Schriften sind weltweit geschätzt. Im Schriftenatelier München wird jeder Buchstabe in der Größe von zwölf Zentimetern neu gezeichnet. Mit messerscharfen Ko nturen, um für die Schriftscheiben das Optimale an Konturenschärfe herauszuholen. Um die Qualität des

1,60 mm (6 p), Zeilenabstand 2,50 mm

Berthold-Schriften überzeugen durch Schärfe und Qualität. Schriftqualität ist eine Frage der Erfahrung. Berthold hat diese Erfahrung seit über hundert Jahren. Zuerst im Schriftguß, da nn im Fotosatz. Berthold-Schriften sind weltw eit geschätzt. Im Schriftenatelier München wi rd jeder Buchstabe in der Größe von zwölf Zen timetern neu gezeichnet. Mit messerscharfen

1,86 mm (7 p), Zeilenabstand 3,00 mm

Berthold-Schriften überzeugen durch Sc härfe und Qualität. Schriftqualität ist eine Frage der Erfahrung. Berthold hat die se Erfahrung seit über hundert Jahren Zuerst im Schriftguß, dann im Fotosatz Berthold-Schriften sind weltweit geschä tzt. Im Schriftenatelier München wird jed er Buchstabe in der Größe von zwölf Zen

2,15 mm (8 p), Zeilenabstand 3,50 mm

Ed Benguiat
1977
International Typeface Corp.
H. Berthold AG

ABCDEFGHIJKLMNOPQ
RSTUVWXYZ
abcdefghijklmnopqrstuvwxyz
1/1234567890%
(.,-;:!¡?¿–)·[’‘„”“»«]
+−=/$£†&§*
ÄÅÆÖØŒÜäåæıöøœßü
ÁÀÂÃÇČÉÈÊËÍÌÎÏĹŇÑÓÒÔÕ
ŔŘŠŤÚÙÛŴẄÝŶŸŽ
áàâãçčéèêëíìîïĺňñóòôõŕřš
úùûŵẅýỳÿž

Berthold-Schriftweite weit
Berthold-Schriftweite normal
Berthold-Schriftweite eng
Berthold-Schriftweite sehr eng
Berthold-Schriftweite extrem eng

In general, bodytypes are measured in the typograph ical point size. The sizes of Berthold Fototype faces ca n be exactly determined. All faces of same point size hav e the same capital heigth–i rrespective of their x-heigth In hot metal and many other phototypesetting systems the capital heigths often diff er considerably from one fa ce to the other. For measuri ng point sizes, a transparent size gauge is provided. To determine the point size, br ing a capital letter into coin

3,20 mm (12 p), Zeilenabstand 5,25 mm

Berthold's quick brown fox jumps over the lazy dog and feels as if he were in
3,75 mm (14 p)

Berthold's quick brown fox jumps over the lazy dog and feels as if h
4,25 mm (16 p)

Berthold's quick brown fox jumps over the lazy dog and fee
4,75 mm (18 p)

Berthold's quick brown fox jumps over the lazy dog a
5,30 mm (20 p)

Berthold's quick brown fox jumps over the la
6,35 mm (24 p)

Berthold's quick brown fox jumps over
7,40 mm (28 p)

Berthold's quick brown fox jumps
8,50 mm (32 p)

Berthold's quick brown fox ju
9,55 mm (36 p)

Berthold-Schriften überzeugen durc h Schärfe und Qualität. Schriftqualit ät ist eine Frage der Erfahrung. Bert hold hat diese Erfahrung seit über h undert Jahren. Zuerst im Schriftguß dann im Fotosatz. Berthold-Schriften sind weltweit geschätzt. Im Schrifte natelier München wird jeder Buchst

2,40 mm (9 p), Zeilenabstand 4,00 mm

Größe mm	p	Zeilenabstand kp	Êp	Ex	100 Zeichen 0	−1	−2
1,33	5	1,75	2,13	–	95	92	89
1,60	6	2,13	2,56	2,50	112	108	104
1,86	7	2,44	3,00	3,00	128	124	120
2,15	8	2,88	3,44	3,50	146	141	136
2,40	9	3,19	3,81	4,00	164	158	152
2,65	10	3,50	4,19	4,00	180	173	166
2,92	11	3,88	4,63	–	197	190	183
3,20	12	4,25	5,06	5,25	214	206	198
3,45	13	4,56	5,50	–	231	223	215
3,72	14	4,88	5,94	–	247	238	229
3,98	15	5,25	6,31	–	264	255	246
4,25	16	5,63	6,75	–	281	271	261

WZ 14 E, NSW +1, MZB 0,68, F 0,16:0,083 (1,9), III
H 1–x 0,72–k 1,00–p 0,31–Ê 1,27–kp 1,31–Êp 1,58
BF 089 0478, Belegung 051: 087 2256 (097 2256)

Berthold-Schriften überzeugen durch Schärfe und Qualität. Sch riftqualität ist eine Frage der Erf ahrung. Berthold hat diese Erfah rung seit über hundert Jahren. Z uerst im Schriftguß, dann im Fot osatz. Berthold-Schriften sind w eltweit geschätzt. Im Schriftenat

2,65 mm (10 p), Zeilenabstand 4,00 mm

fett
extra bold
gras

KORINNA

negra
nero
fet

Berthold-Schriften überzeugen durch Schärfe u nd Qualität. Schriftqualität ist eine Frage der Erfa hrung. Berthold hat diese Erfahrung seit über hun dert Jahren. Zuerst im Schriftguß, dann im Fotos atz. Berthold-Schriften sind weltweit geschätzt. I m Schriftenatelier München wird jeder Buchstabe in der Größe von zwölf Zentimetern neu gezeichn et. Mit messerscharfen Konturen, um für die Schri ftscheiben das Optimale an Konturenschärfe hera

1,60 mm (6 p), Zeilenabstand 2,50 mm

Berthold-Schriften überzeugen durch Schä rfe und Qualität. Schriftqualität ist eine Fra ge der Erfahrung. Berthold hat diese Erfahr ung seit über hundert Jahren. Zuerst im Sc hriftguß, dann im Fotosatz. Berthold-Schri ften sind weltweit geschätzt. Im Schriftenat elier München wird jeder Buchstabe in der Größe von zwölf Zentimetern neu gezeichn

1,86 mm (7 p), Zeilenabstand 3,00 mm

Berthold-Schriften überzeugen durch Schärfe und Qualität. Schriftqualität ist eine Frage der Erfahrung. Berthold hat diese Erfahrung seit über hundert Jahren. Zuerst im Schriftguß, dann im Fotosatz. Berthold-Schriften sind welt weit geschätzt. Im Schriftenatelier Mü nchen wird jeder Buchstabe in der Grö

2,15 mm (8 p), Zeilenabstand 3,50 mm

Ed Benguiat, Vic Caruso
1974
International Typeface Corp.
H. Berthold AG

ABCDEFGHIJKLMNOPQ
RSTUVWXYZ
abcdefghijklmnopqrstuvwxyz
1/1234567890%
(.,-;:!i?¿–)·['‚„"“»«]
+–=/$£†*&§
ÄÅÆÖØŒÜäåæıöøœßü
ÁÀÂÃÇČÉÈÊËÍÌÎÏĹÑŇÓÒÔÕ
ŔŘŠŤÚÙÛŴẄÝŶŸŽ
áàâãçčéèêëíìîïĺňñóòôõŕřš
úùûŵẅýŷÿž

Berthold-Schriftweite weit
Berthold-Schriftweite normal
Berthold-Schriftweite eng
Berthold-Schriftweite sehr eng
Berthold-Schriftweite extrem eng

In general, bodytypes are measured in the typograp hical point size. The sizes of Berthold Fototype face s can be exactly determin ed. All faces of same point size have the same capital heigth–irrespective of th eir x-heigth. In hot metal a nd many other phototype setting systems the capit al heigths often differ con siderably from one face to the other. For measuring point sizes, a transparent size gauge is provided. To determine the point size

3,20 mm (12 p), Zeilenabstand 5,25 mm

Berthold's quick brown fox jumps over the lazy dog and feels as if he we
3,75 mm (14 p)

Berthold's quick brown fox jumps over the lazy dog and feels as
4,25 mm (16 p)

Berthold's quick brown fox jumps over the lazy dog and
4,75 mm (18 p)

Berthold's quick brown fox jumps over the lazy do
5,30 mm (20 p)

Berthold's quick brown fox jumps over the
6,35 mm (24 p)

Berthold's quick brown fox jumps o
7,40 mm (28 p)

Berthold's quick brown fox jum
8,50 mm (32 p)

Berthold's quick brown fox
9,55 mm (36 p)

Berthold-Schriften überzeugen d urch Schärfe und Qualität. Schrift qualität ist eine Frage der Erfahru ng. Berthold hat diese Erfahrung s eit über hundert Jahren. Zuerst im Schriftguß, dann im Fotosatz Berthold-Schriften sind weltweit geschätzt. Im Schriftenatelier Mü

2,40 mm (9 p), Zeilenabstand 4,00 mm

Größe		Zeilenabstand			100 Zeichen		
mm	p	kp	Êp	Ex	0	–1	–2
1,33	5	1,75	2,13	–	100	97	94
1,60	6	2,13	2,56	2,50	118	114	110
1,86	7	2,44	2,94	3,00	136	132	128
2,15	8	2,81	3,44	3,50	154	149	144
2,40	9	3,13	3,81	4,00	172	166	160
2,65	10	3,50	4,19	4,00	190	183	176
2,92	11	3,81	4,63	–	208	201	194
3,20	12	4,19	5,06	5,25	226	218	210
3,45	13	4,50	5,44	–	243	235	227
3,72	14	4,88	5,88	–	261	252	243
3,98	15	5,19	6,25	–	279	270	261
4,25	16	5,56	6,69	–	296	286	276

WZ 14 E, NSW 0, MZB 0,72, F 0,25:0,11 (2,3), III
H 1-x 0,70-k 1,00-p 0,30-Ê 1,27-kp 1,30-Êp 1,57
BF 089 0479, Belegung 051: 085 0633 (095 0633)

Berthold-Schriften überzeuge n durch Schärfe und Qualität Schriftqualität ist eine Frage d er Erfahrung. Berthold hat dies e Erfahrung seit über hundert Jahren. Zuerst im Schriftguß dann im Fotosatz. Berthold-Sc hriften sind weltweit geschätzt

2,65 mm (10 p), Zeilenabstand 4,00 mm

kursiv fett
extra bold italic
italique gras

KORINNA

negra cursiva
nero corsivo
kursiv fet

Berthold-Schriften überzeugen durch Schärfe und Qualität. Schriftqualität ist eine Frage der Erfahru ng. Berthold hat diese Erfahrung seit über hundert Jahren. Zuerst im Schriftguß, dann im Fotosatz Berthold-Schriften sind weltweit geschätzt. Im Sch riftenatelier München wird jeder Buchstabe in der Größe von zwölf Zentimetern neu gezeichnet. Mit messerscharfen Konturen, um für die Schriftscheib en das Optimale an Konturenschärfe herauszuhol

1,60 mm (6 p), Zeilenabstand 2,50 mm

Berthold-Schriften überzeugen durch Schär fe und Qualität. Schriftqualität ist eine Frage der Erfahrung. Berthold hat diese Erfahrung seit über hundert Jahren. Zuerst im Schriftg uß, dann im Fotosatz. Berthold-Schriften si nd weltweit geschätzt. Im Schriftenatelier München wird jeder Buchstabe in der Größe von zwölf Zentimetern neu gezeichnet. Mit m

1,86 mm (7 p), Zeilenabstand 3,00 mm

Berthold-Schriften überzeugen durch Schärfe und Qualität. Schriftqualität is t eine Frage der Erfahrung. Berthold hat diese Erfahrung seit über hundert Jahr en. Zuerst im Schriftguß, dann im Foto satz. Berthold-Schriften sind weltweit geschätzt. Im Schriftenatelier München wird jeder Buchstabe in der Größe von

2,15 mm (8 p), Zeilenabstand 3,50 mm

Ed Benguiat
1977
International Typeface Corp.
H. Berthold AG

ABCDEFGHIJKLMNOPQ
RSTUVWXYZ
abcdefghijklmnopqrstuvwxyz
1/1234567890%
(.,-;:!¡?¿–)·[’‘„”“»«]
+–=/$£†*&§
ÄÅÆÖØŒÜäåæıöøœßü
ÁÀÂÃÇČÉÈÊËÍÌÎÏĹŇÑÓÒÔÕ
ŔŘŠŤÚÙÛŴẄÝŶŸŽ
áàâãçčéèêëíìîïĺňñóòôõŕřš
úùûŵẅýŷÿž

Berthold-Schriftweite weit
Berthold-Schriftweite normal
Berthold-Schriftweite eng
Berthold-Schriftweite sehr eng
Berthold-Schriftweite extrem eng

In general, bodytypes are measured in the typograp hical point size. The sizes of Berthold Fototype faces can be exactly determined All faces of same point size have the same capital heig th–irrespective of their x-h eigth. In hot metal and ma ny other phototypesetting systems the capital heigth s often differ considerably from one face to the other For measuring point sizes a transparent size gauge is provided. To determine the point size, bring a capital l

3,20 mm (12 p), Zeilenabstand 5,25 mm

Berthold’s quick brown fox jumps over the lazy dog and feels as if he wer
3,75 mm (14 p)

Berthold’s quick brown fox jumps over the lazy dog and feels as
4,25 mm (16 p)

Berthold’s quick brown fox jumps over the lazy dog and f
4,75 mm (18 p)

Berthold’s quick brown fox jumps over the lazy dog
5,30 mm (20 p)

Berthold’s quick brown fox jumps over the
6,35 mm (24 p)

Berthold’s quick brown fox jumps ov
7,40 mm (28 p)

Berthold’s quick brown fox jum
8,50 mm (32 p)

Berthold’s quick brown fox j
9,55 mm (36 p)

Berthold-Schriften überzeugen du rch Schärfe und Qualität. Schriftq ualität ist eine Frage der Erfahrun g. Berthold hat diese Erfahrung seit über hundert Jahren. Zuerst im Sc hriftguß, dann im Fotosatz. Bertho ld-Schriften sind weltweit geschät zt. Im Schriftenatelier München wir

2,40 mm (9 p), Zeilenabstand 4,00 mm

Größe		Zeilenabstand			100 Zeichen		
mm	p	kp	Êp	Ex	0	–1	–2
1,33	5	1,75	2,06	–	97	94	91
1,60	6	2,06	2,50	2,50	114	110	106
1,86	7	2,44	2,94	3,00	131	127	123
2,15	8	2,81	3,38	3,50	149	144	139
2,40	9	3,13	3,75	4,00	167	161	155
2,65	10	3,44	4,13	4,00	184	177	170
2,92	11	3,75	4,56	–	201	194	187
3,20	12	4,13	5,00	5,25	218	210	202
3,45	13	4,44	5,38	–	235	227	219
3,72	14	4,81	5,81	–	253	244	235
3,98	15	5,13	6,19	–	270	261	252
4,25	16	5,50	6,63	–	287	277	267

WZ 14 E, NSW 0, MZB 0,69, F 0,23:0,10 (2,3), III
H 1–x 0,72–k 1,00–p 0,28–Ê 1,27–kp 1,28–Êp 1,55
BF 089 0480, Belegung 051: 087 2257 (097 2257)

Berthold-Schriften überzeugen durch Schärfe und Qualität. Sc hriftqualität ist eine Frage der Erfahrung. Berthold hat diese E rfahrung seit über hundert Jahr en. Zuerst im Schriftguß, dann i m Fotosatz. Berthold-Schriften sind weltweit geschätzt. Im Sch

2,65 mm (10 p), Zeilenabstand 4,00 mm

extrafett
heavy
extra gras

KORINNA

muy negra
nerissimo
extrafet

Berthold-Schriften überzeugen durch Schärfe und Qualität. Schriftqualität ist eine Frage der Erfahrung. Berthold hat diese Erfahrung seit üb er hundert Jahren. Zuerst im Schriftguß, dann im Fotosatz. Berthold-Schriften sind weltweit geschätzt. Im Schriftenatelier München wird je der Buchstabe in der Größe von zwölf Zentimet ern neu gezeichnet. Mit messerscharfen Kontu ren, um für die Schriftscheiben das Optimale an

1,60 mm (6 p), Zeilenabstand 2,50 mm

Berthold-Schriften überzeugen durch Sc härfe und Qualität. Schriftqualität ist ei ne Frage der Erfahrung. Berthold hat die se Erfahrung seit über hundert Jahren Zuerst im Schriftguß, dann im Fotosatz Berthold-Schriften sind weltweit gesch ätzt. Im Schriftenatelier München wird je der Buchstabe in der Größe von zwölf Ze

1,86 mm (7 p), Zeilenabstand 3,00 mm

Berthold-Schriften überzeugen dur ch Schärfe und Qualität. Schriftqual ität ist eine Frage der Erfahrung. Be rthold hat diese Erfahrung seit über hundert Jahren. Zuerst im Schriftg uß, dann im Fotosatz. Berthold-Sch riften sind weltweit geschätzt. Im Sc hriftenatelier München wird jeder B

2,15 mm (8 p), Zeilenabstand 3,50 mm

Ed Benguiat, Vic Caruso
1974
International Typeface Corp.
H. Berthold AG

ABCDEFGHIJKLMNOPQ
RSTUVWXYZ
abcdefghijklmnopqrstuvw
xyz1/1234567890%
(.,-;:!¡?¿–)·['‚"""»«]
+−=/$£†*&§
ÄÅÆÖØŒÜäåæıöøœßü
ÁÀÂÃÇČÉÈÊËÍÌÎÏĹŇÑÓÒÔÕ
ŔŘŠŤÚÙÛŴẄÝỲŶŸŽ
áàâãçčéèêëíìîïĺňñóòôõŕřš
úùûŵẅýỳÿž

Berthold-Schriftweite weit
Berthold-Schriftweite normal
Berthold-Schriftweite eng
Berthold-Schriftweite sehr eng
Berthold-Schriftweite extrem eng

In general, bodytypes ar e measured in the typog raphical point size. The sizes of Berthold Fototy pe faces can be exactly determined. All faces of same point size have the same capital heigth–irr espective of their x-hei gth. In hot metal and ma ny other phototypesett ing systems the capital heigths often differ con siderably from one face to the other. For measur ing point sizes a transpa rent size gauge is provid

3,20 mm (12 p), Zeilenabstand 5,25 mm

Berthold's quick brown fox jumps over the lazy dog and feels as if h
3,75 mm (14 p)

Berthold's quick brown fox jumps over the lazy dog and fe
4,25 mm (16 p)

Berthold's quick brown fox jumps over the lazy dog
4,75 mm (18 p)

Berthold's quick brown fox jumps over the lazy
5,30 mm (20 p)

Berthold's quick brown fox jumps over
6,35 mm (24 p)

Berthold's quick brown fox jumps
7,40 mm (28 p)

Berthold's quick brown fox j
8,50 mm (32 p)

Berthold's quick brown fo
9,55 mm (36 p)

Berthold-Schriften überzeugen durch Schärfe und Qualität. Sch riftqualität ist eine Frage der Erf ahrung. Berthold hat diese Erfa hrung seit über hundert Jahren Zuerst im Schriftguß, dann im F otosatz. Berthold-Schriften sin d weltweit geschätzt. Im Schrift

2,40 mm (9 p), Zeilenabstand 4,00 mm

Größe mm	p	Zeilenabstand kp	Êp	Ex	100 Zeichen 0	−1	−2
1,33	5	1,75	2,19	—	109	106	103
1,60	6	2,13	2,63	2,50	128	124	120
1,86	7	2,44	3,06	3,00	147	143	139
2,15	8	2,88	3,56	3,50	167	162	157
2,40	9	3,19	3,94	4,00	187	181	175
2,65	10	3,50	4,38	4,00	206	199	192
2,92	11	3,88	4,81	—	225	218	211
3,20	12	4,25	5,25	5,25	245	237	229
3,45	13	4,56	5,69	—	264	256	248
3,72	14	4,88	6,13	—	283	274	265
3,98	15	5,25	6,56	—	302	293	284
4,25	16	5,63	7,00	—	321	311	301

WZ 16 E, NSW 0, MZB 0,77, F 0,30:0,13 (2,4), III
H 1–x 0,68–k 1,00–p 0,31–Ê 1,33–kp 1,31–Êp 1,64
BF 089 0481, Belegung 051: 085 0070 (095 0070)

Berthold-Schriften überzeug en durch Schärfe und Qualitä t. Schriftqualität ist eine Fra ge der Erfahrung. Berthold h at diese Erfahrung seit über hundert Jahren. Zuerst im Sc hriftguß, dann im Fotosatz Berthold-Schriften sind welt

2,65 mm (10 p), Zeilenabstand 4,00 mm

kursiv extrafett
heavy italic
italique extra gras

KORINNA

muy negra cursiva
nerissimo corsivo
kursiv extrafet

Berthold-Schriften überzeugen durch Schärfe und Qualität. Schriftqualität ist eine Frage der Erfahrung. Berthold hat diese Erfahrung seit über hundert Jahren. Zuerst im Schriftguß, dann im Fotosatz. Berthold-Schriften sind weltweit gesc hätzt. Im Schriftenatelier München wird jeder Bu chstabe in der Größe von zwölf Zentimetern neu gezeichnet. Mit messerscharfen Konturen, um für die Schriftscheiben das Optimale an Konturensc

1,60 mm (6 p), Zeilenabstand 2,50 mm

Berthold-Schriften überzeugen durch Sch ärfe und Qualität. Schriftqualität ist eine Frage der Erfahrung. Berthold hat diese Erf ahrung seit über hundert Jahren. Zuerst im Schriftguß, dann im Fotosatz. Berthold-Sc hriften sind weltweit geschätzt. Im Schrift enatelier München wird jeder Buchstabe in der Größe von zwölf Zentimetern neu gezei

1,86 mm (7 p), Zeilenabstand 3,00 mm

Berthold-Schriften überzeugen durch Schärfe und Qualität. Schriftqualität ist eine Frage der Erfahrung. Berthold hat diese Erfahrung seit über hundert Jahren. Zuerst im Schriftguß, dann im Fotosatz. Berthold-Schriften sind wel tweit geschätzt. Im Schriftenatelier München wird jeder Buchstabe in der

2,15 mm (8 p), Zeilenabstand 3,50 mm

Ed Benguiat
1977
International Typeface Corp.
H. Berthold AG

ABCDEFGHIJKLMNOPQ
RSTUVWXYZ
abcdefghijklmnopqrstuvwxyz
1/1234567890%
(.,-;:!¡?¿–)·['‘„”“»«]
+−=/$£†*&§
ÄÅÆÖØŒÜäåæıöøœßü
ÁÀÂÃÇČÉÈÊËÍÌÎÏĹŇÑÓÒÔÕ
ŔŘŠŤÚÙÛŴẄÝỲŶŸŽ
áàâãçčéèêëíìîïĺňñóòôõŕřš
úùûŵẅýỳÿž

Berthold-Schriftweite weit
Berthold-Schriftweite normal
Berthold-Schriftweite eng
Berthold-Schriftweite sehr eng
Berthold-Schriftweite extrem eng

In general, bodytypes are measured in the typogra phical point size. The siz es of Berthold Fototype f aces can be exactly dete rmined. All faces of same point size have the same capital heigth–irrespecti ve of their x-heigth. In hot metal and many other ph ototypesetting systems t he capital heigths often differ considerably from one face to the other. For measuring point sizes, a transparent size gauge is provided. To determine th

3,20 mm (12 p), Zeilenabstand 5,25 mm

Berthold's quick brown fox jumps over the lazy dog and feels as if he
3,75 mm (14 p)

Berthold's quick brown fox jumps over the lazy dog and feels
4,25 mm (16 p)

Berthold's quick brown fox jumps over the lazy dog an
4,75 mm (18 p)

Berthold's quick brown fox jumps over the lazy d
5,30 mm (20 p)

Berthold's quick brown fox jumps over t
6,35 mm (24 p)

Berthold's quick brown fox jumps
7,40 mm (28 p)

Berthold's quick brown fox ju
8,50 mm (32 p)

Berthold's quick brown fox
9,55 mm (36 p)

Berthold-Schriften überzeugen d urch Schärfe und Qualität. Schrif tqualität ist eine Frage der Erfahr ung. Berthold hat diese Erfahrung seit über hundert Jahren. Zuerst im Schriftguß, dann im Fotosatz Berthold-Schriften sind weltweit geschätzt. Im Schriftenatelier Mü

2,40 mm (9 p), Zeilenabstand 4,00 mm

Größe mm	p	Zeilenabstand kp	Êp	Ex	100 Zeichen 0	−1	−2
1,33	5	1,81	2,19	—	101	98	95
1,60	6	2,19	2,56	2,50	119	115	111
1,86	7	2,50	3,00	3,00	137	133	129
2,15	8	2,94	3,50	3,50	156	151	146
2,40	9	3,25	3,88	4,00	175	169	163
2,65	10	3,56	4,25	4,00	193	186	179
2,92	11	3,94	4,69	—	211	204	197
3,20	12	4,31	5,13	5,25	229	221	213
3,45	13	4,63	5,56	—	246	238	230
3,72	14	5,00	6,00	—	264	255	246
3,98	15	5,38	6,38	—	282	273	264
4,25	16	5,75	6,81	—	300	290	280

WZ 15 E, NSW 0, MZB 0,73, F 0,29:0,071 (4,1), III
H 1–x 0,69–k 1,02–p 0,32–Ê 1,28–kp 1,34–Êp 1,60
BF 089 0482, Belegung 051: 087 2258 (097 2258)

Berthold-Schriften überzeuge n durch Schärfe und Qualität Schriftqualität ist eine Frage d er Erfahrung. Berthold hat die se Erfahrung seit über hundert Jahren. Zuerst im Schriftguß dann im Fotosatz. Berthold-Sc hriften sind weltweit geschätz

2,65 mm (10 p), Zeilenabstand 4,00 mm

licht
outline
éclairé

KORINNA

luminosa
filettato
konturskrift

In general, bodytypes are measured in the typograp hical point size. The siz es of Berthold Fototype faces can be exactly deter mined. All faces of same point size have the same capital heigth–irrespecti ve of their x-heigth. In hot metal and many other pho totypesetting systems the capital heigths often diff er considerably from one face to the other. For mea suring point sizes, a trans parent size gauge is provi ded. To determine the poi

3,20 mm (12 p), Zeilenabstand 5,25 mm

Ed Benguiat, Vic Caruso
1974
International Typeface Corp.
H. Berthold AG

ABCDEFGHIJKLMNOPQ
RSTUVWXYZ
abcdefghijklmnopqrstuvwxyz
1/1234567890%
(.,-;:!¡?¿–)·[’‘„”“»«]
+–=/$£†*&§
ÄÅÆÖØŒÜäåæıöøœßü
ÁÀÂÃÇČÉÈÊËÍÌÎÏĹŇÑÓÒÔÕ
ŔŘŠŤÚÙÛŴẄÝŶŸŽ
áàâãçčéèêëíìîïĺňñóòôõŕřš
úùûŵẅýỳÿž

Berthold-Schriftweite weit
Berthold-Schriftweite normal
Berthold-Schriftweite eng
Berthold-Schriftweite sehr eng
Berthold-Schriftweite extrem eng

LA VALEUR DE LA FORCE DE CORPS DES CARACT ERES DE LABEUR EST G ENERALEMENT EXPRIM EE EN POINTS TYPOGRA PHIQUES. LA FORCE DE CORPS DES CARACTERE S BERTHOLD FOTOTYPE PEUT ETRE DETERMINEE AVEC PRECISION. TOUS LES CARACTERES DU M EME CORPS ONT DES CA PITALES D’UNE HAUTEU R IDENTIQUE, INDEPEND AMMENT DE LA HAUTE UR DES BAS DE CASSE S ANS JAMBAGE. DANS LA

3,20 mm (12 p), Zeilenabstand 5,25 mm

Berthold’s quick brown fox jumps over the lazy dog and feels as if he wer
3,75 mm (14 p)

Berthold’s quick brown fox jumps over the lazy dog and feels as
4,25 mm (16 p)

Berthold’s quick brown fox jumps over the lazy dog and
4,75 mm (18 p)

Berthold’s quick brown fox jumps over the lazy dog
5,30 mm (20 p)

Berthold’s quick brown fox jumps over the
6,35 mm (24 p)

Berthold’s quick brown fox jumps ov
7,40 mm (28 p)

Berthold’s quick brown fox jum
8,50 mm (32 p)

Berthold’s quick brown fox j
9,55 mm (36 p)

Berthold-Schriften überzeugen dur ch Schärfe und Qualität. Schriftqu alität ist eine Frage der Erfahrung Berthold hat diese Erfahrung seit über hundert Jahren. Zuerst im Sc hriftguß, dann im Fotosatz. Berth old-Schriften sind weltweit geschä tzt. Im Schriftenatelier München wi

2,40 mm (9 p), Zeilenabstand 4,00 mm

Größe mm	p	Zeilenabstand kp	Êp	Ex	100 Zeichen 0	−1	−2
1,33	5	1,75	2,10		100	07	04
1,60	6	2,06	2,56	–	118	114	110
1,86	7	2,44	3,00	–	136	132	128
2,15	8	2,81	3,50	–	154	149	144
2,40	9	3,13	3,88	4,00	172	166	160
2,65	10	3,44	4,25	4,00	190	183	176
2,92	11	3,75	4,69	–	208	201	194
3,20	12	4,13	5,13	5,25	226	218	210
3,45	13	4,44	5,56	–	243	235	227
3,72	14	4,81	6,00	–	261	252	243
3,98	15	5,13	6,38	–	279	270	261
4,25	16	5,50	6,81	–	296	286	276

WZ 17 E, NSW +1, MZB 0,71, F 0,24:0,16 (1,5), VII
H 1–x 0,73–k 1,00–p 0,28–Ê 1,32–kp 1,28–Êp 1,60
BF 089 0483, Belegung 051: 085 0091 (095 0091)

Berthold-Schriften überzeugen durch Schärfe und Qualität. Sc hriftqualität ist eine Frage der Erfahrung. Berthold hat diese Erfahrung seit über hundert Ja hren. Zuerst im Schriftguß, da nn im Fotosatz. Berthold-Schri ften sind weltweit geschätzt. Im

2,65 mm (10 p), Zeilenabstand 4,00 mm

halbfett
medium
demi-gras

Künstlerschreibschrift

seminegra
neretto
halvfet

In general, bodytypes are measured in the ty
pographical point size. The sizes of Berthold
Fototype faces can be exactly determined. All
faces of same point size have the same capital
height-irrespective of their x-height. In hot m
etal and many other phototypesetting systems
the capital heights often differ considerably fr
om one face to the other. For measuring point s
izes, a transparent size gauge is provided. To
determine the point size, bring a capital letter i
nto coincidence with that field which precisely
circumscribes the letter at its upper and lower
margin. Below the field you find the typogr
aphical point and below that the millimeter v
alue which also refers to the height of a capital l
etter. In Berthold-phototypesetting, the typ
ewidth can be modified. The standard setting

3,20 mm (12 p), Zeilenabstand 5,25 mm

Hans Bohn

1957

D. Stempel AG

H. Berthold AG

ABCDEFGHIJKLMNOPQ
RSTUVWXYZ
abcdefghijklmnopqrstuvwxyz
1/1234567890%
(.,-:;!?&-)·/'‚""»«/
+-=/$£†*§§
ÅÄÆÖØŒÜäåæöœßü
ÁÀÂÃÇĈÉÈÊËÍÌÎÏŁÑŇ
ÓÒÔÕŘŔŚŠÚÙÛŴẄÝŸŶŽ
áàâãçéèêëíìîïłñňóòôõřśš
úùûŵẅýÿŷž

Berthold-Schriftweite weit
Berthold-Schriftweite normal
Berthold-Schriftweite eng
Berthold-Schriftweite sehr eng
Berthold-Schriftweite extrem eng

Bouillabaisse 7,95
Frisch gebeizter Ostseelachs 16,70
Japanische Wachteleier 13,75
Gegrillte Scampi 17,80
Lammkotelett Provençale 15,30
Hasenkeule Chasseur 19,50
Ente pochiert in der Blase 22,50
Kalbsmedaillons Gourmet 18,50
Kalbsfilet Grand Seigneur 24,50
Weinhändlertopf 16,80
Mistchratzerli 19,50
Entrecôte Double Paris 28,50
Tournedos Phantasie 27,50
Fondue Bourguignonne 39,50
Walderdbeeren 7,50
Eisbaiser Schlaccamadilla 8,50
Feigen mit Pfeffer auf Eis 9,75

3,20 mm (12 p), Zeilenabstand 5,25 mm

Barbara Helga Agnes Joana Natalie Gaby Sonja Karen Rebekka Christiane Ortrud Lydia Elvira Ute
3,72 mm (14 p)

Barbara Helga Agnes Joana Natalie Gaby Sonja Karen Rebekka Christiane Ortrud Elvira
4,25 mm (16 p)

Barbara Helga Agnes Joana Natalie Gaby Sonja Karen Rebekka Christiane Olga
4,75 mm (18 p)

Barbara Helga Agnes Joana Natalie Gaby Sonja Karen Christiane Elvira
5,30 mm (20 p)

Barbara Helga Agnes Joana Natalie Gaby Sonja Karen Ortrud
6,35 mm (24 p)

Barbara Helga Agnes Joana Natalie Gaby Sonja Eva
7,40 mm (28 p)

Barbara Helga Agnes Joana Natalie Gaby Ute
8,50 mm (32 p)

Barbara Helga Agnes Joana Natalie Gaby
9,55 mm (36 p)

Berthold-Schriften überzeugen durch Schärfe und
Qualität. Schriftqualität ist eine Frage der Erfahru
ng. Berthold hat diese Erfahrung seit über hundert J
ahren. Zuerst im Schriftguß, dann im Fotosatz. Be
rthold-Schriften sind weltweit geschätzt. Im Schrift
enatelier München wird jeder Buchstabe in der Grö
ße von zwölf Zentimetern neu gezeichnet. Mit messe
rscharfen Konturen, um für die Schriftscheiben das O

2,65 mm (10 p), Zeilenabstand 4,00 mm

Größe mm	p	Zeilenabstand kp	Êp	Ex	100 Zeichen 0	−1	−2
1,33	5	1,88	2,06	–	63	60	57
1,60	6	2,25	2,50	–	74	70	66
1,86	7	2,63	2,88	–	85	81	77
2,15	8	2,94	3,25	–	97	92	87
2,40	9	3,38	3,69	–	109	103	97
2,65	10	3,75	4,06	4,00	120	113	106
2,92	11	4,13	4,50	4,63	131	124	117
3,20	12	4,50	4,94	5,25	142	134	126
3,45	13	4,88	5,31	–	153	145	137
3,72	14	5,25	5,75	–	164	155	146
3,98	15	5,63	6,13	–	176	167	158
4,25	16	5,88	6,56	–	187	177	167

WZ 10 E, NSW 0, MZB 0,45, F 0,05:0,01 (6,0), VIII
H 1–x 0,29–k 0,83–p 0,40–Ê 1,13–kp 1,40–Êp 1,53
BF 089 1274, Belegung 051: 085 2176 (095 2176)

Berthold-Schriften überzeugen durch Schärfe u
nd Qualität. Schriftqualität ist eine Frage der E
rfahrung. Berthold hat diese Erfahrung seit über
hundert Jahren. Zuerst im Schriftguß, dann im
Fotosatz. Berthold-Schriften sind weltweit gesc
hätzt. Im Schriftenatelier München wird jeder
Buchstabe in der Größe von zwölf Zentimetern

2,92 mm (11 p), Zeilenabstand 4,63 mm

stehend Haar
light
maigre

KURSIVSCHRIFT

fina
chiarissimo
mager

Berthold-Schriften überzeugen durch Schärfe und Qualität. S
chriftqualität ist eine Frage der Erfahrung. Berthold hat diese
Erfahrung seit über hundert Jahren. Zuerst im Schriftguß, da
nn im Fotosatz. Berthold-Schriften sind weltweit geschätzt
Im Schriftenatelier München wird jeder Buchstabe in der Grö
ße von zwölf Zentimetern neu gezeichnet. Mit messerscharfen
Konturen, um für die Schriftscheiben das Optimale an Konture
nschärfe herauszuholen. Um die Qualität des Einzelzeichens
im Belichtungsvorgang zu bewahren, wird durch die ruhende

1,60 mm (6 p), Zeilenabstand 2,50 mm

Berthold-Schriften überzeugen durch Schärfe und Q
ualität. Schriftqualität ist eine Frage der Erfahrung
Berthold hat diese Erfahrung seit über hundert Jahr
en. Zuerst im Schriftguß, dann im Fotosatz. Berthold
Schriften sind weltweit geschätzt. Im Schriftenatelier
München wird jeder Buchstabe in der Größe von zwölf
Zentimetern neu gezeichnet. Mit messerscharfen Ko
nturen, um für die Schriftscheiben das Optimale an K

1,86 mm (7 p), Zeilenabstand 3,00 mm

Berthold-Schriften überzeugen durch Schärfe
und Qualität. Schriftqualität ist eine Frage der
Erfahrung. Berthold hat diese Erfahrung seit ü
ber hundert Jahren. Zuerst im Schriftguß, dann
im Fotosatz. Berthold-Schriften sind weltweit g
eschätzt. Im Schriftenatelier München wird jed
er Buchstabe in der Größe von zwölf Zentimeter
n neu gezeichnet. Mit messerscharfen Konturen

2,15 mm (8 p), Zeilenabstand 3,50 mm

Bayerisches
Landesvermessungsamt
1967
H. Berthold AG

ABCDEFGHIJKLMNOPQ
RSTUVWXYZ
abcdefghijklmnopqrstuvwxyz
1/1234567890%
(.,-;:!i?¿-)·[‘‚„“”»«]
+−=/$£†*&§
ÄÅÆÖØŒÜäåæöøœßü
ÁÀÂÃÇČÉÈÊËÍÌÎÏĹÑŇÓÒÔÕ
ŔŘŠŤÚÙÛŴŴÝŶŸŽ
áàâãçčéèêëíìîïĺñňóòôõŕřš
úùûŵẁýỳÿž

Berthold-Schriftweite weit
Berthold-Schriftweite normal
Berthold-Schriftweite eng
Berthold-Schriftweite sehr eng
Berthold-Schriftweite extrem eng

In general, bodytypes are meas
ured in the typographical point
size. The sizes of Berthold Fotot
ype faces can be exactly determi
ned. All faces of same point size
have the same capital height-ir
respective of their x-height. In h
ot metal and many other photot
ypesetting systems the capital h
eights often differ considerably
from one face to the other. For m
easuring point sizes, a transpar
ent size gauge is provided. To d
etermine the point size, bring a
capital letter into coincidence wi
th that field which precisely circ
umscribes the letter at its upper

3,20 mm (12 p), Zeilenabstand 5,25 mm

Berthold's quick brown fox jumps over the lazy dog and feels as if he were in the seventh
3,72 mm (14 p)

Berthold's quick brown fox jumps over the lazy dog and feels as if he were in t
4,25 mm (16 p)

Berthold's quick brown fox jumps over the lazy dog and feels as if he
4,75 mm (18 p)

Berthold's quick brown fox jumps over the lazy dog and feels
5,30 mm (20 p)

Berthold's quick brown fox jumps over the lazy dog
6,35 mm (24 p)

Berthold's quick brown fox jumps over the l
7,40 mm (28 p)

Berthold's quick brown fox jumps over
8,50 mm (32 p)

Berthold's quick brown fox jumps
9,55 mm (36 p)

Berthold-Schriften überzeugen durch Sch
ärfe und Qualität. Schriftqualität ist eine
Frage der Erfahrung. Berthold hat diese E
rfahrung seit über hundert Jahren. Zuerst
im Schriftguß, dann im Fotosatz. Berthold
Schriften sind weltweit geschätzt. Im Schr
iftenatelier München wird jeder Buchstabe
in der Größe von zwölf Zentimetern neu ge

2,40 mm (9 p), Zeilenabstand 4,00 mm

Größe mm	p	Zeilenabstand kp	Êp	Ex	100 Zeichen 0	−1	−2
1,00	[illegible]	1,00	[illegible]		00	00	00
1,60	6	2,25	2,69	2,50	101	97	93
1,86	7	2,56	3,13	3,00	116	112	108
2,15	8	3,00	3,63	3,50	132	127	122
2,40	9	3,31	4,06	4,00	148	142	136
2,65	10	3,69	4,50	4,00	163	156	149
2,92	11	4,06	4,94	–	178	171	164
3,20	12	4,44	5,38	5,25	193	185	177
3,45	13	4,75	5,81	–	209	201	193
3,72	14	5,13	6,25	–	224	215	206
3,98	15	5,50	6,29	–	239	230	221
4,25	16	5,88	7,19	–	254	244	234

WZ 12 E, NSW 0, MZB 0,61, F 0,06:0,03 (1,9), IV
H 1–x 0,68–k 1,00–p 0,37–Ê 1,31–kp 1,37–Êp 1,68
BF 089 1147, Belegung 051: 085 1199 (095 1199)

Berthold-Schriften überzeugen durch
Schärfe und Qualität. Schriftqualität i
st eine Frage der Erfahrung. Berthold
hat diese Erfahrung seit über hundert
Jahren. Zuerst im Schriftguß, dann im
Fotosatz. Berthold-Schriften sind welt
weit geschätzt. Im Schriftenatelier Mü
nchen wird jeder Buchstabe in der Grö

2,65 mm (10 p), Zeilenabstand 4,00 mm

liegend Haar
light italic
italique maigre

KURSIVSCHRIFT

fina cursiva
chiarissimo corsivo
kursiv mager

Måttangivelse för grundstilsgrader sker i allmänhet i typografiska punkter. Stilar av Berthold Fototype kan efter mätning exakt gradbestämmas. Alla typsnitt är av samma punktstorlek och har oberoende av x-höjden en identisk versalhöjd. I blysättning och i många andra fotosättsystem varierar versalhöjden avsevärt från typsnitt till typsnitt. För mätning av stilgrader finns en transparent mätlinjal Vid mätningen placerar man en versal bokstav så att rutorna begränsar tecknet upptill och nedtill. Under rutorna finns stilstorleken i typografiska didotpunkter och i mm. Även millimete

2,92 mm (11 p), Zeilenabstand 4,69 mm

Bayer. Landesvermessungsamt
1967
H. Berthold AG

ABCDEFGHIJKLMNOPQ
RSTUVWXYZ
abcdefghijklmnopqrstuvwxyz
1/1234567890%
(.,-;:!¡?¿–)·['',„""»«]
+–=/$£†&§*
ÄÅÆÖØŒÜäåæıöøœßü
ÁÀÂÃÇČÉÈÊËÍÌÎÏĹŇÑÓÒÔÕ
ŔŘŠŤÚÙÛŴẄÝŶŸŽ
áàâãçčéèêëíìîïĺňñóòôõŕřš
úùûŵẅýỳÿž

Berthold-Schriftweite weit
Berthold-Schriftweite normal
Berthold-Schriftweite eng
Berthold-Schriftweite sehr eng
Berthold-Schriftweite extrem eng

In general, bodytypes are measured in the typographical point size. The sizes of Berthold Fototype faces can be exactly determined. All faces of same point size have the same capital height–irrespective of their x-height. In hot metal and many other phototypesetting systems the capital heights often differ considerably from one face to the other For measuring point sizes, a transparent size gauge is provided. To determine the point size, bring a capital letter into coincidence with that fie

3,20 mm (12 p), Zeilenabstand 5,25 mm

KURSIVSCHRIFT LIEGEND HAAR

Die Maßangabe zu Grundschriftgrößen erfolgt im allgemeinen in typographischen Punkten Die Schriftgrößen der Berthold Fotosatz-Schriften sind nach Messung exakt bestimmbar. Alle Schriften gleicher Punktgröße weisen, unabhängig von der Höhe ihrer Mittellängen, eine identische Versalhöhe auf. Im Bleisatz und bei vielen anderen Fotosatz-Systemen differieren die Versalhöhen von Schrift zu Schrift oft erheblich. Zum Messen von Schriftgrößen steht ein transparentes Größenmaß zur Verfügung. Zum Messen wird ein Versalbuchstabe mit dem Feld in Deckung gebracht, das den Buchstaben oben und unten scharf begrenzt. Unter dem Feld ist die Schriftgröße in typographischen Didot-Punkten, darunter in Millimetern angegeben. Auch die Millimeterangaben beziehen sich auf die Höhe der Versalbuchstaben. Die Schriftweite

2,40 mm (9 p), Zeilenabstand 4 mm

KURSIVSCHRIFT ITALIQUE MAIGRE

La valeur de la force de corps des caractères de labeur èst généralement exprimée en points typographiques. La force de corps des caractères Berthold-Fototype peut être déterminée avec précision. Tous les caractères du même corps ont des capitales d'une hauteur identique, indépendamment de la hauteur des bas de casse sans jambage. Dans la composition plomb, ainsi que dans certains systèmes de photocomposition, la hauteur des capitales, varie souvent d'un caractère à l'autre. Pour déterminer la force de corps de nos caractères, nous avons mis au point une réglette de hauteur dœil transparente. On cherche le rectangle qui délimite exactement la hauteur d'œil d'u

2,65 mm (10 p), Zeilenabstand 4,50 mm

La indicación de las dimensiones para cuerpos de letra básicos tiene lugar en general en puntos tipográficos. Los cuerpos de letra de los caracteres Berthold Fototype pueden determinarse exactemente par medición. Con independencia de la altura de sus longitudes centrales, todos los caracteres de idéntico cuerpo de letra presentan altura de mayúsculas idéntica. En la composición en plomo y en muchos otros sistemas de fotocomposición, las alturas de mayúsculas varían frecuentemmente en forma considerable de tipo de letra a tipo de letra. Para medir los cuerpos de letra se dispone de un tipómetro, véa se la figura. Para la medición se hace coincidir una letra

1,60 mm (6 p), Zeilenabstand 2,50 mm

Größe mm	p	Zeilenabstand kp	Êp	Ex	100 Zeichen 0	−1	−2
1,33	5	1,81	1,88	–	91	88	85
1,60	6	2,13	2,25	2,50	107	103	99
1,86	7	2,50	2,63	–	123	119	115
2,15	8	2,88	3,00	3,38	140	135	130
2,40	9	3,25	3,38	4,00	157	151	145
2,65	10	3,56	3,69	4,50	173	166	159
2,92	11	3,94	4,06	4,69	189	182	175
3,20	12	4,31	4,44	5,25	205	197	189
3,45	13	4,63	4,81	–	221	213	205
3,72	14	5,00	5,19	–	237	228	219
3,98	15	5,31	5,50	–	253	244	235
4,25	16	5,69	5,88	–	269	259	249

WZ 11 E, NSW 0, MZB 0,65, F 0,092:0,046 (2,0), VI
H 1–x 0,69–k 1,00–p 0,33–Ê 1,05–kp 1,33–Êp 1,38
BF 089 1037, Belegung 051: 085 1106 (095 1106)

Le misure relative al corpo dei caratteri vengono generalmente indicate in punti tipografici. Il corpo dei caratteri Fototypes può essere determinato con esattezza per semplice misurazione. Tutti i caratteri di uguale grandezza in punti hanno, indipendentemente dalla loro lunghezza uguale altezza delle maiuscole. Nella composizione in piombo ed in molti altri sistemi di fotocomposi

2,15 mm (8 p), Zeilenabstand 3,38 mm

stehend
regular
normal

KURSIVSCHRIFT

normal
chiaro tondo
normal

Berthold-Schriften überzeugen durch Schärfe und Qualität. Schriftqualität ist eine Frage der Erfahrun g. Berthold hat diese Erfahrung seit über hundert Ja hren. Zuerst im Schriftguß, dann im Fotosatz. Berth old-Schriften sind weltweit geschätzt. Im Schriften atelier München wird jeder Buchstabe in der Grö ße von zwölf Zentimetern neu gezeichnet. Mit messe rscharfen Konturen, um für die Schriftscheiben das Optimale an Konturenschärfe herauszuholen. Um d

1,60 mm (6 p), Zeilenabstand 2,50 mm

Berthold-Schriften überzeugen durch Schärfe und Qualität. Schriftqualität ist eine Frage d er Erfahrung. Berthold hat diese Erfahrung s eit über hundert Jahren. Zuerst im Schriftgu ß, dann im Fotosatz. Berthold-Schriften sind weltweit geschätzt. Im Schriftenatelier Münc hen wird jeder Buchstabe in der Größe von z wölf Zentimetern neu gezeichnet. Mit messer

1,86 mm (7 p), Zeilenabstand 3,00 mm

Berthold-Schriften überzeugen durch S chärfe und Qualität. Schriftqualität ist eine Frage der Erfahrung. Berthold hat diese Erfahrung seit über hundert Jahr en. Zuerst im Schriftguß, dann im Fotos atz. Berthold-Schriften sind weltweit g eschätzt. Im Schriftenatelier München wird jeder Buchstabe in der Größe von z

2,15 mm (8 p), Zeilenabstand 3,50 mm

Bayerisches
Landesvermessungsamt
1967
H. Berthold AG

ABCDEFGHIJKLMNOPQ
RSTUVWXYZ
abcdefghijklmnopqrstuvwxyz
1/1234567890%
(.,-;:!¡?¿–)·['‘„”“»«]
+−=/$£†*&§
ÄÅÆÖØŒÜäåæıöøœßü
ÁÀÂÃÇČÉÈÊËÍÌÎÏĹŇÑÓÒÔÕ
ŔŘŠŤÚÙÛŴẄÝŶŸŽ
áàâãçčéèêëíìîïĺňñóòôõŕřš
úùûŵẅýỳÿž

Berthold-Schriftweite weit
Berthold-Schriftweite normal
Berthold-Schriftweite eng
Berthold-Schriftweite sehr eng
Berthold-Schriftweite extrem eng

In general, bodytypes are measured in the typograp hical point size. The sizes of Berthold Fototype faces can be exactly determined. All faces of same point size ha ve the same capital height irrespective of their x-heig ht. In hot metal and many o ther phototypesetting syst ems the capital heights o ften differ considerably fr om one face to the other. For measuring point sizes, a tr ansparent size gauge is pr ovided. To determine the p oint size, bring a capital let

3,20 mm (12 p), Zeilenabstand 5,25 mm

Berthold's quick brown fox jumps over the lazy dog and feels as if he were
3,72 mm (14 p)

Berthold's quick brown fox jumps over the lazy dog and feels as if
4,25 mm (16 p)

Berthold's quick brown fox jumps over the lazy dog and fe
4,75 mm (18 p)

Berthold's quick brown fox jumps over the lazy dog
5,30 mm (20 p)

Berthold's quick brown fox jumps over the l
6,35 mm (24 p)

Berthold's quick brown fox jumps ov
7,40 mm (28 p)

Berthold's quick brown fox jum
8,50 mm (32 p)

Berthold's quick brown fox j
9,55 mm (36 p)

Berthold-Schriften überzeugen dur ch Schärfe und Qualität. Schriftqu alität ist eine Frage der Erfahrung Berthold hat diese Erfahrung seit ü ber hundert Jahren. Zuerst im Schr iftguß, dann im Fotosatz. Berthold Schriften sind weltweit geschätzt. I m Schriftenatelier München wird je

2,40 mm (9 p), Zeilenabstand 4,00 mm

Größe		Zeilenabstand			100 Zeichen		
mm	p	kp	Êp	Ex	0	−1	−2
1,00	5	1,00	2,01		90	93	90
1,60	6	2,31	2,75	2,50	113	109	105
1,86	7	2,63	3,19	3,00	130	126	122
2,15	8	3,06	3,69	3,50	148	143	138
2,40	9	3,44	4,13	4,00	166	160	154
2,65	10	3,75	4,56	4,00	183	176	169
2,92	11	4,13	5,00	–	200	193	186
3,20	12	4,56	5,50	5,25	217	209	201
3,45	13	4,88	5,94	–	234	226	218
3,72	14	5,25	6,38	–	251	242	233
3,98	15	5,63	6,81	–	268	259	250
4,25	16	6,00	7,31	–	285	275	265

WZ 14 E, NSW 0, MZB 0,69, F 0,16:0,05 (3,0), IV
H 1-x 0,68-k 1,00-p 0,41-Ê 1,30-kp 1,41-Êp 1,71
BF 089 1083, Belegung 051: 085 1107 (095 1107)

Berthold-Schriften überzeugen durch Schärfe und Qualität. Sch riftqualität ist eine Frage der Er fahrung. Berthold hat diese Erf ahrung seit über hundert Jahr en. Zuerst im Schriftguß, dann i m Fotosatz. Berthold-Schriften sind weltweit geschätzt. Im Sch

2,65 mm (10 p), Zeilenabstand 4,00 mm

liegend
italic
italique

KURSIVSCHRIFT

cursiva
chiaro corsivo
kursiv

*Berthold-Schriften überzeugen durch Schärfe und Q
ualität. Schriftqualität ist eine Frage der Erfahrun
g. Berthold hat diese Erfahrung seit über hundert J
ahren. Zuerst im Schriftguß, dann im Fotosatz. Bert
hold-Schriften sind weltweit geschätzt. Im Schrifte
natelier München wird jeder Buchstabe in der Grö
ße von zwölf Zentimetern neu gezeichnet. Mit messe
rscharfen Konturen, um für die Schriftscheiben das
Optimale an Konturenschärfe herauszuholen. Um d*

1,60 mm (6 p), Zeilenabstand 2,50 mm

*Berthold-Schriften überzeugen durch Schärf
e und Qualität. Schriftqualität ist eine Frage
der Erfahrung. Berthold hat diese Erfahrung
seit über hundert Jahren. Zuerst im Schriftg
uß, dann im Fotosatz. Berthold-Schriften sin
d weltweit geschätzt. Im Schriftenatelier Mü
nchen wird jeder Buchstabe in der Größe von
zwölf Zentimetern neu gezeichnet. Mit messe*

1,86 mm (7 p), Zeilenabstand 3,00 mm

*Berthold-Schriften überzeugen durch S
chärfe und Qualität. Schriftqualität ist
eine Frage der Erfahrung. Berthold hat
diese Erfahrung seit über hundert Jahr
en. Zuerst im Schriftguß, dann im Fotos
atz. Berthold-Schriften sind weltweit ge
schätzt. Im Schriftenatelier München w
ird jeder Buchstabe in der Größe von zw*

2,15 mm (8 p), Zeilenabstand 3,50 mm

*Bayerisches
Landesvermessungsamt
1967
H. Berthold AG*

*ABCDEFGHIJKLMNOPQ
RSTUVWXYZ
abcdefghijklmnopqrstuvwxyz
1/1234567890%
(.,-;:!¡?¿–)·['',,""»«]
+-=/$£†*&§
ÄÅÆÖØŒÜäåæıöøœßü
ÁÀÂÃÇČÉÈÊËÍÌÎÏĹŇÑÓÒÔÕ
ŔŘŠŤÚÙÛŴẄÝỲŶŸŽ
áàâãçčéèêëíìîïĺňñóòôõŕřš
úùûŵẅýỳŷÿž*

*Berthold-Schriftweite weit
Berthold-Schriftweite normal
Berthold-Schriftweite eng
Berthold-Schriftweite sehr eng
Berthold-Schriftweite extrem eng*

*In general, bodytypes are
measured in the typograp
hical point size. The sizes of
Berthold Fototype faces ca
n be exactly determined. Al
l faces of same point size h
ave the same capital height
irrespective of their x-heig
ht. In hot metal and many
other phototypesetting sy
stems the capital heights o
ften differ considerably fr
om one face to the other. F
or measuring point sizes, a
transparent size gauge is
provided. To determine the
point size, bring a capital l*

3,20 mm (12 p), Zeilenabstand 5,25 mm

Berthold's quick brown fox jumps over the lazy dog and feels as if he were
3,72 mm (14 p)

Berthold's quick brown fox jumps over the lazy dog and feels as i
4,25 mm (16 p)

Berthold's quick brown fox jumps over the lazy dog and f
4,75 mm (18 p)

Berthold's quick brown fox jumps over the lazy dog
5,30 mm (20 p)

Berthold's quick brown fox jumps over the
6,35 mm (24 p)

Berthold's quick brown fox jumps ov
7,40 mm (28 p)

Berthold's quick brown fox jum
8,50 mm (32 p)

Berthold's quick brown fox j
9,55 mm (36 p)

*Berthold-Schriften überzeugen dur
ch Schärfe und Qualität. Schriftqu
alität ist eine Frage der Erfahrung
Berthold hat diese Erfahrung seit ü
ber hundert Jahren. Zuerst im Schr
iftguß, dann im Fotosatz. Berthold
Schriften sind weltweit geschätzt. I
m Schriftenatelier München wird je*

2,40 mm (9 p), Zeilenabstand 4,00 mm

Größe mm	p	Zeilenabstand kp	Êp	Ex	100 Zeichen 0	−1	−2
1,33	5	1,88	2,31	–	97	94	91
1,60	6	2,25	2,75	2,50	115	111	107
1,86	7	2,63	3,19	3,00	132	128	124
2,15	8	3,06	3,69	3,50	150	145	140
2,40	9	3,38	4,13	4,00	168	162	156
2,65	10	3,75	4,56	4,00	185	178	171
2,92	11	4,13	5,00	–	202	195	188
3,20	12	4,50	5,44	5,25	220	212	204
3,45	13	4,88	5,88	–	237	229	221
3,72	14	5,25	6,38	–	254	245	236
3,98	15	5,63	6,81	–	271	262	253
4,25	16	6,00	7,25	–	289	279	269

WZ 14 E, NSW 0, MZB 0,70, F 0,15:0,04 (3,6), IV
H 1–x 0,68–k 1,00–p 0,40–Ê 1,30–kp 1,40–Êp 1,70
BF 089 1084, Belegung 051: 085 1104 (095 1104)

*Berthold-Schriften überzeugen
durch Schärfe und Qualität. Sch
riftqualität ist eine Frage der Er
fahrung. Berthold hat diese Erf
ahrung seit über hundert Jahr
en. Zuerst im Schriftguß, dann i
m Fotosatz. Berthold-Schriften
sind weltweit geschätzt. Im Sch*

2,65 mm (10 p), Zeilenabstand 4,00 mm

rückwärts liegend
reclining
penchée à gauche

KURSIVSCHRIFT

cursiva izquierda
corsivo a sinistra
vänster kursiv

Berthold-Schriften überzeugen durch Schärfe und Qualität. Schriftqualität ist eine Frage der Erfahrung Berthold hat diese Erfahrung seit über hundert Jahren. Zuerst im Schriftguß, dann im Fotosatz. Berthold Schriften sind weltweit geschätzt. Im Schriftenatelier München wird jeder Buchstabe in der Größe von zwölf Zentimetern neu gezeichnet. Mit messerscharfen Konturen, um für die Schriftscheiben das Optimale an Konturenschärfe herauszuholen. Um die Qualität

1,60 mm (6 p), Zeilenabstand 2,50 mm

Berthold-Schriften überzeugen durch Schärfe und Qualität. Schriftqualität ist eine Frage der Erfahrung. Berthold hat diese Erfahrung seit über hundert Jahren. Zuerst im Schriftguß, dann im Fotosatz. Berthold-Schriften sind weltweit geschätzt. Im Schriftenatelier München wird jeder Buchstabe in der Größe von zwölf Zentimetern neu gezeichnet. Mit messerscharfe

1,86 mm (7 p), Zeilenabstand 3,00 mm

Berthold-Schriften überzeugen durch Schärfe und Qualität. Schriftqualität ist eine Frage der Erfahrung. Berthold hat diese Erfahrung seit über hundert Jahren Zuerst im Schriftguß, dann im Fotosatz Berthold-Schriften sind weltweit geschätzt. Im Schriftenatelier München wird jeder Buchstabe in der Größe von zwölf Ze

2,15 mm (8 p), Zeilenabstand 3,50 mm

Bayerisches
Landesvermessungsamt
1967
H. Berthold AG

ABCDEFGHIJKLMNOPQ
RSTUVWXYZ
abcdefghijklmnopqrstuvwxyz
1/1234567890%
(.,-;:!¡?¿–)·['‘ „”“ »«]
+−=\$£†* &§
ÄÅÆÖØŒÜäåæöøœßü
ÁÀÂÃÇČÉÈÊËÍÌÎÏĹŇÑÓÒÔÕ
ŔŘŠŤÚÙÛŴẄÝŶŸŽ
áàâãçčéèêëíìîïĺňñóòôõŕřš
úùûŵẅýŷÿž

Berthold-Schriftweite weit
Berthold-Schriftweite normal
Berthold-Schriftweite eng
Berthold-Schriftweite sehr eng
Berthold-Schriftweite extrem eng

In general, bodytypes are measured in the typographical point size. The sizes of Berthold Fototype faces can be exactly determined. All faces of same point size have the same capital height-irrespective of their x-height. In hot metal and many other phototypesetting systems the capital heights often differ considerably from one face to the other. For measuring point sizes, a transparent size gauge is provided. To determine the point size bring a capital letter into coin

3,20 mm (12 p), Zeilenabstand 5,25 mm

Berthold's quick brown fox jumps over the lazy dog and feels as if he were in
3,72 mm (14 p)

Berthold's quick brown fox jumps over the lazy dog and feels as if
4,25 mm (16 p)

Berthold's quick brown fox jumps over the lazy dog and fe
4,75 mm (18 p)

Berthold's quick brown fox jumps over the lazy dog a
5,30 mm (20 p)

Berthold's quick brown fox jumps over the l
6,35 mm (24 p)

Berthold's quick brown fox jumps ove
7,40 mm (28 p)

Berthold's quick brown fox jump
8,50 mm (32 p)

Berthold's quick brown fox j
9,55 mm (36 p)

Berthold-Schriften überzeugen durch Schärfe und Qualität. Schriftqualität ist eine Frage der Erfahrung. Berthold hat diese Erfahrung seit über hundert Jahren. Zuerst im Schriftguß, dann im Fotosatz. Berthold-Schriften sind weltweit geschätzt. Im Schriftenatelier München wird jede

2,40 mm (9 p), Zeilenabstand 4,00 mm

Größe mm	p	Zeilenabstand kp	Êp	Ex	100 Zeichen 0	−1	−2
1,33	5	1,75	2,19	–	96	93	90
1,60	6	2,13	2,63	2,50	113	109	105
1,86	7	2,44	3,06	3,00	130	126	122
2,15	8	2,88	3,56	3,50	148	143	138
2,40	9	3,19	3,94	4,00	166	160	154
2,65	10	3,50	4,38	4,00	183	176	160
2,92	11	3,88	4,81	–	200	193	186
3,20	12	4,25	5,25	5,25	217	209	201
3,45	13	4,56	5,63	–	234	226	218
3,72	14	4,88	6,13	–	251	242	233
3,98	15	5,25	6,50	–	268	259	250
4,25	16	5,63	6,94	–	285	275	265

WZ 14 E, NSW 0, MZB 0,69, F 0,14:0,05 (2,8), IV
H 1–x 0,68–k 1,00–p 0,31–Ê 1,32–kp 1,31–Êp 1,63
BF 089 1085, Belegung 051: 085 1105 (095 1105)

Berthold-Schriften überzeugen durch Schärfe und Qualität. Schriftqualität ist eine Frage der Erfahrung. Berthold hat diese Erfahrung seit über hundert Jahren. Zuerst im Schriftguß, dann im Fotosatz. Berthold-Schriften sind weltweit geschätzt. Im Schriftenat

2,65 mm (10 p), Zeilenabstand 4,00 mm

LAPIDAR

Berthold-Schriften überzeugen durch Schärfe und Qual ität. Schriftqualität ist eine Frage der Erfahrung. Berth old hat diese Erfahrung seit über hundert Jahren. Zuer st im Schriftguß, dann im Fotosatz. Berthold-Schriften sind weltweit geschätzt. Im Schriftenatelier München wird jeder Buchstabe in der Größe von zwölf Zentimete rn neu gezeichnet. Mit messerscharfen Konturen, um f ür die Schriftscheiben das Optimale an Konturenschärfe herauszuholen. Um die Qualität des Einzelzeichens im B

1,60 mm (6 p), Zeilenabstand 2,50 mm

Berthold-Schriften überzeugen durch Schärfe u nd Qualität. Schriftqualität ist eine Frage der Er fahrung. Berthold hat diese Erfahrung seit über hundert Jahren. Zuerst im Schriftguß, dann im F otosatz. Berthold-Schriften sind weltweit gesc hätzt. Im Schriftenatelier München wird jeder B uchstabe in der Größe von zwölf Zentimetern neu gezeichnet. Mit messerscharfen Konturen, um f

1,86 mm (7 p), Zeilenabstand 3,00 mm

Berthold-Schriften überzeugen durch Sch ärfe und Qualität. Schriftqualität ist eine F rage der Erfahrung. Berthold hat diese Erf ahrung seit über hundert Jahren. Zuerst im Schriftguß, dann im Fotosatz. Berthold-Sc hriften sind weltweit geschätzt. Im Schrift enatelier München wird jeder Buchstabe in der Größe von zwölf Zentimetern neu geze

2,15 mm (8 p), Zeilenabstand 3,50 mm

Aldo Novarese
1977
H. Berthold AG

ABCDEFGHIJKLMNOPQ
RSTUVWXYZ
abcdefghijklmnopqrstuvwxyz
1/1234567890 %
(.,-;:!¡?¿–)·[‘‚„"“»«]
+−=/$£†*&§
ÄÅÆÖØŒÜäåæıöøœßü
ÁÀÂÃÇČÉÈÊËÍÌÎÏĹŇÑÓÒÔÕ
ŔŘŠŤÚÙÛŴẄÝŶŸŽ
áàâãçčéèêëíìîïĺňñóòôõŕřš
úùûŵẅýỳÿž

Berthold-Schriftweite weit
Berthold-Schriftweite normal
Berthold-Schriftweite eng
Berthold-Schriftweite sehr eng
Berthold-Schriftweite extrem eng

In general, bodytypes are me asured in the typographical p oint size. The sizes of Bertho ld Fototype Faces can be exac tly determined. All Faces of s ame point size have the sam e capital height–irrespective of their x-height. In hot met al and many other phototype setting systems the capital h eights often differ considera bly from one face to the other For measuring point sizes, a transparent size gauge is pr ovided. To determine the poi nt size, bring a capital lett er into coincidence with that

3,20 mm (12 p), Zeilenabstand 5,25 mm

Berthold's quick brown fox jumps over the lazy dog and feels as if he were in the
3,72 mm (14 p)

Berthold's quick brown fox jumps over the lazy dog and feels as if he w
4,25 mm (16 p)

Berthold's quick brown fox jumps over the lazy dog and feels as
4,75 mm (18 p)

Berthold's quick brown fox jumps over the lazy dog and f
5,30 mm (20 p)

Berthold's quick brown fox jumps over the lazy
6,35 mm (24 p)

Berthold's quick brown fox jumps over t
7,40 mm (28 p)

Berthold's quick brown fox jumps o
8,50 mm (32 p)

Berthold's quick brown fox jum
9,55 mm (36 p)

Berthold-Schriften überzeugen durch Schärfe und Qualität. Schriftqualität i st eine Frage der Erfahrung. Berthold hat diese Erfahrung seit über hundert Jahren. Zuerst im Schriftguß, dann im Fotosatz. Berthold-Schriften sind wel tweit geschätzt. Im Schriftenatelier München wird jeder Buchstabe in der

2,40 mm (9 p), Zeilenabstand 4,00 mm

Größe mm	p	Zeilenabstand kp	Êp	Ex	100 Zeichen 0	−1	−2
1,33	5	1,63	2,00	–	91	88	85
1,60	6	1,94	2,44	2,50	107	103	99
1,86	7	2,31	2,81	3,00	123	119	115
2,15	8	2,63	3,25	3,50	140	135	130
2,40	9	2,94	3,63	4,00	157	151	145
2,65	10	3,25	4,00	4,00	173	166	159
2,92	11	3,56	4,38	–	189	182	175
3,20	12	3,88	4,81	5,25	205	197	189
3,45	13	4,19	5,19	–	221	213	205
3,72	14	4,56	5,56	–	237	228	219
3,98	15	4,88	5,94	–	253	244	235
4,25	16	5,19	6,38	–	269	259	249

WZ 14 E, NSW 0, MZB 0,65, F 0,26:0,15 (1,8), VI
H 1–x 0,78–k 1,00–p 0,21–Ê 1,28–kp 1,21–Êp 1,49
BF 089 1358, Belegung 051: 085 1492 (095 1492)

Berthold-Schriften überzeugen d urch Schärfe und Qualität. Schrift qualität ist eine Frage der Erfahru ng. Berthold hat diese Erfahrung s eit über hundert Jahren. Zuerst im Schriftguß, dann im Fotosatz. Bert hold-Schriften sind weltweit gesc hätzt. Im Schriftenatelier Münche

2,65 mm (10 p), Zeilenabstand 4,00 mm

Caps Index mager
Caps Index light
Caps Index maigre

LARGO

Caps Index fina
Caps Index chiarissimo
Caps Index mager

BERTHOLD-SCHRIFTEN Ü BERZEUGEN DURCH SCH ÄRFE UND QUALITÄT. S CHRIFTQUALITÄT IST EIN E FRAGE DER ERFAHRUN G. BERTHOLD HAT DIES E ERFAHRUNG SEIT ÜBER HUNDERT JAHREN. ZUER ST IM SCHRIFTGUSS, DA NN IM FOTOSATZ. BER THOLD-SCHRIFTEN SIND WELTWEIT GESCHÄTZT. I

3,20 mm (12 p), Zeilenabstand 5,25 mm

HANS WAGNER
1937
LUDWIG & MAYER
H. BERTHOLD AG

ABCDEFGHIJKLMN
OPQRSTUVWXYZ
ABCDEFGHIJKLMNOP
QRSTUVWXYZ
1/1234567890%
(.,-;:!¡?¿–)·[''„""›‹»«]
+−=/$£+*&§©
ÄÅÆÁÀÂÃÇČÉÈÊË
ÍÌÎÏĽŇÑÖØŒÓÒÔÕ
ŔŘŠŤÜÚÙÛŴẀÝŸŶŽ
ÄÅÆÁÀÂÃÇČÉÈÊËÍÌÎÏ
ĽŇÑÖØŒÓÒÔÕŔŘŠ
ÜÚÙÛŴẀÝŸŶŽ

LA VALEUR DE LA FOR CE DE CORPS DES CAR ACTERES DE LABEUR E ST GENERALEMENT EX PRIMEE EN POINTS TY POGRAPHIQUES. LA F ORCE DE CORPS DES C ARACTERES BERTHOL D-FOTOTYPE PEUT ETR E DETERMINEE AVEC P RECISION. TOUS LES C ARACTERES DU MEME

3,20 mm (12 p), Zeilenabstand 5,25 mm

6/3,75

SOPHIE THIELMANN
FACHJOURNALISTIN

EBERSSTRASSE 66, 1000 BERLIN 62, TEL. 87 20 29

LAUFWEITE WEIT
LAUFWEITE NORMAL
LAUFWEITE ENG
LAUFWEITE SEHR ENG
LAUFWEITE EXTREM ENG

7/4,25

CHRISTIANE TRITTAU
APOTHEKERIN

BILLSTRASSE 19, HAMFELDE, TEL. 41 54

8/5

LISE ROCHEFORT
DIRECTRICE

69, RUE VICTOR, PARIS, TÉL. 37 25 86

BERTHOLD
2,32 mm (8,75 p)

BERTHOLD
2,66 mm (10 p)

BERTHOLD
2,97 mm (11,25 p)

BERTHOLD
3,31 mm (12,5 p)

BERTHOLD
3,97 mm (15 p)

BERTHOLD
4,63 mm (17,5 p)

BERTHOLD
5,31 mm (20 p)

BERTHOLD
5,97 mm (22,5 p)

9/6

OTTO VON SCHLICK
LANDRAT

AM MARKT 5, KIEL, TEL. 66 34

10/7

MARIO CAVALLO
MAÎTRE DE PLAISIR

VIA ARETINO 33, FIRENZE

11/8

JAN VANDELO
DETEKTIVBÜRO

MAAN STRAAT 8, EDAM

12/9

PIA SCHOEN
DIÄTKÖCHIN

AM TEICH 12, CHAM

13/10

ERICH ZOFF
SAXOPHONIST

DOMWEG 2, WORMS

LA INDICACIÓN DE LAS DIMENSIONES PARA CUERPOS DE LETRA VÁSICOS TIENE LUGAR EN GENERAL EN PUNT OS TIPOGRÁFICOS. LOS CUERPOS DE LETRA DE LOS CA RACTERES BERTHOLD FOTOTYPE PUEDEN DETERMINA RSE EXACTEMENTE PAR MEDICIÓN. CON INDEPENDEN CIA DE LA ALTURA DE SUS LONGITUDES CENTRALES, T ODOS LOS CARACTERES DE IDÉNTICO CUERPO DE LETRA PRESENTAN ALTURA DE MAYÚSCULAS IDÉNTICA. EN L A COMPOSICIÓN EN PLOMO Y EN MUCHOS OTROS SIST EMAS DE FOTOCOMPOSICIÓN, LAS ALTURAS DE MAYÚ SCULAS VARÍAN FRECUENTEMMENTE EN FORMA CON SIDERABLE DE TIPO DE LETRA A TIPO DE LETRA. PARA MEDIR LOS CUERPOS DE LETRA SE DISPONE DE UN TIPÓ METRO, VÉASE LA FIGURA. PARA LA MEDICIÓN SE HACE COINCIDIR UNA LETRA MAYÚSCULA CON LA CASILLA C

1,33 mm (5 p), Zeilenabstand 1,94 mm

LE MISURE RELATIVE AL CORPO DEI CARAT TERI VENGONO GENERALMENTE INDICAT E IN PUNTI TIPOGRAFICI. IL CORPO DEI CA RATTERI FOTOTYPES PUÒ ESSERE DETER MINATO CON ESATTEZZA PER SEMPLICE MISURAZIONE. TUTTI I CARATTERI DI UG UALE GRANDEZZA IN PUNTI HANNO, IND IPENDENTEMENTE DALLA LORO LUNGHE ZZA UGUALE ALTEZZA DELLE MAIUSCOL E. NELLA COMPOSIZIONE IN PIOMBO ED I N MOLTI ALTRI SISTEMI DI FOTOCOMPO SIZIONE, L'ALTEZZA DELLE MAIUSCOLE V

1,60 mm (6 p), Zeilenabstand 2,44 mm
WZ 15 E, NSW +1, III
BF 089 1019, Belegung 127: 086 1013 (096 1013)

IN GENERAL, BODYTYPES ARE MEASURED IN THE TYPOGRAPHICAL POINT SIZE. THE SIZES OF BERTHOLD-FOTOTYPE FACES C AN BE EXACTLY DETERMINED. ALL FACE S OF SAME POINT SIZE HAVE THE SAME C APITAL HEIGHT-IRRESPECTIVE OF THEIR X-HEIGHT. IN HOT METAL AND MANY O THER PHOTOTYPESETTING SYSTEMS THE CAPITAL HEIGHTS OFTEN DIFFER CONSI DERABLY FROM ONE FACE TO THE OTHE

1,86 mm (7 p), Zeilenabstand 3,00 mm

Caps Index halbfett
Caps Index medium
Caps Index demi-gras

LARGO

Caps Index seminegra
Caps Index neretto
Caps Index halvfet

BERTHOLD - SCHRIFTEN ÜBERZEUGEN DURCH S CHÄRFE UND QUALITÄ T. SCHRIFTQUALITÄT IS T EINE FRAGE DER ERF AHRUNG. BERTHOLD H AT DIESE ERFAHRUNG S EIT ÜBER HUNDERT JA HREN. ZUERST IM SCHR IFTGUSS, DANN IM FOT OSATZ. BERTHOLD-SCH RIFTEN SIND WELTWEIT

3,20 mm (12 p), Zeilenabstand 5,25 mm

HANS WAGNER
1937
LUDWIG & MAYER
H. BERTHOLD AG

ABCDEFGHIJKLMN
OPQRSTUVWXYZ
ABCDEFGHIJKLMNOP
QRSTUVWXYZ
1/1234567890%
(.,-;:!¡?¿–)·[‘‘„”“›‹»«]
+-=/$£+*&§©
ÄÅÆÁÀÂÃÇČÉÈÊË
ÍÌÎÏĽÑŇÖØŒÓÒÔÕ
ŔŘŠŤÜÚÙÛŴẄÝŶŸŽ
ÄÅÆÁÀÂÃÇČÉÈÊËÍÌÎÏ
ĽÑŇÖØŒÓÒÔÕŔŘŠ
ÜÚÙÛŴẄÝŶŸŽ

LA VALEUR DE LA F ORCE DE CORPS DES CARACTERES DE LA BEUR EST GENERALE MENT EXPRIMEE EN POINTS TYPOGRAPH IQUES. LA FORCE DE CORPS DES CARACT ERES BERTHOLD-FOT OTYPE PEUT ETRE D ETERMINEE AVEC PR ECISION. TOUS LES C

3,20 mm (12 p), Zeilenabstand 5,25 mm

6/3,75

SOPHIE THIELMANN
FACHJOURNALISTIN

EBERSSTRASSE 66, 1000 BERLIN 62, TEL. 87 20 29

LAUFWEITE WEIT
LAUFWEITE NORMAL
LAUFWEITE ENG
LAUFWEITE SEHR ENG
LAUFWEITE EXTREM ENG

7/4,25

CHRISTIANE TRITTAU
APOTHEKERIN

BILLSTRASSE 19, HAMFELDE, TEL. 41 54

8/5

LISE ROCHEFORT
DIRECTRICE

69, RUE VICTOR, PARIS, TÉL. 37 25 86

9/6

OTTO VON SCHLICK
LANDRAT

AM MARKT 5, KIEL, TEL. 66 34

BERTHOLD
2,32 mm (8,75 p)

BERTHOLD
2,66 mm (10 p)

BERTHOLD
2,97 mm (11,25 p)

BERTHOLD
3,31 mm (12,5 p)

BERTHOLD
3,97 mm (15 p)

BERTHOLD
4,63 mm (17,5 p)

BERTHOLD
5,31 mm (20 p)

BERTHOLD
5,97 mm (22,5 p)

10/7

MARIO CAVALLO
MAÎTRE DE PLAISIR

VIA ARETINO 33, FIRENZE

11/8

JAN VANDELO
DETEKTIVBÜRO

MAAN STRAAT 8, EDAM

12/9

PIA SCHOEN
DIÄTKÖCHIN

AM TEICH 12, CHAM

13/10

ERICH ZOFF
SAXOPHONIST

DOMWEG 2, WORMS

LA INDICACIÓN DE LAS DIMENSIONES PARA CUERPOS DE LETRA VÁSICOS TIENE LUGAR EN GENERAL EN PU NTOS TIPOGRÁFICOS. LOS CUERPOS DE LETRA DE LOS CARACTERES BERTHOLD FOTOTYPE PUEDEN DETER MINARSE EXACTEMENTE PAR MEDICIÓN. CON INDE PENDENCIA DE LA ALTURA DE SUS LONGITUDES CEN TRALES, TODOS LOS CARACTERES DE IDÉNTICO CUE RPO DE LETRA PRESENTAN ALTURA DE MAYÚSCULAS IDÉNTICA. EN LA COMPOSICIÓN EN PLOMO Y EN MU CHOS OTROS SISTEMAS DE FOTOCOMPOSICIÓN, LAS ALTURAS DE MAYÚSCULAS VARÍAN FRECUENTEMM ENTE EN FORMA CONSIDERABLE DE TIPO DE LETRA A TIPO DE LETRA. PARA MEDIR LOS CUERPOS DE LETRA SE DISPONE DE UN TIPÓMETRO, VÉASE LA FIGURA. P ARA LA MEDICIÓN SE HACE COINCIDIR UNA LETRA M

1,33 mm (5 p), Zeilenabstand 1,94 mm

LE MISURE RELATIVE AL CORPO DEI CA RATTERI VENGONO GENERALMENTE IN DICATE IN PUNTI TIPOGRAFICI. IL CORP O DEI CARATTERI FOTOTYPES PUÒ ESSE RE DETERMINATO CON ESATTEZZA PER SEMPLICE MISURAZIONE. TUTTI I CARA TTERI DI UGUALE GRANDEZZA IN PUNTI HANNO, INDIPENDENTEMENTE DALLA L ORO LUNGHEZZA UGUALE ALTEZZA DE LLE MAIUSCOLE. NELLA COMPOSIZION E IN PIOMBO ED IN MOLTI ALTRI SISTE MI DI FOTOCOMPOSIZIONE, L'ALTEZZA D

1,60 mm (6 p), Zeilenabstand 2,44 mm
WZ 15 E, NSW +1, III
BF 089 0955, Belegung 127: 085 1014 (095 1014)

IN GENERAL, BODYTYPES ARE MEASU RED IN THE TYPOGRAPHICAL POINT SI ZE. THE SIZES OF BERTHOLD-FOTOTYPE FACES CAN BE EXACTLY DETERMINED ALL FACES OF SAME POINT SIZE HAVE THE SAME CAPITAL HEIGHT-IRRESPEC TIVE OF THEIR X-HEIGHT. IN HOT MET AL AND MANY OTHER PHOTOTYPESET TING SYSTEMS THE CAPITAL HEIGHTS OFTEN DIFFER CONSIDERABLY FROM O

1,86 mm (7 p), Zeilenabstand 3,00 mm

kursiv
italic
italique

L.C.D.

cursiva
chiaro corsivo
kursiv

BERTHOLD-SCHRIFTEN ÜBERZEUGEN DURCH SCHÄRFE UND QUALITÄT. SCHRIFTQUALITÄT IST EINE FRAGE DER ERFAHRUNG. BERTHOLD HAT DIESE ERFAHRUNG SEIT ÜBER HUNDERT JAHREN. ZUERST IM SCHRIFTGUSS, DANN IM FOTOSATZ. BERTHOLD-SCHRIFTEN SIND WELTWEIT GESCHÄTZT. IM SCHRIFTENATELIER MÜNCHEN WIRD JEDER BUCHSTABE IN DER GRÖSSE VON ZWÖLF ZENTIMETERN NEU GEZEICHNET. MIT MESSERSCHARFEN KONTUREN, UM FÜR DIE SCHRIFTSCHEIBEN DAS OPTIMALE AN KONTURENSCHÄRFE HERAUSZUHOLEN. UM DIE Q

1,60 mm (6 p), Zeilenabstand 2,50 mm

BERTHOLD-SCHRIFTEN ÜBERZEUGEN DURCH SCHÄRFE UND QUALITÄT. SCHRIFTQUALITÄT IST EINE FRAGE DER ERFAHRUNG. BERTHOLD HAT DIESE ERFAHRUNG SEIT ÜBER HUNDERT JAHREN. ZUERST IM SCHRIFTGUSS, DANN IM FOTOSATZ. BERTHOLD-SCHRIFTEN SIND WELTWEIT GESCHÄTZT. IM SCHRIFTENATELIER MÜNCHEN WIRD JEDER BUCHSTABE IN DER GRÖSSE VON ZWÖLF ZENTIMETERN NEU GEZEICHNET. MIT MESSERSCHARFEN

1,86 mm (7 p), Zeilenabstand 3,00 mm

BERTHOLD-SCHRIFTEN ÜBERZEUGEN DURCH SCHÄRFE UND QUALITÄT. SCHRIFTQUALITÄT IST EINE FRAGE DER ERFAHRUNG. BERTHOLD HAT DIESE ERFAHRUNG SEIT ÜBER HUNDERT JAHREN ZUERST IM SCHRIFTGUSS, DANN IM FOTOSATZ BERTHOLD-SCHRIFTEN SIND WELTWEIT GESCHÄTZT. IM SCHRIFTENATELIER MÜNCHEN WIRD JEDER BUCHSTABE IN DER GRÖSSE VON ZWÖLF ZENT

2,15 mm (8 p), Zeilenabstand 3,50 mm

1984
H. BERTHOLD AG

ABCDEFGHIJKLMNOPQ
RSTUVWXYZ
ABCDEFGHIJKLMNOPQRSTUVWXYZ
1/1234567890 %
(.,-:;!?¿¡-)·[''„""»«]
+-=/$£†*&§
ÅÅÆØØŒÜÄÅÆIØØŒSSÜ
ÁÀÂÃÇÉÈÊËÍÌÎÏĹÑÓÒÔÕ
ŔŘŠŤÚÙÛÜŮÝŸŶŽ
ÁÀÂÃÇÉÈÊËÍÌÎĹÑÓÒÔÕÖŔŘŠ
ÚÙÛÜŮÝŸŶŽ

BERTHOLD-SCHRIFTWEITE WEIT
BERTHOLD-SCHRIFTWEITE NORMAL
BERTHOLD-SCHRIFTWEITE ENG
BERTHOLD-SCHRIFTWEITE SEHR ENG
BERTHOLD-SCHRIFTWEITE EXTREM ENG

IN GENERAL, BODYTYPES ARE MEASURED IN THE TYPOGRAPHICAL POINT SIZE. THE SIZES OF BERTHOLD FOTOTYPE FACES CAN BE EXACTLY DETERMINED. ALL FACES OF SAME POINT SIZE HAVE THE SAME CAPITAL HEIGHT-IRRESPECTIVE OF THEIR X-HEIGHT. IN HOT METAL AND MANY OTHER PHOTOTYPESETTING SYSTEMS THE CAPITAL HEIGHTS OFTEN DIFFER CONSIDERABLY FROM ONE FACE TO THE OTHER. FOR MEASURING POINT SIZES, A TRANSPARENT SIZE GAUGE IS PROVIDED. TO DETERMINE THE POINT SIZE, BRING A CAPITAL LETTER INTO COI

3,20 mm (12 p), Zeilenabstand 5,25 mm

BERTHOLD'S QUICK BROWN FOX JUMPS OVER THE LAZY DOG AND FEELS AS IF HE WERE I
3,72 mm (14 p)

BERTHOLD'S QUICK BROWN FOX JUMPS OVER THE LAZY DOG AND FEELS AS IF
4,25 mm (16 p)

BERTHOLD'S QUICK BROWN FOX JUMPS OVER THE LAZY DOG AND FE
4,75 mm (18 p)

BERTHOLD'S QUICK BROWN FOX JUMPS OVER THE LAZY DOG
5,30 mm (20 p)

BERTHOLD'S QUICK BROWN FOX JUMPS OVER THE L
6,35 mm (24 p)

BERTHOLD'S QUICK BROWN FOX JUMPS OVER
7,40 mm (28 p)

BERTHOLD'S QUICK BROWN FOX JUMPS
8,50 mm (32 p)

BERTHOLD'S QUICK BROWN FOX JU
9,55 mm (36 p)

BERTHOLD-SCHRIFTEN ÜBERZEUGEN DURCH SCHÄRFE UND QUALITÄT. SCHRIFTQUALITÄT IST EINE FRAGE DER ERFAHRUNG. BERTHOLD HAT DIESE ERFAHRUNG SEIT ÜBER HUNDERT JAHREN ZUERST IM SCHRIFTGUSS, DANN IM FOTOSATZ. BERTHOLD-SCHRIFTEN SIND WELTWEIT GESCHÄTZT. IM SCHRIFTENATELIER MÜNCHEN WIRD JEDER B

2,40 mm (9 p), Zeilenabstand 4,00 mm

Größe mm	p	Zeilenabstand kp	Êp	Ex	100 Zeichen 0	−1	−2
1,33	5	1,56	1,88	–	92	89	86
1,60	6	1,81	2,25	2,50	108	104	100
1,86	7	2,13	2,56	3,00	124	120	116
2,15	8	2,44	3,00	3,50	141	136	131
2,40	9	2,75	3,31	4,00	158	152	146
2,65	10	3,00	3,69	4,00	174	167	160
2,92	11	3,31	4,06	–	190	183	176
3,20	12	3,63	4,44	5,25	207	199	191
3,45	13	3,94	4,75	–	223	215	207
3,72	14	4,25	5,13	–	239	230	221
3,98	15	4,50	5,50	–	255	246	237
4,25	16	4,81	5,88	–	271	261	251

WZ 16 E, NSW +1, MZB 0,66, F 0,12:0,12 (1,0), VII
H 1–Ç 0,13–Ê 1,24–HÇ 1,13–ÊÇ 1,37
BF 089 1437, Belegung 109: 085 1495 (095 1495)

BERTHOLD-SCHRIFTEN ÜBERZEUGEN DURCH SCHÄRFE UND QUALITÄT. SCHRIFTQUALITÄT IST EINE FRAGE DER ERFAHRUNG. BERTHOLD HAT DIESE ERFAHRUNG SEIT ÜBER HUNDERT JAHREN ZUERST IM SCHRIFTGUSS, DANN IM FOTOSATZ. BERTHOLD-SCHRIFTEN SIND WELTWEIT GESCHÄTZT. IM SCHRIFTENAT

2,65 mm (10 p), Zeilenabstand 4,00 mm

mager
light
maigre

LIFE

fina
chiarissimo
mager

Berthold-Schriften überzeugen durch Schärfe und Qualität. Schrift qualität ist eine Frage der Erfahrung. Berthold hat diese Erfahrung s eit über hundert Jahren. Zuerst im Schriftguß, dann im Fotosatz. Ber thold-Schriften sind weltweit geschätzt. Im Schriftenatelier Münche n wird jeder Buchstabe in der Größe von zwölf Zentimetern n eu gezeichnet. Mit messerscharfen Konturen, um für die Schriftschei ben das Optimale an Konturenschärfe herauszuholen. Um die Quali tät des Einzelzeichens im Belichtungsvorgang zu bewahren, wird du rch die ruhende, nicht rotierende Schriftscheibe belichtet. Dieses op

1,33 mm (5 p) 20 30 40 50 60

Berthold-Schriften überzeugen durch Schärfe und Qualität. Sc hriftqualität ist eine Frage der Erfahrung. Berthold hat diese Erf ahrung seit über hundert Jahren. Zuerst im Schriftguß, dann im Fotosatz. Berthold-Schriften sind weltweit geschätzt. Im Schrif tenatelier München wird jeder Buchstabe in der Größe von zwö lf Zentimetern neu gezeichnet. Mit messerscharfen Konturen um für die Schriftscheiben das Optimale an Konturenschärfe h erauszuholen. Um die Qualität des Einzelzeichens im Belichtun gsvorgang zu bewahren, wird durch die ruhende, nicht rotieren

1,45 mm (5,5 p) 20 30 40 50 6

Berthold-Schriften überzeugen durch Schärfe und Qualit ät. Schriftqualität ist eine Frage der Erfahrung. Berthold h at diese Erfahrung seit über hundert Jahren. Zuerst im Sc hriftguß, dann im Fotosatz. Berthold-Schriften sind welt weit geschätzt. Im Schriftenatelier München wird jeder B uchstabe in der Größe von zwölf Zentimetern neu gezeic hnet. Mit messerscharfen Konturen, um für die Schriftsch eiben das Optimale an Konturenschärfe herauszuholen Um die Qualität des Einzelzeichens im Belichtungsvorga

1,60 mm (6 p) 20 30 40 50

Berthold-Schriften überzeugen durch Schärfe und Qu alität. Schriftqualität ist eine Frage der Erfahrung. Ber thold hat diese Erfahrung seit über hundert Jahren. Z uerst im Schriftguß, dann im Fotosatz. Berthold-Schri ften sind weltweit geschätzt. Im Schriftenatelier Mün chen wird jeder Buchstabe in der Größe von zwölf Ze ntimetern neu gezeichnet. Mit messerscharfen Kontu ren, um für die Schriftscheiben das Optimale an Kont urenschärfe herauszuholen. Um die Qualität des Einz

1,75 mm (6,5 p) 20 30 40 50

Berthold-Schriften überzeugen durch Schärfe und Qualität. Schriftqualität ist eine Frage der Erfahru ng. Berthold hat diese Erfahrung seit über hundert Jahren. Zuerst im Schriftguß, dann im Fotosatz. Be rthold-Schriften sind weltweit geschätzt. Im Schrif tenatelier München wird jeder Buchstabe in der Gr öße von zwölf Zentimetern neu gezeichnet. Mit me sserscharfen Konturen, um für die Schriftscheiben das Optimale an Konturenschärfe herauszuholen

1,86 mm (7 p) 20 30 40

Berthold-Schriften überzeugen durch Schärfe und Qualität. Schriftqualität ist eine Frage der Erfahrung. Berthold hat diese Erfahrung seit ü ber hundert Jahren. Zuerst im Schriftguß, dann im Fotosatz. Berthold-Schriften sind weltweit g eschätzt. Im Schriftenatelier München wird jed er Buchstabe in der Größe von zwölf Zentimet ern neu gezeichnet. Mit messerscharfen Kontu ren, um für die Schriftscheiben das Optimale an

2,00 mm (7,5 p) 20 30 40

Berthold-Schriften überzeugen durch Schärf e und Qualität. Schriftqualität ist eine Frage der Erfahrung. Berthold hat diese Erfahrung seit über hundert Jahren. Zuerst im Schriftgu ß, dann im Fotosatz. Berthold-Schriften sin d weltweit geschätzt. Im Schriftenatelier Mü nchen wird jeder Buchstabe in der Größe von zwölf Zentimetern neu gezeichnet. Mit mess erscharfen Konturen, um für die Schriftschei

2,15 mm (8 p) 20 30 40

F. Simoncini, W. Bilz
1965
Ludwig & Mayer
H. Berthold AG

ABCDEFGHIJKLMNOPQ
RSTUVWXYZ
abcdefghijklmnopqrstuvwxyz
1/1234567890%
(.,-;:!¡?¿–)·[’‘„”“»«]
+−=/$£†*&§
ÄÅÆÖØŒÜäåæıöøœßü
ÁÀÂÃÇČÉÈÊËÍÌÎÏĹŇÑÓÒÔÕ
ŔŘŠŤÚÙÛŴẄÝỲŸŽ
áàâãçčéèêëíìîïĺňñóòôõŕřš
úùûŵẅýỳÿž

Berthold-Schriftweite weit
Berthold-Schriftweite normal
Berthold-Schriftweite eng
Berthold-Schriftweite sehr eng
Berthold-Schriftweite extrem eng

Berthold
3,75 mm (14 p)

Berthold
4,25 mm (16 p)

Berthold
4,75 mm (18 p)

Berthold
5,30 mm (20 p)

Berthold
6,35 mm (24 p)

Berthold
7,40 mm (28 p)

Berthold
8,50 mm (32 p)

Berthold
9,55 mm (36 p)

Größe mm	p	Zeilenabstand kp	Êp	Ex	100 Zeichen 0	−1	−2
1,33	5	1,75	2,00	2,00	86	83	80
1,60	6	2,13	2,38	2,50	101	97	93
1,86	7	2,44	2,81	3,00	116	112	108
2,15	8	2,81	3,19	3,50	132	127	122
2,40	9	3,13	3,56	3,75	148	142	136
2,65	10	3,44	3,94	4,25	163	156	149
2,92	11	3,81	4,38	4,75	178	171	164
3,20	12	4,19	4,75	5,25	193	185	177
3,45	13	4,50	5,13	5,75	209	201	193
3,72	14	4,81	5,56	—	224	215	206
3,98	15	5,19	5,94	—	239	230	221
4,25	16	5,50	6,31	—	254	244	234

WZ 13 E, NSW 0, MZB 0,61, F 0,11:0,050 (2,3), III
H 1–x 0,66–k 1,00–p 0,29–Ê 1,19–kp 1,29–Êp 1,48
BF 089 0484, Belegung 051: 086 1669 (096 1669)

Berthold-Schriften überzeugen durch S chärfe und Qualität. Schriftqualität ist e ine Frage der Erfahrung. Berthold hat di ese Erfahrung seit über hundert Jahren Zuerst im Schriftguß, dann im Fotosatz Berthold-Schriften sind weltweit geschä tzt. Im Schriftenatelier München wird je der Buchstabe in der Größe von zwölf Z

2,40 mm (9 p) 20 30

Berthold-Schriften überzeugen durc h Schärfe und Qualität. Schriftquali tät ist eine Frage der Erfahrung. Bert hold hat diese Erfahrung seit über h undert Jahren. Zuerst im Schriftguß dann im Fotosatz. Berthold-Schrift en sind weltweit geschätzt. Im Schri ftenatelier München wird jeder Buc

2,65 mm (10 p) 20 30

Berthold-Schriften überzeugen d urch Schärfe und Qualität. Schrif tqualität ist eine Frage der Erfahr ung. Berthold hat diese Erfahrun g seit über hundert Jahren. Zuerst im Schriftguß, dann im Fotosatz Berthold-Schriften sind weltweit geschätzt. Im Schriftenatelier Mü

2,92 mm (11 p) 10 20 30

Berthold-Schriften überzeuge n durch Schärfe und Qualität Schriftqualität ist eine Frage d er Erfahrung. Berthold hat die se Erfahrung seit über hundert Jahren. Zuerst im Schriftguß dann im Fotosatz. Berthold-S chriften sind weltweit geschät

3,20 mm (12 p) 10 20

Berthold-Schriften überzeu gen durch Schärfe und Qual ität. Schriftqualität ist eine F rage der Erfahrung. Berthold hat diese Erfahrung seit ü ber hundert Jahren. Zuerst i m Schriftguß, dann im Foto satz. Berthold-Schriften sind

3,45 mm (13 p) 10 20

mager
light
maigre

LIFE

fina
chiarissimo
mager

Berthold-Schriften überzeugen durch Schärfe und Qualität. Schriftqualit ät ist eine Frage der Erfahrung. Berthold hat diese Erfahrung seit über hu ndert Jahren. Zuerst im Schriftguß, dann im Fotosatz. Berthold-Schriften sind weltweit geschätzt. Im Schriftenatelier München wird jeder Buchsta be in der Größe von zwölf Zentimetern neu gezeichnet. Mit messerscha rfen Konturen, um für die Schriftscheiben das Optimale an Konturensch ärfe herauszuholen. Um die Qualität des Einzelzeichens im Belichtungsv organg zu bewahren, wird durch die ruhende, nicht rotierende Schriftsch eibe belichtet. Dieses optische System, verbunden mit Präzisions-Chrom

4,25 mm (16 p), Zeilenabstand 6,75 mm

LIFE LIGHT

In general, bodytypes are measured in the typo graphical point size. The sizes of Berthold Foto type faces can be exactly determined. All faces of same point size have the same capital heigth–irre spective of their x-heigth. In hot metal and many other phototypesetting systems the capital heigths often differ considerably from one face to the other. For measuring point sizes, a transpar ent size gauge is provided. To determine the point size, bring a capital letter into coincidence with that field which precisely circumscribes the letter at its upper and lower margin. Below the field you find the typographical point and below that the millimeter value, which also refers to the height of a capital letter. In Berthold-phototypesetting, the typewidth can be modified. The standard setting width of typefaces is determined by the principle of optimum legibility. You should not depart from this typewidth without cogent reason. A typeface which is considered optically right when looked in a greater context, often seems bulky when ap plied for a small amount of text, e. g. labels and

2,40 mm (9 p), Zeilenabstand 4,25 mm

LIFE MAIGRE

La valeur de la force de corps des caractères de labeur èst généralement exprimée en points typographiques. La force de corps des caractères Berthold-Fototype peut être déter minée avec précision. Tous les caractères du même corps ont des capitales d'une hauteur identique, indépendamment de la hauteur des bas de casse sans jambage. Dans la com position plomb, ainsi que dans certains sys tèmes de photocomposition, la hauteur des capitales, varie souvent d'un caractère à l'au tre. Pour déterminer la force de corps de nos caractères, nous avons mis au point une ré glette de hauteur d'œil transparente. On cherche le rectangle qui délimite exactement la hauteur d'œil d'une capitale du caractère choisi. Sous le rectangle correspondant la valeur de la force de corps est indiquée en points Didots et en millimètres. La valeur en millimètres exprime également la hauteur

2,65 mm (10 p), Zeilenabstand 4,69 mm

La indicación de las dimensiones para cuerpos de letra vásicos tiene lugar en general en puntos tipográficos. Los cuerpos de letra de los caracte res Berthold Fototype pueden determinarse ex actemente par medición. Con independencia de la altura de sus longitudes centrales, todos los caracteres de idéntico cuerpo de letra presentan altura de mayúsculas idéntica. En la composi ción en plomo y en muchos otros sistemas de fo

2,15 mm (8 p), −1, Zeilenabstand 3,38 mm

123,– $	456,– £	7890,– DM	1 %
234,– $	789,– £	1234,– DM	2 %
567,– $	12,– £	5678,– DM	3 %
890,– $	345,– £	9012,– DM	4 %
123,– $	678,– £	3456,– DM	5 %
456,– $	901,– £	7890,– DM	6 %
789,– $	234,– £	1234,– DM	7 %
12,– $	567,– £	5678,– DM	8 %
345,– $	890,– £	9012,– DM	9 %

BF 089 0485

Le misure relative al corpo dei caratteri vengono generalmente indicate in punti tipografici. Il cor po dei caratteri Fototypes può essere determinato con esattezza per semplice misurazione. Tutti i ca ratteri di uguale grandezza in punti hanno, indi pendentemente dalla loro lunghezza, uguale al tezza delle maiuscole. Nella composizione in pio mbo ed in molti altri sistemi di fotocomposizi one l'altezza delle maiuscole varia spesso da carattere

2,15 mm (8 p), −2, Zeilenabstand 3,38 mm

kursiv
italic
italique

LIFE

cursiva
corsivo
kursiv

Måttangivelse för grundstilsgrader sker i allmänhet i typografiska pu nkter. Stilar av Berthold Fototype kan efter mätning exakt gradbest ämmas. Alla typsnitt är av sam ma punktstorlek och har oberoen de av x-höjden en identisk versalh öjd. I blysättning och i många and ra fotosättsystem varierar versalh öjden avsevärt från typsnitt till typ snitt. För mätning av stilgrader fin ns en transparent mätlinjal. Vid mätningen placerar man en versal bokstav så att rutorna begränsar tecknet upptill och nedtill. Under rutorna finns stilstorleken i typogr afiska didotpunkter och i mm. Äv en millimeteruppgiften avser vers alhöjden. Vid stilstorleksuppgifter

2,92 mm (11 p), Zeilenabstand 4,69 mm

Ludwig & Mayer
H. Berthold AG

ABCDEFGHIJKLMNOPQ
RSTUVWXYZ
abcdefghijklmnopqrstuvwxyz
1/1234567890%
(.,-;:!¡?¿–) · [‘„”“»«]
+−=/$£†&§*
ÄÅÆÖØŒÜäåæıöøœßü
ÁÀÂÃÇČÉÈÊËÍÌÎÏĹŇÑÓÒÔÕ
ŔŘŠŤÚÙÛŴẄÝỲŶŸŽ
áàâãçčéèêëíìîïĺňñóòôõŕřš
úùûŵẅýỳŷÿž

Berthold-Schriftweite weit
Berthold-Schriftweite normal
Berthold-Schriftweite eng
Berthold-Schriftweite sehr eng
Berthold-Schriftweite extrem eng

In general, bodytypes are meas ured in the typographical point size. The sizes of Berthold Fotot ype faces can be exactly determ ined. All faces of same point si ze have the same capital heig th–irrespective of their x-heig th. In hot metal and many other phototypesetting systems the capital heigths often differ cons iderably from one face to the ot her. For measuring point sizes a transparent size gauge is pro vided. To determine the point si ze, bring a capital letter into coi ncidence with that field which precisely circumscribes the lett

3,20 mm (12 p), Zeilenabstand 5,25 mm

LIFE KURSIV

Die Maßangabe zu Grundschriftgrößen erfolgt im allgemeinen in typographischen Punkten. Die Schriftgrößen der Berthold-Fotosatz-Schriften sind nach Messung exakt bestimmbar. Alle Schriften gleicher Punktgröße weisen, unabhängig von der Höhe ihrer Mittellängen, eine identische Versalhö he auf. Im Bleisatz und bei vielen anderen Fotosatz Systemen differieren die Versalhöhen von Schrift zu Schrift oft erheblich. Zum Messen von Schrift größen steht ein transparentes Größenmaß zur Verfügung. Zum Messen wird ein Versalbuchstabe mit dem Feld in Deckung gebracht, das den Buch staben oben und unten scharf begrenzt. Unter dem Feld ist die Schriftgröße in typographischen Didot Punkten, darunter in Millimetern angegeben. Auch die Millimeterangaben beziehen sich auf die Höhe der Versalbuchstaben. Die Schriftweite kann im Berthold-Fotosatz beliebig verändert werden. Die

2,40 mm (9 p), Zeilenabstand 4 mm

LIFE ITALIQUE

La valeur de la force de corps des caractères de labeur èst généralement exprimée en points ty pographiques. La force de corps des caractères Berthold-Fototype peut être déterminée avec précision. Tous les caractères du même corps ont des capitales d'une hauteur identique, in dépendamment de la hauteur des bas de casse sans jambage. Dans la composition plomb ainsi que dans certains systèmes de photocom position, la hauteur des capitales, varie sou vent d'un caractère à l'autre. Pour déterminer la force de corps de nos caractères, nous avons mis au point une réglette de hauteur d'œil transparente. On cherche le rectangle qui déli mite exactement la hauteur d'œil d'une capi tale du caractère choisi. Sous le rectangle cor

2,65 mm (10 p), Zeilenabstand 4,50 mm

La indicación de las dimensiones para cuerpos de letra vási cos tiene lugar en general en puntos tipográficos. Los cuer pos de letra de los caracteres Berthold Fototype pueden de terminarse exactemente par medición. Con independencia de la altura de sus longitudes centrales, todos los caracteres de idéntico cuerpo de letra presentan altura de mayúscu las idéntica. En la composición en plomo y en muchos otros sistemas de fotocomposición, las alturas de mayúsculas va rían frecuentemmente en forma considerable de tipo de letra a tipo de letra. Para medir los cuerpos de letra se dispone de un tipómetro, véase la figura. Para la medición se hace coin cidir una letra mayúscula con la casilla cuyos extremos

1,60 mm (6 p), Zeilenabstand 2,50 mm

Größe		Zeilenabstand			100 Zeichen		
mm	p	kp	Êp	Ex	0	−1	−2
1,33	5	1,75	2,00	–	83	80	77
1,60	6	2,13	2,44	2,50	98	94	90
1,86	7	2,44	2,81	–	113	109	105
2,15	8	2,81	3,25	3,38	128	123	118
2,40	9	3,13	3,63	4,00	143	137	131
2,65	10	3,44	4,00	4,50	158	151	144
2,92	11	3,81	4,38	4,69	173	166	159
3,20	12	4,19	4,81	5,25	188	180	172
3,45	13	4,50	5,19	–	202	194	186
3,72	14	4,81	5,56	–	217	208	199
3,98	15	5,19	5,94	–	232	223	214
4,25	16	5,50	6,38	–	246	236	226

WZ 13 E, NSW 0, MZB 0,60, F 0,10:0,038 (2,8), III
H 1–x 0,67–k 1,01–p 0,28–Ê 1,21–kp 1,29–Êp 1,49
BF 089 0486, Belegung 051: 086 1670 (096 1670)

Le misure relative al corpo dei caratteri vengo no generalmente indicate in punti tipografici Il corpo dei caratteri Fototypes può essere de terminato con esattezza per semplice misurazi one. Tutti i caratteri di uguale grandezza in punti hanno, indipendentemente dalla loro lunghezza, uguale altezza delle maiuscole. Nel la composizione in piombo ed in molti altri sistemi di fotocomposizione, l'altezza delle

2,15 mm (8 p), Zeilenabstand 3,38 mm

fett
bold
gras

LIFE

negra
nero
fet

Berthold-Schriften überzeugen durch Schärfe und Quali tät. Schriftqualität ist eine Frage der Erfahrung. Berthold hat diese Erfahrung seit über hundert Jahren. Zuerst im Schriftguß, dann im Fotosatz. Berthold-Schriften sind weltweit geschätzt. Im Schriftenatelier München wird je der Buchstabe in der Größe von zwölf Zentimetern neu gezeichnet. Mit messerscharfen Konturen, um für die Sc hriftscheiben das Optimale an Konturenschärfe herausz uholen. Um die Qualität des Einzelzeichens im Belichtu

1,60 mm (6 p), Zeilenabstand 2,50 mm

Berthold-Schriften überzeugen durch Schärfe und Qualität. Schriftqualität ist eine Frage der Erf ahrung. Berthold hat diese Erfahrung seit über hu ndert Jahren. Zuerst im Schriftguß, dann im Fotos atz. Berthold-Schriften sind weltweit geschätzt. Im Schriftenatelier München wird jeder Buchstabe in der Größe von zwölf Zentimetern neu gezeichnet Mit messerscharfen Konturen, um für die Schrifsc

1,86 mm (7 p), Zeilenabstand 3,00 mm

Berthold-Schriften überzeugen durch Schä rfe und Qualität. Schriftqualität ist eine Fra ge der Erfahrung. Berthold hat diese Erfahru ng seit über hundert Jahren. Zuerst im Schr iftguß, dann im Fotosatz. Berthold-Schrifte n sind weltweit geschätzt. Im Schriftenatelie r München wird jeder Buchstabe in der Grö ße von zwölf Zentimetern neu gezeichnet. M

2,15 mm (8 p), Zeilenabstand 3,50 mm

Ludwig & Mayer
H. Berthold AG

ABCDEFGHIJKLMNOPQ
RSTUVWXYZ
abcdefghijklmnopqrstuvwxyz
1/1234567890%
(.,-;:!¡?¿–)·['‘„”“»«]
+−=/$£†*&§
ÄÅÆÖØŒÜäåæıöøœßü
ÁÀÂÃÇČÉÈÊËÍÌÎÏĹŇÑÓÒÔÕ
ŔŘŠŤÚÙÛŴẄÝŶŸŽ
áàâãçčéèêëíìîïĺňñóòôõŕřš
úùûŵẅýỳÿž

Berthold-Schriftweite weit
Berthold-Schriftweite normal
Berthold-Schriftweite eng
Berthold-Schriftweite sehr eng
Berthold-Schriftweite extrem eng

In general, bodytypes are me asured in the typographical p oint size. The sizes of Berthold Fototype faces can be exactly determined. All faces of same point size have the same capit al heigth–irrespective of their x-heigth. In hot metal and ma ny other phototypesetting sys tems the capital heigths often differ considerably from one f ace to the other. For measurin g point sizes, a transparent siz e gauge is provided. To deter mine the point size, bring a ca pital letter into coincidence w ith that field which precisely c

3,20 mm (12 p), Zeilenabstand 5,25 mm

Berthold's quick brown fox jumps over the lazy dog and feels as if he were in the s
3,75 mm (14 p)

Berthold's quick brown fox jumps over the lazy dog and feels as if he we
4,25 mm (16 p)

Berthold's quick brown fox jumps over the lazy dog and feels as
4,75 mm (18 p)

Berthold's quick brown fox jumps over the lazy dog and f
5,30 mm (20 p)

Berthold's quick brown fox jumps over the lazy
6,35 mm (24 p)

Berthold's quick brown fox jumps over t
7,40 mm (28 p)

Berthold's quick brown fox jumps o
8,50 mm (32 p)

Berthold's quick brown fox jum
9,55 mm (36 p)

Berthold-Schriften überzeugen durch Schärfe und Qualität. Schriftqualität ist eine Frage der Erfahrung. Berthold hat diese Erfahrung seit über hundert Jahre n. Zuerst im Schriftguß, dann im Fotosa tz. Berthold-Schriften sind weltweit ges chätzt. Im Schriftenatelier München wi rd jeder Buchstabe in der Größe von zw

2,40 mm (9 p), Zeilenabstand 4,00 mm

Größe mm	p	Zeilenabstand kp	Êp	Ex	100 Zeichen 0	−1	−2
1,33	5	1,75	2,13		87	84	81
1,60	6	2,13	2,50	2,50	103	99	95
1,86	7	2,44	2,94	3,00	118	114	110
2,15	8	2,88	3,38	3,50	134	129	124
2,40	9	3,19	3,75	4,00	150	144	138
2,65	10	3,50	4,19	4,00	165	158	151
2,92	11	3,88	4,56	—	181	174	167
3,20	12	4,25	5,00	5,25	196	188	180
3,45	13	4,56	5,44	—	212	204	196
3,72	14	4,88	5,81	—	227	218	209
3,98	15	5,25	6,25	—	243	234	225
4,25	16	5,63	6,69	—	258	248	238

WZ 13 E, NSW 0, MZB 0,62, F 0,19:0,067 (2,9), III
H 1–x 0,67–k 1,02–p 0,29–Ê 1,27–kp 1,31–Êp 1,56
BF 089 0487, Belegung 051: 086 1671 (096 1671)

Berthold-Schriften überzeugen dur ch Schärfe und Qualität. Schriftqua lität ist eine Frage der Erfahrung. B erthold hat diese Erfahrung seit üb er hundert Jahren. Zuerst im Schrif tguß, dann im Fotosatz. Berthold-Sc hriften sind weltweit geschätzt. Im S chriftenatelier München wird jede

2,65 mm (10 p), Zeilenabstand 4,00 mm

LIGHTLINE GOTHIC

Berthold-Schriften überzeugen durch Schärfe und Qualität. Schriftqualität ist
eine Frage der Erfahrung. Berthold hat diese Erfahrung seit über hundert Ja
hren. Zuerst im Schriftguß, dann im Fotosatz. Berthold-Schriften sind weltweit
geschätzt. Im Schriftenatelier München wird jeder Buchstabe in der Größe v
on zwölf Zentimetern neu gezeichnet. Mit messerscharfen Konturen, um für
die Schriftscheiben das Optimale an Konturenschärfe herauszuholen. Um die
Qualität des Einzelzeichens im Belichtungsvorgang zu bewahren, wird durch
die ruhende, nicht rotierende Schriftscheibe belichtet. Dieses optische Syst
em, verbunden mit Präzisions-Chromglasscheiben, führt zu einer Schriftqua

1,33 mm (5 p)20 30 40 50 60 70

Berthold-Schriften überzeugen durch Schärfe und Qualität. Schriftquali
tät ist eine Frage der Erfahrung. Berthold hat diese Erfahrung seit über
hundert Jahren. Zuerst im Schriftguß, dann im Fotosatz. Berthold-Schrif
ten sind weltweit geschätzt. Im Schriftenatelier München wird jeder Buc
hstabe in der Größe von zwölf Zentimetern neu gezeichnet. Mit messers
charfen Konturen, um für die Schriftscheiben das Optimale an Konture
nschärfe herauszuholen. Um die Qualität des Einzelzeichens im Belicht
ungsvorgang zu bewahren, wird durch die ruhende, nicht rotierende Sch
riftscheibe belichtet. Dieses optische System, verbunden mit Präzisions

1,45 mm (5,5 p)20 30 40 50 60

Berthold-Schriften überzeugen durch Schärfe und Qualität. Schri
ftqualität ist eine Frage der Erfahrung. Berthold hat diese Erfahru
ng seit über hundert Jahren. Zuerst im Schriftguß, dann im Fotosa
tz. Berthold-Schriften sind weltweit geschätzt. Im Schriftenatelier
München wird jeder Buchstabe in der Größe von zwölf Zentimetern
neu gezeichnet. Mit messerscharfen Konturen, um für die Schrifts
cheiben das Optimale an Konturenschärfe herauszuholen. Um die
Qualität des Einzelzeichens im Belichtungsvorgang zu bewahren
wird durch die ruhende, nicht rotierende Schriftscheibe belichtet

1,60 mm (6 p) 20 30 40 50 60

Berthold-Schriften überzeugen durch Schärfe und Qualität. S
chriftqualität ist eine Frage der Erfahrung. Berthold hat diese
Erfahrung seit über hundert Jahren. Zuerst im Schriftguß, da
nn im Fotosatz. Berthold-Schriften sind weltweit geschätzt. Im
Schriftenatelier München wird jeder Buchstabe in der Größe
von zwölf Zentimetern neu gezeichnet. Mit messerscharfen K
onturen, um für die Schriftscheiben das Optimale an Konture
nschärfe herauszuholen. Um die Qualität des Einzelzeichens
im Belichtungsvorgang zu bewahren, wird durch die ruhende

1,75 mm (6,5 p) 20 30 40 50 6

Berthold-Schriften überzeugen durch Schärfe und Qualit
ät. Schriftqualität ist eine Frage der Erfahrung. Berthold
hat diese Erfahrung seit über hundert Jahren. Zuerst im Sc
hriftguß, dann im Fotosatz. Berthold-Schriften sind weltw
eit geschätzt. Im Schriftenatelier München wird jeder Buc
hstabe in der Größe von zwölf Zentimetern neu gezeichnet
Mit messerscharfen Konturen, um für die Schriftscheiben
das Optimale an Konturenschärfe herauszuholen. Um die
Qualität des Einzelzeichens im Belichtungsvorgang zu be

1,86 mm (7 p) 20 30 40 50

Berthold-Schriften überzeugen durch Schärfe und Qu
alität. Schriftqualität ist eine Frage der Erfahrung. Bert
hold hat diese Erfahrung seit über hundert Jahren. Zue
rst im Schriftguß, dann im Fotosatz. Berthold-Schriften
sind weltweit geschätzt. Im Schriftenatelier München
wird jeder Buchstabe in der Größe von zwölf Zentimete
rn neu gezeichnet. Mit messerscharfen Konturen, um
für die Schriftscheiben das Optimale an Konturenschä
rfe herauszuholen. Um die Qualität des Einzelzeichens

2,00 mm (7,5 p) 20 30 40 50

Berthold-Schriften überzeugen durch Schärfe und
Qualität. Schriftqualität ist eine Frage der Erfahrung
Berthold hat diese Erfahrung seit über hundert Jah
ren. Zuerst im Schriftguß, dann im Fotosatz. Bertho
ld-Schriften sind weltweit geschätzt. Im Schriftenate
lier München wird jeder Buchstabe in der Größe von
zwölf Zentimetern neu gezeichnet. Mit messerschar
fen Konturen, um für die Schriftscheiben das Optim
ale an Konturenschärfe herauszuholen. Um die Qua

2,15 mm (8 p) 20 30 40 5

Morris F. Benton
1908
American Typefounders
H. Berthold AG

ABCDEFGHIJKLMNOPQ
RSTUVWXYZ
abcdefghijklmnopqrstuvwxyz
1/1234567890 %
(.,-;:!¡?¿–) · [‘’„”“»«]
+−=/$£†*&§
ÄÅÆÖØŒÜäåæıöøœßü
ÁÀÂÃÇČÉÈÊËÍÌÎÏĹŇÑÓÒÔÕ
ŔŘŠŤÚÙÛŴẄÝŶŸŽ
áàâãçčéèêëíìîïĺňñóòôõŕřš
úùûŵẅýỳÿž

Berthold-Schriftweite weit
Berthold-Schriftweite normal
Berthold-Schriftweite eng
Berthold-Schriftweite sehr eng
Berthold-Schriftweite extrem eng

Berthold
3,75 mm (14 p)

Berthold
4,25 mm (16 p)

Berthold
4,75 mm (18 p)

Berthold
5,30 mm (20 p)

Berthold
6,35 mm (24 p)

Berthold
7,40 mm (28 p)

Berthold
8,50 mm (32 p)

Berthold
9,55 mm (36 p)

Größe mm	p	Zeilenabstand kp	Êp	Ex	100 Zeichen 0	−1	−2
1,33	5	1,75	2,06	2,00	75	72	69
1,60	6	2,06	2,50	2,50	88	84	80
1,86	7	2,38	2,88	3,00	101	97	93
2,15	8	2,75	3,31	3,50	115	110	105
2,40	9	3,06	3,75	3,75	129	123	117
2,65	10	3,38	4,13	4,25	142	135	128
2,92	11	3,75	4,50	4,75	155	148	141
3,20	12	4,13	4,94	5,25	168	160	152
3,45	13	4,44	5,38	5,75	182	174	166
3,72	14	4,75	5,75	—	195	186	177
3,98	15	5,06	6,79	—	208	199	190
4,25	16	5,44	6,56	—	221	211	201

WZ 12 E, NSW 0, MZB 0,54, F 0,063:0,054 (1,2), VI
H 1–x 0,68–k 1,00–p 0,27–Ê 1,27–kp 1,27–Êp 1,54
BF 089 0488, Belegung 051: 085 0094 (095 0094)

Berthold-Schriften überzeugen durch Schärfe
und Qualität. Schriftqualität ist eine Frage der
Erfahrung. Berthold hat diese Erfahrung seit
über hundert Jahren. Zuerst im Schriftguß, da
nn im Fotosatz. Berthold-Schriften sind weltwe
it geschätzt. Im Schriftenatelier München wird
jeder Buchstabe in der Größe von zwölf Zenti
metern neu gezeichnet. Mit messerscharfen

2,40 mm (9 p) 20 30 40

Berthold-Schriften überzeugen durch Sc
härfe und Qualität. Schriftqualität ist eine
Frage der Erfahrung. Berthold hat diese E
rfahrung seit über hundert Jahren. Zuerst
im Schriftguß, dann im Fotosatz. Berthold
Schriften sind weltweit geschätzt. Im Schr
iftenatelier München wird jeder Buchsta
be in der Größe von zwölf Zentimetern neu

2,65 mm (10 p) 20 30 4

Berthold-Schriften überzeugen durch
Schärfe und Qualität. Schriftqualität ist
eine Frage der Erfahrung. Berthold hat
diese Erfahrung seit über hundert Jahr
en. Zuerst im Schriftguß, dann im Foto
satz. Berthold-Schriften sind weltweit g
eschätzt. Im Schriftenatelier München
wird jeder Buchstabe in der Größe von

2,92 mm (11 p) 20 30

Berthold-Schriften überzeugen dur
ch Schärfe und Qualität. Schriftqua
lität ist eine Frage der Erfahrung. Be
rthold hat diese Erfahrung seit über
hundert Jahren. Zuerst im Schriftg
uß, dann im Fotosatz. Berthold-Sch
riften sind weltweit geschätzt. Im Sc
hriftenatelier München wird jeder

3,20 mm (12 p) 20 30

Berthold-Schriften überzeugen
durch Schärfe und Qualität. Schr
iftqualität ist eine Frage der Erfa
hrung. Berthold hat diese Erfahr
ung seit über hundert Jahren. Zu
erst im Schriftguß, dann im Foto
satz. Berthold-Schriften sind welt
weit geschätzt. Im Schriftenatelie

3,45 mm (13 p) 10 20 30

LIGHTLINE GOTHIC

Berthold-Schriften überzeugen durch Schärfe und Qualität. Schriftqualität ist eine Frage der Erfahrung. Berthold hat diese Erfahrung seit über hundert Jahren. Zuerst im Schriftguß, dann im Fotosatz. Berthold-Schriften sind weltweit geschätzt. Im Schri ftenatelier München wird jeder Buchstabe in der Größe von zwölf Zentimetern neu gezeichnet. Mit messerscharfen Konturen, um für die Schriftscheiben das Optimale an Konturenschärfe herauszuholen. Um die Qualität des Einzelzeichens im Belichtu ngsvorgang zu bewahren, wird durch die ruhende, nicht rotierende Schriftscheibe belichtet. Dieses optische System, verbunden mit Präzisions-Chromglasscheiben führt zu einer Schriftqualität, die im Qualitätssatz ihresgleichen sucht. Bei den hier

4,25 mm (16 p), Zeilenabstand 6,75 mm

LIGHTLINE GOTHIC

In general, bodytypes are measured in the typographical point size. The sizes of Berthold Fototype faces can be ex actly determined. All faces of same point size have the same capital height-irrespective of their x-height. In hot metal and many other phototypesetting systems the capi tal heights often differ considerably from one face to the other. For measuring point sizes, a transparent size gauge is provided. To determine the point size, bring a capital letter into coincidence with that field which pre cisely circumscribes the letter at its upper and lower mar gin. Below the field you find the typographical point and below that the millimeter value, which also refers to the height of a capital letter. In Berthold-phototypesetting the typewidth can be modified. The standard setting wid th of typefaces is determined by the principle of optimum legibility. You should not depart from this typewidth without cogent reason. A typeface which is considered optically right when looked in a greater context, often se ems bulky when applied for a small amount of text, e. g. la bels and ads. Here, a width reduction will be conducive to legibility. Small amounts of text seem to be optically compact when set somewhat closer, without this having

2,40 mm (9 p), Zeilenabstand 4,25 mm

LIGHTLINE GOTHIC

La valeur de la force de corps des caractères de la beur èst généralement exprimée en points typogra phiques. La force de corps des caractères Berthold Fototype peut être déterminée avec précision. Tous les caractères du même corps ont des capitales d'u ne hauteur identique, indépendamment de la hau teur des bas de casse sans jambage. Dans la compo sition plomb, ainsi que dans certains systèmes de photocomposition, la hauteur des capitales, varie souvent d'un caractère à l'autre. Pour déterminer la force de corps de nos caractères, nous avons mis au point une réglette de hauteur d'œil transparente On cherche le rectangle qui délimite exactement la hauteur d'œil d'une capitale du caractère choisi Sous le rectangle correspondant la valeur de la force de corps est indiquée en points Didots et en millimètres. La valeur en millimètres exprime é galement la hauteur des capitales. Pour toutes les indications concernant la force de corps, il est utile de préciser l'unité de mesure après le chiffre, par e

2,65 mm (10 p), Zeilenabstand 4,69 mm

La indicación de las dimensiones para cuerpos de le tra vásicos tiene lugar en general en puntos tipográfi cos. Los cuerpos de letra de los caracteres Berthold Fototype pueden determinarse exactemente par me dición. Con independencia de la altura de sus longitu des centrales, todos los caracteres de idéntico cuerpo de letra presentan altura de mayúsculas idéntica. En la composición en plomo y en muchos otros sistemas de fotocomposición, las alturas de mayúsculas varian fre

2,15 mm (8 p), –1, Zeilenabstand 3,38 mm

123,– $	456,– £	7890,– DM	1 %
234,– $	789,– £	1234,– DM	2 %
567,– $	12,– £	5678,– DM	3 %
890,– $	345,– £	9012,– DM	4 %
123,– $	678,– £	3456,– DM	5 %
456,– $	901,– £	7890,– DM	6 %
789,– $	234,– £	1234,– DM	7 %
12,– $	567,– £	5678,– DM	8 %
345,– $	890,– £	9012,– DM	9 %

BF 0890489

Le misure relative al corpo dei caratteri vengono general mente indicate in punti tipografici. Il corpo dei caratteri Fototypes può essere determinato con esattezza per semplice misurazione. Tutti i caratteri di uguale grandez za in punti hanno, indipendentemente dalla loro lunghez za, uguale altezza delle maiuscole. Nella composizione in piombo ed in molti altri sistemi di fotocomposizione, l'al tezza delle maiuscole varia spesso da carattere a caratte re. Per misurare il corpo dei caratteri è indispensabile un

2,15 mm (8 p), –2, Zeilenabstand 3,38 mm

London Text

Berthold-Schriften überzeugen durch Schärfe und Qualität. Schriftqualität ist eine Frage der Erfahrung. Berthold hat diese Erfahrung seit über hundert Ja hren. Zuerst im Schriftguß, dann im Fotosatz. Berthold-Schriften sind weltweit geschätzt. Im Schriftenatelier München wird jeder Buchstabe in der Größe von zwölf Zentimetern neu gezeichnet. Mit messerscharfen Konturen, um für die Sch riftscheiben das Optimale an Konturenschärfe herauszuholen. Um die Qualität des Einzelzeichens im Belichtungsvorgang zu bewahren, wird durch die ruhen de, nicht rotierende Schriftscheibe belichtet. Dieses optische System verbunden mit Präzisions-Chromglasscheiben, führt zu einer Schriftqualität, die im Layout

1,60 mm (6 p), Zeilenabstand 2,50 mm

Berthold-Schriften überzeugen durch Schärfe und Qualität. Schriftqu alität ist eine Frage der Erfahrung. Berthold hat diese Erfahrung seit über hundert Jahren. Zuerst im Schriftguß, dann im Fotosatz. Bertho ld-Schriften sind weltweit geschätzt. Im Schriftenatelier München wird jeder Buchstabe in der Größe von zwölf Zentimetern neu gezeichnet Mit messerscharfen Konturen, um für die Schriftscheiben das Optimale an Konturenschärfe herauszuholen. Um die Qualität des Einzelzeiche ns im Belichtungsvorgang zu bewahren, wird durch die ruhende, nicht r

1,86 mm (7 p), Zeilenabstand 3,00 mm

Berthold-Schriften überzeugen durch Schärfe und Qualität Schriftqualität ist eine Frage der Erfahrung. Berthold hat di ese Erfahrung seit über hundert Jahren. Zuerst im Schriftguß dann im Fotosatz. Berthold-Schriften sind weltweit geschätzt Im Schriftenatelier München wird jeder Buchstabe in der Grö ße von zwölf Zentimetern neu gezeichnet. Mit messerscharfen Konturen, um für die Schriftscheiben das Optimale an Kontu renschärfe herauszuholen. Um die Qualität des Einzelzeichens

2,15 mm (8 p), Zeilenabstand 3,50 mm

H. Berthold AG

ABCDEFG
HIJKLMNOPQRSTU
VWXYZÄÖÜ
abcdefghijklmnopqrsſ
tuvwxyzäöü
chckfffiflllſſſtſtßtz
1234567890
1234567890%
(.,-;:!?-)·[',"»«]
/+-=×~∞Ø°/
(†*&§

Berthold-Schriftweite weit
Berthold-Schriftweite normal
Berthold-Schriftweite eng
Berthold-Schriftweite sehr eng
Berthold-Schriftweite extrem eng

In general, bodytypes are measured in the typographical point size. The sizes of Berthold Fototype faces can be exacty determined. All faces of same point size have the same capital height-irrespective of their x-height. In hot metal and many other phototypesetting systems the capital heights often differ considerably from one face to the other. For measuring point sizes, a transparent size gauge is provid ed. To determine the point size bring a ca pital letter into coincidence with that field which precisely circumscribes the letter at its upper and lower margin. Below the fie ld you find the typographical point and be low that the millimeter value, which also re fers to the height of a capital letter. In Be

3,20 mm (12 p), Zeilenabstand 5,25 mm

Berthold's quick brown fox jumps over the lazy dog and feels as if he were in the seventh heaven of typography toge

3,75 mm (14 p)

Berthold's quick brown fox jumps over the lazy dog and feels as if he were in the seventh heaven of typ

4,25 mm (16 p)

Berthold's quick brown fox jumps over the lazy dog and feels as if he were in the seventh he

4,75 mm (18 p)

Berthold's quick brown fox jumps over the lazy dog and feels as if he were in the s

5,30 mm (20 p)

Berthold's quick brown fox jumps over the lazy dog and feels as if he

6,35 mm (24 p)

Berthold's quick brown fox jumps over the lazy dog and fee

7,40 mm (28 p)

Berthold's quick brown fox jumps over the lazy dog

8,50 mm (32 p)

Berthold's quick brown fox jumps over the laz

9,55 mm (36 p)

Berthold-Schriften überzeugen durch Schärfe und Qual ität. Schriftqualität ist eine Frage der Erfahrung. Ber thold hat diese Erfahrung seit über hundert Jahren. Zu erst im Schriftguß, dann im Fotosatz. Berthold-Schriften sind weltweit geschätzt. Im Schriftenatelier München wi rd jeder Buchstabe in der Größe von zwölf Zentimetern neu gezeichnet. Mit messerscharfen Konturen, um für die Schriftscheiben das Optimale an Konturenschärfe heraus

2,40 mm (9 p), Zeilenabstand 4,00 mm

Größe mm	p	Zeilenabstand kp	Êp	Ex	100 Zeichen 0	−1	−2
1,33	5	1,88	2,13	–	90	87	84
1,60	6	2,25	2,56	2,50	106	102	98
1,86	7	2,56	3,00	3,00	122	118	114
2,15	8	3,00	3,44	3,50	139	134	129
2,40	9	3,31	3,88	4,00	156	150	144
2,65	10	3,69	4,25	4,00	172	165	158
2,92	11	4,06	4,69	–	188	181	174
3,20	12	4,44	5,13	5,25	204	196	188
3,45	13	4,75	5,50	–	220	212	204
3,72	14	5,13	5,94	–	236	227	218
3,98	15	5,50	6,38	–	252	243	234
4,25	16	5,88	6,81	–	268	258	248

WZ 13 E, NSW +1, MZB 0,65, F 0,12:0,023 (5,0), I H 1-x 0,59-k 0,95-p 0,37-Ê 1,22-kp 1,37-Êp 1,59 BF 089 0490, Belegung 025: 085 0593 (095 0593)

Berthold-Schriften überzeugen durch Schärfe und Qualität. Schriftqualität ist eine Frage der Erfah rung. Berthold hat diese Erfahrung seit über hun dert Jahren. Zuerst im Schriftguß, dann im Fotos atz. Berthold-Schriften sind weltweit geschätzt. Im Schriftenatelier München wird jeder Buchstabe in der Größe von zwölf Zentimetern neu gezeichnet Mit messerscharfen Konturen, um für die Schrift

2,65 mm (10 p), Zeilenabstand 4,00 mm

mager
light
maigre

LO-TYPE

fina
chiarissimo
mager

Berthold-Schriften überzeugen durch Schärfe und Qualität. Schriftqualit
ät ist eine Frage der Erfahrung. Berthold hat diese Erfahrung seit über hun
dert Jahren. Zuerst im Schriftguß, dann im Fotosatz. Berthold-Schriften si
nd weltweit geschätzt. Im Schriftenatelier München wird jeder Buchstabe i
n der Größe von zwölf Zentimetern neu gezeichnet. Mit messerscharfen K
onturen, um für die Schriftscheiben das Optimale an Konturenschärfe her
auszuholen. Um die Qualität des Einzelzeichens im Belichtungsvorgang zu
bewahren, wird durch die ruhende, nicht rotierende Schriftscheibe belicht
et. Dieses optische System, verbunden mit Präzisions-Chromglasscheibe

1,33 mm (5 p) 20 30 40 50 60 70

Berthold-Schriften überzeugen durch Schärfe und Qualität. Schrift
qualität ist eine Frage der Erfahrung. Berthold hat diese Erfahrung s
eit über hundert Jahren. Zuerst im Schriftguß, dann im Fotosatz. Be
rthold-Schriften sind weltweit geschätzt. Im Schriftenatelier Münch
en wird jeder Buchstabe in der Größe von zwölf Zentimetern neu ge
zeichnet. Mit messerscharfen Konturen, um für die Schriftscheiben
das Optimale an Konturenschärfe herauszuholen. Um die Qualität
des Einzelzeichens im Belichtungsvorgang zu bewahren, wird durch
die ruhende, nicht rotierende Schriftscheibe belichtet. Dieses optisc

1,45 mm (5,5 p)20 30 40 50 60

Berthold-Schriften überzeugen durch Schärfe und Qualität. Sc
hriftqualität ist eine Frage der Erfahrung. Berthold hat diese Er
fahrung seit über hundert Jahren. Zuerst im Schriftguß, dann i
m Fotosatz. Berthold-Schriften sind weltweit geschätzt. Im Sch
riftenatelier München wird jeder Buchstabe in der Größe von z
wölf Zentimetern neu gezeichnet. Mit messerscharfen Konture
n, um für die Schriftscheiben das Optimale an Konturenschärfe
herauszuholen. Um die Qualität des Einzelzeichens im Belich
tungsvorgang zu bewahren, wird durch die ruhende, nicht roti

1,60 mm (6 p) 20 30 40 50 60

Berthold-Schriften überzeugen durch Schärfe und Qualit
ät. Schriftqualität ist eine Frage der Erfahrung. Berthold h
at diese Erfahrung seit über hundert Jahren. Zuerst im Sc
hriftguß, dann im Fotosatz. Berthold-Schriften sind weltw
eit geschätzt. Im Schriftenatelier München wird jeder Buc
hstabe in der Größe von zwölf Zentimetern neu gezeichne
t. Mit messerscharfen Konturen, um für die Schriftscheibe
n das Optimale an Konturenschärfe herauszuholen. Um d
ie Qualität des Einzelzeichens im Belichtungsvorgang zu

1,75 mm (6,5 p) 20 30 40 50

Berthold-Schriften überzeugen durch Schärfe und Qu
alität. Schriftqualität ist eine Frage der Erfahrung. Bert
hold hat diese Erfahrung seit über hundert Jahren. Zue
rst im Schriftguß, dann im Fotosatz. Berthold-Schriften
sind weltweit geschätzt. Im Schriftenatelier München
wird jeder Buchstabe in der Größe von zwölf Zentimet
ern neu gezeichnet. Mit messerscharfen Konturen, um
für die Schriftscheiben das Optimale an Konturenschä
rfe herauszuholen. Um die Qualität des Einzelzeichens

1,86 mm (7 p) 20 30 40 50

Berthold-Schriften überzeugen durch Schärfe und
Qualität. Schriftqualität ist eine Frage der Erfahrun
g. Berthold hat diese Erfahrung seit über hundert J
ahren. Zuerst im Schriftguß, dann im Fotosatz. Ber
thold-Schriften sind weltweit geschätzt. Im Schrifte
natelier München wird jeder Buchstabe in der Grö
ße von zwölf Zentimetern neu gezeichnet. Mit mes
serscharfen Konturen, um für die Schriftscheiben
das Optimale an Konturenschärfe herauszuholen

2,00 mm (7,5 p) 20 30 40 5

Berthold-Schriften überzeugen durch Schärfe u
nd Qualität. Schriftqualität ist eine Frage der Erf
ahrung. Berthold hat diese Erfahrung seit über h
undert Jahren. Zuerst im Schriftguß, dann im Fo
tosatz. Berthold-Schriften sind weltweit geschätz
t. Im Schriftenatelier München wird jeder Buchst
abe in der Größe von zwölf Zentimetern neu ge
zeichnet. Mit messerscharfen Konturen, um für d
ie Schriftscheiben das Optimale an Konturensch

2,15 mm (8 p) 20 30 40

Erik Spiekermann
1980
(Louis Oppenheim 1913–1914)
H. Berthold AG

ABCDEFGHIJKLMNOPQ
RSTUVWXYZ
abcdefghijklmnopqrstuvwxyz
1/1234567890 %
(.,-;:!¡?¿–)·[“„”“»«]
+–=/$£†*&§
ÄÅÆÖØŒÜäåæıöøœßü
ÁÀÂÃÇČÉÈÊËÍÌÎÏĹŇÑÓÒÔÕ
ŔŘŠŤÚÙÛŴẄÝŶŸŽ
áàâãçčéèêëíìîïĺňñóòôõŕřš
úùûŵẅýỳÿž

Berthold-Schriftweite weit
Berthold-Schriftweite normal
Berthold-Schriftweite eng
Berthold-Schriftweite sehr eng
Berthold-Schriftweite extrem eng

Berthold
3,72 mm (14 p)

Berthold
4,25 mm (16 p)

Berthold
4,75 mm (18 p)

Berthold
5,30 mm (20 p)

Berthold
6,35 mm (24 p)

Berthold
7,40 mm (28 p)

Berthold
8,50 mm (32 p)

Berthold
9,55 mm (36 p)

Größe		Zeilenabstand			100 Zeichen		
mm	p	kp	Êp	Ex	0	–1	–2
1,00	5	1,75	2,00	2,00	70	70	70
1,60	6	2,13	2,50	2,50	93	89	85
1,86	7	2,44	2,88	3,00	107	103	99
2,15	8	2,81	3,38	3,50	122	117	112
2,40	9	3,13	3,75	3,75	137	131	125
2,65	10	3,44	4,13	4,25	151	144	137
2,92	11	3,81	4,50	4,75	165	158	151
3,20	12	4,13	4,94	5,25	179	171	163
3,45	13	4,50	5,38	5,75	193	185	177
3,72	14	4,81	5,75	–	207	198	189
3,98	15	5,19	6,13	–	221	212	203
4,25	16	5,50	6,56	–	235	225	215

WZ 13 E, NSW 0, MZB 0,57, F 0,15:0,07 (2,3), VII
H 1–x 0,64–k 1,01–p 0,28–Ê 1,26–kp 1,29–Êp 1,54
BF 089 0820, Belegung 051: 085 0462 (095 0462)

Berthold-Schriften überzeugen durch Schä
rfe und Qualität. Schriftqualität ist eine Fra
ge der Erfahrung. Berthold hat diese Erfahr
ung seit über hundert Jahren. Zuerst im Sc
hriftguß, dann im Fotosatz. Berthold-Schrif
ten sind weltweit geschätzt. Im Schriftenatel
ier München wird jeder Buchstabe in der
Größe von zwölf Zentimetern neu gezeichn

2,40 mm (9 p) 20 30 40

Berthold-Schriften überzeugen durch
Schärfe und Qualität. Schriftqualität ist
eine Frage der Erfahrung. Berthold hat
diese Erfahrung seit über hundert Jahr
en. Zuerst im Schriftguß, dann im Fotos
atz. Berthold-Schriften sind weltweit ge
schätzt. Im Schriftenatelier München
wird jeder Buchstabe in der Größe von

2,65 mm (10 p) 20 30

Berthold-Schriften überzeugen dur
ch Schärfe und Qualität. Schriftqua
lität ist eine Frage der Erfahrung. B
erthold hat diese Erfahrung seit über
hundert Jahren. Zuerst im Schriftgu
ß, dann im Fotosatz. Berthold-Schr
iften sind weltweit geschätzt. Im Sch
riftenatelier München wird jeder Bu

2,92 mm (11 p) 20 30

Berthold-Schriften überzeugen d
urch Schärfe und Qualität. Schri
ftqualität ist eine Frage der Erfah
rung. Berthold hat diese Erfahru
ng seit über hundert Jahren. Zue
rst im Schriftguß, dann im Fotosa
tz. Berthold-Schriften sind weltw
eit geschätzt. Im Schriftenatelier

3,20 mm (12 p) 10 20 30

Berthold-Schriften überzeuge
n durch Schärfe und Qualität. S
chriftqualität ist eine Frage der
Erfahrung. Berthold hat diese
Erfahrung seit über hundert Ja
hren. Zuerst im Schriftguß, dan
n im Fotosatz. Berthold-Schrift
en sind weltweit geschätzt. Im S

3,45 mm (13 p) 10 20

mager
light
maigre

LO-TYPE

fina
chiarissimo
mager

Berthold-Schriften überzeugen durch Schärfe und Qualität. Schriftqualität ist eine Frage der Erfahrung. Berthold hat diese Erfahrung seit über hundert Jahr en. Zuerst im Schriftguß, dann im Fotosatz. Berthold-Schriften sind weltweit ges chätzt. Im Schriftenatelier München wird jeder Buchstabe in der Größe von zw ölf Zentimetern neu gezeichnet. Mit messerscharfen Konturen, um für die Schrif tscheiben das Optimale an Konturenschärfe herauszuholen. Um die Qualität de s Einzelzeichens im Belichtungsvorgang zu bewahren, wird durch die ruhende nicht rotierende Schriftscheibe belichtet. Dieses optische System, verbunden mit Präzisions-Chromglasscheiben, führt zu einer Schriftqualität, die im Qualitätss

4,25 mm (16 p), Zeilenabstand 6,75 mm

LO-TYPE LIGHT

In general, bodytypes are measured in the typograph ical point size. The sizes of Berthold Fototype faces can be exactly determined. All faces of same point size have the same capital height–irrespective of their x-h eight. In hot metal and many other phototypesetting systems the capital heights often differ considerably from one face to the other. For measuring point sizes, a transparent size gauge is provided. To determine the point size, bring a capital letter into coincidence with that field which precisely circumscribes the letter at its upper and lower margin. Below the field you find th e typographical point and below that the millimeter value, which also refers to the height of a capital letter In Berthold-phototypesetting, the typewidth can be m odified. The standard setting width of typefaces is de termined by the principle of optimum legibility. You should not depart from this typewidth without cogent reason. A typeface which is considered optically right when looked in a greater context, often seems bulky when applied for a small amount of text, e. g. labels and ads. Here, a width reduction will be conducive to legibility. Small amounts of text seem to be optically

2,40 mm (9 p), Zeilenabstand 4,25 mm

LO-TYPE MAIGRE

La valeur de la force de corps des caractères de labeur èst généralement exprimée en points typ ographiques. La force de corps des caractères B erthold-Fototype peut être déterminée avec pré cision. Tous les caractères du même corps ont d es capitales d'une hauteur identique, indépenda mment de la hauteur des bas de casse sans jam bage. Dans la composition plomb, ainsi que dan s certains systèmes de photocomposition, la hau teur des capitales, varie souvent d'un caractère à l'autre. Pour déterminer la force de corps de nos caractères, nous avons mis au point une ré glette de hauteur d'œil transparente. On cherche le rectangle qui délimite exactement la hauteur d'œil d'une capitale du caractère choisi. Sous le rectangle correspondant la valeur de la force de corps est indiquée en points Didots et en millim ètres. La valeur en millimètres exprime égaleme nt la hauteur des capitales. Pour toutes les indic ations concernant la force de corps, il est utile de

2,65 mm (10 p), Zeilenabstand 4,69 mm

La indicación de las dimensiones para cuerpos de letra vásicos tiene lugar en general en puntos tipo gráficos. Los cuerpos de letra de los caracteres Bert hold Fototype pueden determinarse exactemente par medición. Con independencia de la altura de sus longitudes centrales, todos los caracteres de idéntico cuerpo de letra presentan altura de mayús culas idéntica. En la composición en plomo y en muchos otros sistemas de fotocomposición, las altu

2,15 mm (8 p), −1, Zeilenabstand 3,38 mm

123,– $	456,– £	7890,– DM	1 %
234,– $	789,– £	1234,– DM	2 %
567,– $	12,– £	5678,– DM	3 %
890,– $	345,– £	9012,– DM	4 %
123,– $	678,– £	3456,– DM	5 %
456,– $	901,– £	7890,– DM	6 %
789,– $	234,– £	1234,– DM	7 %
12,– $	567,– £	5678,– DM	8 %
345,– $	890,– £	9012,– DM	9 %

BF 089 0821

Le misure relative al corpo dei caratteri vengono gene ralmente indicate in punti tipografici. Il corpo dei carat teri Fototypes può essere determinato con esattezza per semplice misurazione. Tutti i caratteri di uguale grandezza in punti hanno, indipendentemente dalla loro lunghezza, uguale altezza delle maiuscole. Nella composizione in piombo ed in molti altri sistemi di fo tocomposizione, l'altezza delle maiuscole varia spesso da carattere a carattere. Per misurare il corpo dei ca

2,15 mm (8 p), −2, Zeilenabstand 3,38 mm

normal
regular
normal

LO-TYPE

normal
chiaro tondo
normal

Berthold-Schriften überzeugen durch Schärfe und Qualit ät. Schriftqualität ist eine Frage der Erfahrung. Berthold h at diese Erfahrung seit über hundert Jahren. Zuerst im Sch riftguß, dann im Fotosatz. Berthold-Schriften sind weltweit geschätzt. Im Schriftenatelier München wird jeder Buchst abe in der Größe von zwölf Zentimetern neu gezeichnet. M it messerscharfen Konturen, um für die Schriftscheiben das Optimale an Konturenschärfe herauszuholen. Um die Qua lität des Einzelzeichens im Belichtungsvorgang zu bewahr

1,60 mm (6 p), Zeilenabstand 2,50 mm

Berthold-Schriften überzeugen durch Schärfe und Qualität. Schriftqualität ist eine Frage der Erfahrun g. Berthold hat diese Erfahrung seit über hundert Ja hren. Zuerst im Schriftguß, dann im Fotosatz. Berth old-Schriften sind weltweit geschätzt. Im Schriftena telier München wird jeder Buchstabe in der Größe v on zwölf Zentimetern neu gezeichnet. Mit messersc harfen Konturen, um für die Schriftscheiben das Op

1,86 mm (7 p), Zeilenabstand 3,00 mm

Berthold-Schriften überzeugen durch Schärfe und Qualität. Schriftqualität ist eine Frage der Erfahrung. Berthold hat diese Erfahrung seit über hundert Jahren. Zuerst im Schriftguß, d ann im Fotosatz. Berthold-Schriften sind welt weit geschätzt. Im Schriftenatelier München wird jeder Buchstabe in der Größe von zwölf Zentimetern neu gezeichnet. Mit messerscha

2,15 mm (8 p), Zeilenabstand 3,50 mm

Erik Spiekermann
1980
(Louis Oppenheim 1913–1914)
H. Berthold AG

ABCDEFGHIJKLMNOPQ
RSTUVWXYZ
abcdefghijklmnopqrstuvwxyz
1/1234567890%
(.,-;:!¡?¿–)·[‘‚„”“»«]
+−=/$£†*&§
ÄÅÆÖØŒÜäåæıöøœßü
ÁÀÂÃÇČÉÈÊËÍÌÎÏĹŇÑÓÒÔÕ
ŔŘŠŤÚÙÛŴẄÝŶŸŽ
áàâãçčéèêëíìîïĺňñóòôõŕřš
úùûŵẅýỳÿž

Berthold-Schriftweite weit
Berthold-Schriftweite normal
Berthold-Schriftweite eng
Berthold-Schriftweite sehr eng
Berthold-Schriftweite extrem eng

In general, bodytypes are me- asured in the typographical po int size. The sizes of Berthold F ototype faces can be exactly d etermined. All faces of same p oint size have the same capital height–irrespective of their x height. In hot metal and many other phototypesetting system s the capital heights often differ considerably from one face to the other. For measuring point sizes, a transparent size gauge is provided. To determine the po int size, bring a capital letter in to coincidence with that field which precisely circumscribes

3,20 mm (12 p), Zeilenabstand 5,25 mm

Berthold's quick brown fox jumps over the lazy dog and feels as if he were in the seve
3,72 mm (14 p)

Berthold's quick brown fox jumps over the lazy dog and feels as if he were i
4,25 mm (16 p)

Berthold's quick brown fox jumps over the lazy dog and feels as if h
4,75 mm (18 p)

Berthold's quick brown fox jumps over the lazy dog and feel
5,30 mm (20 p)

Berthold's quick brown fox jumps over the lazy do
6,35 mm (24 p)

Berthold's quick brown fox jumps over the
7,40 mm (28 p)

Berthold's quick brown fox jumps ov
8,50 mm (32 p)

Berthold's quick brown fox jumps
9,55 mm (36 p)

Berthold-Schriften überzeugen durch S chärfe und Qualität. Schriftqualität ist ei ne Frage der Erfahrung. Berthold hat di ese Erfahrung seit über hundert Jahren Zuerst im Schriftguß, dann im Fotosatz Berthold-Schriften sind weltweit geschä tzt. Im Schriftenatelier München wird je der Buchstabe in der Größe von zwölf Z

2,40 mm (9 p), Zeilenabstand 4,00 mm

Größe		Zeilenabstand			100 Zeichen		
mm	p	kp	Êp	Ex	0	−1	−2
1,33	5	1,09	2,00		00	00	00
1,60	6	2,00	2,44	2,50	101	97	93
1,86	7	2,31	2,81	3,00	116	112	108
2,15	8	2,69	3,25	3,50	132	127	122
2,40	9	3,00	3,63	4,00	148	142	136
2,65	10	3,31	4,00	4,00	163	156	149
2,92	11	3,63	4,38	–	178	171	164
3,20	12	4,00	4,81	5,25	193	185	177
3,45	13	4,31	5,19	–	209	201	193
3,72	14	4,63	5,56	–	224	215	206
3,98	15	4,94	5,94	–	239	230	221
4,25	16	5,31	6,38	–	254	244	234

WZ 13 E, NSW 0, MZB 0,61, F 0,22:0,08 (2,8), VII
H 1–x 0,68–k 1,00–p 0,24–Ê 1,25–kp 1,24–Êp 1,49
BF 089 0931, Belegung 051: 085 0234 (095 0234)

Berthold-Schriften überzeugen dur ch Schärfe und Qualität. Schriftquali tät ist eine Frage der Erfahrung. Ber thold hat diese Erfahrung seit über h undert Jahren. Zuerst im Schriftguß dann im Fotosatz. Berthold-Schriften sind weltweit geschätzt. Im Schriften atelier München wird jeder Buchsta

2,65 mm (10 p), Zeilenabstand 4,00 mm

halbfett
medium
demi-gras

LO-TYPE

seminegra
neretto
halvfet

Berthold-Schriften überzeugen durch Schärfe und Qualität. Schriftqualität ist eine Frage der Erfahrung Berthold hat diese Erfahrung seit über hundert Jahren. Zuerst im Schriftguß, dann im Fotosatz. Berthold Schriften sind weltweit geschätzt. Im Schriftenatelier München wird jeder Buchstabe in der Größe von zwölf Zentimetern neu gezeichnet. Mit messerscharfen Konturen, um für die Schriftscheiben das Optimale an Konturenschärfe herauszuholen. Um die Qualität des

1,60 mm (6 p), Zeilenabstand 2,50 mm

Berthold-Schriften überzeugen durch Schärfe und Qualität. Schriftqualität ist eine Frage der Erfahrung. Berthold hat diese Erfahrung seit über hundert Jahren. Zuerst im Schriftguß, dann im Fotosatz. Berthold-Schriften sind weltweit geschätzt. Im Schriftenatelier München wird jeder Buchstabe in der Größe von zwölf Zentimetern neu gezeichnet. Mit messerscharfen Ko

1,86 mm (7 p), Zeilenabstand 3,00 mm

Berthold-Schriften überzeugen durch Schärfe und Qualität. Schriftqualität ist eine Frage der Erfahrung. Berthold hat diese Erfahrung seit über hundert Jahren. Zuerst im Schriftguß, dann im Fotosatz. Berthold-Schriften sind weltweit geschätzt. Im Schriftenatelier München wird jeder Buchstabe in der Größe von zwölf Zentim

2,15 mm (8 p), Zeilenabstand 3,50 mm

Erik Spiekermann
1980
(Louis Oppenheim 1913–1914)
H. Berthold AG

ABCDEFGHIJKLMNOPQ
RSTUVWXYZ
abcdefghijklmnopqrstuvwxyz
1/1234567890%
(.,-;:!¡?¿–)·[‘’„”“»«]
+–=/$£†*&§
ÄÅÆÖØŒÜäåæıöøœßü
ÁÀÂÃÇČÉÈÊËÍÌÎÏĹÑÓÒÔÕ
ŔŘŠŤÚÙÛŴẄÝŶŸŽ
áàâãçčéèêëíìîïĺňñóòôõŕřš
úùûŵẅýỳÿž

Berthold-Schriftweite weit
Berthold-Schriftweite normal
Berthold-Schriftweite eng
Berthold-Schriftweite sehr eng
Berthold-Schriftweite extrem eng

In general, bodytypes are measured in the typographical point size. The sizes of Berthold Fototype faces can be exactly determined. All faces of same point size have the same capital height–irrespective of their x-height. In hot metal and many other phototypesetting systems the capital heights often differ considerably from one face to the other. For measuring point sizes, a transparent size gauge is provided. To determine the point size bring a capital letter into c

3,20 mm (12 p), Zeilenabstand 5,25 mm

Berthold's quick brown fox jumps over the lazy dog and feels as if he were i
3,72 mm (14 p)

Berthold's quick brown fox jumps over the lazy dog and feels as if
4,25 mm (16 p)

Berthold's quick brown fox jumps over the lazy dog and fe
4,75 mm (18 p)

Berthold's quick brown fox jumps over the lazy dog
5,30 mm (20 p)

Berthold's quick brown fox jumps over the l
6,35 mm (24 p)

Berthold's quick brown fox jumps ov
7,40 mm (28 p)

Berthold's quick brown fox jump
8,50 mm (32 p)

Berthold's quick brown fox j
9,55 mm (36 p)

Berthold-Schriften überzeugen durch Schärfe und Qualität. Schriftqualität ist eine Frage der Erfahrung. Berthold hat diese Erfahrung seit über hundert Jahren. Zuerst im Schriftguß, dann im Fotosatz. Berthold-Schriften sind weltweit geschätzt. Im Schriftenatelier München wird jeder Buc

2,40 mm (9 p), Zeilenabstand 4,00 mm

Größe		Zeilenabstand			100 Zeichen		
mm	p	kp	Êp	Ex	0	–1	–2
1,33	5	1,56	1,94	–	96	93	90
1,60	6	1,88	2,31	2,50	112	108	104
1,86	7	2,19	2,69	3,00	129	125	121
2,15	8	2,50	3,06	3,50	147	142	137
2,40	9	2,81	3,44	4,00	165	159	153
2,65	10	3,13	3,81	4,00	182	175	168
2,92	11	3,44	4,19	–	198	191	184
3,20	12	3,75	4,56	5,25	215	207	199
3,45	13	4,06	4,94	–	232	224	216
3,72	14	4,38	5,31	–	249	240	231
3,98	15	4,63	5,69	–	266	257	248
4,25	16	4,94	6,06	–	283	273	263

WZ 13 E, NSW 0, MZB 0,68, F 0,34:0,11 (3,2), VII
H 1–x 0,77–k 1,00–p 0,16–Ê 1,26–kp 1,16–Êp 1,42
BF 089 0822, Belegung 051: 085 0463 (095 0463)

Berthold-Schriften überzeugen durch Schärfe und Qualität. Schriftqualität ist eine Frage der Erfahrung. Berthold hat diese Erfahrung seit über hundert Jahren. Zuerst im Schriftguß, dann im Fotosatz. Berthold-Schriften sind weltweit geschätzt. Im Schriftenatelier M

2,65 mm (10 p), Zeilenabstand 4,00 mm

kursiv halbfett
medium italic
italique demi-gras

LO-TYPE

seminegra cursiva
neretto corsivo
kursiv halvfet

Berthold-Schriften überzeugen durch Schärfe und Qu
alität. Schriftqualität ist eine Frage der Erfahrung. B
erthold hat diese Erfahrung seit über hundert Jahren
Zuerst im Schriftguß, dann im Fotosatz. Berthold-Sc
hriften sind weltweit geschätzt. Im Schriftenatelier M
ünchen wird jeder Buchstabe in der Größe von zwölf Z
entimetern neu gezeichnet. Mit messerscharfen Kont
uren, um für die Schriftscheiben das Optimale an Kont
urenschärfe herauszuholen. Um die Qualität des Einz

1,60 mm (6 p), Zeilenabstand 2,50 mm

Berthold-Schriften überzeugen durch Schärfe
und Qualität. Schriftqualität ist eine Frage der
Erfahrung. Berthold hat diese Erfahrung seit ü
ber hundert Jahren. Zuerst im Schriftguß, dan
n im Fotosatz. Berthold-Schriften sind weltwe
it geschätzt. Im Schriftenatelier München wird
jeder Buchstabe in der Größe von zwölf Zent i-
metern neu gezeichnet. Mit messerscharfen K

1,86 mm (7 p), Zeilenabstand 3,00 mm

Berthold-Schriften überzeugen durch Sc
härfe und Qualität. Schriftqualität ist ein
e Frage der Erfahrung. Berthold hat diese
Erfahrung seit über hundert Jahren. Zuer
st im Schriftguß, dann im Fotosatz. Berth
old-Schriften sind weltweit geschätzt. Im
Schriftenatelier München wird jeder Buc
hstabe in der Größe von zwölf Zentimet

2,15 mm (8 p), Zeilenabstand 3,50 mm

Erik Spiekermann
1980
(Louis Oppenheim 1913–1914)
H. Berthold AG

ABCDEFGHIJJKLMNOPQ
RSTUVWXYZ
abcdefghijklmnopqrstuvwxyz
1/1234567890%
(.,-;:!¡?¿–)·[‘„”“»«]
+−=/$£†*&§
ÄÅÆÖØŒÜäåæıöøœßü
ÁÀÂÃÇČÉÈÊËĚÍÌÎÏĽŇÑÓÒÔÕ
ŘŠŤÚÙÛŮŴÝŶŸŽ
áàâãçčéèêëíìîïľňñóòôõŕřš
úùûŵẃýŷÿž

Berthold-Schriftweite weit
Berthold-Schriftweite normal
Berthold-Schriftweite eng
Berthold-Schriftweite sehr eng
Berthold-Schriftweite extrem eng

In general, bodytypes are m
easured in the typographic
al point size. The sizes of Be
rthold Fototype faces can be
exactly determined. All face
s of same point size have the
same capital height–irrespe
ctive of their x-height. In hot
metal and many other phot
otypesetting systems the ca
pital heights often differ co
nsiderably from one face to
the other. For measuring po
int sizes, a transparent size g
auge is provided. To determ
ine the point size, bring a cap
ital letter into coincidence wi

3,20 mm (12 p), Zeilenabstand 5,25 mm

Berthold's quick brown fox jumps over the lazy dog and feels as if he were in t
3,72 mm (14 p)

Berthold's quick brown fox jumps over the lazy dog and feels as if he
4,25 mm (16 p)

Berthold's quick brown fox jumps over the lazy dog and feels
4,75 mm (18 p)

Berthold's quick brown fox jumps over the lazy dog an
5,30 mm (20 p)

Berthold's quick brown fox jumps over the laz
6,35 mm (24 p)

Berthold's quick brown fox jumps over
7,40 mm (28 p)

Berthold's quick brown fox jumps
8,50 mm (32 p)

Berthold's quick brown fox ju
9,55 mm (36 p)

Berthold-Schriften überzeugen dur
ch Schärfe und Qualität. Schriftqual
ität ist eine Frage der Erfahrung. Ber
thold hat diese Erfahrung seit über h
undert Jahren. Zuerst im Schriftguß
dann im Fotosatz. Berthold-Schrift
en sind weltweit geschätzt. Im Schrif
tenatelier München wird jeder Buch

2,40 mm (9 p), Zeilenabstand 4,00 mm

Größe mm	Größe p	Zeilenabstand kp	Zeilenabstand Êp	Zeilenabstand Ex	100 Zeichen 0	100 Zeichen −1	100 Zeichen −2
1,33	5	1,63	2,00		96	93	90
1,60	6	1,94	2,38	2,50	112	108	104
1,86	7	2,25	2,75	3,00	129	125	121
2,15	8	2,63	3,19	3,50	147	142	137
2,40	9	2,88	3,56	4,00	165	159	153
2,65	10	3,19	3,94	4,00	182	175	168
2,92	11	3,56	4,31	–	198	191	184
3,20	12	3,88	4,75	5,25	215	207	199
3,45	13	4,19	5,13	–	232	224	216
3,72	14	4,50	5,50	–	249	240	231
3,98	15	4,81	5,88	–	266	257	248
4,25	16	5,13	6,25	–	283	273	263

WZ 12 E, NSW 0, MZB 0,68, F 0,29:0,07 (4,4), III
H 1–x 0,65–k 1,00–p 0,20–Ê 1,27–kp 1,20–Êp 1,47
BF 089 1263, Belegung 051: 085 1379 (095 1379)

Berthold-Schriften überzeugen d
urch Schärfe und Qualität. Schrif
tqualität ist eine Frage der Erfah
rung. Berthold hat diese Erfahru
ng seit über hundert Jahren. Zuer
st im Schriftguß, dann im Fotosat
z. Berthold-Schriften sind weltw
eit geschätzt. Im Schriftenatelier

2,65 mm (10 p), Zeilenabstand 4,00 mm

fett
bold
gras

LO-TYPE

negra
nero
fet

Berthold-Schriften überzeugen durch Schärfe und Qualität. Schriftqualität ist eine Frage der Erfahrung. Berthold hat diese Erfahrung seit über hundert Jahren. Zuerst im Schriftguß, dann im Fotosatz. Berthold Schriften sind weltweit geschätzt. Im Schriftenatelier München wird jeder Buchstabe in der Größe von zwölf Zentimetern neu gezeichnet. Mit messerscharfen Konturen i

1,60 mm (6 p), Zeilenabstand 2,50 mm

Berthold-Schriften überzeugen durch Schärfe und Qualität. Schriftqualität ist eine Frage der Erfahrung. Berthold hat diese Erfahrung seit über hundert Jahren. Zuerst im Schriftguß dann im Fotosatz. Berthold-Schriften sind weltweit geschätzt. Im Schriftenatelier München wird jeder Buchs

1,86 mm (7 p), Zeilenabstand 3,00 mm

Berthold-Schriften überzeugen durch Schärfe und Qualität. Schriftqualität ist eine Frage der Erfahrung. Berthold hat diese Erfahrung seit über hundert Jahren Zuerst im Schriftguß, dann im Fotosatz. Berthold-Schriften sind weltweit geschätzt. Im Schriften

2,15 mm (8 p), Zeilenabstand 3,50 mm

Erik Spiekermann
1980
(L. Oppenheim 1913–1914)
H. Berthold AG

ABCDEFGHIJKLMNOPQ
RSTUVWXYZ
abcdefghijklmnopqrstuv
wxyz1/1234567890%
(.,-;:!¡?¿–)·['‘„"“»«]
+−=/$£†*&§
ÄÅÆÖØŒÜäåæıöøœßü
ÁÀÂÃÇČÉÈÊËÍÌÎÏĹŇÑÓÒÔÕ
ŔŘŠŤÚÙÛŴẄÝŶŸŽ
áàâãçčéèêëíìîïĺňñóòôõŕř
šúùûŵẅýỳÿž

Schriftweite weit
Schriftweite normal
Schriftweite eng
Schriftweite sehr eng
Schriftweite extrem eng

In general, bodytype s are measured in the typographical point s ize. The sizes of Bertho ld Fototype faces can be exactly determine d. All faces of same po int size have the same capital height–irresp ective of their x-height In hot metal and man y other phototypesett ing systems the capita l heights often differ c onsiderably from on e face to the other. For measuring point sizes

3,20 mm (12 p), Zeilenabstand 5,25 mm

Berthold's quick brown fox jumps over the lazy dog and fee
3,72 mm (14 p)

Berthold's quick brown fox jumps over the lazy dog
4,25 mm (16 p)

Berthold's quick brown fox jumps over the laz
4,75 mm (18 p)

Berthold's quick brown fox jumps over th
5,30 mm (20 p)

Berthold's quick brown fox jumps
6,35 mm (24 p)

Berthold's quick brown fox ju
7,40 mm (28 p)

Berthold's quick brown fo
8,50 mm (32 p)

Berthold's quick brow
9,55 mm (36 p)

Berthold-Schriften überzeugen durch Schärfe und Qualität. Schriftqualität ist eine Frage der Erfahrung. Berthold hat diese Erfahrung seit über hundert Jahren. Zuerst im Schriftguß, dann im Fotosatz. Berthold-Schriften sind weltw

2,40 mm (9 p), Zeilenabstand 4,00 mm

Größe mm	p	Zeilenabstand kp	Êp	Ex	100 Zeichen 0	−1	−2
1,33	5	1,56	1,88	–	121	118	115
1,60	6	1,88	2,31	2,50	142	138	134
1,86	7	2,19	2,63	3,00	164	160	156
2,15	8	2,50	3,06	3,50	186	181	176
2,40	9	2,81	3,44	4,00	208	202	196
2,65	10	3,06	3,75	4,00	230	223	216
2,92	11	3,38	4,13	–	251	244	237
3,20	12	3,69	4,56	5,25	272	264	256
3,45	13	4,00	4,88	–	294	286	278
3,72	14	4,31	5,25	–	315	306	297
3,98	15	4,63	5,63	–	337	328	319
4,25	16	4,94	6,00	–	358	348	338

WZ 12 E, NSW +1, MZB 0,87, F 0,45:0,09 (4,9), VII
H 1–x 0,75–k 1,00–p 0,15–Ê 1,26–kp 1,15–Êp 1,41
BF 089 0866, Belegung 051: 085 0220 (095 0220)

Berthold-Schriften überzeugen durch Schärfe und Qualität. Schriftqualität ist eine Frage der Erfahrung Berthold hat diese Erfahrung seit über hundert Jahren. Zuerst im Schriftguß dann im Fotosatz. Berthol

2,65 mm (10 p), Zeilenabstand 4,00 mm

schmalhalbfett
bold condensed
étroit demi-gras

LO-TYPE

seminegra estrecha
neretto stretto
smalhalvfet

Berthold-Schriften überzeugen durch Schärfe und Qualität. Schriftqualitä
t ist eine Frage der Erfahrung. Berthold hat diese Erfahrung seit über hund
ert Jahren. Zuerst im Schriftguß, dann im Fotosatz. Berthold-Schriften sind
weltweit geschätzt. Im Schriftenatelier München wird jeder Buchstabe in d
er Größe von zwölf Zentimetern neu gezeichnet. Mit messerscharfen Kontu
ren, um für die Schriftscheiben das Optimale an Konturenschärfe herausz
uholen. Um die Qualität des Einzelzeichens im Belichtungsvorgang zu bew
ahren, wird durch die ruhende, nicht rotierende Schriftscheibe belichtet. D
ieses optische System, verbunden mit Präzisions-Chromglasscheiben, führt

1,60 mm (6 p), Zeilenabstand 2,50 mm

Berthold-Schriften überzeugen durch Schärfe und Qualität. Schr
iftqualität ist eine Frage der Erfahrung. Berthold hat diese Erfah
rung seit über hundert Jahren. Zuerst im Schriftguß, dann im Fot
osatz. Berthold-Schriften sind weltweit geschätzt. Im Schriftenat
elier München wird jeder Buchstabe in der Größe von zwölf Zent
imetern neu gezeichnet. Mit messerscharfen Konturen, um für die
Schriftscheiben das Optimale an Konturenschärfe herauszuhole
n. Um die Qualität des Einzelzeichens im Belichtungsvorgang zu b

1,86 mm (7 p), Zeilenabstand 3,00 mm

Berthold-Schriften überzeugen durch Schärfe und Qualit
ät. Schriftqualität ist eine Frage der Erfahrung. Berthold
hat diese Erfahrung seit über hundert Jahren. Zuerst im S
chriftguß, dann im Fotosatz. Berthold-Schriften sind welt
weit geschätzt. Im Schriftenatelier München wird jeder B
uchstabe in der Größe von zwölf Zentimetern neu gezeich
net. Mit messerscharfen Konturen, um für die Schriftschei
ben das Optimale an Konturenschärfe herauszuholen. Um

2,15 mm (8 p), Zeilenabstand 3,50 mm

Erik Spiekermann
1980
(Louis Oppenheim 1913–1914)
H. Berthold AG

ABCDEFGHIJKLMNOPQ
RSTUVWXYZ
abcdefghijklmnopqrstuvwxyz
1/1234567890%
(.,-;:!¡?¿–)·[‘‚„”“»«]
+–=/$£†*&§
ÄÅÆÖØŒÜäåæıöøœßü
ÁÀÂÃÇČÉÈÊËÍÌÎÏĹŇÑÓÒÔÕ
ŔŘŠŤÚÙÛŴẄÝŶŸŽ
áàâãçčéèêëíìîïĺňñóòôõŕřš
úùûŵẅýỳÿž

Berthold-Schriftweite weit
Berthold-Schriftweite normal
Berthold-Schriftweite eng
Berthold-Schriftweite sehr eng
Berthold-Schriftweite extrem eng

In general, bodytypes are measured in
the typographical point size. The sizes
of Berthold Fototype faces can be exact
ly determined. All faces of same point si
ze have the same capital height–irresp
ective of their x-height. In hot metal and
many other phototypesetting systems
the capital heights often differ conside
rably from one face to the other. For m
easuring point sizes, a transparent size
gauge is provided. To determine the poi
nt size, bring a capital letter into coinci
dence with that field which precisely ci
rcumscribes the letter at its upper and l
ower margin. Below the field you find t
he typographical point and below that
the millimeter value, which also refers

3,20 mm (12 p), Zeilenabstand 5,25 mm

Berthold’s quick brown fox jumps over the lazy dog and feels as if he were in the seventh heaven of typograp
3,72 mm (14 p)

Berthold’s quick brown fox jumps over the lazy dog and feels as if he were in the seventh he
4,25 mm (16 p)

Berthold’s quick brown fox jumps over the lazy dog and feels as if he were in the seve
4,75 mm (18 p)

Berthold’s quick brown fox jumps over the lazy dog and feels as if he were in
5,30 mm (20 p)

Berthold’s quick brown fox jumps over the lazy dog and feels as if
6,35 mm (24 p)

Berthold’s quick brown fox jumps over the lazy dog and
7,40 mm (28 p)

Berthold’s quick brown fox jumps over the lazy
8,50 mm (32 p)

Berthold’s quick brown fox jumps over the
9,55 mm (36 p)

Berthold-Schriften überzeugen durch Schärfe und
Qualität. Schriftqualität ist eine Frage der Erfahrun
g. Berthold hat diese Erfahrung seit über hundert Ja
hren. Zuerst im Schriftguß, dann im Fotosatz. Berth
old-Schriften sind weltweit geschätzt. Im Schriftenat
elier München wird jeder Buchstabe in der Größe v
on zwölf Zentimetern neu gezeichnet. Mit messersch
arfen Konturen, um für die Schriftscheiben das Opti

2,40 mm (9 p), Zeilenabstand 4,00 mm

Größe		Zeilenabstand			100 Zeichen		
mm	p	kp	Êp	Ex	0	−1	−2
1,33	5	1,63	1,88	–	68	65	62
1,60	6	1,94	2,25	2,50	80	76	72
1,86	7	2,25	2,63	3,00	92	88	84
2,15	8	2,56	3,06	3,50	105	100	95
2,40	9	2,88	3,38	4,00	118	112	106
2,65	10	3,13	3,75	4,00	130	123	116
2,92	11	3,50	4,13	–	142	135	128
3,20	12	3,81	4,50	5,25	154	146	138
3,45	13	4,13	4,88	–	166	158	150
3,72	14	4,44	5,25	–	178	169	160
3,98	15	4,75	5,63	–	190	181	172
4,25	16	5,06	6,00	–	202	192	182

WZ 12 E, NSW 0, MZB 0,49, F 0,22:0,05 (4,4), VII
H 1–x 0,83–k 1,00–p 0,18–Ê 1,22–kp 1,18–Êp 1,40
BF 089 1297, Belegung 051: 085 1380 (095 1380)

Berthold-Schriften überzeugen durch Schärfe
und Qualität. Schriftqualität ist eine Frage der
Erfahrung. Berthold hat diese Erfahrung seit ü
ber hundert Jahren. Zuerst im Schriftguß, dann
im Fotosatz. Berthold-Schriften sind weltweit
geschätzt. Im Schriftenatelier München wird je
der Buchstabe in der Größe von zwölf Zentimet
ern neu gezeichnet. Mit messerscharfen Kontu

2,65 mm (10 p), Zeilenabstand 4,00 mm

mager
light
maigre

LUBALIN GRAPH

fina
chiarissimo
mager

Berthold-Schriften überzeugen durch Schärfe und Qualität.
Schriftqualität ist eine Frage der Erfahrung. Berthold hat di
ese Erfahrung seit über hundert Jahren. Zuerst im Schriftgu
ß, dann im Fotosatz. Berthold-Schriften sind weltweit gesch
ätzt. Im Schriftenatelier München wird jeder Buchstabe in
der Größe von zwölf Zentimetern neu gezeichnet. Mit mess
erscharfen Konturen, um für die Schriftscheiben das Opti
male an Konturenschärfe herauszuholen. Um die Qualität
des Einzelzeichens im Belichtungsvorgang zu bewahren

1,33 mm (5 p) 20 30 40 50

Berthold-Schriften überzeugen durch Schärfe und Qu
alität. Schriftqualität ist eine Frage der Erfahrung. Bert
hold hat diese Erfahrung seit über hundert Jahren. Zu
erst im Schriftguß, dann im Fotosatz. Berthold-Schrifte
n sind weltweit geschätzt. Im Schriftenatelier Münch
en wird jeder Buchstabe in der Größe von zwölf Z
entimetern neu gezeichnet. Mit messerscharfen Kont
uren, um für die Schriftscheiben das Optimale an Kon
turenschärfe herauszuholen. Um die Qualität des

1,45 mm (5,5 p) 20 30 40 5

Berthold-Schriften überzeugen durch Schärfe und
Qualität. Schriftqualität ist eine Frage der Erfahr
ung. Berthold hat diese Erfahrung seit über h
undert Jahren. Zuerst im Schriftguß, dann im Foto
satz. Berthold-Schriften sind weltweit geschätzt. I
m Schriftenatelier München wird jeder Buchstabe
in der Größe von zwölf Zentimetern neu gezeichn
et. Mit messerscharfen Konturen, um für die Schrif
tscheiben das Optimale an Konturenschärfe her

1,60 mm (6 p) 20 30 40

Berthold-Schriften überzeugen durch Schärfe
und Qualität. Schriftqualität ist eine Frage der
Erfahrung. Berthold hat diese Erfahrung seit
über hundert Jahren. Zuerst im Schriftguß, da
nn im Fotosatz. Berthold-Schriften sind weltw
eit geschätzt. Im Schriftenatelier München w
ird jeder Buchstabe in der Größe von zwölf Ze
ntimetern neu gezeichnet. Mit messerscharf
en Konturen, um für die Schriftscheiben das

1,75 mm (6,5 p) 20 30 40

Berthold-Schriften überzeugen durch Schä
rfe und Qualität. Schriftqualität ist eine Fra
ge der Erfahrung. Berthold hat diese Erfahr
ung seit über hundert Jahren. Zuerst im Sch
riftguß, dann im Fotosatz. Berthold-Schriften
sind weltweit geschätzt. Im Schriftenatelier
München wird jeder Buchstabe in der Grö
ße von zwölf Zentimetern neu gezeichnet
Mit messerscharfen Konturen, um für die S

1,86 mm (7 p) 20 30 4

Berthold-Schriften überzeugen durch Sc
härfe und Qualität. Schriftqualität ist ein
e Frage der Erfahrung. Berthold hat di
ese Erfahrung seit über hundert Jahren
Zuerst im Schriftguß, dann im Fotosatz. B
erthold-Schriften sind weltweit geschätz
t. Im Schriftenatelier München wird jeder
Buchstabe in der Größe von zwölf Zenti
metern neu gezeichnet. Mit messerscha

2,00 mm (7,5 p) 20 30

Berthold-Schriften überzeugen durch
Schärfe und Qualität. Schriftqualität ist
eine Frage der Erfahrung. Berthold hat
diese Erfahrung seit über hundert Jah
ren. Zuerst im Schriftguß, dann im Foto
satz. Berthold-Schriften sind weltweit
geschätzt. Im Schriftenatelier Münch
en wird jeder Buchstabe in der Größe
von zwölf Zentimetern neu gezeichne

2,15 mm (8 p) 20 30

Lubalin, Dispigna, Sundwald
1974
International Typeface Corp.
H. Berthold AG

ABCDEFGHIJKLMNOPQ
RSTUVWXYZ
abcdefghijklmnopqrstuvwxyz
1/1234567890%
(.,-;:!¡?¿–)·[‘’„“”»«]
+−=/$£†*&§
ÄÅÆÖØŒÜäåæıöøœßü
ÁÀÂÃÇČÉÈÊËÍÌÎÏĹŇÑÓÒÔÕ
ŔŘŠŤÚÙÛŴẄÝŶŸŽ
áàâãçčéèêëíìîïĺňñóòôõŕřš
úùûŵẅýỳÿž

Berthold-Schriftweite weit
Berthold-Schriftweite normal
Berthold-Schriftweite eng
Berthold-Schriftweite sehr eng
Berthold-Schriftweite extrem eng

Berthold
3,75 mm (14 p)

Berthold
4,25 mm (16 p)

Berthold
4,75 mm (18 p)

Berthold
5,30 mm (20 p)

Berthold
6,35 mm (24 p)

Berthold
7,40 mm (28 p)

Berthold
8,50 mm (32 p)

Berthold
9,55 mm (36 p)

Größe mm	p	Zeilenabstand kp	Êp	Ex	100 Zeichen 0	−1	−2
1,33	5	1,75	2,06	2,00	105	102	99
1,60	6	2,06	2,50	2,50	123	119	115
1,86	7	2,44	2,88	3,00	142	138	134
2,15	8	2,81	3,31	3,50	161	156	151
2,40	9	3,13	3,75	3,75	180	174	168
2,65	10	3,44	4,13	4,25	199	192	185
2,92	11	3,75	4,50	4,75	217	210	203
3,20	12	4,13	4,94	5,25	236	228	220
3,45	13	4,44	5,38	5,75	254	246	238
3,72	14	4,81	5,75	–	273	264	255
3,98	15	5,13	6,19	–	291	282	273
4,25	16	5,50	6,56	–	310	300	290

WZ 17 E, NSW +1, MZB 0,75, F 0,038:0,038 (1,0), V
H 1–x 0,73–k 1,00–p 0,28–Ê 1,26–kp 1,28–Êp 1,54
BF 089 0491, Belegung 051: 085 4781 (095 4781)

Berthold-Schriften überzeugen d
urch Schärfe und Qualität. Schrift
qualität ist eine Frage der Erfahru
ng. Berthold hat diese Erfahrung s
eit über hundert Jahren. Zuerst im
Schriftguß, dann im Fotosatz. B
erthold-Schriften sind weltweit ge
schätzt. Im Schriftenatelier Münc

2,40 mm (9 p) 10 20 30

Berthold-Schriften überzeugen
durch Schärfe und Qualität. Sc
hriftqualität ist eine Frage der
Erfahrung. Berthold hat diese
Erfahrung seit über hundert Ja
hren. Zuerst im Schriftguß, dan
n im Fotosatz. Berthold-Schrifte
n sind weltweit geschätzt. Im S

2,65 mm (10 p) 10 20

Berthold-Schriften überzeu
gen durch Schärfe und Qu
alität. Schriftqualität ist eine
Frage der Erfahrung. Bertho
ld hat diese Erfahrung seit ü
ber hundert Jahren. Zuerst
im Schriftguß, dann im Foto
satz. Berthold-Schriften sind

2,92 mm (11 p) 10 20

Berthold-Schriften überze
ugen durch Schärfe und
Qualität. Schriftqualität i
st eine Frage der Erfahru
ng. Berthold hat diese Erf
ahrung seit über hundert
Jahren. Zuerst im Schriftg
uß, dann im Fotosatz. Bert

3,20 mm (12 p) 10 20

Berthold-Schriften über
zeugen durch Schärfe
und Qualität. Schriftqu
alität ist eine Frage der
Erfahrung. Berthold hat
diese Erfahrung seit ü
ber hundert Jahren. Zu
erst im Schriftguß, dann

3,45 mm (13 p) 10 20

mager
light
maigre

LUBALIN GRAPH

fina
chiarissimo
mager

Berthold-Schriften überzeugen durch Schärfe und Qualität Schriftqualität ist eine Frage der Erfahrung. Berthold hat diese Erfahrung seit über hundert Jahren. Zuerst im Schriftguß dann im Fotosatz. Berthold-Schriften sind weltweit geschätzt Im Schriftenatelier München wird jeder Buchstabe in der Grö ße von zwölf Zentimetern neu gezeichnet. Mit messerscha rfen Konturen, um für die Schriftscheiben das Optimale an Ko nturenschärfe herauszuholen. Um die Qualität des Einzelzeic hens im Belichtungsvorgang zu bewahren, wird durch die ru

4,25 mm (16 p), Zeilenabstand 6,75 mm

LUBALIN GRAPH EXTRA LIGHT

In general, bodytypes are measured in the typographical point size. The sizes of Berthold Fototype faces can be exactly determined. All faces of same point size have the same capital height–irrespec tive of their x-height. In hot metal and many other phototypesetting systems the capital heights often differ considerably from one face to the other. For measur ing point sizes, a transparent size gauge is provided. To determine the point size bring a capital letter into coincidence with that field which precisely circum scribes the letter at its upper and lower margin. Below the field you find the typo graphical point and below that the milli meter value, which also refers to the height of a capital letter. In Berthold phototypesetting, the typewidth can be modified. The standard setting width of typefaces is determined by the principle of optimum legibility. You should not de

2,40 mm (9 p), Zeilenabstand 4,25 mm

LUBALIN GRAPH MAIGRE

La valeur de la force de corps des ca ractères de labeur èst généralement exprimée en points typographiques La force de corps des caractères Bert hold-Fototype peut être déterminée a vec précision. Tous les caractères du même corps ont des capitales d'une hauteur identique, indépendammen t de la hauteur des bas de casse san s jambage. Dans la composition plo mb, ainsi que dans certains systèm es de photocomposition, la hauteur des capitales, varie souvent d'un car actère à l'autre. Pour déterminer la f orce de corps de nos caractères nou s avons mis au point une réglette de hauteur d'œil transparente. On cher che le rectangle qui délimite exacte ment la hauteur d'œil d'une capitale du caractère choisi. Sous le rectangl

2,65 mm (10 p), Zeilenabstand 4,69 mm

La indicación de las dimensiones para cuerpos de letra básicos tiene lugar en general en puntos tipográficos. Los cuerpos de letra de los caracteres Bert hold Fototype pueden determinarse exactemente par medición. Con inde pendencia de la altura de sus longitu des centrales, todos los caracteres de idéntico cuerpo de letra presentan altu

2,15 mm (8 p), −1, Zeilenabstand 3,38 mm

123,– $	456,– £	7890,– DM	1 %
234,– $	789,– £	1234,– DM	2 %
567,– $	12,– £	5678,– DM	3 %
890,– $	345,– £	9012,– DM	4 %
123,– $	678,– £	3456,– DM	5 %
456,– $	901,– £	7890,– DM	6 %
789,– $	234,– £	1234,– DM	7 %
12,– $	567,– £	5678,– DM	8 %
345,– $	890,– £	9012,– DM	9 %

BF 089 0492

Le misure relative al corpo dei caratteri vengono generalmente indicate in punti tipografici. Il corpo dei caratteri Foto types può essere determinato con esat tezza per semplice misurazione. Tutti i ca ratteri di uguale grandezza in punti han no, indipendentemente dalla loro lun ghezza, uguale altezza delle maiuscole Nella composizione in piombo ed in mol

2,15 mm (8 p), −2, Zeilenabstand 3,38 mm

schräg mager
light oblique
oblique maigre

LUBALIN GRAPH

fina inclinada
chiarissimo corsivo
mager lutande

Måttangivelse för grundstils grader sker i allmänhet i typo grafiska punkter. Stilar av Be rthold Fototype kan efter mät ning exakt gradbestämmas Alla typsnitt är av samma pu nktstorlek och har oberoend e av x-höjden en identisk vers alhöjd. I blysättning och i m ånga andra fotosättsystem v arierar versalhöjden avsevä rt från typsnitt till typsnitt. För mätning av stilgrader finns e n transparent mätlinjal. Vid mätningen placerar man en versal bokstav så att rutorna begränsar tecknet upptill o ch nedtill. Under rutorna finn s stilstorleken i typografiska di

2,92 mm (11 p), Zeilenabstand 4,69 mm

Herb Lubalin
1981
International Typeface Corp.
H. Berthold AG

ABCDEFGHIJKLMNOPQ
RSTUVWXYZ
abcdefghijklmnopqrstuvwxyz
1/1234567890%
(.,-;:!¡?¿–)·(‘‘„“”»«)
+—=/$£†&§*
ÄÅÆÖØŒÜäåæıöøœßü
ÁÀÂÃÇČÉÈÊËÍÌÎÏĹŇÑÓÒÔÕ
ŔŘŠŤÚÙÛŴẄÝŶŸŽ
áàâãçčéèêëíìîïĺňñóòôõŕřš
úùûŵẅýỳÿž

Berthold-Schriftweite weit
Berthold-Schriftweite normal
Berthold-Schriftweite eng
Berthold-Schriftweite sehr eng
Berthold-Schriftweite extrem eng

In general, bodytypes are measured in the typograp hical point size. The sizes of Berthold Fototype faces ca n be exactly determined. A ll faces of same point size h ave the same capital heig ht–irrespective of their x-h eight. In hot metal and ma ny other phototypesetting systems the capital heights often differ considerably fr om one face to the other. For measuring point sizes, a tra nsparent size gauge is pro vided. To determine the po int size, bring a capital lett

3,20 mm (12 p), Zeilenabstand 5,25 mm

LUBALIN GRAPH SCHRÄG MAGER

Die Maßangabe zu Grundschriftgrößen erf olgt im allgemeinen in typographischen Pu nkten. Die Schriftgrößen der Berthold-Fotos atz-Schriften sind nach Messung exakt besti mmbar. Alle Schriften gleicher Punktgröße weisen, unabhängig von der Höhe ihrer Mi ttellängen, eine identische Versalhöhe auf. I m Bleisatz und bei vielen anderen Fotosatz Systemen differieren die Versalhöhen von S chrift zu Schrift oft erheblich. Zum Messen v on Schriftgrößen steht ein transparentes Gr ößenmaß zur Verfügung. Zum Messen wird ein Versalbuchstabe mit dem Feld in Decku ng gebracht, das den Buchstaben oben un d unten scharf begrenzt. Unter dem Feld ist die Schriftgröße in typographischen Didiot Punkten, darunter in Millimetern angegeb en. Auch die Millimeterangaben beziehen

2,40 mm (9 p), Zeilenabstand 4 mm

LUBALIN GRAPH OBLIQUE MAIGRE

La valeur de la force de corps des cara ctères de labeur èst généralement exp rimée en points typographiques. La for ce de corps des caractères Berthold-Fo totype peut être déterminée avec préci cision. Tous les caractères du même cor ps ont des capitales d'une hauteur iden tique, indépendamment de l a hauteur des bas de casse sans jambage. Dans la composition plomb, ainsi que dans cert ains systèmes de photocomposition, la hauteur des capitales, varie souvent d un caractère à l'autre. Pour déterminer la force de corps de nos caractères nou s avons mis au point une réglette de ha uteur d'œil transparente. On cherche l

2,65 mm (10 p), Zeilenabstand 4,50 mm

La indicación de las dimensiones para cuerpos de l etra vásicos tiene lugar en general en puntos tipog ráficos. Los cuerpos de letra de los caracteres Berth old Fototype pueden determinarse exactemente pa r medición. Con independencia de la altura de sus l ongitudes centrales, todos los caracteres de idéntic o cuerpo de letra presentan altura de mayúsculas i déntica. En la composición en plomo y en muchos ot ros sistemas de totocomposición, las alturas de may úsculas varían frecuentemmente en forma conside rable de tipo de letra a tipo de letra. Para medir los c uerpos de letra se dispone de un tipómetro, véase la

1,60 mm (6 p), Zeilenabstand 2,50 mm

Größe		Zeilenabstand			100 Zeichen		
mm	p	kp	Êp	Ex	0	−1	−2
1,33	5	1,75	2,13	–	100	97	94
1,60	6	2,06	2,50	2,50	118	114	110
1,86	7	2,44	2,94	–	136	132	128
2,15	8	2,81	3,38	3,38	154	149	144
2,40	9	3,13	3,75	4,00	172	166	160
2,65	10	3,44	4,19	4,50	190	183	176
2,92	11	3,75	4,56	4,69	208	201	194
3,20	12	4,13	5,00	5,25	226	218	210
3,45	13	4,44	5,44	–	243	235	227
3,72	14	4,81	5,81	–	261	252	243
3,98	15	5,13	6,25	–	279	270	261
4,25	16	5,44	6,63	–	296	286	276

WZ 13 E, NSW 0, MZB 0,72, F 0,04:0,04 (1,1), V
H 1–x 0,73–k 1,00–p 0,28–Ê 1,28–kp 1,28–Êp 1,56
BF 089 1249, Belegung 051: 085 1271 (095 1271)

Le misure relative al corpo dei caratteri vengono generalmente indicate in pun ti tipografici. Il corpo dei caratteri Fototy pes può essere determinato con esattez za per semplice misurazione. Tutti i cara tteri di uguale grandezza in punti hann o, indipendentemente dalla loro lungh ezza, uguale altezza delle maiuscole. N ella composizione in piombo ed in molti

2,15 mm (8 p), Zeilenabstand 3,38 mm

Buch
book
romain labeur

LUBALIN GRAPH

libro
libro
buch

Berthold-Schriften überzeugen durch Schärfe und Qualität
Schriftqualität ist eine Frage der Erfahrung. Berthold hat di
ese Erfahrung seit über hundert Jahren. Zuerst im Schriftguß
dann im Fotosatz. Berthold-Schriften sind weltweit geschät
zt. Im Schriftenatelier München wird jeder Buchstabe in der
Größe von zwölf Zentimetern neu gezeichnet. Mit messersc
harfen Konturen, um für die Schriftscheiben das Optimale a
n Konturenschärfe herauszuholen. Um die Qualität des Einz
elzeichens im Belichtungsvorgang zu bewahren, wird durc

1,33 mm (5 p) 20 30 40 50

Berthold-Schriften überzeugen durch Schärfe und Qua
lität. Schriftqualität ist eine Frage der Erfahrung. Bertho
ld hat diese Erfahrung seit über hundert Jahren. Zuerst
im Schriftguß, dann im Fotosatz. Berthold-Schriften sind
weltweit geschätzt. Im Schriftenatelier München wird j
eder Buchstabe in der Größe von zwölf Zentimetern neu
gezeichnet. Mit messerscharfen Konturen, um für die S
chriftscheiben das Optimale an Konturenschärfe hera
uszuholen. Um die Qualität des Einzelzeichens im Belic

1,45 mm (5,5 p) 20 30 40 50

Berthold-Schriften überzeugen durch Schärfe und
Qualität. Schriftqualität ist eine Frage der Erfahrun
g. Berthold hat diese Erfahrung seit über hundert J
ahren. Zuerst im Schriftguß, dann im Fotosatz. Bert
hold-Schriften sind weltweit geschätzt. Im Schrifte
natelier München wird jeder Buchstabe in der Grö
ße von zwölf Zentimetern neu gezeichnet. Mit mes
serscharfen Konturen, um für die Schriftscheiben
das Optimale an Konturenschärfe herauszuholen

1,60 mm (6 p) 20 30 40

Berthold-Schriften überzeugen durch Schärfe
und Qualität. Schriftqualität ist eine Frage der
Erfahrung. Berthold hat diese Erfahrung seit ü
ber hundert Jahren. Zuerst im Schriftguß, dann
im Fotosatz. Berthold-Schriften sind weltweit g
eschätzt. Im Schriftenatelier München wird je
der Buchstabe in der Größe von zwölf Zenti
metern neu gezeichnet. Mit messerscharfen K
onturen, um für die Schriftscheiben das Optim

1,75 mm (6,5 p) 20 30 40

Berthold-Schriften überzeugen durch Schärf
e und Qualität. Schriftqualität ist eine Frage
der Erfahrung. Berthold hat diese Erfahrung
seit über hundert Jahren. Zuerst im Schriftgu
ß, dann im Fotosatz. Berthold-Schriften sind
weltweit geschätzt. Im Schriftenatelier Mün
chen wird jeder Buchstabe in der Größe von
zwölf Zentimetern neu gezeichnet. Mit mess
erscharfen Konturen, um für die Schriftschei

1,86 mm (7 p) 20 30 40

Berthold-Schriften überzeugen durch Sc
härfe und Qualität. Schriftqualität ist eine
Frage der Erfahrung. Berthold hat diese E
rfahrung seit über hundert Jahren. Zuerst
im Schriftguß, dann im Fotosatz. Berthold
Schriften sind weltweit geschätzt. Im Schr
iftenatelier München wird jeder Buchsta
be in der Größe von zwölf Zentimetern ne
u gezeichnet. Mit messerscharfen Kontur

2,00 mm (7,5 p) 20 30

Berthold-Schriften überzeugen durch
Schärfe und Qualität. Schriftqualität ist
eine Frage der Erfahrung. Berthold hat
diese Erfahrung seit über hundert Jahr
en. Zuerst im Schriftguß, dann im Fotos
atz. Berthold-Schriften sind weltweit g
eschätzt. Im Schriftenatelier München
wird jeder Buchstabe in der Größe von
zwölf Zentimetern neu gezeichnet. Mit

2,15 mm (8 p) 20 30

Lubalin, Dispigna, Sundwald
1974
International Typeface Corp.
H. Berthold AG

ABCDEFGHIJKLMNOPQ
RSTUVWXYZ
abcdefghijklmnopqrstuvwxyz
1/1234567890%
(.,-;:!¡?¿–)·[‘’„“”»«]
+–=/$£†*&§
ÄÅÆÖØŒÜäåæıöøœßü
ÁÀÂÃÇČÉÈÊËÍÌÎÏĹŇÑÓÒÔÕ
ŔŘŠŤÚÙÛŴẄÝŶŸŽ
áàâãçčéèêëíìîïĺňñóòôõŕřš
úùûŵẅýỳÿž

Berthold-Schriftweite weit
Berthold-Schriftweite normal
Berthold-Schriftweite eng
Berthold-Schriftweite sehr eng
Berthold-Schriftweite extrem eng

Berthold
3,75 mm (14 p)

Berthold
4,25 mm (16 p)

Berthold
4,75 mm (18 p)

Berthold
5,30 mm (20 p)

Berthold
6,35 mm (24 p)

Berthold
7,40 mm (28 p)

Berthold
8,50 mm (32 p)

Berthold
9,55 mm (36 p)

Größe		Zeilenabstand			100 Zeichen		
mm	p	kp	Êp	Ex	0	–1	–2
1,33	5	1,69	2,06	2,00	100	97	94
1,60	6	2,00	2,44	2,50	118	114	110
1,86	7	2,31	2,81	3,00	136	132	128
2,15	8	2,69	3,25	3,50	154	149	144
2,40	9	3,00	3,63	3,75	172	166	160
2,65	10	3,31	4,06	4,25	190	183	176
2,92	11	3,63	4,44	4,75	208	201	194
3,20	12	4,00	4,88	5,25	226	218	210
3,45	13	4,31	5,25	5,75	243	235	227
3,72	14	4,63	5,63	–	261	252	243
3,98	15	4,94	6,06	–	279	270	261
4,25	16	5,31	6,44	–	296	286	276

WZ 16 E, NSW +1, MZB 0,72, F 0,088:0,083 (1,1), V
H 1–x 0,73–k 1,00–p 0,24–Ê 1,27–kp 1,24–Êp 1,51
BF 089 0493, Belegung 051: 085 4784 (095 4784)

Berthold-Schriften überzeugen du
rch Schärfe und Qualität. Schriftqu
alität ist eine Frage der Erfahru
ng. Berthold hat diese Erfahrung s
eit über hundert Jahren. Zuerst im
Schriftguß, dann im Fotosatz. Berth
old-Schriften sind weltweit gesch
ätzt. Im Schriftenatelier München

2,40 mm (9 p) 10 20 30

Berthold-Schriften überzeugen
durch Schärfe und Qualität. Sc
hriftqualität ist eine Frage der E
rfahrung. Berthold hat diese Erf
ahrung seit über hundert Jahr
en. Zuerst im Schriftguß, dann i
m Fotosatz. Berthold-Schriften s
ind weltweit geschätzt. Im Schri

2,65 mm (10 p) 10 20 3

Berthold-Schriften überzeug
en durch Schärfe und Qualit
ät. Schriftqualität ist eine Fra
ge der Erfahrung. Berthold h
at diese Erfahrung seit über
hundert Jahren. Zuerst im Sc
hriftguß, dann im Fotosatz. B
erthold-Schriften sind weltw

2,92 mm (11 p) 10 20

Berthold-Schriften überzeu
gen durch Schärfe und Q
ualität. Schriftqualität ist e
ine Frage der Erfahrung
Berthold hat diese Erfahru
ng seit über hundert Jahr
en. Zuerst im Schriftguß, da
nn im Fotosatz. Berthold-Sc

3,20 mm (12 p) 10 20

Berthold-Schriften überz
eugen durch Schärfe un
d Qualität. Schriftqualit
ät ist eine Frage der Erfa
hrung. Berthold hat die
se Erfahrung seit über h
undert Jahren. Zuerst im
Schriftguß, dann im Foto

3,45 mm (13 p) 10 20

Buch
book
romain labeur

LUBALIN GRAPH

libro
libro
buch

Berthold-Schriften überzeugen durch Schärfe und Qualität. Schriftqualität ist eine Frage der Erfahrung. Berthold hat diese Erfahrung seit über hundert Jahren. Zuerst im Schriftguß, dann im Fotosatz. Berthold-Schriften sind weltweit geschätzt. Im Schriftenatelier München wird jeder Buchstabe in der Größe von zwölf Zentimetern neu gezeichnet. Mit messerscharfen Konturen, um für die Schriftscheiben das Optimale an Konturenschärfe herauszuholen. Um die Qualität des Einzelzeichens im Belichtungsvorgang zu bewahren, wird durch die ruhende, nicht rotierende

4,25 mm (16 p), Zeilenabstand 6,75 mm

LUBALIN GRAPH

In general, bodytypes are measured in the typographical point size. The sizes of Berthold Fototype faces can be exactly determined. All faces of same point size have the same capital heigth–irrespective of their x-heigth. In hot metal and many other phototypesetting systems the capital heigths often differ considerably from one face to the other. For measuring point sizes a transparent size gauge is provided. To determine the point size, bring a capital letter into coincidence with that field which precisely circumscribes the letter at its upper and lower margin. Below the field you find the typographical point and below that the millimeter value, which also refers to the height of a capital letter. In Berthold-phototypesetting, the typewidth can be modified. The standard setting width of typefaces is determined by the principle of optimum legibility. You should not depart from this typewidth without co

2,40 mm (9 p), Zeilenabstand 4,25 mm

LUBALIN GRAPH

La valeur de la force de corps des caractères de labeur èst généralement exprimée en points typographiques La force de corps des caractères Berthold-Fototype peut être déterminée avec précision. Tous les caractères du même corps ont des capitales d'une hauteur identique, indépendamment de la hauteur des bas de casse sans jambage. Dans la composition plomb ainsi que dans certains systèmes de photocomposition, la hauteur des capitales, varie souvent d'un caractère à l'autre. Pour déterminer la force de corps de nos caractères, nous avons mis au point une réglette de hauteur d'œil transparente. On cherche le rectangle qui délimite exactement la hauteur d'œil d'une capitale du caractère choisi. Sous le rectangle correspo

2,65 mm (10 p), Zeilenabstand 4,69 mm

La indicación de las dimensiones para cuerpos de letra vásicos tiene lugar en general en puntos tipográficos. Los cuerpos de letra de los caracteres Berthold Fototype pueden determinarse exactemente par medición. Con independencia de la altura de sus longitudes centrales, todos los caracteres de idéntico cuerpo de letra presentan altura de ma

2,15 mm (8 p), –1, Zeilenabstand 3,38 mm

123,– $	456,– £	7890,– DM	1 %
234,– $	789,– £	1234,– DM	2 %
567,– $	12,– £	5678,– DM	3 %
890,– $	345,– £	9012,– DM	4 %
123,– $	678,– £	3456,– DM	5 %
456,– $	901,– £	7890,– DM	6 %
789,– $	234,– £	1234,– DM	7 %
12,– $	567,– £	5678,– DM	8 %
345,– $	890,– £	9012,– DM	9 %

BF 089 0494

Le misure relative al corpo dei caratteri vengono generalmente indicate in punti tipografici. Il corpo dei caratteri Fototypes può essere determinato con esattezza per semplice misurazione. Tutti i caratteri di uguale grandezza in punti hanno, indipendentemente dalla loro lunghezza uguale altezza delle maiuscole. Nella composizione in piombo ed in molti altri siste

2,15 mm (8 p), –2, Zeilenabstand 3,38 mm

Buch
book
romain labeur

LUBALIN GRAPH CAPS

libro
libro
buch

Berthold-Schriften überz eugen durch Schärfe und Qualität. Schriftqualität ist eine Frage der Erfahru ng. Berthold hat diese Er fahrung seit über hunder t Jahren. Zuerst im Schrif tguss, dann im Fotosatz. B erthold-Schriften sind w eltweit geschätzt. Im Sch riftenatelier München w ird jeder Buchstabe in de r Grösse von zwölf Zenti metern neu gezeichnet. M it messerscharfen Kontu ren, um für die Schriftsch eiben das Optimale an Ko

3,20 mm (12 p), Zeilenabstand 5,25 mm

Herb Lubalin
1981
International Typeface Corp.
H. Berthold AG

ABCDEFGHIJKLMNOPQ
RSTUVWXYZ
ABCDEFGHIJKLMNOPQRSTUVWXYZ
1234567890%
(.,-;:!¡?¿—)·[’‘„“”»«›‹]
+−=/$£†*&§©
ÄÅÆÖØŒÜÄÅÆÖØŒÜ
ÁÀÂÃÇČÉÈÊËÍÌÎÏĹŇÑÓÒÔÕ
ŔŘŠŤÚÙÛŴẄÝŶŸŽ
ÁÀÂÃÇČÉÈÊËÍÌÎÏĹŇÑÓÒÔÕŔŘŠ
ÚÙÛŴẄÝỲŸŽ

Berthold-Schriftweite weit
Berthold-Schriftweite normal
Berthold-Schriftweite eng
Berthold-Schriftweite sehr eng
Berthold-Schriftweite extrem eng

LA VALEUR DE LA FORCE DE CORPS DES CARACTER ES DE LABEUR EST GENER ALEMENT EXPRIMEE EN P OINTS TYPOGRAPHIQUES LA FORCE DE CORPS DES CARACTERES BERTHOLD FOTOTYPE PEUT ETRE DETE RMINEE AVEC PRECISION TOUS LES CARACTERES D U MEME CORPS ONT DES CAPITALES D'UNE HAUTEU R IDENTIQUE, INDEPENDA MMENT DE LA HAUTEUR D ES BAS DE CASSE SANS JA MBAGE. DANS LA COMPO SITION PLOMB, AINSI QUE

3,20 mm (12 p), Zeilenabstand 5,25 mm

8/5

Marie-Therèse Rochefort
Directrice

Rue Victor Hugo 69, Paris, Téléphone 37 25 86

10/7

Florentino Cavallo
Maître de Plaisir

Via Ludovica Aretino 33, Firenze

12/9

Eulalia Loeffel
Diätköchin

Am Gänsemarkt 2, Vilshofen

Berlin
3,72 mm (14 p)

Berlin
4,25 mm (16 p)

Berlin
4,75 mm (18 p)

Berlin
5,30 mm (20 p)

Berlin
6,35 mm (24 p)

Berlin
7,40 mm (28 p)

Berlin
8,50 mm (32 p)

Berlin
9,55 mm (36 p)

9/6

Hans-Otto von Schlick
Landrat

Am Horst 10, Kappeln an der Schlei, Tel. 66 34

11/8

Jan van der Falk
Detektivbüro

Halve Maan Straat 78, Amsterdam

13/10

Vladimir Iribozov
Saxophonist

Domgasse 2, München

La indicación de las dimensiones para cuerpos de letra vá sicos tiene lugar en general en puntos tipográficos. Los c uerpos de letra de los caracteres Berthold Fototype puede n determinarse exactemente par medición. Con independe ncia de la altura de sus longitudes centrales, todos los c aracteres de idéntico cuerpo de letra presentan altura de mayúsculas idéntica. En la composición en plomo y en muc hos otros sistemas de fotocomposición, las alturas de ma yúsculas varían frecuentemmente en forma considerable de tipo de letra a tipo de letra. Para medir los cuerpos de letra se dispone de un tipómetro, véase la figura. Para la m edición se hace coincidir una letra mayúscula con la casi lla cuyos extremos coinciden con los extremos superior e inferior de la letra. Bajo la casilla se indica el cuerpo de letra en puntos tipográficos Didot, y debajo en mm. Tambi

1,33 mm (5 p), Zeilenabstand 1,94 mm

Le misure relative al corpo dei caratteri ve ngono generalmente indicate in punti tipo grafici. Il corpo dei caratteri Fototypes può essere determinato con esattezza per sempli ce misurazione. Tutti i caratteri di uguale g randezza in punti hanno, indipendentemente dalla loro lunghezza, uguale altezza delle maiuscole. Nella composizione in piombo ed in molti altri sistemi di fotocomposizione l'altezza delle maiuscole varia spesso da c arattere a carattere. Per misurare il corpo dei caratteri è indispensabile un apposito ti

1,60 mm (6 p), Zeilenabstand 2,44 mm
WZ 16 E, NSW +1, V
BF 089 1118, Belegung 127: 085 1276 (095 1276)

In general bodytypes are measured in the t ypographical point size. The sizes of Bertho ld-Fototype faces can be exactly determin ed. All faces of same point size have the sa me capital height–irrespective of their x-h eight. In hot metal and many other phototy pesetting systems the capital heights often differ considerably from one face to the o ther. For measuring point sizes, a transpa rent size gauge is provided. To determine th

1,86 mm (7 p), Zeilenabstand 3,00 mm

Buch schräg
book oblique
oblique romain labeur

LUBALIN GRAPH

libro inclinada
libro corsivo
buch lutande

Måttangivelse för grundstils grader sker i allmänhet i typo grafiska punkter. Stilar av Be rthold Fototype kan efter mät ning exakt gradbestämmas Alla typsnitt är av samma pu nktstorlek och har oberoende av x-höjden en identisk vers alhöjd. I blysättning och i må nga andra fotosättsystem va rierar versalhöjden avsevärt från typsnitt till typsnitt. För m ätning av stilgrader finns en t ransparent mätlinjal. Vid mät ningen placerar man en vers al bokstav så att rutorna beg ränsar tecknet upptill och ne dtill. Under rutorna finns stilst orleken i typografiska didotp

2,92 mm (11 p), Zeilenabstand 4,69 mm

Herb Lubalin
1981
International Typeface Corp.
H. Berthold AG

ABCDEFGHIJKLMNOPQ
RSTUVWXYZ
abcdefghijklmnopqrstuvwxyz
1/1234567890%
(.,-;:!¡?¿–)·(',,""»«)
+–=/$£†&§*
ÄÅÆÖØŒÜäåæıöøœßü
ÁÀÂÃÇČÉÈÊËÍÌÎÏĹŇÑÓÒÔÕ
ŔŘŠŤÚÙÛŴẄÝỲŸŽ
áàâãçčéèêëíìîïĺňñóòôõŕřš
úùûŵẅýỳÿž

Berthold-Schriftweite weit
Berthold-Schriftweite normal
Berthold-Schriftweite eng
Berthold-Schriftweite sehr eng
Berthold-Schriftweite extrem eng

In general, bodytypes are measured in the typograp hical point size. The sizes of Berthold Fototype faces ca n be exactly determined. A ll faces of same point size h ave the same capital heigh t–irrespective of their x-hei ght. In hot metal and many other phototypesetting sys tems the capital heights oft en differ considerably from one face to the other. For m easuring point sizes, a trans parent size gauge is provi ded. To determine the poin nt size, bring a capital letter

3,20 mm (12 p), Zeilenabstand 5,25 mm

LUBALIN BUCH SCHRÄG

Die Maßangabe zu Grundschriftgrößen erf olgt im allgemeinen in typographischen Pu nkten. Die Schriftgrößen der Berthold-Fotos atz-Schriften sind nach Messung exakt best immbar. Alle Schriften gleicher Punktgröße weisen, unabhängig von der Höhe ihrer Mit tellängen, eine identische Versalhöhe auf. I m Bleisatz und bei vielen anderen Fotosatz Systemen differieren die Versalhöhen von S chrift zu Schrift oft erheblich. Zum Messen vo n Schriftgrößen steht ein transparentes Grö ßenmaß zur Verfügung. Zum Messen wird ei n Versalbuchstabe mit dem Feld in Deckung gebracht, das den Buchstaben oben und un ten scharf begrenzt. Unter dem Feld ist die S chriftgröße in typographischen Didot-Punk ten, darunter in Millimetern angegeben. Au ch die Millimeterangaben beziehen sich auf

2,40 mm (9 p), Zeilenabstand 4 mm

LUBALIN OBLIQUE ROMAIN LABEUR

La valeur de la force de corps des cara ctères de labeur èst généralement expr imée en points typographiques. La force de corps des caractères Berthold-Fotot ype peut être déterminée avec précisio n. Tous les caractères du même corps o nt des capitales d'une hauteur identiqu e, indépendamment de la hauteur des bas de casse sans jambage. Dans la co mposition plomb, ainsi que dans certai ns systèmes de photocomposition, la ha uteur des capitales, varie souvent d'un caractère à l'autre. Pour déterminer la f orce de corps de nos caractères, nous a vons mis au point une réglette de haute ur d'œil transparente. On cherche le re

2,65 mm (10 p), Zeilenabstand 4,50 mm

La indicación de las dimensiones para cuerpos de l etra vásicos tiene lugar en general en puntos tipogr áficos. Los cuerpos de letra de los caracteres Bertho ld Fototype pueden determinarse exactemente par medición. Con independencia de la altura de sus lo ngitudes centrales, todos los caracteres de idéntico cuerpo de letra presentan altura de mayúsculas id éntica. En la composición en plomo y en muchos otros sistemas de fotocomposición, las alturas de mayúsc ulas varían frecuentemmente en forma considerabl e de tipo de letra a tipo de letra. Para medir los cuer pos de letra se dispone de un tipómetro, véase la fig

1,60 mm (6 p), Zeilenabstand 2,50 mm

Größe mm	p	Zeilenabstand kp	Êp	Ex	100 Zeichen 0	−1	−2
1,33	5	1,69	2,06	–	99	96	93
1,60	6	2,06	2,50	2,50	116	112	108
1,86	7	2,38	2,88	–	134	130	126
2,15	8	2,75	3,38	3,38	152	147	142
2,40	9	3,06	3,75	4,00	170	164	158
2,65	10	3,38	4,13	4,50	188	181	174
2,92	11	3,69	4,50	4,69	205	198	191
3,20	12	4,06	4,94	5,25	223	215	207
3,45	13	4,38	5,38	–	240	232	224
3,72	14	4,69	5,75	–	258	249	240
3,98	15	5,06	6,13	–	275	266	257
4,25	16	5,38	6,56	–	293	283	273

WZ 13 E, NSW 0, MZB 0,71, F 0,10:0,09 (1,1), V
H 1–x 0,75–k 1,00–p 0,26–Ê 1,28–kp 1,26–Êp 1,54
BF 089 1250, Belegung 051: 085 1272 (095 1272)

Le misure relative al corpo dei caratteri vengono generalmente indicate in pun ti tipografici. Il corpo dei caratteri Fototy pes può essere determinato con esattez za per semplice misurazione. Tutti i cara tteri di uguale grandezza in punti hanno indipendentemente dalla loro lunghez za, uguale altezza delle maiuscole. Nella composizione in piombo ed in molti altri

2,15 mm (8 p), Zeilenabstand 3,38 mm

normal
regular
normal

LUBALIN GRAPH

normal
chiaro tondo
normal

Berthold-Schriften überzeugen durch Schärfe und Qualit ät. Schriftqualität ist eine Frage der Erfahrung. Berthold h at diese Erfahrung seit über hundert Jahren. Zuerst im Sch riftguß, dann im Fotosatz. Berthold-Schriften sind weltwe it geschätzt. Im Schriftenatelier München wird jeder Buch stabe in der Größe von zwölf Zentimetern neu gezeichnet Mit messerscharfen Konturen, um für die Schriftscheiben das Optimale an Konturenschärfe herauszuholen. Um die Qualität des Einzelzeichens im Belichtungsvorgang zu be

1,33 mm (5 p) 20 30 40 50

Berthold-Schriften überzeugen durch Schärfe und Q ualität. Schriftqualität ist eine Frage der Erfahrung Berthold hat diese Erfahrung seit über hundert Jah ren. Zuerst im Schriftguß, dann im Fotosatz. Berthold Schriften sind weltweit geschätzt. Im Schriftenatelier München wird jeder Buchstabe in der Größe von zwö lf Zentimetern neu gezeichnet. Mit messerscharfen K onturen, um für die Schriftscheiben das Optimale an Konturenschärfe herauszuholen. Um die Qualität des

1,45 mm (5,5 p) 20 30 40 5

Berthold-Schriften überzeugen durch Schärfe u nd Qualität. Schriftqualität ist eine Frage der Erf ahrung. Berthold hat diese Erfahrung seit über h undert Jahren. Zuerst im Schriftguß, dann im Fot osatz. Berthold-Schriften sind weltweit geschätzt Im Schriftenatelier München wird jeder Buchsta be in der Größe von zwölf Zentimetern neu gezei chnet. Mit messerscharfen Konturen, um für die Schriftscheiben das Optimale an Konturenschä

1,60 mm (6 p) 20 30 40

Berthold-Schriften überzeugen durch Schär fe und Qualität. Schriftqualität ist eine Frage der Erfahrung. Berthold hat diese Erfahrung seit über hundert Jahren. Zuerst im Schr iftguß, dann im Fotosatz. Berthold-Schriften sind weltweit geschätzt. Im Schriftenatelier München wird jeder Buchstabe in der Größe von zwölf Zentimetern neu gezeichnet. Mit m esserscharfen Konturen, um für die Schriftsc

1,75 mm (6,5 p) 20 30 40

Berthold-Schriften überzeugen durch Sch ärfe und Qualität. Schriftqualität ist eine F rage der Erfahrung. Berthold hat diese Erfahrung seit über hundert Jahren. Zuerst im Schriftguß, dann im Fotosatz. Berthold Schriften sind weltweit geschätzt. Im Schri ftenatelier München wird jeder Buchstabe in der Größe von zwölf Zentimetern neu ge zeichnet. Mit messerscharfen Konturen, u

1,86 mm (7 p) 20 30 4

Berthold-Schriften überzeugen durch S chärfe und Qualität. Schriftqualität ist e ine Frage der Erfahrung. Berthold hat di ese Erfahrung seit über hundert Jahren Zuerst im Schriftguß, dann im Fotosatz Berthold-Schriften sind weltweit gesch ätzt. Im Schriftenatelier München wird j eder Buchstabe in der Größe von zwölf Zentimetern neu gezeichnet. Mit messe

2,00 mm (7,5 p) 20 30

Berthold-Schriften überzeugen durch Schärfe und Qualität. Schriftqualität ist eine Frage der Erfahrung. Berth old hat diese Erfahrung seit über hun dert Jahren. Zuerst im Schriftguß, da nn im Fotosatz. Berthold-Schriften sin d weltweit geschätzt. Im Schriftenate lier München wird jeder Buchstabe in der Größe von zwölf Zentimetern ne

2,15 mm (8 p) 20 30

Lubalin, Dispigna, Sundwald
1974
International Typeface Corp.
H. Berthold AG

ABCDEFGHIJKLMNOPQ
RSTUVWXYZ
abcdefghijklmnopqrstuvwxyz
1/1234567890%
(.,-;:!¡?¿–)·['‘„"“»«]
+−=/$£†*&§
ÄÅÆÖØŒÜäåæıöøœßü
ÁÀÂÃÇČÉÈÊËÍÌÎÏĹŇÑÓÒÔÕ
ŔŘŠŤÚÙÛŴẄÝŶŸŽ
áàâãçčéèêëíìîïĺňñóòôõŕřš
úùûŵẅýỳÿž

Berthold-Schriftweite weit
Berthold-Schriftweite normal
Berthold-Schriftweite eng
Berthold-Schriftweite sehr eng
Berthold-Schriftweite extrem eng

Berthold
3,75 mm (14 p)

Berthold
4,25 mm (16 p)

Berthold
4,75 mm (18 p)

Berthold
5,30 mm (20 p)

Berthold
6,35 mm (24 p)

Berthold
7,40 mm (28 p)

Berthold
8,50 mm (32 p)

Berthold
9,55 mm (36 p)

Größe		Zeilenabstand			100 Zeichen		
mm	p	kp	Êp	Ex	0	−1	−2
1,33	5	1,69	2,06	2,00	105	102	99
1,60	6	2,00	2,44	2,50	124	120	116
1,86	7	2,38	2,88	3,00	143	139	135
2,15	8	2,69	3,31	3,50	162	157	152
2,40	9	3,00	3,69	3,75	181	175	169
2,65	10	3,31	4,06	4,25	200	193	186
2,92	11	3,69	4,50	4,75	219	212	205
3,20	12	4,00	4,88	5,25	237	229	221
3,45	13	4,31	5,25	5,75	256	248	240
3,72	14	4,69	5,69	—	275	266	257
3,98	15	5,00	6,06	—	293	284	275
4,25	16	5,31	6,50	—	312	302	292

WZ 16 E, NSW +1, MZB 0,75, F 0,14:0,13 (1,1), V
H 1–x 0,76–k 1,00–p 0,25–Ê 1,27–kp 1,25–Êp 1,52
BF 089 0495, Belegung 051: 085 4786 (095 4786)

Berthold-Schriften überzeugen d urch Schärfe und Qualität. Schrif tqualität ist eine Frage der Erfahr ung. Berthold hat diese Erfahrung seit über hundert Jahren. Zuerst i m Schriftguß, dann im Fotosatz. B erthold-Schriften sind weltweit g eschätzt. Im Schriftenatelier Mü

2,40 mm (9 p) 10 20 30

Berthold-Schriften überzeuge n durch Schärfe und Qualität Schriftqualität ist eine Frage der Erfahrung. Berthold hat di ese Erfahrung seit über hund ert Jahren. Zuerst im Schriftg uß, dann im Fotosatz. Berthol d-Schriften sind weltweit gesc

2,65 mm (10 p) 10 20

Berthold-Schriften überzeu gen durch Schärfe und Qu alität. Schriftqualität ist ein e Frage der Erfahrung. Bert hold hat diese Erfahrung s eit über hundert Jahren. Zu erst im Schriftguß, dann im Fotosatz. Berthold-Schriften

2,92 mm (11 p) 10 20

Berthold-Schriften überz eugen durch Schärfe un d Qualität. Schriftqualität ist eine Frage der Erfahr ung. Berthold hat diese E rfahrung seit über hund ert Jahren. Zuerst im Sch riftguß, dann im Fotosatz

3,20 mm (12 p) 10 20

Berthold-Schriften über zeugen durch Schärfe und Qualität. Schriftqu alität ist eine Frage der Erfahrung. Berthold hat diese Erfahrung seit üb er hundert Jahren. Zue rst im Schriftguß, dann i

3,45 mm (13 p) 10 20

normal
regular
normal

LUBALIN GRAPH

normal
chiaro tondo
normal

Berthold-Schriften überzeugen durch Schärfe und Qualität Schriftqualität ist eine Frage der Erfahrung. Berthold hat die se Erfahrung seit über hundert Jahren. Zuerst im Schriftguß dann im Fotosatz. Berthold-Schriften sind weltweit geschätzt Im Schriftenatelier München wird jeder Buchstabe in der Gr öße von zwölf Zentimetern neu gezeichnet. Mit messerscha rfen Konturen, um für die Schriftscheiben das Optimale an Konturenschärfe herauszuholen. Um die Qualität des Einzel zeichens im Belichtungsvorgang zu bewahren, wird durch

4,25 mm (16 p), Zeilenabstand 6,75 mm

LUBALIN GRAPH

In general, bodytypes are measured in the typographical point size. The sizes of Berthold Fototype faces can be exactly determined. All faces of same point size have the same capital height–irrespec tive of their x-height. In hot metal and many other phototypesetting systems the capital heights often differ consider ably from one face to the other. For meas uring point sizes, a transparent size gauge is provided. To determine the point size, bring a capital letter into coin cidence with that field which precisely circumscribes the letter at its upper and lower margin. Below the field you find the typographical point and below that the millimeter value, which also refers to the height of a capital letter. In Berthold phototypesetting, the typewidth can be modified. The standard setting width of typefaces is determined by the principle of optimum legibility. You should not de

2,40 mm (9 p), Zeilenabstand 4,25 mm

LUBALIN GRAPH

La valeur de la force de corps des ca ractères de labeur èst généralement exprimée en points typographiques La force de corps des caractères Berthold-Fototype peut être détermi née avec précision. Tous les carac tères du même corps ont des capi tales d'une hauteur identique, indé pendamment de la hauteur des bas de casse sans jambage. Dans la composition plomb, ainsi que dans certains systèmes de photocomposi tion, la hauteur des capitales, varie souvent d'un caractère à l'autre. Pour déterminer la force de corps de nos caractères, nous avons mis au point une réglette de hauteur d'œil trans parente. On cherche le rectangle qui délimite exactement la hauteur d'œil d'une capitale du caractère

2,65 mm (10 p), Zeilenabstand 4,69 mm

La indicación de las dimensiones pa ra cuerpos de letra vásicos tiene lugar en general en puntos tipográficos. Los cuerpos de letra de los caracteres Bert hold Fototype pueden determinarse exactemente par medición. Con inde pendencia de la altura de sus longitu des centrales, todos los caracteres de idéntico cuerpo de letra presentan al

2,15 mm (8 p), −1, Zeilenabstand 3,38 mm

123,– $	456,– £	7890,– DM	1 %
234,– $	789,– £	1234,– DM	2 %
567,– $	12,– £	5678,– DM	3 %
890,– $	345,– £	9012,– DM	4 %
123,– $	678,– £	3456,– DM	5 %
456,– $	901,– £	7890,– DM	6 %
789,– $	234,– £	1234,– DM	7 %
12,– $	567,– £	5678,– DM	8 %
345,– $	890,– £	9012,– DM	9 %

BF 089 0496

Le misure relative al corpo dei caratteri vengono generalmente indicate in pun ti tipografici. Il corpo dei caratteri Foto types può essere determinato con esat tezza per semplice misurazione. Tutti i caratteri di uguale grandezza in punti hanno, indipendentemente dalla loro lunghezza, uguale altezza delle maius cole. Nella composizione in piombo ed

2,15 mm (8 p), −2, Zeilenabstand 3,38 mm

normal
regular
normal

LUBALIN GRAPH CAPS

normal
chiaro tondo
normal

Berthold-Schriften über zeugen durch Schärfe un d Qualität. Schriftqualit ät ist eine Frage der Erf ahrung. Berthold hat die se Erfahrung seit über hu ndert Jahren. Zuerst im S chriftguss, dann im Foto satz. Berthold-Schriften sind weltweit geschätzt. I m Schriftenatelier Münc hen wird jeder Buchstabe in der Grösse von zwölf Zentimetern neu gezeich net. Mit messerscharfen Konturen, um für die Schr iftscheiben das Optimale

3,20 mm (12 p), Zeilenabstand 5,25 mm

Herb Lubalin
1981
International Typeface Corp.
H. Berthold AG

ABCDEFGHIJKLMNOPQ
RSTUVWXYZ
abcdefghijklmnopqrstuvwxyz
1234567890%
(.,-;:!¡?¿—)·[''„""»«›‹]
+−=/$£†*&§©
ÄÅÆÖØŒÜäåæöøœü
ÁÀÂÃÇČÉÈÊËÍÌÎÏĹŇÑÓÒÔÕ
ŔŘŠŤÚÙÛŴẄÝŶŸŽ
áàâãçčéèêëíìîïĺňñóòôõŕřš
úùûŵẅýỳÿž

Berthold-Schriftweite weit
Berthold-Schriftweite normal
Berthold-Schriftweite eng
Berthold-Schriftweite sehr eng
Berthold-Schriftweite extrem eng

LA VALEUR DE LA FORCE DE CORPS DES CARACTER ES DE LABEUR EST GENER ALEMENT EXPRIMEE EN P OINTS TYPOGRAPHIQUES LA FORCE DE CORPS DES CARACTERES BERTHOLD F OTOTYPE PEUT ETRE DETE RMINEE AVEC PRECISION TOUS LES CARACTERES D U MEME CORPS ONT DES CAPITALES D'UNE HAUTE UR IDENTIQUE, INDEPEND AMMENT DE LA HAUTEUR DES BAS DE CASSE SANS JAMBAGE. DANS LA CO MPOSITION PLOMB, AINS

3,20 mm (12 p), Zeilenabstand 5,25 mm

8/5

MARIE-THERÈSE ROCHEFORT
Directrice

Rue Victor Hugo 69, Paris, Téléphone 37 25 86

10/7

FLORENTINO LEONCAVALLO
Maître de Plaisir

Via Ludovica Aretino 33, Firenze

12/9

EULALIA LOEFEEL
Diätköchin

Am Gänsemarkt 2, Vilshofen

Berlin
3,72 mm (14 p)

Berlin
4,25 mm (16 p)

Berlin
4,75 mm (18 p)

Berlin
5,30 mm (20 p)

Berlin
6,35 mm (24 p)

Berlin
7,40 mm (28 p)

Berlin
8,50 mm (32 p)

Berlin
9,55 mm (36 p)

9/6

HANS-OTTO VON SCHLICK
Landrat

Am Horst 10, Kappeln an der Schlei, Tel. 66 34

11/8

JAN VAN DER FALK
Detektivbüro

Halve Maan Straat 78, Amsterdam

13/10

VLADIMIR IRIBOZOV
Saxophonist

Domgasse 2, München

La indicación de las dimensiones para cuerpos de letra vá sicos tiene lugar en general en puntos tipográficos. Los c uerpos de letra de los caracteres Berthold Fototype pued en determinarse exactemente par medición. Con indepen dencia de la altura de sus longitudes centrales, todos los caracteres de idéntico cuerpo de letra presentan altura de mayúsculas idéntica. En la composición en plomo y en muchos otros sistemas de fotocomposición, las alturas de mayúsculas varían frecuentemmente en forma considera ble de tipo de letra a tipo de letra. Para medir los cuerpos de letra se dispone de un tipómetro, véase la figura. Para la medición se hace coincidir una letra mayúscula con la casilla cuyos extremos coinciden con los extremos super ior e inferior de la letra. Bajo la casilla se indica el cuer po de letra en puntos tipográficos Didot, y debajo en mm

1,33 mm (5 p), Zeilenabstand 1,94 mm

Le misure relative al corpo dei caratteri ve ngono generalmente indicate in punti tipo grafici. Il corpo dei caratteri Fototypes può essere determinato con esattezza per sempl ice misurazione. Tutti i caratteri di uguale grandezza in punti hanno, indipendenteme nte dalla loro lunghezza, uguale altezza d elle maiuscole. Nella composizione in pio mbo ed in molti altri sistemi di fotocompos izione, l'altezza delle maiuscole varia spes so da carattere a carattere. Per misurare il corpo dei caratteri è indispensabile un app

1,60 mm (6 p), Zeilenabstand 2,44 mm
WZ 16 E, NSW +1, V
BF 089 1119, Belegung 127: 085 1277 (095 1277)

In general bodytypes are measured in the typographical point size. The sizes of Bert hold-Fototype faces can be exactly deter mined. All faces of same point size have the same capital height–irrespective of their x-height. In hot metal and many other pho totypesetting systems the capital heights often differ considerably from one face to the other. For measuring point sizes, a t ransparent size gauge is provided. To dete

1,86 mm (7 p), Zeilenabstand 3,00 mm

schräg
oblique
italique

LUBALIN GRAPH

inclinada
corsivo
lutande

Måttangivelse för grundstilsgrader sker i allmänhet i typografiska punkter. Stilar av Berthold Fototype kan efter mätning exakt gradbestämmas. Alla typsnitt är av samma punktstorlek och har oberoende av x-höjden en identisk versalhöjd. I blysättning och i många andra fotosättsystem varierar versalhöjden avsevärt från typsnitt till typsnitt. För mätning av stilgrader finns en transparent mätlinjal. Vid mätningen placerar man en versal bokstav så att rutorna begränsar tecknet upptill och nedtill. Under rutorna finns stilstorlek

2,92 mm (11 p), Zeilenabstand 4,69 mm

Herb Lubalin
1981
International Typeface Corp.
H. Berthold AG

ABCDEFGHIJKLMNOPQ
RSTUVWXYZ
abcdefghijklmnopqrstuvwxyz
1/1234567890%
(.,-;:!¡?¿–)·(''„""»«)
+–=/$£†&§*
ÄÅÆÖØŒÜäåæıöøœßü
ÁÀÂÃÇČÉÈÊËÍÌÎÏĹŇÑÓÒÔÕ
ŔŘŠŤÚÙÛŴẄÝŶŸŽ
áàâãçčéèêëíìîïĺňñóòôõŕřš
úùûŵẅýỳÿž

Berthold-Schriftweite weit
Berthold-Schriftweite normal
Berthold-Schriftweite eng
Berthold-Schriftweite sehr eng
Berthold-Schriftweite extrem eng

In general, bodytypes are measured in the typographical point size. The sizes of Berthold Fototype faces can be exactly determined. All faces of same point size have the same capital height–irrespective of their x-height. In hot metal and many other phototypesetting systems the capital heights often differ considerably from one face to the other. For measuring point sizes, a transparent size gauge is provided. To determine the point size, br

3,20 mm (12 p), Zeilenabstand 5,25 mm

LUBALIN GRAPH SCHRÄG

Die Maßangabe zu Grundschriftgrößen erfolgt im allgemeinen in typographischen Punkten. Die Schriftgrößen der Berthold Fotosatz-Schriften sind nach Messung exakt bestimmbar. Alle Schriften gleicher Punktgröße weisen, unabhängig von der Höhe ihrer Mittellängen, eine identische Versalhöhe auf. Im Bleisatz und bei vielen anderen Fotosatz-Systemen differieren die Versalhöhen von Schrift zu Schrift oft erheblich Zum Messen von Schriftgrößen steht ein transparentes Größenmaß zur Verfügung. Zum Messen wird ein Versalbuchstabe mit dem Feld in Deckung gebracht, das den Buchstaben oben und unten scharf begrenzt. Unter dem Feld ist die Schriftgröße in typographischen Didot-Punkten, darunter in Millimetern angegeben. Auch die Milli

2,40 mm (9 p), Zeilenabstand 4 mm

LUBALIN GRAPH ITALIQUE

La valeur de la force de corps des caractères de labeur èst généralement exprimée en points typographiques. La force de corps des caractères Berthold Fototype peut être déterminée avec précision. Tous les caractères du même corps ont des capitales d'une hauteur identique, indépendamment de la hauteur des bas de casse sans jambage Dans la composition plomb, ainsi que dans certains systèmes de photocomposition, la hauteur des capitales, varie souvent d'un caractère à l'autre. Pour déterminer la force de corps de nos caractères, nous avons mis au point une réglette de hauteur d'œil transparent

2,65 mm (10 p), Zeilenabstand 4,50 mm

La indicación de las dimensiones para cuerpos de letra vásicos tiene lugar en general en puntos tipográficos. Los cuerpos de letra de los caracteres Berthold Fototype pueden determinarse exactemente par medición. Con independencia de la altura de sus longitudes centrales, todos los caracteres de idéntico cuerpo de letra presentan altura de mayúsculas idéntica. En la composición en plomo y en muchos otros sistemas de fotocomposición, las alturas de mayúsculas varían frecuentemmente en forma considerable de tipo de letra a tipo de letra. Para medir los cuerpos de letra se dispone de un

1,60 mm (6 p), Zeilenabstand 2,50 mm

Größe mm	p	Zeilenabstand kp	Êp	Ex	100 Zeichen 0	−1	−2
1,33	5	1,69	2,06	–	103	100	97
1,60	6	2,00	2,44	2,50	122	118	114
1,86	7	2,31	2,81	–	140	136	132
2,15	8	2,69	3,25	3,38	159	154	149
2,40	9	3,00	3,63	4,00	178	172	166
2,65	10	3,31	4,06	4,50	196	189	182
2,92	11	3,63	4,44	4,69	215	208	201
3,20	12	4,00	4,88	5,25	233	225	217
3,45	13	4,31	5,25	–	251	243	235
3,72	14	4,63	5,63	–	270	261	252
3,98	15	4,94	6,06	–	288	279	270
4,25	16	5,31	6,44	–	306	296	286

WZ 14 E, NSW 0, MZB 0,74, F 0,15:0,13 (1,2), V
H 1–x 0,75–k 1,00–p 0,24–Ê 1,27–kp 1,24–Êp 1,51
BF 089 1153, Belegung 051: 085 1273 (095 1273)

Le misure relative al corpo dei caratteri vengono generalmente indicate in punti tipografici. Il corpo dei caratteri Fototypes può essere determinato con esattezza per semplice misurazione. Tutti i caratteri di uguale grandezza in punti hanno, indipendentemente dalla loro lunghezza, uguale altezza delle maiuscole. Nella composizione in piombo ed

2,15 mm (8 p), Zeilenabstand 3,38 mm

halbfett
medium
demi-gras

LUBALIN GRAPH

seminegra
neretto
halvfet

Berthold-Schriften überzeugen durch Schärfe und Qualität. Schriftqualität ist eine Frage der Erfahru ng. Berthold hat diese Erfahrung seit über hundert Jahren. Zuerst im Schriftguß, dann im Fotosatz. Ber thold-Schriften sind weltweit geschätzt. Im Schrift enatelier München wird jeder Buchstabe in der Gr öße von zwölf Zentimetern neu gezeichnet. Mit me sserscharfen Konturen, um für die Schriftscheiben das Optimale an Konturenschärfe herauszuholen

1,60 mm (6 p), Zeilenabstand 2,50 mm

Berthold-Schriften überzeugen durch Schär fe und Qualität. Schriftqualität ist eine Frage der Erfahrung. Berthold hat diese Erfahrung seit über hundert Jahren. Zuerst im Schriftg uß, dann im Fotosatz. Berthold-Schriften sind weltweit geschätzt. Im Schriftenatelier Mün chen wird jeder Buchstabe in der Größe von zwölf Zentimetern neu gezeichnet. Mit mess

1,86 mm (7 p), Zeilenabstand 3,00 mm

Berthold-Schriften überzeugen durch Schärfe und Qualität. Schriftqualität ist eine Frage der Erfahrung. Berthold hat diese Erfahrung seit über hundert Jahr en. Zuerst im Schriftguß, dann im Fotos atz. Berthold-Schriften sind weltweit ge schätzt. Im Schriftenatelier München wird jeder Buchstabe in der Größe von

2,15 mm (8 p), Zeilenabstand 3,50 mm

Lubalin, Dispigna, Sundwald
1974
International Typeface Corp.
H. Berthold AG

ABCDEFGHIJKLMNOPQ
RSTUVWXYZ
abcdefghijklmnopqrstuvwxyz
1/1234567890%
(.,-;:!¡?¿–)·[",""»«]
+–=/$£†*&§
ÄÅÆÖØŒÜäåæıöøœßü
ÁÀÂÃÇČÉÈÊËÍÌÎÏĹŇÑÓÒÔÕ
ŔŘŠŤÚÙÛŴẄÝŶŸŽ
áàâãçčéèêëíìîïĺňñóòôõŕřš
úùûŵẅýỳÿž

Berthold-Schriftweite weit
Berthold-Schriftweite normal
Berthold-Schriftweite eng
Berthold-Schriftweite sehr eng
Berthold-Schriftweite extrem eng

In general, bodytypes are measured in the typogra phical point size. The sizes of Berthold Fototype faces can be exactly determine d. All faces of same point s ize have the same capital height–irrespective of the ir x-height. In hot metal an d many other phototypese tting systems the capital h eights often differ conside rably from one face to the other. For measuring point sizes, a transparent size gauge is provided. To dete rmine the point size, bring

3,20 mm (12 p), Zeilenabstand 5,25 mm

Berthold's quick brown fox jumps over the lazy dog and feels as if he we
3,75 mm (14 p)

Berthold's quick brown fox jumps over the lazy dog and feels as
4,25 mm (16 p)

Berthold's quick brown fox jumps over the lazy dog and
4,75 mm (18 p)

Berthold's quick brown fox jumps over the lazy dog
5,30 mm (20 p)

Berthold's quick brown fox jumps over the
6,35 mm (24 p)

Berthold's quick brown fox jumps ov
7,40 mm (28 p)

Berthold's quick brown fox jum
8,50 mm (32 p)

Berthold's quick brown fox j
9,55 mm (36 p)

Berthold-Schriften überzeugen du rch Schärfe und Qualität. Schriftq ualität ist eine Frage der Erfahrun g. Berthold hat diese Erfahrung seit über hundert Jahren. Zuerst im Sc hriftguß, dann im Fotosatz. Berthol d-Schriften sind weltweit geschätz t. Im Schriftenatelier München wird

2,40 mm (9 p), Zeilenabstand 4,00 mm

Größe mm	p	Zeilenabstand kp	Êp	Ex	100 Zeichen 0	–1	–2
1,00	5	1,00	2,00		100	07	04
1,60	6	2,00	2,44	2,50	118	114	110
1,86	7	2,31	2,81	3,00	136	132	128
2,15	8	2,69	3,25	3,50	154	149	144
2,40	9	3,00	3,63	4,00	172	166	160
2,65	10	3,31	4,06	4,00	190	183	176
2,92	11	3,63	4,44	–	208	201	194
3,20	12	4,00	4,88	5,25	226	218	210
3,45	13	4,31	5,25	–	243	235	227
3,72	14	4,63	5,63	–	261	252	243
3,98	15	4,94	6,06	–	279	270	261
4,25	16	5,31	6,44	–	296	286	276

WZ 15 E, NSW 0, MZB 0,72, F 0,18:0,15 (1,1), V
H 1–x 0,76–k 1,00–p 0,24–Ê 1,27–kp 1,24–Êp 1,51
BF 089 0497, Belegung 051: 085 4788 (095 4788)

Berthold-Schriften überzeugen durch Schärfe und Qualität. Sc hriftqualität ist eine Frage der Erfahrung. Berthold hat diese E rfahrung seit über hundert Jah ren. Zuerst im Schriftguß, dann im Fotosatz. Berthold-Schriften sind weltweit geschätzt. Im Sch

2,65 mm (10 p), Zeilenabstand 4,00 mm

schräg halbfett
medium oblique
oblique demi-gras

LUBALIN GRAPH

seminegra inclinada
neretto corsivo
halvfet lutande

Berthold-Schriften überzeugen durch Schärfe u nd Qualität. Schriftqualität ist eine Frage der Erf ahrung. Berthold hat diese Erfahrung seit über h undert Jahren. Zuerst im Schriftguß, dann im Fot osatz. Berthold-Schriften sind weltweit geschätz t. Im Schriftenatelier München wird jeder Buchst abe in der Größe von zwölf Zentimetern neu geze ichnet. Mit messerscharfen Konturen, um für die Schriftscheiben das Optimale an Konturenschä

1,60 mm (6 p), Zeilenabstand 2,50 mm

Berthold-Schriften überzeugen durch Sch ärfe und Qualität. Schriftqualität ist eine F rage der Erfahrung. Berthold hat diese Erf ahrung seit über hundert Jahren. Zuerst im Schriftguß, dann im Fotosatz. Berthold-Sch riften sind weltweit geschätzt. Im Schriften atelier München wird jeder Buchstabe in d er Größe von zwölf Zentimetern neu gezeic

1,86 mm (7 p), Zeilenabstand 3,00 mm

Berthold-Schriften überzeugen durch Schärfe und Qualität. Schriftqualität ist eine Frage der Erfahrung. Berthold hat diese Erfahrung seit über hundert Jahren. Zuerst im Schriftguß, dann im Fotosatz. Berthold-Schriften sind welt weit geschätzt. Im Schriftenatelier M ünchen wird jeder Buchstabe in der G

2,15 mm (8 p), Zeilenabstand 3,50 mm

Herb Lubalin
1981
International Typeface Corp.
H. Berthold AG

ABCDEFGHIJKLMNOPQ
RSTUVWXYZ
abcdefghijklmnopqrstuvwxyz
1/1234567890%
(.,-;:!¡?¿–)·(''„""»«)
+−=/$£†&§*
ÄÅÆÖØŒÜäåæıöøœßü
ÁÀÂÃÇČÉÈÊËÍÌÎÏĹŇÑÓÒÔÕ
ŔŘŠŤÚÙÛŴẄÝỲŸŽ
áàâãçčéèêëíìîïĺňñóòôõŕřš
úùûŵẅýỳÿž

Berthold-Schriftweite weit
Berthold-Schriftweite normal
Berthold-Schriftweite eng
Berthold-Schriftweite sehr eng
Berthold-Schriftweite extrem eng

In general, bodytypes ar e measured in the typogr aphical point size. The si zes of Berthold Fototype f aces can be exactly det ermined. All faces of sa me point size have the sa me capital height–irres pective of their x-height. I n hot metal and many ot her phototypesetting sy stems the capital heights often differ considerably from one face to the othe r. For measuring point siz es, a transparent size ga uge is provided. To deter

3,20 mm (12 p), Zeilenabstand 5,25 mm

Berthold's quick brown fox jumps over the lazy dog and feels as if he
3,72 mm (14 p)

Berthold's quick brown fox jumps over the lazy dog and feels
4,25 mm (16 p)

Berthold's quick brown fox jumps over the lazy dog an
4,75 mm (18 p)

Berthold's quick brown fox jumps over the lazy d
5,30 mm (20 p)

Berthold's quick brown fox jumps over th
6,35 mm (24 p)

Berthold's quick brown fox jumps o
7,40 mm (28 p)

Berthold's quick brown fox jum
8,50 mm (32 p)

Berthold's quick brown fox j
9,55 mm (36 p)

Berthold-Schriften überzeugen d urch Schärfe und Qualität. Schrif tqualität ist eine Frage der Erfahr ung. Berthold hat diese Erfahrun g seit über hundert Jahren. Zuerst im Schriftguß, dann im Fotosatz. B erthold-Schriften sind weltweit g eschätzt. Im Schriftenatelier Mü

2,40 mm (9 p), Zeilenabstand 4,00 mm

Größe		Zeilenabstand			100 Zeichen		
mm	p	kp	Êp	Ex	0	−1	−2
1,33	5	1,75	2,13	–	107	104	101
1,60	6	2,06	2,50	2,50	126	122	118
1,86	7	2,44	2,94	3,00	145	141	137
2,15	8	2,81	3,38	3,50	165	160	155
2,40	9	3,13	3,75	4,00	185	179	173
2,65	10	3,44	4,13	4,00	204	197	190
2,92	11	3,75	4,56	–	223	216	209
3,20	12	4,13	5,00	5,25	242	234	226
3,45	13	4,44	5,38	–	261	253	245
3,72	14	4,81	5,81	–	280	271	262
3,98	15	5,13	6,19	–	299	290	281
4,25	16	5,44	6,63	–	318	308	298

WZ 13 E, NSW 0, MZB 0,77, F 0,18:0,15 (1,2), V
H 1–x 0,76–k 1,00–p 0,28–Ê 1,27–kp 1,28–Êp 1,55
BF 089 1251, Belegung 051: 085 1274 (095 1274)

Berthold-Schriften überzeuge n durch Schärfe und Qualität Schriftqualität ist eine Frage der Erfahrung. Berthold hat di ese Erfahrung seit über hund ert Jahren. Zuerst im Schriftgu ß, dann im Fotosatz. Berthold Schriften sind weltweit gesch

2,65 mm (10 p), Zeilenabstand 4,00 mm

fett
bold
gras

LUBALIN GRAPH

negra
nero
fet

Berthold-Schriften überzeugen durch Schärfe und Qualität. Schriftqualität ist eine Frage der Erfahru ng. Berthold hat diese Erfahrung seit über hundert Jahren. Zuerst im Schriftguß, dann im Fotosatz. Be rthold-Schriften sind weltweit geschätzt. Im Schri ftenatelier München wird jeder Buchstabe in der Größe von zwölf Zentimetern neu gezeichnet. Mit messerscharfen Konturen, um für die Schriftschei ben das Optimale an Konturenschärfe herauszuh

1,60 mm (6 p), Zeilenabstand 2,50 mm

Berthold-Schriften überzeugen durch Schä rfe und Qualität. Schriftqualität ist eine Fra ge der Erfahrung. Berthold hat diese Erfahr ung seit über hundert Jahren. Zuerst im Sch riftguß, dann im Fotosatz. Berthold-Schriften sind weltweit geschätzt. Im Schriftenatelier München wird jeder Buchstabe in der Größe von zwölf Zentimetern neu gezeichnet. Mit

1,86 mm (7 p), Zeilenabstand 3,00 mm

Berthold-Schriften überzeugen durch Schärfe und Qualität. Schriftqualität ist eine Frage der Erfahrung. Berthold hat diese Erfahrung seit über hundert Jah ren. Zuerst im Schriftguß, dann im Foto satz. Berthold-Schriften sind weltweit geschätzt. Im Schriftenatelier Münch en wird jeder Buchstabe in der Größe

2,15 mm (8 p), Zeilenabstand 3,50 mm

Lubalin, Dispigna, Sundwald
1974
International Typeface Corp.
H. Berthold AG

ABCDEFGHIJKLMNOPQ
RSTUVWXYZ
abcdefghijklmnopqrstuvwxyz
1/1234567890%
(.,-;:!¡?¿–)·[",„"“»«]
+−=/$£†*&§
ÄÅÆÖØŒÜäåæıöøœßü
ÁÀÂÃÇČÉÈÊËÍÌÎÏĹŇÑÓÒÔÕ
ŔŘŠŤÚÙÛŴẄÝỲŸŽ
áàâãçčéèêëíìîïĺňñóòôõŕřš
úùûŵẅýỳÿž

Berthold-Schriftweite weit
Berthold-Schriftweite normal
Berthold-Schriftweite eng
Berthold-Schriftweite sehr eng
Berthold-Schriftweite extrem eng

In general, bodytypes are measured in the typogra phical point size. The size s of Berthold Fototype fac es can be exactly determ ined. All faces of same po int size have the same ca pital heigth–irrespective of their x-heigth. In hot m etal and many other pho totypesetting systems the capital heigths often diff er considerably from one face to the other. For mea suring point sizes a trans parent size gauge is provi ded. To determine the poi

3,20 mm (12 p), Zeilenabstand 5,25 mm

Berthold's quick brown fox jumps over the lazy dog and feels as if he w
3,75 mm (14 p)

Berthold's quick brown fox jumps over the lazy dog and feels a
4,25 mm (16 p)

Berthold's quick brown fox jumps over the lazy dog and
4,75 mm (18 p)

Berthold's quick brown fox jumps over the lazy do
5,30 mm (20 p)

Berthold's quick brown fox jumps over the
6,35 mm (24 p)

Berthold's quick brown fox jumps o
7,40 mm (28 p)

Berthold's quick brown fox jum
8,50 mm (32 p)

Berthold's quick brown fox j
9,55 mm (36 p)

Berthold-Schriften überzeugen d urch Schärfe und Qualität. Schrift qualität ist eine Frage der Erfahru ng. Berthold hat diese Erfahrung seit über hundert Jahren. Zuerst im Schriftguß, dann im Fotosatz. B erthold-Schriften sind weltweit ge schätzt. Im Schriftenatelier Münc

2,40 mm (9 p), Zeilenabstand 4,00 mm

Größe		Zeilenabstand			100 Zeichen		
mm	p	kp	Êp	Ex	0	−1	−2
1,33	5	1,69	2,06	—	101	98	95
1,60	6	2,00	2,50	2,50	119	115	111
1,86	7	2,38	2,94	3,00	137	133	129
2,15	8	2,69	3,38	3,50	156	151	146
2,40	9	3,00	3,75	4,00	175	169	163
2,65	10	3,31	4,13	4,00	193	186	179
2,92	11	3,69	4,56	—	211	204	197
3,20	12	4,00	5,00	5,25	229	221	213
3,45	13	4,31	5,38	—	246	238	230
3,72	14	4,69	5,81	—	264	255	246
3,98	15	5,00	6,19	—	282	273	264
4,25	16	5,31	6,63	—	300	290	280

WZ 15 E, NSW 0, MZB 0,73, F 0,23:0,16 (1,4), V
H 1–x 0,76–k 1,00–p 0,25–Ê 1,30–kp 1,25–Êp 1,55
BF 089 0498, Belegung 051: 085 4790 (095 4790)

Berthold-Schriften überzeugen durch Schärfe und Qualität. Sc hriftqualität ist eine Frage der Erfahrung. Berthold hat diese Erfahrung seit über hundert Ja hren. Zuerst im Schriftguß, dan n im Fotosatz. Berthold-Schrift en sind weltweit geschätzt. Im

2,65 mm (10 p), Zeilenabstand 4,00 mm

schräg fett
bold oblique
italique gras

LUBALIN GRAPH

negra inclinada
nero corsivo
kursiv lutande

Berthold-Schriften überzeugen durch Schärfe und Qualität. Schriftqualität ist eine Frage der Erfahr ung. Berthold hat diese Erfahrung seit über hunde rt Jahren. Zuerst im Schriftguß, dann im Fotosatz Berthold-Schriften sind weltweit geschätzt. Im Sc hriftenatelier München wird jeder Buchstabe in d er Größe von zwölf Zentimetern neu gezeichnet. M it messerscharfen Konturen, um für die Schriftsch eiben das Optimale an Konturenschärfe herausz

1,60 mm (6 p), Zeilenabstand 2,50 mm

Berthold-Schriften überzeugen durch Sch ärfe und Qualität. Schriftqualität ist eine Fr age der Erfahrung. Berthold hat diese Erfah rung seit über hundert Jahren. Zuerst im Sc hriftguß, dann im Fotosatz. Berthold-Schrif ten sind weltweit geschätzt. Im Schriftenat elier München wird jeder Buchstabe in der Größe von zwölf Zentimetern neu gezeichn

1,86 mm (7 p), Zeilenabstand 3,00 mm

Berthold-Schriften überzeugen durch Schärfe und Qualität. Schriftqualität i st eine Frage der Erfahrung. Berthold hat diese Erfahrung seit über hundert Jahren. Zuerst im Schriftguß, dann im Fotosatz. Berthold-Schriften sind welt weit geschätzt. Im Schriftenatelier Mü nchen wird jeder Buchstabe in der Grö

2,15 mm (8 p), Zeilenabstand 3,50 mm

Herb Lubalin
1981
International Typeface Corp.
H. Berthold AG

ABCDEFGHIJKLMNOPQ
RSTUVWXYZ
abcdefghijklmnopqrstuvwxyz
1/1234567890%
(.,-;:!¡?¿–)·[",""«»]
+–=/$£†*&§
ÄÅÆÖØŒÜäåæıöøœßü
ÁÀÂÃÇČÉÈÊËÍÌÎÏĹŇÑÓÒÔÕ
ŔŘŠŤÚÙÛŴẄÝŶŸŽ
áàâãçčéèêëíìîïĺňñóòôõŕřš
úùûŵẅýỳÿž

Berthold-Schriftweite weit
Berthold-Schriftweite normal
Berthold-Schriftweite eng
Berthold-Schriftweite sehr eng
Berthold-Schriftweite extrem eng

In general, bodytypes are measured in the typograp hical point size. The sizes of Berthold Fototype faces can be exactly determin ed. All faces of same point size have the same capit al height-irrespective of their x-height. In hot metal and many other phototyp esetting systems the capi tal heights often differ co nsiderably from one face to the other. For measurin g point sizes, a transpare nt size gauge is provided To determine the point si

3,20 mm (12 p), Zeilenabstand 5,25 mm

Berthold's quick brown fox jumps over the lazy dog and feels as if he w
3,72 mm (14 p)

Berthold's quick brown fox jumps over the lazy dog and feels
4,25 mm (16 p)

Berthold's quick brown fox jumps over the lazy dog and
4,75 mm (18 p)

Berthold's quick brown fox jumps over the lazy do
5,30 mm (20 p)

Berthold's quick brown fox jumps over the
6,35 mm (24 p)

Berthold's quick brown fox jumps o
7,40 mm (28 p)

Berthold's quick brown fox jum
8,50 mm (32 p)

Berthold's quick brown fox
9,55 mm (36 p)

Berthold-Schriften überzeugen d urch Schärfe und Qualität. Schrift qualität ist eine Frage der Erfahru ng. Berthold hat diese Erfahrung s eit über hundert Jahren. Zuerst im Schriftguß, dann im Fotosatz. Bert hold-Schriften sind weltweit gesc hätzt. Im Schriftenatelier Münche

2,40 mm (9 p), Zeilenabstand 4,00 mm

Größe		Zeilenabstand			100 Zeichen		
mm	p	kp	Êp	Ex	0	–1	–2
1,33	5	1,75	2,19	–	107	104	101
1,60	6	2,13	2,63	2,50	126	122	118
1,86	7	2,44	3,06	3,00	145	141	137
2,15	8	2,81	3,56	3,50	165	160	155
2,40	9	3,13	3,94	4,00	185	179	173
2,65	10	3,50	4,38	4,00	204	197	190
2,92	11	3,81	4,81	–	223	216	209
3,20	12	4,19	5,25	5,25	242	234	226
3,45	13	4,50	5,63	–	261	253	245
3,72	14	4,88	6,13	–	280	271	262
3,98	15	5,19	6,50	–	299	290	281
4,25	16	5,56	6,94	–	318	308	298

WZ 13 E, NSW 0, MZB 0,77, F 0,23:0,06 (3,6), V
H 1–x 0,76–k 1,01–p 0,29–Ê 1,34–kp 1,30–Êp 1,63
BF 089 1167, Belegung 051: 085 1275 (095 1275)

Berthold-Schriften überzeugen durch Schärfe und Qualität. Sc hriftqualität ist eine Frage der Erfahrung. Berthold hat diese Erfahrung seit über hundert Ja hren. Zuerst im Schriftguß, dan n im Fotosatz. Berthold-Schrift en sind weltweit geschätzt. Im

2,65 mm (10 p), Zeilenabstand 4,00 mm

mager
light
maigre

LYNTON

fina
chiarissimo
mager

Berthold-Schriften überzeugen durch Schärfe und Qualität. Schriftqu
alität ist eine Frage der Erfahrung. Berthold hat diese Erfahrung seit üb
er hundert Jahren. Zuerst im Schriftguß, dann im Fotosatz. Berthold-S
chriften sind weltweit geschätzt. Im Schriftenatelier München wird jed
er Buchstabe in der Größe von zwölf Zentimetern neu gezeichnet. Mit
messerscharfen Konturen, um für die Schriftscheiben das Optimale an
Konturenschärfe herauszuholen. Um die Qualität des Einzelzeichens i
m Belichtungsvorgang zu bewahren, wird durch die ruhende, nicht rot
ierende Schriftscheibe belichtet. Dieses optische System, verbunden

1,33 mm (5 p) 20 30 40 50 60

Berthold-Schriften überzeugen durch Schärfe und Qualität. Schri
ftqualität ist eine Frage der Erfahrung. Berthold hat diese Erfahru
ng seit über hundert Jahren. Zuerst im Schriftguß, dann im Fotosat
z. Berthold-Schriften sind weltweit geschätzt. Im Schriftenatelier
München wird jeder Buchstabe in der Größe von zwölf Zentimete
rn neu gezeichnet. Mit messerscharfen Konturen, um für die Schri
ftscheiben das Optimale an Konturenschärfe herauszuholen. Um
die Qualität des Einzelzeichens im Belichtungsvorgang zu bewahr
en, wird durch die ruhende, nicht rotierende Schriftscheibe belich

1,45 mm (5,5 p) 20 30 40 50 60

Berthold-Schriften überzeugen durch Schärfe und Qualität
Schriftqualität ist eine Frage der Erfahrung. Berthold hat die
se Erfahrung seit über hundert Jahren. Zuerst im Schriftguß
dann im Fotosatz. Berthold-Schriften sind weltweit geschät
zt. Im Schriftenatelier München wird jeder Buchstabe in der
Größe von zwölf Zentimetern neu gezeichnet. Mit messersc
harfen Konturen, um für die Schriftscheiben das Optimale a
n Konturenschärfe herauszuholen. Um die Qualität des Ein
zelzeichens im Belichtungsvorgang zu bewahren, wird durch

1,60 mm (6 p) 20 30 40 50

Berthold-Schriften überzeugen durch Schärfe und Qu
alität. Schriftqualität ist eine Frage der Erfahrung. Bert
hold hat diese Erfahrung seit über hundert Jahren. Zuer
st im Schriftguß, dann im Fotosatz. Berthold-Schriften
sind weltweit geschätzt. Im Schriftenatelier München w
ird jeder Buchstabe in der Größe von zwölf Zentimeter
n neu gezeichnet. Mit messerscharfen Konturen, um für
die Schriftscheiben das Optimale an Konturenschärfe h
erauszuholen. Um die Qualität des Einzelzeichens im B

1,75 mm (6,5 p) 20 30 40 50

Berthold-Schriften überzeugen durch Schärfe und Q
ualität. Schriftqualität ist eine Frage der Erfahrung. B
erthold hat diese Erfahrung seit über hundert Jahren
Zuerst im Schriftguß, dann im Fotosatz. Berthold-Sch
riften sind weltweit geschätzt. Im Schriftenatelier Mü
nchen wird jeder Buchstabe in der Größe von zwölf
Zentimetern neu gezeichnet. Mit messerscharfen Kon
turen, um für die Schriftscheiben das Optimale an Ko
nturenschärfe herauszuholen. Um die Qualität des E

1,86 mm (7 p) 20 30 40 5

Berthold-Schriften überzeugen durch Schärfe un
d Qualität. Schriftqualität ist eine Frage der Erfah
rung. Berthold hat diese Erfahrung seit über hun
dert Jahren. Zuerst im Schriftguß, dann im Fotosa
tz. Berthold-Schriften sind weltweit geschätzt. Im
Schriftenatelier München wird jeder Buchstabe in
der Größe von zwölf Zentimetern neu gezeichnet
Mit messerscharfen Konturen, um für die Schrifts
cheiben das Optimale an Konturenschärfe heraus

2,00 mm (7,5 p) 20 30 40

Berthold-Schriften überzeugen durch Schärfe
und Qualität. Schriftqualität ist eine Frage der
Erfahrung. Berthold hat diese Erfahrung seit ü
ber hundert Jahren. Zuerst im Schriftguß, dann
im Fotosatz. Berthold-Schriften sind weltweit
geschätzt. Im Schriftenatelier München wird je
der Buchstabe in der Größe von zwölf Zentim
etern neu gezeichnet. Mit messerscharfen Kont
uren, um für die Schriftscheiben das Optimale

2,15 mm (8 p) 20 30 40

Leslie Usherwood
1980
Typesettra
H. Berthold AG

ABCDEFGHIJKLMNOPQ
RSTUVWXYZ
abcdefghijklmnopqrstuvwxyz
1/1234567890%
(.,-;:!¡?¿–)·[‘‘„”“»«]
+–=/$£†*&§
ÄAÆÖØŒÜäåæıöøœßü
ÁÀÂÃÇČÉÈÊËÍÌÎÏĹŇÑÓÒÔÕ
ŔŘŠŤÚÙÛŴẄÝŶŸŽ
áàâãçčéèêëíìîïĺňñóòôõŕřš
úùûŵẅýỳÿž

Berthold-Schriftweite weit
Berthold-Schriftweite normal
Berthold-Schriftweite eng
Berthold-Schriftweite sehr eng
Berthold-Schriftweite extrem eng

Berthold
3,72 mm (14 p)

Berthold
4,25 mm (16 p)

Berthold
4,75 mm (18 p)

Berthold
5,30 mm (20 p)

Berthold
6,35 mm (24 p)

Berthold
7,40 mm (28 p)

Berthold
8,50 mm (32 p)

Berthold
9,55 mm (36 p)

Größe mm	p	Zeilenabstand kp	Êp	Ex	100 Zeichen 0	−1	−2
1,33	5	1,88	2,13	2,00	83	80	77
1,60	6	2,25	2,56	2,50	98	94	90
1,86	7	2,63	2,94	3,00	113	109	105
2,15	8	3,00	3,44	3,50	128	123	118
2,40	9	3,38	3,81	3,75	143	137	131
2,65	10	3,69	4,19	4,25	158	151	144
2,92	11	4,06	4,63	4,75	173	166	159
3,20	12	4,44	5,06	5,25	188	180	172
3,45	13	4,81	5,50	5,75	202	194	186
3,72	14	5,19	5,88	–	217	208	199
3,98	15	5,50	6,31	–	232	223	214
4,25	16	5,88	6,75	–	246	236	226

WZ 13 E, NSW 0, MZB 0,60, F 0,10:0,05 (2,1), II
H 1–x 0,63–k 1,08–p 0,30–Ê 1,28–kp 1,38–Êp 1,58
BF 089 0932, Belegung 051: 085 0427 (095 0427)

Berthold-Schriften überzeugen durch Sch
ärfe und Qualität. Schriftqualität ist eine
Frage der Erfahrung. Berthold hat diese E
rfahrung seit über hundert Jahren. Zuerst
im Schriftguß, dann im Fotosatz. Berthold
Schriften sind weltweit geschätzt. Im Schr
iftenatelier München wird jeder Buchstab
e in der Größe von zwölf Zentimetern neu

2,40 mm (9 p) 20 30 4

Berthold-Schriften überzeugen durch
Schärfe und Qualität. Schriftqualität i
st eine Frage der Erfahrung. Berthold
hat diese Erfahrung seit über hundert
Jahren. Zuerst im Schriftguß, dann im
Fotosatz. Berthold-Schriften sind welt
weit geschätzt. Im Schriftenatelier Mü
nchen wird jeder Buchstabe in der Gr

2,65 mm (10 p) 20 30

Berthold-Schriften überzeugen du
rch Schärfe und Qualität. Schriftqu
alität ist eine Frage der Erfahrung
Berthold hat diese Erfahrung seit ü
ber hundert Jahren. Zuerst im Schr
iftguß, dann im Fotosatz. Berthold
Schriften sind weltweit geschätzt. I
m Schriftenatelier München wird j

2,92 mm (11 p) 10 20 30

Berthold-Schriften überzeugen
durch Schärfe und Qualität. Sch
riftqualität ist eine Frage der Erf
ahrung. Berthold hat diese Erfa
hrung seit über hundert Jahren
Zuerst im Schriftguß, dann im F
otosatz. Berthold-Schriften sind
weltweit geschätzt. Im Schriften

3,20 mm (12 p) 10 20 3

Berthold-Schriften überzeug
en durch Schärfe und Qualitä
t. Schriftqualität ist eine Frage
der Erfahrung. Berthold hat
diese Erfahrung seit über hun
dert Jahren. Zuerst im Schrift
guß, dann im Fotosatz. Berth
old-Schriften sind weltweit ge

3,45 mm (13 p) 10 20

mager
light
maigre

LYNTON

fina
chiarissimo
mager

Berthold-Schriften überzeugen durch Schärfe und Qualität. Schriftqualität ist eine Frage der Erfahrung. Berthold hat diese Erfahrung seit über hundert Jahren. Zuerst im Schriftguß, dann im Fotosatz. Berthold-Schriften sind welt weit geschätzt. Im Schriftenatelier München wird jeder Buchstabe in der Gr öße von zwölf Zentimetern neu gezeichnet. Mit messerscharfen Konturen, u m für die Schriftscheiben das Optimale an Konturenschärfe herauszuholen Um die Qualität des Einzelzeichens im Belichtungsvorgang zu bewahren, wi rd durch die ruhende, nicht rotierende Schriftscheibe belichtet. Dieses optisc he System, verbunden mit Präzisions-Chromglasscheiben, führt zu einer Sch

4,25 mm (16 p), Zeilenabstand 6,75 mm

LYNTON LIGHT

In general, bodytypes are measured in the typogra phical point size. The sizes of Berthold Fototype fa ces can be exactly determined. All faces of same po int size have the same capital height–irrespective of their x-height. In hot metal and many other photo typesetting systems the capital heights often differ considerably from one face to the other. For measu ring point sizes, a transparent size gauge is provided To determine the point size, bring a capital letter in to coincidence with that field which precisely circu mscribes the letter at its upper and lower margin. B elow the field you find the typographical point and below that the millimeter value, which also refers to the height of a capital letter. In Berthold-phototype setting, the typewidth can be modified. The standa rd setting width of typefaces is determined by the p rinciple of optimum legibility. You should not dep art from this typewidth without cogent reason. A t ypeface which is considered optically right when lo oked in a greater context, often seems bulky when applied for a small amount of text, e. g. labels and a ds. Here, a width reduction will be conducive to le

2,40 mm (9 p), Zeilenabstand 4,25 mm

LYNTON MAIGRE

La valeur de la force de corps des caractères de labeur èst généralement exprimée en points ty pographiques. La force de corps des caractères Berthold-Fototype peut être déterminée avec p récision. Tous les caractères du même corps so nt des capitales d'une hauteur identique, indép endamment de la hauteur des bas de casse san s jambage. Dans la composition plomb, ainsi q ue dans certains systèmes de photocompositio n, la hauteur des capitales, varie souvent d'un c aractère à l'autre. Pour déterminer la force de c orps de nos caractères, nous avons mis au poin t une réglette de hauteur d'œil transparente. O n cherche le rectangle qui délimite exactement la hauteur d'œil d'une capitale du caractère ch oisi. Sous le rectangle correspondant la valeur de la force de corps est indiquée en points Did ots et en millimètres. La valeur en millimètres exprime également la hauteur des capitales. Po ur toutes les indications concernant la force de

2,65 mm (10 p), Zeilenabstand 4,69 mm

La indicación de las dimensiones para cuerpos de letra vásicos tiene lugar en general en puntos tipo gráficos. Los cuerpos de letra de los caracteres Be rthold Fototype pueden determinarse exactemen te par medición. Con independencia de la altura de sus longitudes centrales, todos los caracteres d e idéntico cuerpo de letra presentan altura de m ayúsculas idéntica. En la composición en plomo y en muchos otros sistemas de fotocomposición, la

2,15 mm (8 p), –1, Zeilenabstand 3,38 mm

123,– $	456,– £	7890,– DM	1 %
234,– $	789,– £	1234,– DM	2 %
567,– $	12,– £	5678,– DM	3 %
890,– $	345,– £	9012,– DM	4 %
123,– $	678,– £	3456,– DM	5 %
456,– $	901,– £	7890,– DM	6 %
789,– $	234,– £	1234,– DM	7 %
12,– $	567,– £	5678,– DM	8 %
345,– $	890,– £	9012,– DM	9 %

BF 089 0933

Le misure relative al corpo dei caratteri vengono ge neralmente indicate in punti tipografici. Il corpo dei caratteri Fototypes può essere determinato con esat tezza per semplice misurazione. Tutti i caratteri di u guale grandezza in punti hanno, indipendentement e dalla loro lunghezza, uguale altezza delle maiusco le. Nella composizione in piombo ed in molti altri sis temi di fotocomposizione, l'altezza delle maiuscole v aria spesso da carattere a carattere. Per misurare il c

2,15 mm (8 p), –2, Zeilenabstand 3,38 mm

kursiv mager
light italic
italique maigre

LYNTON

fina cursiva
chiarissimo corsivo
kursiv mager

Måttangivelse för grundstilsgrader sker i allmänhet i typografiska pun kter. Stilar av Berthold Fototype ka n efter mätning exakt gradbestäm mas. Alla typsnitt är av samma pu nktstorlek och har oberoende av x höjden en identisk versalhöjd. I bly sättning och i många andra fotosät tsystem varierar versalhöjden avse värt från typsnitt till typsnitt. För m ätning av stilgrader finns en transp arent mätlinjal. Vid mätningen pla cerar man en versal bokstav så att rutorna begränsar tecknet upptill och nedtill. Under rutorna finns stil storleken i typografiska didotpunk ter och i mm. Även millimeteruppgi ften avser versalhöjden. Vid stilsto rleksuppgifter anges alltid måttenh

2,92 mm (11 p), Zeilenabstand 4,69 mm

Leslie Usherwood
1980
Typesettra
H. Berthold AG

ABCDEFGHIJKLMNOPQ
RSTUVWXYZ
abcdefghijklmnopqrstuvwxyz
1/1234567890%
(.,-;:!¡?¿–)·[‘‚„”“»«]
+–=/$£†&§*
ÄÅÆÖØŒÜäåæıöøœßü
ÁÀÂÃÇČÉÈÊËÍÌÎÏĹŇÑÓÒÔÕ
ŔŘŠŤÚÙÛŴẄÝỲŶŸŽ
áàâãçčéèêëíìîïĺňñóòôõŕřš
úùûŵẅýỳÿž

Berthold-Schriftweite weit
Berthold-Schriftweite normal
Berthold-Schriftweite eng
Berthold-Schriftweite sehr eng
Berthold-Schriftweite extrem eng

In general, bodytypes are measu red in the typographical point si ze. The sizes of Berthold Fototy pe faces can be exactly determin ed. All faces of same point size have the same capital height–irr espective of their x-height. In hot metal and many other phototyp esetting systems the capital heig hts often differ considerably fr om one face to the other. For me asuring point sizes, a transpare nt size gauge is provided. To det ermine the point size, bring a ca pital letter into coincidence with that field which precisely circum scribes the letter at its upper and

3,20 mm (12 p), Zeilenabstand 5,25 mm

LYNTON KURSIV MAGER

Die Maßangabe zu Grundschriftgrößen erfolgt im allgemeinen in typographischen Punkten. Die Schrif tgrößen der Berthold-Fotosatz-Schriften sind nach Messung exakt bestimmbar. Alle Schriften gleicher Punktgröße weisen, unabhängig von der Höhe ihrer Mittellängen, eine identische Versalhöhe auf. Im Ble isatz und bei vielen anderen Fotosatz-Systemen diff erieren die Versalhöhen von Schrift zu Schrift oft er heblich. Zum Messen von Schriftgrößen steht ein tra nsparentes Größenmaß zur Verfügung Zum Messe n wird ein Versalbuchstabe mit dem Feld in Deckung gebracht, das den Buchstaben oben und unten scharf begrenzt. Unter dem Feld ist die Schriftgröße in typ ographischen Didot-Punkten, darunter in Millimete rn angegeben. Auch die Millimeterangaben beziehen sich auf die Höhe der Versalbuchstaben. Die Schrift weite kann im Berthold-Fotosatz beliebig verändert werden. Die Festlegung der Normalschriftweite erfo

2,40 mm (9 p), Zeilenabstand 4 mm

LYNTON ITALIQUE MAIGRE

La valeur de la force de corps des caractères de labeur èst généralement exprimée en points ty pographiques. La force de corps des caractères Berthold-Fototype peut être déterminée avec précision. Tous les caractères du même corps ont des capitales d'une hauteur identique, indé pendamment de la hauteur des bas de casse sans jambage. Dans la composition plomb, ain si que dans certains systèmes de photocomposi tion, la hauteur des capitales, varie souvent d'un caractère à l'autre. Pour déterminer la force de corps de nos caractères, nous avons mis au point une réglette de hauteur d'œil transparente On cherche le rectangle qui délimite exactement la hauteur d'œil d'une capitale du caractère choi si. Sous le rectangle correspondant la valeur de

2,65 mm (10 p), Zeilenabstand 4,50 mm

La indicación de las dimensiones para cuerpos de letra vásicos tiene lugar en general en puntos tipográficos. Los cuerpos de le tra de los caracteres Berthold Fototype pueden determinarse exactemente par medición. Con independencia de la altura de sus longitudes centrales, todos los caracteres de idéntico cuer po de letra presentan altura de mayúsculas idéntica. En la com posición en plomo y en muchos otros sistemas de fotocomposi ción, las alturas de mayúsculas varían frecuentemmente en for ma considerable de tipo de letra a tipo de letra. Para medir los cuerpos de letra se dispone de un tipómetro, véase la figura. Pa ra la medición se hace coincidir una letra mayúscula con la ca silla cuyos extremos coinciden con los extremos superior e infe

1,60 mm (6 p), Zeilenabstand 2,50 mm

Größe		Zeilenabstand			100 Zeichen		
mm	p	kp	Êp	Ex	0	–1	–2
1,33	5	1,75	2,13	–	83	80	77
1,60	6	2,13	2,56	2,50	98	94	90
1,86	7	2,44	3,00	–	113	109	105
2,15	8	2,88	3,44	3,38	128	123	118
2,40	9	3,19	3,88	4,00	143	137	131
2,65	10	3,50	4,25	4,50	158	151	144
2,92	11	3,88	4,69	4,69	173	166	159
3,20	12	4,25	5,13	5,25	188	180	172
3,45	13	4,56	5,56	–	202	194	186
3,72	14	4,88	6,00	–	217	208	199
3,98	15	5,25	6,38	–	232	223	214
4,25	16	5,63	6,81	–	246	236	226

WZ 12 E, NSW 0, MZB 0,60, F 0,09:0,05 (1,8), II
H 1–x 0,63–k 1,00–p 0,31–Ê 1,29–kp 1,31–Êp 1,60
BF 089 0934, Belegung 051: 085 1090 (095 1090)

Le misure relative al corpo dei caratteri vengono generalmente indicate in punti tipografici. Il cor po dei caratteri Fototypes può essere determina to con esattezza per semplice misurazione. Tutti i caratteri di uguale grandezza in punti hanno indipendentemente dalla loro lunghezza, uguale altezza delle maiuscole. Nella composizione in piombo ed in molti altri sistemi di fotocomposi zione, l'altezza delle maiuscole varia spesso da

2,15 mm (8 p), Zeilenabstand 3,38 mm

normal
regular
normal

LYNTON

normal
chiaro tondo
normal

Leslie Usherwood
1981
Typesettra
H. Berthold AG

Berthold-Schriften überzeugen durch Schärfe und Qualität. Schrift
qualität ist eine Frage der Erfahrung. Berthold hat diese Erfahrung s
eit über hundert Jahren. Zuerst im Schriftguß, dann im Fotosatz. Bert
hold-Schriften sind weltweit geschätzt. Im Schriftenatelier Münche
n wird jeder Buchstabe in der Größe von zwölf Zentimetern neu gez
eichnet. Mit messerscharfen Konturen, um für die Schriftscheiben d
as Optimale an Konturenschärfe herauszuholen. Um die Qualität des
Einzelzeichens im Belichtungsvorgang zu bewahren, wird durch die
ruhende, nicht rotierende Schriftscheibe belichtet. Dieses optische

1,33 mm (5 p) 20 30 40 50 60

Berthold-Schriften überzeugen durch Schärfe und Qualität. Sc
hriftqualität ist eine Frage der Erfahrung. Berthold hat diese Er
fahrung seit über hundert Jahren. Zuerst im Schriftguß, dann im
Fotosatz. Berthold-Schriften sind weltweit geschätzt. Im Schrif
tenatelier München wird jeder Buchstabe in der Größe von zw
ölf Zentimetern neu gezeichnet. Mit messerscharfen Konturen,
um für die Schriftscheiben das Optimale an Konturenschärfe h
erauszuholen. Um die Qualität des Einzelzeichens im Belichtun
gsvorgang zu bewahren, wird durch die ruhende, nicht rotiere

1,45 mm (5,5 p) 20 30 40 50 60

Berthold-Schriften überzeugen durch Schärfe und Qualit
ät. Schriftqualität ist eine Frage der Erfahrung. Berthold h
at diese Erfahrung seit über hundert Jahren. Zuerst im Sch
riftguß, dann im Fotosatz. Berthold-Schriften sind weltw
eit geschätzt. Im Schriftenatelier München wird jeder Bu
chstabe in der Größe von zwölf Zentimetern neu gezeich
net. Mit messerscharfen Konturen, um für die Schriftsche
iben das Optimale an Konturenschärfe herauszuholen. U
m die Qualität des Einzelzeichens im Belichtungsvorgang

1,60 mm (6 p) 20 30 40 50

Berthold-Schriften überzeugen durch Schärfe und Q
ualität. Schriftqualität ist eine Frage der Erfahrung. B
erthold hat diese Erfahrung seit über hundert Jahren
Zuerst im Schriftguß, dann im Fotosatz. Berthold-Sch
riften sind weltweit geschätzt. Im Schriftenatelier Mü
nchen wird jeder Buchstabe in der Größe von zwölf Z
entimetern neu gezeichnet. Mit messerscharfen Kont
uren, um für die Schriftscheiben das Optimale an Kon
turenschärfe herauszuholen. Um die Qualität des Ein

1,75 mm (6,5 p) 20 30 40 50

Berthold-Schriften überzeugen durch Schärfe und
Qualität. Schriftqualität ist eine Frage der Erfahru
ng. Berthold hat diese Erfahrung seit über hundert
Jahren. Zuerst im Schriftguß, dann im Fotosatz. Ber
thold-Schriften sind weltweit geschätzt. Im Schrift
enatelier München wird jeder Buchstabe in der Gr
öße von zwölf Zentimetern neu gezeichnet. Mit me
sserscharfen Konturen, um für die Schriftscheiben
das Optimale an Konturenschärfe herauszuholen

1,86 mm (7 p) 20 30 40 50

Berthold-Schriften überzeugen durch Schärfe
und Qualität. Schriftqualität ist eine Frage der E
rfahrung. Berthold hat diese Erfahrung seit übe
r hundert Jahren. Zuerst im Schriftguß, dann im
Fotosatz. Berthold-Schriften sind weltweit ge
schätzt. Im Schriftenatelier München wird jeder
Buchstabe in der Größe von zwölf Zentimetern
neu gezeichnet. Mit messerscharfen Konturen
um für die Schriftscheiben das Optimale an Ko

2,00 mm (7,5 p) 20 30 40

Berthold-Schriften überzeugen durch Schär
fe und Qualität. Schriftqualität ist eine Frage
der Erfahrung. Berthold hat diese Erfahrung
seit über hundert Jahren. Zuerst im Schriftgu
ß, dann im Fotosatz. Berthold-Schriften sin
d weltweit geschätzt. Im Schriftenatelier Mü
nchen wird jeder Buchstabe in der Größe von
zwölf Zentimetern neu gezeichnet. Mit mess
erscharfen Konturen, um für die Schriftschei

2,15 mm (8 p) 20 30 40

ABCDEFGHIJKLMNOPQ
RSTUVWXYZ
abcdefghijklmnopqrstuvwxyz
1/1234567890%
(.,-;:!¡?¿–)·[“„”“»«]
+−=/$£†*&§
ÄÅÆÖØŒÜäåæıöøœßü
ÁÀÂÃÇČÉÈÊËÍÌÎÏĹŇÑÓÒÔÕ
ŔŘŠŤÚÙÛŴẄÝŶŸŽ
áàâãçčéèêëíìîïĺňñóòôõŕřš
úùûŵẅýỳÿž

Berthold-Schriftweite weit
Berthold-Schriftweite normal
Berthold-Schriftweite eng
Berthold-Schriftweite sehr eng
Berthold-Schriftweite extrem eng

Berthold
3,72 mm (14 p)

Berthold
4,25 mm (16 p)

Berthold
4,75 mm (18 p)

Berthold
5,30 mm (20 p)

Berthold
6,35 mm (24 p)

Berthold
7,40 mm (28 p)

Berthold
8,50 mm (32 p)

Berthold
9,55 mm (36 p)

Größe mm	p	Zeilenabstand kp	Êp	Ex	100 Zeichen 0	−1	−2
1,33	5	1,88	2,19	2,00	83	80	77
1,60	6	2,25	2,63	2,50	98	94	90
1,86	7	2,63	3,06	3,00	113	109	105
2,15	8	3,06	3,50	3,50	128	123	118
2,40	9	3,38	3,94	3,75	143	137	131
2,65	10	3,75	4,31	4,25	158	151	144
2,92	11	4,13	4,75	4,75	173	166	159
3,20	12	4,50	5,19	5,25	188	180	172
3,45	13	4,88	5,63	5,75	202	194	186
3,72	14	5,25	6,06	–	217	208	199
3,98	15	5,63	6,50	–	232	223	214
4,25	16	6,00	6,94	–	246	236	226

WZ 12 E, NSW 0, MZB 0,60, F 0,13:0,066 (1,9), II
H 1–x 0,64–k 1,07–p 0,33–Ê 1,29–kp 1,40–Êp 1,62
BF 089 1007, Belegung 051: 085 0944 (095 0944)

Berthold-Schriften überzeugen durch S
chärfe und Qualität. Schriftqualität ist ei
ne Frage der Erfahrung. Berthold hat di
ese Erfahrung seit über hundert Jahren
Zuerst im Schriftguß, dann im Fotosatz
Berthold-Schriften sind weltweit gesch
ätzt. Im Schriftenatelier München wird j
eder Buchstabe in der Größe von zwölf

2,40 mm (9 p) 20 30

Berthold-Schriften überzeugen dur
ch Schärfe und Qualität. Schriftqual
ität ist eine Frage der Erfahrung. Ber
thold hat diese Erfahrung seit über
hundert Jahren. Zuerst im Schriftg
uß, dann im Fotosatz. Berthold-Schr
iften sind weltweit geschätzt. Im Sc
hriftenatelier München wird jeder

2,65 mm (10 p) 20 30

Berthold-Schriften überzeugen
durch Schärfe und Qualität. Schr
iftqualität ist eine Frage der Erfah
rung. Berthold hat diese Erfahru
ng seit über hundert Jahren. Zuer
st im Schriftguß, dann im Fotosat
z. Berthold-Schriften sind weltw
eit geschätzt. Im Schriftenatelier

2,92 mm (11 p) 20 30

Berthold-Schriften überzeug
en durch Schärfe und Qualität
Schriftqualität ist eine Frage d
er Erfahrung. Berthold hat die
se Erfahrung seit über hundert
Jahren. Zuerst im Schriftguß d
ann im Fotosatz. Berthold-Sch
riften sind weltweit geschätzt

3,20 mm (12 p) 10 20 30

Berthold-Schriften überzeu
gen durch Schärfe und Qual
ität. Schriftqualität ist eine F
rage der Erfahrung. Bertho
ld hat diese Erfahrung seit ü
ber hundert Jahren. Zuerst i
m Schriftguß, dann im Foto
satz. Berthold-Schriften sind

3,45 mm (13 p) 10 20

normal
regular
normal

LYNTON

normal
chiaro tondo
normal

Berthold-Schriften überzeugen durch Schärfe und Qualität. Schriftqualit ät ist eine Frage der Erfahrung. Berthold hat diese Erfahrung seit über hu ndert Jahren. Zuerst im Schriftguß, dann im Fotosatz. Berthold-Schriften sind weltweit geschätzt. Im Schriftenatelier München wird jeder Buchsta be in der Größe von zwölf Zentimetern neu gezeichnet. Mit messerscha rfen Konturen, um für die Schriftscheiben das Optimale an Konturensch ärfe herauszuholen. Um die Qualität des Einzelzeichens im Belichtungsv organg zu bewahren, wird durch die ruhende, nicht rotierende Schriftsch eibe belichtet. Dieses optische System, verbunden mit Präzisions-Chrom

4,25 mm (16 p), Zeilenabstand 6,75 mm

LYNTON REGULAR

In general, bodytypes are measured in the typogr aphical point size. The sizes of Berthold Fototype faces can be exactly determined. All faces of same point size have the same capital height–irrespecti ve of their x-height. In hot metal and many other phototypesetting systems the capital heights ofte n differ considerably from one face to the other. F or measuring point sizes, a transparent size gauge is provided. To determine the point size, bring a c apital letter into coincidence with that field which precisely circumscribes the letter at its upper and lower margin. Below the field you find the typogr aphical point and below that the millimeter value which also refers to the height of a capital letter. In Berthold-phototypesetting, the typewidth can be modified. The standard setting width of typefaces is determined by the principle of optimum legibili ty. You should not depart from this typewidth wit hout cogent reason. A typeface which is conside red optically right when looked in a greater conte xt, often seems bulky when applied for a small am ount of text, e. g. labels and ads. Here, a width red

2,40 mm (9 p), Zeilenabstand 4,25 mm

LYNTON NORMAL

La valeur de la force de corps des caractères de labeur èst généralement exprimée en poi nts typographiques. La force de corps des car actères Berthold-Fototype peut être détermi née avec précision. Tous les caractères du m ême corps ont des capitales d'une hauteur identique, indépendamment de la hauteur d es bas de casse sans jambage. Dans la compo sition plomb, ainsi que dans certains syst èmes de photocomposition, la hauteur des c apitales, varie souvent d'un caractère à l'autr e. Pour déterminer la force de corps de nos ca ractères, nous avons mis au point une réglet te de hauteur d'œil transparente. On cherche le rectangle qui délimite exactement la haut eur d'œil d'une capitale du caractère choisi. S ous le rectangle correspondant la valeur de la force de corps est indiquée en points Didots et en millimètres. La valeur en millimètres ex prime également la hauteur des capitales. Po

2,65 mm (10 p), Zeilenabstand 4,69 mm

La indicación de las dimensiones para cuerpos de letra vásicos tiene lugar en general en puntos tipográficos. Los cuerpos de letra de los caracte res Berthold Fototype pueden determinarse ex actemente par medición. Con independencia d e la altura de sus longitudes centrales, todos los caracteres de idéntico cuerpo de letra present an altura de mayúsculas idéntica. En la compo sición en plomo y en muchos otros sistemas de

2,15 mm (8 p), –1, Zeilenabstand 3,38 mm

123,– $	456,– £	7890,– DM	1 %
234,– $	789,– £	1234,– DM	2 %
567,– $	12,– £	5678,– DM	3 %
890,– $	345,– £	9012,– DM	4 %
123,– $	678,– £	3456,– DM	5 %
456,– $	901,– £	7890,– DM	6 %
789,– $	234,– £	1234,– DM	7 %
12,– $	567,– £	5678,– DM	8 %
345,– $	890,– £	9012,– DM	9 %

BF 089 1008

Le misure relative al corpo dei caratteri vengono generalmente indicate in punti tipografici. Il corpo dei caratteri Fototypes può essere determinato c on esattezza per semplice misurazione. Tutti i car atteri di uguale grandezza in punti hanno, indipen dentemente dalla loro lunghezza, uguale altezza delle maiuscole. Nella composizione in piombo ed in molti altri sistemi di fotocomposizione, l'altezza delle maiuscole varia spesso da carattere a caratte

2,15 mm (8 p), –2, Zeilenabstand 3,38 mm

fett
bold
gras

LYNTON

negra
nero
fet

Berthold-Schriften überzeugen durch Schärfe und Qu
alität. Schriftqualität ist eine Frage der Erfahrung. Bert
hold hat diese Erfahrung seit über hundert Jahren. Zue
rst im Schriftguß, dann im Fotosatz. Berthold-Schrifte
n sind weltweit geschätzt. Im Schriftenatelier Münche
n wird jeder Buchstabe in der Größe von zwölf Zentim
etern neu gezeichnet. Mit messerscharfen Konturen
um für die Schriftscheiben das Optimale an Kontur
enschärfe herauszuholen. Um die Qualität des Einzelz

1,60 mm (6 p), Zeilenabstand 2,50 mm

Berthold-Schriften überzeugen durch Schärfe
und Qualität. Schriftqualität ist eine Frage der E
rfahrung. Berthold hat diese Erfahrung seit übe
r hundert Jahren. Zuerst im Schriftguß, dann im
Fotosatz. Berthold-Schriften sind weltweit ges
chätzt. Im Schriftenatelier München wird jeder
Buchstabe in der Größe von zwölf Zentimetern
neu gezeichnet. Mit messerscharfen Konturen

1,86 mm (7 p), Zeilenabstand 3,00 mm

Berthold-Schriften überzeugen durch Sc
härfe und Qualität. Schriftqualität ist eine
Frage der Erfahrung. Berthold hat diese E
rfahrung seit über hundert Jahren. Zuerst
im Schriftguß, dann im Fotosatz. Berthol
d-Schriften sind weltweit geschätzt. Im S
chriftenatelier München wird jeder Buch
stabe in der Größe von zwölf Zentimetern

2,15 mm (8 p), Zeilenabstand 3,50 mm

Leslie Usherwood
1981
Typesettra
H. Berthold AG

ABCDEFGHIJKLMNOPQ
RSTUVWXYZ
abcdefghijklmnopqrstuvwxyz
1/1234567890%
(.,-;:!¡?¿–)·[’‘„”“»«]
+−=/$£†*&§
ÄÅÆÖØŒÜäåæıöøœßü
ÁÀÂÃÇČÉÈÊËÍÌÎÏĹŇÑÓÒÔÕ
ŔŘŠŤÚÙÛŴẄÝŶŸŽ
áàâãçčéèêëíìîïĺňñóòôõŕřš
úùûŵẅýỳÿž

Berthold-Schriftweite weit
Berthold-Schriftweite normal
Berthold-Schriftweite eng
Berthold-Schriftweite sehr eng
Berthold-Schriftweite extrem eng

In general, bodytypes are m
easured in the typographical
point size. The sizes of Berth
old Fototype faces can be ex
actly determined. All faces of
same point size have the sa
me capital height-irrespecti
ve of their x-height. In hot m
etal and many other photot
ypesetting systems the capit
al heights often differ consi
derably from one face to the
other. For measuring point s
izes, a transparent size gauge
is provided. To determine th
e point size, bring a capital le
tter into coincidence with th

3,20 mm (12 p), Zeilenabstand 5,25 mm

Berthold's quick brown fox jumps over the lazy dog and feels as if he were in t
3,72 mm (14 p)

Berthold's quick brown fox jumps over the lazy dog and feels as if he
4,25 mm (16 p)

Berthold's quick brown fox jumps over the lazy dog and feels
4,75 mm (18 p)

Berthold's quick brown fox jumps over the lazy dog an
5,30 mm (20 p)

Berthold's quick brown fox jumps over the la
6,35 mm (24 p)

Berthold's quick brown fox jumps over
7,40 mm (28 p)

Berthold's quick brown fox jumps
8,50 mm (32 p)

Berthold's quick brown fox ju
9,55 mm (36 p)

Berthold-Schriften überzeugen durc
h Schärfe und Qualität. Schriftqualit
ät ist eine Frage der Erfahrung. Berth
old hat diese Erfahrung seit über hun
dert Jahren. Zuerst im Schriftguß, da
nn im Fotosatz. Berthold-Schriften si
nd weltweit geschätzt. Im Schriftena
telier München wird jeder Buchstabe

2,40 mm (9 p), Zeilenabstand 4,00 mm

Größe mm	p	Zeilenabstand kp	Êp	Ex	100 Zeichen 0	−1	−2
1,33	5	1,75	2,19	–	93	90	87
1,60	6	2,06	2,63	2,50	109	105	101
1,86	7	2,44	3,00	3,00	126	122	118
2,15	8	2,81	3,50	3,50	143	138	133
2,40	9	3,13	3,88	4,00	160	154	148
2,65	10	3,44	4,31	4,00	177	170	163
2,92	11	3,75	4,75	–	193	186	179
3,20	12	4,13	5,19	5,25	209	201	193
3,45	13	4,44	5,56	–	226	218	210
3,72	14	4,81	6,00	–	242	233	224
3,98	15	5,13	6,44	–	259	250	241
4,25	16	5,44	6,88	–	275	265	255

WZ 12 E, NSW −1, MZB 0,67, F 0,18:0,07 (2,5), II
H 1–x 0,65–k 1,08–p 0,33–Ê 1,28–kp 1,41–Êp 1,61
BF 089 1009, Belegung 051: 085 1091 (095 1091)

Berthold-Schriften überzeugen d
urch Schärfe und Qualität. Schrift
qualität ist eine Frage der Erfahru
ng. Berthold hat diese Erfahrung
seit über hundert Jahren. Zuerst i
m Schriftguß, dann im Fotosatz. B
erthold-Schriften sind weltweit g
eschätzt. Im Schriftenatelier Mün

2,65 mm (10 p), Zeilenabstand 4,00 mm

mager
regular
normal

MADISON

fina
chiarissimo
mager

Berthold-Schriften überzeugen durch Schärfe und Qualität. Schriftq
ualität ist eine Frage der Erfahrung. Berthold hat diese Erfahrung se
it über hundert Jahren. Zuerst im Schriftguß, dann im Fotosatz. Bert
hold-Schriften sind weltweit geschätzt. Im Schriftenatelier Münche
n wird jeder Buchstabe in der Größe von zwölf Zentimetern n
eu gezeichnet. Mit messerscharfen Konturen, um für die Schriftsche
iben das Optimale an Konturenschärfe herauszuholen. Um die Quali
tät des Einzelzeichens im Belichtungsvorgang zu bewahren, wird d
urch die ruhende, nicht rotierende Schriftscheibe belichtet. Dieses

1,33 mm (5 p) 20 30 40 50 60

Berthold-Schriften überzeugen durch Schärfe und Qualität. Sc
hriftqualität ist eine Frage der Erfahrung. Berthold hat diese Er
fahrung seit über hundert Jahren. Zuerst im Schriftguß, dann im
Fotosatz. Berthold-Schriften sind weltweit geschätzt. Im Schrif
tenatelier München wird jeder Buchstabe in der Größe von zw
ölf Zentimetern neu gezeichnet. Mit messerscharfen Konturen
um für die Schriftscheiben das Optimale an Konturenschärfe he
rauszuholen. Um die Qualität des Einzelzeichens im Belichtung
svorgang zu bewahren, wird durch die ruhende, nicht rotierend

1,45 mm (5,5 p) 20 30 40 50

Berthold-Schriften überzeugen durch Schärfe und Qualit
ät. Schriftqualität ist eine Frage der Erfahrung. Berthold
hat diese Erfahrung seit über hundert Jahren. Zuerst im S
chriftguß, dann im Fotosatz. Berthold-Schriften sind welt
weit geschätzt. Im Schriftenatelier München wird jeder B
uchstabe in der Größe von zwölf Zentimetern neu gezeich
net. Mit messerscharfen Konturen, um für die Schriftsche
iben das Optimale an Konturenschärfe herauszuholen. Um
die Qualität des Einzelzeichens im Belichtungsvorgang zu

1,60 mm (6 p) 20 30 40 50

Berthold-Schriften überzeugen durch Schärfe und Q
ualität. Schriftqualität ist eine Frage der Erfahrung
Berthold hat diese Erfahrung seit über hundert Jahr
en. Zuerst im Schriftguß, dann im Fotosatz. Berthold
Schriften sind weltweit geschätzt. Im Schriftenat
elier München wird jeder Buchstabe in der Größe von
zwölf Zentimetern neu gezeichnet. Mit messerscharf
en Konturen, um für die Schriftscheiben das Optimale
an Konturenschärfe herauszuholen. Um die Qualität

1,75 mm (6,5 p) 20 30 40 5

Berthold-Schriften überzeugen durch Schärfe und
Qualität. Schriftqualität ist eine Frage der Erfahru
ng. Berthold hat diese Erfahrung seit über hundert
Jahren. Zuerst im Schriftguß, dann im Fotosatz. Be
rthold-Schriften sind weltweit geschätzt. Im Schri
ftenatelier München wird jeder Buchstabe in der G
röße von zwölf Zentimetern neu gezeichnet. Mit m
esserscharfen Konturen, um für die Schriftscheibe
n das Optimale an Konturenschärfe herauszuhole

1,86 mm (7 p) 20 30 40

Berthold-Schriften überzeugen durch Schärfe
und Qualität. Schriftqualität ist eine Frage der
Erfahrung. Berthold hat diese Erfahrung seit ü
ber hundert Jahren. Zuerst im Schriftguß, dann
im Fotosatz. Berthold-Schriften sind weltweit
geschätzt. Im Schriftenatelier München wird j
eder Buchstabe in der Größe von zwölf Zentim
etern neu gezeichnet. Mit messerscharfen Kon
turen, um für die Schriftscheiben das Optimale

2,00 mm (7,5 p) 20 30 40

Berthold-Schriften überzeugen durch Schär
fe und Qualität. Schriftqualität ist eine Frage
der Erfahrung. Berthold hat diese Erfahrung
seit über hundert Jahren. Zuerst im Schriftg
uß, dann im Fotosatz. Berthold-Schriften sin
d weltweit geschätzt. Im Schriftenatelier Mü
nchen wird jeder Buchstabe in der Größe von
zwölf Zentimetern neu gezeichnet. Mit mess
erscharfen Konturen, um für die Schriftschei

2,15 mm (8 p) 20 30 40

1965
(Heinrich Hoffmeister 1909)
D. Stempel AG
H. Berthold AG

ABCDEFGHIJKLMNOPQ
RSTUVWXYZ
abcdefghijklmnopqrstuvwxyz
1/1234567890 %
(.,-;:!¡?¿–)·[‘„”“»«]
+−=/$£†*&§
ÄÅÆÖØŒÜäåæıöøœßü
ÁÀÂÃÇČÉÈÊËÍÌÎÏĹŇÑÓÒÔÕ
ŔŘŠŤÚÙÛŴẄÝŶŸŽ
áàâãçčéèêëíìîïĺňñóòôõŕřš
úùûŵẅýỳÿž

Berthold-Schriftweite weit
Berthold-Schriftweite normal
Berthold-Schriftweite eng
Berthold-Schriftweite sehr eng
Berthold-Schriftweite extrem eng

Berthold
3,75 mm (14 p)

Berthold
4,25 mm (16 p)

Berthold
4,75 mm (18 p)

Berthold
5,30 mm (20 p)

Berthold
6,35 mm (24 p)

Berthold
7,40 mm (28 p)

Berthold
8,50 mm (32 p)

Berthold
9,55 mm (36 p)

Größe mm	p	Zeilenabstand kp	Êp	Ex	100 Zeichen 0	−1	−2
1,33	5	1,75	2,13	2,00	87	84	81
1,60	6	2,13	2,56	2,50	103	99	95
1,86	7	2,44	3,00	3,00	118	114	110
2,15	8	2,88	3,44	3,50	134	129	124
2,40	9	3,19	3,81	3,75	150	144	138
2,65	10	3,50	4,19	4,25	165	158	151
2,92	11	3,88	4,63	4,75	181	174	167
3,20	12	4,25	5,06	5,25	196	188	180
3,45	13	4,56	5,50	5,75	212	204	196
3,72	14	4,88	5,94	–	227	218	209
3,98	15	5,25	6,31	–	243	234	225
4,25	16	5,63	6,75	–	258	248	238

WZ 13 E, NSW 0, MZB 0,62, F 0,13:0,038 (3,3), IV
H 1–x 0,70–k 1,01–p 0,30–Ê 1,28–kp 1,31–Êp 1,58
BF 089 0499, Belegung 051: 085 0451 (095 0451)

Berthold-Schriften überzeugen durch S
chärfe und Qualität. Schriftqualität ist e
ine Frage der Erfahrung. Berthold hat d
iese Erfahrung seit über hundert Jahren
Zuerst im Schriftguß, dann im Fotosatz
Berthold-Schriften sind weltweit gesch
ätzt. Im Schriftenatelier München wird
jeder Buchstabe in der Größe von zwölf

2,40 mm (9 p) 20 30

Berthold-Schriften überzeugen dur
ch Schärfe und Qualität. Schriftqual
ität ist eine Frage der Erfahrung. Be
rthold hat diese Erfahrung seit über
hundert Jahren. Zuerst im Schriftg
uß, dann im Fotosatz. Berthold-Schr
iften sind weltweit geschätzt. Im Sc
hriftenatelier München wird jeder

2,65 mm (10 p) 20 30

Berthold-Schriften überzeugen
durch Schärfe und Qualität. Schr
iftqualität ist eine Frage der Erfa
hrung. Berthold hat diese Erfahr
ung seit über hundert Jahren. Zu
erst im Schriftguß, dann im Foto
satz. Berthold-Schriften sind we
ltweit geschätzt. Im Schriftenate

2,92 mm (11 p) 10 20 30

Berthold-Schriften überzeug
en durch Schärfe und Qualität
Schriftqualität ist eine Frage
der Erfahrung. Berthold hat d
iese Erfahrung seit über hund
ert Jahren. Zuerst im Schriftg
uß, dann im Fotosatz. Berthol
d-Schriften sind weltweit ges

3,20 mm (12 p) 10 20

Berthold-Schriften überzeu
gen durch Schärfe und Qual
ität. Schriftqualität ist eine F
rage der Erfahrung. Bertho
ld hat diese Erfahrung seit ü
ber hundert Jahren. Zuerst i
m Schriftguß, dann im Fotos
atz. Berthold-Schriften sind

3,45 mm (13 p) 10 20

mager
regular
normal

MADISON

fina
chiarissimo
mager

Berthold-Schriften überzeugen durch Schärfe und Qualität. Schriftqualit ät ist eine Frage der Erfahrung. Berthold hat diese Erfahrung seit über hundert Jahren. Zuerst im Schriftguß, dann im Fotosatz. Berthold-Schrif ten sind weltweit geschätzt. Im Schriftenatelier München wird jeder Buc hstabe in der Größe von zwölf Zentimetern neu gezeichnet. Mit messers charfen Konturen, um für die Schriftscheiben das Optimale an Konturen schärfe herauszuholen. Um die Qualität des Einzelzeichens im Belichtun gsvorgang zu bewahren, wird durch die ruhende, nicht rotierende Schri ftscheibe belichtet. Dieses optische System, verbunden mit Präzisions

4,25 mm (16 p), Zeilenabstand 6,75 mm

MADISON REGULAR

In general, bodytypes are measured in the typo graphical point size. The sizes of Berthold Foto type faces can be exactly determined. All faces of same point size have the same capital heigth-ir respective of their x-heigth. In hot metal and many other phototypesetting systems the capital heigths often differ considerably from one face to the other. For measuring point sizes, a transpar ent size gauge is provided. To determine the point size, bring a capital letter into coincidence with that field which precisely circumscribes the let ter at its upper and lower margin. Below the field you find the typographical point and below that the millimeter value, which also refers to the height of a capital letter. In Berthold-phototype setting, the typewidth can be modified. The stand ard setting width of typefaces is determined by the principle of optimum legibility. You should not depart from this typewidth without cogent reason. A typeface which is considered optically right when looked in a greater context, often seems bulky when applied for a small amount

2,40 mm (9 p), Zeilenabstand 4,25 mm

MADISON NORMAL

La valeur de la force de corps des caractères de labeur èst généralement exprimée en points typographiques. La force de corps des caractères Berthold-Fototype peut être dé terminée avec précision. Tous les caractères du même corps ont des capitales d'une hau teur identique, indépendamment de la hau teur des bas de casse sans jambage. Dans la composition plomb, ainsi que dans certains systèmes de photocomposition, la hauteur des capitales, varie souvent d'un caractère à l'autre. Pour déterminer la force de corps de nos caractères, nous avons mis au point une réglette de hauteur d'œil transparente. On cherche le rectangle qui délimite exacte ment la hauteur d'œil d'une capitale du ca ractère choisi. Sous le rectangle correspon dant la valeur de la force de corps est indi quée en points Didots et en millimètres. La valeur en millimètres exprime également la

2,65 mm (10 p), Zeilenabstand 4,69 mm

La indicación de las dimensiones para cuerpos de letra vásicos tiene lugar en general en pun tos tipográficos. Los cuerpos de letra de los ca racteres Berthold Fototype pueden determi narse exactemente par medición. Con inde pendencia de la altura de sus longitudes cen trales, todos los caracteres de idéntico cuerpo de letra presentan altura de mayúsculas idénti ca. En la composición en plomo y en muchos o

2,15 mm (8 p), –1, Zeilenabstand 3,38 mm

123,– $	456,– £	7890,– DM	1 %
234,– $	789,– £	1234,– DM	2 %
567,– $	12,– £	5678,– DM	3 %
890,– $	345,– £	9012,– DM	4 %
123,– $	678,– £	3456,– DM	5 %
456,– $	901,– £	7890,– DM	6 %
789,– $	234,– £	1234,– DM	7 %
12,– $	567,– £	5678,– DM	8 %
345,– $	890,– £	9012,– DM	9 %

BF 089 0500

Le misure relative al corpo dei caratteri vengono generalmente indicate in punti tipografici. Il cor po dei caratteri Fototypes può essere determina to con esattezza per semplice misurazione. Tutti i caratteri di uguale grandezza in punti hanno, indi pendentemente dalla loro lunghezza, uguale al tezza delle maiuscole. Nella composizione in piombo ed in molti altri sistemi di fotocomposizio ne, l'altezza delle maiuscole varia spesso da ca

2,15 mm (8 p), –2, Zeilenabstand 3,38 mm

kursiv
italic
italique

MADISON

cursiva
corsivo
kursiv

Måttangivelse för grundstilsgrad er sker i allmänhet i typografiska punkter. Stilar av Berthold Fotot ype kan efter mätning exakt grad bestämmas. Alla typsnitt är av sa mma punktstorlek och har obero ende av x-höjden en identisk vers alhöjd. I blysättning och i många andra fotosättsystem varierar ve rsalhöjden avsevärt från typsnitt till typsnitt. För mätning av stilgr ader finns en transparent mätlin jal. Vid mätningen placerar man en versal bokstav så att rutorna begränsar tecknet upptill och ned till. Under rutorna finns stilstorle ken i typografiska didotpunkter och i mm. Även millimeteruppgif ten avser versalhöjden. Vid stilsto

2,92 mm (11 p), Zeilenabstand 4,69 mm

1965
D. Stempel AG
H. Berthold AG

ABCDEFGHIJKLMNOPQ
RSTUVWXYZ
abcdefghijklmnopqrstuvwxyz
1/1234567890 %
(.,-;:!¡?¿–)·[‘„”“»«]
+–=/$£†&§*
ÄÅÆÖØŒÜäåæıöøœßü
ÁÀÂÃÇČÉÈÊËÍÌÎÏĹŇÑÓÒÔÕ
ŔŘŠŤÚÙÛŴẄÝỲŸŽ
áàâãçčéèêëíìîïĺňñóòôõŕřš
úùûŵẅýỳÿž

Berthold-Schriftweite weit
Berthold-Schriftweite normal
Berthold-Schriftweite eng
Berthold-Schriftweite sehr eng
Berthold-Schriftweite extrem eng

In general, bodytypes are me asured in the typographical point size. The sizes of Bertho ld Fototype faces can be exact ly determined. All faces of sa me point size have the same c apital height–irrespective of their x-height. In hot metal a nd many other phototypesett ing systems the capital heigh ts often differ considerably fr om one face to the other. For measuring point sizes, a tran sparent size gauge is provide d. To determine the point size bring a capital letter into coi ncidence with that field whic

3,20 mm (12 p), Zeilenabstand 5,25 mm

MADISON KURSIV

Die Maßangabe zu Grundschriftgrößen erfolgt im allgemeinen in typographischen Punkten Die Schriftgrößen der Berthold-Fotosatz-Schrif ten sind nach Messung exakt bestimmbar. Alle Schriften gleicher Punktgröße weisen, unabhä ngig von der Höhe ihrer Mittellängen, eine ide ntische Versalhöhe auf. Im Bleisatz und bei vie len anderen Fotosatz-Systemen differieren die Versalhöhen von Schrift zu Schrift oft erheblich Zum Messen von Schriftgrößen steht ein trans parentes Größenmaß zur Verfügung. Zum Mes sen wird ein Versalbuchstabe mit dem Feld in Deckung gebracht, das den Buchstaben oben un und unten scharf begrenzt. Unter dem Feld ist die Schriftgröße in typographischen Didot-Pun kten, darunter in Millimetern angegeben. Auch die Millimeterangaben beziehen sich auf die Hö he der Versalbuchstaben. Die Schriftweite kann

2,40 mm (9 p), Zeilenabstand 4 mm

MADISON ITALIQUE

La valeur de la force de corps des caractèr es de labeur èst généralement exprimée en points typographiques. La force de corps d es caractères Berthold-Fototype peut être déterminée avec précision. Tous les carac tères du même corps ont des capitales d'u ne hauteur identique, indépendamment de la hauteur des bas de casse sans jambage Dans la composition plomb, ainsi que dans certains systèmes de photocomposition, la hauteur des capitales, varie souvent d'un caractère à l'autre. Pour déterminer la for ce de corps de nos caractères, nous avons mis au point une réglette de hauteur d'œil transparente. On cherche le rectangle e cap itale du caractère choisi. Sous le rectangle

2,65 mm (10 p), Zeilenabstand 4,50 mm

La indicación de las dimensiones para cuerpos de letra vásicos tiene lugar en general en puntos tipográficos. Los cuerpos de letra de los caracteres Berthold Fototype pue den determinarse exactemente par medición. Con inde pendencia de la altura de sus longitudes centrales, todos los caracteres de idéntico cuerpo de letra presentan altu ra de mayúsculas idéntica. En la composición en plomo y en muchos otros sistemas de fotocomposición, las altu ras de mayúsculas varían frecuentemmente en forma co nsiderable de tipo de letra a tipo de letra. Para medir los cuerpos de letra se dispone de un tipómetro, véase la figu ra. Para la medición se hace coincidir una letra mayús

1,60 mm (6 p), Zeilenabstand 2,50 mm

Größe mm	p	Zeilenabstand kp	Êp	Ex	100 Zeichen 0	−1	−2
1,33	5	1,75	2,12	—	91	88	85
1,60	6	2,13	2,56	2,50	107	103	99
1,86	7	2,44	3,00	—	123	119	115
2,15	8	2,81	3,44	3,38	140	135	130
2,40	9	3,13	3,88	4,00	157	151	145
2,65	10	3,50	4,25	4,50	173	166	159
2,92	11	3,81	4,69	4,69	189	182	175
3,20	12	4,19	5,13	5,25	205	197	189
3,45	13	4,50	5,50	—	221	213	205
3,72	14	4,88	5,94	—	237	228	219
3,98	15	5,19	6,38	—	253	244	235
4,25	16	5,56	6,81	—	269	259	249

WZ 14 E, NSW 0, MZB 0,65, F 0,13:0,033 (3,9), IV
H 1–x 0,70–k 1,00–p 0,30–Ê 0,29–kp 1,30–Êp 1,59
BF 089 0778, Belegung 051: 085 0454 (095 0454)

Le misure relative al corpo dei caratteri ve ngono generalmente indicate in punti tipo grafici. Il corpo dei caratteri Fototypes può essere determinato con esattezza per sempl ice misurazione. Tutti i caratteri di uguale grandezza in punti hanno, indipendentem ente dalla loro lunghezza, uguale altezza de lle maiuscole. Nella composizione in piom bo ed in molti altri sistemi di fotocomposizi

2,15 mm (8 p), Zeilenabstand 3,38 mm

halbfett
medium
demi-gras

MADISON

seminegra
neretto
halvfet

Berthold-Schriften überzeugen durch Schärfe und Qualität. Schriftqualität ist eine Frage der Erfahrung Berthold hat diese Erfahrung seit über hundert Jahr en. Zuerst im Schriftguß, dann im Fotosatz. Berthold Schriften sind weltweit geschätzt. Im Schriftenateli er München wird jeder Buchstabe in der Größe von zwölf Zentimetern neu gezeichnet. Mit messerscharf en Konturen, um für die Schriftscheiben das Optimale an Konturenschärfe herauszuholen. Um die Qualität

1,60 mm (6 p), Zeilenabstand 2,50 mm

Berthold-Schriften überzeugen durch Schärfe und Qualität. Schriftqualität ist eine Frage der Erfahrung. Berthold hat diese Erfahrung seit über hundert Jahren. Zuerst im Schriftguß, da nn im Fotosatz. Berthold-Schriften sind weltw eit geschätzt. Im Schriftenatelier München wi rd jeder Buchstabe in der Größe von zwölf Zen timetern neu gezeichnet. Mit messerscharfen

1,86 mm (7 p), Zeilenabstand 3,00 mm

Berthold-Schriften überzeugen durch Sc härfe und Qualität. Schriftqualität ist eine Frage der Erfahrung. Berthold hat die se Erfahrung seit über hundert Jahren Zuerst im Schriftguß, dann im Fotosatz Berthold-Schriften sind weltweit geschä tzt. Im Schriftenatelier München wird je der Buchstabe in der Größe von zwölf Ze

2,15 mm (8 p), Zeilenabstand 3,50 mm

1965
(Heinrich Hoffmeister 1909)
D. Stempel AG
H. Berthold AG

ABCDEFGHIJKLMNOPQ
RSTUVWXYZ
abcdefghijklmnopqrstuvwxyz
1/1234567890%
(.,-;:!¡?¿–)·[",""»«]
+−=/$£†*&§
ÄÅÆÖØŒÜäåæıöøœßü
ÁÀÂÃÇČÉÈÊËÍÌÎÏĹŇÑÓÒÔÕ
ŔŘŠŤÚÙÛŴẄÝỲŶŸŽ
áàâãçčéèêëíìîïĺňñóòôõŕřš
úùûŵẅýỳÿž

Berthold-Schriftweite weit
Berthold-Schriftweite normal
Berthold-Schriftweite eng
Berthold-Schriftweite sehr eng
Berthold-Schriftweite extrem eng

In general, bodytypes are measured in the typograph ical point size. The sizes of Berthold Fototype faces can be exactly determined. All faces of same point size hav e the same capital height–ir respective of their x-height In hot metal and many other phototypesetting systems t he capital heights often diffe r considerably from one fac e to the other. For measurin g point sizes, a transparent s ize gauge is provided. To d etermine the point size, bri ng a capital letter into coinci

3,20 mm (12 p), Zeilenabstand 5,25 mm

Berthold's quick brown fox jumps over the lazy dog and feels as if he were in
3,75 mm (14 p)

Berthold's quick brown fox jumps over the lazy dog and feels as if h
4,25 mm (16 p)

Berthold's quick brown fox jumps over the lazy dog and fee
4,75 mm (18 p)

Berthold's quick brown fox jumps over the lazy dog a
5,30 mm (20 p)

Berthold's quick brown fox jumps over the la
6,35 mm (24 p)

Berthold's quick brown fox jumps over
7,40 mm (28 p)

Berthold's quick brown fox jumps
8,50 mm (32 p)

Berthold's quick brown fox ju
9,55 mm (36 p)

Berthold-Schriften überzeugen dur ch Schärfe und Qualität. Schriftqualit ät ist eine Frage der Erfahrung. Bert hold hat diese Erfahrung seit über hu ndert Jahren. Zuerst im Schriftguß dann im Fotosatz. Berthold-Schrifte n sind weltweit geschätzt. Im Schrift en natelier München wird jeder Buch

2,40 mm (9 p), Zeilenabstand 4,00 mm

Größe mm	p	Zeilenabstand kp	Êp	Ex	100 Zeichen 0	−1	−2
1,33	5	1,81	2,19	–	96	93	90
1,60	6	2,13	2,56	2,50	112	108	104
1,86	7	2,50	3,00	3,00	129	125	121
2,15	8	2,88	3,50	3,50	147	142	137
2,40	9	3,19	3,88	4,00	165	159	153
2,65	10	3,50	4,25	4,00	182	175	168
2,92	11	3,88	4,69	–	198	191	184
3,20	12	4,25	5,13	5,25	215	207	199
3,45	13	4,56	5,56	–	232	224	216
3,72	14	4,94	6,00	–	249	240	231
3,98	15	5,31	6,38	–	266	257	248
4,25	16	5,63	6,81	–	283	273	263

WZ 13 E, NSW 0, MZB 0,68, F 0,19:0,063 (3,1), IV
H 1–x 0,70–k 1,02–p 0,30–Ê 1,30–kp 1,32–Êp 1,60
BF 089 0501, Belegung 051: 085 0452 (095 0452)

Berthold-Schriften überzeugen durch Schärfe und Qualität. Schr iftqualität ist eine Frage der Erfa hrung. Berthold hat diese Erfahr ung seit über hundert Jahren. Zu erst im Schriftguß, dann im Fotos atz. Berthold-Schriften sind welt weit geschätzt. Im Schriftenateli

2,65 mm (10 p), Zeilenabstand 4,00 mm

fett
bold
gras

MADISON

negra
nero
fet

Berthold-Schriften überzeugen durch Schä rfe und Qualität. Schriftqualität ist eine Fra ge der Erfahrung. Berthold hat diese Erfahr ung seit über hundert Jahren. Zuerst im Sch riftguß, dann im Fotosatz. Berthold-Schrift en sind weltweit geschätzt. Im Schriftenatel ier München wird jeder Buchstabe in der Gr öße von zwölf Zentimetern neu gezeichnet Mit messerscharfen Konturen, um für die Sc

1,60 mm (6 p), Zeilenabstand 2,50 mm

Berthold-Schriften überzeugen durch Schärfe und Qualität. Schriftqualität i st eine Frage der Erfahrung. Berthold hat diese Erfahrung seit über hundert Jahren. Zuerst im Schriftguß, dann im Fotosatz. Berthold-Schriften sind wel tweit geschätzt. Im Schriftenatelier M ünchen wird jeder Buchstabe in der G

1,86 mm (7 p), Zeilenabstand 3,00 mm

Berthold-Schriften überzeugen d urch Schärfe und Qualität. Schrift qualität ist eine Frage der Erfahr ung. Berthold hat diese Erfahrung seit über hundert Jahren. Zuerst i m Schriftguß, dann im Fotosatz. B erthold-Schriften sind weltweit g eschätzt. Im Schriftenatelier Mün

2,15 mm (8 p), Zeilenabstand 3,50 mm

1965
(Heinrich Hoffmeister 1910)
D. Stempel AG
H. Berthold AG

ABCDEFGHIJKLMNOPQ
RSTUVWXYZ
abcdefghijklmnopqrstuvw
xyz+−=/$$†*&§
1/1234567890%
(.,-;:!¡?¿–)·[‘„”“»«]
ÄÅÆÖØŒÜäåæıöøœßü
ÁÀÂÃÇČÉÈÊËÍÌÎÏĹŇÑÓÒ
ÔÕŔŘŠŤÚÙÛŴẄÝŶŸŽ
áàâãçčéèêëíìîïĺňñóòôõŕřš
úùûŵẅýŷÿž

Schriftweite weit
Schriftweite normal
Schriftweite eng
Schriftweite sehr eng
Schriftweite extrem eng

In general, bodytypes are measured in the ty pographical point size The sizes of Berthold F ototype faces can be e xactly determined. All faces of same point size have the same capital height–irrespective of their x-height. In hot m etal and many other p hototypesettingsystem s the capital heights oft en differ considerably from one face to the ot her. For measuring poi nt sizes, a transparent

3,20 mm (12 p), Zeilenabstand 5,25 mm

Berthold's quick brown fox jumps over the lazy dog and feels as
3,75 mm (14 p)

Berthold's quick brown fox jumps over the lazy dog and
4,25 mm (16 p)

Berthold's quick brown fox jumps over the lazy d
4,75 mm (18 p)

Berthold's quick brown fox jumps over the l
5,30 mm (20 p)

Berthold's quick brown fox jumps ov
6,35 mm (24 p)

Berthold's quick brown fox jum
7,40 mm (28 p)

Berthold's quick brown fox
8,50 mm (32 p)

Berthold's quick brown
9,55 mm (36 p)

Berthold-Schriften überzeug en durch Schärfe und Qualität Schriftqualität ist eine Frage der Erfahrung. Berthold hat di ese Erfahrung seit über hunde rt Jahren. Zuerst im Schriftgu ß, dann im Fotosatz. Berthold Schriften sind weltweit gesch

2,40 mm (9 p), Zeilenabstand 4,00 mm

Größe mm	p	Zeilenabstand kp	Êp	Ex	100 Zeichen 0	−1	−2
1,33	5	1,75	2,19	—	115	112	109
1,60	6	2,13	2,56	2,50	135	131	127
1,86	7	2,44	3,00	3,00	156	152	148
2,15	8	2,81	3,50	3,50	177	172	167
2,40	9	3,13	3,88	4,00	198	192	186
2,65	10	3,50	4,25	4,00	219	212	205
2,92	11	3,81	4,69	—	239	232	225
3,20	12	4,19	5,13	5,25	259	251	243
3,45	13	4,50	5,56	—	280	272	264
3,72	14	4,88	6,00	—	300	291	282
3,98	15	5,19	6,38	—	320	311	302
4,25	16	5,56	6,81	—	341	331	321

WZ 11 E, NSW 0, MZB 0,82, F 0,31:0,067 (4,6), IV
H 1–x 0,70–k 1,00–p 0,30–Ê 1,30–kp 1,30–Êp 1,60
BF 089 0502, Belegung 051: 085 0453 (095 0453)

Berthold-Schriften überze ugen durch Schärfe und Qu alität. Schriftqualität ist ei ne Frage der Erfahrung. B erthold hat diese Erfahrun g seit über hundert Jahren Zuerst im Schriftguß, dann im Fotosatz. Berthold-Schr

2,65 mm (10 p), Zeilenabstand 4,00 mm

schmalmager
condensed
étroit

MADISON

estrecha
stretto
smalmager

Berthold-Schriften überzeugen durch Schärfe und Qualität. Schri ftqualität ist eine Frage der Erfahrung. Berthold hat diese Erfahru ng seit über hundert Jahren. Zuerst im Schriftguß, dann im Fotosat z. Berthold-Schriften sind weltweit geschätzt. Im Schriftenatelier München wird jeder Buchstabe in der Größe von zwölf Zentimete rn neu gezeichnet. Mit messerscharfen Konturen, um für die Schrif tscheiben das Optimale an Konturenschärfe herauszuholen. Um die Qualität des Einzelzeichens im Belichtungsvorgang zu bewah ren, wird durch die ruhende, nicht rotierende Schriftscheibe belic

1,60 mm (6 p), Zeilenabstand 2,50 mm

Berthold-Schriften überzeugen durch Schärfe und Qualit ät. Schriftqualität ist eine Frage der Erfahrung. Berthold hat diese Erfahrung seit über hundert Jahren. Zuerst im Schriftguß, dann im Fotosatz. Berthold-Schriften sind we ltweit geschätzt. Im Schriftenatelier München wird jeder Buchstabe in der Größe von zwölf Zentimetern neu gezeic hnet. Mit messerscharfen Konturen, um für die Schriftsch eiben das Optimale an Konturenschärfe herauszuholen

1,86 mm (7 p), Zeilenabstand 3,00 mm

Berthold-Schriften überzeugen durch Schärfe und Qualität. Schriftqualität ist eine Frage der Erfahru ng. Berthold hat diese Erfahrung seit über hundert Jahren. Zuerst im Schriftguß, dann im Fotosatz. Be rthold-Schriften sind weltweit geschätzt. Im Schrif tenatelier München wird jeder Buchstabe in der Gr öße von zwölf Zentimetern neu gezeichnet. Mit mess erscharfen Konturen, um für die Schriftscheiben

2,15 mm (8 p), Zeilenabstand 3,50 mm

1965
(Heinrich Hoffmeister 1921)
D. Stempel AG
H. Berthold AG

ABCDEFGHIJKLMNOPQ
RSTUVWXYZ
abcdefghijklmnopqrstuvwxyz
1/1234567890%
(.,-;:!¡?¿–)·[‘„”“»«]
+–=/$£†*&§
ÄÅÆÖØŒÜäåæıöøœßü
ÁÀÂÃÇČÉÈÊËÍÌÎÏĹŇÑÓÒÔÕ
ŔŘŠŤÚÙÛŴẄÝŶŸŽ
áàâãçčéèêëíìîïĺňñóòôõŕřš
úùûŵẅýỳÿž

Berthold-Schriftweite weit
Berthold-Schriftweite normal
Berthold-Schriftweite eng
Berthold-Schriftweite sehr eng
Berthold-Schriftweite extrem eng

In general, bodytypes are measure d in the typographical point size. T he sizes of Berthold Fototype faces can be exactly determined. All faces of same point size have the same c apital height–irrespective of their x-height. In hot metal and many ot her phototypesetting systems the c apital heights often differ consider ably from one face to the other. For measuring point sizes, a transpare nt size gauge is provided. To deter mine the point size, bring a capital l etter into coincidence with that fiel d which precisely circumscribes th e letter at its upper and lower marg in. Below the field you find the typo

3,20 mm (12 p), Zeilenabstand 5,25 mm

Berthold's quick brown fox jumps over the lazy dog and feels as if he were in the seventh heaven
3,75 mm (14 p)

Berthold's quick brown fox jumps over the lazy dog and feels as if he were in the sev
4,25 mm (16 p)

Berthold's quick brown fox jumps over the lazy dog and feels as if he were i
4,75 mm (18 p)

Berthold's quick brown fox jumps over the lazy dog and feels as if he
5,30 mm (20 p)

Berthold's quick brown fox jumps over the lazy dog and f
6,35 mm (24 p)

Berthold's quick brown fox jumps over the lazy
7,40 mm (28 p)

Berthold's quick brown fox jumps over the
8,50 mm (32 p)

Berthold's quick brown fox jumps ove
9,55 mm (36 p)

Berthold-Schriften überzeugen durch Schärfe und Qualität. Schriftqualität ist eine Frage der Erfahrung. Berthold hat diese Erfahrung seit über hundert Jahren. Zuerst im Schriftguß, d ann im Fotosatz. Berthold-Schriften sind welt weit geschätzt. Im Schriftenatelier München wird jeder Buchstabe in der Größe von zwölf Zentimetern neu gezeichnet. Mit messerscharf

2,40 mm (9 p), Zeilenabstand 4,00 mm

Größe		Zeilenabstand			100 Zeichen		
mm	p	kp	Êp	Ex	0	–1	–2
1,33	5	1,81	2,13	–	73	70	67
1,60	6	2,13	2,56	2,50	86	82	78
1,86	7	2,50	2,94	3,00	99	95	91
2,15	8	2,88	3,44	3,50	113	108	103
2,40	9	3,19	3,81	4,00	127	121	115
2,65	10	3,50	4,19	4,00	140	133	126
2,92	11	3,88	4,63	–	153	146	139
3,20	12	4,25	5,06	5,25	166	158	150
3,45	13	4,56	5,44	–	179	171	163
3,72	14	4,94	5,88	–	192	183	174
3,98	15	5,31	6,25	–	205	196	187
4,25	16	5,63	6,69	–	218	208	198

WZ 15 E, NSW 0, MZB 0,53, F 0,13:0,033 (3,8), IV
H 1–x 0,70–k 1,02–p 0,30–Ê 1,27–kp 1,32–Êp 1,57
BF 089 0503, Belegung 051: 085 0455 (095 0455)

Berthold-Schriften überzeugen durch Sc härfe und Qualität. Schriftqualität ist eine Frage der Erfahrung. Berthold hat diese Erfahrung seit über hundert Jahren. Zuer st im Schriftguß, dann im Fotosatz. Bertho ld-Schriften sind weltweit geschätzt. Im Schriftenatelier München wird jeder Buch stabe in der Größe von zwölf Zentimetern

2,65 mm (10 p), Zeilenabstand 4,00 mm

schmalhalbfett
medium condensed
étroit demi-gras

MADISON

seminegra estrecha
neretto stretto
smalhalvfet

Berthold-Schriften überzeugen durch Schärfe und Qualität Schriftqualität ist eine Frage der Erfahrung. Berthold hat die se Erfahrung seit über hundert Jahren. Zuerst im Schriftguß dann im Fotosatz. Berthold-Schriften sind weltweit geschätzt Im Schriftenatelier München wird jeder Buchstabe in der Grö ße von zwölf Zentimetern neu gezeichnet. Mit messerscharfen Konturen, um für die Schriftscheiben das Optimale an Kontur enschärfe herauszuholen. Um die Qualität des Einzelzeichens im Belichtungsvorgang zu bewahren, wird durch die ruhende

1,60 mm (6 p), Zeilenabstand 2,50 mm

Berthold-Schriften überzeugen durch Schärfe und Qu alität. Schriftqualität ist eine Frage der Erfahrung. Be rthold hat diese Erfahrung seit über hundert Jahren Zuerst im Schriftguß, dann im Fotosatz. Berthold-Sch riften sind weltweit geschätzt. Im Schriftenatelier Mü nchen wird jeder Buchstabe in der Größe von zwölf Ze ntimetern neu gezeichnet. Mit messerscharfen Kontu ren, um für die Schriftscheiben das Optimale an Kont

1,86 mm (7 p), Zeilenabstand 3,00 mm

Berthold-Schriften überzeugen durch Schärfe und Qualität. Schriftqualität ist eine Frage der Erfahrung. Berthold hat diese Erfahrung seit üb er hundert Jahren. Zuerst im Schriftguß, dann im Fotosatz. Berthold-Schriften sind weltweit geschätzt. Im Schriftenatelier München wird je der Buchstabe in der Größe von zwölf Zentimet ern neu gezeichnet. Mit messerscharfen Kontur

2,15 mm (8 p), Zeilenabstand 3,50 mm

1965
D. Stempel
H. Berthold AG

ABCDEFGHIJKLMNOPQ
RSTUVWXYZ
abcdefghijklmnopqrstuvwxyz
1/1234567890%
(.,-;:!¡?¿–)·[",""»«]
+−=/$£†*&§
ÄÅÆÖØŒÜäåæıöøœßü
ÁÀÂÃÇČÉÈÊËÍÌÎÏĹŇÑÓÒÔÕ
ŔŘŠŤÚÙÛŴẄÝŶŸŽ
áàâãçčéèêëíìîïĺňñóòôõŕřš
úùûŵẅýỳÿž

Berthold-Schriftweite weit
Berthold-Schriftweite normal
Berthold-Schriftweite eng
Berthold-Schriftweite sehr eng
Berthold-Schriftweite extrem eng

In general, bodytypes are measu red in the typographical point si ze. The sizes of Berthold Fototyp e faces can be exactly determine d. All faces of same point size ha ve the same capital height–irres pective of their x-height. In hot metal and many other phototyp esetting systems the capital hei ghts often differ considerably fr om one face to the other. For me asuring point sizes, a transpare nt size gauge is provided. To det ermine the point size, bring a ca pital letter into coincidence with that field which precisely circu mscribes the letter at its upper a

3,20 mm (12 p), Zeilenabstand 5,25 mm

Berthold's quick brown fox jumps over the lazy dog and feels as if he were in the seventh h
3,75 mm (14 p)

Berthold's quick brown fox jumps over the lazy dog and feels as if he were in the
4,25 mm (16 p)

Berthold's quick brown fox jumps over the lazy dog and feels as if he w
4,75 mm (18 p)

Berthold's quick brown fox jumps over the lazy dog and feels as
5,30 mm (20 p)

Berthold's quick brown fox jumps over the lazy dog a
6,35 mm (24 p)

Berthold's quick brown fox jumps over the la
7,40 mm (28 p)

Berthold's quick brown fox jumps over
8,50 mm (32 p)

Berthold's quick brown fox jumps
9,55 mm (36 p)

Berthold-Schriften überzeugen durch Sch ärfe und Qualität. Schriftqualität ist eine F rage der Erfahrung. Berthold hat diese Erf ahrung seit über hundert Jahren. Zuerst im Schriftguß, dann im Fotosatz. Berthold Schriften sind weltweit geschätzt. Im Schr iftenatelier München wird jeder Buchstabe in der Größe von zwölf Zentimetern neu ge

2,40 mm (9 p), Zeilenabstand 4,00 mm

Größe		Zeilenabstand			100 Zeichen		
mm	p	kp	Êp	Ex	0	−1	−2
1,33	5	1,75	2,13	—	80	77	74
1,60	6	2,13	2,50	2,50	94	90	86
1,86	7	2,44	2,94	3,00	108	104	100
2,15	8	2,88	3,38	3,50	123	118	113
2,40	9	3,19	3,75	4,00	138	132	126
2,65	10	3,50	4,19	4,00	152	145	138
2,92	11	3,88	4,56	—	166	159	152
3,20	12	4,25	5,00	5,25	180	172	164
3,45	13	4,56	5,44	—	194	186	178
3,72	14	4,88	5,81	—	208	199	190
3,98	15	5,25	6,25	—	223	214	205
4,25	16	5,63	6,69	—	237	227	217

WZ 13 E, NSW −1, MZB 0,57, F 0,20:0,063 (3,1), IV
H 1–x 0,70–k 1,02–p 0,29–Ê 1,27–kp 1,31–Êp 1,56
BF 089 0504, Belegung 051: 085 0456 (095 0456)

Berthold-Schriften überzeugen durch Schärfe und Qualität. Schriftqualität ist eine Frage der Erfahrung. Berthold hat diese Erfahrung seit über hundert Jah ren. Zuerst im Schriftguß, dann im Fot osatz. Berthold-Schriften sind weltweit geschätzt. Im Schriftenatelier Münche n wird jeder Buchstabe in der Größe vo

2,65 mm (10 p), Zeilenabstand 4,00 mm

mager
light
maigre

MARBROOK

fina
chiarissimo
mager

Berthold-Schriften überzeugen durch Schärfe und Qualität. Schrift
qualität ist eine Frage der Erfahrung. Berthold hat diese Erfahrung s
eit über hundert Jahren. Zuerst im Schriftguß, dann im Fotosatz. Ber
thold-Schriften sind weltweit geschätzt. Im Schriftenatelier Münc
hen wird jeder Buchstabe in der Größe von zwölf Zentimetern n
eu gezeichnet. Mit messerscharfen Konturen, um für die Schriftsch
eiben das Optimale an Konturenschärfe herauszuholen. Um die Qu
alität des Einzelzeichens im Belichtungsvorgang zu bewahren, wir
d durch die ruhende, nicht rotierende Schriftscheibe belichtet. Die

1,33 mm (5 p) 20 30 40 50 60

Berthold-Schriften überzeugen durch Schärfe und Qualität. S
chriftqualität ist eine Frage der Erfahrung. Berthold hat diese E
rfahrung seit über hundert Jahren. Zuerst im Schriftguß, dann i
m Fotosatz. Berthold-Schriften sind weltweit geschätzt. Im S
chriftenatelier München wird jeder Buchstabe in der Größe v
on zwölf Zentimetern neu gezeichnet. Mit messerscharfen Ko
nturen, um für die Schriftscheiben das Optimale an Konturens
chärfe herauszuholen. Um die Qualität des Einzelzeichens im
Belichtungsvorgang zu bewahren, wird durch die ruhende, ni

1,45 mm (5,5 p) 20 30 40 50

Berthold-Schriften überzeugen durch Schärfe und Quali
tät. Schriftqualität ist eine Frage der Erfahrung. Berthold
hat diese Erfahrung seit über hundert Jahren. Zuerst im S
chriftguß, dann im Fotosatz. Berthold-Schriften sind we
ltweit geschätzt. Im Schriftenatelier München wird jeder
Buchstabe in der Größe von zwölf Zentimetern neu gezeich
net. Mit messerscharfen Konturen, um für die Schrift
scheiben das Optimale an Konturenschärfe herauszuho
len. Um die Qualität des Einzelzeichens im Belichtungsv

1,60 mm (6 p) 20 30 40 50

Berthold-Schriften überzeugen durch Schärfe und
Qualität. Schriftqualität ist eine Frage der Erfahrung.
Berthold hat diese Erfahrung seit über hundert Jahre
n. Zuerst im Schriftguß, dann im Fotosatz. Berthold S
chriften sind weltweit geschätzt. Im Schriftenatelier
München wird jeder Buchstabe in der Größe von zw
ölf Zentimetern neu gezeichnet. Mit messerscharfen
Konturen, um für die Schriftscheiben das Optimale
an Konturenschärfe herauszuholen. Um die Qual

1,75 mm (6,5 p) 20 30 40

Berthold-Schriften überzeugen durch Schärfe u
nd Qualität. Schriftqualität ist eine Frage der Erfah
rung. Berthold hat diese Erfahrung seit über hun
dert Jahren. Zuerst im Schriftguß, dann im Fotosat
z. Berthold-Schriften sind weltweit geschätzt. I
m Schriftenatelier München wird jeder Buchstabe
in der Größe von zwölf Zentimetern neu gezeich
net. Mit messerscharfen Konturen, um für die Sch
riftscheiben das Optimale an Konturenschärfe h

1,86 mm (7 p) 20 30 40

Berthold-Schriften überzeugen durch Schärfe
und Qualität. Schriftqualität ist eine Frage der
Erfahrung. Berthold hat diese Erfahrung seit ü
ber hundert Jahren. Zuerst im Schriftguß, dann
im Fotosatz. Berthold-Schriften sind weltweit
geschätzt. Im Schriftenatelier München wird j
eder Buchstabe in der Größe von zwölf Zenti
metern neu gezeichnet. Mit messerscharfen
Konturen, um für die Schriftscheiben das Opti

2,00 mm (7,5 p) 20 30 40

Berthold-Schriften überzeugen durch Sch
ärfe und Qualität. Schriftqualität ist eine Fra
ge der Erfahrung. Berthold hat diese Erfahr
ung seit über hundert Jahren. Zuerst im Sch
riftguß, dann im Fotosatz. Berthold-Schrifte
n sind weltweit geschätzt. Im Schriftenateli
er München wird jeder Buchstabe in der Gr
öße von zwölf Zentimetern neu gezeichnet
Mit messerscharfen Konturen, um für die Sc

2,15 mm (8 p) 20 30 40

Leslie Usherwood
1983
H. Berthold AG

ABCDEFGHIJKLMNOPQ
RSTUVWXYZ
abcdefghijklmnopqrstuvwxyz
1/1234567890%
(.,-;:!¡?¿–)·['‚„"“»«]
+–=/$£†*&§
ÄÅÆÖØŒÜäåæıöøœßü
ÁÀÂÃÇČÉÈÊËÍÌÎÏĹŇÑÓÒÔÕ
ŔŘŠŤÚÙÛŴẄÝŶŸŽ
áàâãçčéèêëíìîïĺňñóòôõŕřš
úùûŵẅýỳÿž

Berthold-Schriftweite weit
Berthold-Schriftweite normal
Berthold-Schriftweite eng
Berthold-Schriftweite sehr eng
Berthold-Schriftweite extrem eng

Berthold
3,72 mm (14 p)

Berthold
4,25 mm (16 p)

Berthold
4,75 mm (18 p)

Berthold
5,30 mm (20 p)

Berthold
6,35 mm (24 p)

Berthold
7,40 mm (28 p)

Berthold
8,50 mm (32 p)

Berthold
9,55 mm (36 p)

Größe		Zeilenabstand			100 Zeichen		
mm	p	kp	Êp	Ex	0	–1	–2
1,33	5	1,81	2,13	2,00	92	89	86
1,60	6	2,19	2,50	2,50	108	104	100
1,86	7	2,50	2,94	3,00	124	120	116
2,15	8	2,94	3,38	3,50	141	136	131
2,40	9	3,25	3,75	3,75	158	152	146
2,65	10	3,56	4,19	4,25	174	167	160
2,92	11	3,94	4,56	4,75	190	183	176
3,20	12	4,31	5,00	5,25	207	199	191
3,45	13	4,63	5,44	5,75	223	215	207
3,72	14	5,00	5,81	–	239	230	221
3,98	15	5,38	6,25	–	255	246	237
4,25	16	5,75	6,63	–	271	261	251

WZ 13 E, NSW 0, MZB 0,66, F 0,10:0,07 (1,4), III
H 1–x 0,80–k 1,07–p 0,27–Ê 1,29–kp 1,34–Êp 1,56
BF 089 1252, Belegung 051: 085 2190 (095 2190)

Berthold-Schriften überzeugen durch
Schärfe und Qualität. Schriftqualität ist
eine Frage der Erfahrung. Berthold hat
diese Erfahrung seit über hundert Jahr
en. Zuerst im Schriftguß, dann im Fotos
atz. Berthold-Schriften sind weltweit g
eschätzt. Im Schriftenatelier München
wird jeder Buchstabe in der Größe von z

2,40 mm (9 p) 10 20 30

Berthold-Schriften überzeugen du
rch Schärfe und Qualität. Schriftqu
alität ist eine Frage der Erfahrung. B
erthold hat diese Erfahrung seit üb
er hundert Jahren. Zuerst im Schrift
guß, dann im Fotosatz. Berthold-S
chriften sind weltweit geschätzt. I
m Schriftenatelier München wird j

2,65 mm (10 p) 10 20 30

Berthold-Schriften überzeugen
durch Schärfe und Qualität. Sch
riftqualität ist eine Frage der Erf
ahrung. Berthold hat diese Erfa
hrung seit über hundert Jahren
Zuerst im Schriftguß, dann im F
otosatz. Berthold-Schriften sind
weltweit geschätzt. Im Schrifte

2,92 mm (11 p) 10 20 3

Berthold-Schriften überzeug
en durch Schärfe und Qualitä
t. Schriftqualität ist eine Frage
der Erfahrung. Berthold hat d
iese Erfahrung seit über hun
dert Jahren. Zuerst im Schrift
guß, dann im Fotosatz. Berth
old-Schriften sind weltweit g

3,20 mm (12 p) 10 20

Berthold-Schriften überzeu
gen durch Schärfe und Qu
alität. Schriftqualität ist eine
Frage der Erfahrung. Bertho
ld hat diese Erfahrung seit
über hundert Jahren. Zuerst
im Schriftguß, dann im Fot
osatz. Berthold-Schriften si

3,45 mm (13 p) 10 20

mager
light
maigre

MARBROOK

fina
chiarissimo
mager

Berthold-Schriften überzeugen durch Schärfe und Qualität. Schriftqual ität ist eine Frage der Erfahrung. Berthold hat diese Erfahrung seit über hundert Jahren. Zuerst im Schriftguß, dann im Fotosatz. Berthold-Schrif ten sind weltweit geschätzt. Im Schriftenatelier München wird jeder B uchstabe in der Größe von zwölf Zentimetern neu gezeichnet. Mit mes serscharfen Konturen, um für die Schriftscheiben das Optimale an Kon turenschärfe herauszuholen. Um die Qualität des Einzelzeichens im Be lichtungsvorgang zu bewahren, wird durch die ruhende, nicht rotiere nde Schriftscheibe belichtet. Dieses optische System, verbunden mit

4,25 mm (16 p), Zeilenabstand 6,75 mm

MARBROOK LIGHT

In general, bodytypes are measured in the typo graphical point size. The sizes of Berthold Fotot ype faces can be exactly determined. All faces of same point size have the same capital height-ir respective of their x-height. In hot metal and many other phototypesetting systems the capi tal heights often differ considerably from one fa ce to the other. For measuring point sizes, a tran sparent size gauge is provided. To determine the point size, bring a capital letter into coincidence with that field which precisely circumscribes t he letter at its upper and lower margin. Below th e field you find the typographical point and belo w that the millimeter value, which also refers to the height of a capital letter. In Berthold-photot ypesetting, the typewidth can be modified. The standard setting width of typefaces is determin ed by the principle of optimum legibility. You sh ould not depart from this typewidth without co gent reason. A typeface which is considered op tically right when looked in a greater context, o ften seems bulky when applied for a small amo

2,40 mm (9 p), Zeilenabstand 4,25 mm

MARBROOK MAIGRE

La valeur de la force de corps des caractères de labeur èst généralement exprimée en p oints typographiques. La force de corps des caractères Berthold-Fototype peut être dé terminée avec précision. Tous les caractèr es du même corps ont des capitales d'u ne hauteur identique, indépendamment de la hauteur des bas de casse sans jambage Dans la composition plomb, ainsi que dans certains systèmes de photocomposition, la hauteur des capitales, varie souvent d'un c aractère à l'autre. Pour déterminer la force de corps de nos caractères, nous avons mis au point une réglette de hauteur d'œil tran sparente. On cherche le rectangle qui déli mite exactement la hauteur d'œil d'une ca pitale du caractère choisi. Sous le rectangle correspondant la valeur de la force de corps est indiquée en points Didots et en millimè tres. La valeur en millimètres exprime égal

2,65 mm (10 p), Zeilenabstand 4,69 mm

La indicación de las dimensiones para cuerp os de letra vásicos tiene lugar en general en p untos tipográficos. Los cuerpos de letra de los caracteres Berthold Fototype pueden deter minarse exactemente par medición. Con ind ependencia de la altura de sus longitudes cen trales, todos los caracteres de idéntico cuerpo de letra presentan altura de mayúsculas idén tica. En la composición en plomo y en muchos

2,15 mm (8 p), –1, Zeilenabstand 3,38 mm

123,– $	456,– £	7890,– DM	1 %
234,– $	789,– £	1234,– DM	2 %
567,– $	12,– £	5678,– DM	3 %
890,– $	345,– £	9012,– DM	4 %
123,– $	678,– £	3456,– DM	5 %
456,– $	901,– £	7890,– DM	6 %
789,– $	234,– £	1234,– DM	7 %
12,– $	567,– £	5678,– DM	8 %
345,– $	890,– £	9012,– DM	9 %

BF 089 1253

Le misure relative al corpo dei caratteri vengono generalmente indicate in punti tipografici. Il cor po dei caratteri Fototypes può essere determin ato con esattezza per semplice misurazione. Tu tti i caratteri di uguale grandezza in punti hanno indipendentemente dalla loro lunghezza, ugua le altezza delle maiuscole. Nella composizione i n piombo ed in molti altri sistemi di fotocompos izione, l'altezza delle maiuscole varia spesso da

2,15 mm (8 p), –2, Zeilenabstand 3,38 mm

kursiv mager
light italic
italique maigre

MARBROOK

fina cursiva
chiarissimo corsivo
kursiv mager

Måttangivelse för grundstilsgra der sker i allmänhet i typografi ska punkter. Stilar av Berthold Fototype kan efter mätning ex akt gradbestämmas. Alla typsn itt är av samma punktstorlek o ch har oberoende av x-höjden en identisk versalhöjd. I blysätt ning och i många andra fotosä ttsystem varierar versalhöjden avsevärt från typsnitt till typsni tt. För mätning av stilgrader fin ns en transparent mätlinjal. Vid mätningen placerar man en ve rsal bokstav så att rutorna begr änsar tecknet upptill och nedtill Under rutorna finns stilstorleke n i typografiska didotpunkter o ch i mm. Även millimeteruppgif

2,92 mm (11 p), Zeilenabstand 4,69 mm

Leslie Usherwood
1983
H. Berthold AG

ABCDEFGHIJKLMNOPQ
RSTUVWXYZ
abcdefghijklmnopqrstuvwxyz
1/1 2 3 4 5 6 7 8 9 0 %
(.,-;:!¡?¿–)·['‘„”“»«]
+—=/$£†&§*
ÄÅÆÖØŒÜäåæıöøœßü
ÁÀÂÃÇČÉÈÊËÍÌÎÏĹŇÑÓÒÔÕ
ŔŘŠŤÚÙÛŴẄÝŶŸŽ
áàâãçčéèêëíìîïĺňñóòôõŕřš
úùûŵẅýỳŷÿž

Berthold-Schriftweite weit
Berthold-Schriftweite normal
Berthold-Schriftweite eng
Berthold-Schriftweite sehr eng
Berthold-Schriftweite extrem eng

In general, bodytypes are m easured in the typographical point size. The sizes of Berth old Fototype faces can be ex actly determined. All faces of same point size have the sa me capital height–irrespecti ve of their x-height. In hot m etal and many other phototy pesetting systems the capit al heights often differ consid erably from one face to the o ther. For measuring point siz es, a transparent size gauge is provided. To determine the point size, bring a capital lett er into coincidence with that

3,20 mm (12 p), Zeilenabstand 5,25 mm

MARBROOK KURSIV MAGER

Die Maßangabe zu Grundschriftgrößen erfolgt i m allgemeinen in typographischen Punkten. Di e Schriftgrößen der Berthold-Fotosatz-Schrifte n sind nach Messung exakt bestimmbar. Alle Schriften gleicher Punktgröße weisen, unabhän gig von der Höhe ihrer Mittellängen, eine ident ische Versalhöhe auf. Im Bleisatz und bei vielen anderen Fotosatz-Systemen differieren die Ver salhöhen von Schrift zu Schrift oft erheblich. Zu m Messen von Schriftgrößen steht ein transpar entes Größenmaß zur Verfügung. Zum Messen wird ein Versalbuchstabe mit dem Feld in Deck ung gebracht, das den Buchstaben oben und un ten scharf begrenzt. Unter dem Feld ist die Schr iftgröße in typographischen Didot-Punkten, dar unter in Millimetern angegeben. Auch die Milli meterangaben beziehen sich auf die Höhe der Versalbuchstaben. Die Schriftweite kann im Ber

2,40 mm (9 p), Zeilenabstand 4 mm

MARBROOK ITALIQUE MAIGRE

La valeur de la force de corps des caractèr es de labeur èst généralement exprimée e n points typographiques. La force de corps des caractères Berthold-Fototype peut êt re déterminée avec précision. Tous les car actères du même corps ont des capitales d'une hauteur identique, indépendamme nt de la hauteur des bas de casse sans ja mbage. Dans la composition plomb, ainsi que dans certains systèmes de photocom position, la hauteur des capitales, varie so uvent d'un caractère à l'autre. Pour déter miner la force de corps de nos caractères nous avons mis au point une réglette de h auteur d'œil transparente. On cherche le r ectangle qui délimite exactement la haut

2,65 mm (10 p), Zeilenabstand 4,50 mm

La indicación de las dimensiones para cuerpos de letra vásicos tiene lugar en general en puntos tipográficos. L os cuerpos de letra de los caracteres Berthold Fototype pueden determinarse exactemente par medición. Con independencia de la altura de sus longitudes centrales todos los caracteres de idéntico cuerpo de letra presen tan altura de mayúsculas idéntica. En la composición e n plomo y en muchos otros sistemas de fotocomposici ón, las alturas de mayúsculas varían frecuentemmente en forma considerable de tipo de letra a tipo de letra. P ara medir los cuerpos de letra se dispone de un tipóme tro, véase la figura. Para la medición se hace coincidir u

1,60 mm (6 p), Zeilenabstand 2,50 mm

Größe		Zeilenabstand			100 Zeichen		
mm	p	kp	Êp	Ex	0	–1	–2
1,33	5	1,81	2,13	–	97	94	91
1,60	6	2,19	2,56	2,50	115	111	107
1,86	7	2,56	2,94	–	132	128	124
2,15	8	2,94	3,38	3,38	150	145	140
2,40	9	3,31	3,81	4,00	168	162	156
2,65	10	3,63	4,19	4,50	185	178	171
2,92	11	4,00	4,63	4,69	202	195	188
3,20	12	4,38	5,06	5,25	220	212	204
3,45	13	4,75	5,44	–	237	229	221
3,72	14	5,06	5,88	–	254	245	236
3,98	15	5,44	6,25	–	271	262	253
4,25	16	5,81	6,69	–	289	279	269

WZ 13 E, NSW +1, MZB 0,70, F 0,10:0,08 (1,4), III
H 1–x 0,81–k 1,08–p 0,28–Ê 1,29–kp 1,36–Êp 1,57
BF 089 1232, Belegung 051: 085 2191 (095 2191)

Le misure relative al corpo dei caratteri ve ngono generalmente indicate in punti tipo grafici. Il corpo dei caratteri Fototypes può essere determinato con esattezza per se mplice misurazione. Tutti i caratteri di ugu ale grandezza in punti hanno, indipendent emente dalla loro lunghezza, uguale altez za delle maiuscole. Nella composizione in piombo ed in molti altri sistemi di fotocom

2,15 mm (8 p), Zeilenabstand 3,38 mm

Buch
book
romain labeur

MARBROOK

libro
libro
buch

Berthold-Schriften überzeugen durch Schärfe und Qualität. Sch riftqualität ist eine Frage der Erfahrung. Berthold hat diese Erfa hrung seit über hundert Jahren. Zuerst im Schriftguß, dann im F otosatz. Berthold-Schriften sind weltweit geschätzt. Im Schrifte natelier München wird jeder Buchstabe in der Größe von zwölf Zentimetern neu gezeichnet. Mit messerscharfen Konturen, um für die Schriftscheiben das Optimale an Konturenschärfe herau szuholen. Um die Qualität des Einzelzeichens im Belichtungsvo rgang zu bewahren, wird durch die ruhende, nicht rotierende S

1,33 mm (5 p) 20 30 40 50 60

Berthold-Schriften überzeugen durch Schärfe und Qualität. Schriftqualität ist eine Frage der Erfahrung. Berthold hat di ese Erfahrung seit über hundert Jahren. Zuerst im Schriftgu ß, dann im Fotosatz. Berthold-Schriften sind weltweit gesch ätzt. Im Schriftenatelier München wird jeder Buchstabe in d er Größe von zwölf Zentimetern neu gezeichnet. Mit messer scharfen Konturen, um für die Schriftscheiben das Optimale an Konturenschärfe herauszuholen. Um die Qualität des Ei nzelzeichens im Belichtungsvorgang zu bewahren, wird d

1,45 mm (5,5 p) 20 30 40 50

Berthold-Schriften überzeugen durch Schärfe und Qu alität. Schriftqualität ist eine Frage der Erfahrung. Bert hold hat diese Erfahrung seit über hundert Jahren. Zue rst im Schriftguß, dann im Fotosatz. Berthold-Schrift en sind weltweit geschätzt. Im Schriftenatelier Münch en wird jeder Buchstabe in der Größe von zwölf Zenti metern neu gezeichnet. Mit messerscharfen Konturen um für die Schriftscheiben das Optimale an Kontur enschärfe herauszuholen. Um die Qualität des Einzelz

1,60 mm (6 p) 20 30 40 50

Berthold-Schriften überzeugen durch Schärfe und Qualität. Schriftqualität ist eine Frage der Erfahru ng. Berthold hat diese Erfahrung seit über hundert Jahren. Zuerst im Schriftguß, dann im Fotosatz. Be rthold-Schriften sind weltweit geschätzt. Im Schri ftenatelier München wird jeder Buchstabe in der Größe von zwölf Zentimetern neu gezeichnet. Mit messerscharfen Konturen, um für die Schriftschei ben das Optimale an Konturenschärfe herauszuh

1,75 mm (6,5 p) 20 30 40 5

Berthold-Schriften überzeugen durch Schärfe und Qualität. Schriftqualität ist eine Frage der E rfahrung. Berthold hat diese Erfahrung seit übe r hundert Jahren. Zuerst im Schriftguß, dann im Fotosatz. Berthold-Schriften sind weltweit ges chätzt. Im Schriftenatelier München wird jeder Buchstabe in der Größe von zwölf Zentimetern neu gezeichnet. Mit messerscharfen Konturen um für die Schriftscheiben das Optimale an Ko

1,86 mm (7 p) 20 30 40

Berthold-Schriften überzeugen durch Schä rfe und Qualität. Schriftqualität ist eine Frage der Erfahrung. Berthold hat diese Erfahrung seit über hundert Jahren. Zuerst im Schriftg uß, dann im Fotosatz. Berthold-Schriften sin d weltweit geschätzt. Im Schriftenatelier M ünchen wird jeder Buchstabe in der Größe v on zwölf Zentimetern neu gezeichnet. Mit m esserscharfen Konturen, um für die Schrifts

2,00 mm (7,5 p) 20 30 40

Berthold-Schriften überzeugen durch Sc härfe und Qualität. Schriftqualität ist eine Frage der Erfahrung. Berthold hat diese Er fahrung seit über hundert Jahren. Zuerst i m Schriftguß, dann im Fotosatz. Berthold Schriften sind weltweit geschätzt. Im Sch riftenatelier München wird jeder Buchsta be in der Größe von zwölf Zentimetern ne u gezeichnet. Mit messerscharfen Konture

2,15 mm (8 p) 20 30 40

Leslie Usherwood
1983
H. Berthold AG

ABCDEFGHIJKLMNOPQ
RSTUVWXYZ
abcdefghijklmnopqrstuvwxyz
1/1234567890%
(.,-;:!¡?¿–)·[‘„”“»«]
+–=/$£†*&§
ÄÅÆÖØŒÜäåæıöøœßü
ÁÀÂÃÇČÉÈÊËÍÌÎÏĹŇÑÓÒÔÕ
ŔŘŠŤÚÙÛŴẄÝŶŸŽ
áàâãçčéèêëíìîïĺňñóòôõŕřš
úùûŵẅýỳÿž

Berthold-Schriftweite weit
Berthold-Schriftweite normal
Berthold-Schriftweite eng
Berthold-Schriftweite sehr eng
Berthold-Schriftweite extrem eng

Berthold
3,72 mm (14 p)

Berthold
4,25 mm (16 p)

Berthold
4,75 mm (18 p)

Berthold
5,30 mm (20 p)

Berthold
6,35 mm (24 p)

Berthold
7,40 mm (28 p)

Berthold
8,50 mm (32 p)

Berthold
9,55 mm (36 p)

Größe mm	p	Zeilenabstand kp	Êp	Ex	100 Zeichen 0	−1	−2
1,33	5	1,00	2,10	2,00	00	00	00
1,60	6	2,25	2,63	2,50	105	101	97
1,86	7	2,63	3,06	3,00	121	117	113
2,15	8	3,00	3,50	3,50	137	132	127
2,40	9	3,38	3,94	3,75	153	147	141
2,65	10	3,69	4,31	4,25	169	162	155
2,92	11	4,06	4,75	4,75	185	178	171
3,20	12	4,44	5,19	5,25	201	193	185
3,45	13	4,81	5,63	5,75	216	208	200
3,72	14	5,19	6,06	–	232	223	214
3,98	15	5,50	6,50	–	248	239	230
4,25	16	5,88	6,94	–	264	254	244

WZ 13 E, NSW 0, MZB 0,64, F 0,13:0,08 (1,6), III
H 1–x 0,80–k 1,08–p 0,30–Ê 1,32–kp 1,38–Êp 1,62
BF 089 1204, Belegung 051: 085 2141 (095 2141)

Berthold-Schriften überzeugen durc h Schärfe und Qualität. Schriftqualität ist eine Frage der Erfahrung. Berthold hat diese Erfahrung seit über hundert Jahren. Zuerst im Schriftguß, dann im Fotosatz. Berthold-Schriften sind wel tweit geschätzt. Im Schriftenatelier M ünchen wird jeder Buchstabe in der G

2,40 mm (9 p) 20 30

Berthold-Schriften überzeugen d urch Schärfe und Qualität. Schrift qualität ist eine Frage der Erfahru ng. Berthold hat diese Erfahrung s eit über hundert Jahren. Zuerst im Schriftguß, dann im Fotosatz. Ber thold-Schriften sind weltweit ges chätzt. Im Schriftenatelier Münch

2,65 mm (10 p) 10 20 30

Berthold-Schriften überzeuge n durch Schärfe und Qualität. S chriftqualität ist eine Frage der Erfahrung. Berthold hat diese Erfahrung seit über hundert Ja hren. Zuerst im Schriftguß, da nn im Fotosatz. Berthold-Schri ften sind weltweit geschätzt. I

2,92 mm (11 p) 10 20 30

Berthold-Schriften überzeu gen durch Schärfe und Qual ität. Schriftqualität ist eine F rage der Erfahrung. Berthold hat diese Erfahrung seit übe r hundert Jahren. Zuerst im Schriftguß, dann im Fotosat z. Berthold-Schriften sind w

3,20 mm (12 p) 10 20

Berthold-Schriften überze ugen durch Schärfe und Q ualität. Schriftqualität ist e ine Frage der Erfahrung. B erthold hat diese Erfahru ng seit über hundert Jahre n. Zuerst im Schriftguß, da nn im Fotosatz. Berthold-S

3,45 mm (13 p) 10 20

Buch book romain labeur	MARBROOK	libro libro buch

Berthold-Schriften überzeugen durch Schärfe und Qualität. Schriftq ualität ist eine Frage der Erfahrung. Berthold hat diese Erfahrung seit über hundert Jahren. Zuerst im Schriftguß, dann im Fotosatz. Bertho ld-Schriften sind weltweit geschätzt. Im Schriftenatelier München wird jeder Buchstabe in der Größe von zwölf Zentimetern neu gezei chnet. Mit messerscharfen Konturen, um für die Schriftscheiben das Optimale an Konturenschärfe herauszuholen. Um die Qualität des E inzelzeichens im Belichtungsvorgang zu bewahren, wird durch die ruhende, nicht rotierende Schriftscheibe belichtet. Dieses optische

4,25 mm (16 p), Zeilenabstand 6,75 mm

MARBROOK BOOK

In general, bodytypes are measured in the typ ographical point size. The sizes of Berthold Fot otype faces can be exactly determined. All fac es of same point size have the same capital he ight–irrespective of their x-height. In hot metal and many other phototypesetting systems the capital heights often differ considerably from one face to the other. For measuring point size s, a transparent size gauge is provided. To det ermine the point size, bring a capital letter into coincidence with that field which precisely cir cumscribes the letter at its upper and lower m argin. Below the field you find the typographi cal point and below that the millimeter value which also refers to the height of a capital lett er. In Berthold-phototypesetting, the typewidt h can be modified. The standard setting width of typefaces is determined by the principle of optimum legibility. You should not depart from this typewidth without cogent reason. A typef ace which is considered optically right when l ooked in a greater context, often seems bulky

2,40 mm (9 p), Zeilenabstand 4,25 mm

MARBROOK ROMAIN LABEUR

La valeur de la force de corps des caractèr es de labeur èst généralement exprimée en points typographiques. La force de cor ps des caractères Berthold-Fototype peut être déterminée avec précision. Tous les c aractères du même corps ont des capital es d'une hauteur identique, indépendam ment de la hauteur des bas de casse sans jambage. Dans la composition plomb, ain si que dans certains systèmes de photoc omposition, la hauteur des capitales, varie souvent d'un caractère à l'autre. Pour dét erminer la force de corps de nos caractèr es, nous avons mis au point une réglette d e hauteur d'œil transparente. On cherche le rectangle qui délimite exactement la h auteur d'œil d'une capitale du caractère c hoisi. Sous le rectangle correspondant la valeur de la force de corps est indiquée en points Didots et en millimètres. La valeur

2,65 mm (10 p), Zeilenabstand 4,69 mm

La indicación de las dimensiones para cuer pos de letra vásicos tiene lugar en general e n puntos tipográficos. Los cuerpos de letra d e los caracteres Berthold Fototype pueden determinarse exactemente par medición Con independencia de la altura de sus longi tudes centrales, todos los caracteres de idé ntico cuerpo de letra presentan altura de m ayúsculas idéntica. En la composición en pl

2,15 mm (8 p), –1, Zeilenabstand 3,38 mm

123,– $	456,– £	7890,– DM	1 %
234,– $	789,– £	1234,– DM	2 %
567,– $	12,– £	5678,– DM	3 %
890,– $	345,– £	9012,– DM	4 %
123,– $	678,– £	3456,– DM	5 %
456,– $	901,– £	7890,– DM	6 %
789,– $	234,– £	1234,– DM	7 %
12,– $	567,– £	5678,– DM	8 %
345,– $	890,– £	9012,– DM	9 %

BF 089 1205

Le misure relative al corpo dei caratteri vengo no generalmente indicate in punti tipografici Il corpo dei caratteri Fototypes può essere det erminato con esattezza per semplice misura zione. Tutti i caratteri di uguale grandezza in p unti hanno, indipendentemente dalla loro lu nghezza, uguale altezza delle maiuscole. Nell a composizione in piombo ed in molti altri sis temi di fotocomposizione, l'altezza delle mai

2,15 mm (8 p), –2, Zeilenabstand 3,38 mm

Buch kursiv
book italic
italique romain labeur

MARBROOK

libro cursiva
libro corsivo
buch kursiv

Måttangivelse för grundstilsg rader sker i allmänhet i typog rafiska punkter. Stilar av Bert hold Fototype kan efter mätn ing exakt gradbestämmas. Al la typsnitt är av samma punk tstorlek och har oberoende av x-höjden en identisk versalh öjd. I blysättning och i många andra fotosättsystem varierar versalhöjden avsevärt från ty psnitt till typsnitt. För mätning av stilgrader finns en transpa rent mätlinjal. Vid mätningen placerar man en versal bokst av så att rutorna begränsar te cknet upptill och nedtill. Und er rutorna finns stilstorleken i typografiska didotpunkter oc

2,92 mm (11 p), Zeilenabstand 4,69 mm

Leslie Usherwood
1983
H. Berthold AG

ABCDEFGHIJKLMNOPQ
RSTUVWXYZ
abcdefghijklmnopqrstuvwxyz
1/1234567890%
(.,-;:!¡?¿–)·['‚„"“»«]
+−=/$£†&§*
ÄÅÆÖØŒÜäåæıöøœßü
ÁÀÂÃÇČÉÈÊËÍÌÎÏĹŇÑÓÒÔÕ
ŔŘŠŤÚÙÛŴẄÝŶŸŽ
áàâãçčéèêëíìîïĺňñóòôõŕřš
úùûŵẅýŷÿž

Berthold-Schriftweite weit
Berthold-Schriftweite normal
Berthold-Schriftweite eng
Berthold-Schriftweite sehr eng
Berthold-Schriftweite extrem eng

In general, bodytypes are measured in the typograp hical point size. The sizes of Berthold Fototype faces can be exactly determined. All f aces of same point size hav e the same capital height–i rrespective of their x-heigh t. In hot metal and many ot her phototypesetting syste ms the capital heights often differ considerably from on e face to the other. For mea suring point sizes, a transp arent size gauge is provide d. To determine the point si ze, bring a capital letter into

3,20 mm (12 p), Zeilenabstand 5,25 mm

MARBROOK BUCH KURSIV

Die Maßangabe zu Grundschriftgrößen erfol gt im allgemeinen in typographischen Punk ten. Die Schriftgrößen der Berthold-Fotosatz Schriften sind nach Messung exakt bestim mbar. Alle Schriften gleicher Punktgröße we isen, unabhängig von der Höhe ihrer Mittellä ngen, eine identische Versalhöhe auf. Im Ble isatz und bei vielen anderen Fotosatz-Syste men differieren die Versalhöhen von Schrift zu Schrift oft erheblich. Zum Messen von Sch riftgrößen steht ein transparentes Größenm aß zur Verfügung. Zum Messen wird ein Vers albuchstabe mit dem Feld in Deckung gebra cht, das den Buchstaben oben und unten sc harf begrenzt. Unter dem Feld ist die Schriftg röße in typographischen Didot-Punkten, dar unter in Millimetern angegeben. Auch die Mi llimeterangaben beziehen sich auf die Höhe

2,40 mm (9 p), Zeilenabstand 4 mm

MARBROOK ITALIQUE ROMAIN LABEUR

La valeur de la force de corps des caract ères de labeur èst généralement expri mée en points typographiques. La force de corps des caractères Berthold-Fotot ype peut être déterminée avec précisio n. Tous les caractères du même corps ont des capitales d'une hauteur identique, i ndépendamment de la hauteur des bas de casse sans jambage. Dans la composi tion plomb, ainsi que dans certains syst èmes de photocomposition, la hauteur des capitales, varie souvent d'un caract ère à l'autre. Pour déterminer la force de corps de nos caractères, nous avons mis au point une réglette de hauteur d'œil tr ansparente. On cherche le rectangle qui

2,65 mm (10 p), Zeilenabstand 4,50 mm

La indicación de las dimensiones para cuerpos de le tra vásicos tiene lugar en general en puntos tipográf icos. Los cuerpos de letra de los caracteres Berthold Fototype pueden determinarse exactemente par m edición. Con independencia de la altura de sus longi tudes centrales, todos los caracteres de idéntico cue rpo de letra presentan altura de mayúsculas idéntic a. En la composición en plomo y en muchos otros sist emas de fotocomposición, las alturas de mayúsculas varían frecuentemmente en forma considerable de tipo de letra a tipo de letra. Para medir los cuerpos de letra se dispone de un tipómetro, véase la figura. Par

1,60 mm (6 p), Zeilenabstand 2,50 mm

Größe		Zeilenabstand			100 Zeichen		
mm	p	kp	Êp	Ex	0	−1	−2
1,00	[illegible]	1,00	2,10		00	00	00
1,60	6	2,25	2,63	2,50	113	109	105
1,86	7	2,63	3,00	–	130	126	122
2,15	8	3,00	3,50	3,38	148	143	138
2,40	9	3,38	3,88	4,00	166	160	154
2,65	10	3,69	4,31	4,50	183	176	169
2,92	11	4,06	4,75	4,69	200	193	186
3,20	12	4,50	5,19	5,25	217	209	201
3,45	13	4,81	5,56	–	234	226	218
3,72	14	5,19	6,00	–	251	242	233
3,98	15	5,56	6,44	–	268	259	250
4,25	16	5,94	6,88	–	285	275	265

WZ 13 E, NSW +1, MZB 0,69, F 0,13:0,08 (1,6), III
H 1–x 0,80–k 1,08–p 0,31–Ê 1,30–kp 1,39–Êp 1,61
BF 089 1438, Belegung 051: 085 1559 (095 1559)

Le misure relative al corpo dei caratteri v engono generalmente indicate in punti t ipografici. Il corpo dei caratteri Fototypes può essere determinato con esattezza p er semplice misurazione. Tutti i caratteri di uguale grandezza in punti hanno, indi pendentemente dalla loro lunghezza, u guale altezza delle maiuscole. Nella com posizione in piombo ed in molti altri sist

2,15 mm (8 p), Zeilenabstand 3,38 mm

normal
regular
normal

MARBROOK

normal
chiaro tondo
normal

Berthold-Schriften überzeugen durch Schärfe und Qualität. Sc
hriftqualität ist eine Frage der Erfahrung. Berthold hat diese E
rfahrung seit über hundert Jahren. Zuerst im Schriftguß, dann
im Fotosatz. Berthold-Schriften sind weltweit geschätzt. Im Sc
hriftenatelier München wird jeder Buchstabe in der Größe von
zwölf Zentimetern neu gezeichnet. Mit messerscharfen Kontu
ren, um für die Schriftscheiben das Optimale an Konturenschä
rfe herauszuholen. Um die Qualität des Einzelzeichens im Beli
chtungsvorgang zu bewahren, wird durch die ruhende, nicht

1,33 mm (5 p) 20 30 40 50

Berthold-Schriften überzeugen durch Schärfe und Qualität
Schriftqualität ist eine Frage der Erfahrung. Berthold hat d
iese Erfahrung seit über hundert Jahren. Zuerst im Schrift
guß, dann im Fotosatz. Berthold-Schriften sind weltweit g
eschätzt. Im Schriftenatelier München wird jeder Buchsta
be in der Größe von zwölf Zentimetern neu gezeichnet. Mit
messerscharfen Konturen, um für die Schriftscheiben das
Optimale an Konturenschärfe herauszuholen. Um die Qual
ität des Einzelzeichens im Belichtungsvorgang zu bewahr

1,45 mm (5,5 p) 20 30 40 50

Berthold-Schriften überzeugen durch Schärfe und Q
ualität. Schriftqualität ist eine Frage der Erfahrung. B
erthold hat diese Erfahrung seit über hundert Jahren
Zuerst im Schriftguß, dann im Fotosatz. Berthold-Sch
riften sind weltweit geschätzt. Im Schriftenatelier M
ünchen wird jeder Buchstabe in der Größe von zwölf
Zentimetern neu gezeichnet. Mit messerscharfen Ko
nturen, um für die Schriftscheiben das Optimale an K
onturenschärfe herauszuholen. Um die Qualität des E

1,60 mm (6 p) 20 30 40 5

Berthold-Schriften überzeugen durch Schärfe un
d Qualität. Schriftqualität ist eine Frage der Erfah
rung. Berthold hat diese Erfahrung seit über hun
dert Jahren. Zuerst im Schriftguß, dann im Fotosa
tz. Berthold-Schriften sind weltweit geschätzt. Im
Schriftenatelier München wird jeder Buchstabe in
der Größe von zwölf Zentimetern neu gezeichnet
Mit messerscharfen Konturen, um für die Schrift
scheiben das Optimale an Konturenschärf herau

1,75 mm (6,5 p) 20 30 40

Berthold-Schriften überzeugen durch Schärfe
und Qualität. Schriftqualität ist eine Frage der
Erfahrung. Berthold hat diese Erfahrung seit
über hundert Jahren. Zuerst im Schriftguß, da
nn im Fotosatz. Berthold-Schriften sind weltw
eit geschätzt. Im Schriftenatelier München wi
rd jeder Buchstabe in der Größe von zwölf Zen
timetern neu gezeichnet. Mit messerscharfen
Konturen, um für die Schriftscheiben das Opti

1,86 mm (7 p) 20 30 40

Berthold-Schriften überzeugen durch Schä
rfe und Qualität. Schriftqualität ist eine Fra
ge der Erfahrung. Berthold hat diese Erfahr
ung seit über hundert Jahren. Zuerst im Sch
riftguß, dann im Fotosatz. Berthold-Schrift
en sind weltweit geschätzt. Im Schriftenat
elier München wird jeder Buchstabe in der
Größe von zwölf Zentimetern neu gezeich
net. Mit messerscharfen Konturen, um für d

2,00 mm (7,5 p) 20 30 40

Berthold-Schriften überzeugen durch Sc
härfe und Qualität. Schriftqualität ist eine
Frage der Erfahrung. Berthold hat diese E
rfahrung seit über hundert Jahren. Zuerst
im Schriftguß, dann im Fotosatz. Berthol
d-Schriften sind weltweit geschätzt. Im S
chriftenatelier München wird jeder Buch
stabe in der Größe von zwölf Zentimetern
neu gezeichnet. Mit messerscharfen Kon

2,15 mm (8 p) 20 30

Leslie Usherwood
1983
H. Berthold AG

ABCDEFGHIJKLMNOPQ
RSTUVWXYZ
abcdefghijklmnopqrstuvwxyz
1/1234567890%
(.,-;:!¡?¿–)·["„"“»«]
+−=/$£†*&§
ÄÅÆÖØŒÜäåæıöøœßü
ÁÀÂÃÇČÉÈÊËÍÌÎÏĹŇÑÓÒÔÕ
ŔŘŠŤÚÙÛŴẄÝỲŶŸŽ
áàâãçčéèêëíìîïĺňñóòôõŕřš
úùûŵẅýỳÿž

Berthold-Schriftweite weit
Berthold-Schriftweite normal
Berthold-Schriftweite eng
Berthold-Schriftweite sehr eng
Berthold-Schriftweite extrem eng

Berthold
3,72 mm (14 p)

Berthold
4,25 mm (16 p)

Berthold
4,75 mm (18 p)

Berthold
5,30 mm (20 p)

Berthold
6,35 mm (24 p)

Berthold
7,40 mm (28 p)

Berthold
8,50 mm (32 p)

Berthold
9,55 mm (36 p)

Größe mm	p	Zeilenabstand kp	Êp	Ex	100 Zeichen 0	−1	−2
1,33	5	1,88	2,13	2,00	96	93	90
1,60	6	2,25	2,56	2,50	113	109	105
1,86	7	2,63	3,00	3,00	130	126	122
2,15	8	3,00	3,44	3,50	148	143	138
2,40	9	3,38	3,88	3,75	166	160	154
2,65	10	3,69	4,25	4,25	183	176	169
2,92	11	4,06	4,69	4,75	200	193	186
3,20	12	4,50	5,13	5,25	217	209	201
3,45	13	4,81	5,56	5,75	234	226	218
3,72	14	5,19	6,00	–	251	242	233
3,98	15	5,56	6,38	–	268	259	250
4,25	16	5,94	6,81	–	285	275	265

WZ 13 E, NSW 0, MZB 0,69, F 0,18:0,15 (1,2), III
H 1–x 0,81–k 1,09–p 0,30–Ê 1,30–kp 1,39–Êp 1,60
BF 089 1219, Belegung 051: 085 2142 (095 2142)

Berthold-Schriften überzeugen durc
h Schärfe und Qualität. Schriftqualit
ät ist eine Frage der Erfahrung. Berth
old hat diese Erfahrung seit über hu
ndert Jahren. Zuerst im Schriftguß, d
ann im Fotosatz. Berthold-Schriften
sind weltweit geschätzt. Im Schrifte
natelier München wird jeder Buchsta

2,40 mm (9 p) 10 20 30

Berthold-Schriften überzeugen d
urch Schärfe und Qualität. Schrift
qualität ist eine Frage der Erfahr
ung. Berthold hat diese Erfahrun
g seit über hundert Jahren. Zuerst
im Schriftguß, dann im Fotosatz
Berthold-Schriften sind weltweit
geschätzt. Im Schriftenatelier M

2,65 mm (10 p) 10 20 30

Berthold-Schriften überzeuge
n durch Schärfe und Qualität. S
chriftqualität ist eine Frage de
r Erfahrung. Berthold hat diese
Erfahrung seit über hundert J
ahren. Zuerst im Schriftguß, d
ann im Fotosatz. Berthold-Sch
riften sind weltweit geschätz

2,92 mm (11 p) 10 20

Berthold-Schriften überzeu
gen durch Schärfe und Qual
ität. Schriftqualität ist eine
Frage der Erfahrung. Berth
old hat diese Erfahrung seit
über hundert Jahren. Zuerst
im Schriftguß, dann im Foto
satz. Berthold-Schriften übe

3,20 mm (12 p) 10 20

Berthold-Schriften überz
eugen durch Schärfe und
Qualität. Schriftqualität i
st eine Frage der Erfahru
ng. Berthold hat diese Erf
ahrung seit über hundert
Jahren. Zuerst im Schriftg
uß, dann im Fotosatz. Bert

3,45 mm (13 p) 10 20

normal
regular
normal

MARBROOK

normal
chiaro tondo
normal

Berthold-Schriften überzeugen durch Schärfe und Qualität. Schrift qualität ist eine Frage der Erfahrung. Berthold hat diese Erfahrung seit über hundert Jahren. Zuerst im Schriftguß, dann im Fotosatz. B erthold-Schriften sind weltweit geschätzt. Im Schriftenatelier Mü nchen wird jeder Buchstabe in der Größe von zwölf Zentimetern n eu gezeichnet. Mit messerscharfen Konturen, um für die Schriftsc heiben das Optimale an Konturenschärfe herauszuholen. Um die Qualität des Einzelzeichens im Belichtungsvorgang zu bewahren wird durch die ruhende, nicht rotierende Schriftscheibe belichtet

4,25 mm (16 p), Zeilenabstand 6,75 mm

MARBROOK REGULAR

In general, bodytypes are measured in the ty pographical point size. The sizes of Berthold Fototype faces can be exactly determined. All faces of same point size have the same capital height–irrespective of their x-height. In hot metal and many other phototypesetting sys tems the capital heights often differ conside rably from one face to the other. For measur ing point sizes, a transparent size gauge is pr ovided. To determine the point size, bring a c apital letter into coincidence with that field which precisely circumscribes the letter at its upper and lower margin. Below the field you find the typographical point and below that t he millimeter value, which also refers to the height of a capital letter. In Berthold-phototy pesetting, the typewidth can be modified. The standard setting width of typefaces is deter mined by the principle of optimum legibility You should not depart from this typewidth w ithout cogent reason. A typeface which is co nsidered optically right when looked in a gr

2,40 mm (9 p), Zeilenabstand 4,25 mm

MARBROOK NORMAL

La valeur de la force de corps des caractè res de labeur èst généralement exprim ée en points typographiques. La force de corps des caractères Berthold-Fototype peut être déterminée avec précision. To us les caractères du même corps ont des capitales d'une hauteur identique, indé pendamment de la hauteur des bas de casse sans jambage. Dans la composition plomb, ainsi que dans certains systèmes de photocomposition, la hauteur des ca pitales, varie souvent d'un caractère à l'a utre. Pour déterminer la force de corps d e nos caractères, nous avons mis au point une réglette de hauteur d'œil transpare nte. On cherche le rectangle qui délimi te exactement la hauteur d'œil d'une cap itale du caractère choisi. Sous le rectangl e correspondant la valeur de la force de corps est indiquée en points Didots et en

2,65 mm (10 p), Zeilenabstand 4,69 mm

La indicación de las dimensiones para cuer pos de letra vásicos tiene lugar en general en puntos tipográficos. Los cuerpos de letra de los caracteres Berthold Fototype puede n determinarse exactemente par medició n. Con independencia de la altura de sus lo ngitudes centrales, todos los caracteres de idéntico cuerpo de letra presentan altura d e mayúsculas idéntica. En la composición e

2,15 mm (8 p), –1, Zeilenabstand 3,38 mm

123,– $	456,– £	7890,– DM	1 %
234,– $	789,– £	1234,– DM	2 %
567,– $	12,– £	5678,– DM	3 %
890,– $	345,– £	9012,– DM	4 %
123,– $	678,– £	3456,– DM	5 %
456,– $	901,– £	7890,– DM	6 %
789,– $	234,– £	1234,– DM	7 %
12,– $	567,– £	5678,– DM	8 %
345,– $	890,– £	9012,– DM	9 %

BF 089 1220

Le misure relative al corpo dei caratteri ven gono generalmente indicate in punti tipogra fici. Il corpo dei caratteri Fototypes può esser e determinato con esattezza per semplice m isurazione. Tutti i caratteri di uguale grandez za in punti hanno, indipendentemente dalla loro lunghezza, uguale altezza delle maiusco le. Nella composizione in piombo ed in molti altri sistemi di fotocomposizione, l'altezza d

2,15 mm (8 p), –2, Zeilenabstand 3,38 mm

kursiv
italic
italique

MARBROOK

cursiva
chiaro corsivo
kursiv

*Måttangivelse för grundstil
sgrader sker i allmänhet i ty
pografiska punkter. Stilar av
Berthold Fototype kan efter
mätning exakt gradbestäm
mas. Alla typsnitt är av sam
ma punktstorlek och har ob
eroende av x-höjden en ide
ntisk versalhöjd. I blysättni
ng och i många andra fotosä
ttsystem varierar versalhöj
den avsevärt från typsnitt ti
ll typsnitt. För mätning av st
ilgrader finns en transparent
mätlinjal. Vid mätningen pl
acerar man en versal bokst
av så att rutorna begränsar
tecknet upptill och nedtill. U
nder rutorna finns stilstorle*

2,92 mm (11 p), Zeilenabstand 4,69 mm

Leslie Usherwood
1983
H. Berthold AG

*ABCDEFGHIJKLMNOPQ
RSTUVWXYZ
abcdefghijklmnopqrstuvwxyz
1/1234567890 %
(.,-;:!¡?¿–)·[''„""»«]
+−=/$£†*&§
ÄÅÆÖØŒÜäåæıöøœßü
ÁÀÂÃÇČÉÈÊËÍÌÎÏĹŇÑÓÒÔÕ
ŔŘŠŤÚÙÛŴẄÝỲŶŸŽ
áàâãçčéèêëíìîïĺňñóòôõŕřš
úùûŵẅýỳÿž*

*Berthold-Schriftweite weit
Berthold-Schriftweite normal
Berthold-Schriftweite eng
Berthold-Schriftweite sehr eng
Berthold-Schriftweite extrem eng*

*In general, bodytypes are
measured in the typogra
phical point size. The siz
es of Berthold Fototype fa
ces can be exactly deter
mined. All faces of same
point size have the same
capital height–irrespectiv
e of their x-height. In hot
metal and many other ph
ototypesetting systems t
he capital heights often d
iffer considerably from o
ne face to the other. For m
easuring point sizes, a tra
nsparent size gauge is pr
ovided. To determine the p*

3,20 mm (12 p), Zeilenabstand 5,25 mm

MARBROOK KURSIV

*Die Maßangabe zu Grundschriftgrößen erf
olgt im allgemeinen in typographischen P
unkten. Die Schriftgrößen der Berthold-Fo
tosatz-Schriften sind nach Messung exakt
bestimmbar. Alle Schriften gleicher Punk
tgröße weisen, unabhängig von der Höhe
ihrer Mittellängen, eine identische Versal
höhe auf. Im Bleisatz und bei vielen and
eren Fotosatz-Systemen differieren die V
ersalhöhen von Schrift zu Schrift oft erheb
lich. Zum Messen von Schriftgrößen steht
ein transparentes Größenmaß zur Verfüg
ung. Zum Messen wird ein Versalbuchstab
e mit dem Feld in Deckung gebracht, das d
en Buchstaben oben und unten scharf beg
renzt. Unter dem Feld ist die Schriftgröße
in typographischen Didot-Punkten, darun
ter in Millimetern angegeben. Auch die Mil*

2,40 mm (9 p), Zeilenabstand 4 mm

MARBROOK ITALIQUE

*La valeur de la force de corps des cara
ctères de labeur èst généralement ex
primée en points typographiques. La
force de corps des caractères Berthol
d-Fototype peut être déterminée avec
précision. Tous les caractères du mê
me corps ont des capitales d'une haut
eur identique, indépendamment de la
hauteur des bas de casse sans jamba
ge. Dans la composition plomb, ainsi
que dans certains systèmes de photo
composition, la hauteur des capitales
varie souvent d'un caractère à l'autre
Pour déterminer la force de corps de n
os caractères, nous avons mis au point
une réglette de hauteur d'œil transpa*

2,65 mm (10 p), Zeilenabstand 4,50 mm

*La indicación de las dimensiones para cuerpos de
letra vásicos tiene lugar en general en puntos tipo
gráficos. Los cuerpos de letra de los caracteres Ber
thold Fototype pueden determinarse exactemen
te par medición. Con independencia de la altura de
sus longitudes centrales, todos los caracteres de i
déntico cuerpo de letra presentan altura de mayú
sculas idéntica. En la composición en plomo y en
muchos otros sistemas de fotocomposición, las al
turas de mayúsculas varían frecuentemmente en
forma considerable de tipo de letra a tipo de letra
Para medir los cuerpos de letra se dispone de un ti*

1,60 mm (6 p), Zeilenabstand 2,50 mm

Größe		Zeilenabstand			100 Zeichen		
mm	p	kp	Êp	Ex	0	−1	−2
1,33	5	1,88	2,19	–	100	97	94
1,60	6	2,31	2,63	2,50	118	114	110
1,86	7	2,63	3,06	–	136	132	128
2,15	8	3,06	3,56	3,38	154	149	144
2,40	9	3,44	3,94	4,00	172	166	160
2,65	10	3,75	4,38	4,50	190	183	176
2,92	11	4,13	4,81	4,69	208	201	194
3,20	12	4,56	5,25	5,25	226	218	210
3,45	13	4,88	5,69	–	243	235	227
3,72	14	5,25	6,13	–	261	252	243
3,98	15	5,63	6,56	–	279	270	261
4,25	16	6,00	7,00	–	296	286	276

WZ 13 E, NSW +1, MZB 0,72, F 0,18:0,11 (1,7), III
H 1–x 0,82–k 1,08–p 0,33–Ê 1,31–kp 1,41–Êp 1,64
BF 089 1489, Belegung 051: 085 1558 (095 1558)

*Le misure relative al corpo dei caratteri
vengono generalmente indicate in pu
nti tipografici. Il corpo dei caratteri Fot
otypes può essere determinato con es
attezza per semplice misurazione. Tut
ti i caratteri di uguale grandezza in pu
nti hanno, indipendentemente dalla lo
ro lunghezza, uguale altezza delle mai
uscole. Nella composizione in piombo*

2,15 mm (8 p), Zeilenabstand 3,38 mm

halbfett
demi-bold
demi-gras

MARBROOK

seminegra
neretto
halvfet

Berthold-Schriften überzeugen durch Schärfe u nd Qualität. Schriftqualität ist eine Frage der Erf ahrung. Berthold hat diese Erfahrung seit über hundert Jahren. Zuerst im Schriftguß, dann im F otosatz. Berthold-Schriften sind weltweit gesch ätzt. Im Schriftenatelier München wird jeder Bu chstabe in der Größe von zwölf Zentimetern neu gezeichnet. Mit messerscharfen Konturen, um f ür die Schriftscheiben das Optimale an Konturen

1,60 mm (6 p), Zeilenabstand 2,50 mm

Berthold-Schriften überzeugen durch Sch ärfe und Qualität. Schriftqualität ist eine Frage der Erfahrung. Berthold hat diese E rfahrung seit über hundert Jahren. Zuerst i m Schriftguß, dann im Fotosatz. Berthold Schriften sind weltweit geschätzt. Im Sch riftenatelier München wird jeder Buchsta be in der Größe von zwölf Zentimetern neu

1,86 mm (7 p), Zeilenabstand 3,00 mm

Berthold-Schriften überzeugen durc h Schärfe und Qualität. Schriftqualit ät ist eine Frage der Erfahrung. Berth old hat diese Erfahrung seit über hu ndert Jahren. Zuerst im Schriftguß, d ann im Fotosatz. Berthold-Schriften sind weltweit geschätzt. Im Schrifte natelier München wird jeder Buchsta

2,15 mm (8 p), Zeilenabstand 3,50 mm

Leslie Usherwood
1983
H. Berthold AG

ABCDEFGHIJKLMNOPQ
RSTUVWXYZ
abcdefghijklmnopqrstuvw
xyz 1/1234567890%
(.,-;:!¡?¿–)·[’‘„”“»«]
+−=/$£†*&§
ÄÅÆÖØŒÜäåæıöøœßü
ÁÀÂÃÇČÉÈÊËÍÌÎÏĹŇÑÓÒÔÕ
ŔŘŠŤÚÙÛŴẄÝŶŸŽ
áàâãçčéèêëíìîïĺňñóòôõŕřš
úùûŵẅýỳÿž

Berthold-Schriftweite weit
Berthold-Schriftweite normal
Berthold-Schriftweite eng
Berthold-Schriftweite sehr eng
Berthold-Schriftweite extrem eng

In general, bodytypes are measured in the typogra phical point size. The siz es of Berthold Fototype f aces can be exactly deter mined. All faces of same point size have the same capital height–irrespecti ve of their x-height. In h ot metal and many other phototypesetting system s the capital heights ofte n differ considerably fro m one face to the other. F or measuring point sizes a transparent size gauge is provided. To determine

3,20 mm (12 p), Zeilenabstand 5,25 mm

Berthold’s quick brown fox jumps over the lazy dog and feels as if he
3,72 mm (14 p)

Berthold’s quick brown fox jumps over the lazy dog and feels
4,25 mm (16 p)

Berthold’s quick brown fox jumps over the lazy dog a
4,75 mm (18 p)

Berthold’s quick brown fox jumps over the lazy
5,30 mm (20 p)

Berthold’s quick brown fox jumps over t
6,35 mm (24 p)

Berthold’s quick brown fox jumps o
7,40 mm (28 p)

Berthold’s quick brown fox ju
8,50 mm (32 p)

Berthold’s quick brown fox
9,55 mm (36 p)

Berthold-Schriften überzeugen d urch Schärfe und Qualität. Schri ftqualität ist eine Frage der Erfah rung. Berthold hat diese Erfahru ng seit über hundert Jahren. Zue rst im Schriftguß, dann im Fotos atz. Berthold-Schriften sind wel tweit geschätzt. Im Schriftenate

2,40 mm (9 p), Zeilenabstand 4,00 mm

Größe		Zeilenabstand			100 Zeichen		
mm	p	kp	Êp	Ex	0	−1	−2
1,00	5	1,94	2,19	–	100	103	100
1,60	6	2,38	2,63	2,50	125	121	117
1,86	7	2,75	3,06	3,00	143	139	135
2,15	8	3,13	3,56	3,50	163	158	153
2,40	9	3,50	3,94	4,00	183	177	171
2,65	10	3,88	4,38	4,00	201	194	187
2,92	11	4,25	4,81	–	220	213	206
3,20	12	4,69	5,25	5,25	239	231	223
3,45	13	5,06	5,63	–	258	250	242
3,72	14	5,44	6,13	–	276	267	258
3,98	15	5,81	6,50	–	295	286	277
4,25	16	6,19	6,94	–	314	304	294

WZ 13 E, NSW 0, MZB 0,76, F 0,25:0,15 (1,6), III
H 1–x 0,84–k 1,11–p 0,34–Ê 1,29–kp 1,45–Êp 1,63
BF 089 1206, Belegung 051: 085 2143 (095 2143)

Berthold-Schriften überzeuge n durch Schärfe und Qualität Schriftqualität ist eine Frage der Erfahrung. Berthold hat d iese Erfahrung seit über hund ert Jahren. Zuerst im Schriftgu ß, dann im Fotosatz. Berthold Schriften sind weltweit gesch

2,65 mm (10 p), Zeilenabstand 4,00 mm

fett
extra bold
gras

MARBROOK

negra
nero
fet

Berthold-Schriften überzeugen durch Schärfe und Qualität. Schriftqualität ist eine Frage der Erfahrung. Berthold hat diese Erfahrung seit über hundert Jahren. Zuerst im Schriftguß, d ann im Fotosatz. Berthold-Schriften sind wel tweit geschätzt. Im Schriftenatelier München wird jeder Buchstabe in der Größe von zwölf Z entimetern neu gezeichnet. Mit messerschar fen Konturen, um für die Schriftscheiben das

1,60 mm (6 p), Zeilenabstand 2,50 mm

Berthold-Schriften überzeugen durch S chärfe und Qualität. Schriftqualität ist eine Frage der Erfahrung. Berthold hat diese Erfahrung seit über hundert Jahre n. Zuerst im Schriftguß, dann im Fotosa tz. Berthold-Schriften sind weltweit ge schätzt. Im Schriftenatelier München w ird jeder Buchstabe in der Größe von zw

1,86 mm (7 p), Zeilenabstand 3,00 mm

Berthold-Schriften überzeugen du rch Schärfe und Qualität. Schriftqu alität ist eine Frage der Erfahrung Berthold hat diese Erfahrung seit ü ber hundert Jahren. Zuerst im Schr iftguß, dann im Fotosatz. Berthold Schriften sind weltweit geschätzt Im Schriftenatelier München wird

2,15 mm (8 p), Zeilenabstand 3,50 mm

Leslie Usherwood
1983
H. Berthold AG

ABCDEFGHIJKLMNOPQ
RSTUVWXYZ
abcdefghijklmnopqrstuvw
xyz 1/1234567890%
(.,-;:!¡?¿–)·['‘„"“»«]
+–=/$£†*&§
ÄÅÆÖØŒÜäåæıöøœßü
ÁÀÂÃÇČÉÈÊËÍÌÎÏĹŇÑÓÒÔÕ
ŔŘŠŤÚÙÛŴẄÝŶŸŽ
áàâãçčéèêëíìîïĺňñóòôõŕřš
úùûŵẅýỳÿž

Schriftweite weit
Schriftweite normal
Schriftweite eng
Schriftweite sehr eng
Schriftweite extrem eng

In general, bodytypes a re measured in the typ ographical point size. T he sizes of Berthold Fot otype faces can be exac tly determined. All fac es of same point size ha ve the same capital hei ght–irrespective of the ir x-height. In hot met al and many other phot otypesetting systems t he capital heights often differ considerably fro m one face to the other For measuring point si zes, a transparent size g

3,20 mm (12 p), Zeilenabstand 5,25 mm

Berthold's quick brown fox jumps over the lazy dog and feels as if
3,72 mm (14 p)

Berthold's quick brown fox jumps over the lazy dog and f
4,25 mm (16 p)

Berthold's quick brown fox jumps over the lazy dog
4,75 mm (18 p)

Berthold's quick brown fox jumps over the la
5,30 mm (20 p)

Berthold's quick brown fox jumps over
6,35 mm (24 p)

Berthold's quick brown fox jump
7,40 mm (28 p)

Berthold's quick brown fox j
8,50 mm (32 p)

Berthold's quick brown fo
9,55 mm (36 p)

Berthold-Schriften überzeugen durch Schärfe und Qualität. Sc hriftqualität ist eine Frage der Erfahrung. Berthold hat diese Erfahrung seit über hundert Ja hren. Zuerst im Schriftguß, da nn im Fotosatz. Berthold-Schri ften sind weltweit geschätzt. I

2,40 mm (9 p), Zeilenabstand 4,00 mm

Größe		Zeilenabstand			100 Zeichen		
mm	p	kp	Êp	Ex	0	–1	–2
1,33	5	2,00	2,19	–	115	112	109
1,60	6	2,38	2,63	2,50	135	131	127
1,86	7	2,81	3,00	3,00	156	152	148
2,15	8	3,19	3,50	3,50	177	172	167
2,40	9	3,56	3,88	4,00	198	192	186
2,65	10	3,94	4,31	4,00	219	212	205
2,92	11	4,38	4,75	–	239	232	225
3,20	12	4,75	5,19	5,25	259	251	243
3,45	13	5,13	5,56	–	280	272	264
3,72	14	5,56	6,00	–	300	291	282
3,98	15	5,94	6,44	–	320	311	302
4,25	16	6,31	6,88	–	341	331	321

WZ 13 E, NSW 0, MZB 0,82, F 0,31:0,16 (2,0), III
H 1–x 0,84–k 1,14–p 0,34–Ê 1,27–kp 1,48–Êp 1,61
BF 089 1233, Belegung 051: 085 2144 (095 2144)

Berthold-Schriften überzeu gen durch Schärfe und Qual ität. Schriftqualität ist eine Frage der Erfahrung. Bertho ld hat diese Erfahrung seit ü ber hundert Jahren. Zuerst i m Schriftguß, dann im Foto satz. Berthold-Schriften sin

2,65 mm (10 p), Zeilenabstand 4,00 mm

normal
regular
normal

MELIOR

normal
chiaro tondo
normal

Berthold-Schriften überzeugen durch Schärfe und Qualität. Sc
hriftqualität ist eine Frage der Erfahrung. Berthold hat diese Erfa
hrung seit über hundert Jahren. Zuerst im Schriftguß, dann im F
otosatz. Berthold-Schriften sind weltweit geschätzt. Im Schrifte
natelier München wird jeder Buchstabe in der Größe von zwölf
Zentimetern neu gezeichnet. Mit messerscharfen Konturen, um
für die Schriftscheiben das Optimale an Konturenschärfe herau
szuholen. Um die Qualität des Einzelzeichens im Belichtungsvo
rgang zu bewahren, wird durch die ruhende, nicht rotierende Sc

1,33 mm (5 p) 20 30 40 50 60

Berthold-Schriften überzeugen durch Schärfe und Qualität
Schriftqualität ist eine Frage der Erfahrung. Berthold hat die
se Erfahrung seit über hundert Jahren. Zuerst im Schriftguß
dann im Fotosatz. Berthold-Schriften sind weltweit geschät
zt. Im Schriftenatelier München wird jeder Buchstabe in der
Größe von zwölf Zentimetern neu gezeichnet. Mit messersc
harfen Konturen, um für die Schriftscheiben das Optimale an
Konturenschärfe herauszuholen. Um die Qualität des Einze
lzeichens im Belichtungsvorgang zu bewahren, wird durch

1,45 mm (5,5 p) 20 30 40 50

Berthold-Schriften überzeugen durch Schärfe und Qu
alität. Schriftqualität ist eine Frage der Erfahrung. Bert
hold hat diese Erfahrung seit über hundert Jahren. Zue
rst im Schriftguß, dann im Fotosatz. Berthold-Schrift
en sind weltweit geschätzt. Im Schriftenatelier Münch
en wird jeder Buchstabe in der Größe von zwölf Zenti
metern neu gezeichnet. Mit messerscharfen Konturen
um für die Schriftscheiben das Optimale an Kontur
enschärfe herauszuholen. Um die Qualität des Einzelz

1,60 mm (6 p) 20 30 40 50

Berthold-Schriften überzeugen durch Schärfe und
Qualität. Schriftqualität ist eine Frage der Erfahru
ng. Berthold hat diese Erfahrung seit über hundert
Jahren. Zuerst im Schriftguß, dann im Fotosatz. Be
rthold-Schriften sind weltweit geschätzt. Im Schri
ftenatelier München wird jeder Buchstabe in der
Größe von zwölf Zentimetern neu gezeichnet. Mit
messerscharfen Konturen, um für die Schriftschei
ben das Optimale an Konturenschärfe herauszuh

1,75 mm (6,5 p) 20 30 40 5

Berthold-Schriften überzeugen durch Schärfe
und Qualität. Schriftqualität ist eine Frage der E
rfahrung. Berthold hat diese Erfahrung seit über
hundert Jahren. Zuerst im Schriftguß, dann im
Fotosatz. Berthold-Schriften sind weltweit gesc
hätzt. Im Schriftenatelier München wird jeder
Buchstabe in der Größe von zwölf Zentimetern
neu gezeichnet. Mit messerscharfen Konturen
um für die Schriftscheiben das Optimale an Ko

1,86 mm (7 p) 20 30 40

Berthold-Schriften überzeugen durch Schä
rfe und Qualität. Schriftqualität ist eine Frage
der Erfahrung. Berthold hat diese Erfahrung
seit über hundert Jahren. Zuerst im Schriftg
uß, dann im Fotosatz. Berthold-Schriften sind
weltweit geschätzt. Im Schriftenatelier Mün
chen wird jeder Buchstabe in der Größe von
zwölf Zentimetern neu gezeichnet. Mit m
esserscharfen Konturen, um für die Schrifts

2,00 mm (7,5 p) 20 30 40

Berthold-Schriften überzeugen durch Sc
härfe und Qualität. Schriftqualität ist eine
Frage der Erfahrung. Berthold hat diese Er
fahrung seit über hundert Jahren. Zuerst
im Schriftguß, dann im Fotosatz. Berthold
Schriften sind weltweit geschätzt. Im Schr
iftenatelier München wird jeder Buchsta
be in der Größe von zwölf Zentimetern ne
u gezeichnet. Mit messerscharfen Kontur

2,15 mm (8 p) 20 30 40

Hermann Zapf
1952
D. Stempel AG
H. Berthold AG

ABCDEFGHIJKLMNOPQ
RSTUVWXYZ
abcdefghijklmnopqrstuvwxyz
1/1234567890%
(.,-;:!¡?¿–)·['„"“»«]
+−=/$£†*&§
ÄÅÆÖØŒÜäåæıöøœßü
ÁÀÂÃÇČÉÈÊËÍÌÎÏĹŇÑÓÒÔÕ
ŔŘŠŤÚÙÛŴẄÝŶŸŽ
áàâãçčéèêëíìîïĺňñóòôõŕřš
úùûŵẅýỳÿž

Berthold-Schriftweite weit
Berthold-Schriftweite normal
Berthold-Schriftweite eng
Berthold-Schriftweite sehr eng
Berthold-Schriftweite extrem eng

Berthold
3,75 mm (14 p)

Berthold
4,25 mm (16 p)

Berthold
4,75 mm (18 p)

Berthold
5,30 mm (20 p)

Berthold
6,35 mm (24 p)

Berthold
7,40 mm (28 p)

Berthold
8,50 mm (32 p)

Berthold
9,55 mm (36 p)

Größe		Zeilenabstand			100 Zeichen		
mm	p	kp	Êp	Ex	0	−1	−2
1,00	5	1,00	2,13	2,00	90	87	84
1,60	6	2,25	2,50	2,50	106	102	98
1,86	7	2,56	2,94	3,00	122	118	114
2,15	8	3,00	3,38	3,50	139	134	129
2,40	9	3,31	3,75	3,75	156	150	144
2,65	10	3,69	4,19	4,25	172	165	158
2,92	11	4,06	4,56	4,75	188	181	174
3,20	12	4,44	5,00	5,25	204	196	188
3,45	13	4,75	5,44	5,75	220	212	204
3,72	14	5,13	5,81	–	236	227	218
3,98	15	5,50	6,25	–	252	243	234
4,25	16	5,88	6,69	–	268	258	248

WZ 13 E, NSW 0, MZB 0,65, F 0,12:0,058 (2,1), V
H 1–x 0,68–k 1,08–p 0,29–Ê 1,27–kp 1,37–Êp 1,56
BF 089 0505, Belegung 051: 086 4104 (096 4104)

Berthold-Schriften überzeugen durc
h Schärfe und Qualität. Schriftqualität
ist eine Frage der Erfahrung. Berthold
hat diese Erfahrung seit über hundert
Jahren. Zuerst im Schriftguß, dann im
Fotosatz. Berthold-Schriften sind wel
tweit geschätzt. Im Schriftenatelier M
ünchen wird jeder Buchstabe in der

2,40 mm (9 p) 20 30

Berthold-Schriften überzeugen d
urch Schärfe und Qualität. Schrift
qualität ist eine Frage der Erfahru
ng. Berthold hat diese Erfahrung
seit über hundert Jahren. Zuerst i
m Schriftguß, dann im Fotosatz. B
erthold-Schriften sind weltweit g
eschätzt. Im Schriftenatelier Mün

2,65 mm (10 p) 20 30

Berthold-Schriften überzeuge
n durch Schärfe und Qualität
Schriftqualität ist eine Frage d
er Erfahrung. Berthold hat dies
e Erfahrung seit über hundert J
ahren. Zuerst im Schriftguß, da
nn im Fotosatz. Berthold-Schri
ften sind weltweit geschätzt. Im

2,92 mm (11 p) 10 20 3

Berthold-Schriften überzeu
gen durch Schärfe und Qual
ität. Schriftqualität ist eine F
rage der Erfahrung. Berthold
hat diese Erfahrung seit über
hundert Jahren. Zuerst im S
chriftguß, dann im Fotosatz
Berthold-Schriften sind we

3,20 mm (12 p) 10 20

Berthold-Schriften überz
eugen durch Schärfe und
Qualität. Schriftqualität ist
eine Frage der Erfahrung
Berthold hat diese Erfahr
ung seit über hundert Jahr
en. Zuerst im Schriftguß, d
ann im Fotosatz. Berthold

3,45 mm (13 p) 10 20

normal
regular
normal

MELIOR

normal
chiaro tondo
normal

Berthold-Schriften überzeugen durch Schärfe und Qualität. Schrift qualität ist eine Frage der Erfahrung. Berthold hat diese Erfahrung se it über hundert Jahren. Zuerst im Schriftguß, dann im Fotosatz. Berth old-Schriften sind weltweit geschätzt. Im Schriftenatelier München wird jeder Buchstabe in der Größe von zwölf Zentimetern neu gezei chnet. Mit messerscharfen Konturen, um für die Schriftscheiben das Optimale an Konturenschärfe herauszuholen. Um die Qualität des Einzelzeichens im Belichtungsvorgang zu bewahren, wird durch die ruhende, nicht rotierende Schriftscheibe belichtet. Dieses optische

4,25 mm (16 p), Zeilenabstand 6,75 mm

MELIOR REGULAR

In general, bodytypes are measured in the ty pographical point size. The sizes of Berthold Fototype faces can be exactly determined. All faces of same point size have the same capital heigth–irrespective of their x-heigth. In hot metal and many other phototypesetting sys tems the capital heigths often differ consider ably from one face to the other. For measur ing point sizes, a transparent size gauge is pro vided. To determine the point size, bring a cap ital letter into coincidence with that field which precisely circumscribes the letter at its upper and lower margin. Below the field you find the typographical point and below that the millimeter value, which also refers to the height of a capital letter. In Berthold-photo typesetting, the typewidth can be modified The standard setting width of typefaces is de termined by the principle of optimum legibili ty. You should not depart from this typewidth without cogent reason. A typeface which is considered optically right when looked in a

2,40 mm (9 p), Zeilenabstand 4,25 mm

MELIOR NORMAL

La valeur de la force de corps des caractè res de labeur èst généralement exprimée en points typographiques. La force de corps des caractères Berthold-Fototype peut être déterminée avec précision. Tous les caractères du même corps ont des capi tales d'une hauteur identique, indépen damment de la hauteur des bas de casse sans jambage. Dans la composition plomb ainsi que dans certains systèmes de photo composition, la hauteur des capitales, va rie souvent d'un caractère à l'autre. Pour déterminer la force de corps de nos carac tères, nous avons mis au point une réglette de hauteur d'œil transparente. On cher che le rectangle qui délimite exactement la hauteur d'œil d'une capitale du carac tère choisi. Sous le rectangle correspon dant la valeur de la force de corps est indi quée en points Didots et en millimètres. La

2,65 mm (10 p), Zeilenabstand 4,69 mm

La indicación de las dimensiones para cuer pos de letra vásicos tiene lugar en general en puntos tipográficos. Los cuerpos de letra de los caracteres Berthold Fototype pueden de terminarse exactemente par medición. Con independencia de la altura de sus longitudes centrales, todos los caracteres de idéntico cuerpo de letra presentan altura de mayús culas idéntica. En la composición en plomo y

2,15 mm (8 p), −1, Zeilenabstand 3,38 mm

123,– $	456,– £	7890,– DM	1 %
234,– $	789,– £	1234,– DM	2 %
567,– $	12,– £	5678,– DM	3 %
890,– $	345,– £	9012,– DM	4 %
123,– $	678,– £	3456,– DM	5 %
456,– $	901,– £	7890,– DM	6 %
789,– $	234,– £	1234,– DM	7 %
12,– $	567,– £	5678,– DM	8 %
345,– $	890,– £	9012,– DM	9 %

BF 089 0506

Le misure relative al corpo dei caratteri vengo no generalmente indicate in punti tipografici. Il corpo dei caratteri Fototypes può essere deter minato con esattezza per semplice misurazi one. Tutti i caratteri di uguale grandezza in punti hanno, indipendentemente dalla loro lunghezza, uguale altezza delle maiuscole. Nel la composizione in piombo ed in molti altri sistemi di fotocomposizione, l'altezza delle ma

2,15 mm (8 p), −2, Zeilenabstand 3,38 mm

kursiv
italic
italique

MELIOR

cursiva
corsivo
kursiv

Måttangivelse för grundstilsgrader sker i allmänhet i typografiska punkter. Stilar av Berthold Fototype kan efter mätning exakt gradbestämmas. Alla typsnitt är av samma punktstorlek och har oberoende av x-höjden en identisk versalhöjd. I blysättning och i många andra fotosättsystem varierar versalhöjden avsevärt från typsnitt till typsnitt För mätning av stilgrader finns en transparent mätlinjal. Vid mätningen placerar man en versal bokstav så att rutorna begränsar tecknet upptill och nedtill Under rutorna finns stilstorleken i typografiska didotpunkter och i mm. Även millimeteruppg

2,92 mm (11 p), Zeilenabstand 4,69 mm

Hermann Zapf
1952
D. Stempel AG
H. Berthold AG

ABCDEFGHIJKLMNOPQ
RSTUVWXYZ
abcdefghijklmnopqrstuvwxyz
1⁄1234567890 %
(.,-;:!i?¿–) · [‘‚„”“»«]
+—=/$£†&§*
ÄÅÆÖØŒÜäåæıöøœßü
ÁÀÂÃÇČÉÈÊËÍÌÎÏĹŇÑÓÒÔÕ
ŔŘŠŤÚÙÛŴẄÝŶŸŽ
áàâãçčéèêëíìîïĺňñóòôõŕřš
úùûŵẅýŷÿž

Berthold-Schriftweite weit
Berthold-Schriftweite normal
Berthold-Schriftweite eng
Berthold-Schriftweite sehr eng
Berthold-Schriftweite extrem eng

In general, bodytypes are measured in the typographical point size. The sizes of Berthold Fototype faces can be exactly determined. All faces of same point size have the same capital heigth–irrespective of their x-heigth. In hot metal and many other phototypesetting systems the capital heigths often differ considerably from one face to the other. For measuring point sizes a transparent size gauge is provided. To determine the point size, bring a capital letter into coincidence with that fiel

3,20 mm (12 p), Zeilenabstand 5,25 mm

MELIOR KURSIV

Die Maßangabe zu Grundschriftgrößen erfolgt im allgemeinen in typographischen Punkten Die Schriftgrößen der Berthold-Fotosatz-Schriften sind nach Messung exakt bestimmbar. Alle Schriften gleicher Punktgröße weisen, unabhängig von der Höhe ihrer Mittellängen, eine identische Versalhöhe auf. Im Bleisatz und bei vielen anderen Fotosatz-Systemen differieren die Versalhöhen von Schrift zu Schrift oft erheblich. Zum Messen von Schriftgrößen steht ein transparentes Größenmaß zur Verfügung. Zum Messen wird ein Versalbuchstabe mit dem Feld in Deckung gebracht, das den Buchstaben oben und unten scharf begrenzt. Unter dem Feld ist die Schriftgröße in typographischen Didot Punkten, darunter in Millimetern angegeben Auch die Millimeterangaben beziehen sich auf die Höhe der Versalbuchstaben. Die Schriftwei

2,40 mm (9 p), Zeilenabstand 4 mm

MELIOR ITALIQUE

La valeur de la force de corps des caractères de labeur èst généralement exprimée en points typographiques. La force de corps des caractères Berthold-Fototype peut être déterminée avec précision. Tous les caractères du même corps ont des capitales d'une hauteur identique, indépendamment de la hauteur des bas de casse sans jambage. Dans la composition plomb ainsi que dans certains systèmes de photocomposition, la hauteur des capitales, varie souvent d'un caractère à l'autre. Pour déterminer la force de corps de nos caractères, nous avons mis au point une réglette de hauteur d'œil transparente. On cherche le rectangle qui délimite exactement la

2,65 mm (10 p), Zeilenabstand 4,50 mm

La indicación de las dimensiones para cuerpos de letra vásicos tiene lugar en general en puntos tipográficos Los cuerpos de letra de los caracteres Berthold Fototype pueden determinarse exactemente par medición Con independencia de la altura de sus longitudes centrales, todos los caracteres de idéntico cuerpo de letra presentan altura de mayúsculas idéntica. En la composición en plomo y en muchos otros sistemas de fotocomposición, las alturas de mayúsculas varían frecuentemmente en forma considerable de tipo de letra a tipo de letra. Para medir los cuerpos de letra se dispone de un tipómetro, véase la figura. Para la medición se hace coin

1,60 mm (6 p), Zeilenabstand 2,50 mm

Größe		Zeilenabstand			100 Zeichen		
mm	p	kp	Êp	Ex	0	–1	–2
1,33	5	1,81	2,06	–	89	86	83
1,60	6	2,19	2,50	2,50	105	101	97
1,86	7	2,56	2,88	–	121	117	113
2,15	8	2,94	3,31	3,38	137	132	127
2,40	9	3,31	3,75	4,00	153	147	141
2,65	10	3,63	4,13	4,50	169	162	155
2,92	11	4,00	4,50	4,69	185	178	171
3,20	12	4,38	4,94	5,25	201	193	185
3,45	13	4,75	5,38	–	216	208	200
3,72	14	5,06	5,75	–	232	223	214
3,98	15	5,44	6,19	–	248	239	230
4,25	16	5,81	6,56	–	264	254	244

WZ 13 E, NSW 0, MZB 0,64, F 0,12:0,058 (2,0), V H 1–x 0,68–k 1,08–p 0,28–Ê 1,26–kp 1,36–Êp 1,54 BF 089 0507, Belegung 051: 086 4105 (096 4105)

Le misure relative al corpo dei caratteri vengono generalmente indicate in punti tipografici. Il corpo dei caratteri Fototypes può essere determinato con esattezza per semplice misurazione. Tutti i caratteri di uguale grandezza in punti hanno, indipendentemente dalla loro lunghezza, uguale altezza delle maiuscole. Nella composizione in piombo ed in molti altri sistemi di fo

2,15 mm (8 p), Zeilenabstand 3,38 mm

halbfett
bold
demi-gras

MELIOR

seminegra
neretto
halvfet

**Berthold-Schriften überzeugen durch Schärfe und
Qualität. Schriftqualität ist eine Frage der Erfahrung
Berthold hat diese Erfahrung seit über hundert Jahr
en. Zuerst im Schriftguß, dann im Fotosatz. Berthold
Schriften sind weltweit geschätzt. Im Schriftenatelier
München wird jeder Buchstabe in der Größe von zwö
lf Zentimetern neu gezeichnet. Mit messerscharfen
Konturen, um für die Schriftscheiben das Optimale an
Konturenschärfe herauszuholen. Um die Qualität des**

1,60 mm (6 p), Zeilenabstand 2,50 mm

**Berthold-Schriften überzeugen durch Schärfe
und Qualität. Schriftqualität ist eine Frage der E
rfahrung. Berthold hat diese Erfahrung seit ü
ber hundert Jahren. Zuerst im Schriftguß, dan
n im Fotosatz. Berthold-Schriften sind weltwe
it geschätzt. Im Schriftenatelier München wir
d jeder Buchstabe in der Größe von zwölf Zen
timetern neu gezeichnet. Mit messerscharfen**

1,86 mm (7 p), Zeilenabstand 3,00 mm

**Berthold-Schriften überzeugen durch Sc
härfe und Qualität. Schriftqualität ist eine
Frage der Erfahrung. Berthold hat die
se Erfahrung seit über hundert Jahren
Zuerst im Schriftguß, dann im Fotosatz
Berthold-Schriften sind weltweit geschä
tzt. Im Schriftenatelier München wird je
der Buchstabe in der Größe von zwölf Ze**

2,15 mm (8 p), Zeilenabstand 3,50 mm

**Hermann Zapf
1952
D. Stempel AG
H. Berthold AG**

**ABCDEFGHIJKLMNOPQ
RSTUVWXYZ
abcdefghijklmnopqrstuvwxyz
1/1234567890%
(.,-;:!¡?¿–)·[’‘„”“»«]
+−=/$£†*&§
ÄÅÆÖØŒÜäåæıöøœßü
ÁÀÂÃÇČÉÈÊËÍÌÎÏĹŇÑÓÒÔÕ
ŔŘŠŤÚÙÛŴẄÝŶŸŽ
áàâãçčéèêëíìîïĺňñóòôõŕřš
úùûŵẅýỳÿž**

**Berthold-Schriftweite weit
Berthold-Schriftweite normal
Berthold-Schriftweite eng
Berthold-Schriftweite sehr eng
Berthold-Schriftweite extrem eng**

**In general, bodytypes are
measured in the typograph
ical point size. The sizes of
Berthold Fototype faces can
be exactly determined. All
faces of same point size hav
e the same capital heigth–i
respective of their x-heigth
In hot metal and many other
phototypesetting systems t
he capital heigths often diff
er considerably from one fa
ce to the other. For measuri
ng point sizes, a transparent
size gauge is provided. To
determine the point size, br
ing a capital letter into coinc**

3,20 mm (12 p), Zeilenabstand 5,25 mm

Berthold's quick brown fox jumps over the lazy dog and feels as if he were in
3,75 mm (14 p)

Berthold's quick brown fox jumps over the lazy dog and feels as if h
4,25 mm (16 p)

Berthold's quick brown fox jumps over the lazy dog and fee
4,75 mm (18 p)

Berthold's quick brown fox jumps over the lazy dog a
5,30 mm (20 p)

Berthold's quick brown fox jumps over the la
6,35 mm (24 p)

Berthold's quick brown fox jumps over
7,40 mm (28 p)

Berthold's quick brown fox jumps
8,50 mm (32 p)

Berthold's quick brown fox ju
9,55 mm (36 p)

**Berthold-Schriften überzeugen durc
h Schärfe und Qualität. Schriftqualit
ät ist eine Frage der Erfahrung. Berth
old hat diese Erfahrung seit über hun
dert Jahren. Zuerst im Schriftguß, da
nn im Fotosatz. Berthold-Schriften si
nd weltweit geschätzt. Im Schriftena
telier München wird jeder Buchstabe**

2,40 mm (9 p), Zeilenabstand 4,00 mm

Größe mm	p	Zeilenabstand kp	Êp	Ex	100 Zeichen 0	−1	−2
1,33	5	1,81	2,06	—	96	93	90
1,60	6	2,19	2,50	2,50	112	108	104
1,86	7	2,56	2,88	3,00	129	125	121
2,15	8	2,94	3,31	3,50	147	142	137
2,40	9	3,25	3,75	4,00	165	159	153
2,65	10	3,63	4,13	4,00	182	175	168
2,92	11	4,00	4,50	—	198	191	184
3,20	12	4,38	4,94	5,25	215	207	199
3,45	13	4,69	5,38	—	232	224	216
3,72	14	5,06	5,75	—	249	240	231
3,98	15	5,38	6,19	—	266	257	248
4,25	16	5,75	6,56	—	283	273	263

WZ 15 E, NSW 0, MZB 0,68, F 0,20:0,083 (2,4), V
H 1–x 0,68–k 1,07–p 0,28–Ê 1,26–kp 1,35–Êp 1,54
BF 089 0508, Belegung 051: 086 4106 (096 4106)

**Berthold-Schriften überzeugen
durch Schärfe und Qualität. Schr
iftqualität ist eine Frage der Erfa
hrung. Berthold hat diese Erfahr
ung seit über hundert Jahren. Zu
erst im Schriftguß, dann im Fotos
atz. Berthold-Schriften sind welt
weit geschätzt. Im Schriftenatelie**

2,65 mm (10 p), Zeilenabstand 4,00 mm

zart
extra light
extra maigre

MEMPHIS

muy fina
chiarissimo
fin

Berthold-Schriften überzeugen durch Schärfe und Qualität. Schr
iftqualität ist eine Frage der Erfahrung. Berthold hat diese Erfahr
ung seit über hundert Jahren. Zuerst im Schriftguß, dann im Fotos
atz. Berthold-Schriften sind weltweit geschätzt. Im Schriftenateli
er München wird jeder Buchstabe in der Größe von zwölf Zentimet
ern neu gezeichnet. Mit messerscharfen Konturen, um für die Sch
riftscheiben das Optimale an Konturenschärfe herauszuholen. U
m die Qualität des Einzelzeichens im Belichtungsvorgang zu bew
ahren, wird durch die ruhende, nicht rotierende Schriftscheibe b

1,33 mm (5 p) 20 30 40 50 60

Berthold-Schriften überzeugen durch Schärfe und Qualität
Schriftqualität ist eine Frage der Erfahrung. Berthold hat die
se Erfahrung seit über hundert Jahren. Zuerst im Schriftguß, d
ann im Fotosatz. Berthold-Schriften sind weltweit geschätzt. I
m Schriftenatelier München wird jeder Buchstabe in der Grö
ße von zwölf Zentimetern neu gezeichnet. Mit messerscharfen
Konturen, um für die Schriftscheiben das Optimale an Kontu
renschärfe herauszuholen. Um die Qualität des Einzelzeiche
ns im Belichtungsvorgang zu bewahren, wird durch die ruhe

1,45 mm (5,5 p) 20 30 40 50

Berthold-Schriften überzeugen durch Schärfe und Qua
lität. Schriftqualität ist eine Frage der Erfahrung. Bertho
ld hat diese Erfahrung seit über hundert Jahren. Zuerst i
m Schriftguß, dann im Fotosatz. Berthold-Schriften sind
weltweit geschätzt. Im Schriftenatelier München wird je
der Buchstabe in der Größe von zwölf Zentimetern neu
gezeichnet. Mit messerscharfen Konturen, um für die S
chriftscheiben das Optimale an Konturenschärfe hera
uszuholen. Um die Qualität des Einzelzeichens im Belic

1,60 mm (6 p) 20 30 40 50

Berthold-Schriften überzeugen durch Schärfe und
Qualität. Schriftqualität ist eine Frage der Erfahrun
g. Berthold hat diese Erfahrung seit über hundert Ja
hren. Zuerst im Schriftguß, dann im Fotosatz. Bertho
ld-Schriften sind weltweit geschätzt. Im Schriftenat
elier München wird jeder Buchstabe in der Größe v
on zwölf Zentimetern neu gezeichnet. Mit messersc
harfen Konturen, um für die Schriftscheiben das Op
timale an Konturenschärfe herauszuholen. Um die

1,75 mm (6,5 p) 20 30 40 5

Berthold-Schriften überzeugen durch Schärfe u
nd Qualität. Schriftqualität ist eine Frage der Erf
ahrung. Berthold hat diese Erfahrung seit über h
undert Jahren. Zuerst im Schriftguß, dann im Fot
osatz. Berthold-Schriften sind weltweit geschätz
t. Im Schriftenatelier München wird jeder Buchst
abe in der Größe von zwölf Zentimetern neu gez
eichnet. Mit messerscharfen Konturen, um für die
Schriftscheiben das Optimale an Konturenschä

1,86 mm (7 p) 20 30 40

Berthold-Schriften überzeugen durch Schärf
e und Qualität. Schriftqualität ist eine Frage d
er Erfahrung. Berthold hat diese Erfahrung s
eit über hundert Jahren. Zuerst im Schriftg
uß, dann im Fotosatz. Berthold-Schriften sind
weltweit geschätzt. Im Schriftenatelier Münc
hen wird jeder Buchstabe in der Größe von z
wölf Zentimetern neu gezeichnet. Mit messer
scharfen Konturen, um für die Schriftscheiben

2,00 mm (7,5 p) 20 30 40

Berthold-Schriften überzeugen durch Sch
ärfe und Qualität. Schriftqualität ist eine Fr
age der Erfahrung. Berthold hat diese Erfa
hrung seit über hundert Jahren. Zuerst im S
chriftguß, dann im Fotosatz. Berthold-Schri
ften sind weltweit geschätzt. Im Schriftenat
elier München wird jeder Buchstabe in der
Größe von zwölf Zentimetern neu gezeichn
et. Mit messerscharfen Konturen, um für die

2,15 mm (8 p) 20 30 40

Rudolf Weiß
1930
D. Stempel AG
H. Berthold AG

ABCDEFGHIJKLMNOPQ
RSTUVWXYZ
abcdefghijklmnopqrstuvwxyz
1/1234567890%
(.,-;:!¡?¿–)·['',""»«]
+–=/$£†*&§
ÄÅÆÖØŒÜäåæıöøœßü
ÁÀÂÃÇČÉÈÊËÍÌÎÏĹŇÑÓÒÔÕ
ŔŘŠŤÚÙÛŴẄÝŶŸŽ
áàâãçčéèêëíìîïĺňñóòôõŕřš
úùûŵẅýỳÿž

Berthold-Schriftweite weit
Berthold-Schriftweite normal
Berthold-Schriftweite eng
Berthold-Schriftweite sehr eng
Berthold-Schriftweite extrem eng

Berthold
3,75 mm (14 p)

Berthold
4,25 mm (16 p)

Berthold
4,75 mm (18 p)

Berthold
5,30 mm (20 p)

Berthold
6,35 mm (24 p)

Berthold
7,40 mm (28 p)

Berthold
8,50 mm (32 p)

Berthold
9,55 mm (36 p)

Größe mm	p	Zeilenabstand kp	Êp	Ex	100 Zeichen 0	–1	–2
1,33	5	1,69	2,00	2,00	90	87	84
1,60	6	2,00	2,44	2,50	106	102	98
1,86	7	2,31	2,81	3,00	121	117	113
2,15	8	2,69	3,25	3,50	138	133	128
2,40	9	3,00	3,63	3,75	155	149	143
2,65	10	3,31	4,00	4,25	170	163	156
2,92	11	3,63	4,38	4,75	186	179	172
3,20	12	3,94	4,81	5,25	202	194	186
3,45	13	4,25	5,19	5,75	218	210	202
3,72	14	4,63	5,56	–	234	225	216
3,98	15	4,94	5,94	–	250	241	232
4,25	16	5,25	6,38	–	266	256	246

WZ 13 E, NSW 0, MZB 0,64, F 0,063:0,058 (1,1), V
H 1–x 0,63–k 1,00–p 0,23–Ê 1,26–kp 1,23–Êp 1,49
BF 089 0509, Belegung 051: 085 0656 (095 0656)

Berthold-Schriften überzeugen durch
Schärfe und Qualität. Schriftqualität i
st eine Frage der Erfahrung. Berthold
hat diese Erfahrung seit über hundert
Jahren. Zuerst im Schriftguß, dann im F
otosatz. Berthold-Schriften sind weltw
eit geschätzt. Im Schriftenatelier Mün
chen wird jeder Buchstabe in der Größ

2,40 mm (9 p) 20 30

Berthold-Schriften überzeugen du
rch Schärfe und Qualität. Schriftq
ualität ist eine Frage der Erfahrun
g. Berthold hat diese Erfahrung seit
über hundert Jahren. Zuerst im Sch
riftguß, dann im Fotosatz. Berthold
Schriften sind weltweit geschätzt. I
m Schriftenatelier München wird je

2,65 mm (10 p) 20 30

Berthold-Schriften überzeugen
durch Schärfe und Qualität. Sc
hriftqualität ist eine Frage der E
rfahrung. Berthold hat diese E
rfahrung seit über hundert Jahr
en. Zuerst im Schriftguß, dann i
m Fotosatz. Berthold-Schriften s
ind weltweit geschätzt. Im Schri

2,92 mm (11 p) 10 20 30

Berthold-Schriften überzeug
en durch Schärfe und Qualit
ät. Schriftqualität ist eine Fr
age der Erfahrung. Berthold
hat diese Erfahrung seit über
hundert Jahren. Zuerst im Sc
hriftguß, dann im Fotosatz. B
erthold-Schriften sind weltwe

3,20 mm (12 p) 10 20

Berthold-Schriften überze
ugen durch Schärfe und Q
ualität. Schriftqualität ist ei
ne Frage der Erfahrung. B
erthold hat diese Erfahrun
g seit über hundert Jahren
Zuerst im Schriftguß, dann
im Fotosatz. Berthold-Schri

3,45 mm (13 p) 10 20

zart
extra light
extra maigre

MEMPHIS

fina
chiarissimo
fin

Berthold-Schriften überzeugen durch Schärfe und Qualität. Schriftqu alität ist eine Frage der Erfahrung. Berthold hat diese Erfahrung seit über hundert Jahren. Zuerst im Schriftguß, dann im Fotosatz. Berthold Schriften sind weltweit geschätzt. Im Schriftenatelier München wird je der Buchstabe in der Größe von zwölf Zentimetern neu gezeichnet. Mit messerscharfen Konturen, um für die Schriftscheiben das Optimale an Konturenschärfe herauszuholen. Um die Qualität des Einzelzeich ens im Belichtungsvorgang zu bewahren, wird durch die ruhende, nic ht rotierende Schriftscheibe belichtet. Dieses optische System, verbu

4,25 mm (16 p), Zeilenabstand 6,75 mm

MEMPHIS EXTRA LIGHT

In general, bodytypes are measured in the ty pographical point size. The sizes of Berthold Fo totype faces can be exactly determined. All fac es of same point size have the same capital heigth–irrespective of their x-heigth. In hot met al and many other phototypesetting systems the capital heigths often differ considerably from one face to the other. For measuring point sizes, a transparent size gauge is provided. To determine the point size, bring a capital letter into coincidence with that field which precisely circumscribes the letter at its upper and lower margin. Below the field you find the typographi cal point and below that the millimeter value which also refers to the height of a capital letter In Berthold-phototypesetting, the typewidth can be modified. The standard setting width of typefaces is determined by the principle of optimum legibility. You should not depart from this typewidth without cogent reason. A type face which is considered optically right when looked in a greater context, often seems bulky

2,40 mm (9 p), Zeilenabstand 4,25 mm

MEMPHIS EXTRA MAIGRE

La valeur de la force de corps des caractè res de labeur èst généralement exprimée en points typographiques. La force de corps des caractères Berthold-Fototype peut être déterminée avec précision. Tous les caractères du même corps ont des capi tales d'une hauteur identique, indépen damment de la hauteur des bas de casse sans jambage. Dans la composition plomb, ainsi que dans certains systèmes de photocomposition, la hauteur des capi tales, varie souvent d'un caractère à l'au tre. Pour déterminer la force de corps de nos caractères, nous avons mis au point une réglette de hauteur d'œil transpa rente. On cherche le rectangle qui délimite exactement la hauteur d'œil d'une capi tale du caractère choisi. Sous le rectangle correspondant la valeur de la force de corps est indiquée en points Didots et en

2,65 mm (10 p), Zeilenabstand 4,69 mm

La indicación de las dimensiones para cuer pos de letra vásicos tiene lugar en general en puntos tipográficos. Los cuerpos de letra de los caracteres Berthold Fototype pueden de terminarse exactemente par medición. Con independencia de la altura de sus longitudes centrales, todos los caracteres de idéntico cuerpo de letra presentan altura de mayús culas idéntica. En la composición en plomo y

2,15 mm (8 p), −1, Zeilenabstand 3,38 mm

123,– $	456,– £	7890,– DM	1 %
234,– $	789,– £	1234,– DM	2 %
567,– $	12,– £	5678,– DM	3 %
890,– $	345,– £	9012,– DM	4 %
123,– $	678,– £	3456,– DM	5 %
456,– $	901,– £	7890,– DM	6 %
789,– $	234,– £	1234,– DM	7 %
12,– $	567,– £	5678,– DM	8 %
345,– $	890,– £	9012,– DM	9 %

BF 089 0510

Le misure relative al corpo dei caratteri vengo no generalmente indicate in punti tipografici. Il corpo dei caratteri Fototypes può essere deter minato con esattezza per semplice misurazi one. Tutti i caratteri di uguale grandezza in punti hanno, indipendentemente dalla loro lun ghezza, uguale altezza delle maiuscole. Nella composizione in piombo ed in molti altri sis- temi di fotocomposizione, l'altezza delle maius

2,15 mm (8 p), −2, Zeilenabstand 3,38 mm

mager
light
maigre

MEMPHIS

fina
chiaro
mager

Berthold-Schriften überzeugen durch Schärfe und Qualität. Schri
ftqualität ist eine Frage der Erfahrung. Berthold hat diese Erfahru
ng seit über hundert Jahren. Zuerst im Schriftguß, dann im Fotosat
z. Berthold-Schriften sind weltweit geschätzt. Im Schriftenatelier
München wird jeder Buchstabe in der Größe von zwölf Zentimete
rn neu gezeichnet. Mit messerscharfen Konturen, um für die Schrif
tscheiben das Optimale an Konturenschärfe herauszuholen. Um
die Qualität des Einzelzeichens im Belichtungsvorgang zu bewa
hren, wird durch die ruhende, nicht rotierende Schriftscheibe bel

1,33 mm (5 p) 20 30 40 50 60

Berthold-Schriften überzeugen durch Schärfe und Qualität. S
chriftqualität ist eine Frage der Erfahrung. Berthold hat diese
Erfahrung seit über hundert Jahren. Zuerst im Schriftguß, dann
im Fotosatz. Berthold-Schriften sind weltweit geschätzt. Im Sc
hriftenatelier München wird jeder Buchstabe in der Größe v
on zwölf Zentimetern neu gezeichnet. Mit messerscharfen Ko
nturen, um für die Schriftscheiben das Optimale an Konturen
schärfe herauszuholen. Um die Qualität des Einzelzeichens i
m Belichtungsvorgang zu bewahren, wird durch die ruhende

1,45 mm (5,5 p) 20 30 40 50

Berthold-Schriften überzeugen durch Schärfe und Qua
lität. Schriftqualität ist eine Frage der Erfahrung. Bertho
ld hat diese Erfahrung seit über hundert Jahren. Zuerst i
m Schriftguß, dann im Fotosatz. Berthold-Schriften sind
weltweit geschätzt. Im Schriftenatelier München wird j
eder Buchstabe in der Größe von zwölf Zentimetern neu
gezeichnet. Mit messerscharfen Konturen, um für die Sc
hriftscheiben das Optimale an Konturenschärfe heraus
zuholen. Um die Qualität des Einzelzeichens im Belic

1,60 mm (6 p) 20 30 40 50

Berthold-Schriften überzeugen durch Schärfe und
Qualität. Schriftqualität ist eine Frage der Erfahrun
g. Berthold hat diese Erfahrung seit über hundert Ja
hren. Zuerst im Schriftguß, dann im Fotosatz. Bertho
ld-Schriften sind weltweit geschätzt. Im Schriftenat
elier München wird jeder Buchstabe in der Größe v
on zwölf Zentimetern neu gezeichnet. Mit messersc
harfen Konturen, um für die Schriftscheiben das Op
timale an Konturenschärfe herauszuholen. Um die

1,75 mm (6,5 p) 20 30 40 5

Berthold-Schriften überzeugen durch Schärfe un
d Qualität. Schriftqualität ist eine Frage der Erfa
hrung. Berthold hat diese Erfahrung seit über hu
ndert Jahren. Zuerst im Schriftguß, dann im Fotos
atz. Berthold-Schriften sind weltweit geschätzt. I
m Schriftenatelier München wird jeder Buchsta
be in der Größe von zwölf Zentimetern neu gezei
chnet. Mit messerscharfen Konturen, um für die S
chriftscheiben das Optimale an Konturenschärfe

1,86 mm (7 p) 20 30 40

Berthold-Schriften überzeugen durch Schärfe
und Qualität. Schriftqualität ist eine Frage de
r Erfahrung. Berthold hat diese Erfahrung seit
über hundert Jahren. Zuerst im Schriftguß, da
nn im Fotosatz. Berthold-Schriften sind weltw
eit geschätzt. Im Schriftenatelier München wi
rd jeder Buchstabe in der Größe von zwölf Ze
ntimetern neu gezeichnet. Mit messerscharfe
n Konturen, um für die Schriftscheiben das O

2,00 mm (7,5 p) 20 30 40

Berthold-Schriften überzeugen durch Schä
rfe und Qualität. Schriftqualität ist eine Fra
ge der Erfahrung. Berthold hat diese Erfahr
ung seit über hundert Jahren. Zuerst im Sch
riftguß, dann im Fotosatz. Berthold-Schrifte
n sind weltweit geschätzt. Im Schriftenateli
er München wird jeder Buchstabe in der Gr
öße von zwölf Zentimetern neu gezeichnet
Mit messerscharfen Konturen, um für die

2,15 mm (8 p) 20 30 40

Rudolf Weiß
1932
D. Stempel AG
H. Berthold AG

ABCDEFGHIJKLMNOPQ
RSTUVWXYZ
abcdefghijklmnopqrstuvwxyz
1/1234567890%
(.,-;:!¡?¿–)·[",""»«]
+−=/$£†*&§
ÄÅÆÖØŒÜäåæıöøœßü
ÁÀÂÃÇČÉÈÊËÍÌÎÏĹŇÑÓÒÔÕ
ŔŘŠŤÚÙÛŴẄÝŶŸŽ
áàâãçčéèêëíìîïĺňñóòôõŕřš
úùûŵẅýỳÿž

Berthold-Schriftweite weit
Berthold-Schriftweite normal
Berthold-Schriftweite eng
Berthold-Schriftweite sehr eng
Berthold-Schriftweite extrem eng

Berthold
3,75 mm (14 p)

Berthold
4,25 mm (16 p)

Berthold
4,75 mm (18 p)

Berthold
5,30 mm (20 p)

Berthold
6,35 mm (24 p)

Berthold
7,40 mm (28 p)

Berthold
8,50 mm (32 p)

Berthold
9,55 mm (36 p)

Größe		Zeilenabstand			100 Zeichen		
mm	p	kp	Êp	Ex	0	−1	−2
1,00	5	1,00	2,00	2,00	00	00	00
1,60	6	1,94	2,38	2,50	105	101	97
1,86	7	2,25	2,75	3,00	121	117	113
2,15	8	2,63	3,19	3,50	137	132	127
2,40	9	2,94	3,56	3,75	153	147	141
2,65	10	3,19	3,94	4,25	169	162	155
2,92	11	3,56	4,31	4,75	185	178	171
3,20	12	3,88	4,75	5,25	201	193	185
3,45	13	4,19	5,13	5,75	216	208	200
3,72	14	4,50	5,50	–	232	223	214
3,98	15	4,81	5,88	–	248	239	230
4,25	16	5,13	6,25	–	264	254	244

WZ 13 E, NSW 0, MZB 0,64, F 0,11:0,092 (1,2), V
H 1–x 0,63–k 1,00–p 0,20–Ê 1,27–kp 1,20–Êp 1,47
BF 089 0511, Belegung 051: 085 0659 (095 0659)

Berthold-Schriften überzeugen durch
Schärfe und Qualität. Schriftqualität i
st eine Frage der Erfahrung. Berthold
hat diese Erfahrung seit über hundert
Jahren. Zuerst im Schriftguß, dann im F
otosatz. Berthold-Schriften sind weltw
eit geschätzt. Im Schriftenatelier Mün
chen wird jeder Buchstabe in der Größ

2,40 mm (9 p) 20 30

Berthold-Schriften überzeugen du
rch Schärfe und Qualität. Schriftqu
alität ist eine Frage der Erfahrung
Berthold hat diese Erfahrung seit ü
ber hundert Jahren. Zuerst im Schri
ftguß, dann im Fotosatz. Berthold
Schriften sind weltweit geschätzt. I
m Schriftenatelier München wird j

2,65 mm (10 p) 20 30

Berthold-Schriften überzeugen
durch Schärfe und Qualität. Sc
hriftqualität ist eine Frage der
Erfahrung. Berthold hat diese E
rfahrung seit über hundert Jahr
en. Zuerst im Schriftguß, dann i
m Fotosatz. Berthold-Schriften s
ind weltweit geschätzt. Im Schri

2,92 mm (11 p) 10 20 30

Berthold-Schriften überzeug
en durch Schärfe und Qualit
ät. Schriftqualität ist eine Fra
ge der Erfahrung. Berthold h
at diese Erfahrung seit über
hundert Jahren. Zuerst im Sc
hriftguß, dann im Fotosatz. B
erthold-Schriften sind weltwe

3,20 mm (12 p) 10 20

Berthold-Schriften überze
ugen durch Schärfe und Q
ualität. Schriftqualität ist e
ine Frage der Erfahrung. B
erthold hat diese Erfahrung
seit über hundert Jahren. Z
uerst im Schriftguß, dann i
m Fotosatz. Berthold-Schrif

3,45 mm (13 p) 10 20

mager
light
maigre

MEMPHIS

fina
chiarissimo
mager

Berthold-Schriften überzeugen durch Schärfe und Qualität. Schriftqu alität ist eine Frage der Erfahrung. Berthold hat diese Erfahrung seit über hundert Jahren. Zuerst im Schriftguß, dann im Fotosatz. Berthold Schriften sind weltweit geschätzt. Im Schriftenatelier München wird je der Buchstabe in der Größe von zwölf Zentimetern neu gezeichnet. Mit messerscharfen Konturen, um für die Schriftscheiben das Optimale an Konturenschärfe herauszuholen. Um die Qualität des Einzelzeichens im Belichtungsvorgang zu bewahren, wird durch die ruhende, nicht ro tierende Schriftscheibe belichtet. Dieses optische System, verbunden

4,25 mm (16 p), Zeilenabstand 6,75 mm

MEMPHIS LIGHT

In general, bodytypes are measured in the ty pographical point size. The sizes of Berthold Fo totype faces can be exactly determined. All faces of same point size have the same capital heigth–irrespective of their x-heigth. In hot met al and many other phototypesetting systems the capital heigths often differ considerably from one face to the other. For measuring point sizes, a transparent size gauge is provided. To determine the point size, bring a capital letter into coincidence with that field which precisely circumscribes the letter at its upper and lower margin. Below the field you find the typographi cal point and below that the millimeter value which also refers to the height of a capital letter In Berthold-phototypesetting, the typewidth can be modified. The standard setting width of typefaces is determined by the principle of optimum legibility. You should not depart from this typewidth without cogent reason. A type face which is considered optically right when looked in a greater context, often seems bulky

2,40 mm (9 p), Zeilenabstand 4,25 mm

MEMPHIS MAIGRE

La valeur de la force de corps des caractè res de labeur èst généralement exprimée en points typographiques. La force de corps des caractères Berthold-Fototype peut être déterminée avec précision. Tous les caractères du même corps ont des capi tales d'une hauteur identique, indépen damment de la hauteur des bas de casse sans jambage. Dans la composition plomb ainsi que dans certains systèmes de photo composition, la hauteur des capitales, va rie souvent d'un caractère à l'autre. Pour déterminer la force de corps de nos carac tères, nous avons mis au point une réglette de hauteur d'œil transparente. On cherche le rectangle qui délimite exactement la hauteur d'œil d'une capitale du caractère choisi. Sous le rectangle correspondant la valeur de la force de corps est indiquée en points Didots et en millimètres. La valeur en

2,65 mm (10 p), Zeilenabstand 4,69 mm

La indicación de las dimensiones para cuer pos de letra vásicos tiene lugar en general en puntos tipográficos. Los cuerpos de letra de los caracteres Berthold Fototype pueden de terminarse exactemente par medición. Con independencia de la altura de sus longitudes centrales, todos los caracteres de idéntico cuerpo de letra presentan altura de mayús culas idéntica. En la composición en plomo y

2,15 mm (8 p), −1, Zeilenabstand 3,38 mm

123,– $	456,– £	7890,– DM	1 %
234,– $	789,– £	1234,– DM	2 %
567,– $	12,– £	5678,– DM	3 %
890,– $	345,– £	9012,– DM	4 %
123,– $	678,– £	3456,– DM	5 %
456,– $	901,– £	7890,– DM	6 %
789,– $	234,– £	1234,– DM	7 %
12,– $	567,– £	5678,– DM	8 %
345,– $	890,– £	9012,– DM	9 %

BF 089 0512

Le misure relative al corpo dei caratteri vengo no generalmente indicate in punti tipografici. Il corpo dei caratteri Fototypes può essere deter minato con esattezza per semplice misurazi one. Tutti i caratteri di uguale grandezza in punti hanno, indipendentemente dalla loro lunghezza, uguale altezza delle maiuscole Nella composizione in piombo ed in molti altri sistemi di fotocomposizione, l'altezza delle ma

2,15 mm (8 p), −2, Zeilenabstand 3,38 mm

halbfett
medium
demi-gras

MEMPHIS

seminegra
neretto
halvfet

Berthold-Schriften überzeugen durch Schärfe und Quali tät. Schriftqualität ist eine Frage der Erfahrung. Berthold hat diese Erfahrung seit über hundert Jahren. Zuerst im Schriftguß, dann im Fotosatz. Berthold-Schriften sind weltweit geschätzt. Im Schriftenatelier München wird je der Buchstabe in der Größe von zwölf Zentimetern neu gezeichnet. Mit messerscharfen Konturen, um für die Sc hriftscheiben das Optimale an Konturenschärfe herausz uholen. Um die Qualität des Einzelzeichens im Belichtun

1,60 mm (6 p), Zeilenabstand 2,50 mm

Berthold-Schriften überzeugen durch Schärfe und Qualität. Schriftqualität ist eine Frage der Erfahrung. Berthold hat diese Erfahrung seit üb er hundert Jahren. Zuerst im Schriftguß, dann im Fotosatz. Berthold-Schriften sind weltweit gesch ätzt. Im Schriftenatelier München wird jeder Buc hstabe in der Größe von zwölf Zentimetern neu gezeichnet. Mit messerscharfen Konturen, um für

1,86 mm (7 p), Zeilenabstand 3,00 mm

Berthold-Schriften überzeugen durch Schä rfe und Qualität. Schriftqualität ist eine Fra ge der Erfahrung. Berthold hat diese Erfahr ung seit über hundert Jahren. Zuerst im Sch riftguß, dann im Fotosatz. Berthold-Schrift en sind weltweit geschätzt. Im Schriftenatel ier München wird jeder Buchstabe in der Größe von zwölf Zentimetern neu gezeichn

2,15 mm (8 p), Zeilenabstand 3,50 mm

Rudolf Weiß
1929
D. Stempel AG
H. Berthold AG

ABCDEFGHIJKLMNOPQ
RSTUVWXYZ
abcdefghijklmnopqrstuvwxyz
1/1234567890%
(.,-;:!¡?¿–)·[",""»«]
+−=/$£†*&§
ÄÅÆÖØŒÜäåæıöøœßü
ÁÀÂÃÇČÉÈÊËÍÌÎÏĹŇÑÓÒÔÕ
ŔŘŠŤÚÙÛŴẄÝŶŸŽ
áàâãçčéèêëíìîïĺňñóòôõŕřš
úùûŵẅýỳÿž

Berthold-Schriftweite weit
Berthold-Schriftweite normal
Berthold-Schriftweite eng
Berthold-Schriftweite sehr eng
Berthold-Schriftweite extrem eng

In general, bodytypes are m easured in the typographical point size. The sizes of Ber thold Fototype faces can be e xactly determined. All faces of same point size have the s ame capital height–irrespect ive of their x-heigth. In hot me tal and many other phototyp esetting systems the capital heigths often differ considera bly from one face to the other For measuring point sizes a t ransparent size gauge is pro vided. To determine the point size, bring a capital letter into coincidence with that field w

3,20 mm (12 p), Zeilenabstand 5,25 mm

Berthold's quick brown fox jumps over the lazy dog and feels as if he were in the s
3,75 mm (14 p)

Berthold's quick brown fox jumps over the lazy dog and feels as if he w
4,25 mm (16 p)

Berthold's quick brown fox jumps over the lazy dog and feels as
4,75 mm (18 p)

Berthold's quick brown fox jumps over the lazy dog and f
5,30 mm (20 p)

Berthold's quick brown fox jumps over the lazy
6,35 mm (24 p)

Berthold's quick brown fox jumps over th
7,40 mm (28 p)

Berthold's quick brown fox jumps o
8,50 mm (32 p)

Berthold's quick brown fox jum
9,55 mm (36 p)

Berthold-Schriften überzeugen durch Schärfe und Qualität. Schriftqualität i st eine Frage der Erfahrung. Bertho ld hat diese Erfahrung seit über hunde rt Jahren. Zuerst im Schriftguß, dann im Fotosatz. Berthold-Schriften sind welt weit geschätzt. Im Schriftenatelier Mü nchen wird jeder Buchstabe in der Grö

2,40 mm (9 p), Zeilenabstand 4,00 mm

Größe mm	p	Zeilenabstand kp	Êp	Ex	100 Zeichen 0	−1	−2
1,33	5	1,50	1,94		89	86	83
1,60	6	1,88	2,13	2,50	105	101	97
1,86	7	2,19	2,69	3,00	121	117	113
2,15	8	2,50	3,13	3,50	137	132	127
2,40	9	2,81	3,44	4,00	153	147	141
2,65	10	3,13	3,81	4,00	169	162	155
2,92	11	3,44	4,19	—	185	178	171
3,20	12	3,75	4,63	5,25	201	193	185
3,45	13	4,06	4,94	—	216	208	200
3,72	14	4,38	5,38	—	232	223	214
3,98	15	4,63	5,75	—	248	239	230
4,25	16	4,94	6,13	—	264	254	244

WZ 13 E, NSW −1, MZB 0,64, F 0,16:0,12 (1,4), V
H 1–x 0,63–k 1,00–p 0,16–Ê 1,27–kp 1,16–Êp 1,43
BF 089 0513, Belegung 051: 085 0662 (095 0662)

Berthold-Schriften überzeugen du rch Schärfe und Qualität. Schriftq ualität ist eine Frage der Erfahru ng. Berthold hat diese Erfahrung s eit über hundert Jahren. Zuerst im Schriftguß, dann im Fotosatz. Bert hold-Schriften sind weltweit gesch ätzt. Im Schriftenatelier München

2,65 mm (10 p), Zeilenabstand 4,00 mm

fett
bold
gras

MEMPHIS

negra
nero
fet

Berthold-Schriften überzeugen durch Schärfe und Qualität. Schriftqualität ist eine Frage der Erfahru ng. Berthold hat diese Erfahrung seit über hundert Jahren. Zuerst im Schriftguß, dann im Fotosatz. Ber thold-Schriften sind weltweit geschätzt. Im Schrift enatelier München wird jeder Buchstabe in der Gr öße von zwölf Zentimetern neu gezeichnet. Mit mes serscharfen Konturen, um für die Schriftscheiben das Optimale an Konturenschärfe herauszuholen

1,60 mm (6 p), Zeilenabstand 2,50 mm

Berthold-Schriften überzeugen durch Schä rfe und Qualität. Schriftqualität ist eine Fra ge der Erfahrung. Berthold hat diese Erfahr ung seit über hundert Jahren. Zuerst im Schr iftguß, dann im Fotosatz. Berthold-Schriften sind weltweit geschätzt. Im Schriftenatelier München wird jeder Buchstabe in der Größe von zwölf Zentimetern neu gezeichnet. Mit m

1,86 mm (7 p), Zeilenabstand 3,00 mm

Berthold-Schriften überzeugen durch Schärfe und Qualität. Schriftqualität ist eine Frage der Erfahrung. Berthold hat diese Erfahrung seit über hundert Jahr en. Zuerst im Schriftguß, dann im Fotos atz. Berthold-Schriften sind weltweit geschätzt. Im Schriftenatelier München wird jeder Buchstabe in der Größe von

2,15 mm (8 p), Zeilenabstand 3,50 mm

Rudolf Weiß
1933
D. Stempel AG
H. Berthold AG

ABCDEFGHIJKLMNOPQ
RSTUVWXYZ
abcdefghijklmnopqrstuvwxyz
1/1234567890%
(.,-;:!¡?¿–)·["„""»«]
+−=/$£‡*&§
ÄÅÆÖØŒÜäåæıöøœßü
ÁÀÂÃÇČÉÈÊËÍÌÎÏĹŇÑÓÒÔÕ
ŔŘŠŤÚÙÛŴẄÝỲŶŸŽ
áàâãçčéèêëíìîïĺňñóòôõŕřš
úùûŵẅýỳŷÿž

Berthold-Schriftweite weit
Berthold-Schriftweite normal
Berthold-Schriftweite eng
Berthold-Schriftweite sehr eng
Berthold-Schriftweite extrem eng

In general, bodytypes are measured in the typograp hical point size. The sizes of Berthold Fototype faces can be exactly determine d. All faces of same point s ize have the same capital heigth–irrespective of the ir x-heigth. In hot metal and many other phototypesetti ng systems the capital hei gths often differ considera bly from one face to the oth er. For measuring point siz es, a transparent size gau ge is provided. To determi ne the point size, bring a c

3,20 mm (12 p), Zeilenabstand 5,25 mm

Berthold's quick brown fox jumps over the lazy dog and feels as if he were
3,75 mm (14 p)

Berthold's quick brown fox jumps over the lazy dog and feels as
4,25 mm (16 p)

Berthold's quick brown fox jumps over the lazy dog and f
4,75 mm (18 p)

Berthold's quick brown fox jumps over the lazy dog
5,30 mm (20 p)

Berthold's quick brown fox jumps over the l
6,35 mm (24 p)

Berthold's quick brown fox jumps ov
7,40 mm (28 p)

Berthold's quick brown fox jum
8,50 mm (32 p)

Berthold's quick brown fox j
9,55 mm (36 p)

Berthold-Schriften überzeugen du rch Schärfe und Qualität. Schriftq ualität ist eine Frage der Erfahrun g. Berthold hat diese Erfahrung seit über hundert Jahren. Zuerst im Sch riftguß, dann im Fotosatz. Berthold Schriften sind weltweit geschätzt I m Schriftenatelier München wird

2,40 mm (9 p), Zeilenabstand 4,00 mm

Größe mm	p	Zeilenabstand kp	Êp	Ex	100 Zeichen 0	−1	−2
1,33	5	1,69	2,13	—	100	97	94
1,60	6	2,00	2,56	2,50	118	114	110
1,86	7	2,38	2,94	3,00	136	132	128
2,15	8	2,69	3,44	3,50	154	149	144
2,40	9	3,00	3,81	4,00	172	166	160
2,65	10	3,31	4,19	4,00	190	183	176
2,92	11	3,69	4,63	—	208	201	194
3,20	12	4,00	5,06	5,25	226	218	210
3,45	13	4,31	5,44	—	243	235	227
3,72	14	4,69	5,88	—	261	252	243
3,98	15	5,00	6,25	—	279	270	261
4,25	16	5,31	6,69	—	296	286	276

WZ 15 E, NSW −1, MZB 0,72, F 0,26:0,10 (2,6), V
H 1–x 0,68–k 1,00–p 0,25–Ê 1,32–kp 1,25–Êp 1,57
BF 089 0514, Belegung 051: 085 0665 (095 0665)

Berthold-Schriften überzeugen durch Schärfe und Qualität. Sc hriftqualität ist eine Frage der Erfahrung. Berthold hat diese E rfahrung seit über hundert Jahr en. Zuerst im Schriftguß, dann i m Fotosatz. Berthold-Schriften sind weltweit geschätzt. Im Sch

2,65 mm (10 p), Zeilenabstand 4,00 mm

MEMPHIS-UNIVERSAL

Berthold-Schriften überzeugen durch Schärfe und Qualität. Schriftqualität ist eine Frage der Erfahrung. Berthold hat diese Erfahrung seit über hundert Jahren. Zuerst im Schriftguß, dann im Fotosatz. Berthold-Schriften sind weltweit geschätzt. Im Schriftenatelier München wird jeder Buchstabe in der Größe von zwölf Zentimetern neu gezeichnet. Mit messerscharfen Konturen, um für die Schriftscheiben das Optimale an Konturenschärfe herauszuholen. Um die Qualität des Einzelzeichens im Belichtungsvorgang zu bewahren, wird durch die ruhende, nicht rotierende Schriftscheibe belichtet. Dieses optische S

1,60 mm (6 p), Zeilenabstand 2,50 mm

Berthold-Schriften überzeugen durch Schärfe und Qualität Schriftqualität ist eine Frage der Erfahrung. Berthold hat diese Erfahrung seit über hundert Jahren. Zuerst im Schriftguß dann im Fotosatz. Berthold-Schriften sind weltweit geschätzt. Im Schriftenatelier München wird jeder Buchstabe in der Größe von zwölf Zentimetern neu gezeichnet. Mit messerscharfen Konturen, um für die Schriftscheiben das Optimale an Konturenschärfe herauszuholen. Um die Qualität des Einzel

1,86 mm (7 p), Zeilenabstand 3,00 mm

Berthold-Schriften überzeugen durch Schärfe und Qualität. Schriftqualität ist eine Frage der Erfahrung. Berthold hat diese Erfahrung seit über hundert Jahren. Zuerst im Schriftguß, dann im Fotosatz. Berthold-Schriften sind weltweit geschätzt. Im Schriftenatelier München wird jeder Buchstabe in der Größe von zwölf Zentimetern neu gezeichnet. Mit messerscharfen Konturen, um für die Schriftscheiben das Optimale an Kontu

2,15 mm (8 p), Zeilenabstand 3,50 mm

Rudolf Wolf
1929
D. Stempel AG
H. Berthold AG

ABCDEFGHIJKLMNOPQ
RSTUVWXYZ
abcdefghijklmnopqrstuvwxyz
1/1234567890 %
(.,-;:!¡?¿–)·[',„""»«]
+–=/$£†*&§
ÄÅÆÖØŒÜäåæıöøœßü
ÁÀÂÃÇČÉÈÊËÍÌÎÏĹŇÑÓÒÔÕ
ŔŘŠŤÚÙÛŴẄÝŶŸŽ
áàâãçčéèêëíìîïĺňñóòôõŕřš
úùûŵẅýỳÿž

Berthold-Schriftweite weit
Berthold-Schriftweite normal
Berthold-Schriftweite eng
Berthold-Schriftweite sehr eng
Berthold-Schriftweite extrem eng

In general, bodytypes are measured in the typographical point size. The sizes of Berthold Fototype faces can be exactly determined. All faces of same point size have the same capital height–irrespective of their x-height In hot metal and many other phototypesetting systems the capital heights often differ considerably from one face to the other. For measuring point sizes, a transparent size gauge is provided. To determine the point size bring a capital letter into coincidence with that field which precisely circumscribes the letter at its upper and lower margin. Below the field you find the typographical point and below

3,20 mm (12 p), Zeilenabstand 5,25 mm

Berthold's quick brown fox jumps over the lazy dog and feels as if he were in the seventh heaven of t
3,72 mm (14 p)

Berthold's quick brown fox jumps over the lazy dog and feels as if he were in the seventh
4,25 mm (16 p)

Berthold's quick brown fox jumps over the lazy dog and feels as if he were in th
4,75 mm (18 p)

Berthold's quick brown fox jumps over the lazy dog and feels as if he w
5,30 mm (20 p)

Berthold's quick brown fox jumps over the lazy dog and fee
6,35 mm (24 p)

Berthold's quick brown fox jumps over the lazy dog
7,40 mm (28 p)

Berthold's quick brown fox jumps over the la
8,50 mm (32 p)

Berthold's quick brown fox jumps over
9,55 mm (36 p)

Berthold-Schriften überzeugen durch Schärfe und Qualität. Schriftqualität ist eine Frage der Erfahrung. Berthold hat diese Erfahrung seit über hundert Jahren. Zuerst im Schriftguß, dann im Fotosatz. Berthold-Schriften sind weltweit geschätzt. Im Schriftenatelier München wird jeder Buchstabe in der Größe von zwölf Zentimetern neu gezeichnet. Mit messerscharfen Konturen, um

2,40 mm (9 p), Zeilenabstand 4,00 mm

Größe		Zeilenabstand			100 Zeichen		
mm	p	kp	Êp	Ex	0	−1	−2
1,33	5	1,63	1,94	–	74	71	68
1,60	6	1,94	2,31	2,50	87	83	79
1,86	7	2,31	2,69	3,00	100	96	92
2,15	8	2,63	3,06	3,50	114	109	104
2,40	9	2,94	3,44	4,00	128	122	116
2,65	10	3,25	3,81	4,00	141	134	127
2,92	11	3,56	4,19	–	154	147	140
3,20	12	3,88	4,56	5,25	167	159	151
3,45	13	4,19	4,94	–	180	172	164
3,72	14	4,56	5,31	–	193	184	175
3,98	15	4,88	5,69	–	206	197	188
4,25	16	5,19	6,06	–	219	209	199

WZ 12 E, NSW 0, MZB 0,53, F 0,18:0,14 (1,4), V
H 1–x 0,72–k 1,00–p 0,21–Ê 1,21–kp 1,21–Êp 1,42
BF 089 1359, Belegung 051: 085 1332 (095 1332)

Berthold-Schriften überzeugen durch Schärfe und Qualität. Schriftqualität ist eine Frage der Erfahrung. Berthold hat diese Erfahrung seit über hundert Jahren. Zuerst im Schriftguß, dann im Fotosatz. Berthold-Schriften sind weltweit geschätzt. Im Schriftenatelier München wird jeder Buchstabe in der Größe von zwölf Zentimetern neu gezeichn

2,65 mm (10 p), Zeilenabstand 4,00 mm

normal
extended
normal

MODERN

normal
chiaro tondo
normal

Berthold-Schriften überzeugen durch Schärfe und Qualität. Schrif
tqualität ist eine Frage der Erfahrung. Berthold hat diese Erfahru
ng seit über hundert Jahren. Zuerst im Schriftguß, dann im Fotosa
tz. Berthold-Schriften sind weltweit geschätzt. Im Schriftenatelier
München wird jeder Buchstabe in der Größe von zwölf Zentimetern
neu gezeichnet. Mit messerscharfen Konturen, um für die Schrifts
cheiben das Optimale an Konturenschärfe herauszuholen. Um die
Qualität des Einzelzeichens im Belichtungsvorgang zu bewahren
wird durch die ruhende, nicht rotierende Schriftscheibe belichtet

1,33 mm (5 p) 20 30 40 50 60

Berthold-Schriften überzeugen durch Schärfe und Qualität. S
chriftqualität ist eine Frage der Erfahrung. Berthold hat diese
Erfahrung seit über hundert Jahren. Zuerst im Schriftguß, da
nn im Fotosatz. Berthold-Schriften sind weltweit geschätzt. I
m Schriftenatelier München wird jeder Buchstabe in der Größe
von zwölf Zentimetern neu gezeichnet. Mit messerscharfen K
onturen, um für die Schriftscheiben das Optimale an Konturen
schärfe herauszuholen. Um die Qualität des Einzelzeichens im
Belichtungsvorgang zu bewahren, wird durch die ruhende, nic

1,45 mm (5,5 p) 20 30 40 50

Berthold-Schriften überzeugen durch Schärfe und Quali
tät. Schriftqualität ist eine Frage der Erfahrung. Bertho
ld hat diese Erfahrung seit über hundert Jahren. Zuerst
im Schriftguß, dann im Fotosatz. Berthold-Schriften sin
d weltweit geschätzt. Im Schriftenatelier München wird
jeder Buchstabe in der Größe von zwölf Zentimetern neu
gezeichnet. Mit messerscharfen Konturen, um für die Sc
hriftscheiben das Optimale an Konturenschärfe heraush
uholen. Um die Qualität des Einzelzeichens im Belichtun

1,60 mm (6 p) 20 30 40 50

Berthold-Schriften überzeugen durch Schärfe und Q
ualität. Schriftqualität ist eine Frage der Erfahrung
Berthold hat diese Erfahrung seit über hundert Jahr
en. Zuerst im Schriftguß, dann im Fotosatz. Berthol
d-Schriften sind weltweit geschätzt. Im Schriftenate
lier München wird jeder Buchstabe in der Größe von
zwölf Zentimetern neu gezeichnet. Mit messerscharf
en Konturen, um für die Schriftscheiben das Optima
le an Konturenschärfe herauszuholen. Um die Quali

1,75 mm (6,5 p) 20 30 40

Berthold-Schriften überzeugen durch Schärfe un
d Qualität. Schriftqualität ist eine Frage der Erfa
hrung. Berthold hat diese Erfahrung seit über hu
ndert Jahren. Zuerst im Schriftguß, dann im Foto
satz. Berthold-Schriften sind weltweit geschätzt
Im Schriftenatelier München wird jeder Buchstab
e in der Größe von zwölf Zentimetern neu gezeich
net. Mit messerscharfen Konturen, um für die Sch
riftscheiben das Optimale an Konturenschärfe he

1,86 mm (7 p) 20 30 40

Berthold-Schriften überzeugen durch Schärfe
und Qualität. Schriftqualität ist eine Frage de
r Erfahrung. Berthold hat diese Erfahrung sei
t über hundert Jahren. Zuerst im Schriftguß, d
ann im Fotosatz. Berthold-Schriften sind welt
weit geschätzt. Im Schriftenatelier München
wird jeder Buchstabe in der Größe von zwölf Z
entimetern neu gezeichnet. Mit messerscharf
en Konturen, um für die Schriftscheiben das O

2,00 mm (7,5 p) 20 30 40

Berthold-Schriften überzeugen durch Schär
fe und Qualität. Schriftqualität ist eine Frag
e der Erfahrung. Berthold hat diese Erfahru
ng seit über hundert Jahren. Zuerst im Schr
iftguß, dann im Fotosatz. Berthold-Schrifte
n sind weltweit geschätzt. Im Schriftenateli
er München wird jeder Buchstabe in der Grö
ße von zwölf Zentimetern neu gezeichnet. M
it messerscharfen Konturen, um für die Sch

2,15 mm (8 p) 20 30 40

Monotype Corp. Ltd.
H. Berthold AG

ABCDEFGHIJKLMNOPQ
RSTUVWXYZ
abcdefghijklmnopqrstuvwxyz
1/1234567890%
(.,-;:!¡?¿–)·[’‘„”“»«]
+–=/$£†*&§
ÄÅÆÖØŒÜäåæıöøœßü
ÁÀÂÃÇČÉÈÊËÍÌÎÏĹŇÑÓÒÔÕ
ŔŘŠŤÚÙÛŴẄÝŶŸŽ
áàâãçčéèêëíìîïĺňñóòôõŕřš
úùûŵẅýỳÿž

Berthold-Schriftweite weit
Berthold-Schriftweite normal
Berthold-Schriftweite eng
Berthold-Schriftweite sehr eng
Berthold-Schriftweite extrem eng

Berthold
3,72 mm (14 p)

Berthold
4,25 mm (16 p)

Berthold
4,75 mm (18 p)

Berthold
5,30 mm (20 p)

Berthold
6,35 mm (24 p)

Berthold
7,40 mm (28 p)

Berthold
8,50 mm (32 p)

Berthold
9,55 mm (36 p)

Größe		Zeilenabstand			100 Zeichen		
mm	p	kp	Êp	Ex	0	–1	–2
1,33	5	1,88	2,19	2,00	91	88	85
1,60	6	2,25	2,63	2,50	107	103	99
1,86	7	2,56	3,06	3,00	123	119	115
2,15	8	3,00	3,50	3,50	140	135	130
2,40	9	3,31	3,94	3,75	157	151	145
2,65	10	3,69	4,31	4,25	173	166	159
2,92	11	4,06	4,75	4,75	189	182	175
3,20	12	4,44	5,19	5,25	205	197	189
3,45	13	4,75	5,63	5,75	221	213	205
3,72	14	5,13	6,06	–	237	228	219
3,98	15	5,50	6,50	–	253	244	235
4,25	16	5,88	6,94	–	269	259	249

WZ 13 E, NSW 0, MZB 0,65, F 0,13:0,04 (3,3), IV
H 1–x 0,64–k 1,02–p 0,35–Ê 1,27–kp 1,37–Êp 1,62
BF 089 0867, Belegung 051: 085 2091 (095 2091)

Berthold-Schriften überzeugen durch S
chärfe und Qualität. Schriftqualität ist
eine Frage der Erfahrung. Berthold hat
diese Erfahrung seit über hundert Jahr
en. Zuerst im Schriftguß, dann im Foto
satz. Berthold-Schriften sind weltweit
geschätzt. Im Schriftenatelier Münche
n wird jeder Buchstabe in der Größe vo

2,40 mm (9 p) 20 30

Berthold-Schriften überzeugen dur
ch Schärfe und Qualität. Schriftqua
lität ist eine Frage der Erfahrung. B
erthold hat diese Erfahrung seit üb
r hundert Jahren. Zuerst im Schrift
guß, dann im Fotosatz. Berthold-Sc
hriften sind weltweit geschätzt. Im
Schriftenatelier München wird jede

2,65 mm (10 p) 20 30

Berthold-Schriften überzeugen
durch Schärfe und Qualität. Sch
riftqualität ist eine Frage der Er
fahrung. Berthold hat diese Erfa
hrung seit über hundert Jahren
Zuerst im Schriftguß, dann im F
otosatz. Berthold-Schriften sind
weltweit geschätzt. Im Schriften

2,92 mm (11 p) 10 20 3

Berthold-Schriften überzeuge
n durch Schärfe und Qualität
Schriftqualität ist eine Frage
der Erfahrung. Berthold hat d
iese Erfahrung seit über hund
ert Jahren. Zuerst im Schriftg
uß, dann im Fotosatz. Berthol
d-Schriften sind weltweit gesc

3,20 mm (12 p) 10 20

Berthold-Schriften überzeu
gen durch Schärfe und Qual
ität. Schriftqualität ist eine
Frage der Erfahrung. Berth
old hat diese Erfahrung seit
über hundert Jahren. Zuers
t im Schriftguß, dann im Fo
tosatz. Berthold-Schriften s

3,45 mm (13 p) 10 20

normal
extended
normal

MODERN

normal
chiaro tondo
normal

Berthold-Schriften überzeugen durch Schärfe und Qualität. Schriftqu alität ist eine Frage der Erfahrung. Berthold hat diese Erfahrung seit über hundert Jahren. Zuerst im Schriftguß, dann im Fotosatz. Bertho ld-Schriften sind weltweit geschätzt. Im Schriftenatelier München wir d jeder Buchstabe in der Größe von zwölf Zentimetern neu gezeichnet Mit messerscharfen Konturen, um für die Schriftscheiben das Optimale an Konturenschärfe herauszuholen. Um die Qualität des Einzelzeichen s im Belichtungsvorgang zu bewahren, wird durch die ruhende, nicht r otierende Schriftscheibe belichtet. Dieses optische System, verbunden

4,25 mm (16 p), Zeilenabstand 6,75 mm

MODERN EXTENDED

In general, bodytypes are measured in the typo graphical point size. The sizes of Berthold Foto type faces can be exactly determined. All faces of same point size have the same capital height irrespective of their x-height. In hot metal and m any other phototypesetting systems the capital heights often differ considerably from one face t o the other. For measuring point sizes, a transp arent size gauge is provided. To determine the point size, bring a capital letter into coincidence with that field which precisely circumscribes the letter at its upper and lower margin. Below the fi eld you find the typographical point an below th at the millimeter value, which also refers to the height of a capital letter. In Berthold-phototype setting, the typewidth can be modified. The stan dard setting width of typefaces is determined by the principle of optimum legibility. You should n ot depart from this typewidth without cogent rea son. A typeface which is considered optically rig ht when looked in a greater context, often seems bulky when applied for a small amount of text, e

2,40 mm (9 p), Zeilenabstand 4,25 mm

MODERN NORMAL

La valeur de la force de corps des caractères de labeur èst généralement exprimée en poi nts typographiques. La force de corps des c aractères Berthold-Fototype peut être déte rminée avec précision. Tous les caractères du même corps ont des capitales d'une haut eur identique, indépendamment de la haute ur des bas de casse sans jambage. Dans la c omposition plomb, ainsi que dans certains s ystèmes de photocomposition, la hauteur d es capitales, varie souvent d'un caractère à l'autre. Pour déterminer la force de corps d e nos caractères, nous avons mis au point u ne réglette de hauteur d'œil transparente On cherche le rectangle qui délimite exacte ment la hauteur d'œil d'une capitale du car actère choisi. Sous le rectangle correspond ant la valeur de la force de corps est indiqu ée en points Didots et en millimètres. La va leur en millimètres exprime également la h

2,65 mm (10 p), Zeilenabstand 4,69 mm

La indicación de las dimensiones para cuerp os de letra vásicos tiene lugar en general en p untos tipográficos. Los cuerpos de letra de los caracteres Berthold Fototype pueden determ inarse exactemente par medición. Con indepe ndencia de la altura de sus longitudes central es, todos los caracteres de idéntico cuerpo de l etra presentan altura de mayúsculas idéntica En la composición en plomo y en muchos otro

2,15 mm (8 p), −1, Zeilenabstand 3,38 mm

123,– $	456,– £	7890,– DM	1 %
234,– $	789,– £	1234,– DM	2 %
567,– $	12,– £	5678,– DM	3 %
890,– $	345,– £	9012,– DM	4 %
123,– $	678,– £	3456,– DM	5 %
456,– $	901,– £	7890,– DM	6 %
789,– $	234,– £	1234,– DM	7 %
12,– $	567,– £	5678,– DM	8 %
345,– $	890,– £	9012,– DM	9 %

BF 089 0868

Le misure relative al corpo dei caratteri vengon o generalmente indicate in punti tipografici. Il c orpo dei caratteri Fototypes può essere determi nato con esattezza per semplice misurazione. T utti i caratteri di uguale grandezza in punti hann o, indipendentemente dalla loro lunghezza, ugu ale altezza delle maiuscole. Nella composizione i n piombo ed in molti altri sistemi di fotocompos izione, l'altezza delle maiuscole varia spesso da

2,15 mm (8 p), −2, Zeilenabstand 3,38 mm

normal Kapitälchen
extended small caps
normal petites capitales

MODERN

normal mayusculita
chiaro tondo maiuscoletto
normal kapitäler

Berthold-Schriften ü
berzeugen durch Schä
rfe und Qualität. Schr
iftqualität ist eine Fr
age der Erfahrung. Be
rthold hat diese Erfa
fahrung seit über hun
dert Jahren. Zuerst im
Schriftguss, dann im F
otosatz. Berthold-Sch
riften sind weltweit g
eschätzt. Im Schriften
atelier München wird
jeder Buchstabe in de
r Grösse von zwölf Zen
timetern neu gezeichn
et. Mit messerscharfe

3,20 mm (12 p), Zeilenabstand 5,25 mm

Monotype Corp. Ltd.
H. Berthold AG

ABCDEFGHIJKLMNOPQ
RSTUVWXYZ
abcdefghijklmnopqrst
uvwxyz/1234567890%
(.,-;:!¡?¿—)·['‘„"“»«›‹]
+−=/$£†*&§©
ÄÅÆÖØŒÜäåæöøœü
ÁÀÂÃÇČÉÈÊËÍÌÎÏĹŇÑÓÒÔÕ
ŔŘŠŤÚÙÛŴẄÝŶŸŽ
áàâãçčéèêëíìîïĺňñóòôõŕřš
úùûŵẅýỳÿž

Schriftweite weit
Schriftweite normal
Schriftweite eng
Schriftweite sehr eng
Schriftweite extrem eng

LA VALEUR DE LA FOR
CE DE CORPS DES CARA
CTERES DE LABEUR ES
T GENERALEMENT EXP
RIMEE EN POINTS TYPO
GRAPHIQUES. LA FORC
E DE CORPS DES CARAC
TERES BERTHOLD FOT
OTYPE PEUT ETRE DET
ERMINEE AVEC PRECIS
ION. TOUS LES CARACT
ERES DU MEME CORPS
ONT DES CAPITALES D
UNE HAUTEUR IDENTI
QUE, INDEPENDAMME
NT DE LA HAUTEUR DE
S BAS DE CASSE SANS J

3,20 mm (12 p), Zeilenabstand 5,25 mm

8/5

MARIE-THERÈSE ROCHEFORT
Directrice

69, Rue Victor Hugo, 75 Paris, Téléphone 37 25 86

10/7

FLORENTINO CAVALLO
Maître de Plaisir

Firenze, Via Ludovica Aretino 33

12/9

EULALIA LOEFFEL
Diätköchin

Am Gänsemarkt 2, Vilshofen

Berlin
3,72 mm (14 p)

Berlin
4,25 mm (16 p)

Berlin
4,75 mm (18 p)

Berlin
5,30 mm (20 p)

Berlin
6,35 mm (24 p)

Berlin
7,40 mm (28 p)

Berlin
8,50 mm (32 p)

Berlin
9,55 mm (36 p)

9/6

HANS-OTTO VON SCHLICK
Landrat

Am Horst 10, Kappeln, Tel. 66 34

11/8

JAN VAN DER FALK
Detektivbüro

Halve Straat 78, Amsterdam

13/10

VLADIMIR IRIBOZOV
Saxophonist

Domgasse 2, München

La indicación de las dimensiones para cuerpos de le
tra vásicos tiene lugar en general en puntos tipog
ráficos. Los cuerpos de letra de los caracteres Be
rthold Fototype pueden determinarse exactement
e par medición. Con independencia de la altura de s
us longitudes centrales, todos los caracteres de id
éntico cuerpo de letra presentan altura de mayúscu
las idéntica. En la composición en plomo y en muchos
otros sistemas de fotocomposición, las alturas de m
ayúsculas varían frecuentemmente en forma consid
erable de tipo de letra a tipo de letra. Para medir l
os cuerpos de letra se dispone de un tipómetro, véa
se la figura. Para la medición se hace coincidir una l
etra mayúscula con la casilla cuyos extremos coinci
den con los extremos superior e inferior de la letra

1,33 mm (5 p), Zeilenabstand 1,94 mm

Le misure relative al corpo dei caratte
ri vengono generalmente indicate in pu
nti tipografici. Il corpo dei caratteri F
ototypes può essere determinato con es
attezza per semplice misurazione. Tutt
i i caratteri di uguale grandezza in pun
ti hanno, indipendentemente dalla lor
o lunghezza, uguale altezza delle maiu
scole. Nella composizione in piombo ed i
n molti altri sistemi di fotocomposizion
e, l'altezza delle maiuscole varia speso
da carattere a carattere. Per misurare

1,60 mm (6 p), Zeilenabstand 2,44 mm
WZ 17 E, NSW +2, IV
BF 089 0869, Belegung 027: 085 2094 (095 2094)

In general bodytypes are measured in
the typographical point size. The sizes
of Berthold-Fototype faces can be exa
ctly determined. All faces of same poi
nt size have the same capital height—i
rrespective of their x-height. In hot m
etal and many other phototypesetting
systems the capital heights often diff
er considerably from one face to the o
ther. For measuring point sizes a tran

1,86 mm (7 p), Zeilenabstand 3,00 mm

kursiv
extended italic
italique

MODERN

cursiva
corsivo
kursiv

Måttangivelse för grundstilsgrade r sker i allmänhet i typografiska pu nkter. Stilar av Berthold Fototype kan efter mätning exakt gradbestä mmas. Alla typsnitt är av samma punktstorlek och har oberoende av x-höjden en identisk versalhöjd. I blysättning och i många andra fot osättsystem varierar versalhöjden avsevärt från typsnitt till typsnitt För mätning av stilgrader finns en transparent mätlinjal. Vid mätnin gen placerar man en versal bokstav så att rutorna begränsar tecknet up ptill och nedtill. Under rutorna fin ns stilstorleken i typografiska dido tpunkter och i mm. Även millimete ruppgiften avser versalhöjden. Vid stilstorleksuppgifter anges alltid

2,92 mm (11 p), Zeilenabstand 4,69 mm

Monotype Corp. Ltd.
H. Berthold AG

ABCDEFGHIJKLMNOPQ
RSTUVWXYZ
abcdefghijklmnopqrstuvwxyz
1/1234567890%
(.,-;:!¡?¿–)·['‘„”“»«]
+−=/$£†&§*
ÄÅÆÖØŒÜäåæıöøœßü
ÁÀÂÃÇČÉÈÊËÍÌÎÏĹŇÑÓÒÔÕ
ŔŘŠŤÚÙÛŴẄÝỲŸŽ
áàâãçčéèêëíìîïĺňñóòôõŕřš
úùûŵẅýỳÿž

Berthold-Schriftweite weit
Berthold-Schriftweite normal
Berthold-Schriftweite eng
Berthold-Schriftweite sehr eng
Berthold-Schriftweite extrem eng

In general, bodytypes are meas ured in the typographical point size. The sizes of Berthold Fotot ype faces can be exactly determ ined. All faces of same point size have the same capital height–irr espective of their x-height. In ho t metal and many other phototy pesetting systems the capital hei ghts often differ considerably fr om one face to the other. For me asuring point sizes, a transpare nt size gauge is provided. To de termine the point size, bring a c apital letter into coincidence wi th that field which precisely circ umscribes the letter at its upper

3,20 mm (12 p), Zeilenabstand 5,25 mm

MODERN KURSIV

Die Maßangabe zu Grundschriftgrößen erfolgt im a llgemeinen in typographischen Punkten. Die Schrif tgrößen der Berthold-Fotosatz-Schriften sind nach Messung exakt bestimmbar. Alle Schriften gleicher Punktgröße weisen, unabhängig von der Höhe ihrer Mittellängen, eine identische Versalhöhe auf. Im B leisatz und bei vielen anderen Fotosatz-Systemen d ifferieren die Versalhöhen von Schrift zu Schrift oft erheblich. Zum Messen von Schriftgrößen steht ein transparentes Größenmaß zur Verfügung. Zum Me ssen wird ein Versalbuchstabe mit dem Feld in Dec kung gebracht, das den Buchstaben oben und unten scharf begrenzt. Unter dem Feld ist die Schriftgröße in typographischen Didot-Punkten, darunter in Mi llimetern angegeben. Auch die Millimeterangaben beziehen sich auf die Höhe der Versalbuchstaben. D ie Schriftweite kann im Berthold-Fotosatz beliebig verändert werden. Die Festlegung der Normalschrif

2,40 mm (9 p), Zeilenabstand 4 mm

MODERN ITALIQUE

La valeur de la force de corps des caractères de labeur èst généralement exprimée en points ty pographiques. La force de corps des caractères Berthold-Fototype peut être déterminée avec pr écision. Tous les caractères du même corps on t des capitales d'une hauteur identique, indép endamment de la hauteur des bas de casse sans jambage. Dans la composition plomb, ainsi qu e dans certains systèmes de photocomposition la hauteur des capitales, varie souvent d'un ca ractère à l'autre. Pour déterminer la force de c orps de nos caractères, nous avons mis au poi nt une réglette de hauteur d'œil transparente. O n cherche le rectangle qui délimite exactement la hauteur d'œil d'une capitale du caractère ch oisi. Sous le rectangle correspondant la valeur

2,65 mm (10 p), Zeilenabstand 4,50 mm

La indicación de las dimensiones para cuerpos de letra vási cos tiene lugar en general en puntos tipográficos. Los cuer pos de letra de los caracteres Berthold Fototype pueden det erminarse exactemente par medición. Con independencia de la altura de sus longitudes centrales, todos los caracteres de idéntico cuerpo de letra presentan altura de mayúsculas id éntica. En la composición en plomo y en muchos otros siste mas de fotocomposición, las alturas de mayúsculas varían frecuentemmente en forma considerable de tipo de letra a ti po de letra. Para medir los cuerpos de letra se dispone de un tipómetro, véase la figura. Para la medición se hace coinci dir una letra mayúscula con la casilla cuyos extremos coin

1,60 mm (6 p), Zeilenabstand 2,50 mm

Größe		Zeilenabstand			100 Zeichen		
mm	p	kp	Êp	Ex	0	−1	−2
1,33	5	1,81	2,19	–	88	83	80
1,60	6	2,13	2,63	2,50	101	97	93
1,86	7	2,50	3,06	–	116	112	108
2,15	8	2,88	3,50	3,38	132	127	122
2,40	9	3,25	3,94	4,00	148	142	136
2,65	10	3,56	4,31	4,50	163	156	149
2,92	11	3,94	4,75	4,69	178	171	164
3,20	12	4,31	5,19	5,25	193	185	177
3,45	13	4,63	5,63	–	209	201	193
3,72	14	5,00	6,06	–	224	215	206
3,98	15	5,31	6,50	–	239	230	221
4,25	16	5,69	6,94	–	254	244	234

WZ 12 E, NSW 0, MZB 0,61, F 0,12:0,03 (3,5), III
H 1–x 0,63–k 1,01–p 0,32–Ê 1,30–kp 1,33–Êp 1,62
BF 089 0852, Belegung 051: 085 2092 (095 2092)

Le misure relative al corpo dei caratteri vengo no generalmente indicate in punti tipografici Il corpo dei caratteri Fototypes può essere dete rminato con esattezza per semplice misurazion e. Tutti i caratteri di uguale grandezza in punti hanno, indipendentemente dalla loro lunghezz a, uguale altezza delle maiuscole. Nella compo sizione in piombo ed in molti altri sistemi di fo tocomposizione, l'altezza delle maiuscole vari

2,15 mm (8 p), Zeilenabstand 3,38 mm

halbfett
bold
demi-gras

MODERN

seminegra
neretto
halvfet

Berthold-Schriften überzeugen durch Schärfe und Quali tät. Schriftqualität ist eine Frage der Erfahrung. Berthol d hat diese Erfahrung seit über hundert Jahren. Zuerst i m Schriftguß, dann im Fotosatz. Berthold-Schriften sind weltweit geschätzt. Im Schriftenatelier München wird je der Buchstabe in der Größe von zwölf Zentimetern neu g ezeichnet. Mit messerscharfen Konturen, um für die Sch riftscheiben das Optimale an Konturenschärfe herauszu holen. Um die Qualität des Einzelzeichens im Belichtung

1,60 mm (6 p), Zeilenabstand 2,50 mm

Berthold-Schriften überzeugen durch Schärfe und Qualität. Schriftqualität ist eine Frage der Erfahr ung. Berthold hat diese Erfahrung seit über hund ert Jahren. Zuerst im Schriftguß, dann im Fotosa tz. Berthold-Schriften sind weltweit geschätzt. Im Schriftenatelier München wird jeder Buchstabe in der Größe von zwölf Zentimetern neu gezeichnet Mit messerscharfen Konturen, um für die Schrift

1,86 mm (7 p), Zeilenabstand 3,00 mm

Berthold-Schriften überzeugen durch Schär fe und Qualität. Schriftqualität ist eine Frag e der Erfahrung. Berthold hat diese Erfahru ng seit über hundert Jahren. Zuerst im Schri ftguß, dann im Fotosatz. Berthold-Schriften sind weltweit geschätzt. Im Schriftenatelier München wird jeder Buchstabe in der Größe von zwölf Zentimetern neu gezeichnet. Mit

2,15 mm (8 p), Zeilenabstand 3,50 mm

Monotype Corp. Ltd.
H. Berthold AG

ABCDEFGHIJKLMNOPQ
RSTUVWXYZ
abcdefghijklmnopqrstuvwxyz
1/1234567890%
(.,-;:!¡?¿–)·[’‘„”“»«]
+–=/$£†*&§
ÄÅÆÖØŒÜäåæıöøœßü
ÁÀÂÃÇČÉÈÊËÍÌÎÏĹŇÑÓÒÔÕ
ŔŘŠŤÚÙÛŴẄÝŶŸŽ
áàâãçčéèêëíìîïĺňñóòôõŕřš
úùûŵẅýỳÿž

Berthold-Schriftweite weit
Berthold-Schriftweite normal
Berthold-Schriftweite eng
Berthold-Schriftweite sehr eng
Berthold-Schriftweite extrem eng

In general, bodytypes are mea sured in the typographical poi nt size. The sizes of Berthold F ototype faces can be exactly d etermined. All faces of same p oint size have the same capital height–irrespective of their x height. In hot metal and many other phototypesetting syste ms the capital heights often di ffer considerably from one fac e to the other. For measuring point sizes, a transparent size gauge is provided. To determi ne the point size, bring a capit al letter into coincidence with that field which precisely circ

3,20 mm (12 p), Zeilenabstand 5,25 mm

Berthold's quick brown fox jumps over the lazy dog and feels as if he were in the se
3,72 mm (14 p)

Berthold's quick brown fox jumps over the lazy dog and feels as if he we
4,25 mm (16 p)

Berthold's quick brown fox jumps over the lazy dog and feels as
4,75 mm (18 p)

Berthold's quick brown fox jumps over the lazy dog and fe
5,30 mm (20 p)

Berthold's quick brown fox jumps over the lazy d
6,35 mm (24 p)

Berthold's quick brown fox jumps over th
7,40 mm (28 p)

Berthold's quick brown fox jumps ov
8,50 mm (32 p)

Berthold's quick brown fox jum
9,55 mm (36 p)

Berthold-Schriften überzeugen durch S chärfe und Qualität. Schriftqualität ist e ine Frage der Erfahrung. Berthold hat d iese Erfahrung seit über hundert Jahren Zuerst im Schriftguß, dann im Fotosatz Berthold-Schriften sind weltweit gesch ätzt. Im Schriftenatelier München wird jeder Buchstabe in der Größe von zwölf

2,40 mm (9 p), Zeilenabstand 4,00 mm

Größe		Zeilenabstand			100 Zeichen		
mm	p	kp	Êp	Ex	0	–1	–2
1,33	5	1,69	2,13	–	87	84	81
1,60	6	2,00	2,56	2,50	103	99	95
1,86	7	2,38	3,00	3,00	118	114	110
2,15	8	2,69	3,44	3,50	134	129	124
2,40	9	3,00	3,88	4,00	150	144	138
2,65	10	3,38	4,25	4,00	166	159	152
2,92	11	3,69	4,69	–	181	174	167
3,20	12	4,00	5,13	5,25	196	189	182
3,45	13	4,38	5,56	–	212	204	196
3,72	14	4,69	6,00	–	228	219	210
3,98	15	5,00	6,38	–	242	233	224
4,25	16	5,38	6,81	–	258	248	238

WZ 13 E, NSW 0, MZB 0,63, F 0,23:0,058 (3,9),III
H 1–x 0,64–k 1,03–p 0,35–Ê 1,25–kp 1,38–Êp 1,60
BF 089 0851, Belegung 051: 085 2093 (095 2093)

Berthold-Schriften überzeugen dur ch Schärfe und Qualität. Schriftqua lität ist eine Frage der Erfahrung. B erthold hat diese Erfahrung seit übe r hundert Jahren. Zuerst im Schrift guß, dann im Fotosatz. Berthold-Sc hriften sind weltweit geschätzt. Im Schriftenatelier München wird jede

2,65 mm (10 p), Zeilenabstand 4,00 mm

mager
light
maigre

MODERN No. 216

fina
chiarissimo
mager

Berthold-Schriften überzeugen durch Schärfe und Qualität
Schriftqualität ist eine Frage der Erfahrung. Berthold hat d
iese Erfahrung seit über hundert Jahren. Zuerst im Schriftg
uß, dann im Fotosatz. Berthold-Schriften sind weltweit ges
chätzt. Im Schriftenatelier München wird jeder Buchstabe i
n der Größe von zwölf Zentimetern neu gezeichnet. Mit mes
serscharfen Konturen, um für die Schriftscheiben das Opti
male an Konturenschärfe herauszuholen. Um die Qualität d
es Einzelzeichens im Belichtungsvorgang zu bewahren, wir

1,33 mm (5 p) 20 30 40 50

Berthold-Schriften überzeugen durch Schärfe und Qu
alität. Schriftqualität ist eine Frage der Erfahrung. Bert
hold hat diese Erfahrung seit über hundert Jahren. Zue
rst im Schriftguß, dann im Fotosatz. Berthold-Schriften
sind weltweit geschätzt. Im Schriftenatelier München
wird jeder Buchstabe in der Größe von zwölf Zentimete
rn neu gezeichnet. Mit messerscharfen Konturen, um f
ür die Schriftscheiben das Optimale an Konturenschär
fe herauszuholen. Um die Qualität des Einzelzeichens i

1,45 mm (5,5 p) 20 30 40 50

Berthold-Schriften überzeugen durch Schärfe und
Qualität. Schriftqualität ist eine Frage der Erfahru
ng. Berthold hat diese Erfahrung seit über hundert
Jahren. Zuerst im Schriftguß, dann im Fotosatz. B
erthold-Schriften sind weltweit geschätzt. Im Sch
riftenatelier München wird jeder Buchstabe in der
Größe von zwölf Zentimetern neu gezeichnet. Mit
messerscharfen Konturen, um für die Schriftsche
iben das Optimale an Konturenschärfe herauszuh

1,60 mm (6 p) 20 30 40

Berthold-Schriften überzeugen durch Schärfe
und Qualität. Schriftqualität ist eine Frage der
Erfahrung. Berthold hat diese Erfahrung seit
über hundert Jahren. Zuerst im Schriftguß, da
nn im Fotosatz. Berthold-Schriften sind welt
weit geschätzt. Im Schriftenatelier München
wird jeder Buchstabe in der Größe von zwölf Z
entimetern neu gezeichnet. Mit messerscharf
en Konturen, um für die Schriftscheiben das O

1,75 mm (6,5 p) 20 30 40

Berthold-Schriften überzeugen durch Schä
rfe und Qualität. Schriftqualität ist eine Fra
ge der Erfahrung. Berthold hat diese Erfahru
ng seit über hundert Jahren. Zuerst im Schri
ftguß, dann im Fotosatz. Berthold-Schrifte n
sind weltweit geschätzt. Im Schriftenatelier
München wird jeder Buchstabe in der Größe
von zwölf Zentimetern neu gezeichnet. Mit
messerscharfen Konturen, um für die Schrif

1,86 mm (7 p) 20 30 40

Berthold-Schriften überzeugen durch S
chärfe und Qualität. Schriftqualität ist ei
ne Frage der Erfahrung. Berthold hat die
se Erfahrung seit über hundert Jahren. Z
uerst im Schriftguß, dann im Fotosatz. B
erthold-Schriften sind weltweit geschät
zt. Im Schriftenatelier München wird je
der Buchstabe in der Größe von zwölf Ze
ntimetern neu gezeichnet. Mit messersc

2,00 mm (7,5 p) 20 30

Berthold-Schriften überzeugen durch
Schärfe und Qualität. Schriftqualität i
st eine Frage der Erfahrung. Berthold
hat diese Erfahrung seit über hundert
Jahren. Zuerst im Schriftguß, dann im
Fotosatz. Berthold-Schriften sind welt
weit geschätzt. Im Schriftenatelier Mü
nchen wird jeder Buchstabe in der Grö
ße von zwölf Zentimetern neu gezeichn

2,15 mm (8 p) 20 30

Ed Benguiat
1982
International Typeface Corp.
H. Berthold AG

ABCDEFGHIJKLMNOPQ
RSTUVWXYZ
abcdefghijklmnopqrstuvwxyz
1/1234567890%
(.,-;:!¡?¿–)·[‘„”“»«]
+–=/$£†*&§
ÄÅÆÖØŒÜäåæıöøœßü
ÁÀÂÃÇČÉÈÊËÍÌÎÏĹŇÑÓÒÔÕ
ŔŘŠŤÚÙÛŴẄÝỲŶŸŽ
áàâãçčéèêëíìîïĺňñóòôõŕřš
úùûŵẅýỳÿž

Berthold-Schriftweite weit
Berthold-Schriftweite normal
Berthold-Schriftweite eng
Berthold-Schriftweite sehr eng
Berthold-Schriftweite extrem eng

Berlin
3,72 mm (14 p)

Berlin
4,25 mm (16 p)

Berlin
4,75 mm (18 p)

Berlin
5,30 mm (20 p)

Berlin
6,35 mm (24 p)

Berlin
7,40 mm (28 p)

Berlin
8,50 mm (32 p)

Berlin
9,55 mm (36 p)

Größe		Zeilenabstand			100 Zeichen		
mm	p	kp	Êp	Ex	0	–1	–2
1,00	5	1,01	2,31	2,00	100	97	94
1,60	6	2,13	2,75	2,50	118	114	110
1,86	7	2,50	3,19	3,00	136	132	128
2,15	8	2,88	3,69	3,50	154	149	144
2,40	9	3,25	4,13	3,75	172	166	160
2,65	10	3,56	4,56	4,25	190	183	176
2,92	11	3,94	5,00	4,75	208	201	194
3,20	12	4,31	5,50	5,25	226	218	210
3,45	13	4,63	5,94	5,75	243	235	227
3,72	14	5,00	6,38	–	261	252	243
3,98	15	5,31	6,81	–	279	270	261
4,25	16	5,69	7,31	–	296	286	276

WZ 13 E, NSW 0, MZB 0,72, F 0,14:0,04 (3,8), III
H 1–x 0,71–k 1,00–p 0,33–Ê 1,38–kp 1,33–Êp 1,71
BF 089 1234, Belegung 051: 085 2177 (095 2177)

Berthold-Schriften überzeugen d
urch Schärfe und Qualität. Schrift
qualität ist eine Frage der Erfahru
ng. Berthold hat diese Erfahrung s
eit über hundert Jahren. Zuerst im
Schriftguß, dann im Fotosatz. Ber
thold-Schriften sind weltweit ges
chätzt. Im Schriftenatelier Münche

2,40 mm (9 p) 10 20 30

Berthold-Schriften überzeugen
durch Schärfe und Qualität. Sc
hriftqualität ist eine Frage der
Erfahrung. Berthold hat diese
Erfahrung seit über hundert Ja
hren. Zuerst im Schriftguß dan
n im Fotosatz. Berthold-Schrift
en sind weltweit geschätzt. Im S

2,65 mm (10 p) 10 20 3

Berthold-Schriften überzeu
gen durch Schärfe und Quali
tät. Schriftqualität ist eine Fr
age der Erfahrung. Berthold
hat diese Erfahrung seit übe
r hundert Jahren. Zuerst im
Schriftguß, dann im Fotosat
z. Berthold-Schriften sind w

2,92 mm (11 p) 10 20

Berthold-Schriften überz
eugen durch Schärfe und
Qualität. Schriftqualität is
t eine Frage der Erfahrung
Berthold hat diese Erfahr
ung seit über hundert Jah
ren. Zuerst im Schriftguß
dann im Fotosatz. Berthol

3,20 mm (12 p) 10 20

Berthold-Schriften über
zeugen durch Schärfe u
nd Qualität. Schriftquali
tät ist eine Frage der Erf
ahrung. Berthold hat di
ese Erfahrung seit über
hundert Jahren. Zuerst
im Schriftguß, dann im

3,45 mm (13 p) 10 20

mager
light
maigre

MODERN No. 216

fina
chiarissimo
mager

Berthold-Schriften überzeugen durch Schärfe und Qualität. Schriftqualität ist eine Frage der Erfahrung. Berthold hat diese Erfahrung seit über hundert Jahren. Zuerst im Schriftguß, dann im Fotosatz. Berthold-Schriften sind weltweit geschätzt. Im Schriftenatelier München wird jeder Buchstabe in der Größe von zwölf Zentimetern neu gezeichnet. Mit messerscharfen Konturen, um für die Schriftscheiben das Optimale an Konturenschärfe herauszuholen. Um die Qualität des Einzelzeichens im Belichtungsvorgang zu bewahren, wird durch die ruhende, nich

4,25 mm (16 p), Zeilenabstand 6,75 mm

MODERN No. 216 LIGHT

In general, bodytypes are measured in the typographical point size. The sizes of Berthold Fototype faces can be exactly determined. All faces of same point size have the same capital height–irrespective of their x-height. In hot metal and many other phototypesetting systems the capital heights often differ considerably from one face to the other. For measuring point sizes, a transparent size gauge is provided. To determine the point size, bring a capital letter into coincidence with that field which precisely circumscribes the letter at its upper and lower margin. Below the field you find the typographical point and below that the millimeter value, which also refers to the height of a capital letter. In Berthold-phototypesetting, the typewidth can be modified. The standard setting width of typefaces is determined by the principle of optimum legibility. You should not depart from this typewidth without cogent reason. A typeface which

2,40 mm (9 p), Zeilenabstand 4,25 mm

MODERN No. 216 MAIGRE

La valeur de la force de corps des caractères de labeur èst généralement exprimée en points typographiques. La force de corps des caractères Berthold-Fototype peut être déterminée avec précision. Tous les caractères du même corps ont des capitales d'une hauteur identique, indépendamment de la hauteur des bas de casse sans jambage. Dans la composition plomb, ainsi que dans certains systèmes de photocomposition, la hauteur des capitales, varie souvent d un caractère à l'autre. Pour déterminer la force de corps de nos caractères, nous avons mis au point une réglette de hauteur d'œil transparente. On cherche le rectangle qui délimite exactement la hauteur d'œil d'une capitale du caractère choisi. Sous le rectangle correspondant la valeur de la force de corps

2,65 mm (10 p), Zeilenabstand 4,69 mm

La indicación de las dimensiones para cuerpos de letra vásicos tiene lugar en general en puntos tipográficos. Los cuerpos de letra de los caracteres Berthold Fototype pueden determinarse exactemente par medición. Con independencia de la altura de sus longitudes centrales, todos los caracteres de idéntico cuerpo de letra presentan altura de mayúsculas idéntic

2,15 mm (8 p), −1, Zeilenabstand 3,38 mm

123,– $	456,– £	7890,– DM	1 %
234,– $	789,– £	1234,– DM	2 %
567,– $	12,– £	5678,– DM	3 %
890,– $	345,– £	9012,– DM	4 %
123,– $	678,– £	3456,– DM	5 %
456,– $	901,– £	7890,– DM	6 %
789,– $	234,– £	1234,– DM	7 %
12,– $	567,– £	5678,– DM	8 %
345,– $	890,– £	9012,– DM	9 %

BF 089 1235

Le misure relative al corpo dei caratteri vengono generalmente indicate in punti tipografici. Il corpo dei caratteri Fototypes può essere determinato con esattezza per semplice misurazione. Tutti i caratteri di uguale grandezza in punti hanno, indipendentemente dalla loro lunghezza, uguale altezza delle maiuscole. Nella composizione in piombo ed in molti altri sistemi di fotoco

2,15 mm (8 p), −2, Zeilenabstand 3,38 mm

mager
light
maigre

MODERN NO. 216 CAPS

fina
chiarissimo
mager

T. S. ELIOT *Old Possums Katzenbuch*
GÜNTER EICH *Träume.* Vier Spiele
JEAN GIRAUDOUX *Eglantine.* Roman
WALTER BENJAMIN *Einbahnstraße*
ANTONIO MACHADO *Juan de Mairena*
G. B. SHAW *Musik in London.* Kritiken
PAUL VALÉRY *Über Kunst.* Essays
ERNST BLOCH *Spuren.* Parabeln
WILLIAM FAULKNER *Der Bär*
TRUMAN CAPOTE *Die Grasharfe*
ANDRÉ GIDE *Paludes.* Satire
GUISEPPE UNGARETTI *Gedichte*
JEAN GIRAUDOUX *Simon.* Roman
WILLIAM CARLOS WILLIAMS *Gedichte*
BERTHOLT BRECHT *Geschichten*
HENRY GREEN *Schwärmerei.* Roman
EZRA POUND *ABC des Lesens*
TH. W. ADORNO *Mahler.* Monographie

2,15 mm (8 p), Zeilenabstand 5,00 mm

ED BENGUIAT
1982
INTERNATIONAL TYPEFACE CORP.
H. BERTHOLD AG

ABCDEFGHIJKLMNOPQ
RSTUVWXYZ
ABCDEFGHIJKLMNOPQRSTUVW
XYZ 1234567890 %
(.,-;:!¡?¿–)·[‘‚”„»«›‹]
+-=/$£†*&§©
ÄÅÆÖØŒÜÄÅÆÖØŒÜ
ÁÀÂÃÇČÉÈÊËÍÌÎÏĹÑŇ
ÓÒÔÕŔŘŠŤÚÙÛŴẄÝŸŽ
ÁÀÂÃÇČÉÈÊËÍÌÎÏĹÑŇÓÒÔÕŔŘŠ
ÚÙÛŴẄÝŸŽ

SCHRIFTWEITE WEIT
SCHRIFTWEITE NORMAL
SCHRIFTWEITE ENG
SCHRIFTWEITE SEHR ENG
SCHRIFTWEITE EXTREM ENG

CALAN: Hast du Furcht, daß sein Vermögen nicht ausreicht? Mein Wort schlägt Hände ab – horch, ob sein Wort sie ihm behält. *Man hört schreien.* Wer, sagst du, Noah, wer, sagst du, wer, wenn nicht ich, ist der Herr?
NOAH: Sprich ein zweites Wort, Calan. *Das Schreien dauert an.* Töte ihn vollends, daß nicht sein Schreien in meinen Eingeweiden schauert, sprich, Calan, sprich!
CALAN: Darum, daß dein Eingeweide sich besänftigt? Darum, Noah, bitte ihn, den andern. Das Opfer ist getan, mag er sich sättigen am Schreien, denn es schreien viele, ohne daß er ihr Schreien in Gnade ersäuft. Mag er sich auch eine Mühe machen mit einem Wort, wenn ihm an der Stille gelegen ist. Ich habe das Opfer von mir gegeben, und da es sein ist, soll er damit tun nach seinem Wohlgefallen. *Chus kommt mit zwei blutigen Händen.* Gut, Chus, nagle sie hier an den Pfosten, daß er sieht, was Calan dargebracht, das nimmt er nicht wieder an sich. *Chus tut wie befohlen.*
CALAN *zu Noah, der sich die Ohren zuhält:* Nimm die Hände herunter und höre, was dein Gott dir zu hören gibt.

1,86 mm (7 p), Zeilenabstand 3,00 mm

THE QUICK BROWN FOX JUMPS OVER THE LAZY DOG AND FEELS AS IF HE WERE
3,72 mm (14 p)
THE QUICK BROWN FOX JUMPS OVER THE LAZY DOG AND FEELS AS IF
4,25 mm (16 p)
THE QUICK BROWN FOX JUMPS OVER THE LAZY DOG AND FEE
4,75 mm (18 p)
THE QUICK BROWN FOX JUMPS OVER THE LAZY DOG AN
5,30 mm (20 p)
THE QUICK BROWN FOX JUMPS OVER THE LAZY
6,35 mm (24 p)
THE QUICK BROWN FOX JUMPS OVER TH
7,40 mm (28 p)
THE QUICK BROWN FOX JUMPS OVE
8,50 mm (32 p)
THE QUICK BROWN FOX JUMPS
9,55 mm (36 p)

9/6

CHARLOTTE DUVALIER
PIANISTIN

PETER-PAUL-RUBENS-PLATZ 2, 1000 BERLIN 13
TELEFON 030 – 66 22 84

MONDAY		4	11	18	25
TUESDAY		5	12	19	26
WEDNESDAY		6	13	20	27
THURSDAY		7	14	21	28
FRIDAY	1	8	15	22	29
SATURDAY	2	9	16	23	30
SUNDAY	3	10	17	24	

10/7

JOCHEN VAN DIJK
LEHRER

HINTERM DOM 3, 5000 KÖLN AM RHEIN
TELEFON 02 21 – 67 33 58

2,40 mm (9 p) und 1,60 mm (6 p)

2,40 mm (9 p) und 3,20 mm (12 p)

BF 089 1236, Belegung 127: 085 2178 (095 2178)

2,65 mm (10 p) und 1,86 mm (7 p)

kursiv mager
light italic
italique maigre

MODERN No. 216

fina cursiva
chiarissimo corsivo
kursiv mager

*Måttangivelse för grundstil
sgrader sker i allmänhet i ty
pografiska punkter. Stilar a
v Berthold Fototype kan efter
mätning exakt gradbestäm
mas. Alla typsnitt är av sam
ma punktstorlek och har obe
roende av x-höjden en identi
sk versalhöjd. I blysättning o
ch i många andra fotosättsy
stem varierar versalhöjden
avsevärt från typsnitt till ty
psnitt. För mätning av stilgr
ader finns en transparent m
ätlinjal. Vid mätningen plac
erar man en versal bokstav s
å att rutorna begränsar teck
net upptill och nedtill. Under
rutorna finns stilstorleken i*

2,92 mm (11 p), Zeilenabstand 4,69 mm

*Ed Benguiat
1982
International Typeface Corp.
H. Berthold AG*

*ABCDEFGHIJKLMNOPQ
RSTUVWXYZ
abcdefghijklmnopqrstuvwxyz
1/1234567890%
(.,-;:!¡?¿–)·[‘„”“»«]
+–=/$£†*&§
ÄÅÆÖØŒÜäåæıöøœßü
ÁÀÂÃÇČÉÈÊËÍÌÎÏĹŇÑÓÒÔÕ
ŔŘŠŤÚÙÛŴẄÝŶŸŽ
áàâãçčéèêëíìîïĺňñóòôõŕřš
úùûŵẅýỳÿž*

*Berthold-Schriftweite weit
Berthold-Schriftweite normal
Berthold-Schriftweite eng
Berthold-Schriftweite sehr eng
Berthold-Schriftweite extrem eng*

*In general, bodytypes are
measured in the typograp
hical point size. The sizes o
f Berthold Fototype faces c
an be exactly determined
All faces of same point size
have the same capital hei
ght–irrespective of their x
height. In hot metal and m
any other phototypesettin
g systems the capital heig
hts often differ considerab
ly from one face to the othe
r. For measuring point size
s, a transparent size gauge
is provided. To determine t
he point size, bring a capit*

3,20 mm (12 p), Zeilenabstand 5,25 mm

MODERN No. 216 KURSIV MAGER

*Die Maßangabe zu Grundschriftgrößen er
folgt im allgemeinen in typographischen
Punkten. Die Schriftgrößen der Berthold-F
otosatz-Schriften sind nach Messung exakt
bestimmbar. Alle Schriften gleicher Punkt
größe weisen, unabhängig von der Höhe ihr
er Mittellängen, eine identische Versalhöh
e auf. Im Bleisatz und bei vielen anderen F
otosatz-Systemen differieren die Versalhö
hen von Schrift zu Schrift oft erheblich. Zum
Messen von Schriftgrößen steht ein transpa
rentes Größenmaß zur Verfügung. Zum M
essen wird ein Versalbuchstabe mit dem Fe
ld in Deckung gebracht, das den Buchstabe
n oben und unten scharf begrenzt. Unter de
m Feld ist die Schriftgröße in typographis
chen Didot-Punkten, darunter in Millimete
tern angegeben. Auch die Millimeterangab*

2,40 mm (9 p), Zeilenabstand 4 mm

MODERN No. 216 ITALIQUE MAIGRE

*La valeur de la force de corps des carac
tères de labeur èst généralement expri
mée en points typographiques. La force
de corps des caractères Berthold-Fotot
ype peut être déterminée avec précisio
n. Tous les caractères du même corps o
nt des capitales d'une hauteur identiq
ue, indépendamment de la hauteur des
bas de casse sans jambage. Dans la co
mposition plomb, ainsi que dans certa
ins systèmes de photocomposition, la
hauteur des capitales, varie souvent d
un caractère à l'autre. Pour détermine
r la force de corps de nos caractères, no
us avons mis au point une réglette de h
auteur d'œil transparente. On cherche*

2,65 mm (10 p), Zeilenabstand 4,50 mm

*La indicación de las dimensiones para cuerpos de
letra vásicos tiene lugar en general en puntos tipo
gráficos. Los cuerpos de letra de los caracteres Ber
thold Fototype pueden determinarse exactemente
par medición. Con independencia de la altura de s
us longitudes centrales, todos los caracteres de idé
ntico cuerpo de letra presentan altura de mayúscu
las idéntica. En la composición en plomo y en muc
hos otros sistemas de fotocomposición, las alturas
de mayúsculas varían frecuentemmente en forma
considerable de tipo de letra a tipo de letra. Para m
edir los cuerpos de letra se dispone de un tipómetro*

1,60 mm (6 p), Zeilenabstand 2,50 mm

Größe		Zeilenabstand			100 Zeichen		
mm	p	kp	Êp	Ex	0	−1	−2
1,33	5	1,75	2,25	–	101	98	95
1,60	6	2,13	2,69	2,50	119	115	111
1,86	7	2,44	3,13	–	137	133	129
2,15	8	2,81	3,56	3,38	156	151	146
2,40	9	3,13	4,00	4,00	175	169	163
2,65	10	3,50	4,38	4,50	193	186	179
2,92	11	3,81	4,88	4,69	211	204	197
3,20	12	4,19	5,31	5,25	229	221	213
3,45	13	4,50	5,75	–	246	238	230
3,72	14	4,88	6,19	–	264	255	246
3,98	15	5,19	6,63	–	282	273	264
4,25	16	5,56	7,06	–	300	290	280

WZ 13 E, NSW 0, MZB 0,73, F 0,14:0,03 (4,1), III
H 1–x 0,71–k 1,00–p 0,30–Ê 1,35–kp 1,30–Êp 1,65
BF 089 1237, Belegung 051: 085 2179 (095 2179)

*Le misure relative al corpo dei caratteri
vengono generalmente indicate in pun
ti tipografici. Il corpo dei caratteri Foto
types può essere determinato con esatt
zza per semplice misurazione. Tutti i c
aratteri di uguale grandezza in punti h
anno, indipendentemente dalla loro lu
nghezza, uguale altezza delle maiuscol
e. Nella composizione in piombo ed in*

2,15 mm (8 p), Zeilenabstand 3,38 mm

normal
medium
normal

MODERN No. 216

normal
chiaro tondo
normal

Berthold-Schriften überzeugen durch Schärfe und Quali
tät. Schriftqualität ist eine Frage der Erfahrung. Berthold
hat diese Erfahrung seit über hundert Jahren. Zuerst im
Schriftguß, dann im Fotosatz. Berthold-Schriften sind w
eltweit geschätzt. Im Schriftenatelier München wird jeder
Buchstabe in der Größe von zwölf Zentimetern neu gezei
chnet. Mit messerscharfen Konturen, um für die Schriftsc
heiben das Optimale an Konturenschärfe herauszuholen
Um die Qualität des Einzelzeichens im Belichtungsvorga

1,33 mm (5 p) 20 30 40 50

Berthold-Schriften überzeugen durch Schärfe und
Qualität. Schriftqualität ist eine Frage der Erfahrung
Berthold hat diese Erfahrung seit über hundert Jahr
en. Zuerst im Schriftguß, dann im Fotosatz. Berthol
d-Schriften sind weltweit geschätzt. Im Schriftenate
lier München wird jeder Buchstabe in der Größe vo
n zwölf Zentimetern neu gezeichnet. Mit messersch
arfen Konturen, um für die Schriftscheiben das Opti
male an Konturenschärfe herauszuholen. Um die

1,45 mm (5,5 p) 20 30 40

Berthold-Schriften überzeugen durch Schärfe u
nd Qualität. Schriftqualität ist eine Frage der Erf
ahrung. Berthold hat diese Erfahrung seit über
hundert Jahren. Zuerst im Schriftguß, dann im
Fotosatz. Berthold-Schriften sind weltweit gesc
hätzt. Im Schriftenatelier München wird jeder B
uchstabe in der Größe von zwölf Zentimetern n
eu gezeichnet. Mit messerscharfen Konturen, um
für die Schriftscheiben das Optimale an Kontur

1,60 mm (6 p) 20 30 40

Berthold-Schriften überzeugen durch Schär
fe und Qualität. Schriftqualität ist eine Frage
der Erfahrung. Berthold hat diese Erfahr ung
seit über hundert Jahren. Zuerst im Schr
iftguß, dann im Fotosatz. Berthold-Schriften
sind weltweit geschätzt. Im Schriftenatelier
München wird jeder Buchstabe in der Größe
von zwölf Zentimetern neu gezeichnet. Mit
messerscharfen Konturen, um für die Schrif

1,75 mm (6,5 p) 20 30 40

Berthold-Schriften überzeugen durch Sc
härfe und Qualität. Schriftqualität ist eine
Frage der Erfahrung. Berthold hat diese
Erfahrung seit über hundert Jahren. Zuer
st im Schriftguß, dann im Fotosatz. Bertho
ld-Schriften sind weltweit geschätzt. Im S
chriftenatelier München wird jeder Buch
stabe in der Größe von zwölf Zentimetern
neu gezeichnet. Mit messerscharfen Kont

1,86 mm (7 p) 20 30

Berthold-Schriften überzeugen durch
Schärfe und Qualität. Schriftqualität ist
eine Frage der Erfahrung. Berthold hat
diese Erfahrung seit über hundert Jahr
en. Zuerst im Schriftguß, dann im Fotos
atz. Berthold-Schriften sind weltweit g
eschätzt. Im Schriftenatelier München
wird jeder Buchstabe in der Größe von
zwölf Zentimetern neu gezeichnet. Mit

2,00 mm (7,5 p) 20 30

Berthold-Schriften überzeugen durc
h Schärfe und Qualität. Schriftqualit
ät ist eine Frage der Erfahrung. Berth
old hat diese Erfahrung seit über hun
dert Jahren. Zuerst im Schriftguß, da
nn im Fotosatz. Berthold-Schriften si
nd weltweit geschätzt. Im Schriftena
telier München wird jeder Buchstabe
in der Größe von zwölf Zentimetern

2,15 mm (8 p) 10 20 30

Ed Benguiat
1982
International Typeface Corp.
H. Berthold AG

ABCDEFGHIJKLMNOPQ
RSTUVWXYZ
abcdefghijklmnopqrstuvw
xyz 1/1234567890%
(.,-;:!¡?¿–)·[’‘„”“»«]
+−=/$£†*&§
ÄÅÆÖØŒÜäåæıöøœßü
ÁÀÂÃÇČÉÈÊËÍÌÎÏĹŇÑÓÒÔÕ
ŔŘŠŤÚÙÛŴẄÝŶŸŽ
áàâãçčéèêëíìîïĺňñóòôõŕřš
úùûŵẅýỳÿž

Berthold-Schriftweite weit
Berthold-Schriftweite normal
Berthold-Schriftweite eng
Berthold-Schriftweite sehr eng
Berthold-Schriftweite extrem eng

Berlin
3,72 mm (14 p)

Berlin
4,25 mm (16 p)

Berlin
4,75 mm (18 p)

Berlin
5,30 mm (20 p)

Berlin
6,35 mm (24 p)

Berlin
7,40 mm (28 p)

Berlin
8,50 mm (32 p)

Berlin
9,55 mm (36 p)

Größe		Zeilenabstand			100 Zeichen		
mm	p	kp	Êp	Ex	0	−1	−2
1,00	5	1,01	2,30	2,00	107	104	101
1,60	6	2,13	2,81	2,50	126	122	118
1,86	7	2,50	3,31	3,00	145	141	137
2,15	8	2,88	3,81	3,50	165	160	155
2,40	9	3,25	4,25	3,75	185	179	173
2,65	10	3,56	4,69	4,25	204	197	190
2,92	11	3,94	5,13	4,75	223	216	209
3,20	12	4,31	5,63	5,25	242	234	226
3,45	13	4,63	6,06	5,75	261	253	245
3,72	14	5,00	6,56	–	280	271	262
3,98	15	5,31	7,00	–	299	290	281
4,25	16	5,69	7,44	–	318	308	298

WZ 13 E, NSW 0, MZB 0,77, F 0,18:0,03 (6,0), IV
H 1–x 0,71–k 1,00–p 0,33–Ê 1,42–kp 1,33–Êp 1,75
BF 089 1213, Belegung 051: 085 2180 (095 2180)

Berthold-Schriften überzeugen
durch Schärfe und Qualität. Schr
iftqualität ist eine Frage der Erfa
hrung. Berthold hat diese Erfahr
ung seit über hundert Jahren. Zu
erst im Schriftguß, dann im Foto
satz. Berthold-Schriften sind wel
tweit geschätzt. Im Schriftenateli

2,40 mm (9 p) 10 20 30

Berthold-Schriften überzeug
en durch Schärfe und Qualitä
t. Schriftqualität ist eine Frage
der Erfahrung. Berthold hat d
iese Erfahrung seit über hund
ert Jahren. Zuerst im Schriftg
uß, dann im Fotosatz. Berthol
d-Schriften sind weltweit ges

2,65 mm (10 p) 10 20

Berthold-Schriften überze
ugen durch Schärfe und Qu
alität. Schriftqualität ist ei
ne Frage der Erfahrung. Be
rthold hat diese Erfahrung
seit über hundert Jahren. Z
uerst im Schriftguß, dann i
m Fotosatz. Berthold-Schri

2,92 mm (11 p) 10 20

Berthold-Schriften über
zeugen durch Schärfe un
d Qualität. Schriftqualitä
t ist eine Frage der Erfah
rung. Berthold hat diese
Erfahrung seit über hun
dert Jahren. Zuerst im S
chriftguß, dann im Fotos

3,20 mm (12 p) 10 20

Berthold-Schriften üb
erzeugen durch Schärf
e und Qualität. Schriftq
ualität ist eine Frage de
r Erfahrung. Berthold
hat diese Erfahrung sei
t über hundert Jahren
Zuerst im Schriftguß, d

3,45 mm (13 p) 10 20

normal
medium
normal

MODERN No. 216

normal
chiaro tondo
normal

Berthold-Schriften überzeugen durch Schärfe und Qualität Schriftqualität ist eine Frage der Erfahrung. Berthold hat di ese Erfahrung seit über hundert Jahren. Zuerst im Schriftg uß, dann im Fotosatz. Berthold-Schriften sind weltweit gesc hätzt. Im Schriftenatelier München wird jeder Buchstabe in der Größe von zwölf Zentimetern neu gezeichnet. Mit messe rscharfen Konturen, um für die Schriftscheiben das Optima le an Konturenschärfe herauszuholen. Um die Qualität des Einzelzeichens im Belichtungsvorgang zu bewahren, wird

4,25 mm (16 p), Zeilenabstand 6,75 mm

MODERN No. 216 MEDIUM

In general, bodytypes are measured in th e typographical point size. The sizes of B erthold Fototype faces can be exactly det ermined. All faces of same point size have the same capital height–irrespective of t heir x-height. In hot metal and many oth er phototypesetting systems the capital heights often differ considerably from o ne face to the other. For measuring point sizes, a transparent size gauge is provide d. To determine the point size, bring a cap ital letter into coincidence with that field which precisely circumscribes the letter at its upper and lower margin. Below the field you find the typographical point an d below that the millimeter value, which also refers to the height of a capital letter In Berthold-phototypesetting, the typew idth can be modified. The standard settin g width of typefaces is determined by the principle of optimum legibility. You sho uld not depart from this typewidth with

2,40 mm (9 p), Zeilenabstand 4,25 mm

MODERN No. 216 NORMAL

La valeur de la force de corps des car actères de labeur èst généralement e xprimée en points typographiques. L a force de corps des caractères Berth old-Fototype peut être déterminée a vec précision. Tous les caractères du même corps ont des capitales d'une hauteur identique, indépendamme nt de la hauteur des bas de casse sans jambage. Dans la composition plomb ainsi que dans certains systèmes de photocomposition, la hauteur des ca pitales, varie souvent d'un caractère à l'autre. Pour déterminer la force de corps de nos caractères, nous avons mis au point une réglette de hauteur d'œil transparente. On cherche le rec tangle qui délimite exactement la ha uteur d'œil d'une capitale du caractè re choisi. Sous le rectangle correspo

2,65 mm (10 p), Zeilenabstand 4,69 mm

La indicación de las dimensiones para cuerpos de letra vásicos tiene lugar en general en puntos tipográficos. Los cu erpos de letra de los caracteres Berthol d Fototype pueden determinarse exac temente par medición. Con independe ncia de la altura de sus longitudes cen trales, todos los caracteres de idéntico cuerpo de letra presentan altura de ma

2,15 mm (8 p), –1, Zeilenabstand 3,38 mm

123,– $	456,– £	7890,– DM	1 %
234,– $	789,– £	1234,– DM	2 %
567,– $	12,– £	5678,– DM	3 %
890,– $	345,– £	9012,– DM	4 %
123,– $	678,– £	3456,– DM	5 %
456,– $	901,– £	7890,– DM	6 %
789,– $	234,– £	1234,– DM	7 %
12,– $	567,– £	5678,– DM	8 %
345,– $	890,– £	9012,– DM	9 %

BF 089 1214

Le misure relative al corpo dei caratteri vengono generalmente indicate in punti tipografici. Il corpo dei caratteri Fototyp es può essere determinato con esattezza per semplice misurazione. Tutti i caratte ri di uguale grandezza in punti hanno, i ndipendentemente dalla loro lunghezz a, uguale altezza delle maiuscole. Nella c omposizione in piombo ed in molti altri

2,15 mm (8 p), –2, Zeilenabstand 3,38 mm

normal
medium
normal

Modern No. 216 Caps

normal
chiaro tondo
normal

T. S. Eliot *Old Possums Katzenbuch*
Günter Eich *Träume.* Vier Spiele
Jean Giraudoux *Eglantine.* Roman
Walter Benjamin *Einbahnstraße*
Antonio Machado *Juan de Mairena*
G. B. Shaw *Musik in London*
Paul Valéry *Über Kunst.* Essays
Ernst Bloch *Spuren.* Parabeln
William Faulkner *Der Bär*
Truman Capote *Die Grasharfe*
André Gide *Paludes.* Satire
Guiseppe Ungaretti *Gedichte*
Jean Giraudoux *Simon.* Roman
William Carlos Williams *Gedichte*
Bertholt Brecht *Geschichten*
Henry Green *Schwärmerei.* Roman
Ezra Pound *ABC des Lesens*
Th. W. Adorno *Mahler.* Monographie

2,15 mm (8 p), Zeilenabstand 5,00 mm

Ed Benguiat
1982
International Typeface Corp.
H. Berthold AG

ABCDEFGHIJKLMNOPQ
RSTUVWXYZ
ABCDEFGHIJKLMNOPQRSTUVW
XYZ 1234567890%
(.,-;:!¡?¿–)·['',,""»«›‹]
+−=/$£†*&§©
ÄÅÆÖØŒÜÄÅÆÖØŒÜ
ÁÀÂÃÇČÉÈÊËÍÌÎÏĹŇÑ
ÓÒÔÕŔŘŠŤÚÙÛŴẄÝŶŸŽ
ÁÀÂÃÇČÉÈÊËÍÌÎÏĹŇÑÓÒÔÕŔŘŠ
ÚÙÛŴẄÝỲŸŽ

Schriftweite weit
Schriftweite normal
Schriftweite eng
Schriftweite sehr eng
Schriftweite extrem eng

Calan: Hast du Furcht, daß sein Vermögen nicht ausreicht? Mein Wort schlägt Hände ab – horch, ob sein Wort sie ihm behält. *Man hört schreien.* Wer, sagst du, Noah, wer, sagst du, wer, wenn nicht ich, ist der Herr?
Noah: Sprich ein zweites Wort, Calan. *Das Schreien dauert an.* Töte ihn vollends, daß nicht sein Schreien in meinen Eingeweiden schauert, sprich, Calan, sprich!
Calan: Darum, daß dein Eingeweide sich besänftigt? Darum, Noah, bitte ihn, den andern. Das Opfer ist getan, mag er sich sättigen am Schreien, denn es schreien viele, ohne daß er ihr Schreien in Gnade ersäuft. Mag er sich auch eine Mühe machen mit einem Wort, wenn ihm an der Stille gelegen ist. Ich habe das Opfer von mir gegeben, und da es sein ist, soll er damit tun nach seinem Wohlgefallen. *Chus kommt mit zwei blutigen Händen.* Gut, Chus, nagle sie hier an den Pfosten, daß er sieht, was Calan dargebracht, das nimmt er nicht wieder an sich. *Chus tut wie befohlen.*
Calan *zu Noah, der sich die Ohren zuhält:* Nimm die Hände herunter und höre,

1,86 mm (7 p), Zeilenabstand 3,00 mm

The Quick Brown Fox Jumps over the Lazy Dog and Feels as if he
3,72 mm (14 p)

The Quick Brown Fox Jumps over the Lazy Dog and Feels
4,25 mm (16 p)

The Quick Brown Fox Jumps over the Lazy Dog and
4,75 mm (18 p)

The Quick Brown Fox Jumps over the Lazy Do
5,30 mm (20 p)

The Quick Brown Fox Jumps over the L
6,35 mm (24 p)

The Quick Brown Fox Jumps over
7,40 mm (28 p)

The Quick Brown Fox Jumps o
8,50 mm (32 p)

The Quick Brown Fox Jump
9,55 mm (36 p)

9/6

Charlotte Duvalier
Pianistin

Peter-Paul-Rubens-Platz 2, 1000 Berlin 13
Telefon 030 – 66 22 84

2,40 mm (9 p) und 1,60 mm (6 p)

Monday		4	11	18	25
Tuesday		5	12	19	26
Wednesday		6	13	20	27
Thursday		7	14	21	28
Friday	1	8	15	22	29
Saturday	2	9	16	23	30
Sunday	3	10	17	24	

2,40 mm (9 p) und 3,20 mm (12 p)

BF 089 1254, Belegung 127: 085 2181 (095 2181)

10/7

Jochen van Dijk
Lehrer

Hinterm Dom 3, 5000 Köln am Rhein
Telefon 02 21 – 67 33 58

2,65 mm (10 p) und 1,86 mm (7 p)

kursiv
italic
italique

MODERN No. 216

cursiva
chiaro corsivo
kursiv

*Måttangivelse för grundstil
sgrader sker i allmänhet i t
ypografiska punkter. Stilar
av Berthold Fototype kan eft
er mätning exakt gradbestä
mmas. Alla typsnitt är av sa
mma punktstorlek och har
oberoende av x-höjden en id
entisk versalhöjd. I blysättn
ing och i många andra fotos
ättsystem varierar versalhö
jden avsevärt från typsnitt t
ill typsnitt. För mätning av s
tilgrader finns en transpare
nt mätlinjal. Vid mätningen
placerar man en versal bok
stav så att rutorna begräns
ar tecknet upptill och nedtill
Under rutorna finns stilstor*

2,92 mm (11 p), Zeilenabstand 4,69 mm

*Ed Benguiat
1982
International Typeface Corp.
H. Berthold AG*

*ABCDEFGHIJKLMNOPQ
RSTUVWXYZ
abcdefghijklmnopqrstuvwxyz
1/1234567890 %
(.,-;:!¡?¿–)·[',„"“»«]
+−=/$£†*&§
ÄÅÆÖØŒÜäåæıöøœßü
ÁÀÂÃÇČÉÈÊËÍÌÎÏĹŇÑÓÒÔÕ
ŔŘŠŤÚÙÛŴẄÝŶŸŽ
áàâãçčéèêëíìîïĺňñóòôõŕřš
úùûŵẅýỳÿž*

*Berthold-Schriftweite weit
Berthold-Schriftweite normal
Berthold-Schriftweite eng
Berthold-Schriftweite sehr eng
Berthold-Schriftweite extrem eng*

*In general, bodytypes are
measured in the typogra
phical point size. The sizes
of Berthold Fototype faces
can be exactly determined
All faces of same point size
have the same capital heig
ht–irrespective of their x
height. In hot metal and
many other phototypesett
ing systems the capital hei
ghts often differ considera
bly from one face to the oth
er. For measuring point si
zes, a transparent size ga
uge is provided. To deter
mine the point size, bring a*

3,20 mm (12 p), Zeilenabstand 5,25 mm

MODERN No. 216 KURSIV

*Die Maßangabe zu Grundschriftgrößen er
folgt im allgemeinen in typographischen
Punkten. Die Schriftgrößen der Berthold
Fotosatz-Schriften sind nach Messung exa
kt bestimmbar. Alle Schriften gleicher Pu
nktgröße weisen, unabhängig von der Höh
e ihrer Mittellängen, eine identische Versa
lhöhe auf. Im Bleisatz und bei vielen ander
en Fotosatz-Systemen differieren die Vers
alhöhen von Schrift zu Schrift oft erheblic
h. Zum Messen von Schriftgrößen steht ein
transparentes Größenmaß zur Verfügun
g. Zum Messen wird ein Versalbuchstabe
mit dem Feld in Deckung gebracht, das den
Buchstaben oben und unten scharf begren
zt. Unter dem Feld ist die Schriftgröße in t
ypographischen Didot-Punkten, darunter
in Millimetern angegeben. Auch die Milli*

2,40 mm (9 p), Zeilenabstand 4 mm

MODERN No. 216 ITALIQUE

*La valeur de la force de corps des cara
ctères de labeur est généralement exp
rimée en points typographiques. La fo
rce de corps des caractères Berthold-F
ototype peut être déterminée avec préc
ision. Tous les caractères du même cor
ps ont des capitales d'une hauteur ide
ntique, indépendamment de la haute
ur des bas de casse sans jambage. Dan
s la composition plomb, ainsi que dans
certains systèmes de photocompositio
n, la hauteur des capitales, varie souv
ent d'un caractère à l'autre. Pour déte
rminer la force de corps de nos caract
ères, nous avons mis au point une rég
lette de hauteur d'œil transparente. On*

2,65 mm (10 p), Zeilenabstand 4,50 mm

*La indicación de las dimensiones para cuerpos de
letra vásicos tiene lugar en general en puntos tipo
gráficos. Los cuerpos de letra de los caracteres Ber
thold Fototype pueden determinarse exactemente
par medición. Con independencia de la altura de s
us longitudes centrales, todos los caracteres de id
éntico cuerpo de letra presentan altura de mayúsc
ulas idéntica. En la composición en plomo y en mu
chos otros sistemas de fotocomposición, las altur
as de mayúsculas varían frecuentemmente en for
ma considerable de tipo de letra a tipo de letra. Pa
ra medir los cuerpos de letra se dispone de un tipó*

1,60 mm (6 p), Zeilenabstand 2,50 mm

Größe		Zeilenabstand			100 Zeichen		
mm	p	kp	Êp	Ex	0	−1	−2
1,33	5	1,81	2,31	–	101	98	95
1,60	6	2,13	2,75	2,50	119	115	111
1,86	7	2,50	3,19	–	137	133	129
2,15	8	2,88	3,69	3,38	156	151	146
2,40	9	3,25	4,13	4,00	175	169	163
2,65	10	3,56	4,56	4,50	193	186	179
2,92	11	3,94	5,00	4,69	211	204	197
3,20	12	4,31	5,50	5,25	229	221	213
3,45	13	4,63	5,94	–	246	238	230
3,72	14	5,00	6,38	–	264	255	246
3,98	15	5,31	6,81	–	282	273	264
4,25	16	5,69	7,31	–	300	290	280

WZ 13 E, NSW 0, MZB 0,73, F 0,18:0,05 (3,9), III
H 1–x 0,71–k 1,01–p 0,32–Ê 1,39–kp 1,33–Êp 1,71
BF 089 1239, Belegung 051: 085 2182 (095 2182)

*Le misure relative al corpo dei caratte
ri vengono generalmente indicate in p
unti tipografici. Il corpo dei caratteri F
ototypes può essere determinato con es
attezza per semplice misurazione. Tut
ti i caratteri di uguale grandezza in pu
nti hanno, indipendentemente dalla l
oro lunghezza, uguale altezza delle ma
iuscole. Nella composizione in piombo*

2,15 mm (8 p), Zeilenabstand 3,38 mm

halbfett
bold
demi-gras

MODERN No. 216

seminegra
neretto
halvfet

Berthold-Schriften überzeugen durch Schärfe und Qualität. Schriftqualität ist eine Frage der E rfahrung. Berthold hat diese Erfahrung seit übe r hundert Jahren. Zuerst im Schriftguß, dann im Fotosatz. Berthold-Schriften sind weltweit gesc hätzt. Im Schriftenatelier München wird jeder B uchstabe in der Größe von zwölf Zentimetern n eu gezeichnet. Mit messerscharfen Konturen, u m für die Schriftscheiben das Optimale an Kont

1,60 mm (6 p), Zeilenabstand 2,50 mm

Berthold-Schriften überzeugen durch Sc härfe und Qualität. Schriftqualität ist eine Frage der Erfahrung. Berthold hat diese E rfahrung seit über hundert Jahren. Zue rst im Schriftguß, dann im Fotosatz. Bert hold-Schriften sind weltweit geschätzt. Im Schriftenatelier München wird jeder Buc hstabe in der Größe von zwölf Zentimeter

1,86 mm (7 p), Zeilenabstand 3,00 mm

Berthold-Schriften überzeugen durc h Schärfe und Qualität. Schriftqualit ät ist eine Frage der Erfahrung. Berth old hat diese Erfahrung seit über h undert Jahren. Zuerst im Schriftguß dann im Fotosatz. Berthold-Schriften sind weltweit geschätzt. Im Schriften atelier München wird jeder Buchsta

2,15 mm (8 p), Zeilenabstand 3,50 mm

Ed Benguiat
1982
International Typeface Corp.
H. Berthold AG

ABCDEFGHIJKLMNOPQ
RSTUVWXYZ
abcdefghijklmnopqrstuvw
xyz 1/1234567890%
(.,-;:!¡?¿–)·[‘‚„”“»«]
+−=/$£†*&§
ÄÅÆÖØŒÜäåæıöøœßü
ÁÀÂÃÇČÉÈÊËÍÌÎÏĹŇÑÓÒÔÕ
ŔŘŠŤÚÙÛŴẄÝŶŸŽ
áàâãçčéèêëíìîïĺňñóòôõŕřš
úùûŵẅýỳÿž

Berthold-Schriftweite weit
Berthold-Schriftweite normal
Berthold-Schriftweite eng
Berthold-Schriftweite sehr eng
Berthold-Schriftweite extrem eng

In general, bodytypes are measured in the typogra phical point size. The siz es of Berthold Fototype f aces can be exactly deter mined. All faces of same point size have the same capital height–irrespecti ve of their x-height. In ho t metal and many other p hototypesetting systems the capital heights often differ considerably from one face to the other. For measuring point sizes, a t ransparent size gauge is provided. To determine t

3,20 mm (12 p), Zeilenabstand 5,25 mm

Berthold's quick brown fox jumps over the lazy dog and feels as if he
3,72 mm (14 p)

Berthold's quick brown fox jumps over the lazy dog and feels
4,25 mm (16 p)

Berthold's quick brown fox jumps over the lazy dog a
4,75 mm (18 p)

Berthold's quick brown fox jumps over the lazy
5,30 mm (20 p)

Berthold's quick brown fox jumps over t
6,35 mm (24 p)

Berthold's quick brown fox jumps
7,40 mm (28 p)

Berthold's quick brown fox ju
8,50 mm (32 p)

Berthold's quick brown fo
9,55 mm (36 p)

Berthold-Schriften überzeugen d urch Schärfe und Qualität. Schrif tqualität ist eine Frage der Erfahr ung. Berthold hat diese Erfahrun g seit über hundert Jahren. Zuers t im Schriftguß, dann im Fotosatz Berthold-Schriften sind weltweit geschätzt. Im Schriftenatelier Mü

2,40 mm (9 p), Zeilenabstand 4,00 mm

Größe mm	p	Zeilenabstand kp	Êp	Ex	100 Zeichen 0	−1	−2
1,33	5	1,81	2,38	–	107	104	101
1,60	6	2,19	2,88	2,50	126	122	118
1,86	7	2,56	3,31	3,00	145	141	137
2,15	8	2,94	3,81	3,50	165	160	155
2,40	9	3,25	4,25	4,00	185	179	173
2,65	10	3,63	4,69	4,00	204	197	190
2,92	11	4,00	5,19	–	223	216	209
3,20	12	4,38	5,69	5,25	242	234	226
3,45	13	4,69	6,13	–	261	253	245
3,72	14	5,06	6,56	–	280	271	262
3,98	15	5,38	7,06	–	299	290	281
4,25	16	5,75	7,50	–	318	308	298

WZ 13 E, NSW 0, MZB 0,77, F 0,22:0,03 (6,5), III
H 1–x 0,71–k 1,02–p 0,33–Ê 1,43–kp 1,35–Êp 1,76
BF 089 1240, Belegung 051: 085 2183 (095 2183)

Berthold-Schriften überzeug en durch Schärfe und Qualitä t. Schriftqualität ist eine Frage der Erfahrung. Berthold hat d iese Erfahrung seit über hund ert Jahren. Zuerst im Schriftg uß, dann im Fotosatz. Berthol d-Schriften sind weltweit ges

2,65 mm (10 p), Zeilenabstand 4,00 mm

kursiv halbfett
bold italic
italique demi-gras

MODERN No. 216

seminegra cursiva
neretto corsivo
kursiv halvfet

Berthold-Schriften überzeugen durch Schärfe und Qualität. Schriftqualität ist eine Frage de r Erfahrung. Berthold hat diese Erfahrung seit über hundert Jahren. Zuerst im Schriftguß, da nn im Fotosatz. Berthold-Schriften sind weltw eit geschätzt. Im Schriftenatelier München wir d jeder Buchstabe in der Größe von zwölf Zenti metern neu gezeichnet. Mit messerscharfen Ko nturen, um für die Schriftscheiben das Optim

1,60 mm (6 p), Zeilenabstand 2,50 mm

Berthold-Schriften überzeugen durch Sc härfe und Qualität. Schriftqualität ist ei ne Frage der Erfahrung. Berthold hat di ese Erfahrung seit über hundert Jahren Zuerst im Schriftguß, dann im Fotosatz Berthold-Schriften sind weltweit geschä tzt. Im Schriftenatelier München wird je der Buchstabe in der Größe von zwölf Ze

1,86 mm (7 p), Zeilenabstand 3,00 mm

Berthold-Schriften überzeugen dur ch Schärfe und Qualität. Schriftqu alität ist eine Frage der Erfahrung Berthold hat diese Erfahrung seit ü ber hundert Jahren. Zuerst im Schr iftguß, dann im Fotosatz. Berthold Schriften sind weltweit geschätzt. I m Schriftenatelier München wird je

2,15 mm (8 p), Zeilenabstand 3,50 mm

Ed Benguiat
1982
International Typeface Corp.
H. Berthold AG

ABCDEFGHIJKLMNOPQ
RSTUVWXYZ
abcdefghijklmnopqrstuvw
xyz 1/1234567890%
(.,-;:!¡?¿–)·['‚„"“»«]
+−=/$£†&§*
ÄÅÆÖØŒÜäåæıöøœßü
ÁÀÂÃÇČÉÈÊËÍÌÎÏĹŇÑÓÒÔÕ
ŔŘŠŤÚÙÛŴẄÝỲŸŽ
áàâãçčéèêëíìîïĺňñóòôõŕřš
úùûŵẅýỳÿž

Berthold-Schriftweite weit
Berthold-Schriftweite normal
Berthold-Schriftweite eng
Berthold-Schriftweite sehr eng
Berthold-Schriftweite extrem eng

In general, bodytypes a re measured in the typo graphical point size. The sizes of Berthold Fototy pe faces can be exactly d etermined. All faces of s ame point size have the same capital height–irr espective of their x-heig ht. In hot metal and man y other phototypesettin g systems the capital he ights often differ consid erably from one face to t he other. For measuring point sizes, a transpare nt size gauge is provided

3,20 mm (12 p), Zeilenabstand 5,25 mm

Berthold's quick brown fox jumps over the lazy dog and feels as if
3,72 mm (14 p)

Berthold's quick brown fox jumps over the lazy dog and fe
4,25 mm (16 p)

Berthold's quick brown fox jumps over the lazy dog
4,75 mm (18 p)

Berthold's quick brown fox jumps over the lazy
5,30 mm (20 p)

Berthold's quick brown fox jumps over
6,35 mm (24 p)

Berthold's quick brown fox jumps
7,40 mm (28 p)

Berthold's quick brown fox ju
8,50 mm (32 p)

Berthold's quick brown fo
9,55 mm (36 p)

Berthold-Schriften überzeugen durch Schärfe und Qualität. Sc hriftqualität ist eine Frage der Erfahrung. Berthold hat diese E rfahrung seit über hundert Jah ren. Zuerst im Schriftguß, dann im Fotosatz. Berthold-Schriften sind weltweit geschätzt. Im Schr

2,40 mm (9 p), Zeilenabstand 4,00 mm

Größe		Zeilenabstand			100 Zeichen		
mm	p	kp	Êp	Ex	0	−1	−2
1,33	5	1,81	2,31	–	110	107	104
1,60	6	2,19	2,81	2,50	130	126	122
1,86	7	2,56	3,25	3,00	150	146	142
2,15	8	2,94	3,75	3,50	170	165	160
2,40	9	3,25	4,19	4,00	190	184	178
2,65	10	3,63	4,63	4,00	210	203	196
2,92	11	4,00	5,06	–	229	222	215
3,20	12	4,38	5,56	5,25	249	241	233
3,45	13	4,69	6,00	–	269	261	253
3,72	14	5,06	6,44	–	288	279	270
3,98	15	5,38	6,94	–	308	299	290
4,25	16	5,75	7,38	–	327	317	307

WZ 14 E, NSW 0, MZB 0,79, F 0,21:0,04 (5,0), III
H 1–x 0,72–k 1,04–p 0,31–Ê 1,42–kp 1,35–Êp 1,73
BF 089 1241, Belegung 051: 085 2184 (095 2184)

Berthold-Schriften überzeug en durch Schärfe und Qualit ät. Schriftqualität ist eine Fr age der Erfahrung. Berthold hat diese Erfahrung seit über hundert Jahren. Zuerst im S chriftguß, dann im Fotosatz Berthold-Schriften sind welt

2,65 mm (10 p), Zeilenabstand 4,00 mm

fett
heavy
gras

MODERN No. 216

negra
nero
fet

Berthold-Schriften überzeugen durch Schärf e und Qualität. Schriftqualität ist eine Frage d er Erfahrung. Berthold hat diese Erfahrung s eit über hundert Jahren. Zuerst im Schriftgu ß, dann im Fotosatz. Berthold-Schriften sind weltweit geschätzt. Im Schriftenatelier Münc hen wird jeder Buchstabe in der Größe von z wölf Zentimetern neu gezeichnet. Mit messers charfen Konturen, um für die Schriftscheiben

1,60 mm (6 p), Zeilenabstand 2,50 mm

Berthold-Schriften überzeugen durch Schärfe und Qualität. Schriftqualität ist eine Frage der Erfahrung. Berthold hat diese Erfahrung seit über hundert Jahr en. Zuerst im Schriftguß, dann im Foto satz. Berthold-Schriften sind weltweit geschätzt. Im Schriftenatelier München wird jeder Buchstabe in der Größe von

1,86 mm (7 p), Zeilenabstand 3,00 mm

Berthold-Schriften überzeugen d urch Schärfe und Qualität. Schrift qualität ist eine Frage der Erfahru ng. Berthold hat diese Erfahrung s eit über hundert Jahren. Zuerst im Schriftguß, dann im Fotosatz. Bert hold-Schriften sind weltweit gesc hätzt. Im Schriftenatelier München

2,15 mm (8 p), Zeilenabstand 3,50 mm

Ed Benguiat
1982
International Typeface Corp.
H. Berthold AG

ABCDEFGHIJKLMNOPQ
RSTUVWXYZ
abcdefghijklmnopqrstuvw
xyz 1/1234567890%
(.,-;:!¡?¿–)·['‘„”“»«]
+−=/$£†*&§
ÄÅÆÖØŒÜäåæıöøœßü
ÁÀÂÃÇČÉÈÊËÍÌÎÏĹŇÑÓÒÔÕ
ŔŘŠŤÚÙÛŴẄÝŶŸŽ
áàâãçčéèêëíìîïĺňñóòôõŕřš
úùûŵẅýỳÿž

Schriftweite weit
Schriftweite normal
Schriftweite eng
Schriftweite sehr eng
Schriftweite extrem eng

In general, bodytypes a re measured in the typ ographical point size. T he sizes of Berthold Fot otype faces can be exact ly determined. All faces of same point size have the same capital height irrespective of their x-h eight. In hot metal and many other phototype setting systems the cap ital heights often differ considerably from one face to the other. For m easuring point sizes, a t ransparent size gauge is

3,20 mm (12 p), Zeilenabstand 5,25 mm

Berthold's quick brown fox jumps over the lazy dog and feels as i
3,72 mm (14 p)

Berthold's quick brown fox jumps over the lazy dog and f
4,25 mm (16 p)

Berthold's quick brown fox jumps over the lazy do
4,75 mm (18 p)

Berthold's quick brown fox jumps over the la
5,30 mm (20 p)

Berthold's quick brown fox jumps ov
6,35 mm (24 p)

Berthold's quick brown fox jum
7,40 mm (28 p)

Berthold's quick brown fox
8,50 mm (32 p)

Berthold's quick brown f
9,55 mm (36 p)

Berthold-Schriften überzeuge n durch Schärfe und Qualität Schriftqualität ist eine Frage d er Erfahrung. Berthold hat die se Erfahrung seit über hundert Jahren. Zuerst im Schriftguß d ann im Fotosatz. Berthold-Sch riften sind weltweit geschätzt

2,40 mm (9 p), Zeilenabstand 4,00 mm

Größe		Zeilenabstand			100 Zeichen		
mm	p	kp	Êp	Ex	0	−1	−2
1,33	5	1,81	2,19	–	115	112	109
1,60	6	2,19	2,63	2,50	135	131	127
1,86	7	2,56	3,00	3,00	156	152	148
2,15	8	2,94	3,50	3,50	177	172	167
2,40	9	3,25	3,88	4,00	198	192	186
2,65	10	3,63	4,31	4,00	219	212	205
2,92	11	4,00	4,75	–	239	232	225
3,20	12	4,38	5,19	5,25	259	251	243
3,45	13	4,69	5,56	–	280	272	264
3,72	14	5,06	6,00	–	300	291	282
3,98	15	5,38	6,44	–	320	311	302
4,25	16	5,75	6,88	–	341	331	321

WZ 14 E, NSW −1, MZB 0,82, F 0,30:0,03 (8,9), III
H 1–x 0,73–k 1,00–p 0,35–Ê 1,26–kp 1,35–Êp 1,61
BF 089 1242, Belegung 051: 085 2185 (095 2185)

Berthold-Schriften überzeu gen durch Schärfe und Qual ität. Schriftqualität ist eine F rage der Erfahrung. Berthol d hat diese Erfahrung seit ü ber hundert Jahren. Zuerst i m Schriftguß, dann im Fotos atz. Berthold-Schriften sind

2,65 mm (10 p), Zeilenabstand 4,00 mm

kursiv fett
heavy italic
italique gras

MODERN No. 216

negra cursiva
nero corsivo
kursiv fet

Berthold-Schriften überzeugen durch Schärfe und Qualität. Schriftqualität ist eine Frage der Erfahrung. Berthold hat diese Erfahrung seit über hundert Jahren. Zuerst im Schriftguß, dann im Fotosatz. Berthold-Schriften sind weltweit geschätzt. Im Schriftenatelier München wird jeder Buchstabe in der Größe von zwölf Zentimetern neu gezeichnet. Mit messerscharfen Konturen, um für

1,60 mm (6 p), Zeilenabstand 2,50 mm

Berthold-Schriften überzeugen durch Schärfe und Qualität. Schriftqualität ist eine Frage der Erfahrung. Berthold hat diese Erfahrung seit über hundert Jahren. Zuerst im Schriftguß dann im Fotosatz. Berthold-Schriften sind weltweit geschätzt. Im Schriftenatelier München wird jeder Buchstab

1,86 mm (7 p), Zeilenabstand 3,00 mm

Berthold-Schriften überzeugen durch Schärfe und Qualität. Schriftqualität ist eine Frage der Erfahrung. Berthold hat diese Erfahrung seit über hundert Jahren. Zuerst im Schriftguß, dann im Fotosatz. Berthold-Schriften sind weltweit geschätzt. Im Schriftenatelie

2,15 mm (8 p), Zeilenabstand 3,50 mm

Ed Benguiat
1982
Intern. Typeface Corp.
H. Berthold AG

ABCDEFGHIJKLMNOPQ
RSTUVWXYZ
abcdefghijklmnopqrstuv
wxyz 1/1234567890%
(.,-;:!¡?¿–)·[’‘„”“»«]
+−=/$£†*&§
ÄÅÆÖØŒÜäåæıöøœßü
ÁÀÂÃÇČÉÈÊËÍÌÎÏĹŇÑÓÒÔ
ÕŔŘŠŤÚÙÛŴẄÝŶŸŽ
áàâãçčéèêëíìîïĺňñóòôõŕřš
úùûŵẅýỳÿž

Schriftweite weit
Schriftweite normal
Schriftweite eng
Schriftweite sehr eng
Schriftweite extrem eng

In general, bodytypes are measured in the typographical point size. The sizes of Berthold Fototype faces can be exactly determined All faces of same point size have the same capital height–irrespective of their x-height. In hot metal and many other phototypesetting systems the capital heights often differ considerably from one face to the other. For measuring point size, a tran

3,20 mm (12 p), Zeilenabstand 5,25 mm

Berthold’s quick brown fox jumps over the lazy dog and feels
3,72 mm (14 p)

Berthold’s quick brown fox jumps over the lazy dog a
4,25 mm (16 p)

Berthold’s quick brown fox jumps over the lazy
4,75 mm (18 p)

Berthold’s quick brown fox jumps over the
5,30 mm (20 p)

Berthold’s quick brown fox jumps o
6,35 mm (24 p)

Berthold’s quick brown fox ju
7,40 mm (28 p)

Berthold’s quick brown fox
8,50 mm (32 p)

Berthold’s quick brown
9,55 mm (36 p)

Berthold-Schriften überzeugen durch Schärfe und Qualität. Schriftqualität ist eine Frage der Erfahrung. Berthold hat diese Erfahrung seit über hundert Jahren. Zuerst im Schriftguß, dann im Fotosatz. Berthold-Schriften sind weltw

2,40 mm (9 p), Zeilenabstand 4,00 mm

Größe mm	p	Zeilenabstand kp	Êp	Ex	100 Zeichen 0	−1	−2
1,33	5	1,81	2,38	–	119	116	113
1,60	6	2,19	2,88	2,50	140	136	132
1,86	7	2,56	3,31	3,00	161	157	153
2,15	8	2,94	3,81	3,50	183	178	173
2,40	9	3,25	4,25	4,00	205	199	193
2,65	10	3,63	4,69	4,00	226	219	212
2,92	11	4,00	5,19	–	247	240	233
3,20	12	4,38	5,69	5,25	268	260	252
3,45	13	4,69	6,13	–	289	281	273
3,72	14	5,06	6,56	–	310	301	292
3,98	15	5,38	7,06	–	331	322	313
4,25	16	5,75	7,50	–	352	342	332

WZ 14 E, NSW 0, MZB 0,85, F 0,28:0,25 (1,1), III
H 1–x 0,73–k 1,06–p 0,29–Ê 1,47–kp 1,35–Êp 1,76
BF 089 1243, Belegung 051: 085 2186 (095 2186)

Berthold-Schriften überzeugen durch Schärfe und Qualität. Schriftqualität ist eine Frage der Erfahrung Berthold hat diese Erfahrung seit über hundert Jahren. Zuerst im Schriftguß dann im Fotosatz. Berthol

2,65 mm (10 p), Zeilenabstand 4,00 mm

halbfett
bold
demi-gras

Murray Hill

seminegra
neretto
halvfet

In general, bodytypes are measured in the typographical point size. The siz es of Berthold Fototype faces can be exactly determined. All faces of same point size have the same capital heig th–irrespective of their x-heigth. In hot metal and many other phototypesetting systems the capital heigths often differ considerably from one face to the other For measuring point sizes, a transparent size gauge is provided. To determine the point size, bring a capital letter into coin cidence with that field which precisely ci rcumscribes the letter at its upper and lo wer margin. Below the field you find the typographical point and below that the millimeter value, which also refers to the

3,20 mm (12 p), Zeilenabstand 5,25 mm

E. J. Klumpp
1956
American Typefounders
H. Berthold AG

ABCDEFGHIJKLMNOPQ
RSTUVWXYZ
abcdefghijklmnopqrstuvwxyz
1/1234567890%
(.,-;:!¡?¿–) · [‘‚"“»«]
+–=/$£†*&§
ÄÅÆÖØŒÜäåæıöøœßü
ÁÀÂÃÇČÉÈÊËÍÌÎÏĹŇÑÓÒÔÕ
ŔŘŠŤÚÙÛŴẄÝỲŸŽ
áàâãçčéèêëíìîïĺňñóòôõŕřš
úùûŵẅýỳÿž

Berthold-Schriftweite weit
Berthold-Schriftweite normal
Berthold-Schriftweite eng
Berthold-Schriftweite sehr eng
Berthold-Schriftweite extrem eng

Bouillabaisse 7,95
Frisch gebeizter Ostseelachs... 16,70
Japanische Wachteleier 13,75
Gegrillte Scampi............... 17,80
Lammkotelett Provençale...... 15,30
Hasenkeule Chasseur.......... 19,50
Ente pochiert in der Blase 22,50
Kalbsmedaillons Gourmet..... 18,50
Kalbsfilet Grand Seigneur 24,50
Weinhändlertopf 16,80
Mistchratzerli mit Rosmarin .. 19,50
Entrecôte Double Paris 28,50
Tournedos Phantasie 27,50
Fondue Bourguignonne 39,50
Walderdbeeren Creme Double. 7,50
Eisbaiser Schlaccamadilla 8,50
Feigen mit Pfeffer auf Eis..... 9,75

3,20 mm (12 p), Zeilenabstand 5,25 mm

Barbara Helga Agnes Joana Natalie Gaby Sonja Karen Rebekka Christiane Ortrud Lydia Eva Ute
3,75 mm (14 p)

Barbara Helga Agnes Joana Natalie Gaby Sonja Karen Rebekka Christiane Ortrud Lydia
4,25 mm (16 p)

Barbara Helga Agnes Joana Natalie Gaby Sonja Karen Rebekka Christiane
4,75 mm (18 p)

Barbara Helga Agnes Joana Natalie Gaby Sonja Karen Rebekka Eva
5,30 mm (20 p)

Barbara Helga Agnes Joana Natalie Gaby Sonja Daniela
6,35 mm (24 p)

Barbara Helga Agnes Joana Natalie Gaby Sonja
7,40 mm (28 p)

Barbara Helga Agnes Joana Natalie Gaby
8,50 mm (32 p)

Barbara Helga Agnes Joana Marianne
9,55 mm (36 p)

Berthold-Schriften überzeugen durch Schärfe und Qualität. Schriftqualität ist eine Frage der Erfahrung. Berthold hat diese Erfahrung seit über hundert Jahren. Zuerst im Schriftg uß, dann im Fotosatz. Berthold-Schriften sind weltweit geschätzt. Im Schriftenatelier Mün chen wird jeder Buchstabe in der Größe von zwölf Zentimetern neu gezeichnet. Mit messers

2,65 mm (10 p), Zeilenabstand 4,00 mm

Größe mm	p	Zeilenabstand kp	Êp	Ex	100 Zeichen 0	−1	−2
1,33	5	1,88	2,25	–	64	61	58
1,60	6	2,25	2,75	–	76	72	68
1,86	7	2,63	3,13	–	87	83	79
2,15	8	3,00	3,63	–	99	94	89
2,40	9	3,31	4,06	–	111	105	99
2,65	10	3,69	4,50	4,00	122	115	108
2,92	11	4,06	4,94	4,63	134	127	120
3,20	12	4,44	5,44	5,25	145	137	129
3,45	13	4,81	5,81	–	156	148	140
3,72	14	5,19	6,25	–	168	159	150
3,98	15	5,50	6,69	–	179	170	161
4,25	16	5,88	7,19	–	191	181	171

WZ 12 E, NSW +1, MZB 0,46, F 0,088:0,033 (2,6), VIII
H 1–x 0,52–k 0,95–p 0,38–Ê 1,30–kp 1,38–Êp 1,68
BF 089 0515, Belegung 051: 085 2578 (095 2578)

Berthold-Schriften überzeugen durch Sc härfe und Qualität. Schriftqualität ist eine Frage der Erfahrung. Berthold hat diese Erfahrung seit über hundert Jahren. Zuer st im Schriftguß, dann im Fotosatz. Berth old-Schriften sind weltweit geschätzt. Im Schriftenatelier München wird jeder Buch

2,92 mm (11 p), Zeilenabstand 4,63 mm

NEEDLE-PRINTER-SCHRIFT

Måttangivelse för grundstilsgrader sker i allmänhet i typografiska punkter. Stilar av Berthold Fototype kan efter mätning exakt gradbestämmas. Alla typsnitt är av samma punktstorlek och har oberoende av x-höjden en identisk versalhöjd. I blysättning och i många andra fotosättsyst em varierar versalhöjden avsevärt från typsnitt till typsnitt. För mätning av stilgrad

2,92 mm (11 p), Zeilenabstand 4,69 mm

1985
H. Berthold AG

ABCDEFGHIJKLMNOPQ
RSTUVWXYZ
abcdefghijklmnopqrst
uvwxyz 1/1234567890%
(. , - ; : ! ¡ ? ¿ – ·)
[' ' „ " " › ‹] + − = / $ £ † * & §
ÅÄÆÖØŒÜåäæıöøœßü
ÁÀÂÃÇČÉÈÊËÍÌÎÏĹÑ
ÓÒÔÕŔŘŠŤÚÙÛŮÝŸŶŽ
áàâãçčéèêëíìîïĺñ
óòôõŕřšúùûůý›ÿž

Schriftweite weit
Schriftweite normal
Schriftweite eng
Schriftweite sehr eng
Schriftweite extrem eng

In general, bodytypes are measured in the typographical point size. The sizes of Berthold Fototype faces can be exactly determined. All faces of same point size have the same capital height - irrespective of their x-height In hot metal and many other phototypesetting systems the capital heights often differ consid

3,20 mm (12 p), Zeilenabstand 5,25 mm

NEEDLE-PRINTER-SCHRIFT

Die Maßangabe zu Grundschriftgrößen erfolgt im allgemeinen in typographischen Punkten. Die Schriftgrößen der Berthold-Fotosatz-Schriften sind nach Messung exakt bestimmbar. Alle Schriften gleicher Punktgröße weisen, unabhängig von der Höhe ihrer Mittellängen, eine identische Versalhöhe auf. Im Bleisatz und bei vielen anderen Fotosatz-Systemen differieren die Versalhöhen von Schrift zu Schrift oft erheblich. Zum Messen von Schriftgrößen steht ein transparentes Größenmaß zur Verfügung. Zum Messen wird ein Versal

2,40 mm (9 p), Zeilenabstand 4 mm

NEEDLE-PRINTER-SCHRIFT

La valeur de la force de corps des caractères de labeur èst généralement exprimée en points typographiques. La force de corps des caractères Berthold-Fototype peut être déterminée avec précision. Tous les caractères du même corps ont des capitales d'une hauteur identique, indépendamment de la hauteur des bas de casse sans jambage. Dans la composition plomb, ainsi que dans certains systèmes de photocomposition, la h

2,65 mm (10 p), Zeilenabstand 4,50 mm

La indicación de las dimensiones para cuerpos de letra vásicos tiene lugar en general en puntos tipográficos. Los cuerpos de letra de los caracteres Berthold Fototype pueden determinarse exactemente par medición. Con independencia de la altura de sus longitudes centrales todos los caracteres de idéntico cuerpo de letra presentan altura de mayúsculas idéntica. En la composición en plomo y en muchos otros sis

1,60 mm (6 p), Zeilenabstand 2,50 mm

Größe mm	p	Zeilenabstand kp	Êp	Ex	100 Zeichen 0	−1	−2
1,33	5	1,38	1,75	–	143	140	137
1,60	6	1,63	2,13	2,50	167	163	159
1,86	7	1,88	2,44	–	193	189	185
2,15	8	2,19	2,75	3,38	219	214	209
2,40	9	2,44	3,13	4,00	245	239	233
2,65	10	2,69	3,50	4,50	271	264	257
2,92	11	2,94	3,81	4,69	295	288	281
3,20	12	3,25	4,19	5,25	321	313	305
3,45	13	3,50	4,50	–	345	337	329
3,72	14	3,75	4,88	–	371	362	353
3,98	15	4,00	5,19	–	395	386	377
4,25	16	4,31	5,56	–	421	411	401

WZ 35 E, NSW 0, MZB 1,02, F 0,10:0,10 (1,0), VII
H 1–x 0,70–k 1,0–p 0,0–Ê 1,30–kp 1,0–Êp 1,30
BF 089 1490, Belegung 051: 085 1618 (095 1618)

Le misure relative al corpo dei caratteri vengono generalmente indicate in punti tipografici. Il corpo dei caratteri Fototypes può essere determinato con esattezza per semplice misurazione. Tutti i caratteri di uguale grandezza in punti h

2,15 mm (8 p), Zeilenabstand 3,38 mm

NEUE HAMMER-UNZIALE I

In general, bodytypes
are measured in the t
ypographical point siz
e. The sizes of Bertho
ld Fototype faces can
be exactly determine
d. All faces of same po
int size have the same
capital height-irrespe
ctive of their x-height
In hot metal and many
other phototypesettin
g systems the capital
heights often differ co
nsiderably from one f
ace to the other. For m
easuring point sizes, a

3,20 mm (12 p), Zeilenabstand 5,25 mm

V. Hammer / Nussbaumer
1953
D. Stempel AG
H. Berthold AG

ABCDEFGHIJKLMNOPQ
RSTUVWXYZ
abcdefghijklmnopqrstuv
wxyz 1/1234567890 %
(.,-;:!¡?¿–)·['',,"" »«]
+−=/$£✠*&§
ÃÅÆÕØŒŨãåæıõøœßũ
ÁÀÂÃÇČÉÈÊẼÍÌÎĨĹŇÑÓÒÔÕ
ŔŘŠŤÚÙÛŴW̃ÝŶỸŽ
áàâãçčéèêẽíìîĩĺňñóòôõŕřš
úùûŵw̃ýỳỹž

Schriftweite weit
Schriftweite normal
Schriftweite eng
Schriftweite sehr eng
Schriftweite extrem eng

Bouillabaisse 7,95
Frischer Lachs .. 16,70
Wachteleier........ 13,75
Scampi, gegrillt .. 17,80
Lammkotelett 15,30
Hasenkeule 19,50
Ente pochiert 22,50
Kalbsnierchen ... 18,50
Kalbsfilet........... 24,50
Winzertopf 16,80
Mistchratzerli .. 19,50
Entrecôte 28,50
Tournedos 27,50
Fondue Suisse 39,50
Erdbeeren 7,50
Eisbaiser 8,50
Feigen auf Eis 9,75

3,20 mm (12 p), Zeilenabstand 5,25 mm

Barbara Helga Agneta Joana Natalie Gaby Sonja Karen Else
3,72 mm (14 p)

Barbara Helga Agnes Joana Natalie Gaby Sonja Karen
4,25 mm (16 p)

Barbara Helga Agnes Joana Natalie Gaby Sonja
4,75 mm (18 p)

Barbara Helga Agneta Joana Natalie Gaby
5,30 mm (20 p)

Barbara Helga Agneta Joana Natalie
6,35 mm (24 p)

Barbara Helga Agneta Johanna
7,40 mm (28 p)

Barbara Hella Agneta Rosa
8,50 mm (32 p)

Barbara Hella Agnes Ina
9,55 mm (36 p)

Berthold-Schriften überz
eugen durch Schärfe und
Qualität. Schriftqualität is
t eine Frage der Erfahrun
g. Berthold hat diese Erfa
hrung seit über hundert J
ahren. Zuerst im Schriftg
uß, dann im Fotosatz. Bert

2,65 mm (10 p), Zeilenabstand 4,00 mm

Größe		Zeilenabstand			100 Zeichen		
mm	p	kp	Êp	Ex	0	−1	−2
1,33	5	1,81	2,25	–	121	118	115
1,60	6	2,19	2,69	–	142	138	134
1,86	7	2,50	3,13	–	164	160	156
2,15	8	2,94	3,63	–	186	181	176
2,40	9	3,25	4,00	–	208	202	196
2,65	10	3,56	4,44	4,00	230	223	216
2,92	11	3,94	4,88	4,63	251	244	237
3,20	12	4,31	5,38	5,25	272	264	256
3,45	13	4,63	5,75	–	294	286	278
3,72	14	5,00	6,19	–	315	306	297
3,98	15	5,38	6,63	–	337	328	319
4,25	16	5,75	7,06	–	358	348	338

WZ 16 E, NSW 0, MZB 0,87, F 0,16:0,15 (1,1), VIII
H 1–x 0,67–k 1,01–p 0,33–Ê 1,33–kp 1,34–Êp 1,66
BF 089 1491, Belegung 051: 085 1537 (095 1537)

Berthold-Schriften übe
rzeugen durch Schärfe
und Qualität. Schriftqu
alität ist eine Frage der
Erfahrung Berthold hat
diese Erfahrung seit üb
er hundert Jahren. Zue

2,92 mm (11 p), Zeilenabstand 4,63 mm

NEUE HAMMER-UNZIALE II

In general, bodytypes are measured in the t ypographical point siz e. The sizes of Bertho ld Fototype faces can be exactly determine d. All faces of same po int size have the same capital height-irrespe ctive of their x-height In hot metal and many other phototypesettin g systems the capital heights often differ c onsiderably from one face to the other. For measuring point sizes

3,20 mm (12 p), Zeilenabstand 5,25 mm

V. Hammer / Nussbaumer
1953
D. Stempel AG
H. Berthold AG

ABCDEFGHIJKLMNOPQ
RSTUVWXYZ
abcdefghijklmnopqrstuv
wxyz 1/1234567890 %
(.,-;:!¡?¿–)·['‘„"“»«]
+−=/$£✠*&§
ÃÅÆÕØŒŨãåæıõøœßũ
ÁÀÂÃÇČÉÈÊẼÍÌÎĨĹŇÑÓÒÔÕ
ŔŘŠŤÚÙÛŴẀÝŶỸŽ
áàâãçčéèêẽíìîĩĺňñóòôõŕřš
úùûŵẁýỳỹž

Schriftweite weit
Schriftweite normal
Schriftweite eng
Schriftweite sehr eng
Schriftweite extrem eng

Bouillabaisse 7,95
Frischer Lachs 16,70
Wachteleier 13,75
Scampi, gegrillt 17,80
Lammkotelett 15,30
Hasenkeule 19,50
Ente pochiert 22,50
Kalbsnierchen 18,50
Kalbsfilet 24,50
Winzertopf 16,80
Mistchratzerli 19,50
Entrecôte 28,50
Tournedos 27,50
Fondue Suisse 39,50
Erdbeeren 7,50
Eisbaiser 8,50
Feigen auf Eis 9,75

3,20 mm (12 p), Zeilenabstand 5,25 mm

Barbara Helga Agneta Joana Natalie Gaby Sonja Karen Else
3,72 mm (14 p)

Barbara Helga Agnes Joana Natalie Gaby Sonja Karen
4,25 mm (16 p)

Barbara Helga Agnes Joana Natalie Gaby Sonja
4,75 mm (18 p)

Barbara Helga Agneta Joana Natalie Gaby
5,30 mm (20 p)

Barbara Helga Agneta Joana Natalie
6,35 mm (24 p)

Barbara Helga Agneta Johanna
7,40 mm (28 p)

Barbara Hella Agneta Rosa
8,50 mm (32 p)

Barbara Hella Agnes Ina
9,55 mm (36 p)

Berthold-Schriften überz eugen durch Schärfe und Qualität. Schriftqualität is t eine Frage der Erfahrun g. Berthold hat diese Erfa hrung seit über hundert J ahren. Zuerst im Schriftg uß, dann im Fotosatz. Bert

2,65 mm (10 p), Zeilenabstand 4,00 mm

Größe mm	p	Zeilenabstand kp	Êp	Ex	100 Zeichen 0	−1	−2
1,33	5	1,69	2,19	–	120	117	114
1,60	6	2,00	2,63	–	141	137	133
1,86	7	2,31	3,06	–	163	159	155
2,15	8	2,69	3,56	–	185	180	175
2,40	9	3,00	3,94	–	207	201	195
2,65	10	3,31	4,38	4,00	228	221	214
2,92	11	3,63	4,81	4,63	249	242	235
3,20	12	4,00	5,25	5,25	270	262	254
3,45	13	4,31	5,69	–	292	284	276
3,72	14	4,63	6,13	–	313	304	295
3,98	15	4,94	6,56	–	334	325	313
4,25	16	5,31	7,00	–	355	345	335

WZ 16 E, NSW 0, MZB 0,86, F 0,15:0,09 (1,6), VIII
H 1–x 0,67–k 0,93–p 0,31–Ê 1,33–kp 1,24–Êp 1,64
BF 089 1492, Belegung 051: 085 1627 (095 1627)

Berthold-Schriften übe rzeugen durch Schärfe und Qualität. Schriftqu alität ist eine Frage der Erfahrung Berthold hat diese Erfahrung seit üb er hundert Jahren. Zue

2,92 mm (11 p), Zeilenabstand 4,63 mm

mager
light
maigre

NEUZEIT-GROTESK (DIN 30640)

fina
chiarissimo
mager

Berthold-Schriften überzeugen durch Schärfe und Qualität. Schriftq ualität ist eine Frage der Erfahrung. Berthold hat diese Erfahrung se it über hundert Jahren. Zuerst im Schriftguß, dann im Fotosatz. Berth old-Schriften sind weltweit geschätzt. Im Schriftenatelier München wird jeder Buchstabe in der Größe von zwölf Zentimetern neu gezei chnet. Mit messerscharfen Konturen, um für die Schriftscheiben das Optimale an Konturenschärfe herauszuholen. Um die Qualität des Einzelzeichens im Belichtungsvorgang zu bewahren, wird durch di e ruhende, nicht rotierende Schriftscheibe belichtet. Dieses optisch

1,33 mm (5 p) 20 30 40 50 60

Berthold-Schriften überzeugen durch Schärfe und Qualität. Sc hriftqualität ist eine Frage der Erfahrung. Berthold hat diese Erf ahrung seit über hundert Jahren. Zuerst im Schriftguß, dann im Fotosatz. Berthold-Schriften sind weltweit geschätzt. Im Schrifte natelier München wird jeder Buchstabe in der Größe von zwölf Zentimetern neu gezeichnet. Mit messerscharfen Konturen, um für die Schriftscheiben das Optimale an Konturenschärfe hera uszuholen. Um die Qualität des Einzelzeichens im Belichtungsv organg zu bewahren, wird durch die ruhende, nicht rotierende

1,45 mm (5,5 p) 2020 3030 4040 50 50

Berthold-Schriften überzeugen durch Schärfe und Qualit ät. Schriftqualität ist eine Frage der Erfahrung. Berthold h at diese Erfahrung seit über hundert Jahren. Zuerst im Sc hriftguß, dann im Fotosatz. Berthold-Schriften sind weltw eit geschätzt. Im Schriftenatelier München wird jeder Bu chstabe in der Größe von zwölf Zentimetern neu gezeich net. Mit messerscharfen Konturen, um für die Schriftschei ben das Optimale an Konturenschärfe herauszuholen Um die Qualität des Einzelzeichens im Belichtungsvorga

1,60 mm (6 p)

Berthold-Schriften überzeugen durch Schärfe und Q ualität. Schriftqualität ist eine Frage der Erfahrung. Be rthold hat diese Erfahrung seit über hundert Jahren. Z uerst im Schriftguß, dann im Fotosatz. Berthold-Schrift en sind weltweit geschätzt. Im Schriftenatelier Münch en wird jeder Buchstabe in der Größe von zwölf Zenti metern neu gezeichnet. Mit messerscharfen Konture n, um für die Schriftscheiben das Optimale an Kontur enschärfe herauszuholen. Um die Qualität des Einzel

1,75 mm (6,5 p) 20 30 40 5

Berthold-Schriften überzeugen durch Schärfe und Qualität. Schriftqualität ist eine Frage der Erfahrun g. Berthold hat diese Erfahrung seit über hundert J ahren. Zuerst im Schriftguß, dann im Fotosatz. Bert hold-Schriften sind weltweit geschätzt. Im Schrifte natelier München wird jeder Buchstabe in der Gr öße von zwölf Zentimetern neu gezeichnet. Mit m esserscharfen Konturen, um für die Schriftscheibe n das Optimale an Konturenschärfe herauszuhol

1,86 mm (7 p) 20 30 40

Berthold-Schriften überzeugen durch Schärfe und Qualität. Schriftqualität ist eine Frage der E rfahrung. Berthold hat diese Erfahrung seit über hundert Jahren. Zuerst im Schriftguß, dann im F otosatz. Berthold-Schriften sind weltweit gesch ätzt. Im Schriftenatelier München wird jeder Bu chstabe in der Größe von zwölf Zentimetern n eu gezeichnet. Mit messerscharfen Konturen um für die Schriftscheiben das Optimale an Ko

2,00 mm (7,5 p) 20 30 40

Berthold-Schriften überzeugen durch Schärf e und Qualität. Schriftqualität ist eine Frage der Erfahrung. Berthold hat diese Erfahrung seit über hundert Jahren. Zuerst im Schriftgu ß, dann im Fotosatz. Berthold-Schriften sin d weltweit geschätzt. Im Schriftenatelier Mü nchen wird jeder Buchstabe in der Größe vo n zwölf Zentimetern neu gezeichnet. Mit mes serscharfen Konturen, um für die Schriftschei

2,15 mm (8 p) 20 30 40

Wilhelm Pischner
1928
D. Stempel AG
H. Berthold AG

ABCDEFGHIJKLMNOPQ
RSTUVWXYZ
aabcdefghijkllmnopqrstuuvwxyz
1/1234567890%
(.,-;:!°?–)·[‘‚„“”»«]
+−=/$£†*&§
ÄÆÖŒÜääæıöœßüü
ÁÀÂÃÇČÉÈÊËÍÌÎÏĹŇÑÓÒÔÕ
ŔŘŠŤÚÙÛŴẄÝŶŸŽ
áàâãáàâãçčéèêëíìîïĺľňñóòôõ
ŕřšúùûúùûŵẅýỳÿž

Berthold-Schriftweite weit
Berthold-Schriftweite normal
Berthold-Schriftweite eng
Berthold-Schriftweite sehr eng
Berthold-Schriftweite extrem eng

Berthold
3,75 mm (14 p)

Berthold
4,25 mm (16 p)

Berthold
4,75 mm (18 p)

Berthold
5,30 mm (20 p)

Berthold
6,35 mm (24 p)

Berthold
7,40 mm (28 p)

Berthold
8,50 mm (32 p)

Berthold
9,55 mm (36 p)

Größe		Zeilenabstand			100 Zeichen		
mm	p	kp	Êp	Ex	0	−1	−2
1,33	5	1,81	2,13	2,00	89	86	83
1,60	6	2,13	2,56	2,50	105	101	97
1,86	7	2,50	3,00	3,00	121	117	113
2,15	8	2,88	3,44	3,50	137	132	127
2,40	9	3,19	3,88	3,75	153	147	141
2,65	10	3,50	4,25	4,25	169	162	155
2,92	11	3,88	4,69	4,75	185	178	171
3,20	12	4,25	5,13	5,25	201	193	185
3,45	13	4,56	5,50	5,75	216	208	200
3,72	14	4,94	5,94	–	232	223	214
3,98	15	5,31	6,38	–	248	239	230
4,25	16	5,63	6,81	–	264	254	244

WZ 13 E, NSW 0, MZB 0,64, F 0,12:0,10 (1,2), VI
H 1–x 0,69–k 1,00–p 0,32–Ê 1,27–kp 1,32–Êp 1,59
BF 089 0935, Belegung 080: 085 1063 (095 1063)

Berthold-Schriften überzeugen durch S chärfe und Qualität. Schriftqualität ist ei ne Frage der Erfahrung. Berthold hat di ese Erfahrung seit über hundert Jahren Zuerst im Schriftguß, dann im Fotosatz Berthold-Schriften sind weltweit gesch ätzt. Im Schriftenatelier München wird je der Buchstabe in der Größe von zwölf Z

2,40 mm (9 p) 20 30

Berthold-Schriften überzeugen dur ch Schärfe und Qualität. Schriftquali tät ist eine Frage der Erfahrung. Bert hold hat diese Erfahrung seit über h undert Jahren. Zuerst im Schriftguß dann im Fotosatz. Berthold-Schriften sind weltweit geschätzt. Im Schrifte natelier München wird jeder Buchst

2,65 mm (10 p) 20 30

Berthold-Schriften überzeugen d urch Schärfe und Qualität. Schrift qualität ist eine Frage der Erfahr ung. Berthold hat diese Erfahrun g seit über hundert Jahren. Zuerst im Schriftguß, dann im Fotosatz. B erthold-Schriften sind weltweit g eschätzt. Im Schriftenatelier Mün

2,92 mm (11 p) 20 30

Berthold-Schriften überzeuge n durch Schärfe und Qualität Schriftqualität ist eine Frage d er Erfahrung. Berthold hat die se Erfahrung seit über hundert Jahren. Zuerst im Schriftguß, d ann im Fotosatz. Berthold-Sch riften sind weltweit geschätzt

3,20 mm (12 p) 20

Berthold-Schriften überzeu gen durch Schärfe und Qu alität. Schriftqualität ist eine Frage der Erfahrung. Bertho ld hat diese Erfahrung seit ü ber hundert Jahren. Zuerst i m Schriftguß, dann im Fotos atz. Berthold-Schriften sind

3,45 mm (13 p) 20

mager
light
maigre

NEUZEIT-GROTESK (DIN 30640)

fina
chiarissimo
mager

Berthold-Schriften überzeugen durch Schärfe und Qualität. Schriftqualit ät ist eine Frage der Erfahrung. Berthold hat diese Erfahrung seit über hu ndert Jahren. Zuerst im Schriftguß, dann im Fotosatz. Berthold-Schriften si nd weltweit geschätzt. Im Schriftenatelier München wird jeder Buchsta be in der Größe von zwölf Zentimetern neu gezeichnet. Mit messerscha rfen Konturen, um für die Schriftscheiben das Optimale an Konturensch ärfe herauszuholen. Um die Qualität des Einzelzeichens im Belichtungs vorgang zu bewahren, wird durch die ruhende, nicht rotierende Schrifts cheibe belichtet. Dieses optische System, verbunden mit Präzisions-Chr

4,25 mm (16 p), Zeilenabstand 6,75 mm

NEUZEIT-GROTESK (DIN 30640)

In general, bodytypes are measured in the typo graphical point size. The sizes of Berthold Fototy pe faces can be exactly determined. All faces of same point size have the same capital height–ir respective of their x-height. In hot metal and man y other phototypesetting systems the capital he ights often differ considerably from one face to th e other. For measuring point sizes, a transparent size gauge is provided. To determine the point size, bring a capital letter into coincidence with that field which precisely circumscribes the letter at its upper and lower margin. Below the field you find the typographical point and below that the millimeter value, which also refers to the height of a capital letter. In Berthold-phototype setting, the typewidth can be modified. The sta ndard setting width of typefaces is determined by the principle of optimum legibility. You should not depart from this typewidth without cogent reason. A typeface which is considered opti cally right when looked in a greater context, often seems bulky when applied for a small amount of

2,40 mm (9 p), Zeilenabstand 4,25 mm

NEUZEIT-GROTESK (DIN 30640)

La valeur de la force de corps des caractè res de labeur èst généralement exprimée en points typographiques. La force de corps des caractères Berthold-Fototype peut être déterminée avec précision. Tous les carac tères du même corps ont des capitales d'une hauteur identique, indépendamment de la hauteur des bas de casse sans jam bage. Dans la composition plomb, ainsi que dans certains systèmes de photocom position, la hauteur des capitales, varie sou vent d'un caractère à l'autre. Pour détermi ner la force de corps de nos caractères nous avons mis au point une réglette de hauteur d'œil transparente. On cherche le rectangle qui délimite exactement la hau teur d'œil d'une capitale du caractère choi si. Sous le rectangle correspondant la va leur de la force de corps est indiquée en points Didots et en millimètres. La valeur en

2,65 mm (10 p), Zeilenabstand 4,69 mm

La indicación de las dimensiones para cuer pos de letra vásicos tiene lugar en general en puntos tipográficos. Los cuerpos de letra de los caracteres Berthold Fototype pueden determinarse exactemente par medición Con independencia de la altura de sus lon gitudes centrales, todos los caracteres de idéntico cuerpo de letra presentan altura de mayúsculas idéntica. En la composición en

2,15 mm (8 p), –1, Zeilenabstand 3,38 mm

123,– $	456,– £	7890,– DM	1 %
234,– $	789,– £	1234,– DM	2 %
567,– $	12,– £	5678,– DM	3 %
890,– $	345,– £	9012,– DM	4 %
123,– $	678,– £	3456,– DM	5 %
456,– $	901,– £	7890,– DM	6 %
789,– $	234,– £	1234,– DM	7 %
12,– $	567,– £	5678,– DM	8 %
345,– $	890,– £	9012,– DM	9 %

BF 089 0936

Le misure relative al corpo dei caratteri ven gono generalmente indicate in punti tipo grafici. Il corpo dei caratteri Fototypes può essere determinato con esattezza per semp lice misurazione. Tutti i caratteri di uguale grandezza in punti hanno, indipendente mente dalla loro lunghezza, uguale altez za delle maiuscole. Nella composizione in piombo ed in molti altri sistemi di fotocompo

2,15 mm (8 p), –2, Zeilenabstand 3,38 mm

fett
bold
gras

NEUZEIT-GROTESK

negra
nero
fet

Berthold-Schriften überzeugen durch Schärfe und Quali tät. Schriftqualität ist eine Frage der Erfahrung. Berthold hat diese Erfahrung seit über hundert Jahren. Zuerst im S chriftguß, dann im Fotosatz. Berthold-Schriften sind welt weit geschätzt. Im Schriftenatelier München wird jeder Buchstabe in der Größe von zwölf Zentimetern neu geze ichnet. Mit messerscharfen Konturen, um für die Schriftsc heiben das Optimale an Konturenschärfe herauszuhole n. Um die Qualität des Einzelzeichens im Belichtungsvor

1,60 mm (6 p), Zeilenabstand 2,50 mm

Berthold-Schriften überzeugen durch Schärfe und Qualität. Schriftqualität ist eine Frage der Erfahru ng. Berthold hat diese Erfahrung seit über hundert Jahren. Zuerst im Schriftguß, dann im Fotosatz. Be rthold-Schriften sind weltweit geschätzt. Im Schri ftenatelier München wird jeder Buchstabe in der Größe von zwölf Zentimetern neu gezeichnet. Mit messerscharfen Konturen, um für die Schriftschei

1,86 mm (7 p), Zeilenabstand 3,00 mm

Berthold-Schriften überzeugen durch Schä rfe und Qualität. Schriftqualität ist eine Fra ge der Erfahrung. Berthold hat diese Erfahr ung seit über hundert Jahren. Zuerst im Schr iftguß, dann im Fotosatz. Berthold-Schriften sind weltweit geschätzt. Im Schriftenatelier München wird jeder Buchstabe in der Größ e von zwölf Zentimetern neu gezeichnet. M

2,15 mm (8 p), Zeilenabstand 3,50 mm

Wilhelm Pischner
1928
D. Stempel AG
H. Berthold AG

ABCDEFGHIJKLMNOPQ
RSTUVWXYZ
abcdefghijklmnopqrstuvwxyz
1/1234567890%
(.,-;:!¡?¿–)·[",""»«]
+−=/$£†*&§
ÄÅÆÖØŒÜäåæıöøœßü
ÁÀÂÃÇČÉÈÊËÍÌÎÏĹŇÑÓÒÔÕ
ŔŘŠŤÚÙÛŴẄÝỲŸŽ
áàâãçčéèêëíìîïĺňñóòôõŕřš
úùûŵẅýỳÿž

Berthold-Schriftweite weit
Berthold-Schriftweite normal
Berthold-Schriftweite eng
Berthold-Schriftweite sehr eng
Berthold-Schriftweite extrem eng

In general, bodytypes are m easured in the typographical point size. The sizes of Bertho ld Fototype faces can be exa ctly determined. All faces of same point size have the sa me capital height–irrespecti ve of their x-height. In hot met al and many other phototyp esetting systems the capital heights often differ consider ably from one face to the oth er. For measuring point sizes a transparent size gauge is p rovided. To determine the po int size, bring a capital letter i nto coincidence with that field

3,20 mm (12 p), Zeilenabstand 5,25 mm

Berthold's quick brown fox jumps over the lazy dog and feels as if he were in the
3,72 mm (14 p)

Berthold's quick brown fox jumps over the lazy dog and feels as if he w
4,25 mm (16 p)

Berthold's quick brown fox jumps over the lazy dog and feels as
4,75 mm (18 p)

Berthold's quick brown fox jumps over the lazy dog and f
5,30 mm (20 p)

Berthold's quick brown fox jumps over the lazy
6,35 mm (24 p)

Berthold's quick brown fox jumps over th
7,40 mm (28 p)

Berthold's quick brown fox jumps o
8,50 mm (32 p)

Berthold's quick brown fox jum
9,55 mm (36 p)

Berthold-Schriften überzeugen durch Schärfe und Qualität. Schriftqualität ist eine Frage der Erfahrung. Berthold hat diese Erfahrung seit über hundert Jahr en. Zuerst im Schriftguß, dann im Fotos atz. Berthold-Schriften sind weltweit g eschätzt. Im Schriftenatelier München wird jeder Buchstabe in der Größe v

2,40 mm (9 p), Zeilenabstand 4,00 mm

Größe		Zeilenabstand			100 Zeichen		
mm	p	kp	Êp	Ex	0	−1	−2
1,33	5	1,75	2,13	–	91	88	85
1,60	6	2,13	2,56	2,50	107	103	99
1,86	7	2,44	2,94	3,00	123	119	115
2,15	8	2,81	3,44	3,50	140	135	130
2,40	9	3,13	3,81	4,00	157	151	145
2,65	10	3,50	4,19	4,00	173	166	159
2,92	11	3,81	4,63	–	189	182	175
3,20	12	4,19	5,06	5,25	205	197	189
3,45	13	4,50	5,50	–	221	213	205
3,72	14	4,88	5,88	–	237	228	219
3,98	15	5,19	6,31	–	253	244	235
4,25	16	5,56	6,75	–	269	259	249

WZ 13 E, NSW −1, MZB 0,65, F 0,23:0,13 (1,8), VI H 1–x 0,70–k 1,00–p 0,30–Ê 1,28–kp 1,30–Êp 1,58
BF 089 0937, Belegung 051: 085 1064 (095 1064)

Berthold-Schriften überzeugen dur ch Schärfe und Qualität. Schriftqua lität ist eine Frage der Erfahrung. B erthold hat diese Erfahrung seit üb er hundert Jahren. Zuerst im Schrift guß, dann im Fotosatz. Berthold-Sc hriften sind weltweit geschätzt. Im Schriftenatelier München wird jed

2,65 mm (10 p), Zeilenabstand 4,00 mm

schmalhalbfett
medium condensed
étroit demi-gras

NEUZEIT-GROTESK (DIN 30640)

seminegra estrecha
neretto stretto
smalhalvfet

Berthold-Schriften überzeugen durch Schärfe und Qualität. Schriftqualität ist eine Fra
ge der Erfahrung. Berthold hat diese Erfahrung seit über hundert Jahren. Zuerst im Sch
riftguß, dann im Fotosatz. Berthold-Schriften sind weltweit geschätzt. Im Schriftenateli
er München wird jeder Buchstabe in der Größe von zwölf Zentimetern neu gezeichnet
Mit messerscharfen Konturen, um für die Schriftscheiben das Optimale an Konturensc
härfe herauszuholen. Um die Qualität des Einzelzeichens im Belichtungsvorgang zu be
wahren, wird durch die ruhende, nicht rotierende Schriftscheibe belichtet. Dieses opti
sche System, verbunden mit Präzisions-Chromglasscheiben, führt zu einer Schriftqual
ität, die im Layout und Mengensatz nicht ihresgleichen findet. Bei den hier gezeigten Z

1,60 mm (6 p), Zeilenabstand 2,50 mm

Berthold-Schriften überzeugen durch Schärfe und Qualität. Schriftqualität ist
eine Frage der Erfahrung. Berthold hat diese Erfahrung seit über hundert Jahr
en. Zuerst im Schriftguß, dann im Fotosatz. Berthold-Schriften sind weltweit g
eschätzt. Im Schriftenatelier München wird jeder Buchstabe in der Größe von z
wölf Zentimetern neu gezeichnet. Mit messerscharfen Konturen, um für die Sc
hriftscheiben das Optimale an Konturenschärfe herauszuholen. Um die Quali
tät des Einzelzeichens im Belichtungsvorgang zu bewahren, wird durch die ru
hende, nicht rotierende Schriftscheibe belichtet. Dieses optische System verb

1,86 mm (7 p), Zeilenabstand 3,00 mm

Berthold-Schriften überzeugen durch Schärfe und Qualität. Schriftq
ualität ist eine Frage der Erfahrung. Berthold hat diese Erfahrung seit
über hundert Jahren. Zuerst im Schriftguß, dann im Fotosatz. Berthol
d-Schriften sind weltweit geschätzt. Im Schriftenatelier München wi
rd jeder Buchstabe in der Größe von zwölf Zentimetern neu gezeichn
et. Mit messerscharfen Konturen, um für die Schriftscheiben das Opt
imale an Konturenschärfe herauszuholen. Um die Qualität des Einze
lzeichens im Belichtungsvorgang zu bewahren, wird durch die ruhe

2,15 mm (8 p), Zeilenabstand 3,50 mm

Wilhelm Pischner
1939
D. Stempel AG
H. Berthold AG

ABCDEFGHIJKLMNOPQ
RSTUVWXYZ
aabcdefghijkllmnopqrstuuvwxyz
1/1234567890%
(.,-;:!°?-)•[",""»«]
+−=/$£†*&§
ÄÆÖŒÜääæıöœßüü
ÁÀÂÃÇČÉÈÊËÍÌÎÏĹŇÑÓÒÔÕ
ŔŘŠŤÚÙÛŴẄÝŶŸŽ
áàâãáàâãçčéèêëíìîïĺľňñóòôõ
ŕřšúùûúùûŵẅýỳÿž

Berthold-Schriftweite weit
Berthold-Schriftweite normal
Berthold-Schriftweite eng
Berthold-Schriftweite sehr eng
Berthold-Schriftweite extrem eng

In general, bodytypes are measured in the typo
graphical point size. The sizes of Berthold Fotot
ype faces can be exactly determined. All faces
of same point size have the same capital height
irrespective of their x-height. In hot metal and
many other phototypesetting systems the capit
al heights often differ considerably from one fa
ce to the other. For measuring point sizes, a tra
nsparent size gauge is provided. To determine t
he point size, bring a capital letter into coincide
nce with that field which precisely circums
cribes the letter at its upper and lower margin
Below the field you find the typographical point
and below that the millimeter value, which also
refere to the height of a capital letter. In Bertho
ld-phototypesetting, the typewidth can be modi
fied. The standard setting width of typefaces

3,20 mm (12 p), Zeilenabstand 5,25 mm

Berthold's quick brown fox jumps over the lazy dog and feels as if he were in the seventh heaven of typography together with Herm
3,72 mm (14 p)

Berthold's quick brown fox jumps over the lazy dog and feels as if he were in the seventh heaven of typography toget
4,25 mm (16 p)

Berthold's quick brown fox jumps over the lazy dog and feels as if he were in the seventh heaven of typo
4,75 mm (18 p)

Berthold's quick brown fox jumps over the lazy dog and feels as if he were in the seventh heav
5,30 mm (20 p)

Berthold's quick brown fox jumps over the lazy dog and feels as if he were in th
6,35 mm (24 p)

Berthold's quick brown fox jumps over the lazy dog and feels as if he
7,40 mm (28 p)

Berthold's quick brown fox jumps over the lazy dog and feel
8,50 mm (32 p)

Berthold's quick brown fox jumps over the lazy dog a
9,55 mm (36 p)

Berthold-Schriften überzeugen durch Schärfe und Qualität. Sc
hriftqualität ist eine Frage der Erfahrung. Berthold hat diese
Erfahrung seit über hundert Jahren. Zuerst im Schriftguß, da
nn im Fotosatz. Berthold-Schriften sind weltweit geschätzt. Im
Schriftenatelier München wird jeder Buchstabe in der Größe v
on zwölf Zentimetern neu gezeichnet. Mit messerscharfen Ko
nturen, um für die Schriftscheiben das Optimale an Konturens
chärfe herauszuholen. Um die Qualität des Einzelzeichens im

2,40 mm (9 p), Zeilenabstand 4,00 mm

Größe mm	p	Zeilenabstand kp	Êp	Ex	100 Zeichen 0	−1	−2
1,33	5	1,69	2,00	—	59	56	53
1,60	6	2,00	2,44	2,50	69	65	61
1,86	7	2,38	2,81	3,00	79	75	71
2,15	8	2,69	3,25	3,50	90	85	80
2,40	9	3,00	3,63	4,00	101	95	89
2,65	10	3,38	4,00	4,00	111	104	97
2,92	11	3,69	4,38	—	122	115	108
3,20	12	4,00	4,81	5,25	132	124	116
3,45	13	4,38	5,19	—	142	134	126
3,72	14	4,69	5,56	—	153	144	135
3,98	15	5,00	5,94	—	163	154	145
4,25	16	5,38	6,38	—	173	163	153

WZ 10 E, NSW 0, MZB 0,42, F 0,12:0,10 (1,2), VI
H 1−x 0,72−k 1,00−p 0,25−Ê 1,24−kp 1,25−Êp 1,49
BF 089 0938, Belegung 080: 085 1065 (095 1065)

Berthold-Schriften überzeugen durch Schärfe und Qual
ität. Schriftqualität ist eine Frage der Erfahrung. Bertho
ld hat diese Erfahrung seit über hundert Jahren. Zuerst
im Schriftguß, dann im Fotosatz. Berthold-Schriften sind
weltweit geschätzt. Im Schriftenatelier München wird j
eder Buchstabe in der Größe von zwölf Zentimetern neu
gezeichnet. Mit messerscharfen Konturen, um für die S
chriftscheiben das Optimale an Konturenschärfe herau

2,65 mm (10 p), Zeilenabstand 4,00 mm

schmalfett
bold condensed
étroit gras

NEUZEIT-GROTESK

negra estrecha
nero stretto
smalfet

Berthold-Schriften überzeugen durch Schärfe und Qualität. Schriftqualit ät ist eine Frage der Erfahrung. Berthold hat diese Erfahrung seit über hu ndert Jahren. Zuerst im Schriftguß, dann im Fotosatz. Berthold-Schriften sind weltweit geschätzt. Im Schriftenatelier München wird jeder Buchst abe in der Größe von zwölf Zentimetern neu gezeichnet. Mit messerschar fen Konturen, um für die Schriftscheiben das Optimale an Konturenschär fe herauszuholen. Um die Qualität des Einzelzeichens im Belichtungsvor gang zu bewahren, wird durch die ruhende, nicht rotierende Schriftschei be belichtet. Dieses optische System, verbunden mit Präzisions-Chromgl

1,60 mm (6 p), Zeilenabstand 2,50 mm

Berthold-Schriften überzeugen durch Schärfe und Qualität. Sc hriftqualität ist eine Frage der Erfahrung. Berthold hat diese Er fahrung seit über hundert Jahren. Zuerst im Schriftguß, dann im Fotosatz. Berthold-Schriften sind weltweit geschätzt. Im Schri ftenatelier München wird jeder Buchstabe in der Größe von z wölf Zentimetern neu gezeichnet. Mit messerscharfen Konture n, um für die Schriftscheiben das Optimale an Konturenschärfe herauszuholen. Um die Qualität des Einzelzeichens im Belichtu

1,86 mm (7 p), Zeilenabstand 3,00 mm

Berthold-Schriften überzeugen durch Schärfe und Quali tät. Schriftqualität ist eine Frage der Erfahrung. Berthold hat diese Erfahrung seit über hundert Jahren. Zuerst im Schriftguß, dann im Fotosatz. Berthold-Schriften sind w eltweit geschätzt. Im Schriftenatelier München wird jed er Buchstabe in der Größe von zwölf Zentimetern neu ge zeichnet. Mit messerscharfen Konturen, um für die Schri ftscheiben das Optimale an Konturenschärfe herauszuh

2,15 mm (8 p), Zeilenabstand 3,50 mm

Wilhelm Pischner
1939
D. Stempel AG
H. Berthold AG

ABCDEFGHIJKLMNOPQ
RSTUVWXYZ
abcdefghijklmnopqrstuvwxyz
1/1234567890%
(.,-;:!¡?¿–)·["„""»«]
+-=/$£†*&§
ÄÅÆÖØŒÜäåæıöøœßü
ÁÀÂÃÇČÉÈÊËÍÌÎÏĹŇÑÓÒÔÕ
ŔŘŠŤÚÙÛŴẄÝŶŸŽ
áàâãçčéèêëíìîïĺňñóòôõŕřš
úùûŵẅýỳÿž

Berthold-Schriftweite weit
Berthold-Schriftweite normal
Berthold-Schriftweite eng
Berthold-Schriftweite sehr eng
Berthold-Schriftweite extrem eng

In general, bodytypes are measured in the typographical point size. The sizes of Berthold Fototype faces can be exa ctly determined. All faces of same poi nt size have the same capital height–ir respective of their x-height. In hot me tal and many other phototypesetting systems the capital heights often diffe r considerably from one face to the ot her. For measuring point sizes, a trans parent size gauge is provided. To dete rmine the point size, bring a capital le tter into coincidence with that field w hich precisely circumscribes the letter at its upper and lower margin Below t he field you find the typographical poi nt and below that the millimeter value

3,20 mm (12 p), Zeilenabstand 5,25 mm

Berthold's quick brown fox jumps over the lazy dog and feels as if he were in the seventh heaven of typog
3,72 mm (14 p)

Berthold's quick brown fox jumps over the lazy dog and feels as if he were in the seventh hea
4,25 mm (16 p)

Berthold's quick brown fox jumps over the lazy dog and feels as if he were in the se
4,75 mm (18 p)

Berthold's quick brown fox jumps over the lazy dog and feels as if he were i
5,30 mm (20 p)

Berthold's quick brown fox jumps over the lazy dog and feels as
6,35 mm (24 p)

Berthold's quick brown fox jumps over the lazy dog a
7,40 mm (28 p)

Berthold's quick brown fox jumps over the lazy
8,50 mm (32 p)

Berthold's quick brown fox jumps over the
9,55 mm (36 p)

Berthold-Schriften überzeugen durch Schärfe und Qualität. Schriftqualität ist eine Frage der Erfahrun g. Berthold hat diese Erfahrung seit über hundert J ahren. Zuerst im Schriftguß, dann im Fotosatz. Bert hold-Schriften sind weltweit geschätzt. Im Schrifte natelier München wird jeder Buchstabe in der Größ e von zwölf Zentimetern neu gezeichnet. Mit messe rscharfen Konturen, um für die Schriftscheiben das

2,40 mm (9 p), Zeilenabstand 4,00 mm

Größe		Zeilenabstand			100 Zeichen		
mm	p	kp	Êp	Ex	0	−1	−2
1,33	5	1,69	2,06	–	70	67	64
1,60	6	2,00	2,44	2,50	83	79	75
1,86	7	2,38	2,81	3,00	95	91	87
2,15	8	2,69	3,25	3,50	108	103	98
2,40	9	3,00	3,63	4,00	121	115	109
2,65	10	3,38	4,06	4,00	133	126	119
2,92	11	3,69	4,44	–	146	139	132
3,20	12	4,00	4,88	5,25	158	150	142
3,45	13	4,38	5,25	–	171	163	155
3,72	14	4,69	5,63	–	183	174	165
3,98	15	5,00	6,06	–	195	186	177
4,25	16	5,38	6,44	–	208	198	188

WZ 10 E, NSW 0 MZB 0,50, F 0,18:0,13 (1,4), VI
H 1–x 0,75–k 1,00–p 0,25–Ê 1,26–kp 1,25–Êp 1,51
BF 089 0939, Belegung 051: 085 1066 (095 1066)

Berthold-Schriften überzeugen durch Schärfe und Qualität. Schriftqualität ist eine Frage der Erfahrung. Berthold hat diese Erfahrung seit über hundert Jahren. Zuerst im Schriftguß, da nn im Fotosatz. Berthold-Schriften sind weltw eit geschätzt. Im Schriftenatelier München wi rd jeder Buchstabe in der Größe von zwölf Zen timetern neu gezeichnet. Mit messerscharfen

2,65 mm (10 p), Zeilenabstand 4,00 mm

Buch
book
romain labeur

NEUZEIT S

libro
libro
buch

Berthold-Schriften überzeugen durch Schärfe und Qualität. Schriftqua
lität ist eine Frage der Erfahrung. Berthold hat diese Erfahrung seit über
hundert Jahren. Zuerst im Schriftguß, dann im Fotosatz. Berthold-Schri
ften sind weltweit geschätzt. Im Schriftenatelier München wird jeder B
uchstabe in der Größe von zwölf Zentimetern neu gezeichnet. Mit mes
serscharfen Konturen, um für die Schriftscheiben das Optimale an Kon
turenschärfe herauszuholen. Um die Qualität des Einzelzeichens im Be
lichtungsvorgang zu bewahren, wird durch die ruhende, nicht rotieren
de Schriftscheibe belichtet. Dieses optische System, verbunden mit P

1,33 mm (5 p) 20 30 40 50 60

Berthold-Schriften überzeugen durch Schärfe und Qualität. Schrif
tqualität ist eine Frage der Erfahrung. Berthold hat diese Erfahrung
seit über hundert Jahren. Zuerst im Schriftguß, dann im Fotosatz. B
erthold-Schriften sind weltweit geschätzt. Im Schriftenatelier Mü
nchen wird jeder Buchstabe in der Größe von zwölf Zentimetern n
eu gezeichnet. Mit messerscharfen Konturen, um für die Schriftsc
heiben das Optimale an Konturenschärfe herauszuholen. Um die
Qualität des Einzelzeichens im Belichtungsvorgang zu bewahren
wird durch die ruhende, nicht rotierende Schriftscheibe belichtet

1,45 mm (5,5 p) 20 30 40 50 60

Berthold-Schriften überzeugen durch Schärfe und Qualität
Schriftqualität ist eine Frage der Erfahrung. Berthold hat die
se Erfahrung seit über hundert Jahren. Zuerst im Schriftguß
dann im Fotosatz. Berthold-Schriften sind weltweit geschät
zt. Im Schriftenatelier München wird jeder Buchstabe in der
Größe von zwölf Zentimetern neu gezeichnet. Mit messe
rscharfen Konturen, um für die Schriftscheiben das Optimal
e an Konturenschärfe herauszuholen. Um die Qualität des Ei
nzelzeichens im Belichtungsvorgang zu bewahren, wird du

1,60 mm (6 p) 20 30 40 50

Berthold-Schriften überzeugen durch Schärfe und Qua
lität. Schriftqualität ist eine Frage der Erfahrung. Bertho
ld hat diese Erfahrung seit über hundert Jahren. Zuerst i
m Schriftguß, dann im Fotosatz. Berthold-Schriften sind
weltweit geschätzt. Im Schriftenatelier München wird j
eder Buchstabe in der Größe von zwölf Zentimetern neu
gezeichnet. Mit messerscharfen Konturen, um für die
Schriftscheiben das Optimale an Konturenschärfe hera
uszuholen. Um die Qualität des Einzelzeichens im Belic

1,75 mm (6,5 p) 20 30 40 50

Berthold-Schriften überzeugen durch Schärfe und
Qualität. Schriftqualität ist eine Frage der Erfahrung
Berthold hat diese Erfahrung seit über hundert Jahre
n. Zuerst im Schriftguß, dann im Fotosatz. Berthold
Schriften sind weltweit geschätzt. Im Schriftenatelier
München wird jeder Buchstabe in der Größe von zw
ölf Zentimetern neu gezeichnet. Mit messerscharfen
Konturen, um für die Schriftscheiben das Optimale a
n Konturenschärfe herauszuholen. Um die Qualität d

1,86 mm (7 p) 20 30 40 5

Berthold-Schriften überzeugen durch Schärfe u
nd Qualität. Schriftqualität ist eine Frage der Erfa
hrung. Berthold hat diese Erfahrung seit über hu
ndert Jahren. Zuerst im Schriftguß, dann im Foto
satz. Berthold-Schriften sind weltweit geschätzt
Im Schriftenatelier München wird jeder Buchsta
be in der Größe von zwölf Zentimetern neu gezei
chnet. Mit messerscharfen Konturen, um für die
Schriftscheiben das Optimale an Konturenschär

2,00 mm (7,5 p) 20 30 40

Berthold-Schriften überzeugen durch Schärfe
und Qualität. Schriftqualität ist eine Frage der
Erfahrung. Berthold hat diese Erfahrung seit ü
ber hundert Jahren. Zuerst im Schriftguß, dann
im Fotosatz. Berthold-Schriften sind weltweit
geschätzt. Im Schriftenatelier München wird
jeder Buchstabe in der Größe von zwölf Zenti
metern neu gezeichnet. Mit messerscharfen K
onturen, um für die Schriftscheiben das Optim

2,15 mm (8 p) 20 30 40

1966
D. Stempel AG
H. Berthold AG

ABCDEFGHIJKLMNOPQ
RSTUVWXYZ
abcdefghijklmnopqrstuvwxyz
1/1234567890%
(.,-;:!]?¿–)·[''„""»«]
+−=/$£†*&§
ÄÅÆÖØŒÜäåæıöøœßü
ÁÀÂÃÇČÉÈÊËÍÌÎÏĹŇÑÓÒÔÕ
ŔŘŠŤÚÙÛŴẄÝŶŸŽ
áàâãçčéèêëíìîïĺňñóòôõŕřš
úùûŵẅýỳÿž

Berthold-Schriftweite weit
Berthold-Schriftweite normal
Berthold-Schriftweite eng
Berthold-Schriftweite sehr eng
Berthold-Schriftweite extrem eng

Berthold
3,75 mm (14 p)

Berthold
4,25 mm (16 p)

Berthold
4,75 mm (18 p)

Berthold
5,30 mm (20 p)

Berthold
6,35 mm (24 p)

Berthold
7,40 mm (28 p)

Berthold
8,50 mm (32 p)

Berthold
9,55 mm (36 p)

Größe		Zeilenabstand			100 Zeichen		
mm	p	kp	Êp	Ex	0	−1	−2
1,33	5	1,81	2,13	2,00	83	80	77
1,60	6	2,13	2,50	2,50	98	94	90
1,86	7	2,50	2,94	3,00	113	109	105
2,15	8	2,88	3,38	3,50	128	123	118
2,40	9	3,19	3,75	3,75	143	137	131
2,65	10	3,50	4,19	4,25	158	151	144
2,92	11	3,88	4,56	4,75	173	166	159
3,20	12	4,25	5,00	5,25	188	180	172
3,45	13	4,56	5,44	5,75	202	194	186
3,72	14	4,94	5,81	—	217	208	199
3,98	15	5,31	6,25	—	232	223	214
4,25	16	5,63	6,69	—	246	236	226

WZ 13 E, NSW 0, MZB 0,60, F 0,11:0,092 (1,2), VI
H 1–x 0,67–k 1,00–p 0,32–Ê 1,24–kp 1,32–Êp 1,56
BF 089 0516, Belegung 051: 085 4084 (095 4084)

Berthold-Schriften überzeugen durch Sc
härfe und Qualität. Schriftqualität ist eine
Frage der Erfahrung. Berthold hat diese E
rfahrung seit über hundert Jahren. Zuerst
im Schriftguß, dann im Fotosatz. Berthold
Schriften sind weltweit geschätzt. Im Sch
riftenatelier München wird jeder Buchsta
be in der Größe von zwölf Zentimetern ne

2,40 mm (9 p) 20 30 4

Berthold-Schriften überzeugen durch
Schärfe und Qualität. Schriftqualität i
st eine Frage der Erfahrung. Berthold
hat diese Erfahrung seit über hundert
Jahren. Zuerst im Schriftguß, dann im
Fotosatz. Berthold-Schriften sind wel
tweit geschätzt. Im Schriftenatelier M
ünchen wird jeder Buchstabe in der

2,65 mm (10 p) 20 30

Berthold-Schriften überzeugen d
urch Schärfe und Qualität. Schrift
qualität ist eine Frage der Erfahrun
g. Berthold hat diese Erfahrung seit
über hundert Jahren. Zuerst im Sc
hriftguß, dann im Fotosatz. Berthol
d-Schriften sind weltweit geschät
zt. Im Schriftenatelier München wi

2,92 mm (11 p) 10 20 30

Berthold-Schriften überzeugen
durch Schärfe und Qualität. Sc
hriftqualität ist eine Frage der E
rfahrung. Berthold hat diese Erf
ahrung seit über hundert Jahre
n. Zuerst im Schriftguß, dann im
Fotosatz. Berthold-Schriften sin
d weltweit geschätzt. Im Schrift

3,20 mm (12 p) 10 20 3

Berthold-Schriften überzeug
en durch Schärfe und Qualitä
t. Schriftqualität ist eine Frage
der Erfahrung. Berthold hat di
ese Erfahrung seit über hund
ert Jahren. Zuerst im Schriftgu
ß, dann im Fotosatz. Berthold
Schriften sind weltweit gesch

3,45 mm (13 p) 10 20

Buch
book
romain labeur

NEUZEIT S

libro
libro
buch

Berthold-Schriften überzeugen durch Schärfe und Qualität. Schriftqualität ist eine Frage der Erfahrung. Berthold hat diese Erfahrung seit über hundert Jahren. Zuerst im Schriftguß, dann im Fotosatz. Berthold-Schriften sind welt weit geschätzt. Im Schriftenatelier München wird jeder Buchstabe in der Gr öße von zwölf Zentimetern neu gezeichnet. Mit messerscharfen Konturen um für die Schriftscheiben das Optimale an Konturenschärfe herauszuhol en. Um die Qualität des Einzelzeichens im Belichtungsvorgang zu bewahr en, wird durch die ruhende, nicht rotierende Schriftscheibe belichtet. Dies es optische System, verbunden mit Präzisions-Chromglasscheiben, führt

4,25 mm (16 p), Zeilenabstand 6,75 mm

NEUZEIT S BOOK

In general, bodytypes are measured in the typo graphical point size. The sizes of Berthold Fototype faces can be exactly determined. All faces of same point size have the same capital heigth–irrespec tive of their x-heigth. In hot metal and many other phototypesetting systems the capital heigths of ten differ considerably from one face to the other For measuring point sizes, a transparent size gauge is provided. To determine the point size, bring a capital letter into coincidence with that field which precisely circumscribes the letter at its upper and lower margin. Below the field you find the typo graphical point and below that the millimeter value which also refers to the height of a capital letter. In Berthold-phototypesetting, the typewidth can be modified. The standard setting width of typefaces is determined by the principle of optimum legibility You should not depart from this typewidth without cogent reason. A typeface which is considered op tically right when looked in a greater context, often seems bulky when applied for a small amount of text, e. g. labels and ads. Here, a width reduction

2,40 mm (9 p), Zeilenabstand 4,25 mm

NEUZEIT S ROMAIN LABEUR

La valeur de la force de corps des caractères de labeur èst généralement exprimée en points typographiques. La force de corps des caractères Berthold-Fototype peut être déter minée avec précision. Tous les caractères du même corps ont des capitales d'une hauteur identique, indépendamment de la hauteur des bas de casse sans jambage. Dans la composi tion plomb, ainsi que dans certains systèmes de photocomposition, la hauteur des capi tales, varie souvent d'un caractère à l'autre Pour déterminer la force de corps de nos caractères, nous avons mis au point une réglet te de hauteur d'œil transparente. On cherche le rectangle qui délimite exactement la hauteur d'œil d'une capitale du caractère choisi. Sous le rectangle correspondant la valeur de la force de corps est indiquée en points Didots et en millimètres. La valeur en millimètres exprime é galement la hauteur des capitales. Pour toutes

2,65 mm (10 p), Zeilenabstand 4,69 mm

La indicación de las dimensiones para cuerpos de letra vásicos tiene lugar en general en puntos tipográficos. Los cuerpos de letra de los caracte res Berthold Fototype pueden determinarse ex actemente par medición. Con independencia de la altura de sus longitudes centrales, todos los ca racteres de idéntico cuerpo de letra presentan al tura de mayúsculas idéntica. En la composición en plomo y en muchos otros sistemas de fotoc

2,15 mm (8 p), –1, Zeilenabstand 3,38 mm

123,– $	456,– £	7890,– DM	1 %
234,– $	789,– £	1234,– DM	2 %
567,– $	12,– £	5678,– DM	3 %
890,– $	345,– £	9012,– DM	4 %
123,– $	678,– £	3456,– DM	5 %
456,– $	901,– £	7890,– DM	6 %
789,– $	234,– £	1234,– DM	7 %
12,– $	567,– £	5678,– DM	8 %
345,– $	890,– £	9012,– DM	9 %

BF 089 0517

Le misure relative al corpo dei caratteri vengono ge neralmente indicate in punti tipografici. Il corpo dei caratteri Fototypes può essere determinato con esattezza per semplice misurazione. Tutti i caratteri di uguale grandezza in punti hanno, indipendente mente dalla loro lunghezza, uguale altezza delle maiuscole. Nella composizione in piombo ed in molti altri sistemi di fotocomposizione, l'altezza del le maiuscole varia spesso da carattere a carattere

2,15 mm (8 p), –2, Zeilenabstand 3,38 mm

kräftig
bold
gras

NEUZEIT S

fuerte
grasso
kraftig

Berthold-Schriften überzeugen durch Schärfe und Quali tät. Schriftqualität ist eine Frage der Erfahrung. Berthold hat diese Erfahrung seit über hundert Jahren. Zuerst im Schriftguß, dann im Fotosatz. Berthold-Schriften sind weltweit geschätzt. Im Schriftenatelier München wird je der Buchstabe in der Größe von zwölf Zentimetern neu gezeichnet. Mit messerscharfen Konturen, um für die Sc hriftscheiben das Optimale an Konturenschärfe herausz uholen. Um die Qualität des Einzelzeichens im Belichtun

1,60 mm (6 p), Zeilenabstand 2,50 mm

Berthold-Schriften überzeugen durch Schärfe und Qualität. Schriftqualität ist eine Frage der Erf ahrung. Berthold hat diese Erfahrung seit über hu ndert Jahren. Zuerst im Schriftguß, dann im Fotos atz. Berthold-Schriften sind weltweit geschätzt Im Schriftenatelier München wird jeder Buchsta be in der Größe von zwölf Zentimetern neu gezeic hnet. Mit messerscharfen Konturen, um für die Sc

1,86 mm (7 p), Zeilenabstand 3,00 mm

Berthold-Schriften überzeugen durch Schä rfe und Qualität. Schriftqualität ist eine Fra ge der Erfahrung. Berthold hat diese Erfahr ung seit über hundert Jahren. Zuerst im Sch riftguß, dann im Fotosatz. Berthold-Schrift en sind weltweit geschätzt. Im Schriftenatel ier München wird jeder Buchstabe in der Gr öße von zwölf Zentimetern neu gezeichnet

2,15 mm (8 p), Zeilenabstand 3,50 mm

1966
D. Stempel AG
H. Berthold AG

ABCDEFGHIJKLMNOPQ
RSTUVWXYZ
abcdefghijklmnopqrstuvwxyz
1/1234567890%
(.,-;:!J?¿–)·['',,""»«]
+–=/$£†*&§
ÄÅÆÖØŒÜäåæıöøœßü
ÁÀÂÃÇČÉÈÊËÍÌÎÏĹŇÑÓÒÔÕ
ŔŘŠŤÚÙÛŴẄÝŶŸŽ
áàâãçčéèêëíìîïĺňñóòôõŕřš
úùûŵẅýỳÿž

Berthold-Schriftweite weit
Berthold-Schriftweite normal
Berthold-Schriftweite eng
Berthold-Schriftweite sehr eng
Berthold-Schriftweite extrem eng

In general, bodytypes are me asured in the typographical p oint size. The sizes of Berthold Fototype faces can be exactl y determined. All faces of sa me point size have the same capital height–irrespective of their x-height. In hot metal a nd many other phototypeset ting systems the capital heig hts often differ considerably f rom one face to the other. For measuring point sizes a trans parent size gauge is provided To determine the point size, b ring a capital letter into coinc idence with that field which p

3,20 mm (12 p), Zeilenabstand 5,25 mm

Berthold's quick brown fox jumps over the lazy dog and feels as if he were in the s
3,75 mm (14 p)

Berthold's quick brown fox jumps over the lazy dog and feels as if he we
4,25 mm (16 p)

Berthold's quick brown fox jumps over the lazy dog and feels as
4,75 mm (18 p)

Berthold's quick brown fox jumps over the lazy dog and f
5,30 mm (20 p)

Berthold's quick brown fox jumps over the lazy
6,35 mm (24 p)

Berthold's quick brown fox jumps over th
7,40 mm (28 p)

Berthold's quick brown fox jumps o
8,50 mm (32 p)

Berthold's quick brown fox jum
9,55 mm (36 p)

Berthold-Schriften überzeugen durch Schärfe und Qualität. Schriftqualität ist eine Frage der Erfahrung. Berthold hat diese Erfahrung seit über hundert Jahr en. Zuerst im Schriftguß, dann im Fotos atz. Berthold-Schriften sind weltweit g eschätzt. Im Schriftenatelier München wird jeder Buchstabe in der Größe von

2,40 mm (9 p), Zeilenabstand 4,00 mm

Größe mm	p	Zeilenabstand kp	Êp	Ex	100 Zeichen 0	−1	−2
1,33	5	1,75	2,06	–	89	86	83
1,60	6	2,13	2,50	2,50	105	101	97
1,86	7	2,44	2,88	3,00	121	117	113
2,15	8	2,81	3,31	3,50	137	132	127
2,40	9	3,13	3,75	4,00	153	147	141
2,65	10	3,44	4,13	4,00	169	162	155
2,92	11	3,81	4,50	–	185	178	171
3,20	12	4,19	4,94	5,25	201	193	185
3,45	13	4,50	5,38	–	216	208	200
3,72	14	4,81	5,75	–	232	223	214
3,98	15	5,19	6,19	–	248	239	230
4,25	16	5,50	6,56	–	264	254	244

WZ 13 E, NSW 0, MZB 0,64, F 0,19:0,13 (1,5), VI
H 1–x 0,68–k 1,00–p 0,29–Ê 1,25–kp 1,29–Êp 1,54
BF 089 0518, Belegung 051: 085 4085 (095 4085)

Berthold-Schriften überzeugen du rch Schärfe und Qualität. Schriftqu alität ist eine Frage der Erfahrung Berthold hat diese Erfahrung seit ü ber hundert Jahren. Zuerst im Schr iftguß, dann im Fotosatz. Berthold Schriften sind weltweit geschätzt Im Schriftenatelier München wird j

2,65 mm (10 p), Zeilenabstand 4,00 mm

normal
regular
normal

NEW BASKERVILLE

normal
chiaro tondo
normal

Berthold-Schriften überzeugen durch Schärfe und Qualität. Sch
riftqualität ist eine Frage der Erfahrung. Berthold hat diese Erfah
rung seit über hundert Jahren. Zuerst im Schriftguß, dann im Fot
osatz. Berthold-Schriften sind weltweit geschätzt. Im Schriftenat
elier München wird jeder Buchstabe in der Größe von zwölf Zenti
metern neu gezeichnet. Mit messerscharfen Konturen, um für die
Schriftscheiben das Optimale an Konturenschärfe herauszuhole
n. Um die Qualität des Einzelzeichens im Belichtungsvorgang zu
bewahren, wird durch die ruhende, nicht rotierende Schriftsc

1,33 mm (5 p) 20 30 40 50 6

Berthold-Schriften überzeugen durch Schärfe und Qualität
Schriftqualität ist eine Frage der Erfahrung. Berthold hat die
se Erfahrung seit über hundert Jahren. Zuerst im Schriftguß
dann im Fotosatz. Berthold-Schriften sind weltweit geschätzt
Im Schriftenatelier München wird jeder Buchstabe in der Gr
öße von zwölf Zentimetern neu gezeichnet. Mit messerscharf
en Konturen, um für die Schriftscheiben das Optimale an Ko
nturenschärfe herauszuholen. Um die Qualität des Einzelzei
chens im Belichtungsvorgang zu bewahren, wird durch die r

1,45 mm (5,5 p) 20 30 40 50

Berthold-Schriften überzeugen durch Schärfe und Qu
alität. Schriftqualität ist eine Frage der Erfahrung. Bert
hold hat diese Erfahrung seit über hundert Jahren. Zue
rst im Schriftguß, dann im Fotosatz. Berthold-Schrift
en sind weltweit geschätzt. Im Schriftenatelier München
wird jeder Buchstabe in der Größe von zwölf Zentimete
rn neu gezeichnet. Mit messerscharfen Konturen, um f
ür die Schriftscheiben das Optimale an Konturenschär
fe herauszuholen. Um die Qualität des Einzelzeichens i

1,60 mm (6 p) 20 30 40 50

Berthold-Schriften überzeugen durch Schärfe und
Qualität. Schriftqualität ist eine Frage der Erfahru
ng. Berthold hat diese Erfahrung seit über hundert
Jahren. Zuerst im Schriftguß, dann im Fotosatz. Ber
thold-Schriften sind weltweit geschätzt. Im Schrift
enatelier München wird jeder Buchstabe in der Gr
öße von zwölf Zentimetern neu gezeichnet. Mit me
sserscharfen Konturen, um für die Schriftscheiben
das Optimale an Konturenschärfe herauszuhole

1,75 mm (6,5 p) 20 30 40

Berthold-Schriften überzeugen durch Schärfe
und Qualität. Schriftqualität ist eine Frage der
Erfahrung. Berthold hat diese Erfahrung seit üb
er hundert Jahren. Zuerst im Schriftguß, dann im
Fotosatz. Berthold-Schriften sind weltweit gesc
hätzt. Im Schriftenatelier München wird jeder B
uchstabe in der Größe von zwölf Zentimetern n
eu gezeichnet. Mit messerscharfen Konturen, u
m für die Schriftscheiben das Optimale an Kont

1,86 mm (7 p) 20 30 40

Berthold-Schriften überzeugen durch Schär
fe und Qualität. Schriftqualität ist eine Frage
der Erfahrung. Berthold hat diese Erfahrung
seit über hundert Jahren. Zuerst im Schriftg
uß, dann im Fotosatz. Berthold-Schriften sind
weltweit geschätzt. Im Schriftenatelier Münc
hen wird jeder Buchstabe in der Größe von z
wölf Zentimetern neu gezeichnet. Mit messer
scharfen Konturen, um für die Schriftscheibe

2,00 mm (7,5 p) 20 30 40

Berthold-Schriften überzeugen durch Sch
ärfe und Qualität. Schriftqualität ist eine Fr
age der Erfahrung. Berthold hat diese Erfa
hrung seit über hundert Jahren. Zuerst im
Schriftguß, dann im Fotosatz. Berthold-Sc
hriften sind weltweit geschätzt. Im Schrifte
natelier München wird jeder Buchstabe in
der Größe von zwölf Zentimetern neu geze
ichnet. Mit messerscharfen Konturen, um f

2,15 mm (8 p) 20 30

Mergenthaler Linotype
1978
International Typeface Corp.
H. Berthold AG

ABCDEFGHIJKLMNOPQ
RSTUVWXYZ
abcdefghijklmnopqrstuvwxyz
1/1234567890%
(.,-;:!¡?¿–)·[‘„”“»«]
+−=/$£†*&§
ÄÅÆÖØŒÜäåæıöøœßü
ÁÀÂÃÇČÉÈÊËÍÌÎÏĹŇÑÓÒÔÕ
ŔŘŠŤÚÙÛŴẄÝỲŸŽ
áàâãçčéèêëíìîïĺňñóòôõŕřš
úùûŵẅýỳÿž

Berthold-Schriftweite weit
Berthold-Schriftweite normal
Berthold-Schriftweite eng
Berthold-Schriftweite sehr eng
Berthold-Schriftweite extrem eng

Berthold
3,72 mm (14 p)

Berthold
4,25 mm (16 p)

Berthold
4,75 mm (18 p)

Berthold
5,30 mm (20 p)

Berthold
6,35 mm (24 p)

Berthold
7,40 mm (28 p)

Berthold
8,50 mm (32 p)

Berthold
9,55 mm (36 p)

Größe		Zeilenabstand			100 Zeichen		
mm	p	kp	Êp	Ex	0	−1	−2
1,33	5	2,00	2,25	2,00	93	90	87
1,60	6	2,38	2,75	2,50	109	105	101
1,86	7	2,75	3,19	3,00	126	122	118
2,15	8	3,19	3,69	3,50	143	138	133
2,40	9	3,56	4,06	3,75	160	154	148
2,65	10	3,94	4,50	4,25	177	170	163
2,92	11	4,31	4,94	4,75	193	186	179
3,20	12	4,75	5,44	5,25	209	201	193
3,45	13	5,13	5,88	5,75	226	218	210
3,72	14	5,50	6,31	–	242	233	224
3,98	15	5,88	6,75	–	259	250	241
4,25	16	6,25	7,19	–	275	265	255

WZ 13 E, NSW 0, MZB 0,67, F 0,11:0,04 (2,6), III
H 1–x 0,65–k 1,06–p 0,41–Ê 1,28–kp 1,47–Êp 1,69
BF 089 1264, Belegung 051: 085 1347 (095 1347)

Berthold-Schriften überzeugen durch
Schärfe und Qualität. Schriftqualität i
st eine Frage der Erfahrung. Berthold
hat diese Erfahrung seit über hundert
Jahren. Zuerst im Schriftguß, dann im
Fotosatz. Berthold-Schriften sind welt
weit geschätzt. Im Schriftenatelier Mü
nchen wird jeder Buchstabe in der Gr

2,40 mm (9 p) 10 20 30

Berthold-Schriften überzeugen durch
Schärfe und Qualität. Schriftqualität i
st eine Frage der Erfahrung. Berthold
hat diese Erfahrung seit über hundert
Jahren. Zuerst im Schriftguß, dann im
Fotosatz. Berthold-Schriften sind welt
weit geschätzt. Im Schriftenatelier Mü
nchen wird jeder Buchstabe in der Gr
öße von zwölf Zentimetern neu gezeic

2,65 mm (10 p) 10 20 30

Berthold-Schriften überzeugen
durch Schärfe und Qualität. Sc
hriftqualität ist eine Frage der
Erfahrung. Berthold hat diese
Erfahrung seit über hundert Ja
hren. Zuerst im Schriftguß, dan
n im Fotosatz. Berthold-Schrift
en sind weltweit geschätzt. Im

2,92 mm (11 p) 10 20

Berthold-Schriften überzeu
gen durch Schärfe und Qual
ität. Schriftqualität ist eine Fr
age der Erfahrung. Berthold
hat diese Erfahrung seit über
hundert Jahren. Zuerst im Sc
hriftguß, dann im Fotosatz. B
erthold-Schriften sind weltw

3,20 mm (12 p) 10 20

Berthold-Schriften überze
ugen durch Schärfe und Q
ualität. Schriftqualität ist ei
ne Frage der Erfahrung. B
erthold hat diese Erfahru
ng seit über hundert Jahre
n. Zuerst im Schriftguß, da
nn im Fotosatz. Berthold-S

3,45 mm (13 p) 10 20

normal
regular
normal

NEW BASKERVILLE

normal
chiaro tondo
normal

Berthold-Schriften überzeugen durch Schärfe und Qualität. Schriftq ualität ist eine Frage der Erfahrung. Berthold hat diese Erfahrung seit über hundert Jahren. Zuerst im Schriftguß, dann im Fotosatz. Berthol d-Schriften sind weltweit geschätzt. Im Schriftenatelier München wird jeder Buchstabe in der Größe von zwölf Zentimetern neu gezeichnet Mit messerscharfen Konturen, um für die Schriftscheiben das Optim ale an Konturenschärfe herauszuholen. Um die Qualität des Einzelze ichens im Belichtungsvorgang zu bewahren, wird durch die ruhende nicht rotierende Schriftscheibe belichtet. Dieses optische System, ver

4,25 mm (16 p), Zeilenabstand 6,75 mm

NEW BASKERVILLE REGULAR

In general, bodytypes are measured in the typo graphical point size. The sizes of Berthold Foto type faces can be exactly determined. All faces of same point size have the same capital height irrespective of their x-height. In hot metal and many other phototypesetting systems the capi tal heights often differ considerably from one f ace to the other. For measuring point sizes, a tra nsparent size gauge is provided. To determine t he point size, bring a capital letter into coinci dence with that field which precisely circumscr ibes the letter at its upper and lower margin. Be low the field you find the typographical point a nd below that the millimeter value, which also r efers to the height of a capital letter. In Berthol d-phototypesetting, the typewidth can be mod ified. The standard setting width of typefaces is determined by the principle of optimum legibi lity. You should not depart from this typewidth without cogent reason. A typeface which is con sidered optically right when looked in a greater context, often seems bulky when applied for a s

2,40 mm (9 p), Zeilenabstand 4,25 mm

NEW BASKERVILLE NORMAL

La valeur de la force de corps des caractèr es de labeur èst généralement exprimée en points typographiques. La force de corps des caractères Berthold-Fototype peut êtr e déterminée avec précision. Tous les cara ctères du même corps ont des capitales d une hauteur identique, indépendamment de la hauteur des bas de casse sans jambag e. Dans la composition plomb, ainsi que d ans certains systèmes de photocompositi on, la hauteur des capitales, varie souvent d'un caractère à l'autre. Pour déterminer la force de corps de nos caractères, nous avo ns mis au point une réglette de hauteur d œil transparente. On cherche le rectangle qui délimite exactement la hauteur d'œil d une capitale du caractère choisi. Sous le r ectangle correspondant la valeur de la for ce de corps est indiquée en points Didots et en millimètres. La valeur en millimètres e

2,65 mm (10 p), Zeilenabstand 4,69 mm

La indicación de las dimensiones para cuerp os de letra vásicos tiene lugar en general en p untos tipográficos. Los cuerpos de letra de los caracteres Berthold Fototype pueden deter minarse exactemente par medición. Con in dependencia de la altura de sus longitudes c entrales, todos los caracteres de idéntico cue rpo de letra presentan altura de mayúsculas i déntica. En la composición en plomo y en m

2,15 mm (8 p), –1, Zeilenabstand 3,38 mm

123,– $	456,– £	7890,– DM	1 %
234,– $	789,– £	1234,– DM	2 %
567,– $	12,– £	5678,– DM	3 %
890,– $	345,– £	9012,– DM	4 %
123,– $	678,– £	3456,– DM	5 %
456,– $	901,– £	7890,– DM	6 %
789,– $	234,– £	1234,– DM	7 %
12,– $	567,– £	5678,– DM	8 %
345,– $	890,– £	9012,– DM	9 %

BF 089 1265

Le misure relative al corpo dei caratteri vengo no generalmente indicate in punti tipografici. Il corpo dei caratteri Fototypes può essere deter minato con esattezza per semplice misurazi one. Tutti i caratteri di uguale grandezza in pun ti hanno, indipendentemente dalla loro lungh ezza, uguale altezza delle maiuscole. Nella com posizione in piombo ed in molti altri sistemi di fotocomposizione, l'altezza delle maiuscole va

2,15 mm (8 p), –2, Zeilenabstand 3,38 mm

normal
regular
normal

NEW BASKERVILLE CAPS

normal
chiaro tondo
normal

T. S. ELIOT *Old Possums Katzenbuch*
GÜNTER EICH *Träume.* Vier Spiele
JEAN GIRAUDOUX *Eglantine.* Roman
WALTER BENJAMIN *Einbahnstraße*
ANTONIO MACHADO *Juan de Mairena*
G. B. SHAW *Musik in London.* Kritiken
PAUL VALÉRY *Über Kunst.* Essays
ERNST BLOCH *Spuren.* Parabeln
WILLIAM FAULKNER *Der Bär*
TRUMAN CAPOTE *Die Grasharfe*
ANDRÉ GIDE *Paludes.* Satire
GUISEPPE UNGARETTI *Gedichte*
JEAN GIRAUDOUX *Simon.* Roman
WILLIAM CARLOS WILLIAMS *Gedichte*
BERTHOLT BRECHT *Geschichten*
HENRY GREEN *Schwärmerei.* Roman
EZRA POUND *ABC des Lesens*
TH. W. ADORNO *Mahler.* Monographie

2,15 mm (8 p), Zeilenabstand 5,00 mm

MERGENTHALER LINOTYPE
1978
INTERNATIONAL TYPEFACE CORP.
H. BERTHOLD AG

ABCDEFGHIJKLMNOPQ
RSTUVWXYZ
ABCDEFGHIJKLMNOPQRSTUVW
XYZ 1234567890%
(.,-;:!¡?¿–)·['„"“»«›‹]
+-=/$£†*&§©
ÄÅÆÖØŒÜÄÅÆÖØŒÜ
ÁÀÂÃÇČÉÈÊËÍÌÎÏĹŇÑ
ÓÒÔÕŔŘŠŤÚÙÛŴẄÝŶŸŽ
ÁÀÂÃÇČÉÈÊËÍÌÎÏĹŇÑÓÒÔÕŔŘŠ
ÚÙÛŴẄÝŶŸŽ

SCHRIFTWEITE WEIT
SCHRIFTWEITE NORMAL
SCHRIFTWEITE ENG
SCHRIFTWEITE SEHR ENG
SCHRIFTWEITE EXTREM ENG

CALAN: Hast du Furcht, daß sein Vermögen nicht ausreicht? Mein Wort schlägt Hände ab – horch, ob sein Wort sie ihm behält. *Man hört schreien.* Wer, sagst du, Noah, wer, sagst du, wer, wenn nicht ich, ist der Herr?
NOAH: Sprich ein zweites Wort, Calan. *Das Schreien dauert an.* Töte ihn vollends, daß nicht sein Schreien in meinen Eingeweiden schauert, sprich, Calan, sprich!
CALAN: Darum, daß dein Eingeweide sich besänftigt? Darum, Noah, bitte ihn, den andern. Das Opfer ist getan, mag er sich sättigen am Schreien, denn es schreien viele, ohne daß er ihr Schreien in Gnade ersäuft. Mag er sich auch eine Mühe machen mit einem Wort, wenn ihm an der Stille gelegen ist. Ich habe das Opfer von mir gegeben, und da es sein ist, soll er damit tun nach seinem Wohlgefallen. *Chus kommt mit zwei blutigen Händen.* Gut, Chus, nagle sie hier an den Pfosten, daß er sieht, was Calan dargebracht, das nimmt er nicht wieder an sich. *Chus tut wie befohlen.*
CALAN *zu Noah, der sich die Ohren zuhält:* Nimm die Hände herunter und höre, was dein Gott dir zu hören gibt. Wenn es an dem ist, daß er ihn schreien läßt, so hat er Wohlgefallen an seinem Schreien, und es kitzelt ihm die Eingeweide.

1,86 mm (7 p), Zeilenabstand 3,00 mm

THE QUICK BROWN FOX JUMPS OVER THE LAZY DOG AND FEELS AS IF HE WERE
3,72 mm (14 p)

THE QUICK BROWN FOX JUMPS OVER THE LAZY DOG AND FEELS AS IF
4,25 mm (16 p)

THE QUICK BROWN FOX JUMPS OVER THE LAZY DOG AND FEE
4,75 mm (18 p)

THE QUICK BROWN FOX JUMPS OVER THE LAZY DOG AN
5,30 mm (20 p)

THE QUICK BROWN FOX JUMPS OVER THE LAZ
6,35 mm (24 p)

THE QUICK BROWN FOX JUMPS OVER TH
7,40 mm (28 p)

THE QUICK BROWN FOX JUMPS OVE
8,50 mm (32 p)

THE QUICK BROWN FOX JUMPS
9,55 mm (36 p)

9/6

CHARLOTTE DUVALIER
PIANISTIN

PETER-PAUL-RUBENS-PLATZ 2, 1000 BERLIN 13
TELEFON 030 – 66 22 84

MONDAY		4	11	18	25
TUESDAY		5	12	19	26
WEDNESDAY		6	13	20	27
THURSDAY		7	14	21	28
FRIDAY	1	8	15	22	29
SATURDAY	2	9	16	23	30
SUNDAY	3	10	17	24	

10/7

JOCHEN VAN DIJK
LEHRER

HINTERM DOM 3, 5000 KÖLN AM RHEIN
TELEFON 02 21 – 67 33 58

2,40 mm (9 p) und 1,60 mm (6 p)

2,40 mm (9 p) und 3,20 mm (12 p)

BF 089 1266, Belegung 127: 085 1349 (095 1349)

2,65 mm (10 p) und 1,86 mm (7 p)

kursiv
italic
italique

NEW BASKERVILLE

cursiva
chiaro corsivo
kursiv

*Måttangivelse för grundstilsgrader
sker i allmänhet i typografiska pu
nkter. Stilar av Berthold Fototype
kan efter mätning exakt gradbestä
mmas. Alla typsnitt är av samma p
unktstorlek och har oberoende av x
höjden en identisk versalhöjd. I bly
sättning och i många andra fotosä
ttsystem varierar versalhöjden avs
evärt från typsnitt till typsnitt. För
mätning av stilgrader finns en tra
nsparent mätlinjal. Vid mätningen
placerar man en versal bokstav så
att rutorna begränsar tecknet uppt
ill och nedtill. Under rutorna finns
stilstorleken i typografiska didotp
unkter och i mm. Även millimeteru
ppgiften avser versalhöjden. Vid sti
lstorleksuppgifter anges alltid mått*

2,92 mm (11 p), Zeilenabstand 4,69 mm

*Mergenthaler Linotype
1978
International Typeface Corp.
H. Berthold AG*

*ABCDEFGHIJKLMNOPQ
RSTUVWXYZ
abcdefghijklmnopqrstuvwxyz
1/1234567890%
(.,-;:!¡?¿–)·[',,"“»«]
+–=/$£†*&§
ÄÅÆÖØŒÜäåæıöøœßü
ÁÀÂÃÇČÉÈÊËÍÌÎÏĹŇÑÓÒÔÕ
ŔŘŠŤÚÙÛŴẄÝỲŸŽ
áàâãçčéèêëíìîïĺňñóòôõŕřš
úùûŵẅýỳÿž*

*Berthold-Schriftweite weit
Berthold-Schriftweite normal
Berthold-Schriftweite eng
Berthold-Schriftweite sehr eng
Berthold-Schriftweite extrem eng*

*In general, bodytypes are measu
red in the typographical point si
ze. The sizes of Berthold Fototype
faces can be exactly determined
All faces of same point size have
the same capital height–irrespe
ctive of their x-height. In hot me
tal and many other phototypese
tting systems the capital heights
often differ considerably from o
ne face to the other. For measuri
ng point sizes, a transparent size
gauge is provided. To determine
the point size, bring a capital let
ter into coincidence with that fie
ld which precisely circumscribes
the letter at its upper and lower*

3,20 mm (12 p), Zeilenabstand 5,25 mm

NEW BASKERVILLE KURSIV

*Die Maßangabe zu Grundschriftgrößen erfolgt im a
llgemeinen in typographischen Punkten. Die Schrif
tgrößen der Berthold-Fotosatz-Schriften sind nach
Messung exakt bestimmbar. Alle Schriften gleicher
Punktgröße weisen, unabhängig von der Höhe ihrer
Mittellängen, eine identische Versalhöhe auf. Im
Bleisatz und bei vielen anderen Fotosatz-Systemen
differieren die Versalhöhen von Schrift zu Schrift oft
erheblich. Zum Messen von Schriftgrößen steht ein t
ransparentes Größenmaß zur Verfügung. Zum Mes
sen wird ein Versalbuchstabe mit dem Feld in Decku
ng gebracht, das den Buchstaben oben und unten sc
harf begrenzt. Unter dem Feld ist die Schriftgröße
in typographischen Didot-Punkten, darunter in Mi
llimetern angegeben. Auch die Millimeterangaben b
eziehen sich auf die Höhe der Versalbuchstaben. Die
Schriftweite kann im Berthold-Fotosatz beliebig ver
ändert werden. Die Festlegung der Normalschriftwe*

2,40 mm (9 p), Zeilenabstand 4 mm

NEW BASKERVILLE ITALIQUE

*La valeur de la force de corps des caractères de l
abeur èst généralement exprimée en points typo
graphiques. La force de corps des caractères Ber
thold-Fototype peut être déterminée avec précisi
on. Tous les caractères du même corps ont des ca
pitales d'une hauteur identique, indépendamm
ent de la hauteur des bas de casse sans jambage
Dans la composition plomb, ainsi que dans cert
ains systèmes de photocomposition, la hauteur
des capitales, varie souvent d'un caractère a
l'autre. Pour déterminer la force de corps de nos
caractères, nous avons mis au point une réglette
de hauteur d'œil transparente. On cherche le re
ctangle qui délimite exactement la hauteur d'œ
il d'une capitale du caractère choisi. Sous le rect
angle correspondant la valeur de la force de cor*

2,65 mm (10 p), Zeilenabstand 4,50 mm

*La indicación de las dimensiones para cuerpos de letra vásico
s tiene lugar en general en puntos tipográficos. Los cuerpos de
letra de los caracteres Berthold Fototype pueden determinarse
exactemente par medición. Con independencia de la altura de
sus longitudes centrales, todos los caracteres de idéntico cuer
po de letra presentan altura de mayúsculas idéntica. En la co
mposición en plomo y en muchos otros sistemas de fotocompos
ición, las alturas de mayúsculas varían frecuentemmente e
n forma considerable de tipo de letra a tipo de letra. Para med
ir los cuerpos de letra se dispone de un tipómetro, véase la figu
ra. Para la medición se hace coincidir una letra mayúscula co
n la casilla cuyos extremos coinciden con los extremos superior*

1,60 mm (6 p), Zeilenabstand 2,50 mm

Größe		Zeilenabstand			100 Zeichen		
mm	p	kp	Êp	Ex	0	–1	–2
1,33	5	1,94	2,31	–	86	83	80
1,60	6	2,31	2,75	2,50	101	97	93
1,86	7	2,69	3,19	–	116	112	108
2,15	8	3,13	3,69	3,38	132	127	122
2,40	9	3,50	4,13	4,00	148	142	136
2,65	10	3,88	4,56	4,50	163	156	149
2,92	11	4,25	5,00	4,69	178	171	164
3,20	12	4,63	5,44	5,25	193	185	177
3,45	13	5,00	5,88	–	209	201	193
3,72	14	5,38	6,38	–	224	215	206
3,98	15	5,75	6,81	–	239	230	221
4,25	16	6,13	7,25	–	254	244	234

WZ 13 E, NSW 0, MZB 0,61, F 0,11:0,03 (3,3), III
H 1–x 0,65–k 1,03–p 0,41–Ê 1,29–kp 1,44–Êp 1,70
BF 089 1267, Belegung 051: 085 1348 (095 1348)

*Le misure relative al corpo dei caratteri vengono
generalmente indicate in punti tipografici. Il co
rpo dei caratteri Fototypes può essere determin
ato con esattezza per semplice misurazione. Tut
ti i caratteri di uguale grandezza in punti hann
o, indipendentemente dalla loro lunghezza, ug
uale altezza delle maiuscole. Nella composizion
e in piombo ed in molti altri sistemi di fotocom
posizione, l'altezza delle maiuscole varia spesso*

2,15 mm (8 p), Zeilenabstand 3,38 mm

halbfett
semi-bold
demi-gras

NEW BASKERVILLE

seminegra
neretto
halvfet

Berthold-Schriften überzeugen durch Schärfe und Q ualität. Schriftqualität ist eine Frage der Erfahrung. B erthold hat diese Erfahrung seit über hundert Jahren Zuerst im Schriftguß, dann im Fotosatz. Berthold-Sch riften sind weltweit geschätzt. Im Schriftenatelier Mü nchen wird jeder Buchstabe in der Größe von zwölf Ze ntimetern neu gezeichnet. Mit messerscharfen Kontu ren, um für die Schriftscheiben das Optimale an Kont urenschärfe herauszuholen. Um die Qualität des Ein

1,60 mm (6 p), Zeilenabstand 2,50 mm

Berthold-Schriften überzeugen durch Schärfe und Qualität. Schriftqualität ist eine Frage der Erfahrung. Berthold hat diese Erfahrung seit ü ber hundert Jahren. Zuerst im Schriftguß, dann im Fotosatz. Berthold-Schriften sind weltweit g eschätzt. Im Schriftenatelier München wird jed er Buchstabe in der Größe von zwölf Zentimete rn neu gezeichnet. Mit messerscharfen Kontur

1,86 mm (7 p), Zeilenabstand 3,00 mm

Berthold-Schriften überzeugen durch Sc härfe und Qualität. Schriftqualität ist eine Frage der Erfahrung. Berthold hat diese Erfahrung seit über hundert Jahren. Zuer st im Schriftguß, dann im Fotosatz. Berth old-Schriften sind weltweit geschätzt. Im Schriftenatelier München wird jeder B uc hstabe in der Größe von zwölf Zentimet

2,15 mm (8 p), Zeilenabstand 3,50 mm

Mergenthaler Linotype
1978
International Typeface Corp.
H. Berthold AG

ABCDEFGHIJKLMNOPQ
RSTUVWXYZ
abcdefghijklmnopqrstuvwxyz
1/1234567890%
(.,-;:!¡?¿–)·[’‘„”“»«]
+−=/$£†*&§
ÄÅÆÖØŒÜäåæıöøœßü
ÁÀÂÃÇČÉÈÊËÍÌÎÏĹŇÑÓÒÔÕ
ŔŘŠŤÚÙÛŴẄÝỲŶŸŽ
áàâãçčéèêëíìîïĺňñóòôõŕřš
úùûŵẅýỳÿž

Berthold-Schriftweite weit
Berthold-Schriftweite normal
Berthold-Schriftweite eng
Berthold-Schriftweite sehr eng
Berthold-Schriftweite extrem eng

In general, bodytypes are m easured in the typographic al point size. The sizes of Be rthold Fototype faces can be exactly determined. All fac es of same point size have th e same capital height–irres pective of their x-height. In hot metal and many other p hototypesetting systems the capital heights often differ considerably from one face to the other. For measuring point sizes, a transparent si ze gauge is provided. To det ermine the point size, bring a capital letter into coincide

3,20 mm (12 p), Zeilenabstand 5,25 mm

Berthold's quick brown fox jumps over the lazy dog and feels as if he were in t
3,72 mm (14 p)

Berthold's quick brown fox jumps over the lazy dog and feels as if he
4,25 mm (16 p)

Berthold's quick brown fox jumps over the lazy dog and feels
4,75 mm (18 p)

Berthold's quick brown fox jumps over the lazy dog a
5,30 mm (20 p)

Berthold's quick brown fox jumps over the la
6,35 mm (24 p)

Berthold's quick brown fox jumps over
7,40 mm (28 p)

Berthold's quick brown fox jumps
8,50 mm (32 p)

Berthold's quick brown fox ju
9,55 mm (36 p)

Berthold-Schriften überzeugen dur ch Schärfe und Qualität. Schriftqual ität ist eine Frage der Erfahrung. Ber thold hat diese Erfahrung seit über h undert Jahren. Zuerst im Schriftguß dann im Fotosatz. Berthold-Schriften sind weltweit geschätzt. Im Schriften atelier München wird jeder Buchsta

2,40 mm (9 p), Zeilenabstand 4,00 mm

Größe		Zeilenabstand			100 Zeichen		
mm	p	kp	Êp	Ex	0	−1	−2
1,00	5	2,00	2,01		00	00	00
1,60	6	2,38	2,81	2,50	113	109	105
1,86	7	2,75	3,25	3,00	130	126	122
2,15	8	3,19	3,75	3,50	148	143	138
2,40	9	3,56	4,13	4,00	166	160	154
2,65	10	3,94	4,56	4,00	183	176	169
2,92	11	4,31	5,06	–	200	193	186
3,20	12	4,75	5,56	5,25	217	209	201
3,45	13	5,13	5,94	–	234	226	218
3,72	14	5,50	6,44	–	251	242	233
3,98	15	5,88	6,88	–	268	259	250
4,25	16	6,25	7,31	–	285	275	265

WZ 13 E, NSW 0, MZB 0,69, F 0,16:0,05 (3,5), III
H 1–x 0,65–k 1,06–p 0,41–Ê 1,31–kp 1,47–Êp 1,72
BF 089 1268, Belegung 051: 085 1350 (095 1350)

Berthold-Schriften überzeugen d urch Schärfe und Qualität. Schrif tqualität ist eine Frage der Erfahr ung. Berthold hat diese Erfahrun g seit über hundert Jahren. Zuerst im Schriftguß, dann im Fotosatz Berthold-Schriften sind weltweit geschätzt. Im Schriftenatelier Mü

2,65 mm (10 p), Zeilenabstand 4,00 mm

halbfett
semi-bold
demi-gras

New Baskerville Caps

seminegra
neretto
halvfet

T. S. Eliot *Old Possums Katzenbuch*
Günter Eich *Träume.* Vier Spiele
Jean Giraudoux *Eglantine.* Roman
Walter Benjamin *Einbahnstraße*
Antonio Machado *Juan de Mairena*
G. B. Shaw *Musik in London.* Kritiken
Paul Valéry *Über Kunst.* Essays
Ernst Bloch *Spuren.* Parabeln
William Faulkner *Der Bär*
Truman Capote *Die Grasharfe*
André Gide *Paludes.* Satire
Guiseppe Ungaretti *Gedichte*
Jean Giraudoux *Simon.* Roman
William Carlos Williams *Gedichte*
Bertholt Brecht *Geschichten*
Henry Green *Schwärmerei.* Roman
Ezra Pound *ABC des Lesens*
Th. W. Adorno *Mahler.* Monographie

2,15 mm (8 p), Zeilenabstand 5,00 mm

Mergenthaler Linotype
1978
International Typeface Corp.
H. Berthold AG

ABCDEFGHIJKLMNOPQ
RSTUVWXYZ
ABCDEFGHIJKLMNOPQRSTUVW
XYZ 1234567890%
(.,-;:!¡?¿–)·[",„"«»‹›]
+-=/$£†*&§©
ÄÅÆÖØŒÜÄÅÆÖØŒÜ
ÁÀÂÃÇČÉÈÊËÍÌÎÏĹŇÑ
ÓÒÔÕŔŘŠŤÚÙÛŴẂÝŶŸŽ
ÁÀÂÃÇČÉÈÊËÍÌÎÏĹŇÑÓÒÔÕŔŘŠ
ÚÙÛŴẂÝŶŸŽ

Schriftweite weit
Schriftweite normal
Schriftweite eng
Schriftweite sehr eng
Schriftweite extrem eng

Calan: Hast du Furcht, daß sein Vermögen nicht ausreicht? Mein Wort schlägt Hände ab – horch, ob sein Wort sie ihm behält. *Man hört schreien.* Wer, sagst du, Noah, wer, sagst du, wer, wenn nicht ich, ist der Herr?
Noah: Sprich ein zweites Wort, Calan. *Das Schreien dauert an.* Töte ihn vollends, daß nicht sein Schreien in meinen Eingeweiden schauert, sprich, Calan, sprich!
Calan: Darum, daß dein Eingeweide sich besänftigt? Darum, Noah, bitte ihn, den andern. Das Opfer ist getan, mag er sich sättigen am Schreien, denn es schreien viele, ohne daß er ihr Schreien in Gnade ersäuft. Mag er sich auch eine Mühe machen mit einem Wort, wenn ihm an der Stille gelegen ist. Ich habe das Opfer von mir gegeben, und da es sein ist, soll er damit tun nach seinem Wohlgefallen. *Chus kommt mit zwei blutigen Händen.* Gut, Chus, nagle sie hier an den Pfosten, daß er sieht, was Calan dargebracht, das nimmt er nicht wieder an sich. *Chus tut wie befohlen.*
Calan *zu Noah, der sich die Ohren zuhält:* Nimm die Hände herunter und höre, was dein Gott dir zu hören gibt. Wenn es an dem ist, daß er ihn schreien läßt, so hat er Wohlgefallen an seinem Schreien, und es kitzelt ihm die Eingeweide.

1,86 mm (7 p), Zeilenabstand 3,00 mm

The Quick Brown Fox Jumps over the Lazy Dog and Feels as if he were in
3,72 mm (14 p)

The Quick Brown Fox Jumps over the Lazy Dog and Feels as if he
4,25 mm (16 p)

The Quick Brown Fox Jumps over the Lazy Dog and Feels
4,75 mm (18 p)

The Quick Brown Fox Jumps over the Lazy Dog and
5,30 mm (20 p)

The Quick Brown Fox Jumps over the Lazy D
6,35 mm (24 p)

The Quick Brown Fox Jumps over the
7,40 mm (28 p)

The Quick Brown Fox Jumps over
8,50 mm (32 p)

The Quick Brown Fox Jumps o
9,55 mm (36 p)

9/6

Charlotte Duvalier
Pianistin

Peter-Paul-Rubens-Platz 2, 1000 Berlin 13
Telefon 030–66 22 84

2,40 mm (9 p) und 1,60 mm (6 p)

Monday		4	11	18	25
Tuesday		5	12	19	26
Wednesday		6	13	20	27
Thursday		7	14	21	28
Friday	1	8	15	22	29
Saturday	2	9	16	23	30
Sunday	3	10	17	24	

2,40 mm (9 p) und 3,20 mm (12 p)

BF 089 1269, Belegung 127: 085 1352 (095 1352)

10/7

Jochen van Dijk
Lehrer

Hinterm Dom 3, 5000 Köln am Rhein
Telefon 02 21–67 33 58

2,65 mm (10 p) und 1,86 mm (7 p)

kursiv halbfett
semi-bold italic
italique demi-gras

NEW BASKERVILLE

seminegra cursiva
neretto corsivo
kursiv halvfet

*Berthold-Schriften überzeugen durch Schärfe und Qualit
ät. Schriftqualität ist eine Frage der Erfahrung. Berthold
hat diese Erfahrung seit über hundert Jahren. Zuerst im Sc
hriftguß, dann im Fotosatz. Berthold-Schriften sind weltw
eit geschätzt. Im Schriftenatelier München wird jeder Buc
hstabe in der Größe von zwölf Zentimetern neu gezeichnet
Mit messerscharfen Konturen, um für die Schriftscheiben
das Optimale an Konturenschärfe herauszuholen. Um die
Qualität des Einzelzeichens im Belichtungsvorgang zu be*

1,60 mm (6 p), Zeilenabstand 2,50 mm

*Berthold-Schriften überzeugen durch Schärfe und
Qualität. Schriftqualität ist eine Frage der Erfahru
ng. Berthold hat diese Erfahrung seit über hundert
Jahren. Zuerst im Schriftguß, dann im Fotosatz. Be
rthold-Schriften sind weltweit geschätzt. Im Schrift
enatelier München wird jeder Buchstabe in der Gr
öße von zwölf Zentimetern neu gezeichnet. Mit mes
serscharfen Konturen, um für die Schriftscheiben d*

1,86 mm (7 p), Zeilenabstand 3,00 mm

*Berthold-Schriften überzeugen durch Schärfe
und Qualität. Schriftqualität ist eine Frage d
er Erfahrung. Berthold hat diese Erfahrung s
eit über hundert Jahren. Zuerst im Schriftguß
dann im Fotosatz. Berthold-Schriften sind w
eltweit geschätzt. Im Schriftenatelier Münch
en wird jeder Buchstabe in der Größe von zwö
lf Zentimetern neu gezeichnet. Mit messersch*

2,15 mm (8 p), Zeilenabstand 3,50 mm

*Mergenthaler Linotype
1978
International Typeface Corp.
H. Berthold AG*

*ABCDEFGHIJKLMNOPQ
RSTUVWXYZ
abcdefghijklmnopqrstuvwxyz
1/1234567890 %
(.,-;:!¡?¿–)·[',,""»«]
+–=/$£†*&§
ÄÅÆÖØŒÜäåæıöøœßü
ÁÀÂÃÇČÉÈÊËÍÌÎÏĹŇÑÓÒÔÕ
ŔŘŠŤÚÙÛŴẄÝỲŸŽ
áàâãçčéèêëíìîïĺňñóòôõŕřš
úùûŵẅýỳÿž*

*Berthold-Schriftweite weit
Berthold-Schriftweite normal
Berthold-Schriftweite eng
Berthold-Schriftweite sehr eng
Berthold-Schriftweite extrem eng*

*In general, bodytypes are mea
sured in the typographical poi
nt size. The sizes of Berthold F
ototype faces can be exactly det
ermined. All faces of same poi
nt size have the same capital h
eight–irrespective of their x-he
ight. In hot metal and many ot
her phototypesetting systems t
he capital heights often differ c
onsiderably from one face to t
he other. For measuring point
sizes, a transparent size gauge
is provided. To determine the p
oint size, bring a capital letter
into coincidence with that field
which precisely circumscribes t*

3,20 mm (12 p), Zeilenabstand 5,25 mm

Berthold's quick brown fox jumps over the lazy dog and feels as if he were in the seven
3,72 mm (14 p)

Berthold's quick brown fox jumps over the lazy dog and feels as if he were in
4,25 mm (16 p)

Berthold's quick brown fox jumps over the lazy dog and feels as if he
4,75 mm (18 p)

Berthold's quick brown fox jumps over the lazy dog and feels
5,30 mm (20 p)

Berthold's quick brown fox jumps over the lazy dog
6,35 mm (24 p)

Berthold's quick brown fox jumps over the
7,40 mm (28 p)

Berthold's quick brown fox jumps over
8,50 mm (32 p)

Berthold's quick brown fox jumps
9,55 mm (36 p)

*Berthold-Schriften überzeugen durch Sc
härfe und Qualität. Schriftqualität ist ei
ne Frage der Erfahrung. Berthold hat di
ese Erfahrung seit über hundert Jahren
Zuerst im Schriftguß, dann im Fotosatz
Berthold-Schriften sind weltweit geschä
tzt. Im Schriftenatelier München wird je
der Buchstabe in der Größe von zwölf Ze*

2,40 mm (9 p), Zeilenabstand 4,00 mm

Größe mm	p	Zeilenabstand kp	Êp	Ex	100 Zeichen 0	−1	−2
1,00	5	1,04	2,20		[illegible]	[illegible]	[illegible]
1,60	6	2,31	2,69	2,50	105	101	97
1,86	7	2,69	3,13	3,00	121	117	113
2,15	8	3,13	3,63	3,50	137	132	127
2,40	9	3,44	4,06	4,00	153	147	141
2,65	10	3,81	4,50	4,00	169	162	155
2,92	11	4,19	4,94	–	185	178	171
3,20	12	4,63	5,38	5,25	201	193	185
3,45	13	4,94	5,81	–	216	208	200
3,72	14	5,38	6,25	–	232	223	214
3,98	15	5,75	6,69	–	248	239	230
4,25	16	6,13	7,19	–	264	254	244

WZ 13 E, NSW 0, MZB 0,64, F 0,22:0,15 (1,4), III
H 1–x 0,64–k 1,02–p 0,41–Ê 1,27–kp 1,43–Êp 1,68
BF 089 1270, Belegung 051: 085 1351 (095 1351)

*Berthold-Schriften überzeugen durc
h Schärfe und Qualität. Schriftquali
tät ist eine Frage der Erfahrung. Ber
thold hat diese Erfahrung seit über h
undert Jahren. Zuerst im Schriftguß
dann im Fotosatz. Berthold-Schrifte
n sind weltweit geschätzt. Im Schrift
enatelier München wird jeder Buchs*

2,65 mm (10 p), Zeilenabstand 4,00 mm

fett
heavy
gras

NEW BASKERVILLE

negra
nero
fet

Berthold-Schriften überzeugen durch Schärfe und Qualität. Schriftqualität ist eine Frage der Erfahrung Berthold hat diese Erfahrung seit über hundert Jahr en. Zuerst im Schriftguß, dann im Fotosatz. Berthold Schriften sind weltweit geschätzt. Im Schriftenatelier München wird jeder Buchstabe in der Größe von zw ölf Zentimetern neu gezeichnet. Mit messerscharfen Konturen, um für die Schriftscheiben das Optimale an Konturenschärfe herauszuholen. Um die Qualität

1,60 mm (6 p), Zeilenabstand 2,50 mm

Berthold-Schriften überzeugen durch Schärfe und Qualität. Schriftqualität ist eine Frage der Erfahrung. Berthold hat diese Erfahrung seit über hundert Jahren. Zuerst im Schriftguß, da nn im Fotosatz. Berthold-Schriften sind weltw eit geschätzt. Im Schriftenatelier München wi rd jeder Buchstabe in der Größe von zwölf Zen timetern neu gezeichnet. Mit messerscharfen

1,86 mm (7 p), Zeilenabstand 3,00 mm

Berthold-Schriften überzeugen durch Sc härfe und Qualität. Schriftqualität ist ei ne Frage der Erfahrung. Berthold hat die se Erfahrung seit über hundert Jahren. Z uerst im Schriftguß, dann im Fotosatz. B erthold-Schriften sind weltweit geschätz t. Im Schriftenatelier München wird jede r Buchstabe in der Größe von zwölf Zenti

2,15 mm (8 p), Zeilenabstand 3,50 mm

Mergenthaler Linotype
1978
International Typeface Corp.
H. Berthold AG

ABCDEFGHIJKLMNOPQ
RSTUVWXYZ
abcdefghijklmnopqrstuvwxyz
1/1234567890%
(.,-;:!¡?¿–)·[‘„”“»«]
+−=/$£†*&§
ÄÅÆÖØŒÜäåæıöøœßü
ÁÀÂÃÇČÉÈÊËÍÌÎÏĹŇÑÓÒÔÕ
ŔŘŠŤÚÙÛŴẄÝŶŸŽ
áàâãçčéèêëíìîïĺňñóòôõŕřš
úùûŵẅýỳÿž

Berthold-Schriftweite weit
Berthold-Schriftweite normal
Berthold-Schriftweite eng
Berthold-Schriftweite sehr eng
Berthold-Schriftweite extrem eng

In general, bodytypes are measured in the typograph ical point size. The sizes of Berthold Fototype faces can be exactly determined. All f aces of same point size have the same capital height–irr espective of their x-height In hot metal and many othe r phototypesetting systems the capital heights often dif fer considerably from one f ace to the other. For measu ring point sizes, a transpare nt size gauge is provided. To determine the point size, br ing a capital letter into coin

3,20 mm (12 p), Zeilenabstand 5,25 mm

Berthold's quick brown fox jumps over the lazy dog and feels as if he were in
3,72 mm (14 p)

Berthold's quick brown fox jumps over the lazy dog and feels as if
4,25 mm (16 p)

Berthold's quick brown fox jumps over the lazy dog and feel
4,75 mm (18 p)

Berthold's quick brown fox jumps over the lazy dog a
5,30 mm (20 p)

Berthold's quick brown fox jumps over the l
6,35 mm (24 p)

Berthold's quick brown fox jumps ove
7,40 mm (28 p)

Berthold's quick brown fox jump
8,50 mm (32 p)

Berthold's quick brown fox ju
9,55 mm (36 p)

Berthold-Schriften überzeugen dur ch Schärfe und Qualität. Schriftqual ität ist eine Frage der Erfahrung. Be rthold hat diese Erfahrung seit über hundert Jahren. Zuerst im Schriftgu ß, dann im Fotosatz. Berthold-Schri ften sind weltweit geschätzt. Im Sch riftenatelier München wird jeder B

2,40 mm (9 p), Zeilenabstand 4,00 mm

Größe		Zeilenabstand			100 Zeichen		
mm	p	kp	Êp	Ex	0	−1	−2
1,33	5	2,00	2,38	—	97	94	91
1,60	6	2,38	2,81	2,50	115	111	107
1,86	7	2,75	3,25	3,00	132	128	124
2,15	8	3,19	3,75	3,50	150	145	140
2,40	9	3,56	4,19	4,00	168	162	156
2,65	10	3,88	4,63	4,00	185	178	171
2,92	11	4,31	5,13	—	202	195	188
3,20	12	4,69	5,63	5,25	220	212	204
3,45	13	5,06	6,06	—	237	229	221
3,72	14	5,44	6,50	—	254	245	236
3,98	15	5,88	6,94	—	271	262	253
4,25	16	6,25	7,44	—	289	279	269

WZ 13 E, NSW 0, MZB 0,70, F 0,20:0,18 (1,1), III
H 1–x 0,65 k 1,05–p 0,41–Ê 1,33–kp 1,46–Êp 1,74
BF 089 1255, Belegung 051: 085 1353 (095 1353)

Berthold-Schriften überzeugen d urch Schärfe und Qualität. Schri ftqualität ist eine Frage der Erfa hrung. Berthold hat diese Erfahr ung seit über hundert Jahren. Zu erst im Schriftguß, dann im Foto satz. Berthold-Schriften sind we ltweit geschätzt. Im Schriftenatel

2,65 mm (10 p), Zeilenabstand 4,00 mm

kursiv fett
bold italic
italique gras

NEW BASKERVILLE

negra cursiva
nero corsivo
kursiv fet

Berthold-Schriften überzeugen durch Schärfe und Qualit ät. Schriftqualität ist eine Frage der Erfahrung. Berthold hat diese Erfahrung seit über hundert Jahren. Zuerst im S chriftguß, dann im Fotosatz. Berthold-Schriften sind welt weit geschätzt. Im Schriftenatelier München wird jeder B uchstabe in der Größe von zwölf Zentimetern neu gezeich net. Mit messerscharfen Konturen, um für die Schriftsche iben das Optimale an Konturenschärfe herauszuholen. U m die Qualität des Einzelzeichens im Belichtungsvorgang

1,60 mm (6 p), Zeilenabstand 2,50 mm

Berthold-Schriften überzeugen durch Schärfe und Qualität. Schriftqualität ist eine Frage der Erfah rung. Berthold hat diese Erfahrung seit über hund ert Jahren. Zuerst im Schriftguß, dann im Fotosatz Berthold-Schriften sind weltweit geschätzt. Im Sc hriftenatelier München wird jeder Buchstabe in d er Größe von zwölf Zentimetern neu gezeichnet Mit messerscharfen Konturen, um für die Schrifts

1,86 mm (7 p), Zeilenabstand 3,00 mm

Berthold-Schriften überzeugen durch Schär fe und Qualität. Schriftqualität ist eine Frag e der Erfahrung. Berthold hat diese Erfahru ng seit über hundert Jahren. Zuerst im Schrif tguß, dann im Fotosatz. Berthold-Schriften s ind weltweit geschätzt. Im Schriftenatelier München wird jeder Buchstabe in der Größe von zwölf Zentimetern neu gezeichnet. Mit

2,15 mm (8 p), Zeilenabstand 3,50 mm

Mergenthaler Linotype
1978
International Typeface Corp.
H. Berthold AG

ABCDEFGHIJKLMNOPQ
RSTUVWXYZ
abcdefghijklmnopqrstuvwxyz
1/1234567890%
(.,-;:!¡?¿–)·[’‘„”“»«]
+–=/$£†*&§
ÄÅÆÖØŒÜäåæıöøœßü
ÁÀÂÃÇČÉÈÊËÍÌÎÏĹŇÑÓÒÔÕ
ŔŘŠŤÚÙÛŴẄÝỲŶŸŽ
áàâãçčéèêëíìîïĺňñóòôõŕřš
úùûŵẅýỳÿž

Berthold-Schriftweite weit
Berthold-Schriftweite normal
Berthold-Schriftweite eng
Berthold-Schriftweite sehr eng
Berthold-Schriftweite extrem eng

In general, bodytypes are me asured in the typographical p oint size. The sizes of Berthold Fototype faces can be exactly determined. All faces of same point size have the same capit al height–irrespective of their x-height. In hot metal and ma ny other phototypesetting syst ems the capital heights often d iffer considerably from one fa ce to the other. For measuring point sizes, a transparent size gauge is provided. To determi ne the point size, bring a capit al letter into coincidence with that field which precisely circ

3,20 mm (12 p), Zeilenabstand 5,25 mm

Berthold's quick brown fox jumps over the lazy dog and feels as if he were in the seve
3,72 mm (14 p)

Berthold's quick brown fox jumps over the lazy dog and feels as if he were
4,25 mm (16 p)

Berthold's quick brown fox jumps over the lazy dog and feels as if
4,75 mm (18 p)

Berthold's quick brown fox jumps over the lazy dog and fee
5,30 mm (20 p)

Berthold's quick brown fox jumps over the lazy d
6,35 mm (24 p)

Berthold's quick brown fox jumps over the
7,40 mm (28 p)

Berthold's quick brown fox jumps ov
8,50 mm (32 p)

Berthold's quick brown fox jump
9,55 mm (36 p)

Berthold-Schriften überzeugen durch S chärfe und Qualität. Schriftqualität ist eine Frage der Erfahrung. Berthold hat diese Erfahrung seit über hundert Jahr en. Zuerst im Schriftguß, dann im Fotos atz. Berthold-Schriften sind weltweit ge schätzt. Im Schriftenatelier München w ird jeder Buchstabe in der Größe von z

2,40 mm (9 p), Zeilenabstand 4,00 mm

Größe		Zeilenabstand			100 Zeichen		
mm	p	kp	Êp	Ex	0	–1	–2
1,33	5	1,94	2,38	–	89	86	83
1,60	6	2,31	2,88	2,50	105	101	97
1,86	7	2,69	3,31	3,00	121	117	113
2,15	8	3,13	3,81	3,50	137	132	127
2,40	9	3,44	4,25	4,00	153	147	141
2,65	10	3,81	4,75	4,00	169	162	155
2,92	11	4,19	5,19	–	185	178	171
3,20	12	4,63	5,69	5,25	201	193	185
3,45	13	4,94	6,13	–	216	208	200
3,72	14	5,38	6,63	–	232	223	214
3,98	15	5,75	7,06	–	248	239	230
4,25	16	6,13	7,56	–	264	254	244

WZ 12 E, NSW 0, MZB 0,64, F 0,17:0,14 (1,2), III
H 1–x 0,64–k 1,02–p 0,41–Ê 1,36–kp 1,43–Êp 1,77
BF 089 1271, Belegung 051: 085 1354 (095 1354)

Berthold-Schriften überzeugen dur ch Schärfe und Qualität. Schriftqu alität ist eine Frage der Erfahrung Berthold hat diese Erfahrung seit ü ber hundert Jahren. Zuerst im Schri ftguß, dann im Fotosatz. Berthold-S chriften sind weltweit geschätzt. Im Schriftenatelier München wird jed

2,65 mm (10 p), Zeilenabstand 4,00 mm

Black
black
black

NEW BASKERVILLE

black
black
black

Berthold-Schriften überzeugen durch Schärfe un d Qualität. Schriftqualität ist eine Frage der Erfa hrung. Berthold hat diese Erfahrung seit über hu ndert Jahren. Zuerst im Schriftguß, dann im Foto satz. Berthold-Schriften sind weltweit geschätzt. I m Schriftenatelier München wird jeder Buchstabe in der Größe von zwölf Zentimetern neu gezeichn et. Mit messerscharfen Konturen, um für die Schr iftscheiben das Optimale an Konturenschärfe he

1,60 mm (6 p), Zeilenabstand 2,50 mm

Berthold-Schriften überzeugen durch Sch ärfe und Qualität. Schriftqualität ist eine F rage der Erfahrung. Berthold hat diese Erf ahrung seit über hundert Jahren. Zuerst im Schriftguß, dann im Fotosatz. Berthold-Sc hriften sind weltweit geschätzt. Im Schrifte natelier München wird jeder Buchstabe in der Größe von zwölf Zentimetern neu gezei

1,86 mm (7 p), Zeilenabstand 3,00 mm

Berthold-Schriften überzeugen durch Schärfe und Qualität. Schriftqualität ist eine Frage der Erfahrung. Berthold hat diese Erfahrung seit über hundert Jahren. Zuerst im Schriftguß, dann im Fotosatz. Berthold-Schriften sind wel tweit geschätzt. Im Schriftenatelier M ünchen wird jeder Buchstabe in der G

2,15 mm (8 p), Zeilenabstand 3,50 mm

**Mergenthaler Linotype
1978
International Typeface Corp.
H. Berthold AG**

**ABCDEFGHIJKLMNOPQ
RSTUVWXYZ
abcdefghijklmnopqrstuvwxyz
1/1234567890%
(.,-;:!¡?¿–)·['‘„”“»«]
+−=/$£†*&§
ÄÅÆÖØŒÜäåæıöøœßü
ÁÀÂÃÇČÉÈÊËÍÌÎÏĹŇÑÓÒÔÕ
ŔŘŠŤÚÙÛŴẄÝỲŸŽ
áàâãçčéèêëíìîïĺňñóòôõŕřš
úùûŵẅýỳÿž**

**Berthold-Schriftweite weit
Berthold-Schriftweite normal
Berthold-Schriftweite eng
Berthold-Schriftweite sehr eng
Berthold-Schriftweite extrem eng**

In general, bodytypes are measured in the typograp hical point size. The sizes of Berthold Fototype face s can be exactly determin ed. All faces of same point size have the same capital height–irrespective of th eir x height. In hot metal and many other phototy pesetting systems the cap ital heights often differ c onsiderably from one fac e to the other. For measuri ng point sizes a transpare nt size gauge is provided To determine the point si

3,20 mm (12 p), Zeilenabstand 5,25 mm

Berthold's quick brown fox jumps over the lazy dog and feels as if he w
3,72 mm (14 p)

Berthold's quick brown fox jumps over the lazy dog and feels
4,25 mm (16 p)

Berthold's quick brown fox jumps over the lazy dog and
4,75 mm (18 p)

Berthold's quick brown fox jumps over the lazy d
5,30 mm (20 p)

Berthold's quick brown fox jumps over th
6,35 mm (24 p)

Berthold's quick brown fox jumps
7,40 mm (28 p)

Berthold's quick brown fox jum
8,50 mm (32 p)

Berthold's quick brown fox j
9,55 mm (36 p)

Berthold-Schriften überzeugen d urch Schärfe und Qualität. Schrif tqualität ist eine Frage der Erfahr ung. Berthold hat diese Erfahrung seit über hundert Jahren. Zuerst i m Schriftguß, dann im Fotosatz. B erthold Schriften sind weltweit ge schätzt. Im Schriftenatelier Münc

2,40 mm (9 p), Zeilenabstand 4,00 mm

Größe		Zeilenabstand			100 Zeichen		
mm	p	kp	Êp	Ex	0	−1	−2
1,33	5	1,94	2,38	–	103	100	97
1,60	6	2,31	2,81	2,50	122	118	114
1,86	7	2,69	3,25	3,00	140	136	132
2,15	8	3,13	3,75	3,50	159	154	149
2,40	9	3,50	4,19	4,00	178	172	166
2,65	10	3,88	4,63	4,00	196	189	182
2,92	11	4,25	5,13	–	215	208	201
3,20	12	4,63	5,63	5,25	233	225	217
3,45	13	5,00	6,06	–	251	243	235
3,72	14	4,38	6,50	–	270	261	252
3,98	15	5,75	6,94	–	288	279	270
4,25	16	6,13	7,44	–	306	296	286

WZ 14 E, NSW 0, MZB 0,74, F 0,25:0,08 (3,3), III
H 1–x 0,67–k 1,02–p 0,42–Ê 1,32–kp 1,44–Êp 1,74
BF 089 1218, Belegung 051: 085 1355 (095 1355)

Berthold-Schriften überzeuge n durch Schärfe und Qualität Schriftqualität ist eine Frage d er Erfahrung. Berthold hat die se Erfahrung seit über hundert Jahren. Zuerst im Schriftguß d ann im Fotosatz. Berthold-Sch riften sind weltweit geschätzt

2,65 mm (10 p), Zeilenabstand 4,00 mm

kursiv Black
black italic
italique black

NEW BASKERVILLE

black cursiva
black corsivo
kursiv black

Berthold-Schriften überzeugen durch Schärfe und Qu alität. Schriftqualität ist eine Frage der Erfahrung. B erthold hat diese Erfahrung seit über hundert Jahren Zuerst im Schriftguß, dann im Fotosatz. Berthold-Sch riften sind weltweit geschätzt. Im Schriftenatelier Mü nchen wird jeder Buchstabe in der Größe von zwölf Ze ntimetern neu gezeichnet. Mit messerscharfen Kontur en, um für die Schriftscheiben das Optimale an Kontu renschärfe herauszuholen. Um die Qualität des Einzel

1,60 mm (6 p), Zeilenabstand 2,50 mm

Berthold-Schriften überzeugen durch Schärfe und Qualität. Schriftqualität ist eine Frage der Erfahrung. Berthold hat diese Erfahrung seit ü ber hundert Jahren. Zuerst im Schriftguß, dann im Fotosatz. Berthold-Schriften sind weltweit g eschätzt. Im Schriftenatelier München wird je der Buchstabe in der Größe von zwölf Zentimet ern neu gezeichnet. Mit messerscharfen Kontu

1,86 mm (7 p), Zeilenabstand 3,00 mm

Berthold-Schriften überzeugen durch Sc härfe und Qualität. Schriftqualität ist ei ne Frage der Erfahrung. Berthold hat di ese Erfahrung seit über hundert Jahren Zuerst im Schriftguß, dann im Fotosatz. B erthold-Schriften sind weltweit geschätz t. Im Schriftenatelier München wird jed er Buchstabe in der Größe von zwölf Zent

2,15 mm (8 p), Zeilenabstand 3,50 mm

Mergenthaler Linotype
1978
International Typeface Corp.
H. Berthold AG

ABCDEFGHIJKLMNOPQ
RSTUVWXYZ
abcdefghijklmnopqrstuvwxyz
1/1234567890%
(.,-;:!¡?¿–)·['‘„”“»«]
+−=/$£†&§*
ÄÅÆÖØŒÜäåæıöøœßü
ÁÀÂÃÇČÉÈÊËÍÌÎÏĹŇÑÓÒÔÕ
ŔŘŠŤÚÙÛŴẄÝŶŸŽ
áàâãçčéèêëíìîïĺňñóòôõŕřš
úùûŵẅýỳÿž

Berthold-Schriftweite weit
Berthold-Schriftweite normal
Berthold-Schriftweite eng
Berthold-Schriftweite sehr eng
Berthold-Schriftweite extrem eng

In general, bodytypes are measured in the typograp hical point size. The sizes of Berthold Fototype faces ca n be exactly determined. A ll faces of same point size h ave the same capital heigh t–irrespective of their x-h eight. In hot metal and ma ny other phototypesetting systems the capital heights often differ considerably f rom one face to the other For measuring point sizes a transparent size gauge is provided. To determine the point size, bring a capital l

3,20 mm (12 p), Zeilenabstand 5,25 mm

Berthold's quick brown fox jumps over the lazy dog and feels as if he were i
3,72 mm (14 p)

Berthold's quick brown fox jumps over the lazy dog and feels as if
4,25 mm (16 p)

Berthold's quick brown fox jumps over the lazy dog and fe
4,75 mm (18 p)

Berthold's quick brown fox jumps over the lazy dog
5,30 mm (20 p)

Berthold's quick brown fox jumps over the l
6,35 mm (24 p)

Berthold's quick brown fox jumps ove
7,40 mm (28 p)

Berthold's quick brown fox jump
8,50 mm (32 p)

Berthold's quick brown fox ju
9,55 mm (36 p)

Berthold-Schriften überzeugen du rch Schärfe und Qualität. Schriftq ualität ist eine Frage der Erfahrun g. Berthold hat diese Erfahrung seit über hundert Jahren. Zuerst im Sc hriftguß, dann im Fotosatz. Bertho ld-Schriften sind weltweit geschätz t. Im Schriftenatelier München wir

2,40 mm (9 p), Zeilenabstand 4,00 mm

Größe		Zeilenabstand			100 Zeichen		
mm	p	kp	Êp	Ex	0	−1	−2
1,33	5	1,94	2,31	–	99	96	93
1,60	6	2,38	2,81	2,50	116	112	108
1,86	7	2,75	3,25	3,00	134	130	126
2,15	8	3,13	3,75	3,50	152	147	142
2,40	9	3,50	4,19	4,00	170	164	158
2,65	10	3,88	4,63	4,00	188	181	174
2,92	11	4,25	5,06	–	205	198	191
3,20	12	4,69	5,56	5,25	223	215	207
3,45	13	5,06	6,00	–	240	232	224
3,72	14	5,44	6,44	–	258	249	240
3,98	15	5,81	6,94	–	275	266	257
4,25	16	6,19	7,38	–	293	283	273

WZ 13 E, NSW +1, MZB 0,71, F 0,22:0,06 (3,8), III
H 1–x 0,66–k 1,03–p 0,42–Ê 1,31–kp 1,45–Êp 1,73
BF 089 1203, Belegung 051: 085 1356 (095 1356)

Berthold-Schriften überzeugen durch Schärfe und Qualität. Sc hriftqualität ist eine Frage der Erfahrung. Berthold hat diese Erfahrung seit über hundert Ja hren. Zuerst im Schriftguß, dan n im Fotosatz. Berthold-Schrift en sind weltweit geschätzt. Im S

2,65 mm (10 p), Zeilenabstand 4,00 mm

normal
regular
normal

NEWS GOTHIC

normal
chiaro tondo
normal

Berthold-Schriften überzeugen durch Schärfe und Qualität. Schriftqualität ist
eine Frage der Erfahrung. Berthold hat diese Erfahrung seit über hundert Jah
ren. Zuerst im Schriftguß, dann im Fotosatz. Berthold-Schriften sind weltweit
geschätzt. Im Schriftenatelier München wird jeder Buchstabe in der Größe vo
n zwölf Zentimetern neu gezeichnet. Mit messerscharfen Konturen, um für die
Schriftscheiben das Optimale an Konturenschärfe herauszuholen. Um die Qu
alität des Einzelzeichens im Belichtungsvorgang zu bewahren, wird durch die
ruhende, nicht rotierende Schriftscheibe belichtet. Dieses optische System
verbunden mit Präzisions-Chromglasscheiben, führt zu einer Schriftqualität

1,33 mm (5 p) 30 40 50 60 70

Berthold-Schriften überzeugen durch Schärfe und Qualität. Schriftqualit
ät ist eine Frage der Erfahrung. Berthold hat diese Erfahrung seit über hu
ndert Jahren. Zuerst im Schriftguß, dann im Fotosatz. Berthold-Schriften
sind weltweit geschätzt. Im Schriftenatelier München wird jeder Buchsta
be in der Größe von zwölf Zentimetern neu gezeichnet. Mit messerscharf
en Konturen, um für die Schriftscheiben das Optimale an Konturenschärf
e herauszuholen. Um die Qualität des Einzelzeichens im Belichtungsvorg
ang zu bewahren, wird durch die ruhende, nicht rotierende Schriftscheib
e belichtet. Dieses optische System, verbunden mit Präzisions-Chromgl

1,45 mm (5,5 p) 30 40 50 60 7

Berthold-Schriften überzeugen durch Schärfe und Qualität. Schrif
tqualität ist eine Frage der Erfahrung. Berthold hat diese Erfahrung
seit über hundert Jahren. Zuerst im Schriftguß, dann im Fotosatz
Berthold-Schriften sind weltweit geschätzt. Im Schriftenatelier Mü
nchen wird jeder Buchstabe in der Größe von zwölf Zentimetern ne
u gezeichnet. Mit messerscharfen Konturen, um für die Schriftsch
eiben das Optimale an Konturenschärfe herauszuholen. Um die Q
ualität des Einzelzeichens im Belichtungsvorgang zu bewahren, wi
rd durch die ruhende, nicht rotierende Schriftscheibe belichtet. Di

1,60 mm (6 p) 20 30 40 50 60

Berthold-Schriften überzeugen durch Schärfe und Qualität
Schriftqualität ist eine Frage der Erfahrung. Berthold hat die
se Erfahrung seit über hundert Jahren. Zuerst im Schriftguß
dann im Fotosatz. Berthold-Schriften sind weltweit geschätz
t. Im Schriftenatelier München wird jeder Buchstabe in der G
röße von zwölf Zentimetern neu gezeichnet. Mit messerscha
rfen Konturen, um für die Schriftscheiben das Optimale an K
onturenschärfe herauszuholen. Um die Qualität des Einzelze
ichens im Belichtungsvorgang zu bewahren, wird durch die r

1,75 mm (6,5 p) 20 30 40 50 6

Berthold-Schriften überzeugen durch Schärfe und Qualitä
t. Schriftqualität ist eine Frage der Erfahrung. Berthold hat
diese Erfahrung seit über hundert Jahren. Zuerst im Schrif
tguß, dann im Fotosatz. Berthold-Schriften sind weltweit g
eschätzt. Im Schriftenatelier München wird jeder Buchsta
be in der Größe von zwölf Zentimetern neu gezeichnet. Mit
messerscharfen Konturen, um für die Schriftscheiben das
Optimale an Konturenschärfe herauszuholen. Um die Qua
lität des Einzelzeichens im Belichtungsvorgang zu bewahr

1,86 mm (7 p) 20 30 40 50

Berthold-Schriften überzeugen durch Schärfe und Qu
alität. Schriftqualität ist eine Frage der Erfahrung. Bert
hold hat diese Erfahrung seit über hundert Jahren. Zue
rst im Schriftguß, dann im Fotosatz. Berthold-Schriften
sind weltweit geschätzt. Im Schriftenatelier München
wird jeder Buchstabe in der Größe von zwölf Zentimet
ern neu gezeichnet. Mit messerscharfen Konturen, um
für die Schriftscheiben das Optimale an Konturenschä
rfe herauszuholen. Um die Qualität des Einzelzeichens

2,00 mm (7,5 p) 20 30 40 50

Berthold-Schriften überzeugen durch Schärfe und
Qualität. Schriftqualität ist eine Frage der Erfahrun
g. Berthold hat diese Erfahrung seit über hundert Ja
hren. Zuerst im Schriftguß, dann im Fotosatz. Berth
old-Schriften sind weltweit geschätzt. Im Schriftena
telier München wird jeder Buchstabe in der Größe v
on zwölf Zentimetern neu gezeichnet. Mit messersc
harfen Konturen, um für die Schriftscheiben das Op
timale an Konturenschärfe herauszuholen. Um die

2,15 mm (8 p) 20 30 40 5

Morris F. Benton
1909
American Typefounders
H. Berthold AG

ABCDEFGHIJKLMNOPQ
RSTUVWXYZ
abcdefghijklmnopqrstuvwxyz
1/1234567890%
(.,-;:!¡?¿–) · ['‘„"“»«]
+−=/$£†*&§
ÄÅÆÖØŒÜäåæıöøœßü
ÁÀÂÃÇČÉÈÊËÍÌÎÏĹŇÑÓÒÔÕ
ŔŘŠŤÚÙÛŴẄÝŶŸŽ
áàâãçčéèêëíìîïĺňñóòôõŕřš
úùûŵẅýỳÿž

Berthold-Schriftweite weit
Berthold-Schriftweite normal
Berthold-Schriftweite eng
Berthold-Schriftweite sehr eng
Berthold-Schriftweite extrem eng

Berthold
3,75 mm (14 p)

Berthold
4,25 mm (16 p)

Berthold
4,75 mm (18 p)

Berthold
5,30 mm (20 p)

Berthold
6,35 mm (24 p)

Berthold
7,40 mm (28 p)

Berthold
8,50 mm (32 p)

Berthold
9,55 mm (36 p)

Größe mm	p	Zeilenabstand kp	Êp	Ex	100 Zeichen 0	−1	−2
1,33	5	1,69	2,00	2,00	74	71	68
1,60	6	2,00	2,38	2,50	87	83	79
1,86	7	2,31	2,81	3,00	100	96	92
2,15	8	2,69	3,19	3,50	114	109	104
2,40	9	3,00	3,56	3,75	128	122	116
2,65	10	3,31	3,94	4,25	141	134	127
2,92	11	3,63	4,38	4,75	154	147	140
3,20	12	3,94	4,75	5,25	167	159	151
3,45	13	4,25	5,13	5,75	180	172	164
3,72	14	4,63	5,56	–	193	184	175
3,98	15	4,94	5,94	–	206	197	188
4,25	16	5,25	6,31	–	219	209	199

WZ 12 E, NSW 0, MZB 0,53, F 0,083:0,054 (1,5), VI
H 1–x 0,71–k 1,00–p 0,23–Ê 1,25–kp 1,23–Êp 1,48
BF 089 0519, Belegung 051: 085 0298 (095 0298)

Berthold-Schriften überzeugen durch Schärfe
und Qualität. Schriftqualität ist eine Frage der
Erfahrung. Berthold hat diese Erfahrung seit
über hundert Jahren. Zuerst im Schriftguß, da
nn im Fotosatz. Berthold-Schriften sind weltw
eit geschätzt. Im Schriftenatelier München wi
rd jeder Buchstabe in der Größe von zwölf Ze
ntimetern neu gezeichnet. Mit messerscharfe

2,40 mm (9 p) 20 30 40

Berthold-Schriften überzeugen durch Sc
härfe und Qualität. Schriftqualität ist eine
Frage der Erfahrung. Berthold hat diese E
rfahrung seit über hundert Jahren. Zuerst
im Schriftguß, dann im Fotosatz. Berthold
Schriften sind weltweit geschätzt. Im Schr
iftenatelier München wird jeder Buchstab
e in der Größe von zwölf Zentimetern neu

2,65 mm (10 p) 20 30 4

Berthold-Schriften überzeugen durch
Schärfe und Qualität. Schriftqualität is
t eine Frage der Erfahrung. Berthold h
at diese Erfahrung seit über hundert J
ahren. Zuerst im Schriftguß, dann im F
otosatz. Berthold-Schriften sind welt
weit geschätzt. Im Schriftenatelier Mü
nchen wird jeder Buchstabe in der Grö

2,92 mm (11 p) 20 30

Berthold-Schriften überzeugen du
rch Schärfe und Qualität. Schriftqu
alität ist eine Frage der Erfahrung
Berthold hat diese Erfahrung seit ü
ber hundert Jahren. Zuerst im Schr
iftguß, dann im Fotosatz. Berthold
Schriften sind weltweit geschätzt. I
m Schriftenatelier München wird je

3,20 mm (12 p) 20 30

Berthold-Schriften überzeugen
durch Schärfe und Qualität. Sch
riftqualität ist eine Frage der Erf
ahrung. Berthold hat diese Erfah
rung seit über hundert Jahren. Z
uerst im Schriftguß, dann im Fot
osatz. Berthold-Schriften sind w
eltweit geschätzt. Im Schriftenat

3,45 mm (13 p) 10 20 30

normal
regular
normal

NEWS GOTHIC

normal
chiaro tondo
normal

Berthold-Schriften überzeugen durch Schärfe und Qualität. Schriftqualität ist eine Fr age der Erfahrung. Berthold hat diese Erfahrung seit über hundert Jahren. Zuerst im Schriftguß, dann im Fotosatz. Berthold-Schriften sind weltweit geschätzt. Im Schrifte natelier München wird jeder Buchstabe in der Größe von zwölf Zentimetern neu geze ichnet. Mit messerscharfen Konturen, um für die Schriftscheiben das Optimale an Konturenschärfe herauszuholen. Um die Qualität des Einzelzeichens im Belichtungs vorgang zu bewahren, wird durch die ruhende, nicht rotierende Schriftscheibe belic htet. Dieses optische System, verbunden mit Präzisions-Chromglasscheiben, führt zu einer Schriftqualität, die im Qualitätssatz ihresgleichen sucht. Bei den hier gezeigt

4,25 mm (16 p), Zeilenabstand 6,75 mm

NEWS GOTHIC REGULAR

In general, bodytypes are measured in the typographical point size. The sizes of Berthold Fototype faces can be exactly determined. All faces of same point size have the same capital heigth–irrespective of their x-heigth. In hot metal and many other phototypesetting systems the capital heigths often differ considerably from one face to the other. For measuring point sizes, a transparent size gauge is provided. To determine the point size, bring a capital letter into coincidence with that field which pre cisely circumscribes the letter at its upper and lower margin. Below the field you find the typographical point and below that the millimeter value, which also refers to the height of a capital letter. In Berthold-phototypeset ting, the typewidth can be modified. The standard set ting width of typefaces is determined by the principle of optimum legibility. You should not depart from this type width without cogent reason. A typeface which is consid ered optically right when looked in a greater context, of ten seems bulky when applied for a small amount of text e. g. labels and ads. Here, a width reduction will be con ducive to legibility. Small amounts of text seem to be op tically compact when set somewhat closer, without this

2,40 mm (9 p), Zeilenabstand 4,25 mm

NEWS GOTHIC NORMAL

La valeur de la force de corps des caractères de la beur èst généralement exprimée en points typogra phiques. La force de corps des caractères Berthold Fototype peut être déterminée avec précision Tous les caractères du même corps ont des capitales d'une hauteur identique, indépendamment de la hauteur des bas de casse sans jambage. Dans la composition plomb, ainsi que dans certains sys tèmes de photocomposition, la hauteur des capi tales, varie souvent d'un caractère à l'autre. Pour déterminer la force de corps de nos caractères nous avons mis au point une réglette de hauteur d'œil transparente. On cherche le rectangle qui déli mite exactement la hauteur d'œil d'une capitale du caractère choisi. Sous le rectangle correspon dant la valeur de la force de corps est indiquée en points Didots et en millimètres. La valeur en milli mètres exprime également la hauteur des capi tales. Pour toutes les indications concernant la force de corps, il est utile de préciser l'unité de me

2,65 mm (10 p), Zeilenabstand 4,69 mm

La indicación de las dimensiones para cuerpos de le tra básicos tiene lugar en general en puntos tipográfi cos. Los cuerpos de letra de los caracteres Berthold Fototype pueden determinarse exactemente par me dición. Con independencia de la altura de sus longitu des centrales, todos los caracteres de idéntico cuerpo de letra presentan altura de mayúsculas idéntica. En la composición en plomo y en muchos otros sistemas de fotocomposición, las alturas de mayúsculas varían fre

2,15 mm (8 p), –1, Zeilenabstand 3,38 mm

123,– $	456,– £	7890,– DM	1 %
234,– $	789,– £	1234,– DM	2 %
567,– $	12,– £	5678,– DM	3 %
890,– $	345,– £	9012,– DM	4 %
123,– $	678,– £	3456,– DM	5 %
456,– $	901,– £	7890,– DM	6 %
789,– $	234,– £	1234,– DM	7 %
12,– $	567,– £	5678,– DM	8 %
345,– $	890,– £	9012,– DM	9 %

BF 089 0520

Le misure relative al corpo dei caratteri vengono general mente indicate in punti tipografici. Il corpo dei caratteri Fototypes può essere determinato con esattezza per semplice misurazione. Tutti i caratteri di uguale grandez za in punti hanno, indipendentemente dalla loro lunghez za, uguale altezza delle maiuscole. Nella composizione in piombo ed in molti altri sistemi di fotocomposizione, l'al tezza delle maiuscole varia spesso da carattere a caratte re. Per misurare il corpo dei caratteri è indispensabile un

2,15 mm (8 p), –2, Zeilenabstand 3,38 mm

kursiv
italic
italique

NEWS GOTHIC

cursiva
chiaro corsivo
kursiv

Måttangivelse för grundstilsgrader sker i allmänhet i typografiska punkter Stilar av Berthold Fototype kan efter mätning exakt gradbestämmas. Alla typsnitt är av samma punktstorlek och har oberoende av x-höjden en identisk versalhöjd. I blysättning och i många andra fotosättsystem varierar versalhöjden avsevärt från typsnitt till typsnitt För mätning av stilgrader finns en transparent mätlinjal. Vid mätningen placerar man en versal bokstav så att rutorna begränsar tecknet upptill och nedtill. Under rutorna finns stilstorleken i typografiska didotpunkter och i mm. Även millimeteruppgiften avser versalhöjden. Vid stilstorleksuppgifter anges alltid måttenheten efter sifferuppgiften t ex 14 punkter eller 14 p. Bert

2,92 mm (11 p), Zeilenabstand 4,69 mm

American Typefounders
H. Berthold AG

ABCDEFGHIJKLMNOPQ
RSTUVWXYZ
abcdefghijklmnopqrstuvwxyz
1/1234567890%
(.,-;:!¡?¿–)·['‘„"“»«]
+–=/$£†&§*
ÄÅÆÖØŒÜäåæıöøœßü
ÁÀÂÃÇČÉÈÊËÍÌÎÏĹŇÑÓÒÔÕ
ŔŘŠŤÚÙÛŴẄÝŶŸŽ
áàâãçčéèêëíìîïĺňñóòôõŕřš
úùûŵẅýỳÿž

Berthold-Schriftweite weit
Berthold-Schriftweite normal
Berthold-Schriftweite eng
Berthold-Schriftweite sehr eng
Berthold-Schriftweite extrem eng

In general, bodytypes are measured in the typographical point size. The sizes of Berthold Fototype faces can be exactly determined. All faces of same point size have the same capital height–irrespective of their x-height. In hot metal and many other phototypesetting systems the capital heights often differ considerably from one face to the other For measuring point sizes, a transparent size gauge is provided. To determine the point size, bring a capital letter into coincidence with that field which precisely circumscribes the letter at its upper and lower margin. Below the field you find the ty

3,20 mm (12 p), Zeilenabstand 5,25 mm

NEWS GOTHIC KURSIV

Die Maßangabe zu Grundschriftgrößen erfolgt im allgemeinen in typographischen Punkten. Die Schriftgrößen der Berthold-Fotosatz-Schriften sind nach Messung exakt bestimmbar. Alle Schriften gleicher Punktgröße weisen, unabhängig von der Höhe ihrer Mittellängen, eine identische Versalhöhe auf. Im Bleisatz und bei vielen anderen Fotosatz-Systemen differieren die Versalhöhen von Schrift zu Schrift oft erheblich. Zum Messen von Schriftgrößen steht ein transparentes Größenmaß zur Verfügung. Zum Messen wird ein Versalbuchstabe mit dem Feld in Deckung gebracht, das den Buchstaben oben und unten scharf begrenzt. Unter dem Feld ist die Schriftgröße in typographischen Didot-Punkten, darunter in Millimetern angegeben. Auch die Millimeterangaben b ezihen sich auf die Höhe der Versalbuchstaben. Die Schriftweite kann im Berthold-Fotosatz beliebig verändert werden. Die Festlegung der Normalschriftweite erfolgt nach dem Prinzip der optimalen Lesbarkeit bei größeren Text

2,40 mm (9 p), Zeilenabstand 4 mm

NEWS GOTHIC ITALIQUE

La valeur de la force de corps des caractères de labeur èst généralement exprimée en points typographiques. La force de corps des caractères Berthold Fototype peut être déterminée avec précision. Tous les caractères du même corps ont des capitales d'une hauteur identique, indépendamment de la hauteur des bas de casse sans jambage. Dans la composition plomb, ainsi que dans certains systèmes de photocomposition, la hauteur des capitales, varie souvent d'un caractère à l'autre. Pour déterminer la force de corps de nos caractères, nous avons mis au point une réglette de hauteur d'œil transparente On cherche le rectangle qui délimite exactement la hauteur d'œil d'une capitale du caractère choisi. Sous le rectangle correspondant la valeur de la force de corps est indiquée en points Didots et en millim

2,65 mm (10 p), Zeilenabstand 4,50 mm

La indicación de las dimensiones para cuerpos de letra vásicos tiene lugar en general en puntos tipográficos. Los cuerpos de letra de los caracteres Berthold Fototype pueden determinarse exactemente par medición. Con independencia de la altura de sus longitudes centrales, todos los caracteres de idéntico cuerpo de letra presentan altura de mayúsculas idéntica. En la composición en plomo y en muchos otros sistemas de fotocomposición, las alturas de mayúsculas varían frecuentemmente en forma considerable de tipo de letra a tipo de letra. Para medir los cuerpos de letra se dispone de un tipómetro, véase la figura. Para la medición se hace coincidir una letra mayúscula con la casilla cuyos extremos coinciden con los extremos superior e inferior de la letra. Bajo la casilla se indica

1,60 mm (6 p), Zeilenabstand 2,50 mm

Größe		Zeilenabstand			100 Zeichen		
mm	p	kp	Êp	Ex	0	–1	–2
1,33	5	1,69	2,00	–	78	75	72
1,60	6	2,00	2,38	2,50	92	88	84
1,86	7	2,31	2,81	–	106	102	98
2,15	8	2,69	3,19	3,38	120	115	110
2,40	9	3,00	3,56	4,00	134	128	122
2,65	10	3,31	3,94	4,50	148	141	134
2,92	11	3,63	4,38	4,69	162	155	148
3,20	12	3,94	4,75	5,25	176	168	160
3,45	13	4,25	5,13	–	190	182	174
3,72	14	4,63	5,56	–	203	194	185
3,98	15	4,94	5,94	–	217	208	199
4,25	16	5,25	6,31	–	231	221	211

WZ 12 E, NSW 0, MZB 0,56, F 0,10:0,08 (1,3), VI
H 1-x 0,71-k 1,00-p 0,23-Ê 1,25-kp 1,23-Êp 1,48
BF 089 1299, Belegung 051: 085 1313 (095 1313)

Le misure relative al corpo dei caratteri vengono generalmente indicate in punti tipografici. Il corpo dei caratteri Fototypes può essere determinato con esattezza per semplice misurazione. Tutti i caratteri di uguale grandezza in punti hanno, indipendentemente dalla loro lunghezza, uguale altezza delle maiuscole. Nella composizione in piombo ed in molti altri sistemi di fotocomposizione, l'altezza delle maiuscole varia spesso da carattere a carattere. Per mis

2,15 mm (8 p), Zeilenabstand 3,38 mm

fett
bold
gras

NEWS GOTHIC

negra
nero
fet

Berthold-Schriften überzeugen durch Schärfe und Qualit ät. Schriftqualität ist eine Frage der Erfahrung. Berthold hat diese Erfahrung seit über hundert Jahren. Zuerst im Sc hriftguß, dann im Fotosatz. Berthold-Schriften sind weltwe it geschätzt. Im Schriftenatelier München wird jeder Buch stabe in der Größe von zwölf Zentimetern neu gezeichnet Mit messerscharfen Konturen, um für die Schriftscheiben das Optimale an Konturenschärfe herauszuholen. Um die Qualität des Einzelzeichens im Belichtungsvorgang zu be

1,60 mm (6 p), Zeilenabstand 2,50 mm

Berthold-Schriften überzeugen durch Schärfe und Qualität. Schriftqualität ist eine Frage der Erfahru ng. Berthold hat diese Erfahrung seit über hundert Jahren. Zuerst im Schriftguß, dann im Fotosatz. Ber thold-Schriften sind weltweit geschätzt. Im Schrifte natelier München wird jeder Buchstabe in der Größe von zwölf Zentimetern neu gezeichnet. Mit messers charfen Konturen, um für die Schriftscheiben das

1,86 mm (7 p), Zeilenabstand 3,00 mm

Berthold-Schriften überzeugen durch Schär fe und Qualität. Schriftqualität ist eine Frage der Erfahrung. Berthold hat diese Erfahrung seit über hundert Jahren. Zuerst im Schriftg uß, dann im Fotosatz. Berthold-Schriften sind weltweit geschätzt Im Schriftenatelier Münc hen wird jeder Buchstabe in der Größe von zw ölf Zentimetern neu gezeichnet. Mit messers

2,15 mm (8 p), Zeilenabstand 3,50 mm

John L. Renshaw
1958
American Typefounders
H. Berthold AG

ABCDEFGHIJKLMNOPQ
RSTUVWXYZ
abcdefghijklmnopqrstuvwxyz
1/1234567890%
(.,-;:!¡?¿–)·['‘„”“»«]
+−=/$£†*&§
ÄÅÆÖØŒÜäåæıöøœßü
ÁÀÂÃÇČÉÈÊËÍÌÎÏĹŇÑÓÒÔÕ
ŔŘŠŤÚÙÛŴẄÝŶŸŽ
áàâãçčéèêëíìîïĺňñóòôõŕřš
úùûŵẅýỳÿž

Berthold-Schriftweite weit
Berthold-Schriftweite normal
Berthold-Schriftweite eng
Berthold-Schriftweite sehr eng
Berthold-Schriftweite extrem eng

In general, bodytypes are me asured in the typographical po int size. The sizes of Berthold F ototype faces can be exactly d etermined. All faces of same p oint size have the same capital height–irrespective of their x-h eight. In hot metal and many other phototypesetting syste ms the capital heights often dif fer considerably from one fa ce to the other. For measuring point sizes a transparent size gauge is provided. To determi ne the point size, bring a capital letter into coincidence with th at field which precisely circum

3,20 mm (12 p), Zeilenabstand 5,25 mm

Berthold's quick brown fox jumps over the lazy dog and feels as if he were in the seve
3,75 mm (14 p)

Berthold's quick brown fox jumps over the lazy dog and feels as if he were i
4,25 mm (16 p)

Berthold's quick brown fox jumps over the lazy dog and feels as if
4,75 mm (18 p)

Berthold's quick brown fox jumps over the lazy dog and feels
5,30 mm (20 p)

Berthold's quick brown fox jumps over the lazy do
6,35 mm (24 p)

Berthold's quick brown fox jumps over the
7,40 mm (28 p)

Berthold's quick brown fox jumps ove
8,50 mm (32 p)

Berthold's quick brown fox jumps
9,55 mm (36 p)

Berthold-Schriften überzeugen durch S chärfe und Qualität. Schriftqualität ist ei ne Frage der Erfahrung. Berthold hat die se Erfahrung seit über hundert Jahren. Z uerst im Schriftguß, dann im Fotosatz. B erthold-Schriften sind weltweit geschät zt. Im Schriftenatelier München wird jed er Buchstabe in der Größe von zwölf Zen

2,40 mm (9 p), Zeilenabstand 4,00 mm

Größe		Zeilenabstand			100 Zeichen		
mm	p	kp	Êp	Ex	0	−1	−2
1,33	5	1,69	2,06	—	83	80	77
1,60	6	2,00	2,44	2,50	98	94	90
1,86	7	2,31	2,81	3,00	113	109	105
2,15	8	2,69	3,25	3,50	128	123	118
2,40	9	3,00	3,63	4,00	143	137	131
2,65	10	3,31	4,06	4,00	158	151	144
2,92	11	3,63	4,44	—	173	166	159
3,20	12	4,00	4,88	5,25	188	180	172
3,45	13	4,31	5,25	—	202	194	186
3,72	14	4,63	5,63	—	217	208	199
3,98	15	4,94	6,06	—	232	223	214
4,25	16	5,31	6,44	—	246	236	226

WZ 13 E, NSW 0, MZB 0,60, F 0,18:0,12 (1,6), VI
H 1-x 0,71-k 1,00-p 0,24-Ê 1,27-kp 1,24-Êp 1,51
BF 089 0521, Belegung 051: 085 0299 (095 0299)

Berthold-Schriften überzeugen dur ch Schärfe und Qualität. Schriftquali tät ist eine Frage der Erfahrung. Bert hold hat diese Erfahrung seit über hu ndert Jahren. Zuerst im Schriftguß dann im Fotosatz. Berthold-Schriften sind weltweit geschätzt. Im Schrifte natelier München wird jeder Buchst

2,65 mm (10 p), Zeilenabstand 4,00 mm

mager
light
maigre

NEWTEXT

fina
chiarissimo
mager

Berthold-Schriften überzeugen durch Schärfe und
Qualität. Schriftqualität ist eine Frage der Erfahrun
g. Berthold hat diese Erfahrung seit über hundert J
ahren. Zuerst im Schriftguß, dann im Fotosatz. Bert
hold-Schriften sind weltweit geschätzt. Im Schrifte
natelier München wird jeder Buchstabe in der Größ
e von zwölf Zentimetern neu gezeichnet. Mit mess
erscharfen Konturen, um für die Schriftscheiben d
as Optimale an Konturenschärfe herauszuholen. U

1,33 mm (5 p) 20 30 40

Berthold-Schriften überzeugen durch Schärfe
und Qualität. Schriftqualität ist eine Frage der
Erfahrung. Berthold hat diese Erfahrung seit ü
ber hundert Jahren. Zuerst im Schriftguß, dann
im Fotosatz. Berthold-Schriften sind weltweit
geschätzt. Im Schriftenatelier München wird je
der Buchstabe in der Größe von zwölf Zentime
tern neu gezeichnet. Mit messerscharfen Kon
turen, um für die Schriftscheiben das Optimale

1,45 mm (5,5 p) 20 30 40

Berthold-Schriften überzeugen durch Sch
ärfe und Qualität. Schriftqualität ist eine Fr
age der Erfahrung. Berthold hat diese Erfa
hrung seit über hundert Jahren. Zuerst im
Schriftguß, dann im Fotosatz. Berthold-Sch
riften sind weltweit geschätzt. Im Schrifte
natelier München wird jeder Buchstabe in
der Größe von zwölf Zentimetern neu geze
ichnet. Mit messerscharfen Konturen, um

1,60 mm (6 p) 20 30 40

Berthold-Schriften überzeugen durch
Schärfe und Qualität. Schriftqualität ist
eine Frage der Erfahrung. Berthold hat
diese Erfahrung seit über hundert Jahr
en. Zuerst im Schriftguß, dann im Foto
satz. Berthold-Schriften sind weltweit
geschätzt. Im Schriftenatelier München
wird jeder Buchstabe in der Größe von z
wölf Zentimetern neu gezeichnet. Mit

1,75 mm (6,5 p) 20 30

Berthold-Schriften überzeugen durc
h Schärfe und Qualität. Schriftqualitä
t ist eine Frage der Erfahrung. Berth
old hat diese Erfahrung seit über hu
ndert Jahren. Zuerst im Schriftguß, d
ann im Fotosatz. Berthold-Schriften
sind weltweit geschätzt. Im Schrifte
natelier München wird jeder Buchst
abe in der Größe von zwölf Zentimet

1,86 mm (7 p) 20 30

Berthold-Schriften überzeugen d
urch Schärfe und Qualität. Schriftq
ualität ist eine Frage der Erfahru
g. Berthold hat diese Erfahrung sei
t über hundert Jahren. Zuerst im S
chriftguß, dann im Fotosatz. Berth
old-Schriften sind weltweit geschä
tzt. Im Schriftenatelier München w
ird jeder Buchstabe in der Größe v

2,00 mm (7,5 p) 20 30

Berthold-Schriften überzeugen
durch Schärfe und Qualität. Schr
iftqualität ist eine Frage der Erfa
hrung. Berthold hat diese Erfahr
ung seit über hundert Jahren. Z
uerst im Schriftguß, dann im Fot
osatz. Berthold-Schriften sind w
eltweit geschätzt. Im Schriftena
telier München wird jeder Buchs

2,15 mm (8 p) 10 20 30

Ray Baker
1974
Intern. Typeface Corp.
H. Berthold AG

ABCDEFGHIJKLMNOPQ
RSTUVWXYZ
abcdefghijklmnopqrstuvw
xyz 1/1234567890%
(.,-;:!i?¿–)·[",,"“»«]
+–=/$£†*&§
ÄÅÆÖØŒÜäåæıöøœßü
ÁÀÂÃÇČÉÈÊËÍÌÎÏĹŇÑÓÒÔÕ
ŔŘŠŤÚÙÛŴẄÝỲŶŸŽ
áàâãçčéèêëíìîïĺňñóòôõŕřš
úùûŵẅýỳŷÿž

Schriftweite weit
Schriftweite normal
Schriftweite eng
Schriftweite sehr eng
Schriftweite extrem eng

Berlin
3,75 mm (14 p)

Berlin
4,25 mm (16 p)

Berlin
4,75 mm (18 p)

Berlin
5,30 mm (20 p)

Berlin
6,35 mm (24 p)

Berlin
7,40 mm (28 p)

Berlin
8,50 mm (32 p)

Berlin
9,55 mm (36 p)

Größe		Zeilenabstand			100 Zeichen		
mm	p	kp	Êp	Ex	0	–1	–2
1,33	5	1,63	2,00	2,00	117	114	111
1,60	6	2,00	2,44	2,50	138	134	130
1,86	7	2,31	2,81	3,00	158	154	150
2,15	8	2,63	3,25	3,50	180	175	170
2,40	9	2,94	3,63	3,75	202	196	190
2,65	10	3,25	4,00	4,25	222	215	208
2,92	11	3,56	4,44	4,75	243	236	229
3,20	12	3,94	4,81	5,25	264	256	248
3,45	13	4,25	5,19	5,75	284	276	268
3,72	14	4,56	5,63	–	305	296	287
3,98	15	4,88	6,00	–	326	317	308
4,25	16	5,19	6,38	–	346	336	326

WZ 18 E, NSW 0, MZB 0,84, F 0,088:0,071 (1,2), III
H 1–x 0,70–k 1,00–p 0,22–Ê 1,28–kp 1,22–Êp 1,50
BF 089 0522, Belegung 051: 085 0972 (095 0972)

Berthold-Schriften überzeug
en durch Schärfe und Qualitä
t. Schriftqualität ist eine Frag
e der Erfahrung. Berthold hat
diese Erfahrung seit über hu
ndert Jahren. Zuerst im Schri
ftguß, dann im Fotosatz. Bert
hold-Schriften sind weltweit

2,40 mm (9 p) 10 20

Berthold-Schriften überze
ugen durch Schärfe und
Qualität. Schriftqualität ist
eine Frage der Erfahrung
Berthold hat diese Erfahr
ung seit über hundert Jah
ren. Zuerst im Schriftguß
dann im Fotosatz. Berthol

2,65 mm (10 p) 10 20

Berthold-Schriften über
zeugen durch Schärfe u
nd Qualität. Schriftqual
ität ist eine Frage der Er
fahrung. Berthold hat d
iese Erfahrung seit über
hundert Jahren. Zuerst
im Schriftguß, dann im F

2,92 mm (11 p) 10 20

Berthold-Schriften üb
erzeugen durch Schä
rfe und Qualität. Schr
iftqualität ist eine Fra
ge der Erfahrung. Be
rthold hat diese Erfah
rung seit über hunde
rt Jahren. Zuerst im S

3,20 mm (12 p) 10 20

Berthold-Schriften ü
berzeugen durch Sc
härfe und Qualität. S
chriftqualität ist ein
e Frage der Erfahru
ng. Berthold hat die
se Erfahrung seit üb
er hundert Jahren. Z

3,45 mm (13 p) 10 2

mager
light
maigre

NEWTEXT

fina
chiarissimo
mager

Berthold-Schriften überzeugen durch Schärfe und Qualität. Schriftqualität ist eine Frage der Erfahrung Berthold hat diese Erfahrung seit über hundert Jahr en. Zuerst im Schriftguß, dann im Fotosatz. Berthold Schriften sind weltweit geschätzt. Im Schriftenatelier München wird jeder Buchstabe in der Größe von zwö lf Zentimetern neu gezeichnet. Mit messerscharfen Konturen, um für die Schriftscheiben das Optimale an Konturenschärfe herauszuholen. Um die Qualität des

4,25 mm (16 p), Zeilenabstand 6,75 mm

NEWTEXT LIGHT

In general, bodytypes are measured in the typographical point size. The sizes of Berthold Fototype faces can be exactly determined. All faces of same point size have the same capi tal heigth–irrespective of their x heigth. In hot metal and many other phototypesetting systems the capi tal heigths often differ considerably from one face to the other. For measuring point sizes, a transparent size gauge is provided. To determine the point size, bring a capital letter in to coincidence with that field which precisely circumscribes the letter at its upper and lower margin. Below the field you find the typographical point and below that the millimeter value, which also refers to the height of a capital letter. In Berthold-photo typesetting, the typewidth can be modified. The standard setting widt

2,40 mm (9 p), Zeilenabstand 4,25 mm

NEWTEXT MAIGRE

La valeur de la force de corps des caractères de labeur èst géné ralement exprimée en points ty pographiques. La force de corps des caractères Berthold-Foto type peut être déterminée avec précision. Tous les caractères du même corps ont des capitales d'une hauteur identique, indé pendamment de la hauteur des bas de casse sans jambage. Dans la composition plomb, ainsi que dans certains systèmes de pho tocomposition, la hauteur des ca pitales, varie souvent d'un carac tère à l'autre. Pour déterminer la force de corps de nos caractères nous avons mis au point une ré glette de hauteur d'œil transpa rente. On cherche le rectangle q

2,65 mm (10 p), Zeilenabstand 4,69 mm

La indicación de las dimensiones para cuerpos de letra vásicos ti ene lugar en general en puntos ti pográficos. Los cuerpos de letra de los caracteres Berthold Foto type pueden determinarse exact emente par medición. Con indepe ndencia de la altura de sus longitu des centrales, todos los caractere

2,15 mm (8 p), −1, Zeilenabstand 3,38 mm

123 $	456 £	7890 DM	1 %
234 $	789 £	1234 DM	2 %
567 $	12 £	5678 DM	3 %
890 $	345 £	9012 DM	4 %
123 $	678 £	3456 DM	5 %
456 $	901 £	7890 DM	6 %
789 $	234 £	1234 DM	7 %
12 $	567 £	5678 DM	8 %
345 $	890 £	9012 DM	9 %

BF 089 0523

Le misure relative al corpo dei ca ratteri vengono generalmente indi cate in punti tipografici. Il corpo dei caratteri Fototypes può essere de terminato con esattezza per semp lice misurazione. Tutti i caratteri di uguale grandezza in punti hanno indipendentemente dalla loro lun ghezza, uguale altezza delle maius

2,15 mm (8 p), −2, Zeilenabstand 3,38 mm

kursiv mager
light italic
italique maigre

NEWTEXT

fina cursiva
chiarissimo corsivo
kursiv mager

Måttangivelse för grund stilsgrader sker i allmän het i typografiska punkt er. Stilar av Berthold Fot otype kan efter mätning exakt gradbestämmas Alla typsnitt är av sam ma punktstorlek och har oberoende av x-höjden en identisk versalhöjd. I blysättning och i många andra fotosättsystem varierar versalhöjden av sevärt från typsnitt till typsnitt. För mätning av stilgrader finns en trans parent mätlinjal. Vid mät ningen placerar man en versal bokstav så att ru

2,92 mm (11 p), Zeilenabstand 4,69 mm

Ray Baker
1974
International Typeface Corp.
H. Berthold AG

ABCDEFGHIJKLMNOPQ
RSTUVWXYZ
abcdefghijklmnopqrstuvw
xyz 1/1 234567890%
(.,-;:!¡?¿–)·[’‘„”“»«]
+–=/$£†&§*
ÄÅÆÖØŒÜäåæıöøœßü
ÁÀÂÃÇČÉÈÊËÍÌĨÏĹŇÑÓÒÔ
ÕŔŘŠŤÚÙÛŴẄÝŶŸŽ
áàâãçčéèêëíìĩïĺňñóòôõŕřš
úùûŵẅýỳÿž

Schriftweite weit
Schriftweite normal
Schriftweite eng
Schriftweite sehr eng
Schriftweite extrem eng

In general, bodytypes are measured in the ty pographical point size The sizes of Berthold Fototype faces can be exactly determined. All faces of same point si ze have the same capi tal heigth–irrespective of their x-heigth. In hot metal and many other phototypesetting sys tems the capital heigt hs often differ consid erably from one face to the other. For measuri ng point sizes, a trans

3,20 mm (12 p), Zeilenabstand 5,25 mm

NEWTEXT

Die Maßangabe zu Grundschriftgrö ßen erfolgt im allgemeinen in typogra phischen Punkten. Die Schriftgrößen der Berthold-Fotosatz-Schriften sind nach Messung exakt bestimmbar. Al le Schriften gleicher Punktgröße wei sen, unabhängig von der Höhe ihrer Mittellängen, eine identische Versal höhe auf. Im Bleisatz und bei vielen anderen Fotosatz-Systemen differie ren die Versalhöhen von Schrift zu Schrift oft erheblich. Zum Messen von Schriftgrößen steht ein transpa rentes Größenmaß zur Verfügung Zum Messen wird ein Versalbuchsta be mit dem Feld in Deckung gebracht das den Buchstaben oben und unten scharf begrenzt. Unter dem Feld ist

2,40 mm (9 p), Zeilenabstand 4 mm

NEWTEXT

La valeur de la force de corps des caractères de labeur èst générale ment exprimée en points typo graphiques. La force de corps des caractères Berthold-Fototype peut être déterminée avec préci sion. Tous les caractères du même corps ont des capitales d'une hauteur identique, indépen damment de la hauteur des bas de casse sans jambage. Dans la composition plomb, ainsi que dans certains systèmes de photo composition, la hauteur des capi tales, varie souvent d'un carac tère à l'autre. Pour déterminer la

2,65 mm (10 p), Zeilenabstand 4,50 mm

La indicación de las dimensiones para cuer pos de letra vásicos tiene lugar en general en puntos tipográficos. Los cuerpos de letra de los caracteres Berthold Fototype pueden de terminarse exactemente par medición. Con independencia de la altura de sus longitudes centrales, todos los caracteres de idéntico cuerpo de letra presentan altura de mayús culas idéntica. En la composición en plomo y en muchos otros sistemas de fotocomposi ción, las alturas de mayúsculas varian fre cuentemmente en forma considerable de ti

1,60 mm (6 p), Zeilenabstand 2,50 mm

Größe		Zeilenabstand			100 Zeichen		
mm	p	kp	Êp	Ex	0	–1	–2
1,33	5	1,69	2,06	–	114	111	108
1,60	6	2,00	2,44	2,50	135	131	127
1,86	7	2,31	2,88	–	155	151	147
2,15	8	2,69	3,31	3,38	176	171	166
2,40	9	3,00	3,69	4,00	197	191	185
2,65	10	3,31	4,06	4,50	217	210	203
2,92	11	3,63	4,50	4,69	238	231	224
3,20	12	3,94	4,88	5,25	258	250	242
3,45	13	4,25	5,25	–	278	270	262
3,72	14	4,63	5,69	–	298	289	280
3,98	15	4,94	6,06	–	319	310	301
4,25	16	5,25	6,50	–	339	329	319

WZ 17 E, NSW 0, MZB 0,82, F 0,088:0,075 (1,2), III
H 1–x 0,70–k 1,00–p 0,23–Ê 1,29–kp 1,23–Êp 1,52
BF 089 0524, Belegung 051: 085 0975 (095 0975)

Le misure relative al corpo dei ca ratteri vengono generalmente in dicate in punti tipografici. Il corpo dei caratteri Fototypes può esse re determinato con esattezza per semplice misurazione. Tutti i ca ratteri di uguale grandezza in pun ti hanno indipendentemente dalla loro lunghezza, uguale altezza dell

2,15 mm (8 p), Zeilenabstand 3,38 mm

Buch
book
romain labeur

NEWTEXT

libro
libro
buch

Ray Baker
1974
International Typeface
H. Berthold AG

ABCDEFGHIJKLMNOPQ
RSTUVWXYZ
abcdefghijklmnopqrstuvw
xyz 1/1 234567890%
(.,-;:!¡?¿–)·["„"“»«]
+−=/$£†*&§
ÄÅÆÖØŒÜäåæıöøœßü
ÁÀÂÃÇČÉÈÊËÍÌÎÏĹŇÑÓÒÔ
ÕŔŘŠŤÚÙÛŴẄÝŶŸŽ
áàâãçčéèêëíìîïĺňñóòôõŕřš
úùûŵẅýỳÿž

Schriftweite weit
Schriftweite normal
Schriftweite eng
Schriftweite sehr eng
Schriftweite extrem eng

Berthold-Schriften überzeugen durch Schärfe und
Qualität. Schriftqualität ist eine Frage der Erfahrun
g. Berthold hat diese Erfahrung seit über hundert J
ahren. Zuerst im Schriftguß, dann im Fotosatz. Bert
hold-Schriften sind weltweit geschätzt. Im Schrifte
natelier München wird jeder Buchstabe in der Größe
von zwölf Zentimetern neu gezeichnet. Mit messer
scharfen Konturen, um für die Schriftscheiben das
Optimale an Konturenschärfe herauszuholen. Um d

1,33 mm (5 p) 20 30 40 5

Berthold-Schriften überzeugen durch Schärfe
und Qualität. Schriftqualität ist eine Frage der E
rfahrung. Berthold hat diese Erfahrung seit üb
er hundert Jahren. Zuerst im Schriftguß, dann im
Fotosatz. Berthold-Schriften sind weltweit ges
chätzt. Im Schriftenatelier München wird jeder
Buchstabe in der Größe von zwölf Zentimetern
neu gezeichnet. Mit messerscharfen Konturen
um für die Schriftscheiben das Optimale an Kon

1,45 mm (5,5 p) 20 30 40

Berthold-Schriften überzeugen durch Sch
ärfe und Qualität. Schriftqualität ist eine Fr
age der Erfahrung. Berthold hat diese Erfa
hrung seit über hundert Jahren. Zuerst im S
chriftguß, dann im Fotosatz. Berthold-Schri
ften sind weltweit geschätzt. Im Schriftena
telier München wird jeder Buchstabe in der
Größe von zwölf Zentimetern neu gezeichn
et. Mit messerscharfen Konturen, um für di

1,60 mm (6 p) 20 30 40

Berthold-Schriften überzeugen durch S
chärfe und Qualität. Schriftqualität ist ei
ne Frage der Erfahrung. Berthold hat di
ese Erfahrung seit über hundert Jahren
Zuerst im Schriftguß, dann im Fotosatz
Berthold-Schriften sind weltweit gesch
ätzt. Im Schriftenatelier München wird j
eder Buchstabe in der Größe von zwölf
Zentimetern neu gezeichnet. Mit messe

1,75 mm (6,5 p) 20 30

Berthold-Schriften überzeugen durc
h Schärfe und Qualität. Schriftqualität
ist eine Frage der Erfahrung. Berthold
hat diese Erfahrung seit über hundert
Jahren. Zuerst im Schriftguß, dann im
Fotosatz. Berthold-Schriften sind we
ltweit geschätzt. Im Schriftenatelier
München wird jeder Buchstabe in der
Größe von zwölf Zentimetern neu ge

1,86 mm (7 p) 20 30

Berthold-Schriften überzeugen du
rch Schärfe und Qualität. Schriftqu
alität ist eine Frage der Erfahrung
Berthold hat diese Erfahrung seit ü
ber hundert Jahren. Zuerst im Schr
iftguß, dann im Fotosatz. Berthold
Schriften sind weltweit geschätzt. I
m Schriftenatelier München wird j
eder Buchstabe in der Größe von z

2,00 mm (7,5 p) 20 30

Berthold-Schriften überzeugen
durch Schärfe und Qualität. Schri
ftqualität ist eine Frage der Erfa
hrung. Berthold hat diese Erfahr
ung seit über hundert Jahren. Zu
erst im Schriftguß, dann im Fotos
atz. Berthold-Schriften sind welt
weit geschätzt. Im Schriftenateli
er München wird jeder Buchstab

2,15 mm (8 p) 10 20 30

Berlin
3,75 mm (14 p)

Berlin
4,25 mm (16 p)

Berlin
4,75 mm (18 p)

Berlin
5,30 mm (20 p)

Berlin
6,35 mm (24 p)

Berlin
7,40 mm (28 p)

Berlin
8,50 mm (32 p)

Berlin
9,55 mm (36 p)

Größe		Zeilenabstand			100 Zeichen		
mm	p	kp	Êp	Ex	0	−1	−2
1,33	5	1,62	2,06	2,00	115	112	109
1,60	6	1,94	2,44	2,50	135	131	127
1,86	7	2,31	2,88	3,00	156	152	148
2,15	8	2,63	3,31	3,50	177	172	167
2,40	9	2,94	3,69	3,75	198	192	186
2,65	10	3,25	4,06	4,25	219	212	205
2,92	11	3,56	4,50	4,75	239	232	225
3,20	12	3,88	4,88	5,25	259	251	243
3,45	13	4,19	5,25	5,75	280	272	264
3,72	14	4,56	5,69	—	300	291	282
3,98	15	4,88	6,06	—	320	311	302
4,25	16	5,19	6,50	—	341	331	321

WZ 16 E, NSW 0, MZB 0,82, F 0,13:0,10 (1,3), III
H 1–x 0,70–k 1,00–p 0,21–Ê 1,31–kp 1,21–Êp 1,52
BF 089 0525, Belegung 051: 085 0121 (095 0121)

Berthold-Schriften überzeug
en durch Schärfe und Qualität
Schriftqualität ist eine Frage
der Erfahrung. Berthold hat d
iese Erfahrung seit über hun
dert Jahren. Zuerst im Schrift
guß, dann im Fotosatz. Bertho
ld-Schriften sind weltweit ge

2,40 mm (9 p) 10 20

Berthold-Schriften überz
eugen durch Schärfe und
Qualität. Schriftqualität ist
eine Frage der Erfahrung
Berthold hat diese Erfahr
ung seit über hundert Jahr
en. Zuerst im Schriftguß, d
ann im Fotosatz. Berthold

2,65 mm (10 p) 10 20

Berthold-Schriften übe
rzeugen durch Schärfe
und Qualität. Schriftqual
ität ist eine Frage der Er
fahrung. Berthold hat di
ese Erfahrung seit über
hundert Jahren. Zuerst
im Schriftguß, dann im F

2,92 mm (11 p) 10 20

Berthold-Schriften üb
erzeugen durch Schär
fe und Qualität. Schrif
tqualität ist eine Frage
der Erfahrung. Berth
old hat diese Erfahrun
g seit über hundert Ja
hren. Zuerst im Schrif

3,20 mm (12 p) 10 20

Berthold-Schriften ü
berzeugen durch Sc
härfe und Qualität. Sc
hriftqualität ist eine
Frage der Erfahrung
Berthold hat diese Er
fahrung seit über hu
ndert Jahren. Zuerst

3,45 mm (13 p) 10 20

Buch book romain labeur	NEWTEXT	libro libro buch

Berthold-Schriften überzeugen durch Schärfe und Qualität. Schriftqualität ist eine Frage der Erfahrung Berthold hat diese Erfahrung seit über hundert Jahr en. Zuerst im Schriftguß, dann im Fotosatz. Berthold Schriften sind weltweit geschätzt. Im Schriftenatelier München wird jeder Buchstabe in der Größe von zwölf Zentimetern neu gezeichnet. Mit messerscharfen Ko nturen, um für die Schriftscheiben das Optimale an Konturenschärfe herauszuholen. Um die Qualität des

4,25 mm (16 p), Zeilenabstand 6,75 mm

NEWTEXT

In general, bodytypes are measured in the typographical point size. The sizes of Berthold Fototype faces can be exactly determined. All faces of same point size have the same capi tal heigth–irrespective of their x heigth. In hot metal and many other phototypesetting systems the capi tal heigths often differ considerably from one face to the other. For meas uring point sizes, a transparent size gauge is provided. To determine the point size, bring a capital letter into coincidence with that field which pre cisely circumscribes the letter at its upper and lower margin. Below the field you find the typographical point and below that the millimeter value which also refers to the height of a capital letter. In Berthold-phototype setting, the typewidth can be modi fied. The standard setting width of

2,40 mm (9 p), Zeilenabstand 4,25 mm

NEWTEXT

La valeur de la force de corps des caractères de labeur èst géné ralement exprimée en points ty pographiques. La force de corps des caractères Berthold-Foto type peut être déterminée avec précision. Tous les caractères du même corps ont des capitales d'une hauteur identique, indé pendamment de la hauteur des bas de casse sans jambage. Dans la composition plomb, ainsi que dans certains systèmes de pho tocomposition, la hauteur des ca pitales, varie souvent d'un carac tère à l'autre. Pour déterminer la force de corps de nos caractères nous avons mis au point une ré glette de hauteur d'œil transpa rente. On cherche le rectangle qui

2,65 mm (10 p), Zeilenabstand 4,69 mm

La indicación de las dimensiones para cuerpos de letra vásicos tiene lugar en general en puntos tipográ ficos. Los cuerpos de letra de los ca racteres Berthold Fototype pue den determinarse exactemente par medición. Con independencia de la altura de sus longitudes cen trales, todos los caracteres de idén

2,15 mm (8 p), –1, Zeilenabstand 3,38 mm

123 $	456 £	7890 DM	1 %
234 $	789 £	1234 DM	2 %
567 $	12 £	5678 DM	3 %
890 $	345 £	9012 DM	4 %
123 $	678 £	3456 DM	5 %
456 $	901 £	7890 DM	6 %
789 $	234 £	1234 DM	7 %
12 $	567 £	5678 DM	8 %
345 $	890 £	9012 DM	9 %

BF 089 0526

Le misure relative al corpo dei carat teri vengono generalmente indicate in punti tipografici. Il corpo dei carat teri Fototypes può essere determi nato con esattezza per semplice mi surazione. Tutti i caratteri di uguale grandezza in punti hanno, indipen dentemente dalla loro lunghezza uguale altezza delle maiuscole. Nella

2,15 mm (8 p), –2, Zeilenabstand 3,38 mm

Buch kursiv
book italic
italique romain labeur

NEWTEXT

libro cursiva
libro corsivo
buch kursiv

Måttangivelse för grundstilsgrader sker i allmänhet i typografiska punkter. Stilar av Berthold Fototype kan efter mätning exakt gradbestämmas. Alla typsnitt är av samma punktstorlek och har oberoende av x-höjden en identisk versalhöjd. I blysättning och i många andra fotosättsystem varierar versalhöjden avsevärt från typsnitt till typsnitt. För mätning av stilgrader finns en transparent mätlinjal. Vid mätningen placerar man en versal bokstav så att ruto

2,92 mm (11 p), Zeilenabstand 4,69 mm

Ray Baker
1974
International Typeface Corp.
H. Berthold AG

ABCDEFGHIJKLMNOPQ
RSTUVWXYZ
abcdefghijklmnopqrstuvw
xyz 1/1234567890%
(.,-;:!i?¿–)·['‚„"“»«]
+—=/$£†&§*
ÄÅÆÖØŒÜäåæıøœßü
ÁÀÂÃÇČÉÈÊËÍÌÎÏĹŇÑ
ÓÒÔÕŔŘŠŤÚÙÛŴẄÝŶŸŽ
áàâãçčéèêëíìîïĺňñóòôõŕřš
úùûŵẅýŷÿž

Schriftweite weit
Schriftweite normal
Schriftweite eng
Schriftweite sehr eng
Schriftweite extrem eng

In general, bodytypes are measured in the typographical point size The sizes of Berthold Fototype faces can be exactly determined. All faces of same point size have the same capital height–irrespective of their x-height. In hot metal and many other phototypesetting systems the capital heights often differ considerably from one face to the other. For measuring point sizes, a trans

3,20 mm (12 p), Zeilenabstand 5,25 mm

NEWTEXT

Die Maßangabe zu Grundschriftgrößen erfolgt im allgemeinen in typographischen Punkten. Die Schriftgrößen der Berthold-Fotosatz-Schriften sind nach Messung exakt bestimmbar. Alle Schriften gleicher Punktgröße weisen, unabhängig von der Höhe ihrer Mittellängen, eine identische Versalhöhe auf. Im Bleisatz und bei vielen anderen Fotosatz-Systemen differieren die Versalhöhen von Schrift zu Schrift oft erheblich. Zum Messen von Schriftgrößen steht ein transparentes Größenmaß zur Verfügung. Zum Messen wird ein Versalbuchstabe mit dem Feld in Deckung gebracht, das den Buchstaben oben und unten scharf begrenzt. Unter

2,40 mm (9 p), Zeilenabstand 4 mm

NEWTEXT

La valeur de la force de corps des caractères de labeur èst généralement exprimée en points typographiques. La force de corps des caractères Berthold-Fototype peut être déterminée avec précision. Tous les caractères du même corps ont des capitales d'une hauteur identique, indépendamment de la hauteur des bas de casse sans jambage. Dans la composition plomb, ainsi que dans certains systèmes de photocomposition, la hauteur des capitales, varie souvent d'un caractère à l'autre. Pour déterminer la

2,65 mm (10 p), Zeilenabstand 4,50 mm

La indicación de las dimensiones para cuerpos de letra vásicos tiene lugar en general en puntos tipográficos. Los cuerpos de letra de los caracteres Berthold Fototype pueden determinarse exactemente par medición. Con independencia de la altura de sus longitudes centrales, todos los caracteres de idéntico cuerpo de letra presentan altura de mayúsculas idéntica. En la composición en plomo y en muchos otros sistemas de fotocomposición, las alturas de mayúsculas varían frecuentemmente en forma conside

1,60 mm (6 p), Zeilenabstand 2,50 mm

Größe mm	p	Zeilenabstand kp	Êp	Ex	100 Zeichen 0	−1	−2
1,33	5	1,60	2,13	—	114	111	108
1,60	6	2,00	2,50	2,50	135	131	127
1,86	7	2,31	2,94	—	155	151	147
2,15	8	2,69	3,38	3,38	176	171	166
2,40	9	3,00	3,75	4,00	197	191	185
2,65	10	3,31	4,19	4,50	217	210	203
2,92	11	3,63	4,56	4,69	238	231	224
3,20	12	3,94	5,00	5,25	258	250	242
3,45	13	4,25	5,44	—	278	270	262
3,72	14	4,63	5,81	—	298	289	280
3,98	15	4,94	6,25	—	319	310	301
4,25	16	5,25	6,69	—	339	329	319

WZ 17 E, NSW 0, MZB 0,82, F 0,13:0,10 (1,3), III
H 1–x 0,70–k 1,00–p 0,23–Ê 1,33–kp 1,23–Êp 1,56
BF 089 0527, Belegung 051: 085 0938 (095 0938)

Le misure relative al corpo dei caratteri vengono generalmente indicate in punti tipografici. Il corpo dei caratteri Fototypes può essere determinato con esattezza per semplice misurazione. Tutti i caratteri di uguale grandezza in punti hanno, indipendentemente dalla loro lunghezza, uguale altezza

2,15 mm (8 p), Zeilenabstand 3,38 mm

normal
regular
normal

NEWTEXT

normal
chiaro tondo
normal

Berthold-Schriften überzeugen durch Schärfe und
Qualität. Schriftqualität ist eine Frage der Erfahru
ng. Berthold hat diese Erfahrung seit über hundert
Jahren. Zuerst im Schriftguß, dann im Fotosatz. Be
rthold-Schriften sind weltweit geschätzt. Im Schri
ftenatelier München wird jeder Buchstabe in der
Größe von zwölf Zentimetern neu gezeichnet. Mit
messerscharfen Konturen, um für die Schriftschei
ben das Optimale an Konturenschärfe herauszuho

1,33 mm (5 p) 20 30 40

Berthold-Schriften überzeugen durch Schärfe
und Qualität. Schriftqualität ist eine Frage der
Erfahrung. Berthold hat diese Erfahrung seit ü
ber hundert Jahren. Zuerst im Schriftguß, dann
im Fotosatz. Berthold-Schriften sind weltweit
geschätzt. Im Schriftenatelier München wird je
der Buchstabe in der Größe von zwölf Zentime
tern neu gezeichnet. Mit messerscharfen Kont
uren, um für die Schriftscheiben das Optimale a

1,45 mm (5,5 p) 20 30 40

Berthold-Schriften überzeugen durch Sch
ärfe und Qualität. Schriftqualität ist eine F
rage der Erfahrung. Berthold hat diese Erf
ahrung seit über hundert Jahren. Zuerst im
Schriftguß, dann im Fotosatz. Berthold-Sc
hriften sind weltweit geschätzt. Im Schrift
enatelier München wird jeder Buchstabe in
der Größe von zwölf Zentimetern neu geze
ichnet. Mit messerscharfen Konturen, um

1,60 mm (6 p) 20 30 40

Berthold-Schriften überzeugen durch S
chärfe und Qualität. Schriftqualität ist
eine Frage der Erfahrung. Berthold hat
diese Erfahrung seit über hundert Jahr
en. Zuerst im Schriftguß, dann im Foto
satz. Berthold-Schriften sind weltweit
geschätzt. Im Schriftenatelier München
wird jeder Buchstabe in der Größe von z
wölf Zentimetern neu gezeichnet. Mit

1,75 mm (6,5 p) 20 30

Berthold-Schriften überzeugen durc
h Schärfe und Qualität. Schriftqualit
ät ist eine Frage der Erfahrung. Bert
hold hat diese Erfahrung seit über hu
ndert Jahren. Zuerst im Schriftguß, d
ann im Fotosatz. Berthold-Schriften
sind weltweit geschätzt. Im Schrifte
natelier München wird jeder Buchsta
be in der Größe von zwölf Zentimeter

1,86 mm (7 p) 20 30

Berthold-Schriften überzeugen du
rch Schärfe und Qualität. Schriftq
ualität ist eine Frage der Erfahrun
g. Berthold hat diese Erfahrung sei
t über hundert Jahren. Zuerst im S
chriftguß, dann im Fotosatz. Berth
old-Schriften sind weltweit gesch
ätzt. Im Schriftenatelier München
wird jeder Buchstabe in der Größe

2,00 mm (7,5 p) 20 30

Berthold-Schriften überzeugen d
urch Schärfe und Qualität. Schri
ftqualität ist eine Frage der Erfa
hrung. Berthold hat diese Erfah
rung seit über hundert Jahren. Z
uerst im Schriftguß, dann im Fot
osatz. Berthold-Schriften sind w
eltweit geschätzt. Im Schriften
atelier München wird jeder Buch

2,15 mm (8 p) 10 20 30

Ray Baker
1974
Intern. Typeface Corp.
H. Berthold AG

ABCDEFGHIJKLMNOPQ
RSTUVWXYZ
abcdefghijklmnopqrst
uvwxyz1/1234567890%
(.,-;:!¡?¿–)·[’‘„”“»«]
+–=/$£†*&§
ÄÅÆÖØŒÜäåæıöøœßü
ÁÀÂÃÇČÉÈÊËÍÌÎÏĹŇÑ
ÓÒÔÕŔŘŠŤÚÙÛŴẄÝŶŸŽ
áàâãçčéèêëíìîïĺňñóòôõŕřš
úùûŵẅýỳÿž

Schriftweite weit
Schriftweite normal
Schriftweite eng
Schriftweite sehr eng
Schriftweite extrem eng

Berlin
3,75 mm (14 p)

Berlin
4,25 mm (16 p)

Berlin
4,75 mm (18 p)

Berlin
5,30 mm (20 p)

Berlin
6,35 mm (24 p)

Berlin
7,40 mm (28 p)

Berlin
8,50 mm (32 p)

Berlin
9,55 mm (36 p)

Größe		Zeilenabstand			100 Zeichen		
mm	p	kp	Êp	Ex	0	−1	−2
1,33	5	1,63	2,06	2,00	119	116	113
1,60	6	1,94	2,44	2,50	140	136	132
1,86	7	2,31	2,88	3,00	161	157	153
2,15	8	2,63	3,31	3,50	183	178	173
2,40	9	2,94	3,69	3,75	205	199	193
2,65	10	3,25	4,06	4,25	226	219	212
2,92	11	3,56	4,50	4,75	247	240	233
3,20	12	3,88	4,88	5,25	268	260	252
3,45	13	4,19	5,25	5,75	289	281	273
3,72	14	4,56	5,69	–	310	301	292
3,98	15	4,88	6,06	–	331	322	313
4,25	16	5,19	6,50	–	352	342	332

WZ 16 E, NSW 0, MZB 0,85, F 0,17:0,13 (1,3), III
H 1–x 0,70–k 1,00–p 0,21–Ê 1,31–kp 1,21–Êp 1,52
BF 089 0528, Belegung 051: 085 0146 (095 0146)

Berthold-Schriften überzeug
en durch Schärfe und Qualitä
t. Schriftqualität ist eine Fra
ge der Erfahrung. Berthold h
at diese Erfahrung seit über
hundert Jahren. Zuerst im Sc
hriftguß, dann im Fotosatz. B
erthold-Schriften sind weltw

2,40 mm (9 p) 10 20

Berthold-Schriften überze
ugen durch Schärfe und Q
ualität. Schriftqualität ist
eine Frage der Erfahrung
Berthold hat diese Erfahr
ung seit über hundert Jah
ren. Zuerst im Schriftguß
dann im Fotosatz. Berthol

2,65 mm (10 p) 10 20

Berthold-Schriften über
zeugen durch Schärfe u
nd Qualität. Schriftquali
tät ist eine Frage der E
rfahrung. Berthold hat d
iese Erfahrung seit über
hundert Jahren. Zuerst i
m Schriftguß, dann im F

2,92 mm (11 p) 10 20

Berthold-Schriften üb
erzeugen durch Schär
fe und Qualität. Schrif
tqualität ist eine Frag
e der Erfahrung. Bert
hold hat diese Erfahr
ung seit über hundert
Jahren. Zuerst im Sch

3,20 mm (12 p) 10 20

Berthold-Schriften ü
berzeugen durch Sc
härfe und Qualität. S
chriftqualität ist ein
e Frage der Erfahru
ng. Berthold hat die
se Erfahrung seit üb
er hundert Jahren. Z

3,45 mm (13 p) 10

normal
regular
normal

NEWTEXT

normal
chiaro tondo
normal

Berthold-Schriften überzeugen durch Schärfe und Quali tät. Schriftqualität ist eine Frage der Erfahrung. Berthold hat diese Erfahrung seit über hundert Jahren. Zuerst im Schriftguß, dann im Fotosatz. Berthold-Schriften sind weltweit geschätzt. Im Schriftenatelier München wird je der Buchstabe in der Größe von zwölf Zentimetern neu gezeichnet. Mit messerscharfen Konturen, um für die Sc hriftscheiben das Optimale an Konturenschärfe heraus zuholen. Um die Qualität des Einzelzeichens im Belichtun

4,25 mm (16 p), Zeilenabstand 6,75 mm

NEWTEXT

In general, bodytypes are measured in the typographical point size. The sizes of Berthold Fototype faces can be exactly determined. All faces of same point size have the same capi tal height–irrespective of their x-hei ght. In hot metal and many other pho totypesetting systems the capital h eights often differ considerably from one face to the other. For measuring point sizes, a transparent size gauge is provided. To determine the point si ze, bring a capital letter into coincide nce with that field which precisely ci rcumscribes the letter at its upper an d lower margin. Below the field you fi nd the typographical point and below that the millimeter value which also r efers to the height of a capital letter. I n Berthold-phototypesetting, the ty pewidth can be modified. The stand ard setting width of typefaces is det

2,40 mm (9 p), Zeilenabstand 4,25 mm

NEWTEXT

La valeur de la force de corps des caractères de labeur èst géné ralement exprimée en points ty pographiques. La force de corps des caractères Berthold-Fototyp e peut être déterminée avec préc ision. Tous les caractères du mê me corps ont des capitales d'une hauteur identique, indépendam ment de la hauteur des bas de cas se sans jambage. Dans la compos ition plomb, ainsi que dans certai ns systèmes de photocompositi on, la hauteur des capitales varie souvent d'un caractère à l'autre Pour déterminer la force de corps de nos caractères, nous avons mis au point une réglette de hauteur d'œil transparente. On cherche le rectangle qui délimite exacteme

2,65 mm (10 p), Zeilenabstand 4,69 mm

La indicación de las dimensiones para cuerpos de letra básicos tiene lugar en general en puntos tipográ ficos. Los cuerpos de letra de los ca racteres Berthold Fototype pue den determinarse exactemente par medición. Con independencia de la altura de sus longitudes centra les, todos los caracteres de idéntico

2,15 mm (8 p), –1, Zeilenabstand 3,38 mm

123,–	$ 456,–	£ 7890,–	DM 1 %
234,–	$ 789,–	£ 1234,–	DM 2 %
567,–	$ 12,–	£ 5678,–	DM 3 %
890,–	$ 345,–	£ 9012,–	DM 4 %
123,–	$ 678,–	£ 3456,–	DM 5 %
456,–	$ 901,–	£ 7890,–	DM 6 %
789,–	$ 234,–	£ 1234,–	DM 7 %
12,–	$ 567,–	£ 5678,–	DM 8 %
345,–	$ 890,–	£ 9012,–	DM 9 %

BF 089 0529

Le misure relative al corpo dei carat teri vengono generalmente indicate in punti tipografici. Il corpo dei carat teri Fototypes può essere determi nato con esattezza per semplice mi surazione. Tutti i caratteri di uguale grandezza in punti hanno, indipen dentemente dalla loro lunghezza, u guale altezza delle maiuscole. Nella c

2,15 mm (8 p), –2, Zeilenabstand 3,38 mm

kursiv
italic
italique

NEWTEXT

cursiva
corsivo
kursiv

Måttangivelse för grunds tilsgrader sker i allmänhe t i typografiska punkter Stilar av Berthold Fototy pe kan efter mätning exa kt gradbestämmas. Alla typsnitt är av samma pu nktstorlek och har obero ende av x-höjden en iden tisk versalhöjd. I blysättn ing och i många andra fot osättsystem varierar ver salhöjden avsevärt från typsnitt till typsnitt. För mätning av stilgrader fin ns en transparent mätlinj al. Vid mätningen placera r man en versal bokstav så att rutorna finns stilst

2,92 mm (11 p), Zeilenabstand 4,69 mm

Ray Baker
1974
International Typeface Corp.
H. Berthold AG

ABCDEFGHIJKLMNOPQ
RSTUVWXYZ
abcdefghijklmnopqrstuvw
xyz1/1234567890%
(.,-;:!¡?¿–)·["„"“»«]
+−=/$£†&§*
ÄÅÆÖØŒÜäåæıöøœßü
ÁÀÂÃÇČÉÈÊËÍÌÎÏĹŇÑÓÒÔ
ÕŔŘŠŤÚÙÛŴẄÝŶŸŽ
áàâãçčéèêëíìîïĺňñóòôõŕřš
úùûŵẅýỳÿž

Schriftweite weit
Schriftweite normal
Schriftweite eng
Schriftweite sehr eng
Schriftweite extrem eng

In general, bodytypes a re measured in the typo graphical point size. The sizes of Berthold Fotot ype faces can be exact ly determined. All faces of same point size have the same capital heigth irrespective of their x-h eigth. In hot metal and many other phototype setting systems the ca pital heigths often diff er considerably from o ne face to the other. For measuring point sizes a transparent size gau

3,20 mm (12 p), Zeilenabstand 5,25 mm

NEWTEXT KURSIV

Die Maßangabe zu Grundschriftgröße n erfolgt im allgemeinen in typogr aphischen Punkten. Die Schriftgröße n der Berthold-Fotosatz-Schriften si nd nach Messung exakt bestimmbar Alle Schriften gleicher Punktgröße we isen, unabhängig von der Höhe ihrer Mittellängen, eine identische Versalh öhe auf. Im Bleisatz und bei vielen an deren Fotosatz-Systemen differieren die Versalhöhen von Schrift zu Schrift oft erheblich. Zum Messen von Schri ftgrößen steht ein transparentes Gr ößenmaß zur Verfügung. Zum Messen wird ein Versalbuchstabe mit dem Fel d in Deckung gebracht, das den Buchs taben oben und unten scharf begrenz t. Unter dem Feld ist die Schriftgröße

2,40 mm (9 p), Zeilenabstand 4 mm

NEWTEXT ITALIQUE

La valeur de la force de corps des caractères de labeur èst générale ment exprimée en points typogra phiques. La force de corps des ca ractères Berthold-Fototype peut être déterminée avec précision. To us les caractères du même corps o nt des capitales d'une hauteur ide ntique, indépendamment de la ha uteur des bas de casse sans ja mbage. Dans la composition plo mb, ainsi que dans certains syste ` mes de photocomposition, la hau teur des capitales, varie souvent d'un caractère à l'autre. Pour déte rminer la force de corps de nos car

2,65 mm (10 p), Zeilenabstand 4,50 mm

La indicación de las dimensiones para cuer pos de letra vásicos tiene lugar en general en puntos tipográficos. Los cuerpos de letra de los caracteres Berthold Fototype pueden de terminarse exactemente par medición. Con independencia de la altura de sus longitudes centrales, todos los caracteres de idéntico cuerpo de letra presentan altura de mayús culas idéntica. En la composición en plomo y en muchos otros sistemas de fotocomposici ón, las alturas de mayúsculas varían frecuen temmente en forma considerable de tipo de

1,60 mm (6 p), Zeilenabstand 2,50 mm

Größe		Zeilenabstand			100 Zeichen		
mm	p	kp	Êp	Ex	0	−1	−2
1,33	5	1,69	2,06	—	114	111	108
1,60	6	2,00	2,44	2,50	134	130	126
1,86	7	2,31	2,81	—	154	150	146
2,15	8	2,69	3,25	3,38	175	170	165
2,40	9	3,00	3,63	4,00	196	190	184
2,65	10	3,31	4,06	4,50	216	209	202
2,92	11	3,63	4,44	4,69	236	229	222
3,20	12	3,94	4,88	5,25	256	248	240
3,45	13	4,25	5,25	—	276	268	260
3,72	14	4,63	5,63	—	297	288	279
3,98	15	4,94	6,06	—	317	308	299
4,25	16	5,25	6,44	—	337	327	317

WZ 16 E, NSW 0, MZB 0,81, F 0,17:0,13 (1,4), III
H 1–x 0,70–k 1,00–p 0,23–Ê 1,28–kp 1,23–Êp 1,51
BF 089 0530, Belegung 051: 085 0152 (095 0152)

Le misure relative al corpo dei ca ratteri vengono generalmente in dicate in punti tipografici. Il corpo dei caratteri Fototypes può essere determinato con esattezza per s emplice misurazione. Tutti i carat teri di uguale grandezza in punti hanno, indipendentemente dalla loro lunghezza, uguale altezza del

2,15 mm (8 p), Zeilenabstand 3,38 mm

halbfett
demi-bold
demi-gras

NEWTEXT

seminegra
neretto
halvfet

Berthold-Schriften überzeugen durch Schärfe und Qualität. Schriftqualität ist eine Frage der Erfahrung. Berthold hat diese Erfahrung seit über hundert Jahren. Zuerst im Schriftguß, dann im Fotosatz. Berthold-Schriften sind weltweit geschätzt. Im Schriftenatelier München wird jeder Buchstabe in der Größe von zwölf Zentimetern neu gezeichnet. Mit messerscharfen Konturen, um f

1,60 mm (6 p), Zeilenabstand 2,50 mm

Berthold-Schriften überzeugen durch Schärfe und Qualität. Schriftqualität ist eine Frage der Erfahrung. Berthold hat diese Erfahrung seit über hundert Jahren. Zuerst im Schriftguß, dann im Fotosatz. Berthold-Schriften sind weltweit geschätzt. Im Schriftenatelier München wird jeder Buchsta

1,86 mm (7 p), Zeilenabstand 3,00 mm

Berthold-Schriften überzeugen durch Schärfe und Qualität. Schriftqualität ist eine Frage der Erfahrung. Berthold hat diese Erfahrung seit über hundert Jahren Zuerst im Schriftguß, dann im Fotosatz. Berthold-Schriften sind weltweit geschätzt. Im Schriften

2,15 mm (8 p), Zeilenabstand 3,50 mm

Ray Baker
1974
International Typeface
H. Berthold AG

ABCDEFGHIJKLMNOPQ
RSTUVWXYZ
abcdefghijklmnopqrst
uvwxyz+−=/$$†*&§
1/1 234567890%
(.,-;:!i?¿–)·[",„"‘»«]
ÄÅÆÖØŒÜäåæıøøœßü
ÁÀÂÃÇÉÈÊËÍÌÎÏĹŇÑÓÒÔÕ
ŔŘŠŤÚÙÛŴẄÝŶŸŽ
áàâãçčéèêëíìîïĺňñóòôõŕřš
úùûŵẅýŷÿž

Schriftweite weit
Schriftweite normal
Schriftweite eng
Schriftweite sehr eng
Schriftweite extrem eng

In general, bodytypes are measured in the typographical point size. The sizes of Berthold Fototype faces can be exactly determined. All faces of same point size have the same capital heigth–irrespective of their x-heigth. In hot metal and many other phototypesetting systems the capital heigths often differ considerably from one face to the other. For measuring point

3,20 mm (12 p), Zeilenabstand 5,25 mm

Berthold's quick brown fox jumps over the lazy dog and feel
3,75 mm (14 p)

Berthold's quick brown fox jumps over the lazy dog
4,25 mm (16 p)

Berthold's quick brown fox jumps over the lazy
4,75 mm (18 p)

Berthold's quick brown fox jumps over the
5,30 mm (20 p)

Berthold's quick brown fox jumps
6,35 mm (24 p)

Berthold's quick brown fox ju
7,40 mm (28 p)

Berthold's quick brown fo
8,50 mm (32 p)

Berthold's quick brown
9,55 mm (36 p)

Berthold-Schriften überzeugen durch Schärfe und Qualität. Schriftqualität ist eine Frage der Erfahrung. Berthold hat diese Erfahrung seit über hundert Jahren. Zuerst im Schriftguß, dann im Fotosatz. Berthold-Schriften sind weltw

2,40 mm (9 p), Zeilenabstand 4,00 mm

Größe		Zeilenabstand			100 Zeichen		
mm	p	kp	Êp	Ex	0	−1	−2
1,00	5	1,00	2,00		120	117	114
1,60	6	1,94	2,44	2,50	141	137	133
1,86	7	2,31	2,88	3,00	162	158	154
2,15	8	2,63	3,31	3,50	184	179	174
2,40	9	2,94	3,69	4,00	206	200	194
2,65	10	3,25	4,06	4,00	227	220	213
2,92	11	3,56	4,50	–	248	241	234
3,20	12	3,88	4,88	5,25	270	262	254
3,45	13	4,19	5,25	–	291	283	275
3,72	14	4,56	5,69	–	312	303	294
3,98	15	4,88	6,06	–	333	324	315
4,25	16	5,19	6,50	–	354	344	334

WZ 17 E, NSW 0, MZB 0,85, F 0,22:0,14 (1,6), III
H 1–x 0,70–k 1,00–p 0,21–Ê 1,31–kp 1,21–Êp 1,52
BF 089 0531, Belegung 051: 085 0149 (095 0149)

Berthold-Schriften überzeugen durch Schärfe und Qualität. Schriftqualität ist eine Frage der Erfahrung Berthold hat diese Erfahrung seit über hundert Jahren. Zuerst im Schriftguß, dann im Fotosatz. Berthold

2,65 mm (10 p), Zeilenabstand 4,00 mm

kursiv halbfett
demi-bold italic
italique demi-gras

NEWTEXT

seminegra cursiva
neretto corsivo
kursiv halvfet

Berthold-Schriften überzeugen durch Schär fe und Qualität. Schriftqualität ist eine Frage der Erfahrung. Berthold hat diese Erfahrung seit über hundert Jahren. Zuerst im Schriftg uß, dann im Fotosatz. Berthold-Schriften sin d weltweit geschätzt. Im Schriftenatelier M ünchen wird jeder Buchstabe in der Größe v on zwölf Zentimetern neu gezeichnet. Mit m esserscharfen Konturen, um für die Schrifts

1,60 mm (6 p), Zeilenabstand 2,50 mm

Berthold-Schriften überzeugen durch Schärfe und Qualität. Schriftqualität i st eine Frage der Erfahrung. Berthold hat diese Erfahrung seit über hundert Jahren. Zuerst im Schriftguß, dann im Fotosatz. Berthold-Schriften sind wel tweit geschätzt. Im Schriftenatelier M ünchen wird jeder Buchstabe in der Gr

1,86 mm (7 p), Zeilenabstand 3,00 mm

Berthold-Schriften überzeugen d urch Schärfe und Qualität. Schrift qualität ist eine Frage der Erfahr ung. Berthold hat diese Erfahrung seit über hundert Jahren. Zuerst i m Schriftguß, dann im Fotosatz. B erthold-Schriften sind weltweit g eschätzt. Im Schriftenatelier Mün

2,15 mm (8 p), Zeilenabstand 3,50 mm

Ray Baker
1974
International Typeface Corp.
H. Berthold AG

ABCDEFGHIJKLMNOPQ
RSTUVWXYZ
abcdefghijklmnopqrstuvw
xyz+−=/$$†&§*
1/1234567890%
(.,-;:!¡?¿–)·[',,"«»«]
ÄÅÆÖØŒÜäåæıöøœßü
ÁÀÂÃÇÉÈÊËÍÌÎÏĹŇÑÓÒÔÕ
ŔŘŠŤÚÙÛŴẄÝỲŶŸŽ
áàâãçčéèêëíìîïĺňñóòôõŕřš
úùûŵẅýỳŷÿž

Schriftweite weit
Schriftweite normal
Schriftweite eng
Schriftweite sehr eng
Schriftweite extrem eng

In general, bodytypes are measured in the ty pographical point size The sizes of Berthold Fototype faces can be exactly determined. A ll faces of same point s ize have the same capi tal height–irrespectiv e of their x-height. In h ot metal and many oth er phototypesetting s ystems the capital hei ghts often differ cons iderably from one face to the other. For meas uring point sizes, a tra

3,20 mm (12 p), Zeilenabstand 5,25 mm

Berthold's quick brown fox jumps over the lazy dog and feels a
3,75 mm (14 p)

Berthold's quick brown fox jumps over the lazy dog an
4,25 mm (16 p)

Berthold's quick brown fox jumps over the lazy
4,75 mm (18 p)

Berthold's quick brown fox jumps over the l
5,30 mm (20 p)

Berthold's quick brown fox jumps ov
6,35 mm (24 p)

Berthold's quick brown fox jum
7,40 mm (28 p)

Berthold's quick brown fox
8,50 mm (32 p)

Berthold's quick brown f
9,55 mm (36 p)

Berthold-Schriften überzeug en durch Schärfe und Qualität Schriftqualität ist eine Frage der Erfahrung. Berthold hat di ese Erfahrung seit über hund ert Jahren. Zuerst im Schriftg uß, dann im Fotosatz. Berthol d-Schriften sind weltweit ges

2,40 mm (9 p), Zeilenabstand 4,00 mm

Größe		Zeilenabstand			100 Zeichen		
mm	p	kp	Êp	Ex	0	−1	−2
1,33	5	1,63	2,06	–	114	111	108
1,60	6	1,94	2,50	2,50	135	131	127
1,86	7	2,31	2,88	3,00	155	151	147
2,15	8	2,63	3,31	3,50	176	171	166
2,40	9	2,94	3,69	4,00	197	191	185
2,65	10	3,25	4,06	4,00	217	210	203
2,92	11	3,56	4,50	–	238	231	224
3,20	12	3,88	4,94	5,25	258	250	242
3,45	13	4,19	5,31	–	278	270	262
3,72	14	4,56	5,75	–	298	289	280
3,98	15	4,88	6,13	–	319	310	301
4,25	16	5,19	6,56	–	339	329	319

WZ 16 E, NSW 0, MZB 0,82, F 0,21:0,13 (1,6), III
H 1–x 0,70–k 1,00–p 0,21–Ê 1,32–kp 1,21–Êp 1,53
BF 089 0532, Belegung 051: 085 2206 (095 2206)

Berthold-Schriften überze ugen durch Schärfe und Qu alität. Schriftqualität ist ei ne Frage der Erfahrung. Be rthold hat diese Erfahrung seit über hundert Jahren. Z uerst im Schriftguß, dann i m Fotosatz. Berthold-Schri

2,65 mm (10 p), Zeilenabstand 4,00 mm

normal
regular
normal

NORMANDE

normal
chiaro tondo
normal

**Berthold-Schriften überzeugen durch Schärf
e und Qualität. Schriftqualität ist eine Frage d
er Erfahrung. Berthold hat diese Erfahrung s
eit über hundert Jahren. Zuerst im Schriftgu
ß, dann im Fotosatz. Berthold-Schriften sind
weltweit geschätzt. Im Schriftenatelier Münc
hen wird jeder Buchstabe in der Größe von zw
ölf Zentimetern neu gezeichnet. Mit messersc
harfen Konturen, um für die Schriftscheiben**

1,60 mm (6 p), Zeilenabstand 2,50 mm

**Berthold-Schriften überzeugen durch
Schärfe und Qualität. Schriftqualität ist
eine Frage der Erfahrung. Berthold hat
diese Erfahrung seit über hundert Jahr
en. Zuerst im Schriftguß, dann im Fotos
atz. Berthold-Schriften sind weltweit g
eschätzt. Im Schriftenatelier München
wird jeder Buchstabe in der Größe von**

1,86 mm (7 p), Zeilenabstand 3,00 mm

**Berthold-Schriften überzeugen du
rch Schärfe und Qualität. Schriftq
ualität ist eine Frage der Erfahrun
g. Berthold hat diese Erfahrung seit
über hundert Jahren. Zuerst im Sc
hriftguß, dann im Fotosatz. Bertho
ld-Schriften sind weltweit geschät
zt. Im Schriftenatelier München wi**

2,15 mm (8 p), Zeilenabstand 3,50 mm

**1860
H. Berthold AG**

**ABCDEFGHIJKLMNOPQ
RSTUVWXYZ
abcdefghijklmnopqrstuvw
xyz 1/1234567890%
(.,-;:!¡?¿–)·[’‘„”“»«]
+–=/$£†*&§
ÄÅÆÖØŒÜäåæıöøœßü
ÁÀÂÃÇČÉÈÊËÍÌÎÏĹŇÑÓ
ÒÔÕŔŘŠŤÚÙÛŴẄÝŶŸŽ
áàâãçčéèêëíìîïĺňñóòôõŕřš
úùûŵẅýỳÿž**

**Schriftweite weit
Schriftweite normal
Schriftweite eng
Schriftweite sehr eng
Schriftweite extrem eng**

**In general, bodytypes a
re measured in the typo
graphical point size. T
he sizes of Berthold Fot
otype faces can be exact
ly determined. All faces
of same point size have
the same capital height
irrespective of their x-h
eight. In hot metal and
many other phototypes
etting systems the capit
al heights often differ c
onsiderably from one f
ace to the other. For me
asuring point sizes, a tr
ansparent size gauge is**

3,20 mm (12 p), Zeilenabstand 5,25 mm

Berthold's quick brown fox jumps over the lazy dog and feels as if
3,72 mm (14 p)

Berthold's quick brown fox jumps over the lazy dog and f
4,25 mm (16 p)

Berthold's quick brown fox jumps over the lazy dog
4,75 mm (18 p)

Berthold's quick brown fox jumps over the la
5,30 mm (20 p)

Berthold's quick brown fox jumps over
6,35 mm (24 p)

Berthold's quick brown fox jum
7,40 mm (28 p)

Berthold's quick brown fox j
8,50 mm (32 p)

Berthold's quick brown f
9,55 mm (36 p)

**Berthold-Schriften überzeugen
durch Schärfe und Qualität. Sc
hriftqualität ist eine Frage der
Erfahrung. Berthold hat diese
Erfahrung seit über hundert Ja
hren. Zuerst im Schriftguß, da
nn im Fotosatz. Berthold-Schri
ften sind weltweit geschätzt. Im**

2,40 mm (9 p), Zeilenabstand 4,00 mm

Größe mm	p	Zeilenabstand kp	Êp	Ex	100 Zeichen 0	–1	–2
1,33	5	1,81	2,25	–	114	111	108
1,60	6	2,19	2,69	2,50	134	130	126
1,86	7	2,56	3,13	3,00	154	150	146
2,15	8	2,94	3,63	3,50	175	170	165
2,40	9	3,25	4,06	4,00	196	190	184
2,65	10	3,63	4,50	4,00	216	209	202
2,92	11	4,00	4,94	–	236	229	222
3,20	12	4,38	5,38	5,25	256	248	240
3,45	13	4,69	5,81	–	276	268	260
3,72	14	5,06	6,25	–	297	288	279
3,98	15	5,38	6,69	–	317	308	299
4,25	16	5,75	7,19	–	337	327	317

WZ 16 E, NSW 0, MZB 0,81, F 0,33:0,14 (2,3), IV
H 1–x 0,71–k 1,00–p 0,35–Ê 1,33–kp 1,35–Êp 1,68
BF 089 1360, Belegung 051: 085 1476 (095 1476)

**Berthold-Schriften überzeu
gen durch Schärfe und Qual
ität. Schriftqualität ist eine
Frage der Erfahrung. Bert
hold hat diese Erfahrung seit
über hundert Jahren. Zuerst
im Schriftguß, dann im Foto
satz. Berthold-Schriften sin**

2,65 mm (10 p), Zeilenabstand 4,00 mm

kursiv
italic
italique

NORMANDE

cursiva
chiaro corsivo
kursiv

Berthold-Schriften überzeugen durch Schärfe und Qualität. Schriftqualität ist eine Frage der Erfahrung. Berthold hat diese Erfahrung seit über hundert Jahren. Zuerst im Schriftguß, d ann im Fotosatz. Berthold-Schriften sind welt weit geschätzt. Im Schriftenatelier München wird jeder Buchstabe in der Größe von zwölf Z entimetern neu gezeichnet. Mit messerscharfe n Konturen, um für die Schriftscheiben das Op

1,60 mm (6 p), Zeilenabstand 2,50 mm

Berthold-Schriften überzeugen durch S chärfe und Qualität. Schriftqualität ist e ine Frage der Erfahrung. Berthold hat d iese Erfahrung seit über hundert Jahre n. Zuerst im Schriftguß, dann im Fotosa tz. Berthold-Schriften sind weltweit ges chätzt. Im Schriftenatelier München wir d jeder Buchstabe in der Größe von zwölf

1,86 mm (7 p), Zeilenabstand 3,00 mm

Berthold-Schriften überzeugen du rch Schärfe und Qualität. Schriftqu alität ist eine Frage der Erfahrung Berthold hat diese Erfahrung seit ü ber hundert Jahren. Zuerst im Schr iftguß, dann im Fotosatz. Berthold Schriften sind weltweit geschätzt. I m Schriftenatelier München wird je

2,15 mm (8 p), Zeilenabstand 3,50 mm

1860
H. Berthold AG

ABCDEFGHIJKLMNOPQ
RSTUVWXYZ
abcdefghijklmnopqrstuvw
xyz 1/1234567890%
(.,-;:!¡?¿–)·[",„""»«]
+−=/$£†*&§
ÄÅÆÖØŒÜäåæıöøœßü
ÁÀÂÃÇČÉÈÊËÍÌÎÏĹŇÑÓÒ
ÔÕŔŘŠŤÚÙÛŴẄÝỲŶŸŽ
áàâãçčéèêëíìîïĺňñóòôõŕřš
úùûŵẅýỳÿž

Berthold-Schriftweite weit
Berthold-Schriftweite normal
Berthold-Schriftweite eng
Berthold-Schriftweite sehr eng
Berthold-Schriftweite extrem eng

In general, bodytypes a re measured in the typo graphical point size. Th e sizes of Berthold Foto type faces can be exactly determined. All faces of same point size have the same capital height–irr espective of their x-heig ht. In hot metal and ma ny other phototypesetti ng systems the capital heights often differ cons iderably from one face to the other. For measurin g point sizes, a transpar ent size gauge is provide

3,20 mm (12 p), Zeilenabstand 5,25 mm

Berthold's quick brown fox jumps over the lazy dog and feels as if
3,72 mm (14 p)

Berthold's quick brown fox jumps over the lazy dog and fe
4,25 mm (16 p)

Berthold's quick brown fox jumps over the lazy dog
4,75 mm (18 p)

Berthold's quick brown fox jumps over the laz
5,30 mm (20 p)

Berthold's quick brown fox jumps over
6,35 mm (24 p)

Berthold's quick brown fox jump
7,40 mm (28 p)

Berthold's quick brown fox j
8,50 mm (32 p)

Berthold's quick brown fo
9,55 mm (36 p)

Berthold-Schriften überzeugen durch Schärfe und Qualität. Sc hriftqualität ist eine Frage der Erfahrung. Berthold hat diese Erfahrung seit über hundert Ja hren. Zuerst im Schriftguß, dan n im Fotosatz. Berthold-Schrift en sind weltweit geschätzt. Im S

2,40 mm (9 p), Zeilenabstand 4,00 mm

Größe		Zeilenabstand			100 Zeichen		
mm	p	kp	Êp	Ex	0	−1	−2
1,33	5	1,81	2,19	–	112	109	106
1,60	6	2,13	2,63	2,50	132	128	124
1,86	7	2,50	3,06	3,00	152	148	144
2,15	8	2,88	3,56	3,50	173	168	163
2,40	9	3,25	3,94	4,00	194	188	182
2,65	10	3,56	4,38	4,00	214	207	200
2,92	11	3,94	4,81	–	234	227	220
3,20	12	4,31	5,25	5,25	253	245	237
3,45	13	4,63	5,63	–	273	265	257
3,72	14	5,00	6,13	–	293	284	275
3,98	15	5,31	6,50	–	313	304	295
4,25	16	5,69	6,94	–	330	320	310

WZ 16 E, NSW 0, MZB 0,80, F 0,29:0,03 (11,5), IV
H 1–x 0,67–k 1,00–p 0,33–Ê 1,30–kp 1,33–Êp 1,63
BF 089 1440, Belegung 051: 085 1477 (095 1477)

Berthold-Schriften überzeug en durch Schärfe und Qualit ät. Schriftqualität ist eine Fr age der Erfahrung. Berthold hat diese Erfahrung seit über hundert Jahren. Zuerst im S chriftguß, dann im Fotosatz Berthold-Schriften sind welt

2,65 mm (10 p), Zeilenabstand 4,00 mm

Buch
book
romain labeur

NOVARESE

libro
libro
buch

Berthold-Schriften überzeugen durch Schärfe und Qualität. Schriftqualität ist eine Frage der Erfahrung. Berthold hat diese Erfahrung seit über hundert Jahren. Zuerst im Schriftguß, dann im Fotosatz. Berthold-Schriften sind weltweit geschätzt. Im Schriftenatelier München wird jeder Buchstabe in der Größe von zwölf Zentimetern neu gezeichnet. Mit messerscharfen Konturen, um für die Schriftscheiben das Optimale an Konturenschärfe herauszuholen. Um die Qualität des Einzelzeichens im Belichtungsvorgang zu bewahren, wird durch die ruhende, nicht rotierende Schriftscheibe belichtet. Dieses optische Syst

1,33 mm (5 p) 20 30 40 50 60

Berthold-Schriften überzeugen durch Schärfe und Qualität. Schriftqualität ist eine Frage der Erfahrung. Berthold hat diese Erfahrung seit über hundert Jahren. Zuerst im Schriftguß, dann im Fotosatz. Berthold-Schriften sind weltweit geschätzt. Im Schriftenatelier München wird jeder Buchstabe in der Größe von zwölf Zentimetern neu gezeichnet. Mit messerscharfen Konturen, um für die Schriftscheiben das Optimale an Konturenschärfe herauszuholen. Um die Qualität des Einzelzeichens im Belichtungsvorgang zu bewahren, wird durch die ruhende, nicht rotierende Schrift

1,45 mm (5,5 p) 20 30 40 50 6

Berthold-Schriften überzeugen durch Schärfe und Qualität. Schriftqualität ist eine Frage der Erfahrung. Berthold hat diese Erfahrung seit über hundert Jahren. Zuerst im Schriftguß, dann im Fotosatz. Berthold-Schriften sind weltweit geschätzt. Im Schriftenatelier München wird jeder Buchstabe in der Größe von zwölf Zentimetern neu gezeichnet. Mit messerscharfen Konturen, um für die Schriftscheiben das Optimale an Konturenschärfe herauszuholen. Um die Qualität des Einzelzeichens im Belichtungsvorgang zu bewahren, w

1,60 mm (6 p) 20 30 40 50

Berthold-Schriften überzeugen durch Schärfe und Qualität. Schriftqualität ist eine Frage der Erfahrung. Berthold hat diese Erfahrung seit über hundert Jahren. Zuerst im Schriftguß, dann im Fotosatz. Berthold-Schriften sind weltweit geschätzt. Im Schriftenatelier München wird jeder Buchstabe in der Größe von zwölf Zentimetern neu gezeichnet. Mit messerscharfen Konturen, um für die Schriftscheiben das Optimale an Konturenschärfe herauszuholen. Um die Qualität des Einzelz

1,75 mm (6,5 p) 20 30 40 50

Berthold-Schriften überzeugen durch Schärfe und Qualität. Schriftqualität ist eine Frage der Erfahrung Berthold hat diese Erfahrung seit über hundert Jahren. Zuerst im Schriftguß, dann im Fotosatz. Berthold-Schriften sind weltweit geschätzt. Im Schriftenatelier München wird jeder Buchstabe in der Größe von zwölf Zentimetern neu gezeichnet. Mit messerscharfen Konturen, um für die Schriftscheiben das Optimale an Konturenschärfe herauszuholen. Um

1,86 mm (7 p) 20 30 40

Berthold-Schriften überzeugen durch Schärfe und Qualität. Schriftqualität ist eine Frage der Erfahrung. Berthold hat diese Erfahrung seit über hundert Jahren. Zuerst im Schriftguß, dann im Fotosatz. Berthold-Schriften sind weltweit geschätzt. Im Schriftenatelier München wird jeder Buchstabe in der Größe von zwölf Zentimetern neu gezeichnet. Mit messerscharfen Konturen, um für die Schriftscheiben das Optimale an Konturen

2,00 mm (7,5 p) 20 30 40

Berthold-Schriften überzeugen durch Schärfe und Qualität. Schriftqualität ist eine Frage der Erfahrung. Berthold hat diese Erfahrung seit über hundert Jahren. Zuerst im Schriftguß, dann im Fotosatz. Berthold-Schriften sind weltweit geschätzt. Im Schriftenatelier München wird jeder Buchstabe in der Größe von zwölf Zentimetern neu gezeichnet. Mit messerscharfen Konturen, um für die Schriftscheiben das

2,15 mm (8 p) 20 30 40

Aldo Novarese
1980
International Typeface Corp.
H. Berthold AG

ABCDEFGHIJKLMNOPQ
RSTUVWXYZ
abcdefghijklmnopqrstuvwxyz
1/1234567890%
(.,-;:!¡?¿–)·|'',""»«|
+−=/$£†*&§
ÄÅÆÖØŒÜäåæıöøœßü
ÁÀÂÃÇČÉÈÊËÍÌÎÏĹŇÑÓÒÔÕ
ŔŘŠŤÚÙÛŴẄÝỲŸŽ
áàâãçčéèêëíìîïĺňñóòôõŕřš
úùûŵẅýỳÿž

Berthold-Schriftweite weit
Berthold-Schriftweite normal
Berthold-Schriftweite eng
Berthold-Schriftweite sehr eng
Berthold-Schriftweite extrem eng

Berthold
3,72 mm (14 p)

Berthold
4,25 mm (16 p)

Berthold
4,75 mm (18 p)

Berthold
5,30 mm (20 p)

Berthold
6,35 mm (24 p)

Berthold
7,40 mm (28 p)

Berthold
8,50 mm (32 p)

Berthold
9,55 mm (36 p)

Größe mm	p	Zeilenabstand kp	Êp	Ex	100 Zeichen 0	−1	−2
1,33	5	1,75	2,10	2,00	88	85	82
1,60	6	2,06	2,50	2,50	104	100	96
1,86	7	2,44	2,94	3,00	120	116	112
2,15	8	2,81	3,38	3,50	136	131	126
2,40	9	3,13	3,75	3,75	152	146	140
2,65	10	3,44	4,13	4,25	168	161	154
2,92	11	3,75	4,56	4,75	184	177	170
3,20	12	4,13	5,00	5,25	199	191	183
3,45	13	4,44	5,38	5,75	215	207	199
3,72	14	4,81	5,81	–	231	222	213
3,98	15	5,13	6,19	–	246	237	228
4,25	16	5,44	6,63	–	262	252	242

WZ 12 E, NSW 0, MZB 0,63, F 0,09:0,05 (1,6), VI
H 1–x 0,73–k 1,13–p 0,28–Ê 1,27–kp 1,28–Êp 1,55
BF 089 0873, Belegung 051: 085 1015 (095 1015)

Berthold-Schriften überzeugen durch Schärfe und Qualität. Schriftqualität ist eine Frage der Erfahrung. Berthold hat diese Erfahrung seit über hundert Jahren. Zuerst im Schriftguß, dann im Fotosatz. Berthold-Schriften sind weltweit geschätzt Im Schriftenatelier München wird jeder Buchstabe in der Größe von zwölf Zentim

2,40 mm (9 p) 20 30

Berthold-Schriften überzeugen durch Schärfe und Qualität. Schriftqualität ist eine Frage der Erfahrung. Berthold hat diese Erfahrung seit über hundert Jahren. Zuerst im Schriftguß, dann im Fotosatz. Berthold-Schriften sind weltweit geschätzt. Im Schriftenatelier München wird jeder Buchstabe in d

2,65 mm (10 p) 20 30

Berthold-Schriften überzeugen durch Schärfe und Qualität. Schriftqualität ist eine Frage der Erfahrung. Berthold hat diese Erfahrung seit über hundert Jahren. Zuerst im Schriftguß, dann im Fotosatz. Berthold-Schriften sind weltweit geschätzt. Im Schriftenatelier Münch

2,92 mm (11 p) 10 20 30

Berthold-Schriften überzeugen durch Schärfe und Qualität Schriftqualität ist eine Frage der Erfahrung. Berthold hat diese Erfahrung seit über hundert Jahren. Zuerst im Schriftguß, dann im Fotosatz. Berthold-Schriften sind weltweit geschätzt. Im

3,20 mm (12 p) 10 20

Berthold-Schriften überzeugen durch Schärfe und Qualität. Schriftqualität ist eine Frage der Erfahrung. Berthold hat diese Erfahrung seit über hundert Jahren. Zuerst im Schriftguß, dann im Fotosatz. Berthold-Schriften sind weltw

3,45 mm (13 p) 10 20

Buch
book
romain labeur

NOVARESE

libro
libro
buch

Berthold-Schriften überzeugen durch Schärfe und Qualität. Schriftqualitä t ist eine Frage der Erfahrung. Berthold hat diese Erfahrung seit über hund ert Jahren. Zuerst im Schriftguß, dann im Fotosatz. Berthold-Schriften sind weltweit geschätzt. Im Schriftenatelier München wird jeder Buchstabe in d er Größe von zwölf Zentimetern neu gezeichnet. Mit messerscharfen Kon turen, um für die Schriftscheiben das Optimale an Konturenschärfe herau szuholen. Um die Qualität des Einzelzeichens im Belichtungsvorgang zu b ewahren, wird durch die ruhende, nicht rotierende Schriftscheibe belichte t. Dieses optische System, verbunden mit Präzisions-Chromglasscheiben

4,25 mm (16 p), Zeilenabstand 6,75 mm

NOVARESE BOOK

In general, bodytypes are measured in the typog raphical point size. The sizes of Berthold Fototyp e faces can be exactly determined. All faces of sa me point size have the same capital height–irresp ective of their x-height. In hot metal and many oth er phototypesetting systems the capital heights often differ considerably from one face to the oth er. For measuring point sizes, a transparent size g auge is provided. To determine the point size, bri ng a capital letter into coincidence with that field which precisely circumscribes the letter at its upp er and lower margin. Below the field you find the typographical point and below that the millimeter value, which also refers to the height of a capital l etter. In Berthold-phototypesetting, the typewidt h can be modified. The standard setting width of t ypefaces is determined by the principle of optimu m legibility. You should not depart from this type width without cogent reason. A typeface which is considered optically right when looked in a great er context, often seems bulky when applied for a small amount of text, e. g. labels and ads. Here, a

2,40 mm (9 p), Zeilenabstand 4,25 mm

NOVARESE ROMAIN LABEUR

La valeur de la force de corps des caractères de labeur èst généralement exprimée en poi nts typographiques. La force de corps des ca ractères Berthold-Fototype peut être déter minée avec précision. Tous les caractères du même corps ont des capitales d'une hauteur identique, indépendamment de la hauteur d es bas de casse sans jambage. Dans la comp osition plomb, ainsi que dans certains systè mes de photocomposition, la hauteur des ca pitales, varie souvent d'un caractère à l'autre Pour déterminer la force de corps de nos ca ractères, nous avons mis au point une réglett e de hauteur d'œil transparente. On cherche le rectangle qui délimite exactement la haute ur d'œil d'une capitale du caractère choisi. So us le rectangle correspondant la valeur de la force de corps est indiquée en points Didots et en millimètres. La valeur en millimètres exp rime également la hauteur des capitales. Pou

2,65 mm (10 p), Zeilenabstand 4,69 mm

La indicación de las dimensiones para cuerpos de letra vásicos tiene lugar en general en punto s tipográficos. Los cuerpos de letra de los cara cteres Berthold Fototype pueden determinars e exactemente par medición. Con independen cia de la altura de sus longitudes centrales, tod os los caracteres de idéntico cuerpo de letra p resentan altura de mayúsculas idéntica. En la c omposición en plomo y en muchos otros siste

2,15 mm (8 p), –1, Zeilenabstand 3,38 mm

123,– $	456,– £	7890,– DM	1 %
234,– $	789,– £	1234,– DM	2 %
567,– $	12,– £	5678,– DM	3 %
890,– $	345,– £	9012,– DM	4 %
123,– $	678,– £	3456,– DM	5 %
456,– $	901,– £	7890,– DM	6 %
789,– $	234,– £	1234,– DM	7 %
12,– $	567,– £	5678,– DM	8 %
345,– $	890,– £	9012,– DM	9 %

BF 089 0874

Le misure relative al corpo dei caratteri vengono generalmente indicate in punti tipografici. Il corpo dei caratteri Fototypes può essere determinato c on esattezza per semplice misurazione. Tutti i car atteri di uguale grandezza in punti hanno, indipen dentemente dalla loro lunghezza, uguale altezza delle maiuscole. Nella composizione in piombo e d in molti altri sistemi di fotocomposizione, l'altez za delle maiuscole varia spesso da carattere a car

2,15 mm (8 p), –2, Zeilenabstand 3,38 mm

Buch Kapitälchen
book caps
romain labeur petites capitales

NOVARESE

libro mayusculita
libro maiuscoletto
buch kapitäler

BERTHOLD-SCHRIFTEN ÜBE
RZEUGEN DURCH SCHÄRFE U
ND QUALITÄT. SCHRIFTQUAL
ITÄT IST EINE FRAGE DER ER
FAHRUNG. BERTHOLD HAT D
IESE ERFAHRUNG SEIT ÜBER
HUNDERT JAHREN. ZUERST I
M SCHRIFTGUSS, DANN IM F
OTOSATZ. BERTHOLD-SCHRI
FTEN SIND WELTWEIT GESCH
ÄTZT. IM SCHRIFTENATELIER
MÜNCHEN WIRD JEDER BUCH
STABE IN DER GRÖSSE VON Z
WÖLF ZENTIMETERN NEU GE
ZEICHNET. MIT MESSERSCHA
RFEN KONTUREN, UM FÜR DI
E SCHRIFTSCHEIBEN DAS OP

3,20 mm (12 p), Zeilenabstand 5,25 mm

ALDO NOVARESE
1980
INTERNATIONAL TYPEFACE CORP.
H. BERTHOLD AG

ABCDEFGHIJKLMNOPQ
RSTUVWXYZ
ABCDEFGHIJKLMNOPQRSTUVWXYZ
1234567890 %
(.,-;:!i?¿—)·[''„""»«›‹]
+-=/$£†*&§©
ÄÅÆÖØŒÜÄÅÆÖØŒÜ
ÁÀÂÃÇČÉÈÊËÍÌÎÏĹÑŇÓÒÔÕ
ŔŘŠŤÚÙÛŴŴÝŶŸŽ
ÁÀÂÃÇČÉÈÊËÍÌÎÏĹÑŇÓÒÔÕŔŘŠ
ÚÙÛŴŴÝŶŸŽ

BERTHOLD-SCHRIFTWEITE WEIT
BERTHOLD-SCHRIFTWEITE NORMAL
BERTHOLD-SCHRIFTWEITE ENG
BERTHOLD-SCHRIFTWEITE SEHR ENG
BERTHOLD-SCHRIFTWEITE EXTREM ENG

LA VALEUR DE LA FORCE
DE CORPS DES CARACTER
ES DE LABEUR EST GENER
ALEMENT EXPRIMEE EN P
OINTS TYPOGRAPHIQUES
LA FORCE DE CORPS DES
CARACTERES BERTHOLD
FOTOTYPE PEUT ETRE DET
ERMINEE AVEC PRECISIO
N. TOUS LES CARACTERES
DU MEME CORPS ONT DES
CAPITALES D'UNE HAUTE
UR IDENTIQUE, INDEPEND
AMMENT DE LA HAUTEUR
DES BAS DE CASSE SANS
JAMBAGE. DANS LA COMP
OSITION PLOMB, AINSI QU

3,20 mm (12 p), Zeilenabstand 5,25 mm

8/5

MARIE-THERÈSE ROCHEFORT
DIRECTRICE

69, RUE VICTOR HUGO, 75 PARIS, TÉLÉPHONE 37 25 86

10/7

FLORENTINO LEONCAVALLO
MAÎTRE DE PLAISIR

VIA LUDOVICA ARETINO 33, FIRENZE

12/9

EULALIA LOEFFEL
DIÄTKÖCHIN

VILSHOFEN, AM GÄNSEMARKT 2

BERLIN
3,72 mm (14 p)

BERLIN
4,25 mm (16 p)

BERLIN
4,75 mm (18 p)

BERLIN
5,30 mm (20 p)

BERLIN
6,35 mm (24 p)

BERLIN
7,40 mm (28 p)

BERLIN
8,50 mm (32 p)

BERLIN
9,55 mm (36 p)

9/6

HANS-OTTO VON SCHLICK
LANDRAT

AM HORST 10, KAPPELN, TEL. 66 34

11/8

JAN VAN DER FALK
DETEKTIVBÜRO

HALVE STRAAT 78, AMSTERDAM

13/10

VLADIMIR IRIBOZOV
SAXOPHONIST

DOMGASSE 2, MÜNCHEN

LA INDICACIÓN DE LAS DIMENSIONES PARA CUERPOS DE LETRA V
ÁSICOS TIENE LUGAR EN GENERAL EN PUNTOS TIPOGRÁFICOS. LO
S CUERPOS DE LETRA DE LOS CARACTERES BERTHOLD FOTOTYPE P
UEDEN DETERMINARSE EXACTEMENTE PAR MEDICIÓN. CON INDEP
ENDENCIA DE LA ALTURA DE SUS LONGITUDES CENTRALES, TODOS
LOS CARACTERES DE IDÉNTICO CUERPO DE LETRA PRESENTAN ALT
URA DE MAYÚSCULAS IDÉNTICA. EN LA COMPOSICIÓN EN PLOMO Y
EN MUCHOS OTROS SISTEMAS DE FOTOCOMPOSICIÓN, LAS ALTUR
AS DE MAYÚSCULAS VARÍAN FRECUENTEMMENTE EN FORMA CONS
IDERABLE DE TIPO DE LETRA A TIPO DE LETRA. PARA MEDIR LOS C
UERPOS DE LETRA SE DISPONE DE UN TIPÓMETRO, VÉASE LA FIGUR
A. PARA LA MEDICIÓN SE HACE COINCIDIR UNA LETRA MAYÚSCULA
CON LA CASILLA CUYOS EXTREMOS COINCIDEN CON LOS EXTREMO
S SUPERIOR E INFERIOR DE LA LETRA. BAJO LA CASILLA SE INDICA
EL CUERPO DE LETRA EN PUNTOS TIPOGRÁFICOS DIDOT, Y DEBAJO

1,33 mm (5 p), Zeilenabstand 1,94 mm

LE MISURE RELATIVE AL CORPO DEI CARATTERI VE
NGONO GENERALMENTE INDICATE IN PUNTI TIPO
GRAFICI. IL CORPO DEI CARATTERI FOTOTYPES PU
Ò ESSERE DETERMINATO CON ESATTEZZA PER SEM
PLICE MISURAZIONE. TUTTI I CARATTERI DI UGUAL
E GRANDEZZA IN PUNTI HANNO, INDIPENDENTEM
ENTE DALLA LORO LUNGHEZZA, UGUALE ALTEZZA
DELLE MAIUSCOLE. NELLA COMPOSIZIONE IN PIO
MBO ED IN MOLTI ALTRI SISTEMI DI FOTOCOMPOS
IZIONE, L'ALTEZZA DELLE MAIUSCOLE VARIA SPES
SO DA CARATTERE A CARATTERE. PER MISURARE I
L CORPO DEI CARATTERI È INDISPENSABILE UN AP

1,60 mm (6 p), Zeilenabstand 2,44 mm
WZ 15 E, NSW +2, VI
BF 089 0875, Belegung 027: 085 1016 (095 1016)

IN GENERAL BODYTYPES ARE MEASURED IN THE
TYPOGRAPHICAL POINT SIZE. THE SIZES OF BERT
HOLD-FOTOTYPE FACES CAN BE EXACTLY DETER
MINED. ALL FACES OF SAME POINT SIZE HAVE TH
E SAME CAPITAL HEIGHT–IRRESPECTIVE OF THEI
R X-HEIGHT. IN HOT METAL AND MANY OTHER PH
OTOTYPESETTING SYSTEMS THE CAPITAL HEIGHT
S OFTEN DIFFER CONSIDERABLY FROM ONE FACE
TO THE OTHER. FOR MEASURING POINT SIZES, A
TRANSPARENT SIZE GAUGE IS PROVIDED. TO DET

1,86 mm (7 p), Zeilenabstand 3,00 mm

Buch kursiv
book italic
romain labeur italique

NOVARESE

libro cursiva
libro corsivo
buch kursiv

Måttangivelse för grundstilsgrader s ker i allmänhet i typografiska punkter Stilar av Berthold Fototype *kan efter mätning exakt gradbestämmas.* Alla *typsnitt är av samma punktstorlek och har oberoende av x-höjden en identisk versalhöjd.* I *blysättning och i många andra fotosättsystem v arierar versal höjden avsevärt från t ypsnitt till typs nitt.* För *mätning av stilgrader finns en transparent mätl injal.* Vid *mätningen placerar man en versal bokstav så att rutorna begränsar tecknet upptill och nedtill.* Under *rutorna finns stilstorlek en i typografiska didotpunkter och i m m.* Även *millimeteruppgiften avser ve rsalhöjden.* Vid *stilstorleksuppgifter a nges alltid måttenheten efter sifferupg iften t ex 14 punkter eller 14 p.* Berthol

2,92 mm (11 p), Zeilenabstand 4,69 mm

Aldo Novarese
1980
International Typeface Corp.
H. *Berthold* AG

ABCDEFGHIJKLMNOPQ
RSTUVWXYZ
abcdefghijklmnopqrstuvwxyz
1/1234567890%
(.,-;:!¡?¿–)·[‘‘„”“»«]
+–=/$£†*&§
ÄÅÆÖØŒÜ*äåæıöøœßü*
ÁÀÂÃÇČÉÈÊËÍÌÎÏĹŇÑÓÒÔÕ
ŔŘŠŤÚÙÛŴẄÝŶŸŽ
áàâãçčéèêëíìîïĺňñóòôõŕřš
úùûŵẅýỳÿž

Berthold-Schriftweite weit
Berthold-Schriftweite normal
Berthold-Schriftweite eng
Berthold-Schriftweite sehr eng
Berthold-Schriftweite extrem eng

In general, bodytypes are measured in the typographical point size. The *sizes of* Berthold Fototype *faces can be exactly determined* All. *faces of s ame point size have the same capital height–irrespective of their x-heig ht.* In *hot metal and many other ph ototypesetting systems the capital heights often differ considerably fr om one face to the other.* For *meas uring point sizes, a transparent size gauge is provided.* To *determine the point size, bring a capital letter into coincidence with that field which pre cisely circumscribes the letter at its upper and lower margin.* Below *the field you find the typographical po*

3,20 mm (12 p), Zeilenabstand 5,25 mm

NOVARESE

Die Maßangabe zu Grundschriftgrößen erfolgt im allge meinen in typographischen Punkten. Die *Schriftgrößen der Berthold-Fotosatz-Schriften sind nach Messung ex akt bestimmbar.* Alle *Schriften gleicher Punktgröße wei sen, unabhängig von der Höhe ihrer Mittellängen, eine i dentische Versalhöhe auf.* Im *Bleisatz und bei vielen and eren Fotosatz-Systemen differieren die Versalhöhen von Schrift zu Schrift oft erheblich.* Zum *Messen von Schrift größen steht ein transparentes Größenmaß zur Verfügu ng.* Zum *Messen wird ein Versalbuchstabe mit dem Feld in Deckung gebracht, das den Buchstaben oben und unt en scharf begrenzt.* Unter *dem Feld ist die Schriftgröße in typographischen Didot-Punkten, darunter in Millimete rn angegeben.* Auch *die Millimeterangaben beziehen sic h auf die Höhe der Versalbuchstaben.* Die *Schriftweite k ann im Berthold-Fotosatz beliebig verändert werden.* Di *e Festlegung der Normalschriftweite erfolgt nach dem Pr inzip der optimalen Lesbarkeit bei größeren Textmengen*

2,40 mm (9 p), Zeilenabstand 4 mm

NOVARESE

La valeur de la force de corps des caractères de labeur èst généralement exprimée en points typographiqu es. La *force de corps des caractères Berthold-Fototy pe peut être déterminée avec précision.* Tous *les cara ctères du même corps ont des capitales d'une hauteur identique, indépendamment de la hauteur des bas de casse sans jambage.* Dans *la composition plomb, a insi que dans certains systèmes de photocompositio n, la hauteur des capitales, varie souvent d'un carac tère à l'autre.* Pour *déterminer la force de corps de n os caractères, nous avons mis au point une réglette d e hauteur d'œil transparente.* On *cherche le rectang le qui délimite exactement la hauteur d'œil d'une ca pitale du caractère choisi.* Sous *le rectangle corresp ondant la valeur de la force de corps est indiquée en points* Didots *et en millimètres.* La *valeur en millim*

2,65 mm (10 p), Zeilenabstand 4,50 mm

La indicación de las dimensiones para cuerpos de letra vásicos tiene lugar en general en puntos tipográficos. Los *cuerpos de letra de los caracteres* Berthold Fototype *pueden determinarse exactemente par medición.* Con *independencia de la altura de sus longitudes central es, todos los caracteres de idéntico cuerpo de letra presentan altura de mayúsculas idéntica.* En *la composición en plomo y en muchos o tros sistemas de fotocomposición, las alturas de mayúsculas varían frecuentemmente en forma considerable de tipo de letra a tipo de let ra.* Para *medir los cuerpos de letra se dispone de un tipómetro, véase la figura.* Para *la medición se hace coincidir una letra mayúscula c on la casilla cuyos extremos coinciden con los extremos superior e in ferior de la letra.* Bajo *la casilla se indica el cuerpo de letra en puntos*

1,60 mm (6 p), Zeilenabstand 2,50 mm

Größe mm	p	Zeilenabstand kp	Êp	Ex	100 Zeichen 0	−1	−2
1,33	5	1,88	2,13	–	75	72	69
1,60	6	2,31	2,50	2,50	88	84	80
1,86	7	2,63	2,94	–	101	97	93
2,15	8	3,06	3,38	3,38	115	110	105
2,40	9	3,44	3,75	4,00	129	123	117
2,65	10	3,75	4,13	4,50	142	135	128
2,92	11	4,13	4,56	4,69	155	148	141
3,20	12	4,56	5,00	5,25	168	160	152
3,45	13	4,88	5,38	–	182	174	166
3,72	14	5,25	5,81	–	195	186	177
3,98	15	5,63	6,19	–	208	199	190
4,25	16	6,00	6,63	–	221	211	201

WZ 12 E, NSW 0, MZB 0,54, F 0,09:0,04 (2,1), III
H 1–x 0,73–k 1,13–p 0,28–Ê 1,27–kp 1,41–Êp 1,55
BF 089 0940, Belegung 051: 085 1021 (095 1021)

Le misure relative al corpo dei caratteri vengono ge neralmente indicate in punti tipografici. Il *corpo dei caratteri* Fototypes *può essere determinato con esat tezza per semplice misurazione.* Tutti *i caratteri di u guale grandezza in punti hanno, indipendentemen te dalla loro lunghezza, uguale altezza delle maiusc ole.* Nella *composizione in piombo ed in molti altri s istemi di fotocomposizione, l'altezza delle maiuscole varia spesso da carattere a carattere.* Per *misurare il*

2,15 mm (8 p), Zeilenabstand 3,38 mm

normal
medium
normal

NOVARESE

normal
chiaro tondo
normal

Berthold-Schriften überzeugen durch Schärfe und Qualität. Schrift
qualität ist eine Frage der Erfahrung. Berthold hat diese Erfahrung
seit über hundert Jahren. Zuerst im Schriftguß, dann im Fotosatz. B
erthold-Schriften sind weltweit geschätzt. Im Schriftenatelier Mün
chen wird jeder Buchstabe in der Größe von zwölf Zentimetern ne
u gezeichnet. Mit messerscharfen Konturen, um für die Schriftsche
iben das Optimale an Konturenschärfe herauszuholen. Um die Qu
alität des Einzelzeichens im Belichtungsvorgang zu bewahren, wir
d durch die ruhende, nicht rotierende Schriftscheibe belichtet. Die

1,33 mm (5 p) 20 30 40 50 60

Berthold-Schriften überzeugen durch Schärfe und Qualität. S
chriftqualität ist eine Frage der Erfahrung. Berthold hat diese
Erfahrung seit über hundert Jahren. Zuerst im Schriftguß, dan
n im Fotosatz. Berthold-Schriften sind weltweit geschätzt. Im
Schriftenatelier München wird jeder Buchstabe in der Größe
von zwölf Zentimetern neu gezeichnet. Mit messerscharfen K
onturen, um für die Schriftscheiben das Optimale an Konture
nschärfe herauszuholen. Um die Qualität des Einzelzeichens i
m Belichtungsvorgang zu bewahren, wird durch die ruhende

1,45 mm (5,5 p) 20 30 40 50

Berthold-Schriften überzeugen durch Schärfe und Qual
ität. Schriftqualität ist eine Frage der Erfahrung. Berthol
d hat diese Erfahrung seit über hundert Jahren. Zuerst i
m Schriftguß, dann im Fotosatz. Berthold-Schriften sind
weltweit geschätzt. Im Schriftenatelier München wird j
eder Buchstabe in der Größe von zwölf Zentimetern ne
u gezeichnet. Mit messerscharfen Konturen, um für die
Schriftscheiben das Optimale an Konturenschärfe hera
uszuholen. Um die Qualität des Einzelzeichens im Belic

1,60 mm (6 p) 20 30 40 50

Berthold-Schriften überzeugen durch Schärfe und
Qualität. Schriftqualität ist eine Frage der Erfahrung
Berthold hat diese Erfahrung seit über hundert Jahr
en. Zuerst im Schriftguß, dann im Fotosatz. Berthold
Schriften sind weltweit geschätzt. Im Schriftenatelie
r München wird jeder Buchstabe in der Größe von z
wölf Zentimetern neu gezeichnet. Mit messerscharf
en Konturen, um für die Schriftscheiben das Optima
le an Konturenschärfe herauszuholen. Um die Quali

1,75 mm (6,5 p) 20 30 40

Berthold-Schriften überzeugen durch Schärfe un
d Qualität. Schriftqualität ist eine Frage der Erfah
rung. Berthold hat diese Erfahrung seit über hund
ert Jahren. Zuerst im Schriftguß, dann im Fotosatz
Berthold-Schriften sind weltweit geschätzt. Im S
chriftenatelier München wird jeder Buchstabe in
der Größe von zwölf Zentimetern neu gezeichne
t. Mit messerscharfen Konturen, um für die Schrif
tscheiben das Optimale an Konturenschärfe her

1,86 mm (7 p) 20 30 40

Berthold-Schriften überzeugen durch Schärf
e und Qualität. Schriftqualität ist eine Frage de
r Erfahrung. Berthold hat diese Erfahrung seit
über hundert Jahren. Zuerst im Schriftguß, da
nn im Fotosatz. Berthold-Schriften sind weltw
eit geschätzt. Im Schriftenatelier München wi
rd jeder Buchstabe in der Größe von zwölf Ze
ntimetern neu gezeichnet. Mit messerscharfe
n Konturen, um für die Schriftscheiben das Op

2,00 mm (7,5 p) 20 30 40

Berthold-Schriften überzeugen durch Schä
rfe und Qualität. Schriftqualität ist eine Frag
e der Erfahrung. Berthold hat diese Erfahru
ng seit über hundert Jahren. Zuerst im Schri
ftguß, dann im Fotosatz. Berthold-Schriften
sind weltweit geschätzt. Im Schriftenatelier
München wird jeder Buchstabe in der Größ
e von zwölf Zentimetern neu gezeichnet. M
it messerscharfen Konturen, um für die Sch

2,15 mm (8 p) 20 30 40

Aldo Novarese
1980
International Typeface Corp.
H. Berthold AG

ABCDEFGHIJKLMNOPQ
RSTUVWXYZ
abcdefghijklmnopqrstuvwxyz
1/1234567890%
(.,-;:!¡?¿–)·[‘„”“»«]
+−=/$£†*&§
ÄÅÆÖØŒÜäåæıöøœßü
ÁÀÂÃÇČÉÈÊËÍÌÎÏĹŇÑÓÒÔÕ
ŔŘŠŤÚÙÛŴẄÝŶŸŽ
áàâãçčéèêëíìîïĺňñóòôõŕřš
úùûŵẅýỳÿž

Berthold-Schriftweite weit
Berthold-Schriftweite normal
Berthold-Schriftweite eng
Berthold-Schriftweite sehr eng
Berthold-Schriftweite extrem eng

Berthold
3,72 mm (14 p)

Berthold
4,25 mm (16 p)

Berthold
4,75 mm (18 p)

Berthold
5,30 mm (20 p)

Berthold
6,35 mm (24 p)

Berthold
7,40 mm (28 p)

Berthold
8,50 mm (32 p)

Berthold
9,55 mm (36 p)

Größe		Zeilenabstand			100 Zeichen		
mm	p	kp	Êp	Ex	0	−1	−2
1,33	5	1,88	2,13	2,00	91	88	85
1,60	6	2,31	2,50	2,50	107	103	99
1,86	7	2,63	2,94	3,00	123	119	115
2,15	8	3,06	3,38	3,50	140	135	130
2,40	9	3,44	3,75	3,75	157	151	145
2,65	10	3,75	4,13	4,25	173	166	159
2,92	11	4,13	4,56	4,75	189	182	175
3,20	12	4,56	5,00	5,25	205	197	189
3,45	13	4,88	5,38	5,75	221	213	205
3,72	14	5,25	5,81	–	237	228	219
3,98	15	5,63	6,19	–	253	244	235
4,25	16	6,00	6,63	–	269	259	249

WZ 13 E, NSW 0, MZB 0,65, F 0,13:0,08 (1,7), VI
H 1–x 0,73–k 1,13–p 0,28–Ê 1,27–kp 1,41–Êp 1,55
BF 089 0870, Belegung 051: 085 1017 (095 1017)

Berthold-Schriften überzeugen durch
Schärfe und Qualität. Schriftqualität ist
eine Frage der Erfahrung. Berthold hat
diese Erfahrung seit über hundert Jahr
en. Zuerst im Schriftguß, dann im Fotos
atz. Berthold-Schriften sind weltweit g
eschätzt. Im Schriftenatelier München
wird jeder Buchstabe in der Größe von

2,40 mm (9 p) 20 30

Berthold-Schriften überzeugen du
rch Schärfe und Qualität. Schriftqu
alität ist eine Frage der Erfahrung
Berthold hat diese Erfahrung seit ü
ber hundert Jahren. Zuerst im Schri
ftguß, dann im Fotosatz. Berthold
Schriften sind weltweit geschätzt. I
m Schriftenatelier München wird j

2,65 mm (10 p) 20 30

Berthold-Schriften überzeugen
durch Schärfe und Qualität. Schr
iftqualität ist eine Frage der Erfa
hrung. Berthold hat diese Erfahr
ung seit über hundert Jahren. Zu
erst im Schriftguß, dann im Foto
satz. Berthold-Schriften sind we
ltweit geschätzt. Im Schriftenate

2,92 mm (11 p) 10 20 3

Berthold-Schriften überzeug
en durch Schärfe und Qualitä
t. Schriftqualität ist eine Frage
der Erfahrung. Berthold hat di
ese Erfahrung seit über hund
ert Jahren. Zuerst im Schriftgu
ß, dann im Fotosatz. Berthold
Schriften sind weltweit gesch

3,20 mm (12 p) 10 20

Berthold-Schriften überze
ugen durch Schärfe und Qu
alität. Schriftqualität ist eine
Frage der Erfahrung. Berth
old hat diese Erfahrung seit
über hundert Jahren. Zuerst
im Schriftguß, dann im Foto
satz. Berthold-Schriften sin

3,45 mm (13 p) 10 20

normal
medium
normal

NOVARESE

normal
chiaro tondo
normal

Berthold-Schriften überzeugen durch Schärfe und Qualität. Schriftqu alität ist eine Frage der Erfahrung. Berthold hat diese Erfahrung seit üb er hundert Jahren. Zuerst im Schriftguß, dann im Fotosatz. Berthold-Sc hriften sind weltweit geschätzt. Im Schriftenatelier München wird jede r Buchstabe in der Größe von zwölf Zentimetern neu gezeichnet. Mit messerscharfen Konturen, um für die Schriftscheiben das Optimale an Konturenschärfe herauszuholen. Um die Qualität des Einzelzeichens i m Belichtungsvorgang zu bewahren, wird durch die ruhende, nicht roti erende Schriftscheibe belichtet. Dieses optische System, verbunden

4,25 mm (16 p), Zeilenabstand 6,75 mm

NOVARESE MEDIUM

In general, bodytypes are measured in the typo graphical point size. The sizes of Berthold Fotot ype faces can be exactly determined. All faces o f same point size have the same capital height–i rrespective of their x-height. In hot metal and m any other phototypesetting systems the capital heights often differ considerably from one face to the other. For measuring point sizes, a transp arent size gauge is provided. To determine the point size, bring a capital letter into coincidence with that field which precisely circumscribes th e letter at its upper and lower margin. Below the field you find the typographical point and below that the millimeter value, which also refers to th e height of a capital letter. In Berthold-phototyp esetting, the typewidth can be modified. The st andard setting width of typefaces is determine d by the principle of optimum legibility. You sho uld not depart from this typewidth without coge nt reason. A typeface which is considered optic ally right when looked in a greater context, often seems bulky when applied for a small amount o

2,40 mm (9 p), Zeilenabstand 4,25 mm

NOVARESE NORMAL

La valeur de la force de corps des caractèr es de labeur èst généralement exprimée e n points typographiques. La force de corps des caractères Berthold-Fototype peut êtr e déterminée avec précision. Tous les cara ctères du même corps ont des capitales d une hauteur identique, indépendamment de la hauteur des bas de casse sans jamba ge. Dans la composition plomb, ainsi que d ans certains systèmes de photocompositi on, la hauteur des capitales, varie souvent d'un caractère à l'autre. Pour déterminer la force de corps de nos caractères, nous avo ns mis au point une réglette de hauteur d œil transparente. On cherche le rectangle qui délimite exactement la hauteur d'œil d une capitale du caractère choisi. Sous le re ctangle correspondant la valeur de la force de corps est indiquée en points Didots et e n millimètres. La valeur en millimètres expr

2,65 mm (10 p), Zeilenabstand 4,69 mm

La indicación de las dimensiones para cuerp os de letra vásicos tiene lugar en general en p untos tipográficos. Los cuerpos de letra de lo s caracteres Berthold Fototype pueden dete rminarse exactemente par medición. Con ind ependencia de la altura de sus longitudes ce ntrales, todos los caracteres de idéntico cuer po de letra presentan altura de mayúsculas id éntica. En la composición en plomo y en muc

2,15 mm (8 p), –1, Zeilenabstand 3,38 mm

123,– $	456,– £	7890,– DM	1 %
234,– $	789,– £	1234,– DM	2 %
567,– $	12,– £	5678,– DM	3 %
890,– $	345,– £	9012,– DM	4 %
123,– $	678,– £	3456,– DM	5 %
456,– $	901,– £	7890,– DM	6 %
789,– $	234,– £	1234,– DM	7 %
12,– $	567,– £	5678,– DM	8 %
345,– $	890,– £	9012,– DM	9 %

BF 089 0871

Le misure relative al corpo dei caratteri vengon o generalmente indicate in punti tipografici. Il c orpo dei caratteri Fototypes può essere deter minato con esattezza per semplice misurazion e. Tutti i caratteri di uguale grandezza in punti h anno, indipendentemente dalla loro lunghezza uguale altezza delle maiuscole. Nella composizi one in piombo ed in molti altri sistemi di fotoco mposizione, l'altezza delle maiuscole varia spe

2,15 mm (8 p), –2, Zeilenabstand 3,38 mm

normal
regular
normal

NOVARESE CAPS

normal
chiaro tondo
normal

Berthold-Schriften über
zeugen durch Schärfe un
d Qualität. Schriftqualit
ät ist eine Frage der Erfa
hrung. Berthold hat dies
e Erfahrung seit über hun
dert Jahren. Zuerst im Sch
riftguss, dann im Fotosat
z. Berthold-Schriften sin
d weltweit geschätzt. Im S
chriftenatelier München
wird jeder Buchstabe in
der Grösse von zwölf Zen
timetern neu gezeichnet
Mit messerscharfen Kont
uren, um für die Schriftsc
heiben das Optimale an K

3,20 mm (12 p), Zeilenabstand 5,25 mm

Aldo Novarese
1980
International Typeface Corp.
H. Berthold AG

ABCDEFGHIJKLMNOPQ
RSTUVWXYZ
ABCDEFGHIJKLMNOPQRSTUVWXYZ
1234567890%
(.,-;:!¡?¿—)·[‘‚„“”»«›‹]
+−=/$£†*&§©
ÄÅÆÖØŒÜÄÅÆÖØŒÜ
ÁÀÂÃÇČÉÈÊËÍÌÎÏĹŇÑÓÒÔÕ
ŔŘŠŤÚÙÛŴẄÝŶŸŽ
ÁÀÂÃÇČÉÈÊËÍÌÎÏĹŇÑÓÒÔÕŔŘŠ
ÚÙÛŴẄÝỲŸŽ

Berthold-Schriftweite weit
Berthold-Schriftweite normal
Berthold-Schriftweite eng
Berthold-Schriftweite sehr eng
Berthold-Schriftweite extrem eng

LA VALEUR DE LA FORCE
DE CORPS DES CARACTE-
RES DE LABEUR EST GENE
RALEMENT EXPRIMEE EN
POINTS TYPOGRAPHIQUE
S. LA FORCE DE CORPS DE
S CARACTERES BERTHOL
D FOTOTYPE PEUT ETRE D
ETERMINEE AVEC PRECISI
ON. TOUS LES CARACTER
ES DU MEME CORPS ONT D
ES CAPITALES D'UNE HAU
TEUR IDENTIQUE, INDEPE
NDAMMENT DE LA HAUT
EUR DES BAS DE CASSE S
ANS JAMBAGE. DANS LA C
OMPOSITION PLOMB, AIN

3,20 mm (12 p), Zeilenabstand 5,25 mm

8/5

MARIE-THERÈSE ROCHEFORT
Directrice

Rue Victor Hugo 69, Paris, Telefon 37 25 86

9/6

HANS-OTTO VON SCHLICK
Landrat

Am Horst 10, Kappeln an der Schlei, Tel. 66 34

10/7

FLORENTINO LEONCAVALLO
Maître de Plaisir

Via Ludovica Aretino 33, Firenze

11/8

JAN VAN DER FALK
Detektivbüro

Halve Maan Straat 78, Amsterdam

12/9

EULALIA LOEFFELHOLZ
Diätköchin

Am Gänsemarkt 2, Vilshofen

13/10

VLADIMIR IRIBOZOV
Saxophonist

Dom-Pedro-Strasse 2, Mainz

Berlin
3,72 mm (14 p)

Berlin
4,25 mm (16 p)

Berlin
4,75 mm (18 p)

Berlin
5,30 mm (20 p)

Berlin
6,35 mm (24 p)

Berlin
7,40 mm (28 p)

Berlin
8,50 mm (32 p)

Berlin
9,55 mm (36 p)

La indicación de las dimensiones para cuerpos de letra vá
sicos tiene lugar en general en puntos tipográficos. Los c
uerpos de letra de los caracteres Berthold Fototype pue
den determinarse exactemente par medición. Con indepen
dencia de la altura de sus longitudes centrales, todos los
caracteres de idéntico cuerpo de letra presentan altura
de mayúsculas idéntica. En la composición en plomo y en
muchos otros sistemas de fotocomposición, las alturas de
mayúsculas varían frecuentemmente en forma considera
ble de tipo de letra a tipo de letra. Para medir los cuerpos
de letra se dispone de un tipómetro, véase la figura. Para
la medición se hace coincidir una letra mayúscula con la
casilla cuyos extremos coinciden con los extremos super
ior e inferior de la letra. Bajo la casilla se indica el cuerp
o de letra en puntos tipográficos Didot, y debajo en mm. Ta

1,33 mm (5 p), Zeilenabstand 1,94 mm

Le misure relative al corpo dei caratteri ve
ngono generalmente indicate in punti tipog
rafici. Il corpo dei caratteri Fototypes può
essere determinato con esattezza per semp
lice misurazione. Tutti i caratteri di uguale
grandezza in punti hanno, indipendenteme
nte dalla loro lunghezza, uguale altezza d
elle maiuscole. Nella composizione in piom
bo ed in molti altri sistemi di fotocomposizi
one, l'altezza delle maiuscole varia spesso
da carattere a carattere. Per misurare il co
rpo dei caratteri è indispensabile un appos

1,60 mm (6 p), Zeilenabstand 2,44 mm
WZ 15 E, NSW +1, III
BF 089 1010, Belegung 127: 085 1018 (095 1018)

In general bodytypes are measured in the t
ypographical point size. The sizes of Berth
old-Fototype faces can be exactly determi
ned. All faces of same point size have the s
ame capital height–irrespective of their x
height. In hot metal and many other photot
ypesetting systems the capital heights oft
en differ considerably from one face to t
he other. For measuring point sizes, a tran
sparent size gauge is provided. To determi

1,86 mm (7 p), Zeilenabstand 3,00 mm

kursiv
medium italic
italique

NOVARESE

cursiva
corsivo
kursiv

Måttangivelse för grundstilsgrader sker i allmänhet i typografiska punk ter. Stilar av Berthold Fototype kan efter mätning exakt gradbestämmas Alla typsnitt är av samma punktstor lek och har oberoende av x-höjden en identisk versalhöjd. I blysättning och i många andra fotosättsystem vari erar versalhöjden avsevärt från typs nitt till typsnitt. För mätning av stilg rader finns en transparent mätlinjal Vid mätningen placerar man en ver sal bokstav så att rutorna begränsar tecknet upptill och nedtill. Under rut orna finns stilstorleken i typografis ka didotpunkter och i mm. Även mill imeteruppgiften avser versalhöjden Vid stilstorleksuppgifter anges alltid måttenheten efter sifferuppgiften t ex

2,92 mm (11 p), Zeilenabstand 4,69 mm

Aldo Novarese
1980
International Typeface Corp.
H. Berthold AG

ABCDEFGHIJKLMNOPQ
RSTUVWXYZ
abcdefghijklmnopqrstuvwxyz
1/1234567890%
(.,-;:!¡?¿–)·[''„""»«]
+–=/$£†*&§
ÄÅÆÖØŒÜ*äåæıöøœßü*
ÁÀÂÃÇČÉÈÊËÍÌÎÏĹŇÑÓÒÔÕ
ŔŘŠŤÚÙÛŴẄÝŶŸŽ
áàâãçčéèêëíìîïĺňñóòôõŕřš
úùûŵẅýỳÿž

Berthold-Schriftweite weit
Berthold-Schriftweite normal
Berthold-Schriftweite eng
Berthold-Schriftweite sehr eng
Berthold-Schriftweite extrem eng

In general, bodytypes are measu red in the typographical point size The sizes of Berthold Fototype fac es can be exactly determined. All faces of same point size have the same capital height–irrespective of their x-height. In hot metal and many other phototypesetting sys tems the capital heights often diff er considerably from one face to the other. For measuring point si zes, a transparent size gauge is pr ovided. To determine the point si ze, bring a capital letter into coinc idence with that field which precis ely circumscribes the letter at its upper and lower margin. Below t

3,20 mm (12 p), Zeilenabstand 5,25 mm

NOVARESE KURSIV

Die Maßangabe zu Grundschriftgrößen erfolgt im all gemeinen in typographischen Punkten. Die Schrift größen der Berthold-Fotosatz-Schriften sind nach Messung exakt bestimmbar. Alle Schriften gleicher Punktgröße weisen, unabhängig von der Höhe ihrer Mittellängen, eine identische Versalhöhe auf. Im Blei satz und bei vielen anderen Fotosatz-Systemen diffe rieren die Versalhöhen von Schrift zu Schrift oft erheb lich. Zum Messen von Schriftgrößen steht ein transpa rentes Größenmaß zur Verfügung. Zum Messen wird ein Versalbuchstabe mit dem Feld in Deckung ge bracht, das den Buchstaben oben und unten scharf be grenzt. Unter dem Feld ist die Schriftgröße in typogra phischen Didot-Punkten, darunter in Millimetern an gegeben. Auch die Millimeterangaben beziehen sich auf die Höhe der Versalbuchstaben. Die Schriftweite kann im Berthold-Fotosatz beliebig verändert werden Die Festlegung der Normalschriftweite erfolgt nach

2,40 mm (9 p), Zeilenabstand 4 mm

NOVARESE ITALIQUE

La valeur de la force de corps des caractères de la beur èst généralement exprimée en points typo graphiques. La force de corps des caractères Bert hold-Fototype peut être déterminée avec préci sion. Tous les caractères du même corps ont des capitales d'une hauteur identique, indépendam ment de la hauteur des bas de casse sans jam bage. Dans la composition plomb, ainsi que dans certains systèmes de photocomposition, la hau teur des capitales, varie souvent d'un caractère à l'autre. Pour déterminer la force de corps de nos caractères, nous avons mis au point une réglette de hauteur d'œil transparente. On cherche le rec tangle qui délimite exactement la hauteur d'œil d'une capitale du caractère choisi. Sous le rec tangle correspondant la valeur de la force de corps

2,65 mm (10 p), Zeilenabstand 4,50 mm

La indicación de las dimensiones para cuerpos de letra vásicos ti ene lugar en general en puntos tipográficos. Los cuerpos de letra de los caracteres Berthold Fototype pueden determinarse ex actemente par medición. Con independencia de la altura de sus longitudes centrales, todos los caracteres de idéntico cuerpo de letra presentan altura de mayúsculas idéntica. En la composi ción en plomo y en muchos otros sistemas de fotocomposición, las alturas de mayúsculas varían frecuentemmente en forma consi derable de tipo de letra a tipo de letra. Para medir los cuerpos de letra se dispone de un tipómetro, véase la figura. Para la me dición se hace coincidir una letra mayúscula con la casilla cuyos extremos coinciden con los extremos superior e inferior de la

1,60 mm (6 p), Zeilenabstand 2,50 mm

Größe mm	p	Zeilenabstand kp	Êp	Ex	100 Zeichen 0	–1	–2
1,33	5	1,94	2,13	–	83	80	77
1,60	6	2,38	2,56	2,50	97	93	89
1,86	7	2,75	2,94	–	112	108	104
2,15	8	3,13	3,44	3,38	127	122	117
2,40	9	3,50	3,81	4,00	142	136	130
2,65	10	3,88	4,19	4,50	157	150	143
2,92	11	4,25	4,63	4,69	171	164	157
3,20	12	4,69	5,06	5,25	186	178	170
3,45	13	5,06	5,50	–	201	193	185
3,72	14	5,44	5,88	–	215	206	197
3,98	15	5,81	6,31	–	230	221	212
4,25	16	6,19	6,75	–	244	234	224

WZ 12 E, NSW 0, MZB 0,59, F 0,13:0,04 (3,1), III
H 1–x 0,73–k 1,14–p 0,31–Ê 1,27–kp 1,45–Êp 1,58
BF 089 0941, Belegung 051: 085 1022 (095 1022)

Le misure relative al corpo dei caratteri vengono generalmente indicate in punti tipografici. Il corpo dei caratteri Fototypes può essere determinato con esattezza per semplice misurazione. Tutti i carat teri di uguale grandezza in punti hanno, indipen dentemente dalla loro lunghezza, uguale altezza delle maiuscole. Nella composizione in piombo ed in molti altri sistemi di fotocomposizione, l'altezza delle maiuscole varia spesso da carattere a carat

2,15 mm (8 p), Zeilenabstand 3,38 mm

halbfett
bold
demi-gras

NOVARESE

seminegra
neretto
halvfet

Berthold-Schriften überzeugen durch Schärfe und Qualität. Schriftqualität ist eine Frage der Erfahrun g. Berthold hat diese Erfahrung seit über hundert Ja hren. Zuerst im Schriftguβ, dann im Fotosatz. Bertho ld-Schriften sind weltweit geschätzt. Im Schriftenat elier München wird jeder Buchstabe in der Gröβe v on zwölf Zentimetern neu gezeichnet. Mit messersc harfen Konturen, um für die Schriftscheiben das Op timale an Konturenschärfe herauszuholen. Um die

1,60 mm (6 p), Zeilenabstand 2,50 mm

Berthold-Schriften überzeugen durch Schär fe und Qualität. Schriftqualität ist eine Frage der Erfahrung. Berthold hat diese Erfahrung seit über hundert Jahren. Zuerst im Schriftgu β, dann im Fotosatz. Berthold-Schriften sind weltweit geschätzt. Im Schriftenatelier Mün chen wird jeder Buchstabe in der Gröβe von z wölf Zentimetern neu gezeichnet. Mit messer

1,86 mm (7 p), Zeilenabstand 3,00 mm

Berthold-Schriften überzeugen durch Schärfe und Qualität. Schriftqualität ist eine Frage der Erfahrung. Berthold hat diese Erfahrung seit über hundert Jahre n. Zuerst im Schriftguβ, dann im Fotosat z. Berthold-Schriften sind weltweit ges chätzt. Im Schriftenatelier München wi rd jeder Buchstabe in der Gröβe von zw

2,15 mm (8 p), Zeilenabstand 3,50 mm

Aldo Novarese
1980
Internationale Typeface Corp.
H. Berthold AG

ABCDEFGHIJKLMNOPQ
RSTUVWXYZ
abcdefghijklmnopqrstuvwxyz
1/1234567890%
(.,-;:!¡?¿–)·[‚'„"“»«]
+–=/$£†*&§
ÄÅÆÖØŒÜäåæıöøœβü
ÁÀÂÃÇČÉÈÊËÍÌÎÏĹŇÑÓÒÔÕ
ŔŘŠŤÚÙÛŴẄÝŶŸŽ
áàâãçčéèêëíìîïĺňñóòôõŕřš
úùûŵẅýỳÿž

Berthold-Schriftweite weit
Berthold-Schriftweite normal
Berthold-Schriftweite eng
Berthold-Schriftweite sehr eng
Berthold-Schriftweite extrem eng

In general, bodytypes are measured in the typograp hical point size. The sizes of Berthold Fototype faces c an be exactly determined All faces of same point size have the same capital hei ght–irrespective of their x height. In hot metal and m any other phototypesettin g systems the capital heig hts often differ considerab ly from one face to the othe r. For measuring point size s, a transparent size gauge is provided. To determine the point size, bring a capi

3,20 mm (12 p), Zeilenabstand 5,25 mm

Berthold's quick brown fox jumps over the lazy dog and feels as if he were
3,72 mm (14 p)

Berthold's quick brown fox jumps over the lazy dog and feels as if
4,25 mm (16 p)

Berthold's quick brown fox jumps over the lazy dog and f
4,75 mm (18 p)

Berthold's quick brown fox jumps over the lazy dog
5,30 mm (20 p)

Berthold's quick brown fox jumps over the
6,35 mm (24 p)

Berthold's quick brown fox jumps ov
7,40 mm (28 p)

Berthold's quick brown fox jum
8,50 mm (32 p)

Berthold's quick brown fox j
9,55 mm (36 p)

Berthold-Schriften überzeugen du rch Schärfe und Qualität. Schriftqu alität ist eine Frage der Erfahrung Berthold hat diese Erfahrung seit ü ber hundert Jahren. Zuerst im Schri ftguβ, dann im Fotosatz. Berthold-S chriften sind weltweit geschätzt. Im Schriftenatelier München wird jed

2,40 mm (9 p), Zeilenabstand 4,00 mm

Größe mm	p	Zeilenabstand kp	Êp	Ex	100 Zeichen 0	−1	−2
1,33	5	1,94	2,13	–	99	96	93
1,60	6	2,31	2,56	2,50	116	112	108
1,86	7	2,69	2,94	3,00	134	130	126
2,15	8	3,06	3,44	3,50	152	147	142
2,40	9	3,44	3,81	4,00	170	164	158
2,65	10	3,81	4,19	4,00	188	181	174
2,92	11	4,19	4,63	–	205	198	191
3,20	12	4,56	5,06	5,25	223	215	207
3,45	13	4,94	5,50	–	240	232	224
3,72	14	5,31	5,88	–	258	249	240
3,98	15	5,69	6,31	–	275	266	257
4,25	16	6,06	6,75	–	293	283	273

WZ 14 E, NSW 0, MZB 0,71, F 0,21:0,12 (1,8), III
H 1–x 0,73–k 1,14–p 0,28–Ê 1,30–kp 1,42–Êp 1,58
BF 089 0942, Belegung 051: 085 1019 (095 1019)

Berthold-Schriften überzeugen durch Schärfe und Qualität. Sch riftqualität ist eine Frage der Er fahrung. Berthold hat diese Erf ahrung seit über hundert Jahren Zuerst im Schriftguβ, dann im F otosatz. Berthold-Schriften sind weltweit geschätzt. Im Schrifte

2,65 mm (10 p), Zeilenabstand 4,00 mm

kursiv halbfett
bold italic
italique demi-gras

NOVARESE

seminegra cursiva
neretto corsivo
kursiv halvfet

Berthold-Schriften überzeugen durch Schärfe und Qualität. Schriftqualität ist eine Frage der Erfahrung. Berthold hat diese Erfahrung seit über hundert Jahren. Zuerst im Schriftguß, dann im Fotosatz. Berthold-Schriften sind weltweit geschätzt. Im Schriftenatelier München wird jeder Buchstabe in der Größe von zwölf Zentimetern neu gezeichnet. Mit messerscharfen Konturen, um für die Schriftscheiben das Optimale an Konturenschärfe herauszuholen Um die Qualität des Einzelzeichens im Belichtungsvorga

1,60 mm (6 p), Zeilenabstand 2,50 mm

Berthold-Schriften überzeugen durch Schärfe und Qualität. Schriftqualität ist eine Frage der Erfahrung. Berthold hat diese Erfahrung seit über hundert Jahren. Zuerst im Schriftguß, dann im Fotosatz Berthold-Schriften sind weltweit geschätzt. Im Schriftenatelier München wird jeder Buchstabe in der Größe von zwölf Zentimetern neu gezeichnet. Mit messerscharfen Konturen, um für die Schriftschei

1,86 mm (7 p), Zeilenabstand 3,00 mm

Berthold-Schriften überzeugen durch Schärfe und Qualität. Schriftqualität ist eine Frage der Erfahrung. Berthold hat diese Erfahrung seit über hundert Jahren. Zuerst im Schriftguß, dann im Fotosatz. Berthold-Schriften sind weltweit geschätzt. Im Schriftenatelier München wird jeder Buchstabe in der Größe von zwölf Zentimetern neu gezeichnet. Mit m

2,15 mm (8 p), Zeilenabstand 3,50 mm

Aldo Novarese
1980
International Typeface Corp.
H. Berthold AG

ABCDEFGHIJKLMNOPQ
RSTUVWXYZ
abcdefghijklmnopqrstuvwxyz
1/1234567890%
(.,-;:!¡?¿–)·[',""»«]
+–=/$£†*&§
ÄÅÆÖØŒÜäåæıöøœßü
ÁÀÂÃÇČÉÈÊËÍÌÎÏĹŇÑÓÒÔÕ
ŔŘŠŤÚÙÛŴẄÝŶŸŽ
áàâãçčéèêëíìîïĺňñóòôõŕřš
úùûŵẅýỳÿž

Berthold-Schriftweite weit
Berthold-Schriftweite normal
Berthold-Schriftweite eng
Berthold-Schriftweite sehr eng
Berthold-Schriftweite extrem eng

In general, bodytypes are measured in the typographical point size. The sizes of Berthold Fototype faces can be exactly determined. All faces of same point size have the same capital height–irrespective of their x-height. In hot metal and many other phototypesetting systems the capital heights often differ considerably from one face to the other. For measuring point sizes, a transparent size gauge is provided. To determine the point size, bring a capital letter into coincidence with that field which precisely circumscrib

3,20 mm (12 p), Zeilenabstand 5,25 mm

Berthold's quick brown fox jumps over the lazy dog and feels as if he were in the sev
3,72 mm (14 p)

Berthold's quick brown fox jumps over the lazy dog and feels as if he were
4,25 mm (16 p)

Berthold's quick brown fox jumps over the lazy dog and feels as if
4,75 mm (18 p)

Berthold's quick brown fox jumps over the lazy dog and fee
5,30 mm (20 p)

Berthold's quick brown fox jumps over the lazy do
6,35 mm (24 p)

Berthold's quick brown fox jumps over the
7,40 mm (28 p)

Berthold's quick brown fox jumps ove
8,50 mm (32 p)

Berthold's quick brown fox jump
9,55 mm (36 p)

Berthold-Schriften überzeugen durch Schärfe und Qualität. Schriftqualität ist eine Frage der Erfahrung. Berthold hat diese Erfahrung seit über hundert Jahren Zuerst im Schriftguß, dann im Fotosatz Berthold-Schriften sind weltweit geschätzt. Im Schriftenatelier München wird jeder Buchstabe in der Größe von zwölf Z

2,40 mm (9 p), Zeilenabstand 4,00 mm

Größe		Zeilenabstand			100 Zeichen		
mm	p	kp	Êp	Ex	0	–1	–2
1,33	5	2,00	2,19	–	88	85	82
1,60	6	2,38	2,63	2,50	104	100	96
1,86	7	2,75	3,06	3,00	120	116	112
2,15	8	3,19	3,56	3,50	136	131	126
2,40	9	3,56	3,94	4,00	152	146	140
2,65	10	3,94	4,38	4,00	168	161	154
2,92	11	4,31	4,81	–	184	177	170
3,20	12	4,75	5,25	5,25	199	191	183
3,45	13	5,13	5,63	–	215	207	199
3,72	14	5,50	6,13	–	231	222	213
3,98	15	5,88	6,50	–	246	237	228
4,25	16	6,25	6,94	–	262	252	242

WZ 12 E, NSW 0, MZB 0,63, F 0,20:0,05 (4,0), II
H 1–x 0,73–k 1,14–p 0,33–Ê 1,30–kp 1,47–Êp 1,63
BF 089 0872, Belegung 051: 085 1023 (095 1023)

Berthold-Schriften überzeugen durch Schärfe und Qualität. Schriftqualität ist eine Frage der Erfahrung. Berthold hat diese Erfahrung seit über hundert Jahren. Zuerst im Schriftguß, dann im Fotosatz. Berthold-Schriften sind weltweit geschätzt. Im Schriftenatelier München wird jeder B

2,65 mm (10 p), Zeilenabstand 4,00 mm

fett
ultra
gras

NOVARESE

negra
nero
fet

Berthold-Schriften überzeugen durch Schärfe und Qualität. Schriftqualität ist eine Frage der Erfahrung. Berthold hat diese Erfahrung seit ü ber hundert Jahren. Zuerst im Schriftguß, dann im Fotosatz. Berthold-Schriften sind weltweit geschätzt. Im Schriftenatelier München wird je der Buchstabe in der Größe von zwölf Zentime tern neu gezeichnet. Mit messerscharfen Kont uren, um für die Schriftscheiben das Optimale

1,60 mm (6 p), Zeilenabstand 2,50 mm

Berthold-Schriften überzeugen durch Sc härfe und Qualität. Schriftqualität ist ein e Frage der Erfahrung. Berthold hat diese Erfahrung seit über hundert Jahren. Zuer st im Schriftguß, dann im Fotosatz. Berth old-Schriften sind weltweit geschätzt. Im Schriftenatelier München wird jeder Buc hstabe in der Größe von zwölf Zentimeter

1,86 mm (7 p), Zeilenabstand 3,00 mm

Berthold-Schriften überzeugen dur ch Schärfe und Qualität. Schriftqual ität ist eine Frage der Erfahrung. Be rthold hat diese Erfahrung seit über hundert Jahren. Zuerst im Schriftgu ß, dann im Fotosatz. Berthold-Schrif ten sind weltweit geschätzt. Im Schr iftenatelier München wird jeder Buc

2,15 mm (8 p), Zeilenabstand 3,50 mm

Aldo Novarese
1980
International Typeface Corp.
H. Berthold AG

ABCDEFGHIJKLMNOPQ
RSTUVWXYZ
abcdefghijklmnopq
rstuvwxyz 1/1234567890%
(.,-;:!¡?¿–)·[‘„”“»«]
+−=/$£†*&§
ÄÅÆÖØŒÜäåæıöøœßü
ÁÀÂÃÇČÉÈÊËÍÌÎÏĹŇÑÓÒÔÕ
ŔŘŠŤÚÙÛŴẄÝŶŸŽ
áàâãçčéèêëíìîïĺňñóòôõŕřš
úùûŵẅýỳÿž

Berthold-Schriftweite weit
Berthold-Schriftweite normal
Berthold-Schriftweite eng
Berthold-Schriftweite sehr eng
Berthold-Schriftweite extrem eng

In general, bodytypes ar e measured in the typog raphical point size. The s izes of Berthold Fototyp e faces can be exactly de termined. All faces of sa me point size have the s ame capital height–irres spective of their x-heigh t. In hot metal and many other phototypesetting systems the capital heig hts often differ consider ably from one face to the other. For measuring po int sizes, a transparent s ize gauge is provided. To

3,20 mm (12 p), Zeilenabstand 5,25 mm

Berthold's quick brown fox jumps over the lazy dog and feels as if
3,72 mm (14 p)

Berthold's quick brown fox jumps over the lazy dog and fe
4,25 mm (16 p)

Berthold's quick brown fox jumps over the lazy dog
4,75 mm (18 p)

Berthold's quick brown fox jumps over the lazy
5,30 mm (20 p)

Berthold's quick brown fox jumps over
6,35 mm (24 p)

Berthold's quick brown fox jumps
7,40 mm (28 p)

Berthold's quick brown fox ju
8,50 mm (32 p)

Berthold's quick brown fo
9,55 mm (36 p)

Berthold-Schriften überzeugen durch Schärfe und Qualität. Sch riftqualität ist eine Frage der Er fahrung. Berthold hat diese Erfa hrung seit über hundert Jahren Zuerst im Schriftguß, dann im Fo tosatz. Berthold-Schriften sind weltweit geschätzt. Im Schriften

2,40 mm (9 p), Zeilenabstand 4,00 mm

Größe mm	p	Zeilenabstand kp	Êp	Ex	100 Zeichen 0	−1	−2
1,33	5	1,88	2,13	2,00	110	107	104
1,60	6	2,31	2,56	2,50	129	125	121
1,86	7	2,63	3,06	3,00	149	145	141
2,15	8	3,06	3,44	3,50	169	164	159
2,40	9	3,44	3,88	3,75	189	183	177
2,65	10	3,75	4,25	4,25	209	202	195
2,92	11	4,13	4,69	4,75	228	221	214
3,20	12	4,56	5,13	5,25	248	240	232
3,45	13	4,88	5,50	5,75	267	259	251
3,72	14	5,25	5,94	—	286	277	268
3,98	15	5,63	6,38	—	306	297	288
4,25	16	6,00	6,81	—	325	315	305

WZ 15 E, NSW −1, MZB 0,79, F 0,31:0,13 (2,3), VI
H 1–x 0,73–k 1,13–p 0,28–Ê 1,31–kp 1,41–Êp 1,59
BF 089 0850, Belegung 051: 085 1020 (095 1020)

Berthold-Schriften überzeug en durch Schärfe und Qualitä t. Schriftqualität ist eine Frag e der Erfahrung. Berthold hat diese Erfahrung seit über hu ndert Jahren. Zuerst im Schrif tguß, dann im Fotosatz. Berth old-Schriften sind weltweit g

2,65 mm (10 p), Zeilenabstand 4,00 mm

OKAY

In general, bodytypes are measur ed in the typographical point size The sizes of Berthold Fototype fac es can be exactly determined. All faces of same point size have the same capital height–irrespective of their x-height. In hot metal and many other phototypesetting syste ms the capital heights often differ considerably from one face to the other. For measuring point sizes, a transparent size gauge is provided To determine the point size, bring a capital letter into coincidence with that field which precisely circums cribes the letter at its upper and lo wer margin. Below the field you fin

3,20 mm (12 p), Zeilenabstand 5,25 mm

H. Berthold AG

ABCDEFGHIJKLMNOPQ
RSTUVWXYZ
abcdefghijklmnopqrstuvwxyz
1/1234567890%
(.,-;:!¡?¿–)·[''„"""»«]
+–=/$£†*&§
ÄÅÆÖØŒÜäåæıöøœßü
ÁÀÂÃÇČÉÈÊËÍÌÎÏĹŇÑÓÒÔÕ
ŔŘŠŤÚÙÛŴẄÝŶŸŽ
áàâãçčéèêëíìîïĺňñóòôõŕřš
úùûŵẅýỳÿž

Berthold-Schriftweite weit
Berthold-Schriftweite normal
Berthold-Schriftweite eng
Berthold-Schriftweite sehr eng
Berthold-Schriftweite extrem eng

Bouillabaisse	7,95
Frischer Ostseelachs	16,70
Japanische Wachteleier ...	13,75
Gegrillte Scampi	17,80
Lammkotelett Provençale .	15,30
Hasenkeule Chasseur	19,50
Ente pochiert in der Blase .	22,50
Kalbsmedaillons Gourmet .	18,50
Kalbsfilet Grand Seigneur .	24,50
Weinhändlertopf	16,80
Mistchratzerli	19,50
Entrecôte Double Paris	28,50
Tournedos Phantasie	27,50
Fondue Bourguignonne	39,50
Walderdbeeren	7,50
Eisbaiser	8,50
Feigen mit Pfeffer auf Eis .	9,75

3,20 mm (12 p), Zeilenabstand 5,25 mm

Barbara Helga Agnes Joana Natalie Gaby Sonja Korinna Rebekka Christiane Ortrud Lydia
3,72 mm (14 p)

Barbara Helga Agnes Joana Natalie Gaby Sonja Karen Rebekka Christiane Lotte
4,25 mm (16 p)

Barbara Helga Agnes Joana Natalie Gabriele Sonja Rebekka Christiane
4,75 mm (18 p)

Barbara Helga Agnes Joana Natalie Gaby Sonja Korinna Ortrud
5,30 mm (20 p)

Barbara Helga Agnes Joana Natalie Gaby Sonja Lotte
6,35 mm (24 p)

Barbara Helga Agathe Johanna Natalie Gaby
7,40 mm (28 p)

Barbara Helga Agnes Joana Natalie Gaby
8,50 mm (32 p)

Barbara Helga Agathe Joana Natalie
9,55 mm (36 p)

Berthold-Schriften überzeugen durch Sch ärfe und Qualität. Schriftqualität ist eine Frage der Erfahrung. Berthold hat diese Er fahrung seit über hundert Jahren. Zuerst im Schriftguß, dann im Fotosatz. Bertho ld-Schriften sind weltweit geschätzt. Im Schriftenatelier München wird jeder Buch stabe in der Größe von zwölf Zentimetern

2,65 mm (10 p), Zeilenabstand 4,00 mm

Größe		Zeilenabstand			100 Zeichen		
mm	p	kp	Êp	Ex	0	−1	−2
1,33	5	1,81	2,19	–	78	75	72
1,60	6	2,19	2,63	–	92	88	84
1,86	7	2,50	3,00	–	102	106	98
2,15	8	2,94	3,50	–	120	115	110
2,40	9	3,25	3,88	–	134	128	122
2,65	10	3,56	4,31	4,00	148	141	134
2,92	11	3,94	4,75	4,63	162	155	148
3,20	12	4,31	5,19	5,25	176	168	160
3,45	13	4,63	5,56	–	190	182	174
3,72	14	5,00	6,00	–	203	194	185
3,98	15	5,38	6,44	–	217	208	199
4,25	16	5,75	6,88	–	231	221	211

WZ 10 E, NSW 0, MZB 0,56, F 0,22:0,15 (1,5), VIII
H 1–x 0,70–k 1,01–p 0,33–Ê 1,28–kp 1,34–Êp 1,61
BF 089 1186, Belegung 051: 085 2117 (095 2117)

Berthold-Schriften überzeugen durch Schärfe und Qualität. Schriftqualität ist eine Frage der Erfahrung Berthold hat diese Erfahrung seit über hundert Jahren. Zuerst im Schriftguß, dann im Fotosatz. Berthold-Schriften sind we ltweit geschätzt. Im Schriftenatelier

2,92 mm (11 p), Zeilenabstand 4,63 mm

normal
regular
normal

OPTIMA

normal
chiaro tondo
normal

Berthold-Schriften überzeugen durch Schärfe und Qualität. Schri
ftqualität ist eine Frage der Erfahrung. Berthold hat diese Erfahrung
seit über hundert Jahren. Zuerst im Schriftguß, dann im Fotosatz
Berthold-Schriften sind weltweit geschätzt. Im Schriftenatelier M
ünchen wird jeder Buchstabe in der Größe von zwölf Zentimeter
n neu gezeichnet. Mit messerscharfen Konturen, um für die Schrif
tscheiben das Optimale an Konturenschärfe herauszuholen. Um
die Qualität des Einzelzeichens im Belichtungsvorgang zu bewa
hren, wird durch die ruhende, nicht rotierende Schriftscheibe be

1,33 mm (5 p) 20 30 40 50 60

Berthold-Schriften überzeugen durch Schärfe und Qualität
Schriftqualität ist eine Frage der Erfahrung. Berthold hat dies
e Erfahrung seit über hundert Jahren. Zuerst im Schriftguß, d
ann im Fotosatz. Berthold-Schriften sind weltweit geschätzt
Im Schriftenatelier München wird jeder Buchstabe in der Gr
öße von zwölf Zentimetern neu gezeichnet. Mit messersch
arfen Konturen, um für die Schriftscheiben das Optimale an
Konturenschärfe herauszuholen. Um die Qualität des Einze
lzeichens im Belichtungsvorgang zu bewahren, wird durch

1,45 mm (5,5 p) 20 30 40 50

Berthold-Schriften überzeugen durch Schärfe und Qua
lität. Schriftqualität ist eine Frage der Erfahrung. Bertho
ld hat diese Erfahrung seit über hundert Jahren. Zuerst i
m Schriftguß, dann im Fotosatz. Berthold-Schriften sind
weltweit geschätzt. Im Schriftenatelier München wird j
eder Buchstabe in der Größe von zwölf Zentimetern n
eu gezeichnet. Mit messerscharfen Konturen, um für di
e Schriftscheiben das Optimale an Konturenschärfe he
rauszuholen. Um die Qualität des Einzelzeichens im Be

1,60 mm (6 p) 20 30 40 50

Berthold-Schriften überzeugen durch Schärfe und
Qualität. Schriftqualität ist eine Frage der Erfahrung
Berthold hat diese Erfahrung seit über hundert Jahr
en. Zuerst im Schriftguß, dann im Fotosatz. Berthol
d-Schriften sind weltweit geschätzt. Im Schriftenat
elier München wird jeder Buchstabe in der Größe
von zwölf Zentimetern neu gezeichnet. Mit mess
erscharfen Konturen, um für die Schriftscheiben d
as Optimale an Konturenschärfe herauszuholen

1,75 mm (6,5 p) 20 30 40 5

Berthold-Schriften überzeugen durch Schärfe u
nd Qualität. Schriftqualität ist eine Frage der Erf
ahrung. Berthold hat diese Erfahrung seit über h
undert Jahren. Zuerst im Schriftguß, dann im Fot
osatz. Berthold-Schriften sind weltweit geschät
zt. Im Schriftenatelier München wird jeder Buc
hstabe in der Größe von zwölf Zentimetern neu
gezeichnet. Mit messerscharfen Konturen, um f
ür die Schriftscheiben das Optimale an Kontur

1,86 mm (7 p) 20 30 40

Berthold-Schriften überzeugen durch Schärf
e und Qualität. Schriftqualität ist eine Frage d
er Erfahrung. Berthold hat diese Erfahrung seit
über hundert Jahren. Zuerst im Schriftguß, da
nn im Fotosatz. Berthold-Schriften sind welt
weit geschätzt. Im Schriftenatelier München
wird jeder Buchstabe in der Größe von zwölf
Zentimetern neu gezeichnet. Mit messersch
arfen Konturen, um für die Schriftscheiben d

2,00 mm (7,5 p) 20 30 40

Berthold-Schriften überzeugen durch Sch
ärfe und Qualität. Schriftqualität ist eine Fr
age der Erfahrung. Berthold hat diese Erfah
rung seit über hundert Jahren. Zuerst im S
chriftguß, dann im Fotosatz. Berthold-Schr
iften sind weltweit geschätzt. Im Schriften
atelier München wird jeder Buchstabe in
der Größe von zwölf Zentimetern neu ge
zeichnet. Mit messerscharfen Konturen, u

2,15 mm (8 p) 20 30 40

Hermann Zapf
1958
D. Stempel AG
H. Berthold AG

ABCDEFGHIJKLMNOPQ
RSTUVWXYZ
abcdefghijklmnopqrstuvwxyz
1/1234567890%
(.,-;:!¡?¿–) · ['',,""»«]
+−=/$£†*&§
ÄÅÆÖØŒÜäåæıöøœßü
ÁÀÂÃÇČÉÈÊËÍÌÎÏĹŇÑÓÒÔÕ
ŔŘŠŤÚÙÛŴẄÝŶŸŽ
áàâãçčéèêëíìîïĺňñóòôõŕřš
úùûŵẅýỳÿž

Berthold-Schriftweite weit
Berthold-Schriftweite normal
Berthold-Schriftweite eng
Berthold-Schriftweite sehr eng
Berthold-Schriftweite extrem eng

Berthold
3,75 mm (14 p)

Berthold
4,25 mm (16 p)

Berthold
4,75 mm (18 p)

Berthold
5,30 mm (20 p)

Berthold
6,35 mm (24 p)

Berthold
7,40 mm (28 p)

Berthold
8,50 mm (32 p)

Berthold
9,55 mm (36 p)

Größe		Zeilenabstand			100 Zeichen		
mm	p	kp	Êp	Ex	0	−1	−2
1,33	5	2,00	2,25	2,00	90	07	04
1,60	6	2,44	2,69	2,50	106	102	98
1,86	7	2,81	3,13	3,00	122	118	114
2,15	8	3,25	3,56	3,50	139	134	129
2,40	9	3,63	4,00	3,75	156	150	144
2,65	10	4,00	4,38	4,25	172	165	158
2,92	11	4,38	4,88	4,75	188	181	174
3,20	12	4,81	5,31	5,25	204	196	188
3,45	13	5,19	5,75	5,75	220	212	204
3,72	14	5,56	6,19	–	236	227	218
3,98	15	5,94	6,63	–	252	243	234
4,25	16	6,38	7,06	–	268	258	248

WZ 14 E, NSW 0, MZB 0,65, F 0,11:0,046 (2,4), VI
H 1–x 0,68–k 1,09–p 0,40–Ê 1,25–kp 1,49–Êp 1,65
BF 089 0533, Belegung 051: 086 4101 (096 4101)

Berthold-Schriften überzeugen durch
Schärfe und Qualität. Schriftqualität ist
eine Frage der Erfahrung. Berthold hat
diese Erfahrung seit über hundert Jahr
en. Zuerst im Schriftguß, dann im Fot
osatz. Berthold-Schriften sind weltwe
it geschätzt. Im Schriftenatelier Münc
hen wird jeder Buchstabe in der Größe

2,40 mm (9 p) 20 30

Berthold-Schriften überzeugen d
urch Schärfe und Qualität. Schrift
qualität ist eine Frage der Erfahrun
g. Berthold hat diese Erfahrung seit
über hundert Jahren. Zuerst im Sc
hriftguß, dann im Fotosatz. Bertho
ld-Schriften sind weltweit geschä
tzt. Im Schriftenatelier München

2,65 mm (10 p) 20 30

Berthold-Schriften überzeugen
durch Schärfe und Qualität. Sc
hriftqualität ist eine Frage der Er
fahrung. Berthold hat diese E
rfahrung seit über hundert Jahr
en. Zuerst im Schriftguß, dann i
m Fotosatz. Berthold-Schriften
sind weltweit geschätzt. Im Sch

2,92 mm (11 p) 10 20 3

Berthold-Schriften überzeu
gen durch Schärfe und Qual
ität. Schriftqualität ist eine Fr
age der Erfahrung. Berthold
hat diese Erfahrung seit über
hundert Jahren. Zuerst im Sc
hriftguß, dann im Fotosatz. B
erthold-Schriften sind weltw

3,20 mm (12 p) 10 20

Berthold-Schriften überze
ugen durch Schärfe und Q
ualität. Schriftqualität ist ei
ne Frage der Erfahrung. Ber
thold hat diese Erfahrung s
eit über hundert Jahren. Z
uerst im Schriftguß, dann i
m Fotosatz. Berthold-Schri

3,45 mm (13 p) 10 20

normal
regular
normal

OPTIMA

normal
chiaro tondo
normal

Berthold-Schriften überzeugen durch Schärfe und Qualität. Schriftq ualität ist eine Frage der Erfahrung. Berthold hat diese Erfahrung seit über hundert Jahren. Zuerst im Schriftguß, dann im Fotosatz. Bertho ld-Schriften sind weltweit geschätzt. Im Schriftenatelier München wird jeder Buchstabe in der Größe von zwölf Zentimetern neu gezei chnet. Mit messerscharfen Konturen, um für die Schriftscheiben das Optimale an Konturenschärfe herauszuholen. Um die Qualität des Einzelzeichens im Belichtungsvorgang zu bewahren, wird durch die ruhende, nicht rotierende Schriftscheibe belichtet. Dieses optische

4,25 mm (16 p), Zeilenabstand 6,75 mm

OPTIMA REGULAR

In general, bodytypes are measured in the ty pographical point size. The sizes of Berthold Fototype faces can be exactly determined. All faces of same point size have the same capital heigth–irrespective of their x-heigth. In hot metal and many other phototypesetting sys tems the capital heigths often differ consider ably from one face to the other. For measur ing point sizes, a transparent size gauge is pro vided. To determine the point size, bring a cap ital letter into coincidence with that field which precisely circumscribes the letter at its upper and lower margin. Below the field you find the typographical point and below that the millimeter value, which also refers to the height of a capital letter. In Berthold-phototypeset ting, the typewidth can be modified. The standard setting width of typefaces is deter mined by the principle of optimum legibility You should not depart from this typewidth without cogent reason. A typeface which is considered optically right when looked in a

2,40 mm (9 p), Zeilenabstand 4,25 mm

OPTIMA NORMAL

La valeur de la force de corps des caractè res de labeur èst généralement exprimée en points typographiques. La force de corps des caractères Berthold-Fototype peut être déterminée avec précision. To us les caractères du même corps ont des capitales d'une hauteur identique, indé pendamment de la hauteur des bas de casse sans jambage. Dans la composition plomb, ainsi que dans certains systèmes de photocomposition, la hauteur des ca pitales, varie souvent d'un caractère à l'autre. Pour déterminer la force de corps de nos caractères, nous avons mis au point une réglette de hauteur d'œil trans parente. On cherche le rectangle qui déli mite exactement la hauteur d'œil d'une capitale du caractère choisi. Sous le rec tangle correspondant la valeur de la force de corps est indiquée en points Didots et

2,65 mm (10 p), Zeilenabstand 4,69 mm

La indicación de las dimensiones para cuer pos de letra vásicos tiene lugar en general en puntos tipográficos. Los cuerpos de letra de los caracteres Berthold Fototype pueden determinarse exactemente par medición Con independencia de la altura de sus longi tudes centrales, todos los caracteres de idéntico cuerpo de letra presentan altura de mayúsculas idéntica. En la composición en

2,15 mm (8 p), –1, Zeilenabstand 3,38 mm

123,– $	456,– £	7890,– DM	1 %
234,– $	789,– £	1234,– DM	2 %
567,– $	12,– £	5678,– DM	3 %
890,– $	345,– £	9012,– DM	4 %
123,– $	678,– £	3456,– DM	5 %
456,– $	901,– £	7890,– DM	6 %
789,– $	234,– £	1234,– DM	7 %
12,– $	567,– £	5678,– DM	8 %
345,– $	890,– £	9012,– DM	9 %

BF 089 0534

Le misure relative al corpo dei caratteri vengo no generalmente indicate in punti tipografici. Il corpo dei caratteri Fototypes può essere de terminato con esattezza per semplice misura zione. Tutti i caratteri di uguale grandezza in punti hanno, indipendentemente dalla loro lunghezza, uguale altezza delle maiuscole Nella composizione in piombo ed in molti altri sistemi di fotocomposizione, l'altezza del

2,15 mm (8 p), –2, Zeilenabstand 3,38 mm

kursiv
italic
italique

OPTIMA

cursiva
corsivo
kursiv

Måttangivelse för grundstilsgrader sker i allmänhet i typografiska punkter. Stilar av Berthold Fototype kan efter mätning exakt gradbestämmas. Alla typsnitt är av samma punktstorlek och har oberoende av x-höjden en identisk versalhöjd. I blysättning och i många andra fotosättsystem varierar versalhöjden avsevärt från typsnitt till typsnitt. För mätning av stilgrader finns en transparent mätlinjal. Vid mätning en placerar man en versal bokst av så att rutorna begränsar teckn et upptill och nedtill. Under rutorna finns stilstorleken i typografiska didotpunkter och i mm Även millimeteruppgiften avser

2,92 mm (11 p), Zeilenabstand 4,69 mm

Hermann Zapf
1958
D. Stempel AG
H. Berthold AG

ABCDEFGHIJKLMNOPQ
RSTUVWXYZ
abcdefghijklmnopqrstuvwxyz
1/1234567890%
(.,-;:!i?¿–)·[″„″"»«]
+−=/$£†&§*
ÄÅÆÖØŒÜäåæıöøœßü
ÁÀÂÃÇČÉÈÊËÍÌÎÏĹŇÑÓÒÔÕ
ŔŘŠŤÚÙÛŴÝŶŸŽ
áàâãçčéèêëíìîïĺňñóòôõŕřš
úùûŵẁýỳÿž

Berthold-Schriftweite weit
Berthold-Schriftweite normal
Berthold-Schriftweite eng
Berthold-Schriftweite sehr eng
Berthold-Schriftweite extrem eng

In general, bodytypes are measured in the typographical point size. The sizes of Berthold Fototype faces can be exactly determined. All faces of same point size have the same capital heigth–irrespective of their x-heigth. In hot metal and many other photo typesetting systems the capital heigths often differ considerably from one face to the other. For measuring point sizes, a transparent size gauge is provided. To determine the point size, bring a capital letter into coincidence with that

3,20 mm (12 p), Zeilenabstand 5,25 mm

OPTIMA KURSIV

Die Maßangabe zu Grundschriftgrößen erfolgt im allgemeinen in typographischen Punkten Die Schriftgrößen der Berthold-Fotosatz-Schriften sind nach Messung exakt bestimmbar. Alle Schriften gleicher Punktgröße weisen, unabhängig von der Höhe ihrer Mittellängen, eine identische Versalhöhe auf. Im Bleisatz und bei vielen anderen Fotosatz-Systemen differieren die Versalhöhen von Schrift zu Schrift oft erheblich. Zum Messen von Schriftgrößen steht ein transparentes Größenmaß zur Verfügung. Zum Messen wird ein Versalbuchstabe mit dem Feld in Deckung gebracht, das den Buchstaben oben und unten scharf begrenzt. Unter dem Feld ist die Schriftgröße in typographischen Didot Punkten, darunter in Millimetern angegeben Auch die Millimeterangaben beziehen sich auf die Höhe der Versalbuchstaben. Die Schriftwei

2,40 mm (9 p), Zeilenabstand 4 mm

OPTIMA ITALIQUE

La valeur de la force de corps des caractères de labeur èst généralement exprimée en points typographiques. La force de corps des caractères Berthold-Fototype peut être déterminée avec précision. Tous les caractères du même corps ont des capitales d'une hauteur identique, indépendamment de la hauteur des bas de casse sans jambage. Dans la composition plomb, ainsi que dans certains systèmes de photocomposition, la hauteur des capitales, varie souvent d'un caractère à l'autre. Pour déterminer la force de corps de nos caractères nous avons mis au point une réglette de hauteur d'œil transparente. On cherche le rectangle qui délimite exactement la hau

2,65 mm (10 p), Zeilenabstand 4,50 mm

La indicación de las dimensiones para cuerpos de letra vásicos tiene lugar en general en puntos tipográficos. Los cuerpos de letra de los caracteres Berthold Fototype pueden determinarse exactemente par medición. Con independencia de la altura de sus longitudes centrales todos los caracteres de idéntico cuerpo de letra presentan altura de mayúsculas idéntica. En la composición en plomo y en muchos otros sistemas de fotocomposición, las alturas de mayúsculas varían frecuentemmente en forma considerable de tipo de letra a tipo de letra. Para medir los cuerpos de letra se dispone de un tipómetro, véase la figura. Para la medición se hace coincidir una

1,60 mm (6 p), Zeilenabstand 2,50 mm

Größe		Zeilenabstand			100 Zeichen		
mm	p	kp	Êp	Ex	0	−1	−2
1,33	5	2,00	2,19	–	89	86	83
1,60	6	2,38	2,63	2,50	105	101	97
1,86	7	2,81	3,06	–	121	117	113
2,15	8	3,19	3,56	3,38	137	132	127
2,40	9	3,56	3,94	4,00	153	147	141
2,65	10	3,94	4,38	4,50	169	162	155
2,92	11	4,38	4,81	4,69	185	178	171
3,20	12	4,75	5,25	5,25	201	193	185
3,45	13	5,13	5,63	–	216	208	200
3,72	14	5,56	6,13	–	232	223	214
3,98	15	5,94	6,50	–	248	239	230
4,25	16	6,31	6,94	–	264	254	244

WZ 13 E, NSW 0, MZB 0,64, F 0,096:0,042 (2,3), VI
H 1–x 0,68–k 1,09–p 0,39–Ê 1,24–kp 1,48–Êp 1,63
BF 089 0535, Belegung 051: 086 4102 (096 4102)

Le misure relative al corpo dei caratteri vengono generalmente indicate in punti tipografici. Il corpo dei caratteri Fototypes può essere determinato con esattezza per semplice misurazione. Tutti i caratteri di uguale grandezza in punti hanno, indipendentemente dalla loro lunghezza, uguale altezza delle maiuscole. Nella composizione in piombo ed in molti altri sistemi di fo

2,15 mm (8 p), Zeilenabstand 3,38 mm

kräftig
medium
fort

OPTIMA

fuerte
grasso
kraftig

Berthold-Schriften überzeugen durch Schärfe und Qualität. Schr
iftqualität ist eine Frage der Erfahrung. Berthold hat diese Erfahru
ng seit über hundert Jahren. Zuerst im Schriftguß, dann im Fotosa
tz. Berthold-Schriften sind weltweit geschätzt. Im Schriftenatelier
München wird jeder Buchstabe in der Größe von zwölf Zentimet
ern neu gezeichnet. Mit messerscharfen Konturen, um für die Sc
hriftscheiben das Optimale an Konturenschärfe herauszuholen
Um die Qualität des Einzelzeichens im Belichtungsvorgang zu b
ewahren, wird durch die ruhende, nicht rotierende Schriftscheibe

1,33 mm (5 p) 20 30 40 50 60

Berthold-Schriften überzeugen durch Schärfe und Qualität. Sc
hriftqualität ist eine Frage der Erfahrung. Berthold hat diese Erfa
hrung seit über hundert Jahren. Zuerst im Schriftguß, dann im F
otosatz. Berthold-Schriften sind weltweit geschätzt. Im Schrift
enatelier München wird jeder Buchstabe in der Größe von zw
ölf Zentimetern neu gezeichnet. Mit messerscharfen Konturen
um für die Schriftscheiben das Optimale an Konturenschärfe h
erauszuholen. Um die Qualität des Einzelzeichens im Belichtu
ngsvorgang zu bewahren, wird durch die ruhende, nicht rotier

1,45 mm (5,5 p) 20 30 40 50

Berthold-Schriften überzeugen durch Schärfe und Quali
tät. Schriftqualität ist eine Frage der Erfahrung. Berthold h
at diese Erfahrung seit über hundert Jahren. Zuerst im Sch
riftguß, dann im Fotosatz. Berthold-Schriften sind weltwe
it geschätzt. Im Schriftenatelier München wird jeder Bu
chstabe in der Größe von zwölf Zentimetern neu gezeich
net. Mit messerscharfen Konturen, um für die Schriftschei
ben das Optimale an Konturenschärfe herauszuholen. U
m die Qualität des Einzelzeichens im Belichtungsvorgang

1,60 mm (6 p) 20 30 40 50

Berthold-Schriften überzeugen durch Schärfe und
Qualität. Schriftqualität ist eine Frage der Erfahrung. B
erthold hat diese Erfahrung seit über hundert Jahren
Zuerst im Schriftguß, dann im Fotosatz. Berthold-Sch
riften sind weltweit geschätzt. Im Schriftenatelier Mü
nchen wird jeder Buchstabe in der Größe von zwölf
Zentimetern neu gezeichnet. Mit messerscharfen Ko
nturen, um für die Schriftscheiben das Optimale an K
onturenschärfe herauszuholen. Um die Qualität des

1,75 mm (6,5 p) 20 30 40 50

Berthold-Schriften überzeugen durch Schärfe un
d Qualität. Schriftqualität ist eine Frage der Erfahru
ng. Berthold hat diese Erfahrung seit über hundert
Jahren. Zuerst im Schriftguß, dann im Fotosatz. Be
rthold-Schriften sind weltweit geschätzt. Im Schri
ftenatelier München wird jeder Buchstabe in der
Größe von zwölf Zentimetern neu gezeichnet. Mit
messerscharfen Konturen, um für die Schriftschei
ben das Optimale an Konturenschärfe herauszuh

1,86 mm (7 p) 20 30 40

Berthold-Schriften überzeugen durch Schärfe
und Qualität. Schriftqualität ist eine Frage der Er
fahrung. Berthold hat diese Erfahrung seit über
hundert Jahren. Zuerst im Schriftguß, dann im F
otosatz. Berthold-Schriften sind weltweit gesc
hätzt. Im Schriftenatelier München wird jeder
Buchstabe in der Größe von zwölf Zentimetern
neu gezeichnet. Mit messerscharfen Konturen
um für die Schriftscheiben das Optimale an Ko

2,00 mm (7,5 p) 20 30 40

Berthold-Schriften überzeugen durch Schä
rfe und Qualität. Schriftqualität ist eine Frage
der Erfahrung. Berthold hat diese Erfahrung
seit über hundert Jahren. Zuerst im Schriftgu
ß, dann im Fotosatz. Berthold-Schriften sin
d weltweit geschätzt. Im Schriftenatelier Mü
nchen wird jeder Buchstabe in der Größe v
on zwölf Zentimetern neu gezeichnet. Mit
messerscharfen Konturen, um für die Schrift

2,15 mm (8 p) 20 30 40

Hermann Zapf
1969
D. Stempel AG
H. Berthold AG

ABCDEFGHIJKLMNOPQ
RSTUVWXYZ
abcdefghijklmnopqrstuvwxyz
1/1234567890%
(.,-;:!¡?¿–)·[‘‚„"“»«]
+−=/$£†*&§
ÄÅÆÖØŒÜäåæıöøœßü
ÁÀÂÃÇČÉÈÊËÍÌÎÏĹŇÑÓÒÔÕ
ŔŘŠŤÚÙÛŴẄÝŶŸŽ
áàâãçčéèêëíìîïĺňñóòôõŕřš
úùûŵẅýỳÿž

Berthold-Schriftweite weit
Berthold-Schriftweite normal
Berthold-Schriftweite eng
Berthold-Schriftweite sehr eng
Berthold-Schriftweite extrem eng

Berthold
3,72 mm (14 p)

Berthold
4,25 mm (16 p)

Berthold
4,75 mm (18 p)

Berthold
5,30 mm (20 p)

Berthold
6,35 mm (24 p)

Berthold
7,40 mm (28 p)

Berthold
8,50 mm (32 p)

Berthold
9,55 mm (36 p)

Größe mm	p	Zeilenabstand kp	Êp	Ex	100 Zeichen 0	−1	−2
1,33	5	2,00	2,25	2,00	89	86	83
1,60	6	2,38	2,69	2,50	105	101	97
1,86	7	2,75	3,13	3,00	121	117	113
2,15	8	3,19	3,63	3,50	137	132	127
2,40	9	3,56	4,06	3,75	153	147	141
2,65	10	3,88	4,50	4,25	169	162	155
2,92	11	4,31	4,94	4,75	185	178	171
3,20	12	4,69	5,38	5,25	201	193	185
3,45	13	5,06	5,81	5,75	216	208	200
3,72	14	5,44	6,25	–	232	223	214
3,98	15	5,88	6,69	–	248	239	230
4,25	16	6,25	7,19	–	264	254	244

WZ 12 E, NSW −1, MZB 0,64, F 0,13:0,063 (2,1), VI
H 1–x 0,71–k 1,08–p 0,38–Ê 1,30–kp 1,46–Êp 1,68
BF 089 1011, Belegung 051: 085 0539 (095 0539)

Berthold-Schriften überzeugen durch
Schärfe und Qualität. Schriftqualität ist
eine Frage der Erfahrung. Berthold hat
diese Erfahrung seit über hundert Jahre
n. Zuerst im Schriftguß, dann im Fotosa
tz. Berthold-Schriften sind weltweit ges
chätzt. Im Schriftenatelier München wi
rd jeder Buchstabe in der Größe von z

2,40 mm (9 p) 20 30

Berthold-Schriften überzeugen du
rch Schärfe und Qualität. Schriftqu
alität ist eine Frage der Erfahrung. Be
rthold hat diese Erfahrung seit über
hundert Jahren. Zuerst im Schriftg
uß, dann im Fotosatz. Berthold-Sch
riften sind weltweit geschätzt. Im Sc
hriftenatelier München wird jeder

2,65 mm (10 p) 20 30

Berthold-Schriften überzeugen
durch Schärfe und Qualität. Schr
iftqualität ist eine Frage der Erfah
rung. Berthold hat diese Erfahru
ng seit über hundert Jahren. Zue
rst im Schriftguß, dann im Fotosa
tz. Berthold-Schriften sind welt
weit geschätzt. Im Schriftenatelie

2,92 mm (11 p) 10 20 30

Berthold-Schriften überzeuge
n durch Schärfe und Qualität
Schriftqualität ist eine Frage d
er Erfahrung. Berthold hat die
se Erfahrung seit über hundert
Jahren. Zuerst im Schriftguß d
ann im Fotosatz. Berthold-Sc
hriften sind weltweit geschätzt

3,20 mm (12 p) 10 20

Berthold-Schriften überzeu
gen durch Schärfe und Qu
alität. Schriftqualität ist eine F
rage der Erfahrung. Berthol
d hat diese Erfahrung seit üb
er hundert Jahren. Zuerst im
Schriftguß, dann im Fotosat
z. Berthold-Schriften sind w

3,45 mm (13 p) 10 20

kräftig
medium
fort

OPTIMA

feurte
grasso
kraftig

Berthold-Schriften überzeugen durch Schärfe und Qualität. Schriftquali tät ist eine Frage der Erfahrung. Berthold hat diese Erfahrung seit über hu ndert Jahren. Zuerst im Schriftguß, dann im Fotosatz. Berthold-Schriften sind weltweit geschätzt. Im Schriftenatelier München wird jeder Buchst abe in der Größe von zwölf Zentimetern neu gezeichnet. Mit messersch arfen Konturen, um für die Schriftscheiben das Optimale an Konturensc härfe herauszuholen. Um die Qualität des Einzelzeichens im Belichtung svorgang zu bewahren, wird durch die ruhende, nicht rotierende Schrift scheibe belichtet. Dieses optische System, verbunden mit Präzisions

4,25 mm (16 p), Zeilenabstand 6,75 mm

OPTIMA HEAVY

In general, bodytypes are measured in the typo graphical point size. The sizes of Berthold Foto type faces can be exactly determined. All faces of same point size have the same capital height–ir respective of their x-height. In hot metal and many other phototypesetting systems the capital heights often differ considerably from one face to the other. For measuring point sizes, a trans parent size gauge is provided. To determine the point size, bring a capital letter into coincidence with that field which precisely circumscribes the letter at its upper and lower margin. Below the field you find the typographical point and below that the millimeter value, which also refers to the height of a capital letter. In Berthold-phototype setting, the typewidth can be modified. The stan dard setting width of typefaces is determined by the principle of optimum legibility You should not depart from this typewidth without cogent reason. A typeface which is considered optically right when looked in a greater context, often seems bulky when applied for a small amount of

2,40 mm (9 p), Zeilenabstand 4,25 mm

OPTIMA FORT

La valeur de la force de corps des caractères de labeur èst généralement exprimée en points typographiques. La force de corps des caractères Berthold-Fototype peut être déterminée avec précision. Tous les caractè res du même corps ont des capitales d'une hauteur identique, indépendamment de la hauteur des bas de casse sans jambage. Dans la composition plomb, ainsi que dans cer tains systèmes de photocomposition, la hauteur des capitales, varie souvent d'un ca ractère à l'autre. Pour déterminer la force de corps de nos caractères, nous avons mis au point une réglette de hauteur d'œil transpa rente. On cherche le rectangle qui délimite exactement la hauteur d'œil d'une capitale du caractère choisi. Sous le rectangle corres pondant la valeur de la force de corps est in diquée en points Didots et en millimètres. La valeur en millimètres exprime également la

2,65 mm (10 p), Zeilenabstand 4,69 mm

La indicación de las dimensiones para cuer pos de letra vásicos tiene lugar en general en puntos tipográficos. Los cuerpos de letra de los caracteres Berthold Fototype pueden de terminarse exactemente par medición. Con independencia de la altura de sus longitudes centrales, todos los caracteres de idéntico cuerpo de letra presentan altura de mayús culas idéntica. En la composición en plomo y

2,15 mm (8 p), –1, Zeilenabstand 3,38 mm

123,– $	456,– £	7890,– DM	1 %
234,– $	789,– £	1234,– DM	2 %
567,– $	12,– £	5678,– DM	3 %
890,– $	345,– £	9012,– DM	4 %
123,– $	678,– £	3456,– DM	5 %
456,– $	901,– £	7890,– DM	6 %
789,– $	234,– £	1234,– DM	7 %
12,– $	567,– £	5678,– DM	8 %
345,– $	890,– £	9012,– DM	9 %

BF 089 1012

Le misure relative al corpo dei caratteri vengo no generalmente indicate in punti tipografi ci. Il corpo dei caratteri Fototypes può essere determinato con esattezza per semplice misu razione. Tutti i caratteri di uguale grandezza in punti hanno, indipendente mente dalla loro lunghezza, uguale altezza delle maiuscole. N ella composizione in piombo ed in molti altri sistemi di fotocomposizione, l'altezza delle m

2,15 mm (8 p), –2, Zeilenabstand 3,38 mm

kursiv kräftig
medium italic
italique fort

OPTIMA

fuerte cursiva
grasso cursivo
kursiv kraftig

*Berthold-Schriften überzeugen durch Schärfe und Qualit
ät. Schriftqualität ist eine Frage der Erfahrung. Berthold hat
diese Erfahrung seit über hundert Jahren. Zuerst im Schrif
tguß, dann im Fotosatz. Berthold-Schriften sind weltweit
geschätzt. Im Schriftenatelier München wird jeder Buchst
abe in der Größe von zwölf Zentimetern neu gezeichnet
Mit messerscharfen Konturen, um für die Schriftscheiben
das Optimale an Konturenschärfe herauszuholen. Um die
Qualität des Einzelzeichens im Belichtungsvorgang zu be*

1,60 mm (6 p), Zeilenabstand 2,50 mm

*Berthold-Schriften überzeugen durch Schärfe und
Qualität. Schriftqualität ist eine Frage der Erfahrung
Berthold hat diese Erfahrung seit über hundert Jahr
en. Zuerst im Schriftguß, dann im Fotosatz. Berthol
d-Schriften sind weltweit geschätzt. Im Schriftenat
elier München wird jeder Buchstabe in der Größe
von zwölf Zentimetern neu gezeichnet. Mit messe
rscharfen Konturen, um für die Schriftscheiben das*

1,86 mm (7 p), Zeilenabstand 3,00 mm

*Berthold-Schriften überzeugen durch Schärf
e und Qualität. Schriftqualität ist eine Frage d
er Erfahrung. Berthold hat diese Erfahrung seit
über hundert Jahren. Zuerst im Schriftguß, d
ann im Fotosatz. Berthold-Schriften sind wel
tweit geschätzt. Im Schriftenatelier München
wird jeder Buchstabe in der Größe von zwölf
Zentimetern neu gezeichnet. Mit messersch*

2,15 mm (8 p), Zeilenabstand 3,50 mm

*Hermann Zapf
1969
D. Stempel AG
H. Berthold AG*

*ABCDEFGHIJKLMNOPQ
RSTUVWXYZ
abcdefghijklmnopqrstuvwxyz
1/1234567890%
(.,-;:!¡?¿–)·[",„""»«]
+−=/$£†*&§
ÄÅÆÖØŒÜäåæıöøœßü
ÁÀÂÃÇČÉÈÊËÍÌÎÏĹŇÑÓÒÔÕ
ŔŘŠŤÚÙÛŴẄÝỲŶŸŽ
áàâãçčéèêëíìîïĺňñóòôõŕřš
úùûŵẅýỳÿž*

*Berthold-Schriftweite weit
Berthold-Schriftweite normal
Berthold-Schriftweite eng
Berthold-Schriftweite sehr eng
Berthold-Schriftweite extrem eng*

*In general, bodytypes are me
asured in the typographical p
oint size. The sizes of Berthold
Fototype faces can be exactly
determined. All faces of same
point size have the same capit
al height–irrespective of their
x-height. In hot metal and m
any other phototypesetting sy
stems the capital heights often
differ considerably from one f
ace to the other. For measuring
point sizes, a transparent size
gauge is provided. To determi
ne the point size, bring a capit
al letter into coincidence with
that field which precisely circu*

3,20 mm (12 p), Zeilenabstand 5,25 mm

Berthold's quick brown fox jumps over the lazy dog and feels as if he were in the se
3,72 mm (14 p)

Berthold's quick brown fox jumps over the lazy dog and feels as if he were
4,25 mm (16 p)

Berthold's quick brown fox jumps over the lazy dog and feels as if
4,75 mm (18 p)

Berthold's quick brown fox jumps over the lazy dog and fe
5,30 mm (20 p)

Berthold's quick brown fox jumps over the lazy d
6,35 mm (24 p)

Berthold's quick brown fox jumps over the
7,40 mm (28 p)

Berthold's quick brown fox jumps o
8,50 mm (32 p)

Berthold's quick brown fox jum
9,55 mm (36 p)

*Berthold-Schriften überzeugen durch S
chärfe und Qualität. Schriftqualität ist ei
ne Frage der Erfahrung. Berthold hat die
se Erfahrung seit über hundert Jahren. Z
uerst im Schriftguß, dann im Fotosatz. B
erthold-Schriften sind weltweit geschät
zt. Im Schriftenatelier München wird jed
er Buchstabe in der Größe von zwölf Ze*

2,40 mm (9 p), Zeilenabstand 4,00 mm

Größe		Zeilenabstand			100 Zeichen		
mm	p	kp	Êp	Ex	0	−1	−2
1,33	5	1,94	2,31	—	88	85	82
1,60	6	2,31	2,75	2,50	104	100	96
1,86	7	2,69	3,19	3,00	120	116	112
2,15	8	3,13	3,69	3,50	136	131	126
2,40	9	3,50	4,13	4,00	152	146	140
2,65	10	3,88	4,56	4,00	168	161	154
2,92	11	4,25	5,00	—	184	177	170
3,20	12	4,63	5,44	5,25	199	191	183
3,45	13	5,00	5,88	—	215	207	199
3,72	14	5,38	6,38	—	231	222	213
3,98	15	5,75	6,81	—	246	237	228
4,25	16	6,13	7,25	—	262	252	242

WZ 13 E, NSW −1, MZB 0,63, F 0,12:0,06 (2,1), VI
H 1−x 0,70−k 1,06−p 0,38−Ê 1,32−kp 1,44−Êp 1,70
BF 089 0943, Belegung 051: 085 0542 (095 0542)

*Berthold-Schriften überzeugen dur
ch Schärfe und Qualität. Schriftquali
tät ist eine Frage der Erfahrung. Bert
hold hat diese Erfahrung seit über h
undert Jahren. Zuerst im Schriftguß
dann im Fotosatz. Berthold-Schrifte
n sind weltweit geschätzt. Im Schrift
enatelier München wird jeder Buch*

2,65 mm (10 p), Zeilenabstand 4,00 mm

halbfett
bold
demi-gras

OPTIMA

seminegra
neretto
halvfet

Berthold-Schriften überzeugen durch Schärfe und Qualität. Schriftqualität ist eine Frage der Erfahrung. Berthold hat diese Erfahrung seit über hundert Jahren. Zuerst im Schriftguß, dann im Fotosatz. Bertold-Schriften sind weltweit geschätzt. Im Schriftenatelier München wird je der Buchstabe in der Größe von zwölf Zentimetern neu gezeichnet. Mit messerscharfen Konturen, um für die Schriftscheiben das Optimale an Konturenschärfe heraus zuholen. Um die Qualität des Einzelzeichens im Belichtu

1,60 mm (6 p), Zeilenabstand 2,50 mm

Berthold-Schriften überzeugen durch Schärfe und Qualität. Schriftqualität ist eine Frage der Erfahrung. Berthold hat diese Erfahrung seit über hundert Jahren. Zuerst im Schriftguß, dann im Fotosatz. Berthold-Schriften sind weltweit geschätzt. Im Schriftenatelier München wird jeder Buchstabe in der Größe von zwölf Zentimetern neu gezeichnet. Mit messerscharfen Konturen, um

1,86 mm (7 p), Zeilenabstand 3,00 mm

Berthold-Schriften überzeugen durch Schärfe und Qualität. Schriftqualität ist eine Frage der Erfahrung. Berthold hat diese Erfahrung seit über hundert Jahren. Zuerst im Schriftguß dann im Fotosatz. Berthold-Schriften sind weltweit geschätzt. Im Schriftenatelier München wird jeder Buchstabe in der Größe von zwölf Zentimetern neu gezeich

2,15 mm (8 p), Zeilenabstand 3,50 mm

Hermann Zapf
1958
D. Stempel AG
H. Berthold AG

ABCDEFGHIJKLMNOPQ
RSTUVWXYZ
abcdefghijklmnopqrstuvwxyz
1/1234567890%
(.,-;:!¡?¿–)·[''„""»«]
+−=/$£†*&§
ÄÅÆÖØŒÜäåæıöøœßü
ÁÀÂÃÇČÉÈÊËÍÌÎÏĹŇÑÓÒÔÕ
ŔŘŠŤÚÙÛŴẄÝŶŸŽ
áàâãçčéèêëíìîïĺňñóòôõŕřš
úùûŵẅýỳÿž

Berthold-Schriftweite weit
Berthold-Schriftweite normal
Berthold-Schriftweite eng
Berthold-Schriftweite sehr eng
Berthold-Schriftweite extrem eng

In general, bodytypes are measured in the typographical point size. The sizes of Berthold Fototype faces can be exactly determined. All faces of same point size have the same capital heigth–irrespective of their x-heigth. In hot metal and many other phototypesetting systems the capital heigths often differ considerably from one face to the other. For measuring point sizes, a transparent size gauge is provided. To determine the point size, bring a capital letter into coincidence with that field w

3,20 mm (12 p), Zeilenabstand 5,25 mm

Berthold's quick brown fox jumps over the lazy dog and feels as if he were in the
3,75 mm (14 p)

Berthold's quick brown fox jumps over the lazy dog and feels as if he w
4,25 mm (16 p)

Berthold's quick brown fox jumps over the lazy dog and feels as
4,75 mm (18 p)

Berthold's quick brown fox jumps over the lazy dog and
5,30 mm (20 p)

Berthold's quick brown fox jumps over the lazy
6,35 mm (24 p)

Berthold's quick brown fox jumps over t
7,40 mm (28 p)

Berthold's quick brown fox jumps
8,50 mm (32 p)

Berthold's quick brown fox jum
9,55 mm (36 p)

Berthold-Schriften überzeugen durch Schärfe und Qualität. Schriftqualität ist eine Frage der Erfahrung. Berthold hat diese Erfahrung seit über hundert Jahren. Zuerst im Schriftguß, dann im Fotosatz. Berthold-Schriften sind weltweit geschätzt. Im Schriftenatelier München wird jeder Buchstabe in der Größe v

2,40 mm (9 p), Zeilenabstand 4,00 mm

Größe		Zeilenabstand			100 Zeichen		
mm	p	kp	Êp	Ex	0	−1	−2
1,33	5	2,00	2,19	–	89	86	83
1,60	6	2,38	2,63	2,50	105	101	97
1,86	7	2,81	3,00	3,00	121	117	113
2,15	8	3,19	3,50	3,50	137	132	127
2,40	9	3,56	3,88	4,00	153	147	141
2,65	10	3,94	4,31	4,00	169	162	155
2,92	11	4,38	4,75	–	185	178	171
3,20	12	4,75	5,19	5,25	201	193	185
3,45	13	5,13	5,56	–	216	208	200
3,72	14	5,56	6,00	–	232	223	214
3,98	15	5,94	6,44	–	248	239	230
4,25	16	6,31	6,88	–	264	254	244

WZ 13 E, NSW −1, MZB 0,64, F 0,21:0,083 (2,5), VI
H 1–x 0,70–k 1,10–p 0,38–Ê 1,23–kp 1,48–Êp 1,61
BF 089 0536, Belegung 051: 086 4103 (096 4103)

Berthold-Schriften überzeugen durch Schärfe und Qualität. Schriftqualität ist eine Frage der Erfahrung. Berthold hat diese Erfahrung seit über hundert Jahren. Zuerst im Schriftguß, dann im Fotosatz. Berthold-Schriften sind weltweit geschätzt. Im Schriftenatelier München w

2,65 mm (10 p), Zeilenabstand 4,00 mm

kursiv halbfett
bold italic
italique demi-gras

OPTIMA

seminegra cursiva
neretto corsivo
kursiv halvfet

Berthold-Schriften überzeugen durch Schärfe und Qualität. Schriftqualität ist eine Frage der Erfahrung. Berthold hat diese Erfahrung seit über hundert Jahren. Zuerst im Schriftguß, dann im Fotosatz. Berthold-Schriften sind weltweit geschätzt. Im Schriftenatelier München wird jeder Buchstabe in der Größe von zwölf Zentimetern neu gezeichnet. Mit messerscharfen Konturen, um für die Schriftscheiben das Optimale an Konturenschärfe herauszuholen. Um die Qualität des Einzelzeichens im

1,60 mm (6 p), Zeilenabstand 2,50 mm

Berthold-Schriften überzeugen durch Schärfe und Qualität. Schriftqualität ist eine Frage der Erfahrung. Berthold hat diese Erfahrung seit über hundert Jahren. Zuerst im Schriftguß, dann im Fotosatz Berthold-Schriften sind weltweit geschätzt. Im Schriftenatelier München wird jeder Buchstabe in der Größe von zwölf Zentimetern neu gezeichnet Mit messerscharfen Konturen, um für die Schrftsc

1,86 mm (7 p), Zeilenabstand 3,00 mm

Berthold-Schriften überzeugen durch Schärfe und Qualität. Schriftqualität ist eine Frage der Erfahrung. Berthold hat diese Erfahrung seit über hundert Jahren. Zuerst im Schriftguß, dann im Fotosatz. Berthold Schriften sind weltweit geschätzt. Im Schriftenatelier München wird jeder Buchstabe in der Größe von zwölf Zentimetern neu gezeichnet. Mit

2,15 mm (8 p), Zeilenabstand 3,50 mm

Hermann Zapf
1969
D. Stempel AG
H. Berthold AG

ABCDEFGHIJKLMNOPQ
RSTUVWXYZ
abcdefghijklmnopqrstuvwxyz
1/1234567890 %
(.,-;:!¡?¿–)·[",„""»«]
+–=/$£†&§*
ÄÅÆÖØŒÜäåæıöøœßü
ÁÀÂÃÇČÉÈÊËÍÌÎÏĹŇÑÓÒÔÕ
ŔŘŠŤÚÙÛŴẄÝŶŸŽ
áàâãçčéèêëíìîĺňñóòôõŕřš
úùûŵẅýŷÿž

Berthold-Schriftweite weit
Berthold-Schriftweite normal
Berthold-Schriftweite eng
Berthold-Schriftweite sehr eng
Berthold-Schriftweite extrem eng

In general, bodytypes are measured in the typographical point size. The sizes of Berthold Fototype faces can be exactly determined. All faces of same point size have the same capital height–irrespective of their x-height. In hot metal and many other phototypesetting systems the capital heights often differ considerably from one face to the other For measuring point sizes, a transparent size gauge is provided. To determine the point size, bring a capital letter into coincidence with that field w

3,20 mm (12 p), Zeilenabstand 5,25 mm

Berthold's quick brown fox jumps over the lazy dog and feels as if he were in the
3,72 mm (14 p)

Berthold's quick brown fox jumps over the lazy dog and feels as if he
4,25 mm (16 p)

Berthold's quick brown fox jumps over the lazy dog and feels
4,75 mm (18 p)

Berthold's quick brown fox jumps over the lazy dog and
5,30 mm (20 p)

Berthold's quick brown fox jumps over the lazy
6,35 mm (24 p)

Berthold's quick brown fox jumps over
7,40 mm (28 p)

Berthold's quick brown fox jumps
8,50 mm (32 p)

Berthold's quick brown fox ju
9,55 mm (36 p)

Berthold-Schriften überzeugen durch Schärfe und Qualität. Schriftqualität ist eine Frage der Erfahrung. Berthold hat diese Erfahrung seit über hundert Jahren. Zuerst im Schriftguß, dann im Fotosatz. Berthold-Schriften sind weltweit geschätzt. Im Schriftenatelier München wird jeder Buchstabe in der Größe von

2,40 mm (9 p), Zeilenabstand 4,00 mm

Größe mm	p	Zeilenabstand kp	Êp	Ex	100 Zeichen 0	–1	–2
1,33	5	1,88	2,19	–	88	85	82
1,60	6	2,31	2,63	2,50	104	100	96
1,86	7	2,63	3,06	3,00	120	116	112
2,15	8	3,06	3,50	3,50	136	131	126
2,40	9	3,44	3,94	4,00	152	146	140
2,65	10	3,75	4,31	4,00	168	161	154
2,92	11	4,13	4,75	–	184	177	170
3,20	12	4,56	5,19	5,25	199	191	183
3,45	13	4,88	5,63	–	215	207	199
3,72	14	5,25	6,06	–	231	222	213
3,98	15	5,63	6,50	–	246	237	228
4,25	16	6,00	6,94	–	262	252	242

WZ 13 E, NSW –1, MZB 0,63, F 0,19:0,07 (2,8), VI
H 1-x 0,70-k 1,10-p 0,31-Ê 1,31-kp 1,41-Êp 1,62
BF 089 1361, Belegung 051: 085 1366 (095 1366)

Berthold-Schriften überzeugen durch Schärfe und Qualität. Schriftqualität ist eine Frage der Erfahrung. Berthold hat diese Erfahrung seit über hundert Jahren. Zuerst im Schriftguß, dann im Fotosatz. Berthold-Schriften sind weltweit geschätzt. Im Schriftenatelier München

2,65 mm (10 p), Zeilenabstand 4,00 mm

fett
extra bold
gras

OPTIMA

negra
nero
fet

Berthold-Schriften überzeugen durch Schärfe und Qualit ät. Schriftqualität ist eine Frage der Erfahrung. Berthold h at diese Erfahrung seit über hundert Jahren. Zuerst im Sc hriftguß, dann im Fotosatz. Berthold-Schriften sind welt weit geschätzt. Im Schriftenatelier München wird jeder B uchstabe in der Größe von zwölf Zentimetern neu gezeic hnet. Mit messerscharfen Konturen, um für die Schriftsch eiben das Optimale an Konturenschärfe herauszuholen Um die Qualität des Einzelzeichens im Belichtungsvorga

1,60 mm (6 p), Zeilenabstand 2,50 mm

Berthold-Schriften überzeugen durch Schärfe un d Qualität. Schriftqualität ist eine Frage der Erfahr ung. Berthold hat diese Erfahrung seit über hund ert Jahren. Zuerst im Schriftguß, dann im Fotosatz Berthold-Schriften sind weltweit geschätzt. Im Sc hriftenatelier München wird jeder Buchstabe in d er Größe von zwölf Zentimetern neu gezeichnet Mit messerscharfen Konturen, um für die Schrifts

1,86 mm (7 p), Zeilenabstand 3,00 mm

Berthold-Schriften überzeugen durch Schär fe und Qualität. Schriftqualität ist eine Frage der Erfahrung. Berthold hat diese Erfahrung seit über hundert Jahren. Zuerst im Schriftg uß, dann im Fotosatz. Berthold-Schriften sin d weltweit geschätzt. Im Schriftenatelier Mü nchen wird jeder Buchstabe in der Größe vo n zwölf Zentimetern neu gezeichnet. Mit m

2,15 mm (8 p), Zeilenabstand 3,50 mm

Hermann Zapf
D. Stempel AG
H. Berthold AG

ABCDEFGHIJKLMNOPQ
RSTUVWXYZ
abcdefghijklmnopqrstuvwxyz
1/1234567890%
(.,-;:!i?¿–)·['‚„"“»«]
+−=/$£†*&§
ÄÅÆÖØŒÜäåæıöøœßü
ÁÀÂÃÇĈÉÈÊËÍÌÎÏĹÑŇÓÒÔÕ
ŔŘŠŤÚÙÛŴẄÝỲŸŽ
áàâãçĉéèêëíìîïĺñňóòôõŕřš
úùûŵẅýỳÿž

Berthold-Schriftweite weit
Berthold-Schriftweite normal
Berthold-Schriftweite eng
Berthold-Schriftweite sehr eng
Berthold-Schriftweite extrem eng

In general, bodytypes are me asured in the typographical p oint size. The sizes of Berthol d Fototype faces can be exactl y determined. All faces of sam e point size have the same ca pital height–irrespective of th eir x-height. In hot metal and many other phototypesetting systems the capital heights oft en differ considerably from o ne face to the other. For meas uring point sizes, a transpare nt size gauge is provided. To d etermine the point size, bring a capital letter into coinciden ce with that field which precis

3,20 mm (12 p), Zeilenabstand 5,25 mm

Berthold's quick brown fox jumps over the lazy dog and feels as if he were in the s
3,72 mm (14 p)

Berthold's quick brown fox jumps over the lazy dog and feels as if he w
4,25 mm (16 p)

Berthold's quick brown fox jumps over the lazy dog and feels as
4,75 mm (18 p)

Berthold's quick brown fox jumps over the lazy dog and f
5,30 mm (20 p)

Berthold's quick brown fox jumps over the lazy
6,35 mm (24 p)

Berthold's quick brown fox jumps over th
7,40 mm (28 p)

Berthold's quick brown fox jumps o
8,50 mm (32 p)

Berthold's quick brown fox jum
9,55 mm (36 p)

Berthold-Schriften überzeugen durch S chärfe und Qualität. Schriftqualität ist e ine Frage der Erfahrung. Berthold hat di ese Erfahrung seit über hundert Jahren Zuerst im Schriftguß, dann im Fotosatz Berthold-Schriften sind weltweit gesch ätzt. Im Schriftenatelier München wird jeder Buchstabe in der Größe von zwölf

2,40 mm (9 p), Zeilenabstand 4,00 mm

Größe		Zeilenabstand			100 Zeichen		
mm	p	kp	Êp	Fx	0	−1	−2
1,33	5	1,94	2,19	–	91	88	85
1,60	6	2,31	2,63	2,50	107	103	99
1,86	7	2,69	3,06	3,00	123	119	115
2,15	8	3,13	3,56	3,50	140	135	130
2,40	9	3,50	3,94	4,00	157	151	145
2,65	10	3,88	4,38	4,00	173	166	159
2,92	11	4,25	4,81	–	189	182	175
3,20	12	4,63	5,25	5,25	205	197	189
3,45	13	5,00	5,69	–	221	213	205
3,72	14	5,38	6,13	–	237	228	219
3,98	15	5,75	6,56	–	253	244	235
4,25	16	6,13	7,00	–	269	259	249

WZ 13 E, NSW −1, MZB 0,65, F 0,22:0,08 (2,9), VI H 1-x 0,70-k 1,06-p 0,38-Ê 1,26-kp 1,44-Êp 1,64 BF 089 0876, Belegung 051: 085 0556 (095 0556)

Berthold-Schriften überzeugen dur ch Schärfe und Qualität. Schriftqual ität ist eine Frage der Erfahrung. Ber thold hat diese Erfahrung seit über hundert Jahren. Zuerst im Schriftgu ß, dann im Fotosatz. Berthold-Schri ften sind weltweit geschätzt. Im Sch riftenatelier München wird jeder B

2,65 mm (10 p), Zeilenabstand 4,00 mm

kursiv fett
extra bold italic
italique gras

OPTIMA

negra cursiva
nero corsivo
kursiv fet

Berthold-Schriften überzeugen durch Schärfe und Quali tät. Schriftqualität ist eine Frage der Erfahrung. Berthold hat diese Erfahrung seit über hundert Jahren. Zuerst im S chriftguß, dann im Fotosatz. Berthold-Schriften sind wel tweit geschätzt. Im Schriftenatelier München wird jeder Buchstabe in der Größe von zwölf Zentimetern neu geze ichnet. Mit messerscharfen Konturen, um für die Schrift scheiben das Optimale an Konturenschärfe herauszuho len. Um die Qualität des Einzelzeichens im Belichtungsv

1,60 mm (6 p), Zeilenabstand 2,50 mm

Berthold-Schriften überzeugen durch Schärfe un d Qualität. Schriftqualität ist eine Frage der Erfahr ung. Berthold hat diese Erfahrung seit über hund ert Jahren. Zuerst im Schriftguß, dann im Fotosatz Berthold-Schriften sind weltweit geschätzt. Im Sc hriftenatelier München wird jeder Buchstabe in der Größe von zwölf Zentimetern neu gezeichne t. Mit messerscharfen Konturen, um für die Schrif

1,86 mm (7 p), Zeilenabstand 3,00 mm

Berthold-Schriften überzeugen durch Schä rfe und Qualität. Schriftqualität ist eine Frag e der Erfahrung. Berthold hat diese Erfahrun g seit über hundert Jahren. Zuerst im Schrift guß, dann im Fotosatz. Berthold-Schriften s ind weltweit geschätzt. Im Schriftenatelier München wird jeder Buchstabe in der Größ e von zwölf Zentimetern neu gezeichnet. M

2,15 mm (8 p), Zeilenabstand 3,50 mm

Hermann Zapf
1969
D. Stempel AG
H. Berthold AG

ABCDEFGHIJKLMNOPQ
RSTUVWXYZ
abcdefghijklmnopqrstuvwxyz
1/1234567890%
(.,-;:!¡?¿–)·['',,""»«]
+−=/$£†*&§
ÄÅÆÖØŒÜäåæıöøœßü
ÁÀÂÃÇČÉÈÊËÍÌÎÏĹŇÑÓÒÔÕ
ŔŘŠŤÚÙÛŴẄÝỲŶŸŽ
áàâãçčéèêëíìîïĺňñóòôõŕřš
úùûŵẅýỳÿž

Berthold-Schriftweite weit
Berthold-Schriftweite normal
Berthold-Schriftweite eng
Berthold-Schriftweite sehr eng
Berthold-Schriftweite extrem eng

In general, bodytypes are me asured in the typographical p oint size. The sizes of Berthold Fototype faces can be exactly determined. All faces of same point size have the same capi tal height–irrespective of the ir x-height. In hot metal and many other phototypesetting systems the capital heights o ften differ considerably from one face to the other. For me asuring point sizes, a transpar ent size gauge is provided. To determine the point size, bri ng a capital letter into coincid ence with that field which pr

3,20 mm (12 p), Zeilenabstand 5,25 mm

Berthold's quick brown fox jumps over the lazy dog and feels as if he were in the s
3,72 mm (14 p)

Berthold's quick brown fox jumps over the lazy dog and feels as if he we
4,25 mm (16 p)

Berthold's quick brown fox jumps over the lazy dog and feels as
4,75 mm (18 p)

Berthold's quick brown fox jumps over the lazy dog and f
5,30 mm (20 p)

Berthold's quick brown fox jumps over the lazy
6,35 mm (24 p)

Berthold's quick brown fox jumps over t
7,40 mm (28 p)

Berthold's quick brown fox jumps o
8,50 mm (32 p)

Berthold's quick brown fox jum
9,55 mm (36 p)

Berthold-Schriften überzeugen durch Schärfe und Qualität. Schriftqualität ist eine Frage der Erfahrung. Berthold hat diese Erfahrung seit über hundert Jahr en. Zuerst im Schriftguß, dann im Fotos atz. Berthold-Schriften sind weltweit g eschätzt. Im Schriftenatelier München wird jeder Buchstabe in der Größe von

2,40 mm (9 p), Zeilenabstand 4,00 mm

Größe		Zeilenabstand			100 Zeichen		
mm	p	kp	Êp	Ex	0	−1	−2
1,33	5	1,94	2,25	–	89	86	83
1,60	6	2,31	2,75	2,50	105	101	97
1,86	7	2,69	3,19	3,00	121	117	113
2,15	8	3,13	3,69	3,50	137	132	127
2,40	9	3,44	4,06	4,00	153	147	141
2,65	10	3,81	4,50	4,00	169	162	155
2,92	11	4,19	4,94	–	185	178	171
3,20	12	4,63	5,44	5,25	201	193	185
3,45	13	4,94	5,88	–	216	208	200
3,72	14	5,38	6,31	–	232	223	214
3,98	15	5,75	6,75	–	248	239	230
4,25	16	6,13	7,19	–	264	254	244

WZ 13 E, NSW −1, MZB 0,64, F 0,22:0,08 (2,9), VI
H 1-x 0,70-k 1,07-p 0,36-Ê 1,33-kp 1,43-Êp 1,69
BF 089 1362, Belegung 051: 085 1367 (095 1367)

Berthold-Schriften überzeugen du rch Schärfe und Qualität. Schriftqu alität ist eine Frage der Erfahrung. B erthold hat diese Erfahrung seit üb er hundert Jahren. Zuerst im Schrift guß, dann im Fotosatz. Berthold-Sc hriften sind weltweit geschätzt. Im Schriftenatelier München wird jed

2,65 mm (10 p), Zeilenabstand 4,00 mm

normal
regular
normal

ORIGINAL-CENTURY

normal
chiaro tondo
normal

Berthold-Schriften überzeugen durch Schärfe und Qualität. Schriftqu
alität ist eine Frage der Erfahrung. Berthold hat diese Erfahrung seit ü
ber hundert Jahren. Zuerst im Schriftguß, dann im Fotosatz. Berthold
Schriften sind weltweit geschätzt. Im Schriftenatelier München wird je
der Buchstabe in der Größe von zwölf Zentimetern neu gezeichnet. Mit
messerscharfen Konturen, um für die Schriftscheiben das Optimale an
Konturenschärfe herauszuholen. Um die Qualität des Einzelzeichens i
m Belichtungsvorgang zu bewahren, wird durch die ruhende, nicht roti
erende Schriftscheibe belichtet. Dieses optische System, verbunden

1,33 mm (5 p) 20 30 40 50 60

Berthold-Schriften überzeugen durch Schärfe und Qualität. Schr
iftqualität ist eine Frage der Erfahrung. Berthold hat diese Erfah
rung seit über hundert Jahren. Zuerst im Schriftguß, dann im Fot
osatz. Berthold-Schriften sind weltweit geschätzt. Im Schriftenat
elier München wird jeder Buchstabe in der Größe von zwölf Zent
imetern neu gezeichnet. Mit messerscharfen Konturen, um für
die Schriftscheiben das Optimale an Konturenschärfe herauszuh
olen. Um die Qualität des Einzelzeichens im Belichtungsvorgang
zu bewahren, wird durch die ruhende, nicht rotierende Schriftsc

1,45 mm (5,5 p) 20 30 40 50 6

Berthold-Schriften überzeugen durch Schärfe und Qualität
Schriftqualität ist eine Frage der Erfahrung. Berthold hat di
ese Erfahrung seit über hundert Jahren. Zuerst im Schriftg
uß, dann im Fotosatz. Berthold-Schriften sind weltweit gesc
hätzt. Im Schriftenatelier München wird jeder Buchstabe in
der Größe von zwölf Zentimetern neu gezeichnet. Mit mess
erscharfen Konturen, um für die Schriftscheiben das Optim
ale an Konturenschärfe herauszuholen. Um die Qualität des
Einzelzeichens im Belichtungsvorgang zu bewahren, wird d

1,60 mm (6 p) 20 30 40 50

Berthold-Schriften überzeugen durch Schärfe und Qu
alität. Schriftqualität ist eine Frage der Erfahrung. Ber
thold hat diese Erfahrung seit über hundert Jahren. Zu
erst im Schriftguß, dann im Fotosatz. Berthold-Schrift
en sind weltweit geschätzt. Im Schriftenatelier Münch
en wird jeder Buchstabe in der Größe von zwölf Zenti
metern neu gezeichnet. Mit messerscharfen Konturen
um für die Schriftscheiben das Optimale an Konturens
chärfe herauszuholen. Um die Qualität des Einzelzeich

1,75 mm (6,5 p) 20 30 40 50

Berthold-Schriften überzeugen durch Schärfe und
Qualität. Schriftqualität ist eine Frage der Erfahrung
Berthold hat diese Erfahrung seit über hundert Jahr
en. Zuerst im Schriftguß, dann im Fotosatz. Berthol
d-Schriften sind weltweit geschätzt. Im Schriftenatel
ier München wird jeder Buchstabe in der Größe
von zwölf Zentimetern neu gezeichnet. Mit messers
charfen Konturen, um für die Schriftscheiben das
Optimale an Konturenschärfe herauszuholen. Um d

1,86 mm (7 p) 20 30 40

Berthold-Schriften überzeugen durch Schärfe u
nd Qualität. Schriftqualität ist eine Frage der Erf
ahrung. Berthold hat diese Erfahrung seit über h
undert Jahren. Zuerst im Schriftguß, dann im Fot
osatz. Berthold-Schriften sind weltweit geschätzt
Im Schriftenatelier München wird jeder Buchst
abe in der Größe von zwölf Zentimetern neu geze
ichnet. Mit messerscharfen Konturen, um für die
Schriftscheiben das Optimale an Konturenschärf

2,00 mm (7,5 p) 20 30 40

Berthold-Schriften überzeugen durch Schärfe
und Qualität. Schriftqualität ist eine Frage der
Erfahrung. Berthold hat diese Erfahrung seit
über hundert Jahren. Zuerst im Schriftguß, da
nn im Fotosatz. Berthold-Schriften sind welt
weit geschätzt. Im Schriftenatelier München
wird jeder Buchstabe in der Größe von zwölf
Zentimetern neu gezeichnet. Mit messerschar
fen Konturen, um für die Schriftscheiben das

2,15 mm (8 p) 20 30 40

Morris Fuller Benton
1900
American Typefounders
H. Berthold AG

ABCDEFGHIJKLMNOPQ
RSTUVWXYZ
abcdefghijklmnopqrstuvwxyz
1/1234567890 %
(.,-;:!¡?¿–)·[’‘„”“»«]
+–=/$£†*&§
ÄÅÆÖØŒÜäåæ ıöøœßü
ÁÀÂÃÇČÉÈÊËÍÌÎÏĹŇÑÓÒÔÕ
ŔŘŠŤÚÙÛŴẄÝỲŸŽ
áàâãçčéèêëíìîïĺňñóòôõŕřš
úùûŵẅýỳÿž

Berthold-Schriftweite weit
Berthold-Schriftweite normal
Berthold-Schriftweite eng
Berthold-Schriftweite sehr eng
Berthold-Schriftweite extrem eng

Berthold
3,72 mm (14 p)

Berthold
4,25 mm (16 p)

Berthold
4,75 mm (18 p)

Berthold
5,30 mm (20 p)

Berthold
6,35 mm (24 p)

Berthold
7,40 mm (28 p)

Berthold
8,50 mm (32 p)

Berthold
9,55 mm (36 p)

Größe mm	p	Zeilenabstand kp	Êp	Ex	100 Zeichen 0	−1	−2
1,33	5	1,69	2,06	2,00	86	83	80
1,60	6	2,00	2,50	2,50	101	97	93
1,86	7	2,38	2,88	3,00	116	112	108
2,15	8	2,75	3,31	3,50	132	127	122
2,40	9	3,06	3,69	3,75	148	142	136
2,65	10	3,38	4,06	4,25	163	156	149
2,92	11	3,75	4,50	4,75	178	171	164
3,20	12	4,13	4,94	5,25	193	185	177
3,45	13	4,44	5,31	5,75	209	201	193
3,72	14	4,75	5,75	–	224	215	206
3,98	15	5,06	6,13	–	239	230	221
4,25	16	5,44	6,56	–	254	244	234

WZ 13 E, NSW 0, MZB 0,61, F 0,10:0,05 (1,9), III
H 1–x 0,65–k 1,01–p 0,26–Ê 1,27–kp 1,27–Êp 1,53
BF 089 1086, Belegung 051: 085 1221 (095 1221)

Berthold-Schriften überzeugen durch Sc
härfe und Qualität. Schriftqualität ist eine
Frage der Erfahrung. Berthold hat diese
Erfahrung seit über hundert Jahren. Zuer
st im Schriftguß, dann im Fotosatz. Bert
hold-Schriften sind weltweit geschätzt. Im
Schriftenatelier München wird jeder Buc
hstabe in der Größe von zwölf Zentimet

2,40 mm (9 p) 20 30

Berthold-Schriften überzeugen durc
h Schärfe und Qualität. Schriftqualitä
t ist eine Frage der Erfahrung. Berth
old hat diese Erfahrung seit über hun
dert Jahren. Zuerst im Schriftguß dan
n im Fotosatz. Berthold-Schriften sin
d weltweit geschätzt. Im Schriftenatel
ier München wird jeder Buchstabe in

2,65 mm (10 p)10 20 30

Berthold-Schriften überzeugen du
rch Schärfe und Qualität. Schriftq
ualität ist eine Frage der Erfahrun
g. Berthold hat diese Erfahrung se
it über hundert Jahren. Zuerst im
Schriftguß, dann im Fotosatz. Bert
hold-Schriften sind weltweit gesch
ätzt. Im Schriftenatelier München

2,92 mm (11 p) 10 20 30

Berthold-Schriften überzeugen
durch Schärfe und Qualität. Sch
riftqualität ist eine Frage der E
rfahrung. Berthold hat diese Er
fahrung seit über hundert Jahre
n. Zuerst im Schriftguß, dann i
m Fotosatz. Berthold-Schriften
sind weltweit geschätzt. Im Sch

3,20 mm (12 p) 10 20

Berthold-Schriften überzeug
en durch Schärfe und Qualit
ät. Schriftqualität ist eine Fra
ge der Erfahrung. Berthold h
at diese Erfahrung seit über
hundert Jahren. Zuerst im Sc
hriftguß, dann im Fotosatz. Be
rthold-Schriften sind weltwei

3,45 mm (13 p) 10 20

normal
regular
normal

ORIGINAL-CENTURY

normal
chiaro tondo
normal

Berthold-Schriften überzeugen durch Schärfe und Qualität. Schriftqualität ist eine Frage der Erfahrung. Berthold hat diese Erfahrung seit über hundert Jahren. Zuerst im Schriftguß, dann im Fotosatz. Berthold-Schriften sind wel tweit geschätzt. Im Schriftenatelier München wird jeder Buchstabe in der Größe von zwölf Zentimetern neu gezeichnet. Mit messerscharfen Konture n, um für die Schriftscheiben das Optimale an Konturenschärfe herauszuho len. Um die Qualität des Einzelzeichens im Belichtungsvorgang zu bewahre n, wird durch die ruhende, nicht rotierende Schriftscheibe belichtet. Dieses optische System, verbunden mit Präzisions-Chromglasscheiben, führt zu ei

4,25 mm (16 p), Zeilenabstand 6,75 mm

ORIGINAL-CENTURY REGULAR

In general, bodytypes are measured in the typograp hical point size. The sizes of Berthold Fototype fac es can be exactly determined. All faces of same poin t size have the same capital height–irrespective of their x-height. In hot metal and many other phototy pesetting systems the capital heights often differ considerably from one face to the other. For measur ing point sizes, a transparent size gauge is provided To determine the point size, bring a capital letter int o coincidence with that field which precisely circum scribes the letter at its upper and lower margin. Be low the field you find the typographical point and be low that the millimeter value, which also refers to the height of a capital letter. In Berthold-phototypes etting, the typewidth can be modified. The standa rd setting width of typefaces is determined by the principle of optimum legibility. You should not depa rt from this typewidth without cogent reason. A typ eface which is considered optically right when looke d in a greater context, often seems bulky when app lied for a small amount of text, e. g. labels and ads. H ere, a width reduction will be conducive to legibili

2,40 mm (9 p), Zeilenabstand 4,25 mm

ORIGINAL-CENTURY NORMAL

La valeur de la force de corps des caractères d e labeur èst généralement exprimée en points typographiques. La force de corps des caractèr es Berthold-Fototype peut être déterminée av ec précision. Tous les caractères du même co rps ont des capitales d'une hauteur identique indépendamment de la hauteur des bas de c asse sans jambage. Dans la composition plomb ainsi que dans certains systèmes de photocom position, la hauteur des capitales, varie souve nt d'un caractère à l'autre. Pour déterminer la force de corps de nos caractères, nous avons mis au point une réglette de hauteur d'œil tran sparente. On cherche le rectangle qui délimit e exactement la hauteur d'œil d'une capitale du caractère choisi. Sous le rectangle correspo ndant la valeur de la force de corps est indiqué e en points Didots et en millimètres. La valeur en millimètres exprime également la hauteur des capitales. Pour toutes les indications conce

2,65 mm (10 p), Zeilenabstand 4,69 mm

La indicación de las dimensiones para cuerpos de letra vásicos tiene lugar en general en puntos tipo gráficos. Los cuerpos de letra de los caracteres Berthold Fototype pueden determinarse exacte mente par medición. Con independencia de la altu ra de sus longitudes centrales, todos los caractere s de idéntico cuerpo de letra presentan altura de mayúsculas idéntica. En la composición en plomo y en muchos otros sistemas de fotocomposición

2,15 mm (8 p), –1, Zeilenabstand 3,38 mm

123,– $	456,– £	7890,– DM	1 %
234,– $	789,– £	1234,– DM	2 %
567,– $	12,– £	5678,– DM	3 %
890,– $	345,– £	9012,– DM	4 %
123,– $	678,– £	3456,– DM	5 %
456,– $	901,– £	7890,– DM	6 %
789,– $	234,– £	1234,– DM	7 %
12,– $	567,– £	5678,– DM	8 %
345,– $	890,– £	9012,– DM	9 %

BF 089 1087

Le misure relative al corpo dei caratteri vengono ge neralmente indicate in punti tipografici. Il corpo de i caratteri Fototypes può essere determinato con es attezza per semplice misurazione. Tutti i caratteri di uguale grandezza in punti hanno, indipendentem ente dalla loro lunghezza, uguale altezza delle maius cole. Nella composizione in piombo ed in molti altri sistemi di fotocomposizione, l'altezza delle maiusco le varia spesso da carattere a carattere. Per misura

2,15 mm (8 p), –2, Zeilenabstand 3,38 mm

kursiv
italic
italique

ORIGINAL-CENTURY

cursiva
chiaro corsivo
kursiv

Måttangivelse för grundstilsgrader s ker i allmänhet i typografiska punkte r. Stilar av Berthold Fototype kan eft er mätning exakt gradbestämmas. A lla typsnitt är av samma punktstorlek och har oberoende av x-höjden en ide ntisk versalhöjd. I blysättning och i många andra fotosättsystem varierar versalhöjden avsevärt från typsnitt ti ll typsnitt. För mätning av stilgrader finns en transparent mätlinjal. Vid mätningen placerar man en versal b okstav så att rutorna begränsar teck net upptill och nedtill. Under rutorna finns stilstorleken i typografiska did otpunkter och i mm. Även millimeter uppgiften avser versalhöjden. Vid sti lstorleksuppgifter anges alltid måtten heten efter sifferuppgiften t ex 14 pu

2,92 mm (11 p), Zeilenabstand 4,69 mm

Morris Fuller Benton
1900
American Typefounders
H. Berthold AG

ABCDEFGHIJKLMNOPQ
RSTUVWXYZ
abcdefghijklmnopqrstuvwxyz
1/1234567890 %
(.,-;:!¡?¿–)·[‘‚„”“»«]
+−=/$£†&§*
ÄÅÆÖØŒÜäåæıöøœßü
ÁÀÂÃÇČÉÈÊËÍÌÎÏĹŇÑÓÒÔÕ
ŔŘŠŤÚÙÛŴẄÝỲŶŸŽ
áàâãçčéèêëíìîïĺňñóòôõŕřš
úùûŵẅýỳÿž

Berthold-Schriftweite weit
Berthold-Schriftweite normal
Berthold-Schriftweite eng
Berthold-Schriftweite sehr eng
Berthold-Schriftweite extrem eng

In general, bodytypes are measur ed in the typographical point size The sizes of Berthold Fototype fac es can be exactly determined. All f aces of same point size have the sa me capital height–irrespective of t heir x-height. In hot metal and ma ny other phototypesetting systems the capital heights often differ con siderably from one face to the othe r. For measuring point sizes, a tra nsparent size gauge is provided To determine the point size, br ing a capital letter into coinciden ce with that field which precisely c ircumscribes the letter at its upper and lower margin. Below the field

3,20 mm (12 p), Zeilenabstand 5,25 mm

ORIGINAL-CENTURY KURSIV

Die Maßangabe zu Grundschriftgrößen erfolgt im allg emeinen in typographischen Punkten. Die Schriftgröß en der Berthold-Fotosatz-Schriften sind nach Messung exakt bestimmbar. Alle Schriften gleicher Punktgröße weisen, unabhängig von der Höhe ihrer Mittellängen eine identische Versalhöhe auf. Im Bleisatz und bei vie len anderen Fotosatz-Systemen differieren die Versalh öhen von Schrift zu Schrift oft erheblich. Zum Messen v on Schriftgrößen steht ein transparentes Größenma ß zur Verfügung. Zum Messen wird ein Versalbuchsta be mit dem Feld in Deckung gebracht, das den Buchsta ben oben und unten scharf begrenzt. Unter dem Feld ist die Schriftgröße in typographischen Didot-Punkten, d arunter in Millimetern angegeben. Auch die Millimete rangaben beziehen sich auf die Höhe der Versalbuchst aben. Die Schriftweite kann im Berthold-Fotosatz beli ebig verändert werden. Die Festlegung der Normalschr iftweite erfolgt nach dem Prinzip der optimalen Lesbar

2,40 mm (9 p), Zeilenabstand 4 mm

ORIGINAL-CENTURY ITALIQUE

La valeur de la force de corps des caractères de lab eur èst généralement exprimée en points typograp hiques. La force de corps des caractères Berthold Fototype peut être déterminée avec précision. Tous les caractères du même corps ont des capitales d'u ne hauteur identique, indépendamment de la ha uteur des bas de casse sans jambage. Dans la com position plomb, ainsi que dans certains systèmes de photocomposition, la hauteur des capitales, va rie souvent d'un caractère à l'autre. Pour détermi ner la force de corps de nos caractères, nous avons mis au point une réglette de hauteur d'œil transp arente. On cherche le rectangle qui délimite exacte ment la hauteur d'œil d'une capitale du caract ère choisi. Sous le rectangle correspondant la vale ur de la force de corps est indiquée en points Dido

2,65 mm (10 p), Zeilenabstand 4,50 mm

La indicación de las dimensiones para cuerpos de letra vásicos t iene lugar en general en puntos tipográficos. Los cuerpos de letra de los caracteres Berthold Fototype pueden determinarse exacte mente par medición. Con independencia de la altura de sus long itudes centrales, todos los caracteres de idéntico cuerpo de letra presentan altura de mayúsculas idéntica. En la composición en plomo y en muchos otros sistemas de fotocomposición, las alturas de mayúsculas varían frecuentemmente en forma considerable de tipo de letra a tipo de letra. Para medir los cuerpos de letra se dispone de un tipómetro, véase la figura. Para la medición se ha ce coincidir una letra mayúscula con la casilla cuyos extremos coinciden con los extremos superior e inferior de la letra. Bajo

1,60 mm (6 p), Zeilenabstand 2,50 mm

Größe		Zeilenabstand			100 Zeichen		
mm	p	kp	Êp	Ex	0	−1	−2
1,33	5	1,69	2,06	–	78	75	72
1,60	6	2,06	2,50	2,50	92	88	84
1,86	7	2,38	2,88	–	106	102	98
2,15	8	2,75	3,31	3,38	120	115	110
2,40	9	3,06	3,69	4,00	134	128	122
2,65	10	3,38	4,06	4,50	148	141	134
2,92	11	3,75	4,50	4,69	162	155	148
3,20	12	4,13	4,94	5,25	176	168	160
3,45	13	4,44	5,31	–	190	182	174
3,72	14	4,75	5,75	–	203	194	185
3,98	15	5,06	6,13	–	217	208	199
4,25	16	5,44	6,56	–	231	221	211

WZ 13 E, NSW 0, MZB 0,56, F 0,10:0,04 (2,7), III
H 1–x 0,66–k 1,01–p 0,26–Ê 1,27–kp 1,27–Êp 1,53
BF 089 1088, Belegung 051: 085 1222 (095 1222)

Le misure relative al corpo dei caratteri vengono g eneralmente indicate in punti tipografici. Il corpo dei caratteri Fototypes può essere determinato con esattezza per semplice misurazione. Tutti i caratt eri di uguale grandezza in punti hanno, indipend entemente dalla loro lunghezza, uguale altezza de lle maiuscole. Nella composizione in piombo ed in molti altri sistemi di fotocomposizione, l'altezza d elle maiuscole varia spesso da carattere a caratter

2,15 mm (8 p), Zeilenabstand 3,38 mm

halbfett
bold
demi-gras

ORIGINAL-CENTURY

seminegra
neretto
halvfet

Berthold-Schriften überzeugen durch Schärfe und Qualität. Schriftqualität ist eine Frage der Erfahrung. Berthold hat diese Erfahrung seit über hundert Jahren Zuerst im Schriftguß, dann im Fotosatz. Berthold-Schriften sind weltweit geschätzt. Im Schriftenatelier München wird jeder Buchstabe in der Größe von zwölf Zentimetern neu gezeichnet. Mit messerscharfen Konturen, um für die Schriftscheiben das Optimale an Konturenschärfe herauszuholen. Um die Qualität des Einz

1,60 mm (6 p), Zeilenabstand 2,50 mm

Berthold-Schriften überzeugen durch Schärfe und Qualität. Schriftqualität ist eine Frage der Erfahrung. Berthold hat diese Erfahrung seit über hundert Jahren. Zuerst im Schriftguß, dann im Fotosatz. Berthold-Schriften sind weltweit geschätzt. Im Schriftenatelier München wird jeder Buchstabe in der Größe von zwölf Zentimetern neu gezeichnet. Mit messerscharfen Kont

1,86 mm (7 p), Zeilenabstand 3,00 mm

Berthold-Schriften überzeugen durch Schärfe und Qualität. Schriftqualität ist eine Frage der Erfahrung. Berthold hat diese Erfahrung seit über hundert Jahren. Zuerst im Schriftguß, dann im Fotosatz. Berthold-Schriften sind weltweit geschätzt. Im Schriftenatelier München wird jeder Buchstabe in der Größe von zwölf Zentimetern

2,15 mm (8 p), Zeilenabstand 3,50 mm

Morris Fuller Benton
1905
American Typefounders
H. Berthold AG

ABCDEFGHIJKLMNOPQ
RSTUVWXYZ
abcdefghijklmnopqrstuvwxyz
1/1234567890%
(.,-;:!¡?¿–)·[’‘„”“»«]
+−=/$£†*&§
ÄÅÆÖØŒÜäåæıöøœßü
ÁÀÂÃÇČÉÈÊËÍÌÎÏĹŇÑÓÒÔÕ
ŔŘŠŤÚÙÛŴẄÝŶŸŽ
áàâãçčéèêëíìîïĺňñóòôõŕřš
úùûŵẅýỳÿž

Berthold-Schriftweite weit
Berthold-Schriftweite normal
Berthold-Schriftweite eng
Berthold-Schriftweite sehr eng
Berthold-Schriftweite extrem eng

In general, bodytypes are measured in the typographical point size. The sizes of Berthold Fototype faces can be exactly determined. All faces of same point size have the same capital height–irrespective of their x-height. In hot metal and many other photo typesetting systems the capital heights often differ considerably from one face to the other. For measuring point sizes, a transparent size gauge is provided. To determine the point size, bring a capital letter into coincidence

3,20 mm (12 p), Zeilenabstand 5,25 mm

Berthold's quick brown fox jumps over the lazy dog and feels as if he were in t
3,72 mm (14 p)

Berthold's quick brown fox jumps over the lazy dog and feels as if he
4,25 mm (16 p)

Berthold's quick brown fox jumps over the lazy dog and feels
4,75 mm (18 p)

Berthold's quick brown fox jumps over the lazy dog and
5,30 mm (20 p)

Berthold's quick brown fox jumps over the laz
6,35 mm (24 p)

Berthold's quick brown fox jumps over
7,40 mm (28 p)

Berthold's quick brown fox jumps
8,50 mm (32 p)

Berthold's quick brown fox ju
9,55 mm (36 p)

Berthold-Schriften überzeugen durch Schärfe und Qualität. Schriftqualität ist eine Frage der Erfahrung. Berthold hat diese Erfahrung seit über hundert Jahren. Zuerst im Schriftguß dann im Fotosatz. Berthold-Schriften sind weltweit geschätzt. Im Schriftenatelier München wird jeder Buchst

2,40 mm (9 p), Zeilenabstand 4,00 mm

Größe mm	p	Zeilenabstand kp	Êp	Ex	100 Zeichen 0	−1	−2
1,33	5	1,75	2,06	–	93	90	87
1,60	6	2,06	2,50	2,50	109	105	101
1,86	7	2,44	2,88	3,00	126	122	118
2,15	8	2,81	3,31	3,50	143	138	133
2,40	9	3,13	3,69	4,00	160	154	148
2,65	10	3,44	4,06	4,00	177	170	163
2,92	11	3,75	4,50	–	193	186	179
3,20	12	4,13	4,94	5,25	209	201	193
3,45	13	4,44	5,31	–	226	218	210
3,72	14	4,81	5,75	–	242	233	224
3,98	15	5,13	6,13	–	259	250	241
4,25	16	5,44	6,56	–	275	265	255

WZ 13 E, NSW 0, MZB 0,67, F 0,17:0,06 (2,7), III
H 1–x 0,65–k 1,02–p 0,26–Ê 1,27–kp 1,28–Êp 1,53
BF 089 1089, Belegung 051: 085 1223 (095 1223)

Berthold-Schriften überzeugen durch Schärfe und Qualität. Schriftqualität ist eine Frage der Erfahrung. Berthold hat diese Erfahrung seit über hundert Jahren. Zuerst im Schriftguß, dann im Fotosatz. Berthold-Schriften sind weltweit geschätzt. Im Schriftenatelier Mü

2,65 mm (10 p), Zeilenabstand 4,00 mm

normal
regular
normal

ORIGINAL JANSON-ANTIQUA

normal
chiaro tondo
normal

Berthold-Schriften überzeugen durch Schärfe und Qualität. Schriftqualität ist eine Frage der Erfahrung. Berthold hat diese Erfahrung seit über hundert Jahren. Zuerst im Schriftguß, dann im Fotosatz. Berthold-Schriften sind weltweit geschätzt. Im Schriftenatelier München wird jeder Buchstabe in der Größe von zwölf Zentimetern neu gezeichnet. Mit messerscharfen Konturen, um für die Schriftscheiben das Optimale an Konturenschärfe herauszuholen. Um die Qualität des Einzelzeichens im Belichtungsvorgang zu bewahren, wird durch die ruhende, nicht rotierende Schriftscheibe belichtet. Dieses optische Syst

1,33 mm (5 p) 20 30 40 50 60

Berthold-Schriften überzeugen durch Schärfe und Qualität. Schriftqualität ist eine Frage der Erfahrung. Berthold hat diese Erfahrung seit über hundert Jahren. Zuerst im Schriftguß, dann im Fotosatz. Berthold-Schriften sind weltweit geschätzt. Im Schriftenatelier München wird jeder Buchstabe in der Größe von zwölf Zentimetern neu gezeichnet. Mit messerscharfen Konturen, um für die Schriftscheiben das Optimale an Konturenschärfe herauszuholen. Um die Qualität des Einzelzeichens im Belichtungsvorgang zu bewahren, wird durch die ruhende, nicht rotierende Sc

1,45 mm (5,5 p) 20 30 40 50 6

Berthold-Schriften überzeugen durch Schärfe und Qualität. Schriftqualität ist eine Frage der Erfahrung. Berthold hat diese Erfahrung seit über hundert Jahren. Zuerst im Schriftguß, dann im Fotosatz. Berthold-Schriften sind weltweit geschätzt. Im Schriftenatelier München wird jeder Buchstabe in der Größe von zwölf Zentimetern neu gezeichnet. Mit messerscharfen Konturen, um für die Schriftscheiben das Optimale an Konturenschärfe herauszuholen. Um die Qualität des Einzelzeichens im Belichtungsvorgang zu b

1,60 mm (6 p) 20 30 40 50

Berthold-Schriften überzeugen durch Schärfe und Qualität. Schriftqualität ist eine Frage der Erfahrung. Berthold hat diese Erfahrung seit über hundert Jahren. Zuerst im Schriftguß, dann im Fotosatz. Berthold-Schriften sind weltweit geschätzt. Im Schriftenatelier München wird jeder Buchstabe in der Größe von zwölf Zentimetern neu gezeichnet. Mit messerscharfen Konturen, um für die Schriftscheiben das Optimale an Konturenschärfe herauszuholen. Um die Qualität des Ein

1,75 mm (6,5 p) 20 30 40 50

Berthold-Schriften überzeugen durch Schärfe und Qualität. Schriftqualität ist eine Frage der Erfahrung. Berthold hat diese Erfahrung seit uber hundert Jahren. Zuerst im Schriftguß, dann im Fotosatz. Berthold-Schriften sind weltweit geschätzt. Im Schriftenatelier München wird jeder Buchstabe in der Größe von zwölf Zentimetern neu gezeichnet. Mit messerscharfen Konturen, um für die Schriftscheiben das Optimale an Konturenschärfe herauszuholen. U

1,86 mm (7 p) 20 30 40

Berthold-Schriften überzeugen durch Schärfe und Qualität. Schriftqualität ist eine Frage der Erfahrung. Berthold hat diese Erfahrung seit über hundert Jahren. Zuerst im Schriftguß, dann im Fotosatz. Berthold-Schriften sind weltweit geschätzt. Im Schriftenatelier München wird jeder Buchstabe in der Größe von zwölf Zentimetern neu gezeichnet. Mit messerscharfen Konturen um für die Schriftscheiben das Optimale an Kon

2,00 mm (7,5 p) 20 30 40

Berthold-Schriften überzeugen durch Schärfe und Qualität. Schriftqualität ist eine Frage der Erfahrung. Berthold hat diese Erfahrung seit über hundert Jahren. Zuerst im Schriftguß, dann im Fotosatz. Berthold-Schriften sind weltweit geschätzt. Im Schriftenatelier München wird jeder Buchstabe in der Größe von zwölf Zentimetern neu gezeichnet. Mit messerscharfen Konturen, um für die Schriftschei

2,15 mm (8 p) 20 30 40

1937
D. Stempel AG
H. Berthold AG

ABCDEFGHIJKLMNOPQ
RSTUVWXYZ
abcdefghijklmnopqrstuvwxyz
1/1234567890%
(.,-;:!¡?¿–)·[’‘„”“»«]
+–=/$£†*&§
ÄÅÆÖØŒÜäåæıöøœßü
ÁÀÂÃÇČÉÈÊËÍÌÎÏĹŇÑÓÒÔÕ
ŔŘŠŤÚÙÛŴẄÝŶŸŽ
áàâãçčéèêëíìîïĺňñóòôõŕřš
úùûŵẅýỳÿž

Berthold-Schriftweite weit
Berthold-Schriftweite normal
Berthold-Schriftweite eng
Berthold-Schriftweite sehr eng
Berthold-Schriftweite extrem eng

Berthold
3,72 mm (14 p)

Berthold
4,25 mm (16 p)

Berthold
4,75 mm (18 p)

Berthold
5,30 mm (20 p)

Berthold
6,35 mm (24 p)

Berthold
7,40 mm (28 p)

Berthold
8,50 mm (32 p)

Berthold
9,55 mm (36 p)

Größe		Zeilenabstand			100 Zeichen		
mm	p	kp	Êp	Ex	0	−1	−2
1,00	5	1,01	2,00	2,00	00	00	02
1,60	6	2,31	2,88	2,50	104	100	96
1,86	7	2,69	3,38	3,00	120	116	112
2,15	8	3,13	3,88	3,50	136	131	126
2,40	9	3,50	4,31	3,75	152	146	140
2,65	10	3,88	4,75	4,25	168	161	154
2,92	11	4,25	5,25	4,75	184	177	170
3,20	12	4,63	5,75	5,25	199	191	183
3,45	13	4,94	6,19	5,75	215	207	199
3,72	14	5,38	6,63	–	231	222	213
3,98	15	5,75	7,13	–	246	237	228
4,25	16	6,13	7,63	–	262	252	242

WZ 14 E, NSW 0, MZB 0,63, F 0,12:0,04 (3,1), III
H 1–x 0,63–k 1,02–p 0,42–Ê 1,36–kp 1,44–Êp 1,78
BF 089 1484, Belegung 051: 085 1280 (095 1280)

Berthold-Schriften überzeugen durch Schärfe und Qualität. Schriftqualität ist eine Frage der Erfahrung. Berthold hat diese Erfahrung seit über hundert Jahren. Zuerst im Schriftguß, dann im Fotosatz. Berthold-Schriften sind weltweit geschätzt. Im Schriftenatelier München wird jeder Buchstabe in der Größe von zwölf Z

2,40 mm (9 p) 20 30

Berthold-Schriften überzeugen durch Schärfe und Qualität. Schriftqualität ist eine Frage der Erfahrung. Berthold hat diese Erfahrung seit über hundert Jahren. Zuerst im Schriftguß, dann im Fotosatz. Berthold-Schriften sind weltweit geschätzt. Im Schriftenatelier München wird jeder B

2,65 mm (10 p) 20 30

Berthold-Schriften überzeugen durch Schärfe und Qualität. Schriftqualität ist eine Frage der Erfahrung. Berthold hat diese Erfahrung seit über hundert Jahren. Zuerst im Schriftguß, dann im Fotosatz Berthold-Schriften sind weltweit geschätzt. Im Schriftenatelier Mü

2,92 mm (11 p) 10 20 30

Berthold-Schriften überzeugen durch Schärfe und Qualität Schriftqualität ist eine Frage der Erfahrung. Berthold hat diese Erfahrung seit über hundert Jahren. Zuerst im Schriftguß dann im Fotosatz. Berthold-Schriften sind weltweit geschät

3,20 mm (12 p) 10 20

Berthold-Schriften überzeugen durch Schärfe und Qualität. Schriftqualität ist eine Frage der Erfahrung. Berthold hat diese Erfahrung seit über hundert Jahren. Zuerst im Schriftguß, dann im Fotosatz. Berthold-Schriften sind

3,45 mm (13 p) 10 20

normal
regular
normal

ORIGINAL JANSON-ANTIQUA

normal
chiaro tondo
normal

Berthold-Schriften überzeugen durch Schärfe und Qualität. Schriftqualität
ist eine Frage der Erfahrung. Berthold hat diese Erfahrung seit über hunde
rt Jahren. Zuerst im Schriftguß, dann im Fotosatz. Berthold-Schriften sind
weltweit geschätzt. Im Schriftenatelier München wird jeder Buchstabe in
der Größe von zwölf Zentimetern neu gezeichnet. Mit messerscharfen
Konturen, um für die Schriftscheiben das Optimale an Konturenschärfe he
rauszuholen. Um die Qualität des Einzelzeichens im Belichtungsvorgang
zu bewahren, wird durch die ruhende, nicht rotierende Schriftscheibe beli
chtet. Dieses optische System, verbunden mit Präzisions-Chromglasschei

4,25 mm (16 p), Zeilenabstand 6,75 mm

ORIGINAL JANSON-ANTIQUA

In general, bodytypes are measured in the typogra
phical point size. The sizes of Berthold Fototype f
aces can be exactly determined. All faces of same p
oint size have the same capital height-irrespective
of their x-height. In hot metal and many other pho
totypesetting systems the capital heights often dif
fer considerably from one face to the other. For m
easuring point sizes, a transparent size gauge is pro
vided. To determine the point size, bring a capital l
etter into coincidence with that field which precis
ely circumscribes the letter at its upper and lower
margin. Below the field you find the typographical
point and below that the millimeter value, which al
so refers to the height of a capital letter. In Berthol
d-phototypesetting, the typewidth can be modifie
d. The standard setting width of typefaces is deter
mined by the principle of optimum legibility. You
should not depart from this typewidth without co
gent reason. A typeface which is considered opti
cally right when looked in a greater context, often
seems bulky when applied for a small amount of te
xt, e. g. labels and ads. Here, a width reduction will

2,40 mm (9 p), Zeilenabstand 4,25 mm

ORIGINAL JANSON-ANTIQUA

La valeur de la force de corps des caractères de
labeur èst généralement exprimée en points
typographiques. La force de corps des caract
ères Berthold-Fototype peut être déterminé
e avec précision. Tous les caractères du même
corps ont des capitales d'une hauteur identiq
ue, indépendamment de la hauteur des bas de
casse sans jambage. Dans la composition plo
mb, ainsi que dans certains systèmes de phot
ocomposition, la hauteur des capitales, varie s
ouvent d'un caractère à l'autre. Pour détermi
ner la force de corps de nos caractères, nous a
vons mis au point une réglette de hauteur d
œil transparente. On cherche le rectangle qui
délimite exactement la hauteur d'œil d'une c
apitale du caractère choisi. Sous le rectangle c
orrespondant la valeur de la force de corps es
t indiquée en points Didots et en millimètres
La valeur en millimètres exprime également l
a hauteur des capitales. Pour toutes les indicat

2,65 mm (10 p), Zeilenabstand 4,69 mm

La indicación de las dimensiones para cuerpos de
letra vásicos tiene lugar en general en puntos tip
ográficos. Los cuerpos de letra de los caracteres
Berthold Fototype pueden determinarse exact
emente par medición. Con independencia de la
altura de sus longitudes centrales, todos los cara
cteres de idéntico cuerpo de letra presentan altu
ra de mayúsculas idéntica. En la composición en
plomo y en muchos otros sistemas de fotocomp

2,15 mm (8 p), –1, Zeilenabstand 3,38 mm

123,– $	456,– £	7890,– DM	1 %
234,– $	789,– £	1234,– DM	2 %
567,– $	12,– £	5678,– DM	3 %
890,– $	345,– £	9012,– DM	4 %
123,– $	678,– £	3456,– DM	5 %
456,– $	901,– £	7890,– DM	6 %
789,– $	234,– £	1234,– DM	7 %
12,– $	567,– £	5678,– DM	8 %
345,– $	890,– £	9012,– DM	9 %

BF 089 1485

Le misure relative al corpo dei caratteri vengono g
eneralmente indicate in punti tipografici. Il corpo
dei caratteri Fototypes può essere determinato con
esattezza per semplice misurazione. Tutti i caratte
ri di uguale grandezza in punti hanno, indipenden
temente dalla loro lunghezza, uguale altezza delle
maiuscole. Nella composizione in piombo ed in
molti altri sistemi di fotocomposizione, l'altezza d
elle maiuscole varia spesso da carattere a carattere

2,15 mm (8 p), –2, Zeilenabstand 3,38 mm

normal
regular
normal

Original Janson-Antiqua Caps

normal
chiaro tondo
normal

T. S. Eliot *Old Possums Katzenbuch*
Günter Eich *Träume.* Vier Spiele
Jean Giraudoux *Eglantine.* Roman
Walter Benjamin *Einbahnstraße*
Antonio Machado *Juan de Mairena*
G. B. Shaw *Musik in London.* Kritiken
Paul Valéry *Über Kunst.* Essays
Ernst Bloch *Spuren.* Parabeln
William Faulkner *Der Bär*
Truman Capote *Die Grasharfe*
André Gide *Paludes.* Satire
Guiseppe Ungaretti *Gedichte*
Jean Giraudoux *Simon.* Roman
William Carlos Williams *Gedichte*
Bertholt Brecht *Geschichten*
Henry Green *Schwärmerei.* Roman
Ezra Pound *ABC des Lesens*
Th. W. Adorno *Mahler.* Monographie

2,15 mm (8 p), Zeilenabstand 5,00 mm

1937
D. Stempel AG
H. Berthold AG

ABCDEFGHIJKLMNOPQ
RSTUVWXYZ
ABCDEFGHIJKLMNOPQRSTUVWXYZ
1234567890 %
(.,-;:!¡?¿—) · [’‘„”“»«><]
+−=/$£†*&§©
ÄÅÆÖØŒÜÄÅÆÖØŒÜ
ÁÀÂÃÇČÉÈÊËÍÌÎÏĹŇÑ
ÓÒÔÕŔŘŠŤÚÙÛŴẄÝŶŸŽ
ÁÀÂÃÇČÉÈÊËÍÌÎÏĹŇÑÓÒÔÕŔŘŠ
ÚÙÛŴẄÝỲŸŽ

Schriftweite weit
Schriftweite normal
Schriftweite eng
Schriftweite sehr eng
Schriftweite extrem eng

Calan: Hast du Furcht, daß sein Vermögen nicht ausreicht? Mein Wort schlägt Hände ab – horch, ob sein Wort sie ihm behält. *Man hört schreien.* Wer, sagst du, Noah, wer, sagst du, wer, wenn nicht ich, ist der Herr?
Noah: Sprich ein zweites Wort, Calan. *Das Schreien dauert an.* Töte ihn vollends, daß nicht sein Schreien in meinen Eingeweiden schauert, sprich, Calan, sprich!
Calan: Darum, daß dein Eingeweide sich besänftigt? Darum, Noah, bitte ihn, den andern. Das Opfer ist getan, mag er sich sättigen am Schreien, denn es schreien viele, ohne daß er ihr Schreien in Gnade ersäuft. Mag er sich auch eine Mühe machen mit einem Wort, wenn ihm an der Stille gelegen ist. Ich habe das Opfer von mir gegeben, und da es sein ist, soll er damit tun nach seinem Wohlgefallen. *Chus kommt mit zwei blutigen Händen.* Gut, Chus, nagle sie hier an den Pfosten, daß er sieht, was Calan dargebracht, das nimmt er nicht wieder an sich. *Chus tut wie befohlen.*
Calan *zu Noah, der sich die Ohren zuhält:* Nimm die Hände herunter und höre, was dein Gott dir zu hören gibt. Wenn es an dem ist, daß er ihn schreien läßt, so hat er Wohlgefallen an seinem Schreien, und es kitzelt ihm die Eingeweide. Oder sollte sein Wort keine Kraft haben wenn ihn nach Stille verlangt?

1,86 mm (7 p), Zeilenabstand 3,00 mm

The Quick Brown Fox Jumps over the Lazy Dog and Feels as if he were in
3,72 mm (14 p)

The Quick Brown Fox Jumps over the Lazy Dog and Feels as if he
4,25 mm (16 p)

The Quick Brown Fox Jumps over the Lazy Dog and Feels
4,75 mm (18 p)

The Quick Brown Fox Jumps over the Lazy Dog and
5,30 mm (20 p)

The Quick Brown Fox Jumps over the Lazy
6,35 mm (24 p)

The Quick Brown Fox Jumps over the
7,40 mm (28 p)

The Quick Brown Fox Jumps over
8,50 mm (32 p)

The Quick Brown Fox Jumps
9,55 mm (36 p)

9/6

Charlotte Duvalier
Pianistin

Peter-Paul-Rubens-Platz 2, 1000 Berlin 13
Telefon 030 — 66 22 84

2,40 mm (9 p) und 1,60 mm (6 p)

Monday		4	11	18	25
Tuesday		5	12	19	26
Wednesday		6	13	20	27
Thursday		7	14	21	28
Friday	1	8	15	22	29
Saturday	2	9	16	23	30
Sunday	3	10	17	24	

2,40 mm (9 p) und 3,18 mm (12 p)
WZ 15 E, NSW +1, III
BF 089 1486, Belegung 127: 085 1378 (095 1378)

10/7

Jochen van Dijk
Lehrer

Hinterm Dom 3, 5000 Köln am Rhein
Telefon 02 21 — 67 33 58

2,65 mm (10 p) und 1,86 mm (7 p)

kursiv
italic
italique

ORIGINAL JANSON-ANTIQUA

cursiva
chiaro corsivo
kursiv

Måttangivelse för grundstilsgrader sker i allmänhet i typografiska punk ter. Stilar av Berthold Fototype kan efter mätning exakt gradbestämmas Alla typsnitt är av samma punktsto rlek och har oberoende av x-höjden en identisk versalhöjd. I blysättning och i många andra fotosättsystem va rierar versalhöjden avsevärt från t ypsnitt till typsnitt. För mätning av s tilgrader finns en transparent mätli njal. Vid mätningen placerar man e n versal bokstav så att rutorna beg ränsar tecknet upptill och nedtill. U nder rutorna finns stilstorleken i ty pografiska didotpunkter och i mm. Ä ven millimeteruppgiften avser vers alhöjden. Vid stilstorleksuppgifter a nges alltid måttenheten efter sifferup

2,92 mm (11 p), Zeilenabstand 4,69 mm

1937
D. Stempel AG
H. Berthold AG

ABCDEFGHIJKLMNOPQ
RSTUVWXYZ
abcdefghijklmnopqrstuvwxyz
1/1234567890%
(.,-;:!¡?¿–)·[''„""»«]
+–=/$£†&ʃ*
ÄÅÆÖØŒÜäåæıöøœßü
ÁÀÂÃÇČÉÈÊËÍÌÎÏĹŇÑÓÒÔÕ
ŔŘŠŤÚÙÛŴẄÝỲŸŽ
áàâãçčéèêëíìîïĺňñóòôõŕřš
úùûŵẅýỳÿž

Berthold-Schriftweite weit
Berthold-Schriftweite normal
Berthold-Schriftweite eng
Berthold-Schriftweite sehr eng
Berthold-Schriftweite extrem eng

In general, bodytypes are measur ed in the typographical point size The sizes of Berthold Fototype fa ces can be exactly determined. All faces of same point size have the s ame capital height–irrespective of their x-height. In hot metal and many other phototypesetting syst ems the capital heights often differ considerably from one face to the other. For measuring point sizes a transparent size gauge is prov ided. To determine the point size bring a capital letter into coincid ence with that field which precisel y circumscribes the letter at its up per and lower margin. Below the

3,20 mm (12 p), Zeilenabstand 5,25 mm

JANSON-ANTIQUA KURSIV

Die Maßangabe zu Grundschriftgrößen erfolgt im al lgemeinen in typographischen Punkten. Die Schriftgr ößen der Berthold-Fotosatz-Schriften sind nach Mess ung exakt bestimmbar. Alle Schriften gleicher Punkt größe weisen, unabhängig von der Höhe ihrer Mittell ängen, eine identische Versalhöhe auf. Im Bleisatz und bei vielen anderen Fotosatz-Systemen differieren die Versalhöhen von Schrift zu Schrift oft erheblich. Zum Messen von Schriftgrößen steht ein transparentes Grö ßenmaß zur Verfügung. Zum Messen wird ein Versal buchstabe mit dem Feld in Deckung gebracht, das den Buchstaben oben und unten scharf begrenzt. Unter de m Feld ist die Schriftgröße in typographischen Didot Punkten, darunter in Millimetern angegeben. Auch d ie Millimeterangaben beziehen sich auf die Höhe der Versalbuchstaben. Die Schriftweite kann im Bertho ld-Fotosatz beliebig verändert werden. Die Festlegung der Normalschriftweite erfolgt nach dem Prinzip der

2,40 mm (9 p), Zeilenabstand 4 mm

JANSON-ANTIQUA ITALIQUE

La valeur de la force de corps des caractères de lab eur èst généralement exprimée en points typograp hiques. La force de corps des caractères Berthold Fototype peut être déterminée avec précision. Tous les caractères du même corps ont des capitales d'u ne hauteur identique, indépendamment de la hau teur des bas de casse sans jambage. Dans la compo sition plomb, ainsi que dans certains systèmes de p hotocomposition, la hauteur des capitales, varie s ouvent d'un caractère à l'autre. Pour déterminer la force de corps de nos caractères, nous avons mis au point une réglette de hauteur d'œil transparen te. On cherche le rectangle qui délimite exactement la hauteur d'œil d'une capitale du caractère choisi Sous le rectangle correspondant la valeur de la fo rce de corps est indiquée en points Didots et en mil

2,65 mm (10 p), Zeilenabstand 4,50 mm

La indicación de las dimensiones para cuerpos de letra vásicos tie ne lugar en general en puntos tipográficos. Los cuerpos de letra de los caracteres Berthold Fototype pueden determinarse exacteme nte par medición. Con independencia de la altura de sus longitud es centrales, todos los caracteres de idéntico cuerpo de letra prese ntan altura de mayúsculas idéntica. En la composición en plomo y en muchos otros sistemas de fotocomposición, las alturas de ma yúsculas varían frecuentemmente en forma considerable de tipo de letra a tipo de letra. Para medir los cuerpos de letra se dispone de un tipómetro, véase la figura. Para la medición se hace coincid ir una letra mayúscula con la casilla cuyos extremos coinciden co n los extremos superior e inferior de la letra. Bajo la casilla se in

1,60 mm (6 p), Zeilenabstand 2,50 mm

Größe		Zeilenabstand			100 Zeichen		
mm	p	kp	Êp	Ex	0	−1	−2
1,33	5	1,88	2,31	–	79	76	73
1,60	6	2,31	2,75	2,50	93	89	85
1,86	7	2,63	3,19	–	107	103	99
2,15	8	3,06	3,69	3,38	122	117	112
2,40	9	3,44	4,13	4,00	137	131	125
2,65	10	3,75	4,56	4,50	151	144	137
2,92	11	4,13	5,00	4,69	165	158	151
3,20	12	4,56	5,44	5,25	179	171	163
3,45	13	4,88	5,88	–	193	185	177
3,72	14	5,25	6,38	–	207	198	189
3,98	15	5,63	6,81	–	221	212	203
4,25	16	6,00	7,25	–	235	225	215

WZ 13 E, NSW 0, MZB 0,57, F 0,10:0,05 (2,1), III
H 1–x 0,63–k 1,04–p 0,37–Ê 1,33–kp 1,41–Êp 1,70
BF 089 1487, Belegung 051: 085 1281 (095 1281)

Le misure relative al corpo dei caratteri vengono generalmente indicate in punti tipografici. Il corpo dei caratteri Fototypes può essere determinato con esattezza per semplice misurazione. Tutti i caratt eri di uguale grandezza in punti hanno, indipend entemente dalla loro lunghezza, uguale altezza d elle maiuscole. Nella composizione in piombo ed in molti altri sistemi di fotocomposizione, l'altezza delle maiuscole varia spesso da carattere a caratte

2,15 mm (8 p), Zeilenabstand 3,38 mm

kursiv
italic
italique

ORIGINAL JANSON-ANTIQUA CAPS

cursiva
chiaro corsivo
kursiv

T. S. ELIOT *Old Possums Katzenbuch*
GÜNTER EICH *Träume.* Vier Spiele
JEAN GIRAUDOUX *Eglantine.* Roman
WALTER BENJAMIN *Einbahnstraße*
ANTONIO MACHADO *Juan de Mairena*
G. B. SHAW *Musik in London.* Kritiken
PAUL VALÉRY *Über Kunst.* Essays
ERNST BLOCH *Spuren.* Parabeln
WILLIAM FAULKNER *Der Bär*
TRUMAN CAPOTE *Die Grasharfe*
ANDRÉ GIDE *Paludes.* Satire
GUISEPPE UNGARETTI *Gedichte*
JEAN GIRAUDOUX *Simon.* Roman
WILLIAM CARLOS WILLIAMS *Gedichte*
BERTHOLT BRECHT *Geschichten*
HENRY GREEN *Schwärmerei.* Roman
EZRA POUND *ABC des Lesens*
TH. W. ADORNO *Mahler.* Monographie
2,15 mm (8 p), Zeilenabstand 5,00 mm

1937
D. STEMPEL AG
H. BERTHOLD AG

ABCDEFGHIJKLMNOPQ
RSTUVWXYZ
ABCDEFGHIJKLMNOPQRSTUVWXYZ
1234567890 %
(.,-;:!¡?¿—)·[‘‚"„"»«›‹]
+-=/$£†*&ʃʃ©
ÄÅÆÖØŒÜÄÅÆÖØŒÜ
ÁÀÂÃÇČÉÈÊËÍÌÎÏĹŇÑ
ÓÒÔÕŔŘŠŤÚÙÛŴẄÝŶŸŽ
ÁÀÂÃÇČÉÈÊËÍÌÎÏĹŇÑÓÒÔÕŔŘŠ
ÚÙÛŴẄÝŶŸŽ

SCHRIFTWEITE WEIT
SCHRIFTWEITE NORMAL
SCHRIFTWEITE ENG
SCHRIFTWEITE SEHR ENG
SCHRIFTWEITE EXTREM ENG

CALAN: Hast du Furcht, daß sein Vermögen nicht ausreicht? Mein Wort schlägt Hände ab – horch, ob sein Wort sie ihm behält. *Man hört schreien.* Wer, sagst du, Noah, wer, sagst du, wer, wenn nicht ich, ist der Herr?
NOAH: Sprich ein zweites Wort, Calan. *Das Schreien dauert an.* Töte ihn vollends, daß nicht sein Schreien in meinen Eingeweiden schauert, sprich, Calan, sprich!
CALAN: Darum, daß dein Eingeweide sich besänftigt? Darum, Noah, bitte ihn, den andern. Das Opfer ist getan, mag er sich sättigen am Schreien, denn es schreien viele, ohne daß er ihr Schreien in Gnade ersäuft. Mag er sich auch eine Mühe machen mit einem Wort, wenn ihm an der Stille gelegen ist. Ich habe das Opfer von mir gegeben, und da es sein ist, soll er damit tun nach seinem Wohlgefallen. *Chus kommt mit zwei blutigen Händen.* Gut, Chus, nagle sie hier an den Pfosten, daß er sieht, was Calan dargebracht, das nimmt er nicht wieder an sich. *Chus tut wie befohlen.*
CALAN zu Noah, der sich die Ohren zuhält: Nimm die Hände herunter und höre, was dein Gott dir zu hören gibt. Wenn es an dem ist, daß er ihn schreien läßt, so hat er Wohlgefallen an seinem Schreien, und es kitzelt ihm die Eingeweide. Oder sollte sein Wort keine Kraft haben wenn ihn nach Stille verlangt?
1,86 mm (7 p), Zeilenabstand 3,00 mm

THE QUICK BROWN FOX JUMPS OVER THE LAZY DOG AND FEELS AS IF HE WERE IN THE S
3,72 mm (14 p)
THE QUICK BROWN FOX JUMPS OVER THE LAZY DOG AND FEELS AS IF HE WE
4,25 mm (16 p)
THE QUICK BROWN FOX JUMPS OVER THE LAZY DOG AND FEELS AS I
4,75 mm (18 p)
THE QUICK BROWN FOX JUMPS OVER THE LAZY DOG AND FEE
5,30 mm (20 p)
THE QUICK BROWN FOX JUMPS OVER THE LAZY DO
6,35 mm (24 p)
THE QUICK BROWN FOX JUMPS OVER THE LA
7,40 mm (28 p)
THE QUICK BROWN FOX JUMPS OVER T
8,50 mm (32 p)
THE QUICK BROWN FOX JUMPS OV
9,55 mm (36 p)

9/6

CHARLOTTE DUVALIER
PIANISTIN

PETER-PAUL-RUBENS-PLATZ 2, 1000 BERLIN 13
TELEFON 030 — 66 22 84

2,40 mm (9 p) und 1,60 mm (6 p)

MONDAY		4	11	18	25
TUESDAY		5	12	19	26
WEDNESDAY		6	13	20	27
THURSDAY		7	14	21	28
FRIDAY	1	8	15	22	29
SATURDAY	2	9	16	23	30
SUNDAY	3	10	17	24	

2,40 mm (9 p) und 3,18 mm (12 p)
WZ 14 E, NSW +1, III
BF 089 1488, Belegung 127: 085 1557 (095 1557)

10/7

JOCHEN VAN DIJK
LEHRER

HINTERM DOM 3, 5000 KÖLN AM RHEIN
TELEFON 02 21 — 67 33 58

2,65 mm (10 p) und 1,86 mm (7 p)

mager
light
maigre

OSIRIS

fina
chiarissimo
mager

Berthold-Schriften überzeugen durch Schärfe und Qualität. Schriftqu
alität ist eine Frage der Erfahrung. Berthold hat diese Erfahrung seit ü
ber hundert Jahren. Zuerst im Schriftguß, dann im Fotosatz. Berthold
Schriften sind weltweit geschätzt. Im Schriftenatelier München wird
jeder Buchstabe in der Größe von zwölf Zentimetern neu gezeichnet
Mit messerscharfen Konturen, um für die Schriftscheiben das Opti
male an Konturenschärfe herauszuholen. Um die Qualität des Einzel
zeichens im Belichtungsvorgang zu bewahren, wird durch die ruhen
de, nicht rotierende Schriftscheibe belichtet. Dieses optische System

1,33 mm (5 p) 20 30 40 50 60

Berthold-Schriften überzeugen durch Schärfe und Qualität. Schr
iftqualität ist eine Frage der Erfahrung. Berthold hat diese Erfahr
ung seit über hundert Jahren. Zuerst im Schriftguß, dann im Foto
satz. Berthold-Schriften sind weltweit geschätzt. Im Schriftenate
lier München wird jeder Buchstabe in der Größe von zwölf Zenti
metern neu gezeichnet. Mit messerscharfen Konturen, um für
die Schriftscheiben das Optimale an Konturenschärfe herauszu
holen. Um die Qualität des Einzelzeichens im Belichtungsvorga
ng zu bewahren, wird durch die ruhende, nicht rotierende Schrif

1,45 mm (5,5 p) 20 30 40 50

Berthold-Schriften überzeugen durch Schärfe und Qualität
Schriftqualität ist eine Frage der Erfahrung. Berthold hat di
ese Erfahrung seit über hundert Jahren. Zuerst im Schrift
uß, dann im Fotosatz. Berthold-Schriften sind weltweit ges
chätzt. Im Schriftenatelier München wird jeder Buchstabe
in der Größe von zwölf Zentimetern neu gezeichnet. Mit m
esserscharfen Konturen, um für die Schriftscheiben das Op
timale an Konturenschärfe herauszuholen. Um die Qualität
des Einzelzeichens im Belichtungsvorgang zu bewahren

1,60 mm (6 p) 20 30 40 50

Berthold-Schriften überzeugen durch Schärfe und Qu
alität. Schriftqualität ist eine Frage der Erfahrung. Bert
hold hat diese Erfahrung seit über hundert Jahren. Zu
erst im Schriftguß, dann im Fotosatz. Berthold-Schrift
en sind weltweit geschätzt. Im Schriftenatelier Münch
en wird jeder Buchstabe in der Größe von zwölf Zenti
metern neu gezeichnet. Mit messerscharfen Konturen
um für die Schriftscheiben das Optimale an Konturen
schärfe herauszuholen. Um die Qualität des Einzelzei

1,75 mm (6,5 p) 20 30 40 5

Berthold-Schriften überzeugen durch Schärfe und
Qualität. Schriftqualität ist eine Frage der Erfahrun
g. Berthold hat diese Erfahrung seit über hundert Ja
hren. Zuerst im Schriftguß, dann im Fotosatz. Berth
old-Schriften sind weltweit geschätzt. Im Schriften
atelier München wird jeder Buchstabe in der Größ
e von zwölf Zentimetern neu gezeichnet. Mit mess
erscharfen Konturen, um für die Schriftscheiben das
Optimale an Konturenschärfe herauszuholen. Um

1,86 mm (7 p) 20 30 40

Berthold-Schriften überzeugen durch Schärfe u
nd Qualität. Schriftqualität ist eine Frage der Erf
ahrung. Berthold hat diese Erfahrung seit über h
undert Jahren. Zuerst im Schriftguß, dann im Fo
tosatz. Berthold-Schriften sind weltweit geschät
zt. Im Schriftenatelier München wird jeder Buc
hstabe in der Größe von zwölf Zentimetern neu
gezeichnet. Mit messerscharfen Konturen, um f
ür die Schriftscheiben das Optimale an Konture

2,00 mm (7,5 p) 20 30 40

Berthold-Schriften überzeugen durch Schärfe
und Qualität. Schriftqualität ist eine Frage der
Erfahrung. Berthold hat diese Erfahrung seit
über hundert Jahren. Zuerst im Schriftguß, d
ann im Fotosatz. Berthold-Schriften sind welt
weit geschätzt. Im Schriftenatelier München
wird jeder Buchstabe in der Größe von zwölf
Zentimetern neu gezeichnet. Mit messerscha
rfen Konturen, um für die Schriftscheiben das

2,15 mm (8 p) 20 30 40

Gustav Jaeger
1984
Gustav Jaeger
H. Berthold AG

ABCDEFGHIJKLMNOPQ
RSTUVWXYZ
abcdefghijklmnopqrstuvwxyz
1/1234567890%
(.,-;:!¡?¿–)·['',""»«]
+−=/$£†*&§
ÄÅÆÖØŒÜäåæıöøœßü
ÁÀÂÃÇČÉÈÊËÍÌÎÏĹŇÑÓÒÔÕ
ŔŘŠŤÚÙÛŴẄÝŶŸŽ
áàâãçčéèêëíìîïĺňñóòôõŕřš
úùûŵẅýỳÿž

Berthold-Schriftweite weit
Berthold-Schriftweite normal
Berthold-Schriftweite eng
Berthold-Schriftweite sehr eng
Berthold-Schriftweite extrem eng

Berthold
3,72 mm (14 p)

Berthold
4,25 mm (16 p)

Berthold
4,75 mm (18 p)

Berthold
5,30 mm (20 p)

Berthold
6,35 mm (24 p)

Berthold
7,40 mm (28 p)

Berthold
8,50 mm (32 p)

Berthold
9,55 mm (36 p)

Größe		Zeilenabstand			100 Zeichen		
mm	p	kp	Êp	Ex	0	−1	−2
1,33	5	1,81	2,13	2,00	87	84	81
1,60	6	2,19	2,56	2,50	103	99	95
1,86	7	2,50	2,94	3,00	118	114	110
2,15	8	2,94	3,44	3,50	134	129	124
2,40	9	3,25	3,81	3,75	150	144	138
2,65	10	3,56	4,19	4,25	165	158	151
2,92	11	3,94	4,63	4,75	181	174	167
3,20	12	4,31	5,06	5,25	196	188	180
3,45	13	4,63	5,50	5,75	212	204	196
3,72	14	5,00	5,88	–	227	218	209
3,98	15	5,38	6,31	–	243	234	225
4,25	16	5,75	6,75	–	258	248	238

WZ 14 E, NSW 0, MZB 0,62, F 0,09:0,07 (1,3), V
H 1–x 0,67–k 1,00–p 0,34–Ê 1,24–kp 1,34–Êp 1,58
BF 089 1493, Belegung 051: 085 1501 (095 1501)

Berthold-Schriften überzeugen durch Sc
härfe und Qualität. Schriftqualität ist eine
Frage der Erfahrung. Berthold hat diese
Erfahrung seit über hundert Jahren. Zue
rst im Schriftguß, dann im Fotosatz. Ber
thold-Schriften sind weltweit geschätzt. I
m Schriftenatelier München wird jeder B
uchstabe in der Größe von zwölf Zentim

2,40 mm (9 p) 20 30

Berthold-Schriften überzeugen durc
h Schärfe und Qualität. Schriftqualit
ät ist eine Frage der Erfahrung. Berth
old hat diese Erfahrung seit über hun
dert Jahren. Zuerst im Schriftguß, da
nn im Fotosatz. Berthold-Schriften si
nd weltweit geschätzt. Im Schriftena
telier München wird jeder Buchstabe

2,65 mm (10 p) 20 30

Berthold-Schriften überzeugen d
urch Schärfe und Qualität. Schrift
qualität ist eine Frage der Erfahru
ng. Berthold hat diese Erfahrung s
eit über hundert Jahren. Zuerst im
Schriftguß, dann im Fotosatz. Ber
thold-Schriften sind weltweit gesc
hätzt. Im Schriftenatelier Münche

2,92 mm (11 p) 10 20 30

Berthold-Schriften überzeugen
durch Schärfe und Qualität. Sc
hriftqualität ist eine Frage der
Erfahrung. Berthold hat diese
Erfahrung seit über hundert Ja
hren. Zuerst im Schriftguß, da
nn im Fotosatz. Berthold-Schri
ften sind weltweit geschätzt. Im

3,20 mm (12 p) 10 20

Berthold-Schriften überzeug
en durch Schärfe und Qualit
ät. Schriftqualität ist eine Fra
ge der Erfahrung. Berthold h
at diese Erfahrung seit übe
r hundert Jahren. Zuerst im
Schriftguß, dann im Fotosatz
Berthold-Schriften sind welt

3,45 mm (13 p) 10 20

mager
light
maigre

OSIRIS

fina
chiarissimo
mager

Berthold-Schriften überzeugen durch Schärfe und Qualität. Schriftqualität ist eine Frage der Erfahrung. Berthold hat diese Erfahrung seit über hundert Jahren. Zuerst im Schriftguß, dann im Fotosatz. Berthold-Schriften sind w eltweit geschätzt. Im Schriftenatelier München wird jeder Buchstabe in der Größe von zwölf Zentimetern neu gezeichnet. Mit messerscharfen Kontu ren, um für die Schriftscheiben das Optimale an Konturenschärfe herausz uholen. Um die Qualität des Einzelzeichens im Belichtungsvorgang zu be wahren, wird durch die ruhende, nicht rotierende Schriftscheibe belichtet Dieses optische System, verbunden mit Präzisions-Chromglasscheiben, f

4,25 mm (16 p), Zeilenabstand 6,75 mm

OSIRIS LIGHT

In general, bodytypes are measured in the typogr aphical point size. The sizes of Berthold Fototype f aces can be exactly determined. All faces of same point size have the same capital height–irrespec tive of their x-height. In hot metal and many other phototypesetting systems the capital heights oft en differ considerably from one face to the other For measuring point sizes, a transparent size gaug e is provided. To determine the point size, bring a c apital letter into coincidence with that field which precisely circumscribes the letter at its upper and lower margin. Below the field you find the typogra phical point and below that the millimeter value which also refers to the height of a capital letter. In Berthold-phototypesetting, the typewidth can be modified. The standard setting width of typefaces is determined by the principle of optimum legibilit y. You should not depart from this typewidth wi thout cogent reason. A typeface which is conside red optically right when looked in a greater contex t, often seems bulky when applied for a small amo unt of text, e. g. labels and ads. Here, a width reduct

2,40 mm (9 p), Zeilenabstand 4,25 mm

OSIRIS MAIGRE

La valeur de la force de corps des caractères de labeur èst généralement exprimée en poi nts typographiques. La force de corps des car actères Berthold-Fototype peut être détermi née avec précision. Tous les caractères du m ême corps ont des capitales d'une hauteur i dentique, indépendamment de la hauteur de s bas de casse sans jambage. Dans la compos ition plomb, ainsi que dans certains systèmes de photocomposition, la hauteur des capitale s, varie souvent d'un caractère à l'autre. Pour déterminer la force de corps de nos caractère s, nous avons mis au point une réglette de hauteur d'œil transparente. On cherche le re ctangle qui délimite exactement la hauteur d œil d'une capitale du caractère choisi. Sous le rectangle correspondant la valeur de la force de corps est indiquée en points Didots et en millimètres. La valeur en millimètres exprim e également la hauteur des capitales. Pour tou

2,65 mm (10 p), Zeilenabstand 4,69 mm

La indicación de las dimensiones para cuerpos de letra básicos tiene lugar en general en puntos tipográficos. Los cuerpos de letra de los caracte res Berthold Fototype pueden determinarse ex actemente par medición. Con independencia de la altura de sus longitudes centrales, todos los c aracteres de idéntico cuerpo de letra presentan altura de mayúsculas idéntica. En la composi ción en plomo y en muchos otros sistemas de f

2,15 mm (8 p), –1, Zeilenabstand 3,38 mm

123,– $	456,– £	7890,– DM	1 %
234,– $	789,– £	1234,– DM	2 %
567,– $	12,– £	5678,– DM	3 %
890,– $	345,– £	9012,– DM	4 %
123,– $	678,– £	3456,– DM	5 %
456,– $	901,– £	7890,– DM	6 %
789,– $	234,– £	1234,– DM	7 %
12,– $	567,– £	5678,– DM	8 %
345,– $	890,– £	9012,– DM	9 %

BF 089 1494

Le misure relative al corpo dei caratteri vengono generalmente indicate in punti tipografici. Il corpo dei caratteri Fototypes può essere determinato co n esattezza per semplice misurazione. Tutti i carat teri di uguale grandezza in punti hanno, indipen dentemente dalla loro lunghezza, uguale altezza d elle maiuscole. Nella composizione in piombo ed i n molti altri sistemi di fotocomposizione, l'altezza delle maiuscole varia spesso da carattere a caratter

2,15 mm (8 p), –2, Zeilenabstand 3,38 mm

kursiv mager
light italic
italique maigre

OSIRIS

fina cursiva
chiarissimo corsivo
kursiv mager

Måttangivelse för grundstilsgrader sker i allmänhet i typografiska pun kter. Stilar av Berthold Fototype kan efter mätning exakt gradbestämm as. Alla typsnitt är av samma pun ktstorlek och har oberoende av x höjden en identisk versalhöjd. I bly sättning och i många andra fotosätt system varierar versalhöjden avse värt från typsnitt till typsnitt. För mä tning av stilgrader finns en transpar ent mätlinjal. Vid mätningen placer ar man en versal bokstav så att rut orna begränsar tecknet upptill och nedtill. Under rutorna finns stilstorl eken i typografiska didotpunkter o ch i mm. Även millimeteruppgiften avser versalhöjden. Vid stilstorleks uppgifter anges alltid måttenheten

2,92 mm (11 p), Zeilenabstand 4,69 mm

Gustav Jaeger
1984
Gustav Jaeger
H. Berthold AG

ABCDEFGHIJKLMNOPQ
RSTUVWXYZ
abcdefghijklmnopqrstuvwxyz
1/1234567890%
(.,-;:!¡?¿–)·[‘‘„“”»«]
+–=/$£†&§*
ÄÅÆÖØŒÜäåæıöøœßü
ÁÀÂÃÇČÉÈÊËÍÌÎÏĹŇÑÓÒÔÕ
ŔŘŠŤÚÙÛŴẄÝỲŸŽ
áàâãçčéèêëíìîïĺňñóòôõŕřš
úùûŵẅýỳÿž

Berthold-Schriftweite weit
Berthold-Schriftweite normal
Berthold-Schriftweite eng
Berthold-Schriftweite sehr eng
Berthold-Schriftweite extrem eng

In general, bodytypes are meas ured in the typographical point s ize. The sizes of Berthold Fototy pe faces can be exactly determi ned. All faces of same point size have the same capital height–ir respective of their x-height. In h ot metal and many other photot ypesetting systems the capital h eights often differ considerably f rom one face to the other. For m easuring point sizes, a transpare nt size gauge is provided. To det ermine the point size, bring a ca pital letter into coincidence w ith that field which precisely circ umscribes the letter at its upper

3,20 mm (12 p), Zeilenabstand 5,25 mm

OSIRIS KURSIV MAGER

Die Maßangabe zu Grundschriftgrößen erfolgt im al lgemeinen in typographischen Punkten. Die Schriftg rößen der Berthold-Fotosatz-Schriften sind nach M essung exakt bestimmbar. Alle Schriften gleicher P unktgröße weisen, unabhängig von der Höhe ihrer Mittellängen, eine identische Versalhöhe auf. Im B leisatz und bei vielen anderen Fotosatz-Systemen differieren die Versalhöhen von Schrift zu Schrift oft erheblich. Zum Messen von Schriftgrößen steht ein t ransparentes Größenmaß zur Verfügung. Zum Mes sen wird ein Versalbuchstabe mit dem Feld in Deck ung gebracht, das den Buchstaben oben und unten s charf begrenzt. Unter dem Feld ist die Schriftgröße in typographischen Didot-Punkten, darunter in Milli metern angegeben. Auch die Millimeterangaben b eziehen sich auf die Höhe der Versalbuchstaben. Die Schriftweite kann im Berthold-Fotosatz beliebig ver ändert werden. Die Festlegung der Normalschriftw

2,40 mm (9 p), Zeilenabstand 4 mm

OSIRIS ITALIQUE MAIGRE

La valeur de la force de corps des caractères de labeur èst généralement exprimée en points ty pographiques. La force de corps des caractères Berthold-Fototype peut être déterminée avec précision. Tous les caractères du même corps o nt des capitales d'une hauteur identique, indép endamment de la hauteur des bas de casse sa ns jambage. Dans la composition plomb, ainsi que dans certains systèmes de photocompositi on, la hauteur des capitales, varie souvent d'un caractère à l'autre. Pour déterminer la force de corps de nos caractères, nous avons mis au poi nt une réglette de hauteur d'œil transparente On cherche le rectangle qui délimite exacteme nt la hauteur d'œil d'une capitale du caractère choisi. Sous le rectangle correspondant la valeu

2,65 mm (10 p), Zeilenabstand 4,50 mm

La indicación de las dimensiones para cuerpos de letra vásicos tiene lugar en general en puntos tipográficos. Los cuerpos de l etra de los caracteres Berthold Fototype pueden determinarse exactemente par medición. Con independencia de la altura de sus longitudes centrales, todos los caracteres de idéntico cuer po de letra presentan altura de mayúsculas idéntica. En la co mposición en plomo y en muchos otros sistemas de fotocomp osición, las alturas de mayúsculas varían frecuentemmente e n forma considerable de tipo de letra a tipo de letra. Para medir los cuerpos de letra se dispone de un tipómetro, véase la figura Para la medición se hace coincidir una letra mayúscula con la casilla cuyos extremos coinciden con los extremos superior e i

1,60 mm (6 p), Zeilenabstand 2,50 mm

Größe		Zeilenabstand			100 Zeichen		
mm	p	kp	Êp	Ex	0	−1	−2
1,33	5	1,69	2,13	–	86	83	80
1,60	6	2,06	2,50	2,50	101	97	93
1,86	7	2,38	2,94	–	116	112	108
2,15	8	2,69	3,38	3,38	132	127	122
2,40	9	3,06	3,75	4,00	148	142	136
2,65	10	3,38	4,19	4,50	163	156	149
2,92	11	3,69	4,56	4,69	178	171	164
3,20	12	4,06	5,00	5,25	193	185	177
3,45	13	4,38	5,44	–	209	201	193
3,72	14	4,69	5,81	–	224	215	206
3,98	15	5,06	6,25	–	239	230	221
4,25	16	5,38	6,69	–	254	244	234

WZ 14 E, NSW 0, MZB 0,61, F 0,09:0,07 (1,3), V
H 1–x 0,67–k 1,00–p 0,33–Ê 1,23–kp 1,33–Êp 1,56
BF 089 1495, Belegung 051: 085 1502 (095 1502)

Le misure relative al corpo dei caratteri vengon o generalmente indicate in punti tipografici. Il c orpo dei caratteri Fototypes può essere determi nato con esattezza per semplice misurazione. T utti i caratteri di uguale grandezza in punti hann o, indipendentemente dalla loro lunghezza, ugu ale altezza delle maiuscole. Nella composizione in piombo ed in molti altri sistemi di fotocompo sizione, l'altezza delle maiuscole varia spesso da

2,15 mm (8 p), Zeilenabstand 3,38 mm

normal
regular
normal

OSIRIS

normal
chiaro tondo
normal

Berthold-Schriften überzeugen durch Schärfe und Qualität. Schrift qualität ist eine Frage der Erfahrung. Berthold hat diese Erfahrung s eit über hundert Jahren. Zuerst im Schriftguß, dann im Fotosatz. Be rthold-Schriften sind weltweit geschätzt. Im Schriftenatelier Münc hen wird jeder Buchstabe in der Größe von zwölf Zentimetern n eu gezeichnet. Mit messerscharfen Konturen, um für die Schriftsch eiben das Optimale an Konturenschärfe herauszuholen. Um die Qu alität des Einzelzeichens im Belichtungsvorgang zu bewahren, wir d durch die ruhende, nicht rotierende Schriftscheibe belichtet. Die

1,33 mm (5 p) 20 30 40 50 60

Berthold-Schriften überzeugen durch Schärfe und Qualität. S chriftqualität ist eine Frage der Erfahrung. Berthold hat diese Erfahrung seit über hundert Jahren. Zuerst im Schriftguß, da nn im Fotosatz. Berthold-Schriften sind weltweit geschätzt. Im Schriftenatelier München wird jeder Buchstabe in der Größe von zwölf Zentimetern neu gezeichnet. Mit messerscharfen Konturen, um für die Schriftscheiben das Optimale an Kontur enschärfe herauszuholen. Um die Qualität des Einzelzeichen s im Belichtungsvorgang zu bewahren, wird durch die ruhen

1,45 mm (5,5 p) 20 30 40 50

Berthold-Schriften überzeugen durch Schärfe und Quali tät. Schriftqualität ist eine Frage der Erfahrung. Berthold hat diese Erfahrung seit über hundert Jahren. Zuerst im Schriftguß, dann im Fotosatz. Berthold-Schriften sind w eltweit geschätzt. Im Schriftenatelier München wird jed er Buchstabe in der Größe von zwölf Zentimetern neu ge zeichnet. Mit messerscharfen Konturen, um für die Schr iftscheiben das Optimale an Konturenschärfe herauszu holen. Um die Qualität des Einzelzeichens im Belichtung

1,60 mm (6 p) 20 30 40 50

Berthold-Schriften überzeugen durch Schärfe und Qualität. Schriftqualität ist eine Frage der Erfahrung Berthold hat diese Erfahrung seit über hundert Jahr en. Zuerst im Schriftguß, dann im Fotosatz. Berthol d-Schriften sind weltweit geschätzt. Im Schriftenat elier München wird jeder Buchstabe in der Größe v on zwölf Zentimetern neu gezeichnet. Mit messersc harfen Konturen, um für die Schriftscheiben das Opt imale an Konturenschärfe herauszuholen. Um die Q

1,75 mm (6,5 p) 20 30 40

Berthold-Schriften überzeugen durch Schärfe und Qualität. Schriftqualität ist eine Frage der Erfahr ung. Berthold hat diese Erfahrung seit über hund ert Jahren. Zuerst im Schriftguß, dann im Fotosat z. Berthold-Schriften sind weltweit geschätzt. Im Schriftenatelier München wird jeder Buchstabe i n der Größe von zwölf Zentimetern neu gezeichn et. Mit messerscharfen Konturen, um für die Schr iftscheiben das Optimale an Konturenschärfe her

1,86 mm (7 p) 20 30 40

Berthold-Schriften überzeugen durch Schärfe und Qualität. Schriftqualität ist eine Frage der Erfahrung. Berthold hat diese Erfahrung seit ü ber hundert Jahren. Zuerst im Schriftguß, dan n im Fotosatz. Berthold-Schriften sind weltwe it geschätzt. Im Schriftenatelier München wird jeder Buchstabe in der Größe von zwölf Zenti metern neu gezeichnet. Mit messerscharfen Konturen, um für die Schriftscheiben das Opti

2,00 mm (7,5 p) 20 30 40

Berthold-Schriften überzeugen durch Schä rfe und Qualität. Schriftqualität ist eine Fra ge der Erfahrung. Berthold hat diese Erfahr ung seit über hundert Jahren. Zuerst im Sch riftguß, dann im Fotosatz. Berthold-Schrifte n sind weltweit geschätzt. Im Schriftenateli er München wird jeder Buchstabe in der Gr öße von zwölf Zentimetern neu gezeichnet Mit messerscharfen Konturen, um für die

2,15 mm (8 p) 20 30 40

Gustav Jaeger
1984
Gustav Jaeger
H. Berthold AG

ABCDEFGHIJKLMNOPQ
RSTUVWXYZ
abcdefghijklmnopqrstuvwxyz
1/1234567890%
(.,-;:!¡?¿–)·[‘’„“”»«]
+−=/$£†*&§
ÄÅÆÖØŒÜäåæıöøœßü
ÁÀÂÃÇČÉÈÊËÍÌÎÏĹŇÑÓÒÔÕ
ŔŘŠŤÚÙÛŴẄÝỲŸŽ
áàâãçčéèêëíìîïĺňñóòôõŕřš
úùûŵẅýỳÿž

Berthold-Schriftweite weit
Berthold-Schriftweite normal
Berthold-Schriftweite eng
Berthold-Schriftweite sehr eng
Berthold-Schriftweite extrem eng

Berthold
3,72 mm (14 p)

Berthold
4,25 mm (16 p)

Berthold
4,75 mm (18 p)

Berthold
5,30 mm (20 p)

Berthold
6,35 mm (24 p)

Berthold
7,40 mm (28 p)

Berthold
8,50 mm (32 p)

Berthold
9,55 mm (36 p)

Größe		Zeilenabstand			100 Zeichen		
mm	p	kp	Êp	Ex	0	−1	−2
1,33	5	1,81	2,19	2,00	91	88	85
1,60	6	2,19	2,63	2,50	107	103	99
1,86	7	2,50	3,06	3,00	123	119	115
2,15	8	2,94	3,56	3,50	140	135	130
2,40	9	3,25	3,94	3,75	157	151	145
2,65	10	3,56	4,38	4,25	173	166	159
2,92	11	3,94	4,81	4,75	189	182	175
3,20	12	4,31	5,25	5,25	205	197	189
3,45	13	4,63	5,69	5,75	221	213	205
3,72	14	5,00	6,13	–	237	228	219
3,98	15	5,38	6,56	–	253	244	235
4,25	16	5,75	7,00	–	269	259	249

WZ 14 E, NSW 0, MZB 0,65, F 0,13:0,08 (1,7), V
H 1–x 0,67–k 1,00–p 0,34–Ê 1,30–kp 1,34–Êp 1,64
BF 089 1496, Belegung 051: 085 1503 (095 1503)

Berthold-Schriften überzeugen durch Schärfe und Qualität. Schriftqualität ist eine Frage der Erfahrung. Berthold hat diese Erfahrung seit über hundert Jahr en. Zuerst im Schriftguß, dann im Foto satz. Berthold-Schriften sind weltweit geschätzt. Im Schriftenatelier Münche n wird jeder Buchstabe in der Größe vo

2,40 mm (9 p) 20 30

Berthold-Schriften überzeugen dur ch Schärfe und Qualität. Schriftqu alität ist eine Frage der Erfahrung Berthold hat diese Erfahrung seit ü ber hundert Jahren. Zuerst im Schr iftguß, dann im Fotosatz. Berthold-S chriften sind weltweit geschätzt. Im Schriftenatelier München wird jede

2,65 mm (10 p) 20 30

Berthold-Schriften überzeugen d urch Schärfe und Qualität. Schr iftqualität ist eine Frage der Erf ahrung. Berthold hat diese Erfah rung seit über hundert Jahren. Z uerst im Schriftguß, dann im Fot osatz. Berthold-Schriften sind w eltweit geschätzt. Im Schriftena

2,92 mm (11 p) 10 20 3

Berthold-Schriften überzeuge n durch Schärfe und Qualität Schriftqualität ist eine Frage d er Erfahrung. Berthold hat di ese Erfahrung seit über hund ert Jahren. Zuerst im Schriftg uß, dann im Fotosatz. Bertho ld-Schriften sind weltweit ge

3,20 mm (12 p) 10 20

Berthold-Schriften überzeu gen durch Schärfe und Qua lität. Schriftqualität ist eine Frage der Erfahrung. Berth old hat diese Erfahrung seit über hundert Jahren. Zuer st im Schriftguß, dann im F otosatz. Berthold-Schriften s

3,45 mm (13 p) 10 20

normal
regular
normal

OSIRIS

normal
chiaro tondo
normal

Berthold-Schriften überzeugen durch Schärfe und Qualität. Schriftqual ität ist eine Frage der Erfahrung. Berthold hat diese Erfahrung seit über hundert Jahren. Zuerst im Schriftguß, dann im Fotosatz. Berthold-Schri ften sind weltweit geschätzt. Im Schriftenatelier München wird jeder B uchstabe in der Größe von zwölf Zentimetern neu gezeichnet. Mit mes serscharfen Konturen, um für die Schriftscheiben das Optimale an Kon turenschärfe herauszuholen. Um die Qualität des Einzelzeichens im B elichtungsvorgang zu bewahren, wird durch die ruhende, nicht rotiere nde Schriftscheibe belichtet. Dieses optische System, verbunden mit P

4,25 mm (16 p), Zeilenabstand 6,75 mm

OSIRIS REGULAR

In general, bodytypes are measured in the typo graphical point size. The sizes of Berthold Fotot ype faces can be exactly determined. All faces of same point size have the same capital height–ir respective of their x-height. In hot metal and m any other phototypesetting systems the capita l heights often differ considerably from one fac e to the other. For measuring point sizes, a trans parent size gauge is provided. To determine the point size, bring a capital letter into coinciden ce with that field which precisely circumscrib es the letter at its upper and lower margin. Belo w the field you find the typographical point and below that the millimeter value, which also refe rs to the height of a capital letter. In Berthold-p hototypesetting, the typewidth can be modifie d. The standard setting width of typefaces is det ermined by the principle of optimum legibility You should not depart from this typewidth with out cogent reason. A typeface which is consider ed optically right when looked in a greater cont ext, often seems bulky when applied for a small

2,40 mm (9 p), Zeilenabstand 4,25 mm

OSIRIS NORMAL

La valeur de la force de corps des caractères de labeur èst généralement exprimée en po ints typographiques. La force de corps des caractères Berthold-Fototype peut être dét erminée avec précision. Tous les caractère s du même corps ont des capitales d'une hauteur identique, indépendamment de la hauteur des bas de casse sans jambage. Da ns la composition plomb, ainsi que dans cer tains systèmes de photocomposition, la ha uteur des capitales, varie souvent d'un cara ctère à l'autre. Pour déterminer la force de c orps de nos caractères, nous avons mis au p oint une réglette de hauteur d'œil transpare nte. On cherche le rectangle qui délimite e xactement la hauteur d'œil d'une capitale du caractère choisi. Sous le rectangle corre spondant la valeur de la force de corps est i ndiquée en points Didots et en millimètres La valeur en millimètres exprime égaleme

2,65 mm (10 p), Zeilenabstand 4,69 mm

La indicación de las dimensiones para cuerp os de letra vásicos tiene lugar en general en p untos tipográficos. Los cuerpos de letra de los caracteres Berthold Fototype pueden determi narse exactemente par medición. Con indep endencia de la altura de sus longitudes cent rales, todos los caracteres de idéntico cuerpo de letra presentan altura de mayúsculas idént ica. En la composición en plomo y en muchos

2,15 mm (8 p), –1, Zeilenabstand 3,38 mm

123,– $	456,– £	7890,– DM	1 %
234,– $	789,– £	1234,– DM	2 %
567,– $	12,– £	5678,– DM	3 %
890,– $	345,– £	9012,– DM	4 %
123,– $	678,– £	3456,– DM	5 %
456,– $	901,– £	7890,– DM	6 %
789,– $	234,– £	1234,– DM	7 %
12,– $	567,– £	5678,– DM	8 %
345,– $	890,– £	9012,– DM	9 %

BF 089 1497

Le misure relative al corpo dei caratteri vengono generalmente indicate in punti tipografici. Il cor po dei caratteri Fototypes può essere determina to con esattezza per semplice misurazione. Tutti i caratteri di uguale grandezza in punti hanno, i ndipendentemente dalla loro lunghezza, uguale altezza delle maiuscole. Nella composizione in piombo ed in molti altri sistemi di fotocomposiz ione, l'altezza delle maiuscole varia spesso da c

2,15 mm (8 p), –2, Zeilenabstand 3,38 mm

kursiv
italic
italique

OSIRIS

cursiva
chiaro corsivo
kursiv

Måttangivelse för grundstilsgrad er sker i allmänhet i typografisk a punkter. Stilar av Berthold Foto type kan efter mätning exakt gra dbestämmas. Alla typsnitt är av s amma punktstorlek och har ober oende av x-höjden en identisk ve rsalhöjd. I blysättning och i mång a andra fotosättsystem varierar v ersalhöjden avsevärt från typsn itt till typsnitt. För mätning av stil grader finns en transparent mätli njal. Vid mätningen placerar man en versal bokstav så att rutorna b egränsar tecknet upptill och nedt ill. Under rutorna finns stilstorlek en i typografiska didotpunkter oc h i mm. Även millimeteruppgiften avser versalhöjden. Vid stilstorle

2,92 mm (11 p), Zeilenabstand 4,69 mm

Gustav Jaeger
1984
Gustav Jaeger
H. Berthold AG

ABCDEFGHIJKLMNOPQ
RSTUVWXYZ
abcdefghijklmnopqrstuvwxyz
1/1234567890%
(.,-;:!¡?¿–)·[‘’„“”»«]
+−=/$£†&§*
ÄÅÆÖØŒÜäåæıöøœßü
ÁÀÂÃÇČÉÈÊËÍÌÎÏĹŇÑÓÒÔÕ
ŔŘŠŤÚÙÛŴẄÝỲŸŽ
áàâãçčéèêëíìîïĺňñóòôõŕřš
úùûŵẅýỳÿž

Berthold-Schriftweite weit
Berthold-Schriftweite normal
Berthold-Schriftweite eng
Berthold-Schriftweite sehr eng
Berthold-Schriftweite extrem eng

In general, bodytypes are me asured in the typographical p oint size. The sizes of Berthold Fototype faces can be exactly determined. All faces of same point size have the same capit al height–irrespective of their x-height. In hot metal and ma ny other phototypesetting syst ems the capital heights often d iffer considerably from one fa ce to the other. For measuring point sizes, a transparent size gauge is provided. To determi ne the point size, bring a capit al letter into coincidence with that field which precisely circu

3,20 mm (12 p), Zeilenabstand 5,25 mm

OSIRIS KURSIV

Die Maßangabe zu Grundschriftgrößen erfolgt im allgemeinen in typographischen Punkten. Die Sc hriftgrößen der Berthold-Fotosatz-Schriften sind nach Messung exakt bestimmbar. Alle Schriften gleicher Punktgröße weisen, unabhängig von der Höhe ihrer Mittellängen, eine identische Versalh öhe auf. Im Bleisatz und bei vielen anderen Fotos atz-Systemen differieren die Versalhöhen von Sc hrift zu Schrift oft erheblich. Zum Messen von S chriftgrößen steht ein transparentes Größenmaß zur Verfügung. Zum Messen wird ein Versalbuch stabe mit dem Feld in Deckung gebracht, das den Buchstaben oben und unten scharf begrenzt. U nter dem Feld ist die Schriftgröße in typographisc hen Didot-Punkten, darunter in Millimetern ang egeben. Auch die Millimeterangaben beziehen s ich auf die Höhe der Versalbuchstaben. Die Schr iftweite kann im Berthold-Fotosatz beliebig verä

2,40 mm (9 p), Zeilenabstand 4 mm

OSIRIS ITALIQUE

La valeur de la force de corps des caractères de labeur èst généralement exprimée en poi nts typographiques. La force de corps des ca ractères Berthold-Fototype peut être déterm inée avec précision. Tous les caractères du même corps ont des capitales d'une hauteur identique, indépendamment de la hauteur d es bas de casse sans jambage. Dans la comp osition plomb, ainsi que dans certains syst èmes de photocomposition, la hauteur des c apitales, varie souvent d'un caractère à l'aut re. Pour déterminer la force de corps de nos caractères, nous avons mis au point une régl ette de hauteur d'œil transparente. On cherc he le rectangle qui délimite exactement la h auteur d'œil d'une capitale du caractère cho

2,65 mm (10 p), Zeilenabstand 4,50 mm

La indicación de las dimensiones para cuerpos de letra vá sicos tiene lugar en general en puntos tipográficos. Los cu erpos de letra de los caracteres Berthold Fototype pueden determinarse exactemente par medición. Con independe ncia de la altura de sus longitudes centrales, todos los car acteres de idéntico cuerpo de letra presentan altura de ma yúsculas idéntica. En la composición en plomo y en much os otros sistemas de fotocomposición, las alturas de mayú sculas varían frecuentemmente en forma considerable de tipo de letra a tipo de letra. Para medir los cuerpos de letra se dispone de un tipómetro, véase la figura. Para la me dición se hace coincidir una letra mayúscula con la casilla

1,60 mm (6 p), Zeilenabstand 2,50 mm

Größe		Zeilenabstand			100 Zeichen		
mm	p	kp	Êp	Ex	0	−1	−2
1,33	5	1,69	2,13	–	89	86	83
1,60	6	2,06	2,56	2,50	105	101	97
1,86	7	2,38	2,94	–	121	117	113
2,15	8	2,69	3,44	3,38	137	132	127
2,40	9	3,06	3,81	4,00	153	147	141
2,65	10	3,38	4,19	4,50	169	162	155
2,92	11	3,69	4,63	4,69	185	178	171
3,20	12	4,06	5,06	5,25	201	193	185
3,45	13	4,38	5,50	–	216	208	200
3,72	14	4,69	5,88	–	232	223	214
3,98	15	5,06	6,31	–	248	239	230
4,25	16	5,38	6,75	–	264	254	244

WZ 14 E, NSW 0, MZB 0,64, F 0,13:0,08 (1,5), V
H 1–x 0,67–k 1,00–p 0,33–Ê 1,25–kp 1,33–Êp 1,58
BF 089 1498, Belegung 051: 085 1504 (095 1504)

Le misure relative al corpo dei caratteri ven gono generalmente indicate in punti tipograf ici. Il corpo dei caratteri Fototypes può essere determinato con esattezza per semplice mis urazione. Tutti i caratteri di uguale grandez za in punti hanno, indipendentemente dalla loro lunghezza, uguale altezza delle maiusc ole. Nella composizione in piombo ed in mol ti altri sistemi di fotocomposizione, l'altezza

2,15 mm (8 p), Zeilenabstand 3,38 mm

halbfett
demi-bold
demi-gras

OSIRIS

seminegra
neretto
halvfet

Berthold-Schriften überzeugen durch Schärfe und Qualität. Schriftqualität ist eine Frage der Erfahrun g. Berthold hat diese Erfahrung seit über hundert Ja hren. Zuerst im Schriftguß, dann im Fotosatz. Berth old-Schriften sind weltweit geschätzt. Im Schriften atelier München wird jeder Buchstabe in der Grö ße von zwölf Zentimetern neu gezeichnet. Mit mess erscharfen Konturen, um für die Schriftscheiben das Optimale an Konturenschärfe herauszuholen. Um d

1,60 mm (6 p), Zeilenabstand 2,50 mm

Berthold-Schriften überzeugen durch Schärfe und Qualität. Schriftqualität ist eine Frage de r Erfahrung. Berthold hat diese Erfahrung seit über hundert Jahren. Zuerst im Schriftguß, d ann im Fotosatz. Berthold-Schriften sind welt weit geschätzt. Im Schriftenatelier München wird jeder Buchstabe in der Größe von zwölf Zentimetern neu gezeichnet. Mit messersch

1,86 mm (7 p), Zeilenabstand 3,00 mm

Berthold-Schriften überzeugen durch S chärfe und Qualität. Schriftqualität ist e ine Frage der Erfahrung. Berthold hat di ese Erfahrung seit über hundert Jahren Zuerst im Schriftguß, dann im Fotosatz Berthold-Schriften sind weltweit gesch ätzt. Im Schriftenatelier München wird jeder Buchstabe in der Größe von zwölf

2,15 mm (8 p), Zeilenabstand 3,50 mm

Gustav Jaeger
1984
Gustav Jaeger
H. Berthold AG

ABCDEFGHIJKLMNOPQ
RSTUVWXYZ
abcdefghijklmnopqrstuvwxyz
1/1234567890%
(.,-;:!¡?¿–)·[‘‚„“”»«]
+–=/$£†*&§
ÄÅÆÖØŒÜäåæıöøœßü
ÁÀÂÃÇČÉÈÊËÍÌÎÏĹŇÑÓÒÔÕ
ŔŘŠŤÚÙÛŴẄÝŶŸŽ
áàâãçčéèêëíìîïĺňñóòôõŕřš
úùûŵẅýỳÿž

Berthold-Schriftweite weit
Berthold-Schriftweite normal
Berthold-Schriftweite eng
Berthold-Schriftweite sehr eng
Berthold-Schriftweite extrem eng

In general, bodytypes are measured in the typograp hical point size. The sizes of Berthold Fototype faces can be exactly determined All faces of same point size have the same capital hei ght–irrespective of their x height. In hot metal and m any other phototypesetting systems the capital heights often differ considerably fr om one face to the other. Fo r measuring point sizes, a t ransparent size gauge is pr ovided. To determine the p oint size, bring a capital let

3,20 mm (12 p), Zeilenabstand 5,25 mm

Berthold's quick brown fox jumps over the lazy dog and feels as if he were
3,72 mm (14 p)

Berthold's quick brown fox jumps over the lazy dog and feels as if
4,25 mm (16 p)

Berthold's quick brown fox jumps over the lazy dog and fe
4,75 mm (18 p)

Berthold's quick brown fox jumps over the lazy dog
5,30 mm (20 p)

Berthold's quick brown fox jumps over the l
6,35 mm (24 p)

Berthold's quick brown fox jumps ov
7,40 mm (28 p)

Berthold's quick brown fox jum
8,50 mm (32 p)

Berthold's quick brown fox j
9,55 mm (36 p)

Berthold-Schriften überzeugen dur ch Schärfe und Qualität. Schriftqua lität ist eine Frage der Erfahrung. B erthold hat diese Erfahrung seit üb er hundert Jahren. Zuerst im Schrif tguß, dann im Fotosatz. Berthold-Sc hriften sind weltweit geschätzt. Im Schriftenatelier München wird jed

2,40 mm (9 p), Zeilenabstand 4,00 mm

Größe mm	p	Zeilenabstand kp	Êp	Ex	100 Zeichen 0	−1	−2
1,33	5	1,81	2,19	–	99	96	93
1,60	6	2,19	2,63	2,50	116	112	108
1,86	7	2,50	3,06	3,00	134	130	126
2,15	8	2,94	3,56	3,50	152	147	142
2,40	9	3,25	3,94	4,00	170	164	158
2,65	10	3,56	4,38	4,00	188	181	174
2,92	11	3,94	4,81	–	205	198	191
3,20	12	4,31	5,25	5,25	223	215	207
3,45	13	4,63	5,63	–	240	232	224
3,72	14	5,00	6,13	–	258	249	240
3,98	15	5,38	6,50	–	275	266	257
4,25	16	5,75	6,94	–	293	283	273

WZ 14 E, NSW 0, MZB 0,71, F 0,18:0,10 (1,9), V
H 1–x 0,66–k 1,00–p 0,34–Ê 1,29–kp 1,34–Êp 1,63
BF 089 1499, Belegung 051: 085 1505 (095 1505)

Berthold-Schriften überzeugen d urch Schärfe und Qualität. Schr iftqualität ist eine Frage der Erf ahrung. Berthold hat diese Erfa hrung seit über hundert Jahren Zuerst im Schriftguß, dann im F otosatz. Berthold-Schriften sind weltweit geschätzt. Im Schrifte

2,65 mm (10 p), Zeilenabstand 4,00 mm

kursiv halbfett
demi-bold italic
italique demi-gras

OSIRIS

seminegra cursiva
neretto corsivo
kursiv halvfet

Berthold-Schriften überzeugen durch Schärfe und Qualität. Schriftqualität ist eine Frage der Erfahrung. Berthold hat diese Erfahrung seit über hundert Jahren. Zuerst im Schriftguß, dann im Fotosatz. Berthold-Schriften sind weltweit geschätzt. Im Schriftenatelier München wird jeder Buchstabe in der Größe von zwölf Zentimetern neu gezeichnet. Mit messerscharfen Konturen, um für die Schriftscheiben das Optimale an Kontur enschärfe herauszuholen. Um die Qualität des Einzel

1,60 mm (6 p), Zeilenabstand 2,50 mm

Berthold-Schriften überzeugen durch Schärfe und Qualität. Schriftqualität ist eine Frage der Erfahrung. Berthold hat diese Erfahrung seit über hundert Jahren. Zuerst im Schriftguß, dann im Fotosatz. Berthold-Schriften sind weltweit geschätzt. Im Schriftenatelier München wird jeder Buchstabe in der Größe von zwölf Zentimetern neu gezeichnet. Mit messerscharfen Kont

1,86 mm (7 p), Zeilenabstand 3,00 mm

Berthold-Schriften überzeugen durch Schärfe und Qualität. Schriftqualität ist eine Frage der Erfahrung. Berthold hat diese Erfahrung seit über hundert Jahren. Zuerst im Schriftguß, dann im Fotosatz. Berthold Schriften sind weltweit geschätzt. Im Schriftenatelier München wird jeder Buchstabe in der Größe von zwölf Zentimetern ne

2,15 mm (8 p), Zeilenabstand 3,50 mm

Gustav Jaeger
1984
Gustav Jaeger
H. Berthold AG

ABCDEFGHIJKLMNOPQ
RSTUVWXYZ
abcdefghijklmnopqrstuvwxyz
1/1234567890%
(.,-;:!¡?¿–)·[’‘„“”»«]
+−=/$£†*&§
ÄÅÆÖØŒÜäåæıöøœßü
ÁÀÂÃÇČÉÈÊËÍÌÎÏĹŇÑÓÒÔÕ
ŔŘŠŤÚÙÛŴẄÝỲŶŸŽ
áàâãçčéèêëíìîïĺňñóòôõŕřš
úùûŵẅýỳŷÿž

Berthold-Schriftweite weit
Berthold-Schriftweite normal
Berthold-Schriftweite eng
Berthold-Schriftweite sehr eng
Berthold-Schriftweite extrem eng

In general, bodytypes are measured in the typographical point size. The sizes of Berthold Fototype faces can be exactly determined. All faces of same point size have the same capital height–irrespective of their x-height. In hot metal and many other photo typesetting systems the capital heights often differ considerably from one face to the other. For measuring point sizes, a transparent size gauge is provided. To determine the point size, bring a capital letter into coincidence with t

3,20 mm (12 p), Zeilenabstand 5,25 mm

Berthold's quick brown fox jumps over the lazy dog and feels as if he were in t
3,72 mm (14 p)

Berthold's quick brown fox jumps over the lazy dog and feels as if he
4,25 mm (16 p)

Berthold's quick brown fox jumps over the lazy dog and feels
4,75 mm (18 p)

Berthold's quick brown fox jumps over the lazy dog and
5,30 mm (20 p)

Berthold's quick brown fox jumps over the laz
6,35 mm (24 p)

Berthold's quick brown fox jumps over
7,40 mm (28 p)

Berthold's quick brown fox jumps
8,50 mm (32 p)

Berthold's quick brown fox ju
9,55 mm (36 p)

Berthold-Schriften überzeugen durch Schärfe und Qualität. Schriftqualität ist eine Frage der Erfahrung. Berthold hat diese Erfahrung seit über hundert Jahren. Zuerst im Schriftguß, dann im Fotosatz. Berthold-Schriften sind weltweit geschätzt. Im Schriftenatelier München wird jeder Buchstabe in der

2,40 mm (9 p), Zeilenabstand 4,00 mm

Größe		Zeilenabstand			100 Zeichen		
mm	p	kp	Êp	Ex	0	−1	−2
1,33	5	1,69	2,19	–	96	93	90
1,60	6	2,06	2,63	2,50	112	108	104
1,86	7	2,38	3,00	3,00	129	125	121
2,15	8	2,69	3,50	3,50	147	142	137
2,40	9	3,06	3,88	4,00	165	159	153
2,65	10	3,38	4,31	4,00	182	175	168
2,92	11	3,69	4,75	–	198	191	184
3,20	12	4,06	5,19	5,25	215	207	199
3,45	13	4,38	5,56	–	232	224	216
3,72	14	4,69	6,00	–	249	240	231
3,98	15	5,06	6,44	–	266	257	248
4,25	16	5,38	6,88	–	283	273	263

WZ 14 E, NSW 0, MZB 0,68, F 0,21:0,11 (1,9), V
H 1–x 0,67–k 1,00–p 0,33–Ê 1,28–kp 1,33–Êp 1,61
BF 089 1500, Belegung 051: 085 1506 (095 1506)

Berthold-Schriften überzeugen durch Schärfe und Qualität. Schriftqualität ist eine Frage der Erfahrung. Berthold hat diese Erfahrung seit über hundert Jahren. Zuerst im Schriftguß, dann im Fotosatz. Berthold-Schriften sind weltweit geschätzt. Im Schriftenatelier Mü

2,65 mm (10 p), Zeilenabstand 4,00 mm

fett
bold
gras

OSIRIS

negra
nero
fet

Berthold-Schriften überzeugen durch Schärfe und Qualität. Schriftqualität ist eine Frage der Erfahrung. Berthold hat diese Erfahrung seit über hundert Jahren. Zuerst im Schriftguß, dann im Fotosatz. Berthold-Schriften sind weltweit geschätzt Im Schriftenatelier München wird jeder Buchstabe in der Größe von zwölf Zentimetern neu gezeichnet. Mit messerscharfen Konturen, um für die Schriftscheiben das Optimale an Konturenschärfe

1,60 mm (6 p), Zeilenabstand 2,50 mm

Berthold-Schriften überzeugen durch Schärfe und Qualität. Schriftqualität ist eine Frage der Erfahrung. Berthold hat diese Erfahrung seit über hundert Jahren. Zuerst im Schriftguß, dann im Fotosatz. Berthold-Schriften sind weltweit geschätzt. Im Schriftenatelier München wird jeder Buchstabe in der Größe von zwölf Zentimetern neu gezei

1,86 mm (7 p), Zeilenabstand 3,00 mm

Berthold-Schriften überzeugen durch Schärfe und Qualität. Schriftqualität ist eine Frage der Erfahrung. Berthold hat diese Erfahrung seit über hundert Jahren. Zuerst im Schriftguß, dann im Fotosatz. Berthold-Schriften sind weltweit geschätzt. Im Schriftenatelier München wird jeder Buchstabe in der G

2,15 mm (8 p), Zeilenabstand 3,50 mm

Gustav Jaeger
1984
Gustav Jaeger
H. Berthold AG

ABCDEFGHIJKLMNOPQ
RSTUVWXYZ
abcdefghijklmnopqrstuvwxyz
1/1234567890%
(.,-;:!¡?¿–)·['',,""»«]
+–=/$£†*&§
ÄÅÆÖØŒÜäåæıöøœßü
ÁÀÂÃÇČÉÈÊËÍÌÎÏĹŇÑÓÒÔÕ
ŔŘŠŤÚÙÛŴẄÝŶŸŽ
áàâãçčéèêëíìîïĺňñóòôõŕřš
úùûŵẅýỳÿž

Berthold-Schriftweite weit
Berthold-Schriftweite normal
Berthold-Schriftweite eng
Berthold-Schriftweite sehr eng
Berthold-Schriftweite extrem eng

In general, bodytypes are measured in the typographical point size. The sizes of Berthold Fototype faces can be exactly determined. All faces of same point size have the same capital height–irrespective of their x-height. In hot metal and many other phototypesetting systems the capital heights often differ considerably from one face to the other. For measuring point sizes, a transparent size gauge is provided To determine the point siz

3,20 mm (12 p), Zeilenabstand 5,25 mm

Berthold's quick brown fox jumps over the lazy dog and feels as if he w
3,72 mm (14 p)

Berthold's quick brown fox jumps over the lazy dog and feels
4,25 mm (16 p)

Berthold's quick brown fox jumps over the lazy dog and
4,75 mm (18 p)

Berthold's quick brown fox jumps over the lazy d
5,30 mm (20 p)

Berthold's quick brown fox jumps over th
6,35 mm (24 p)

Berthold's quick brown fox jumps o
7,40 mm (28 p)

Berthold's quick brown fox ju
8,50 mm (32 p)

Berthold's quick brown fox
9,55 mm (36 p)

Berthold-Schriften überzeugen durch Schärfe und Qualität. Schriftqualität ist eine Frage der Erfahrung. Berthold hat diese Erfahrung seit über hundert Jahren. Zuerst im Schriftguß, dann im Fotosatz Berthold-Schriften sind weltweit geschätzt. Im Schriftenatelier Mü

2,40 mm (9 p), Zeilenabstand 4,00 mm

Größe mm	p	Zeilenabstand kp	Êp	Ex	100 Zeichen 0	−1	−2
1,33	5	1,69	2,25	–	103	100	97
1,60	6	2,06	2,69	2,50	122	118	114
1,86	7	2,38	3,13	3,00	140	136	132
2,15	8	2,69	3,63	3,50	159	154	149
2,40	9	3,06	4,00	4,00	178	172	166
2,65	10	3,38	4,44	4,00	196	189	182
2,92	11	3,69	4,88	–	215	208	201
3,20	12	4,06	5,38	5,25	233	225	217
3,45	13	4,38	5,75	–	251	243	235
3,72	14	4,69	6,19	–	270	261	252
3,98	15	5,06	6,63	–	288	279	270
4,25	16	5,38	7,06	–	306	296	286

WZ 14 E, NSW 0, MZB 0,74, F 0,27:0,11 (2,5), V
H 1–x 0,66–k 1,00–p 0,33–Ê 1,33–kp 1,33–Êp 1,66
BF 089 1501, Belegung 051: 085 1507 (095 1507)

Berthold-Schriften überzeugen durch Schärfe und Qualität. Schriftqualität ist eine Frage der Erfahrung. Berthold hat diese Erfahrung seit über hundert Jahren. Zuerst im Schriftguß dann im Fotosatz. Berthold-Schriften sind weltweit geschätz

2,65 mm (10 p), Zeilenabstand 4,00 mm

kursiv fett
bold italic
italique gras

OSIRIS

negra cursiva
nero corsivo
kursiv fet

Berthold-Schriften überzeugen durch Schärfe und Qualität. Schriftqualität ist eine Frage der Erfahrun g. Berthold hat diese Erfahrung seit über hundert Ja hren. Zuerst im Schriftguß, dann im Fotosatz. Berth old-Schriften sind weltweit geschätzt. Im Schriften atelier München wird jeder Buchstabe in der Grö ße von zwölf Zentimetern neu gezeichnet. Mit mes serscharfen Konturen, um für die Schriftscheiben d as Optimale an Konturenschärfe herauszuholen. U

1,60 mm (6 p), Zeilenabstand 2,50 mm

Berthold-Schriften überzeugen durch Schär fe und Qualität. Schriftqualität ist eine Frage der Erfahrung. Berthold hat diese Erfahrung seit über hundert Jahren. Zuerst im Schriftg uß, dann im Fotosatz. Berthold-Schriften sind weltweit geschätzt. Im Schriftenatelier Mü nchen wird jeder Buchstabe in der Größe von zwölf Zentimetern neu gezeichnet. Mit mes

1,86 mm (7 p), Zeilenabstand 3,00 mm

Berthold-Schriften überzeugen durch S chärfe und Qualität. Schriftqualität ist eine Frage der Erfahrung. Berthold hat diese Erfahrung seit über hundert Jahr en. Zuerst im Schriftguß, dann im Fotos atz. Berthold-Schriften sind weltweit g eschätzt. Im Schriftenatelier München wird jeder Buchstabe in der Größe von

2,15 mm (8 p), Zeilenabstand 3,50 mm

Gustav Jaeger
1984
Gustav Jaeger
H. Berthold AG

ABCDEFGHIJKLMNOPQ
RSTUVWXYZ
abcdefghijklmnopqrstuvwxyz
1/1234567890%
(.,-;:!¡?¿–)·[‘‘„“‘‘»«]
+−=/$£†*&§
ÄÅÆÖØŒÜäåæıöøœßü
ÁÀÂÃÇČÉÈÊËÍÌÎÏĹŇÑÓÒÔÕ
ŔŘŠŤÚÙÛŴẄÝỲŸŽ
áàâãçčéèêëíìîïĺňñóòôõŕřš
úùûŵẅýỳÿž

Berthold-Schriftweite weit
Berthold-Schriftweite normal
Berthold-Schriftweite eng
Berthold-Schriftweite sehr eng
Berthold-Schriftweite extrem eng

In general, bodytypes are measured in the typograp hical point size. The sizes of Berthold Fototype faces can be exactly determined All faces of same point size have the same capital hei ght–irrespective of their x height. In hot metal and m any other phototypesetting systems the capital heights often differ considerably f rom one face to the other. F or measuring point sizes, a transparent size gauge is p rovided. To determine the point size, bring a capital l

3,20 mm (12 p), Zeilenabstand 5,25 mm

Berthold's quick brown fox jumps over the lazy dog and feels as if he were
3,72 mm (14 p)

Berthold's quick brown fox jumps over the lazy dog and feels as if
4,25 mm (16 p)

Berthold's quick brown fox jumps over the lazy dog and f
4,75 mm (18 p)

Berthold's quick brown fox jumps over the lazy dog
5,30 mm (20 p)

Berthold's quick brown fox jumps over the
6,35 mm (24 p)

Berthold's quick brown fox jumps ov
7,40 mm (28 p)

Berthold's quick brown fox jum
8,50 mm (32 p)

Berthold's quick brown fox j
9,55 mm (36 p)

Berthold-Schriften überzeugen dur ch Schärfe und Qualität. Schriftqua lität ist eine Frage der Erfahrung. B erthold hat diese Erfahrung seit üb er hundert Jahren. Zuerst im Schri ftguß, dann im Fotosatz. Berthold Schriften sind weltweit geschätzt Im Schriftenatelier München wird

2,40 mm (9 p), Zeilenabstand 4,00 mm

Größe		Zeilenabstand			100 Zeichen		
mm	p	kp	Êp	Ex	0	−1	−2
1,33	5	1,69	2,19	–	100	97	94
1,60	6	2,06	2,63	2,50	118	114	110
1,86	7	2,38	3,06	3,00	136	132	128
2,15	8	2,69	3,56	3,50	154	149	144
2,40	9	3,06	3,94	4,00	172	166	160
2,65	10	3,38	4,38	4,00	190	183	176
2,92	11	3,69	4,81	–	208	201	194
3,20	12	4,06	5,25	5,25	226	218	210
3,45	13	4,38	5,63	–	243	235	227
3,72	14	4,69	6,13	–	261	252	243
3,98	15	5,06	6,50	–	279	270	261
4,25	16	5,38	6,94	–	296	286	276

WZ 14 E, NSW 0, MZB 0,72, F 0,26:0,12 (2,2), V
H 1–x 0,67–k 1,00–p 0,33–Ê 1,30–kp 1,33–Êp 1,63
BF 089 1502, Belegung 051: 085 1508 (095 1508)

Berthold-Schriften überzeugen durch Schärfe und Qualität. Sch riftqualität ist eine Frage der Er fahrung. Berthold hat diese Erf ahrung seit über hundert Jahr en. Zuerst im Schriftguß, dann i m Fotosatz. Berthold-Schriften sind weltweit geschätzt. Im Sc

2,65 mm (10 p), Zeilenabstand 4,00 mm

normal
regular
normal

PALATINO

normal
chiaro tondo
normal

Berthold-Schriften überzeugen durch Schärfe und Qualität. Schriftq
ualität ist eine Frage der Erfahrung. Berthold hat diese Erfahrung seit
über hundert Jahren. Zuerst im Schriftguß, dann im Fotosatz. Berthol
d-Schriften sind weltweit geschätzt. Im Schriftenatelier München wir
d jeder Buchstabe in der Größe von zwölf Zentimetern neu gezeichne
t. Mit messerscharfen Konturen, um für die Schriftscheiben das Opti
male an Konturenschärfe herauszuholen. Um die Qualität des Einzel
zeichens im Belichtungsvorgang zu bewahren, wird durch die ruhen
de, nicht rotierende Schriftscheibe belichtet. Dieses optische System

1,33 mm (5 p) 20 30 40 50 60

Berthold-Schriften überzeugen durch Schärfe und Qualität. Sc
hriftqualität ist eine Frage der Erfahrung. Berthold hat diese Erf
ahrung seit über hundert Jahren. Zuerst im Schriftguß, dann im
Fotosatz. Berthold-Schriften sind weltweit geschätzt. Im Schrift
enatelier München wird jeder Buchstabe in der Größe von zwölf
Zentimetern neu gezeichnet. Mit messerscharfen Konturen, um
für die Schriftscheiben das Optimale an Konturenschärfe herau
szuholen. Um die Qualität des Einzelzeichens im Belichtungsvo
rgang zu bewahren, wird durch die ruhende, nicht rotierende Sc

1,45 mm (5,5 p) 20 30 40 50 60

Berthold-Schriften überzeugen durch Schärfe und Qualit
ät. Schriftqualität ist eine Frage der Erfahrung. Berthold hat
diese Erfahrung seit über hundert Jahren. Zuerst im Schrift
guß, dann im Fotosatz. Berthold-Schriften sind weltweit ge
schätzt. Im Schriftenatelier München wird jeder Buchstabe
in der Größe von zwölf Zentimetern neu gezeichnet. Mit m
esserscharfen Konturen, um für die Schriftscheiben das O
ptimale an Konturenschärfe herauszuholen. Um die Quali
tät des Einzelzeichens im Belichtungsvorgang zu bewahre

1,60 mm (6 p) 20 30 40 50

Berthold-Schriften überzeugen durch Schärfe und Q
ualität. Schriftqualität ist eine Frage der Erfahrung. Be
rthold hat diese Erfahrung seit über hundert Jahren. Z
uerst im Schriftguß, dann im Fotosatz. Berthold-Schri
ften sind weltweit geschätzt. Im Schriftenatelier Mün
chen wird jeder Buchstabe in der Größe von zwölf Ze
ntimetern neu gezeichnet. Mit messerscharfen Kontu
ren, um für die Schriftscheiben das Optimale an Kont
urenschärfe herauszuholen. Um die Qualität des Einz

1,75 mm (6,5 p) 20 30 40 50

Berthold-Schriften überzeugen durch Schärfe und
Qualität. Schriftqualität ist eine Frage der Erfahrun
g. Berthold hat diese Erfahrung seit über hundert Ja
hren. Zuerst im Schriftguß, dann im Fotosatz. Berth
old-Schriften sind weltweit geschätzt. Im Schriften
atelier München wird jeder Buchstabe in der Größ
e von zwölf Zentimetern neu gezeichnet. Mit messe
rscharfen Konturen, um für die Schriftscheiben das
Optimale an Konturenschärfe herauszuholen. Um

1,86 mm (7 p) 20 30 40 5

Berthold-Schriften überzeugen durch Schärfe
und Qualität Schriftqualität ist eine Frage der Er
fahrung. Berthold hat diese Erfahrung seit über
hundert Jahren. Zuerst im Schrift guß, dann im F
otosatz. Berthold-Schriften sind weltweit gesch
ätzt. Im Schriftenatelier München wird jeder
Buchstabe in der Größe von zwölf Zentimetern
neu gezeichnet. Mit messerscharfen Konturen
um für die Schriftscheiben das Optimale an Ko

2,00 mm (7,5 p) 20 30 40

Berthold-Schriften überzeugen durch Schärfe
und Qualität. Schriftqualität ist eine Frage der
Erfahrung. Berthold hat diese Erfahrung seit
über hundert Jahren. Zuerst im Schriftguß, da
nn im Fotosatz. Berthold-Schriften sind welt
weit geschätzt. Im Schriftenatelier München
wird jeder Buchstabe in der Größe von zwölf
Zentimetern neu gezeichnet. Mit messerscha
rfen Konturen, um für die Schriftscheiben das

2,15 mm (8 p) 20 30 40

Hermann Zapf
1950
D. Stempel AG
H. Berthold AG

ABCDEFGHIJKLMNOPQ
RSTUVWXYZ
abcdefghijklmnopqrstuvwxyz
1/1234567890%
(.,-;:!¡?¿–)·[‘‚“„”»«]
+−=/$£†*&§
ÄÅÆÖØŒÜäåæıöøœßü
ÁÀÂÃÇČÉÈÊËÍÌÎÏĹŇÑÓÒÔÕ
ŔŘŠŤÚÙÛŴẄÝŶŸŽ
áàâãçčéèêëíìîïĺňñóòôõŕřš
úùûŵẅýỳÿž

Berthold-Schriftweite weit
Berthold-Schriftweite normal
Berthold-Schriftweite eng
Berthold-Schriftweite sehr eng
Berthold-Schriftweite extrem eng

Berthold
3,75 mm (14 p)

Berthold
4,25 mm (16 p)

Berthold
4,75 mm (18 p)

Berthold
5,30 mm (20 p)

Berthold
6,35 mm (24 p)

Berthold
7,40 mm (28 p)

Berthold
8,50 mm (32 p)

Berthold
9,55 mm (36 p)

Größe		Zeilenabstand			100 Zeichen		
mm	p	kp	Êp	Ex	0	−1	−2
1,33	5	2,00	2,19	2,00	84	81	78
1,60	6	2,38	2,63	2,50	99	95	91
1,86	7	2,75	3,00	3,00	114	110	106
2,15	8	3,19	3,50	3,50	129	124	119
2,40	9	3,56	3,88	3,75	144	138	132
2,65	10	3,88	4,13	4,25	159	152	145
2,92	11	4,31	4,75	4,75	174	167	160
3,20	12	4,69	5,19	5,25	189	181	173
3,45	13	5,06	5,56	5,75	204	196	188
3,72	14	5,44	6,00	—	219	210	201
3,98	15	5,81	6,44	—	233	224	215
4,25	16	6,25	6,88	—	248	238	228

WZ 14 E, NSW 0, MZB 0,60, F 0,11:0,063 (1,7), II
H 1–x 0,63–k 1,12–p 0,34–Ê 1,27–kp 1,46–Êp 1,61
BF 089 0537, Belegung 051: 086 4246 (096 4246)

Berthold-Schriften überzeugen durch S
chärfe und Qualität. Schriftqualität ist ei
ne Frage der Erfahrung. Berthold hat die
se Erfahrung seit über hundert Jahren. Z
uerst im Schriftguß, dann im Fotosatz. B
erthold-Schriften sind weltweit geschät
zt. Im Schriftenatelier München wird jed
er Buchstabe in der Größe von zwölf Ze

2,40 mm (9 p) 20 30

Berthold-Schriften überzeugen durc
h Schärfe und Qualität. Schriftqualit
ät ist eine Frage der Erfahrung. Berth
old hat diese Erfahrung seit über hu
ndert Jahren. Zuerst im Schriftguß, d
ann im Fotosatz. Berthold-Schriften
sind weltweit geschätzt. Im Schrifte
natelier München wird jeder Buchst

2,65 mm (10 p) 20 30

Berthold-Schriften überzeugen d
urch Schärfe und Qualität. Schrif
tqualität ist eine Frage der Erfahru
ng. Berthold hat diese Erfahrung
seit über hundert Jahren. Zuerst
im Schriftguß, dann im Fotosatz
Berthold-Schriften sind weltweit
geschätzt. Im Schriftenatelier Mü

2,92 mm (11 p) 20 30

Berthold-Schriften überzeuge
n durch Schärfe und Qualität
Schriftqualität ist eine Frage de
r Erfahrung. Berthold hat diese
Erfahrung seit über hundert Ja
hren. Zuerst im Schriftguß, da
nn im Fotosatz. Berthold-Schr
iften sind weltweit geschätzt. I

3,20 mm (12 p) 10 20 3

Berthold-Schriften überzeu
gen durch Schärfe und Qual
ität. Schriftqualität ist eine Fr
age der Erfahrung. Berthold
hat diese Erfahrung seit ü
ber hundert Jahren. Zuerst i
m Schriftguß, dann im Fotos
atz. Berthold-Schriften sind

3,45 mm (13 p) 10 20

normal
regular
normal

PALATINO

normal
chiaro tondo
normal

Berthold-Schriften überzeugen durch Schärfe und Qualität. Schriftqualit ät ist eine Frage der Erfahrung. Berthold hat diese Erfahrung seit über hun dert Jahren. Zuerst im Schriftguß, dann im Fotosatz. Berthold-Schriften si nd weltweit geschätzt. Im Schriftenatelier München wird jeder Buchstabe in der Größe von zwölf Zentimetern neu gezeichnet. Mit messerscharf en Konturen, um für die Schriftscheiben das Optimale an Konturenschärf e herauszuholen. Um die Qualität des Einzelzeichens im Belichtungsvorg ang zu bewahren, wird durch die ruhende, nicht rotierende Schriftscheibe belichtet. Dieses optische System, verbunden mit Präzisions-Chromglass

4,25 mm (16 p), Zeilenabstand 6,75 mm

PALATINO REGULAR

In general, bodytypes are measured in the typo graphical point size. The sizes of Berthold Foto type faces can be exactly determined. All faces of same point size have the same capital heigth–irre spective of their x-heigth. In hot metal and many other phototypesetting systems the capital heigths often differ considerably from one face to the oth er. For measuring point sizes, a transparent size gauge is provided. To determine the point size bring a capital letter into coincidence with that field which precisely circumscribes the letter at its upper and lower margin. Below the field you find the typographical point and below that the milli meter value, which also refers to the height of a capital letter. In Berthold-phototypesetting, the typewidth can be modified. The standard setting width of typefaces is determined by the principle of optimum legibility. You should not depart from this typewidth without cogent reason. A typeface which is considered optically right when looked in a greater context, often seems bulky when applied for a small amount of text, e. g. labels and ads. Here

2,40 mm (9 p), Zeilenabstand 4,25 mm

PALATINO NORMAL

La valeur de la force de corps des caractères de labeur èst généralement exprimée en points typographiques. La force de corps des caractères Berthold-Fototype peut être déter minée avec précision. Tous les caractères du même corps ont des capitales d'une hauteur identique, indépendamment de la hauteur des bas de casse sans jambage. Dans la composi tion plomb, ainsi que dans certains systèmes de photocomposition, la hauteur des capi tales, varie souvent d'un caractère à l'autre Pour déterminer la force de corps de nos caractères, nous avons mis au point une ré glette de hauteur d'œil transparente. On cher che le rectangle qui délimite exactement la hauteur d'œil d'une capitale du caractère choisi. Sous le rectangle correspondant la valeur de la force de corps est indiquée en points Didots et en millimètres. La valeur en millimètres exprime également la hauteur des

2,65 mm (10 p), Zeilenabstand 4,69 mm

La indicación de las dimensiones para cuerpos de letra vásicos tiene lugar en general en puntos tipográficos. Los cuerpos de letra de los caracte res Berthold Fototype pueden determinarse ex actemente par medición. Con independencia de la altura de sus longitudes centrales, todos los caracteres de idéntico cuerpo de letra presentan altura de mayúsculas idéntica. En la composi ción en plomo y en muchos otros sistemas de fo

2,15 mm (8 p), –1, Zeilenabstand 3,38 mm

123,– $	456,– £	7890,– DM	1 %
234,– $	789,– £	1234,– DM	2 %
567,– $	12,– £	5678,– DM	3 %
890,– $	345,– £	9012,– DM	4 %
123,– $	678,– £	3456,– DM	5 %
456,– $	901,– £	7890,– DM	6 %
789,– $	234,– £	1234,– DM	7 %
12,– $	567,– £	5678,– DM	8 %
345,– $	890,– £	9012,– DM	9 %

BF 089 0538

Le misure relative al corpo dei caratteri vengono generalmente indicate in punti tipografici. Il corpo dei caratteri Fototypes può essere determinato con esattezza per semplice misurazione. Tutti i caratte ri di uguale grandezza in punti hanno, indipen dentemente dalla loro lunghezza, uguale altez za delle maiuscole. Nella composizione in piombo ed in molti altri sistemi di fotocomposizione, l'al tezza delle maiuscole varia spesso da carattere a

2,15 mm (8 p), –2, Zeilenabstand 3,38 mm

normal Kapitälchen
regular caps
normal petites capitales

PALATINO

normal mayusculita
chiaro tondo maiuscoletto
normal kapitäler

Berthold-Schriften überze ugen durch Schärfe und Qu alität. Schriftqualität ist e ine Frage der Erfahrung. Be rthold hat diese Erfahrung seit über hundert Jahren. Zu erst im Schriftguss, dann im Fotosatz. Berthold-Schrift en sind weltweit geschätzt Im Schriftenatelier Münch en wird jeder Buchstabe in d er Grösse von zwölf Zentim etern neu gezeichnet. Mit m esserscharfen Konturen, u m für die Schriftscheiben da s Optimale an Konturensch ärfe herauszuholen. Um die

3,20 mm (12 p), Zeilenabstand 5,25 mm

Hermann Zapf
1950
D. Stempel AG
H. Berthold AG

ABCDEFGHIJKLMNOPQ
RSTUVWXYZ
ABCDEFGHIJKLMNOPQRSTUVWXYZ
1234567890%
(.,-;:!¡?¿–)·['',,""»«›‹]
+–=/$£†*&§©
ÄÅÆÖØŒÜÄÅÆÖØŒÜ
ÁÀÂÃÇČÉÈÊËÍÌÎÏĹŇÑÓÒÔÕ
ŔŘŠŤÚÙÛŴẄÝỲŸŽ
ÁÀÂÃÇČÉÈÊËÍÌÎÏĹŇÑÓÒÔÕŔŘŠ
ÚÙÛŴẄÝỲŸŽ

Berthold-Schriftweite weit
Berthold-Schriftweite normal
Berthold-Schriftweite eng
Berthold-Schriftweite sehr eng
Berthold-Schriftweite extrem eng

LA VALEUR DE LA FORCE DE CORPS DES CARACTE RES DE LABEUR EST GENE RALEMENT EXPRIMEE EN POINTS TYPOGRAPHIQU ES. LA FORCE DE CORPS D ES CARACTERES BERTHO LD FOTOTYPE PEUT ETRE DETERMINEE AVEC PRECI SION. TOUS LES CARACT ERES DU MEME CORPS O NT DES CAPITALES D'UN E HAUTEUR IDENTIQUE, I NDEPENDAMMENT DE L A HAUTEUR DES BAS DE CASSE SANS JAMBAGE DANS LA COMPOSITION

3,20 mm (12 p), Zeilenabstand 5,25 mm

8/5

MARIE-THERÈSE ROCHEFORT
Directrice

69, Rue Victor Hugo, 75 Paris, Téléphone 37 25 86

10/7

FLORENTINO CAVALLO
Maître de Plaisir

Via Ludovica Aretino 33, Firenze

12/9

EULALIA LOEFFEL
Diätköchin

Am Gänsemarkt 2, Vilshofen

Berlin
3,72 mm (14 p)

Berlin
4,25 mm (16 p)

Berlin
4,75 mm (18 p)

Berlin
5,30 mm (20 p)

Berlin
6,35 mm (24 p)

Berlin
7,40 mm (28 p)

Berlin
8,50 mm (32 p)

Berlin
9,55 mm (36 p)

9/6

HANS-OTTO VON SCHLICK
Landrat

Am Horst 10, Kappeln an der Schlei, Tel. 66 34

11/8

JAN VAN DER FALK
Detektivbüro

Halve Maan Straat 78, Amsterdam

13/10

VLADIMIR IRIBOZOV
Saxophonist

Domgasse 2, München

La indicación de las dimensiones para cuerpos de letra vásicos tiene lugar en general en puntos tipográficos. Los cuerpos de letra de los caracteres Berthold Fototype pueden determinar se exactemente par medición. Con independencia de la altura de sus longitudes centrales, todos los caracteres de idéntico cu erpo de letra presentan altura de mayúsculas idéntica. En la c omposición en plomo y en muchos otros sistemas de fotocompo sición, las alturas de mayúsculas varían frecuentemmente en f orma considerable de tipo de letra a tipo de letra. Para medir los cuerpos de letra se dispone de un tipómetro, véase la figura Para la medición se hace coincidir una letra mayúscula con la casilla cuyos extremos coinciden con los extremos superior e inferior de la letra. Bajo la casilla se indica el cuerpo de letra en puntos tipográficos Didot, y debajo en mm. También las indi caciónes en mm se refieren a la altura de las mayúsculas. Al in

1,33 mm (5 p), Zeilenabstand 1,94 mm

Le misure relative al corpo dei caratteri vengo no generalmente indicate in punti tipografici. Il corpo dei caratteri Fototypes può essere determ inato con esattezza per semplice misurazione. Tu tti i caratteri di uguale grandezza in punti han no, indipendentemente dalla loro lunghezza, u guale altezza delle maiuscole. Nella composizi one in piombo ed in molti altri sistemi di fotoco mposizione, l'altezza delle maiuscole varia spes o da carattere a carattere. Per misurare il cor po dei caratteri è indispensabile un apposito tip ometro trasparente. La misurazione si effettua

1,60 mm (6 p), Zeilenabstand 2,44 mm
WZ 15 E, NSW +2, III
BF 089 0877, Belegung 027: 085 0668 (095 0668)

In general bodytypes are measured in the typog raphical point size. The sizes of Berthold-Foto type faces can be exactly determined. All faces of same point size have the same capital height irrespective of their x-height. In hot metal and many other phototypesetting systems the capit al heights often differ considerably from one face to the other. For measuring point sizes, a transparent size gauge is provided. To determi ne the point size, bring a capital letter into co

1,86 mm (7 p), Zeilenabstand 3,00 mm

kursiv
italic
italique

PALATINO

cursiva
corsivo
kursiv

Måttangivelse för grundstilsgrader sker i allmänhet i typografiska punkter Stilar av Berthold Fototype kan efter mätning exakt gradbestämmas. Alla typsnitt är av samma punktstorlek och har oberoende av x-höjden en identisk versalhöjd. I blysättning och i många andra fotosättsystem varierar versalhöjden avsevärt från typsnitt till typsnitt För mätning av stilgrader finns en transparent mätlinjal. Vid mätningen placerar man en versal bokstav så att rutorna begränsar tecknet upptill och nedtill. Under rutorna finns stilstorleken i typografiska didotpunkter och i mm Även millimeteruppgiften avser versalhöjden. Vid stilstorleksuppgifter anges alltid måttenheten efter sifferuppgiften t ex 14 punkter eller 14 p. Berthold-skrift

2,92 mm (11 p), Zeilenabstand 4,69 mm

Hermann Zapf
1951
D. Stempel AG
H. Berthold AG

ABCDEFGHIJKLMNOPQ
RSTUVWXYZ
abcdefghijklmnopqrstuvwxyz
1/1234567890%
(.,-;:!¡?¿–)·['',„""»«]
+−=/$£†&§*
ÄÅÆÖØŒÜäåæıöøœßü
ÁÀÂÃÇČÉÈÊËÍÌÎÏĹŇÑÓÒÔÕ
ŔŘŠŤÚÙÛŴẄÝỲŸŽ
áàâãçčéèêëíìîïĺňñóòôõŕřš
úùûŵẅýỳÿž

Berthold-Schriftweite weit
Berthold-Schriftweite normal
Berthold-Schriftweite eng
Berthold-Schriftweite sehr eng
Berthold-Schriftweite extrem eng

In general, bodytypes are measured in the typographical point size. The sizes of Berthold Fototype faces can be exactly determined. All faces of same point size have the same capital heigth–irrespective of their x-heigth In hot metal and many other photo typesetting systems the capital heigths often differ considerably from one face to the other. For measuring point sizes, a transparent size gauge is provided. To determine the point size bring a capital letter into coincidence with that field which precisely circumscribes the letter at its upper and lower margin. Below the field you find the typographical point and belo

3,20 mm (12 p), Zeilenabstand 5,25 mm

PALATINO KURSIV

Die Maßangabe zu Grundschriftgrößen erfolgt im allgemeinen in typographischen Punkten. Die Schriftgrößen der Berthold-Fotosatz-Schriften sind nach Messung exakt bestimmbar. Alle Schriften gleicher Punktgröße weisen, unabhängig von der Höhe ihrer Mittellängen, eine identische Versalhöhe auf. Im Bleisatz und bei vielen anderen Fotosatz-Systemen differieren die Versalhöhen von Schrift zu Schrift oft erheblich. Zum Messen von Schriftgrößen steht ein transparentes Größenmaß zur Verfügung. Zum Messen wird ein Versalbuchstabe mit dem Feld in Deckung gebracht, das den Buchstaben oben und unten scharf begrenzt Unter dem Feld ist die Schriftgröße in typographischen Didot-Punkten, darunter in Millimetern angegeben. Auch die Millimeterangaben beziehen sich auf die Höhe der Versalbuchstaben. Die Schriftweite kann im Berthold-Fotosatz beliebig verändert werden. Die Festlegung der Normalschriftweite erfolgt nach dem Prinzip der optimalen Lesbarkeit bei größeren Textmengen. Man sollte nicht ohne zwin

2,40 mm (9 p), Zeilenabstand 4 mm

PALATINO ITALIQUE

La valeur de la force de corps des caractères de labeur èst généralement exprimée en points typographiques La force de corps des caractères Berthold-Fototype peut être déterminée avec précision. Tous les caractères du même corps ont des capitales d'une hauteur identique, indépendamment de la hauteur des bas de casse sans jambage. Dans la composition plomb, ainsi que dans certains systèmes de photocomposition, la hauteur des capitales, varie souvent d'un caractère à l'autre. Pour déterminer la force de corps de nos caractères, nous avons mis au point une réglette de hauteur d'œil transparente. On cherche le rectangle qui délimite exactement la hauteur d'œil d'une capitale du caractère choisi. Sous le rectangle correspondant la valeur de la force de corps est indiquée en points Didots et en millimètres. La valeur en millimètres ex

2,65 mm (10 p), Zeilenabstand 4,50 mm

La indicación de las dimensiones para cuerpos de letra vásicos tiene lugar en general en puntos tipográficos. Los cuerpos de letra de los caracteres Berthold Fototype pueden determinarse exactemente par medición. Con independencia de la altura de sus longitudes centrales, todos los caracteres de idéntico cuerpo de letra presentan altura de mayúsculas idéntica. En la composición en plomo y en muchos otros sistemas de fotocomposición, las alturas de mayúsculas varían frecuentemmente en forma considerable de tipo de letra a tipo de letra. Para medir los cuerpos de letra se dispone de un tipómetro, véase la figura Para la medición se hace coincidir una letra mayúscula con la casilla cuyos extremos coinciden con los extremos superior e inferior de la letra. Bajo la casilla se indica el cuerpo de letra en puntos tipográficos

1,60 mm (6 p), Zeilenabstand 2,50 mm

Größe		Zeilenabstand			100 Zeichen		
mm	p	kp	Êp	Ex	0	−1	−2
1,33	5	1,01	2,10		72	00	00
1,60	6	2,19	2,50	2,50	85	81	77
1,86	7	2,56	2,94	–	98	94	90
2,15	8	2,94	3,38	3,38	111	106	101
2,40	9	3,25	3,75	4,00	124	118	112
2,65	10	3,63	4,19	4,50	137	130	123
2,92	11	4,00	4,56	4,69	150	143	136
3,20	12	4,38	5,00	5,25	163	155	147
3,45	13	4,69	5,44	–	175	167	159
3,72	14	5,06	5,81	–	188	179	170
3,98	15	5,38	6,25	–	201	192	183
4,25	16	5,75	6,69	–	214	204	194

WZ 13 E, NSW 0, MZB 0,52, F 0,083:0,041 (2,0), II
H 1–x 0,62–k 1,06–p 0,29–Ê 1,27–kp 1,35–Êp 1,56
BF 089 0539, Belegung 051: 086 4247 (096 4247)

Le misure relative al corpo dei caratteri vengono generalmente indicate in punti tipografici. Il corpo dei caratteri Fototypes può essere determinato con esattezza per semplice misurazione. Tutti i caratteri di uguale grandezza in punti hanno, indipendentemente dalla loro lunghezza, uguale altezza delle maiuscole. Nella composizione in piombo ed in molti altri sistemi di fotocomposizione, l'altezza delle maiuscole varia spesso da carattere a carattere. Per misurare il corpo dei caratt

2,15 mm (8 p), Zeilenabstand 3,38 mm

halbfett
bold
demi-gras

PALATINO

seminegra
neretto
halvfet

Berthold-Schriften überzeugen durch Schärfe und Qualität Schriftqualität ist eine Frage der Erfahrung. Berthold hat die se Erfahrung seit über hundert Jahren. Zuerst im Schriftguß dann im Fotosatz. Berthold-Schriften sind weltweit geschät zt. Im Schriftenatelier München wird jeder Buchstabe in der Größe von zwölf Zentimetern neu gezeichnet. Mit messers charfen Konturen, um für die Schriftscheiben das Optimale an Konturenschärfe herauszuholen. Um die Qualität des Ei nzelzeichens im Belichtungsvorgang zu bewahren, wird dur

1,60 mm (6 p), Zeilenabstand 2,50 mm

Berthold-Schriften überzeugen durch Schärfe und Qualität. Schriftqualität ist eine Frage der Erfahrung Berthold hat diese Erfahrung seit über hundert Jahr en. Zuerst im Schriftguß, dann im Fotosatz. Bertho ld-Schriften sind weltweit geschätzt. Im Schriftenate lier München wird jeder Buchstabe in der Größe von zwölf Zentimetern neu gezeichnet. Mit messerschar fen Konturen, um für die Schriftscheiben das Optim

1,86 mm (7 p), Zeilenabstand 3,00 mm

Berthold-Schriften überzeugen durch Schärfe und Qualität. Schriftqualität ist eine Frage der Erfahrung. Berthold hat diese Erfahrung seit über hundert Jahren. Zuerst im Schriftguß, da nn im Fotosatz. Berthold-Schriften sind wel tweit geschätzt. Im Schriftenatelier München wird jeder Buchstabe in der Größe von zwölf Zentimetern neu gezeichnet. Mit messerschar

2,15 mm (8 p), Zeilenabstand 3,50 mm

Hermann Zapf
1951
D. Stempel AG
H. Berthold AG

**ABCDEFGHIJKLMNOPQ
RSTUVWXYZ
abcdefghijklmnopqrstuvwxyz
1/1234567890%
(.,-;:!¡?¿–)·[",""»«]
+−=/$£†*&§
ÄÅÆÖØŒÜäåæıöøœßü
ÁÀÂÃÇČÉÈÊËÍÌÎÏĹŇÑÓÒÔÕ
ŔŘŠŤÚÙÛŴẄÝŶŸŽ
áàâãçčéèêëíìîïĺňñóòôõŕřš
úùûŵẅýỳÿž**

Berthold-Schriftweite weit
Berthold-Schriftweite normal
Berthold-Schriftweite eng
Berthold-Schriftweite sehr eng
Berthold-Schriftweite extrem eng

In general, bodytypes are meas ured in the typographical point size. The sizes of Berthold Foto type faces can be exactly dete rmined. All faces of same point size have the same capital heigt h–irrespective of their x-heigth In hot metal and many other phototypesetting systems the c apital heigths often differ cons iderably from one face to the ot her. For measuring point sizes a transparent size gauge is pro vided. To determine the point s ize, bring a capital letter into co incidence with that field whi ch precisely circumscribes the le

3,20 mm (12 p), Zeilenabstand 5,25 mm

Berthold's quick brown fox jumps over the lazy dog and feels as if he were in the seven
3,75 mm (14 p)

Berthold's quick brown fox jumps over the lazy dog and feels as if he were in
4,25 mm (16 p)

Berthold's quick brown fox jumps over the lazy dog and feels as if he
4,75 mm (18 p)

Berthold's quick brown fox jumps over the lazy dog and feels
5,30 mm (20 p)

Berthold's quick brown fox jumps over the lazy dog
6,35 mm (24 p)

Berthold's quick brown fox jumps over the
7,40 mm (28 p)

Berthold's quick brown fox jumps over
8,50 mm (32 p)

Berthold's quick brown fox jumps
9,55 mm (36 p)

Berthold-Schriften überzeugen durch Sc härfe und Qualität. Schriftqualität ist eine Frage der Erfahrung. Berthold hat diese E rfahrung seit über hundert Jahren. Zuerst im Schriftguß, dann im Fotosatz. Berthol d-Schriften sind weltweit geschätzt. Im S chriftenatelier München wird jeder Buch stabe in der Größe von zwölf Zentimetern

2,40 mm (9 p), Zeilenabstand 4,00 mm

Größe		Zeilenabstand			100 Zeichen		
mm	p	kp	Êp	Ex	0	−1	−2
1,33	5	1,88	2,19	—	83	80	77
1,60	6	2,25	2,63	2,50	98	94	90
1,86	7	2,56	3,06	3,00	113	109	105
2,15	8	3,00	3,56	3,50	128	123	118
2,40	9	3,31	3,94	4,00	143	137	131
2,65	10	3,69	4,38	4,00	158	151	144
2,92	11	4,06	4,81	—	173	166	159
3,20	12	4,44	5,25	5,25	188	180	172
3,45	13	4,75	5,63	—	202	194	186
3,72	14	5,13	6,13	—	217	208	199
3,98	15	5,50	6,50	—	232	223	214
4,25	16	5,88	6,94	—	246	236	226

WZ 13 E, NSW −1, MZB 0,60, F 0,18:0,079 (2,8), II
H 1–x 0,64–k 1,02–p 0,35–Ê 1,28–kp 1,37–Êp 1,63
BF 089 0540, Belegung 051: 086 4248 (096 4248)

Berthold-Schriften überzeugen durch Schärfe und Qualität. Schriftqualität ist eine Frage der Erfahrung. Berthold hat diese Erfahrung seit über hundert Jahren. Zuerst im Schriftguß, dann im Fotosatz. Berthold-Schriften sind wel tweit geschätzt. Im Schriftenatelier M ünchen wird jeder Buchstabe in der

2,65 mm (10 p), Zeilenabstand 4,00 mm

kursiv
italic
italique

PALATINO WERK

cursiva
chiaro corsivo
kursiv

Måttangivelse för grundstilsgrad er sker i allmänhet i typografiska punkter. Stilar av Berthold Fototy pe kan efter mätning exakt gradbe stämmas. Alla typsnitt är av sam ma punktstorlek och har oberoen de av x-höjden en identisk versalh öjd. I blysättning och i många and ra fotosättsystem varierar versal höjden avsevärt från typsnitt till t ypsnitt. För mätning av stilgrader finns en transparent mätlinjal. Vid mätningen placerar man en versal bokstav så att rutorna begränsar t ecknet upptill och nedtill. Under r utorna finns stilstorleken i typogr afiska didotpunkter och i mm. Äv en millimeteruppgiften avser vers alhöjden. Vid stilstorleksuppgifter

2,92 mm (11 p), Zeilenabstand 4,69 mm

Hermann Zapf
1951
D. Stempel AG
H. Berthold AG

ABCDEFGHIJKLMNOPQ
RSTUVWXYZ
abcdefghijklmnopqrstuvwxyz
1/1234567890 %
(.,-;:!¡?¿–)·[',,""»«]
+−=/$£†*&§
ÄÅÆÖØŒÜäåæıöøœßü
ÁÀÂÃÇČÉÈÊËÍÌÎÏĹŇÑÓÒÔÕ
ŔŘŠŤÚÙÛŴẄÝŶŸŽ
áàâãçčéèêëíìîïĺňñóòôõŕřš
úùûŵẅýỳÿž

Berthold-Schriftweite weit
Berthold-Schriftweite normal
Berthold-Schriftweite eng
Berthold-Schriftweite sehr eng
Berthold-Schriftweite extrem eng

In general, bodytypes are meas ured in the typographical point size. The sizes of Berthold Foto type faces can be exactly deter mined. All faces of same point size have the same capital heig ht-irrespective of their x-height In hot metal and many other p hototypesetting systems the ca pital heights often differ consid erably from one face to the othe r. For measuring point sizes, a t ransparent size gauge is provi ded. To determine the point siz e, bring a capital letter into coin cidence with that field which pr ecisely circumscribes the letter

3,20 mm (12 p), Zeilenabstand 5,25 mm

PALATINO WERK KURSIV

Die Maßangabe zu Grundschriftgrößen erfolgt im allgemeinen in typographischen Punkten. Die Schr iftgrößen der Berthold-Fotosatz-Schriften sind nac h Messung exakt bestimmbar. Alle Schriften gleich er Punktgröße weisen, unabhängig von der Höhe ih rer Mittellängen, eine identische Versalhöhe auf. Im Bleisatz und bei vielen anderen Fotosatz-Systemen differieren die Versalhöhen von Schrift zu Schrift oft erheblich. Zum Messen von Schriftgrößen steht ein transparentes Größenmaß zur Verfügung. Zum M essen wird ein Versalbuchstabe mit dem Feld in De ckung gebracht, das den Buchstaben oben und unte n scharf begrenzt. Unter dem Feld ist die Schriftgrö ße in typographischen Didot-Punkten, darunter in Millimetern angegeben. Auch die Millimeterangab en beziehen sich auf die Höhe der Versalbuchstaben Die Schriftweite kann im Berthold-Fotosatz beliebig verändert werden. Die Festlegung der Normalschri

2,40 mm (9 p), Zeilenabstand 4 mm

PALATINO WERK ITALIQUE

La valeur de la force de corps des caractères de labeur èst généralement exprimée en points ty pographiques. La force de corps des caractères Berthold-Fototype peut être déterminée avec précision. Tous les caractères du même corps ont des capitales d'une hauteur identique, ind épendamment de la hauteur des bas de casse s ans jambage. Dans la composition plomb, ain si que dans certains systèmes de photocompo sition, la hauteur des capitales, varie souvent d'un caractère à l'autre. Pour déterminer la for ce de corps de nos caractères, nous avons mis au point une réglette de hauteur d'œil transpar ente. On cherche le rectangle qui délimite exac tement la hauteur d'œil d'une capitale du cara ctère choisi. Sous le rectangle correspondant la

2,65 mm (10 p), Zeilenabstand 4,50 mm

La indicación de las dimensiones para cuerpos de letra vásic os tiene lugar en general en puntos tipográficos. Los cuerpos de letra de los caracteres Berthold Fototype pueden determin arse exactemente par medición. Con independencia de la alt ura de sus longitudes centrales, todos los caracteres de idénti co cuerpo de letra presentan altura de mayúsculas idéntica En la composición en plomo y en muchos otros sistemas de fotocomposición, las alturas de mayúsculas varían frecuent emmente en forma considerable de tipo de letra a tipo de letra Para medir los cuerpos de letra se dispone de un tipómetro, v éase la figura. Para la medición se hace coincidir una letra m ayúscula con la casilla cuyos extremos coinciden con los extr

1,60 mm (6 p), Zeilenabstand 2,50 mm

Größe mm	p	Zeilenabstand kp	Êp	Ex	100 Zeichen 0	−1	−2
1,33	5	1,94	2,19	–	86	83	80
1,60	6	2,31	2,63	2,50	101	97	93
1,86	7	2,69	3,00	–	116	112	108
2,15	8	3,13	3,50	3,38	132	127	122
2,40	9	3,50	3,88	4,00	148	142	136
2,65	10	3,88	4,31	4,50	163	156	149
2,92	11	4,25	4,75	4,69	178	171	164
3,20	12	4,63	5,19	5,25	193	185	177
3,45	13	5,00	5,56	–	209	201	193
3,72	14	5,38	6,00	–	224	215	206
3,98	15	5,75	6,44	–	239	230	221
4,25	16	6,13	6,88	–	254	244	234

WZ 13 E, NSW 0, MZB 0,61, F 0,09:0,04 (2,1), II
H 1–x 0,65–k 1,11–p 0,33–Ê 1,28–kp 1,44–Êp 1,61
BF 089 1272, Belegung 051: 085 1253 (095 1253)

Le misure relative al corpo dei caratteri vengo no generalmente indicate in punti tipografici. Il corpo dei caratteri Fototypes può essere deter minato con esattezza per semplice misurazion e. Tutti i caratteri di uguale grandezza in punti hanno, indipendentemente dalla loro lunghez za, uguale altezza delle maiuscole. Nella comp osizione in piombo ed in molti altri sistemi di f otocomposizione, l'altezza delle maiuscole va

2,15 mm (8 p), Zeilenabstand 3,38 mm

Palette

On general, bodytypes are measu
red in the typographical point size
The sizes of Berthold Fototype
faces can be exactly determined
All faces of same point size have
the same capital heigth-irrespect
ive of their x-heigth. On hot metal
and many other phototypesetting
systems the capital heigths often
differ considerably from one fa
ce to the other. For measuring po
int sizes, a transparent size gauge
is provided. To determine the poi
nt size, bring a capital letter into
coincidence with that field which
precisely circumscribes the letter
at its upper and lower margin. Bel

3,20 mm (12 p), Zeilenabstand 5,25 mm

Martin Wilke
1950
H. Berthold AG

ABCDEFGHIJKLMNOPQ
RSTUVWXYZ
abcdefghijklmnopqrstuvwxyz
1/1234567890%
(.,-;:!¡?¿–)·[''„""»«]
+−=/$£†*&§
ÄÅÆÖØŒÜäåæıöøœßü
ÁÀÂÃÇČÉÈÊËÍÌÎÏĹŇÑÓÒ
ÔÕŔŘŠŤÚÙÛŴẄÝỲŸŽ
áàâãçčéèêëíìîïĺňñóòôõŕřš
úùûŵẅýỳÿž

Berthold-Schriftweite weit
Berthold-Schriftweite normal
Berthold-Schriftweite eng
Berthold-Schriftweite sehr eng
Berthold-Schriftweite extrem eng

Bouillabaisse.............. 7,95
Gebeizter Ostseelachs..... 16,70
Japanische Wachteleier.. 13,75
Gegrillte Scampi......... 17,80
Lammkotelett Anjou...... 15,30
Hasenkeule Chasseur..... 19,50
Ente pochiert in der Blase. 22,50
Kalbsmedaillons........... 18,50
Kalbsfilet Grandmère..... 24,50
Weinhändlertopf.......... 16,80
Mistchratzerli............ 19,50
Entrecôte Double Paris... 28,50
Tournedos Phantasie..... 27,50
Fondue Bourguignonne... 39,50
Walderdbeeren............ 7,50
Eisbaiser.................... 8,50
Feigen auf Eis........... 9,75

3,20 mm (12 p), Zeilenabstand 5,25 mm

Barbara Helga Agnes Joana Natalie Gaby Sonja Karen Rebekka Christiane Ortrud
3,75 mm (14 p)

Barbara Helga Agnes Joana Natalie Gaby Sonja Karen Rebekka Christiane
4,25 mm (16 p)

Barbara Helga Agnes Joana Natalie Gaby Sonja Karen Rebekka
4,75 mm (18 p)

Barbara Helga Agnes Joana Natalie Gaby Sonja Rebekka
5,30 mm (20 p)

Barbara Helga Agnes Joana Natalie Gaby Sonja
6,35 mm (24 p)

Barbara Helga Agnes Joana Natalie Gaby
7,40 mm (28 p)

Barbara Helga Agnes Joana Natalie
8,50 mm (32 p)

Barbara Helga Agnes Joana Eva
9,55 mm (36 p)

Berthold-Schriften überzeugen durch
Schärfe und Qualität. Schriftqualit
ät ist eine Frage der Erfahrung. Berth
old hat diese Erfahrung seit über hundert
Jahren. Zuerst im Schriftguß, dann
im Fotosatz. Berthold-Schriften sind
weltweit geschätzt. Im Schriftenateli
er München wird jeder Buchstabe in der

2,65 mm (10 p), Zeilenabstand 4,00 mm

Größe mm	p	Zeilenabstand kp	Êp	Ex	100 Zeichen 0	−1	−2
1,33	5	1,94	2,25	—	75	72	69
1,60	6	2,31	2,75	—	88	84	80
1,86	7	2,63	3,19	—	101	97	93
2,15	8	3,06	3,69	—	115	110	105
2,40	9	3,44	4,06	—	129	123	117
2,65	10	3,75	4,50	4,00	142	135	128
2,92	11	4,13	4,94	4,63	155	148	141
3,20	12	4,56	5,44	5,25	168	160	152
3,45	13	4,88	5,88	—	182	174	166
3,72	14	5,25	6,31	—	195	186	177
3,98	15	5,63	6,75	—	208	199	190
4,25	16	6,00	7,19	—	221	211	201

WZ 13 E, NSW 0, MZB 0,53, F 0,15:0,071 (2,1), VIII
H 1–x 0,57–k 1,01–p 0,40–Ê 1,29–kp 1,41–Êp 1,69
BF 089 0541, Belegung 051: 085 0597 (095 0597)

Berthold-Schriften überzeugen dur
ch Schärfe und Qualität. Schrift
qualität ist eine Frage der Erfahru
ng. Berthold hat diese Erfahrung seit
über hundert Jahren. Zuerst im Sc
hriftguß, dann im Fotosatz. Berth
old-Schriften sind weltweit geschät

2,92 mm (11 p), Zeilenabstand 4,63 mm

normal
regular
normal

PERMANENT HEADLINE

normal
chiaro tondo
normal

Berthold-Schriften überzeugen durch Schärfe und Qualität. Schriftqualität ist eine Frage der Erfahru ng. Berthold hat diese Erfahrung seit über hundert Jahren. Zuerst im Schriftguß, dann im Fotosatz. Be rthold-Schriften sind weltweit geschätzt. Im Schriftenatelier München wird jeder Buchstabe in der Größe von zwölf Zentimetern neu gezeichnet. Mit messerscharfen Konturen, um für die Schriftscheib en das Optimale an Konturenschärfe herauszuholen. Um die Qualität des Einzelzeichens im Belichtung svorgang zu bewahren, wird durch die ruhende, nicht rotierende Schriftscheibe belichtet. Dieses opt ische System, verbunden mit Präzisions-Chromglasscheiben, führt zu einer Schriftqualität, die im La yout- und Mengensatz nicht ihresgleichen findet. Bei den hier gezeigten Zeilen handelt es sich um ein en fingierten Blindtext, der lediglich die Aufgabe hat, Ihnen ein optisch gültiges Bild der von Ihnen

1,60 mm (6 p), Zeilenabstand 2,50 mm

Berthold-Schriften überzeugen durch Schärfe und Qualität. Schriftqualität ist eine Frage der Erfahrung. Berthold hat diese Erfahrung seit über hundert Jahren. Zuerst im Schriftg uß, dann im Fotosatz. Berthold-Schriften sind weltweit geschätzt. Im Schriftenatelier Mü nchen wird jeder Buchstabe in der Größe von zwölf Zentimetern neu gezeichnet. Mit mes serscharfen Konturen, um für die Schriftscheiben das Optimale an Konturenschärfe her auszuholen. Um die Qualität des Einzelzeichens im Belichtungsvorgang zu bewahren, wird durch die ruhende, nicht rotierende Schriftscheibe belichtet. Dieses optische System ver bunden mit Präzisions-Chromglasscheiben, führt zu einer Schriftqualität, die im Layoutsa

1,86 mm (7 p), Zeilenabstand 3,00 mm

Berthold-Schriften überzeugen durch Schärfe und Qualität. Schriftqualität ist ei ne Frage der Erfahrung. Berthold hat diese Erfahrung seit über hundert Jahren Zuerst im Schriftguß, dann im Fotosatz. Berthold-Schriften sind weltweit geschät zt. Im Schriftenatelier München wird jeder Buchstabe in der Größe von zwölf Zen timetern neu gezeichnet. Mit messerscharfen Konturen, um für die Schriftscheib en das Optimale an Konturenschärfe herauszuholen. Um die Qualität des Einzelzei chens im Belichtungsvorgang zu bewahren, wird durch die ruhende, nicht rotier ende Schriftscheibe belichtet. Dieses optische System, verbunden mit Präzisions

2,15 mm (8 p), Zeilenabstand 3,50 mm

1968
Ludwig & Mayer
H. Berthold AG

ABCDEFGHIJKLMNOPQ
RSTUVWXYZ
abcdefghijklmnopqrstuvwxyz
1/1234567890 %
(.,-;:!¡?¿–)·[‘‚„“”›‹]
+–=/$£†*&§
ÄÅÆÖØŒÜäåæıöøœßü
ÁÀÂÃÇČÉÈÊËÍÌÎÏĹŇÑÓÒÔÕ
ŔŘŠŤÚÙÛŴẄÝŶŸŽ
áàâãçčéèêëíìîïĺňñóòôõŕřš
úùûŵẅýŷÿž

Berthold-Schriftweite weit
Berthold-Schriftweite normal
Berthold-Schriftweite eng
Berthold-Schriftweite sehr eng
Berthold-Schriftweite extrem eng

In general, bodytypes are measured in the typographical point size. The sizes of Berthold Fototype faces can be ex actly determined. All faces of same point size have the s ame capital height-irrespective of their x-height. In hot metal and many other phototypesetting systems the capi tal heights often differ considerably from one face to the other. For measuring point sizes, a transparent size ga uge is provided. To determine the point size, bring a cap ital letter into coincidence with that field which precise ly circumscribes the letter at its upper and lower marg in. Below the field you find the typographical point and be low that the millimeter value, which also refers to the hei ght of a capital letter. In Berthold-phototypesetting the ty pewidth can be modified. The standard setting width of ty pefaces is determined by the principle of optimum legibil ity. You should not depart from this typewidth without co gent reason. A typeface which is considered optically ri

3,20 mm (12 p), Zeilenabstand 5,25 mm

Berthold's quick brown fox jumps over the lazy dog and feels as if he were in the seventh heaven of typography together with Hermann Zapf who is one of

3,72 mm (14 p)

Berthold's quick brown fox jumps over the lazy dog and feels as if he were in the seventh heaven of typography together with Hermann Z

4,25 mm (16 p)

Berthold's quick brown fox jumps over the lazy dog and feels as if he were in the seventh heaven of typography together

4,75 mm (18 p)

Berthold's quick brown fox jumps over the lazy dog and feels as if he were in the seventh heaven of typography

5,30 mm (20 p)

Berthold's quick brown fox jumps over the lazy dog and feels as if he were in the seventh hea

6,35 mm (24 p)

Berthold's quick brown fox jumps over the lazy dog and feels as if he were in the

7,40 mm (28 p)

Berthold's quick brown fox jumps over the lazy dog and feels as if he

8,50 mm (32 p)

Berthold's quick brown fox jumps over the lazy dog and feels as

9,55 mm (36 p)

Berthold-Schriften überzeugen durch Schärfe und Qualität. Schriftqual ität ist eine Frage der Erfahrung. Berthold hat diese Erfahrung seit über hundert Jahren. Zuerst im Schriftguß, dann im Fotosatz. Berthold-Schrif ten sind weltweit geschätzt. Im Schriftenatelier München wird jeder Bu chstabe in der Größe von zwölf Zentimetern neu gezeichnet. Mit messer scharfen Konturen, um für die Schriftscheiben das Optimale an Konture nschärfe herauszuholen. Um die Qualität des Einzelzeichens im Belichtu ngsvorgang zu bewahren, wird durch die ruhende, nicht rotierende Sch

2,40 mm (9 p), Zeilenabstand 4,00 mm

Größe		Zeilenabstand			100 Zeichen		
mm	p	kp	Êp	Ex	0	−1	−2
1,00	5	1,00	1,50		49	46	43
1,60	6	1,63	1,81	2,50	58	54	50
1,86	7	1,88	2,13	3,00	66	62	58
2,15	8	2,19	2,44	3,50	75	70	65
2,40	9	2,44	2,75	4,00	84	78	72
2,65	10	2,69	3,00	4,00	93	86	79
2,92	11	2,94	3,31	—	102	1[illegible]9	88
3,20	12	3,25	3,63	5,25	110	102	94
3,45	13	3,50	3,94	—	119	111	103
3,72	14	3,75	4,25	—	128	119	110
3,98	15	4,00	4,50	—	136	127	118
4,25	16	4,31	4,81	—	145	135	125

WZ 10 E, NSW 0, MZB 0,35, F 0,15:0,10 (0,0), VI
H 1–x 0,81–k 1,00–p 0,00–Ê 0,13–kp 1,00–Êp 1,13
BF 089 0779, Belegung 051: 085 0242 (095 0242)

Berthold-Schriften überzeugen durch Schärfe und Qualität. Schr iftqualität ist eine Frage der Erfahrung. Berthold hat diese Erfahr ung seit über hundert Jahren. Zuerst im Schriftguß, dann im Foto satz. Berthold-Schriften sind weltweit geschätzt. Im Schriftenate lier München wird jeder Buchstabe in der Größe von zwölf Zenti metern neu gezeichnet. Mit messerscharfen Konturen, um für die Schriftscheiben das Optimale an Konturenschärfe herauszuholen Um die Qualität des Einzelzeichens im Belichtungsvorgang zu bew

2,65 mm (10 p), Zeilenabstand 4,00 mm

licht
outline
éclairé

PERMANENT HEADLINE

luminosa
filettato
konturskrift

In general, bodytypes are measured in the typogr
aphical point size. The sizes of Berthold Fototype
faces can be exactly determined. All faces of same
point size have the same capital height-irrespect
ive of their x-height. In hot metal and many other
phototypesetting systems the capital heights oft
en differ considerably from one face to the other
For measuring point sizes, a transparent size gau
ge is provided. To determine the point size, bring
a capital letter into coincidence with that field
which precisely circumscribes the letter at its
upper and lower margin. Below the field you find
the typographical point and below that the millim
eter value, which also refers to the height of a
capital letter. In Berthold-phototypesetting, the
typewidth can be modified. The standard setting
width of typefaces is determined by the principle

3,20 mm (12 p), Zeilenabstand 5,25 mm

1969
Ludwig & Mayer
H. Berthold AG

ABCDEFGHIJKLMNOPQ
RSTUVWXYZ
abcdefghijklmnopqrstuvwxyz
1/1234567890 %
(.,-;:!i?¿–)·[‘‚“„”›‹]
+–=/$£†*&§
ÄÅÆÖØŒÜäåæıöøœßü
ÁÀÂÃÇČÉÈÊËÍÌÎÏĹŇÑÓÒÔÕ
ŔŘŠŤÚÙÛŴẄÝŶŸŽ
áàâãçčéèêëíìîïĺňñóòôõŕřš
úùûŵẅýŷÿž

Berthold-Schriftweite weit
Berthold-Schriftweite normal
Berthold-Schriftweite eng
Berthold-Schriftweite sehr eng
Berthold-Schriftweite extrem eng

LA VALEUR DE LA FORCE DE CORPS DES CARACTERES
DE LABEUR EST GENERALEMENT EXPRIMEE EN POIN
TS TYPOGRAPHIQUES. LA FORCE DE CORPS DES CAR
ACTERES BERTHOLD FOTOTYPE PEUT ETRE DETERMI
NEE AVEC PRECISION. TOUS LES CARACTERES DU ME
ME CORPS ONT DES CAPITALES D'UNE HAUTEUR IDE
NTIQUE, INDEPENDAMMENT DE LA HAUTEUR DES BA
S DE CASSE SANS JAMBAGE. DANS LA COMPOSITI
ON PLOMB, AINSI QUE DANS CERTAINS SYSTEMES
DE PHOTOCOMPOSITION, LA HAUTEUR DES CAPITAL
ES, VARIE SOUVENT D'UN CARACTERE A L'AUTRE. PO
UR DETERMINEE LA FORCE DE CORPS DE NOS CARA
CTERES, NOUS AVONS MIS AU POINT UNE REGLETTE
DE HAUTEUR D'ŒIL TRANSPARENTE. ON CHERCHE LE
RECTANGLE QUI DELIMITE EXACTEMENT LA HAUTEUR
D'ŒIL D'UNE CAPITALE DU CARACTERE CHOISI. SO
US LE RECTANGLE CORRESPONDANT LA VALEUR DE

3,20 mm (12 p), Zeilenabstand 5,25 mm

Berthold's quick brown fox jumps over the lazy dog and feels as if he were in the seventh heaven of typography together with Hermann
3,72 mm (14 p)

Berthold's quick brown fox jumps over the lazy dog and feels as if he were in the seventh heaven of typography together
4,25 mm (16 p)

Berthold's quick brown fox jumps over the lazy dog and feels as if he were in the seventh heaven of typograp
4,75 mm (18 p)

Berthold's quick brown fox jumps over the lazy dog and feels as if he were in the seventh heaven o
5,30 mm (20 p)

Berthold's quick brown fox jumps over the lazy dog and feels as if he were in the se
6,35 mm (24 p)

Berthold's quick brown fox jumps over the lazy dog and feels as if he w
7,40 mm (28 p)

Berthold's quick brown fox jumps over the lazy dog and feels a
8,50 mm (32 p)

Berthold's quick brown fox jumps over the lazy dog and
9,55 mm (36 p)

Berthold-Schriften überzeugen durch Schärfe und Qualität. Sch
riftqualität ist eine Frage der Erfahrung. Berthold hat diese Erfa
hrung seit über hundert Jahren. Zuerst im Schriftguß, dann im
Fotosatz. Berthold-Schriften sind weltweit geschätzt. Im Schrift
enatelier München wird jeder Buchstabe in der Größe von zwölf
Zentimetern neu gezeichnet. Mit messerscharfen Konturen, um
für die Schriftsscheiben das Optimale an Konturenschärfe herau
szuholen. Um die Qualität des Einzelzeichens im Belichtungsvorga

2,40 mm (9 p), Zeilenabstand 4,00 mm

Größe		Zeilenabstand			100 Zeichen		
mm	p	kp	Êp	Ex	0	−1	−2
1,33	5	1,38	1,56	–	55	52	49
1,60	6	1,63	1,88	–	65	61	57
1,86	7	1,88	2,19	–	75	71	67
2,15	8	2,19	2,50	–	85	80	75
2,40	9	2,44	2,81	4,00	95	89	83
2,65	10	2,69	3,06	4,00	105	98	91
2,92	11	2,94	3,38	–	115	108	101
3,20	12	3,25	3,69	5,25	125	117	109
3,45	13	3,50	4,00	–	134	126	118
3,72	14	3,75	4,31	–	144	135	126
3,98	15	4,00	4,63	–	154	145	136
4,25	16	4,31	4,94	–	164	154	144

WZ 10 E, NSW +1, MZB 0,39, F 0,16:0,11 (1,5), VII
H 1–x 0,81–k 1,00–p 0,00–Ê 1,15–kp 1,00–Êp 1,15
BF 089 0780, Belegung 051: 085 0243 (095 0243)

Berthold-Schriften überzeugen durch Schärfe und Qualität
Schriftqualität ist eine Frage der Erfahrung. Berthold hat
diese Erfahrung seit über hundert Jahren. Zuerst im Schrif
tguß, dann im Fotosatz. Berthold-Schriften sind weltweit ge
schätzt. Im Schriftenatelier München wird jeder Buchstabe
in der Größe von zwölf Zentimetern neu gezeichnet. Mit mes
serscharfen Konturen, um für die Schriftscheiben das Opti
male an Konturenschärfe herauszuholen. Um die Qualität de

2,65 mm (10 p), Zeilenabstand 4,00 mm

normal
regular
normal

PERPETUA

normal
chiaro tondo
normal

Berthold-Schriften überzeugen durch Schärfe und Qualität. Schrift
qualität ist eine Frage der Erfahrung. Berthold hat diese Erfahrung s
eit über hundert Jahren. Zuerst im Schriftguß, dann im Fotosatz. Be
rthold-Schriften sind weltweit geschätzt. Im Schriftenatelier Münc
hen wird jeder Buchstabe in der Größe von zwölf Zentimetern n
eu gezeichnet. Mit messerscharfen Konturen, um für die Schriftsch
eiben das Optimale an Konturenschärfe herauszuholen. Um die Q
ualität des Einzelzeichens im Belichtungsvorgang zu bewahren, wi
rd durch die ruhende, nicht rotierende Schriftscheibe belichtet. Di

1,33 mm (5 p) 20 30 40 50 60

Berthold-Schriften überzeugen durch Schärfe und Qualität. Sc
hriftqualität ist eine Frage der Erfahrung. Berthold hat diese Erf
ahrung seit über hundert Jahren. Zuerst im Schriftguß, dann im
Fotosatz. Berthold-Schriften sind weltweit geschätzt. Im Schri
ftenatelier München wird jeder Buchstabe in der Größe v
on zwölf Zentimetern neu gezeichnet. Mit messerscharfen Ko
nturen, um für die Schriftscheiben das Optimale an Konturens
chärfe herauszuholen. Um die Qualität des Einzelzeichens im
Belichtungsvorgang zu bewahren, wird durch die ruhende, nic

1,45 mm (5,5 p) 20 30 40 50

Berthold-Schriften überzeugen durch Schärfe und Quali
tät. Schriftqualität ist eine Frage der Erfahrung. Berthold
hat diese Erfahrung seit über hundert Jahren. Zuerst im S
chriftguß, dann im Fotosatz. Berthold-Schriften sind wel
tweit geschätzt. Im Schriftenatelier München wird jeder
Buchstabe in der Größe von zwölf Zentimetern neu geze
ichnet. Mit messerscharfen Konturen, um für die Schrift
scheiben das Optimale an Konturenschärfe herauszuhol
en. Um die Qualität des Einzelzeichens im Belichtungsv

1,60 mm (6 p) 20 30 40 50

Berthold-Schriften überzeugen durch Schärfe und Q
ualität. Schriftqualität ist eine Frage der Erfahrung. B
erthold hat diese Erfahrung seit über hundert Jahren
Zuerst im Schriftguß, dann im Fotosatz. Berthold-Sc
hriften sind weltweit geschätzt. Im Schriftenatelier
München wird jeder Buchstabe in der Größe von zw
ölf Zentimetern neu gezeichnet. Mit messerscharfen
Konturen, um für die Schriftscheiben das Optimale a
n Konturenschärfe herauszuholen. Um die Qualität

1,75 mm (6,5 p) 20 30 40 5

Berthold-Schriften überzeugen durch Schärfe und
Qualität. Schriftqualität ist eine Frage der Erfahru
ng. Berthold hat diese Erfahrung seit über hundert
Jahren. Zuerst im Schriftguß, dann im Fotosatz. Be
rthold-Schriften sind weltweit geschätzt. Im Schri
ftenatelier München wird jeder Buchstabe in der
Größe von zwölf Zentimetern neu gezeichnet. Mit
messerscharfen Konturen, um für die Schriftschei
ben das Optimale an Konturenschärfe herauszuh

1,86 mm (7 p) 20 30 40

Berthold-Schriften überzeugen durch Schärfe
und Qualität. Schriftqualität ist eine Frage der
Erfahrung. Berthold hat diese Erfahrung seit ü
ber hundert Jahren. Zuerst im Schriftguß, dann
im Fotosatz. Berthold-Schriften sind weltweit
geschätzt. Im Schriftenatelier München wird j
eder Buchstabe in der Größe von zwölf Zenti
metern neu gezeichnet. Mit messerscharfen K
onturen, um für die Schriftscheiben das O

2,00 mm (7,5 p) 20 30 40

Berthold-Schriften überzeugen durch Schä
rfe und Qualität. Schriftqualität ist eine Frage
der Erfahrung. Berthold hat diese Erfahrung
seit über hundert Jahren. Zuerst im Schriftg
uß, dann im Fotosatz. Berthold-Schriften si
nd weltweit geschätzt. Im Schriftenatelier
München wird jeder Buchstabe in der Größe
von zwölf Zentimetern neu gezeichnet. Mit
messerscharfen Konturen, um für die Schrif

2,15 mm (8 p) 20 30 40

Eric Gill
1927
Monotype Corp. Ltd.
H. Berthold AG

ABCDEFGHIJKLMNOPQ
RSTUVWXYZ
abcdefghijklmnopqrstuvwxyz
1/1 234567890%
(.,-;:!¡?¿–)·[',,""»«]
+–=/§£†*&§
ÄÅÆÖØŒÜäåæıöøœßü
ÁÀÂÃÇČÉÈÊËÍÌÎÏĹŇÑÓÒÔÕ
ŔŘŠŤÚÙÛŴẄÝŶŸŽ
áàâãçčéèêëíìîïĺňñóòôõŕřš
úùûŵẅýŷÿž

Berthold-Schriftweite weit
Berthold-Schriftweite normal
Berthold-Schriftweite eng
Berthold-Schriftweite sehr eng
Berthold-Schriftweite extrem eng

Berthold
3,75 mm (14 p)

Berthold
4,25 mm (16 p)

Berthold
4,75 mm (18 p)

Berthold
5,30 mm (20 p)

Berthold
6,35 mm (24 p)

Berthold
7,40 mm (28 p)

Berthold
8,50 mm (32 p)

Berthold
9,55 mm (36 p)

Größe mm	p	Zeilenabstand kp	Êp	Ex	100 Zeichen 0	−1	−2
1,33	5	2,06	2,31	2,00	87	84	81
1,60	6	2,44	2,81	2,50	103	99	95
1,86	7	2,88	3,25	3,00	118	114	110
2,15	8	3,31	3,75	3,50	134	129	124
2,40	9	3,69	4,19	3,75	150	144	138
2,65	10	4,06	4,63	4,25	165	158	151
2,92	11	4,50	5,06	4,75	181	174	167
3,20	12	4,88	5,56	5,25	196	188	180
3,45	13	5,25	6,00	5,75	212	204	196
3,72	14	5,69	6,44	–	227	218	209
3,98	15	6,06	6,94	–	243	234	225
4,25	16	6,50	7,38	–	258	248	238

WZ 13 E, NSW 0, MZB 0,62, F 0,12:0,042 (2,8), II
H 1–x 0,62–k 1,10–p 0,42–Ê 1,31–kp 1,52–Êp 1,73
BF 089 0542, Belegung 051: 086 2240 (096 2240)

Berthold-Schriften überzeugen durch
Schärfe und Qualität. Schriftqualität ist
eine Frage der Erfahrung. Berthold hat
diese Erfahrung seit über hundert Jahre
n. Zuerst im Schriftguß, dann im Fotosa
tz. Berthold-Schriften sind weltweit ge
schätzt. Im Schriftenatelier München
wird jeder Buchstabe in der Größe von

2,40 mm (9 p) 20 30

Berthold-Schriften überzeugen du
rch Schärfe und Qualität. Schriftqu
alität ist eine Frage der Erfahrung. B
erthold hat diese Erfahrung seit üb
er hundert Jahren. Zuerst im Schrift
guß, dann im Fotosatz. Berthold-Sc
hriften sind weltweit geschätzt. Im
Schriftenatelier München wird jed

2,65 mm (10 p) 20 30

Berthold-Schriften überzeugen
durch Schärfe und Qualität. Sch
riftqualität ist eine Frage der Erfa
hrung. Berthold hat diese Erfahr
ung seit über hundert Jahren. Zu
erst im Schriftguß, dann im Foto
satz. Berthold-Schriften sind we
ltweit geschätzt. Im Schriftenate

2,92 mm (11 p) 10 20 30

Berthold-Schriften überzeug
en durch Schärfe und Qualitä
t. Schriftqualität ist eine Frage
der Erfahrung. Berthold hat d
iese Erfahrung seit über hund
ert Jahren. Zuerst im Schriftg
uß, dann im Fotosatz. Berthol
d-Schriften sind weltweit ges

3,20 mm (12 p) 10 20

Berthold-Schriften überze
ugen durch Schärfe und Qu
alität. Schriftqualität ist eine
Frage der Erfahrung. Berth
old hat diese Erfahrung seit
über hundert Jahren. Zuerst
im Schriftguß, dann im Fot
osatz. Berthold-Schriften si

3,45 mm (13 p) 10 20

normal
regular
normal

PERPETUA

normal
chiaro tondo
normal

Berthold-Schriften überzeugen durch Schärfe und Qualität. Schriftqual ität ist eine Frage der Erfahrung. Berthold hat diese Erfahrung seit über hundert Jahren. Zuerst im Schriftguß, dann im Fotosatz. Berthold-Schri ften sind weltweit geschätzt. Im Schriftenatelier München wird jeder Buchstabe in der Größe von zwölf Zentimetern neu gezeichnet. Mit me sserscharfen Konturen, um für die Schriftscheiben das Optimale an Ko nturenschärfe herauszuholen. Um die Qualität des Einzelzeichens im Belichtungsvorgang zu bewahren, wird durch die ruhende, nicht rotier ende Schriftscheibe belichtet. Dieses optische System, verbunden mit

4,25 mm (16 p), Zeilenabstand 6,75 mm

PERPETUA REGULAR

In general, bodytypes are measured in the typo graphical point size. The sizes of Berthold Foto type faces can be exactly determined. All faces of same point size have the same capital heigth–ir respective of their x-heigth. In hot metal and many other phototypesetting systems the capital heigths often differ considerably from one face to the other. For measuring point sizes, a transpar ent size gauge is provided. To determine the point size, bring a capital letter into coincidence with that field which precisely circumscribes the letter at its upper and lower margin. Below the field you find the typographical point and be low that the millimeter value, which also refers to the height of a capital letter. In Berthold photo typesetting, the typewidth can be modified. The standard setting width of typefaces is deter mined by the principle of optimum legibility You should not depart from this typewidth with out cogent reason. A typeface which is consid ered optically right when looked in a greater con text, often seems bulky when applied for a small

2,40 mm (9 p), Zeilenabstand 4,25 mm

PERPETUA NORMAL

La valeur de la force de corps des caractères de labeur èst généralement exprimée en points typographiques. La force de corps des caractères Berthold-Fototype peut être déterminée avec précision. Tous les carac tères du même corps ont des capitales d'une hauteur identique, indépendamment de la hauteur des bas de casse sans jambage. Dans la composition plomb, ainsi que dans cer tains systèmes de photocomposition, la hau teur des capitales, varie souvent d'un carac tère à l'autre. Pour déterminer la force de corps de nos caractères, nous avons mis au point une réglette de hauteur d'œil transpa rente. On cherche le rectangle qui délimite exactement la hauteur d'œil d'une capitale du caractère choisi. Sous le rectangle corres pondant la valeur de la force de corps est in diquée en points Didots et en millimètres La valeur en millimètres exprime également

2,65 mm (10 p), Zeilenabstand 4,69 mm

La indicación de las dimensiones para cuerpos de letra vásicos tiene lugar en general en pun tos tipográficos. Los cuerpos de letra de los ca racteres Berthold Fototype pueden determi narse exactemente par medición. Con inde pendencia de la altura de sus longitudes cen trales, todos los caracteres de idéntico cuerpo de letra presentan altura de mayúsculas idénti ca. En la composición en plomo y en muchos

2,15 mm (8 p), −1, Zeilenabstand 3,38 mm

123,– $	456,– £	7890,– DM	1 %
234,– $	789,– £	1234,– DM	2 %
567,– $	12,– £	5678,– DM	3 %
890,– $	345,– £	9012,– DM	4 %
123,– $	678,– £	3456,– DM	5 %
456,– $	901,– £	7890,– DM	6 %
789,– $	234,– £	1234,– DM	7 %
12,– $	567,– £	5678,– DM	8 %
345,– $	890,– £	9012,– DM	9 %

BF 089 0543

Le misure relative al corpo dei caratteri vengono generalmente indicate in punti tipografici. Il cor po dei caratteri Fototypes può essere determina to con esattezza per semplice misurazione. Tutti i caratteri di uguale grandezza in punti hanno, in dipendentemente dalla loro lunghezza, uguale altezza delle maiuscole. Nella composizione in piombo ed in molti altri sistemi di fotocomposi zione, l'altezza delle maiuscole varia spesso da ca

2,15 mm (8 p), −2, Zeilenabstand 3,38 mm

kursiv
italic
italique

PERPETUA

cursiva
corsivo
kursiv

Måttangivelse för grundstilsgrader sker i allmänhet i typografiska punkter Stilar av Berthold Fototype kan efter mätning exakt gradbestämmas. Alla typsnitt är av samma punktstorlek och har oberoende av x-höjden en identisk versalhöjd. I blysättning och i många andra fotosättsystem varierar versalhöjden avsevärt från typsnitt till typsnitt. För mätning av stilgrader finns en transparent mätlinjal. Vid mätningen placerar man en versal bokstav så att rutorna begränsar tecknet upptill och nedtill. Under rutorna finns stilstorleken i typografiska didotpunkter och i mm. Även millimeteruppgiften avser versalhöjden. Vid stilstorleksuppgifter anges alltid måttenheten efter sifferuppgiften t ex 14 punkter ell

2,92 mm (11 p), Zeilenabstand 4,69 mm

1930
Monotype Corp. Ltd.
H. Berthold AG

ABCDEFGHIJKLMNOPQ
RSTUVWXYZ
abcdefghijklmnopqrstuvwxyz
1/1234567890%
(.,-;:!¡?¿–)·[‘‚’“»«]
+−=/$£†&§*
ÄÅÆÖØŒÜäåæıöøœßü
ÁÀÂÃÇČÉÈÊËÍÌÎÏĹŇÑÓÒÔÕ
ŔŘŠŤÚÙÛŴẄÝỲŸŽ
áàâãçčéèêëíìîïĺňñóòôõŕřš
úùûŵẅýỳÿž

Berthold-Schriftweite weit
Berthold-Schriftweite normal
Berthold-Schriftweite eng
Berthold-Schriftweite sehr eng
Berthold-Schriftweite extrem eng

In general, bodytypes are measured in the typographical point size The sizes of Berthold Fototype faces can be exactly determined. All faces of same point size have the same capital heigth–irrespective of their x-heigth. In hot metal and many other phototypesetting systems the capital heigths often differ considerably from one face to the other. For measuring point sizes, a transparent size gauge is provided To determine the point size, bring a capital letter into coincidence with that field which precisely circumscribes the letter at its upper and lower margin. Below the field

3,20 mm (12 p), Zeilenabstand 5,25 mm

PERPETUA KURSIV

Die Maßangabe zu Grundschriftgrößen erfolgt im allgemeinen in typographischen Punkten. Die Schriftgrößen der Berthold-Fotosatz-Schriften sind nach Messung exakt bestimmbar. Alle Schriften gleicher Punktgröße weisen, unabhängig von der Höhe ihrer Mittellängen eine identische Versalhöhe auf. Im Bleisatz und bei vielen anderen Fotosatz-Systemen differieren die Versalhöhen von Schrift zu Schrift oft erheblich. Zum Messen von Schriftgrößen steht ein transparentes Größenmaß zur Verfügung. Zum Messen wird ein Versalbuchstabe mit dem Feld in Deckung gebracht, das den Buchstaben oben und unten scharf begrenzt. Unter dem Feld ist die Schriftgröße in typographischen Didot-Punkten, darunter in Millimetern angegeben. Auch die Millimeterangaben beziehen sich auf die Höhe der Versalbuchstaben. Die Schriftweite kann im Berthold-Fotosatz beliebig verändert werden. Die Festlegung der Normalschriftweite erfolgt nach dem Prinzip der optimalen Lesbarkeit

2,40 mm (9 p), Zeilenabstand 4 mm

PERPETUA ITALIQUE

La valeur de la force de corps des caractères de la beur èst généralement exprimée en points typographiques. La force de corps des caractères Berthold Fototype peut être déterminée avec précision. Tous les caractères du même corps ont des capitales d'une hauteur identique, indépendamment de la hauteur des bas de casse sans jambage. Dans la composition plomb, ainsi que dans certains systèmes de photocomposition, la hauteur des capitales, varie souvent d'un caractère à l'autre. Pour déterminer la force de corps de nos caractères, nous avons mis au point une réglette de hauteur d'œil transparente. On cherche le rectangle qui délimite exactement la hauteur d'œil d'une capitale du caractère choisi. Sous le rectangle correspondant la valeur de la force de corps est indiquée en points

2,65 mm (10 p), Zeilenabstand 4,50 mm

La indicación de las dimensiones para cuerpos de letra vásicos tiene lugar en general en puntos tipográficos. Los cuerpos de letra de los caracteres Berthold Fototype pueden determinarse exactemente par medición. Con independencia de la altura de sus longitudes centrales, todos los caracteres de idéntico cuerpo de letra presentan altura de mayúsculas idéntica. En la composición en plomo y en muchos otros sistemas de fotocomposición, las alturas de mayúsculas varían frecuentemmente en forma considerable de tipo de letra a tipo de letra. Para medir los cuerpos de letra se dispone de un tipómetro, véase la figura. Para la medición se hace coincidir una letra mayúscula con la casilla cuyos extremos coinciden con los extremos superior e inferior de la letra. Bajo la

1,60 mm (6 p), Zeilenabstand 2,50 mm

Größe mm	p	Zeilenabstand kp	Êp	Ex	100 Zeichen 0	−1	−2
1,33	5	2,00	2,31	–	75	72	69
1,60	6	2,44	2,81	2,50	89	85	81
1,86	7	2,81	3,25	–	102	98	94
2,15	8	3,25	3,75	3,38	116	111	106
2,40	9	3,63	4,19	4,00	130	124	118
2,65	10	4,00	4,56	4,50	143	136	129
2,92	11	4,44	5,06	4,69	157	150	143
3,20	12	4,81	5,56	5,25	170	162	154
3,45	13	5,19	5,94	–	183	175	167
3,72	14	5,63	6,44	–	197	188	179
3,98	15	6,00	6,88	–	210	201	192
4,25	16	6,38	7,31	–	223	213	203

WZ 13 E, NSW 0, MZB 0,54, F 0,11:0,033 (3,3), II
H 1–x 0,60–k 1,08–p 0,42–Ê 1,30–kp 1,50–Êp 1,72
BF 089 0544, Belegung 051: 086 2242 (096 2242)

Le misure relative al corpo dei caratteri vengono generalmente indicate in punti tipografici. Il corpo dei caratteri Fototypes può essere determinato con esattezza per semplice misurazione. Tutti i caratteri di uguale grandezza in punti hanno, indipendentemente dalla loro lunghezza, uguale altezza delle maiuscole. Nella composizione in piombo ed in molti altri sistemi di fotocomposizione, l'altezza delle maiuscole varia spesso da carattere a caratte

2,15 mm (8 p), Zeilenabstand 3,38 mm

halbfett
bold
demi-gras

PERPETUA

seminegra
neretto
halvfet

Berthold-Schriften überzeugen durch Schärfe und Qualität. Schriftqualität ist eine Frage der Erfahrung. Berthold hat diese Erfahrung seit über hundert Jahren. Zuerst im Schriftguß, dann im Fotosatz. Berthold-Schriften sind weltweit geschätzt. Im Schriftenatelier München wird jeder Buchstabe in der Größe von zwölf Zentimetern neu gezeichnet. Mit messerscharfen Konturen, um für die Schriftscheiben das Optimale an Konturenschärfe herauszuh

1,60 mm (6 p), Zeilenabstand 2,50 mm

Berthold-Schriften überzeugen durch Schärfe und Qualität. Schriftqualität ist eine Frage der Erfahrung. Berthold hat diese Erfahrung seit über hundert Jahren. Zuerst im Schriftguß, dann im Fotosatz. Berthold-Schriften sind weltweit geschätzt. Im Schriftenatelier München wird jeder Buchstabe in der Größe von zwölf Zentimetern neu gezeichnet

1,86 mm (7 p), Zeilenabstand 3,00 mm

Berthold-Schriften überzeugen durch Schärfe und Qualität. Schriftqualität ist eine Frage der Erfahrung. Berthold hat diese Erfahrung seit über hundert Jahren. Zuerst im Schriftguß, dann im Fotosatz. Berthold-Schriften sind weltweit geschätzt. Im Schriftenatelier München wird jeder Buchstabe in der Größe

2,15 mm (8 p), Zeilenabstand 3,50 mm

1959
Monotype Corp. Ltd.
H. Berthold AG

ABCDEFGHIJKLMNOPQ
RSTUVWXYZ
abcdefghijklmnopqrstuvwxyz
1/1234567890%
(.,-;:!¡?¿–)·[""„""»«]
+–=/$£†*&§
ÄÅÆÖØŒÜäåæıöøœßü
ÁÀÂÃÇČÉÈÊËÍÌÎÏĹŇÑÓÒÔÕ
ŔŘŠŤÚÙÛŴẄÝŶŸŽ
áàâãçčéèêëíìîïĺňñóòôõŕřš
úùûŵẅýỳÿž

Berthold-Schriftweite weit
Berthold-Schriftweite normal
Berthold-Schriftweite eng
Berthold-Schriftweite sehr eng
Berthold-Schriftweite extrem eng

In general, bodytypes are measured in the typographical point size. The sizes of Berthold Fototype faces can be exactly determined All faces of same point size have the same capital heigth–irrespective of their x heigth. In hot metal and many other photypesetting systems the capital heighths often differ considerably from one face to the other. For measuring point sizes, a transparent size gauge is provided. To determine the point size, bring a c

3,20 mm (12 p), Zeilenabstand 5,25 mm

Berthold's quick brown fox jumps over the lazy dog and feels as if he we
3,75 mm (14 p)

Berthold's quick brown fox jumps over the lazy dog and feels as
4,25 mm (16 p)

Berthold's quick brown fox jumps over the lazy dog and
4,75 mm (18 p)

Berthold's quick brown fox jumps over the lazy do
5,30 mm (20 p)

Berthold's quick brown fox jumps over the
6,35 mm (24 p)

Berthold's quick brown fox jumps o
7,40 mm (28 p)

Berthold's quick brown fox ju
8,50 mm (32 p)

Berthold's quick brown fox
9,55 mm (36 p)

Berthold-Schriften überzeugen durch Schärfe und Qualität. Schriftqualität ist eine Frage der Erfahrung. Berthold hat diese Erfahrung seit über hundert Jahren. Zuerst im Schriftguß, dann im Fotosatz. Berthold-Schriften sind weltweit geschätzt. Im Schriftenatelier Münche

2,40 mm (9 p), Zeilenabstand 4,00 mm

Größe mm	p	Zeilenabstand kp	Êp	Ex	100 Zeichen 0	–1	–2
1,33	5	2,00	2,31	–	97	94	91
1,60	6	2,44	2,81	2,50	115	111	107
1,86	7	2,81	3,25	3,00	132	128	124
2,15	8	3,25	3,75	3,50	150	145	140
2,40	9	3,63	4,19	4,00	168	162	156
2,65	10	4,00	4,56	4,00	185	178	171
2,92	11	4,44	5,06	–	202	195	188
3,20	12	4,81	5,56	5,25	220	212	204
3,45	13	5,19	5,94	–	237	229	221
3,72	14	5,63	6,44	–	254	245	236
3,98	15	6,00	6,88	–	271	262	253
4,25	16	6,38	7,31	–	289	279	269

WZ 14 E, NSW –1, MZB 0,70, F 0,23:0,054 (4,2), II
H 1–x 0,67–k 1,09–p 0,41–Ê 1,31–kp 1,50–Êp 1,72
BF 089 0545, Belegung 051: 086 2241 (096 2241)

Berthold-Schriften überzeugen durch Schärfe und Qualität. Schriftqualität ist eine Frage der Erfahrung. Berthold hat diese Erfahrung seit über hundert Jahren. Zuerst im Schriftguß, dann im Fotosatz. Berthold-Schriften sind weltweit geschätzt. Im

2,65 mm (10 p), Zeilenabstand 4,00 mm

kursiv halbfett
bold italic
italique demi-gras

PERPETUA

seminegra cursiva
neretto corsivo
kursiv halvfet

Berthold-Schriften überzeugen durch Schärfe und Qu alität. Schriftqualität ist eine Frage der Erfahrung. Be rthold hat diese Erfahrung seit über hundert Jahr en. Zuerst im Schriftguß, dann im Fotosatz. Berthold Schriften sind weltweit geschätzt. Im Schriftenatelier München wird jeder Buchstabe in der Größe von zwölf Zentimetern neu gezeichnet. Mit messerscharfen Kon turen, um für die Schriftscheiben das Optimale an Kon turenschärfe herauszuholen. Um die Qualität des Ein

1,60 mm (6 p), Zeilenabstand 2,50 mm

Berthold-Schriften überzeugen durch Schärfe und Qualität. Schriftqualität ist eine Frage der Erfahrung. Berthold hat diese Erfahrung seit über hundert Jahren. Zuerst im Schriftguß, da nn im Fotosatz. Berthold-Schriften sind weltw eit geschätzt. Im Schriftenatelier München wird jeder Buchstabe in der Größe von zwölf Zentim etern neu gezeichnet. Mit messerscharfen Kont

1,86 mm (7 p), Zeilenabstand 3,00 mm

Berthold-Schriften überzeugen durch Sc härfe und Qualität. Schriftqualität ist eine Frage der Erfahrung. Berthold hat diese Er fahrung seit über hundert Jahren. Zuerst im Schriftguß dann im Fotosatz. Berthold Schriften sind weltweit geschätzt. Im Schr iftenatelier München wird jeder Buchstab e in der Größe von zwölf Zentimetern neu

2,15 mm (8 p), Zeilenabstand 3,50 mm

1959
Monotype Corp. Ltd.
H. Berthold AG

ABCDEFGHIJKLMNOPQ
RSTUVWXYZ
abcdefghijklmnopqrstuvwxyz
1/1234567890%
(.,-;:!¡?¿–) · [‘„”“»«]
+−=/$£†*&§
ÄÅÆÖØŒÜäåæıöøœßü
ÁÀÂÃÇČÉÈÊËÍÌÎÏĹŇÑÓÒÔÕ
ŔŘŠŤÚÙÛŴẂŶÝŽ
áàâãçčéèêëíìîïĺňñóòôõŕřš
úùûŵẃýŷž

Berthold-Schriftweite weit
Berthold-Schriftweite normal
Berthold-Schriftweite eng
Berthold-Schriftweite sehr eng
Berthold-Schriftweite extrem eng

In general, bodytypes are m easured in the typographical point size. The sizes of Berth old Fototype faces can be exa ctly determined. All faces of same point size have the sam e capital heigth–irrespective of their x-heigth. In hot met al and many other phototy pesetting systems the capit al heigths often differ cons iderably from one face to the other. For measuring point sizes, a transparent size gau ge is provided. To determine the point size, bring a capital letter into coincidence with t

3,20 mm (12 p), Zeilenabstand 5,25 mm

Berthold's quick brown fox jumps over the lazy dog and feels as if he were in t
3,75 mm (14 p)

Berthold's quick brown fox jumps over the lazy dog and feels as if he
4,25 mm (16 p)

Berthold's quick brown fox jumps over the lazy dog and feels
4,75 mm (18 p)

Berthold's quick brown fox jumps over the lazy dog and
5,30 mm (20 p)

Berthold's quick brown fox jumps over the lazy
6,35 mm (24 p)

Berthold's quick brown fox jumps over
7,40 mm (28 p)

Berthold's quick brown fox jumps
8,50 mm (32 p)

Berthold's quick brown fox ju
9,55 mm (36 p)

Berthold-Schriften überzeugen durch Schärfe und Qualität. Schriftqualität ist eine Frage der Erfahrung. Bertho ld hat diese Erfahrung seit über hund ert Jahren. Zuerst im Schriftguß, dann im Fotosatz. Berthold-Schriften sind weltweit geschätzt. Im Schriftenatelie r München wird jeder Buchstabe in de

2,40 mm (9 p), Zeilenabstand 4,00 mm

Größe		Zeilenabstand			100 Zeichen		
mm	p	kp	Êp	Ex	0	−1	−2
[illegible]	[illegible]	2,00	2,31	–	90	87	84
1,60	6	2,38	2,75	2,50	106	102	98
1,86	7	2,75	3,19	3,12	122	118	114
2,15	8	3,19	3,69	3,50	139	134	129
2,40	9	3,56	4,13	4,00	156	150	144
2,65	10	3,94	4,56	4,00	172	165	158
2,92	11	4,31	5,00	–	188	181	174
3,20	12	4,75	5,50	5,25	204	196	188
3,45	13	5,13	5,94	–	220	212	204
3,72	14	5,50	6,38	–	236	227	218
3,98	15	5,88	6,81	–	252	243	234
4,25	16	6,25	7,31	–	268	258	248

WZ 14 E, NSW 0, MZB 0,65, F 0,20:0,042 (4,7), II
H 1–x 0,65–k 1,06–p 0,41–Ê 1,30–kp 1,47–Êp 1,71
BF 089 0546, Belegung 051: 086 2261 (096 2261)

Berthold-Schriften überzeugen d urch Schärfe und Qualität. Schrif tqualität ist eine Frage der Erfahr ung. Berthold hat diese Erfahrung seit über hundert Jahren. Zuerst i m Schriftguß, dann im Fotosatz Berthold-Schriften sind weltweit geschätzt. Im Schriftenatelier Mü

2,65 mm (10 p), Zeilenabstand 4,00 mm

PERPETUA BLACK

**Berthold-Schriften überzeugen durch Schärfe u
nd Qualität. Schriftqualität ist eine Frage der Erf
ahrung. Berthold hat diese Erfahrung seit über h
undert Jahren. Zuerst im Schriftguß, dann im Fot
osatz. Berthold-Schriften sind weltweit geschät
zt. Im Schriftenatelier München wird jeder Buch
stabe in der Größe von zwölf Zentimetern neu ge
zeichnet. Mit messerscharfen Konturen um für d
ie Schriftscheiben das Optimale an Konturensch**

1,60 mm (6 p), Zeilenabstand 2,50 mm

**Berthold-Schriften überzeugen durch Sc
härfe und Qualität. Schriftqualität ist eine
Frage der Erfahrung. Berthold hat diese Er
fahrung seit über hundert Jahren. Zuerst i
m Schriftguß, dann im Fotosatz. Berthold
Schriften sind weltweit geschätzt. Im Schr
iftenatelier München wird jeder Buchsta
be in der Größe von zwölf Zentimetern neu**

1,86 mm (7 p), Zeilenabstand 3,00 mm

**Berthold-Schriften überzeugen durc
h Schärfe und Qualität. Schriftqualit
ät ist eine Frage der Erfahrung. Berth
old hat diese Erfahrung seit über hun
dert Jahren. Zuerst im Schriftguß, dan
n im Fotosatz. Berthold-Schriften sin
d weltweit geschätzt. Im Schriftenat
elier München wird jeder Buchstabe**

2,15 mm (8 p), Zeilenabstand 3,50 mm

H. Berthold AG

**ABCDEFGHIJKLMNOPQ
RSTUVWXYZ
abcdefghijklmnopqrstuvwxy
1/1234567890%
(.,-;:!¡?¿–)·['‚„"“»«]
+−=/$£†*&§
ÄÅÆÖØŒÜäåæıöøœßü
ÁÀÂÃÇČÉÈÊËÍÌÎÏĹŇÑÓÒÔÕ
ŔŘŠŤÚÙÛŴẄÝŶŸŽ
áàâãçčéèêëíìîïĺňñóòôõŕřš
úùûŵẅýỳÿž**

**Berthold-Schriftweite weit
Berthold-Schriftweite normal
Berthold-Schriftweite eng
Berthold-Schriftweite sehr eng
Berthold-Schriftweite extrem eng**

**In general, bodytypes are
measured in the typogra
phical point size. The siz
es of Berthold Fototype f
aces can be exactly deter
mined. All faces of same
point size have the same
capital heigth–irrespect
ive of their x-heigth. In h
ot metal and many othe
r phototypesetting syste
ms the capital heigths of
ten differ considerably fr
om one face to the other
For measuring point size
s, a transparent size gau
ge is provided. To deter**

3,20 mm (12 p), Zeilenabstand 5,25 mm

Berthold's quick brown fox jumps over the lazy dog and feels as if he
3,75 mm (14 p)

Berthold's quick brown fox jumps over the lazy dog and feels
4,25 mm (16 p)

Berthold's quick brown fox jumps over the lazy dog a
4,75 mm (18 p)

Berthold's quick brown fox jumps over the lazy
5,30 mm (20 p)

Berthold's quick brown fox jumps over
6,35 mm (24 p)

Berthold's quick brown fox jumps
7,40 mm (28 p)

Berthold's quick brown fox ju
8,50 mm (32 p)

Berthold's quick brown fox
9,55 mm (36 p)

**Berthold-Schriften überzeugen
durch Schärfe und Qualität. Schr
iftqualität ist eine Frage der Erfa
hrung. Berthold hat diese Erfahr
ung seit über hundert Jahren. Zu
erst im Schriftguß, dann im Foto
satz. Berthold-Schriften sind we
ltweit geschätzt. Im Schriftenate**

2,40 mm (9 p), Zeilenabstand 4,00 mm

Größe		Zeilenabstand			100 Zeichen		
mm	p	kp	Êp	Ex	0	−1	−2
1,33	5	1,94	2,31	—	105	102	99
1,60	6	2,31	2,75	2,50	123	119	115
1,86	7	2,69	3,19	3,00	142	138	134
2,15	8	3,13	3,69	3,50	161	156	151
2,40	9	3,44	4,13	4,00	180	174	168
2,65	10	3,81	4,56	4,00	199	192	185
2,92	11	4,19	5,00	—	217	210	203
3,20	12	4,63	5,50	5,25	236	228	220
3,45	13	4,94	5,94	—	254	246	238
3,72	14	5,38	6,38	—	273	264	255
3,98	15	5,75	6,81	—	291	282	273
4,25	16	6,13	7,31	—	310	300	290

WZ 14 E, NSW 0, MZB 0,75, F 0,31:0,067 (4,6), II
H 1–x 0,66–k 1,02–p 0,41–Ê 1,30–kp 1,43–Êp 1,71
BF 089 0547, Belegung 051: 085 2573 (095 2573)

**Berthold-Schriften überzeug
en durch Schärfe und Qualitä
t. Schriftqualität ist eine Frage
der Erfahrung. Berthold hat d
iese Erfahrung seit über hund
ert Jahren. Zuerst im Schriftg
uß, dann im Fotosatz. Bertho
ld-Schriften sind weltweit ge**

2,65 mm (10 p), Zeilenabstand 4,00 mm

mager
light
maigre

PLANTIN

fina
chiarissimo
mager

Berthold-Schriften überzeugen durch Schärfe und Qualität. Schriftqua lität ist eine Frage der Erfahrung. Berthold hat diese Erfahrung seit üb er hundert Jahren. Zuerst im Schriftguß, dann im Fotosatz. Berthold-Sc hriften sind weltweit geschätzt. Im Schriftenatelier München wird jeder Buchstabe in der Größe von zwölf Zentimetern neu gezeichnet. Mit me sserscharfen Konturen, um für die Schriftscheiben das Optimale an Ko nturenschärfe herauszuholen. Um die Qualität des Einzelzeichens im Belichtungsvorgang zu bewahren, wird durch die ruhende, nicht rotier ende Schriftscheibe belichtet. Dieses optische System, verbunden mit

1,33 mm (5 p) 20 30 40 50 60

Berthold-Schriften überzeugen durch Schärfe und Qualität. Schrif tqualität ist eine Frage der Erfahrung. Berthold hat diese Erfahrung seit über hundert Jahren. Zuerst im Schriftguß, dann im Fotosatz Berthold-Schriften sind weltweit geschätzt. Im Schriftenatelier Mü nchen wird jeder Buchstabe in der Größe von zwölf Zentimetern neu gezeichnet. Mit messerscharfen Konturen, um für die Schriftsc heiben das Optimale an Konturenschärfe herauszuholen. Um die Qualität des Einzelzeichens im Belichtungsvorgang zu bewahren wird durch die ruhende, nicht rotierende Schriftscheibe belichtet

1,45 mm (5,5 p) 20 30 40 50 60

Berthold-Schriften überzeugen durch Schärfe und Qualität Schriftqualität ist eine Frage der Erfahrung. Berthold hat die se Erfahrung seit über hundert Jahren. Zuerst im Schriftguß dann im Fotosatz. Berthold-Schriften sind weltweit geschätzt Im Schriftenatelier München wird jeder Buchstabe in der Gr öße von zwölf Zentimetern neu gezeichnet. Mit messerschar fen Konturen, um für die Schriftscheiben das Optimale an Ko nturenschärfe herauszuholen. Um die Qualität des Einzelzei chens im Belichtungsvorgang zu bewahren, wird durch die ru

1,60 mm (6 p) 20 30 40 50

Berthold-Schriften überzeugen durch Schärfe und Qua lität. Schriftqualität ist eine Frage der Erfahrung. Bertho ld hat diese Erfahrung seit über hundert Jahren. Zuerst i m Schriftguß, dann im Fotosatz. Berthold-Schriften sind weltweit geschätzt. Im Schriftenatelier München wird je der Buchstabe in der Größe von zwölf Zentimetern neu gezeichnet. Mit messerscharfen Konturen, um für die Sc hriftscheiben das Optimale an Konturenschärfe herausz uholen. Um die Qualität des Einzelzeichens im Belichtu

1,75 mm (6,5 p) 20 30 40 50

Berthold-Schriften überzeugen durch Schärfe und Q ualität. Schriftqualität ist eine Frage der Erfahrung. Be rthold hat diese Erfahrung seit über hundert Jahren. Z uerst im Schriftguß, dann im Fotosatz. Berthold-Schr iften sind weltweit geschätzt. Im Schriftenatelier Mü nchen wird jeder Buchstabe in der Größe von zwölf Zentimetern neu gezeichnet. Mit messerscharfen Ko nturen, um für die Schriftscheiben das Optimale an K onturenschärfe herauszuholen. Um die Qualität des

1,86 mm (7 p) 20 30 40 5

Berthold-Schriften überzeugen durch Schärfe un d Qualität. Schriftqualität ist eine Frage der Erfahr ung. Berthold hat diese Erfahrung seit über hund ert Jahren. Zuerst im Schriftguß, dann im Fotosatz Berthold-Schriften sind weltweit geschätzt. Im Sc hriftenatelier München wird jeder Buchstabe in der Größe von zwölf Zentimetern neu gezeichnet Mit messerscharfen Konturen, um für die Schrifts cheiben das Optimale an Konturenschärfe heraus

2,00 mm (7,5 p) 20 30 40

Berthold-Schriften überzeugen durch Schärfe und Qualität. Schriftqualität ist eine Frage der E rfahrung. Berthold hat diese Erfahrung seit üb er hundert Jahren. Zuerst im Schriftguß, dann im Fotosatz. Berthold-Schriften sind weltweit geschätzt. Im Schriftenatelier München wird je der Buchstabe in der Größe von zwölf Zentimet ern neu gezeichnet. Mit messerscharfen Kontu ren, um für die Schriftscheiben das Optimale an

2,15 mm (8 p) 20 30 40

Monotype Corp. Ltd.
H. Berthold AG

ABCDEFGHIJKLMNOPQ
RSTUVWXYZ
abcdefghijklmnopqrstuvwxyz
1/1234567890%
(.,-;:!¡?¿–) · ['‘„”“»«]
+−=/$£†*&§
ÄÅÆÖØŒÜäåæıöøœßü
ÁÀÂÃÇČÉÈÊËÍÌÎÏĹŇÑÓÒÔÕ
ŔŘŠŤÚÙÛŴẄÝŶŸŽ
áàâãçčéèêëíìîïĺňñóòôõŕřš
úùûŵẅýỳÿž

Berthold-Schriftweite weit
Berthold-Schriftweite normal
Berthold-Schriftweite eng
Berthold-Schriftweite sehr eng
Berthold-Schriftweite extrem eng

Berthold
3,72 mm (14 p)

Berthold
4,25 mm (16 p)

Berthold
4,75 mm (18 p)

Berthold
5,30 mm (20 p)

Berthold
6,35 mm (24 p)

Berthold
7,40 mm (28 p)

Berthold
8,50 mm (32 p)

Berthold
9,55 mm (36 p)

Größe		Zeilenabstand			100 Zeichen		
mm	p	kp	Êp	Ex	0	−1	−2
1,33	5	1,75	2,13	2,00	83	80	77
1,60	6	2,13	2,50	2,50	98	94	90
1,86	7	2,44	2,94	3,00	113	109	105
2,15	8	2,81	3,38	3,50	128	123	118
2,40	9	3,13	3,75	3,75	143	137	131
2,65	10	3,44	4,13	4,25	158	151	144
2,92	11	3,81	4,56	4,75	173	166	159
3,20	12	4,13	5,00	5,25	188	180	172
3,45	13	4,50	5,38	5,75	202	194	186
3,72	14	4,81	5,81	–	217	208	199
3,98	15	5,19	6,19	–	232	223	214
4,25	16	5,50	6,63	–	246	236	226

WZ 13 E, NSW 0, MZB 0,60, F 0,12:0,05 (2,2), II
H 1–x 0,65–k 1,02–p 0,27–Ê 1,26–kp 1,29–Êp 1,55
BF 089 0781, Belegung 051: 085 0176 (095 0176)

Berthold-Schriften überzeugen durch Sch ärfe und Qualität. Schriftqualität ist eine Fr age der Erfahrung. Berthold hat diese Erfa hrung seit über hundert Jahren. Zuerst im Schriftguß, dann im Fotosatz. Berthold-Sc hriften sind weltweit geschätzt. Im Schrift enatelier München wird jeder Buchstabe in der Größe von zwölf Zentimetern neu

2,40 mm (9 p) 20 30

Berthold-Schriften überzeugen durch Schärfe und Qualität. Schriftqualität ist eine Frage der Erfahrung. Berthold hat diese Erfahrung seit über hundert Jahr en. Zuerst im Schriftguß, dann im Foto satz. Berthold-Schriften sind weltweit geschätzt. Im Schriftenatelier Münch en wird jeder Buchstabe in der Größe

2,65 mm (10 p) 20 30

Berthold-Schriften überzeugen du rch Schärfe und Qualität. Schriftqu alität ist eine Frage der Erfahrung Berthold hat diese Erfahrung seit ü ber hundert Jahren. Zuerst im Schr iftguß, dann im Fotosatz. Berthold Schriften sind weltweit geschätzt. I m Schriftenatelier München wird j

2,92 mm (11 p) 20 30

Berthold-Schriften überzeugen durch Schärfe und Qualität. Sch riftqualität ist eine Frage der Erf ahrung. Berthold hat diese Erfa hrung seit über hundert Jahren Zuerst im Schriftguß, dann im F otosatz. Berthold-Schriften sind weltweit geschätzt. Im Schriften

3,20 mm (12 p) 10 20 3

Berthold-Schriften überzeug en durch Schärfe und Qualität Schriftqualität ist eine Frage d er Erfahrung. Berthold hat die se Erfahrung seit über hundert Jahren. Zuerst im Schriftguß dann im Fotosatz. Berthold-S chriften sind weltweit geschät

3,45 mm (13 p) 10 20

mager
light
maigre

PLANTIN

fina
chiarissimo
mager

Berthold-Schriften überzeugen durch Schärfe und Qualität. Schriftqualität ist eine Frage der Erfahrung. Berthold hat diese Erfahrung seit über hundert Jahren. Zuerst im Schriftguß, dann im Fotosatz. Berthold-Schriften sind wel tweit geschätzt. Im Schriftenatelier München wird jeder Buchstabe in der Größe von zwölf Zentimetern neu gezeichnet. Mit messerscharfen Kontur en, um für die Schriftscheiben das Optimale an Konturenschärfe herauszuh olen. Um die Qualität des Einzelzeichens im Belichtungsvorgang zu bewahr en, wird durch die ruhende, nicht rotierende Schriftscheibe belichtet. Dieses optische System, verbunden mit Präzisions-Chromglasscheiben, führt zu ei

4,25 mm (16 p), Zeilenabstand 6,75 mm

PLANTIN LIGHT

In general, bodytypes are measured in the typo graphical point size. The sizes of Berthold Fototype faces can be exactly determined. All faces of same point size have the same capital height-irrespective of their x-height. In hot metal and many other pho totypesetting systems the capital heights often differ considerably from one face to the other. For meas uring point sizes, a transparent size gauge is provid ed. To determine the point size, bring a capital letter into coincidence with that field which precisely cir cumscribes the letter at its upper and lower margin Below the field you find the typographical point and below that the millimeter value, which also refers to the height of a capital letter. In Berthold-phototype setting, the typewidth can be modified. The stand ard setting width of typefaces is determined by the principle of optimum legibility. You should not de part from this typewidth without cogent reason. A typeface which is considered optically right when looked in a greater context, often seems bulky when applied for a small amount of text, e. g. labels and ads. Here, a width reduction will be conducive to

2,40 mm (9 p), Zeilenabstand 4,25 mm

PLANTIN MAIGRE

La valeur de la force de corps des caractères de labeur èst généralement exprimée en points ty pographiques. La force de corps des caractères Berthold-Fototype peut être déterminée avec précision. Tous les caractères du même corps ont des capitales d'une hauteur identique, indé pendamment de la hauteur des bas de casse sans jambage. Dans la composition plomb, ain si que dans certains systèmes de photocompo sition, la hauteur des capitales, varie souvent d'un caractère à l'autre. Pour déterminer la force de corps de nos caractères, nous avons mis au point une réglette de hauteur d'œil transparente. On cherche le rectangle qui déli mite exactement la hauteur d'œil d'une capitale du caractère choisi. Sous le rectangle corres pondant la valeur de la force de corps est indi quée en points Didots et en millimètres. La va leur en millimètres exprime également la hau teur des capitales. Pour toutes les indications

2,65 mm (10 p), Zeilenabstand 4,69 mm

La indicación de las dimensiones para cuerpos de letra vásicos tiene lugar en general en puntos tipo gráficos. Los cuerpos de letra de los caracteres Berthold Fototype pueden determinarse exacte mente par medición. Con independencia de la al tura de sus longitudes centrales, todos los caracte res de idéntico cuerpo de letra presentan altura de mayúsculas idéntica. En la composición en plomo y en muchos otros sistemas de fotocomposición

2,15 mm (8 p), −1, Zeilenabstand 3,38 mm

123,– $	456,– £	7890,– DM	1 %
234,– $	789,– £	1234,– DM	2 %
567,– $	12,– £	5678,– DM	3 %
890,– $	345,– £	9012,– DM	4 %
123,– $	678,– £	3456,– DM	5 %
456,– $	901,– £	7890,– DM	6 %
789,– $	234,– £	1234,– DM	7 %
12,– $	567,– £	5678,– DM	8 %
345,– $	890,– £	9012,– DM	9 %

BF 089 0782

Le misure relative al corpo dei caratteri vengono ge neralmente indicate in punti tipografici. Il corpo dei caratteri Fototypes può essere determinato con esat tezza per semplice misurazione. Tutti i caratteri di uguale grandezza in punti hanno, indipendente mente dalla loro lunghezza, uguale altezza delle maiuscole. Nella composizione in piombo ed in molti altri sistemi di fotocomposizione, l'altezza del le maiuscole varia spesso da carattere a carattere. Per

2,15 mm (8 p), −2, Zeilenabstand 3,38 mm

kursiv mager
light italic
italique maigre

PLANTIN

fina cursiva
chiarissimo corsivo
kursiv mager

Måttangivelse för grundstilsgrader sk er i allmänhet i typografiska punkter Stilar av Berthold Fototype kan efter mätning exakt gradbestämmas. Alla ty psnitt är av samma punktstorlek och har oberoende av x-höjden en identisk versalhöjd. I blysättning och i många andra fotosättsystem varierar versalh öjden avsevärt från typsnitt till typsnitt För mätning av stilgrader finns en tra nsparent mätlinjal. Vid mätningen pla cerar man en versal bokstav så att rut orna begränsar tecknet upptill och ned till. Under rutorna finns stilstorleken i typografiska didotpunkter och i mm. Ä ven millimeteruppgiften avser versalh öjden. Vid stilstorleksuppgifter anges al ltid måttenheten efter sifferuppgiften t ex 14 punkter eller 14 p. Berthold-skrif

2,92 mm (11 p), Zeilenabstand 4,69 mm

Monotype Corp. Ltd.
H. Berthold AG

ABCDEFGHIJKLMNOPQ
RSTUVWXYZ
abcdefghijklmnopqrstuvwxyz
1/1234567890%
(.,-;:!¡?¿–)·[''„""»«]
+−=/$£†&§*
ÄÅÆÖØŒÜäåæıöøœßü
ÁÀÂÃÇČÉÈÊËÍÌÎÏĹŇÑÓÒÔÕ
ŔŘŠŤÚÙÛŴẄÝỲŶŸŽ
áàâãçčéèêëíìîïĺňñóòôõŕřš
úùûŵẅýỳÿž

Berthold-Schriftweite weit
Berthold-Schriftweite normal
Berthold-Schriftweite eng
Berthold-Schriftweite sehr eng
Berthold-Schriftweite extrem eng

In general, bodytypes are measured in the typographical point size. The sizes of Berthold Fototype faces can be exactly determined. All faces of same point size have the same capit al height–irrespective of their x-hei ght. In hot metal and many other ph ototypesetting systems the capital he ights often differ considerably from one face to the other. For measuring point sizes, a transparent size gauge is provided. To determine the point size, bring a capital letter into coin cidence with that field which precis ely circumscribes the letter at its upp er and lower margin. Below the fie ld you find the typographical point

3,20 mm (12 p), Zeilenabstand 5,25 mm

PLANTIN

Die Maßangabe zu Grundschriftgrößen erfolgt im allge meinen in typographischen Punkten. Die Schriftgrößen der Berthold-Fotosatz-Schriften sind nach Messung exa kt bestimmbar. Alle Schriften gleicher Punktgröße weisen unabhängig von der Höhe ihrer Mittellängen, eine identi sche Versalhöhe auf. Im Bleisatz und bei vielen anderen Fotosatz-Systemen differieren die Versalhöhen von Schri ft zu Schrift oft erheblich. Zum Messen von Schriftgrößen steht ein transparentes Größenmaß zur Verfügung. Zum Messen wird ein Versalbuchstabe mit dem Feld in Decku ng gebracht, das den Buchstaben oben und scharf begren zt. Unter dem Feld ist die Schriftgröße in typographischen Didot-Punkten, darunter in Millimetern angegeben. Au ch die Millimeterangaben beziehen sich auf die Höhe der Versalbuchstaben. Die Schriftweite kann im Berthold-Fo tosatz beliebig verändert werden. Die Festlegung der Nor malschriftweite erfolgt nach dem Prinzip der optimalen Lesbarkeit bei größeren Textmengen. Man sollte nicht oh

2,40 mm (9 p), Zeilenabstand 4 mm

PLANTIN

La valeur de la force de corps des caractères de labe ur èst généralement exprimée en points typographi ques. La force de corps des caractères Berthold-Foto type peut être déterminée avec précision. Tous les ca ractères du même corps ont des capitales d'une hau teur identique, indépendamment de la hauteur des bas de casse sans jambage. Dans la composition plo mb, ainsi que dans certains systèmes de photocompo sition, la hauteur des capitales, varie souvent d'un caractère à l'autre. Pour déterminer la force de cor ps de nos caractères, nous avons mis au point une ré glette de hauteur d'œil transparente. On cherche le rectangle qui délimite exactement la hauteur d'œil d'une capitale du caractère choisi. Sous le rectangle correspondant la valeur de la force de corps est indi quée en points Didots et en millimètres. La valeur en

2,65 mm (10 p), Zeilenabstand 4,50 mm

La indicación de las dimensiones para cuerpos de letra vásicos tiene lugar en general en puntos tipográficos. Los cuerpos de letra de los caracteres Berthold Fototype pueden determinarse exactemente par medición. Con independencia de la altura de sus longitudes centra les, todos los caracteres de idéntico cuerpo de letra presentan altura de mayúsculas idéntica. En la composición en plomo y en muchos ot ros sistemas de fotocomposición, las alturas de mayúsculas varían frecuentemmente en forma considerable de tipo de letra a tipo de letra. Para medir los cuerpos de letra se dispone de un tipómetro véase la figura. Para la medición se hace coincidir una letra mayús cula con la casilla cuyos extremos coinciden con los extremos superi or e inferior de la letra. Bajo la casilla se indica el cuerpo de letra

1,60 mm (6 p), Zeilenabstand 2,50 mm

Größe		Zeilenabstand			100 Zeichen		
mm	p	kp	Êp	Ex	0	−1	−2
1,00	5	1,00	2,00		76	72	60
1,60	6	2,06	2,50	2,50	89	85	81
1,86	7	2,38	2,88	–	102	98	94
2,15	8	2,75	3,31	3,38	116	111	106
2,40	9	3,06	3,69	4,00	130	124	118
2,65	10	3,38	4,06	4,50	143	136	129
2,92	11	3,69	4,50	4,69	157	150	143
3,20	12	4,06	4,94	5,25	170	162	154
3,45	13	4,38	5,31	–	183	175	167
3,72	14	4,69	5,75	–	197	188	179
3,98	15	5,06	6,13	–	210	201	192
4,25	16	5,88	6,56	–	223	213	203

WZ 13 E, NSW 0, MZB 0,54, F 0,10:0,042 (2,3), II
H 1–x 0,63–k 1,03–p 0,73–Ê 0,27–kp 1,26–Êp 1,53
BF 089 0783, Belegung 051: 085 0177 (095 0177)

Le misure relative al corpo dei caratteri vengono ge neralmente indicate in punti tipografici. Il corpo dei caratteri Fototypes può essere determinato con esat tezza per semplice misurazione. Tutti i caratteri di uguale grandezza in punti hanno, indipendentemen te dalla loro lunghezza, uguale altezza delle maius cole. Nella composizione in piombo ed in molti altri sistemi di fotocomposizione, l'altezza delle maiusco le varia spesso da carattere a carattere. Per misurare

2,15 mm (8 p), Zeilenabstand 3,38 mm

normal
regular
normal

PLANTIN

normal
chiaro tondo
normal

Berthold-Schriften überzeugen durch Schärfe und Qualität. Schrift
qualität ist eine Frage der Erfahrung. Berthold hat diese Erfahrung s
eit über hundert Jahren. Zuerst im Schriftguß, dann im Fotosatz. Ber
thold-Schriften sind weltweit geschätzt. Im Schriftenatelier Münch
en wird jeder Buchstabe in der Größe von zwölf Zentimetern n
eu gezeichnet. Mit messerscharfen Konturen, um für die Schriftsche
iben das Optimale an Konturenschärfe herauszuholen. Um die Quali
tät des Einzelzeichens im Belichtungsvorgang zu bewahren, wird du
rch die ruhende, nicht rotierende Schriftscheibe belichtet. Dieses o

1,33 mm (5 p) 20 30 40 50 60

Berthold-Schriften überzeugen durch Schärfe und Qualität. Sc
hriftqualität ist eine Frage der Erfahrung. Berthold hat diese Erf
ahrung seit über hundert Jahren. Zuerst im Schriftguß, dann im
Fotosatz. Berthold-Schriften sind weltweit geschätzt. Im Schrif
tenatelier München wird jeder Buchstabe in der Größe von zwölf
Zentimetern neu gezeichnet. Mit messerscharfen Konturen, um
für die Schriftscheiben das Optimale an Konturenschärfe herau
szuholen. Um die Qualität des Einzelzeichens im Belichtungsv
organg zu bewahren, wird durch die ruhende, nicht rotierende S

1,45 mm (5,5 p) 20 30 40 50 6

Berthold-Schriften überzeugen durch Schärfe und Qualit
ät. Schriftqualität ist eine Frage der Erfahrung. Berthold h
at diese Erfahrung seit über hundert Jahren. Zuerst im Sch
riftguß, dann im Fotosatz. Berthold-Schriften sind weltw
eit geschätzt. Im Schriftenatelier München wird jeder Bu
chstabe in der Größe von zwölf Zentimetern neu gezeichn
et. Mit messerscharfen Konturen, um für die Schriftschei
ben das Optimale an Konturenschärfe herauszuholen. Um
die Qualität des Einzelzeichens im Belichtungsvorgang zu

1,60 mm (6 p) 20 30 40 50

Berthold-Schriften überzeugen durch Schärfe und Q
ualität. Schriftqualität ist eine Frage der Erfahrung. B
erthold hat diese Erfahrung seit über hundert Jahren
Zuerst im Schriftguß, dann im Fotosatz. Berthold-Sc
hriften sind weltweit geschätzt. Im Schriftenatelier M
ünchen wird jeder Buchstabe in der Größe von zwölf
Zentimetern neu gezeichnet. Mit messerscharfen Ko
nturen, um für die Schriftscheiben das Optimale an K
onturenschärfe herauszuholen. Um die Qualität des E

1,75 mm (6,5 p) 20 30 40 50

Berthold-Schriften überzeugen durch Schärfe und
Qualität. Schriftqualität ist eine Frage der Erfahru
ng. Berthold hat diese Erfahrung seit über hundert
Jahren. Zuerst im Schriftguß, dann im Fotosatz. Be
rthold-Schriften sind weltweit geschätzt. Im Schri
ftenatelier München wird jeder Buchstabe in der G
röße von zwölf Zentimetern neu gezeichnet. Mit m
esserscharfen Konturen, um für die Schriftscheibe
n das Optimale an Konturenschärfe herauszuhole

1,86 mm (7 p) 20 30 40

Berthold-Schriften überzeugen durch Schärfe
und Qualität. Schriftqualität ist eine Frage der
Erfahrung. Berthold hat diese Erfahrung seit ü
ber hundert Jahren. Zuerst im Schriftguß, dann
im Fotosatz. Berthold-Schriften sind weltweit
geschätzt. Im Schriftenatelier München wird je
der Buchstabe in der Größe von zwölf Zentimet
ern neu gezeichnet. Mit messerscharfen Kontu
ren, um für die Schriftscheiben das Optimale an

2,00 mm (7,5 p) 20 30 40

Berthold-Schriften überzeugen durch Schär
fe und Qualität. Schriftqualität ist eine Frage
der Erfahrung. Berthold hat diese Erfahrung
seit über hundert Jahren. Zuerst im Schriftgu
ß, dann im Fotosatz. Berthold-Schriften sin
d weltweit geschätzt. Im Schriftenatelier Mü
nchen wird jeder Buchstabe in der Größe von
zwölf Zentimetern neu gezeichnet. Mit mess
erscharfen Konturen, um für die Schriftschei

2,15 mm (8 p) 20 30 40

F. H. Pierpont
1913
Monotype Corp. Ltd.
H. Berthold AG

ABCDEFGHIJKLMNOPQ
RSTUVWXYZ
abcdefghijklmnopqrstuvwxyz
1/1234567890%
(.,-;:!¡?¿–)·[‘„”“»«]
+−=/$£†*&§
ÄÅÆÖØŒÜäåæıöøœßü
ÁÀÂÃÇČÉÈÊËÍÌÎÏĹŇÑÓÒÔÕ
ŔŘŠŤÚÙÛŴẄÝŶŸŽ
áàâãçčéèêëíìîïĺňñóòôõŕřš
úùûŵẅýỳÿž

Berthold-Schriftweite weit
Berthold-Schriftweite normal
Berthold-Schriftweite eng
Berthold-Schriftweite sehr eng
Berthold-Schriftweite extrem eng

Berthold
3,75 mm (14 p)

Berthold
4,25 mm (16 p)

Berthold
4,75 mm (18 p)

Berthold
5,30 mm (20 p)

Berthold
6,35 mm (24 p)

Berthold
7,40 mm (28 p)

Berthold
8,50 mm (32 p)

Berthold
9,55 mm (36 p)

Größe		Zeilenabstand			100 Zeichen		
mm	p	kp	Êp	Ex	0	−1	−2
1,33	5	1,69	2,06	2,00	86	83	80
1,60	6	2,06	2,44	2,50	101	97	93
1,86	7	2,38	2,81	3,00	116	112	108
2,15	8	2,75	3,25	3,50	132	127	122
2,40	9	3,06	3,63	3,75	148	142	136
2,65	10	3,38	4,06	4,25	163	156	149
2,92	11	3,69	4,44	4,75	178	171	164
3,20	12	4,06	4,88	5,25	193	185	177
3,45	13	4,38	5,25	5,75	209	201	193
3,72	14	4,69	5,63	–	224	215	206
3,98	15	5,06	6,06	–	239	230	221
4,25	16	5,38	6,44	–	254	244	234

WZ 13 E, NSW 0, MZB 0,61, F 0,13:0,063 (2,1), II
H 1–x 0,66–k 1,02–p 0,24–Ê 1,27–kp 1,26–Êp 1,51
BF 089 0548, Belegung 051: 086 2172 (096 2172)

Berthold-Schriften überzeugen durch S
chärfe und Qualität. Schriftqualität ist e
ine Frage der Erfahrung. Berthold hat di
ese Erfahrung seit über hundert Jahren
Zuerst im Schriftguß, dann im Fotosatz
Berthold-Schriften sind weltweit gesch
ätzt. Im Schriftenatelier München wird j
eder Buchstabe in der Größe von zwölf

2,40 mm (9 p) 20 30

Berthold-Schriften überzeugen dur
ch Schärfe und Qualität. Schriftqual
ität ist eine Frage der Erfahrung. Ber
thold hat diese Erfahrung seit über
hundert Jahren. Zuerst im Schriftg
uß, dann im Fotosatz. Berthold-Sch
riften sind weltweit geschätzt. Im Sc
hriftenatelier München wird jeder B

2,65 mm (10 p) 20 30

Berthold-Schriften überzeugen
durch Schärfe und Qualität. Schr
iftqualität ist eine Frage der Erfa
hrung. Berthold hat diese Erfahr
ung seit über hundert Jahren. Zu
erst im Schriftguß, dann im Foto
satz. Berthold-Schriften sind wel
tweit geschätzt. Im Schriftenateli

2,92 mm (11 p) 10 20 30

Berthold-Schriften überzeug
en durch Schärfe und Qualität
Schriftqualität ist eine Frage d
er Erfahrung. Berthold hat die
se Erfahrung seit über hundert
Jahren. Zuerst im Schriftguß
dann im Fotosatz. Berthold-S
chriften sind weltweit geschät

3,20 mm (12 p) 10 20

Berthold-Schriften überzeu
gen durch Schärfe und Qual
ität. Schriftqualität ist eine
Frage der Erfahrung. Berth
old hat diese Erfahrung seit
über hundert Jahren. Zuerst
im Schriftguß, dann im Foto
satz. Berthold-Schriften sind

3,45 mm (13 p) 10 20

normal
regular
normal

PLANTIN

normal
chiaro tondo
normal

Berthold-Schriften überzeugen durch Schärfe und Qualität. Schriftqualit ät ist eine Frage der Erfahrung. Berthold hat diese Erfahrung seit über hu ndert Jahren. Zuerst im Schriftguß, dann im Fotosatz. Berthold-Schriften sind weltweit geschätzt. Im Schriftenatelier München wird jeder Buchsta be in der Größe von zwölf Zentimetern neu gezeichnet. Mit messerscha rfen Konturen, um für die Schriftscheiben das Optimale an Konturensch ärfe herauszuholen. Um die Qualität des Einzelzeichens im Belichtungsv organg zu bewahren, wird durch die ruhende, nicht rotierende Schriftsch eibe belichtet. Dieses optische System, verbunden mit Präzisions-Chro

4,25 mm (16 p), Zeilenabstand 6,75 mm

PLANTIN REGULAR

In general, bodytypes are measured in the typo graphical point size. The sizes of Berthold Foto type faces can be exactly determined. All faces of same point size have the same capital heigth–irre spective of their x-heigth. In hot metal and many other phototypesetting systems the capital heigths often differ considerably from one face to the other. For measuring point sizes, a transparent size gauge is provided. To determine the point size, bring a capital letter into coincidence with that field which precisely circumscribes the letter at its upper and lower margin. Below the field you find the typographical point and below that the millimeter value, which also refers to the height of a capital letter. In Berthold-phototypesetting, the typewidth can be modified. The standard setting width of typefaces is determined by the principle of optimum legibility. You should not depart from this typewidth without cogent reason. A typeface which is considered optically right when looked in a greater context, often seems bulky when ap plied for a small amount of text, e. g. labels and

2,40 mm (9 p), Zeilenabstand 4,25 mm

PLANTIN NORMAL

La valeur de la force de corps des caractères de labeur èst généralement exprimée en points typographiques. La force de corps des caractères Berthold-Fototype peut être dé terminée avec précision. Tous les caractères du même corps ont des capitales d'une hau teur identique, indépendamment de la hau teur des bas de casse sans jambage. Dans la composition plomb, ainsi que dans certains systèmes de photocomposition, la hauteur des capitales, varie souvent d'un caractère à l'autre. Pour déterminer la force de corps de nos caractères, nous avons mis au point une réglette de hauteur d'œil transparente. On cherche le rectangle qui délimite exactement la hauteur d'œil d'une capitale du caractère choisi. Sous le rectangle correspondant la valeur de la force de corps est indiquée en points Didots et en millimètres. La valeur en millimètres exprime également la hauteur

2,65 mm (10 p), Zeilenabstand 4,69 mm

La indicación de las dimensiones para cuerpos de letra básicos tiene lugar en general en puntos tipográficos. Los cuerpos de letra de los caracte res Berthold Fototype pueden determinarse ex actemente par medición. Con independencia de la altura de sus longitudes centrales, todos los caracteres de idéntico cuerpo de letra pre sentan altura de mayúsculas idéntica. En la composición en plomo y en muchos otros siste

2,15 mm (8 p), −1, Zeilenabstand 3,38 mm

123,– $	456,– £	7890,– DM	1 %
234,– $	789,– £	1234,– DM	2 %
567,– $	12,– £	5678,– DM	3 %
890,– $	345,– £	9012,– DM	4 %
123,– $	678,– £	3456,– DM	5 %
456,– $	901,– £	7890,– DM	6 %
789,– $	234,– £	1234,– DM	7 %
12,– $	567,– £	5678,– DM	8 %
345,– $	890,– £	9012,– DM	9 %

BF 089 0549

Le misure relative al corpo dei caratteri vengono generalmente indicate in punti tipografici. Il cor po dei caratteri Fototypes può essere determinato con esattezza per semplice misurazione. Tutti i ca ratteri di uguale grandezza in punti hanno, indi pendentemente dalla loro lunghezza, uguale al tezza delle maiuscole. Nella composizione in piombo ed in molti altri sistemi di fotocomposizi one, l'altezza delle maiuscole varia spesso da ca

2,15 mm (8 p), −2, Zeilenabstand 3,38 mm

kursiv
italic
italique

PLANTIN

cursiva
corsivo
kursiv

Måttangivelse för grundstilsgrader sker i allmänhet i typografiska punkt er. Stilar av Berthold Fototype kan ef ter mätning exakt gradbestämmas. Al la typsnitt är av samma punktstor lek och har oberoende av x-höjden en identisk versalhöjd. I blysättning och i många andra fotosättsystem varierar versalhöjden avsevärt från typsnitt ti ll typsnitt. För mätning av stilgrader finns en transparent mätlinjal. Vid mätningen placerar man en versal bo kstav så att rutorna begränsar tecknet upptill och nedtill. Under rutorna fin ns stilstorleken i typografiska didotp unkter och i mm. Även millimeterup pgiften avser versalhöjden. Vid stilst orleksuppgifter anges alltid måtten h eten efter sifferuppgiften t ex 14 pun

2,92 mm (11 p), Zeilenabstand 4,69 mm

Monotype Corp. Ltd.
H. Berthold AG

ABCDEFGHIJKLMNOPQ
RSTUVWXYZ
abcdefghijklmnopqrstuvwxyz
1/1234567890%
(.,-;:!¡?¿–) · [‘‚ ”“»«]
+–=/$£†&§*
ÄÅÆÖØŒÜäåæıöøœßü
ÁÀÂÃÇČÉÈÊËÍÌÎÏĹŇÑÓÒÔÕ
ŔŘŠŤÚÙÛŴẄÝỲŸŽ
áàâãçčéèêëíìîïĺňñóòôõŕřš
úùûŵẅýỳÿž

Berthold-Schriftweite weit
Berthold-Schriftweite normal
Berthold-Schriftweite eng
Berthold-Schriftweite sehr eng
Berthold-Schriftweite extrem eng

In general, bodytypes are measured in the typographical point size. The sizes of Berthold Fototype faces can be exactly determined. All faces of same point size have the same capi tal heigth–irrespective of their x heigth. In hot metal and many oth er phototypesetting systems the cap ital heigths often differ considerab ly from one face to the other. For measuring point sizes, a transpare nt size gauge is provided. To deter mine the point size, bring a capital letter into coincidence with that fie ld which precisely circumscribes th e letter at its upper and lower margi n. Below the field you find the typo

3,20 mm (12 p), Zeilenabstand 5,25 mm

PLANTIN KURSIV

Die Maßangabe zu Grundschriftgrößen erfolgt im all gemeinen in typographischen Punkten. Die Schriftgrö ßen der Berthold-Fotosatz-Schriften sind nach Mes sung exakt bestimmbar. Alle Schriften gleicher Punkt größe weisen, unabhängig von der Höhe ihrer Mittel längen, eine identische Versalhöhe auf. Im Bleisatz und bei vielen anderen Fotosatz-Systemen differieren die Versalhöhen von Schrift zu Schrift oft erheblich. Zum Messen von Schriftgrößen steht ein transparentes Grö ßenmaß zur Verfügung. Zum Messen wird ein Versal buchstabe mit dem Feld in Deckung gebracht, das den Buchstaben oben und unten scharf begrenzt. Unter dem Feld ist die Schriftgröße in typographischen Didot Punkten, darunter in Millimetern angegeben. Auch die Millimeterangaben beziehen sich auf die Höhe der Ver salbuchstaben. Die Schriftweite kann im Berthold-Fo tosatz beliebig verändert werden. Die Festlegung der Normalschriftweite erfolgt nach dem Prinzip der opti

2,40 mm (9 p), Zeilenabstand 4 mm

PLANTIN ITALIQUE

La valeur de la force de corps des caractères de la beur èst généralement exprimée en points typogra phiques. La force de corps des caractères Berthold Fototype peut être déterminée avec précision. Tous les caractères du même corps ont des capitales d'une hauteur identique, indépendamment de la hauteur des bas de casse sans jambage. Dans la composition plomb, ainsi que dans certains systèmes de photo composition, la hauteur des capitales, varie sou vent d'un caractère à l'autre. Pour déterminer la force de corps de nos caractères, nous avons mis au point une réglette de hauteur d'œil transparente On cherche le rectangle qui délimite exactement la hauteur d'œil d'une capitale du caractère choisi Sous le rectangle correspondant la valeur de la force de corps est indiquée en points Didots et en

2,65 mm (10 p), Zeilenabstand 4,50 mm

La indicación de las dimensiones para cuerpos de letra vásicos ti ene lugar en general en puntos tipográficos. Los cuerpos de letra de los caracteres Berthold Fototype pueden determinarse exactemen te par medición. Con independencia de la altura de sus longitudes centrales, todos los caracteres de idéntico cuerpo de letra presentan altura de mayúsculas idéntica. En la composición en plomo y en muchos otros sistemas de fotocomposición, las alturas de may úsculas varían frecuentemmente en forma considerable de tipo de letra a tipo de letra. Para medir los cuerpos de letra se dispone de un tipómetro, véase la figura. Para la medición se hace coincidir una letra mayúscula con la casilla cuyos extremos coinciden con los extremos superior e inferior de la letra. Bajo la casilla se indica

1,60 mm (6 p), Zeilenabstand 2,50 mm

Größe		Zeilenabstand			100 Zeichen		
mm	p	kp	Êp	Ex	0	–1	–2
1,33	5	1,75	2,06	–	75	72	69
1,60	6	2,06	2,44	2,50	89	85	81
1,86	7	2,44	2,88	–	102	98	94
2,15	8	2,81	3,31	3,38	116	111	106
2,40	9	3,13	3,69	4,00	130	124	118
2,65	10	3,44	4,06	4,50	143	136	129
2,92	11	3,75	4,50	4,69	157	150	143
3,20	12	4,13	4,88	5,25	170	162	154
3,45	13	4,44	5,25	–	183	175	167
3,72	14	4,81	5,69	–	197	188	179
3,98	15	5,13	6,06	–	210	201	192
4,25	16	5,50	6,50	–	223	213	203

WZ 12 E, NSW 0, MZB 0,54, F 0,12:0,042 (2,9), II
H 1–x 0,63–k 1,03–p 0,25–Ê 1,27–kp 1,28–Êp 1,52
BF 089 0550, Belegung 051: 086 2173 (096 2173)

Le misure relative al corpo dei caratteri vengono generalmente indicate in punti tipografici. Il corpo dei caratteri Fototypes può essere determinato con esattezza per semplice misurazione. Tutti i caratte ri di uguale grandezza in punti hanno, indipen dentemente dalla loro lunghezza, uguale altezza delle maiuscole. Nella composizione in piombo ed in molti altri sistemi di fotocomposizione, l'altezza delle maiuscole varia spesso da carattere a caratte

2,15 mm (8 p), Zeilenabstand 3,38 mm

halbfett
bold
demi-gras

PLANTIN

seminegra
neretto
halvfet

Berthold-Schriften überzeugen durch Schärfe und Qu alität. Schriftqualität ist eine Frage der Erfahrung. Ber thold hat diese Erfahrung seit über hundert Jahren. Zu erst im Schriftguß, dann im Fotosatz. Berthold-Schrift en sind weltweit geschätzt. Im Schriftenatelier Münch en wird jeder Buchstabe in der Größe von zwölf Zentim etern neu gezeichnet. Mit messerscharfen Konturen um für die Schriftscheiben das Optimale an Konturens chärfe herauszuholen. Um die Qualität des Einzelzeic

1,60 mm (6 p), Zeilenabstand 2,50 mm

Berthold-Schriften überzeugen durch Schärfe und Qualität. Schriftqualität ist eine Frage der Erfahrung. Berthold hat diese Erfahrung seit über hundert Jahren. Zuerst im Schriftguß, da nn im Fotosatz. Berthold-Schriften sind weltw eit geschätzt. Im Schriftenatelier München wi rd jeder Buchstabe in der Größe von zwölf Zent imetern neu gezeichnet. Mit messerscharfen K

1,86 mm (7 p), Zeilenabstand 3,00 mm

Berthold-Schriften überzeugen durch Sch ärfe und Qualität. Schriftqualität ist eine F rage der Erfahrung. Berthold hat diese Erf ahrung seit über hundert Jahren. Zuerst im Schriftguß, dann im Fotosatz. Berthold Schriften sind weltweit geschätzt. Im Sch riftenatelier München wird jeder Buchsta be in der Größe von zwölf Zentimetern ne

2,15 mm (8 p), Zeilenabstand 3,50 mm

Monotype Corp. Ltd.
H. Berthold AG

ABCDEFGHIJKLMNOPQ
RSTUVWXYZ
abcdefghijklmnopqrstuvwxyz
1/1234567890%
(.,-;:!¡?¿–)·['‘„”“»«]
+−=/$£†*&§
ÄÅÆÖØŒÜäåæıöøœßü
ÁÀÂÃÇČÉÈÊËÍÌÎÏĹŇÑÓÒÔÕ
ŔŘŠŤÚÙÛŴẄÝŶŸŽ
áàâãçčéèêëíìîïĺňñóòôõŕřš
úùûŵẅýỳÿž

Berthold-Schriftweite weit
Berthold-Schriftweite normal
Berthold-Schriftweite eng
Berthold-Schriftweite sehr eng
Berthold-Schriftweite extrem eng

In general, bodytypes are m easured in the typographical point size. The sizes of Ber thold Fototype faces can be exactly determined. All face s of same point size have the same capital height–irresp ective of their x-height. In h ot metal and many other ph ototypesetting systems the c apital heights often differ c onsiderably from one face to the other. For measuring po int sizes, a transparent size gauge is provided. To deter mine the point size, bring a capital letter into coinciden

3,20 mm (12 p), Zeilenabstand 5,25 mm

Berthold's quick brown fox jumps over the lazy dog and feels as if he were in th
3,75 mm (14 p)

Berthold's quick brown fox jumps over the lazy dog and feels as if he
4,25 mm (16 p)

Berthold's quick brown fox jumps over the lazy dog and feels
4,75 mm (18 p)

Berthold's quick brown fox jumps over the lazy dog an
5,30 mm (20 p)

Berthold's quick brown fox jumps over the la
6,35 mm (24 p)

Berthold's quick brown fox jumps over
7,40 mm (28 p)

Berthold's quick brown fox jumps
8,50 mm (32 p)

Berthold's quick brown fox ju
9,55 mm (36 p)

Berthold-Schriften überzeugen durc h Schärfe und Qualität. Schriftqualit ät ist eine Frage der Erfahrung. Berth old hat diese Erfahrung seit über hun dert Jahren. Zuerst im Schriftguß, da nn im Fotosatz. Berthold-Schriften s ind weltweit geschätzt. Im Schriftena telier München wird jeder Buchstabe

2,40 mm (9 p), Zeilenabstand 4,00 mm

Größe		Zeilenabstand			100 Zeichen		
mm	p	kp	Êp	Ex	0	−1	−2
1,33	5	1,69	2,00	—	91	88	85
1,60	6	2,00	2,38	2,50	107	103	99
1,86	7	2,38	2,81	3,00	123	119	115
2,15	8	2,69	3,19	3,50	140	135	130
2,40	9	3,00	3,56	4,00	157	151	145
2,65	10	3,31	3,94	4,00	173	166	159
2,92	11	3,69	4,38	—	189	182	175
3,20	12	4,00	4,75	5,25	205	197	189
3,45	13	4,31	5,13	—	221	213	205
3,72	14	4,69	5,56	—	237	228	219
3,98	15	5,00	5,94	—	253	244	235
4,25	16	5,31	6,31	—	269	259	249

WZ 12 E, NSW 0, MZB 0,65, F 0,20:0,067 (3,1), II
H 1–x 0,65–k 1,00–p 0,25–Ê 1,23–kp 1,25–Êp 1,48
BF 089 0551, Belegung 051: 086 2174 (096 2174)

Berthold-Schriften überzeugen d urch Schärfe und Qualität. Schrif tqualität ist eine Frage der Erfahr ung. Berthold hat diese Erfahrung seit über hundert Jahren. Zuerst i m Schriftguß, dann im Fotosatz Berthold-Schriften sind weltweit geschätzt. Im Schriftenatelier Mü

2,65 mm (10 p), Zeilenabstand 4,00 mm

kursiv halbfett
bold italic
italique demi-gras

PLANTIN

seminegra cursiva
neretto corsivo
kursiv halvfet

Berthold-Schriften überzeugen durch Schärfe und Qu alität. Schriftqualität ist eine Frage der Erfahrung. Be rthold hat diese Erfahrung seit über hundert Jahr en. Zuerst im Schriftguß, dann im Fotosatz. Berthold Schriften sind weltweit geschätzt. Im Schriftenatelier München wird jeder Buchstabe in der Größe von zwölf Zentimetern neu gezeichnet. Mit messerscharfen Kon turen, um für die Schriftscheiben das Optimale an Ko nturenschärfe herauszuholen. Um die Qualität des Ei

1,60 mm (6 p), Zeilenabstand 2,50 mm

Berthold-Schriften überzeugen durch Schärfe und Qualität. Schriftqualität ist eine Frage der Erfahrung. Berthold hat diese Erfahrung seit über hundert Jahren. Zuerst im Schriftguß, da nn im Fotosatz. Berthold-Schriften sind weltw eit geschätzt. Im Schriftenatelier München wird jeder Buchstabe in der Größe von zwölf Zentim etern neu gezeichnet. Mit messerscharfen Kont

1,86 mm (7 p), Zeilenabstand 3,00 mm

Berthold-Schriften überzeugen durch Sc härfe und Qualität. Schriftqualität ist eine Frage der Erfahrung. Berthold hat diese Erfahrung seit über hundert Jahren. Zuer st im Schriftguß, dann im Fotosatz. Berth old-Schriften sind weltweit geschätzt. Im Schriftenatelier München wird jeder Buc hstabe in der Größe von zwölf Zentimetern

2,15 mm (8 p), Zeilenabstand 3,50 mm

Monotype Corp. Ltd.
H. Berthold AG

ABCDEFGHIJKLMNOPQ
RSTUVWXYZ
abcdefghijklmnopqrstuvwxyz
1/1234567890%
(.,-;:!¡?¿–)·[’‘„”“»«]
+−=/$£†*&§
ÄÅÆÖØŒÜäåæıöøœßü
ÁÀÂÃÇČÉÈÊËÍÌÎÏĹŇÑÓÒÔÕ
ŔŘŠŤÚÙÛŴẄÝŶŸŽ
áàâãçčéèêëíìîïĺňñóòôõŕřš
úùûŵẅýỳÿž

Berthold-Schriftweite weit
Berthold-Schriftweite normal
Berthold-Schriftweite eng
Berthold-Schriftweite sehr eng
Berthold-Schriftweite extrem eng

In general, bodytypes are m easured in the typographic al point size. The sizes of Be rthold Fototype faces can be exactly determined. All faces of same point size have the same capital heigth-irresp ective of their x-heigth. In ho t metal and many other phot otypesetting systems the cap ital heigths often differ con siderably from one face to th e other. For measuring point sizes, a transparent size gau ge is provided. To determine the point size, bring a capit al letter into coincidence wit

3,20 mm (12 p), Zeilenabstand 5,25 mm

Berthold’s quick brown fox jumps over the lazy dog and feels as if he were in t
3,75 mm (14 p)

Berthold’s quick brown fox jumps over the lazy dog and feels as if he
4,25 mm (16 p)

Berthold’s quick brown fox jumps over the lazy dog and feels
4,75 mm (18 p)

Berthold’s quick brown fox jumps over the lazy dog an
5,30 mm (20 p)

Berthold’s quick brown fox jumps over the la
6,35 mm (24 p)

Berthold’s quick brown fox jumps over
7,40 mm (28 p)

Berthold’s quick brown fox jumps
8,50 mm (32 p)

Berthold’s quick brown fox ju
9,55 mm (36 p)

Berthold-Schriften überzeugen durch Schärfe und Qualität. Schriftqualität ist eine Frage der Erfahrung. Bertho ld hat diese Erfahrung seit über hun dert Jahren. Zuerst im Schriftguß, da nn im Fotosatz. Berthold-Schriften s ind weltweit geschätzt. Im Schriften atelier München wird jeder Buchsta

2,40 mm (9 p), Zeilenabstand 4,00 mm

Größe mm	p	Zeilenabstand kp	Êp	Ex	100 Zeichen 0	−1	−2
1,33	5	1,69	2,06	—	91	88	85
1,60	6	2,00	2,44	2,50	107	103	99
1,86	7	2,38	2,81	3,00	123	119	115
2,15	8	2,69	3,25	3,50	140	135	130
2,40	9	3,00	3,63	4,00	157	151	145
2,65	10	3,31	4,06	4,00	173	166	159
2,92	11	3,69	4,44	—	189	182	175
3,20	12	4,00	4,88	5,25	205	197	189
3,45	13	4,31	5,25	—	221	213	205
3,72	14	4,69	5,63	—	237	228	219
3,98	15	5,00	6,06	—	253	244	235
4,25	16	5,31	6,44	—	269	259	249

WZ 13 E, NSW 0, MZB 0,65, F 0,18:0,071 (2,6), II
H 1–x 0,64–k 1,01–p 0,24–Ê 1,27–kp 1,25–Êp 1,51
BF 089 0552, Belegung 051: 086 2175 (096 2175)

Berthold-Schriften überzeugen d urch Schärfe und Qualität. Schrif tqualität ist eine Frage der Erfahr ung. Berthold hat diese Erfahrung seit über hundert Jahren. Zuerst i m Schriftguß, dann im Fotosatz Berthold-Schriften sind weltweit geschätzt. Im Schriftenatelier Mü

2,65 mm (10 p), Zeilenabstand 4,00 mm

schmalfett
bold condensed
étroit gras

PLANTIN

negra estrecha
nero stretto
smalfet

Berthold-Schriften überzeugen durch Schärfe und Qualität. Schriftqu alität ist eine Frage der Erfahrung. Berthold hat diese Erfahrung seit ü ber hundert Jahren. Zuerst im Schriftguß, dann im Fotosatz. Berthold Schriften sind weltweit geschätzt. Im Schriftenatelier München wird j eder Buchstabe in der Größe von zwölf Zentimetern neu gezeichnet. M it messerscharfen Konturen, um für die Schriftscheiben das Optimale an Konturenschärfe herauszuholen. Um die Qualität des Einzelzeiche ns im Belichtungsvorgang zu bewahren, wird durch die ruhende, nicht rotierende Schriftscheibe belichtet. Dieses optische System, verbund

1,60 mm (6 p), Zeilenabstand 2,50 mm

Berthold-Schriften überzeugen durch Schärfe und Qualität Schriftqualität ist eine Frage der Erfahrung. Berthold hat die se Erfahrung seit über hundert Jahren. Zuerst im Schriftguß dann im Fotosatz. Berthold-Schriften sind weltweit geschätz t. Im Schriftenatelier München wird jeder Buchstabe in der G röße von zwölf Zentimetern neu gezeichnet. Mit messerschar fen Konturen, um für die Schriftscheiben das Optimale an Ko nturenschärfe herauszuholen. Um die Qualität des Einzelzei

1,86 mm (7 p), Zeilenabstand 3,00 mm

Berthold-Schriften überzeugen durch Schärfe und Qu alität. Schriftqualität ist eine Frage der Erfahrung. Ber thold hat diese Erfahrung seit über hundert Jahren. Zu erst im Schriftguß, dann im Fotosatz. Berthold-Schrift en sind weltweit geschätzt. Im Schriftenatelier Münch en wird jeder Buchstabe in der Größe von zwölf Zentim etern neu gezeichnet. Mit messerscharfen Konturen, u m für die Schriftscheibe das Optimale an Konturensch

2,15 mm (8 p), Zeilenabstand 3,50 mm

Monotype Corp. Ltd.
H. Berthold AG

ABCDEFGHIJKLMNOPQ
RSTUVWXYZ
abcdefghijklmnopqrstuvwxyz
1/1234567890%
(.,-;:!¡?¿–)·[’‘„”“»«]
+−=/$£†*&§
ÄÅÆÖØŒÜäåæıöøœßü
ÁÀÂÃÇČÉÈÊËÍÌÎÏĹŇÑÓÒÔÕ
ŔŘŠŤÚÙÛŴẄÝỲŸŽ
áàâãçčéèêëíìîïĺňñóòôõŕřš
úùûŵẅýỳÿž

Berthold-Schriftweite weit
Berthold-Schriftweite normal
Berthold-Schriftweite eng
Berthold-Schriftweite sehr eng
Berthold-Schriftweite extrem eng

In general, bodytypes are measured i n the typographical point size. The siz es of Berthold Fototype faces can be e xactly determined. All faces of same p oint size have the same capital height irrespective of their x-height. In hot metal and many other phototypesett ing systems the capital heights often differ considerably from one face to t he other. For measuring point sizes, a transparent size gauge is provided. To determine the point size, bring a capi tal letter into coincidence with that fi eld which precisely circumscribes the letter at its upper and lower margin Below the field you find the typograp raphical point and below that the milli

3,20 mm (12 p), Zeilenabstand 5,25 mm

Berthold's quick brown fox jumps over the lazy dog and feels as if he were in the seventh heaven of typo
3,72 mm (14 p)

Berthold's quick brown fox jumps over the lazy dog and feels as if he were in the seventh he
4,25 mm (16 p)

Berthold's quick brown fox jumps over the lazy dog and feels as if he were in the s
4,75 mm (18 p)

Berthold's quick brown fox jumps over the lazy dog and feels as if he were
5,30 mm (20 p)

Berthold's quick brown fox jumps over the lazy dog and feels
6,35 mm (24 p)

Berthold's quick brown fox jumps over the lazy dog
7,40 mm (28 p)

Berthold's quick brown fox jumps over the laz
8,50 mm (32 p)

Berthold's quick brown fox jumps over t
9,55 mm (36 p)

Berthold-Schriften überzeugen durch Schärfe u nd Qualität. Schriftqualität ist eine Frage der Erfa hrung. Berthold hat diese Erfahrung seit über hu ndert Jahren. Zuerst im Schriftguß, dann im Foto satz. Berthold-Schriften sind weltweit geschätzt Im Schriftenatelier München wird jeder Buchsta be in der Größe von zwölf Zentimetern neu gezeic hnet. Mit messerscharfen Konturen, um für die S

2,40 mm (9 p), Zeilenabstand 4,00 mm

Größe mm	p	Zeilenabstand kp	Êp	Ex	100 Zeichen 0	−1	−2
1,33	5	1,69	2,06	–	71	68	65
1,60	6	2,06	2,44	2,50	83	79	75
1,86	7	2,38	2,88	3,00	96	92	88
2,15	8	2,75	3,31	3,50	109	104	99
2,40	9	3,06	3,69	4,00	122	116	110
2,65	10	3,38	4,06	4,00	135	128	121
2,92	11	3,69	4,44	–	147	140	133
3,20	12	4,06	4,88	5,25	160	152	144
3,45	13	4,38	5,25	–	172	164	156
3,72	14	4,69	5,69	–	185	176	167
3,98	15	5,06	6,06	–	197	188	179
4,25	16	5,38	6,50	–	210	200	190

WZ 10 E, NSW 0, MZB 0,51, F 0,18:0,07 (2,6), II
H 1–x 0,65–k 1,01–p 0,25–Ê 1,27–kp 1,26–Êp 1,52
BF 089 1038, Belegung 051: 085 1052 (095 1052)

Berthold-Schriften überzeugen durch Schär fe und Qualität. Schriftqualität ist eine Frage der Erfahrung. Berthold hat diese Erfahrung seit über hundert Jahren. Zuerst im Schriftg uß, dann im Fotosatz. Berthold-Schriften si nd weltweit geschätzt. Im Schriftenatelier München wird jeder Buchstabe in der Größe von zwölf Zentimetern neu gezeichnet. Mit

2,65 mm (10 p), Zeilenabstand 4,00 mm

normal
regular
normal

POLKA

normal
chiaro tondo
normal

In general, bodytypes are measured in the typo graphical point size. The sizes of Berthold Fot otype faces can be exactly determined. All fac es of same point size have the same capital hei ght–irrespective of their x-height. In hot metal and many other phototypesetting systems the capital heights often differ considerably from one face to the other. For measuring point sizes, a transparent size gauge is provided. To determine the point size, bring a capital letter into coincidence with that field which precisely circumscribes the letter at its upper and lower margin. Below the field you find the typograph ical point and below that the millimeter value which also refers to the height of a capital lette r. In Berthold-phototypesetting, the typewidth can be modified. The standard setting width of

3,20 mm (12 p), Zeilenabstand 5,25 mm

Peter Dom
1950
American Typefounders
H. Berthold AG

ABCDEFGHIJKLMNOPQ
RSTUVWXYZ
abcdefghijklmnopqrstuvwxyz
1/1234567890%
(.,-;:!¡?¿–)·['',""»«]
+–=/$£†*&§
ÄÅÆÖØŒÜäåæıöøœßü
ÁÀÂÃÇČÉÈÊËÍÌÎÏĹŇÑÓÒÔÕ
ŔŘŠŤÚÙÛŴẄÝŶŸŽ
áàâãçčéèêëíìîïĺňñóòôõŕřš
úùûŵẅýỳÿž

Berthold-Schriftweite weit
Berthold-Schriftweite normal
Berthold-Schriftweite eng
Berthold-Schriftweite sehr eng
Berthold-Schriftweite extrem eng

Bouillabaisse.................... 7,95
Frisch gebeizter Ostseelachs....... 16,70
Japanische Wachteleier........... 13,75
Gegrillte Scampi................. 17,80
Lammkotelett Provençale.......... 15,30
Hasenkeule Chasseur.............. 19,50
Ente pochiert in der Blase......... 22,50
Kalbsmedaillons Gourmet......... 18,50
Kalbsfilet Grand Seigneur......... 24,50
Weinhändlertopf................. 16,80
Mistchratzerli................... 19,50
Entrecôte Double Paris............ 28,50
Tournedos Phantasie.............. 27,50
Fondue Bourguignonne........... 39,50
Walderdbeeren................... 7,50
Eisbaiser Schlaccamadilla......... 8,50
Feigen mit Pfeffer auf Eis......... 9,75

3,20 mm (12 p), Zeilenabstand 5,25 mm

Barbara Helga Agnes Joana Natalie Gaby Sonja Karen Rebekka Christiane Ortrud Lydia Anna Sarah Sophie Hannelore Eva
3,72 mm (14 p)

Barbara Helga Agnes Joana Natalie Gaby Sonja Karen Rebekka Christiane Ortrud Lydia Anna Sarah Sophie
4,25 mm (16 p)

Barbara Helga Agnes Joana Natalie Gaby Sonja Karen Rebekka Christiane Ortrud Lydia Anna Eva
4,75 mm (18 p)

Barbara Helga Agnes Joana Natalie Gaby Sonja Karen Rebekka Christiane Ortrud Lydia
5,30 mm (20 p)

Barbara Helga Agnes Joana Natalie Gaby Sonja Karen Rebekka Christiane
6,35 mm (24 p)

Barbara Helga Agnes Joana Natalie Gaby Sonja Karen Rebekka
7,40 mm (28 p)

Barbara Helga Agnes Joana Natalie Gaby Sonja Rebekka
8,50 mm (32 p)

Barbara Helga Agnes Joana Natalie Gaby Christel
9,55 mm (36 p)

Berthold-Schriften überzeugen durch Schärfe und Qu alität. Schriftqualität ist eine Frage der Erfahrung. Ber thold hat diese Erfahrung seit über hundert Jahren. Zue rst im Schriftguß, dann im Fotosatz. Berthold-Schriften sind weltweit geschätzt. Im Schriftenatelier München w ird jeder Buchstabe in der Größe von zwölf Zentimetern neu gezeichnet. Mit messerscharfen Konturen, um für d ie Schriftscheiben das Optimale an Konturenschärfe h

2,65 mm (10 p), Zeilenabstand 4,00 mm

Größe		Zeilenabstand			100 Zeichen		
mm	p	kp	Êp	Ex	0	–1	–2
1,33	5	1,81	2,19	–	57	54	51
1,60	6	2,19	2,63	–	67	63	59
1,86	7	2,56	3,00	–	77	73	69
2,15	8	2,94	3,50	–	88	83	78
2,40	9	3,25	3,88	–	99	93	87
2,65	10	3,63	4,31	4,00	109	102	95
2,92	11	4,00	4,75	4,63	119	112	105
3,20	12	4,38	5,19	5,25	129	121	113
3,45	13	4,69	5,56	–	139	131	123
3,72	14	5,06	6,00	–	149	140	131
3,98	15	5,38	6,44	–	159	150	141
4,25	16	5,75	6,88	–	169	159	149

WZ 9 E, NSW 0, MZB 0,41 F 0,14:0,11 (1,3), VIII
H 1–x 0,63–k 1,00–p 0,35–Ê 1,26–kp 1,35–Êp 1,61
BF 089 1363, Belegung 051: 085 1489 (095 1489)

Berthold-Schriften überzeugen durch Schärfe und Qualität. Schriftqualität ist eine Frage der Erfahru ng. Berthold hat diese Erfahrung seit über hundert J ahren. Zuerst im Schriftguß, dann im Fotosatz. Be rthold-Schriften sind weltweit geschätzt. Im Schri ftenatelier München wird jeder Buchstabe in der Gr öße von zwölf Zentimetern neu gezeichnet. Mit me

2,92 mm (11 p), Zeilenabstand 4,63 mm

halbfett
medium
demi-gras

POLKA

seminegra
neretto
halvfet

In general, bodytypes are measured in the typographical point size. The sizes of Bert hold Fototype faces can be exactly deter mined. All faces of same point size have the same capital height–irrespective of their x-height. In hot metal and many other pho totypesetting systems the capital heights often differ considerably from one face to the other. For measuring point sizes, a tra nsparent size gauge is provided. To deter mine the point size, bring a capital letter into coincidence with that field which prec isely circumscribes the letter at its upper and lower margin. Below the field you find the typographical point and below that the millimeter value, which also refers to the h eight of a capital letter. In Berthold-phot

3,20 mm (12 p), Zeilenabstand 5,25 mm

Peter Dom
1950
American Typefounders
H. Berthold AG

ABCDEFGHIJKLMNOPQ
RSTUVWXYZ
abcdefghijklmnopqrstuvwxyz
1/1234567890%
(.,-;:!¡?¿–)·['',,""»«]
+–=/$£†*&§
ÄÅÆÖØŒÜäåæıöøœßü
ÁÀÂÃÇČÉÈÊËÍÌÎÏĹŇÑÓÒÔÕ
ŔŘŠŤÚÙÛŴẄÝŶŸŽ
áàâãçčéèêëíìîïĺňñóòôõŕřš
úùûŵẅýỳÿž

Berthold-Schriftweite weit
Berthold-Schriftweite normal
Berthold-Schriftweite eng
Berthold-Schriftweite sehr eng
Berthold-Schriftweite extrem eng

Bouillabaisse.................... 7,95
Frisch gebeizter Ostseelachs..... 16,70
Japanische Wachteleier 13,75
Gegrillte Scampi 17,80
Lammkotelett Provençale 15,30
Hasenkeule Chasseur 19,50
Ente pochiert in der Blase....... 22,50
Kalbsmedaillons Gourmet 18,50
Kalbsfilet Grand Seigneur....... 24,50
Weinhändlertopf................ 16,80
Mistchratzerli 19,50
Entrecôte Double Paris 28,50
Tournedos Phantasie............ 27,50
Fondue Bourguignonne 39,50
Walderdbeeren 7,50
Eisbaiser Schlaccamadilla 8,50
Feigen mit Pfeffer auf Eis....... 9,75

3,20 mm (12 p), Zeilenabstand 5,25 mm

Barbara Helga Agnes Joana Natalie Gaby Sonja Korinna Rebekka Christiane Ortrud Lydia Anna Sarah Sophie
3,72 mm (14 p)

Barbara Helga Agnes Joana Natalie Gaby Sonja Karen Rebekka Christiane Anna Sarah Sophie
4,25 mm (16 p)

Barbara Helga Agnes Joana Natalie Gaby Sonja Rebekka Christiane Anna Sarah Sophie
4,75 mm (18 p)

Barbara Helga Agnes Joana Natalie Gaby Sonja Korinna Anna Sarah Sophie
5,30 mm (20 p)

Barbara Helga Agnes Joana Natalie Gaby Sonja Anna Sarah Sophie
6,35 mm (24 p)

Barbara Helga Agnes Joana Natalie Gaby Anna Sarah Eva
7,40 mm (28 p)

Barbara Helga Agnes Joana Natalie Gaby Anna Eva
8,50 mm (32 p)

Barbara Helga Agnes Joana Natalie Anna Eva
9,55 mm (36 p)

Berthold-Schriften überzeugen durch Schärfe und Qualität. Schriftqualität ist eine Frage der Erfahr ung. Berthold hat diese Erfahrung seit über hunde rt Jahren. Zuerst im Schriftguß, dann im Fotosatz Berthold-Schriften sind weltweit geschätzt. Im S chriftenatelier München wird jeder Buchstabe in der Größe von zwölf Zentimetern neu gezeichnet Mit messerscharfen Konturen, um für die Schrift

2,65 mm (10 p), Zeilenabstand 4,00 mm

Größe mm	p	Zeilenabstand kp	Êp	Ex	100 Zeichen 0	–1	–2
1,33	5	1,69	1,88	–	78	75	72
1,60	6	2,06	2,25	–	92	88	84
1,86	7	2,38	2,56	–	106	102	98
2,15	8	2,75	3,00	–	120	115	110
2,40	9	3,06	3,31	–	134	128	122
2,65	10	3,38	3,69	4,00	148	141	134
2,92	11	3,75	4,06	4,63	162	155	148
3,20	12	4,13	4,44	5,25	176	168	160
3,45	13	4,44	4,75	–	190	182	174
3,72	14	4,75	5,13	–	203	194	185
3,98	15	5,06	5,50	–	217	208	199
4,25	16	5,44	5,88	–	231	221	211

WZ 9 E, NSW 0, MZB 56, F 0,18:0,14 (1,3), VIII
H 1–x 0,65–k 1,04–p 0,31–Ê 1,27–kp 1,37–Êp 1,58
BF 089 1223, Belegung 051: 085 1360 (095 1360)

Berthold-Schriften überzeugen durch Schärfe und Qualität. Schriftqualität ist eine Frage der Erfahrung Berthold hat diese Erfahrung seit über hundert Jahren. Zuerst im Schriftguß da nn im Fotosatz. Berthold-Schriften sind welt weit geschätzt. Im Schriftenatelier München wird jeder Buchstabe in der Größe von zwölf

2,92 mm (11 p), Zeilenabstand 4,63 mm

normal
regular
normal

POPPL-COLLEGE 1

normal
chiaro tondo
normal

In general, bodytypes are measur ed in the typographical point size The sizes of Berthold Fototype fac es can be exactly determined. All f aces of same point size have the s ame capital height–irrespective of their x-height. In hot metal and ma ny other phototypesetting systems the capital heights often differ cons iderably from one face to the other For measuring point sizes, a transp arent size gauge is provided. To de termine the point size, bring a capi tal letter into coincidence with th at field which precisely circumscri bes the letter at its upper and lower margin. Below the field you find th

3,20 mm (12 p), Zeilenabstand 5,25 mm

Friedrich Poppl
1981
H. Berthold AG

ABCDEFGHIJKLMNOPQ
RSTUVWXYZ
abcdefghijklmnopqrstuvwxyz
1/1234567890%
(.,-;:!¡?¿–)·['',""»«]
+–=/$£†&§*
ÄÅÆÖØŒÜäåæıöøœßü
ÁÀÂÃÇČÉÈÊËÍÌÎÏĹŇÑÓÒÔÕ
ŔŘŠŤÚÙÛŴẄÝŶŸŽ
áàâãçčéèêëíìîïĺňñóòôõŕřš
úùûŵẅýỳÿž

Berthold-Schriftweite weit
Berthold-Schriftweite normal
Berthold-Schriftweite eng
Berthold-Schriftweite sehr eng
Berthold-Schriftweite extrem eng

Bouillabaisse 7,95
Frisch gebeizter Seelachs .. 16,70
Japanische Wachteleier.... 13,75
Gegrillte Scampi 17,80
Lammkotelett Provençale .. 15,30
Hasenkeule Chasseur 19,50
Ente pochiert in der Blase . 22,50
Kalbsmedaillons Gourmet . 18,50
Kalbsfilet Grand Seigneur . 24,50
Weinhändlertopf 16,80
Mistchratzerli 19,50
Entrecôte Double Paris..... 28,50
Tournedos Phantasie 27,50
Fondue Bourguignonne 39,50
Walderdbeeren 7,50
Baiser Schlaccamadilla.... 8,50
Feigen mit Pfeffer auf Eis .. 9,75

3,20 mm (12 p), Zeilenabstand 5,25 mm

Barbara Helga Agnes Joana Natalie Gaby Sonja Karen Rebekka Christiane Ortrud Lydia
3,72 mm (14 p)

Barbara Helga Agnes Joana Natalie Gaby Sonja Karen Rebekka Christiane Eva
4,25 mm (16 p)

Barbara Helga Agnes Joana Natalie Gaby Sonja Karen Rebekka Ortrud
4,75 mm (18 p)

Barbara Helga Agnes Joana Natalie Gaby Sonja Karen Renate
5,30 mm (20 p)

Barbara Helga Agnes Joana Natalie Gaby Christiane
6,35 mm (24 p)

Barbara Helga Agnes Joana Natalie Gaby Eva
7,40 mm (28 p)

Barbara Helga Agnes Joana Natalie Gaby
8,50 mm (32 p)

Barbara Helga Agnes Joana Natalie
9,55 mm (36 p)

Berthold-Schriften überzeugen durch Sch ärfe und Qualität. Schriftqualität ist eine Frage der Erfahrung. Berthold hat diese Erfahrung seit über hundert Jahren. Zue rst im Schriftguß, dann im Fotosatz. Bert hold-Schriften sind weltweit geschätzt. Im Schriftenatelier München wird jeder Buc hstabe in der Größe von zwölf Zentimeter

2,65 mm (10 p), Zeilenabstand 4,00 mm

Größe		Zeilenabstand			100 Zeichen		
mm	p	kp	Êp	Ex	0	–1	–2
1,33	5	1,88	2,13	–	74	71	68
1,60	6	2,25	2,56	–	87	83	79
1,86	7	2,63	3,00	–	100	96	92
2,15	8	3,06	3,44	–	114	109	104
2,40	9	3,38	3,88	–	128	122	116
2,65	10	3,75	4,25	4,00	141	134	127
2,92	11	4,13	4,69	4,63	154	147	140
3,20	12	4,50	5,13	5,25	167	159	151
3,45	13	4,88	5,56	–	180	172	164
3,72	14	5,25	6,00	–	193	184	175
3,98	15	5,63	6,38	–	206	197	188
4,25	16	6,00	6,81	–	219	209	199

WZ 13 E, NSW +1, MZB 0,53, F 0,09:0,08 (1,1), VIII
H 1–x 0,69–k 1,06–p 0,34–Ê 1,26–kp 1,40–Êp 1,60
BF 089 1129, Belegung 051: 085 2381 (095 2381)

Berthold-Schriften überzeugen durch Schärfe und Qualität. Schriftqualität ist eine Frage der Erfahrung. Berthold hat diese Erfahrung seit über hundert Jahren. Zuerst im Schriftguß, dann im Fotosatz. Berthold-Schriften sind wel tweit geschätzt. Im Schriftenatelier M

2,92 mm (11 p), Zeilenabstand 4,63 mm

normal
regular
normal

POPPL-COLLEGE 2

normal
chiaro tondo
normal

In general, bodytypes are measur
ed in the typographical point size
The sizes of Berthold Fototype fa
ces can be exactly determined. All
faces of same point size have the sa
me capital height–irrespective of
their x-height. In hot metal and m
any other phototypesetting syste
ms the capital heights often differ
considerably from one face to the
other. For measuring point sizes, a
transparent size gauge is provided
To determine the point size bring a
capital letter into coincidence with
that field which precisely circums
cribes the letter at its upper and lo
wer margin. Below the field you fi

3,20 mm (12 p), Zeilenabstand 5,25 mm

Friedrich Poppl
1981
H. Berthold AG

ABCDEFGHIJKLMNOPQ
RSTUVWXYZ
abcdefghijklmnopqrstuvwxyz
1/1234567890%
(.,-;:!¡?¿–)·[‘‘„”“»«]
+–=/$£†*&§
ÄÅÆÖØŒÜäåæıöøœßü
ÁÀÂÃÇČÉÈÊËÍÌÎÏĹŇÑÓÒÔÕ
ŔŘŠŤÚÙÛŴẄÝŶŸŽ
áàâãçčéèêëíìîïĺňñóòôõŕřš
úùûŵẅýỳÿž

Berthold-Schriftweite weit
Berthold-Schriftweite normal
Berthold-Schriftweite eng
Berthold-Schriftweite sehr eng
Berthold-Schriftweite extrem eng

Bouillabaisse.............. 7,95
Frisch gebeizter Seelachs. 16,70
Japanische Wachteleier... 13,75
Gegrillte Scampi........... 17,80
Lammkotelett Provençale. 15,30
Hasenkeule Chasseur...... 19,50
Ente pochiert in der Blase. 22,50
Kalbsmedaillons Gourmet. 18,50
Filet Grand Seigneur...... 24,50
Weinhändlertopf........... 16,80
Mistchratzerli............. 19,50
Entrecôte Double Paris.... 28,50
Tournedos Phantasie...... 27,50
Fondue Bourguignonne... 39,50
Walderdbeeren............. 7,50
Baiser Schlaccamadilla... 8,50
Feigen mit Pfeffer auf Eis. 9,75

3,20 mm (12 p), Zeilenabstand 5,25 mm

Barbara Helga Agnes Joana Natalie Gaby Sonja Karen Rebekka Christiane Ortrud Lydia
3,72 mm (14 p)

Barbara Helga Agnes Joana Natalie Gaby Sonja Karen Rebekka Christiane
4,25 mm (16 p)

Barbara Helga Agnes Joana Natalie Gaby Sonja Rebekka Christiane
4,75 mm (18 p)

Barbara Helga Agnes Joana Natalie Gaby Sonja Rebekka
5,30 mm (20 p)

Barbara Helga Agnes Joana Natalie Gaby Sonja Eva
6,35 mm (24 p)

Barbara Helga Agnes Joana Natalie Ortrud
7,40 mm (28 p)

Barbara Helga Agnes Joana Christiane
8,50 mm (32 p)

Barbara Helga Agnes Joana Sonja
9,55 mm (36 p)

Berthold-Schriften überzeugen durch S
chärfe und Qualität. Schriftqualität ist ei
ne Frage der Erfahrung. Berthold hat die
se Erfahrung seit über hundert Jahren. Z
uerst im Schriftguß, dann im Fotosatz
Berthold-Schriften sind weltweit geschät
zt. Im Schriftenatelier München wird je
der Buchstabe in der Größe von zwölf Ze

2,65 mm (10 p), Zeilenabstand 4,00 mm

Größe mm	p	Zeilenabstand kp	Êp	Ex	100 Zeichen 0	–1	–2
1,33	5	1,88	2,19	–	78	75	72
1,60	6	2,25	2,63	–	92	88	84
1,86	7	2,63	3,06	–	102	106	98
2,15	8	3,06	3,50	–	120	115	110
2,40	9	3,38	3,94	–	134	128	122
2,65	10	3,75	4,31	4,00	148	141	134
2,92	11	4,13	4,75	4,63	162	155	148
3,20	12	4,50	5,19	5,25	176	168	160
3,45	13	4,88	5,63	–	190	182	174
3,72	14	5,25	6,06	–	203	194	185
3,98	15	5,63	6,50	–	217	208	199
4,25	16	6,00	6,94	–	231	221	211

WZ 13 E, NSW +1, MZB 0,56, F 0,09:0,08 (1,1), VIII
H 1–x 0,69–k 1,06–p 0,34–Ê 1,28–kp 1,40–Êp 1,62
BF 089 1130, Belegung 051: 085 2382 (095 2382)

Berthold-Schriften überzeugen durc
h Schärfe und Qualität. Schriftqualit
ät ist eine Frage der Erfahrung. Bert
hold hat diese Erfahrung seit über hun
dert Jahren. Zuerst im Schriftguß, d
ann im Fotosatz. Berthold-Schriften
sind weltweit geschätzt. Im Schriften

2,92 mm (11 p), Zeilenabstand 4,63 mm

halbfett
medium
demi-gras

POPPL-COLLEGE 1

seminegra
neretto
halvfet

In general, bodytypes are measured in the typographical point size. The sizes of Berthold Fototype faces can be exactly determined. All faces of same point size have the same capit al height–irrespective of their x-hei ght. In hot metal and many other pho totypesetting systems the capital he ights often differ considerably from one face to the other. For measuring point sizes, a transparent size gauge is provided. To determine the point s ize, bring a capital letter into coinci dence with that field which precisely circumscribes the letter at its upper and lower margin. Below the field y ou find the typographical point and

3,20 mm (12 p), Zeilenabstand 5,25 mm

Friedrich Poppl
1981
H. Berthold AG

ABCDEFGHIJKLMNOPQ
RSTUVWXYZ
abcdefghijklmnopqrstuvwxyz
1/1234567890%
(.,-;:!¡?¿–)·['‘„"“»«]
+–=/$£†&§*
ÄÅÆÖØŒÜäåæıöøœßü
ÁÀÂÃÇČÉÈÊËÍÌÎÏĹŇÑÓÒÔÕ
ŔŘŠŤÚÙÛŴẄÝŶŸŽ
áàâãçčéèêëíìîïĺňñóòôõŕřš
úùûŵẅýỳÿž

Berthold-Schriftweite weit
Berthold-Schriftweite normal
Berthold-Schriftweite eng
Berthold-Schriftweite sehr eng
Berthold-Schriftweite extrem eng

Bouillabaisse 7,95
Frisch gebeizter Ostseelachs 16,70
Japanische Wachteleier 13,75
Gegrillte Scampi............ 17,80
Lammkotelett Provençale ... 15,30
Hasenkeule Chasseur 19,50
Ente pochiert in der Blase... 22,50
Kalbsmedaillons Gourmet... 18,50
Kalbsfilet Grand Seigneur .. 24,50
Weinhändlertopf 16,80
Mistchratzerli 19,50
Entrecôte Double Paris...... 28,50
Tournedos Phantasie........ 27,50
Fondue Bourguignonne 39,50
Walderdbeeren 7,50
Eisbaiser Schlaccamadilla... 8,50
Feigen mit Pfeffer auf Eis ... 9,75

3,20 mm (12 p), Zeilenabstand 5,25 mm

Barbara Helga Agnes Joana Natalie Gaby Sonja Karen Rebekka Christiane Ortrud Lydia Eva
3,72 mm (14 p)

Barbara Helga Agnes Joana Natalie Gaby Sonja Karen Rebekka Christiane Lydia Eva
4,25 mm (16 p)

Barbara Helga Agnes Joana Natalie Gaby Sonja Rebekka Christiane Karen
4,75 mm (18 p)

Barbara Helga Agnes Joana Natalie Gaby Sonja Karen Rebekka
5,30 mm (20 p)

Barbara Helga Agnes Joana Natalie Gaby Sonja Ortrud
6,35 mm (24 p)

Barbara Helga Agnes Joana Natalie Gaby Sonja
7,40 mm (28 p)

Barbara Helga Agnes Joana Natalie Gaby
8,50 mm (32 p)

Barbara Helga Agnes Joana Christiane
9,55 mm (36 p)

Berthold-Schriften überzeugen durch Schä rfe und Qualität. Schriftqualität ist eine Fr age der Erfahrung. Berthold hat diese Erfa hrung seit über hundert Jahren. Zuerst im S chriftguß, dann im Fotosatz. Berthold-Sch riften sind weltweit geschätzt. Im Schriftena telier München wird jeder Buchstabe in d er Größe von zwölf Zentimetern neu gezei

2,65 mm (10 p), Zeilenabstand 4,00 mm

Größe		Zeilenabstand			100 Zeichen		
mm	p	kp	Êp	Ex	0	–1	–2
1,33	5	1,88	2,19	–	74	71	68
1,60	6	2,25	2,63	–	87	83	79
1,86	7	2,63	3,06	–	100	96	92
2,15	8	3,00	3,56	–	114	109	104
2,40	9	3,38	3,94	–	128	122	116
2,65	10	3,69	4,38	4,00	141	134	127
2,92	11	4,06	4,81	4,63	154	147	140
3,20	12	4,44	5,25	5,25	167	159	151
3,45	13	4,81	5,63	–	180	172	164
3,72	14	5,19	6,13	–	193	184	175
3,98	15	5,50	6,50	–	206	197	188
4,25	16	5,88	6,94	–	219	209	199

WZ 12 E, NSW 0, MZB 0,53, F 0,13:0,11 (1,1), VIII
H 1–x 0,70–k 1,03–p 0,35–Ê 1,28–kp 1,38–Êp 1,63
BF 089 1090, Belegung 051: 085 2383 (095 2383)

Berthold-Schriften überzeugen durch Schärfe und Qualität. Schriftqualität ist eine Frage der Erfahrung. Berthold hat diese Erfahrung seit über hundert Jahr en. Zuerst im Schriftguß, dann im Foto satz. Berthold-Schriften sind weltweit geschätzt. Im Schriftenatelier München

2,92 mm (11 p), Zeilenabstand 4,63 mm

halbfett
medium
demi-gras

POPPL-COLLEGE 2

seminegra
neretto
halvfet

In general, bodytypes are measured in the typographical point size. The sizes of Berthold Fototype faces can be exactly determined. All faces of same point size have the same capit al height–irrespective of their x-hei ght. In hot metal and many other p hototypesetting systems the capital heights often differ considerably fro m one face to the other. For measur ing point sizes, a transparent size gauge is provided. To determine the point size, bring a capital letter into coincidence with that field which pr ecisely circumscribes the letter at its upper and lower margin. Below the field you find the typographical poi

3,20 mm (12 p), Zeilenabstand 5,25 mm

Friedrich Poppl
1981
H. Berthold AG

ABCDEFGHIJKLMNOPQ
RSTUVWXYZ
abcdefghijklmnopqrstuvwxyz
1/1234567890%
(.,-;:!¡?¿–)·[’‘„”“»«]
+−=/$£†*&§
ÄÅÆÖØŒÜäåæıöøœßü
ÁÀÂÃÇČÉÈÊËÍÌÎÏĹŇÑÓÒÔÕ
ŔŘŠŤÚÙÛŴẄÝỲŸŽ
áàâãçčéèêëíìîïĺňñóòôõŕřš
úùûŵẅýỳÿž

Berthold-Schriftweite weit
Berthold-Schriftweite normal
Berthold-Schriftweite eng
Berthold-Schriftweite sehr eng
Berthold-Schriftweite extrem eng

Bouillabaisse................ 7,95
Frisch gebeizter Ostseelachs 16,70
Japanische Wachteleier..... 13,75
Gegrillte Scampi 17,80
Lammkotelett Provençale.. 15,30
Hasenkeule Chasseur....... 19,50
Ente pochiert in der Blase.. 22,50
Kalbsmedaillons Gourmet.. 18,50
Kalbsfilet Grand Seigneur.. 24,50
Weinhändlertopf............ 16,80
Mistchratzerli 19,50
Entrecôte Double Paris 28,50
Tournedos Phantasie 27,50
Fondue Bourguignonne.... 39,50
Walderdbeeren.............. 7,50
Eisbaiser Schlaccamadilla.. 8,50
Feigen mit Pfeffer auf Eis.. 9,75

3,20 mm (12 p), Zeilenabstand 5,25 mm

Barbara Helga Agnes Joana Natalie Gaby Sonja Karen Rebekka Christiane Ortrud Lydia
3,72 mm (14 p)

Barbara Helga Agnes Joana Natalie Gaby Sonja Karen Rebekka Christiane Eva
4,25 mm (16 p)

Barbara Helga Agnes Joana Natalie Gaby Sonja Rebekka Ortrud Lydia
4,75 mm (18 p)

Barbara Helga Agnes Joana Natalie Gaby Sonja Karen Rebekka
5,30 mm (20 p)

Barbara Helga Agnes Joana Natalie Gaby Sonja Karen
6,35 mm (24 p)

Barbara Helga Agnes Joana Natalie Gaby Ute
7,40 mm (28 p)

Barbara Helga Agnes Joana Natalie Gaby
8,50 mm (32 p)

Barbara Helga Agnes Joana Natalie
9,55 mm (36 p)

Berthold-Schriften überzeugen durch Sch ärfe und Qualität. Schriftqualität ist eine Frage der Erfahrung. Berthold hat diese Er fahrung seit über hundert Jahren. Zuerst im Schriftguß, dann im Fotosatz. Berthold Schriften sind weltweit geschätzt. Im Sch riftenatelier München wird jeder Buchsta be in der Größe von zwölf Zentimetern neu

2,65 mm (10 p), Zeilenabstand 4,00 mm

Größe mm	p	Zeilenabstand kp	Êp	Ex	100 Zeichen 0	−1	−2
1,33	5	1,88	2,19	—	75	72	69
1,60	6	2,25	2,63	—	88	84	80
1,86	7	2,63	3,06	—	101	97	93
2,15	8	3,00	3,56	—	115	110	105
2,40	9	3,38	3,94	—	129	123	117
2,65	10	3,69	4,38	4,00	142	135	128
2,92	11	4,06	4,81	4,63	155	148	141
3,20	12	4,44	5,25	5,25	168	160	152
3,45	13	4,81	5,63	—	182	174	166
3,72	14	5,19	6,13	—	195	186	177
3,98	15	5,50	6,50	—	208	199	190
4,25	16	5,88	6,94	—	221	211	201

WZ 12 E, NSW 0, MZB 054, F 0,13:0,11 (1,1), VIII
H 1–x 0,70–k 1,03–p 0,35–Ê 1,28–kp 1,38–Êp 1,63
BF 089 1091, Belegung 051: 085 2384 (095 2384)

Berthold-Schriften überzeugen durch Schärfe und Qualität. Schriftqualität ist eine Frage der Erfahrung. Berthold hat diese Erfahrung seit über hundert Jahren. Zuerst im Schriftguß, dann im Fotosatz. Berthold-Schriften sind wel tweit geschätzt. Im Schriftenatelier

2,92 mm (11 p), Zeilenabstand 4,63 mm

fett
bold
gras

POPPL-COLLEGE 1

negra
nero
fet

In general, bodytypes are measu red in the typographical point size The sizes of Berthold Fototype fa ces can be exactly determined. All faces of same point size have the same capital height-irrespective of their x-height. In hot metal and many other phototypesetting syst ems the capital heights often diff er considerably from one face to t he other. For measuring point si zes, a transparent size gauge is provided. To determine the point size, bring a capital letter into coincidence with that field which precisely circumscribes the letter at its upper and lower margin. Bel

3,20 mm (12 p), Zeilenabstand 5,25 mm

Friedrich Poppl
1981
H. Berthold AG

ABCDEFGHIJKLMNOPQ
RSTUVWXYZ
abcdefghijklmnopqrstuvwxyz
1/1234567890%
(.,-;:!¡?¿–)·['‚"„"»«]
+–=/$£†*&§
ÄÅÆÖØŒÜäåæıöøœßü
ÁÀÂÃÇČÉÈÊËÍÌÎÏĹŇÑÓÒÔÕ
ŔŘŠŤÚÙÛŴẄÝỲŸŽ
áàâãçčéèêëíìîïĺňñóòôõŕřš
úùûŵẅýỳÿž

Berthold-Schriftweite weit
Berthold-Schriftweite normal
Berthold-Schriftweite eng
Berthold-Schriftweite sehr eng
Berthold-Schriftweite extrem eng

Bouillabaisse	7,95
Frisch gebeizter Seelachs .	16,70
Japanische Wachteleier ...	13,75
Gegrillte Scampi	17,80
Lammkotelett Provençale .	15,30
Hasenkeule Chasseur	19,50
Ente pochiert in der Blase .	22,50
Kalbsmedaillons Gourmet .	18,50
Kalbsfilet Grand Seigneur	24,50
Weinhändlertopf	16,80
Mistchratzerli	19,50
Entrecôte Double Paris	28,50
Tournedos Phantasie	27,50
Fondue Bourguignonne	39,50
Walderdbeeren	7,50
Eisbaiser Schlaccamadilla	8,50
Feigen mit Pfeffer auf Eis .	9,75

3,20 mm (12 p), Zeilenabstand 5,25 mm

Barbara Helga Agnes Joana Natalie Gaby Sonja Karen Rebekka Christiane Ortrud Lydia
3,72 mm (14 p)

Barbara Helga Agnes Joana Natalie Gaby Sonja Karen Rebekka Christiane
4,25 mm (16 p)

Barbara Helga Agnes Joana Natalie Gaby Sonja Rebekka Christiane
4,75 mm (18 p)

Barbara Helga Agnes Joana Natalie Gaby Sonja Karen Lydia
5,30 mm (20 p)

Barbara Helga Agnes Joana Natalie Gaby Sonja Karen
6,35 mm (24 p)

Barbara Helga Agnes Joana Natalie Gaby Eva
7,40 mm (28 p)

Barbara Helga Agnes Joana Natalie Gaby
8,50 mm (32 p)

Barbara Helga Agnes Joana Natalie
9,55 mm (36 p)

Berthold-Schriften überzeugen durch Schärfe und Qualität. Schriftqualität ist eine Frage der Erfahrung. Berthold hat diese Erfahrung seit über hundert Jahr en. Zuerst im Schriftguß, dann im Fotos atz. Berthold-Schriften sind weltweit geschätzt. Im Schriftenatelier München wird jeder Buchstabe in der Größe von z

2,65 mm (10 p), Zeilenabstand 4,00 mm

Größe		Zeilenabstand			100 Zeichen		
mm	p	kp	Êp	Ex	0	−1	−2
1,33	5	1,75	2,13	–	78	75	72
1,60	6	2,13	2,50	–	92	88	84
1,86	7	2,44	2,94	–	102	106	98
2,15	8	2,88	3,38	–	120	115	110
2,40	9	3,19	3,75	–	134	128	122
2,65	10	3,50	4,19	4,00	148	141	134
2,92	11	3,88	4,56	4,63	162	155	148
3,20	12	4,25	5,00	5,25	176	168	160
3,45	13	4,56	5,44	–	190	182	174
3,72	14	4,88	5,81	–	203	194	185
3,98	15	5,25	6,25	–	217	208	199
4,25	16	5,63	6,63	–	231	221	211

WZ 12 E, NSW 0, MZB 0,56, F 0,17:0,13 (1,3), VIII
H 1–x 0,71–k 1,03–p 0,28–Ê 1,28–kp 1,31–Êp 1,56
BF 089 1092, Belegung 051: 085 2387 (095 2387)

Berthold-Schriften überzeugen dur ch Schärfe und Qualität. Schriftqual ität ist eine Frage der Erfahrung. Ber thold hat diese Erfahrung seit über hundert Jahren. Zuerst im Schriftg uß, dann im Fotosatz. Berthold-Schr iften sind weltweit geschätzt. Im Sch

2,92 mm (11 p), Zeilenabstand 4,63 mm

fett
bold
gras

POPPL-COLLEGE 2

negra
nero
fet

In general, bodytypes are measu red in the typographical point size The sizes of Berthold Fototype faces can be exactly determined All faces of same point size have the same capital height-irrespec tive of their x-height. In hot met al and many other phototypesetti ng systems the capital heights ofte n differ considerably from one fac e to the other. For measuring poin t sizes, a transparent size gauge is provided. To determine the poin t size, bring a capital letter into c oincidence with that field which precisely circumscribes the letter at its upper and lower margin. B

3,20 mm (12 p), Zeilenabstand 5,25 mm

Friedrich Poppl
1981
H. Berthold AG

ABCDEFGHIJKLMNOPQ
RSTUVWXYZ
abcdefghijklmnopqrstuvwxyz
1/1234567890 %
(.,-;:!¡?¿–)·[“„” “»«]
+–=/$£†*&§
ÄÅÆÖØŒÜäåæıöøœßü
ÁÀÂÃÇČÉÈÊËÍÌÎÏĹŇÑÓÒÔÕ
ŔŘŠŤÚÙÛŴẄÝỲŸŽ
áàâãçčéèêëíìîïĺňñóòôõŕřš
úùûŵẅýỳÿž

Berthold-Schriftweite weit
Berthold-Schriftweite normal
Berthold-Schriftweite eng
Berthold-Schriftweite sehr eng
Berthold-Schriftweite extrem eng

Bouillabaisse 7,95
Frisch gebeizter Seelachs 16,70
Japanische Wachteleier... 13,75
Gegrillte Scampi 17,80
Lammkotelett Provençale 15,30
Hasenkeule Chasseur 19,50
Ente pochiert in der Blase 22,50
Kalbsmedaillons Gourmet 18,50
Kalbsfilet Grand Seigneur 24,50
Weinhändlertopf.......... 16,80
Mistchratzerli 19,50
Entrecôte Double Paris... 28,50
Tournedos Phantasie 27,50
Fondue Bourguignonne .. 39,50
Walderdbeeren 7,50
Eisbaiser Schlaccamadilla 8,50
Feigen mit Pfeffer auf Eis 9,75

3,20 mm (12 p), Zeilenabstand 5,25 mm

Barbara Helga Agnes Joana Natalie Gaby Sonja Karen Rebekka Christiane Ortrud
3,72 mm (14 p)

Barbara Helga Agnes Joana Natalie Gaby Sonja Karen Rebekka Christiane
4,25 mm (16 p)

Barbara Helga Agnes Joana Natalie Gaby Sonja Rebekka Christiane
4,75 mm (18 p)

Barbara Helga Agnes Joana Natalie Gaby Sonja Karen Lydia
5,30 mm (20 p)

Barbara Helga Agnes Joana Natalie Gaby Eva Sonja
6,35 mm (24 p)

Barbara Helga Agnes Joana Natalie Corinna
7,40 mm (28 p)

Barbara Helga Agnes Joana Christiane
8,50 mm (32 p)

Barbara Helga Agnes Joana Karen
9,55 mm (36 p)

Berthold-Schriften überzeugen durch Schärfe und Qualität. Schriftqualität ist eine Frage der Erfahrung. Berthold hat diese Erfahrung seit über hundert Jahr en. Zuerst im Schriftguß, dann im Foto satz. Berthold-Schriften sind weltweit geschätzt. Im Schriftenatelier Münch en wird jeder Buchstabe in der Größe

2,65 mm (10 p), Zeilenabstand 4,00 mm

Größe		Zeilenabstand			100 Zeichen		
mm	p	kp	Êp	Ex	0	–1	–2
1,33	5	1,75	2,13	–	79	76	73
1,60	6	2,13	2,50	–	93	89	85
1,86	7	2,44	2,94	–	107	103	99
2,15	8	2,88	3,38	–	122	117	112
2,40	9	3,19	3,75	–	137	131	125
2,65	10	3,50	4,19	4,00	151	144	137
2,92	11	3,88	4,56	4,63	165	158	151
3,20	12	4,25	5,00	5,25	179	171	163
3,45	13	4,56	5,44	–	193	185	177
3,72	14	4,88	5,81	–	207	198	189
3,98	15	5,25	6,25	–	221	212	203
4,25	16	5,63	6,63	–	235	225	215

WZ 12 E, NSW 0, MZB 0,57, F 0,17:0,13 (1,3), VIII
H 1–x 0,71–k 1,03–p 0,28–Ê 1,28–kp 1,31–Êp 1,56
BF 089 1093, Belegung 051: 085 2388 (095 2388)

Berthold-Schriften überzeugen du rch Schärfe und Qualität. Schriftqu alität ist eine Frage der Erfahrung Berthold hat diese Erfahrung seit ü ber hundert Jahren. Zuerst im Schri ftguß, dann im Fotosatz. Berthold-S chriften sind weltweit geschätzt. Im

2,92 mm (11 p), Zeilenabstand 4,63 mm

Poppl Exquisit

In general, bodytypes are measured in the typographical point size. The sizes of Berthold Fototype faces can be exactly determined. All faces of sa me point size have the same capital he ight-irrespective of their x-height. In hot metal and many other phototypes etting systems the capital heights oft en differ considerably from one face to the other. For measuring point sizes a transparent size gauge is provided To determine the point size, bring a capital letter into coincidence with th at field which precisely circumscribes the letter at its upper and lower marg in. Below the field you find the typo graphical point and below that the mi

3,20 mm (12 p), Zeilenabstand 5,25 mm

Friedrich Poppl
1970
H. Berthold AG

ABCDEFGHIJKLMNOPQ
RSTUVWXYZ
abcdefghijklmnopqrstuvwxyz
1/1234567890 %
(.,-;:!¡ ?¿-) · [' ' „ " " » «]
+−=/$£†*&§
ÄÅÆÖØŒÜäåæıöøœßü
ÁÀÂÃÇČÉÈÊËÍÌÎÏĽŇÑ
ÓÒÔÕŔŘŠŤÚÙÛŴẄÝỲŸŽ
áàâãçčéèêëíìîïľňñóòôõŕřš
úùûŵẅýỳÿž

Berthold-Schriftweite weit
Berthold-Schriftweite normal
Berthold-Schriftweite eng
Berthold-Schriftweite sehr eng
Berthold-Schriftweite extrem eng

Bouillabaisse.................. 7,95
Frisch gebeizter Ostseelachs... 16,70
Japanische Wachteleier....... 13,75
Gegrillte Scampi............. 17,80
Lammkotelett Provençale..... 15,30
Hasenkeule Chasseur......... 19,50
Ente pochiert in der Blase 22,50
Kalbsmedaillons Gourmet..... 18,50
Kalbsfilet Grand Seigneur ... 24,50
Weinhändlertopf.............. 16,80
Mistchratzerli mit Rosmarin.. 19,50
Entrecôte Double Paris 28,50
Tournedos Phantasie......... 27,50
Fondue Bourguignonne....... 39,50
Walderdbeeren Creme Double. 7,50
Eisbaiser Schlaccamadilla 8,50
Feigen mit Pfeffer auf Eis ... 9,75

3,20 mm (12 p), Zeilenabstand 5,25 mm

Barbara Helga Agnes Joana Natalie Gaby Sonja Karen Rebekka Christiane Ortrud Lydia Eva
3,72 mm (14 p)

Barbara Helga Agnes Joana Natalie Gaby Sonja Karen Rebekka Christiane Ortrud
4,25 mm (16 p)

Barbara Helga Agnes Joana Natalie Gaby Sonja Karen Rebekka Ortrud
4,75 mm (18 p)

Barbara Helga Agnes Joana Natalie Gaby Sonja Karen Rebekka
5,30 mm (20 p)

Barbara Helga Agnes Joana Natalie Gaby Sonja Karen
6,35 mm (24 p)

Barbara Helga Agnes Joana Natalie Rebekka
7,40 mm (28 p)

Barbara Helga Agnes Joana Natalie Eva
8,50 mm (32 p)

Barbara Helga Agnes Joana Natalie
9,55 mm (36 p)

Berthold-Schriften überzeugen durch Schä rfe und Qualität. Schriftqualität ist eine Fr age der Erfahrung. Berthold hat diese Erfa hrung seit über hundert Jahren. Zuerst im Schriftguß, dann im Fotosatz. Berthold-S chriften sind weltweit geschätzt. Im Schrift enatelier München wird jeder Buchstabe, in der Größe von zwölf Zentimetern neu gezei

2,65 mm (10 p), Zeilenabstand 4,00 mm

Größe mm	p	Zeilenabstand kp	Êp	Ex	100 Zeichen 0	−1	−2
1,33	5	2,06	2,31	–	71	68	65
1,60	6	2,44	2,75	–	83	79	75
1,86	7	2,81	3,19	–	96	92	88
2,15	8	3,25	3,69	–	109	104	99
2,40	9	3,63	4,13	–	122	116	110
2,65	10	4,06	4,56	4,00	135	128	121
2,92	11	4,44	5,00	4,63	147	140	133
3,20	12	4,88	5,44	5,25	160	152	144
3,45	13	5,25	5,88	–	172	164	156
3,72	14	5,63	6,38	–	185	176	167
3,98	15	6,06	6,81	–	197	188	179
4,25	16	6,44	7,25	–	210	200	190

WZ 14 E, NSW +1, MZB 0,51, F 0,10:0,017 (6,0), VIII
H 1–x 0,58–k 1,13–p 0,38–Ê 1,32–kp 1,51–Êp 1,70
BF 089 0784, Belegung 051: 085 0241 (095 0241)

Berthold-Schriften überzeugen durch S chärfe und Qualität. Schriftqualität ist ei ne Frage der Erfahrung. Berthold hat di ese Erfahrung seit über hundert Jahren Zuerst im Schriftguß, dann im Fotosatz. Berthold-Schriften sind weltweit geschä tzt. Im Schriftenatelier München wird

2,92 mm (11 p), Zeilenabstand 4,63 mm

halbfett
medium
demi-gras

Poppl-Exquisit

seminegra
neretto
halvfet

In general, bodytypes are measured in the typographical point size. The si zes of Berthold Fototype faces can be exactly determined. All faces of same point size have the same capital height irrespective of their x-height. In hot metal and many other phototypesetti ng systems the capital heights often di ffer considerably from one face to the other. For measuring point sizes, a tra nsparent size gauge is provided. To d etermine the point size, bring a capital letter into coincidence with that field which precisely circumscribes the letter at its upper and lower margin. Below the field you find the typographical po int and and below that the millimeter v

3,20 mm (12 p), Zeilenabstand 5,25 mm

Friedrich Poppl
1983
H. Berthold AG

ABCDEFGHIJKLMNOPQ
RSTUVWXYZ
abcdefghijklmnopqrstuvwxyz
1/1234567890 %
(.,-;:!¡?¿-)·[’‘„”“»«]
+−=/$£†*&§
ÄÅÆÖØŒÜäåæıöøœßü
ÁÀÂÃÇČÉÈÊËÍÌÎÏŁÑŇÓ
ÒÔÕŔŘŠŤÚÙÛŴẄÝỲŸŽ
áàâãçčéèêëíìîïľňñóòôõŕřš
úùûŵẅýỳÿž

Berthold-Schriftweite weit
Berthold-Schriftweite normal
Berthold-Schriftweite eng
Berthold-Schriftweite sehr eng
Berthold-Schriftweite extrem eng

Bouillabaisse 7,95
Frisch gebeizter Ostseelachs .. 16,70
Japanische Wachteleier 13,75
Gegrillte Scampi 17,80
Lammkotelett Provençale 15,30
Hasenkeule Chasseur 19,50
Ente pochiert in der Blase 22,50
Kalbsmedaillons Gourmet 18,50
Kalbsfilet Grand Seigneur .. 24,50
Weinhändlertopf 16,80
Mistchratzerli 19,50
Entrecôte Double Paris 28,50
Tournedos Phantasie 27,50
Fondue Bourguignonne 39,50
Walderdbeeren 7,50
Eisbaiser Schlaccamadilla 8,50
Feigen mit Pfeffer auf Eis ... 9,75

3,20 mm (12 p), Zeilenabstand 5,25 mm

Barbara Helga Agnes Joana Natalie Gaby Sonja Karen Rebekka Christiane Ortrud Lydia
3,72 mm (14 p)

Barbara Helga Agnes Joana Natalie Gaby Sonja Korinna Rebekka Christiane
4,25 mm (16 p)

Barbara Helga Agnes Joana Natalie Gaby Sonja Rebekka Christiane
4,75 mm (18 p)

Barbara Helga Agnes Joana Natalie Gaby Sonja Karen Anna
5,30 mm (20 p)

Barbara Helga Agnes Joana Natalie Gaby Sonja Eva
6,35 mm (24 p)

Barbara Helga Agnes Joana Natalie Gaby Eva
7,40 mm (28 p)

Barbara Helga Agnes Joana Natalie Eva
8,50 mm (32 p)

Barbara Helga Agnes Joana Natalie
9,55 mm (36 p)

Berthold-Schriften überzeugen durch Sch ärfe und Qualität. Schriftqualität ist eine Frage der Erfahrung. Berthold hat diese Erfahrung seit über hundert Jahren. Zuerst im Schriftguß, dann im Fotosatz. Berthold Schriften sind weltweit geschätzt. Im Sch riftenatelier München wird jeder Buchsta be in der Größe von zwölf Zentimetern neu

2,65 mm (10 p), Zeilenabstand 4,00 mm

Größe		Zeilenabstand			100 Zeichen		
mm	p	kp	Êp	Ex	0	−1	−2
1,33	5	2,00	2,19	–	73	70	67
1,60	6	2,44	2,63	–	86	82	78
1,86	7	2,81	3,06	–	99	95	91
2,15	8	3,25	3,56	–	112	107	102
2,40	9	3,63	3,94	–	125	119	113
2,65	10	4,00	4,38	4,00	138	131	124
2,92	11	4,38	4,81	4,63	151	144	137
3,20	12	4,81	5,25	5,25	164	156	148
3,45	13	5,19	5,63	–	177	169	161
3,72	14	5,63	6,13	–	190	181	172
3,98	15	6,00	6,50	–	203	194	185
4,25	16	6,38	6,94	–	216	206	196

WZ 11 E, NSW 0, MZB 0,52, F 0,13:0,03 (4,6), VIII
H 1–x 0,60–k 1,13–p 0,37–Ê 1,26–kp 1,50–Êp 1,63
BF 089 1244, Belegung 051: 085 1287 (095 1287)

Berthold-Schriften überzeugen durch Schärfe und Qualität. Schriftqualität ist eine Frage der Erfahrung. Berthold hat diese Erfahrung seit über hundert Jahr en. Zuerst im Schriftguß dann im Fotos atz. Berthold-Schriften sind weltweit geschätzt. Im Schriftenatelier Münche

2,92 mm (11 p), Zeilenabstand 4,63 mm

mager
light
maigre

POPPL-LAUDATIO

fina
chiarissimo
mager

Berthold-Schriften überzeugen durch Schärfe und Qualität. Schriftq
ualität ist eine Frage der Erfahrung. Berthold hat diese Erfahrung seit
über hundert Jahren. Zuerst im Schriftguß, dann im Fotosatz. Bertho
ld-Schriften sind weltweit geschätzt. Im Schriftenatelier München w
ird jeder Buchstabe in der Größe von zwölf Zentimetern neu gezeich
net. Mit messerscharfen Konturen, um für die Schriftscheiben das O
ptimale an Konturenschärfe herauszuholen. Um die Qualität des Ei
nzelzeichens im Belichtungsvorgang zu bewahren, wird durch die r
uhende, nicht rotierende Schriftscheibe belichtet. Dieses optische S

1,33 mm (5 p) 20 30 40 50 60

Berthold-Schriften überzeugen durch Schärfe und Qualität. Sc
hriftqualität ist eine Frage der Erfahrung. Berthold hat diese Erf
ahrung seit über hundert Jahren. Zuerst im Schriftguß, dann im
Fotosatz. Berthold-Schriften sind weltweit geschätzt. Im Schrif
tenatelier München wird jeder Buchstabe in der Größe von zw
ölf Zentimetern neu gezeichnet. Mit messerscharfen Konturen
um für die Schriftscheiben das Optimale an Konturenschärfe h
erauszuholen. Um die Qualität des Einzelzeichens im Belichtu
ngsvorgang zu bewahren, wird durch die ruhende, nicht rotier

1,45 mm (5,5 p) 20 30 40 50

Berthold-Schriften überzeugen durch Schärfe und Qualit
ät. Schriftqualität ist eine Frage der Erfahrung. Berthold h
at diese Erfahrung seit über hundert Jahren. Zuerst im Sc
hriftguß, dann im Fotosatz. Berthold-Schriften sind welt
weit geschätzt. Im Schriftenatelier München wird jeder B
uchstabe in der Größe von zwölf Zentimetern neu gezeic
hnet. Mit messerscharfen Konturen, um für die Schriftsch
eiben das Optimale an Konturenschärfe herauszuholen
Um die Qualität des Einzelzeichens im Belichtungsvorga

1,60 mm (6 p) 20 30 40 50

Berthold-Schriften überzeugen durch Schärfe und Q
ualität. Schriftqualität ist eine Frage der Erfahrung. B
erthold hat diese Erfahrung seit über hundert Jahren
Zuerst im Schriftguß, dann im Fotosatz. Berthold-Sch
riften sind weltweit geschätzt. Im Schriftenatelier Mü
nchen wird jeder Buchstabe in der Größe von zwölf Z
entimetern neu gezeichnet. Mit messerscharfen Kon
turen, um für die Schriftscheiben das Optimale an Ko
nturenschärfe herauszuholen. Um die Qualität des Ei

1,75 mm (6,5 p) 20 30 40

Berthold-Schriften überzeugen durch Schärfe und
Qualität. Schriftqualität ist eine Frage der Erfahru
ng. Berthold hat diese Erfahrung seit über hundert
Jahren. Zuerst im Schriftguß, dann im Fotosatz. Be
rthold-Schriften sind weltweit geschätzt. Im Schrif
tenatelier München wird jeder Buchstabe in der G
röße von zwölf Zentimetern neu gezeichnet. Mit
messerscharfen Konturen, um für die Schriftschei
ben das Optimale an Konturenschärfe herauszuh

1,86 mm (7 p) 20 30 40

Berthold-Schriften überzeugen durch Schärfe
und Qualität. Schriftqualität ist eine Frage der
Erfahrung. Berthold hat diese Erfahrung seit ü
ber hundert Jahren. Zuerst im Schriftguß, dann
im Fotosatz. Berthold-Schriften sind weltweit
geschätzt. Im Schriftenatelier München wird j
eder Buchstabe in der Größe von zwölf Zentim
etern neu gezeichnet. Mit messerscharfen Ko
nturen, um für die Schriftscheiben das Optima

2,00 mm (7,5 p) 20 30 40

Berthold-Schriften überzeugen durch Schär
fe und Qualität. Schriftqualität ist eine Frage
der Erfahrung. Berthold hat diese Erfahrung
seit über hundert Jahren. Zuerst im Schriftg
uß, dann im Fotosatz. Berthold-Schriften sin
d weltweit geschätzt. Im Schriftenatelier Mü
nchen wird jeder Buchstabe in der Größe von
zwölf Zentimetern neu gezeichnet. Mit mess
erscharfen Konturen, um für die Schriftschei

2,15 mm (8 p) 20 30 40

Friedrich Poppl
1982
H. Berthold AG

ABCDEFGHIJKLMNOPQ
RSTUVWXYZ
abcdefghijklmnopqrstuvwxyz
1/1234567890%
(.,-;:!¡?¿–)·[''„""»«]
+–=/$£†*&§
ÄÅÆÖØŒÜäåæıöøœßü
ÁÀÂÃÇČÉÈÊËÍÌÎÏĹŇÑÓÒÔÕ
ŔŘŠŤÚÙÛŴẄÝŶŸŽ
áàâãçčéèêëíìîïĺňñóòôõŕřš
úùûŵẅýỳÿž

Berthold-Schriftweite weit
Berthold-Schriftweite normal
Berthold-Schriftweite eng
Berthold-Schriftweite sehr eng
Berthold-Schriftweite extrem eng

Berthold
3,72 mm (14 p)

Berthold
4,25 mm (16 p)

Berthold
4,75 mm (18 p)

Berthold
5,30 mm (20 p)

Berthold
6,35 mm (24 p)

Berthold
7,40 mm (28 p)

Berthold
8,50 mm (32 p)

Berthold
9,55 mm (36 p)

Größe		Zeilenabstand			100 Zeichen		
mm	p	kp	Êp	Ex	0	−1	−2
1,33	5	1,88	2,19	2,00	91	88	85
1,60	6	2,25	2,63	2,50	107	103	99
1,86	7	2,56	3,06	3,00	123	119	115
2,15	8	3,00	3,50	3,50	140	135	130
2,40	9	3,31	3,94	3,75	157	151	145
2,65	10	3,69	4,31	4,25	173	166	159
2,92	11	4,06	4,75	4,75	189	182	175
3,20	12	4,44	5,19	5,25	205	197	189
3,45	13	4,75	5,63	5,75	221	213	205
3,72	14	5,13	6,06	–	237	228	219
3,98	15	5,50	6,50	–	253	244	235
4,25	16	5,88	6,94	–	269	259	249

WZ 13 E, NSW 0, MZB 0,65, F 0,12:0,07 (1,6), VI
H 1–x 0,78–k 1,02–p 0,35–Ê 1,27–kp 1,37–Êp 1,62
BF 089 1133, Belegung 051: 085 1121 (095 1121)

Berthold-Schriften überzeugen durch S
chärfe und Qualität. Schriftqualität ist e
ine Frage der Erfahrung. Berthold hat di
ese Erfahrung seit über hundert Jahren
Zuerst im Schriftguß, dann im Fotosatz
Berthold-Schriften sind weltweit gesch
ätzt. Im Schriftenatelier München wird j
eder Buchstabe in der Größe von zwölf

2,40 mm (9 p) 20 30

Berthold-Schriften überzeugen dur
ch Schärfe und Qualität. Schriftqual
ität ist eine Frage der Erfahrung. Ber
thold hat diese Erfahrung seit über
hundert Jahren. Zuerst im Schriftg
uß, dann im Fotosatz. Berthold-Sch
riften sind weltweit geschätzt. Im Sc
hriftenatelier München wird jeder

2,65 mm (10 p) 20 30

Berthold-Schriften überzeugen d
urch Schärfe und Qualität. Schri
ftqualität ist eine Frage der Erfa
hrung. Berthold hat diese Erfahr
ung seit über hundert Jahren. Zu
erst im Schriftguß, dann im Foto
satz. Berthold-Schriften sind wel
tweit geschätzt. Im Schriftenatel

2,92 mm (11 p) 10 20 30

Berthold-Schriften überzeuge
n durch Schärfe und Qualität
Schriftqualität ist eine Frage d
er Erfahrung. Berthold hat die
se Erfahrung seit über hundert
Jahren. Zuerst im Schriftguß
dann im Fotosatz. Berthold-S
chriften sind weltweit geschä

3,20 mm (12 p) 10 20

Berthold-Schriften überzeu
gen durch Schärfe und Qua
lität. Schriftqualität ist eine
Frage der Erfahrung. Bertho
ld hat diese Erfahrung seit ü
ber hundert Jahren. Zuerst i
m Schriftguß, dann im Foto
satz. Berthold-Schriften sind

3,45 mm (13 p) 10 20

mager
light
maigre

POPPL-LAUDATIO

fina
chiarissimo
mager

Berthold-Schriften überzeugen durch Schärfe und Qualität. Schriftqualit ät ist eine Frage der Erfahrung. Berthold hat diese Erfahrung seit über hu ndert Jahren. Zuerst im Schriftguß, dann im Fotosatz. Berthold-Schriften sind weltweit geschätzt. Im Schriftenatelier München wird jeder Buchst abe in der Größe von zwölf Zentimetern neu gezeichnet. Mit messersch arfen Konturen, um für die Schriftscheiben das Optimale an Konturensc härfe herauszuholen. Um die Qualität des Einzelzeichens im Belichtung svorgang zu bewahren, wird durch die ruhende, nicht rotierende Schrift scheibe belichtet. Dieses optische System, verbunden mit Präzisions-Ch

4,25 mm (16 p), Zeilenabstand 6,75 mm

POPPL-LAUDATIO MAGER

In general, bodytypes are measured in the typo graphical point size. The sizes of Berthold Foto type faces can be exactly determined. All faces of same point size have the same capital height–ir respective of their x-height. In hot metal and many other phototypesetting systems the capital heights often differ considerably from one face to the other. For measuring point sizes, a transpar ent size gauge is provided. To determine the point size, bring a capital letter into coincidence with that field which precisely circumscribes the letter at its upper and lower margin. Below the field you find the typographical point and below that the millimeter value, which also refers to the height of a capital letter. In Berthold-phototype setting, the typewidth can be modified. The stand ard setting width of typefaces is determined by th e principle of optimum legibility. You should not depart from this typewidth without cogent reaso n. A typeface which is considered optically right when looked in a greater context, often seems bulky when applied for a small amount of text, e

2,40 mm (9 p), Zeilenabstand 4,25 mm

POPPL-LAUDATIO MAIGRE

La valeur de la force de corps des caractères de labeur èst généralement exprimée en points typographiques. La force de corps des caractères Berthold-Fototype peut être déterminée avec précision. Tous les carac tères du même corps ont des capitales d'une hauteur identique, indépendamment de la hauteur des bas de casse sans jambage Dans la composition plomb, ainsi que dans certains systèmes de photocomposition, la hauteur des capitales, varie souvent d'un caractère à l'autre. Pour déterminer la force de corps de nos caractères, nous avons mis au point une réglette de hauteur d'œil trans parente. On cherche le rectangle qui déli mite exactement la hauteur d'œil d'une ca pitale du caractère choisi. Sous le rectangle correspondant la valeur de la force de corps est indiquée en points Didots et en milli mètres. La valeur en millimètres exprime é

2,65 mm (10 p), Zeilenabstand 4,69 mm

La indicación de las dimensiones para cuerpos de letra vásicos tiene lugar en general en pun tos tipográficos. Los cuerpos de letra de los ca racteres Berthold Fototype pueden determi narse exactemente par medición. Con inde pendencia de la altura de sus longitudes cen trales, todos los caracteres de idéntico cuerpo de letra presentan altura de mayúsculas idén tica. En la composición en plomo y en muchos

2,15 mm (8 p), –1, Zeilenabstand 3,38 mm

123,– $	456,– £	7890,– DM	1 %
234,– $	789,– £	1234,– DM	2 %
567,– $	12,– £	5678,– DM	3 %
890,– $	345,– £	9012,– DM	4 %
123,– $	678,– £	3456,– DM	5 %
456,– $	901,– £	7890,– DM	6 %
789,– $	234,– £	1234,– DM	7 %
12,– $	567,– £	5678,– DM	8 %
345,– $	890,– £	9012,– DM	9 %

BF 089 1134

Le misure relative al corpo dei caratteri vengono generalmente indicate in punti tipografici. Il cor po dei caratteri Fototypes può essere determina to con esattezza per semplice misurazione. Tutti i caratteri di uguale grandezza in punti hanno, in dipendentemente dalla loro lunghezza, uguale altezza delle maiuscole. Nella composizione in piombo ed in molti altri sistemi di fotocomposizi one, l'altezza delle maiuscole varia spesso da ca

2,15 mm (8 p), –2, Zeilenabstand 3,38 mm

normal
regular
normal

POPPL-LAUDATIO

normal
chiaro tondo
normal

Berthold-Schriften überzeugen durch Schärfe und Qualität. Schr
iftqualität ist eine Frage der Erfahrung. Berthold hat diese Erfahr
ung seit über hundert Jahren. Zuerst im Schriftguß, dann im Foto
satz. Berthold-Schriften sind weltweit geschätzt. Im Schriftenate
lier München wird jeder Buchstabe in der Größe von zwölf Zenti
metern neu gezeichnet. Mit messerscharfen Konturen, um für di
e Schriftscheiben das Optimale an Konturenschärfe herauszuh
olen. Um die Qualität des Einzelzeichens im Belichtungsvorgang
zu bewahren, wird durch die ruhende, nicht rotierende Schriftsc

1,33 mm (5 p) 20 30 40 50

Berthold-Schriften überzeugen durch Schärfe und Qualität
Schriftqualität ist eine Frage der Erfahrung. Berthold hat di
ese Erfahrung seit über hundert Jahren. Zuerst im Schriftgu
ß, dann im Fotosatz. Berthold-Schriften sind weltweit gesch
ätzt. Im Schriftenatelier München wird jeder Buchstabe in d
er Größe von zwölf Zentimetern neu gezeichnet. Mit messe
rscharfen Konturen, um für die Schriftscheiben das Optima
le an Konturenschärfe herauszuholen. Um die Qualität des
Einzelzeichens im Belichtungsvorgang zu bewahren, wird

1,45 mm (5,5 p) 20 30 40 50

Berthold-Schriften überzeugen durch Schärfe und Qua
lität. Schriftqualität ist eine Frage der Erfahrung. Berth
old hat diese Erfahrung seit über hundert Jahren. Zuer
st im Schriftguß, dann im Fotosatz. Berthold-Schrift
en sind weltweit geschätzt. Im Schriftenatelier Münch
en wird jeder Buchstabe in der Größe von zwölf Zentim
etern neu gezeichnet. Mit messerscharfen Konturen, u
m für die Schriftscheiben das Optimale an Kontur
enschärfe herauszuholen. Um die Qualität des Einzelz

1,60 mm (6 p) 20 30 40 5

Berthold-Schriften überzeugen durch Schärfe und
Qualität. Schriftqualität ist eine Frage der Erfahrun
g. Berthold hat diese Erfahrung seit über hundert J
ahren. Zuerst im Schriftguß, dann im Fotosatz. Ber
thold-Schriften sind weltweit geschätzt. Im Schrift
enatelier München wird jeder Buchstabe in der Gr
öße von zwölf Zentimetern neu gezeichnet. Mit m
esserscharfen Konturen, um für die Schriftscheibe
n das Optimale an Konturenschärfe herauszuhole

1,75 mm (6,5 p) 20 30 40

Berthold-Schriften überzeugen durch Schärfe u
nd Qualität. Schriftqualität ist eine Frage der Erf
ahrung. Berthold hat diese Erfahrung seit über
hundert Jahren. Zuerst im Schriftguß, dann im F
otosatz. Berthold-Schriften sind weltweit gesch
ätzt. Im Schriftenatelier München wird jeder Bu
chstabe in der Größe von zwölf Zentimetern ne
u gezeichnet. Mit messerscharfen Konturen, um
für die Schriftscheiben das Optimale an Kontur

1,86 mm (7 p) 20 30 40

Berthold-Schriften überzeugen durch Schärf
e und Qualität. Schriftqualität ist eine Frage d
er Erfahrung. Berthold hat diese Erfahrung s
eit über hundert Jahren. Zuerst im Schriftg
uß, dann im Fotosatz. Berthold-Schriften sind
weltweit geschätzt. Im Schriftenatelier Münc
hen wird jeder Buchstabe in der Größe von z
wölf Zentimetern neu gezeichnet. Mit messe
rscharfen Konturen, um für die Schriftscheibe

2,00 mm (7,5 p) 20 30 40

Berthold-Schriften überzeugen durch Sch
ärfe und Qualität. Schriftqualität ist eine F
rage der Erfahrung. Berthold hat diese Erf
ahrung seit über hundert Jahren. Zuerst
im Schriftguß, dann im Fotosatz. Berthold
Schriften sind weltweit geschätzt. Im Schri
ftenatelier München wird jeder Buchstabe
in der Größe von zwölf Zentimetern ne
u gezeichnet. Mit messerscharfen Kontur

2,15 mm (8 p) 20 30

Friedrich Poppl
1982
H. Berthold AG

ABCDEFGHIJKLMNOPQ
RSTUVWXYZ
abcdefghijklmnopqrstuvwxyz
1/1234567890%
(.,-;:!i?¿–)·[’‘„”“»«]
+–=/$£†*&§
ÄÅÆÖØŒÜäåæıöøœßü
ÁÀÂÃÇČÉÈÊËÍÌÎÏĹŇÑÓÒÔÕ
ŔŘŠŤÚÙÛŴẄÝŶŸŽ
áàâãçčéèêëíìîïĺňñóòôõŕřš
úùûŵẅýỳÿž

Berthold-Schriftweite weit
Berthold-Schriftweite normal
Berthold-Schriftweite eng
Berthold-Schriftweite sehr eng
Berthold-Schriftweite extrem eng

Berthold
3,72 mm (14 p)

Berthold
4,25 mm (16 p)

Berthold
4,75 mm (18 p)

Berthold
5,30 mm (20 p)

Berthold
6,35 mm (24 p)

Berthold
7,40 mm (28 p)

Berthold
8,50 mm (32 p)

Berthold
9,55 mm (36 p)

Größe		Zeilenabstand			100 Zeichen		
mm	p	kp	Êp	Ex	0	–1	–2
1,33	5	1,81	2,19	2,00	96	93	90
1,60	6	2,19	2,63	2,50	112	108	104
1,86	7	2,56	3,06	3,00	129	125	121
2,15	8	2,94	3,50	3,50	147	142	137
2,40	9	3,25	3,94	3,75	165	159	153
2,65	10	3,63	4,31	4,25	182	175	168
2,92	11	4,00	4,75	4,75	198	191	184
3,20	12	4,38	5,19	5,25	215	207	199
3,45	13	4,69	5,63	5,75	232	224	216
3,72	14	5,06	6,06	–	249	240	231
3,98	15	5,38	6,50	–	266	257	248
4,25	16	5,75	6,94	–	283	273	263

WZ 14 E, NSW 0, MZB 0,68, F 0,13:0,08 (1,6), VI
H 1–x 0,78–k 1,00–p 0,35–Ê 1,27–kp 1,35–Êp 1,62
BF 089 1157, Belegung 051: 085 1298 (095 1298)

Berthold-Schriften überzeugen durch
Schärfe und Qualität. Schriftqualität i
st eine Frage der Erfahrung. Berthold
hat diese Erfahrung seit über hundert
Jahren. Zuerst im Schriftguß, dann im
Fotosatz. Berthold-Schriften sind wel
tweit geschätzt. Im Schriftenatelier M
ünchen wird jeder Buchstabe in der

2,40 mm (9 p) 10 20 30

Berthold-Schriften überzeugen d
urch Schärfe und Qualität. Schrift
qualität ist eine Frage der Erfahru
ng. Berthold hat diese Erfahrung
seit über hundert Jahren. Zuerst i
m Schriftguß, dann im Fotosatz. B
erthold-Schriften sind weltweit ge
schätzt. Im Schriftenatelier Mün

2,65 mm (10 p) 10 20 30

Berthold-Schriften überzeugen
durch Schärfe und Qualität. Sc
hriftqualität ist eine Frage der E
rfahrung. Berthold hat diese E
rfahrung seit über hundert Jah
ren. Zuerst im Schriftguß, dann
im Fotosatz. Berthold-Schriften
sind weltweit geschätzt. Im Sch

2,92 mm (11 p) 10 20

Berthold-Schriften überzeug
en durch Schärfe und Qualit
ät. Schriftqualität ist eine Fra
ge der Erfahrung. Berthold h
at diese Erfahrung seit über
hundert Jahren. Zuerst im Sc
hriftguß, dann im Fotosatz
Berthold-Schriften sind welt

3,20 mm (12 p) 10 20

Berthold-Schriften überze
ugen durch Schärfe und Q
ualität. Schriftqualität ist ei
ne Frage der Erfahrung. B
erthold hat diese Erfahrun
g seit über hundert Jahren
Zuerst im Schriftguß, dann
im Fotosatz. Berthold-Sch

3,45 mm (13 p) 10 20

normal
regular
normal

POPPL-LAUDATIO

normal
chiaro tondo
normal

Berthold-Schriften überzeugen durch Schärfe und Qualität. Schriftq ualität ist eine Frage der Erfahrung. Berthold hat diese Erfahrung seit über hundert Jahren. Zuerst im Schriftguß, dann im Fotosatz. Berthol d-Schriften sind weltweit geschätzt. Im Schriftenatelier München wir d jeder Buchstabe in der Größe von zwölf Zentimetern neu gezeichn et. Mit messerscharfen Konturen, um für die Schriftscheiben das Opt imale an Konturenschärfe herauszuholen. Um die Qualität des Einz elzeichens im Belichtungsvorgang zu bewahren, wird durch die ruhe nde, nicht rotierende Schriftscheibe belichtet. Dieses optische Syste

4,25 mm (16 p), Zeilenabstand 6,75 mm

POPPL-LAUDATIO REGULAR

In general, bodytypes are measured in the typ ographical point size. The sizes of Berthold Fo totype faces can be exactly determined. All fa ces of same point size have the same capital h eight–irrespective of their x-height. In hot me tal and many other phototypesetting systems the capital heights often differ considerably fr om one face to the other. For measuring point sizes, a transparent size gauge is provided. To determine the point size, bring a capital letter i nto coincidence with that field which precisely circumscribes the letter at its upper and lower margin. Below the field you find the typograp hical point and below that the millimeter valu e, which also refers to the height of a capital le tter. In Berthold-phototypesetting, the typewi dth can be modified. The standard setting wid th of typefaces is determined by the principle of optimum legibility. You should not depart fr om this typewidth without cogent reason. A t ypeface which is considered optically right w hen looked in a greater context, often seems

2,40 mm (9 p), Zeilenabstand 4,25 mm

POPPL-LAUDATIO NORMAL

La valeur de la force de corps des caractèr es de labeur èst généralement exprimée en points typographiques. La force de cor ps des caractères Berthold-Fototype peut être déterminée avec précision. Tous les c aractères du même corps ont des capitale s d'une hauteur identique, indépendam ment de la hauteur des bas de casse sans jambage. Dans la composition plomb, ai nsi que dans certains systèmes de photoc omposition, la hauteur des capitales, vari e souvent d'un caractère à l'autre. Pour d éterminer la force de corps de nos caractè res, nous avons mis au point une réglette de hauteur d'œil transparente. On cherch e le rectangle qui délimite exactement la hauteur d'œil d'une capitale du caractère choisi. Sous le rectangle correspondant la valeur de la force de corps est indiquée en points Didots et en millimètres. La valeur

2,65 mm (10 p), Zeilenabstand 4,69 mm

La indicación de las dimensiones para cuer pos de letra básicos tiene lugar en general e n puntos tipográficos. Los cuerpos de letra de los caracteres Berthold Fototype pueden determinarse exactemente par medición. C on independencia de la altura de sus longit udes centrales, todos los caracteres de idén tico cuerpo de letra presentan altura de ma yúsculas idéntica. En la composición en plo

2,15 mm (8 p), −1, Zeilenabstand 3,38 mm

123,– $	456,– £	7890,– DM	1 %
234,– $	789,– £	1234,– DM	2 %
567,– $	12,– £	5678,– DM	3 %
890,– $	345,– £	9012,– DM	4 %
123,– $	678,– £	3456,– DM	5 %
456,– $	901,– £	7890,– DM	6 %
789,– $	234,– £	1234,– DM	7 %
12,– $	567,– £	5678,– DM	8 %
345,– $	890,– £	9012,– DM	9 %

BF 089 1158

Le misure relative al corpo dei caratteri vengo no generalmente indicate in punti tipografici Il corpo dei caratteri Fototypes può essere det erminato con esattezza per semplice misuraz ione. Tutti i caratteri di uguale grandezza in p unti hanno, indipendentemente dalla loro lu nghezza, uguale altezza delle maiuscole. Nell a composizione in piombo ed in molti altri sis temi di fotocomposizione, l'altezza delle mai

2,15 mm (8 p), −2, Zeilenabstand 3,38 mm

kursiv
italic
italique

POPPL-LAUDATIO

cursiva
chiaro corsivo
kursiv

Måttangivelse för grundstilsgrad er sker i allmänhet i typografiska punkter. Stilar av Berthold Fotot ype kan efter mätning exakt gra dbestämmas. Alla typsnitt är av s amma punktstorlek och har ober oende av x-höjden en identisk ve rsalhöjd. I blysättning och i mång a andra fotosättsystem varierar versalhöjden avsevärt från typsn itt till typsnitt. För mätning av stil grader finns en transparent mätli njal. Vid mätningen placerar man en versal bokstav så att rutorna b egränsar tecknet upptill och nedt ill. Under rutorna finns stilstorlek en i typografiska didotpunkter oc h i mm. Även millimeteruppgiften avser versalhöjden. Vid stilstorle

2,92 mm (11 p), Zeilenabstand 4,69 mm

Friedrich Poppl
1982
H. Berthold AG

ABCDEFGHIJKLMNOPQ
RSTUVWXYZ
abcdefghijklmnopqrstuvwxyz
1/1234567890%
(.,-;:!¡?¿–)·[''„""»«]
+−=/$£†*&§
ÄÅÆÖØŒÜäåæıöøœßü
ÁÀÂÃÇČÉÈÊËÍÌÎÏĹŇÑÓÒÔÕ
ŔŘŠŤÚÙÛŴẄÝŶŸŽ
áàâãçčéèêëíìîïĺňñóòôõŕřš
úùûŵẅýỳÿž

Berthold-Schriftweite weit
Berthold-Schriftweite normal
Berthold-Schriftweite eng
Berthold-Schriftweite sehr eng
Berthold-Schriftweite extrem eng

In general, bodytypes are mea sured in the typographical poi nt size. The sizes of Berthold F ototype faces can be exactly d etermined. All faces of same point size have the same capit al height–irrespective of their x-height. In hot metal and ma ny other phototypesetting syst ems the capital heights often d iffer considerably from one fa ce to the other. For measuring point sizes, a transparent size gauge is provided. To determi ne the point size, bring a capit al letter into coincidence with t hat field which precisely circum

3,20 mm (12 p), Zeilenabstand 5,25 mm

POPPL-LAUDATIO KURSIV

Die Maßangabe zu Grundschriftgrößen erfolgt im allgemeinen in typographischen Punkten. Die Sc hriftgrößen der Berthold-Fotosatz-Schriften sind nach Messung exakt bestimmbar. Alle Schriften g leicher Punktgröße weisen, unabhängig von der Höhe ihrer Mittellängen, eine identische Versalhö he auf. Im Bleisatz und bei vielen anderen Fotosat z-Systemen differieren die Versalhöhen von Schri ft zu Schrift oft erheblich. Zum Messen von Schrift größen steht ein transparentes Größenmaß zur V erfügung. Zum Messen wird ein Versalbuchstabe mit dem Feld in Deckung gebracht, das den Buchs taben oben und unten scharf begrenzt. Unter dem Feld ist die Schriftgröße in typographischen Didot Punkten, darunter in Millimetern angegeben. Au ch die Millimeterangaben beziehen sich auf die Höhe der Versalbuchstaben. Die Schriftweite kann im Berthold-Fotosatz beliebig verändert werden

2,40 mm (9 p), Zeilenabstand 4 mm

POPPL-LAUDATIO ITALIQUE

La valeur de la force de corps des caractères de labeur èst généralement exprimée en poi nts typographiques. La force de corps des car actères Berthold-Fototype peut être détermi née avec précision. Tous les caractères du m ême corps ont des capitales d'une hauteur identique, indépendamment de la hauteur d es bas de casse sans jambage. Dans la comp osition plomb, ainsi que dans certains syst èmes de photocomposition, la hauteur des c apitales, varie souvent d'un caractère à l'aut re. Pour déterminer la force de corps de nos c aractères, nous avons mis au point une régle tte de hauteur d'œil transparente. On cherch e le rectangle qui délimite exactement la hau teur d'œil d'une capitale du caractère choisi

2,65 mm (10 p), Zeilenabstand 4,50 mm

La indicación de las dimensiones para cuerpos de letra vá sicos tiene lugar en general en puntos tipográficos. Los cu erpos de letra de los caracteres Berthold Fototype pueden determinarse exactemente par medición. Con independe ncia de la altura de sus longitudes centrales, todos los car acteres de idéntico cuerpo de letra presentan altura de ma yúsculas idéntica. En la composición en plomo y en much os otros sistemas de fotocomposición, las alturas de may úsculas varían frecuentemmente en forma considerable d e tipo de letra a tipo de letra. Para medir los cuerpos de letr a se dispone de un tipómetro, véase la figura. Para la med ición se hace coincidir una letra mayúscula con la casilla c

1,60 mm (6 p), Zeilenabstand 2,50 mm

Größe		Zeilenabstand			100 Zeichen		
mm	p	kp	Êp	Ex	0	−1	−2
1,33	5	1,88	2,19	–	89	86	83
1,60	6	2,25	2,63	2,50	105	101	97
1,86	7	2,25	2,63	–	121	117	113
2,15	8	3,00	3,56	3,38	137	132	127
2,40	9	3,31	3,94	4,00	153	147	141
2,65	10	3,69	4,38	4,50	169	162	155
2,92	11	4,06	4,81	4,69	185	178	171
3,20	12	4,44	5,25	5,25	201	193	185
3,45	13	4,75	5,69	–	216	208	200
3,72	14	5,13	6,13	–	232	223	214
3,98	15	5,50	6,56	–	248	239	230
4,25	16	5,88	7,00	–	264	254	244

WZ 13 E, NSW 0, MZB 0,64, F 0,13:0,09 (1,5), VI
H 1–x 0,78–k 1,00–p 0,37–Ê 1,27–kp 1,37–Êp 1,64
BF 089 1135, Belegung 051: 085 1122 (095 1122)

Le misure relative al corpo dei caratteri veng ono generalmente indicate in punti tipografi ci. Il corpo dei caratteri Fototypes può essere determinato con esattezza per semplice misu razione. Tutti i caratteri di uguale grandezza i n punti hanno, indipendentemente dalla loro lunghezza, uguale altezza delle maiuscole. N ella composizione in piombo ed in molti altri sistemi di fotocomposizione, l'altezza delle m

2,15 mm (8 p), Zeilenabstand 3,38 mm

halbfett
medium
demi-gras

POPPL-LAUDATIO

seminegra
neretto
halvfet

Berthold-Schriften überzeugen durch Schärfe und Qualität. Schriftqualität ist eine Frage der Erfahrung Berthold hat diese Erfahrung seit über hundert Jahr en. Zuerst im Schriftguß, dann im Fotosatz. Berthold Schriften sind weltweit geschätzt. Im Schriftenateli er München wird jeder Buchstabe in der Größe von zwölf Zentimetern neu gezeichnet. Mit messerscha rfen Konturen, um für die Schriftscheiben das Opti male an Konturenschärfe herauszuholen. Um die Q

1,60 mm (6 p), Zeilenabstand 2,50 mm

Berthold-Schriften überzeugen durch Schärf e und Qualität. Schriftqualität ist eine Frage d er Erfahrung. Berthold hat diese Erfahrung s eit über hundert Jahren. Zuerst im Schriftguß dann im Fotosatz. Berthold-Schriften sind w eltweit geschätzt. Im Schriftenatelier Münch en wird jeder Buchstabe in der Größe von zw ölf Zentimetern neu gezeichnet. Mit messers

1,86 mm (7 p), Zeilenabstand 3,00 mm

Berthold-Schriften überzeugen durch S chärfe und Qualität. Schriftqualität ist ei ne Frage der Erfahrung. Berthold hat di ese Erfahrung seit über hundert Jahren Zuerst im Schriftguß, dann im Fotosatz Berthold-Schriften sind weltweit gesch ätzt. Im Schriftenatelier München wird jeder Buchstabe in der Größe von zwölf

2,15 mm (8 p), Zeilenabstand 3,50 mm

Friedrich Poppl
1982
H. Berthold AG

ABCDEFGHIJKLMNOPQ
RSTUVWXYZ
abcdefghijklmnopqrstuvwxyz
1/1234567890%
(.,-;:!i?¿–)·[’‘„”“»«]
+–=/$£†*&§
ÄÅÆÖØŒÜäåæıöøœßü
ÁÀÂÃÇČÉÈÊËÍÌÎÏĹŇÑÓÒÔÕ
ŔŘŠŤÚÙÛŴẄÝỲŶŸŽ
áàâãçčéèêëíìîïĺňñóòôõŕřš
úùûŵẅýỳÿž

Berthold-Schriftweite weit
Berthold-Schriftweite normal
Berthold-Schriftweite eng
Berthold-Schriftweite sehr eng
Berthold-Schriftweite extrem eng

In general, bodytypes are measured in the typograp hical point size. The sizes of Berthold Fototype faces ca n be exactly determined. A ll faces of same point size h ave the same capital heigh t–irrespective of their x-he ight. In hot metal and many other phototypesetting sy stems the capital heights o ften differ considerably fro m one face to the other. For measuring point sizes, a tr ansparent size gauge is pro vided. To determine the po int size, bring a capital lett

3,20 mm (12 p), Zeilenabstand 5,25 mm

Berthold's quick brown fox jumps over the lazy dog and feels as if he were
3,72 mm (14 p)

Berthold's quick brown fox jumps over the lazy dog and feels as if
4,25 mm (16 p)

Berthold's quick brown fox jumps over the lazy dog and f
4,75 mm (18 p)

Berthold's quick brown fox jumps over the lazy dog
5,30 mm (20 p)

Berthold's quick brown fox jumps over the l
6,35 mm (24 p)

Berthold's quick brown fox jumps ov
7,40 mm (28 p)

Berthold's quick brown fox jum
8,50 mm (32 p)

Berthold's quick brown fox j
9,55 mm (36 p)

Berthold-Schriften überzeugen du rch Schärfe und Qualität. Schriftqu alität ist eine Frage der Erfahrung. B erthold hat diese Erfahrung seit üb er hundert Jahren. Zuerst im Schrift guß, dann im Fotosatz. Berthold Sc hriften sind weltweit geschätzt. Im Schriftenatelier München wird jed

2,40 mm (9 p), Zeilenabstand 4,00 mm

Größe		Zeilenabstand			100 Zeichen		
mm	p	kp	Êp	Ex	0	–1	–2
1,33	5	1,94	2,19	–	99	96	93
1,60	6	2,31	2,63	2,50	116	112	108
1,86	7	2,69	3,06	3,00	134	130	126
2,15	8	3,06	3,50	3,50	152	147	142
2,40	9	3,44	3,94	4,00	170	164	158
2,65	10	3,81	4,31	4,00	188	181	174
2,92	11	4,19	4,75	–	205	198	191
3,20	12	4,56	5,19	5,25	223	215	207
3,45	13	4,94	5,63	–	240	232	224
3,72	14	5,31	6,06	–	258	249	240
3,98	15	5,69	6,50	–	275	266	257
4,25	16	6,06	6,94	–	293	283	273

WZ 14 E, NSW 0, MZB 0,71, F 0,21:0,08 (2,07, VI
H 1–x 0,78–k 1,07–p 0,35–Ê 1,27–kp 1,42–Êp 1,62
BF 089 1136, Belegung 051: 085 1123 (095 1123)

Berthold-Schriften überzeugen durch Schärfe und Qualität. Sch riftqualität ist eine Frage der Erf ahrung. Berthold hat diese Erfa hrung seit über hundert Jahren Zuerst im Schriftguß, dann im Fotosatz. Berthold-Schriften sin d weltweit geschätzt. Im Schrift

2,65 mm (10 p), Zeilenabstand 4,00 mm

kursiv halbfett
medium italic
italique demi-gras

POPPL-LAUDATIO

seminegra cursiva
neretto corsivo
kursiv halvfet

Berthold-Schriften überzeugen durch Schärfe und Qualität. Schriftqualität ist eine Frage der Erfahrung. Berthold hat diese Erfahrung seit über hundert Jahren. Zuerst im Schriftguß, dann im Fotosatz. Berthold-Schriften sind weltweit geschätzt. Im Schriftenatelier München wird jeder Buchstabe in der Größe von zwölf Zentimetern neu gezeichnet. Mit messerscharfen Konturen, um für die Schriftscheiben das Optimale an Konturenschärfe herauszuholen. Um die Qualität des Einzelzeich

1,60 mm (6 p), Zeilenabstand 2,50 mm

Berthold-Schriften überzeugen durch Schärfe und Qualität. Schriftqualität ist eine Frage der Erfahrung. Berthold hat diese Erfahrung seit über hundert Jahren. Zuerst im Schriftguß, dann im Fotosatz. Berthold-Schriften sind weltweit geschätzt. Im Schriftenatelier München wird jeder Buchstabe in der Größe von zwölf Zentimetern neu gezeichnet. Mit messerscharfen Kontur

1,86 mm (7 p), Zeilenabstand 3,00 mm

Berthold-Schriften überzeugen durch Schärfe und Qualität. Schriftqualität ist eine Frage der Erfahrung. Berthold hat diese Erfahrung seit über hundert Jahren. Zuerst im Schriftguß, dann im Fotosatz. Berthold Schriften sind weltweit geschätzt. Im Schriftenatelier München wird jeder Buchstabe in der Größe von zwölf Zentimetern neu

2,15 mm (8 p), Zeilenabstand 3,50 mm

Friedrich Poppl
1982
H. Berthold AG

ABCDEFGHIJKLMNOPQ
RSTUVWXYZ
abcdefghijklmnopqrstuvwxyz
1/1234567890%
(.,-;:!¡?¿–)·[‘‚„”“»«]
+−=/$£†&§*
ÄÅÆÖØŒÜäåæıöøœßü
ÁÀÂÃÇČÉÈÊËÍÌÎÏĹŇÑÓÒÔÕ
ŔŘŠŤÚÙÛŴẄÝŶŸŽ
áàâãçčéèêëíìîïĺňñóòôõŕřš
úùûŵẅýỳÿž

Berthold-Schriftweite weit
Berthold-Schriftweite normal
Berthold-Schriftweite eng
Berthold-Schriftweite sehr eng
Berthold-Schriftweite extrem eng

In general, bodytypes are measured in the typographical point size. The sizes of Berthold Fototype faces can be exactly determined. All faces of same point size have the same capital height–irrespective of their x-height. In hot metal and many other phototypesetting systems the capital heights often differ considerably from one face to the other. For measuring point sizes, a transparent size gauge is provided. To determine the point size, bring a capital letter into coincidence

3,20 mm (12 p), Zeilenabstand 5,25 mm

Berthold's quick brown fox jumps over the lazy dog and feels as if he were in t
3,72 mm (14 p)

Berthold's quick brown fox jumps over the lazy dog and feels as if he
4,25 mm (16 p)

Berthold's quick brown fox jumps over the lazy dog and feels
4,75 mm (18 p)

Berthold's quick brown fox jumps over the lazy dog an
5,30 mm (20 p)

Berthold's quick brown fox jumps over the laz
6,35 mm (24 p)

Berthold's quick brown fox jumps over
7,40 mm (28 p)

Berthold's quick brown fox jumps
8,50 mm (32 p)

Berthold's quick brown fox ju
9,55 mm (36 p)

Berthold-Schriften überzeugen durch Schärfe und Qualität. Schriftqualität ist eine Frage der Erfahrung. Berthold hat diese Erfahrung seit über hundert Jahren. Zuerst im Schriftguß, dann im Fotosatz. Berthold-Schriften sind weltweit geschätzt. Im Schriftenatelier München wird jeder Buchstabe in der

2,40 mm (9 p), Zeilenabstand 4,00 mm

Größe		Zeilenabstand			100 Zeichen		
mm	p	kp	Êp	Ex	0	−1	−2
1,33	5	1,81	2,19	–	93	90	87
1,60	6	2,19	2,63	2,50	109	105	101
1,86	7	2,50	3,06	3,00	126	122	118
2,15	8	2,94	3,50	3,50	143	138	133
2,40	9	3,25	3,94	4,00	160	154	148
2,65	10	3,56	4,31	4,00	177	170	163
2,92	11	3,94	4,75	–	193	186	179
3,20	12	4,31	5,19	5,25	209	201	193
3,45	13	4,63	5,63	–	226	218	210
3,72	14	5,00	6,06	–	242	233	224
3,98	15	5,38	6,50	–	259	250	241
4,25	16	5,75	6,94	–	275	265	255

WZ 13 E, NSW 0, MZB 0,67, F 0,22:0,13 (1,6), VI
H 1–x 0,77–k 1,00–p 0,34–Ê 1,28–kp 1,34–Êp 1,62
BF 089 1094, Belegung 051: 085 1124 (095 1124)

Berthold-Schriften überzeugen durch Schärfe und Qualität. Schriftqualität ist eine Frage der Erfahrung. Berthold hat diese Erfahrung seit über hundert Jahren. Zuerst im Schriftguß, dann im Fotosatz Berthold-Schriften sind weltweit geschätzt. Im Schriftenatelier Mü

2,65 mm (10 p), Zeilenabstand 4,00 mm

fett
bold
gras

POPPL-LAUDATIO

negra
nero
fet

**Berthold-Schriften überzeugen durch Schärfe un
d Qualität. Schriftqualität ist eine Frage der Erfah
rung. Berthold hat diese Erfahrung seit über hun
dert Jahren. Zuerst im Schriftguß, dann im Fotosa
tz. Berthold-Schriften sind weltweit geschätzt. Im
Schriftenatelier München wird jeder Buchstabe in
der Größe von zwölf Zentimetern neu gezeichnet
Mit messerscharfen Konturen, um für die Schrift
scheiben das Optimale an Konturenschärfe hera**

1,60 mm (6 p), Zeilenabstand 2,50 mm

**Berthold-Schriften überzeugen durch Schä
rfe und Qualität. Schriftqualität ist eine Fra
ge der Erfahrung. Berthold hat diese Erfahr
ung seit über hundert Jahren. Zuerst im Sch
riftguß, dann im Fotosatz. Berthold-Schrift
en sind weltweit geschätzt. Im Schriftenate
lier München wird jeder Buchstabe in der G
röße von zwölf Zentimetern neu gezeichnet**

1,86 mm (7 p), Zeilenabstand 3,00 mm

**Berthold-Schriften überzeugen durch
Schärfe und Qualität. Schriftqualität i
st eine Frage der Erfahrung. Berthold
hat diese Erfahrung seit über hundert
Jahren. Zuerst im Schriftguß, dann im
Fotosatz. Berthold-Schriften sind wel
tweit geschätzt. Im Schriftenatelier M
ünchen wird jeder Buchstabe in der Gr**

2,15 mm (8 p), Zeilenabstand 3,50 mm

**Friedrich Poppl
1982
H. Berthold AG**

**ABCDEFGHIJKLMNOPQ
RSTUVWXYZ
abcdefghijklmnopqrstuvwxyz
1/1234567890%
(.,-;:!i?¿–)·[′‘„″“»«]
+−=/$£†*&§
ÄÅÆÖØŒÜäåæıöøœßü
ÁÀÂÃÇČÉÈÊËÍÌÎÏĹŇÑÓÒÔÕ
ŔŘŠŤÚÙÛŴẄÝŶŸŽ
áàâãçčéèêëíìîïĺňñóòôõŕřš
úùûŵẅýỳÿž**

**Berthold-Schriftweite weit
Berthold-Schriftweite normal
Berthold-Schriftweite eng
Berthold-Schriftweite sehr eng
Berthold-Schriftweite extrem eng**

**In general, bodytypes are
measured in the typogra
phical point size. The sizes
of Berthold Fototype faces
can be exactly determine
d. All faces of same point s
ize have the same capital
height–irrespective of th
eir x-height. In hot metal
and many other phototyp
esetting systems the capi
tal heights often differ c
onsiderably from one face
to the other. For measuri
ng point sizes, a transpar
ent size gauge is provided
To determine the point si**

3,20 mm (12 p), Zeilenabstand 5,25 mm

Berthold's quick brown fox jumps over the lazy dog and feels as if he w

3,72 mm (14 p)

Berthold's quick brown fox jumps over the lazy dog and feels a

4,25 mm (16 p)

Berthold's quick brown fox jumps over the lazy dog and

4,75 mm (18 p)

Berthold's quick brown fox jumps over the lazy d

5,30 mm (20 p)

Berthold's quick brown fox jumps over th

6,35 mm (24 p)

Berthold's quick brown fox jumps o

7,40 mm (28 p)

Berthold's quick brown fox ju

8,50 mm (32 p)

Berthold's quick brown fox

9,55 mm (36 p)

**Berthold-Schriften überzeugen d
urch Schärfe und Qualität. Schrift
qualität ist eine Frage der Erfahru
ng. Berthold hat diese Erfahrung s
eit über hundert Jahren. Zuerst im
Schriftguß, dann im Fotosatz. Bert
hold-Schriften sind weltweit gesc
hätzt. Im Schriftenatelier Münche**

2,40 mm (9 p), Zeilenabstand 4,00 mm

Größe		Zeilenabstand			100 Zeichen		
mm	p	kp	Êp	Ex	0	−1	−2
1,00	5	1,01	[illegible]		101	98	95
1,60	6	2,31	2,69	2,50	119	115	111
1,86	7	2,69	3,13	3,00	137	133	129
2,15	8	3,06	3,56	3,50	156	151	146
2,40	9	3,44	4,00	4,00	175	169	163
2,65	10	3,81	4,38	4,00	193	186	179
2,92	11	4,19	4,88	–	211	204	197
3,20	12	4,56	5,31	5,25	229	221	213
3,45	13	4,94	5,75	–	246	238	230
3,72	14	5,31	6,19	–	264	255	246
3,98	15	5,69	6,63	–	282	273	264
4,25	16	6,06	7,06	–	300	290	280

WZ 14 E, NSW 0, MZB 0,73, F 0,28:0,13 (2,3), VI
H 1–x 0,78–k 1,05–p 0,37–Ê 1,28–kp 1,42–Êp 1,65
BF 089 1137, Belegung 051: 085 1125 (095 1125)

**Berthold-Schriften überzeuge
n durch Schärfe und Qualität. S
chriftqualität ist eine Frage der
Erfahrung. Berthold hat diese E
rfahrung seit über hundert Ja
hren. Zuerst im Schriftguß da
nn im Fotosatz. Berthold-Schri
ften sind weltweit geschätzt. I**

2,65 mm (10 p), Zeilenabstand 4,00 mm

kursiv fett
bold italic
italique gras

POPPL-LAUDATIO

negra cursiva
nero corsivo
kursiv fet

***Berthold-Schriften überzeugen durch Schärfe und Qu
alität. Schriftqualität ist eine Frage der Erfahrung. Be
rthold hat diese Erfahrung seit über hundert Jahren. Z
uerst im Schriftguß, dann im Fotosatz. Berthold-Schri
ften sind weltweit geschätzt. Im Schriftenatelier Münc
hen wird jeder Buchstabe in der Größe von zwölf Zenti
metern neu gezeichnet. Mit messerscharfen Konturen
um für die Schriftscheiben das Optimale an Kontur
enschärfe herauszuholen. Um die Qualität des Einzelz***

1,60 mm (6 p), Zeilenabstand 2,50 mm

***Berthold-Schriften überzeugen durch Schärfe
und Qualität. Schriftqualität ist eine Frage der
Erfahrung. Berthold hat diese Erfahrung seit ü
ber hundert Jahren. Zuerst im Schriftguß, dann
im Fotosatz. Berthold-Schriften sind weltweit
geschätzt. Im Schriftenatelier München wird je
der Buchstabe in der Größe von zwölf Zent
imetern neu gezeichnet. Mit messerscharfen K***

1,86 mm (7 p), Zeilenabstand 3,00 mm

***Berthold-Schriften überzeugen durch Sc
härfe und Qualität. Schriftqualität ist eine
Frage der Erfahrung. Berthold hat diese E
rfahrung seit über hundert Jahren. Zuerst
im Schriftguß, dann im Fotosatz. Berthol
d-Schriften sind weltweit geschätzt. Im Sc
hriftenatelier München wird jeder Buchst
abe in der Größe von zwölf Zentimetern n***

2,15 mm (8 p), Zeilenabstand 3,50 mm

***Friedrich Poppl
1982
H. Berthold AG***

***ABCDEFGHIJKLMNOPQ
RSTUVWXYZ
abcdefghijklmnopqrstuvwxyz
1/1234567890%
(.,-;:!¡?¿–)·[′‘„″“»«]
+–=/$£†*&§
ÄÅÆÖØŒÜäåæıöøœßü
ÁÀÂÃÇČÉÈÊËÍÌÎÏĹŇÑÓÒÔÕ
ŔŘŠŤÚÙÛŴẄÝŶŸŽ
áàâãçčéèêëíìîïĺňñóòôõŕřš
úùûŵẅýỳÿž***

***Berthold-Schriftweite weit
Berthold-Schriftweite normal
Berthold-Schriftweite eng
Berthold-Schriftweite sehr eng
Berthold-Schriftweite extrem eng***

***In general, bodytypes are m
easured in the typographic
al point size. The sizes of Be
rthold Fototype faces can be
exactly determined. All faces
of same point size have the s
ame capital height–irrespe
ctive of their x-height. In hot
metal and many other pho
totypesetting systems the c
apital heights often differ c
onsiderably from one face t
o the other. For measuring
point sizes, a transparent si
ze gauge is provided. To det
ermine the point size, bring
a capital letter into coincide***

3,20 mm (12 p), Zeilenabstand 5,25 mm

Berthold's quick brown fox jumps over the lazy dog and feels as if he were in t
3,72 mm (14 p)

Berthold's quick brown fox jumps over the lazy dog and feels as if he
4,25 mm (16 p)

Berthold's quick brown fox jumps over the lazy dog and feels
4,75 mm (18 p)

Berthold's quick brown fox jumps over the lazy dog a
5,30 mm (20 p)

Berthold's quick brown fox jumps over the la
6,35 mm (24 p)

Berthold's quick brown fox jumps over
7,40 mm (28 p)

Berthold's quick brown fox jumps
8,50 mm (32 p)

Berthold's quick brown fox ju
9,55 mm (36 p)

***Berthold-Schriften überzeugen durch
Schärfe und Qualität. Schriftqualität
ist eine Frage der Erfahrung. Berthold
hat diese Erfahrung seit über hundert
Jahren. Zuerst im Schriftguß, dann im
Fotosatz. Berthold-Schriften sind we
ltweit geschätzt. Im Schriftenatelier
München wird jeder Buchstabe in der***

2,40 mm (9 p), Zeilenabstand 4,00 mm

Größe mm	p	Zeilenabstand kp	Êp	Ex	100 Zeichen 0	−1	−2
1,33	5	1,94	2,25	–	99	96	93
1,60	6	2,31	2,69	2,50	116	112	108
1,86	7	2,69	3,13	3,00	134	130	126
2,15	8	3,13	3,63	3,50	152	147	142
2,40	9	3,44	4,00	4,00	170	164	158
2,65	10	3,81	4,44	4,00	188	181	174
2,92	11	4,19	4,88	–	205	198	191
3,20	12	4,63	5,38	5,25	223	215	207
3,45	13	4,94	5,75	–	240	232	224
3,72	14	5,38	6,19	–	258	249	240
3,98	15	5,75	6,63	–	275	266	257
4,25	16	6,13	7,06	–	293	283	273

WZ 13 E, NSW −1, MZB 0,71, F 0,27:0,14 (1,9), VI
H 1–x 0,78–k 1,05–p 0,38–Ê 1,28–kp 1,43–Êp 1,66
BF 089 1138, Belegung 051: 085 1126 (095 1126)

***Berthold-Schriften überzeugen d
urch Schärfe und Qualität. Schrift
qualität ist eine Frage der Erfahr
ung. Berthold hat diese Erfahrung
seit über hundert Jahren. Zuerst i
m Schriftguß, dann im Fotosatz
Berthold-Schriften sind weltweit
geschätzt. Im Schriftenatelier Mü***

2,65 mm (10 p), Zeilenabstand 4,00 mm

schmalmager
light condensed
étroit maigre

POPPL-LAUDATIO

fina estrecha
chiarissimo stretto
smalmager

Berthold-Schriften überzeugen durch Schärfe und Qualität. Schriftqualität ist eine Frage der Erfahrung. Berthold hat diese Erfahrung seit über hundert Jahren. Zuerst im Schriftguß, dann im Fotosatz. Berthold-Schriften sind weltweit geschätzt. Im Schriftenatelier München wird jeder Buchstabe in der Größe von zwölf Zentimetern neu gezeichnet. Mit messerscharfen Konturen, um für die Schriftscheiben das Optimale an Konturenschärfe herauszuholen. Um die Qualität des Einzelzeichens im Belichtungsvorgang zu bewahren, wird durch die ruhende, nicht rotierende Schriftscheibe belichtet. Dieses optische System

1,60 mm (6 p), Zeilenabstand 2,50 mm

Berthold-Schriften überzeugen durch Schärfe und Qualität. Schriftqualität ist eine Frage der Erfahrung. Berthold hat diese Erfahrung seit über hundert Jahren. Zuerst im Schriftguß, dann im Fotosatz. Berthold-Schriften sind weltweit geschätzt. Im Schriftenatelier München wird jeder Buchstabe in der Größe von zwölf Zentimetern neu gezeichnet. Mit messerscharfen Konturen, um für die Schriftscheiben das Optimale an Konturenschärfe herauszuholen. Um die Qualität des Einzelzei

1,86 mm (7 p), Zeilenabstand 3,00 mm

Berthold-Schriften überzeugen durch Schärfe und Qualität. Schriftqualität ist eine Frage der Erfahrung. Berthold hat diese Erfahrung seit über hundert Jahren. Zuerst im Schriftguß, dann im Fotosatz. Berthold-Schriften sind weltweit geschätzt. Im Schriftenatelier München wird jeder Buchstabe in der Größe von zwölf Zentimetern neu gezeichnet. Mit messerscharfen Konturen um für die Schriftscheiben das Optimale an Konturens

2,15 mm (8 p), Zeilenabstand 3,50 mm

Friedrich Poppl
1982
H. Berthold AG

ABCDEFGHIJKLMNOPQ
RSTUVWXYZ
abcdefghijklmnopqrstuvwxyz
1/1234567890%
(.,-;:!¡?¿–)·['',""»«]
+-=/$£†*&§
ÄÅÆÖØŒÜäåæıöøœßü
ÁÀÂÃÇČÉÈÊËÍÌÎÏĹŇÑÓÒÔÕ
ŔŘŠŤÚÙÛŴẄÝŶŸŽ
áàâãçčéèêëíìîïĺňñóòôõŕřš
úùûŵẅýỳÿž

Berthold-Schriftweite weit
Berthold-Schriftweite normal
Berthold-Schriftweite eng
Berthold-Schriftweite sehr eng
Berthold-Schriftweite extrem eng

In general, bodytypes are measured in the typographical point size. The sizes of Berthold Fototype faces can be exactly determined. All faces of same point size have the same capital height–irrespective of their x-height. In hot metal and many other phototypesetting systems the capital heights often differ considerably from one face to the other. For measuring point sizes, a transparent size gauge is provided. To determine the point size, bring a capital letter into coincidence with that field which precisely circumscribes the letter at its upper and lower margin. Below the field you find the typographical point and below that t

3,20 mm (12 p), Zeilenabstand 5,25 mm

Berthold's quick brown fox jumps over the lazy dog and feels as if he were in the seventh heaven
3,72 mm (14 p)

Berthold's quick brown fox jumps over the lazy dog and feels as if he were in the seventh
4,25 mm (16 p)

Berthold's quick brown fox jumps over the lazy dog and feels as if he were in the
4,75 mm (18 p)

Berthold's quick brown fox jumps over the lazy dog and feels as if he w
5,30 mm (20 p)

Berthold's quick brown fox jumps over the lazy dog and feel
6,35 mm (24 p)

Berthold's quick brown fox jumps over the lazy dog
7,40 mm (28 p)

Berthold's quick brown fox jumps over the la
8,50 mm (32 p)

Berthold's quick brown fox jumps over t
9,55 mm (36 p)

Berthold-Schriften überzeugen durch Schärfe und Qualität. Schriftqualität ist eine Frage der Erfahrung. Berthold hat diese Erfahrung seit über hundert Jahren. Zuerst im Schriftguß, dann im Fotosatz. Berthold-Schriften sind weltweit geschätzt. Im Schriftenatelier München wird jeder Buchstabe in der Größe von zwölf Zentimetern neu gezeichnet. Mit messerscharfen Konturen, um für d

2,40 mm (9 p), Zeilenabstand 4,00 mm

Größe mm	p	Zeilenabstand kp	Êp	Ex	100 Zeichen 0	–1	–2
1,33	5	1,81	2,13	–	75	72	69
1,60	6	2,19	2,56	2,50	88	84	80
1,86	7	2,50	2,94	3,00	101	97	93
2,15	8	2,94	3,44	3,50	115	110	105
2,40	9	3,25	3,81	4,00	129	123	117
2,65	10	3,56	4,19	4,00	142	135	128
2,92	11	3,94	4,63	–	155	148	141
3,20	12	4,31	5,06	5,25	168	160	152
3,45	13	4,63	5,50	–	182	174	166
3,72	14	5,00	5,88	–	195	186	177
3,98	15	5,38	6,31	–	208	199	190
4,25	16	5,75	6,75	–	221	211	201

WZ 11 E, NSW 0, MZB 0,54, F 0,12:0,09 (1,3), VI
H 1–x 0,77–k 1,03–p 0,31–Ê 1,27–kp 1,34–Êp 1,58
BF 089 1159, Belegung 051: 085 1264 (095 1264)

Berthold-Schriften überzeugen durch Schärfe und Qualität. Schriftqualität ist eine Frage der Erfahrung. Berthold hat diese Erfahrung seit über hundert Jahren. Zuerst im Schriftguß, dann im Fotosatz. Berthold-Schriften sind weltweit geschätzt. Im Schriftenatelier München wird jeder Buchstabe in der Größe von zwölf Zentimetern neu gezeichnet. Mit

2,65 mm (10 p), Zeilenabstand 4,00 mm

schmal
condensed
étroit

POPPL-LAUDATIO

estrecha
chiaro stretto
smal

Berthold-Schriften überzeugen durch Schärfe und Qualität. S chriftqualität ist eine Frage der Erfahrung. Berthold hat diese Erfahrung seit über hundert Jahren. Zuerst im Schriftguß, da nn im Fotosatz. Berthold-Schriften sind weltweit geschätzt. Im S chriftenatelier München wird jeder Buchstabe in der Größe von z wölf Zentimetern neu gezeichnet. Mit messerscharfen Konturen um für die Schriftscheiben das Optimale an Konturenschärfe her auszuholen. Um die Qualität des Einzelzeichens im Belichtungs vorgang zu bewahren, wird durch die ruhende, nicht rotierende

1,60 mm (6 p), Zeilenabstand 2,50 mm

Berthold-Schriften überzeugen durch Schärfe und Qua lität. Schriftqualität ist eine Frage der Erfahrung. Bert hold hat diese Erfahrung seit über hundert Jahren. Zue rst im Schriftguß, dann im Fotosatz. Berthold-Schriften s ind weltweit geschätzt. Im Schriftenatelier München wir d jeder Buchstabe in der Größe von zwölf Zentimetern n eu gezeichnet. Mit messerscharfen Konturen, um für die Schriftscheiben das Optimale an Konturenschärfe herau

1,86 mm (7 p), Zeilenabstand 3,00 mm

Berthold-Schriften überzeugen durch Schärfe und Qualität. Schriftqualität ist eine Frage der Erfahru ng. Berthold hat diese Erfahrung seit über hundert Jahren. Zuerst im Schriftguß, dann im Fotosatz. B erthold-Schriften sind weltweit geschätzt. Im Schr iftenatelier München wird jeder Buchstabe in der Größe von zwölf Zentimetern neu gezeichnet. Mit messerscharfen Konturen, um für die Schriftschei

2,15 mm (8 p), Zeilenabstand 3,50 mm

Friedrich Poppl
1982
H. Berthold AG

ABCDEFGHIJKLMNOPQ
RSTUVWXYZ
abcdefghijklmnopqrstuvwxyz
1/1234567890%
(.,-;:!i?¿–)·['‘„"“»«]
+–=/$£†*&§
ÄÅÆÖØŒÜäåæıöøœßü
ÁÀÂÃÇČÉÈÊËÍÌÎÏĹŇÑÓÒÔÕ
ŔŘŠŤÚÙÛŴẄÝŶŸŽ
áàâãçčéèêëíìîïĺňñóòôõŕřš
úùûŵẅýỳÿž

Berthold-Schriftweite weit
Berthold-Schriftweite normal
Berthold-Schriftweite eng
Berthold-Schriftweite sehr eng
Berthold-Schriftweite extrem eng

In general, bodytypes are measu red in the typographical point siz e. The sizes of Berthold Fototype faces can be exactly determined All faces of same point size have the same capital height–irrespe ctive of their x-height. In hot met al and many other phototypesett ing systems the capital heights o ften differ considerably from one face to the other. For measuring p oint sizes, a transparent size gaug e is provided. To determine the po int size, bring a capital letter into c oincidence with that field which p recisely circumscribes the letter at its upper and lower margin. Below

3,20 mm (12 p), Zeilenabstand 5,25 mm

Berthold's quick brown fox jumps over the lazy dog and feels as if he were in the seventh hea
3,72 mm (14 p)

Berthold's quick brown fox jumps over the lazy dog and feels as if he were in the se
4,25 mm (16 p)

Berthold's quick brown fox jumps over the lazy dog and feels as if he were
4,75 mm (18 p)

Berthold's quick brown fox jumps over the lazy dog and feels as if
5,30 mm (20 p)

Berthold's quick brown fox jumps over the lazy dog and
6,35 mm (24 p)

Berthold's quick brown fox jumps over the lazy
7,40 mm (28 p)

Berthold's quick brown fox jumps over th
8,50 mm (32 p)

Berthold's quick brown fox jumps ov
9,55 mm (36 p)

Berthold-Schriften überzeugen durch Schär fe und Qualität. Schriftqualität ist eine Frag e der Erfahrung. Berthold hat diese Erfahru ng seit über hundert Jahren. Zuerst im Schrift guß, dann im Fotosatz. Berthold-Schriften si nd weltweit geschätzt. Im Schriftenatelier M ünchen wird jeder Buchstabe in der Größe v on zwölf Zentimetern neu gezeichnet. Mit me

2,40 mm (9 p), Zeilenabstand 4,00 mm

Größe		Zeilenabstand			100 Zeichen		
mm	p	kp	Êp	Ex	0	–1	–2
1,33	5	1,81	2,13	–	83	80	77
1,60	6	2,13	2,56	2,50	98	94	90
1,86	7	2,50	2,94	3,00	113	109	105
2,15	8	2,88	3,38	3,50	128	123	118
2,40	9	3,19	3,81	4,00	143	137	131
2,65	10	3,50	4,19	4,00	158	151	144
2,92	11	3,88	4,63	–	173	166	159
3,20	12	4,25	5,06	5,25	188	180	172
3,45	13	4,56	5,44	–	202	194	186
3,72	14	4,94	5,88	–	217	208	199
3,98	15	5,31	6,25	–	232	223	214
4,25	16	5,63	6,69	–	246	236	226

WZ 12 E, NSW 0, MZB 0,60, F 0,15:0,10 (1,5), VI
H 1–x 0,77–k 1,02–p 0,30–Ê 1,27–kp 1,32–Êp 1,57
BF 089 1139, Belegung 051: 085 1262 (095 1262)

Berthold-Schriften überzeugen durch Sc härfe und Qualität. Schriftqualität ist ein e Frage der Erfahrung. Berthold hat diese Erfahrung seit über hundert Jahren. Zue rst im Schriftguß, dann im Fotosatz. Bert hold-Schriften sind weltweit geschätzt. I m Schriftenatelier München wird jeder Buchstabe in der Größe von zwölf Zenti

2,65 mm (10 p), Zeilenabstand 4,00 mm

schmalhalbfett
medium condensed
étroit demi-gras

POPPL-LAUDATIO

seminegra estrecha
neretto stretto
smalhalvfet

Berthold-Schriften überzeugen durch Schärfe und Qualität. Schriftqualität ist eine Frage der Erfahrung. Berthold hat d iese Erfahrung seit über hundert Jahren. Zuerst im Schriftg uß, dann im Fotosatz. Berthold-Schriften sind weltweit ges chätzt. Im Schriftenatelier München wird jeder Buchstabe i n der Größe von zwölf Zentimetern neu gezeichnet. Mit me sserscharfen Konturen, um für die Schriftscheiben das Opt imale an Konturenschärfe herauszuholen. Um die Qualität des Einzelzeichens im Belichtungsvorgang zu bewahren, w

1,60 mm (6 p), Zeilenabstand 2,50 mm

Berthold-Schriften überzeugen durch Schärfe und Qualität. Schriftqualität ist eine Frage der Erfahrun g. Berthold hat diese Erfahrung seit über hundert Ja hren. Zuerst im Schriftguß, dann im Fotosatz. Berth old-Schriften sind weltweit geschätzt. Im Schriften atelier München wird jeder Buchstabe in der Größe von zwölf Zentimetern neu gezeichnet. Mit messers charfen Konturen, um für die Schriftscheiben das O

1,86 mm (7 p), Zeilenabstand 3,00 mm

Berthold-Schriften überzeugen durch Schärfe und Qualität. Schriftqualität ist eine Frage der Erfahrung. Berthold hat diese Erfahrung seit über hundert Jahren. Zuerst im Schriftguß, da nn im Fotosatz. Berthold-Schriften sind welt weit geschätzt. Im Schriftenatelier München wird jeder Buchstabe in der Größe von zwölf Z entimetern neu gezeichnet. Mit messerscharf

2,15 mm (8 p), Zeilenabstand 3,50 mm

Friedrich Poppl
1982
H. Berthold AG

ABCDEFGHIJKLMNOPQ
RSTUVWXYZ
abcdefghijklmnopqrstuvwxyz
1/1234567890%
(.,-;:!i?¿–)·['‘„"“»«]
+–=/$£†*&§
ÄÅÆÖØŒÜäåæıöøœßü
ÁÀÂÃÇČÉÈÊËÍÌÎÏĹŇÑÓÒÔÕ
ŔŘŠŤÚÙÛŴẄÝŶŸŽ
áàâãçčéèêëíìîïĺňñóòôõŕřš
úùûŵẅýỳÿž

Berthold-Schriftweite weit
Berthold-Schriftweite normal
Berthold-Schriftweite eng
Berthold-Schriftweite sehr eng
Berthold-Schriftweite extrem eng

In general, bodytypes are me asured in the typographical po int size. The sizes of Berthold F ototype faces can be exactly de termined. All faces of same poi nt size have the same capital h eight–irrespective of their x-h eight. In hot metal and many ot her phototypesetting systems the capital heights often differ considerably from one face to t he other. For measuring point sizes, a transparent size gauge is provided. To determine the point size, bring a capital lett er into coincidence with that fi eld which precisely circumscri

3,20 mm (12 p), Zeilenabstand 5,25 mm

Berthold's quick brown fox jumps over the lazy dog and feels as if he were in the seve
3,72 mm (14 p)

Berthold's quick brown fox jumps over the lazy dog and feels as if he were in
4,25 mm (16 p)

Berthold's quick brown fox jumps over the lazy dog and feels as if h
4,75 mm (18 p)

Berthold's quick brown fox jumps over the lazy dog and feels
5,30 mm (20 p)

Berthold's quick brown fox jumps over the lazy dog
6,35 mm (24 p)

Berthold's quick brown fox jumps over the
7,40 mm (28 p)

Berthold's quick brown fox jumps ove
8,50 mm (32 p)

Berthold's quick brown fox jumps
9,55 mm (36 p)

Berthold-Schriften überzeugen durch Sc härfe und Qualität. Schriftqualität ist ein e Frage der Erfahrung. Berthold hat diese Erfahrung seit über hundert Jahren. Zue rst im Schriftguß, dann im Fotosatz. Bert hold-Schriften sind weltweit geschätzt. I m Schriftenatelier München wird jeder B uchstabe in der Größe von zwölf Zentim

2,40 mm (9 p), Zeilenabstand 4,00 mm

Größe mm	p	Zeilenabstand kp	Êp	Ex	100 Zeichen 0	−1	−2
1,33	5	1,75	2,13	—	87	84	81
1,60	6	2,13	2,56	2,50	103	99	95
1,86	7	2,44	2,94	3,00	118	114	110
2,15	8	2,88	3,38	3,50	134	129	124
2,40	9	3,19	3,81	4,00	150	144	138
2,65	10	3,50	4,19	4,00	165	158	151
2,92	11	3,88	4,63	—	181	174	167
3,20	12	4,25	5,06	5,25	196	188	180
3,45	13	4,56	5,44	—	212	204	196
3,72	14	4,88	5,88	—	227	218	209
3,98	15	5,25	6,25	—	243	234	225
4,25	16	5,63	6,69	—	258	248	238

WZ 12 E, NSW 0, MZB 0,62, F 0,20:0,12 (1,7), VI
H 1–x 0,76–k 1,01–p 0,30–Ê 1,27–kp 1,31–Êp 1,57
BF 089 1140, Belegung 051: 085 1265 (095 1265)

Berthold-Schriften überzeugen durc h Schärfe und Qualität. Schriftqualit ät ist eine Frage der Erfahrung. Berth old hat diese Erfahrung seit über hun dert Jahren. Zuerst im Schriftguß, da nn im Fotosatz. Berthold-Schriften si nd weltweit geschätzt. Im Schriftena telier München wird jeder Buchstabe

2,65 mm (10 p), Zeilenabstand 4,00 mm

schmalfett
bold condensed
étroit gras

POPPL-LAUDATIO

negra estrecha
nero stretto
smalfet

Berthold-Schriften überzeugen durch Schärfe und Qualität Schriftqualität ist eine Frage der Erfahrung. Berthold hat d iese Erfahrung seit über hundert Jahren. Zuerst im Schriftg uß, dann im Fotosatz. Berthold-Schriften sind weltweit ges chätzt. Im Schriftenatelier München wird jeder Buchstabe i n der Größe von zwölf Zentimetern neu gezeichnet. Mit mes serscharfen Konturen, um für die Schriftscheiben das Opti male an Konturenschärfe herauszuholen. Um die Qualität des Einzelzeichens im Belichtungsvorgang zu bewahren, w

1,60 mm (6 p), Zeilenabstand 2,50 mm

Berthold-Schriften überzeugen durch Schärfe und Qualität. Schriftqualität ist eine Frage der Erfahrun g. Berthold hat diese Erfahrung seit über hundert Ja hren. Zuerst im Schriftguß, dann im Fotosatz. Berth old-Schriften sind weltweit geschätzt. Im Schriftena telier München wird jeder Buchstabe in der Größe v on zwölf Zentimetern neu gezeichnet. Mit messersc harfen Konturen, um für die Schriftscheiben das Op

1,86 mm (7 p), Zeilenabstand 3,00 mm

Berthold-Schriften überzeugen durch Schärfe und Qualität. Schriftqualität ist eine Frage der Erfahrung. Berthold hat diese Erfahrung seit über hundert Jahren. Zuerst im Schriftguß, da nn im Fotosatz. Berthold-Schriften sind welt weit geschätzt. Im Schriftenatelier München wird jeder Buchstabe in der Größe von zwölf Z entimetern neu gezeichnet. Mit messerscharf

2,15 mm (8 p), Zeilenabstand 3,50 mm

Friedrich Poppl
1982
H. Berthold AG

ABCDEFGHIJKLMNOPQ
RSTUVWXYZ
abcdefghijklmnopqrstuvwxyz
1/1234567890%
(.,-;:!¡?¿–)·[',,""»«]
+–=/$£†*&§
ÄÅÆÖØŒÜäåæıöøœßü
ÁÀÂÃÇČÉÈÊËÍÌÎÏĹŇÑÓÒÔÕ
ŔŘŠŤÚÙÛŴẄÝŶŸŽ
áàâãçčéèêëíìîïĺňñóòôõŕřš
úùûŵẅýỳÿž

Berthold-Schriftweite weit
Berthold-Schriftweite normal
Berthold-Schriftweite eng
Berthold-Schriftweite sehr eng
Berthold-Schriftweite extrem eng

In general, bodytypes are meas ured in the typographical point size. The sizes of Berthold Foto type faces can be exactly deter mined. All faces of same point s ize have the same capital heigh t–irrespective of their x-height In hot metal and many other p hototypesetting systems the ca pital heights often differ cons iderably from one face to the ot her. For measuring point sizes a transparent size gauge is provi ded. To determine the point siz e, bring a capital letter into coi ncidence with that field which precisely circumscribes the lett

3,20 mm (12 p), Zeilenabstand 5,25 mm

Berthold's quick brown fox jumps over the lazy dog and feels as if he were in the seve
3,72 mm (14 p)

Berthold's quick brown fox jumps over the lazy dog and feels as if he were in
4,25 mm (16 p)

Berthold's quick brown fox jumps over the lazy dog and feels as if he
4,75 mm (18 p)

Berthold's quick brown fox jumps over the lazy dog and feels
5,30 mm (20 p)

Berthold's quick brown fox jumps over the lazy dog
6,35 mm (24 p)

Berthold's quick brown fox jumps over the
7,40 mm (28 p)

Berthold's quick brown fox jumps ov
8,50 mm (32 p)

Berthold's quick brown fox jumps
9,55 mm (36 p)

Berthold-Schriften überzeugen durch Sc härfe und Qualität. Schriftqualität ist ein e Frage der Erfahrung. Berthold hat diese Erfahrung seit über hundert Jahren. Zue rst im Schriftguß, dann im Fotosatz. Bert hold-Schriften sind weltweit geschätzt. I m Schriftenatelier München wird jeder B uchstabe in der Größe von zwölf Zentime

2,40 mm (9 p), Zeilenabstand 4,00 mm

Größe		Zeilenabstand			100 Zeichen		
mm	p	kp	Êp	Ex	0	–1	–2
1,33	5	1,75	2,13	–	87	84	81
1,60	6	2,13	2,50	2,50	103	99	95
1,86	7	2,44	2,94	3,00	118	114	110
2,15	8	2,81	3,38	3,50	134	129	124
2,40	9	3,13	3,75	4,00	150	144	138
2,65	10	3,50	4,19	4,00	165	158	151
2,92	11	3,81	4,56	–	181	174	167
3,20	12	4,19	5,00	5,25	196	188	180
3,45	13	4,50	5,44	–	212	204	196
3,72	14	4,88	5,81	–	227	218	209
3,98	15	5,19	6,25	–	243	234	225
4,25	16	5,56	6,63	–	258	248	238

WZ 12 E, NSW 0, MZB 0,62, F 0,23:0,13 (1,8), VI
H 1–x 0,75–k 1,00–p 0,30–Ê 1,26–kp 1,30–Êp 1,56
BF 089 1160, Belegung 051: 085 1266 (095 1266)

Berthold-Schriften überzeugen durc h Schärfe und Qualität. Schriftqualit ät ist eine Frage der Erfahrung. Berth old hat diese Erfahrung seit über hun dert Jahren. Zuerst im Schriftguß, da nn im Fotosatz. Berthold-Schriften si nd weltweit geschätzt. Im Schriftenat elier München wird jeder Buchstabe i

2,65 mm (10 p), Zeilenabstand 4,00 mm

normal
regular
normal

POPPL-PONTIFEX

normal
chiaro tondo
normal

Berthold-Schriften überzeugen durch Schärfe und Qualität. Sc
hriftqualität ist eine Frage der Erfahrung. Berthold hat diese Er
fahrung seit über hundert Jahren. Zuerst im Schriftguß, dann i
m Fotosatz. Berthold-Schriften sind weltweit geschätzt. Im Sc
hriftenatelier München wird jeder Buchstabe in der Größe von
zwölf Zentimetern neu gezeichnet. Mit messerscharfen Kontu
ren, um für die Schriftscheiben das Optimale an Konturenschä
rfe herauszuholen. Um die Qualität des Einzelzeichens im Be
lichtungsvorgang zu bewahren, wird durch die ruhende, nicht

1,33 mm (5 p) 20 30 40 50

Berthold-Schriften überzeugen durch Schärfe und Qualit
ät. Schriftqualität ist eine Frage der Erfahrung. Berthold h
at diese Erfahrung seit über hundert Jahren. Zuerst im Sc
hriftguß, dann im Fotosatz. Berthold-Schriften sind weltw
eit geschätzt. Im Schriftenatelier München wird jeder Buc
hstabe in der Größe von zwölf Zentimetern neu gezeichne
t. Mit messerscharfen Konturen, um für die Schriftscheib
en das Optimale an Konturenschärfe herauszuholen. Um
die Qualität des Einzelzeichens im Belichtungsvorgang zu

1,45 mm (5,5 p) 20 30 40 50

Berthold-Schriften überzeugen durch Schärfe und Q
ualität. Schriftqualität ist eine Frage der Erfahrung. B
erthold hat diese Erfahrung seit über hundert Jahren
Zuerst im Schriftguß, dann im Fotosatz. Berthold-Sch
riften sind weltweit geschätzt. Im Schriftenatelier M
ünchen wird jeder Buchstabe in der Größe von zwölf
Zentimetern neu gezeichnet. Mit messerscharfen Ko
nturen, um für die Schriftscheiben das Optimale an K
onturenschärfe herauszuholen. Um die Qualität des

1,60 mm (6 p) 20 30 40 5

Berthold-Schriften überzeugen durch Schärfe u
nd Qualität. Schriftqualität ist eine Frage der Erf
ahrung. Berthold hat diese Erfahrung seit über h
undert Jahren. Zuerst im Schriftguß, dann im Fot
osatz. Berthold-Schriften sind weltweit geschätz
t. Im Schriftenatelier München wird jeder Buchs
tabe in der Größe von zwölf Zentimetern neu ge
zeichnet. Mit messerscharfen Konturen, um für
die Schriftscheiben das Optimale an Konturens

1,75 mm (6,5 p) 20 30 40

Berthold-Schriften überzeugen durch Schärfe
und Qualität. Schriftqualität ist eine Frage der
Erfahrung. Berthold hat diese Erfahrung seit ü
ber hundert Jahren. Zuerst im Schriftguß, da
nn im Fotosatz. Berthold-Schriften sind weltw
eit geschätzt. Im Schriftenatelier München wi
rd jeder Buchstabe in der Größe von zwölf Zen
timetern neu gezeichnet. Mit messerscharfen
Konturen, um für die Schriftscheiben das Opti

1,86 mm (7 p) 20 30 40

Berthold-Schriften überzeugen durch Sch
ärfe und Qualität. Schriftqualität ist eine Fr
age der Erfahrung. Berthold hat diese Erfah
rung seit über hundert Jahren. Zuerst im Sc
hriftguß, dann im Fotosatz. Berthold-Schrif
ten sind weltweit geschätzt. Im Schriftenat
elier München wird jeder Buchstabe in der
Größe von zwölf Zentimetern neu gezeich
net. Mit messerscharfen Konturen, um für

2,00 mm (7,5 p) 20 30 40

Berthold-Schriften überzeugen durch S
chärfe und Qualität. Schriftqualität ist ei
ne Frage der Erfahrung. Berthold hat die
se Erfahrung seit über hundert Jahren. Z
uerst im Schriftguß, dann im Fotosatz. Be
rthold-Schriften sind weltweit geschätzt
Im Schriftenatelier München wird jeder
Buchstabe in der Größe von zwölf Zenti
metern neu gezeichnet. Mit messerschar

2,15 mm (8 p) 20 30

Friedrich Poppl
1976
H. Berthold AG

ABCDEFGHIJKLMNOPQ
RSTUVWXYZ
abcdefghijklmnopqrstuvwxyz
1/1234567890%
(.,-;:!¡?¿–)·[‘‚“„”»«]
+−=/$£†*&§
ÄÅÆÖØŒÜäåæıöøœßü
ÁÀÂÃÇČÉÈÊËÍÌÎÏĹŇÑÓÒÔÕ
ŔŘŠŤÚÙÛŴẄÝŶŸŽ
áàâãçčéèêëíìîïĺňñóòôõŕřš
úùûŵẅýỳÿž

Berthold-Schriftweite weit
Berthold-Schriftweite normal
Berthold-Schriftweite eng
Berthold-Schriftweite sehr eng
Berthold-Schriftweite extrem eng

Berthold
3,75 mm (14 p)

Berthold
4,25 mm (16 p)

Berthold
4,75 mm (18 p)

Berthold
5,30 mm (20 p)

Berthold
6,35 mm (24 p)

Berthold
7,40 mm (28 p)

Berthold
8,50 mm (32 p)

Berthold
9,55 mm (36 p)

Größe		Zeilenabstand			100 Zeichen		
mm	p	kp	Êp	Ex	0	−1	−2
1,33	5	2,06	2,31	2,00	96	93	90
1,60	6	2,50	2,75	2,50	112	108	104
1,86	7	2,88	3,19	3,00	129	125	121
2,15	8	3,31	3,69	3,50	147	142	137
2,40	9	3,69	4,13	3,75	165	159	153
2,65	10	4,06	4,56	4,25	182	175	168
2,92	11	4,50	5,00	4,75	198	191	184
3,20	12	4,94	5,50	5,25	215	207	199
3,45	13	5,31	5,94	5,75	232	224	216
3,72	14	5,75	6,38	—	249	240	231
3,98	15	6,13	6,81	—	266	257	248
4,25	16	6,56	7,31	—	283	273	263

WZ 14 E, NSW 0, MZB 0,68, F 0,13:0,067 (1,9), II
H 1–x 0,73–k 1,13–p 0,40–Ê 1,31–kp 1,53–Êp 1,71
BF 089 0553, Belegung 051: 085 0085 (095 0085)

Berthold-Schriften überzeugen dur
ch Schärfe und Qualität. Schriftqual
ität ist eine Frage der Erfahrung. Ber
thold hat diese Erfahrung seit über
hundert Jahren. Zuerst im Schriftgu
ß, dann im Fotosatz. Berthold-Schrif
ten sind weltweit geschätzt. Im Sch
riftenatelier München wird jeder Bu

2,40 mm (9 p) 20 30

Berthold-Schriften überzeugen
durch Schärfe und Qualität. Schr
iftqualität ist eine Frage der Erfa
hrung. Berthold hat diese Erfahr
ung seit über hundert Jahren. Zu
erst im Schriftguß, dann im Foto
satz. Berthold-Schriften sind wel
tweit geschätzt. Im Schriftenatel

2,65 mm (10 p) 10 20 30

Berthold-Schriften überzeug
en durch Schärfe und Qualität
Schriftqualität ist eine Frage d
er Erfahrung. Berthold hat die
se Erfahrung seit über hunder
t Jahren. Zuerst im Schriftguß
dann im Fotosatz. Berthold-Sc
hriften sind weltweit geschät

2,92 mm (11 p) 10 20

Berthold-Schriften überze
ugen durch Schärfe und Q
ualität. Schriftqualität ist ei
ne Frage der Erfahrung. Ber
thold hat diese Erfahrung s
eit über hundert Jahren. Zu
erst im Schriftguß, dann im
Fotosatz.Berthold-Schriften

3,20 mm (12 p) 10 20

Berthold-Schriften überz
eugen durch Schärfe und
Qualität. Schriftqualität i
st eine Frage der Erfahru
ng. Berthold hat diese Erf
ahrung seit über hundert
Jahren. Zuerst im Schriftg
uß, dann im Fotosatz. Ber

3,45 mm (13 p) 10 20

normal
regular
normal

POPPL-PONTIFEX

normal
chiaro tondo
normal

Berthold-Schriften überzeugen durch Schärfe und Qualität. Schrif tqualität ist eine Frage der Erfahrung. Berthold hat diese Erfahrung seit über hundert Jahren. Zuerst im Schriftguß, dann im Fotosatz Berthold-Schriften sind weltweit geschätzt. Im Schriftenatelier M ünchen wird jeder Buchstabe in der Größe von zwölf Zentimetern neu gezeichnet. Mit messerscharfen Konturen, um für die Schrifts cheiben das Optimale an Konturenschärfe herauszuholen. Um die Qualität des Einzelzeichens im Belichtungsvorgang zu bewahren wird durch die ruhende, nicht rotierende Schriftscheibe belichtet

4,25 mm (16 p), Zeilenabstand 6,75 mm

POPPL-PONTIFEX REGULAR

In general, bodytypes are measured in the ty pographical point size. The sizes of Berthold Fototype faces can be exactly determined. All faces of same point size have the same capital heigth–irrespective of their x-heigth. In hot metal and many other phototypesetting sys tems the capital heigths often differ consid erably from one face to the other. For measur ing point sizes, a transparent size gauge is provided. To determine the point size, bring a capital letter into coincidence with that field which precisely circumscribes the letter at its upper and lower margin. Below the field you find the typographical point and below that the millimeter value, which also refers to the height of a capital letter. In Berthold-photo typesetting, the typewidth can be modified The standard setting width of typefaces is de termined by the principle of optimum legibi lity. You should not depart from this type width without cogent reason. A typeface which is considered optically right when

2,40 mm (9 p), Zeilenabstand 4,25 mm

POPPL-PONTIFEX NORMAL

La valeur de la force de corps des caractè res de labeur èst généralement exprimée en points typographiques. La force de corps des caractères Berthold-Fototype peut être déterminée avec précision Tous les caractères du même corps ont des capitales d'une hauteur identique indépendamment de la hauteur des bas de casse sans jambage. Dans la composi tion plomb, ainsi que dans certains sys tèmes de photocomposition, la hauteur des capitales, varie souvent d'un carac tère à l'autre. Pour déterminer la force de corps de nos caractères, nous avons mis au point une réglette de hauteur d'œil transparente. On cherche le rectangle qui délimite exactement la hauteur d'œil d'une capitale du caractère choisi. Sous le rectangle correspondant la valeur de la force de corps est indiquée en points

2,65 mm (10 p), Zeilenabstand 4,69 mm

La indicación de las dimensiones para cu erpos de letra vásicos tiene lugar en gene ral en puntos tipográficos. Los cuerpos de letra de los caracteres Berthold Fototype pueden determinarse exactemente par m edición. Con independencia de la altura de sus longitudes centrales, todos los caracte res de idéntico cuerpo de letra presentan altura de mayúsculas idéntica. En la comp

2,15 mm (8 p), –1, Zeilenabstand 3,38 mm

123,– $	456,– £	7890,– DM	1 %
234,– $	789,– £	1234,– DM	2 %
567,– $	12,– £	5678,– DM	3 %
890,– $	345,– £	9012,– DM	4 %
123,– $	678,– £	3456,– DM	5 %
456,– $	901,– £	7890,– DM	6 %
789,– $	234,– £	1234,– DM	7 %
12,– $	567,– £	5678,– DM	8 %
345,– $	890,– £	9012,– DM	9 %

BF 089 0554

Le misure relative al corpo dei caratteri ven gono generalmente indicate in punti tipo grafici. Il corpo dei caratteri Fototypes può essere determinato con esattezza per sempli ce misurazione. Tutti i caratteri di uguale grandezza in punti hanno, indipendenteme nte dalla loro lunghezza, uguale altezza delle maiuscole. Nella composizione in piombo ed in molti altri sistemi di fotocomposizione, l'a

2,15 mm (8 p), –2, Zeilenabstand 3,38 mm

normal
regular
normal

POPPL-PONTIFEX CAPS

normal
chiaro tondo
normal

BERTHOLD-SCHRIFTEN ÜBERZEUGEN DURCH SCHÄRFE UND QUALITÄT. SCHRIFTQUALITÄT IST EINE FRAGE DER ERFAHRUNG. BERTHOLD HAT DIESE ERFAHRUNG SEIT ÜBER HUNDERT JAHREN. ZUERST IM SCHRIFTGUSS, DANN IM FOTOSATZ. BERTHOLD-SCHRIFTEN SIND WELTWEIT GESCHÄTZT. IM SCHRIFTENATELIER MÜNCHEN WIRD JEDER BUCHSTABE IN DER GRÖSSE VON ZWÖLF ZENTIMETERN NEU GEZEICHNET. MIT MESSERSCHARFEN KONTUREN, UM FÜR DIE SCHRIFTSC

3,20 mm (12 p), Zeilenabstand 5,25 mm

FRIEDRICH POPPL
1981
H. BERTHOLD AG

ABCDEFGHIJKLMNOPQ
RSTUVWXYZ
ABCDEFGHIJKLMNOPQRSTUVWXYZ
1234567890%
(.,-;:!¡?¿–)·[',""»«›‹]
+-=/$£†*&§©
ÄÅÆÖØŒÜÄÅÆÖØŒÜ
ÁÀÂÃÇČÉÈÊËÍÌÎÏĹŇÑÓÒÔÕ
ŔŘŠŤÚÙÛŴẀŸÝŶŽ
ÁÀÂÃÇČÉÈÊËÍÌÎÏĹŇÑÓÒÔÕŔŘŠ
ÚÙÛŴẀÝŶŸŽ

BERTHOLD-SCHRIFTWEITE WEIT
BERTHOLD-SCHRIFTWEITE NORMAL
BERTHOLD-SCHRIFTWEITE ENG
BERTHOLD-SCHRIFTWEITE SEHR ENG
BERTHOLD-SCHRIFTWEITE EXTREM ENG

LA VALEUR DE LA FORCE DE CORPS DES CARACTERES DE LABEUR EST GENERALEMENT EXPRIMEE EN POINTS TYPOGRAPHIQUES. LA FORCE DE CORPS DES CARACTERES BERTHOLD FOTOTYPE PEUT ETRE DETERMINEE AVEC PRECISION. TOUS LES CARACTERES DU MEME CORPS ONT DES CAPITALES D'UNE HAUTEUR IDENTIQUE, INDEPENDAMMENT DE LA HAUTEUR DES BAS DE CASSE SANS JAMBAGE DANS LA COMPOSITION

3,20 mm (12 p), Zeilenabstand 5,25 mm

8/5

MARIE-THERÈSE ROCHEFORT
DIRECTRICE

75 PARIS, RUE VICTOR HUGO 69, TELEFON 37 25 86

10/7

FLORENTINO CAVALLO
MAÎTRE DE PLAISIR

VIA LUDOVICA ARETINO 33, FIRENZE

12/9

EULALIA LOEFFEL
DIÄTKÖCHIN

VILSHOFEN, AM GÄNSEMARKT 2

BERLIN
3,72 mm (14 p)

BERLIN
4,25 mm (16 p)

BERLIN
4,75 mm (18 p)

BERLIN
5,30 mm (20 p)

BERLIN
6,35 mm (24 p)

BERLIN
7,40 mm (28 p)

BERLIN
8,50 mm (32 p)

BERLIN
9,55 mm (36 p)

9/6

HANS-OTTO VON SCHLICK
LANDRAT

AM HORST 10, KAPPELN, TELEFON 66 34

11/8

JAN VAN DER FALK
DETEKTIVBÜRO

HALVE MAAN STRAAT 78, AMSTERDAM

13/10

VLADIMIR IRIBOZOV
SAXOPHONIST

DOMGASSE 2, MÜNCHEN

LA INDICACIÓN DE LAS DIMENSIONES PARA CUERPOS DE LETRA VÁSICOS TIENE LUGAR EN GENERAL EN PUNTOS TIPOGRÁFICOS. LOS CUERPOS DE LETRA DE LOS CARACTERES BERTHOLD FOTOTYPE PUEDEN DETERMINARSE EXACTEMENTE PAR MEDICIÓN. CON INDEPENDENCIA DE LA ALTURA DE SUS LONGITUDES CENTRALES, TODOS LOS CARACTERES DE IDÉNTICO CUERPO DE LETRA PRESENTAN ALTURA DE MAYÚSCULAS IDÉNTICA. EN LA COMPOSICIÓN EN PLOMO Y EN MUCHOS OTROS SISTEMAS DE FOTOCOMPOSICIÓN, LAS ALTURAS DE MAYÚSCULAS VARÍAN FRECUENTEMMENTE EN FORMA CONSIDERABLE DE TIPO DE LETRA A TIPO DE LETRA. PARA MEDIR LOS CUERPOS DE LETRA SE DISPONE DE UN TIPÓMETRO, VÉASE LA FIGURA. PARA LA MEDICIÓN SE HACE COINCIDIR UNA LETRA MAYÚSCULA CON LA CASILLA CUYOS EXTREMOS COINCIDEN CON LOS EXTREMOS SUPERIOR E INFERIOR DE LA LETRA. BAJO LA CASILLA SE INDICA EL CUERPO DE LETRA EN PUNTOS TIPOGRÁFICA DIOT, Y

1,33 mm (5 p), Zeilenabstand 1,94 mm

LE MISURE RELATIVE AL CORPO DEI CARATTERI VENGONO GENERALMENTE INDICATE IN PUNTI TIPOGRAFICI. IL CORPO DEI CARATTERI FOTOTYPES PUÒ ESSERE DETERMINATO CON ESATTEZZA PER SEMPLICE MISURAZIONE. TUTTI I CARATTERI DI UGUALE GRANDEZZA IN PUNTI HANNO, INDIPENDENTEMENTE DALLA LORO LUNGHEZZA, UGUALE ALTEZZA DELLE MAIUSCOLE. NELLA COMPOSIZIONE IN PIOMBO ED IN MOLTI ALTRI SISTEMI DI FOTOCOMPOSIZIONE, L'ALTEZZA DELLE MAIUSCOLE VARIA SPESSO DA CARATTERE A CARATTERE. PER MISURARE IL CORPO DEI CARATTERI È INDISPEN

1,60 mm (6 p), Zeilenabstand 2,44 mm
WZ 15 E, NSW +1, II
BF 089 1013, Belegung 127: 085 1051 (095 1051)

IN GENERAL BODYTYPES ARE MEASURED IN THE TYPOGRAPHICAL POINT SIZE. THE SIZES OF BERTHOLD-FOTOTYPE FACES CAN BE EXACTLY DETERMINED. ALL FACES OF SAME POINT SIZE HAVE THE SAME CAPITAL HEIGHT–IRRESPECTIVE OF THEIR X-HEIGHT. IN HOT METAL AND MANY OTHER PHOTOTYPESETTING SYSTEMS THE CAPITAL HEIGHTS OFTEN DIFFER CONSIDERABLY FROM ONE FACE TO THE OTHER. FOR MEASURING POINT SIZES, A TRANSPARENT SIZE GAUGE IS PROVID

1,86 mm (7 p), Zeilenabstand 3,00 mm

kursiv
italic
italique

POPPL-PONTIFEX

cursiva
corsivo
kursiv

*Måttangivelse för grundstilsgr
ader sker i allmänhet i typogra
fiska punkter. Stilar av Berthold
Fototype kan efter mätning exa
kt gradbestämmas. Alla typsnitt
är av samma punktstorlek och
har oberoende av x-höjden en
identisk versalhöjd. I blysättni
ng och i många andra fotosätts
ystem varierar versalhöjden av
sevärt från typsnitt till typsnitt
För mätning av stilgrader finns
en transparent mätlinjal. Vid
mätningen placerar man en ve
rsal bokstav så att rutorna begr
änsar tecknet upptill och nedti
ll. Under rutorna finns stilstorl
eken i typografiska didotpunk
ter och i mm. Även millimeteru*

2,92 mm (11 p), Zeilenabstand 4,69 mm

*Friedrich Poppl
1976
H. Berthold AG*

*ABCDEFGHIJKLMNOPQ
RSTUVWXYZ
abcdefghijklmnopqrstuvwxyz
1/1234567890%
(.,-;:!¡?¿–)·[‘‚„“»«]
+–=/$£†*&§
ÄÅÆÖØŒÜäåæıöøœßü
ÁÀÂÃÇČÉÈÊËÍÌÎÏĹŇÑÓÒÔÕ
ŔŘŠŤÚÙÛŴẄÝŶŸŽ
áàâãçčéèêëíìîïĺňñóòôõŕřš
úùûŵẅýỳÿž*

*Berthold-Schriftweite weit
Berthold-Schriftweite normal
Berthold-Schriftweite eng
Berthold-Schriftweite sehr eng
Berthold-Schriftweite extrem eng*

*In general, bodytypes are me
asured in the typographical
point size. The sizes of Berth
old Fototype faces can be exa
ctly determined. All faces of s
ame point size have the sam
e capital heigth–irrespective
of their x-heigth. In hot meta
l and many other phototype
setting systems the capital hei
gths often differ considerab
ly from one face to the other
For measuring point sizes, a
transparent size gauge is pr
ovided. To determine the poi
nt size, bring a capital lette
r into coincidence with that f*

3,20 mm (12 p), Zeilenabstand 5,25 mm

POPPL-PONTIFEX KURSIV

*Die Maßangabe zu Grundschriftgrößen er
folgt im allgemeinen in typographischen Punk
ten. Die Schriftgrößen der Berthold-Fotosatz
Schriften sind nach Messung exakt bestimm
bar. Alle Schriften gleicher Punktgröße weisen
unabhängig von der Höhe ihrer Mittellängen
eine identische Versalhöhe auf. Im Bleisatz und
bei vielen anderen Fotosatz-Systemen differie
ren die Versalhöhen von Schrift zu Schrift oft
erheblich. Zum Messen von Schriftgrößen steht
ein transparentes Größenmaß zur Verfügung
Zum Messen wird ein Versalbuchstabe mit dem
Feld in Deckung gebracht, das den Buchstaben
oben und unten scharf begrenzt. Unter dem
Feld ist die Schriftgröße in typographischen Di
dot-Punkten, darunter in Millimetern angege
ben. Auch die Millimeterangaben beziehen si
ch auf die Höhe der Versalbuchstaben. Die Sc*

2,40 mm (9 p), Zeilenabstand 4 mm

POPPL-PONTIFEX ITALIQUE

*La valeur de la force de corps des carac
tères de labeur èst généralement exprimée
en points typographiques. La force de cor
ps des caractères Berthold-Fototype peut
être déterminée avec précision. Tous les ca
ractères du même corps ont des capitales
d'une hauteur identique, indépendamme
nt de la hauteur des bas de casse sans jam
bage. Dans la composition plomb ainsi que
dans certains systèmes de photocompositi
on, la hauteur des capitales, varie souvent
d'un caractère à l'autre. Pour déterminer
la force de corps de nos caractères, nous av
ons mis au point une réglette de hauteur
d'œil transparente. On cherche le rectangle
qui délimite exactement la hauteur d'œil d*

2,65 mm (10 p), Zeilenabstand 4,50 mm

*La indicación de las dimensiones para cuerpos de letra
vásicos tiene lugar en general en puntos tipográficos
Los cuerpos de letra de los caracteres Berthold Fototype
pueden determinarse exactemente par medición. Con
independencia de la altura de sus longitudes centrales
todos los caracteres de idéntico cuerpo de letra presen
tan altura de mayúsculas idéntica. En la composición
en plomo y en muchos otros sistemas de fotocomposici
ón, las alturas de mayúsculas varían frecuentemmente
en forma considerable de tipo de letra a tipo de letra
Para medir los cuerpos de letra se dispone de un tipóme
tro, véase la figura. Para la medición se hace coincidir*

1,60 mm (6 p), Zeilenabstand 2,50 mm

Größe		Zeilenabstand			100 Zeichen		
mm	p	kp	Êp	Ex	0	−1	−2
1,33	5	2,13	2,31	—	89	86	83
1,60	6	2,56	2,81	2,50	105	101	97
1,86	7	2,94	3,25	—	121	117	113
2,15	8	3,44	3,75	3,38	137	132	127
2,40	9	3,81	4,19	4,00	153	147	141
2,65	10	4,19	4,63	4,50	169	162	155
2,92	11	4,63	5,06	4,69	185	178	171
3,20	12	5,06	5,56	5,25	201	193	185
3,45	13	5,44	6,00	—	216	208	200
3,72	14	5,88	6,44	—	232	223	214
3,98	15	6,25	6,94	—	248	239	230
4,25	16	6,69	7,38	—	264	254	244

WZ 15 E, NSW 0, MZB 0,64, F 0,11:0,042 (2,7), II
H 1–x 0,73–k 1,16–p 0,41–Ê 1,32–kp 1,57–Êp 1,73
BF 089 0555, Belegung 051: 085 0087 (095 0087)

*Le misure relative al corpo dei caratteri
vengono generalmente indicate in punti ti
pografici. Il corpo dei caratteri Fototypes
può essere determinato con esattezza per
semplice misurazione. Tutti i caratteri di
uguale grandezza in punti hanno, indi
pendentemente dalla loro lunghezza, ugu
ale altezza delle maiuscole. Nella compos
izione in piombo ed in molti altri sistemi*

2,15 mm (8 p), Zeilenabstand 3,38 mm

halbfett
medium
demi-gras

POPPL-PONTIFEX

seminegra
neretto
halvfet

Berthold-Schriften überzeugen durch Schärfe und Qualität. Schriftqualität ist eine Frage der Erfahru ng. Berthold hat diese Erfahrung seit über hundert Jahren. Zuerst im Schriftguß, dann im Fotosatz. Be rthold-Schriften sind weltweit geschätzt. Im Schri ftenatelier München wird jeder Buchstabe in der Größe von zwölf Zentimetern neu gezeichnet. Mit messerscharfen Konturen, um für die Schriftschei ben das Optimale an Konturenschärfe herauszuh

1,60 mm (6 p), Zeilenabstand 2,50 mm

Berthold-Schriften überzeugen durch Schä rfe und Qualität. Schriftqualität ist eine Fra ge der Erfahrung. Berthold hat diese Erfahr ung seit über hundert Jahren. Zuerst im Sch riftguß, dann im Fotosatz. Berthold-Schrift en sind weltweit geschätzt. Im Schriftenatel ier München wird jeder Buchstabe in der Gr öße von zwölf Zentimetern neu gezeichnet

1,86 mm (7 p), Zeilenabstand 3,00 mm

Berthold-Schriften überzeugen durch Schärfe und Qualität. Schriftqualität ist eine Frage der Erfahrung. Berthold hat diese Erfahrung seit über hundert Jahr en. Zuerst im Schriftguß, dann im Fotos atz. Berthold-Schriften sind weltweit g eschätzt. Im Schriftenatelier München wird jeder Buchstabe in der Größe vo

2,15 mm (8 p), Zeilenabstand 3,50 mm

Friedrich Poppl
1976
H. Berthold AG

ABCDEFGHIJKLMNOPQ
RSTUVWXYZ
abcdefghijklmnopqrstuvwxyz
1/1234567890%
(.,-;:!¡?¿–)·[‘‘„“”»«]
+−=/$£†*&§
ÄÅÆÖØŒÜäåæıöøœßü
ÁÀÂÃÇČÉÈÊËÍÌÎÏĹŇÑÓÒÔÕ
ŔŘŠŤÚÙÛŴẄÝŶŸŽ
áàâãçčéèêëíìîïĺňñóòôõŕřš
úùûŵẅýỳÿž

Berthold-Schriftweite weit
Berthold-Schriftweite normal
Berthold-Schriftweite eng
Berthold-Schriftweite sehr eng
Berthold-Schriftweite extrem eng

In general, bodytypes are measured in the typograp hical point size. The sizes of Berthold Fototype faces can be exactly determined All faces of same point siz e have the same capital h eight–irrespective of their x-height. In hot metal and many other phototypesett ing systems the capital he ights often differ consider ably from one face to the ot her. For measuring point sizes, a transparent size ga uge is provided. To determ ine the point size, bring a

3,20 mm (12 p), Zeilenabstand 5,25 mm

Berthold's quick brown fox jumps over the lazy dog and feels as if he we
3,75 mm (14 p)

Berthold's quick brown fox jumps over the lazy dog and feels as
4,25 mm (16 p)

Berthold's quick brown fox jumps over the lazy dog and
4,75 mm (18 p)

Berthold's quick brown fox jumps over the lazy do
5,30 mm (20 p)

Berthold's quick brown fox jumps over the
6,35 mm (24 p)

Berthold's quick brown fox jumps o
7,40 mm (28 p)

Berthold's quick brown fox jum
8,50 mm (32 p)

Berthold's quick brown fox j
9,55 mm (36 p)

Berthold-Schriften überzeugen du rch Schärfe und Qualität. Schriftqu alität ist eine Frage der Erfahrung Berthold hat diese Erfahrung seit ü ber hundert Jahren. Zuerst im Schr iftguß, dann im Fotosatz. Berthold Schriften sind weltweit geschätzt. I m Schriftenatelier München wird j

2,40 mm (9 p), Zeilenabstand 4,00 mm

Größe mm	p	Zeilenabstand kp	Êp	Ex	100 Zeichen 0	−1	−2
1,33	5	2,06	2,31	–	100	97	94
1,60	6	2,44	2,81	2,50	118	114	110
1,86	7	2,88	3,25	3,00	136	132	128
2,15	8	3,31	3,75	3,50	154	149	144
2,40	9	3,69	4,19	4,00	172	166	160
2,65	10	4,06	4,56	4,00	190	183	176
2,92	11	4,50	5,06	–	208	201	194
3,20	12	4,88	5,56	5,25	226	218	210
3,45	13	5,25	5,94	–	243	235	227
3,72	14	5,69	6,44	–	261	252	243
3,98	15	6,06	6,88	–	279	270	261
4,25	16	6,50	7,31	–	296	286	276

WZ 15 E, NSW 0, MZB 0,72, F 0,20:0,083 (2,4), II
H 1–x 0,73–k 1,13–p 0,39–Ê 1,33–kp 1,52–Êp 1,72
BF 089 0556, Belegung 051: 085 0088 (095 0088)

Berthold-Schriften überzeugen durch Schärfe und Qualität. Sc hriftqualität ist eine Frage der Erfahrung. Berthold hat diese Erfahrung seit über hundert Ja hren. Zuerst im Schriftguß, dan n im Fotosatz. Berthold-Schrift en sind weltweit geschätzt. Im

2,65 mm (10 p), Zeilenabstand 4,00 mm

fett
bold
gras

POPPL-PONTIFEX

negra
nero
fet

Berthold-Schriften überzeugen durch Schärfe und Qualität. Schriftqualität ist eine Frage der Erfahrun g. Berthold hat diese Erfahrung seit über hundert J ahren. Zuerst im Schriftguß, dann im Fotosatz. Ber thold-Schriften sind weltweit geschätzt. Im Schrift enatelier München wird jeder Buchstabe in der Grö ße von zwölf Zentimetern neu gezeichnet. Mit mes serscharfen Konturen, um für die Schriftscheiben d as Optimale an Konturenschärfe herauszuholen. U

1,60 mm (6 p), Zeilenabstand 2,50 mm

Berthold-Schriften überzeugen durch Schärf e und Qualität. Schriftqualität ist eine Frage der Erfahrung. Berthold hat diese Erfahrung seit über hundert Jahren. Zuerst im Schriftgu ß, dann im Fotosatz. Berthold-Schriften sind weltweit geschätzt. Im Schriftenatelier Münc hen wird jeder Buchstabe in der Größe von z wölf Zentimetern neu gezeichnet. Mit messer

1,86 mm (7 p), Zeilenabstand 3,00 mm

Berthold-Schriften überzeugen durch S chärfe und Qualität. Schriftqualität ist e ine Frage der Erfahrung. Berthold hat d iese Erfahrung seit über hundert Jahren Zuerst im Schriftguß, dann im Fotosatz Berthold-Schriften sind weltweit gesch ätzt. Im Schriftenatelier München wird jeder Buchstabe in der Größe von zwölf

2,15 mm (8 p), Zeilenabstand 3,50 mm

Friedrich Poppl
1980
H. Berthold AG

ABCDEFGHIJKLMNOPQ
RSTUVWXYZ
abcdefghijklmnopqrstuvwxyz
1/1234567890%
(.,-;:!¡?¿–)·[‘‚“„”“»«]
+−=/$£†*&§
ÄÅÆÖØŒÜäåæıöøœßü
ÁÀÂÃÇČÉÈÊËÍÌÎÏĹŇÑÓÒÔÕ
ŔŘŠŤÚÙÛŴẄÝŶŸŽ
áàâãçčéèêëíìîïĺňñóòôõŕřš
úùûŵẅýỳÿž

Berthold-Schriftweite weit
Berthold-Schriftweite normal
Berthold-Schriftweite eng
Berthold-Schriftweite sehr eng
Berthold-Schriftweite extrem eng

In general, bodytypes are measured in the typograp hical point size. The sizes o f Berthold Fototype faces c an be exactly determined All faces of same point size have the same capital heig ht–irrespective of their x-h eight. In hot metal and ma ny other phototypesetting systems the capital heights often differ considerably f rom one face to the other For measuring point sizes a transparent size gauge is provided. To determine th e point size, bring a capital

3,20 mm (12 p), Zeilenabstand 5,25 mm

Berthold's quick brown fox jumps over the lazy dog and feels as if he wer
3,72 mm (14 p)

Berthold's quick brown fox jumps over the lazy dog and feels as
4,25 mm (16 p)

Berthold's quick brown fox jumps over the lazy dog and f
4,75 mm (18 p)

Berthold's quick brown fox jumps over the lazy dog
5,30 mm (20 p)

Berthold's quick brown fox jumps over the
6,35 mm (24 p)

Berthold's quick brown fox jumps ov
7,40 mm (28 p)

Berthold's quick brown fox jum
8,50 mm (32 p)

Berthold's quick brown fox j
9,55 mm (36 p)

Berthold-Schriften überzeugen dur ch Schärfe und Qualität. Schriftqua lität ist eine Frage der Erfahrung. B erthold hat diese Erfahrung seit üb er hundert Jahren. Zuerst im Schrif tguß, dann im Fotosatz. Berthold-S chriften sind weltweit geschätzt. Im Schriftenatelier München wird jed

2,40 mm (9 p), Zeilenabstand 4,00 mm

Größe		Zeilenabstand			100 Zeichen		
mm	p	kp	Êp	Ex	0	−1	−2
1,33	5	2,00	2,25	–	99	96	93
1,60	6	2,38	2,69	2,50	116	112	108
1,86	7	2,81	3,13	3,00	134	130	126
2,15	8	3,19	3,63	3,50	152	147	142
2,40	9	3,56	4,06	4,00	170	164	158
2,65	10	3,94	4,44	4,00	188	181	174
2,92	11	4,38	4,88	–	205	198	191
3,20	12	4,75	5,38	5,25	223	215	207
3,45	13	5,13	5,81	–	240	232	224
3,72	14	5,56	6,25	–	258	249	240
3,98	15	5,94	6,69	–	275	266	257
4,25	16	6,31	7,13	–	293	283	273

WZ 13 E, NSW 0, MZB 0,71, F 0,25:0,09 (2,8), II
H 1–x 0,72–k 1,12–p 0,36–Ê 1,31–kp 1,48–Êp 1,67
BF 089 0944, Belegung 051: 085 1049 (095 1049)

Berthold-Schriften überzeugen durch Schärfe und Qualität. Sch riftqualität ist eine Frage der Er fahrung. Berthold hat diese Erfa hrung seit über hundert Jahren Zuerst im Schriftguß, dann im F otosatz. Berthold-Schriften sind weltweit geschätzt. Im Schriften

2,65 mm (10 p), Zeilenabstand 4,00 mm

schmalhalbfett
medium condensed
étroit demi-gras

POPPL-PONTIFEX

seminegra estrecha
neretto stretto
smalhalvfet

Berthold-Schriften überzeugen durch Schärfe und Qualität
Schriftqualität ist eine Frage der Erfahrung. Berthold hat di
ese Erfahrung seit über hundert Jahren. Zuerst im Schriftgu
ß, dann im Fotosatz. Berthold-Schriften sind weltweit gesch
ätzt. Im Schriftenatelier München wird jeder Buchstabe in d
er Größe von zwölf Zentimetern neu gezeichnet. Mit messe
rscharfen Konturen, um für die Schriftscheiben das Optima
le an Konturenschärfe herauszuholen. Um die Qualität des
Einzelzeichens im Belichtungsvorgang zu bewahren, wird

1,60 mm (6 p), Zeilenabstand 2,50 mm

Berthold-Schriften überzeugen durch Schärfe und Q
ualität. Schriftqualität ist eine Frage der Erfahrung
Berthold hat diese Erfahrung seit über hundert Jahre
n. Zuerst im Schriftguß, dann im Fotosatz. Berthold
Schriften sind weltweit geschätzt. Im Schriftenatelie
r München wird jeder Buchstabe in der Größe von z
wölf Zentimetern neu gezeichnet. Mit messerscharfe
n Konturen, um für die Schriftscheiben das Optimale

1,86 mm (7 p), Zeilenabstand 3,00 mm

Berthold-Schriften überzeugen durch Schärfe
und Qualität. Schriftqualität ist eine Frage der
Erfahrung. Berthold hat diese Erfahrung seit ü
ber hundert Jahren. Zuerst im Schriftguß, dann
im Fotosatz. Berthold-Schriften sind weltweit
geschätzt. Im Schriftenatelier München wird j
eder Buchstabe in der Größe von zwölf Zentim
etern neu gezeichnet. Mit messerscharfen Kon

2,15 mm (8 p), Zeilenabstand 3,50 mm

Friedrich Poppl
1981
H. Berthold AG

ABCDEFGHIJKLMNOPQ
RSTUVWXYZ
abcdefghijklmnopqrstuvwxyz
1/1234567890%
(.,-;:!¡?¿–)·[′‘„″“»«]
+−=/$£†*&§
ÄÅÆÖØŒÜäåæıöøœßü
ÁÀÂÃÇČÉÈÊËÍÌÎÏĹŇÑÓÒÔÕ
ŔŘŠŤÚÙÛŴẄÝỲŸŽ
áàâãçčéèêëíìîïĺňñóòôõŕřš
úùûŵẅýỳÿž

Berthold-Schriftweite weit
Berthold-Schriftweite normal
Berthold-Schriftweite eng
Berthold-Schriftweite sehr eng
Berthold-Schriftweite extrem eng

In general, bodytypes are meas
ured in the typographical point
size. The sizes of Berthold Fotot
ype faces can be exactly determ
ined. All faces of same point size
have the same capital height–ir
respective of their x-height. In
hot metal and many other phot
otypesetting systems the capit
al heights often differ consider
ably from one face to the other
For measuring point sizes, a tra
nsparent size gauge is provided
To determine the point size, bri
ng a capital letter into coincide
nce with that field which precis
ely circumscribes the letter at its

3,20 mm (12 p), Zeilenabstand 5,25 mm

Berthold's quick brown fox jumps over the lazy dog and feels as if he were in the sevent
3,72 mm (14 p)

Berthold's quick brown fox jumps over the lazy dog and feels as if he were in t
4,25 mm (16 p)

Berthold's quick brown fox jumps over the lazy dog and feels as if he
4,75 mm (18 p)

Berthold's quick brown fox jumps over the lazy dog and feels
5,30 mm (20 p)

Berthold's quick brown fox jumps over the lazy dog
6,35 mm (24 p)

Berthold's quick brown fox jumps over the l
7,40 mm (28 p)

Berthold's quick brown fox jumps over
8,50 mm (32 p)

Berthold's quick brown fox jumps
9,55 mm (36 p)

Berthold-Schriften überzeugen durch Sc
härfe und Qualität. Schriftqualität ist eine
Frage der Erfahrung. Berthold hat diese E
rfahrung seit über hundert Jahren. Zuerst
im Schriftguß, dann im Fotosatz. Berthol
d-Schriften sind weltweit geschätzt. Im S
chriftenatelier München wird jeder Buch
stabe in der Größe von zwölf Zentimetern

2,40 mm (9 p), Zeilenabstand 4,00 mm

Größe		Zeilenabstand			100 Zeichen		
mm	p	kp	Êp	Ex	0	−1	−2
1,33	5	2,06	2,25	2,00	83	80	77
1,60	6	2,50	2,75	2,50	98	94	90
1,86	7	2,88	3,19	3,00	113	109	105
2,15	8	3,31	3,69	3,50	128	123	118
2,40	9	3,69	4,06	3,75	143	137	131
2,65	10	4,06	4,50	4,25	158	151	144
2,92	11	4,50	4,94	4,75	173	166	159
3,20	12	4,94	5,44	5,25	188	180	172
3,45	13	5,31	5,88	5,75	202	194	186
3,72	14	5,75	6,31	—	217	208	199
3,98	15	6,13	6,75	—	232	223	214
4,25	16	6,56	7,19	—	246	236	226

WZ 10 E, NSW −1, MZB 0,60, F 0,19:0,075 (2,5), II
H 1–x 0,71–k 1,15–p 0,38–Ê 1,31–kp 1,53–Êp 1,69
BF 089 1014, Belegung 051: 085 1050 (095 1050)

Berthold-Schriften überzeugen durch
Schärfe und Qualität. Schriftqualität i
st eine Frage der Erfahrung. Berthold
hat diese Erfahrung seit über hundert
Jahren. Zuerst im Schriftguß, dann im
Fotosatz. Berthold-Schriften sind wel
tweit geschätzt. Im Schriftenatelier M
ünchen wird jeder Buchstabe in der G

2,65 mm (10 p), Zeilenabstand 4,00 mm

mager light maigre	# Poppl-Residenz	fina chiarissimo mager

In general, bodytypes are measured in the
typographical point size. The sizes of Be
rthold Fototype faces can be exactly deter
mined. All faces of same point size have the
same capital height-irrespective of their x
height. In hot metal and many other photo
typesetting systems the capital heights often
differ considerably from one face to the othe
r. For measuring point sizes, a transparent
size gauge is provided. To determine the p
oint size, bring a capital letter into coincid
ence with that field which precisely circums
cribes the letter at its upper and lower marg
in. Below the field you find the typograph
ical point and below that the millimeter val
ue, which also refers to the height of a capital
letter into coincidence with that field which

3,20 mm (12 p), Zeilenabstand 5,25 mm

Friedrich Poppl
1977
H. Berthold AG

ABCDEFGHIJKLMNOPQ
RSTUVWXYZ
abcdefghijklmnopqrstuvwxyz
1/1234567890%
(.,-;:!/¡?¿-) · [' ' „ " " » «]
+–=/$£† * & $
ÄÅÆÖØŒÜäåæıöøœßü
ÁÀÂÃÇČÉÈÊËÍÌÎÏĹŃÑ
ÓÒÔÕŔŘŠŤÚÙÛŴẄÝỲŸŽ
áàâãçčéèêëíìîïĺńñóòôõŕřš
úùûŵẅýỳÿž

Berthold-Schriftweite weit
Berthold-Schriftweite normal
Berthold-Schriftweite eng
Berthold-Schriftweite sehr eng
Berthold-Schriftweite extrem eng

Bouillabaisse 7,95
Frisch gebeizter Ostseelachs 16,70
Japanische Wachteleier 13,75
Gegrillte Scampi 17,80
Lammkotelett Provençale 15,30
Hasenkeule Chasseur 19,50
Ente pochiert in der Blase 22,50
Kalbsmedaillons Gourmet 18,50
Kalbsfilet Grand Seigneur 24,50
Weinhändlertopf 16,80
Mistchratzerli 19,50
Entrecôte Double Paris 28,50
Tournedos Phantasie 27,50
Fondue Bourguignonne 39,50
Walderdbeeren 7,50
Eisbaiser Schlaccamadilla 8,50
Feigen mit Pfeffer auf Eis 9,75

3,20 mm (12 p), Zeilenabstand 5,25 mm

Barbara Helga Agnes Johanna Natalie Gabriele Sonja Karen Rebekka Christiane Ortrud Christiane
3,72 mm (14 p)

Barbara Helga Agnes Johanna Natalie Gabriele Sonja Karen Rebekka Christiane Lydia
4,25 mm (16 p)

Barbara Helga Agnes Johanna Natalie Gabriele Sonja Rebekka Christiane Lydia
4,75 mm (18 p)

Barbara Helga Agnes Johanna Natalie Gabriele Sonja Christiane Lydia
5,30 mm (20 p)

Barbara Helga Agnes Johanna Natalie Gabriele Sonja Eva
6,35 mm (24 p)

Barbara Helga Agnes Johanna Natalie Sarah Eva
7,40 mm (28 p)

Barbara Helga Agnes Johanna Natalie Vera
8,50 mm (32 p)

Barbara Helga Agnes Joana Nina Eva
9,55 mm (36 p)

Berthold-Schriften überzeugen durch Schärfe u
nd Qualität. Schriftqualität ist eine Frage der Er
fahrung. Berthold hat diese Erfahrung seit über h
undert Jahren. Zuerst im Schriftguß, dann im F
otosatz. Berthold-Schriften sind weltweit geschä
tzt. Im Schriftenatelier München wird jeder B
uchstabe in der Größe von zwölf Zentimetern neu g
ezeichnet. Mit messerscharfen Konturen, um für d

2,65 mm (10 p), Zeilenabstand 4,00 mm

Größe mm	p	Zeilenabstand kp	Êp	Ex	100 Zeichen 0	−1	−2
1,33	5	1,88	2,19	–	64	61	58
1,60	6	2,31	2,63	–	75	71	67
1,86	7	2,63	3,00	–	86	82	78
2,15	8	3,00	3,50	–	98	93	88
2,40	9	3,44	3,88	–	110	104	98
2,65	10	3,75	4,31	4,00	121	114	107
2,92	11	4,13	4,75	4,63	132	125	118
3,20	12	4,56	5,19	5,25	144	136	128
3,45	13	4,81	5,50	–	155	147	139
3,72	14	5,25	6,00	–	166	157	148
3,98	15	5,63	6,44	–	177	168	159
4,25	16	5,94	6,81	–	186	179	169

WZ 13 E, NSW 0, MZB 0,46, F 0,08:0,01 (6,0), VIII
H 1–x 0,48–k 1,03–p 0,38–Ê 1,23–kp 1,41–Êp 1,61
BF 089 1290 Belegung 051: 085 1251 (095 1251)

Berthold-Schriften überzeugen durch Schä
rfe und Qualität. Schriftqualität ist eine Fra
ge der Erfahrung. Berthold hat diese Erfahr
ung seit über hundert Jahren. Zuerst im Sch
riftguß, dann im Fotosatz. Berthold-Schrif
ten sind weltweit geschätzt. Im Schriftenateli
er München wird jeder Buchstabe in der Grö

2,92 mm (11 p), Zeilenabstand 4,63 mm

normal
regular
normal

Poppl-Residenz

normal
chiaro tondo
normal

In general, bodytypes are measured in
the typographical point size. The sizes
of Berthold Fototype faces can be ex
actly determined. All faces of same po
int size have the same capital height-ir
respective of their x-height. In hot me
tal and many other phototypesetting sy
stems the capital heights often differ co
nsiderably from one face to the other
For measuring point sizes, a transpar
ent size gauge is provided. To determi
ne the point size, bring a capital letter i
nto coincidence with that field which
precisely circumscribes the letter at its
upper and lower margin. Below the fie
ld you find the typographical point and
below that the millimeter value, which

3,20 mm (12 p), Zeilenabstand 5,25 mm

Friedrich Poppl
1977
H. Berthold AG

ABCDEFGHIJKLMNOPQ
RSTUVWXYZ
abcdefghijklmnopqrstuvwxyz
1/1234567890%
(.,-;:!¡?¿-)·[’‘„” “»«]
+−=/$£†*€§
ÄÅÆÖØŒÜäåæıöøœßü
ÁÀÂÃÇČÉÈÊËÍÌÎÏĹŇÑ
ÓÒÔÕŔŘŠŤÚÙÛŴẄÝỲŸŽ
áàâãçčéèêëíìîïĺňñóòôõŕřš
úùûŵẅýỳÿž

Berthold-Schriftweite weit
Berthold-Schriftweite normal
Berthold-Schriftweite eng
Berthold-Schriftweite sehr eng
Berthold-Schriftweite extrem eng

Bouillabaisse 7,95
Frisch gebeizter Ostseelachs ... 16,70
Japanische Wachteleier 13,75
Gegrillte Scampi 17,80
Lammkotelett Provençale 15,30
Hasenkeule Chasseur 19,50
Ente pochiert in der Blase 22,50
Kalbsmedaillons Gourmet 18,50
Kalbsfilet Grand Seigneur ... 24,50
Weinhändlertopf 16,80
Mistchratzerli 19,50
Entrecôte Double Paris 28,50
Tournedos Phantasie 27,50
Fondue Bourguignonne 39,50
Walderdbeeren 7,50
Eisbaiser Schlaccamadilla 8,50
Feigen mit Pfeffer auf Eis 9,75

3,20 mm (12 p), Zeilenabstand 5,25 mm

Barbara Helga Agnes Johanna Natalie Gaby Sonja Karen Rebekka Christiane Ortrud Lydia
3,72 mm (14 p)

Barbara Helga Agnes Johanna Natalie Gaby Sonja Karen Rebekka Christiane
4,25 mm (16 p)

Barbara Helga Agnes Johanna Natalie Gaby Sonja Rebekka Christiane
4,75 mm (18 p)

Barbara Helga Agnes Johanna Natalie Gabriele Sonja Cornelia
5,30 mm (20 p)

Barbara Helga Agnes Johanna Natalie Gaby Sonja
6,35 mm (24 p)

Barbara Helga Agnes Johanna Natalie Gaby
7,40 mm (28 p)

Barbara Helga Agnes Joana Natalie Eva
8,50 mm (32 p)

Barbara Helga Agnes Johanna Eva
9,55 mm (36 p)

Berthold-Schriften überzeugen durch Sch
ärfe und Qualität. Schriftqualität ist eine F
rage der Erfahrung. Berthold hat diese Erfa
hrung seit über hundert Jahren. Zuerst im
Schriftguß, dann im Fotosatz. Berthold
Schriften sind weltweit geschätzt. Im Schr
iftenatelier München wird jeder Buchstabe
in der Größe von zwölf Zentimetern neu geze

2,65 mm (10 p), Zeilenabstand 4,00 mm

Größe mm	p	Zeilenabstand kp	Êp	Ex	100 Zeichen 0	−1	−2
1,33	5	1,88	2,19	–	73	70	67
1,60	6	2,25	2,63	–	86	82	78
1,86	7	2,63	3,00	–	99	95	91
2,15	8	3,00	3,50	–	112	107	102
2,40	9	3,38	3,88	–	125	119	113
2,65	10	3,69	4,31	4,00	138	131	124
2,92	11	4,06	4,75	4,63	151	144	137
3,20	12	4,50	5,19	5,25	164	156	148
3,45	13	4,81	5,56	–	177	169	161
3,72	14	5,19	6,00	–	190	181	172
3,98	15	5,56	6,44	–	203	194	185
4,25	16	5,94	6,88	–	216	206	196

WZ 14 E, NSW +1, MZB 0,52, F 0,12:0,01 (8,7), VIII
H 1–x 0,48–k 1,01–p 0,38–Ê 1,23–kp 1,39–Êp 1,61
BF 089 1291, Belegung 051: 085 1252 (095 1252)

Berthold-Schriften überzeugen durch S
chärfe und Qualität. Schriftqualität ist
eine Frage der Erfahrung. Berthold hat
diese Erfahrung seit über hundert Jahren
Zuerst im Schriftguß, dann im Fotosatz
Berthold-Schriften sind weltweit geschä
tzt. Im Schriftenatelier München wird j

2,92 mm (11 p), Zeilenabstand 4,63 mm

normal
regular
normal

POST-ANTIQUA

normal
chiaro tondo
normal

Berthold-Schriften überzeugen durch Schärfe und Qualität. Schriftqualität
ist eine Frage der Erfahrung. Berthold hat diese Erfahrung seit über hundert
Jahren. Zuerst im Schriftguß, dann im Fotosatz. Berthold-Schriften sind w
eltweit geschätzt. Im Schriftenatelier München wird jeder Buchstabe in der
Größe von zwölf Zentimetern neu gezeichnet. Mit messerscharfen Kontur
en, um für die Schriftscheiben das Optimale an Konturenschärfe herauszu
holen. Um die Qualität des Einzelzeichens im Belichtungsvorgang zu bew
ahren, wird durch die ruhende, nicht rotierende Schriftscheibe belichtet. D
ieses optische System, verbunden mit Präzisions-Chromglasscheiben, führt

1,33 mm (5 p) 20 30 40 50 60

Berthold-Schriften überzeugen durch Schärfe und Qualität. Schriftq
ualität ist eine Frage der Erfahrung. Berthold hat diese Erfahrung seit
über hundert Jahren. Zuerst im Schriftguß, dann im Fotosatz. Berthol
d-Schriften sind weltweit geschätzt. Im Schriftenatelier München wi
rd jeder Buchstabe in der Größe von zwölf Zentimetern neu gezeichne
t. Mit messerscharfen Konturen, um für die Schriftscheiben das Opti
male an Konturenschärfe herauszuholen. Um die Qualität des Einzel
zeichens im Belichtungsvorgang zu bewahren, wird durch die ruhen
de, nicht rotierende Schriftscheibe belichtet. Dieses optische Syst

1,45 mm (5,5 p) 20 30 40 50 60

Berthold-Schriften überzeugen durch Schärfe und Qualität. Sc
hriftqualität ist eine Frage der Erfahrung. Berthold hat diese Erf
ahrung seit über hundert Jahren. Zuerst im Schriftguß, dann im
Fotosatz. Berthold-Schriften sind weltweit geschätzt. Im Schrif
tenatelier München wird jeder Buchstabe in der Größe von zw
ölf Zentimetern neu gezeichnet. Mit messerscharfen Konturen
um für die Schriftscheiben das Optimale an Konturenschärfe h
erauszuholen. Um die Qualität des Einzelzeichens im Belic
htungsvorgang zu bewahren, wird durch die ruhende, nicht rot

1,60 mm (6 p) 20 30 40 50

Berthold-Schriften überzeugen durch Schärfe und Qualitä
t. Schriftqualität ist eine Frage der Erfahrung. Berthold hat
diese Erfahrung seit über hundert Jahren. Zuerst im Schrift
guß, dann im Fotosatz. Berthold-Schriften sind weltweit g
eschätzt. Im Schriftenatelier München wird jeder Buchsta
be in der Größe von zwölf Zentimetern neu gezeichnet. M
it messerscharfen Konturen, um für die Schriftscheiben das
Optimale an Konturenschärfe herauszuholen. Um die Qu
alität des Einzelzeichens im Belichtungsvorgang zu bewah

1,75 mm (6,5 p) 20 30 40 50

Berthold-Schriften überzeugen durch Schärfe und Qua
lität. Schriftqualität ist eine Frage der Erfahrung. Berth
old hat diese Erfahrung seit über hundert Jahren. Zuerst
im Schriftguß, dann im Fotosatz. Berthold-Schriften sin
d weltweit geschätzt. Im Schriftenatelier München wir
d jeder Buchstabe in der Größe von zwölf Zentimetern
neu gezeichnet. Mit messerscharfen Konturen, um für
die Schriftscheiben das Optimale an Konturenschärfe
herauszuholen. Um die Qualität des Einzelzeichens

1,86 mm (7 p) 20 30 40 50

Berthold-Schriften überzeugen durch Schärfe und
Qualität. Schriftqualität ist eine Frage der Erfahrun
g. Berthold hat diese Erfahrung seit über hundert Ja
hren. Zuerst im Schriftguß, dann im Fotosatz. Berth
old-Schriften sind weltweit geschätzt. Im Schriften
atelier München wird jeder Buchstabe in der Größe
von zwölf Zentimetern neu gezeichnet. Mit messer
scharfen Konturen, um für die Schriftscheiben das
Optimale an Konturenschärfe herauszuholen. Um

2,00 mm (7,5 p) 20 30 40

Berthold-Schriften überzeugen durch Schärfe un
d Qualität. Schriftqualität ist eine Frage der Erfa
hrung. Berthold hat diese Erfahrung seit über hu
ndert Jahren. Zuerst im Schriftguß, dann im Foto
satz. Berthold-Schriften sind weltweit geschätzt
Im Schriftenatelier München wird jeder Buchsta
be in der Größe von zwölf Zentimetern neu gezei
chnet. Mit messerscharfen Konturen, um für die
Schriftscheiben das Optimale an Konturenschär

2,15 mm (8 p) 20 30 40

Herbert Post
1939
H. Berthold AG

ABCDEFGHIJKLMNOPQ
RSTUVWXYZ
abcdefghijklmnopqrstuvwxyz
1/1234567890%
(.,-;:!¡?¿–)·[''„""»«]
+−=/$£†*&§
ÄÅÆÖØŒÜäåæıöøœßü
ÁÀÂÃÇČÉÈÊËÍÌÎÏĹŇÑÓÒÔÕ
ŔŘŠŤÚÙÛŴẄÝŶŸŽ
áàâãçčéèêëíìîïĺňñóòôõŕřš
úùûŵẅýỳÿž

Berthold-Schriftweite weit
Berthold-Schriftweite normal
Berthold-Schriftweite eng
Berthold-Schriftweite sehr eng
Berthold-Schriftweite extrem eng

Berthold
3,75 mm (14 p)

Berthold
4,25 mm (16 p)

Berthold
4,75 mm (18 p)

Berthold
5,30 mm (20 p)

Berthold
6,35 mm (24 p)

Berthold
7,40 mm (28 p)

Berthold
8,50 mm (32 p)

Berthold
9,55 mm (36 p)

Größe		Zeilenabstand			100 Zeichen		
mm	p	kp	Êp	Ex	0	−1	−2
1,33	5	1,81	2,13	2,00	83	80	77
1,60	6	2,13	2,56	2,50	97	93	89
1,86	7	2,50	3,00	3,00	112	108	104
2,15	8	2,88	3,44	3,50	127	122	117
2,40	9	3,25	3,88	3,75	142	136	130
2,65	10	3,56	4,26	4,25	157	150	143
2,92	11	3,94	4,69	4,75	171	164	157
3,20	12	4,31	5,13	5,25	186	178	170
3,45	13	4,63	5,50	5,75	201	193	185
3,72	14	5,00	5,94	—	215	206	197
3,98	15	5,31	6,38	—	230	221	212
4,25	16	5,69	6,81	—	244	234	224

WZ 13 E, NSW 0, MZB 0,59, F 0,12:0,04 (2,9), VIII
H 1–x 0,66–k 1,05–p 0,28–Ê 1,31–kp 1,33–Êp 1,59
BF 089 0945, Belegung 051: 085 1031 (095 1031)

Berthold-Schriften überzeugen durch Schär
fe und Qualität. Schriftqualität ist eine Frag
e der Erfahrung. Berthold hat diese Erfahru
ng seit über hundert Jahren. Zuerst im Schri
ftguß, dann im Fotosatz. Berthold-Schriften
sind weltweit geschätzt. Im Schriftenatelier
München wird jeder Buchstabe in der Grö
ße von zwölf Zentimetern neu gezeichnet

2,40 mm (9 p) 20 30 4

Berthold-Schriften überzeugen durch S
chärfe und Qualität. Schriftqualität ist
eine Frage der Erfahrung. Berthold hat
diese Erfahrung seit über hundert Jahre
n. Zuerst im Schriftguß, dann im Fotos
atz. Berthold-Schriften sind weltweit g
eschätzt. Im Schriftenatelier München
wird jeder Buchstabe in der Größe von

2,65 mm (10 p) 20 30

Berthold-Schriften überzeugen durc
h Schärfe und Qualität. Schriftquali
tät ist eine Frage der Erfahrung. Bert
hold hat diese Erfahrung seit über h
undert Jahren. Zuerst im Schriftguß
dann im Fotosatz. Berthold-Schrifte
n sind weltweit geschätzt. Im Schrif
tenatelier München wird jeder Buc

2,92 mm (11 p) 10 20 30

Berthold-Schriften überzeugen d
urch Schärfe und Qualität. Schri
ftqualität ist eine Frage der Erfah
rung. Berthold hat diese Erfahru
ng seit über hundert Jahren. Zuer
st im Schriftguß, dann im Fotosa
tz. Berthold-Schriften sind welt
weit geschätzt. Im Schriftenateli

3,20 mm (12 p) 10 20 30

Berthold-Schriften überzeugen
durch Schärfe und Qualität. Sc
hriftqualität ist eine Frage der
Erfahrung. Berthold hat diese
Erfahrung seit über hundert Ja
hren. Zuerst im Schriftguß, da
nn im Fotosatz. Berthold-Schri
ften sind weltweit geschätzt. Im

3,45 mm (13 p) 10 20

normal
regular
normal

POST-ANTIQUA

normal
chiaro tondo
normal

Berthold-Schriften überzeugen durch Schärfe und Qualität. Schriftqualität ist ei ne Frage der Erfahrung. Berthold hat diese Erfahrung seit über hundert Jahren Zuerst im Schriftguß, dann im Fotosatz. Berthold-Schriften sind weltweit gesch ätzt. Im Schriftenatelier München wird jeder Buchstabe in der Größe von zwölf Zentimetern neu gezeichnet. Mit messerscharfen Konturen, um für die Schriftsc heiben das Optimale an Konturenschärfe herauszuholen. Um die Qualität des Einzelzeichens im Belichtungsvorgang zu bewahren, wird durch die ruhende nicht rotierende Schriftscheibe belichtet. Dieses optische System, verbunden mit Präzisions-Chromglasscheiben, führt zu einer Schriftqualität, die im Qualitätss

4,25 mm (16 p), Zeilenabstand 6,75 mm

POST-ANTIQUA REGULAR

In general, bodytypes are measured in the typographi cal point size. The sizes of Berthold Fototype faces can be exactly determined. All faces of same point size have the same capital height-irrespective of their x height. In hot metal and many other phototypesetting systems the capital heights often differ considerably from one face to the other. For measuring point sizes, a transparent size gauge is provided. To determine the point size, bring a capital letter into coincidence with that field which precisely circumscribes the letter at its upper and lower margin. Below the field you find the typographical point and below that the millimeter value, which also refers to the height of a capital letter In Berthold-phototypesetting, the typewidth can be modified. The standard setting width of typefaces is determined by the principle of optimum legibility You should not depart from this typewidth without cogent reason. A typeface which is considered opti cally right when looked in a greater context, often seems bulky when applied for a small amount of text e. g. labels and ads. Here, a width reduction will be conducive to legibility. Small amounts of text seem to

2,40 mm (9 p), Zeilenabstand 4,25 mm

POST-ANTIQUA NORMAL

La valeur de la force de corps des caractères de la beur èst généralement exprimée en points typo graphiques. La force de corps des caractères Bert hold-Fototype peut être déterminée avec préci sion. Tous les caractères du même corps ont des capitales d'une hauteur identique, indépendam ment de la hauteur des bas de casse sans jambage Dans la composition plomb, ainsi que dans cer tains systèmes de photocomposition, la hauteur des capitales, varie souvent d'un caractère à l'autre. Pour déterminer la force de corps de nos caractères, nous avons mis au point une réglette de hauteur d'œil transparente. On cherche le rec tangle qui délimite exactement la hauteur d'œil d'une capitale du caractère choisi. Sous le rec tangle correspondant la valeur de la force de corps est indiquée en points Didots et en milli mètres. La valeur en millimètres exprime égale ment la hauteur des capitales. Pour toutes les in dications concernant la force de corps, il est utile

2,65 mm (10 p), Zeilenabstand 4,69 mm

La indicación de las dimensiones para cuerpos de letra vásicos tiene lugar en general en puntos tipo gráficos. Los cuerpos de letra de los caracteres Berthold Fototype pueden determinarse exacte mente par medición. Con independencia de la al tura de sus longitudes centrales, todos los caracte res de idéntico cuerpo de letra presentan altura de mayúsculas idéntica. En la composición en plomo y en muchos otros sistemas de fotocomposición

2,15 mm (8 p), −1, Zeilenabstand 3,38 mm

123,- $	456,- £	7890,- DM	1 %
934,- $	789,- £	1234,- DM	2 %
567,- $	12,- £	5678,- DM	3 %
890,- $	345,- £	9012,- DM	4 %
123,- $	678,- £	3456,- DM	5 %
456,- $	901,- £	7890,- DM	6 %
789,- $	234,- £	1234,- DM	7 %
12,- $	567,- £	5678,- DM	8 %
345,- $	890,- £	9012,- DM	9 %

BF 089 0946

Le misure relative al corpo dei caratteri vengono generalmente indicate in punti tipografici. Il cor po dei caratteri Fototypes può essere determinato con esattezza per semplice misurazione. Tutti i ca ratteri di uguale grandezza in punti hanno, indi pendentemente dalla loro lunghezza, uguale al tezza delle maiuscole. Nella composizione in piombo ed in molti altri sistemi di fotocomposizi one, l'altezza delle maiuscole varia spesso da ca

2,15 mm (8 p), −2, Zeilenabstand 3,38 mm

halbfett
medium
demi-gras

POST-ANTIQUA

seminegra
neretto
halvfet

Berthold-Schriften überzeugen durch Schärfe und Qualitä t. Schriftqualität ist eine Frage der Erfahrung. Berthold hat diese Erfahrung seit über hundert Jahren. Zuerst im Schrift guß, dann im Fotosatz. Berthold-Schriften sind weltweit g eschätzt. Im Schriftenatelier München wird jeder Buchsta be in der Größe von zwölf Zentimetern neu gezeichnet. Mit messerscharfen Konturen, um für die Schriftscheiben das Optimale an Konturenschärfe herauszuholen. Um die Qu alität des Einzelzeichens im Belichtungsvorgang zu bewah

1,60 mm (6 p), Zeilenabstand 2,50 mm

Berthold-Schriften überzeugen durch Schärfe und Qualität. Schriftqualität ist eine Frage der Erfahrun g. Berthold hat diese Erfahrung seit über hundert Ja hren. Zuerst im Schriftguß, dann im Fotosatz. Berth old-Schriften sind weltweit geschätzt. Im Schriften atelier München wird jeder Buchstabe in der Größe von zwölf Zentimetern neu gezeichnet. Mit messer scharfen Konturen, um für die Schriftscheiben das

1,86 mm (7 p), Zeilenabstand 3,00 mm

Berthold-Schriften überzeugen durch Schärfe und Qualität. Schriftqualität ist eine Frage der Erfahrung. Berthold hat diese Erfahrung seit über hundert Jahren. Zuerst im Schriftguß, da nn im Fotosatz. Berthold-Schriften sind welt weit geschätzt. Im Schriftenatelier München wird jeder Buchstabe in der Größe von zwölf Zentimetern neu gezeichnet. Mit messerscha

2,15 mm (8 p), Zeilenabstand 3,50 mm

Herbert Post
1939
H. Berthold AG

ABCDEFGHIJKLMNOPQ
RSTUVWXYZ
abcdefghijklmnopqrstuvwxyz
1/1234567890 %
(.,-;:!¡?¿–)·[‘’„“”»«]
+−=/$£†*&§
ÄÅÆÖØŒÜäåæıöøœßü
ÁÀÂÃÇČÉÈÊËÍÌÎÏĹŇÑÓÒÔÕ
ŔŘŠŤÚÙÛŴẄÝŶŸŽ
áàâãçčéèêëíìîïĺňñóòôõŕřš
úùûŵẅýỳÿž

Berthold-Schriftweite weit
Berthold-Schriftweite normal
Berthold-Schriftweite eng
Berthold-Schriftweite sehr eng
Berthold-Schriftweite extrem eng

In general, bodytypes are mea sured in the typographical poi nt size. The sizes of Berthold Fo totype faces can be exactly dete rmined. All faces of same point size have the same capital heig ht–irrespective of their x-heig ht. In hot metal and many other phototypesetting systems the c apital heights often differ cons iderably from one face to the ot her. For measuring point sizes a transparent size gauge is pro vided. To determine the point size, bring a capital letter into c oincidence with that field whi ch precisely circumscribes the l

3,20 mm (12 p), Zeilenabstand 5,25 mm

Berthold's quick brown fox jumps over the lazy dog and feels as if he were in the seve
3,72 mm (14 p)

Berthold's quick brown fox jumps over the lazy dog and feels as if he were i
4,25 mm (16 p)

Berthold's quick brown fox jumps over the lazy dog and feels as if
4,75 mm (18 p)

Berthold's quick brown fox jumps over the lazy dog and feel
5,30 mm (20 p)

Berthold's quick brown fox jumps over the lazy do
6,35 mm (24 p)

Berthold's quick brown fox jumps over the
7,40 mm (28 p)

Berthold's quick brown fox jumps ov
8,50 mm (32 p)

Berthold's quick brown fox jumps
9,55 mm (36 p)

Berthold-Schriften überzeugen durch Sc härfe und Qualität. Schriftqualität ist ei ne Frage der Erfahrung. Berthold hat die se Erfahrung seit über hundert Jahren. Z uerst im Schriftguß, dann im Fotosatz. B erthold-Schriften sind weltweit geschät zt. Im Schriftenatelier München wird je der Buchstabe in der Größe von zwölf Z

2,40 mm (9 p), Zeilenabstand 4,00 mm

Größe		Zeilenabstand			100 Zeichen		
mm	p	kp	Êp	Ex	0	−1	−2
1,33	5	1,69	2,13	—	87	84	81
1,60	6	2,06	2,50	2,50	103	99	95
1,86	7	2,38	2,94	3,00	118	114	110
2,15	8	2,75	3,38	3,50	134	129	124
2,40	9	3,06	3,75	4,00	150	144	138
2,65	10	3,38	4,13	4,00	165	158	151
2,92	11	3,75	4,56	—	181	174	167
3,20	12	4,13	5,00	5,25	196	188	180
3,45	13	4,44	5,38	—	212	204	196
3,72	14	4,75	5,81	—	227	218	209
3,98	15	5,06	6,19	—	243	234	225
4,25	16	5,44	6,63	—	258	248	238

WZ 12 E, NSW 0, MZB 0,62, F 0,18:0,063 (2,8), VII
H 1–x 0,67–k 1,02–p 0,28–Ê 1,27–kp 1,30–Êp 1,55
BF 089 1015, Belegung 051: 085 1032 (095 1032)

Berthold-Schriften überzeugen durc h Schärfe und Qualität. Schriftqualit ät ist eine Frage der Erfahrung. Berth old hat diese Erfahrung seit über hun dert Jahren. Zuerst im Schriftguß, da nn im Fotosatz. Berthold-Schriften si nd weltweit geschätzt. Im Schriftena telier München wird jeder Buchstab

2,65 mm (10 p), Zeilenabstand 4,00 mm

mager
light
maigre

PRIMUS-ANTIQUA

fina
chiarissimo
mager

Berthold-Schriften überzeugen durch Schärfe und Qualität
Schriftqualität ist eine Frage der Erfahrung. Berthold hat die
se Erfahrung seit über hundert Jahren. Zuerst im Schriftguß
dann im Fotosatz. Berthold-Schriften sind weltweit geschätz
t. Im Schriftenatelier München wird jeder Buchstabe in der G
röße von zwölf Zentimetern neu gezeichnet. Mit messerscha
rfen Konturen, um für die Schriftscheiben das Optimale an K
onturenschärfe herauszuholen. Um die Qualität des Einzelzei
chens im Belichtungsvorgang zu bewahren, wird durch die ru

1,33 mm (5 p) 20 30 40 50

Berthold-Schriften überzeugen durch Schärfe und Qualit
ät. Schriftqualität ist eine Frage der Erfahrung. Berthold
hat diese Erfahrung seit über hundert Jahren. Zuerst im S
chriftguß, dann im Fotosatz. Berthold-Schriften sind wel
tweit geschätzt. Im Schriftenatelier München wird jeder
Buchstabe in der Größe von zwölf Zentimetern neu gezei
chnet. Mit messerscharfen Konturen, um für die Schrifts
cheiben das Optimale an Konturenschärfe herauszuhole
n. Um die Qualität des Einzelzeichens im Belichtungsvorg

1,45 mm (5,5 p) 20 30 40 50

Berthold-Schriften überzeugen durch Schärfe und
Qualität. Schriftqualität ist eine Frage der Erfahrung
Berthold hat diese Erfahrung seit über hundert Jahr
en. Zuerst im Schriftguß, dann im Fotosatz. Berthold
Schriften sind weltweit geschätzt. Im Schriftenateli
er München wird jeder Buchstabe in der Größe von z
wölf Zentimetern neu gezeichnet. Mit messerscharf
en Konturen, um für die Schriftscheiben das Optima
e an Konturenschärfe herauszuholen. Um die Quali

1,60 mm (6 p) 20 30 40 5

Berthold-Schriften überzeugen durch Schärfe
und Qualität. Schriftqualität ist eine Frage der E
rfahrung. Berthold hat diese Erfahrung seit über
hundert Jahren. Zuerst im Schriftguß, dann im
Fotosatz. Berthold-Schriften sind weltweit ges
chätzt. Im Schriftenatelier München wird jeder
Buchstabe in der Größe von zwölf Zentimetern
neu gezeichnet. Mit messerscharfen Konturen
um für die Schriftscheiben das Optimale an Kon

1,75 mm (6,5 p) 20 30 40

Berthold-Schriften überzeugen durch Schär
fe und Qualität. Schriftqualität ist eine Frage
der Erfahrung. Berthold hat diese Erfahrung
seit über hundert Jahren. Zuerst im Schriftg
uß, dann im Fotosatz. Berthold-Schriften sind
weltweit geschätzt. Im Schriftenatelier Mün
chen wird jeder Buchstabe in der Größe von
zwölf Zentimetern neu gezeichnet. Mit mess
erscharfen Konturen, um für die Schriftschei

1,86 mm (7 p) 20 30 40

Berthold-Schriften überzeugen durch Sch
ärfe und Qualität. Schriftqualität ist eine F
rage der Erfahrung. Berthold hat diese Erf
ahrung seit über hundert Jahren. Zuerst im
Schriftguß, dann im Fotosatz. Berthold-Sc
hriften sind weltweit geschätzt. Im Schrift
enatelier München wird jeder Buchstabe in
der Größe von zwölf Zentimetern neu gez
eichnet. Mit messerscharfen Konturen, um

2,00 mm (7,5 p) 20 30 40

Berthold-Schriften überzeugen durch S
chärfe und Qualität. Schriftqualität ist ei
ne Frage der Erfahrung. Berthold hat di
ese Erfahrung seit über hundert Jahren
Zuerst im Schriftguß, dann im Fotosatz
Berthold-Schriften sind weltweit gesch
ätzt. Im Schriftenatelier München wird
jeder Buchstabe in der Größe von zwölf
Zentimetern neu gezeichnet. Mit messe

2,15 mm (8 p) 20 30

1950
VEB Typoart
H. Berthold AG

ABCDEFGHIJKLMNOPQ
RSTUVWXYZ
abcdefghijklmnopqrstuvwxyz
1/1234567890%
(.,-;:!¡?¿–)·['‘„”“»«]
+−=/$£†*&§
ÄÅÆÖØŒÜäåæıöøœßü
ÁÀÂÃÇČÉÈÊËÍÌÎÏĹŇÑÓÒÔÕ
ŔŘŠŤÚÙÛŴẄÝỲŸŽ
áàâãçčéèêëíìîïĺňñóòôõŕřš
úùûŵẅýỳÿž

Berthold-Schriftweite weit
Berthold-Schriftweite normal
Berthold-Schriftweite eng
Berthold-Schriftweite sehr eng
Berthold-Schriftweite extrem eng

Berthold
3,72 mm (14 p)

Berthold
4,25 mm (16 p)

Berthold
4,75 mm (18 p)

Berthold
5,30 mm (20 p)

Berthold
6,35 mm (24 p)

Berthold
7,40 mm (28 p)

Berthold
8,50 mm (32 p)

Berthold
9,55 mm (36 p)

Größe		Zeilenabstand			100 Zeichen		
mm	p	kp	Êp	Ex	0	−1	−2
1,33	5	1,81	2,13	2,00	96	93	90
1,60	6	2,19	2,56	2,50	112	108	104
1,86	7	2,56	3,00	3,00	129	125	121
2,15	8	2,94	3,44	3,50	147	142	137
2,40	9	3,31	3,81	3,75	165	159	153
2,65	10	3,63	4,19	4,25	182	175	168
2,92	11	4,00	4,63	4,75	198	191	184
3,20	12	4,38	5,06	5,25	215	207	199
3,45	13	4,75	5,50	5,75	232	224	216
3,72	14	5,06	5,94	–	249	240	231
3,98	15	5,44	6,31	–	266	257	248
4,25	16	5,81	6,75	–	283	273	263

WZ 14 E, NSW 0, MZB 0,68, F 0,12:0,063 (1,9), III
H 1–x 0,68–k 1,04–p 0,32–Ê 1,26–kp 1,36–Êp 1,58
BF 089 0557, Belegung 051: 086 8232 (096 8232)

Berthold-Schriften überzeugen dur
ch Schärfe und Qualität. Schriftqual
ität ist eine Frage der Erfahrung. Be
rthold hat diese Erfahrung seit über
hundert Jahren. Zuerst im Schriftg
uß, dann im Fotosatz. Berthold-Sch
riften sind weltweit geschätzt. Im S
chriftenatelier München wird jeder

2,40 mm (9 p) 20 30

Berthold-Schriften überzeugen
durch Schärfe und Qualität. Sch
riftqualität ist eine Frage der Erf
ahrung. Berthold hat diese Erfah
rung seit über hundert Jahren
Zuerst im Schriftguß, dann im F
otosatz. Berthold-Schriften sind
weltweit geschätzt. Im Schrifte

2,65 mm (10 p) 10 20 30

Berthold-Schriften überzeug
en durch Schärfe und Qualität
Schriftqualität ist eine Frage
der Erfahrung. Berthold hat
diese Erfahrung seit über hu
ndert Jahren. Zuerst im Schr
iftguß, dann im Fotosatz. Bert
hold-Schriften sind weltweit

2,92 mm (11 p) 10 20

Berthold-Schriften überze
ugen durch Schärfe und Q
ualität. Schriftqualität ist e
ine Frage der Erfahrung. B
erthold hat diese Erfahrung
seit über hundert Jahren. Z
uerst im Schriftguß, dann i
m Fotosatz. Berthold-Schri

3,20 mm (12 p) 10 20

Berthold-Schriften überz
eugen durch Schärfe und
Qualität. Schriftqualität is
t eine Frage der Erfahrun
g. Berthold hat diese Erfa
hrung seit über hundert J
ahren. Zuerst im Schriftg
uß, dann im Fotosatz. Be

3,45 mm (13 p) 10 20

mager
light
maigre

PRIMUS-ANTIQUA

fina
chiarissimo
mager

Berthold-Schriften überzeugen durch Schärfe und Qualität. Schr iftqualität ist eine Frage der Erfahrung. Berthold hat diese Erfahr ung seit über hundert Jahren. Zuerst im Schriftguß, dann im Foto satz. Berthold-Schriften sind weltweit geschätzt. Im Schriftenate lier München wird jeder Buchstabe in der Größe von zwölf Zenti metern neu gezeichnet. Mit messerscharfen Konturen, um für die Schriftscheiben das Optimale an Konturenschärfe herauszuholen Um die Qualität des Einzelzeichens im Belichtungsvorgang zu be wahren, wird durch die ruhende, nicht rotierende Schriftscheibe

4,25 mm (16 p), Zeilenabstand 6,75 mm

PRIMUS-ANTIQUA LIGHT

In general, bodytypes are measured in the ty pographical point size. The sizes of Berthold Fototype faces can be exactly determined All faces of same point size have the same capital heigth-irrespective of their x-heigth In hot metal and many other phototypeset ting systems the capital heigths often differ considerably from one face to the other. For measuring point sizes, a transparent size gauge is provided. To determine the point size, bring a capital letter into coincidence with that field which precisely circumscribes the letter at its upper and lower margin. Be low the field you find the typographical point and below that the millimeter value, which also refers to the height of a capital letter. In Berthold-phototypesetting, the typewidth can be modified. The standard setting width of typefaces is determined by the principle of optimum legibility. You should not depart from this typewidth without cogent reason A typeface which is considered optically

2,40 mm (9 p), Zeilenabstand 4,25 mm

PRIMUS-ANTIQUA MAIGRE

La valeur de la force de corps des carac tères de labeur èst généralement expri mée en points typographiques. La force de corps des caractères Berthold-Foto type peut être déterminée avec préci sion. Tous les caractères du même corps ont des capitales d'une hauteur iden tique, indépendamment de la hauteur des bas de casse sans jambage. Dans la composition plomb, ainsi que dans cer tains systèmes de photocomposition, la hauteur des capitales, varie souvent d'un caractère à l'autre. Pour déterminer la force de corps de nos caractères, nous a vons mis au point une réglette de hauteur d'œil transparente. On cherche le rec tangle qui délimite exactement la hau teur d'œil d'une capitale du caractère choisi. Sous le rectangle correspondant la valeur de la force de corps est indiquée

2,65 mm (10 p), Zeilenabstand 4,69 mm

La indicación de las dimensiones para cuerpos de letra vásicos tiene lugar en ge neral en puntos tipográficos. Los cuerpos de letra de los caracteres Berthold Foto type pueden determinarse exactemente par medición. Con independencia de la al tura de sus longitudes centrales, todos los caracteres de idéntico cuerpo de letra pre sentan altura de mayúsculas idéntica. En la

2,15 mm (8 p), −1, Zeilenabstand 3,38 mm

123,–	$	456,–	£	7890,–	DM	1 %
234,–	$	789,–	£	1234,–	DM	2 %
567,–	$	12,–	£	5678,–	DM	3 %
890,–	$	345,–	£	9012,–	DM	4 %
123,–	$	678,–	£	3456,–	DM	5 %
456,–	$	901,–	£	7890,–	DM	6 %
789,–	$	234,–	£	1234,–	DM	7 %
12,–	$	567,–	£	5678,–	DM	8 %
345,–	$	890,–	£	9012,–	DM	9 %

BF 089 0558

Le misure relative al corpo dei caratteri ven gono generalmente indicate in punti tipogra fici. Il corpo dei caratteri Fototypes può esse re determinato con esattezza per semplice misurazione. Tutti i caratteri di uguale gran dezza in punti hanno, indipendentemente dalla loro lunghezza, uguale altezza delle maiuscole. Nella composizione in piombo ed in molti altri sistemi di fotocomposizione

2,15 mm (8 p), −2, Zeilenabstand 3,38 mm

kursiv mager
light italic
italique maigre

PRIMUS

fina cursiva
chiarissimo corsivo
kursiv mager

Måttangivelse för grundstilsg rader sker i allmänhet i typog rafiska punkter. Stilar av Ber thold Fototype kan efter mätn ing exakt gradbestämmas. Al la typsnitt är av samma punkt storlek och har oberoende av x-höjden en identisk versalh öjd. I blysättning och i många andra fotosättsystem varierar versalhöjden avsevärt från ty psnitt till typsnitt. För mätni ng av stilgrader finns en trans parent mätlinjal. Vid mätnin gen placerar man en versal bo kstav så att rutorna begränsar tecknet upptill och nedtill. Un der rutorna finns stilstorleken i typografiska didotpunkter oc

2,92 mm (11 p), Zeilenabstand 4,69 mm

1950
VEB Typo Art
H. Berthold AG

ABCDEFGHIJKLMNOPQ
RSTUVWXYZ
abcdefghijklmnopqrstuvwxyz
1/1234567890%
(.,-;:!¡?¿–)·['‘„”“»«]
+−=/$£†&§*
ÄÅÆÖØŒÜäåæıöøœßü
ÁÀÂÃÇČÉÈÊËÍÌÎÏĹŇÑÓÒÔÕ
ŔŘŠŤÚÙÛŴẄÝỲŸŽ
áàâãçčéèêëíìîïĺňñóòôõŕřš
úùûŵẅýỳÿž

Berthold-Schriftweite weit
Berthold-Schriftweite normal
Berthold-Schriftweite eng
Berthold-Schriftweite sehr eng
Berthold-Schriftweite extrem eng

In general, bodytypes are measured in the typograph ical point size. The sizes of Berthold Fototype faces can be exactly determined. All faces of same point size have the same capital height–irr espective of their x-height In hot metal and many other phototypesetting systems th e capital heights often differ considerably from one face to the other. For measuring point sizes, a transparent si ze gauge is provided. To det ermine the point size bring a capital letter into coincide

3,20 mm (12 p), Zeilenabstand 5,25 mm

PRIMUS KURSIV MAGER

Die Maßangabe zu Grundschriftgrößen er folgt im allgemeinen in typographischen Punkten. Die Schriftgrößen der Berthold-Fo tosatz-Schriften sind nach Messung exakt bestimmbar. Alle Schriften gleicher Punkt größe weisen, unabhängig von der Höhe ihrer Mittellängen, eine identische Versalhöhe auf Im Bleisatz und bei vielen anderen Fotosatz Systemen differieren die Versalhöhen von Schrift zu Schrift oft erheblich. Zum Messen von Schriftgrößen steht ein transparentes Größenmaß zur Verfügung. Zum Messen wird ein Versalbuchstabe mit dem Feld in Deckung gebracht, das den Buchstaben oben und unten scharf begrenzt. Unter dem Feld ist die Schriftgröße in typographischen Didot Punkten, darunter in Millimetern angegeben Auch die Millimeterangaben beziehen sich

2,40 mm (9 p), Zeilenabstand 4 mm

PRIMUS ITALIQUE MAIGRE

La valeur de la force de corps des carac tères de labeur èst généralement expri mée en points typographiques. La force de corps des caractères Berthold-Foto type peut être déterminée avec précision Tous les caractères du même corps ont des capitales d'une hauteur identique in-dépendamment de la hauteur des bas de casse sans jambage. Dans la composition plomb, ainsi que dans certains systèmes de photocomposition, la hauteur des ca pitales, varie souvent d'un caractère à l'autre. Pour déterminer la force de corps de nos caractères, nous avons mis au point une réglette de hauteur d'œil trans parente. On cherche le rectangle qui déli

2,65 mm (10 p), Zeilenabstand 4,50 mm

La indicación de las dimensiones para cuerpos de le tra básicos tiene lugar en general en puntos tipográfi cos. Los cuerpos de letra de los caracteres Berthold Fototype pueden determinarse exactemente par me dición. Con independencia de la altura de sus longitu des centrales, todos los caracteres de idéntico cuerpo de letra presentan altura de mayúsculas idéntica. En la composición en plomo y en muchos otros sistemas de fotocomposición, las alturas de mayúsculas varían frecuentemmente en forma considerable de tipo de letra a tipo de letra. Para medir los cuerpos de letra se dispone de un tipómetro, véase la figura. Para la me

1,60 mm (6 p), Zeilenabstand 2,50 mm

Größe		Zeilenabstand			100 Zeichen		
mm	p	kp	Êp	Ex	0	−1	−2
1,33	5	1,81	2,13	–	96	93	90
1,60	6	2,13	2,50	2,50	112	108	104
1,86	7	2,50	2,94	–	129	125	121
2,15	8	2,88	3,38	3,38	147	142	137
2,40	9	3,19	3,75	4,00	165	159	153
2,65	10	3,50	4,19	4,50	182	175	168
2,92	11	3,88	4,56	4,69	198	191	184
3,20	12	4,25	5,00	5,25	215	207	199
3,45	13	4,56	5,44	–	232	224	216
3,72	14	4,94	5,81	–	249	240	231
3,98	15	5,31	6,25	–	266	257	248
4,25	16	5,63	6,69	–	283	273	263

WZ 13 E, NSW 0, MZB 0,68, F 0,12:0,063 (1,9), III
H 1–x 0,67–k 1,00–p 0,32–Ê 1,24–kp 1,32–Êp 1,56
BF 089 0559, Belegung 051: 086 8233 (096 8233)

Le misure relative al corpo dei caratteri vengono generalmente indicate in punti tipografici. Il corpo dei caratteri Foto types può essere determinato con esattez za per semplice misurazione. Tutti i ca ratteri di uguale grandezza in punti han no, indipendentemente dalla loro lun ghezza, uguale altezza delle maiuscole Nella composizione in piombo ed in molti

2,15 mm (8 p), Zeilenabstand 3,38 mm

halbfett
medium
demi-gras

PRIMUS-ANTIQUA

seminegra
neretto
halvfet

Berthold-Schriften überzeugen durch Schärfe und Qualität. Schriftqualität ist eine Frage der Erfahrung Berthold hat diese Erfahrung seit über hundert Jahr en. Zuerst im Schriftguß, dann im Fotosatz. Berthold Schriften sind weltweit geschätzt. Im Schriftenatelier München wird jeder Buchstabe in der Größe von zwölf Zentimetern neu gezeichnet. Mit messerscharfen Ko nturen, um für die Schriftscheiben das Optimale an Konturenschärfe herauszuholen. Um die Qualität des

1,60 mm (6 p), Zeilenabstand 2,50 mm

Berthold-Schriften überzeugen durch Schärfe und Qualität. Schriftqualität ist eine Frage der Erfahrung. Berthold hat diese Erfahrung seit über hundert Jahren. Zuerst im Schriftguß, da nn im Fotosatz. Berthold-Schriften sind weltw eit geschätzt. Im Schriftenatelier München wi rd jeder Buchstabe in der Größe von zwölf Zen timetern neu gezeichnet. Mit messerscharfen

1,86 mm (7 p), Zeilenabstand 3,00 mm

Berthold-Schriften überzeugen durch Sc härfe und Qualität. Schriftqualität ist eine Frage der Erfahrung. Berthold hat die se Erfahrung seit über hundert Jahren Zuerst im Schriftguß, dann im Fotosatz Berthold-Schriften sind weltweit geschä tzt. Im Schriftenatelier München wird je der Buchstabe in der Größe von zwölf Ze

2,15 mm (8 p), Zeilenabstand 3,50 mm

1950
VEB Typo Art
H. Berthold AG

ABCDEFGHIJKLMNOPQ
RSTUVWXYZ
abcdefghijklmnopqrstuvwxyz
1/1234567890%
(.,-;:!¡?¿–)·[’‘„”“»«]
+−=/$£†*&§
ÄÅÆÖØŒÜäåæıöøœßü
ÁÀÂÃÇČÉÈÊËÍÌÎÏĹŇÑÓÒÔÕ
ŔŘŠŤÚÙÛŴẄÝŶŸŽ
áàâãçčéèêëíìîïĺňñóòôõŕřš
úùûŵẅýỳÿž

Berthold-Schriftweite weit
Berthold-Schriftweite normal
Berthold-Schriftweite eng
Berthold-Schriftweite sehr eng
Berthold-Schriftweite extrem eng

In general, bodytypes are m easured in the typographical point size. The sizes of Ber thold Fototype faces can be exactly determined. All fac es of same point size have the same capital height-irr espective of their x-height In hot metal and many other phototypesetting systems t he capital heights often diff er considerably from one fa ce to the other. For measuri ng point sizes a transparent size gauge is provided. To determine the point size, br ing a capital letter into coin

3,20 mm (12 p), Zeilenabstand 5,25 mm

Berthold's quick brown fox jumps over the lazy dog and feels as if he were in
3,75 mm (14 p)

Berthold's quick brown fox jumps over the lazy dog and feels as if he
4,25 mm (16 p)

Berthold's quick brown fox jumps over the lazy dog and feels
4,75 mm (18 p)

Berthold's quick brown fox jumps over the lazy dog a
5,30 mm (20 p)

Berthold's quick brown fox jumps over the la
6,35 mm (24 p)

Berthold's quick brown fox jumps over
7,40 mm (28 p)

Berthold's quick brown fox jumps
8,50 mm (32 p)

Berthold's quick brown fox ju
9,55 mm (36 p)

Berthold-Schriften überzeugen dur ch Schärfe und Qualität. Schriftqual ität ist eine Frage der Erfahrung. Ber thold hat diese Erfahrung seit über h undert Jahren. Zuerst im Schriftguß dann im Fotosatz. Berthold-Schrifte n sind weltweit geschätzt. Im Schrift enatelier München wird jeder Buchs

2,40 mm (9 p), Zeilenabstand 4,00 mm

Größe		Zeilenabstand			100 Zeichen		
mm	p	kp	Êp	Ex	0	−1	−2
1,33	5	1,75	2,06	—	95	92	89
1,60	6	2,13	2,44	2,50	112	108	104
1,86	7	2,44	2,88	3,00	128	124	120
2,15	8	2,88	3,31	3,50	146	141	136
2,40	9	3,19	3,69	4,00	164	158	152
2,65	10	3,50	4,06	4,00	180	173	166
2,92	11	3,88	4,50	—	197	190	183
3,20	12	4,25	4,88	5,25	214	206	198
3,45	13	4,56	5,25	—	231	223	215
3,72	14	4,88	5,69	—	247	238	229
3,98	15	5,25	6,06	—	264	255	246
4,25	16	5,63	6,50	—	281	271	261

WZ 13 E, NSW −1, MZB 0,68, F 0,20:0,071 (2,9), III
H 1–x 0,68–k 1,03–p 0,28–Ê 1,24–kp 1,31–Êp 1,52
BF 089 0560, Belegung 051: 086 8234 (096 8234)

Berthold-Schriften überzeugen durch Schärfe und Qualität. Schr iftqualität ist eine Frage der Erfa hrung. Berthold hat diese Erfahr ung seit über hundert Jahren. Zu erst im Schriftguß, dann im Foto satz. Berthold-Schriften sind wel tweit geschätzt. Im Schriftenateli

2,65 mm (10 p), Zeilenabstand 4,00 mm

PROMOTOR

Berthold-Schriften überzeugen durch S chärfe und Qualität. Schriftqualität ist e ine Frage der Erfahrung. Berthold hat d iese Erfahrung seit über hundert Jahre n. Zuerst im Schriftguß, dann im Foto satz. Berthold-Schriften sind weltweit g eschätzt. Im Schriftenatelier München wird jeder Buchstabe in der Größe von z wölf Zentimetern neu gezeichnet. Mit m

1,60 mm (6 p), Zeilenabstand 2,50 mm

Berthold-Schriften überzeugen d urch Schärfe und Qualität. Schrift qualität ist eine Frage der Erfahru ng. Berthold hat diese Erfahrung s eit über hundert Jahren. Zuerst im Schriftguß, dann im Fotosatz. Bert hold-Schriften sind weltweit gesch ätzt. Im Schriftenatelier München

1,86 mm (7 p), Zeilenabstand 3,00 mm

Berthold-Schriften überzeuge n durch Schärfe und Qualität Schriftqualität ist eine Frage d er Erfahrung. Berthold hat die se Erfahrung seit über hundert Jahren. Zuerst im Schriftguß dann im Fotosatz. Berthold-Sc hriften sind weltweit geschätzt

2,15 mm (8 p), Zeilenabstand 3,50 mm

Leonard H. D. Smit
1960
Lettergieterij Amsterdam
H. Berthold AG

ABCDEFGHIJKLMNOPQ
RSTUVWXYZ
abcdefghijklmnopqrst
uvwxyz+-=/$£†*&§
1/1234567890%
(.,-;:!¡?¿–)·[''„""»«]
ÄÅÆÖØŒÜäåæıöøœßü
ÁÀÂÃÇÉÈÊËÍÌÎÏĹÑÓÒÔ
ÕŔŘŠŤÚÙÛŴẄÝŶŸŽ
àâãçčéèêëíìîïĺňñóòôõŕřš
úùûŵẅýỳÿž

Schriftweite weit
Schriftweite normal
Schriftweite eng
Schriftweite sehr eng
Schriftweite extrem eng

In general, bodytyp es are measured in t he typographical po int size. The sizes of Berthold Fototype f aces can be exactly determined. All face s of same point size have the same capit al heigth–irrespectiv e of their x-heigth. In hot metal and many other phototypesetti ng systems the capit al heigths often differ considerably from o ne face to the other

3,20 mm (12 p), Zeilenabstand 5,25 mm

Berthold's quick brown fox jumps over the lazy dog and f
3,75 mm (14 p)

Berthold's quick brown fox jumps over the lazy do
4,25 mm (16 p)

Berthold's quick brown fox jumps over the l
4,75 mm (18 p)

Berthold's quick brown fox jumps over t
5,30 mm (20 p)

Berthold's quick brown fox jumps
6,35 mm (24 p)

Berthold's quick brown fox j
7,40 mm (28 p)

Berthold's quick brown f
8,50 mm (32 p)

Berthold's quick brow
9,55 mm (36 p)

Berthold-Schriften überze ugen durch Schärfe und Q ualität. Schriftqualität ist ei ne Frage der Erfahrung. Be rthold hat diese Erfahrung seit über hundert Jahren. Z uerst im Schriftguß, dann i m Fotosatz. Berthold-Schri

2,40 mm (9 p), Zeilenabstand 4,00 mm

Größe		Zeilenabstand			100 Zeichen		
mm	p	kp	Êp	Ex	0	−1	−2
1,33	5	1,88	2,25	–	132	129	126
1,60	6	2,25	2,69	2,50	155	151	147
1,86	7	2,63	3,13	3,00	179	175	171
2,15	8	3,00	3,63	3,50	203	198	193
2,40	9	3,38	4,06	4,00	227	221	215
2,65	10	3,69	4,44	4,00	251	244	237
2,92	11	4,06	4,94	–	274	267	260
3,20	12	4,50	5,38	5,25	297	289	281
3,45	13	4,81	5,81	–	321	313	305
3,72	14	5,19	6,25	–	344	335	326
3,98	15	5,56	6,69	–	367	358	349
4,25	16	5,94	7,13	–	391	381	371

WZ 18 E, NSW 0, MZB 0,95, F 0,16:0,029 (5,6), III
H 1–x 0,65–k 1,03–p 0,36–Ê 1,31–kp 1,39–Êp 1,67
BF 089 0561, Belegung 051: 085 0069 (095 0069)

Berthold-Schriften über zeugen durch Schärfe u nd Qualität. Schriftquali tät ist eine Frage der Erf ahrung. Berthold hat die se Erfahrung seit über h undert Jahren. Zuerst im Schriftguß, dann im Foto

2,65 mm (10 p), Zeilenabstand 4,00 mm

normal
regular
normal

QUADRIGA-ANTIQUA

normal
chiaro tondo
normal

Berthold-Schriften überzeugen durch Schärfe und Qualität. Schrift
qualität ist eine Frage der Erfahrung. Berthold hat diese Erfahrung s
eit über hundert Jahren. Zuerst im Schriftguß, dann im Fotosatz. Ber
thold-Schriften sind weltweit geschätzt. Im Schriftenatelier Münch
en wird jeder Buchstabe in der Größe von zwölf Zentimetern neu ge
zeichnet. Mit messerscharfen Konturen, um für die Schriftscheiben
das Optimale an Konturenschärfe herauszuholen. Um die Qualität
des Einzelzeichens im Belichtungsvorgang zu bewahren, wird durch
die ruhende, nicht rotierende Schriftscheibe belichtet. Dieses optis

1,33 mm (5 p) 20 30 40 50 60 70

Berthold-Schriften überzeugen durch Schärfe und Qualität. Sc
hriftqualität ist eine Frage der Erfahrung. Berthold hat diese Erf
ahrung seit über hundert Jahren. Zuerst im Schriftguß, dann im
Fotosatz. Berthold-Schriften sind weltweit geschätzt. Im Schrif
tenatelier München wird jeder Buchstabe in der Größe von zwö
lf Zentimetern neu gezeichnet. Mit messerscharfen Konturen, u
m für die Schriftscheiben das Optimale an Konturenschärfe her
auszuholen. Um die Qualität des Einzelzeichens im Belichtung
svorgang zu bewahren, wird durch die ruhende, nicht rotierend

1,45 mm (5,5 p) 20 30 40 50 60

Berthold-Schriften überzeugen durch Schärfe und Qualit
ät. Schriftqualität ist eine Frage der Erfahrung. Berthold h
at diese Erfahrung seit über hundert Jahren. Zuerst im Sc
hriftguß dann im Fotosatz. Berthold-Schriften sind welt
weit geschätzt. Im Schriftenatelier München wird jeder Bu
chstabe in der Größe von zwölf Zentimetern neu gezeichn
et. Mit messerscharfen Konturen, um für die Schriftschei
ben das Optimale an Konturenschärfe herauszuholen. Um
die Qualität des Einzelzeichens im Belichtungsvorgang zu

1,60 mm (6 p) 20 30 40 50 6

Berthold-Schriften überzeugen durch Schärfe und Q
ualität. Schriftqualität ist eine Frage der Erfahrung. B
erthold hat diese Erfahrung seit über hundert Jahren
Zuerst im Schriftguß, dann im Fotosatz. Berthold-Sc
hriften sind weltweit geschätzt. Im Schriftenatelier M
ünchen wird jeder Buchstabe in der Größe von zwölf
Zentimetern neu gezeichnet. Mit messerscharfen Ko
nturen, um für die Schriftscheiben das Optimale an K
onturenschärfe herauszuholen. Um die Qualität des

1,75 mm (6,5 p) 20 30 40 50

Berthold-Schriften überzeugen durch Schärfe und
Qualität. Schriftqualität ist eine Frage der Erfahru
ng. Berthold hat diese Erfahrung seit über hundert
Jahren. Zuerst im Schriftguß, dann im Fotosatz. B
erthold-Schriften sind weltweit geschätzt. Im Sch
riftenatelier München wird jeder Buchstabe in der
Größe von zwölf Zentimetern neu gezeichnet. Mit
messerscharfen Konturen, um für die Schriftschei
ben das Optimale an Konturenschärfe herauszuh

1,86 mm (7 p) 20 30 40 50

Berthold-Schriften überzeugen durch Schärfe
und Qualität. Schriftqualität ist eine Frage der E
rfahrung. Berthold hat diese Erfahrung seit üb
er hundert Jahren. Zuerst im Schriftguß, dann i
m Fotosatz. Berthold-Schriften sind weltweit ge
schätzt. Im Schriftenatelier München wird jeder
Buchstabe in der Größe von zwölf Zentimetern
neu gezeichnet. Mit messerscharfen Konturen
um für die Schriftscheiben das Optimale an Ko

2,00 mm (7,5 p) 20 30 40

Berthold-Schriften überzeugen durch Schärf
e und Qualität. Schriftqualität ist eine Frage d
er Erfahrung. Berthold hat diese Erfahrung se
it über hundert Jahren. Zuerst im Schriftguß
dann im Fotosatz. Berthold-Schriften sind we
ltweit geschätzt. Im Schriftenatelier München
wird jeder Buchstabe in der Größe von zwölf
Zentimetern neu gezeichnet. Mit messerschar
fen Konturen, um für die Schriftscheiben das

2,15 mm (8 p) 20 30 40

Manfred Barz
1979
H. Berthold AG

ABCDEFGHIJKLMNOPQ
RSTUVWXYZ
abcdefghijklmnopqrstuvwxyz
1/1234567890%
(.,-;:!i?¿-)·[',„"“»«]
+−=/$£†*&§
ÄÅÆÖØŒÜäåæıöøœßü
ÁÀÂÃÇČÉÈÊËÍÌÎÏĹŇÑÓÒÔÕ
ŔŘŠŤÚÙÛŴẂẀÝỲŸŽ
áàâãçčéèêëíìîïĺňñóòôõŕřš
úùûŵẃẁýỳÿž

Berthold-Schriftweite weit
Berthold-Schriftweite normal
Berthold-Schriftweite eng
Berthold-Schriftweite sehr eng
Berthold-Schriftweite extrem eng

Berthold
3,75 mm (14 p)

Berthold
4,25 mm (16 p)

Berthold
4,75 mm (18 p)

Berthold
5,30 mm (20 p)

Berthold
6,35 mm (24 p)

Berthold
7,40 mm (28 p)

Berthold
8,50 mm (32 p)

Berthold
9,55 mm (36 p)

Größe mm	p	Zeilenabstand kp	Êp	Ex	100 Zeichen 0	−1	−2
1,33	5	1,94	2,25	2,00	83	80	77
1,60	6	2,38	2,69	2,50	98	94	90
1,86	7	2,75	3,13	3,00	112	108	104
2,15	8	3,13	3,63	3,50	128	123	118
2,40	9	3,50	4,00	3,75	144	138	132
2,65	10	3,88	4,44	4,25	159	152	145
2,92	11	4,25	4,88	4,75	173	166	159
3,20	12	4,69	5,31	5,25	188	180	172
3,45	13	5,06	5,75	5,75	202	194	186
3,72	14	5,44	6,19	–	217	208	199
3,98	15	5,81	6,63	–	232	223	214
4,25	16	6,19	7,06	–	247	237	227

WZ 13 E, NSW +1, MZB 0,60, F 0,13:0,046 (2,8), II
H 1–x 0,64–k 1,05–p 0,40–Ê 1,26–kp 1,45–Êp 1,66
BF 089 0562, Belegung 051: 085 0487 (095 0487)

Berthold-Schriften überzeugen durch S
chärfe und Qualität. Schriftqualität ist e
ine Frage der Erfahrung. Berthold hat die
se Erfahrung seit über hundert Jahren. Z
uerst im Schriftguß dann im Fotosatz. B
erthold-Schriften sind weltweit geschät
zt. Im Schriftenatelier München wird jed
er Buchstabe in der Größe von zwölf Zen

2,40 mm (9 p) 20 30 40

Berthold-Schriften überzeugen dur
ch Schärfe und Qualität. Schriftquali
tät ist eine Frage der Erfahrung. Bert
hold hat diese Erfahrung seit über hu
ndert Jahren. Zuerst im Schriftguß
dann im Fotosatz. Berthold-Schrift
en sind weltweit geschätzt. Im Schrif
tenatelier München wird jeder Buchs

2,65 mm (10 p) 20 30

Berthold-Schriften überzeugen d
urch Schärfe und Qualität. Schrift
qualität ist eine Frage der Erfahru
ng. Berthold hat diese Erfahrung
seit über hundert Jahren. Zuerst
im Schriftguß, dann im Fotosatz
Berthold-Schriften sind weltweit
geschätzt. Im Schriftenatelier Mü

2,92 mm (11 p) 20 30

Berthold-Schriften überzeuge
n durch Schärfe und Qualität
Schriftqualität ist eine Frage d
er Erfahrung. Berthold hat die
se Erfahrung seit über hundert
Jahren. Zuerst im Schriftguß, d
ann im Fotosatz. Berthold-Sch
riften sind weltweit geschätzt. I

3,20 mm (12 p) 10 20 30

Berthold-Schriften überzeug
en durch Schärfe und Qualit
ät. Schriftqualität ist eine Fra
ge der Erfahrung. Berthold h
at diese Erfahrung seit über
hundert Jahren. Zuerst im Sc
hriftguß, dann im Fotosatz
Berthold-Schriften sind welt

3,45 mm (13 p) 10 20

normal
regular
normal

QUADRIGA-ANTIQUA

normal
chiaro tondo
normal

Berthold-Schriften überzeugen durch Schärfe und Qualität. Schriftqualit ät ist eine Frage der Erfahrung. Berthold hat diese Erfahrung seit über hu ndert Jahren. Zuerst im Schriftguß, dann im Fotosatz. Berthold-Schriften sind weltweit geschätzt. Im Schriftenatelier München wird jeder Buchsta be in der Größe von zwölf Zentimetern neu gezeichnet. Mit messerscharf en Konturen, um für die Schriftscheiben das Optimale an Konturenschär fe herauszuholen. Um die Qualität des Einzelzeichens im Belichtungsvorg ang zu bewahren, wird durch die ruhende, nicht rotierende Schriftscheibe belichtet. Dieses optische System, verbunden mit Präzisions-Chromglas

4,25 mm (16 p), Zeilenabstand 6,75 mm

QUADRIGA-ANTIQUA

In general, bodytypes are measured in the typo graphical point size. The sizes of Berthold Foto type faces can be exactly determined. All faces of same point size have the same capital heigth-irre spective of their x-heigth. In hot metal and many other phototypesetting systems the capital heigths often differ considerably from one face to the other. For measuring point sizes, a transparent size gauge is provided. To determine the point size, bring a capital letter into coincidence with that field which precisely circumscribes the letter at its upper and lower margin. Below the field you find the typographical point and below that the millimeter value, which also refers to the height of a capital letter. In Berthold-phototypesetting, the typewidth can be modified. The standard setting width of typefaces is determined by the principle of optimum legibility. You should not depart from this typewidth without cogent reason. A typeface which is considered optically right when looked in a greater context, often seems bulky when applied for a small amount of text, e. g. la

2,40 mm (9 p), Zeilenabstand 4,25 mm

QUADRIGA-ANTIQUA

La valeur de la força de corps des caractères de labeur èst généralement exprimée en points typographiques. La force de corps des carac tères Berthold-Fototype peut être détermi née avec précision. Tous les caractères du même corps ont des capitales d'une hauteur identique, indépendamment de la hauteur des bas de casse sans jambage. Dans la com position plomb, ainsi que dans certains sys tèmes de photocomposition, la hauteur des capitales, varie souvent d'un caractère à l'au tre. Pour déterminer la force de corps de nos caractères, nous avons mis au point une ré glette de hauteur d'œil transparente. On cherche le rectangle qui délimite exactement la hauteur d'œil d'une capitale du caractère choisi. Sous le rectangle correspondant la valeur de la force de corps est indiquée en points Didots et en millimètres. La valeur en millimètres exprime également la hauteur des

2,65 mm (10 p), Zeilenabstand 4,69 mm

La indicación de las dimensiones para cuerpos de letra vásicos tiene lugar en general en puntos tipográficos. Los cuerpos de letra de los caracte res Berthold Fototype pueden determinarse ex actemente par medición. Con independencia de la altura de sus longitudes centrales, todos los caracteres de idéntico cuerpo de letra presentan altura de mayúsculas idéntica. En la composi ción en plomo y en muchos otros sistemas de

2,15 mm (8 p), −1, Zeilenabstand 3,38 mm

123,– $	456,– £	7890,– DM	1 %
234,– $	789,– £	1234,– DM	2 %
567,– $	12,– £	5678,– DM	3 %
890,– $	345,– £	9012,– DM	4 %
123,– $	678,– £	3456,– DM	5 %
456,– $	901,– £	7890,– DM	6 %
789,– $	234,– £	1234,– DM	7 %
12,– $	567,– £	5678,– DM	8 %
345,– $	890,– £	9012,– DM	9 %

BF 089 0563

Le misure relative al corpo dei caratteri vengono generalmente indicate in punti tipografici. Il cor po dei caratteri Fototypes può essere determinato con esattezza per semplice misurazione. Tutti i ca ratteri di uguale grandezza in punti hanno, indi pendentemente dalla loro lunghezza, uguale altez za delle maiuscole. Nella composizione in piombo ed in molti altri sistemi di fotocomposizione, l'al tezza delle maiuscole varia spesso da carattere a ca

2,15 mm (8 p), −2, Zeilenabstand 3,38 mm

normal Kapitälchen
regular small caps
normal petites capitales

QUADRIGA-ANTIQUA

normal muyusculita
chiaro tondo maiuscoletto
normal kapitäler

Berthold-Schriften überz
eugen durch Schärfe und
Qualität. Schriftqualität
ist eine Frage der Erfahr
ung. Berthold hat diese E
rfahrung seit über hunde
rt Jahren. Zuerst im Schri
ftguss, dann im Fotosatz
Berthold-Schriften sind w
eltweit geschätzt. Im Sch
riftenatelier München wi
rd jeder Buchstabe in der
Grösse von zwölf Zentime
tern neu gezeichnet. Mit
messerscharfen Konturen
um für die Schriftscheiben
das Optimale an Konturen

3,20 mm (12 p), Zeilenabstand 5,25 mm

Manfred Barz
1979
H. Berthold AG

ABCDEFGHIJKLMNOPQ
RSTUVWXYZ
abcdefghijklmnopqrstuvwxyz
1234567890/%
(.,-;:!¡?¿–)·['‘„"“›‹]
+–=/$£†*&§©
ÄÅÆÖØŒÜäåæöøœü
ÁÀÂÃÇČÉÈÊËÍÌÎÏĹŇÑÓÒÔÕ
ŔŘŠŤÚÙÛŴẄÝŶŸŽ
áàâãçčéèêëíìîïĺňñóòôõŕřš
úùûŵẅýỳÿž

Berthold-Schriftweite weit
Berthold-Schriftweite normal
Berthold-Schriftweite eng
Berthold-Schriftweite sehr eng
Berthold-Schriftweite extrem eng

LA VALEUR DE LA FORCE
DE CORPS DES CARACTE
RES DE LABEUR EST GEN
ERALEMENT EXPRIMEE E
N POINTS TYPOGRAPHIQ
UES. LA FORCE DE CORPS
DES CARACTERES BERTH
OLD FOTOTYPE PEUT ET
RE DETERMINEE AVEC PR
ECISION. TOUS LES CARA
CTERES DU MEME CORPS
ONT DES CAPITALES DU
NE HAUTEUR IDENTIQUE
INDEPENDAMMENT DE LA
HAUTEUR DES BAS DE CA
SSE SANS JAMBAGE. DANS
LA COMPOSITION PLOMB

3,20 mm (12 p), Zeilenabstand 5,25 mm

8/5

MARIE-THERÈSE ROCHEFORT
Directrice

Paris, Rue Victor Hugo 69, Telefon 37 25 86

10/7

FLORENTINO LEONCAVALLO
Maître de Plaisir

Firenze, Via Ludovica Aretino 33

12/9

EULALIA OFFENSTEIN
Diätköchin

Am Gänsemarkt 2, Vilshofen

Berlin
3,72 mm (14 p)

Berlin
4,25 mm (16 p)

Berlin
4,75 mm (18 p)

Berlin
5,30 mm (20 p)

Berlin
6,35 mm (24 p)

Berlin
7,40 mm (28 p)

Berlin
8,50 mm (32 p)

Berlin
9,55 mm (36 p)

9/6

HANS-OTTO VON SCHLICK
Landrat

Kappeln an der Schlei, Am Horst 10, Tel. 66 34

11/8

JAN VAN DER FALK
Detektivbüro

Amsterdam, Halve Maan Straat 78

13/10

VLADIMIR IRIBOZOV
Saxophonist

Moosgrundallee, 2 München

La indicación de las dimensiones para cuerpos de letra vási
cos tiene lugar en general en puntos tipográficos. Los cuer
pos de letra de los caracteres Berthold Fototype pueden
determinarse exactemente par medición. Con independencia
de la altura de sus longitudes centrales, todos los caracte
res de idéntico cuerpo de letra presentan altura de mayús
culas idéntica. En la composición en plomo y en muchos o
tros sistemas de fotocomposición, las alturas de mayúsculas
varían frecuentemmente en forma considerable de tipo de
letra a tipo de letra. Para medir los cuerpos de letra se dis
pone de un tipómetro, véase la figura. Para la medición
se hace coincidir una letra mayúscula con la casilla cuyos
extremos coinciden con los extremos superior e inferior de
la letra. Bajo la casilla se indica el cuerpo de letra en pun
tos tipográficos Didot, y debajo en mm. También las indica

1,33 mm (5 p), Zeilenabstand 1,94 mm

Le misure relative al corpo dei caratteri ven
gono generalmente indicate in punti tipogra
fici. Il corpo dei caratteri Fototypes può esse
re determinato con esattezza per semplice mi
surazione. Tutti i caratteri di uguale gran
dezza in punti hanno, indipendentemente dal
la loro lunghezza, uguale altezza delle mai
uscole. Nella composizione in piombo ed in
molti altri sistemi di fotocomposizione, l'al
tezza delle maiuscole varia spesso da carat
tere a carattere. Per misurare il corpo dei
caratteri è indispensabile un apposito tipome

1,60 mm (6 p), Zeilenabstand 2,44 mm
WZ 16 E, NSW +1, II
BF 089 0947, Belegung 127: 085 0346 (095 0346)

In general bodytypes are measured in the ty
pographical point size. The sizes of Berthol
d-Fototype faces can be exactly determined
All faces of same point size have the same c
apital height–irrespective of their x-height
In hot metal and many other phototypesetti
ng systems the capital heights often differ
considerably from one face to the other. Fo
r measuring point sizes, a transparent size g
auge is provided. To determine the point size

1,86 mm (7 p), Zeilenabstand 3,00 mm

kursiv
italic
italique

QUADRIGA

cursiva
corsivo
kursiv

Måttangivelse för grundstilsgrader sk er i allmänhet i typografiska punkter Stilar av Berthold Fototype kan efter mätning exakt gradbestämmas. Alla t ypsnitt är av samma punktstorlek och har oberoende av x-höjden en identisk versalhöjd. I blysättning och i många andra fotosättsystem varierar versalh öjden avsevärt från typsnitt till typsnit t. För mätning av stilgrader finns en t ransparent mätlinjal. Vid mätningen placerar man en versal bokstav så att rutorna begränsar tecknet upptill och nedtill. Under rutorna finns stilstorlek en i typografiska didotpunkter och i m m. Även millimeteruppgiften avser ver salhöjden. Vid stilstorleksuppgifter an ges alltid måttenheten efter sifferuppgi ften t ex 14 punkter eller 14 p. Berthold

2,92 mm (11 p), Zeilenabstand 4,69 mm

Manfred Barz
1979
H. Berthold AG

ABCDEFGHIJKLMNOPQ
RSTUVWXYZ
abcdefghijklmnopqrstuvwxyz
1/1234567890 %
(.,-;:!¡?¿–)·[’‘„”“»«]
+—=/$£†&§*
ÄÅÆÖØŒÜäåæıöøœßü
ÁÀÂÃÇČÉÈÊËÍÌÎÏĹŇÑÓÒÔÕ
ŔŘŠŤÚÙÛŴẄÝŶŸŽ
áàâãçčéèêëíìîïĺňñóòôõŕřš
úùûŵẅýỳÿž

Berthold-Schriftweite weit
Berthold-Schriftweite normal
Berthold-Schriftweite eng
Berthold-Schriftweite sehr eng
Berthold-Schriftweite extrem eng

In general, bodytypes are measure d in the typographical point size. T he sizes of Berthold Fototype faces can be exactly determined. All face s of same point size have the same c apital height–irrespective of their x height. In hot metal and many oth er phototypesetting systems the cap ital heights often differ considerabl y from one face to the other. For m easuring point sizes, a transparent size gauge is provided. To determin e the point size, bring a capital lette r into coincidence with that field w hich precisely circumscribes the lett er at its upper and lower margin. B elow the field you find the typogra

3,20 mm (12 p), Zeilenabstand 5,25 mm

QUADRIGA KURSIV

Die Maßangabe zu Grundschriftgrößen erfolgt im allge meinen in typographischen Punkten. Die Schriftgrößen der Berthold-Fotosatz-Schriften sind nach Messung exa kt bestimmbar. Alle Schriften gleicher Punktgröße weise n, unabhängig von der Höhe ihrer Mittellängen, eine id entische Versalhöhe auf. Im Bleisatz und bei vielen and eren Fotosatz-Systemen differieren die Versalhöhen von Schrift zu Schrift oft erheblich. Zum Messen von Schrift größen steht ein transparentes Größenmaß zur Verfügu ng. Zum Messen wird ein Versalbuchstabe mit dem Feld in Deckung gebracht, das den Buchstaben oben und unt en scharf begrenzt. Unter dem Feld ist die Schriftgröße in typographischen Didot-Punkten, darunter in Millimete rn angegeben. Auch die Millimeterangaben beziehen sic h auf die Höhe der Versalbuchstaben. Die Schriftweite k ann im Berthold-Fotosatz beliebig verändert werden. Di e Festlegung der Normalschriftweite erfolgt nach dem Pr inzip der optimalen Lesbarkeit bei größeren Textmengen

2,40 mm (9 p), Zeilenabstand 4 mm

QUADRIGA ITALIQUE

La valeur de la force de corps des caractères de lab eur èst généralement exprimée en points typograp hiques. La force de corps des caractères Berthold-F ototype peut être déterminée avec précision. Tous l es caractères du même corps ont des capitales d'une hauteur identique, indépendamment de la hauteur des bas de casse sans jambage. Dans la compositio n plomb, ainsi que dans certains systèmes de phot ocomposition, la hauteur des capitales, varie souv ent d'un caractère à l'autre. Pour déterminer la fo rce de corps de nos caractères, nous avons mis au p oint une réglette de hauteur d'œil transparente. On cherche le rectangle qui délimite exactement la hau teur d'œil d'une capitale du caractère choisi. Sous le rectangle correspondant la valeur de la force de c orps est indiquée en points Didots et en millimètres

2,65 mm (10 p), Zeilenabstand 4,50 mm

La indicación de las dimensiones para cuerpos de letra vásicos tien e lugar en general en puntos tipográficos. Los cuerpos de letra de l os caracteres Berthold Fototype pueden determinarse exactemente par medición. Con independencia de la altura de sus longitudes ce ntrales, todos los caracteres de idéntico cuerpo de letra presentan a ltura de mayúsculas idéntica. En la composición en plomo y en m uchos otros sistemas de fotocomposición, las alturas de mayúscul as varían frecuentemmente en forma considerable de tipo de letra a tipo de letra. Para medir los cuerpos de letra se dispone de un tipó metro, véase la figura. Para la medición se hace coincidir una letra mayúscula con la casilla cuyos extremos coinciden con los extrem os superior e inferior de la letra. Bajo la casilla se indica el cuerpo

1,60 mm (6 p), Zeilenabstand 2,50 mm

Größe		Zeilenabstand			100 Zeichen		
mm	p	kp	Êp	Ex	0	−1	−2
1,33	5	1,94	2,25	–	77	74	71
1,60	6	2,31	2,69	2,50	91	87	83
1,86	7	2,69	3,13	–	105	101	97
2,15	8	3,13	3,63	3,38	119	114	109
2,40	9	3,50	4,06	4,00	133	127	121
2,65	10	3,88	4,44	4,50	147	140	133
2,92	11	4,25	4,88	4,69	161	154	147
3,20	12	4,63	5,38	5,25	174	166	158
3,45	13	5,00	5,81	–	188	180	172
3,72	14	5,38	6,25	–	202	193	184
3,98	15	5,75	6,69	–	215	206	197
4,25	16	6,13	7,13	–	229	219	209

WZ 12 E, NSW 0, MZB 0,55, F 0,11:0,04 (3,0), II
H 1–x 0,64–k 1,04–p 0,40–Ê 1,27–kp 1,44–Êp 1,67
BF 089 0878, Belegung 051: 085 0413 (095 0413)

Le misure relative al corpo dei caratteri vengono ge neralmente indicate in punti tipografici. Il corpo de i caratteri Fototypes può essere determinato con esa ttezza per semplice misurazione. Tutti i caratteri di uguale grandezza in punti hanno, indipendenteme nte dalla loro lunghezza, uguale altezza delle maiu scole. Nella composizione in piombo ed in molti alt ri sistemi di fotocomposizione, l'altezza delle maiu scole varia spesso da carattere a carattere. Per misu

2,15 mm (8 p), Zeilenabstand 3,38 mm

halbfett
bold
demi-gras

QUADRIGA-ANTIQUA

seminegra
neretto
halvfet

Berthold-Schriften überzeugen durch Schärfe und Quali tät. Schriftqualität ist eine Frage der Erfahrung. Berthold hat diese Erfahrung seit über hundert Jahren. Zuerst im Schriftguß, dann im Fotosatz. Berthold-Schriften sind weltweit geschätzt. Im Schriftenatelier München wird jed er Buchstabe in der Größe von zwölf Zentimetern neu ge zeichnet. Mit messerscharfen Konturen, um für die Schri ftscheiben das Optimale an Konturenschärfe herauszuh olen. Um die Qualität des Einzelzeichens im Belichtungs

1,60 mm (6 p), Zeilenabstand 2,50 mm

Berthold-Schriften überzeugen durch Schärfe und Qualität. Schriftqualität ist eine Frage der Erfahru ng. Berthold hat diese Erfahrung seit über hundert Jahren. Zuerst im Schriftguß, dann im Fotosatz Berthold-Schriften sind weltweit geschätzt. Im Sc hriftenatelier München wird jeder Buchstabe in der Größe von zwölf Zentimetern neu gezeichnet Mit messerscharfen Konturen, um für die Schrifts

1,86 mm (7 p), Zeilenabstand 3,00 mm

Berthold-Schriften überzeugen durch Schä rfe und Qualität. Schriftqualität ist eine Frage der Erfahrung. Berthold hat diese Erfahrung seit über hundert Jahren. Zuerst im Schriftg uß dann im Fotosatz. Berthold-Schriften si nd weltweit geschätzt. Im Schriftenatelier München wird jeder Buchstabe in der Grö ße von zwölf Zentimetern neu gezeichnet. Mi

2,15 mm (8 p), Zeilenabstand 3,50 mm

Manfred Barz
1979
H. Berthold AG

ABCDEFGHIJKLMNOPQ
RSTUVWXYZ
abcdefghijklmnopqrstuvwxyz
1/1234567890 %
(.,-;:!¡?¿–)·[’‘„”“»«]
+−=/$£†*&§
ÄÅÆÖØŒÜäåæıöøœßü
ÁÀÂÃÇČÉÈÊËÍÌÎÏĹŇÑÓÒÔÕ
ŔŘŠŤÚÙÛŴẄÝỲŸŽ
áàâãçčéèêëíìîïĺňñóòôõŕřš
úùûŵẅýỳÿž

Berthold-Schriftweite weit
Berthold-Schriftweite normal
Berthold-Schriftweite eng
Berthold-Schriftweite sehr eng
Berthold-Schriftweite extrem eng

In general, bodytypes are me asured in the typographical p oint size. The sizes of Berthold Fototype faces can be exactly determined. All faces of same point size have the same capit al heigth–irrespective of their x-heigth. In hot metal and ma ny other phototypesetting sys tems the capital heigths often differ considerably from one face to the other. For measuri ng point sizes, a transparent si ze gauge is provided. To deter mine the point size, bring a ca pital letter into coincidence w ith that field which precisely

3,20 mm (12 p), Zeilenabstand 5,25 mm

Berthold’s quick brown fox jumps over the lazy dog and feels as if he were in the se
3,75 mm (14 p)

Berthold’s quick brown fox jumps over the lazy dog and feels as if he were
4,25 mm (16 p)

Berthold’s quick brown fox jumps over the lazy dog and feels as if
4,75 mm (18 p)

Berthold’s quick brown fox jumps over the lazy dog and fe
5,30 mm (20 p)

Berthold’s quick brown fox jumps over the lazy
6,35 mm (24 p)

Berthold’s quick brown fox jumps over t
7,40 mm (28 p)

Berthold’s quick brown fox jumps o
8,50 mm (32 p)

Berthold’s quick brown fox jum
9,55 mm (36 p)

Berthold-Schriften überzeugen durch Schärfe und Qualität. Schriftqualität ist eine Frage der Erfahrung. Berthold hat diese Erfahrung seit über hundert Jahr en. Zuerst im Schriftguß, dann im Foto satz. Berthold-Schriften sind weltweit g eschätzt. Im Schriftenatelier München wird jeder Buchstabe in der Größe von

2,40 mm (9 p), Zeilenabstand 4,00 mm

Größe		Zeilenabstand			100 Zeichen		
mm	p	kp	Êp	Ex	0	−1	−2
1,33	5	1,94	2,25	—	87	84	81
1,60	6	2,38	2,75	2,50	103	99	95
1,86	7	2,75	3,13	3,00	118	114	110
2,15	8	3,13	3,63	3,50	134	129	124
2,40	9	3,50	4,06	4,00	150	144	138
2,65	10	3,88	4,50	4,00	165	158	151
2,92	11	4,25	4,94	—	181	174	167
3,20	12	4,69	5,44	5,25	196	188	180
3,45	13	5,06	5,81	—	212	204	196
3,72	14	5,44	6,25	—	227	218	209
3,98	15	5,81	6,69	—	243	234	225
4,25	16	6,19	7,19	—	258	248	238

WZ 13 E, NSW 0, MZB 0,62, F 0,19:0,046 (4,2), II
H 1–x 0,65–k 1,05–p 0,40–Ê 1,28–kp 1,45–Êp 1,68
BF 089 0564, Belegung 051: 085 0488 (095 0488)

Berthold-Schriften überzeugen dur ch Schärfe und Qualität. Schriftqua lität ist eine Frage der Erfahrung. Be rthold hat diese Erfahrung seit über hundert Jahren. Zuerst im Schriftg uß, dann im Fotosatz. Berthold-Sch riften sind weltweit geschätzt. Im Sc hriftenatelier München wird jeder

2,65 mm (10 p), Zeilenabstand 4,00 mm

fett
bold
gras

QUADRIGA-ANTIQUA

negra
nero
fet

Berthold-Schriften überzeugen durch Schärfe und Qualität. Schriftqualität ist eine Frage der Erfahrung Berthold hat diese Erfahrung seit über hundert Jahr en. Zuerst im Schriftguß, dann im Fotosatz. Berthold Schriften sind weltweit geschätzt. Im Schriftenatelier München wird jeder Buchstabe in der Größe von zwölf Zentimetern neu gezeichnet. Mit messerscharfen Kont uren, um für die Schriftscheiben das Optimale an Kont urenschärfe herauszuholen. Um die Qualität des Einze

1,60 mm (6 p), Zeilenabstand 2,50 mm

Berthold-Schriften überzeugen durch Schärfe und Qualität. Schriftqualität ist eine Frage der Erfahrung. Berthold hat diese Erfahrung seit über hundert Jahren. Zuerst im Schriftguß, da nn im Fotosatz. Berthold-Schriften sind weltwe it geschätzt. Im Schriftenatelier München wird jeder Buchstabe in der Größe von zwölf Zentim etern neu gezeichnet. Mit messerscharfen Kont

1,86 mm (7 p), Zeilenabstand 3,00 mm

Berthold-Schriften überzeugen durch Sc härfe und Qualität. Schriftqualität ist eine Frage der Erfahrung. Berthold hat diese Erfahrung seit über hundert Jahren. Zu erst im Schriftguß dann im Fotosatz. Bert hold-Schriften sind weltweit geschätzt. Im Schriftenatelier München wird jeder Buch stabe in der Größe von zwölf Zentimetern

2,15 mm (8 p), Zeilenabstand 3,50 mm

Manfred Barz
1979
H. Berthold AG

ABCDEFGHIJKLMNOPQ
RSTUVWXYZ
abcdefghijklmnopqrstuvwxyz
1/1234567890 %
(.,-;:!¡?¿–)·[’‘„”“»«]
+−=/$£†*&§
ÄÅÆÖØŒÜäåæıöøœßü
ÁÀÂÃÇČÉÈÊËÍÌÎÏĹŇÑÓÒÔÕ
ŔŘŠŤÚÙÛŴẄÝŶŸŽ
áàâãçčéèêëíìîïĺňñóòôõŕřš
úùûŵẅýỳÿž

Berthold-Schriftweite weit
Berthold-Schriftweite normal
Berthold-Schriftweite eng
Berthold-Schriftweite sehr eng
Berthold-Schriftweite extrem eng

In general, bodytypes are m easured in the typographical point size. The sizes of Ber thold Fototype faces can be exactly determined. All faces of same point size have the s ame capital heigth–irrespec tive of their x-heigth. In hot metal and many other pho totypesetting systems the ca pital heigths often differ con siderably from one face to th e other. For measuring point sizes a transparent size gauge is provided. To determine th e point size, bring a capital l etter into coincidence with t

3,20 mm (12 p), Zeilenabstand 5,25 mm

Berthold’s quick brown fox jumps over the lazy dog and feels as if he were in the
3,75 mm (14 p)

Berthold’s quick brown fox jumps over the lazy dog and feels as if he
4,25 mm (16 p)

Berthold’s quick brown fox jumps over the lazy dog and feels
4,75 mm (18 p)

Berthold’s quick brown fox jumps over the lazy dog and
5,30 mm (20 p)

Berthold’s quick brown fox jumps over the laz
6,35 mm (24 p)

Berthold’s quick brown fox jumps over
7,40 mm (28 p)

Berthold’s quick brown fox jumps
8,50 mm (32 p)

Berthold’s quick brown fox ju
9,55 mm (36 p)

Berthold-Schriften überzeugen durc h Schärfe und Qualität. Schriftqualit ät ist eine Frage der Erfahrung. Berth old hat diese Erfahrung seit über hun dert Jahren. Zuerst im Schriftguß, da nn im Fotosatz. Berthold-Schriften si nd weltweit geschätzt. Im Schriftenat elier München wird jeder Buchstabe i

2,40 mm (9 p), Zeilenabstand 4,00 mm

Größe mm	p	Zeilenabstand kp	Êp	Ex	100 Zeichen 0	−1	−2
1,33	5	1,94	2,31	–	90	87	84
1,60	6	2,38	2,75	2,50	106	102	98
1,86	7	2,75	3,19	3,00	122	118	114
2,15	8	3,13	3,69	3,50	139	134	129
2,40	9	3,50	4,13	4,00	156	150	144
2,65	10	3,88	4,56	4,00	172	165	158
2,92	11	4,25	5,00	–	188	181	174
3,20	12	4,69	5,50	5,25	204	196	188
3,45	13	5,06	5,88	–	220	212	204
3,72	14	5,44	6,38	–	236	227	218
3,98	15	5,81	6,81	–	252	243	234
4,25	16	6,19	7,25	–	268	258	248

WZ 13 E, NSW 0, MZB 0,65, F 0,25:0,050 (5,0), II
H 1–x 0,65–k 1,05–p 0,40–Ê 1,30–kp 1,45–Êp 1,70
BF 089 0565, Belegung 051: 085 0489 (095 0489)

Berthold-Schriften überzeugen d urch Schärfe und Qualität. Schrift qualität ist eine Frage der Erfahru ng. Berthold hat diese Erfahrung seit über hundert Jahren. Zuerst i m Schriftguß, dann im Fotosatz Berthold-Schriften sind weltweit geschätzt. Im Schriftenatelier Mü

2,65 mm (10 p), Zeilenabstand 4,00 mm

extrafett
extra bold
extra gras

QUADRIGA-ANTIQUA

muy negra
nerissimo
extrafet

Berthold-Schriften überzeugen durch Schärfe und Qualität. Schriftqualität ist eine Frage der Erfahrung Berthold hat diese Erfahrung seit über hundert Jahr en. Zuerst im Schriftguß, dann im Fotosatz. Bertho ld-Schriften sind weltweit geschätzt. Im Schriftenate lier München wird jeder Buchstabe in der Größe von zwölf Zentimetern neu gezeichnet. Mit messersc harfen Konturen, um für die Schriftscheiben das Op timale an Konturenschärfe herauszuholen. Um die

1,60 mm (6 p), Zeilenabstand 2,50 mm

Berthold-Schriften überzeugen durch Schär fe und Qualität. Schriftqualität ist eine Frage der Erfahrung. Berthold hat diese Erfahrung seit über hundert Jahren. Zuerst im Schriftg uß, dann im Fotosatz. Berthold-Schriften sind weltweit geschätzt. Im Schriftenatelier Münc hen wird jeder Buchstabe in der Größe von zw ölf Zentimetern neu gezeichnet. Mit messersc

1,86 mm (7 p), Zeilenabstand 3,00 mm

Berthold-Schriften überzeugen durch Schärfe und Qualität. Schriftqualität ist eine Frage der Erfahrung. Berthold hat diese Erfahrung seit über hundert Jahr en. Zuerst im Schriftguß, dann im Fotos atz. Berthold-Schriften sind weltweit ge schätzt. Im Schriftenatelier München wi rd jeder Buchstabe in der Größe von zw

2,15 mm (8 p), Zeilenabstand 3,50 mm

Manfred Barz
1979
H. Berthold AG

ABCDEFGHIJKLMNOPQ
RSTUVWXYZ
abcdefghijklmnopqrstuvwxyz
1/1234567890%
(.,-;:!¡?¿–)·['‘„”“»«]
+−=/$£†*&§
ÄÅÆÖØŒÜäåæıöøœßü
ÁÀÂÃÇČÉÈÊËÍÌÎÏĹŇÑÓÒÔÕ
ŔŘŠŤÚÙÛŴẄÝŶŸŽ
áàâãçčéèêëíìîïĺňñóòôõŕřš
úùûŵẅýỳÿž

Berthold-Schriftweite weit
Berthold-Schriftweite normal
Berthold-Schriftweite eng
Berthold-Schriftweite sehr eng
Berthold-Schriftweite extrem eng

In general, bodytypes are measured in the typograp hical point size. The sizes of Berthold Fototype faces can be exactly determined. All faces of same point size hav e the same capital heigth–i rrespective of their x-heigt h. In hot metal and many o ther phototypesetting syst ems the capital heigths oft en differ considerably from one face to the other. For m easuring point sizes, a tran sparent size gauge is provi ded. To determine the point size, bring a capital letter i

3,20 mm (12 p), Zeilenabstand 5,25 mm

Berthold's quick brown fox jumps over the lazy dog and feels as if he were in
3,75 mm (14 p)

Berthold's quick brown fox jumps over the lazy dog and feels as if
4,25 mm (16 p)

Berthold's quick brown fox jumps over the lazy dog and fe
4,75 mm (18 p)

Berthold's quick brown fox jumps over the lazy dog
5,30 mm (20 p)

Berthold's quick brown fox jumps over the l
6,35 mm (24 p)

Berthold's quick brown fox jumps ov
7,40 mm (28 p)

Berthold's quick brown fox jum
8,50 mm (32 p)

Berthold's quick brown fox j
9,55 mm (36 p)

Berthold-Schriften überzeugen du rch Schärfe und Qualität. Schriftqu alität ist eine Frage der Erfahrung Berthold hat diese Erfahrung seit ü ber hundert Jahren. Zuerst im Schr iftguß, dann im Fotosatz. Berthold Schriften sind weltweit geschätzt. I m Schriftenatelier München wird je

2,40 mm (9 p), Zeilenabstand 4,00 mm

Größe mm	p	Zeilenabstand kp	Êp	Ex	100 Zeichen 0	−1	−2
1,33	5	1,94	2,31	–	96	93	90
1,60	6	2,38	2,75	2,50	113	109	105
1,86	7	2,75	3,19	3,00	130	126	122
2,15	8	3,13	3,69	3,50	148	143	138
2,40	9	3,50	4,13	4,00	166	160	154
2,65	10	3,88	4,56	4,00	183	176	169
2,92	11	4,25	5,00	–	200	193	186
3,20	12	4,69	5,50	5,25	217	209	201
3,45	13	5,06	5,88	–	234	226	218
3,72	14	5,44	6,38	–	251	242	233
3,98	15	5,81	6,81	–	268	259	250
4,25	16	6,19	7,25	–	285	275	265

WZ 14 E, NSW 0, MZB 0,69, F 0,29:0,050 (5,8), II
H 1–x 0,65–k 1,05–p 0,40–Ê 1,30–kp 1,45–Êp 1,70
BF 089 0566, Belegung 051: 085 0490 (095 0490)

Berthold-Schriften überzeugen durch Schärfe und Qualität. Sch riftqualität ist eine Frage der Erf ahrung. Berthold hat diese Erfa hrung seit über hundert Jahren Zuerst im Schriftguß, dann im F otosatz. Berthold-Schriften sind weltweit geschätzt. Im Schriften

2,65 mm (10 p), Zeilenabstand 4,00 mm

mager
light
maigre

QUORUM

fina
chiarissimo
mager

Berthold-Schriften überzeugen durch Schärfe und Qualität. Schriftqua
lität ist eine Frage der Erfahrung. Berthold hat diese Erfahrung seit über
hundert Jahren. Zuerst im Schriftguß, dann im Fotosatz. Berthold-Sch
riften sind weltweit geschätzt. Im Schriftenatelier München wird jeder
Buchstabe in der Größe von zwölf Zentimetern neu gezeichnet. Mit me
sserscharfen Konturen, um für die Schriftscheiben das Optimale an Ko
nturenschärfe herauszuholen. Um die Qualität des Einzelzeichens im B
elichtungsvorgang zu bewahren, wird durch die ruhende, nicht rotiere
nde Schriftscheibe belichtet. Dieses optische System, verbunden mit Pr

1,33 mm (5 p) 20 30 40 50 60 7

Berthold-Schriften überzeugen durch Schärfe und Qualität. Schrif
tqualität ist eine Frage der Erfahrung. Berthold hat diese Erfahrung
seit über hundert Jahren. Zuerst im Schriftguß, dann im Fotosatz
Berthold-Schriften sind weltweit geschätzt. Im Schriftenatelier M
ünchen wird jeder Buchstabe in der Größe von zwölf Zentimetern
neu gezeichnet. Mit messerscharfen Konturen, um für die Schrifts
cheiben das Optimale an Konturenschärfe herauszuholen. Um die
Qualität des Einzelzeichens im Belichtungsvorgang zu bewahren
wird durch die ruhende, nicht rotierende Schriftscheibe belichtet

1,45 mm (5,5 p) 20 30 40 50 60

Berthold-Schriften überzeugen durch Schärfe und Qualität
Schriftqualität ist eine Frage der Erfahrung. Berthold hat die
se Erfahrung seit über hundert Jahren. Zuerst im Schriftguß
dann im Fotosatz. Berthold-Schriften sind weltweit geschät
zt. Im Schriftenatelier München wird jeder Buchstabe in der
Größe von zwölf Zentimetern neu gezeichnet. Mit messe
rscharfen Konturen, um für die Schriftscheiben das Optimale
an Konturenschärfe herauszuholen. Um die Qualität des Ein
zelzeichens im Belichtungsvorgang zu bewahren, wird durc

1,60 mm (6 p) 20 30 40 50 6

Berthold-Schriften überzeugen durch Schärfe und Qua
lität. Schriftqualität ist eine Frage der Erfahrung. Bertho
ld hat diese Erfahrung seit über hundert Jahren. Zuerst i
m Schriftguß, dann im Fotosatz. Berthold-Schriften sind
weltweit geschätzt. Im Schriftenatelier München wird j
eder Buchstabe in der Größe von zwölf Zentimetern neu
gezeichnet. Mit messerscharfen Konturen, um für die
Schriftscheiben das Optimale an Konturenschärfe hera
uszuholen. Um die Qualität des Einzelzeichens im Belich

1,75 mm (6,5 p) 20 30 40 50

Berthold-Schriften überzeugen durch Schärfe und Q
ualität. Schriftqualität ist eine Frage der Erfahrung. B
erthold hat diese Erfahrung seit über hundert Jahren
Zuerst im Schriftguß, dann im Fotosatz. Berthold-Sc
hriften sind weltweit geschätzt. Im Schriftenatelier M
ünchen wird jeder Buchstabe in der Größe von zwölf
Zentimetern neu gezeichnet. Mit messerscharfen Ko
nturen, um für die Schriftscheiben das Optimale an K
onturenschärfe herauszuholen. Um die Qualität des E

1,86 mm (7 p) 20 30 40 50

Berthold-Schriften überzeugen durch Schärfe u
nd Qualität. Schriftqualität ist eine Frage der Erfa
hrung. Berthold hat diese Erfahrung seit über hu
ndert Jahren. Zuerst im Schriftguß, dann im Foto
satz. Berthold-Schriften sind weltweit geschätzt
Im Schriftenatelier München wird jeder Buchsta
be in der Größe von zwölf Zentimetern neu gezei
chnet. Mit messerscharfen Konturen, um für die
Schriftscheiben das Optimale an Konturenschärf

2,00 mm (7,5 p) 20 30 40

Berthold-Schriften überzeugen durch Schärfe
und Qualität. Schriftqualität ist eine Frage der E
rfahrung. Berthold hat diese Erfahrung seit üb
er hundert Jahren. Zuerst im Schriftguß, dann
im Fotosatz. Berthold-Schriften sind weltweit
geschätzt. Im Schriftenatelier München wird
jeder Buchstabe in der Größe von zwölf Zentim
etern neu gezeichnet. Mit messerscharfen Kon
turen, um für die Schriftscheiben das Optimale

2,15 mm (8 p) 20 30 40

Ray Baker
1977
International Typeface Corp.
H. Berthold AG

ABCDEFGHIJKLMNOPQ
RSTUVWXYZ
abcdefghijklmnopqrstuvwxyz
1/1234567890%
(.,-;:!¡?¿–)·[''„""»«]
+−=/$£†*&§
ÄÅÆÖØŒÜäåæıöøœßü
ÁÀÂÃÇČÉÈÊËÍÌÎÏĹŇÑÓÒÔÕ
ŔŘŠŤÚÙÛŴẄÝŶŸŽ
áàâãçčéèêëíìîïĺňñóòôõŕřš
úùûŵẅýỳÿž

Berthold-Schriftweite weit
Berthold-Schriftweite normal
Berthold-Schriftweite eng
Berthold-Schriftweite sehr eng
Berthold-Schriftweite extrem eng

Berthold
3,75 mm (14 p)

Berthold
4,25 mm (16 p)

Berthold
4,75 mm (18 p)

Berthold
5,30 mm (20 p)

Berthold
6,35 mm (24 p)

Berthold
7,40 mm (28 p)

Berthold
8,50 mm (32 p)

Berthold
9,55 mm (36 p)

Größe		Zeilenabstand			100 Zeichen		
mm	p	kp	Êp	Ex	0	−1	−2
1,33	5	1,81	2,13	2,00	81	78	75
1,60	6	2,13	2,56	2,50	95	91	87
1,86	7	2,50	2,94	3,00	109	105	101
2,15	8	2,88	3,44	3,50	124	119	114
2,40	9	3,19	3,81	3,75	139	133	127
2,65	10	3,50	4,19	4,25	153	146	139
2,92	11	3,88	4,63	4,75	167	160	153
3,20	12	4,25	5,06	5,25	182	174	166
3,45	13	4,56	5,44	5,75	196	188	180
3,72	14	4,94	5,88	–	210	201	192
3,98	15	5,31	6,25	–	224	215	206
4,25	16	5,63	6,69	–	239	229	219

WZ 13 E, NSW 0, MZB 0,58, F 0,050:0,046 (1,1), VI
H 1-x 0,75-k 1,02-p 0,30-Ê 1,27-kp 1,32-Êp 1,57
BF 089 0567, Belegung 051: 086 2534 (096 2534)

Berthold-Schriften überzeugen durch Sc
härfe und Qualität. Schriftqualität ist eine
Frage der Erfahrung. Berthold hat diese E
rfahrung seit über hundert Jahren. Zuerst
im Schriftguß, dann im Fotosatz. Berthol
d-Schriften sind weltweit geschätzt. Im S
chriftenatelier München wird jeder Buchs
tabe in der Größe von zwölf Zentimetern

2,40 mm (9 p) 20 30 40

Berthold-Schriften überzeugen durch
Schärfe und Qualität. Schriftqualität ist
eine Frage der Erfahrung. Berthold hat
diese Erfahrung seit über hundert Jah
ren. Zuerst im Schriftguß, dann im Fo
tosatz. Berthold-Schriften sind weltw
eit geschätzt. Im Schriftenatelier Mün
chen wird jeder Buchstabe in der Grö

2,65 mm (10 p) 20 30

Berthold-Schriften überzeugen d
urch Schärfe und Qualität. Schrift
qualität ist eine Frage der Erfahrun
g. Berthold hat diese Erfahrung seit
über hundert Jahren. Zuerst im Sc
hriftguß, dann im Fotosatz. Berth
old-Schriften sind weltweit geschä
tzt. Im Schriftenatelier München wi

2,92 mm (11 p) 20 30

Berthold-Schriften überzeugen
durch Schärfe und Qualität. Sc
hriftqualität ist eine Frage der E
rfahrung. Berthold hat diese Er
fahrung seit über hundert Jahr
en. Zuerst im Schriftguß, dann i
m Fotosatz. Berthold-Schriften
sind weltweit geschätzt. Im Sch

3,20 mm (12 p) 10 20 30

Berthold-Schriften überzeug
en durch Schärfe und Qualitä
t. Schriftqualität ist eine Frage
der Erfahrung. Berthold hat d
iese Erfahrung seit über hund
ert Jahren. Zuerst im Schriftg
uß, dann im Fotosatz. Berthol
d-Schriften sind weltweit gesc

3,45 mm (13 p) 10 20

mager light maigre	# QUORUM	fina chiarissimo mager

Berthold-Schriften überzeugen durch Schärfe und Qualität. Schriftqualität ist eine Frage der Erfahrung. Berthold hat diese Erfahrung seit über hundert Ja hren. Zuerst im Schriftguß, dann im Fotosatz. Berthold-Schriften sind weltw eit geschätzt. Im Schriftenatelier München wird jeder Buchstabe in der Größe von zwölf Zentimetern neu gezeichnet. Mit messerscharfen Konturen, um für die Schriftscheiben das Optimale an Konturenschärfe herauszuholen Um die Qualität des Einzelzeichens im Belichtungsvorgang zu bewahren, wi rd durch die ruhende, nicht rotierende Schriftscheibe belichtet. Dieses optisc he System, verbunden mit Präzisions-Chromglasscheiben, führt zu einer Sc

4,25 mm (16 p), Zeilenabstand 6,75 mm

QUORUM LIGHT

In general, bodytypes are measured in the typo graphical point size. The sizes of Berthold Fototype faces can be exactly determined. All faces of same point size have the same capital heigth–irrespective of their x-heigth. In hot metal and many other pho totypesetting systems the capital heigths often dif fer considerably from one face to the other. For measuring point sizes, a transparent size gauge is provided. To determine the point size, bring a capital letter into coincidence with that field which precise ly circumscribes the letter at its upper and lower margin. Below the field you find the typographical point and below that the millimeter value, which al so refers to the height of a capital letter. In Berthold phototypesetting, the typewidth can be modified The standard setting width of typefaces is deter mined by the principle of optimum legibility. You should not depart from this typewidth without co gent reason. A typeface which is considered opti cally right when looked in a greater context, often seems bulky when applied for a small amount of text, e. g. labels and ads. Here, a width reduction will

2,40 mm (9 p), Zeilenabstand 4,25 mm

QUORUM MAIGRE

La valeur de la force de corps des caractères de labeur èst généralement exprimée en points ty pographiques. La force de corps des caractères Berthold-Fototype peut être déterminée avec précision. Tous les caractères du même corps ont des capitales d'une hauteur identique, indé pendamment de la hauteur des bas de casse sans jambage. Dans la composition plomb, ainsi que dans certains systèmes de photocomposi tion, la hauteur des capitales, varie souvent d'un caractère à l'autre. Pour déterminer la force de corps de nos caractères, nous avons mis au point une réglette de hauteur d'œil transparente. On cherche le rectangle qui déli mite exactement la hauteur d'œil d'une capitale du caractère choisi. Sous le rectangle corres pondant la valeur de la force de corps est indi quée en points Didots et en millimètres. La va leur en millimètres exprime également la hau teur des capitales. Pour toutes les indications

2,65 mm (10 p), Zeilenabstand 4,69 mm

La indicación de las dimensiones para cuerpos de letra vásicos tiene lugar en general en puntos tipo gráficos. Los cuerpos de letra de los caracteres Berthold Fototype pueden determinarse exacte mente par medición. Con independencia de la al tura de sus longitudes centrales, todos los caracte res de idéntico cuerpo de letra presentan altura de mayúsculas idéntica. En la composición en plomo y en muchos otros sistemas de fotocomposición

2,15 mm (8 p), −1, Zeilenabstand 3,38 mm

123,– $	456,– £	7890,– DM	1 %
234,– $	789,– £	1234,– DM	2 %
567,– $	12,– £	5678,– DM	3 %
890,– $	345,– £	9012,– DM	4 %
123,– $	678,– £	3456,– DM	5 %
456,– $	901,– £	7890,– DM	6 %
789,– $	234,– £	1234,– DM	7 %
12,– $	567,– £	5678,– DM	8 %
345,– $	890,– £	9012,– DM	9 %

BF 089 0568

Le misure relative al corpo dei caratteri vengono ge neralmente indicate in punti tipografici. Il corpo dei caratteri Fototypes può essere determinato con esattezza per semplice misurazione. Tutti i caratteri di uguale grandezza in punti hanno, indipendente mente dalla loro lunghezza, uguale altezza delle maiuscole. Nella composizione in piombo ed in molti altri sistemi di fotocomposizione, l'altezza delle mai uscole varia spesso da carattere a carattere. Per mi

2,15 mm (8 p), −2, Zeilenabstand 3,38 mm

Buch
book
romain labeur

QUORUM

libro
libro
buch

Berthold-Schriften überzeugen durch Schärfe und Qualität. Schriftqua
lität ist eine Frage der Erfahrung. Berthold hat diese Erfahrung seit über
hundert Jahren. Zuerst im Schriftguß, dann im Fotosatz. Berthold-Sch
riften sind weltweit geschätzt. Im Schriftenatelier München wird jeder
Buchstabe in der Größe von zwölf Zentimetern neu gezeichnet. Mit me
sserscharfen Konturen, um für die Schriftscheiben das Optimale an Ko
nturenschärfe herauszuholen. Um die Qualität des Einzelzeichens im B
elichtungsvorgang zu bewahren, wird durch die ruhende, nicht rotiere
nde Schriftscheibe belichtet. Dieses optische System, verbunden mit Pr

1,33 mm (5 p) 20 30 40 50 60

Berthold-Schriften überzeugen durch Schärfe und Qualität. Schrif
tqualität ist eine Frage der Erfahrung. Berthold hat diese Erfahrung
seit über hundert Jahren. Zuerst im Schriftguß, dann im Fotosatz
Berthold-Schriften sind weltweit geschätzt. Im Schriftenatelier M
ünchen wird jeder Buchstabe in der Größe von zwölf Zentimetern
neu gezeichnet. Mit messerscharfen Konturen, um für die Schrifts
cheiben das Optimale an Konturenschärfe herauszuholen. Um die
Qualität des Einzelzeichens im Belichtungsvorgang zu bewahren
wird durch die ruhende, nicht rotierende Schriftscheibe belichtet

1,45 mm (5,5 p) 20 30 40 50 60

Berthold-Schriften überzeugen durch Schärfe und Qualität
Schriftqualität ist eine Frage der Erfahrung. Berthold hat di
ese Erfahrung seit über hundert Jahren. Zuerst im Schriftgu
ß, dann im Fotosatz. Berthold-Schriften sind weltweit gesc
hätzt. Im Schriftenatelier München wird jeder Buchstabe in
der Größe von zwölf Zentimetern neu gezeichnet. Mit mess
erscharfen Konturen, um für die Schriftscheiben das Optim
ale an Konturenschärfe herauszuholen. Um die Qualität des
Einzelzeichens im Belichtungsvorgang zu bewahren, wird d

1,60 mm (6 p) 20 30 40 50

Berthold-Schriften überzeugen durch Schärfe und Qual
ität. Schriftqualität ist eine Frage der Erfahrung. Bertho
ld hat diese Erfahrung seit über hundert Jahren. Zuerst i
m Schriftguß, dann im Fotosatz. Berthold-Schriften sin
d weltweit geschätzt. Im Schriftenatelier München wird
jeder Buchstabe in der Größe von zwölf Zentimetern neu
gezeichnet. Mit messerscharfen Konturen, um für die
Schriftscheiben das Optimale an Konturenschärfe hera
uszuholen. Um die Qualität des Einzelzeichens im Belich

1,75 mm (6,5 p) 20 30 40 50

Berthold-Schriften überzeugen durch Schärfe und Q
ualität. Schriftqualität ist eine Frage der Erfahrung
Berthold hat diese Erfahrung seit über hundert Jahre
n. Zuerst im Schriftguß, dann im Fotosatz. Berthold
Schriften sind weltweit geschätzt. Im Schriftenateli
er München wird jeder Buchstabe in der Größe von z
wölf Zentimetern neu gezeichnet. Mit messerscharf
en Konturen, um für die Schriftscheiben das Optimale
an Konturenschärfe herauszuholen. Um die Qualität

1,86 mm (7 p) 20 30 40 5

Berthold-Schriften überzeugen durch Schärfe u
nd Qualität. Schriftqualität ist eine Frage der Erf
ahrung. Berthold hat diese Erfahrung seit über h
undert Jahren. Zuerst im Schriftguß, dann im Fo
tosatz. Berthold-Schriften sind weltweit geschä
tzt. Im Schriftenatelier München wird jeder Buch
stabe in der Größe von zwölf Zentimetern neu g
ezeichnet. Mit messerscharfen Konturen, um für
die Schriftscheiben das Optimale an Konturensc

2,00 mm (7,5 p) 20 30 40

Berthold-Schriften überzeugen durch Schärfe
und Qualität. Schriftqualität ist eine Frage der
Erfahrung. Berthold hat diese Erfahrung seit ü
ber hundert Jahren. Zuerst im Schriftguß, dan
n im Fotosatz. Berthold-Schriften sind weltw
eit geschätzt. Im Schriftenatelier München wir
d jeder Buchstabe in der Größe von zwölf Zenti
metern neu gezeichnet. Mit messerscharfen K
onturen, um für die Schriftscheiben das Optim

2,15 mm (8 p) 20 30 40

Ray Baker
1977
International Typeface Corp.
H. Berthold AG

ABCDEFGHIJKLMNOPQ
RSTUVWXYZ
abcdefghijklmnopqrstuvwxyz
1/1234567890%
(.,-;:!i?¿–)·['‘„"“»«]
+−=/$£†*&§
ÄÅÆÖØŒÜäåæıöøœßü
ÁÀÂÃÇČÉÈÊËÍÌÎÏĹŇÑÓÒÔÕ
ŔŘŠŤÚÙÛŴẄÝŶŸŽ
áàâãçčéèêëíìîïĺňñóòôõŕřš
úùûŵẅýỳÿž

Berthold-Schriftweite weit
Berthold-Schriftweite normal
Berthold-Schriftweite eng
Berthold-Schriftweite sehr eng
Berthold-Schriftweite extrem eng

Berthold
3,75 mm (14 p)

Berthold
4,25 mm (16 p)

Berthold
4,75 mm (18 p)

Berthold
5,30 mm (20 p)

Berthold
6,35 mm (24 p)

Berthold
7,40 mm (28 p)

Berthold
8,50 mm (32 p)

Berthold
9,55 mm (36 p)

Größe mm	p	Zeilenabstand kp	Êp	Ex	100 Zeichen 0	−1	−2
1,33	5	1,75	2,06	2,00	83	80	77
1,60	6	2,13	2,50	2,50	97	93	89
1,86	7	2,44	2,88	3,00	112	108	104
2,15	8	2,81	3,31	3,50	127	122	117
2,40	9	3,13	3,75	3,75	142	136	130
2,65	10	3,50	4,13	4,25	157	150	143
2,92	11	3,81	4,50	4,75	171	164	157
3,20	12	4,19	4,94	5,25	186	178	170
3,45	13	4,50	5,38	5,75	201	193	185
3,72	14	4,88	5,75	—	215	206	197
3,98	15	5,19	6,19	—	230	221	212
4,25	16	5,56	6,56	—	244	234	224

WZ 13 E, NSW 0, MZB 0,59, F 0,096:0,079 (1,2), VI
H 1–x 0,75–k 1,01–p 0,29–Ê 1,25–kp 1,30–Êp 1,54
BF 089 0569, Belegung 051: 086 2540 (096 2540)

Berthold-Schriften überzeugen durch Sc
härfe und Qualität. Schriftqualität ist eine
Frage der Erfahrung. Berthold hat diese E
rfahrung seit über hundert Jahren. Zuerst
im Schriftguß, dann im Fotosatz. Berthol
d-Schriften sind weltweit geschätzt. Im S
chriftenatelier München wird jeder Buchs
tabe in der Größe von zwölf Zentimetern

2,40 mm (9 p) 20 30 4

Berthold-Schriften überzeugen durch
Schärfe und Qualität. Schriftqualität i
st eine Frage der Erfahrung. Berthold
hat diese Erfahrung seit über hundert
Jahren. Zuerst im Schriftguß, dann im
Fotosatz. Berthold-Schriften sind we
ltweit geschätzt. Im Schriftenatelier
München wird jeder Buchstabe in der

2,65 mm (10 p) 20 30

Berthold-Schriften überzeugen d
urch Schärfe und Qualität. Schrift
qualität ist eine Frage der Erfahru
ng. Berthold hat diese Erfahrung s
eit über hundert Jahren. Zuerst
im Schriftguß, dann im Fotosatz
Berthold-Schriften sind weltweit
geschätzt. Im Schriftenatelier Mü

2,92 mm (11 p) 20 30

Berthold-Schriften überzeugen
durch Schärfe und Qualität. Sc
hriftqualität ist eine Frage der
Erfahrung. Berthold hat diese
Erfahrung seit über hundert Ja
hren. Zuerst im Schriftguß, da
nn im Fotosatz. Berthold-Schri
ften sind weltweit geschätzt. I

3,20 mm (12 p) 10 20 30

Berthold-Schriften überzeug
en durch Schärfe und Qualitä
t. Schriftqualität ist eine Frag
e der Erfahrung. Berthold hat
diese Erfahrung seit über hun
dert Jahren. Zuerst im Schr
iftguß, dann im Fotosatz. Be
rthold-Schriften sind weltwe

3,45 mm (13 p) 10 20

Buch
book
romain labeur

QUORUM

libro
libro
buch

Berthold-Schriften überzeugen durch Schärfe und Qualität. Schriftqualität ist eine Frage der Erfahrung. Berthold hat diese Erfahrung seit über hundert Jahren. Zuerst im Schriftguß, dann im Fotosatz. Berthold-Schriften sind weltweit geschätzt. Im Schriftenatelier München wird jeder Buchstabe in der Größe von zwölf Zentimetern neu gezeichnet. Mit messerscharfen Kontur en, um für die Schriftscheiben das Optimale an Konturenschärfe herauszuh olen. Um die Qualität des Einzelzeichens im Belichtungsvorgang zu bewahr en, wird durch die ruhende, nicht rotierende Schriftscheibe belichtet. Dieses optische System, verbunden mit Präzisions-Chromglasscheiben, führt zu ei

4,25 mm (16 p), Zeilenabstand 6,75 mm

QUORUM BOOK

In general, bodytypes are measured in the typo graphical point size. The sizes of Berthold Fototype faces can be exactly determined. All faces of same point size have the same capital heigth–irrespec tive of their x-heigth. In hot metal and many other phototypesetting systems the capital heigths of ten differ considerably from one face to the other For measuring point sizes, a transparent size gauge is provided. To determine the point size, bring a capital letter into coincidence with that field which precisely circumscribes the letter at its upper and lower margin. Below the field you find the typo graphical point and below that the millimeter value which also refers to the height of a capital letter. In Berthold-phototypesetting, the typewidth can be modified. The standard setting width of typefaces is determined by the principle of optimum legibility You should not depart from this typewidth without cogent reason. A typeface which is considered opti cally right when looked in a greater context, often seems bulky when applied for a small amount of text, e. g. labels and ads. Here, a width reduction

2,40 mm (9 p), Zeilenabstand 4,25 mm

QUORUM ROMAIN LABEUR

La valeur de la force de corps des caractères de labeur èst généralement exprimée en points typographiques. La force de corps des carac tères Berthold-Fototype peut être déterminée avec précision. Tous les caractères du même corps ont des capitales d'une hauteur iden tique, indépendamment de la hauteur des bas de casse sans jambage. Dans la composition plomb, ainsi que dans certains systèmes de photocomposition, la hauteur des capitales varie souvent d'un caractère à l'autre. Pour dé terminer la force de corps de nos caractères nous avons mis au point une réglette de hau teur d'œil transparente. On cherche le rec tangle qui délimite exactement la hauteur d'œil d'une capitale du caractère choisi. Sous le rec tangle correspondant la valeur de la force de corps est indiquée en points Didots et en milli mètres. La valeur en millimètres exprime é galement la hauteur des capitales. Pour toutes

2,65 mm (10 p), Zeilenabstand 4,69 mm

La indicación de las dimensiones para cuerpos de letra vásicos tiene lugar en general en puntos ti pográficos. Los cuerpos de letra de los caracteres Berthold Fototype pueden determinarse exacte mente par medición. Con independencia de la al tura de sus longitudes centrales, todos los carac teres de idéntico cuerpo de letra presentan altura de mayúsculas idéntica. En la composición en plo mo y en muchos otros sistemas de fotocompo

2,15 mm (8 p), −1, Zeilenabstand 3,38 mm

123,– $	456,– £	7890,– DM	1 %
234,– $	789,– £	1234,– DM	2 %
567,– $	12,– £	5678,– DM	3 %
890,– $	345,– £	9012,– DM	4 %
123,– $	678,– £	3456,– DM	5 %
456,– $	901,– £	7890,– DM	6 %
789,– $	234,– £	1234,– DM	7 %
12,– $	567,– £	5678,– DM	8 %
345,– $	890,– £	9012,– DM	9 %

BF 089 0570

Le misure relative al corpo dei caratteri vengono ge neralmente indicate in punti tipografici. Il corpo dei caratteri Fototypes può essere determinato con esattezza per semplice misurazione. Tutti i caratteri di uguale grandezza in punti hanno, indipendente mente dalla loro lunghezza, uguale altezza delle maiuscole. Nella composizione in piombo ed in mol ti altri sistemi di fotocomposizione, l'altezza delle maiuscole varia spesso da carattere a carattere. Per

2,15 mm (8 p), −2, Zeilenabstand 3,38 mm

normal
medium
normal

QUORUM

normal
chiaro tondo
normal

Berthold-Schriften überzeugen durch Schärfe und Qualität. Schrift
qualität ist eine Frage der Erfahrung. Berthold hat diese Erfahrung
seit über hundert Jahren. Zuerst im Schriftguß, dann im Fotosatz
Berthold-Schriften sind weltweit geschätzt. Im Schriftenatelier M
ünchen wird jeder Buchstabe in der Größe von zwölf Zentimetern n
eu gezeichnet. Mit messerscharfen Konturen, um für die Schriftsch
eiben das Optimale an Konturenschärfe herauszuholen. Um die Qu
alität des Einzelzeichens im Belichtungsvorgang zu bewahren, wird
durch die ruhende, nicht rotierende Schriftscheibe belichtet. Dieses

1,33 mm (5 p) 20 30 40 50 60

Berthold-Schriften überzeugen durch Schärfe und Qualität
Schriftqualität ist eine Frage der Erfahrung. Berthold hat die
se Erfahrung seit über hundert Jahren. Zuerst im Schriftguß
dann im Fotosatz. Berthold-Schriften sind weltweit geschätz
t. Im Schriftenatelier München wird jeder Buchstabe in der G
röße von zwölf Zentimetern neu gezeichnet. Mit messerscha
rfen Konturen, um für die Schriftscheiben das Optimale an K
onturenschärfe herauszuholen. Um die Qualität des Einzelzei
chens im Belichtungsvorgang zu bewahren, wird durch die r

1,45 mm (5,5 p) 20 30 40 50

Berthold-Schriften überzeugen durch Schärfe und Quali
tät. Schriftqualität ist eine Frage der Erfahrung. Bertho
ld hat diese Erfahrung seit über hundert Jahren. Zuerst
im Schriftguß, dann im Fotosatz. Berthold-Schriften sin
d weltweit geschätzt. Im Schriftenatelier München wird
jeder Buchstabe in der Größe von zwölf Zentimetern neu
gezeichnet. Mit messerscharfen Konturen, um für die Sc
hriftscheiben das Optimale an Konturenschärfe heraus
zuholen. Um die Qualität des Einzelzeichens im Belichtu

1,60 mm (6 p) 20 30 40 50

Berthold-Schriften überzeugen durch Schärfe und
Qualität. Schriftqualität ist eine Frage der Erfahrun
g. Berthold hat diese Erfahrung seit über hundert Ja
hren. Zuerst im Schriftguß, dann im Fotosatz. Berth
old-Schriften sind weltweit geschätzt. Im Schriften
atelier München wird jeder Buchstabe in der Größe
von zwölf Zentimetern neu gezeichnet. Mit messers
charfen Konturen, um für die Schriftscheiben das O
ptimale an Konturenschärfe herauszuholen. Um die

1,75 mm (6,5 p) 20 30 40 5

Berthold-Schriften überzeugen durch Schärfe u
nd Qualität. Schriftqualität ist eine Frage der Erf
ahrung. Berthold hat diese Erfahrung seit über h
undert Jahren. Zuerst im Schriftguß, dann im Fo
tosatz. Berthold-Schriften sind weltweit geschä
tzt. Im Schriftenatelier München wird jeder Buch
stabe in der Größe von zwölf Zentimetern neu ge
zeichnet. Mit messerscharfen Konturen, um für
die Schriftscheiben das Optimale an Konturensc

1,86 mm (7 p) 20 30 40

Berthold-Schriften überzeugen durch Schärfe
und Qualität. Schriftqualität ist eine Frage der
Erfahrung. Berthold hat diese Erfahrung seit
über hundert Jahren. Zuerst im Schriftguß, d
ann im Fotosatz. Berthold-Schriften sind welt
weit geschätzt. Im Schriftenatelier München
wird jeder Buchstabe in der Größe von zwölf Z
entimetern neu gezeichnet. Mit messerschar
fen Konturen, um für die Schriftscheiben das

2,00 mm (7,5 p) 20 30 40

Berthold-Schriften überzeugen durch Schä
rfe und Qualität. Schriftqualität ist eine Fra
ge der Erfahrung. Berthold hat diese Erfah
rung seit über hundert Jahren. Zuerst im S
chriftguß, dann im Fotosatz. Berthold-Schr
iften sind weltweit geschätzt. Im Schriften
atelier München wird jeder Buchstabe in der
Größe von zwölf Zentimetern neu gezeichn
et. Mit messerscharfen Konturen, um für di

2,15 mm (8 p) 20 30 40

Ray Baker
1977
International Typeface Corp.
H. Berthold AG

ABCDEFGHIJKLMNOPQ
RSTUVWXYZ
abcdefghijklmnopqrstuvwxyz
1/1234567890%
(.,-;:!i?¿–)·[‘‘„”“»«]
+−=/$£†*&§
ÄÅÆÖØŒÜäåæıöøœßü
ÁÀÂÃÇČÉÈÊËÍÌÎÏĹÑÑÓÒÔÕ
ŔŘŠŤÚÙÛŴẄÝŶŸŽ
áàâãçčéèêëíìîïĺňñóòôõŕřš
úùûŵẅýỳÿž

Berthold-Schriftweite weit
Berthold-Schriftweite normal
Berthold-Schriftweite eng
Berthold-Schriftweite sehr eng
Berthold-Schriftweite extrem eng

Berthold
3,75 mm (14 p)

Berthold
4,25 mm (16 p)

Berthold
4,75 mm (18 p)

Berthold
5,30 mm (20 p)

Berthold
6,35 mm (24 p)

Berthold
7,40 mm (28 p)

Berthold
8,50 mm (32 p)

Berthold
9,55 mm (36 p)

Größe mm	p	Zeilenabstand kp	Êp	Ex	100 Zeichen 0	−1	−2
1,33	5	1,75	2,13	2,00	89	86	83
1,60	6	2,13	2,50	2,50	105	101	97
1,86	7	2,44	2,94	3,00	121	117	113
2,15	8	2,88	3,38	3,50	137	132	127
2,40	9	3,19	3,75	3,75	153	147	141
2,65	10	3,50	4,19	4,25	169	162	155
2,92	11	3,88	4,56	4,75	185	178	171
3,20	12	4,25	5,00	5,25	201	193	185
3,45	13	4,56	5,44	5,75	216	208	200
3,72	14	4,88	5,81	–	232	223	214
3,98	15	5,25	6,25	–	248	239	230
4,25	16	5,63	6,69	–	264	254	244

WZ 14 E, NSW 0, MZB 0,64, F 0,12:0,10 (1,2), VI
H 1–x 0,75–k 1,01–p 0,30–Ê 1,26–kp 1,31–Êp 1,56
BF 089 0571, Belegung 051: 086 2535 (096 2535)

Berthold-Schriften überzeugen durch
Schärfe und Qualität. Schriftqualität ist
eine Frage der Erfahrung. Berthold hat
diese Erfahrung seit über hundert Jah
ren. Zuerst im Schriftguß, dann im Fot
osatz. Berthold-Schriften sind weltweit
geschätzt. Im Schriftenatelier Münche
n wird jeder Buchstabe in der Größe vo

2,40 mm (9 p) 20 30

Berthold-Schriften überzeugen du
rch Schärfe und Qualität. Schriftqu
alität ist eine Frage der Erfahrung
Berthold hat diese Erfahrung seit
über hundert Jahren. Zuerst im Sc
hriftguß, dann im Fotosatz. Bertho
ld-Schriften sind weltweit geschät
zt. Im Schriftenatelier München wi

2,65 mm (10 p) 20 30

Berthold-Schriften überzeugen
durch Schärfe und Qualität. Sch
riftqualität ist eine Frage der Erf
ahrung. Berthold hat diese Erfah
rung seit über hundert Jahren. Z
uerst im Schriftguß, dann im Fo
tosatz. Berthold-Schriften sind
weltweit geschätzt. Im Schrifte

2,92 mm (11 p) 10 20 30

Berthold-Schriften überzeug
en durch Schärfe und Qualitä
t. Schriftqualität ist eine Frag
e der Erfahrung. Berthold hat
diese Erfahrung seit über hu
ndert Jahren. Zuerst im Schri
ftguß, dann im Fotosatz. Ber
thold-Schriften sind weltweit

3,20 mm (12 p) 10 20

Berthold-Schriften überzeu
gen durch Schärfe und Qual
ität. Schriftqualität ist eine
Frage der Erfahrung. Berth
old hat diese Erfahrung sei
t über hundert Jahren. Zue
rst im Schriftguß, dann im
Fotosatz. Berthold-Schrifte

3,45 mm (13 p) 10 20

normal
medium
normal

QUORUM

normal
chiaro tondo
normal

Berthold-Schriften überzeugen durch Schärfe und Qualität. Schriftqua lität ist eine Frage der Erfahrung. Berthold hat diese Erfahrung seit üb er hundert Jahren. Zuerst im Schriftguß, dann im Fotosatz. Berthold Schriften sind weltweit geschätzt. Im Schriftenatelier München wird je der Buchstabe in der Größe von zwölf Zentimetern neu gezeichnet. Mit messerscharfen Konturen, um für die Schriftscheiben das Optimale an Konturenschärfe herauszuholen. Um die Qualität des Einzelzeichens im Belichtungsvorgang zu bewahren, wird durch die ruhende, nicht rotier ende Schriftscheibe belichtet. Dieses optische System, verbunden mit

4,25 mm (16 p), Zeilenabstand 6,75 mm

QUORUM MEDIUM

In general, bodytypes are measured in the typo graphical point size. The sizes of Berthold Foto type faces can be exactly determined. All faces of same point size have the same capital heigth irrespective of their x-heigth. In hot metal and many other phototypesetting systems the capi tal heigths often differ considerably from one face to the other. For measuring point sizes, a transparent size gauge is provided. To deter mine the point size, bring a capital letter into co incidence with that field which precisely circum scribes the letter at its upper and lower margin Below the field you find the typographical point and below that the millimeter value, which also refers to the height of a capital letter. In Bert hold-phototypesetting, the typewidth can be modified. The standard setting width of type faces is determined by the principle of optimum legibility. You should not depart from this type width without cogent reason. A typeface which is considered optically right when looked in a greater context, often seems bulky when ap

2,40 mm (9 p), Zeilenabstand 4,25 mm

QUORUM NORMAL

La valeur de la force de corps des caractères de labeur èst généralement exprimée en points typographiques. La force de corps des caractères Berthold-Fototype peut être déterminée avec précision. Tous les carac tères du même corps ont des capitales d'une hauteur identique, indépendam ment de la hauteur des bas de casse sans jambage. Dans la composition plomb, ainsi que dans certains systèmes de photocom position, la hauteur des capitales, varie souvent d'un caractère à l'autre. Pour dé terminer la force de corps de nos carac tères, nous avons mis au point une réglette de hauteur d'œil transparente. On cherche le rectangle qui délimite exactement la hauteur d'œil d'une capitale du caractère choisi. Sous le rectangle correspondant la valeur de la force de corps est indiquée en points Didots et en millimètres. La valeur en

2,65 mm (10 p), Zeilenabstand 4,69 mm

La indicación de las dimensiones para cuerpos de letra vásicos tiene lugar en general en pun tos tipográficos. Los cuerpos de letra de los caracteres Berthold Fototype pueden deter minarse exactemente par medición. Con inde pendencia de la altura de sus longitudes cen trales, todos los caracteres de idéntico cuerpo de letra presentan altura de mayúsculas idén tica. En la composición en plomo y en muchos

2,15 mm (8 p), −1, Zeilenabstand 3,38 mm

123,– $	456,– £	7890,– DM	1 %
234,– $	789,– £	1234,– DM	2 %
567,– $	12,– £	5678,– DM	3 %
890,– $	345,– £	9012,– DM	4 %
123,– $	678,– £	3456,– DM	5 %
456,– $	901,– £	7890,– DM	6 %
789,– $	234,– £	1234,– DM	7 %
12,– $	567,– £	5678,– DM	8 %
345,– $	890,– £	9012,– DM	9 %

BF 089 0572

Le misure relative al corpo dei caratteri vengono generalmente indicate in punti tipografici. Il cor po dei caratteri Fototypes può essere determi nato con esattezza per semplice misurazione Tutti i caratteri di uguale grandezza in punti hanno, indipendentemente dalla loro lunghez za, uguale altezza delle maiuscole. Nella compo sizione in piombo ed in molti altri sistemi di foto composizione, l'altezza delle maiuscole varia

2,15 mm (8 p), −2, Zeilenabstand 3,38 mm

halbfett
bold
demi-gras

QUORUM

seminegra
neretto
halvfet

Berthold-Schriften überzeugen durch Schärfe und Qua lität. Schriftqualität ist eine Frage der Erfahrung. Bert hold hat diese Erfahrung seit über hundert Jahren. Zu erst im Schriftguß, dann im Fotosatz. Berthold-Schrift en sind weltweit geschätzt. Im Schriftenatelier Münch en wird jeder Buchstabe in der Größe von zwölf Zentim etern neu gezeichnet. Mit messerscharfen Konturen um für die Schriftscheiben das Optimale an Konturens chärfe herauszuholen. Um die Qualität des Einzelzeiche

1,60 mm (6 p), Zeilenabstand 2,50 mm

Berthold-Schriften überzeugen durch Schärfe und Qualität. Schriftqualität ist eine Frage der Erfahrung. Berthold hat diese Erfahrung seit über hundert Jahren. Zuerst im Schriftguß, dann im Fotosatz. Berthold-Schriften sind weltweit geschätzt. Im Schriftenatelier München wird je der Buchstabe in der Größe von zwölf Zentimet ern neu gezeichnet. Mit messerscharfen Kontur

1,86 mm (7 p), Zeilenabstand 3,00 mm

Berthold-Schriften überzeugen durch Sch ärfe und Qualität. Schriftqualität ist eine Frage der Erfahrung. Berthold hat diese Er fahrung seit über hundert Jahren. Zuerst im Schriftguß, dann im Fotosatz. Berthold Schriften sind weltweit geschätzt. Im Sch riftenatelier München wird jeder Buchsta be in der Größe von zwölf Zentimetern neu

2,15 mm (8 p), Zeilenabstand 3,50 mm

Ray Baker
1977
International Typeface Corp.
H. Berthold AG

ABCDEFGHIJKLMNOPQ
RSTUVWXYZ
abcdefghijklmnopqrstuvwxyz
1/1234567890 %
(.,-;:!¡?¿–)·['',,""»«]
+−=/$£†*&§
ÄÅÆÖØŒÜäåæıöøœßü
ÁÀÂÃÇČÉÈÊËÍÌÎÏĹŇÑÓÒÔÕ
ŔŘŠŤÚÙÛŴẄÝỲŶŸŽ
áàâãçčéèêëíìîïĺňñóòôõŕřš
úùûŵẅýỳŷÿž

Berthold-Schriftweite weit
Berthold-Schriftweite normal
Berthold-Schriftweite eng
Berthold-Schriftweite sehr eng
Berthold-Schriftweite extrem eng

In general, bodytypes are me asured in the typographical point size. The sizes of Ber thold Fototype faces can be exactly determined. All faces of same point size have the s ame capital heigth–irrespec tive of their x-heigth. In hot metal and many other photo typesetting systems the cap ital heigths often differ cons iderably from one face to the other. For measuring point s izes, a transparent size gauge is provided. To determine the point size, bring a capital l etter into coincidence with t

3,20 mm (12 p), Zeilenabstand 5,25 mm

Berthold's quick brown fox jumps over the lazy dog and feels as if he were in t
3,75 mm (14 p)

Berthold's quick brown fox jumps over the lazy dog and feels as if he
4,25 mm (16 p)

Berthold's quick brown fox jumps over the lazy dog and feels
4,75 mm (18 p)

Berthold's quick brown fox jumps over the lazy dog and
5,30 mm (20 p)

Berthold's quick brown fox jumps over the laz
6,35 mm (24 p)

Berthold's quick brown fox jumps over
7,40 mm (28 p)

Berthold's quick brown fox jumps
8,50 mm (32 p)

Berthold's quick brown fox ju
9,55 mm (36 p)

Berthold-Schriften überzeugen durch Schärfe und Qualität. Schriftqualität i st eine Frage der Erfahrung. Bertho ld hat diese Erfahrung seit über hunde rt Jahren. Zuerst im Schriftguß, dann i m Fotosatz. Berthold-Schriften sind weltweit geschätzt. Im Schriftenateli er München wird jeder Buchstabe in d

2,40 mm (9 p), Zeilenabstand 4,00 mm

Größe		Zeilenabstand			100 Zeichen		
mm	p	kp	Êp	Ex	0	−1	−2
1,33	5	1,75	2,13		09	00	00
1,60	6	2,13	2,50	2,50	105	101	97
1,86	7	2,44	2,94	3,00	121	117	113
2,15	8	2,88	3,38	3,50	137	132	127
2,40	9	3,19	3,75	4,00	153	147	141
2,65	10	3,50	4,19	4,00	169	162	155
2,92	11	3,88	4,56	—	185	178	171
3,20	12	4,25	5,00	5,25	201	193	185
3,45	13	4,56	5,44	—	216	208	200
3,72	14	4,88	5,81	—	232	223	214
3,98	15	5,25	6,25	—	248	239	230
4,25	16	5,63	6,69	—	264	254	244

WZ 13 E, NSW 0, MZB 0,64, F 0,18:0,13 (1,4), VI
H 1–x 0,75–k 1,02–p 0,29–Ê 1,27–kp 1,31–Êp 1,56
BF 089 0573, Belegung 051: 086 2536 (096 2536)

Berthold-Schriften überzeugen d urch Schärfe und Qualität. Schrift qualität ist eine Frage der Erfahru ng. Berthold hat diese Erfahrung seit über hundert Jahren. Zuerst i m Schriftguß, dann im Fotosatz. B erthold-Schriften sind weltweit g eschätzt. Im Schriftenatelier Münc

2,65 mm (10 p), Zeilenabstand 4,00 mm

QUORUM BLACK

Berthold-Schriften überzeugen durch Schärfe und Qual ität. Schriftqualität ist eine Frage der Erfahrung. Berth old hat diese Erfahrung seit über hundert Jahren. Zuer st im Schriftguß, dann im Fotosatz. Berthold-Schriften sind weltweit geschätzt. Im Schriftenatelier München wird jeder Buchstabe in der Größe von zwölf Zentimete rn neu gezeichnet. Mit messerscharfen Konturen, um für die Schriftscheiben das Optimale an Konturenschär fe herauszuholen. Um die Qualität des Einzelzeichens im

1,60 mm (6 p), Zeilenabstand 2,50 mm

Berthold-Schriften überzeugen durch Schärfe und Qualität. Schriftqualität ist eine Frage der Erfahrung. Berthold hat diese Erfahrung seit über hundert Jahren. Zuerst im Schriftguß, dann im Fotosatz. Berthold-Schriften sind weltweit geschätzt. Im Schriftenatelier München wird je der Buchstabe in der Größe von zwölf Zentimete rn neu gezeichnet. Mit messerscharfen Kontur

1,86 mm (7 p), Zeilenabstand 3,00 mm

Berthold-Schriften überzeugen durch Sch ärfe und Qualität. Schriftqualität ist eine Frage der Erfahrung. Berthold hat diese Er fahrung seit über hundert Jahren. Zuerst im Schriftguß, dann im Fotosatz. Berthold Schriften sind weltweit geschätzt. Im Sch riftenatelier München wird jeder Buchsta be in der Größe von zwölf Zentimetern neu

2,15 mm (8 p), Zeilenabstand 3,50 mm

Ray Baker
1977
International Typeface Corp.
H. Berthold AG

ABCDEFGHIJKLMNOPQ
RSTUVWXYZ
abcdefghijklmnopqrstuvwxyz
1/1234567890%
(.,-;:!¡?¿–)·['‘„"“»«]
+−=/$£†*&§
ÄÅÆÖØŒÜäåæıöøœßü
ÁÀÂÃÇČÉÈÊËÍÌÎÏĹŇÑÓÒÔÕ
ŔŘŠŤÚÙÛŴẄÝŶŸŽ
áàâãçčéèêëíìîïĺňñóòôõŕřš
úùûŵẅýỳÿž

Berthold-Schriftweite weit
Berthold-Schriftweite normal
Berthold-Schriftweite eng
Berthold-Schriftweite sehr eng
Berthold-Schriftweite extrem eng

In general, bodytypes are m easured in the typographical point size. The sizes of Ber thold Fototype faces can be exactly determined. All faces of same point size have the s ame capital heigth–irrespec tive of their x-heigth. In hot metal and many other photo typesetting systems the cap ital heigths often differ cons iderably from one face to the other. For measuring point s izes, a transparent size gauge is provided. To determine the point size, bring a capital let ter into coincidence with tha

3,20 mm (12 p), Zeilenabstand 5,25 mm

Berthold's quick brown fox jumps over the lazy dog and feels as if he were in the
3,75 mm (14 p)

Berthold's quick brown fox jumps over the lazy dog and feels as if he
4,25 mm (16 p)

Berthold's quick brown fox jumps over the lazy dog and feels a
4,75 mm (18 p)

Berthold's quick brown fox jumps over the lazy dog and
5,30 mm (20 p)

Berthold's quick brown fox jumps over the lazy
6,35 mm (24 p)

Berthold's quick brown fox jumps over
7,40 mm (28 p)

Berthold's quick brown fox jumps
8,50 mm (32 p)

Berthold's quick brown fox ju
9,55 mm (36 p)

Berthold-Schriften überzeugen durch Schärfe und Qualität. Schriftqualität i st eine Frage der Erfahrung. Bertho ld hat diese Erfahrung seit über hunde rt Jahren. Zuerst im Schriftguß, dann i m Fotosatz. Berthold-Schriften sind weltweit geschätzt. Im Schriftenateli er München wird jeder Buchstabe in d

2,40 mm (9 p), Zeilenabstand 4,00 mm

Größe		Zeilenabstand			100 Zeichen		
mm	p	kp	Êp	Ex	0	−1	−2
1,33	5	1,81	2,13	–	89	86	83
1,60	6	2,13	2,56	2,50	105	101	97
1,86	7	2,50	3,00	3,00	121	117	113
2,15	8	2,88	3,44	3,50	137	132	127
2,40	9	3,19	3,81	4,00	153	147	141
2,65	10	3,50	4,19	4,00	169	162	155
2,92	11	3,88	4,63	–	185	178	171
3,20	12	4,25	5,06	5,25	201	193	185
3,45	13	4,56	5,50	–	216	208	200
3,72	14	4,94	5,94	–	232	223	214
3,98	15	5,31	6,31	–	248	239	230
4,25	16	5,63	6,75	–	264	254	244

WZ 13 E, NSW 0, MZB 0,64, F 0,24:0,15 (1,6), VI
H 1–x 0,75–k 1,03–p 0,29–Ê 1,29–kp 1,32–Êp 1,58
BF 089 0574, Belegung 051: 086 2537 (096 2537)

Berthold-Schriften überzeugen du rch Schärfe und Qualität. Schriftq ualität ist eine Frage der Erfahru ng. Berthold hat diese Erfahrung s eit über hundert Jahren. Zuerst im Schriftguß, dann im Fotosatz. B erthold-Schriften sind weltweit g eschätzt. Im Schriftenatelier Münc

2,65 mm (10 p), Zeilenabstand 4,00 mm

mager
light
maigre

RENAULT

fina
chiarissimo
mager

Berthold-Schriften überzeugen durch Schärfe und Qualität. Schrif
tqualität ist eine Frage der Erfahrung. Berthold hat diese Erfahrung
seit über hundert Jahren. Zuerst im Schriftguß, dann im Fotosatz
Berthold-Schriften sind weltweit geschätzt. Im Schriftenatelier M
ünchen wird jeder Buchstabe in der Größe von zwolf Zentimetern
neu gezeichnet. Mit messerscharfen Konturen, um für die Schrifts
cheiben das Optimale an Konturenschärfe herauszuholen. Um die
Qualität des Einzelzeichens im Belichtungsvorgang zu bewahren
wird durch die ruhende, nicht rotierende Schriftscheibe belichtet

1,33 mm (5 p) 20 30 40 50 60

Berthold-Schriften überzeugen durch Schärfe und Qualität. S
chriftqualität ist eine Frage der Erfahrung. Berthold hat diese
Erfahrung seit über hundert Jahren. Zuerst im Schriftguß, dan
n im Fotosatz. Berthold-Schriften sind weltweit geschätzt. Im
Schriftenatelier München wird jeder Buchstabe in der Größe v
on zwölf Zentimetern neu gezeichnet. Mit messerscharfen Kon
turen, um für die Schriftscheiben das Optimale an Konturensc
härfe herauszuholen. Um die Qualität des Einzelzeichens im B
elichtungsvorgang zu bewahren, wird durch die ruhende, nic

1,45 mm (5,5 p) 20 30 40 50

Berthold-Schriften überzeugen durch Schärfe und Qual
ität. Schriftqualität ist eine Frage der Erfahrung. Bertho
ld hat diese Erfahrung seit über hundert Jahren. Zuerst i
m Schriftguß, dann im Fotosatz. Berthold-Schriften sind
weltweit geschätzt. Im Schriftenatelier München wird j
eder Buchstabe in der Größe von zwölf Zentimetern neu
gezeichnet. Mit messerscharfen Konturen, um für die Sc
hriftscheiben das Optimale an Konturenschärfe herausz
uholen. Um die Qualität des Einzelzeichens im Belic

1,60 mm (6 p) 20 30 40 50

Berthold-Schriften überzeugen durch Schärfe und
Qualität. Schriftqualität ist eine Frage der Erfahrun
g. Berthold hat diese Erfahrung seit über hundert Ja
hren. Zuerst im Schriftguß, dann im Fotosatz. Berth
old-Schriften sind weltweit geschätzt. Im Schriftena
telier München wird jeder Buchstabe in der Größe v
on zwölf Zentimetern neu gezeichnet. Mit messersc
harfen Konturen, um für die Schriftscheiben das Opt
imale an Konturenschärfe herauszuholen. Um die Q

1,75 mm (6,5 p) 20 30 40

Berthold-Schriften überzeugen durch Schärfe un
d Qualität. Schriftqualität ist eine Frage der Erfah
rung. Berthold hat diese Erfahrung seit über hun
dert Jahren Zuerst im Schriftguß, dann im Fotosa
tz. Berthold Schriften sind weltweit geschätzt. Im
Schriftenatelier München wird jeder Buchstabe i
n der Größe von zwölf Zentimetern neu gezeichn
et. Mit messerscharfen Konturen, um für die Schr
iftscheiben das Optimale an Konturenschärfe her

1,86 mm (7 p) 20 30 40

Berthold-Schriften überzeugen durch Schärfe
und Qualität. Schriftqualität ist eine Frage der
Erfahrung. Berthold hat diese Erfahrung seit
über hundert Jahren. Zuerst im Schriftguß, da
nn im Fotosatz. Berthold-Schriften sind weltw
eit geschätzt. Im Schriftenatelier München wi
rd jeder Buchstabe in der Größe von zwölf Zen
timetern neu gezeichnet. Mit messerscharfen
Konturen, um für die Schriftscheiben das Opti

2,00 mm (7,5 p) 20 30 40

Berthold-Schriften überzeugen durch Schä
rfe und Qualität. Schriftqualität ist eine Fra
ge der Erfahrung. Berthold hat diese Erfahr
ung seit über hundert Jahren. Zuerst im Sch
riftguß, dann im Fotosatz. Berthold-Schrift
en sind weltweit geschätzt. Im Schriftenatel
ier München wird jeder Buchstabe in der Gr
öße von zwölf Zentimetern neu gezeichnet
Mit messerscharfen Konturen, um für die

2,15 mm (8 p) 20 30

Societé Wolff Olins
1978
H. Berthold AG

ABCDEFGHIJKLMNOPQ
RSTUVWXYZ
abcdefghijklmnopqrstuvwxyz
1/1234567890%
(.,-;:!¡?¿–)·[''„""»«]
+−=/$£†*&§
ÄÅÆÖØŒÜäåæıöøœßü
ÁÀÂÃÇČÉÈÊËÍÌÎÏĹÑÑÓÒÔÕ
ŔŘŠŤÚÙÛŴẄÝŶŸŽ
áàâãçčéèêëíìîïĺňñóòôõŕřš
úùûŵẅýỳÿž

Berthold-Schriftweite weit
Berthold-Schriftweite normal
Berthold-Schriftweite eng
Berthold-Schriftweite sehr eng
Berthold-Schriftweite extrem eng

Berthold
3,72 mm (14 p)

Berthold
4,25 mm (16 p)

Berthold
4,75 mm (18 p)

Berthold
5,30 mm (20 p)

Berthold
6,35 mm (24 p)

Berthold
7,40 mm (28 p)

Berthold
8,50 mm (32 p)

Berthold
9,55 mm (36 p)

Größe		Zeilenabstand			100 Zeichen		
mm	p	kp	Êp	Ex	0	−1	−2
1,33	5	1,75	2,13	2,00	93	90	87
1,60	6	2,13	2,50	2,50	109	105	101
1,86	7	2,44	2,94	3,00	126	122	118
2,15	8	2,88	3,38	3,50	143	138	133
2,40	9	3,19	3,75	3,75	160	154	148
2,65	10	3,50	4,19	4,25	177	170	163
2,92	11	3,88	4,56	4,75	193	186	179
3,20	12	4,25	5,00	5,25	209	201	193
3,45	13	4,56	5,44	5,75	226	218	210
3,72	14	4,88	5,81	–	242	233	224
3,98	15	5,25	6,25	–	259	250	241
4,25	16	5,63	6,63	–	275	265	255

WZ 13 E, NSW 0, MZB 0,67, F 0,15:0,06 (2,5), V
H 1–x 0,69–k 1,00–p 0,31–Ê 1,25–kp 1,31–Êp 1,56
BF 089 1168, Belegung 051: 085 1283 (095 1283)

Berthold-Schriften überzeugen durch
Schärfe und Qualität. Schriftqualität ist
eine Frage der Erfahrung. Berthold hat
diese Erfahrung seit über hundert Jahr
en. Zuerst im Schriftguß, dann im Foto
satz. Berthold-Schriften sind weltweit
geschätzt. Im Schriftenatelier Münche
n wird jeder Buchstabe in der Größe vo

2,40 mm (9 p) 20 30

Berthold-Schriften überzeugen du
rch Schärfe und Qualität. Schriftqu
alität ist eine Frage der Erfahrung
Berthold hat diese Erfahrung seit ü
ber hundert Jahren. Zuerst im Schr
iftguß, dann im Fotosatz. Berthold
Schriften sind weltweit geschätzt. I
m Schriftenatelier München wird j

2,65 mm (10 p) 10 20 30

Berthold-Schriften überzeugen
durch Schärfe und Qualität. Sch
riftqualität ist eine Frage der Erf
ahrung. Berthold hat diese Erfa
hrung seit über hundert Jahren
Zuerst im Schriftguß, dann im F
otosatz. Berthold-Schriften sind
weltweit geschätzt. Im Schriften

2,92 mm (11 p) 10 20

Berthold-Schriften überzeuge
n durch Schärfe und Qualität
Schriftqualität ist eine Frage
der Erfahrung. Berthold hat
diese Erfahrung seit über hu
ndert Jahren. Zuerst im Schri
ftguß, dann im Fotosatz. Bert
hold-Schriften sind weltweit

3,20 mm (12 p) 10 20

Berthold-Schriften überzeu
gen durch Schärfe und Qual
ität. Schriftqualität ist eine
Frage der Erfahrung. Berth
old hat diese Erfahrung sei
t über hundert Jahren. Zuer
st im Schriftguß, dann im Fo
tosatz. Berthold-Schriften si

3,45 mm (13 p) 10 20

mager
light
maigre

RENAULT

fina
chiarissimo
mager

Berthold-Schriften überzeugen durch Schärfe und Qualität. Schriftqua lität ist eine Frage der Erfahrung. Berthold hat diese Erfahrung seit über hundert Jahren. Zuerst im Schriftguß, dann im Fotosatz. Berthold-Schr iften sind weltweit geschätzt. Im Schriftenatelier München wird jeder Buchstabe in der Größe von zwölf Zentimetern neu gezeichnet. Mit me sserscharfen Konturen, um für die Schriftscheiben das Optimale an Ko nturenschärfe herauszuholen. Um die Qualität des Einzelzeichens im Belichtungsvorgang zu bewahren, wird durch die ruhende, nicht rotie rende Schriftscheibe belichtet. Dieses optische System, verbunden mit

4,25 mm (16 p), Zeilenabstand 6,75 mm

RENAULT LIGHT

In general, bodytypes are measured in the typo graphical point size. The sizes of Berthold Fotot ype faces can be exactly determined. All faces of same point size have the same capital height–ir respective of their x-height. In hot metal and many other phototypesetting systems the capit al heights often differ considerably from one fac e to the other. For measuring point sizes, a trans parent size gauge is provided. To determine the point size, bring a capital letter into coincidence with that field which precisely circumscribes th e letter at its upper and lower margin. Below the field you find the typographical point and below that the millimeter value, which also refers to th e height of a capital letter. In Berthold-phototyp esetting, the typewidth can be modified. The sta ndard setting width of typefaces is determined by the principle of optimum legibility. You shoul d not depart from this typewidth without cogent reason. A typeface which is considered optical ly right when looked in a greater context, often seems bulky when applied for a small amount of

2,40 mm (9 p), Zeilenabstand 4,25 mm

RENAULT MAIGRE

La valeur de la force de corps des caractères de labeur èst généralement exprimée en po ints typographiques. La force de corps des caractères Berthold-Fototype peut être dét erminée avec précision. Tous les caractères du même corps ont des capitales d'une hau teur identique, indépendamment de la hau teur des bas de casse sans jambage. Dans la composition plomb, ainsi que dans certains systèmes de photocomposition, la hauteur des capitales, varie souvent d'un caractère à l'autre. Pour déterminer la force de corps de nos caractères, nous avons mis au point une réglette de hauteur d'œil transparente On cherche le rectangle qui délimite exacte ment la hauteur d'œil d'une capitale du car actère choisi. Sous le rectangle correspond ant la valeur de la force de corps est indiqu ée en points Didots et en millimètres. La val eur en millimètres exprime également la h

2,65 mm (10 p), Zeilenabstand 4,69 mm

La indicación de las dimensiones para cuerp os de letra vásicos tiene lugar en general en p untos tipográficos. Los cuerpos de letra de los caracteres Berthold Fototype pueden determi narse exactemente par medición. Con indepe ndencia de la altura de sus longitudes cen trales, todos los caracteres de idéntico cuerpo de letra presentan altura de mayúsculas idén tica En la composición en plomo y en muchos

2,15 mm (8 p), –1, Zeilenabstand 3,38 mm

123,– $	456,– £	7890,– DM	1 %
234,– $	789,– £	1234,– DM	2 %
567,– $	12,– £	5678,– DM	3 %
890,– $	345,– £	9012,– DM	4 %
123,– $	678,– £	3456,– DM	5 %
456,– $	901,– £	7890,– DM	6 %
789,– $	234,– £	1234,– DM	7 %
12,– $	567,– £	5678,– DM	8 %
345,– $	890,– £	9012,– DM	9 %

BF 089 1169

Le misure relative al corpo dei caratteri vengono generalmente indicate in punti tipografici. Il cor po dei caratteri Fototypes può essere determina to con esattezza per semplice misurazione. Tutti i caratteri di uguale grandezza in punti hanno, i ndipendentemente dalla loro lunghezza, uguale altezza delle maiuscole. Nella composizione in piombo ed in molti altri sistemi di fotocomposizi one, l'altezza delle maiuscole varia spesso da ca

2,15 mm (8 p), –2, Zeilenabstand 3,38 mm

kursiv mager
light italic
italique maigre

RENAULT

fina cursiva
chiarissimo corsivo
kursiv mager

Måttangivelse för grundstilsgrader sker i allmänhet i typografiska punkter. Stilar av Berthold Fototype kan efter mätning exakt gradbestämmas. Alla typsnitt är av samma punktstorlek och har oberoende av x-höjden en identisk versalhöjd. I blysättning och i många andra fotosättsystem varierar versalhöjden avsevärt från typsnitt till typsnitt. För mätning av stilgrader finns en transparent mätlinjal. Vid mätningen placerar man en versal bokstav så att rutorna begränsar tecknet upptill och nedtill. Under rutorna finns stilstorleken i typografiska didotpunkter och i mm. Även millimeteruppgiften avser versa

2,92 mm (11 p), Zeilenabstand 4,69 mm

Societé Wolff Olins
1978
H. Berthold AG

ABCDEFGHIJKLMNOPQ
RSTUVWXYZ
abcdefghijklmnopqrstuvwxyz
1/1234567890%
(.,-;:!¡?¿–)·[''„""»«]
+−=/$£†&§*
ÄÅÆÖØŒÜäåæıöøœßü
ÁÀÂÃÇČÉÈÊËÍÌÎÏĹÑŇÓÒÔÕ
ŔŘŠŤÚÙÛŴẄÝŶŸŽ
áàâãçčéèêëíìîïĺňñóòôõŕřš
úùûŵẅýỳÿž

Berthold-Schriftweite weit
Berthold-Schriftweite normal
Berthold-Schriftweite eng
Berthold-Schriftweite sehr eng
Berthold-Schriftweite extrem eng

In general, bodytypes are measured in the typographical point size. The sizes of Berthold Fototype faces can be exactly determined. All faces of same point size have the same capital height–irrespective of their x-height. In hot metal and many other phototypesetting systems the capital heights often differ considerably from one face to the other. For measuring point sizes, a transparent size gauge is provided. To determine the point size, bring a capital letter into coincidence with that field which precisely

3,20 mm (12 p), Zeilenabstand 5,25 mm

RENAULT KURSIV MAGER

Die Maßangabe zu Grundschriftgrößen erfolgt im allgemeinen in typographischen Punkten. Die Schriftgrößen der Berthold-Fotosatz-Schriften sind nach Messung exakt bestimmbar. Alle Schriften gleicher Punktgröße weisen, unabhängig von der Höhe ihrer Mittellängen, eine identische Versalhöhe auf. Im Bleisatz und bei vielen anderen Fotosatz-Systemen differieren die Versalhöhen von Schrift zu Schrift oft erheblich. Zum Messen von Schriftgrößen steht ein transparentes Größenmaß zur Verfügung. Zum Messen wird ein Versalbuchstabe mit dem Feld in Deckung gebracht, das den Buchstaben oben und unten scharf begrenzt. Unter dem Feld ist die Schriftgröße in typographischen Didot-Punkten, darunter in Millimetern angegeben. Auch die Millimeterangaben beziehen sich auf die Höhe der Versalbuchstaben. Die Schriftweite kann im Berthold-F

2,40 mm (9 p), Zeilenabstand 4 mm

RENAULT ITALIQUE MAIGRE

La valeur de la force de corps des caractères de labeur èst généralement exprimée en points typographiques. La force de corps des caractères Berthold-Fototype peut être déterminée avec précision. Tous les caractères du même corps ont des capitales d'une hauteur identique, indépendamment de la hauteur des bas de casse sans jambage. Dans la composition plomb, ainsi que dans certains systèmes de photocomposition, la hauteur des capitales, varie souvent d'un caractère à l'autre. Pour déterminer la force de corps de nos caractères, nous avons mis au point une réglette de hauteur d'œil transparente On cherche le rectangle qui délimite exactement la hauteur d'œil d'une capitale du car

2,65 mm (10 p), Zeilenabstand 4,50 mm

La indicación de las dimensiones para cuerpos de letra vásicos tiene lugar en general en puntos tipográficos. Los cuerpos de letra de los caracteres Berthold Fototype pueden determinarse exactemente par medición. Con independencia de la altura de sus longitudes centrales, todos los caracteres de idéntico cuerpo de letra presentan altura de mayúsculas idéntica. En la composición en plomo y en muchos otros sistemas de fotocomposición, las alturas de mayúsculas varían frecuentemmente en forma considerable de tipo de letra a tipo de letra. Para medir los cuerpos de letra se dispone de un tipómetro, véase la figura. Para la medición se hace coincidir una letra mayúscul

1,60 mm (6 p), Zeilenabstand 2,50 mm

Größe		Zeilenabstand			100 Zeichen		
mm	p	kp	Êp	Ex	0	−1	−2
1,33	5	1,75	2,13	–	89	86	83
1,60	6	2,13	2,50	2,50	105	101	97
1,86	7	2,44	2,94	–	121	117	113
2,15	8	2,88	3,38	3,38	137	132	127
2,40	9	3,19	3,75	4,00	153	147	141
2,65	10	3,50	4,19	4,50	169	162	155
2,92	11	3,88	4,56	4,69	185	178	171
3,20	12	4,25	5,00	5,25	201	193	185
3,45	13	4,56	5,44	–	216	208	200
3,72	14	4,88	5,81	–	232	223	214
3,98	15	5,25	6,25	–	248	239	230
4,25	16	5,63	6,63	–	264	254	244

WZ 13 E, NSW 0, MZB 0,64, F 0,15:0,06 (2,5), VH 1–x 0,69–k 1,00–p 0,31–Ê 1,25–kp 1,31–Êp 1,56
BF 089 1187, Belegung 051: 085 1284 (095 1284)

Le misure relative al corpo dei caratteri vengono generalmente indicate in punti tipografici. Il corpo dei caratteri Fototypes può essere determinato con esattezza per semplice misurazione. Tutti i caratteri di uguale grandezza in punti hanno, indipendentemente dalla loro lunghezza, uguale altezza delle maiuscole. Nella composizione in piombo ed in molti altri sistemi di fotocomposizione, l'alt

2,15 mm (8 p), Zeilenabstand 3,38 mm

fett
bold
gras

RENAULT

negra
nero
fet

Berthold-Schriften überzeugen durch Schärfe und Qualität. Schriftqualität ist eine Frage der Erfahru ng. Berthold hat diese Erfahrung seit über hundert Jahren. Zuerst im Schriftguß, dann im Fotosatz. Be rthold-Schriften sind weltweit geschätzt. Im Schri ftenatelier München wird jeder Buchstabe in der G röße von zwölf Zentimetern neu gezeichnet. Mit m esserscharfen Konturen, um für die Schriftscheib en das Optimale an Konturenschärfe herauszuhol

1,60 mm (6 p), Zeilenabstand 2,50 mm

Berthold-Schriften überzeugen durch Schär fe und Qualität. Schriftqualität ist eine Frage der Erfahrung. Berthold hat diese Erfahrung seit über hundert Jahren. Zuerst im Schriftg uß, dann im Fotosatz. Berthold-Schriften si nd weltweit geschätzt. Im Schriftenatelier München wird jeder Buchstabe in der Größe von zwölf Zentimetern neu gezeichnet. Mit

1,86 mm (7 p), Zeilenabstand 3,00 mm

Berthold-Schriften überzeugen durch Schärfe und Qualität. Schriftqualität ist eine Frage der Erfahrung. Berthold hat diese Erfahrung seit über hundert Jahr en. Zuerst im Schriftguß, dann im Foto satz. Berthold-Schriften sind weltweit geschätzt. Im Schriftenatelier Münche n wird jeder Buchstabe in der Größe vo

2,15 mm (8 p), Zeilenabstand 3,50 mm

Societé Wolff Olins
1978
H. Berthold AG

ABCDEFGHIJKLMNOPQ
RSTUVWXYZ
abcdefghijklmnopqrstuvwxyz
1/1234567890%
(.,-;:!¡?¿–)·[’‘„”“»«]
+–=/$£†*&§
ÄÅÆÖØŒÜäåæıöøœßü
ÁÀÂÃÇČÉÈÊËÍÌÎÏĹŇÑÓÒÔÕ
ŔŘŠŤÚÙÛŴẄÝŶŸŽ
áàâãçčéèêëíìîïĺňñóòôõŕřš
úùûŵẅýỳÿž

Berthold-Schriftweite weit
Berthold-Schriftweite normal
Berthold-Schriftweite eng
Berthold-Schriftweite sehr eng
Berthold-Schriftweite extrem eng

In general, bodytypes are measured in the typograp hical point size. The sizes of Berthold Fototype faces can be exactly determine d. All faces of same point s ize have the same capital height–irrespective of the ir x-height. In hot metal a nd many other phototypes etting systems the capital heights often differ consid erably from one face to the other. For measuring point sizes, a transparent size g auge is provided. To deter mine the point size, bring a

3,20 mm (12 p), Zeilenabstand 5,25 mm

Berthold's quick brown fox jumps over the lazy dog and feels as if he wer
3,72 mm (14 p)

Berthold's quick brown fox jumps over the lazy dog and feels as
4,25 mm (16 p)

Berthold's quick brown fox jumps over the lazy dog and
4,75 mm (18 p)

Berthold's quick brown fox jumps over the lazy dog
5,30 mm (20 p)

Berthold's quick brown fox jumps over the
6,35 mm (24 p)

Berthold's quick brown fox jumps o
7,40 mm (28 p)

Berthold's quick brown fox jum
8,50 mm (32 p)

Berthold's quick brown fox
9,55 mm (36 p)

Berthold-Schriften überzeugen du rch Schärfe und Qualität. Schriftq ualität ist eine Frage der Erfahrun g. Berthold hat diese Erfahrung seit über hundert Jahren. Zuerst im Sc hriftguß, dann im Fotosatz. Bertho ld-Schriften sind weltweit geschät zt. Im Schriftenatelier München w

2,40 mm (9 p), Zeilenabstand 4,00 mm

Größe mm	p	Zeilenabstand kp	Êp	Ex	100 Zeichen 0	–1	–2
1,33	5	1,81	2,13	–	100	97	94
1,60	6	2,13	2,56	2,50	118	114	110
1,86	7	2,50	3,00	3,00	136	132	128
2,15	8	2,88	3,44	3,50	154	149	144
2,40	9	3,25	3,88	4,00	172	166	160
2,65	10	3,56	4,25	4,00	190	183	176
2,92	11	3,94	4,69	–	208	201	194
3,20	12	4,31	5,13	5,25	226	218	210
3,45	13	4,63	5,50	–	243	235	227
3,72	14	5,00	5,94	–	261	252	243
3,98	15	5,31	6,38	–	279	270	261
4,25	16	5,69	6,81	–	296	286	276

WZ 13 E, NSW 0, MZB 0,72, F 0,28:0,10 (3,0), V
H 1–x 0,69–k 1,00–p 0,33–Ê 1,26–kp 1,33–Êp 1,59
BF 089 1188, Belegung 051: 085 1285 (095 1285)

Berthold-Schriften überzeugen durch Schärfe und Qualität. Sc hriftqualität ist eine Frage der Erfahrung. Berthold hat diese Erfahrung seit über hundert Ja hren. Zuerst im Schriftguß, da nn im Fotosatz. Berthold-Schri ften sind weltweit geschätzt. Im

2,65 mm (10 p), Zeilenabstand 4,00 mm

kursiv fett
bold italic
italique gras

RENAULT

negra cursiva
nero corsivo
kursiv fet

Berthold-Schriften überzeugen durch Schärfe und Qualität. Schriftqualität ist eine Frage der Erfahru ng. Berthold hat diese Erfahrung seit über hundert Jahren. Zuerst im Schriftguß, dann im Fotosatz. Be rthold-Schriften sind weltweit geschätzt. Im Schrif tenatelier München wird jeder Buchstabe in der Gr öße von zwölf Zentimetern neu gezeichnet. Mit mes serscharfen Konturen, um für die Schriftscheiben das Optimale an Konturenschärfe herauszuholen

1,60 mm (6 p), Zeilenabstand 2,50 mm

Berthold-Schriften überzeugen durch Schärf e und Qualität. Schriftqualität ist eine Frage der Erfahrung. Berthold hat diese Erfahrung seit über hundert Jahren. Zuerst im Schriftgu ß, dann im Fotosatz. Berthold-Schriften sind weltweit geschätzt. Im Schriftenatelier Mü nchen wird jeder Buchstabe in der Größe von zwölf Zentimetern neu gezeichnet. Mit mess

1,86 mm (7 p), Zeilenabstand 3,00 mm

Berthold-Schriften überzeugen durch Schärfe und Qualität. Schriftqualität ist eine Frage der Erfahrung. Berthold hat diese Erfahrung seit über hundert Jahr en. Zuerst im Schriftguß, dann im Fotos atz. Berthold-Schriften sind weltweit g eschätzt. Im Schriftenatelier München wird jeder Buchstabe in der Größe von

2,15 mm (8 p), Zeilenabstand 3,50 mm

Societé Wolff Olins
1978
H. Berthold AG

ABCDEFGHIJKLMNOPQ
RSTUVWXYZ
abcdefghijklmnopqrstuvwxyz
1/1234567890%
(.,-;:!¡?¿–)·[‘’„“”»«]
+−=/$£†*&§
ÄÅÆÖØŒÜäåæıöøœßü
ÁÀÂÃÇČÉÈÊËÍÌÎÏĹŇÑÓÒÔÕ
ŔŘŠŤÚÙÛŴẄÝŶŸŽ
áàâãçčéèêëíìîïĺňñóòôõŕřš
úùûŵẅýỳÿž

Berthold-Schriftweite weit
Berthold-Schriftweite normal
Berthold-Schriftweite eng
Berthold-Schriftweite sehr eng
Berthold-Schriftweite extrem eng

In general, bodytypes are measured in the typograp hical point size. The sizes of Berthold Fototype faces can be exactly determined All faces of same point size have the same capital heig ht–irrespective of their x height. In hot metal and m any other phototypesettin g systems the capital heig hts often differ considera bly from one face to the oth er. For measuring point si zes, a transparent size ga uge is provided. To deter mine the point size, bring a

3,20 mm (12 p), Zeilenabstand 5,25 mm

Berthold's quick brown fox jumps over the lazy dog and feels as if he were
3,72 mm (14 p)

Berthold's quick brown fox jumps over the lazy dog and feels as
4,25 mm (16 p)

Berthold's quick brown fox jumps over the lazy dog and f
4,75 mm (18 p)

Berthold's quick brown fox jumps over the lazy dog
5,30 mm (20 p)

Berthold's quick brown fox jumps over the
6,35 mm (24 p)

Berthold's quick brown fox jumps ov
7,40 mm (28 p)

Berthold's quick brown fox jum
8,50 mm (32 p)

Berthold's quick brown fox j
9,55 mm (36 p)

Berthold-Schriften überzeugen du rch Schärfe und Qualität. Schriftqu alität ist eine Frage der Erfahrung Berthold hat diese Erfahrung seit ü ber hundert Jahren. Zuerst im Schr iftguß, dann im Fotosatz. Berthold Schriften sind weltweit geschätzt Im Schriftenatelier München wird j

2,40 mm (9 p), Zeilenabstand 4,00 mm

Größe mm	p	Zeilenabstand kp	Êp	Ex	100 Zeichen 0	−1	−2
1,33	5	1,81	2,13	–	100	97	94
1,60	6	2,13	2,56	2,50	118	114	110
1,86	7	2,50	2,94	3,00	136	132	128
2,15	8	2,88	3,44	3,50	154	149	144
2,40	9	3,25	3,81	4,00	172	166	160
2,65	10	3,56	4,19	4,00	190	183	176
2,92	11	3,94	4,63	–	208	201	194
3,20	12	4,31	5,06	5,25	226	218	210
3,45	13	4,63	5,50	–	243	235	227
3,72	14	5,00	5,88	–	261	252	243
3,98	15	5,31	6,31	–	279	270	261
4,25	16	5,69	6,75	–	296	286	276

WZ 13 E, NSW 0, MZB 0,72, F 0,29:0,09 (3,2), V
H 1–x 0,69–k 1,00–p 0,33–Ê 1,25–kp 1,33–Êp 1,58
BF 089 1201, Belegung 051: 085 1286 (095 1286)

Berthold-Schriften überzeugen durch Schärfe und Qualität. Sch riftqualität ist eine Frage der Er fahrung. Berthold hat diese Erf ahrung seit über hundert Jahr en. Zuerst im Schriftguß, dann i m Fotosatz. Berthold-Schriften sind weltweit geschätzt. Im Sch

2,65 mm (10 p), Zeilenabstand 4,00 mm

RHAPSODIE

Berthold-Schriften überzeugen durch Schärfe und Quali tät. Schriftqualität ist eine Frage der Erfahrung. Bertho ld hat diese Erfahrung seit über hundert Jahren. Zuerst im Schriftguß, dann im Fotosatz. Berthold-Schriften si nd weltweit geschätzt. Im Schriftenatelier München wi rd jeder Buchstabe in der Größe von zwölf Zentimetern neu gezeichnet. Mit messerscharfen Konturen, um für die Schriftscheiben das Optimale an Konturenschärfe he rauszuholen. Um die Qualität des Einzelzeichens im Bel

1,60 mm (6 p), Zeilenabstand 2,50 mm

Berthold-Schriften überzeugen durch Schärfe und Qualität. Schriftqualität ist eine Frage der Erfahr ung. Berthold hat diese Erfahrung seit über hun dert Jahren. Zuerst im Schriftguß, dann im Fotos atz. Berthold-Schriften sind weltweit geschätzt Im Schriftenatelier München wird jeder Buchsta be in der Größe von zwölf Zentimetern neu gezei chnet. Mit messerscharfen Konturen, um für die

1,86 mm (7 p), Zeilenabstand 3,00 mm

Berthold-Schriften überzeugen durch Schä rfe und Qualität. Schriftqualität ist eine Fr age der Erfahrung. Berthold hat diese Erfa hrung seit über hundert Jahren. Zuerst im Schriftguß, dann im Fotosatz. Berthold-Sc hriften sind weltweit geschätzt. Im Schrift enatelier München wird jeder Buchstabe in der Größe von zwölf Zentimetern neu ge

2,15 mm (8 p), Zeilenabstand 3,50 mm

Ilse Schüle
1951
Ludwig & Mayer
H. Berthold AG

ABCDEFGHIJKLMNOPQ
RSTUVWXYZ
abcdefghijklmnopqrstuvwxyz
1/1234567890 %
(.,-;:!¡?¿–)·['„""»«]
+–=/$£†*&§
ÄÅÆÖØŒÜäåæıöøœßü
ÁÀÂÃÇČÉÈÊËÍÌÎÏĹŇÑÓÒÔ
ÕŔŘŠŤÚÙÛŴẄÝỲŸŽ
áàâãçčéèêëíìîïĺňñóòôõŕřš
úùûŵẅýỳÿž

Berthold-Schriftweite weit
Berthold-Schriftweite normal
Berthold-Schriftweite eng
Berthold-Schriftweite sehr eng
Berthold-Schriftweite extrem eng

In general, bodytypes are m easured in the typographical point size. The sizes of Berth old fototype faces can be exa ctly determined. All faces of sa me point size have the same capital height-irrespective of their x-height. In hot metal a nd many other phototypesett ing systems the capital heigh ts often differ considerably fr om one face to the other. For measuring point sizes, a tran sparent size gauge is provided To determine the point size, b ring a capital letter into coinc idence with that field which pr

3,20 mm (12 p), Zeilenabstand 5,25 mm

Berthold's quick brown fox jumps over the lazy dog and feels as if he were in the seventh heaven of
2,80 mm (10,5 p)

Berthold's quick brown fox jumps over the lazy dog and feels as if he were in the seventh
3,20 mm (12 p)

Berthold's quick brown fox jumps over the lazy dog and feels as if he were in the se
3,55 mm (13,5 p)

Berthold's quick brown fox jumps over the lazy dog and feels as if he were
4,00 mm (15 p)

Berthold's quick brown fox jumps over the lazy dog and feels a
4,75 mm (18 p)

Berthold's quick brown fox jumps over the lazy dog a
5,55 mm (21 p)

Berthold's quick brown fox jumps over the lazy
6,35 mm (24 p)

Berthold's quick brown fox jumps over th
7,15 mm (27 p)

Berthold-Schriften überzeugen durch Schärfe und Qualität. Schriftqualität i st eine Frage der Erfahrung. Berthold hat diese Erfahrung seit über hundert Jahren. Zuerst im Schriftguß, dann im Fotosatz. Berthold-Schriften sind we ltweit geschätzt. Im Schriftenatelier München wird jeder Buchstabe in der

2,40 mm (9 p), Zeilenabstand 4,00 mm

Größe mm	p	Zeilenabstand kp	Êp	Ex	100 Zeichen 0	−1	−2
1,33	5	2,13	2,44	–	91	88	85
1,60	6	2,56	2,88	2,50	107	103	99
1,86	7	2,94	3,38	3,00	123	119	115
2,15	8	3,44	3,88	3,50	140	135	130
2,40	9	3,81	4,31	4,00	157	151	145
2,65	10	4,19	4,75	4,00	173	166	159
2,92	11	4,63	5,25	–	189	182	175
3,20	12	5,06	5,75	5,25	205	197	189
3,45	13	5,44	6,19	–	221	213	205
3,72	14	5,88	6,69	–	237	228	219
3,98	15	6,25	7,13	–	253	244	235
4,25	16	6,69	7,63	–	269	259	249

WZ 13 E, NSW 0, MZB 0,65, F 0,16:0,039 (4,1), I
H 1–x 0,64–k 1,11–p 0,46–Ê 1,33–kp 1,57–Êp 1,79
BF 089 0575, Belegung 051: 085 0774 (095 0774)

Berthold-Schriften überzeugen dur ch Schärfe und Qualität. Schriftqu alität ist eine Frage der Erfahrung Berthold hat diese Erfahrung seit über hundert Jahren. Zuerst im Sc hriftguß, dann im Fotosatz. Berth old-Schriften sind weltweit geschät zt. Im Schriftenatelier München wi

2,65 mm (10 p), Zeilenabstand 4,00 mm

mager
light
maigre

ROCKWELL

fina
chiarissimo
mager

Berthold-Schriften überzeugen durch Schärfe und Qualität. Schri
ftqualität ist eine Frage der Erfahrung. Berthold hat diese Erfahru
ng seit über hundert Jahren. Zuerst im Schriftguß, dann im Fotosat
z. Berthold-Schriften sind weltweit geschätzt. Im Schriftenatelier
München wird jeder Buchstabe in der Größe von zwölf Zentimete
rn neu gezeichnet. Mit messerscharfen Konturen, um für die Schri
ftscheiben das Optimale an Konturenschärfe herauszuholen. Um
die Qualität des Einzelzeichens im Belichtungsvorgang zu bewa
hren, wird durch die ruhende, nicht rotierende Schriftscheibe be

1,33 mm (5 p) 20 30 40 50 60

Berthold-Schriften überzeugen durch Schärfe und Qualität. S
chriftqualität ist eine Frage der Erfahrung. Berthold hat diese
Erfahrung seit über hundert Jahren. Zuerst im Schriftguß, dan
n im Fotosatz. Berthold-Schriften sind weltweit geschätzt. Im
Schriftenatelier München wird jeder Buchstabe in der Größe
von zwölf Zentimetern neu gezeichnet. Mit messerscharfen
Konturen, um für die Schriftscheiben das Optimale an Kontur
enschärfe herauszuholen. Um die Qualität des Einzelzeiche
ns im Belichtungsvorgang zu bewahren, wird durch die ruhe

1,45 mm (5,5 p) 20 30 40 50

Berthold-Schriften überzeugen durch Schärfe und Qual
ität. Schriftqualität ist eine Frage der Erfahrung. Berthold
hat diese Erfahrung seit über hundert Jahren. Zuerst im
Schriftguß, dann im Fotosatz. Berthold-Schriften sind we
ltweit geschätzt. Im Schriftenatelier München wird jeder
Buchstabe in der Größe von zwölf Zentimetern neu gez
eichnet. Mit messerscharfen Konturen, um für die Schrif
tscheiben das Optimale an Konturenschärfe herauszuh
olen. Um die Qualität des Einzelzeichens im Belichtungv

1,60 mm (6 p) 20 30 40 50

Berthold-Schriften überzeugen durch Schärfe und
Qualität. Schriftqualität ist eine Frage der Erfahrun
g. Berthold hat diese Erfahrung seit über hundert Ja
hren. Zuerst im Schriftguß, dann im Fotosatz. Bertho
ld-Schriften sind weltweit geschätzt. Im Schriftenat
elier München wird jeder Buchstabe in der Größe
von zwölf Zentimetern neu gezeichnet. Mit messer
scharfen Konturen, um für die Schriftscheiben das
Optimale an Konturenschärfe herauszuholen. Um

1,75 mm (6,5 p) 20 30 40 5

Berthold-Schriften überzeugen durch Schärfe u
nd Qualität. Schriftqualität ist eine Frage der Erf
ahrung. Berthold hat diese Erfahrung seit über h
undert Jahren. Zuerst im Schriftguß, dann im Fot
osatz. Berthold-Schriften sind weltweit geschät
zt. Im Schriftenatelier München wird jeder Buch
stabe in der Größe von zwölf Zentimetern neu g
ezeichnet. Mit messerscharfen Konturen, um für
die Schriftscheiben das Optimale an Konturensc

1,86 mm (7 p) 20 30 40

Berthold-Schriften überzeugen durch Schärf
e und Qualität. Schriftqualität ist eine Frage d
er Erfahrung. Berthold hat diese Erfahrung se
it über hundert Jahren. Zuerst im Schriftg
uß, dann im Fotosatz. Berthold-Schriften sind
weltweit geschätzt. Im Schriftenatelier Münc
hen wird jeder Buchstabe in der Größe von z
wölf Zentimetern neu gezeichnet. Mit messer
scharfen Konturen, um für die Schriftscheibe

2,00 mm (7,5 p) 20 30 40

Berthold-Schriften überzeugen durch Sch
ärfe und Qualität. Schriftqualität ist eine Fr
age der Erfahrung. Berthold hat diese Erfa
hrung seit über hundert Jahren. Zuerst im S
chriftguß, dann im Fotosatz. Berthold-Schri
ften sind weltweit geschätzt. Im Schriftenat
elier München wird jeder Buchstabe in der
Größe von zwölf Zentimetern neu gezeich
net. Mit messerscharfen Konturen, um für d

2,15 mm (8 p) 20 30 40

1934
Monotype Corp. Ltd.
H. Berthold AG

ABCDEFGHIJKLMNOPQ
RSTUVWXYZ
abcdefghijklmnopqrstuvwxyz
1⁄1234567890%
(.,-;:!¡?¿–)·[“„”“»«]
+−=/$£†*&§
ÄÅÆÖØŒÜäåæıöøœßü
ÁÀÂÃÇČÉÈÊËÍÌÎÏĹŇÑÓÒÔÕ
ŔŘŠŤÚÙÛŴẄÝŶŸŽ
áàâãçčéèêëíìîïĺňñóòôõŕřš
úùûŵẅýỳÿž

Berthold-Schriftweite weit
Berthold-Schriftweite normal
Berthold-Schriftweite eng
Berthold-Schriftweite sehr eng
Berthold-Schriftweite extrem eng

Berthold
3,75 mm (14 p)

Berthold
4,25 mm (16 p)

Berthold
4,75 mm (18 p)

Berthold
5,30 mm (20 p)

Berthold
6,35 mm (24 p)

Berthold
7,40 mm (28 p)

Berthold
8,50 mm (32 p)

Berthold
9,55 mm (36 p)

Größe		Zeilenabstand			100 Zeichen		
mm	p	kp	Êp	Ex	0	−1	−2
1,33	5	1,75	2,13	2,00	90	87	84
1,60	6	2,13	2,56	2,50	106	102	98
1,86	7	2,44	2,94	3,00	121	117	113
2,15	8	2,81	3,44	3,50	138	133	128
2,40	9	3,13	3,81	3,75	155	149	143
2,65	10	3,50	4,19	4,25	170	163	156
2,92	11	3,81	4,63	4,75	186	179	172
3,20	12	4,19	5,06	5,25	202	194	186
3,45	13	4,50	5,44	5,75	218	210	202
3,72	14	4,88	5,88	–	234	225	216
3,98	15	5,19	6,25	–	250	241	232
4,25	16	5,56	6,69	–	266	256	246

WZ 14 E, NSW 0, MZB 0,64, F 0,092:0,079 (1,2), V
H 1–x 0,70–k 1,00–p 0,30–Ê 1,27–kp 1,30–Êp 1,57
BF 089 0576, Belegung 051: 086 2163 (096 2163)

Berthold-Schriften überzeugen durch
Schärfe und Qualität. Schriftqualität ist
eine Frage der Erfahrung. Berthold hat
diese Erfahrung seit über hundert Jah
ren. Zuerst im Schriftguß, dann im Foto
satz. Berthold-Schriften sind weltweit
geschätzt. Im Schriftenatelier Münche
n wird jeder Buchstabe in der Größe v

2,40 mm (9 p) 20 30

Berthold-Schriften überzeugen du
rch Schärfe und Qualität. Schriftqu
alität ist eine Frage der Erfahrung
Berthold hat diese Erfahrung seit ü
ber hundert Jahren. Zuerst im Schri
ftguß, dann im Fotosatz. Berthold-S
chriften sind weltweit geschätzt. Im
Schriftenatelier München wird jed

2,65 mm (10 p) 20 30

Berthold-Schriften überzeugen
durch Schärfe und Qualität. Sch
riftqualität ist eine Frage der Er
fahrung. Berthold hat diese E
rfahrung seit über hundert Jahr
en. Zuerst im Schriftguß, dann im
Fotosatz. Berthold-Schriften sin
d weltweit geschätzt. Im Schrift

2,92 mm (11 p) 10 20 30

Berthold-Schriften überzeug
en durch Schärfe und Qualit
ät. Schriftqualität ist eine Fra
ge der Erfahrung. Berthold
hat diese Erfahrung seit über
hundert Jahren. Zuerst im Sc
hriftguß, dann im Fotosatz. Be
rthold-Schriften sind weltwe

3,20 mm (12 p) 10 20

Berthold-Schriften überze
ugen durch Schärfe und Q
ualität. Schriftqualität ist ei
ne Frage der Erfahrung. B
erthold hat diese Erfahrun
g seit über hundert Jahren
Zuerst im Schriftguß, dann
im Fotosatz. Berthold-Schri

3,45 mm (13 p) 10 20

mager
light
maigre

ROCKWELL

fina
chiarissimo
mager

Berthold-Schriften überzeugen durch Schärfe und Qualität. Schriftqu alität ist eine Frage der Erfahrung. Berthold hat diese Erfahrung seit über hundert Jahren. Zuerst im Schriftguß, dann im Fotosatz. Berthold Schriften sind weltweit geschätzt. Im Schriftenatelier München wird jeder Buchstabe in der Größe von zwölf Zentimetern neu gezeichnet Mit messerscharfen Konturen, um für die Schriftscheiben das Optima le an Konturenschärfe herauszuholen. Um die Qualität des Einzelzeic hens im Belichtungsvorgang zu bewahren, wird durch die ruhende, ni cht rotierende Schriftscheibe belichtet. Dieses optische System, verb

4,25 mm (16 p), Zeilenabstand 6,75 mm

ROCKWELL LIGHT

In general, bodytypes are measured in the ty pographical point size. The sizes of Berthold Fo totype faces can be exactly determined. All faces of same point size have the same capital heigth–irrespective of their x-heigth. In hot met al and many other phototypesetting systems the capital heigths often differ considerably from one face to the other. For measuring point sizes, a transparent size gauge is provided. To determine the point size, bring a capital letter into coincidence with that field which precisely circumscribes the letter at its upper and lower margin. Below the field you find the typographi cal point and below that the millimeter value which also refers to the height of a capital letter In Berthold-phototypesetting, the typewidth can be modified. The standard setting width of typefaces is determined by the principle of optimum legibility. You should not depart from this typewidth without cogent reason. A type face which is considered optically right when looked in a greater context, often seems bulky

2,40 mm (9 p), Zeilenabstand 4,25 mm

ROCKWELL MAIGRE

La valeur de la force de corps des caractè res de labeur èst généralement exprimée en points typographiques. La force de corps des caractères Berthold-Fototype peut être déterminée avec précision. Tous les caractères du même corps ont des ca pitalcs d'unc hautcur idcntique, indépen damment de la hauteur des bas de casse sans jambage. Dans la composition plomb ainsi que dans certains systèmes de photo composition, la hauteur des capitales, varie souvent d'un caractère à l'autre. Pour dé terminer la force de corps de nos carac tères, nous avons mis au point une réglette de hauteur d'œil transparente. On cherche le rectangle qui délimite exactement la hauteur d'œil d'une capitale du caractère choisi. Sous le rectangle correspondant la valeur de la force de corps est indiquée en points Didots et en millimètres. La valeur

2,65 mm (10 p), Zeilenabstand 4,69 mm

La indicación de las dimensiones para cuer pos de letra vásicos tiene lugar en general en puntos tipográficos. Los cuerpos de letra de los caracteres Berthold Fototype pueden determinarse exactemente par medición Con independencia de la altura de sus longi tudes centrales, todos los caracteres de idéntico cuerpo de letra presentan altura de mayúsculas idéntica. En la composición en

2,15 mm (8 p), –1, Zeilenabstand 3,38 mm

123,– $	456,– £	7890,– DM	1 %
234,– $	789,– £	1234,– DM	2 %
567,– $	12,– £	5678,– DM	3 %
890,– $	345,– £	9012,– DM	4 %
123,– $	678,– £	3456,– DM	5 %
456,– $	901,– £	7890,– DM	6 %
789,– $	234,– £	1234,– DM	7 %
12,– $	567,– £	5678,– DM	8 %
345,– $	890,– £	9012,– DM	9 %

BF 089 0577

Le misure relative al corpo dei caratteri vengo no generalmente indicate in punti tipografici. Il corpo dei caratteri Fototypes può essere de terminato con esattezza per semplice misura zione. Tutti i caratteri di uguale grandezza in punti hanno, indipendentemente dalla loro lun ghezza, uguale altezza delle maiuscole. Nella composizione in piombo ed in molti altri sis temi di fotocomposizione, l'altezza delle maius

2,15 mm (8 p), –2, Zeilenabstand 3,38 mm

kursiv mager
light italic
italique maigre

ROCKWELL

fina cursiva
chiarissimo corsivo
kursiv mager

Måttangivelse för grundstilsgr ader sker i allmänhet i typografi ska punkter. Stilar av Berthold Fototype kan efter mätning exa kt gradbestämmas. Alla typsnitt är av samma punktstorlek och har oberoende av x-höjden en identisk versalhöjd. I blysättni ng och i många andra fotosätts ystem varierar versalhöjden av sevärt från typsnitt till typsnitt För mätning av stilgrader finns en transparent mätlinjal. Vid mätningen placerar man en ver sal bokstav så att rutorna begrä nsar tecknet upptill och nedtill Under rutorna finns stilstorlek en i typografiska didotpunkter och i mm. Även millimeterupp

2,92 mm (11 p), Zeilenabstand 4,69 mm

1934
Monotype Corp. Ltd.
H. Berthold AG

ABCDEFGHIJKLMNOPQ
RSTUVWXYZ
abcdefghijklmnopqrstuvwxyz
1/1234567890 %
(.,-;:!¡?¿–) · ["„""»«]
+−=/$£†&§*
ÄÅÆÖØŒÜäåæıöøœßü
ÁÀÂÃÇČÉÈÊËÍÌÎÏĹŇÑÓÒÔÕ
ŔŘŠŤÚÙÛŴẄÝŶŸŽ
áàâãçčéèêëíìîïĺňñóòôõŕřš
úùûŵẅýỳÿž

Berthold-Schriftweite weit
Berthold-Schriftweite normal
Berthold-Schriftweite eng
Berthold-Schriftweite sehr eng
Berthold-Schriftweite extrem eng

In general, bodytypes are measured in the typographi cal point size. The sizes of Ber thold Fototype faces can be exactly determined. All faces of same point size have the sa me capital heigth–irrespecti ve of their x-heigth. In hot me tal and many other phototyp esetting systems the capital heigths often differ consider ably from one face to the oth er. For measuring point sizes a transparent size gauge is provided. To determine the point size, bring a capital lett er into coincidence with that

3,20 mm (12 p), Zeilenabstand 5,25 mm

ROCKWELL KURSIV MAGER

Die Maßangabe zu Grundschriftgrößen erfolgt im allgemeinen in typographischen Punkten Die Schriftgrößen der Berthold-Fotosatz-Schrif ten sind nach Messung exakt bestimmbar. Al le Schriften gleicher Punktgröße weisen, unab hängig von der Höhe ihrer Mittellängen, eine i dentische Versalhöhe auf. Im Bleisatz und bei vielen anderen Fotosatz-Systemen differieren die Versalhöhen von Schrift zu Schrift oft erheb lich. Zum Messen von Schriftgrößen steht ein transparentes Größenmaß zur Verfügung. Zum Messen wird ein Versalbuchstabe mit dem Feld in Deckung gebracht, das den Buchstaben o ben und unten scharf begrenzt. Unter dem Feld ist die Schriftgröße in typographischen Didot Punkten, darunter in Millimetern angegeben Auch die Millimeterangaben beziehen sich auf die Höhe der Versalbuchstaben. Die Schriftwei

2,40 mm (9 p), Zeilenabstand 4 mm

ROCKWELL ITALIQUE MAIGRE

La valeur de la force de corps des carac tères de labeur èst généralement expri mée en points typographiques. La force de corps des caractères Berthold-Fototype peut être déterminée avec précision. Tous les caractères du même corps ont des capi tales d'une hauteur identique, indépen damment de la hauteur des bas de casse sans jambage. Dans la composition plomb ainsi que dans certains systèmes de photo composition, la hauteur des capitales, varie souvent d'un caractère à l'autre. Pour déter miner la force de corps de nos caractères nous avons mis au point une réglette de hauteur d'œil transparente. On cherche le rectangle qui délimite exactement la hau

2,65 mm (10 p), Zeilenabstand 4,50 mm

La indicación de las dimensiones para cuerpos de letra básicos tiene lugar en general en puntos tipográficos Los cuerpos de letra de los caracteres Berthold Foto type pueden determinarse exactemente par medición Con independencia de la altura de sus longitudes cen trales, todos los caracteres de idéntico cuerpo de letra presentan altura de mayúsculas idéntica. En la composi ción en plomo y en muchos otros sistemas de fotocom posición, las alturas de mayúsculas varían frecuentem mente en forma considerable de tipo de letra a tipo de letra. Para medir los cuerpos de letra se dispone de un ti pómetro, véase la figura. Para la medición se hace coin

1,60 mm (6 p), Zeilenabstand 2,50 mm

Größe		Zeilenabstand			100 Zeichen		
mm	p	kp	Êp	Ex	0	−1	−2
1,33	5	1,75	2,13	–	89	86	83
1,60	6	2,13	2,56	2,50	105	101	97
1,86	7	2,44	3,00	–	121	117	113
2,15	8	2,88	3,44	3,38	137	132	127
2,40	9	3,19	3,81	4,00	153	147	141
2,65	10	3,50	4,19	4,50	169	162	155
2,92	11	3,88	4,63	4,69	185	178	171
3,20	12	4,25	5,06	5,25	201	193	185
3,45	13	4,56	5,50	–	216	208	200
3,72	14	4,88	5,94	–	232	223	214
3,98	15	5,25	6,13	–	248	239	230
4,25	16	5,63	6,75	–	264	254	244

WZ 13 E, NSW 0, MZB 0,64, F 0,088:0,079 (1,1), V H 1–x 0,71–k 1,00–p 0,31–Ê 1,27–kp 1,31–Êp 1,58 BF 089 0578, Belegung 051: 085 0691 (095 0691)

Le misure relative al corpo dei caratteri vengono generalmente indicate in punti ti pografici. Il corpo dei caratteri Fototypes può essere determinato con esattezza per semplice misurazione. Tutti i caratteri di uguale grandezza in punti hanno, indipen dentemente dalla loro lunghezza, uguale altezza delle maiuscole. Nella composizi one in piombo ed in molti altri sistemi di fo

2,15 mm (8 p), Zeilenabstand 3,38 mm

normal
regular
normal

ROCKWELL

normal
chiaro tondo
normal

Berthold-Schriften überzeugen durch Schärfe und Qualität. Schr
iftqualität ist eine Frage der Erfahrung. Berthold hat diese Erfahr
ung seit über hundert Jahren. Zuerst im Schriftguß, dann im Fotos
atz. Berthold-Schriften sind weltweit geschätzt. Im Schriftenateli
er München wird jeder Buchstabe in der Größe von zwölf Zentim
etern neu gezeichnet. Mit messerscharfen Konturen, um für die S
chriftscheiben das Optimale an Konturenschärfe herauszuholen
Um die Qualität des Einzelzeichens im Belichtungsvorgang zu b
ewahren, wird durch die ruhende, nicht rotierende Schriftsc

1,33 mm (5 p) 20 30 40 50 60

Berthold-Schriften überzeugen durch Schärfe und Qualität
Schriftqualität ist eine Frage der Erfahrung. Berthold hat die
se Erfahrung seit über hundert Jahren. Zuerst im Schriftguß
dann im Fotosatz. Berthold-Schriften sind weltweit geschät
zt. Im Schriftenatelier München wird jeder Buchstabe in der
Größe von zwölf Zentimetern neu gezeichnet. Mit messersc
harfen Konturen, um für die Schriftscheiben das Optimale an
Konturenschärfe herauszuholen. Um die Qualität des Einzel
zeichens im Belichtungsvorgang zu bewahren, wird durch

1,45 mm (5,5 p) 20 30 40 50

Berthold-Schriften überzeugen durch Schärfe und Qu
alität. Schriftqualität ist eine Frage der Erfahrung. Bert
hold hat diese Erfahrung seit über hundert Jahren. Zue
rst im Schriftguß, dann im Fotosatz. Berthold-Schrift
en sind weltweit geschätzt. Im Schriftenatelier Münch
en wird jeder Buchstabe in der Größe von zwölf Zenti
metern neu gezeichnet. Mit messerscharfen Konturen
um für die Schriftscheiben das Optimale an Kontur
enschärfe herauszuholen. Um die Qualität des Einzelz

1,60 mm (6 p) 20 30 40 50

Berthold-Schriften überzeugen durch Schärfe und
Qualität. Schriftqualität ist eine Frage der Erfahru
ng. Berthold hat diese Erfahrung seit über hundert
Jahren. Zuerst im Schriftguß, dann im Fotosatz. Ber
thold-Schriften sind weltweit geschätzt. Im Schrift
enatelier München wird jeder Buchstabe in der G
röße von zwölf Zentimetern neu gezeichnet. Mit m
esserscharfen Konturen, um für die Schriftscheib
en das Optimale an Konturenschärfe herauszuhol

1,75 mm (6,5 p) 20 30 40 5

Berthold-Schriften überzeugen durch Schärfe
und Qualität. Schriftqualität ist eine Frage der E
rfahrung. Berthold hat diese Erfahrung seit über
hundert Jahren. Zuerst im Schriftguß, dann im F
otosatz. Berthold-Schriften sind weltweit gesch
ätzt. Im Schriftenatelier München wird jeder Bu
chstabe in der Größe von zwölf Zentimetern neu
gezeichnet. Mit messerscharfen Konturen, um f
ür die Schriftscheiben das Optimale an Kontur

1,86 mm (7 p) 20 30 40

Berthold-Schriften überzeugen durch Schär
fe und Qualität. Schriftqualität ist eine Frage
der Erfahrung. Berthold hat diese Erfahrung
seit über hundert Jahren. Zuerst im Schriftg
uß, dann im Fotosatz. Berthold-Schriften sind
weltweit geschätzt. Im Schriftenatelier Mün
chen wird jeder Buchstabe in der Größe von
zwölf Zentimetern neu gezeichnet. Mit m
esserscharfen Konturen, um für die Schrifts

2,00 mm (7,5 p) 20 30 40

Berthold-Schriften überzeugen durch Sch
ärfe und Qualität. Schriftqualität ist eine Fr
age der Erfahrung. Berthold hat diese Erf
ahrung seit über hundert Jahren. Zuerst
im Schriftguß, dann im Fotosatz. Berthold
Schriften sind weltweit geschätzt. Im Schr
iftenatelier München wird jeder Buchstab
e in der Größe von zwölf Zentimetern neu
gezeichnet. Mit messerscharfen Konturen

2,15 mm (8 p) 20 30 40

1934
Monotype Corp. Ltd.
H. Berthold AG

ABCDEFGHIJKLMNOPQ
RSTUVWXYZ
abcdefghijklmnopqrstuvwxyz
1⁄1234567890%
(.,-;:!¡?¿–)·[‟„"“»«]
+−=/$£†*&§
ÄÅÆÖØŒÜäåæıöøœßü
ÁÀÂÃÇČÉÈÊËÍÌÎÏĹŇÑÓÒÔÕ
ŔŘŠŤÚÙÛŴẄÝŶŸŽ
áàâãçčéèêëíìîïĺňñóòôõŕřš
úùûŵẅýỳÿž

Berthold-Schriftweite weit
Berthold-Schriftweite normal
Berthold-Schriftweite eng
Berthold-Schriftweite sehr eng
Berthold-Schriftweite extrem eng

Berthold
3,75 mm (14 p)

Berthold
4,25 mm (16 p)

Berthold
4,75 mm (18 p)

Berthold
5,30 mm (20 p)

Berthold
6,35 mm (24 p)

Berthold
7,40 mm (28 p)

Berthold
8,50 mm (32 p)

Berthold
9,55 mm (36 p)

Größe mm	p	Zeilenabstand kp	Êp	Ex	100 Zeichen 0	−1	−2
1,33	5	1,75	2,13	2,00	91	88	85
1,60	6	2,13	2,56	2,50	107	103	99
1,86	7	2,44	2,94	3,00	123	119	115
2,15	8	2,81	3,44	3,50	140	135	130
2,40	9	3,13	3,81	3,75	157	151	145
2,65	10	3,50	4,19	4,25	173	166	159
2,92	11	3,81	4,63	4,75	189	182	175
3,20	12	4,19	5,06	5,25	205	197	189
3,45	13	4,50	5,44	5,75	221	213	205
3,72	14	4,88	5,88	—	237	228	219
3,98	15	5,19	6,25	—	253	244	235
4,25	16	5,56	6,69	—	269	259	249

WZ 15 E, NSW 0, MZB 0,65, F 0,13:0,10 (1,2), V
H 1–x 0,70–k 1,00–p 0,30–Ê 1,27–kp 1,30–Êp 1,57
BF 089 0579, Belegung 051: 086 2161 (096 2161)

Berthold-Schriften überzeugen durch
Schärfe und Qualität. Schriftqualität i
st eine Frage der Erfahrung. Berthold
hat diese Erfahrung seit über hundert
Jahren. Zuerst im Schriftguß, dann im
Fotosatz. Berthold-Schriften sind wel
tweit geschätzt. Im Schriftenatelier M
ünchen wird jeder Buchstabe in der

2,40 mm (9 p) 20 30

Berthold-Schriften überzeugen d
urch Schärfe und Qualität. Schrift
qualität ist eine Frage der Erfahru
ng. Berthold hat diese Erfahrung
seit über hundert Jahren. Zuerst im
Schriftguß, dann im Fotosatz. Bert
hold-Schriften sind weltweit gesc
hätzt. Im Schriftenatelier München

2,65 mm (10 p) 20 30

Berthold-Schriften überzeugen
durch Schärfe und Qualität. Sch
riftqualität ist eine Frage der Er
fahrung. Berthold hat diese Erfa
hrung seit über hundert Jahren
Zuerst im Schriftguß, dann im F
otosatz. Berthold-Schriften sind
weltweit geschätzt. Im Schrifte

2,92 mm (11 p) 10 20 3

Berthold-Schriften überzeug
en durch Schärfe und Qualität
Schriftqualität ist eine Frage
der Erfahrung. Berthold hat
diese Erfahrung seit über hu
ndert Jahren. Zuerst im Schri
ftguß, dann im Fotosatz. Bert
hold-Schriften sind weltweit

3,20 mm (12 p) 10 20

Berthold-Schriften überze
ugen durch Schärfe und Qu
alität. Schriftqualität ist ein
e Frage der Erfahrung. Ber
thold hat diese Erfahrung s
eit über hundert Jahren. Zu
erst im Schriftguß, dann im
Fotosatz. Berthold-Schrifte

3,45 mm (13 p) 10 20

normal
regular
normal

ROCKWELL

normal
chiaro tondo
normal

Berthold-Schriften überzeugen durch Schärfe und Qualität. Schriftq ualität ist eine Frage der Erfahrung. Berthold hat diese Erfahrung seit über hundert Jahren. Zuerst im Schriftguß, dann im Fotosatz. Bertho ld-Schriften sind weltweit geschätzt. Im Schriftenatelier München wird jeder Buchstabe in der Größe von zwölf Zentimetern neu gezei chnet. Mit messerscharfen Konturen, um für die Schriftscheiben das Optimale an Konturenschärfe herauszuholen. Um die Qualität des Ei nzelzeichens im Belichtungsvorgang zu bewahren, wird durch die ruhende, nicht rotierende Schriftscheibe belichtet. Dieses optische

4,25 mm (16 p), Zeilenabstand 6,75 mm

ROCKWELL REGULAR

In general, bodytypes are measured in the ty pographical point size. The sizes of Berthold Fototype faces can be exactly determined. All faces of same point size have the same capital heigth-irrespective of their x-heigth. In hot metal and many other phototypesetting sys tems the capital heigths often differ consider ably from one face to the other. For measur ing point sizes, a transparent size gauge is provided. To determine the point size, bring a capital letter into coincidence with that field which precisely circumscribes the letter at its upper and lower margin. Below the field you find the typographical point and below that the millimeter value, which also refers to the height of a capital letter. In Berthold-photo typesetting, the typewidth can be modified The standard setting width of typefaces is de termined by the principle of optimum legibili ty. You should not depart from this typewidth without cogent reason. A typeface which is considered optically right when looked in a

2,40 mm (9 p), Zeilenabstand 4,25 mm

ROCKWELL NORMAL

La valeur de la force de corps des carac tères de labeur èst généralement expri mée en points typographiques. La force de corps des caractères Berthold-Foto type peut être déterminée avec précision Tous les caractères du même corps ont des capitales d'une hauteur identique, in dépendamment de la hauteur des bas de casse sans jambage. Dans la composition plomb, ainsi que dans certains systèmes de photocomposition, la hauteur des capi tales, varie souvent d'un caractère à l'au tre. Pour déterminer la force de corps de nos caractères, nous avons mis au point une réglette de hauteur d'œil transpa rente. On cherche le rectangle qui déli mite exactement la hauteur d'œil d'une ca pitale du caractère choisi. Sous le rec tangle correspondant la valeur de la force de corps est indiquée en points Didots et

2,65 mm (10 p), Zeilenabstand 4,69 mm

La indicación de las dimensiones para cuer pos de letra vásicos tiene lugar en general en puntos tipográficos. Los cuerpos de letra de los caracteres Berthold Fototype pueden determinarse exactemente par medición Con independencia de la altura de sus lon gitudes centrales, todos los caracteres de idéntico cuerpo de letra presentan altura de mayúsculas idéntica. En la composición en

2,15 mm (8 p), –1, Zeilenabstand 3,38 mm

123,– $	456,– £	7890,– DM	1 %
234,– $	789,– £	1234,– DM	2 %
567,– $	12,– £	5678,– DM	3 %
890,– $	345,– £	9012,– DM	4 %
123,– $	678,– £	3456,– DM	5 %
456,– $	901,– £	7890,– DM	6 %
789,– $	234,– £	1234,– DM	7 %
12,– $	567,– £	5678,– DM	8 %
345,– $	890,– £	9012,– DM	9 %

BF 089 0580

Le misure relative al corpo dei caratteri ven gono generalmente indicato in punti tipografi ci. Il corpo dei caratteri Fototypes può essere determinato con esattezza per semplice misu razione. Tutti i caratteri di uguale grandezza in punti hanno, indipendentemente dalla loro lunghezza, uguale altezza delle maiuscole. Nella composizione in piombo ed in molti altri sistemi di fotocomposizione, l'altezza delle

2,15 mm (8 p), –2, Zeilenabstand 3,38 mm

kursiv
italic
italique

ROCKWELL

cursiva
corsivo
kursiv

Måttangivelse för grundstilsgr ader sker i allmänhet i typogra fiska punkter. Stilar av Berthold Fototype kan efter mätning ex akt gradbestämmas. Alla typs nitt är av samma punktstorlek och har oberoende av x-höjden en identisk versalhöjd. I blysät tning och i många andra fotosä ttsystem varierar versalhöjden avsevärt från typsnitt till typsn itt. För mätning av stilgrader fi nns en transparent mätlinjal Vid mätningen placerar man en versal bokstav så att rutorna begränsar tecknet upptill och nedtill. Under rutorna finns stil storleken i typografiska didot punkter och i mm. Även milli

2,92 mm (11 p), Zeilenabstand 4,69 mm

1934
Monotype Corp. Ltd.
H. Berthold AG

ABCDEFGHIJKLMNOPQ
RSTUVWXYZ
abcdefghijklmnopqrstuvwxyz
1⁄1234567890%
(.,-;:!¡?¿–)·[",,""»«]
+−=/$£†&§*
ÄÅÆÖØŒÜäåæıöøœßü
ÁÀÂÃÇČÉÈÊËÍÌÎÏĹŇÑÓÒÔÕ
ŔŘŠŤÚÙÛŴẄÝŶŸŽ
áàâãçčéèêëíìîïĺňñóòôõŕřš
úùûŵẅýỳÿž

Berthold-Schriftweite weit
Berthold-Schriftweite normal
Berthold-Schriftweite eng
Berthold-Schriftweite sehr eng
Berthold-Schriftweite extrem eng

In general, bodytypes are measured in the typograph ical point size. The sizes of Berthold Fototype faces can be exactly determined. All faces of same point size have the same capital heigth–irr espective of their x-heigth In hot metal and many other phototypesetting systems the capital heigths often diff er considerably from one fa ce to the other. For measuri ng point sizes, a transparent size gauge is provided. To determine the point size, br ing a capital letter into coinc

3,20 mm (12 p), Zeilenabstand 5,25 mm

ROCKWELL KURSIV

Die Maßangabe zu Grundschriftgrößen er folgt im allgemeinen in typographischen Punkten. Die Schriftgrößen der Berthold-Foto satz-Schriften sind nach Messung exakt be stimmbar. Alle Schriften gleicher Punktgröße weisen, unabhängig von der Höhe ihrer Mittel längen, eine identische Versalhöhe auf. Im Bleisatz und bei vielen anderen Fotosatz-Sy stemen differieren die Versalhöhen von Schrift zu Schrift oft erheblich. Zum Messen von Schriftgrößen steht ein transparentes Größenmaß zur Verfügung. Zum Messen wird ein Versalbuchstabe mit dem Feld in Deckung gebracht, das den Buchstaben oben und unten scharf begrenzt. Unter dem Feld ist die Schrift größe in typographischen Didot-Punkten, da runter in Millimetern angegeben. Auch die Millimeterangaben beziehen sich auf die Hö

2,40 mm (9 p), Zeilenabstand 4 mm

ROCKWELL ITALIQUE

La valeur de la force de corps des carac tères de labeur èst généralement expri mée en points typographiques. La force de corps des caractères Berthold-Foto type peut être déterminée avec précision Tous les caractères du même corps ont des capitales d'une hauteur identique, in dépendamment de la hauteur des bas de casse sans jambage. Dans la composition plomb, ainsi que dans certains systèmes de photocomposition, la hauteur des ca pitales, varie souvent d'un caractère à l'autre. Pour déterminer la force de corps de nos caractères, nous avons mis au point une réglette de hauteur d'œil trans parente. On cherche le rectangle qui déli

2,65 mm (10 p), Zeilenabstand 4,50 mm

La indicación de las dimensiones para cuerpos de letra vásicos tiene lugar en general en puntos tipográficos Los cuerpos de letra de los caracteres Berthold Foto type pueden determinarse exactemente par medi ción. Con independencia de la altura de sus longitudes centrales, todos los caracteres de idéntico cuerpo de letra presentan altura de mayúsculas idéntica. En la composición en plomo y en muchos otros sistemas de fotocomposición, las alturas de mayúsculas varían fre cuentemmente en forma considerable de tipo de letra a tipo de letra. Para medir los cuerpos de letra se dis pone de un tipómetro, véase la figura. Para la medi

1,60 mm (6 p), Zeilenabstand 2,50 mm

Größe		Zeilenabstand			100 Zeichen		
mm	p	kp	Êp	Ex	0	−1	−2
1,33	5	1,75	2,13	–	91	88	85
1,60	6	2,13	2,50	2,50	107	103	99
1,86	7	2,44	2,94	–	123	119	115
2,15	8	2,81	3,38	3,38	140	135	130
2,40	9	3,13	3,75	4,00	157	151	145
2,65	10	3,50	4,19	4,50	173	166	159
2,92	11	3,81	4,56	4,69	189	182	175
3,20	12	4,19	5,00	5,25	205	197	189
3,45	13	4,50	5,44	–	221	213	205
3,72	14	4,88	5,81	–	237	228	219
3,98	15	5,19	6,25	–	253	244	235
4,25	16	5,56	6,69	–	269	259	249

WZ 13 E, NSW 0, MZB 0,65, F 0,13:0,10 (1,3), V
H 1–x 0,70–k 1,00–p 0,30–Ê 1,26–kp 1,30–Êp 1,56
BF 089 0581, Belegung 051: 086 2162 (096 2162)

Le misure relative al corpo dei caratteri vengono generalmente indicate in punti tipografici. Il corpo dei caratteri Fototypes può essere determinato con esattezza per semplice misurazione. Tutti i caratteri di uguale grandezza in punti hanno, indipen dentemente dalla loro lunghezza, uguale altezza delle maiuscole. Nella composizi one in piombo ed in molti altri sistemi di fo

2,15 mm (8 p), Zeilenabstand 3,38 mm

halbfett
bold
demi-gras

ROCKWELL

seminegra
neretto
halvfet

Berthold-Schriften überzeugen durch Schärfe und Qualität. Schriftqualität ist eine Frage der Erfahru ng. Berthold hat diese Erfahrung seit über hundert Jahren. Zuerst im Schriftguß, dann im Fotosatz. Ber thold-Schriften sind weltweit geschätzt. Im Schrift enatelier München wird jeder Buchstabe in der Gr öße von zwölf Zentimetern neu gezeichnet. Mit me sserscharfen Konturen, um für die Schriftscheiben das Optimale an Konturenschärfe herauszuholen

1,60 mm (6 p), Zeilenabstand 2,50 mm

Berthold-Schriften überzeugen durch Schär fe und Qualität. Schriftqualität ist eine Frage der Erfahrung. Berthold hat diese Erfahrung seit über hundert Jahren. Zuerst im Schriftg uß, dann im Fotosatz. Berthold-Schriften si nd weltweit geschätzt. Im Schriftenatelier München wird jeder Buchstabe in der Größe von zwölf Zentimetern neu gezeichnet. Mit

1,86 mm (7 p), Zeilenabstand 3,00 mm

Berthold-Schriften überzeugen durch Schärfe und Qualität. Schriftqualität ist eine Frage der Erfahrung. Berthold hat diese Erfahrung seit über hundert Jahr en. Zuerst im Schriftguß, dann im Fotos atz. Berthold-Schriften sind weltweit geschätzt. Im Schriftenatelier Münch en wird jeder Buchstabe in der Größ

2,15 mm (8 p), Zeilenabstand 3,50 mm

1934
Monotype Corp. Ltd.
H. Berthold AG

ABCDEFGHIJKLMNOPQ
RSTUVWXYZ
abcdefghijklmnopqrstuvwxyz
1/1234567890%
(.,-;:!¡?¿–)·['‘„”“»«]
+−=/$£†*&§
ÄÅÆÖØŒÜäåæıöøœßü
ÁÀÂÃÇČÉÈÊËÍÌÎÏĹŇÑÓÒÔÕ
ŔŘŠŤÚÙÛŴẄÝŶŸŽ
áàâãçčéèêëíìîïĺňñóòôõŕřš
úùûŵẅýỳÿž

Berthold-Schriftweite weit
Berthold-Schriftweite normal
Berthold-Schriftweite eng
Berthold-Schriftweite sehr eng
Berthold-Schriftweite extrem eng

In general, bodytypes are measured in the typograp hical point size. The sizes of Berthold Fototype faces can be exactly determine d. All faces of same point s ize have the same capital heigth-irrespective of the ir x-heigth. In hot metal an d many other phototypese tting systems the capital h eigths often differ consid erably from one face to the other. For measuring point sizes, a transparent size g auge is provided. To deter mine the point size, bring a

3,20 mm (12 p), Zeilenabstand 5,25 mm

Berthold's quick brown fox jumps over the lazy dog and feels as if he wer
3,75 mm (14 p)

Berthold's quick brown fox jumps over the lazy dog and feels as
4,25 mm (16 p)

Berthold's quick brown fox jumps over the lazy dog and f
4,75 mm (18 p)

Berthold's quick brown fox jumps over the lazy dog
5,30 mm (20 p)

Berthold's quick brown fox jumps over the
6,35 mm (24 p)

Berthold's quick brown fox jumps ov
7,40 mm (28 p)

Berthold's quick brown fox jum
8,50 mm (32 p)

Berthold's quick brown fox j
9,55 mm (36 p)

Berthold-Schriften überzeugen du rch Schärfe und Qualität. Schriftqu alität ist eine Frage der Erfahrung Berthold hat diese Erfahrung seit über hundert Jahren. Zuerst im Sch riftguß, dann im Fotosatz. Berthold Schriften sind weltweit geschätzt Im Schriftenatelier München wird

2,40 mm (9 p), Zeilenabstand 4,00 mm

Größe		Zeilenabstand			100 Zeichen		
mm	p	kp	Êp	Ex	0	−1	−2
1,00	5	1,75	2,10		100	07	04
1,60	6	2,13	2,50	2,50	118	114	110
1,86	7	2,44	2,94	3,00	136	132	128
2,15	8	2,81	3,38	3,50	154	149	144
2,40	9	3,13	3,75	4,00	172	166	160
2,65	10	3,44	4,19	4,00	190	183	176
2,92	11	3,81	4,56	—	208	201	194
3,20	12	4,19	5,00	5,25	226	218	210
3,45	13	4,50	5,44	—	243	235	227
3,72	14	4,81	5,81	—	261	252	243
3,98	15	5,19	6,25	—	279	270	261
4,25	16	5,50	6,69	—	296	286	276

WZ 14 E, NSW 0, MZB 0,71, F 0,22:0,13 (1,8), V
H 1–x 0,71–k 1,00–p 0,29–Ê 1,27–kp 1,29–Êp 1,56
BF 089 0582, Belegung 051: 086 2168 (096 2168)

Berthold-Schriften überzeugen durch Schärfe und Qualität.Sc hriftqualität ist eine Frage der Erfahrung. Berthold hat diese E rfahrung seit über hundert Jahr en. Zuerst im Schriftguß, dann i m Fotosatz. Berthold-Schriften sind weltweit geschätzt. Im Sch

2,65 mm (10 p), Zeilenabstand 4,00 mm

kursiv halbfett
bold italic
italique demi-gras

ROCKWELL

seminegra cursiva
neretto corsivo
kursiv halvfet

Berthold-Schriften überzeugen durch Schärfe und Qu alität. Schriftqualität ist eine Frage der Erfahrung. Ber thold hat diese Erfahrung seit über hundert Jahren. Zu erst im Schriftguß, dann im Fotosatz. Berthold-Schrift en sind weltweit geschätzt. Im Schriftenatelier Münch en wird jeder Buchstabe in der Größe von zwölf Zenti metern neu gezeichnet. Mit messerscharfen Konturen um für die Schriftscheiben das Optimale an Konturens chärfe herauszuholen. Um die Qualität des Einzelzeic

1,60 mm (6 p), Zeilenabstand 2,50 mm

Berthold-Schriften überzeugen durch Schärfe und Qualität. Schriftqualität ist eine Frage der Erfahrung. Berthold hat diese Erfahrung seit üb er hundert Jahren. Zuerst im Schriftguß, dann im Fotosatz. Berthold-Schriften sind weltweit geschätzt. Im Schriftenatelier München wird je der Buchstabe in der Größe von zwölf Zentimet ern neu gezeichnet. Mit messerscharfen Kontu

1,86 mm (7 p), Zeilenabstand 3,00 mm

Berthold-Schriften überzeugen durch Sch ärfe und Qualität. Schriftqualität ist eine F rage der Erfahrung. Berthold hat diese Erf ahrung seit über hundert Jahren. Zuerst im Schriftguß, dann im Fotosatz. Berthold Schriften sind weltweit geschätzt. Im Sch riftenatelier München wird jeder Buchsta be in der Größe von zwölf Zentimetern ne

2,15 mm (8 p), Zeilenabstand 3,50 mm

1934
Monotype Corp. Ltd.
H. Berthold AG

ABCDEFGHIJKLMNOPQ
RSTUVWXYZ
abcdefghijklmnopqrstuvwxyz
1/1234567890 %
(.,-;:!¡?¿–)·[‚„"“»«]
+–=/$£†&§*
ÄÅÆÖØŒÜäåæıöøœßü
ÁÀÂÃÇČÉÈÊËÍÌÎÏĹŇÑÓÒÔÕ
ŔŘŠŤÚÙÛŴẄÝŶŸŽ
áàâãçčéèêëíìîïĺňñóòôõŕřš
úùûŵẅýỳÿž

Berthold-Schriftweite weit
Berthold-Schriftweite normal
Berthold-Schriftweite eng
Berthold-Schriftweite sehr eng
Berthold-Schriftweite extrem eng

In general, bodytypes are m easured in the typographica l point size. The sizes of Bert hold Fototype faces can be e xactly determined. All faces of same point size have the s ame capital heigth–irrespec tive of their x-heigth. In hot metal and many other photo typesetting systems the cap ital heigths often differ consi derably from one face to the other. For measuring point s izes, a transparent size gaug e is provided. To determine the point size, bring a capita l letter into coincidence with

3,20 mm (12 p), Zeilenabstand 5,25 mm

Berthold's quick brown fox jumps over the lazy dog and feels as if he were in
3,75 mm (14 p)

Berthold's quick brown fox jumps over the lazy dog and feels as if he
4,25 mm (16 p)

Berthold's quick brown fox jumps over the lazy dog and feel
4,75 mm (18 p)

Berthold's quick brown fox jumps over the lazy dog a
5,30 mm (20 p)

Berthold's quick brown fox jumps over the la
6,35 mm (24 p)

Berthold's quick brown fox jumps over
7,40 mm (28 p)

Berthold's quick brown fox jumps
8,50 mm (32 p)

Berthold's quick brown fox ju
9,55 mm (36 p)

Berthold-Schriften überzeugen durch Schärfe und Qualität. Schriftqualität i st eine Frage der Erfahrung. Berthold hat diese Erfahrung seit über hundert Jahren. Zuerst im Schriftguß, dann im Fotosatz. Berthold-Schriften sind wel tweit geschätzt. Im Schriftenatelier München wird jeder Buchstabe in der

2,40 mm (9 p), Zeilenabstand 4,00 mm

Größe		Zeilenabstand			100 Zeichen		
mm	p	kp	Êp	Ex	0	–1	–2
1,33	5	1,75	2,13	–	95	92	89
1,60	6	2,13	2,56	2,50	112	108	104
1,86	7	2,44	2,94	3,00	128	124	120
2,15	8	2,81	3,44	3,50	146	141	136
2,40	9	3,13	3,81	4,00	164	158	152
2,65	10	3,50	4,19	4,00	180	173	166
2,92	11	3,81	4,63	–	197	190	183
3,20	12	4,19	5,06	5,25	214	206	198
3,45	13	4,50	5,44	–	231	223	215
3,72	14	4,88	5,88	–	247	238	229
3,98	15	5,19	6,25	–	264	255	246
4,25	16	5,56	6,69	–	281	271	261

WZ 14 E, NSW 0, MZB 0,68, F 0,20:0,11 (1,8), V
H 1–x 0,70–k 1,00–p 0,30–Ê 1,27–kp 1,30–Êp 1,57
BF 089 0583, Belegung 051: 086 2116 (096 2116)

Berthold-Schriften überzeugen d urch Schärfe und Qualität. Schrift qualität ist eine Frage der Erfahru ng. Berthold hat diese Erfahrung s eit über hundert Jahren. Zuerst im Schriftguß, dann im Fotosatz. Ber thold-Schriften sind weltweit ges chätzt. Im Schriftenatelier Münch

2,65 mm (10 p), Zeilenabstand 4,00 mm

fett
extra bold
gras

ROCKWELL

negra
nero
fet

Berthold-Schriften überzeugen durch Schär fe und Qualität. Schriftqualität ist eine Frage der Erfahrung. Berthold hat diese Erfahrung seit über hundert Jahren. Zuerst im Schriftg uß, dann im Fotosatz. Berthold-Schriften sind weltweit geschätzt. Im Schriftenatelier Mün chen wird jeder Buchstabe in der Größe von zwölf Zentimetern neu gezeichnet. Mit mess erscharfen Konturen, um für die Schriftsche

1,60 mm (6 p), Zeilenabstand 2,50 mm

Berthold-Schriften überzeugen durch Schärfe und Qualität. Schriftqualität ist eine Frage der Erfahrung. Berthold hat diese Erfahrung seit über hundert Jahr en. Zuerst im Schriftguß, dann im Fotos atz. Berthold-Schriften sind weltweit g eschätzt. Im Schriftenatelier München wird jeder Buchstabe in der Größe von

1,86 mm (7 p), Zeilenabstand 3,00 mm

Berthold-Schriften überzeugen d urch Schärfe und Qualität. Schrift qualität ist eine Frage der Erfahru ng. Berthold hat diese Erfahrung s eit über hundert Jahren. Zuerst im Schriftguß, dann im Fotosatz. Bert hold-Schriften sind weltweit gesc hätzt. Im Schriftenatelier Münche

2,15 mm (8 p), Zeilenabstand 3,50 mm

1934
Monotype Corp. Ltd.
H. Berthold AG

ABCDEFGHIJKLMNOPQ
RSTUVWXYZ
abcdefghijklmnopqrstuvw
xyz+−=/$£†*&§
1/1234567890%
(.,-;:!¡?¿–)·["„"“»«]
ÄÅÆÖØŒÜäåæıöøœßü
ÁÀÂÃÇČÉÈÊËÍÌÎÏĹŇÑÓÒÔÕ
ŔŘŠŤÚÙÛŴẄÝŶŸŽ
áàâãçčéèêëíìîïĺňñóòôõŕřš
úùûŵẅýỳÿž

Schriftweite weit
Schriftweite normal
Schriftweite eng
Schriftweite sehr eng
Schriftweite extrem eng

In general, bodytypes are measured in the ty pographical point size The sizes of Berthold F ototype faces can be ex actly determined. All f aces of same point size have the same capital heigth–irrespective of their x-heigth. In hot m etal and many other ph ototypesetting systems the capital heigths ofte n differ considerably fr om one face to the othe r. For measuring point sizes, a transparent siz

3,20 mm (12 p), Zeilenabstand 5,25 mm

Berthold's quick brown fox jumps over the lazy dog and feels as
3,75 mm (14 p)

Berthold's quick brown fox jumps over the lazy dog and
4,25 mm (16 p)

Berthold's quick brown fox jumps over the lazy d
4,75 mm (18 p)

Berthold's quick brown fox jumps over the l
5,30 mm (20 p)

Berthold's quick brown fox jumps ov
6,35 mm (24 p)

Berthold's quick brown fox jum
7,40 mm (28 p)

Berthold's quick brown fox
8,50 mm (32 p)

Berthold's quick brown f
9,55 mm (36 p)

Berthold-Schriften überzeug on durch Schärfe und Qualitä t. Schriftqualität ist eine Frage der Erfahrung. Berthold hat d iese Erfahrung seit über hund ert Jahren. Zuerst im Schriftg uß, dann im Fotosatz. Berthol d-Schriften sind weltweit ges

2,40 mm (9 p), Zeilenabstand 4,00 mm

Größe		Zeilenabstand			100 Zeichen		
mm	p	kp	Êp	Ex	0	−1	−2
1,33	5	1,75	2,13	—	114	111	108
1,60	6	2,13	2,50	2,50	134	130	126
1,86	7	2,44	2,94	3,00	154	150	146
2,15	8	2,81	3,38	3,50	175	170	165
2,40	9	3,13	3,75	4,00	196	190	184
2,65	10	3,50	4,19	4,00	216	209	202
2,92	11	3,81	4,56	—	236	229	222
3,20	12	4,19	5,00	5,25	256	248	240
3,45	13	4,50	5,44	—	276	268	260
3,72	14	4,88	5,81	—	297	288	279
3,98	15	5,19	6,25	—	317	308	299
4,25	16	5,56	6,69	—	337	327	317

WZ 14 E, NSW −1, MZB 0,81, F 0,34:0,11 (3,2), V H 1–x 0,70–k 1,00–p 0,30–Ê 1,26–kp 1,30–Êp 1,56
BF 089 0584, Belegung 051: 086 2117 (096 2117)

Berthold-Schriften überze ugen durch Schärfe und Qu alität. Schriftqualität ist ein e Frage der Erfahrung. Bert hold hat diese Erfahrung se it über hundert Jahren. Zue rst im Schriftguß, dann im F otosatz. Berthold-Schriften

2,65 mm (10 p), Zeilenabstand 4,00 mm

schmal
condensed
étroit

ROCKWELL

estrecha
stretto
smal

1934
Monotype Corp. Ltd.
H. Berthold AG

ABCDEFGHIJKLMNOPQ
RSTUVWXYZ
abcdefghijklmnopqrstuvwxyz
1/1234567890 %
(.,-;:!¡?¿–) · ['„"“»«]
+–=/$£†*&§
ÄÅÆÖØŒÜäåæıöøœßü
ÁÀÂÃÇČÉÈÊËÍÌÎÏĹŇÑÓÒÔÕ
ŔŘŠŤÚÙÛŴẄÝỲŸŽ
áàâãçčéèêëíìîïĺňñóòôõŕřš
úùûŵẅýỳÿž

Berthold-Schriftweite weit
Berthold-Schriftweite normal
Berthold-Schriftweite eng
Berthold-Schriftweite sehr eng
Berthold-Schriftweite extrem eng

Berthold-Schriften überzeugen durch Schärfe und Qualität. Schriftqualität ist eine
Frage der Erfahrung. Berthold hat diese Erfahrung seit über hundert Jahren. Zuerst
im Schriftguß, dann im Fotosatz. Berthold-Schriften sind weltweit geschätzt. Im Sc
hriftenatelier München wird jeder Buchstabe in der Größe von zwölf Zentimetern
neu gezeichnet. Mit messerscharfen Konturen, um für die Schriftscheiben das Opti
male an Konturenschärfe herauszuholen. Um die Qualität des Einzelzeichens im Be
lichtungsvorgang zu bewahren, wird durch die ruhende, nicht rotierende Schriftsc
heibe belichtet. Dieses optische System, verbunden mit Präzisions-Chromglassch
eiben, führt zu einer Schriftqualität, die im Layout- und Mengensatz nicht ihresgleich

1,60 mm (6 p), Zeilenabstand 2,50 mm

Berthold-Schriften überzeugen durch Schärfe und Qualität. Schriftqualität
ist eine Frage der Erfahrung. Berthold hat diese Erfahrung seit über hundert
Jahren. Zuerst im Schriftguß, dann im Fotosatz. Berthold-Schriften sind welt
weit geschätzt. Im Schriftenatelier München wird jeder Buchstabe in der Grö
ße von zwölf Zentimetern neu gezeichnet. Mit messerscharfen Konturen, um
für die Schriftscheiben das Optimale an Konturenschärfe herauszuholen. Um
die Qualität des Einzelzeichens im Belichtungsvorgang zu bewahren, wird du
rch die ruhende, nicht rotierende Schriftscheibe belichtet. Dieses optische

1,86 mm (7 p), Zeilenabstand 3,00 mm

Berthold-Schriften überzeugen durch Schärfe und Qualität. Schrift
qualität ist eine Frage der Erfahrung. Berthold hat diese Erfahrung
seit über hundert Jahren. Zuerst im Schriftguß, dann im Fotosatz
Berthold Schriften sind weltweit geschätzt. Im Schriftenatelier Mü
nchen wird jeder Buchstabe in der Größe von zwölf Zentimetern neu
gezeichnet. Mit messerscharfen Konturen, um für die Schriftscheib
en das Optimale an Konturenschärfe herauszuholen. Um die Qu
alität des Einzelzeichens im Belichtungsvorgang zu bewahren, wird

2,15 mm (8 p), Zeilenabstand 3,50 mm

In general, bodytypes are measured in the typ
ographical point size. The sizes of Berthold Fo
totype faces can be exactly determined. All fac
es of same point size have the same capital hei
ght -irrespective of their x-height. In hot metal
and many other phototypesetting systems the
capital heights often differ considerably from
one face to the other. For measuring point siz
es, a transparent size gauge is provided. To de
termine the point size, bring a capital letter in
to coincidence with that field which precisely
circumscribes the letter at its upper and lower
margin. Below the field you find the typograph
ical point and below that the millimeter value
which also refers to the height of a capital lett
er. In Berthold-phototypesetting, the typewid
th can be modified. The standard setting width

3,20 mm (12 p), Zeilenabstand 5,25 mm

Berthold's quick brown fox jumps over the lazy dog and feels as if he were in the seventh heaven of typography together with He
3,75 mm (14 p)

Berthold's quick brown fox jumps over the lazy dog and feels as if he were in the seventh heaven of typography a
4,25 mm (16 p)

Berthold's quick brown fox jumps over the lazy dog and feels as if he were in the seventh heaven of ty
4,75 mm (18 p)

Berthold's quick brown fox jumps over the lazy dog and feels as if he were in the seventh he
5,30 mm (20 p)

Berthold's quick brown fox jumps over the lazy dog and feels as if he were in
6,35 mm (24 p)

Berthold's quick brown fox jumps over the lazy dog and feels as if
7,40 mm (28 p)

Berthold's quick brown fox jumps over the lazy dog and fe
8,50 mm (32 p)

Berthold's quick brown fox jumps over the lazy dog
9,55 mm (36 p)

Berthold-Schriften überzeugen durch Schärfe und Qualität
Schriftqualität ist eine Frage der Erfahrung. Berthold hat die
se Erfahrung seit über hundert Jahren. Zuerst im Schriftguß
dann im Fotosatz. Berthold-Schriften sind weltweit geschät
zt. Im Schriftenatelier München wird jeder Buchstabe in der
Größe von zwölf Zentimetern neu gezeichnet. Mit messersch
arfen Konturen, um für die Schriftscheiben das Optimale an
Konturenschärfe herauszuholen. Um die Qualität des Einzelz

2,40 mm (9 p), Zeilenabstand 4,00 mm

Größe		Zeilenabstand			100 Zeichen		
mm	p	kp	Êp	Ex	0	−1	−2
1,33	5	1,69	2,00	—	57	54	51
1,60	6	2,00	2,38	2,50	67	63	59
1,86	7	2,31	2,75	3,00	77	73	69
2,15	8	2,69	3,19	3,50	87	82	77
2,40	9	3,00	3,56	4,00	97	91	85
2,65	10	3,31	3,94	4,00	107	100	93
2,92	11	3,63	4,31	—	117	110	103
3,20	12	4,00	4,75	5,25	127	119	111
3,45	13	4,31	5,13	—	137	129	121
3,72	14	4,63	5,50	—	147	138	129
3,98	15	4,94	5,88	—	157	148	139
4,25	16	5,31	6,25	—	167	157	147

WZ 10 E, NSW 0, MZB 0,40, F 0,13:0,10 (1,2), V
H 1–x 0,69–k 1,00–p 0,24–Ê 1,23–kp 1,24–Êp 1,47
BF 089 0585, Belegung 051: 086 2115 (096 2115)

Berthold-Schriften überzeugen durch Schärfe und Qual
ität. Schriftqualität ist eine Frage der Erfahrung. Berth
old hat diese Erfahrung seit über hundert Jahren. Zuerst
im Schriftguß, dann im Fotosatz. Berthold-Schriften si
nd weltweit geschätzt. Im Schriftenatelier München wi
rd jeder Buchstabe in der Größe von zwölf Zentimetern
neu gezeichnet. Mit messerscharfen Konturen, um für
die Schriftscheiben das Optimale an Konturenschärfe

2,65 mm (10 p), Zeilenabstand 4,00 mm

schmalhalbfett
bold condensed
étroit demi-gras

ROCKWELL

seminegra estrecha
neretto stretto
smalhalvfet

Berthold-Schriften überzeugen durch Schärfe und Qualität. Schriftqua lität ist eine Frage der Erfahrung. Berthold hat diese Erfahrung seit üb er hundert Jahren. Zuerst im Schriftguß, dann im Fotosatz. Berthold-Sc hriften sind weltweit geschätzt. Im Schriftenatelier München wird jed er Buchstabe in der Größe von zwölf Zentimetern neu gezeichnet. Mit messerscharfen Konturen, um für die Schriftscheiben das Optimale an Konturenschärfe herauszuholen. Um die Qualität des Einzelzeichens im Belichtungsvorgang zu bewahren, wird durch die ruhende, nicht ro tierende Schriftscheibe belichtet. Dieses optische System, verbunden

1,60 mm (6 p), Zeilenabstand 2,50 mm

Berthold-Schriften überzeugen durch Schärfe und Qualität Schriftqualität ist eine Frage der Erfahrung. Berthold hat die se Erfahrung seit über hundert Jahren. Zuerst im Schriftguß dann im Fotosatz. Berthold-Schriften sind weltweit geschätzt Im Schriftenatelier München wird jeder Buchstabe in der Grö ße von zwölf Zentimetern neu gezeichnet. Mit messerscharfen Konturen, um für die Schriftscheiben das Optimale an Kontur enschärfe herauszuholen. Um die Qualität des Einzelzeichens

1,86 mm (7 p), Zeilenabstand 3,00 mm

Berthold-Schriften überzeugen durch Schärfe und Qua lität. Schriftqualität ist eine Frage der Erfahrung. Berth old hat diese Erfahrung seit über hundert Jahren. Zuerst im Schriftguß, dann im Fotosatz. Berthold-Schriften si nd weltweit geschätzt. Im Schriftenatelier München wi rd jeder Buchstabe in der Größe von zwölf Zentimetern neu gezeichnet. Mit messerscharfen Konturen, um für die Schriftscheiben das Optimale an Konturenschärfe

2,15 mm (8 p), Zeilenabstand 3,50 mm

1934
Monotype Corp. Ltd.
H. Berthold AG

ABCDEFGHIJKLMNOPQ
RSTUVWXYZ
abcdefghijklmnopqrstuvwxyz
1/1234567890 %
(.,-;:!¡?¿–) · [‘‘„”“»«]
+ – = /$£†*&§
ÄÅÆÖØŒÜäåæıöøœßü
ÁÀÂÃÇČÉÈÊËÍÌÎÏĹŇÑÓÒÔÕ
ŔŘŠŤÚÙÛŴẄÝỲŸŽ
áàâãçčéèêëíìîïĺňñóòôõŕřš
úùûŵẅýỳÿž

Berthold-Schriftweite weit
Berthold-Schriftweite normal
Berthold-Schriftweite eng
Berthold-Schriftweite sehr eng
Berthold-Schriftweite extrem eng

In general, bodytypes are measured i n the typographical point size. The si zes of Berthold Fototype faces can be exactly determined. All faces of same point size have the same capital heigh t–irrespective of their x-height. In hot metal and many other phototypesetti ng systems the capital heights often d iffer considerably from one face to the other. For measuring point sizes, a tr ansparent size gauge is provided. To determine the point size, bring a capi tal letter into coincidence with that fi eld which precisely circumscribes th e letter at its upper and lower margin Below the field you find the typograp hical point and below that the milli

3,20 mm (12 p), Zeilenabstand 5,25 mm

Berthold's quick brown fox jumps over the lazy dog and feels as if he were in the seventh heaven of typ
3,75 mm (14 p)

Berthold's quick brown fox jumps over the lazy dog and feels as if he were in the seventh h
4,25 mm (16 p)

Berthold's quick brown fox jumps over the lazy dog and feels as if he were in the
4,75 mm (18 p)

Berthold's quick brown fox jumps over the lazy dog and feels as if he we
5,30 mm (20 p)

Berthold's quick brown fox jumps over the lazy dog and feels
6,35 mm (24 p)

Berthold's quick brown fox jumps over the lazy dog
7,40 mm (28 p)

Berthold's quick brown fox jumps over the laz
8,50 mm (32 p)

Berthold's quick brown fox jumps over t
9,55 mm (36 p)

Berthold-Schriften überzeugen durch Schärfe un d Qualität. Schriftqualität ist eine Frage der Erfah rung. Berthold hat diese Erfahrung seit über hun dert Jahren. Zuerst im Schriftguß, dann im Fotosa tz. Berthold-Schriften sind weltweit geschätzt. Im Schriftenatelier München wird jeder Buchstabe i n der Größe von zwölf Zentimetern neu gezeichn et. Mit messerscharfen Konturen, um für die

2,40 mm (9 p), Zeilenabstand 4,00 mm

Größe		Zeilenabstand			100 Zeichen		
mm	p	kp	Êp	Ex	0	–1	–2
1,33	5	1,75	2,12	–	71	68	65
1,60	6	2,13	2,50	2,50	83	79	75
1,86	7	2,44	2,94	3,00	96	92	88
2,15	8	2,81	3,38	3,50	109	104	99
2,40	9	3,13	3,75	4,00	122	116	110
2,65	10	3,50	4,19	4,00	135	128	121
2,92	11	3,81	4,56	–	147	140	133
3,20	12	4,19	5,00	5,25	160	152	144
3,45	13	4,50	5,44	–	172	164	156
3,72	14	4,88	5,81	–	185	176	167
3,98	15	5,19	6,25	–	197	188	179
4,25	16	5,56	6,69	–	210	200	190

WZ 12 E, NSW –1, MZB 0,51, F 0,19:0,11 (1,7), V
H 1–x 0,70–k 1,00–p 0,30–Ê 1,26–kp 1,30–Êp 1,56
BF 089 0586, Belegung 051: 086 2118 (096 2118)

Berthold-Schriften überzeugen durch Schärf e und Qualität. Schriftqualität ist eine Frage der Erfahrung. Berthold hat diese Erfahrung seit über hundert Jahren. Zuerst im Schriftgu ß, dann im Fotosatz. Berthold-Schriften sind weltweit geschätzt. Im Schriftenatelier Mün chen wird jeder Buchstabe in der Größe von zwölf Zentimetern neu gezeichnet. Mit mess

2,65 mm (10 p), Zeilenabstand 4,00 mm

mager
light
maigre

ROMANA

fina
chiarissimo
mager

Berthold-Schriften überzeugen durch Schärfe und Qualität. Schriftqualität
ist eine Frage der Erfahrung. Berthold hat diese Erfahrung seit über hundert
Jahren. Zuerst im Schriftguß, dann im Fotosatz. Berthold-Schriften sind welt
weit geschätzt. Im Schriftenatelier München wird jeder Buchstabe in der Grö
ße von zwölf Zentimetern neu gezeichnet. Mit messerscharfen Konturen, um
für die Schriftscheiben das Optimale an Konturenschärfe herauszuholen. Um
die Qualität des Einzelzeichens im Belichtungsvorgang zu bewahren, wird du
rch die ruhende, nicht rotierende Schriftscheibe belichtet. Dieses optische Sys
tem, verbunden mit Präzisions-Chromglasscheiben, führt zu einer Schriftqua

1,33 mm (5 p) 30 40 50 60 70

Berthold-Schriften überzeugen durch Schärfe und Qualität. Schriftqua
lität ist eine Frage der Erfahrung. Berthold hat diese Erfahrung seit üb
er hundert Jahren. Zuerst im Schriftguß, dann im Fotosatz. Berthold-Sc
hriften sind weltweit geschätzt. Im Schriftenatelier München wird jeder
Buchstabe in der Größe von zwölf Zentimetern neu gezeichnet. Mit mes
serscharfen Konturen, um für die Schriftscheiben das Optimale an Kont
urenschärfe herauszuholen. Um die Qualität des Einzelzeichens im Beli
chtungsvorgang zu bewahren, wird durch die ruhende, nicht rotierende
Schriftscheibe belichtet. Dieses optische System, verbunden mit Präzisi

1,45 mm (5,5 p) 30 40 50 60

Berthold-Schriften überzeugen durch Schärfe und Qualität. Sch
riftqualität ist eine Frage der Erfahrung. Berthold hat diese Erfahr
ung seit über hundert Jahren. Zuerst im Schriftguß, dann im Foto
satz. Berthold-Schriften sind weltweit geschätzt. Im Schriftenatel
ier München wird jeder Buchstabe in der Größe von zwölf Zentim
etern neu gezeichnet. Mit messerscharfen Konturen, um für die Sc
hriftscheiben das Optimale an Konturenschärfe herauszuholen
Um die Qualität des Einzelzeichens im Belichtungsvorgang zu be
wahren, wird durch die ruhende, nicht rotierende Schriftscheibe

1,60 mm (6 p) 20 30 40 50 60

Berthold-Schriften überzeugen durch Schärfe und Qualität
Schriftqualität ist eine Frage der Erfahrung. Berthold hat die
se Erfahrung seit über hundert Jahren. Zuerst im Schriftguß
dann im Fotosatz. Berthold-Schriften sind weltweit geschät
zt. Im Schriftenatelier München wird jeder Buchstabe in der
Größe von zwölf Zentimetern neu gezeichnet. Mit messersch
arfen Konturen, um für die Schriftscheiben das Optimale an
Konturenschärfe herauszuholen. Um die Qualität des Einzel
zeichens im Belichtungsvorgang zu bewahren, wird durch di

1,75 mm (6,5 p) 20 30 40 50

Berthold-Schriften überzeugen durch Schärfe und Qualit
ät. Schriftqualität ist eine Frage der Erfahrung. Berthold
hat diese Erfahrung seit über hundert Jahren. Zuerst im Sc
hriftguß, dann im Fotosatz. Berthold-Schriften sind welt
weit geschätzt. Im Schriftenatelier München wird jeder B
uchstabe in der Größe von zwölf Zentimetern neu gezeich
net. Mit messerscharfen Konturen, um für die Schriftschei
ben das Optimale an Konturenschärfe herauszuholen. Um
die Qualität des Einzelzeichens im Belichtungsvorgang z

1,86 mm (7 p) 20 30 40 50

Berthold-Schriften überzeugen durch Schärfe und Q
ualität. Schriftqualität ist eine Frage der Erfahrung. Be
rthold hat diese Erfahrung seit über hundert Jahren. Zu
erst im Schriftguß, dann im Fotosatz. Berthold-Schrift
en sind weltweit geschätzt. Im Schriftenatelier Münch
en wird jeder Buchstabe in der Größe von zwölf Zenti
metern neu gezeichnet. Mit messerscharfen Konturen
um für die Schriftscheiben das Optimale an Konturen
schärfe herauszuholen. Um die Qualität des Einzelzei

2,00 mm (7,5 p) 20 30 40 50

Berthold-Schriften überzeugen durch Schärfe und
Qualität. Schriftqualität ist eine Frage der Erfahru
ng. Berthold hat diese Erfahrung seit über hundert
Jahren. Zuerst im Schriftguß, dann im Fotosatz. Be
rthold-Schriften sind weltweit geschätzt. Im Schrift
enatelier München wird jeder Buchstabe in der Grö
ße von zwölf Zentimetern neu gezeichnet. Mit mess
erscharfen Konturen, um für die Schriftscheiben da
s Optimale an Konturenschärfe herauszuholen. Um

2,15 mm (8 p) 20 30 40

1930
Johannes Wagner GmbH
H. Berthold AG

ABCDEFGHIJKLMNOPQ
RSTUVWXYZ
abcdefghijklmnopqrstuvwxyz
1/1234567890%
(.,-;:!¡?¿–)·["„"“»«]
+−=/$£†*&§
ÄÅÆÖØŒÜäåæıöøœßü
ÁÀÂÃÇČÉÈÊËÍÌÎÏĹŇÑÓÒÔÕ
ŔŘŠŤÚÙÛŴẄÝŶŸŽ
áàâãçčéèêëíìîïĺňñóòôõŕřš
úùûŵẅýỳÿž

Berthold-Schriftweite weit
Berthold-Schriftweite normal
Berthold-Schriftweite eng
Berthold-Schriftweite sehr eng
Berthold-Schriftweite extrem eng

Berthold
3,72 mm (14 p)

Berthold
4,25 mm (16 p)

Berthold
4,75 mm (18 p)

Berthold
5,30 mm (20 p)

Berthold
6,35 mm (24 p)

Berthold
7,40 mm (28 p)

Berthold
8,50 mm (32 p)

Berthold
9,55 mm (36 p)

Größe		Zeilenabstand			100 Zeichen		
mm	p	kp	Êp	Ex	0	−1	−2
1,33	5	1,81	1,75	2,00	75	72	69
1,60	6	2,19	2,06	2,50	89	85	81
1,86	7	2,56	2,44	3,00	102	98	94
2,15	8	2,94	2,81	3,50	116	111	106
2,40	9	3,25	3,13	3,75	130	124	118
2,65	10	3,63	3,44	4,25	143	136	129
2,92	11	4,00	3,75	4,75	157	150	143
3,20	12	4,38	4,13	5,25	170	162	154
3,45	13	4,69	4,44	5,75	183	175	167
3,72	14	5,06	4,81	—	197	188	179
3,98	15	5,38	5,13	—	210	201	192
4,25	16	5,75	5,44	—	223	213	203

WZ 12 E, NSW 0, MZB 0,54, F 0,12:0,038 (3,2), II
H 1–x 0,67–k 1,01–p 0,34–Ê 1,28–kp 1,35–Êp 1,28
BF 089 0792, Belegung 051: 085 4116 (095 4116)

Berthold-Schriften überzeugen durch Schärfe
und Qualität. Schriftqualität ist eine Frage der
Erfahrung. Berthold hat diese Erfahrung seit
über hundert Jahren. Zuerst im Schriftguß, da
nn im Fotosatz. Berthold-Schriften sind welt
weit geschätzt. Im Schriftenatelier München w
ird jeder Buchstabe in der Größe von zwölf Z
entimetern neu gezeichnet. Mit messerscharfe

2,40 mm (9 p) 20 30 40

Berthold-Schriften überzeugen durch Sc
härfe und Qualität. Schriftqualität ist eine
Frage der Erfahrung. Berthold hat diese
Erfahrung seit über hundert Jahren. Zuer
st im Schriftguß, dann im Fotosatz. Berth
old-Schriften sind weltweit geschätzt. Im
Schriftenatelier München wird jeder Buc
hstabe in der Größe von zwölf Zentimete

2,65 mm (10 p) 20 30 4

Berthold-Schriften überzeugen durch
Schärfe und Qualität. Schriftqualität i
st eine Frage der Erfahrung. Berthold
hat diese Erfahrung seit über hundert
Jahren. Zuerst im Schriftguß, dann im
Fotosatz. Berthold-Schriften sind wel
tweit geschätzt. Im Schriftenatelier Mü
nchen wird jeder Buchstabe in der Gr

2,92 mm (11 p) 20 30

Berthold-Schriften überzeugen du
rch Schärfe und Qualität. Schriftqu
alität ist eine Frage der Erfahrung
Berthold hat diese Erfahrung seit ü
ber hundert Jahren. Zuerst im Schri
ftguß, dann im Fotosatz. Berthold
Schriften sind weltweit geschätzt. I
m Schriftenatelier München wird je

3,20 mm (12 p) 20 30

Berthold-Schriften überzeugen
durch Schärfe und Qualität. Sch
riftqualität ist eine Frage der Erf
ahrung. Berthold hat diese Erfa
hrung seit über hundert Jahren
Zuerst im Schriftguß, dann im Fo
tosatz. Berthold-Schriften sind
weltweit geschätzt. Im Schriften

3,45 mm (13 p) 10 20 30

mager
light
maigre

ROMANA

fina
chiarissimo
mager

Berthold-Schriften überzeugen durch Schärfe und Qualität. Schriftqualität ist eine Frage der Erfahrung. Berthold hat diese Erfahrung seit über hundert Jahren. Zuerst im Schriftguß, dann im Fotosatz. Berthold-Schriften sind weltweit geschätzt. Im Sc hriftenatelier München wird jeder Buchstabe in der Größe von zwölf Zentimetern neu gezeichnet. Mit messerscharfen Konturen, um für die Schriftscheiben das Opti male an Konturenschärfe herauszuholen. Um die Qualität des Einzelzeichens im Belichtungsvorgang zu bewahren, wird durch die ruhende, nicht rotierende Schrift scheibe belichtet. Dieses optische System, verbunden mit Präzisions-Chromglassc heiben, führt zu einer Schriftqualität, die im Qualitätssatz ihresgleichen sucht. Bei de

4,25 mm (16 p), Zeilenabstand 6,75 mm

ROMANA LIGHT

In general, bodytypes are measured in the typographical point size. The sizes of Berthold Fototype faces can be ex actly determined. All faces of same point size have the sa me capital height–irrespective of their x-height. In hot m etal and many other phototypesetting systems the capital heights often differ considerably from one face to the oth er. For measuring point sizes, a transparent size gauge is provided. To determine the point size, bring a capital let ter into coincidence with that field which precisely circu mscribes the letter at its upper and lower margin. Below the field you find the typographical point and below that the millimeter value, which also refers to the height of a capital letter. In Berthold-phototypesetting, the typewid th can be modified. The standard setting width of typefac es is determined by the principle of optimum legibility You should not depart from this typewidth without cog ent reason. A typeface which is considered optically right when looked in a greater context, often seems bulky wh en applied for a small amount of text, e. g. labels and ads Here, a width reduction will be conducive to legibility Small amounts of text seem to be optically compact when set somewhat closer, without this having a negative effect

2,40 mm (9 p), Zeilenabstand 4,25 mm

ROMANA MAIGRE

La valeur de la force de corps des caractères de la beur èst généralement exprimée en points typogra phiques. La force de corps des caractères Berthold Fototype peut être déterminée avec précision. Tous les caractères du même corps ont des capitales d'u ne hauteur identique, indépendamment de la hau teur des bas de casse sans jambage. Dans la compo sition plomb, ainsi que dans certains systèmes de photocomposition, la hauteur des capitales, varie souvent d'un caractère à l'autre. Pour déterminer la force de corps de nos caractères, nous avons mis au point une réglette de hauteur d'œil transparente On cherche le rectangle qui délimite exactement la hauteur d'œil d'une capitale du caractère choisi Sous le rectangle correspondant la valeur de la for ce de corps est indiquée en points Didots et en mil limètres. La valeur en millimètres exprime égaleme nt la hauteur des capitales. Pour toutes les indicati ons concernant la force de corps, il est utile de pré ciser l'unité de mesure après le chiffre, par exemple

2,65 mm (10 p), Zeilenabstand 4,69 mm

La indicación de las dimensiones para cuerpos de le tra básicos tiene lugar en general en puntos tipográfi cos. Los cuerpos de letra de los caracteres Berthold Fototype pueden determinarse exactemente par medi ción. Con independencia de la altura de sus longitudes centrales, todos los caracteres de idéntico cuerpo de letra presentan altura de mayúsculas idéntica. En la composición en plomo y en muchos otros sistemas de fotocomposición, las alturas de mayúsculas varían fre

2,15 mm (8 p), −1, Zeilenabstand 3,38 mm

123,– $	456,– £	7890,– DM	1 %
234,– $	789,– £	1234,– DM	2 %
567,– $	12,– £	5678,– DM	3 %
890,– $	345,– £	9012,– DM	4 %
123,– $	678,– £	3456,– DM	5 %
456,– $	901,– £	7890,– DM	6 %
789,– $	234,– £	1234,– DM	7 %
12,– $	567,– £	5678,– DM	8 %
345,– $	890,– £	9012,– DM	9 %

BF 089 0793

Le misure relative al corpo dei caratteri vengono general mente indicate in punti tipografici. Il corpo dei caratteri Fototypes può essere determinato con esattezza per sem plice misurazione. Tutti i caratteri di uguale grandezza in punti hanno, indipendentemente dalla loro lunghezza uguale altezza delle maiuscole. Nella composizione in pi ombo ed in molti altri sistemi di fotocomposizione, l'altez za delle maiuscole varia spesso da carattere a carattere Per misurare il corpo dei caratteri è indispensabile un ap

2,15 mm (8 p), −2, Zeilenabstand 3,38 mm

halbfett
medium
demi-gras

ROMANA

seminegra
neretto
halvfet

Berthold-Schriften überzeugen durch Schärfe und Qualität Schriftqualität ist eine Frage der Erfahrung. Berthold hat die se Erfahrung seit über hundert Jahren. Zuerst im Schriftguß dann im Fotosatz. Berthold-Schriften sind weltweit geschät zt. Im Schriftenatelier München wird jeder Buchstabe in der Größe von zwölf Zentimetern neu gezeichnet. Mit messersc harfen Konturen, um für die Schriftscheiben das Optimale an Konturenschärfe herauszuholen. Um die Qualität des Einzel zeichens im Belichtungsvorgang zu bewahren, wird durch die

1,60 mm (6 p), Zeilenabstand 2,50 mm

Berthold-Schriften überzeugen durch Schärfe und Q ualität. Schriftqualität ist eine Frage der Erfahrung. B erthold hat diese Erfahrung seit über hundert Jahren Zuerst im Schriftguß, dann im Fotosatz. Berthold-Sc hriften sind weltweit geschätzt. Im Schriftenatelier München wird jeder Buchstabe in der Größe von zwö lf Zentimetern neu gezeichnet. Mit messerscharfen K onturen, um für die Schriftscheiben das Optimale an

1,86 mm (7 p), Zeilenabstand 3,00 mm

Berthold-Schriften überzeugen durch Schärfe und Qualität. Schriftqualität ist eine Frage der Erfahrung. Berthold hat diese Erfahrung seit ü ber hundert Jahren. Zuerst im Schriftguß, dann im Fotosatz. Berthold-Schriften sind weltweit geschätzt. Im Schriftenatelier München wird je der Buchstabe in der Größe von zwölf Zentime tern neu gezeichnet. Mit messerscharfen Kont

2,15 mm (8 p), Zeilenabstand 3,50 mm

1930
Johannes Wagner GmbH
H. Berthold AG

ABCDEFGHIJKLMNOPQ
RSTUVWXYZ
abcdefghijklmnopqrstuvwxyz
1/1234567890%
(.,-;:!¡?¿–)·[’‘„”“»«]
+−=/$£†*&§
ÄÅÆÖØŒÜäåæıöøœßü
ÁÀÂÃÇČÉÈÊËÍÌÎÏĹŇÑÓÒÔÕ
ŔŘŠŤÚÙÛŴẄÝŶŸŽ
áàâãçčéèêëíìîïĺňñóòôõŕřš
úùûŵẅýỳÿž

Berthold-Schriftweite weit
Berthold-Schriftweite normal
Berthold-Schriftweite eng
Berthold-Schriftweite sehr eng
Berthold-Schriftweite extrem eng

In general, bodytypes are meas ured in the typographical point s ize. The sizes of Berthold Fotot ype faces can be exactly determ ined. All faces of same point size have the same capital height–irr espective of their x-height. In ho t metal and many other phototyp esetting systems the capital hei ghts often differ considerably fr om one face to the other. For me asuring point sizes, a transpare nt size gauge is provided. To de termine the point size, bring a c apital letter into coincidence wit h that field which precisely circu mscribes the letter at its upper a

3,20 mm (12 p), Zeilenabstand 5,25 mm

Berthold's quick brown fox jumps over the lazy dog and feels as if he were in the seventh
3,72 mm (14 p)

Berthold's quick brown fox jumps over the lazy dog and feels as if he were in
4,25 mm (16 p)

Berthold's quick brown fox jumps over the lazy dog and feels as if he
4,75 mm (18 p)

Berthold's quick brown fox jumps over the lazy dog and feels
5,30 mm (20 p)

Berthold's quick brown fox jumps over the lazy dog
6,35 mm (24 p)

Berthold's quick brown fox jumps over the la
7,40 mm (28 p)

Berthold's quick brown fox jumps over
8,50 mm (32 p)

Berthold's quick brown fox jumps
9,55 mm (36 p)

Berthold-Schriften überzeugen durch Sch ärfe und Qualität. Schriftqualität ist eine F rage der Erfahrung. Berthold hat diese Er fahrung seit über hundert Jahren. Zuerst i m Schriftguß, dann im Fotosatz. Berthold Schriften sind weltweit geschätzt. Im Sch riftenatelier München wird jeder Buchsta be in der Größe von zwölf Zentimetern ne

2,40 mm (9 p), Zeilenabstand 4,00 mm

Größe		Zeilenabstand			100 Zeichen		
mm	p	kp	Êp	Ex	0	−1	−2
1,33	5	1,75	2,13	—	86	83	80
1,60	6	2,06	2,56	2,50	101	97	93
1,86	7	2,44	2,94	3,00	116	112	108
2,15	8	2,81	3,44	3,50	132	127	122
2,40	9	3,13	3,81	4,00	148	142	136
2,65	10	3,44	4,19	4,00	163	156	149
2,92	11	3,75	4,63	—	178	171	164
3,20	12	4,13	5,06	5,25	193	185	177
3,45	13	4,44	5,50	—	209	201	193
3,72	14	4,81	5,88	—	224	215	206
3,98	15	5,13	6,31	—	239	230	221
4,25	16	5,44	6,75	—	254	244	234

WZ 12 E, NSW 0, MZB 0,61, F 0,17:0,05 (3,7), VII
H 1–x 0,70–k 1,00–p 0,28–Ê 1,30–kp 1,28–Êp 1,58
BF 089 0879, Belegung 051: 085 4155 (095 4155)

Berthold-Schriften überzeugen durch Schärfe und Qualität. Schriftqualität is t eine Frage der Erfahrung. Berthold h at diese Erfahrung seit über hundert Ja hren. Zuerst im Schriftguß, dann im F otosatz. Berthold-Schriften sind welt weit geschätzt. Im Schriftenatelier Mü nchen wird jeder Buchstabe in der Grö

2,65 mm (10 p), Zeilenabstand 4,00 mm

ultra
ultra
ultra

ROMANA

ultra
ultra
ultra

Berthold-Schriften überzeugen durch Schärfe und Quali tät. Schriftqualität ist eine Frage der Erfahrung. Berthold hat diese Erfahrung seit über hundert Jahren. Zuerst im Schriftguß, dann im Fotosatz. Berthold-Schriften sind weltweit geschätzt. Im Schriftenatelier München wird jed er Buchstabe in der Größe von zwölf Zentimetern neu gez eichnet. Mit messerscharfen Konturen, um für die Schrift scheiben das Optimale an Konturenschärfe herauszuhol en. Um die Qualität des Einzelzeichens im Belichtungsvo

1,60 mm (6 p), Zeilenabstand 2,50 mm

Berthold-Schriften überzeugen durch Schärfe und Qualität. Schriftqualität ist eine Frage der Erfahru ng. Berthold hat diese Erfahrung seit über hundert Jahren. Zuerst im Schriftguß, dann im Fotosatz Berthold-Schriften sind weltweit geschätzt. Im Sc hriftenatelier München wird jeder Buchstabe in der Größe von zwölf Zentimetern neu gezeichnet. Mit messerscharfen Konturen, um für die Schriftschei

1,86 mm (7 p), Zeilenabstand 3,00 mm

Berthold-Schriften überzeugen durch Schär fe und Qualität. Schriftqualität ist eine Frage der Erfahrung. Berthold hat diese Erfahrung seit über hundert Jahren. Zuerst im Schriftg uß, dann im Fotosatz. Berthold-Schriften si nd weltweit geschätzt. Im Schriftenatelier Mü nchen wird jeder Buchstabe in der Größe von zwölf Zentimetern neu gezeichnet. Mit messe

2,15 mm (8 p), Zeilenabstand 3,50 mm

1930
Johannes Wagner GmbH
H. Berthold AG

ABCDEFGHIJKLMNOPQ
RSTUVWXYZ
abcdefghijklmnopqrstuvwxyz
1/1234567890%
(.,-;:!¡?¿–)·['‚"''»«]
+−=/$£†*&§
ÄÅÆÖØŒÜäåæıöøœßü
ÁÀÂÃÇČÉÈÊËÍÌÎÏĹŇÑÓÒÔÕ
ŔŘŠŤÚÙÛŴẄÝŶŸŽ
áàâãçčéèêëíìîïĺňñóòôõŕřš
úùûŵẅýỳÿž

Berthold-Schriftweite weit
Berthold-Schriftweite normal
Berthold-Schriftweite eng
Berthold-Schriftweite sehr eng
Berthold-Schriftweite extrem eng

In general, bodytypes are mea sured in the typographical poi nt size. The sizes of Berthold F ototype faces can be exactly det ermined. All faces of same poi nt size have the same capital h eight–irrespective of their x-he ight. In hot metal and many ot her phototypesetting systems t he capital heights often differ considerably from one face to the other. For measuring point sizes, a transparent size gauge is provided. To determine the point size, bring a capital letter into coincidence with that field which precisely circumscribes t

3,20 mm (12 p), Zeilenabstand 5,25 mm

Berthold's quick brown fox jumps over the lazy dog and feels as if he were in the se
3,75 mm (14 p)

Berthold's quick brown fox jumps over the lazy dog and feels as if he were
4,25 mm (16 p)

Berthold's quick brown fox jumps over the lazy dog and feels as if
4,75 mm (18 p)

Berthold's quick brown fox jumps over the lazy dog and fe
5,30 mm (20 p)

Berthold's quick brown fox jumps over the lazy
6,35 mm (24 p)

Berthold's quick brown fox jumps over th
7,40 mm (28 p)

Berthold's quick brown fox jumps o
8,50 mm (32 p)

Berthold's quick brown fox jum
9,55 mm (36 p)

Berthold-Schriften überzeugen durch S chärfe und Qualität. Schriftqualität ist e ine Frage der Erfahrung. Berthold hat d iese Erfahrung seit über hundert Jahren Zuerst im Schriftguß, dann im Fotosatz Berthold-Schriften sind weltweit gesch ätzt. Im Schriftenatelier München wird jeder Buchstabe in der Größe von zwölf

2,40 mm (9 p), Zeilenabstand 4,00 mm

Größe mm	p	Zeilenabstand kp	Êp	Ex	100 Zeichen 0	−1	−2
1,33	5	1,75	2,10		00	00	00
1,60	6	2,13	2,56	2,50	101	97	93
1,86	7	2,44	3,00	3,00	116	112	108
2,15	8	2,88	3,44	3,50	132	127	122
2,40	9	3,19	3,81	4,00	148	142	136
2,65	10	3,50	4,19	4,00	163	156	149
2,92	11	3,88	4,63	–	178	171	164
3,20	12	4,25	5,06	5,25	193	185	177
3,45	13	4,56	5,50	–	209	201	193
3,72	14	4,88	5,94	–	224	215	206
3,98	15	5,25	6,31	–	239	230	221
4,25	16	5,63	6,75	–	254	244	234

WZ 13 E, NSW 0, MZB 0,61, F 0,25:0,067 (3,7), II
H 1–x 0,70–k 1,01–p 0,30–Ê 1,28–kp 1,31–Êp 1,58
BF 089 0587, Belegung 051: 085 2574 (095 2574)

Berthold-Schriften überzeugen dur ch Schärfe und Qualität. Schriftqual ität ist eine Frage der Erfahrung. Ber thold hat diese Erfahrung seit über h undert Jahren. Zuerst im Schriftguß dann im Fotosatz. Berthold-Schrift en sind weltweit geschätzt. Im Sch riftenatelier München wird jeder Bu

2,65 mm (10 p), Zeilenabstand 4,00 mm

mager
light
maigre

ROMIC

fina
chiarissimo
mager

Berthold-Schriften überzeugen durch Schärfe und Qualität. Schrift
qualität ist eine Frage der Erfahrung. Berthold hat diese Erfahrung s
eit über hundert Jahren. Zuerst im Schriftguß, dann im Fotosatz. Ber
thold-Schriften sind weltweit geschätzt. Im Schriftenatelier Münche
n wird jeder Buchstabe in der Größe von zwölf Zentimetern neu gez
eichnet. Mit messerscharfen Konturen, um für die Schriftscheiben d
as Optimale an Konturenschärfe herauszuholen. Um die Qualität d
es Einzelzeichens im Belichtungsvorgang zu bewahren, wird durch
die ruhende, nicht rotierende Schriftscheibe belichtet. Dieses optisc

1,33 mm (5 p) 20 30 40 50 60

Berthold-Schriften überzeugen durch Schärfe und Qualität. Sc
hriftqualität ist eine Frage der Erfahrung. Berthold hat diese E
rfahrung seit über hundert Jahren. Zuerst im Schriftguß, dann
im Fotosatz. Berthold-Schriften sind weltweit geschätzt. Im Sc
hriftenatelier München wird jeder Buchstabe in der Größe von
zwölf Zentimetern neu gezeichnet. Mit messerscharfen Kontu
ren, um für die Schriftscheiben das Optimale an Konturensch
ärfe herauszuholen. Um die Qualität des Einzelzeichens im
Belichtungsvorgang zu bewahren, wird durch die ruhende, nic

1,45 mm (5,5 p) 20 30 40 50 6

Berthold-Schriften überzeugen durch Schärfe und Qualit
ät. Schriftqualität ist eine Frage der Erfahrung. Berthold h
at diese Erfahrung seit über hundert Jahren. Zuerst im Sc
hriftguß, dann im Fotosatz. Berthold-Schriften sind weltw
eit geschätzt. Im Schriftenatelier München wird jeder Buc
hstabe in der Größe von zwölf Zentimetern neu gezeichn
et. Mit messerscharfen Konturen, um für die Schriftschei
ben das Optimale an Konturenschärfe herauszuholen. U
m die Qualität des Einzelzeichens im Belichtungsvorgang

1,60 mm (6 p) 20 30 40 50

Berthold-Schriften überzeugen durch Schärfe und Q
ualität. Schriftqualität ist eine Frage der Erfahrung. B
erthold hat diese Erfahrung seit über hundert Jahren
Zuerst im Schriftguß, dann im Fotosatz. Berthold-Sch
riften sind weltweit geschätzt. Im Schriftenatelier Mü
nchen wird jeder Buchstabe in der Größe von zwölf Z
entimetern neu gezeichnet. Mit messerscharfen Kon
turen, um für die Schriftscheiben das Optimale an Ko
nturenschärfe herauszuholen. Um die Qualität des E

1,75 mm (6,5 p) 20 30 40 50

Berthold-Schriften überzeugen durch Schärfe und
Qualität. Schriftqualität ist eine Frage der Erfahru
ng. Berthold hat diese Erfahrung seit über hundert
Jahren. Zuerst im Schriftguß, dann im Fotosatz. Be
rthold-Schriften sind weltweit geschätzt. Im Schrif
tenatelier München wird jeder Buchstabe in der G
röße von zwölf Zentimetern neu gezeichnet. Mit m
esserscharfen Konturen, um für die Schriftscheib
en das Optimale an Konturenschärfe herauszuho

1,86 mm (7 p) 20 30 40

Berthold-Schriften überzeugen durch Schärfe
und Qualität. Schriftqualität ist eine Frage der
Erfahrung. Berthold hat diese Erfahrung seit ü
ber hundert Jahren. Zuerst im Schriftguß, dann
im Fotosatz. Berthold-Schriften sind weltweit g
eschätzt. Im Schriftenatelier München wird jed
er Buchstabe in der Größe von zwölf Zentimete
rn neu gezeichnet. Mit messerscharfen Kontur
en, um für die Schriftscheiben das Optimale an

2,00 mm (7,5 p) 20 30 40

Berthold-Schriften überzeugen durch Schärf
e und Qualität. Schriftqualität ist eine Frage
der Erfahrung. Berthold hat diese Erfahrung
seit über hundert Jahren. Zuerst im Schriftgu
ß, dann im Fotosatz. Berthold-Schriften sind
weltweit geschätzt. Im Schriftenatelier Münc
hen wird jeder Buchstabe in der Größe von
zwölf Zentimetern neu gezeichnet. Mit mess
erscharfen Konturen, um für die Schriftsche

2,15 mm (8 p) 20 30 40

Colin Brignall
1979
TSl Typographic Systems Int. Ltd.
H. Berthold AG

ABCDEFGHIJKLMNOPQ
RSTUVWXYZ
abcdefghijklmnopqrstuvwxyz
1/1234567890%
(.,-;:!¡?¿–)·['‚„"“»«]
+−=/$£†*&§
ÄÅÆÖØŒÜäåæıöøœßü
ÁÀÂÃÇČÉÈÊËÍÌÎÏĹŇÑÓÒÔÕ
ŔŘŠŤÚÙÛŴẄÝŶŸŽ
áàâãçčéèêëíìîïĺňñóòôõŕřš
úùûŵẅýỳÿž

Berthold-Schriftweite weit
Berthold-Schriftweite normal
Berthold-Schriftweite eng
Berthold-Schriftweite sehr eng
Berthold-Schriftweite extrem eng

Berthold
3,72 mm (14 p)

Berthold
4,25 mm (16 p)

Berthold
4,75 mm (18 p)

Berthold
5,30 mm (20 p)

Berthold
6,35 mm (24 p)

Berthold
7,40 mm (28 p)

Berthold
8,50 mm (32 p)

Berthold
9,55 mm (36 p)

Größe		Zeilenabstand			100 Zeichen		
mm	p	kp	Êp	Ex	0	−1	−2
1,33	5	1,69	2,00	2,00	88	85	82
1,60	6	2,00	2,38	2,50	104	100	96
1,86	7	2,31	2,81	3,00	120	116	112
2,15	8	2,69	3,19	3,50	136	131	126
2,40	9	3,00	3,56	3,75	152	146	140
2,65	10	3,31	3,94	4,25	168	161	154
2,92	11	3,63	4,38	4,75	184	177	170
3,20	12	3,94	4,75	5,25	199	191	183
3,45	13	4,25	5,13	5,75	215	207	199
3,72	14	4,63	5,56	—	231	222	213
3,98	15	4,94	5,94	—	246	237	228
4,25	16	5,25	6,31	—	262	252	242

WZ 12 E, NSW 0, MZB 0,63, F 0,13:0,083 (1,5), VII
H 1–x 0,72–k 1,00–p 0,23–Ê 1,25–kp 1,23–Êp 1,48
BF 089 0823, Belegung 051: 085 0573 (095 0573)

Berthold-Schriften überzeugen durch Sc
härfe und Qualität. Schriftqualität ist ein
e Frage der Erfahrung. Berthold hat die
se Erfahrung seit über hundert Jahren. Z
uerst im Schriftguß, dann im Fotosatz. B
erthold-Schriften sind weltweit geschätz
t. Im Schriftenatelier München wird jede
r Buchstabe in der Größe von zwölf Zen

2,40 mm (9 p) 20 30

Berthold-Schriften überzeugen durc
h Schärfe und Qualität. Schriftquali
tät ist eine Frage der Erfahrung. Ber
thold hat diese Erfahrung seit über
hundert Jahren. Zuerst im Schriftgu
ß, dann im Fotosatz. Berthold-Schrif
ten sind weltweit geschätzt. Im Schr
iftenatelier München wird jeder Buc

2,65 mm (10 p) 20 30

Berthold-Schriften überzeugen
durch Schärfe und Qualität. Schr
iftqualität ist eine Frage der Erfah
rung. Berthold hat diese Erfahru
ng seit über hundert Jahren. Zue
rst im Schriftguß, dann im Fotosa
tz. Berthold-Schriften sind weltw
eit geschätzt. Im Schriftenatelier

2,92 mm (11 p) 10 20 30

Berthold-Schriften überzeuge
n durch Schärfe und Qualität
Schriftqualität ist eine Frage d
er Erfahrung. Berthold hat die
se Erfahrung seit über hunder
t Jahren. Zuerst im Schriftguß
dann im Fotosatz. Berthold-Sc
hriften sind weltweit geschätzt

3,20 mm (12 p) 10 20

Berthold-Schriften überzeu
gen durch Schärfe und Qua
lität. Schriftqualität ist eine
Frage der Erfahrung. Bertho
ld hat diese Erfahrung seit ü
ber hundert Jahren. Zuerst i
m Schriftguß, dann im Fotos
atz. Berthold-Schriften sind

3,45 mm (13 p) 10 20

mager
light
maigre

ROMIC

fina
chiarissimo
mager

Berthold-Schriften überzeugen durch Schärfe und Qualität. Schriftqualit ät ist eine Frage der Erfahrung. Berthold hat diese Erfahrung seit über h undert Jahren. Zuerst im Schriftguß, dann im Fotosatz. Berthold-Schrifte n sind weltweit geschätzt. Im Schriftenatelier München wird jeder Buchs tabe in der Größe von zwölf Zentimetern neu gezeichnet. Mit messersch arfen Konturen um für die Schriftscheiben das Optimale an Konturensc härfe herauszuholen. Um die Qualität des Einzelzeichens im Belichtung svorgang zu bewahren wird durch die ruhende, nicht rotierende Schrifts cheibe belichtet. Dieses optische System, verbunden mit Präzisions-Chro

4,25 mm (16 p), Zeilenabstand 6,75 mm

ROMIC LIGHT

In general, bodytypes are measured in the typo graphical point size. The sizes of Berthold Fotot ype faces can be exactly determined. All faces of same point size have the same capital height–ir respective of their x-height. In hot metal and ma ny other phototypesetting systems the capital he ights often differ considerably from one face to t he other. For measuring point sizes, a transparen t size gauge is provided. To determine the point size, bring a capital letter into coincidence with t hat field which precisely circumscribes the letter at its upper and lower margin. Below the field you find the typographical point and below that the m illimeter value, which also refers to the height of a capital letter. In Berthold-phototypesetting, the typewidth can be modified. The standard setting width of typefaces is determined by the principle of optimum legibility. You should not depart from this typewidth without cogent reason. A typeface which is considered optically right when looked in a greater context, often seems bulky when appli ed for a small amount of text, e. g. labels and ads

2,40 mm (9 p), Zeilenabstand 4,25 mm

ROMIC MAIGRE

La valeur de la force de corps des caractères de labeur èst généralement exprimée en points typographiques. La force de corps des caractères Berthold-Fototype peut être déte rminée avec précision. Tous les caractères du même corps ont des capitales d'une hauteur identique, indépendamment de la hauteur d es bas de casse sans jambage. Dans la comp osition plomb, ainsi que dans certains systè mes de photocomposition, la hauteur des ca pitales, varie souvent d'un caractère à l'autr e. Pour déterminer la force de corps de nos c aractères, nous avons mis au point une régl ette de hauteur d'œil transparente. On cher che le rectangle qui délimite exactement la h auteur d'œil d'une capitale du caractère cho isi. Sous le rectangle correspondant la valeu r de la force de corps est indiquée en points Didots et en millimètres. La valeur en millim ètres exprime également la hauteur des capi

2,65 mm (10 p), Zeilenabstand 4,69 mm

La indicación de las dimensiones para cuerpos de letra básicos tiene lugar en general en pun tos tipográficos. Los cuerpos de letra de los ca racteres Berthold Fototype pueden determina rse exactemente par medición. Con independe ncia de la altura de sus longitudes centrales, to dos los caracteres de idéntico cuerpo de letra presentan altura de mayúsculas idéntica. En la composición en plomo y en muchos otros siste

2,15 mm (8 p), −1, Zeilenabstand 3,38 mm

123,– $	456,– £	7890,– DM	1 %
234,– $	789,– £	1234,– DM	2 %
567,– $	12,– £	5678,– DM	3 %
890,– $	345,– £	9012,– DM	4 %
123,– $	678,– £	3456,– DM	5 %
456,– $	901,– £	7890,– DM	6 %
789,– $	234,– £	1234,– DM	7 %
12,– $	567,– £	5678,– DM	8 %
345,– $	890,– £	9012,– DM	9 %

BF 089 0824

Le misure relative al corpo dei caratteri vengono generalmente indicate in punti tipografici. Il cor po dei caratteri Fototypes può essere determina to con esattezza per semplice misurazione. Tutti i caratteri di uguale grandezza in punti hanno, in dipendentemente dalla loro lunghezza, uguale a ltezza delle maiuscole. Nella composizione in pi ombo ed in molti altri sistemi di fotocomposizion e, l'altezza delle maiuscole varia spesso da cara

2,15 mm (8 p), −2, Zeilenabstand 3,38 mm

normal
medium
normal

ROMIC

normal
chiaro tondo
normal

Berthold-Schriften überzeugen durch Schärfe und Qualität. Schrift
qualität ist eine Frage der Erfahrung. Berthold hat diese Erfahrung s
eit über hundert Jahren. Zuerst im Schriftguß, dann im Fotosatz. Ber
thold-Schriften sind weltweit geschätzt. Im Schriftenatelier Münche
n wird jeder Buchstabe in der Größe von zwölf Zentimetern neu ge
zeichnet. Mit messerscharfen Konturen, um für die Schriftscheibe
n das Optimale an Konturenschärfe herauszuholen. Um die Qualität
des Einzelzeichens im Belichtungsvorgang zu bewahren, wird durch
die ruhende, nicht rotierende Schriftscheibe belichtet. Dieses optis

1,33 mm (5 p) 20 30 40 50 60

Berthold-Schriften überzeugen durch Schärfe und Qualität. Sc
hriftqualität ist eine Frage der Erfahrung. Berthold hat diese Er
fahrung seit über hundert Jahren. Zuerst im Schriftguß, dann i
m Fotosatz. Berthold-Schriften sind weltweit geschätzt. Im Sc
hriftenatelier München wird jeder Buchstabe in der Größe von
zwölf Zentimetern neu gezeichnet. Mit messerscharfen Kontu
ren, um für die Schriftscheiben das Optimale an Konturenschä
rfe herauszuholen. Um die Qualität des Einzelzeichens im Belic
htungsvorgang zu bewahren, wird durch die ruhende, nicht ro

1,45 mm (5,5 p) 20 30 40 50 6

Berthold-Schriften überzeugen durch Schärfe und Quali
tät. Schriftqualität ist eine Frage der Erfahrung. Berthold
hat diese Erfahrung seit über hundert Jahren. Zuerst im S
chriftguß, dann im Fotosatz. Berthold-Schriften sind wel
tweit geschätzt. Im Schriftenatelier München wird jeder
Buchstabe in der Größe von zwölf Zentimetern neu gezei
chnet. Mit messerscharfen Konturen, um für die Schriftsc
heiben das Optimale an Konturenschärfe herauszuholen
Um die Qualität des Einzelzeichens im Belichtungsvorg

1,60 mm (6 p) 20 30 40 50

Berthold-Schriften überzeugen durch Schärfe und Qu
alität. Schriftqualität ist eine Frage der Erfahrung. B
erthold hat diese Erfahrung seit über hundert Jahren
Zuerst im Schriftguß, dann im Fotosatz. Berthold-S
chriften sind weltweit geschätzt. Im Schriftenatelier
München wird jeder Buchstabe in der Größe von zwölf
Zentimetern neu gezeichnet. Mit messerscharfen Kon
turen, um für die Schriftscheiben das Optimale an K
onturenschärfe herauszuholen. Um die Qualität des

1,75 mm (6,5 p) 20 30 40 50

Berthold-Schriften überzeugen durch Schärfe und
Qualität. Schriftqualität ist eine Frage der Erfahru
ng. Berthold hat diese Erfahrung seit über hundert
Jahren. Zuerst im Schriftguß, dann im Fotosatz. Be
rthold-Schriften sind weltweit geschätzt. Im Schr
iftenatelier München wird jeder Buchstabe in der
Größe von zwölf Zentimetern neu gezeichnet. Mit
messerscharfen Konturen, um für die Schriftschei
ben das Optimale an Konturenschärfe herauszuho

1,86 mm (7 p) 20 30 40

Berthold-Schriften überzeugen durch Schärfe
und Qualität. Schriftqualität ist eine Frage der
Erfahrung. Berthold hat diese Erfahrung seit ü
ber hundert Jahren. Zuerst im Schriftguß, dann
im Fotosatz. Berthold-Schriften sind weltweit
geschätzt. Im Schriftenatelier München wird je
der Buchstabe in der Größe von zwölf Zentimet
ern neu gezeichnet. Mit messerscharfen Kont
uren, um für die Schriftscheiben das Optimale

2,00 mm (7,5 p) 20 30 40

Berthold-Schriften überzeugen durch Schärf
e und Qualität. Schriftqualität ist eine Frage
der Erfahrung. Berthold hat diese Erfahrung
seit über hundert Jahren. Zuerst im Schriftgu
ß, dann im Fotosatz. Berthold-Schriften si
nd weltweit geschätzt. Im Schriftenatelier M
ünchen wird jeder Buchstabe in der Größe vo
n zwölf Zentimetern neu gezeichnet. Mit me
sserscharfen Konturen, um für die Schriftsc

2,15 mm (8 p) 20 30 40

Colin Brignall
1979
TSI Typographic Systems Int. Ltd.
H. Berthold AG

ABCDEFGHIJKLMNOPQ
RSTUVWXYZ
abcdefghijklmnopqrstuvwxyz
1/1234567890%
(.,-;:!¡?¿–)·[',„"“»«]
+–=/$£†*&§
ÄÅÆÖØŒÜäåæıöøœßü
ÁÀÂÃÇČÉÈÊËÍÌÎÏĹŇÑÓÒÔÕ
ŔŘŠŤÚÙÛŴẄÝỲŸŽ
áàâãçčéèêëíìîïĺňñóòôõŕřš
úùûŵẅýỳÿž

Berthold-Schriftweite weit
Berthold-Schriftweite normal
Berthold-Schriftweite eng
Berthold-Schriftweite sehr eng
Berthold-Schriftweite extrem eng

Berthold
3,72 mm (14 p)

Berthold
4,25 mm (16 p)

Berthold
4,75 mm (18 p)

Berthold
5,30 mm (20 p)

Berthold
6,35 mm (24 p)

Berthold
7,40 mm (28 p)

Berthold
8,50 mm (32 p)

Berthold
9,55 mm (36 p)

Größe		Zeilenabstand			100 Zeichen		
mm	p	kp	Êp	Ex	0	–1	–2
1,33	5	1,69	2,06	2,00	88	85	82
1,60	6	2,00	2,44	2,50	104	100	96
1,86	7	2,38	2,88	3,00	120	116	112
2,15	8	2,69	3,31	3,50	136	131	126
2,40	9	3,00	3,69	3,75	152	146	140
2,65	10	3,38	4,06	4,25	168	161	154
2,92	11	3,69	4,44	4,75	184	177	170
3,20	12	4,00	4,88	5,25	199	191	183
3,45	13	4,38	5,25	5,75	215	207	199
3,72	14	4,69	5,69	–	231	222	213
3,98	15	5,00	6,06	–	246	237	228
4,25	16	5,38	6,50	–	262	252	242

WZ 13 E, NSW 0, MZB 0,63, F 0,17:0,10 (1,6), III
H 1–x 0,73–k 1,00–p 0,25–Ê 1,27–kp 1,25–Êp 1,52
BF 089 1095, Belegung 051: 085 1191 (095 1191)

Berthold-Schriften überzeugen durch Sc
härfe und Qualität. Schriftqualität ist ei
ne Frage der Erfahrung. Berthold hat die
se Erfahrung seit über hundert Jahren. Z
uerst im Schriftguß, dann im Fotosatz. B
erthold-Schriften sind weltweit geschä
tzt. Im Schriftenatelier München wird je
der Buchstabe in der Größe von zwölf Ze

2,40 mm (9 p) 20 30

Berthold-Schriften überzeugen durc
h Schärfe und Qualität. Schriftqual
ität ist eine Frage der Erfahrung. Be
rthold hat diese Erfahrung seit übe
r hundert Jahren. Zuerst im Schriftg
uß, dann im Fotosatz. Berthold-Sch
riften sind weltweit geschätzt. Im Sc
hriftenatelier München wird jeder

2,65 mm (10 p) 20 30

Berthold-Schriften überzeugen d
urch Schärfe und Qualität. Schri
ftqualität ist eine Frage der Erfahr
ung. Berthold hat diese Erfahru
ng seit über hundert Jahren. Zuer
st im Schriftguß, dann im Fotos
atz. Berthold-Schriften sind welt
weit geschätzt. Im Schriftenateli

2,92 mm (11 p) 10 20 30

Berthold-Schriften überzeuge
n durch Schärfe und Qualität
Schriftqualität ist eine Frage d
er Erfahrung. Berthold hat die
se Erfahrung seit über hundert
Jahren. Zuerst im Schriftguß
dann im Fotosatz. Berthold-Sc
hriften sind weltweit geschätzt

3,20 mm (12 p) 10 20

Berthold-Schriften überzeu
gen durch Schärfe und Qual
ität. Schriftqualität ist eine
Frage der Erfahrung. Bertho
ld hat diese Erfahrung seit ü
ber hundert Jahren. Zuerst
im Schriftguß, dann im Foto
satz. Berthold-Schriften sin

3,45 mm (13 p) 10 20

normal medium normal	**ROMIC**	normal chiaro tondo normal

Berthold-Schriften überzeugen durch Schärfe und Qualität. Schriftqualit ät ist eine Frage der Erfahrung. Berthold hat diese Erfahrung seit über hu ndert Jahren. Zuerst im Schriftguß, dann im Fotosatz. Berthold-Schriften sind weltweit geschätzt. Im Schriftenatelier München wird jeder Buchsta be in der Größe von zwölf Zentimetern neu gezeichnet. Mit messerschar fen Konturen, um für die Schriftscheiben das Optimale an Konturenschä rfe herauszuholen. Um die Qualität des Einzelzeichens im Belichtungsv organg zu bewahren, wird durch die ruhende, nicht rotierende Schriftsch eibe belichtet. Dieses optische System, verbunden mit Präzisions-Chrom

4,25 mm (16 p), Zeilenabstand 6,75 mm

ROMIC MEDIUM

In general, bodytypes are measured in the typogr aphical point size. The sizes of Berthold Fototype faces can be exactly determined. All faces of same point size have the same capital height–irrespecti ve of their x-height. In hot metal and many other phototypesetting systems the capital heights oft en differ considerably from one face to the other For measuring point sizes, a transparent size gau ge is provided. To determine the point size, bring a capital letter into coincidence with that field whi ch precisely circumscribes the letter at its upper and lower margin. Below the field you find the ty pographical point and below that the millimeter value, which also refers to the height of a capital l etter. In Berthold-phototypesetting, the typewidt h can be modified. The standard setting width of typefaces is determined by the principle of optim um legibility. You should not depart from this typ ewidth without cogent reason. A typeface which is considered optically right when looked in a gre ater context, often seems bulky when applied for a small amount of text, e. g. labels and ads. Here

2,40 mm (9 p), Zeilenabstand 4,25 mm

ROMIC NORMAL

La valeur de la force de corps des caractères de labeur èst généralement exprimée en poi nts typographiques. La force de corps des ca ractères Berthold-Fototype peut être déter minée avec précision. Tous les caractères du même corps ont des capitales d'une hauteur identique, indépendamment de la hauteur des bas de casse sans jambage. Dans la comp osition plomb, ainsi que dans certains systè mes de photocomposition, la hauteur des ca pitales, varie souvent d'un caractère à l'autr e. Pour déterminer la force de corps de nos caractères, nous avons mis au point une régl ette de hauteur d'œil transparente. On cher che le rectangle qui délimite exactement la h auteur d'œil d'une capitale du caractère ch oisi. Sous le rectangle correspondant la vale ur de la force de corps est indiquée en points Didots et en millimètres. La valeur en milli mètres exprime également la hauteur des ca

2,65 mm (10 p), Zeilenabstand 4,69 mm

La indicación de las dimensiones para cuerpos de letra básicos tiene lugar en general en punto s tipográficos. Los cuerpos de letra de los caract eres Berthold Fototype pueden determinarse e xactemente par medición. Con independencia de la altura de sus longitudes centrales, todos l os caracteres de idéntico cuerpo de letra presen tan altura de mayúsculas idéntica. En la comp osición en plomo y en muchos otros sistemas

2,15 mm (8 p), –1, Zeilenabstand 3,38 mm

123,– $	456,– £	7890,– DM	1 %
234, $	789, £	1234, DM	2 %
567,– $	12,– £	5678,– DM	3 %
890,– $	345,– £	9012,– DM	4 %
123,– $	678,– £	3456,– DM	5 %
456,– $	901,– £	7890,– DM	6 %
789,– $	234,– £	1234,– DM	7 %
12,– $	567,– £	5678,– DM	8 %
345,– $	890,– £	9012,– DM	9 %

BF 089 1096

Le misure relative al corpo dei caratteri vengono generalmente indicato in punti tipografici. Il corp o dei caratteri Fototypes può essere determinato con esattezza per semplice misurazione. Tutti i c aratteri di uguale grandezza in punti hanno, indi pendentemente dalla loro lunghezza, uguale alt ezza delle maiuscole. Nella composizione in pio mbo ed in molti altri sistemi di fotocomposizion e, l'altezza delle maiuscole varia spesso da caratt

2,15 mm (8 p), –2, Zeilenabstand 3,38 mm

halbfett
bold
demi-gras

ROMIC

seminegra
neretto
halvfet

Berthold-Schriften überzeugen durch Schärfe und Qual
ität. Schriftqualität ist eine Frage der Erfahrung. Berth
old hat diese Erfahrung seit über hundert Jahren. Zuerst
im Schriftguß, dann im Fotosatz. Berthold-Schriften sin
d weltweit geschätzt. Im Schriftenatelier München wird
jeder Buchstabe in der Größe von zwölf Zentimetern neu
gezeichnet. Mit messerscharfen Konturen, um für die Sc
hriftscheiben das Optimale an Konturenschärfe heraus
zuholen. Um die Qualität des Einzelzeichens im Belicht

1,60 mm (6 p), Zeilenabstand 2,50 mm

Berthold-Schriften überzeugen durch Schärfe u
nd Qualität. Schriftqualität ist eine Frage der Erf
ahrung. Berthold hat diese Erfahrung seit über h
undert Jahren. Zuerst im Schriftguß, dann im Fo
tosatz. Berthold-Schriften sind weltweit geschät
zt. Im Schriftenatelier München wird jeder Buch
stabe in der Größe von zwölf Zentimetern neu ge
zeichnet. Mit messerscharfen Konturen, um für

1,86 mm (7 p), Zeilenabstand 3,00 mm

Berthold-Schriften überzeugen durch Schä
rfe und Qualität. Schriftqualität ist eine Fr
age der Erfahrung. Berthold hat diese Erfa
hrung seit über hundert Jahren. Zuerst im
Schriftguß, dann im Fotosatz. Berthold-Sc
hriften sind weltweit geschätzt. Im Schrift
enatelier München wird jeder Buchstabe in
der Größe von zwölf Zentimetern neu gezei

2,15 mm (8 p), Zeilenabstand 3,50 mm

Colin Brignall
1981
TSI Typographic Systems Int. Ltd.
H. Berthold AG

ABCDEFGHIJKLMNOPQ
RSTUVWXYZ
abcdefghijklmnopqrstuvwxyz
1/1234567890%
(.,-;:!¡?¿–)·[′‚„″“»«]
+–=/$£†*&§
ÄÅÆÖØŒÜäåæıöøœßü
ÁÀÂÃÇČÉÈÊËÍÌÎÏĹŇÑÓÒÔÕ
ŔŘŠŤÚÙÛŴẄÝỲŶŸŽ
áàâãçčéèêëíìîïĺňñóòôõŕřš
úùûŵẅýỳŷÿž

Berthold-Schriftweite weit
Berthold-Schriftweite normal
Berthold-Schriftweite eng
Berthold-Schriftweite sehr eng
Berthold-Schriftweite extrem eng

In general, bodytypes are me
asured in the typographical p
oint size. The sizes of Berthol
d Fototype faces can be exact
ly determined. All faces of sa
me point size have the same c
apital height–irrespective of
their x-height. In hot metal a
nd many other phototypesett
ing systems the capital heigh
ts often differ considerably f
rom one face to the other. For
measuring point sizes, a tran
sparent size gauge is provide
d. To determine the point size
bring a capital letter into coin
cidence with that field which

3,20 mm (12 p), Zeilenabstand 5,25 mm

Berthold's quick brown fox jumps over the lazy dog and feels as if he were in the
3,72 mm (14 p)

Berthold's quick brown fox jumps over the lazy dog and feels as if he w
4,25 mm (16 p)

Berthold's quick brown fox jumps over the lazy dog and feels as
4,75 mm (18 p)

Berthold's quick brown fox jumps over the lazy dog and
5,30 mm (20 p)

Berthold's quick brown fox jumps over the lazy
6,35 mm (24 p)

Berthold's quick brown fox jumps over t
7,40 mm (28 p)

Berthold's quick brown fox jumps o
8,50 mm (32 p)

Berthold's quick brown fox jum
9,55 mm (36 p)

Berthold-Schriften überzeugen durch
Schärfe und Qualität. Schriftqualität i
st eine Frage der Erfahrung. Berthold
hat diese Erfahrung seit über hundert J
ahren. Zuerst im Schriftguß, dann im
Fotosatz. Berthold-Schriften sind wel
tweit geschätzt. Im Schriftenatelier M
ünchen wird jeder Buchstabe in der Gr

2,40 mm (9 p), Zeilenabstand 4,00 mm

Größe		Zeilenabstand			100 Zeichen		
mm	p	kp	Êp	Ex	0	–1	–2
1,33	5	1,69	2,13	–	89	86	83
1,60	6	2,00	2,56	2,50	105	101	97
1,86	7	2,38	2,94	3,00	121	117	113
2,15	8	2,69	3,38	3,50	137	132	127
2,40	9	3,00	3,81	4,00	153	147	141
2,65	10	3,38	4,19	4,00	169	162	155
2,92	11	3,69	4,63	–	185	178	171
3,20	12	4,00	5,06	5,25	201	193	185
3,45	13	4,38	5,44	–	216	208	200
3,72	14	4,69	5,88	–	232	223	214
3,98	15	5,00	6,25	–	248	239	230
4,25	16	5,38	6,69	–	264	254	244

WZ 12 E, NSW 0, MZB 0,64, F 0,21:0,13 (1,7), III
H 1–x 0,72–k 1,00–p 0,25–Ê 1,32–kp 1,25–Êp 1,57
BF 089 1039, Belegung 051: 085 1192 (095 1192)

Berthold-Schriften überzeugen du
rch Schärfe und Qualität. Schriftq
ualität ist eine Frage der Erfahrun
g. Berthold hat diese Erfahrung seit
über hundert Jahren. Zuerst im Sc
hriftguß, dann im Fotosatz. Berth
old-Schriften sind weltweit geschä
tzt. Im Schriftenatelier München wi

2,65 mm (10 p), Zeilenabstand 4,00 mm

fett
extra bold
gras

ROMIC

negra
nero
fet

Berthold-Schriften überzeugen durch Schärfe und Qu alität. Schriftqualität ist eine Frage der Erfahrung. Be rthold hat diese Erfahrung seit über hundert Jahren. Z uerst im Schriftguß, dann im Fotosatz. Berthold-Schri ften sind weltweit geschätzt. Im Schriftenatelier Münc hen wird jeder Buchstabe in der Größe von zwölf Zenti metern neu gezeichnet. Mit messerscharfen Konturen um für die Schriftscheiben das Optimale an Konturen schärfe herauszuholen. Um die Qualität des Einzelzei

1,60 mm (6 p), Zeilenabstand 2,50 mm

Berthold-Schriften überzeugen durch Schärfe und Qualität. Schriftqualität ist eine Frage der Erfahrung. Berthold hat diese Erfahrung seit ü ber hundert Jahren. Zuerst im Schriftguß dann im Fotosatz. Berthold-Schriften sind weltweit geschätzt. Im Schriftenatelier München wird je der Buchstabe in der Größe von zwölf Zentimet ern neu gezeichnet. Mit messerscharfen Kontu

1,86 mm (7 p), Zeilenabstand 3,00 mm

Berthold-Schriften überzeugen durch Sc härfe und Qualität. Schriftqualität ist eine Frage der Erfahrung. Berthold hat diese Erfahrung seit über hundert Jahren. Zuer st im Schriftguß, dann im Fotosatz. Berth old-Schriften sind weltweit geschätzt. Im Schriftenatelier München wird jeder Buc hstabe in der Größe von zwölf Zentimeter

2,15 mm (8 p), Zeilenabstand 3,50 mm

Colin Brignall
1981
TSI Typographic Systems Int. Ltd.
H. Berthold AG

ABCDEFGHIJKLMNOPQ
RSTUVWXYZ
abcdefghijklmnopqrstuvwxyz
1/1234567890%
(.,-;:!¡?¿–)·[‛‚„"“»«]
+–=/$£†*&§
ÄÅÆÖØŒÜäåæıöøœßü
ÁÀÂÃÇČÉÈÊËÍÌÎÏĹŇÑÓÒÔÕ
ŔŘŠŤÚÙÛŴẄÝỲŶŸŽ
áàâãçčéèêëíìîïĺňñóòôõŕřš
úùûŵẅýỳŷÿž

Berthold-Schriftweite weit
Berthold-Schriftweite normal
Berthold-Schriftweite eng
Berthold-Schriftweite sehr eng
Berthold-Schriftweite extrem eng

In general, bodytypes are m easured in the typographical point size. The sizes of Bert hold Fototype faces can be e xactly determined. All faces of same point size have the s ame capital height–irrespect ive of their x-height. In hot m etal and many other phototy pesetting systems the capital heights often differ consider ably from one face to the oth er her. For measuring point sizes, a transparent size gau ge is provided. To determine the point size, bring a capital letter into coincidence with t

3,20 mm (12 p), Zeilenabstand 5,25 mm

Berthold's quick brown fox jumps over the lazy dog and feels as if he were in th
3,72 mm (14 p)

Berthold's quick brown fox jumps over the lazy dog and feels as if h
4,25 mm (16 p)

Berthold's quick brown fox jumps over the lazy dog and feels
4,75 mm (18 p)

Berthold's quick brown fox jumps over the lazy dog and
5,30 mm (20 p)

Berthold's quick brown fox jumps over the laz
6,35 mm (24 p)

Berthold's quick brown fox jumps over
7,40 mm (28 p)

Berthold's quick brown fox jumps
8,50 mm (32 p)

Berthold's quick brown fox ju
9,55 mm (36 p)

Berthold-Schriften überzeugen durc h Schärfe und Qualität. Schriftqualit ät ist eine Frage der Erfahrung. Berth old hat diese Erfahrung seit über hu ndert Jahren. Zuerst im Schriftguß dann im Fotosatz. Berthold Schriften sind weltweit geschätzt. Im Schrifte natelier München wird jeder Buchst

2,40 mm (9 p), Zeilenabstand 4,00 mm

Größe mm	p	Zeilenabstand kp	Êp	Ex	100 Zeichen 0.	–1	–2
1,00	5	1,00	2,10		[illegible]	[illegible]	86
1,60	6	2,00	2,56	2,50	108	104	100
1,86	7	2,38	3,00	3,00	124	120	116
2,15	8	2,69	3,44	3,50	141	136	131
2,40	9	3,00	3,88	4,00	158	152	146
2,65	10	3,38	4,25	4,00	174	167	160
2,92	11	3,69	4,69	–	190	183	176
3,20	12	4,00	5,13	5,25	207	199	191
3,45	13	4,38	5,50	–	223	215	207
3,72	14	4,69	5,94	–	239	230	221
3,98	15	5,00	6,38	–	255	246	237
4,25	16	5,38	6,81	–	271	261	251

WZ 12 E, NSW –1, MZB 0,66, F 0,25:0,13 (1,9), III
H 1-x 0,72-k 1,00-p 0,25-Ê 1,34-kp 1,25-Êp 1,59
BF 089 1040, Belegung 051: 085 1193 (095 1193)

Berthold-Schriften überzeugen d urch Schärfe und Qualität. Schrift qualität ist eine Frage der Erfahru ng. Berthold hat diese Erfahrung seit über hundert Jahren. Zuerst i m Schriftguß, dann im Fotosatz Berthold-Schriften sind weltweit geschätzt. Im Schriftenatelier Mü

2,65 mm (10 p), Zeilenabstand 4,00 mm

stehend Haar
light
maigre

RÖMISCH

fina
chiarissimo
mager

Berthold-Schriften überzeugen durch Schärfe und Quali
tät. Schriftqualität ist eine Frage der Erfahrung. Berthold
hat diese Erfahrung seit über hundert Jahren. Zuerst im
Schriftguß, dann im Fotosatz. Berthold-Schriften sind w
eltweit geschätzt. Im Schriftenatelier München wird jede
r Buchstabe in der Größe von zwölf Zentimetern neu gez
eichnet. Mit messerscharfen Konturen, um für die Schrif
tscheiben das Optimale an Konturenschärfe herauszuho
len. Um die Qualität des Einzelzeichens im Belichtungsv

1,60 mm (6 p), Zeilenabstand 2,50 mm

Berthold-Schriften überzeugen durch Schärfe un
d Qualität. Schriftqualität ist eine Frage der Erfah
rung. Berthold hat diese Erfahrung seit über hund
ert Jahren. Zuerst im Schriftguß, dann im Fotosat
z. Berthold-Schriften sind weltweit geschätzt. Im
Schriftenatelier München wird jeder Buchstabe in
der Größe von zwölf Zentimetern neu gezeichnet
Mit messerscharfen Konturen, um für die Schrifts

1,86 mm (7 p), Zeilenabstand 3,00 mm

Berthold-Schriften überzeugen durch Schär
fe und Qualität. Schriftqualität ist eine Frage
der Erfahrung. Berthold hat diese Erfahrung
seit über hundert Jahren. Zuerst im Schriftg
uß, dann im Fotosatz. Berthold-Schriften sin
d weltweit geschätzt. Im Schriftenatelier M
ünchen wird jeder Buchstabe in der Größe v
on zwölf Zentimetern neu gezeichnet. Mit m

2,15 mm (8 p), Zeilenabstand 3,50 mm

Bayerisches
Landesvermessungsamt
1966
H. Berthold AG

ABCDEFGHIJKLMNOPQ
RSTUVWXYZ
abcdefghijklmnopqrstuvwxyz
1/1234567890%
(.,-;:!¡?¿–)·[',„"“»«]
+-=/$£†*&§
ÄÅÆÖØŒÜäåæıöøœßü
ÁÀÂÃÇČÉÈÊËÎ̂ÎÏĹŇÑÓÒÔÕ
ŔŘŠŤÚÙÛŴẄÝŶŸŽ
áàâãçčéèêëî̂îïĺňñóòôõŕřš
úùûŵẅýỳÿž

Berthold-Schriftweite weit
Berthold-Schriftweite normal
Berthold-Schriftweite eng
Berthold-Schriftweite sehr eng
Berthold-Schriftweite extrem eng

In general, bodytypes are me
asured in the typographical p
oint size. The sizes of Berthold
Fototype faces can be exactly
determined. All faces of same
point size have the same capi
tal height–irrespective of thei
r x-height. In hot metal and m
any other phototypesetting s
ystems the capital heights o
ften differ considerably from
one face to the other. For mea
suring point sizes, a transpar
ent size gauge is provided. To
determine the point size, brin
g a capital letter into coincide
nce with that field which prec

3,20 mm (12 p), Zeilenabstand 5,25 mm

Berthold's quick brown fox jumps over the lazy dog and feels as if he were in the s
3,72 mm (14 p)

Berthold's quick brown fox jumps over the lazy dog and feels as if he we
4,25 mm (16 p)

Berthold's quick brown fox jumps over the lazy dog and feels as
4,75 mm (18 p)

Berthold's quick brown fox jumps over the lazy dog and f
5,30 mm (20 p)

Berthold's quick brown fox jumps over the lazy
6,35 mm (24 p)

Berthold's quick brown fox jumps over t
7,40 mm (28 p)

Berthold's quick brown fox jumps o
8,50 mm (32 p)

Berthold's quick brown fox jum
9,55 mm (36 p)

Berthold-Schriften überzeugen durch
Schärfe und Qualität. Schriftqualität ist
eine Frage der Erfahrung. Berthold hat
diese Erfahrung seit über hundert Jahr
en. Zuerst im Schriftguß, dann im Fotos
atz. Berthold-Schriften sind weltweit g
eschätzt. Im Schriftenatelier München
wird jeder Buchstabe in der Größe von

2,40 mm (9 p), Zeilenabstand 4,00 mm

Größe		Zeilenabstand			100 Zeichen		
mm	p	kp	Êp	Ex	0	−1	−2
1,33	5	1,94	2,31	–	89	86	83
1,60	6	2,31	2,81	2,50	105	101	97
1,86	7	2,69	3,25	3,00	121	117	113
2,15	8	3,13	3,75	3,50	137	132	127
2,40	9	3,50	4,13	4,00	153	147	141
2,65	10	3,88	4,56	4,00	169	162	155
2,92	11	4,25	5,06	–	185	178	171
3,20	12	4,63	5,56	5,25	201	193	185
3,45	13	5,00	5,94	–	216	208	200
3,72	14	5,38	6,44	–	232	223	214
3,98	15	5,75	6,88	–	248	239	230
4,25	16	6,13	7,31	–	264	254	244

WZ 13 E, NSW 0, MZB 0,64, F 0,06:0,03 (2,1), IV
H 1–x 0,67–k 1,00–p 0,44–Ê 1,28–kp 1,44–Êp 1,72
BF 089 1121, Belegung 051: 085 1102 (095 1102)

Berthold-Schriften überzeugen du
rch Schärfe und Qualität. Schriftqu
alität ist eine Frage der Erfahrung
Berthold hat diese Erfahrung seit ü
ber hundert Jahren. Zuerst im Schr
iftguß, dann im Fotosatz. Berthold
Schriften sind weltweit geschätzt. I
m Schriftenatelier München wird j

2,65 mm (10 p), Zeilenabstand 4,00 mm

liegend Haar
light italic
italique maigre

RÖMISCH

fina cursiva
chiarissimo corsivo
kursiv mager

Berthold-Schriften überzeugen durch Schärfe und Qualitä t. Schriftqualität ist eine Frage der Erfahrung. Berthold hat diese Erfahrung seit über hundert Jahren. Zuerst im Schri ftguß, dann im Fotosatz. Berthold-Schriften sind weltweit geschätzt. Im Schriftenatelier München wird jeder Buchst abe in der Größe von zwölf Zentimetern neu gezeichnet. M it messerscharfen Konturen, um für die Schriftscheiben d as Optimale an Konturenschärfe herauszuholen. Um die Q ualität des Einzelzeichens im Belichtungsvorgang zu bew

1,60 mm (6 p), Zeilenabstand 2,50 mm

Berthold-Schriften überzeugen durch Schärfe und Qualität. Schriftqualität ist eine Frage der Erfahru- ng. Berthold hat diese Erfahrung seit über hundert Jahren. Zuerst im Schriftguß, dann im Fotosatz. Be rthold-Schriften sind weltweit geschätzt. Im Schrif tenatelier München wird jeder Buchstabe in der Gr öße von zwölf Zentimetern neu gezeichnet. Mit mes serscharfen Konturen, um für die Schriftscheiben

1,86 mm (7 p), Zeilenabstand 3,00 mm

Berthold-Schriften überzeugen durch Schärf e und Qualität. Schriftqualität ist eine Frage d er Erfahrung. Berthold hat diese Erfahrung s eit über hundert Jahren. Zuerst im Schriftguß dann im Fotosatz. Berthold-Schriften sind w eltweit geschätzt. Im Schriftenatelier Münch en wird jeder Buchstabe in der Größe von zw ölf Zentimetern neu gezeichnet. Mit messers

2,15 mm (8 p), Zeilenabstand 3,50 mm

Bayerisches
Landesvermessungsamt
1966
H. Berthold AG

ABCDEFGHIJKLMNOPQ
RSTUVWXYZ
abcdefghijklmnopqrstuvwxyz
1/1234567890 %
(.,-;:!i?¿–)·['‚„"“»«]
+-=/$£†&§*
ÄÅÆÖØŒÜäåæıöøœßü
ÁÀÂÃÇČÉÈÊËÍÌÎÏĹÑŇÓÒÔÕ
ŔŘŠŤÚÙÛŴẀŸÝỲŶŽ
áàâãçčéèêëíìîïĺňñóòôõŕřš
úùûŵẁÿýỳŷž

Berthold-Schriftweite weit
Berthold-Schriftweite normal
Berthold-Schriftweite eng
Berthold-Schriftweite sehr eng
Berthold-Schriftweite extrem eng

In general, bodytypes are me asured in the typographical po int size. The sizes of Berthold Fototype faces can be exactly d etermined. All faces of same p oint size have the same capital height–irrespective of their x height. In hot metal and many other phototypesetting system s the capital heights often differ considerably from one face to t he other. For measuring point sizes, a transparent size gauge is provided. To determine the point size, bring a capital letter into coincidence with that field which precisely circumscribes

3,20 mm (12 p), Zeilenabstand 5,25 mm

Berthold's quick brown fox jumps over the lazy dog and feels as if he were in the sev
3,72 mm (14 p)

Berthold's quick brown fox jumps over the lazy dog and feels as if he were
4,25 mm (16 p)

Berthold's quick brown fox jumps over the lazy dog and feels as if
4,75 mm (18 p)

Berthold's quick brown fox jumps over the lazy dog and fee
5,30 mm (20 p)

Berthold's quick brown fox jumps over the lazy d
6,35 mm (24 p)

Berthold's quick brown fox jumps over the
7,40 mm (28 p)

Berthold's quick brown fox jumps ov
8,50 mm (32 p)

Berthold's quick brown fox jumps
9,55 mm (36 p)

Berthold-Schriften überzeugen durch S chärfe und Qualität. Schriftqualität ist ei ne Frage der Erfahrung. Berthold hat die se Erfahrung seit über hundert Jahren Zuerst im Schriftguß, dann im Fotosatz Berthold-Schriften sind weltweit gesch ätzt. Im Schriftenatelier München wird j eder Buchstabe in der Größe von zwölf Z

2,40 mm (9 p), Zeilenabstand 4,00 mm

Größe		Zeilenabstand			100 Zeichen		
mm	p	kp	Êp	Ex	0	−1	−2
1,33	5	1,81	2,25	–	87	84	81
1,60	6	2,13	2,69	2,50	103	99	95
1,86	7	2,50	3,13	3,00	118	114	110
2,15	8	2,88	3,63	3,50	134	144	138
2,40	9	3,25	4,00	3,75	150	144	138
2,65	10	3,56	4,44	4,25	165	158	151
2,92	11	3,94	4,88	–	181	174	167
3,20	12	4,31	5,38	5,25	196	188	180
3,45	13	4,63	5,75	–	212	204	196
3,72	14	5,00	6,19	–	227	218	209
3,98	15	5,31	6,63	–	243	234	225
4,25	16	5,69	7,06	–	258	248	238

WZ 13 E, NSW 0, MZB 0,62, F 0,07:0,04 (1,9), IV
H 1–x 0,67–k 1,00–p 0,33–Ê 1,33–kp 1,33–Êp 1,66
BF 089 1189, Belegung 051: 085 1103 (095 1103)

Berthold-Schriften überzeugen dur ch Schärfe und Qualität. Schriftquali tät ist eine Frage der Erfahrung. Ber thold hat diese Erfahrung seit über h undert Jahren. Zuerst im Schriftguß dann im Fotosatz. Berthold-Schrifte n sind weltweit geschätzt. Im Schrift enatelier München wird jeder Buchs

2,65 mm (10 p), Zeilenabstand 4,00 mm

rückwärtsliegend Haar
light reclining
maigre penchée à gauche

RÖMISCH

fina cursiva izquierda
chiarissimo corsivo a sinistra
mager vänster kursiv

Berthold-Schriften überzeugen durch Schärfe und Qual ität. Schriftqualität ist eine Frage der Erfahrung. Bertho ld hat diese Erfahrung seit über hundert Jahren. Zuerst im Schriftguß, dann im Fotosatz. Berthold-Schriften sind weltweit geschätzt. Im Schriftenatelier München wird j eder Buchstabe in der Größe von zwölf Zentimetern neu gezeichnet. Mit messerscharfen Konturen, um für die S chriftscheiben das Optimale an Konturenschärfe herau szuholen. Um die Qualität des Einzelzeichens im Belicht

1,60 mm (6 p), Zeilenabstand 2,50 mm

Berthold-Schriften überzeugen durch Schärfe u nd Qualität. Schriftqualität ist eine Frage der Erf ahrung. Berthold hat diese Erfahrung seit über h undert Jahren. Zuerst im Schriftguß, dann im Fo tosatz. Berthold-Schriften sind weltweit geschät zt. Im Schriftenatelier München wird jeder Buch stabe in der Größe von zwölf Zentimetern neu gez eichnet. Mit messerscharfen Konturen, um für di

1,86 mm (7 p), Zeilenabstand 3,00 mm

Berthold-Schriften überzeugen durch Sch ärfe und Qualität. Schriftqualität ist eine F rage der Erfahrung. Berthold hat diese Erfa hrung seit über hundert Jahren. Zuerst im Schriftguß, dann im Fotosatz. Berthold-Sc hriften sind weltweit geschätzt. Im Schrift enatelier München wird jeder Buchstabe in der Größe von zwölf Zentimetern neu gezei

2,15 mm (8 p), Zeilenabstand 3,50 mm

Bayerisches
Landesvermessungsamt
1966
H. Berthold AG

ABCDEFGHIJKLMNOPQ
RSTUVWXYZ
abcdefghijklmnopqrstuvwxyz
1/1234567890%
(.,-;:!¡?¿–)·['‚„"“»«]
+–=/$£†*&§
ÄÅÆÖØŒÜäåæıöøœßü
ÁÀÂÃÇČÉÈÊËÍÌÎÏĹŇÑÓÒÔÕ
ŔŘŠŤÚÙÛŴẄÝŶŸŽ
áàâãçčéèêëíìîïĺňñóòôõŕřš
úùûŵẅýŷÿž

Berthold-Schriftweite weit
Berthold-Schriftweite normal
Berthold-Schriftweite eng
Berthold-Schriftweite sehr eng
Berthold-Schriftweite extrem eng

In general, bodytypes are me asured in the typographical point size. The sizes of Berth old Fototype faces can be exa ctly determined. All faces of same point size have the sa me capital height–irrespecti ve of their x-height. In hot m etal and many other phototy pesetting systems the capital heights often differ consider ably from one face to the oth er. For measuring point sizes a transparent size gauge is p rovided. To determine the po int size, bring a capital lett er into coincidence with that

3,20 mm (12 p), Zeilenabstand 5,25 mm

Berthold's quick brown fox jumps over the lazy dog and feels as if he were in the
3,72 mm (14 p)

Berthold's quick brown fox jumps over the lazy dog and feels as if he w
4,25 mm (16 p)

Berthold's quick brown fox jumps over the lazy dog and feels as
4,75 mm (18 p)

Berthold's quick brown fox jumps over the lazy dog and
5,30 mm (20 p)

Berthold's quick brown fox jumps over the lazy
6,35 mm (24 p)

Berthold's quick brown fox jumps over t
7,40 mm (28 p)

Berthold's quick brown fox jumps
8,50 mm (32 p)

Berthold's quick brown fox jum
9,55 mm (36 p)

Berthold-Schriften überzeugen durch Schärfe und Qualität. Schriftqualität i st eine Frage der Erfahrung. Berthold hat diese Erfahrung seit über hundert Jahren. Zuerst im Schriftguß, dann im Fotosatz. Berthold-Schriften sind welt weit geschätzt. Im Schriftenatelier Mü nchen wird jeder Buchstabe in der Grö

2,40 mm (9 p), Zeilenabstand 4,00 mm

Größe mm	p	Zeilenabstand kp	Êp	Ex	100 Zeichen 0	−1	−2
1,33	5	1,81	2,13	–	92	89	86
1,60	6	2,13	2,56	2,50	108	104	100
1,86	7	2,50	3,00	3,00	124	120	116
2,15	8	2,88	3,44	3,50	141	136	131
2,40	9	3,25	3,88	4,00	158	152	146
2,65	10	3,56	4,25	4,00	174	167	160
2,92	11	3,94	4,69	–	190	183	176
3,20	12	4,31	5,13	5,25	207	199	191
3,45	13	4,63	5,56	–	223	215	207
3,72	14	5,00	6,00	–	239	230	221
3,98	15	5,31	6,38	–	255	246	237
4,25	16	5,69	6,81	–	271	261	251

WZ 15 E, NSW 0, MZB 0,66, F 0,06:0,03 (2,0), IV
H 1–x 0,67–k 1,00–p 0,33–Ê 1,27–kp 1,33–Êp 1,60
BF 089 1148, Belegung 051: 085 1202 (095 1202)

Berthold-Schriften überzeugen du rch Schärfe und Qualität. Schrift qualität ist eine Frage der Erfahru ng. Berthold hat diese Erfahrung s eit über hundert Jahren. Zuerst im Schriftguß, dann im Fotosatz. Bert hold-Schriften sind weltweit gesc hätzt. Im Schriftenatelier Münche

2,65 mm (10 p), Zeilenabstand 4,00 mm

stehend
regular
normal

RÖMISCH

normal
chiaro tondo
normal

Berthold-Schriften überzeugen durch Schärfe und Qu alität. Schriftqualität ist eine Frage der Erfahrung. Be rthold hat diese Erfahrung seit über hundert Jahren. Z uerst im Schriftguß, dann im Fotosatz. Berthold-Schri ften sind weltweit geschätzt. Im Schriftenatelier Münc hen wird jeder Buchstabe in der Größe von zwölf Zenti metern neu gezeichnet. Mit messerscharfen Konturen um für die Schriftscheiben das Optimale an Kontur enschärfe herauszuholen. Um die Qualität des Einzelz

1,60 mm (6 p), Zeilenabstand 2,50 mm

Berthold-Schriften überzeugen durch Schärfe und Qualität. Schriftqualität ist eine Frage der Erfahrung. Berthold hat diese Erfahrung seit ü ber hundert Jahren. Zuerst im Schriftguß, dann im Fotosatz. Berthold-Schriften sind weltweit g eschätzt. Im Schriftenatelier München wird jed er Buchstabe in der Größe von zwölf Zentimeter n neu gezeichnet. Mit messerscharfen Konture

1,86 mm (7 p), Zeilenabstand 3,00 mm

Berthold-Schriften überzeugen durch Sc härfe und Qualität. Schriftqualität ist eine Frage der Erfahrung. Berthold hat diese Er fahrung seit über hundert Jahren. Zuerst im Schriftguß, dann im Fotosatz. Berthold Schriften sind weltweit geschätzt. Im Schr iftenatelier München wird jeder Buchsta be in der Größe von zwölf Zentimetern neu

2,15 mm (8 p), Zeilenabstand 3,50 mm

Bayerisches
Landesvermessungsamt
1966
H. Berthold AG

ABCDEFGHIJKLMNOPQ
RSTUVWXYZ
abcdefghijklmnopqrstuvwxyz
1/1234567890%
(.,-;:!¡?¿–)·[‘„”“»«]
+–=/$£†*&§
ÄÅÆÖØŒÜäåæıöøœßü
ÁÀÂÃÇČÉÈÊËÍÌÎÏĹŇÑÓÒÔÕ
ŔŘŠŤÚÙÛŴẄÝỲŸŽ
áàâãçčéèêëíìîïĺňñóòôõŕřš
úùûŵẅýỳÿž

Berthold-Schriftweite weit
Berthold-Schriftweite normal
Berthold-Schriftweite eng
Berthold-Schriftweite sehr eng
Berthold-Schriftweite extrem eng

In general, bodytypes are me asured in the typographical point size. The sizes of Berth old Fototype faces can be exa ctly determined. All faces of same point size have the sam e capital height–irrespective of their x-height. In hot meta l and many other phototypes etting systems the capital h eights often differ considera bly from one face to the othe r. For measuring point sizes a transparent size gauge is p rovided. To determine the p oint size, bring a capital lett er into coincidence with tha

3,20 mm (12 p), Zeilenabstand 5,25 mm

Berthold's quick brown fox jumps over the lazy dog and feels as if he were in t
3,72 mm (14 p)

Berthold's quick brown fox jumps over the lazy dog and feels as if he
4,25 mm (16 p)

Berthold's quick brown fox jumps over the lazy dog and feels
4,75 mm (18 p)

Berthold's quick brown fox jumps over the lazy dog and
5,30 mm (20 p)

Berthold's quick brown fox jumps over the laz
6,35 mm (24 p)

Berthold's quick brown fox jumps over
7,40 mm (28 p)

Berthold's quick brown fox jumps
8,50 mm (32 p)

Berthold's quick brown fox ju
9,55 mm (36 p)

Berthold-Schriften überzeugen durc h Schärfe und Qualität. Schriftqualitä t ist eine Frage der Erfahrung. Bertho ld hat diese Erfahrung seit über hund ert Jahren. Zuerst im Schriftguß, dan n im Fotosatz. Berthold-Schriften sin d weltweit geschätzt. Im Schriftenate lier München wird jeder Buchstabe

2,40 mm (9 p), Zeilenabstand 4,00 mm

Größe		Zeilenabstand			100 Zeichen		
mm	p	kp	Êp	Ex	0	–1	–2
1,33	5	1,88	2,25	–	92	89	86
1,60	6	2,25	2,75	2,50	108	104	100
1,86	7	2,63	3,19	3,00	124	120	116
2,15	8	3,06	3,69	3,50	141	136	131
2,40	9	3,38	4,06	4,00	158	152	146
2,65	10	3,75	4,50	4,00	174	167	160
2,92	11	4,13	4,94	–	190	183	176
3,20	12	4,50	5,44	5,25	207	199	191
3,45	13	4,88	5,88	–	223	215	207
3,72	14	5,25	6,31	–	239	230	221
3,98	15	5,63	6,75	–	255	246	237
4,25	16	6,00	7,19	–	271	261	251

WZ 13 E, NSW 0, MZB 0,66, F 0,15:0,05 (2,9), IV
H 1–x 0,67–k 1,00–p 0,40–Ê 1,29–kp 1,40–Êp 1,69
BF 089 1097, Belegung 051: 085 1200 (095 1200)

Berthold-Schriften überzeugen d urch Schärfe und Qualität. Schrift qualität ist eine Frage der Erfahru ng. Berthold hat diese Erfahrung seit über hundert Jahren. Zuerst i m Schriftguß, dann im Fotosatz. Be rthold-Schriften sind weltweit ge schätzt. Im Schriftenatelier Münc

2,65 mm (10 p), Zeilenabstand 4,00 mm

liegend
italic
italique

RÖMISCH

cursiva
chiaro corsivo
kursiv

Berthold-Schriften überzeugen durch Schärfe und Qual ität. Schriftqualität ist eine Frage der Erfahrung. Bertho ld hat diese Erfahrung seit über hundert Jahren. Zuerst i m Schriftguß, dann im Fotosatz. Berthold-Schriften sind weltweit geschätzt. Im Schriftenatelier München wird j eder Buchstabe in der Größe von zwölf Zentimetern neu gezeichnet. Mit messerscharfen Konturen, um für die Sc hriftscheiben das Optimale an Konturenschärfe heraus zuholen. Um die Qualität des Einzelzeichens im Belicht

1,60 mm (6 p), Zeilenabstand 2,50 mm

Berthold-Schriften überzeugen durch Schärfe un d Qualität. Schriftqualität ist eine Frage der Erfah rung. Berthold hat diese Erfahrung seit über hun dert Jahren. Zuerst im Schriftguß, dann im Fotosa tz. Berthold-Schriften sind weltweit geschätzt. Im Schriftenatelier München wird jeder Buchstabe in der Größe von zwölf Zentimetern neu gezeichnet Mit messerscharfen Konturen, um für die Schrifts

1,86 mm (7 p), Zeilenabstand 3,00 mm

Berthold-Schriften überzeugen durch Schä rfe und Qualität. Schriftqualität ist eine Fra ge der Erfahrung. Berthold hat diese Erfahr ung seit über hundert Jahren. Zuerst im Sch riftguß, dann im Fotosatz. Berthold-Schrift en sind weltweit geschätzt. Im Schriftenate lier München wird jeder Buchstabe in der G röße von zwölf Zentimetern neu gezeichnet

2,15 mm (8 p), Zeilenabstand 3,50 mm

Bayerisches
Landesvermessungsamt
1966
H. Berthold AG

ABCDEFGHIJKLMNOPQ
RSTUVWXYZ
abcdefghijklmnopqrstuvwxyz
1/1234567890%
(.,-;:!¡?¿–)·[’‘„”“»«]
+−=/$£†&§*
ÄÅÆÖØŒÜäåæıöøœßü
ÁÀÂÃÇČÉÈÊËÍÌÎÏĹŇÑÓÒÔÕ
ŔŘŠŤÚÙÛŴẄÝỲŶŸŽ
áàâãçčéèêëíìîïĺňñóòôõŕřš
úùûŵẅýỳŷÿž

Berthold-Schriftweite weit
Berthold-Schriftweite normal
Berthold-Schriftweite eng
Berthold-Schriftweite sehr eng
Berthold-Schriftweite extrem eng

In general, bodytypes are me asured in the typographical p oint size. The sizes of Berthold Fototype faces can be exactly determined. All faces of same point size have the same capi tal height–irrespective of the ir x-height. In hot metal and many other phototypesetting systems the capital heights o ften differ considerably from one face to the other. For mea suring point sizes, a transpar ent size gauge is provided. To determine the point size, brin g a capital letter into coincide nce with that field which prec

3,20 mm (12 p), Zeilenabstand 5,25 mm

Berthold's quick brown fox jumps over the lazy dog and feels as if he were in the s
3,72 mm (14 p)

Berthold's quick brown fox jumps over the lazy dog and feels as if he we
4,25 mm (16 p)

Berthold's quick brown fox jumps over the lazy dog and feels as
4,75 mm (18 p)

Berthold's quick brown fox jumps over the lazy dog and f
5,30 mm (20 p)

Berthold's quick brown fox jumps over the lazy
6,35 mm (24 p)

Berthold's quick brown fox jumps over t
7,40 mm (28 p)

Berthold's quick brown fox jumps o
8,50 mm (32 p)

Berthold's quick brown fox jum
9,55 mm (36 p)

Berthold-Schriften überzeugen durch Schärfe und Qualität. Schriftqualität ist eine Frage der Erfahrung. Berthold hat diese Erfahrung seit über hundert Jahr en. Zuerst im Schriftguß, dann im Foto satz. Berthold-Schriften sind weltweit geschätzt. Im Schriftenatelier München wird jeder Buchstabe in der Größe von

2,40 mm (9 p), Zeilenabstand 4,00 mm

Größe mm	p	Zeilenabstand kp	Êp	Ex	100 Zeichen 0	−1	−2
1,33	5	1,81	2,25	–	88	85	82
1,60	6	2,13	2,69	2,50	104	100	96
1,86	7	2,50	3,13	3,00	120	116	112
2,15	8	2,88	3,63	3,50	136	131	126
2,40	9	3,25	4,00	4,00	152	146	140
2,65	10	3,56	4,44	4,00	168	161	154
2,92	11	3,94	4,88	–	184	177	170
3,20	12	4,31	5,38	5,25	199	191	183
3,45	13	4,63	5,75	–	215	207	199
3,72	14	5,00	6,19	–	231	222	213
3,98	15	5,31	6,63	–	246	237	228
4,25	16	5,69	7,06	–	262	252	242

WZ 13 E, NSW 0, MZB 0,63, F 0,11:0,04 (2,9), IV
H 1–x 0,67–k 1,00–p 0,33–Ê 1,33–kp 1,33–Êp 1,66
BF 089 1098, Belegung 051: 085 1201 (095 1201)

Berthold-Schriften überzeugen du rch Schärfe und Qualität. Schriftqu alität ist eine Frage der Erfahrung Berthold hat diese Erfahrung seit ü ber hundert Jahren. Zuerst im Schr iftguß, dann im Fotosatz. Berthold Schriften sind weltweit geschätzt Im Schriftenatelier München wird

2,65 mm (10 p), Zeilenabstand 4,00 mm

rückwärts liegend
reclining
penchée à gauche

RÖMISCH

cursiva izquierda
corsivo a sinistra
vänster kursiv

Berthold-Schriften überzeugen durch Schärfe und Qu alität. Schriftqualität ist eine Frage der Erfahrung. Be rthold hat diese Erfahrung seit über hundert Jahren. Z uerst im Schriftguß, dann im Fotosatz. Berthold-Schri ften sind weltweit geschätzt. Im Schriftenatelier Mün chen wird jeder Buchstabe in der Größe von zwölf Zent imetern neu gezeichnet. Mit messerscharfen Konturen um für die Schriftscheiben das Optimale an Kontur enschärfe herauszuholen. Um die Qualität des Einzelz

1,60 mm (6 p), Zeilenabstand 2,50 mm

Berthold-Schriften überzeugen durch Schärfe und Qualität. Schriftqualität ist eine Frage der Erfahrung. Berthold hat diese Erfahrung seit ü ber hundert Jahren. Zuerst im Schriftguß, dann im Fotosatz. Berthold-Schriften sind weltweit g eschätzt. Im Schriftenatelier München wird jed er Buchstabe in der Größe von zwölf Zentimetern neu gezeichnet. Mit messerscharfen Konturen

1,86 mm (7 p), Zeilenabstand 3,00 mm

Berthold-Schriften überzeugen durch Sc härfe und Qualität. Schriftqualität ist eine Frage der Erfahrung. Berthold hat diese E rfahrung seit über hundert Jahren. Zuerst im Schriftguß, dann im Fotosatz. Berthold Schriften sind weltweit geschätzt. Im Sch riftenatelier München wird jeder Buchsta be in der Größe von zwölf Zentimetern neu

2,15 mm (8 p), Zeilenabstand 3,50 mm

Bayerisches
Landesvermessungsamt
1966
H. Berthold AG

ABCDEFGHIJKLMNOPQ
RSTUVWXYZ
abcdefghijklmnopqrstuvwxyz
1/1234567890%
(.,-;:!¡?¿–)·[‘‘„”“»«]
+−=/$£†*&§
ÄÅÆÖØŒÜäåæıöøœßü
ÁÀÂÃÇČÉÈÊËÍÌÎÏĹŇÑÓÒÔÕ
ŔŘŠŤÚÙÛŴẄÝỲŶŸŽ
áàâãçčéèêëíìîïĺňñóòôõŕřš
úùûŵẅýỳŷÿž

Berthold-Schriftweite weit
Berthold-Schriftweite normal
Berthold-Schriftweite eng
Berthold-Schriftweite sehr eng
Berthold-Schriftweite extrem eng

In general, bodytypes are me asured in the typographical point size. The sizes of Berth old Fototype faces can be exa ctly determined. All faces of same point size have the sa me capital height-irrespect ive of their x-height. In hot metal and many other photo typesetting systems the cap ital heights often differ cons iderably from one face to the other. For measuring point s izes, a transparent size gaug e is provided. To determine the point size, bring a capital letter into coincidence with

3,20 mm (12 p), Zeilenabstand 5,25 mm

Berthold's quick brown fox jumps over the lazy dog and feels as if he were in the
3,72 mm (14 p)

Berthold's quick brown fox jumps over the lazy dog and feels as if he
4,25 mm (16 p)

Berthold's quick brown fox jumps over the lazy dog and feels
4,75 mm (18 p)

Berthold's quick brown fox jumps over the lazy dog and
5,30 mm (20 p)

Berthold's quick brown fox jumps over the lazy
6,35 mm (24 p)

Berthold's quick brown fox jumps over
7,40 mm (28 p)

Berthold's quick brown fox jumps
8,50 mm (32 p)

Berthold's quick brown fox jum
9,55 mm (36 p)

Berthold-Schriften überzeugen durch Schärfe und Qualität. Schriftqualität ist eine Frage der Erfahrung. Berthold hat diese Erfahrung seit über hundert Jahren. Zuerst im Schriftguß, dann im Fotosatz. Berthold-Schriften sind we ltweit geschätzt. Im Schriftenatelier München wird jeder Buchstabe in der

2,40 mm (9 p), Zeilenabstand 4,00 mm

Größe		Zeilenabstand			100 Zeichen		
mm	p	kp	Êp	Ex	0	−1	−2
1,33	5	1,81	2,13	—	92	89	86
1,60	6	2,13	2,56	2,50	108	104	100
1,86	7	2,50	3,00	3,00	124	120	116
2,15	8	2,88	3,44	3,50	141	136	131
2,40	9	3,25	3,88	4,00	158	152	146
2,65	10	3,56	4,25	4,00	174	167	160
2,92	11	3,94	4,69	—	190	183	176
3,20	12	4,31	5,13	5,25	207	199	191
3,45	13	4,63	5,56	—	223	215	207
3,72	14	5,00	6,00	—	239	230	221
3,98	15	5,31	6,38	—	255	246	237
4,25	16	5,69	6,81	—	271	261	251

WZ 13 E, NSW −1, MZB 0,66, F 0,10:0,03 (3,1), IV
H 1–x 0,67–k 1,00–p 0,33–Ê 1,27–kp 1,33–Êp 1,60
BF 089 1190, Belegung 051: 085 1328 (095 1328)

Berthold-Schriften überzeugen d urch Schärfe und Qualität. Schrif tqualität ist eine Frage der Erfahr ung. Berthold hat diese Erfahrung seit über hundert Jahren. Zuerst i m Schriftguß, dann im Fotosatz. B erthold-Schriften sind weltweit g eschätzt. Im Schriftenatelier Mün

2,65 mm (10 p), Zeilenabstand 4,00 mm

normal
regular
normal

SABON-ANTIQUA

normal
chiaro tondo
normal

Berthold-Schriften überzeugen durch Schärfe und Qualität. Schriftqual
ität ist eine Frage der Erfahrung. Berthold hat diese Erfahrung seit über
hundert Jahren. Zuerst im Schriftguß, dann im Fotosatz. Berthold-Schr
iften sind weltweit geschätzt. Im Schriftenatelier München wird jeder B
uchstabe in der Größe von zwölf Zentimetern neu gezeichnet. Mit mes
serscharfen Konturen, um für die Schriftscheiben das Optimale an Kont
urenschärfe herauszuholen. Um die Qualität des Einzelzeichens im Be
lichtungsvorgang zu bewahren, wird durch die ruhende, nicht rotierende
Schriftscheibe belichtet. Dieses optische System, verbunden mit Präzisi

1,33 mm (5 p) 20 30 40 50 60 70

Berthold-Schriften überzeugen durch Schärfe und Qualität. Schrift
qualität ist eine Frage der Erfahrung. Berthold hat diese Erfahrung
seit über hundert Jahren. Zuerst im Schriftguß, dann im Fotosatz. B
erthold-Schriften sind weltweit geschätzt. Im Schriftenatelier Mü
nchen wird jeder Buchstabe in der Größe von zwölf Zentimetern n
eu gezeichnet. Mit messerscharfen Konturen, um für die Schriftsch
eiben das Optimale an Konturenschärfe herauszuholen. Um die
Qualität des Einzelzeichens im Belichtungsvorgang zu bewahren
wird durch die ruhende, nicht rotierende Schriftscheibe belichtet

1,45 mm (5,5 p) 30 40 50 60

Berthold-Schriften überzeugen durch Schärfe und Qualität
Schriftqualität ist eine Frage der Erfahrung. Berthold hat diese
Erfahrung seit über hundert Jahren. Zuerst im Schriftguß, da
nn im Fotosatz. Berthold-Schriften sind weltweit geschätzt
Im Schriftenatelier München wird jeder Buchstabe in der Grö
ße von zwölf Zentimetern neu gezeichnet. Mit messerscharf
en Konturen, um für die Schriftscheiben das Optimale an Ko
nturenschärfe herauszuholen. Um die Qualität des Einzelzei
chens im Belichtungsvorgang zu bewahren, wird durch die ru

1,60 mm (6 p) 20 30 40 50 6

Berthold-Schriften überzeugen durch Schärfe und Qual
ität. Schriftqualität ist eine Frage der Erfahrung. Berthold
hat diese Erfahrung seit über hundert Jahren. Zuerst im
Schriftguß, dann im Fotosatz. Berthold-Schriften sind
weltweit geschätzt. Im Schriftenatelier München wird j
eder Buchstabe in der Größe von zwölf Zentimetern neu
gezeichnet. Mit messerscharfen Konturen, um für die
Schriftscheiben das Optimale an Konturenschärfe hera
uszuholen. Um die Qualität des Einzelzeichens im Belic

1,75 mm (6,5 p) 20 30 40 50

Berthold-Schriften überzeugen durch Schärfe und Q
ualität. Schriftqualität ist eine Frage der Erfahrung. B
erthold hat diese Erfahrung seit über hundert Jahren
Zuerst im Schriftguß, dann im Fotosatz. Berthold-Sc
hriften sind weltweit geschätzt. Im Schriftenatelier
München wird jeder Buchstabe in der Größe von zw
ölf Zentimetern neu gezeichnet. Mit messerscharfen
Konturen, um für die Schriftscheiben das Optimale an
Konturenschärfe herauszuholen. Um die Qualität des

1,86 mm (7 p) 20 30 40 50

Berthold-Schriften überzeugen durch Schärfe und
Qualität. Schriftqualität ist eine Frage der Erfahru
ng. Berthold hat diese Erfahrung seit über hundert
Jahren. Zuerst im Schriftguß, dann im Fotosatz. B
erthold-Schriften sind weltweit geschätzt. Im Sch
riftenatelier München wird jeder Buchstabe in der
Größe von zwölf Zentimetern neu gezeichnet. M
it messerscharfen Konturen, um für die Schriftsch
eiben das Optimale an Konturenschärfe herauszu

2,00 mm (7,5 p) 20 30 40

Berthold-Schriften überzeugen durch Schärfe
und Qualität. Schriftqualität ist eine Frage der
Erfahrung. Berthold hat diese Erfahrung seit üb
er hundert Jahren. Zuerst im Schriftguß, dann i
m Fotosatz. Berthold-Schriften sind weltweit g
eschätzt. Im Schriftenatelier München wird jed
er Buchstabe in der Größe von zwölf Zentimet
ern neu gezeichnet. Mit messerscharfen Kontu
ren, um für die Schriftscheiben das Optimale an

2,15 mm (8 p) 20 30 40

Jan Tschichold
1967
D. Stempel AG
H. Berthold AG

ABCDEFGHIJKLMNOPQ
RSTUVWXYZ
abcdefghijklmnopqrstuvwxyz
1/1234567890%
(.,-;:!¡?¿–)·[’‘„”“»«]
+−=/$£†*&§
ÄÅÆÖØŒÜäåæıöøœßü
ÁÀÂÃÇČÉÈÊËÍÌÎÏĹŇÑÓÒÔÕ
ŔŘŠŤÚÙÛŴẄÝỲŶŸŽ
áàâãçčéèêëíìîïĺňñóòôõŕřš
úùûŵẅýỳÿž

Berthold-Schriftweite weit
Berthold-Schriftweite normal
Berthold-Schriftweite eng
Berthold-Schriftweite sehr eng
Berthold-Schriftweite extrem eng

Berthold
3,75 mm (14 p)

Berthold
4,25 mm (16 p)

Berthold
4,75 mm (18 p)

Berthold
5,30 mm (20 p)

Berthold
6,35 mm (24 p)

Berthold
7,40 mm (28 p)

Berthold
8,50 mm (32 p)

Berthold
9,55 mm (36 p)

Größe mm	p	Zeilenabstand kp	Êp	Ex	100 Zeichen 0	−1	−2
1,33	5	1,94	2,19	2,00	80	77	74
1,60	6	2,31	2,63	2,50	94	90	86
1,86	7	2,69	3,06	3,00	108	104	100
2,15	8	3,06	3,56	3,50	123	118	113
2,40	9	3,44	3,94	3,75	138	132	126
2,65	10	3,81	4,38	4,25	152	145	138
2,92	11	4,19	4,81	4,75	166	159	152
3,20	12	4,56	5,25	5,25	180	172	164
3,45	13	4,94	5,63	5,75	194	186	178
3,72	14	5,31	6,13	—	208	199	190
3,98	15	5,69	6,50	—	223	214	205
4,25	16	6,06	6,94	—	237	227	217

WZ 13 E, NSW 0, MZB 0,57, F 0,11:0,042 (2,7), II
H 1–x 0,63–k 1,09–p 0,33–Ê 1,30–kp 1,42–Êp 1,63
BF 089 0588, Belegung 051: 085 0951 (095 0951)

Berthold-Schriften überzeugen durch Sch
ärfe und Qualität. Schriftqualität ist eine F
rage der Erfahrung. Berthold hat diese Erf
ahrung seit über hundert Jahren. Zuerst im
Schriftguß, dann im Fotosatz. Berthold-S
chriften sind weltweit geschätzt. Im Sch
riftenatelier München wird jeder Buchsta
be in der Größe von zwölf Zentimetern ne

2,40 mm (9 p) 20 30 40

Berthold-Schriften überzeugen durch
Schärfe und Qualität. Schriftqualität i
st eine Frage der Erfahrung. Berthold
hat diese Erfahrung seit über hundert
Jahren. Zuerst im Schriftguß, dann im
Fotosatz. Berthold-Schriften sind wel
tweit geschätzt. Im Schriftenatelier M
ünchen wird jeder Buchstabe in der G

2,65 mm (10 p) 20 30

Berthold-Schriften überzeugen du
rch Schärfe und Qualität. Schriftqu
alität ist eine Frage der Erfahrung
Berthold hat diese Erfahrung seit ü
ber hundert Jahren. Zuerst im Schr
iftguß, dann im Fotosatz. Berthol
d-Schriften sind weltweit geschätz
t. Im Schriftenatelier München wir

2,92 mm (11 p) 20 30

Berthold-Schriften überzeugen
durch Schärfe und Qualität. Schr
iftqualität ist eine Frage der Erfa
hrung. Berthold hat diese Erfahr
ung seit über hundert Jahren. Zu
erst im Schriftguß, dann im Foto
satz. Berthold-Schriften sind wel
tweit geschätzt. Im Schriftenatel

3,20 mm (12 p) 10 20 30

Berthold-Schriften überzeuge
n durch Schärfe und Qualität
Schriftqualität ist eine Frage d
er Erfahrung. Berthold hat die
se Erfahrung seit über hundert
Jahren. Zuerst im Schriftguß
dann im Fotosatz. Berthold-S
chriften sind weltweit geschät

3,45 mm (13 p) 10 20

normal
regular
normal

SABON-ANTIQUA

normal
chiaro tondo
normal

Berthold-Schriften überzeugen durch Schärfe und Qualität. Schriftqualität ist eine Frage der Erfahrung. Berthold hat diese Erfahrung seit über hundert Jahr en. Zuerst im Schriftguß, dann im Fotosatz. Berthold-Schriften sind weltweit geschätzt. Im Schriftenatelier München wird jeder Buchstabe in der Größe von zwölf Zentimetern neu gezeichnet. Mit messerscharfen Konturen, um für die Schriftscheiben das Optimale an Konturenschärfe herauszuholen Um die Qualität des Einzelzeichens im Belichtungsvorgang zu bewahren, wi rd durch die ruhende, nicht rotierende Schriftscheibe belichtet. Dieses optisc he System, verbunden mit Präzisions-Chromglasscheiben, führt zu einer Sch

4,25 mm (16 p), Zeilenabstand 6,75 mm

SABON-ANTIQUA REGULAR

In general, bodytypes are measured in the typo graphical point size. The sizes of Berthold Fototype faces can be exactly determined. All faces of same point size have the same capital heigth–irrespective of their x-heigth. In hot metal and many other pho totypesetting systems the capital heigths often differ considerably from one face to the other. For measur ing point sizes, a transparent size gauge is provided To determine the point size, bring a capital letter in to coincidence with that field which precisely cir cumscribes the letter at its upper and lower margin Below the field you find the typographical point and below that the millimeter value, which also refers to the height of a capital letter. In Berthold-phototype setting, the typewidth can be modified. The stand ard setting width of typefaces is determined by the principle of optimum legibility. You should not de part from this typewidth without cogent reason. A typeface which is considered optically right when looked in a greater context, often seems bulky when applied for a small amount of text, e. g. labels and ads. Here, a width reduction will be conducive to

2,40 mm (9 p), Zeilenabstand 4,25 mm

SABON-ANTIQUA NORMAL

La valeur de la force de corps des caractères de labeur èst généralement exprimée en points ty pographiques. La force de corps des caractères Berthold-Fototype peut être déterminée avec précision. Tous les caractères du même corps ont des capitales d'une hauteur identique, indé pendamment de la hauteur des bas de casse sans jambage. Dans la composition plomb, ain si que dans certains systèmes de photocompo sition, la hauteur des capitales, varie souvent d'un caractère à l'autre. Pour déterminer la force de corps de nos caractères, nous avons mis au point une réglette de hauteur d'œil transparente. On cherche le rectangle qui déli mite exactement la hauteur d'œil d'une capitale du caractère choisi. Sous le rectangle corres pondant la valeur de la force de corps est indi quée en points Didots et en millimètres. La va leur en millimètres exprime également la hau teur des capitales. Pour toutes les indications

2,65 mm (10 p), Zeilenabstand 4,69 mm

La indicación de las dimensiones para cuerpos de letra básicos tiene lugar en general en puntos tipo gráficos. Los cuerpos de letra de los caracteres Berthold Fototype pueden determinarse exacte mente par medición. Con independencia de la al tura de sus longitudes centrales, todos los caracte res de idéntico cuerpo de letra presentan altura de mayúsculas idéntica. En la composición en plomo y en muchos otros sistemas de fotocomposición

2,15 mm (8 p), –1, Zeilenabstand 3,38 mm

123,– $	456,– £	7890,– DM	1 %
234,– $	789,– £	1234,– DM	2 %
567,– $	12,– £	5678,– DM	3 %
890,– $	345,– £	9012,– DM	4 %
123,– $	678,– £	3456,– DM	5 %
456,– $	901,– £	7890,– DM	6 %
789,– $	234,– £	1234,– DM	7 %
12,– $	567,– £	5678,– DM	8 %
345,– $	890,– £	9012,– DM	9 %

BF 089 0589

Le misure relative al corpo dei caratteri vengono ge neralmente indicate in punti tipografici. Il corpo dei caratteri Fototypes può essere determinato con esat tezza per semplice misurazione. Tutti i caratteri di uguale grandezza in punti hanno, indipendentemen te dalla loro lunghezza, uguale altezza delle maiusco le. Nella composizione in piombo ed in molti altri sis temi di fotocomposizione, l'altezza delle maiuscole varia spesso da carattere a carattere. Per misurare il

2,15 mm (8 p), –2, Zeilenabstand 3,38 mm

normal
regular
normal

SABON CAPS

normal
chiaro tondo
normal

Berthold-Schriften über zeugen durch Schärfe un d Qualität. Schriftqualit ät ist eine Frage der Erfa hrung. Berthold hat dies e Erfahrung seit über hu ndert Jahren. Zuerst im S chriftguss, dann im Foto satz. Berthold-Schriften sind weltweit geschätzt. I m Schriftenatelier Münc hen wird jeder Buchstabe in der Grösse von zwölf Zentimetern neu gezeich net. Mit messerscharfen Konturen, um für die Sch riftscheiben das Optimal

3,20 mm (12 p), Zeilenabstand 5,25 mm

Jan Tschichold
1967
D. Stempel AG
H. Berthold AG

ABCDEFGHIJKLMNOPQ
RSTUVWXYZ
ABCDEFGHIJKLMNOPQRSTUVWXYZ
1234567890 %
(.,-;:!¡?¿–)·[’‘„”“»«›‹]
+-=/$£†*&§©
ÄÅÆÖØŒÜÄÅÆÖØŒÜ
ÁÀÂÃÇČÉÈÊËÍÌÎÏĹŇÑÓÒÔÕ
ŔŘŠŤÚÙÛŴẄÝŶŸŽ
ÁÀÂÃÇČÉÈÊËÍÌÎÏĹŇÑÓÒÔÕŔŘŠ
ÚÙÛŴẄÝỲŸŽ

Berthold-Schriftweite weit
Berthold-Schriftweite normal
Berthold-Schriftweite eng
Berthold-Schriftweite sehr eng
Berthold-Schriftweite extrem eng

LA VALEUR DE LA FORCE DE CORPS DES CARACTE RES DE LABEUR EST GEN ERALEMENT EXPRIMEE E N POINTS TYPOGRAPHIQ UES. LA FORCE DE CORPS DES CARACTERES BERTH OLD FOTOTYPE PEUT ET RE DETERMINEE AVEC PR ECISION. TOUS LES CAR ACTERES DU MEME COR PS ONT DES CAPITALES D’UNE HAUTEUR IDENTI QUE, INDEPENDAMMENT DE LA HAUTEUR DES BAS DE CASSE SANS JAMBAGE DANS LA COMPOSITION P

3,20 mm (12 p), Zeilenabstand 5,25 mm

8/5

MARIE-THERÈSE ROCHEFORT
Directrice

Rue Victor Hugo 69, Paris, Téléphone 37 25 86

9/6

HANS-OTTO VON SCHLICK
Landrat

Am Horst 10, Kappeln an der Schlei, Tel. 66 34

10/7

FLORENTINO CAVALLO
Maître de Plaisir

Via Ludovica Aretino 33, Firenze

11/8

JAN VAN DER FALK
Detektivbüro

Halve Maan Straat 78, Amsterdam

12/9

EULALIA LOEFFEL
Diätköchin

Am Gänsemarkt 2, Vilshofen

13/10

VLADIMIR IRIBOZOV
Saxophonist

Dom-Strasse 2, München

Berlin
3,72 mm (14 p)

Berlin
4,25 mm (16 p)

Berlin
4,75 mm (18 p)

Berlin
5,30 mm (20 p)

Berlin
6,35 mm (24 p)

Berlin
7,40 mm (28 p)

Berlin
8,50 mm (32 p)

Berlin
9,55 mm (36 p)

La indicación de las dimensiones para cuerpos de letra vási cos tiene lugar en general en puntos tipográficos. Los cue rpos de letra de los caracteres Berthold Fototype puede n determinarse exactemente par medición. Con independe ncia de la altura de sus longitudes centrales, todos los ca racteres de idéntico cuerpo de letra presentan altura de mayúsculas idéntica. En la composición en plomo y en muc hos otros sistemas de fotocomposición, las alturas de may úsculas varían frecuentemmente en forma considerable de tipo de letra a tipo de letra. Para medir los cuerpos de letr a se dispone de un tipómetro, véase la figura. Para la medic ión se hace coincidir una letra mayúscula con la casilla c uyos extremos coinciden con los extremos superior e inf erior de la letra. Bajo la casilla se indica el cuerpo de letr a en puntos tipográficos Didot, y debajo en mm. También las

1,33 mm (5 p), Zeilenabstand 1,94 mm

Le misure relative al corpo dei caratteri ve ngono generalmente indicate in punti tipog rafici. Il corpo dei caratteri Fototypes può essere determinato con esattezza per sempli ce misurazione. Tutti i caratteri di uguale grandezza in punti hanno, indipendenteme nte dalla loro lunghezza, uguale altezza d elle maiuscole. Nella composizione in piom bo ed in molti altri sistemi di fotocomposizi one, l’altezza delle maiuscole varia spesso da carattere a carattere. Per misurare il co rpo dei caratteri è indispensabile un apposit

1,60 mm (6 p), Zeilenabstand 2,44 mm
WZ 16 E, NSW +1, II
BF 089 1122, Belegung 127: 085 1053 (095 1053)

In general bodytypes are measured in the ty pographical point size. The sizes of Bertho ld-Fototype faces can be exactly determin ed. All faces of same point size have the sam e capital height–irrespective of their x-h eight. In hot metal and many other photot ypesetting systems the capital heights oft en differ considerably from one face to t he other. For measuring point sizes, a trans parent size gauge is provided. To determine

1,86 mm (7 p), Zeilenabstand 3,00 mm

kursiv
italic
italique

SABON

cursiva
corsivo
kursiv

Måttangivelse för grundstilsgrader sker i allmänhet i typografiska pun kter. Stilar av Berthold Fototype ka n efter mätning exakt gradbestäm mas. Alla typsnitt är av samma pun ktstorlek och har oberoende av x-h öjden en identisk versalhöjd. I blys ättning och i många andra fotosätt system varierar versalhöjden avsev ärt från typsnitt till typsnitt. För mä tning av stilgrader finns en transpa rent mätlinjal. Vid mätningen plac erar man en versal bokstav så att ru torna begränsar tecknet upptill och nedtill. Under rutorna finns stilstor leken i typografiska didotpunkter och i mm. Även millimeteruppgift en avser versalhöjden. Vid stilstorl eksuppgifter anges alltid måttenhe

2,92 mm (11 p), Zeilenabstand 4,69 mm

J. Tschichold
1967
D. Stempel AG
H. Berthold AG

ABCDEFGHIJKLMNOPQ
RSTUVWXYZ
abcdefghijklmnopqrstuvwxyz
1/1234567890%
(.,-;:!¡?¿–)·[’‘„”“»«]
+–=/$£†&§*
ÄÅÆÖØŒÜäåæıöøœßü
ÁÀÂÃÇČÉÈÊËÍÌÎÏĹŇÑÓÒÔÕ
ŔŘŠŤÚÙÛŴẄÝŶŸŽ
áàâãçčéèêëíìîïĺňñóòôõŕřš
úùûŵẅýỳÿž

Berthold-Schriftweite weit
Berthold-Schriftweite normal
Berthold-Schriftweite eng
Berthold-Schriftweite sehr eng
Berthold-Schriftweite extrem eng

In general, bodytypes are meas ured in the typographical point size. The sizes of Berthold Fotot ype faces can be exactly determi ned. All faces of same point size have the same capital heigth–irr espective of their x-heigth. In ho t metal and many other phototy pesetting systems the capital hei gths often differ considerably fr om one face to the other. For me asuring point sizes, a transpare nt size gauge is provided. To det ermine the point size, bring a ca pital letter into coincidence with that field which precisely circum scribes the letter at its upper an

3,20 mm (12 p), Zeilenabstand 5,25 mm

SABON KURSIV

Die Maßangabe zu Grundschriftgrößen erfolgt im allgemeinen in typographischen Punkten. Die Schriftgrößen der Berthold-Fotosatz-Schriften sind nach Messung exakt bestimmbar. Alle Schriften gleicher Punktgröße weisen, unabhängig von der Höhe ihrer Mittellängen, eine identische Versalhö he auf. Im Bleisatz und bei vielen anderen Fotosatz Systemen differieren die Versalhöhen von Schrift zu Schrift oft erheblich. Zum Messen von Schriftgrö ßen steht ein transparentes Größenmaß zur Verfü gung. Zum Messen wird ein Versalbuchstabe mit dem Feld in Deckung gebracht, das den Buchstaben oben und unten scharf begrenzt. Unter dem Feld ist die Schriftgröße in typographischen Didot-Punk ten, darunter in Millimetern angegeben. Auch die Millimeterangaben beziehen sich auf die Höhe der Versalbuchstaben. Die Schriftweite kann im Bert hold-Fotosatz beliebig verändert werden. Die Fest

2,40 mm (9 p), Zeilenabstand 4 mm

SABON ITALIQUE

La valeur de la force de corps des caractères de labeur èst généralement exprimée en points ty pographiques. La force de corps des caractères Berthold-Fototype peut être déterminée avec précision. Tous les caractères du même corps ont des capitales d'une hauteur identique, in dépendamment de la hauteur des bas de casse sans jambage. Dans la composition plomb ainsi que dans certains systèmes de photocom position, la hauteur des capitales, varie sou vent d'un caractère à l'autre. Pour déterminer la force de corps de nos caractères, nous avons mis au point une réglette de hauteur d'œil transparente. On cherche le rectangle qui déli mite exactement la hauteur d'œil d'une capi tale du caractère choisi. Sous le rectangle cor

2,65 mm (10 p), Zeilenabstand 4,50 mm

La indicación de las dimensiones para cuerpos de letra vási cos tiene lugar en general en puntos tipográficos. Los cuerpos de letra de los caracteres Berthold Fototype pueden determi narse exactemente par medición. Con independencia de la altura de sus longitudes centrales, todos los caracteres de idéntico cuerpo de letra presentan altura de mayúsculas idéntica. En la composición en plomo y en muchos otros sis temas de fotocomposición, las alturas de mayúsculas varían frecuentemmente en forma considerable de tipo de letra a ti po de letra. Para medir los cuerpos de letra se dispone de un ti pómetro, véase la figura. Para la medición se hace coincidir una letra mayúscula con la casilla cuyos extremos coinciden

1,60 mm (6 p), Zeilenabstand 2,50 mm

Größe mm	p	Zeilenabstand kp	Êp	Ex	100 Zeichen 0	–1	–2
1,00	5	1,94	2,19		83	80	77
1,60	6	2,31	2,63	2,50	98	94	90
1,86	7	2,69	3,06	–	113	109	105
2,15	8	3,06	3,56	3,38	128	123	118
2,40	9	3,44	3,94	4,00	143	137	131
2,65	10	3,81	4,38	4,50	158	151	144
2,92	11	4,19	4,81	4,69	173	166	159
3,20	12	4,56	5,25	5,25	188	180	172
3,45	13	4,94	5,63	–	202	194	186
3,72	14	5,31	6,13	–	217	208	199
3,98	15	5,69	6,50	–	232	223	214
4,25	16	6,06	6,94	–	246	236	226

WZ 12 E, NSW +1, MZB 0,60, F 0,10:0,038 (2,7), II H 1–x 0,64–k 1,09–p 0,33–Ê 1,30–kp 1,42–Êp 1,63 BF 089 0590, Belegung 051: 085 0952 (095 0952)

Le misure relative al corpo dei caratteri vengo no generalmente indicate in punti tipografici Il corpo dei caratteri Fototypes può essere de terminato con esattezza per semplice misurazi one. Tutti i caratteri di uguale grandezza in punti hanno, indipendentemente dalla loro lunghezza, uguale altezza delle maiuscole. Nel la composizione in piombo ed in molti altri sis temi di fotocomposizione, l'altezza delle mai

2,15 mm (8 p), Zeilenabstand 3,38 mm

halbfett
medium
demi-gras

SABON-ANTIQUA

seminegra
neretto
halvfet

Berthold-Schriften überzeugen durch Schärfe und Qualität. Schriftqualität ist eine Frage der Erfahrung. Berthold hat diese Erfahrung seit über hundert Jahren. Zuerst im Schriftguß dann im Fotosatz. Berthold-Schriften sind weltweit geschät zt. Im Schriftenatelier München wird jeder Buchstabe in der Größe von zwölf Zentimetern neu gezeichnet. Mit messersc harfen Konturen, um für die Schriftscheiben das Optimale an Konturenschärfe herauszuholen. Um die Qualität des Einzel zeichens im Belichtungsvorgang zu bewahren, wird durch

1,60 mm (6 p), Zeilenabstand 2,50 mm

Berthold-Schriften überzeugen durch Schärfe und Qualität. Schriftqualität ist eine Frage der Erfahrung Berthold hat diese Erfahrung seit über hundert Jahren Zuerst im Schriftguß, dann im Fotosatz. Berthold-Sc hriften sind weltweit geschätzt. Im Schriftenatelier München wird jeder Buchstabe in der Größe von zwölf Zentimetern neu gezeichnet. Mit messerscharf en Konturen, um für die Schriftscheiben das Optimale

1,86 mm (7 p), Zeilenabstand 3,00 mm

Berthold-Schriften überzeugen durch Schärfe und Qualität. Schriftqualität ist eine Frage der Erfahrung. Berthold hat diese Erfahrung seit über hundert Jahren. Zuerst im Schriftguß, da nn im Fotosatz. Berthold-Schriften sind weltw eit geschätzt. Im Schriftenatelier München wird jeder Buchstabe in der Größe von zwölf Zenti metern neu gezeichnet. Mit messerscharfen Ko

2,15 mm (8 p), Zeilenabstand 3,50 mm

Jan Tschichold
1967
D. Stempel AG
H. Berthold AG

ABCDEFGHIJKLMNOPQ
RSTUVWXYZ
abcdefghijklmnopqrstuvwxyz
1/1234567890%
(.,-;:!¡?¿–)·[’‘„”“»«]
+−=/$£†*&§
ÄÅÆÖØŒÜäåæıöøœßü
ÁÀÂÃÇČÉÈÊËÍÌÎÏĹŇÑÓÒÔÕ
ŔŘŠŤÚÙÛŴẄÝŶŸŽ
áàâãçčéèêëíìîïĺňñóòôõŕřš
úùûŵẅýỳÿž

Berthold-Schriftweite weit
Berthold-Schriftweite normal
Berthold-Schriftweite eng
Berthold-Schriftweite sehr eng
Berthold-Schriftweite extrem eng

In general, bodytypes are meas ured in the typographical point size. The sizes of Berthold Foto type faces can be exactly dete rmined. All faces of same point size have the same capital heigh t–irrespective of their x-height In hot metal and many other phototypesetting systems the c apital heights often differ cons iderably from one face to the ot her. For measuring point sizes a transparent size gauge is provid ed. To determine the point size bring a capital letter into coinci dence with that field which prec isely circumscribes the letter at

3,20 mm (12 p), Zeilenabstand 5,25 mm

Berthold's quick brown fox jumps over the lazy dog and feels as if he were in the seventh
3,75 mm (14 p)

Berthold's quick brown fox jumps over the lazy dog and feels as if he were in
4,25 mm (16 p)

Berthold's quick brown fox jumps over the lazy dog and feels as if he
4,75 mm (18 p)

Berthold's quick brown fox jumps over the lazy dog and feels
5,30 mm (20 p)

Berthold's quick brown fox jumps over the lazy dog
6,35 mm (24 p)

Berthold's quick brown fox jumps over the
7,40 mm (28 p)

Berthold's quick brown fox jumps over
8,50 mm (32 p)

Berthold's quick brown fox jumps
9,55 mm (36 p)

Berthold-Schriften überzeugen durch Sc härfe und Qualität. Schriftqualität ist eine Frage der Erfahrung. Berthold hat diese E rfahrung seit über hundert Jahren. Zuerst im Schriftguß, dann im Fotosatz. Berthol d-Schriften sind weltweit geschätzt. Im Sc hriftenatelier München wird jeder Buchst abe in der Größe von zwölf Zentimetern

2,40 mm (9 p), Zeilenabstand 4,00 mm

Größe		Zeilenabstand			100 Zeichen		
mm	p	kp	Êp	Ex	0	−1	−2
1,33	5	1,94	2,19	–	82	79	76
1,60	6	2,31	2,63	2,50	96	92	88
1,86	7	2,69	3,06	3,00	111	107	103
2,15	8	3,06	3,56	3,50	126	121	116
2,40	9	3,44	3,94	4,00	141	135	129
2,65	10	3,81	4,38	4,00	156	149	142
2,92	11	4,19	4,81	–	170	163	156
3,20	12	4,56	5,25	5,25	185	177	169
3,45	13	4,94	5,63	–	199	191	183
3,72	14	5,31	6,13	–	214	205	196
3,98	15	5,69	6,50	–	228	219	210
4,25	16	6,06	6,94	–	243	233	223

WZ 13 E, NSW 0, MZB 0,58, F 0,16:0,046 (3,5), II
H 1–x 0,64–k 1,09–p 0,33–Ê 1,30–kp 1,42–Êp 1,63
BF 089 0591, Belegung 051: 085 0953 (095 0953)

Berthold-Schriften überzeugen durch Schärfe und Qualität. Schriftqualität i st eine Frage der Erfahrung. Berthold hat diese Erfahrung seit über hundert Jahren. Zuerst im Schriftguß, dann im Fotosatz. Berthold-Schriften sind wel tweit geschätzt. Im Schriftenatelier M ünchen wird jeder Buchstabe in der

2,65 mm (10 p), Zeilenabstand 4,00 mm

SALON-ANTIQUA INDEX

Berthold-Schrifte
n überzeugen durch
Schärfe und Qualit
ät. Schriftqualität
ist eine Frage der E
rfahrung. Berthold
hat diese Erfahrun
g seit über hundert
Jahren. Zuerst im S
chriftguss, dann im
Fotosatz. Berthold
Schriften sind wel

3,20 mm (12 p), Zeilenabstand 5,25 mm

D. Stempel
1906
H. Berthold AG

ABCDEFGHIJKLMNOPQ
RSTUVWXYZ
abcdefghijklmnopqrst
uvwxyz 1/1234567890%
(.,-;:!¡?¿—)·[‘‘„”“›‹»«]
+−=/$£†*&§©
ÄÅÆÖØŒÜäåæöøœü
ÁÀÂÃÇČÉÈÊËÍÌÎÏĹŇÑ
ÓÒÔÕŔŘŠŤÚÙÛŴẄÝŶŸŽ
áàâãçčéèêëíìîïĺňñóòôõ
ŕřšúùûŵẅýỳÿž

LA VALEUR DE LA F
ORCE DE CORPS DE
S CARACTERES DE L
ABEUR EST GENER
ALEMENT EXPRIME
E EN POINTS TYPOG
GRAPHIQUES. LA F
ORCE DE CORPS DE
S CARACTERES BE
RTHOLD FOTOTYPE
PEUT ETRE DETER
MINEE AVEC PRECI

3,20 mm (12 p), Zeilenabstand 5,25 mm

6/3,75

SOPHIE-CHARLOTTE THIELMANN
Fachjournalistin

Holsteinische Str. 29, 1000 Berlin 31, Tel. 87 20 29

Schriftweite weit
Schriftweite normal
Schriftweite eng
Schriftweite sehr eng
Schriftweite extrem eng

7/4,25

PHILIPP VAN DEN BREUKEL
Kaffeeröster

Op den Heuvel 1, Amersfoort Zuid-West

8/5

THERÈSE ROCHEFORT
Directrice

69, Rue Victor Hugo, 75 Paris, Tél. 37 25 86

Berthold
2,32 mm (8,75 p)

Berthold
2,66 mm (10 p)

Berthold
2,97 mm (11,25 p)

Berthold
3,31 mm (12,5 p)

Berthold
3,97 mm (15 p)

Berthold
4,63 mm (17,5 p)

Berthold
5,31 mm (20 p)

Berthold
5,97 mm (22,5 p)

9/6

OTTO VON SCHLICK
Landrat

Am Alten Markt 5, Kiel, Tel. 66 34

10/7

FLORENTO CAVALLO
Maître de Plaisir

Via Aretino 33, Firenze

11/8

JAN VAN DER FALK
Detektivbüro

Maan Straat 8, Amsterdam

12/9

EULALIA SCHOEN
Diätköchin

Am Teich 12 a, Vilshofen

13/10

VLADIMIR RIBIZ
Saxophonist

Dom-Gasse 2, Münster

La indicación de las dimensiones para cuer
pos de letra vásicos tiene lugar en general
en puntos tipográficos. Los cuerpos de le
tra de los caracteres Berthold Fototype
pueden determinarse exactemente par medi
ción. Con independencia de la altura de sus
longitudes centrales, todos los caracteres
de idéntico cuerpo de letra presentan altu
ra de mayúsculas idéntica. En la composición
en plomo y en muchos otros sistemas de foto
composición, las alturas de mayúsculas va
rían frecuentemmente en forma considerab
le de tipo de letra a tipo de letra. Para medi
r los cuerpos de letra se dispone de un tipó
metro, véase la figura. Para la medición se h

1,33 mm (5 p), Zeilenabstand 1,94 mm

Le misure relative al corpo dei
caratteri vengono generalmente
indicate in punti tipografici. Il c
orpo dei caratteri Fototypes pu
ò essere determinato con esatte
zza per semplice misurazione. Tu
tti i caratteri di uguale grandez
za in punti hanno, indipendentem
ente dalla loro lunghezza ugual
e altezza delle maiuscole. Nella
composizione in piombo ed in molt
i altri sistemi di fotocomposizio

1,60 mm (6 p), Zeilenabstand 2,44 mm
WZ 12 E, NSW +1, III
BF 089 1245, Belegung 127: 085 1333 (095 1333)

In general bodytypes are measu
red in the typographical point
size. The sizes of Berthold-Foto
typefaces can be exactly deter
mined. All faces of same point si
ze have the same capital height
irrespective of their x-height. I
n hot metal and many other phot
otypesetting systems the capita
l heights often differ consider

1,86 mm (7 p), Zeilenabstand 3,00 mm

mager
light
maigre

Sayer Esprit

fina
chiarissimo
mager

In general, bodytypes are measured in the typographical point size. The sizes of Berthold Fototype faces c an be exactly determined. All faces of same point size have the same ca pital height-irrespective of their x height. In hot metal and many oth er phototypesetting systems the ca pital heights often differ considera bly from one face to the other. For measuring point sizes, a transpar ent size gauge is provided. To dete rmine the point size, bring a capital letter into coincidence with that fie ld which precisely circumscribes the letter at its upper and lower margi n. Below the field you find the typ

3,20 mm (12 p), Zeilenabstand 5,25 mm

Manfred Sayer
1984
H. Berthold AG

ABCDEFGHIJKLMNOPQ
RSTUVWXYZ
abcdefghijklmnopqrstuvwxyz
1/1234567890%
(.,-;:!¡?¿-)·[",""»«]
+-=/$£†*&§
ÄÅÆÖØŒÜäåæıöøœßü
ÁÀÂÃÇČÉÈÊËÍÌÎÏĹŇÑÓÒÔÕ
ŔŘŠŤÚÙÛŴẄÝŶŸŽ
áàâãçčéèêëíìîïĺňñóòôõŕřš
úùûŵẅýỳÿž

Berthold-Schriftweite weit
Berthold-Schriftweite normal
Berthold-Schriftweite eng
Berthold-Schriftweite sehr eng
Berthold-Schriftweite extrem eng

Bouillabaisse 7,95
Frischer Ostseelachs......... 16,70
Japanische Wachteleier..... 13,75
Gegrillte Scampi............ 17,80
Lammkotelett Provençale... 15,30
Hasenkeule Chasseur....... 19,50
Ente pochiert in der Blase .. 22,50
Kalbsmedaillons Gourmet.. 18,50
Kalbsfilet Grand Seigneur. 24,50
Weinhändlertopf........... 16,80
Mistchratzerli.............. 19,50
Entrecôte Double Paris 28,50
Tournedos Phantasie....... 27,50
Fondue Bourguignonne 39,50
Walderdbeeren 7,50
Eisbaiser Schlaccamadilla.. 8,50
Feigen mit Pfeffer auf Eis .. 9,75

3,20 mm (12 p), Zeilenabstand 5,25 mm

Barbara Helga Agnes Joana Natalie Gaby Sonja Karen Rebekka Christiane Ortrud Lydia
3,72 mm (14 p)

Barbara Helga Agnes Joana Natalie Gaby Sonja Karen Rebekka Christiane Ina
4,25 mm (16 p)

Barbara Helga Agnes Joana Natalie Gaby Sonja Rebekka Christiane Eva
4,75 mm (18 p)

Barbara Helga Agnes Joana Natalie Gaby Sonja Karen Ortrud
5,30 mm (20 p)

Barbara Helga Agnes Joana Natalie Gaby Sonja Sarah
6,35 mm (24 p)

Barbara Helga Agnes Joana Natalie Gaby Sonja
7,40 mm (28 p)

Barbara Helga Agnes Joana Natalie Gaby
8,50 mm (32 p)

Barbara Helga Agnes Joana Natalie
9,55 mm (36 p)

Berthold-Schriften überzeugen durch S chärfe und Qualität. Schriftqualität ist e ine Frage der Erfahrung. Berthold hat di ese Erfahrung seit über hundert Jahren Zuerst im Schriftguß, dann im Fotosatz Berthold-Schriften sind weltweit geschä tzt. Im Schriftenatelier München wird jed er Buchstabe in der Größe von zwölf Zen

2,65 mm (10 p), Zeilenabstand 4,00 mm

Größe mm	p	Zeilenabstand kp	Êp	Ex	100 Zeichen 0	−1	−2
1,33	5	2,06	2,19	–	77	74	71
1,60	6	2,44	2,63	–	91	87	83
1,86	7	2,88	3,06	–	105	101	97
2,15	8	3,31	3,56	–	119	114	109
2,40	9	3,69	3,94	–	133	127	121
2,65	10	4,06	4,38	4,00	147	140	133
2,92	11	4,44	4,81	4,63	161	154	147
3,20	12	4,88	5,25	5,25	174	166	158
3,45	13	5,25	5,69	–	188	180	172
3,72	14	5,69	6,13	–	202	193	184
3,98	15	6,06	6,56	–	215	206	197
4,25	16	6,50	7,00	–	229	219	209

WZ 13 E, NSW 0, MZB 0,55, F 0,09:0,06 (1,6), VIII
H 1–x 0,67–k 1,17–p 0,35–Ê 1,29–kp 1,52–Êp 1,64
BF 089 1364, Belegung 051: 085 1424 (095 1424)

Berthold-Schriften überzeugen durch Schärfe und Qualität. Schriftqualität ist eine Frage der Erfahrung. Berthold hat diese Erfahrung seit über hundert Jahren. Zuerst im Schriftguß, dann i m Fotosatz. Berthold-Schriften sind weltweit geschätzt. Im Schriftenatelier

2,92 mm (11 p), Zeilenabstand 4,63 mm

fett
bold
gras

Sayer Esprit

negra
nero
fet

In general, bodytypes are measu red in the typographical point si ze. The sizes of Berthold Fototy pe faces can be exactly determine d. All faces of same point size ha ve the same capital height-irres pective of their x-height. In hot metal and many other phototyp esetting systems the capital heig hts often differ considerably from one face to the other. For measur ing point sizes, a transparent size gauge is provided. To determine the point size, bring a capital let ter into coincidence with that field which precisely circumscribes the letter at its upper and lower mar

3,20 mm (12 p), Zeilenabstand 5,25 mm

Manfred Sayer
1984
H. Berthold AG

ABCDEFGHIJKLMNOPQ
RSTUVWXYZ
abcdefghijklmnopqrstuvwxyz
1/1234567890 %
(.,-;:!¡?¿–)·[''„"“»«]
+–=/$£†*&§
ÄÅÆÖØŒÜäåæıöøœßü
ÁÀÂÃÇČÉÈÊËÍÌÎÏŁÑŇÓÒÔÕ
ŔŘŠŤÚÙÛŴẄÝŸŶŽ
áàâãçčéèêëíìîïłňñóòôõŕřš
úùûŵẅýỳÿž

Berthold-Schriftweite weit
Berthold-Schriftweite normal
Berthold-Schriftweite eng
Berthold-Schriftweite sehr eng
Berthold-Schriftweite extrem eng

Bouillabaisse 7,95
Frischer Ostseelachs 16,70
Japanische Wachteleier ... 13,75
Gegrillte Scampi 17,80
Lammkotelett Provençale. 15,30
Hasenkeule Chasseur...... 19,50
Ente pochiert.............. 22,50
Kalbsmedaillons 18,50
Kalbsfilet.................. 24,50
Weinhändlertopf 16,80
Mistchratzerli 19,50
Entrecôte Double Paris... 28,50
Tournedos Phantasie...... 27,50
Fondue Bourguignonne.... 39,50
Walderdbeeren.............. 7,50
Eisbaiser.................... 8,50
Feigen auf Eis 9,75

3,20 mm (12 p), Zeilenabstand 5,25 mm

Barbara Helga Agnes Joana Natalie Gaby Sonja Karen Rebekka Christiane Ortrud
3,72 mm (14 p)

Barbara Helga Agnes Joana Natalie Gaby Sonja Karen Rebekka Christiane
4,25 mm (16 p)

Barbara Helga Agnes Joana Natalie Gaby Sonja Rebekka Christiane
4,75 mm (18 p)

Barbara Helga Agnes Joana Natalie Gaby Sonja Karen Eva
5,30 mm (20 p)

Barbara Helga Agnes Joana Natalie Gaby Sonja Eva
6,35 mm (24 p)

Barbara Helga Agnes Joana Natalie Gaby
7,40 mm (28 p)

Barbara Helga Agnes Joana Natalie Ina
8,50 mm (32 p)

Barbara Helga Agnes Joana Conny
9,55 mm (36 p)

Berthold-Schriften überzeugen durch Schärfe und Qualität. Schriftqualität ist eine Frage der Erfahrung. Berthold hat diese Erfahrung seit über hundert Jahren. Zuerst im Schriftguß, dann im Fotosatz. Berthold-Schriften sind wel tweit geschätzt. Im Schriftenatelier M ünchen wird jeder Buchstabe in der Gr

2,65 mm (10 p), Zeilenabstand 4,00 mm

Größe mm	p	Zeilenabstand kp	Êp	Ex	100 Zeichen 0	−1	−2
1,33	5	2,06	2,25	–	83	80	77
1,60	6	2,44	2,69	–	98	94	90
1,86	7	2,81	3,13	–	113	109	105
2,15	8	3,25	3,56	–	128	123	118
2,40	9	3,63	4,00	–	143	137	131
2,65	10	4,06	4,38	4,00	158	151	144
2,92	11	4,44	4,88	4,63	173	166	159
3,20	12	4,88	5,31	5,25	188	180	172
3,45	13	5,25	5,75	–	202	194	186
3,72	14	5,63	6,19	–	217	208	199
3,98	15	6,06	6,63	–	232	223	214
4,25	16	6,44	7,06	–	246	236	226

WZ 13 E, NSW 0, MZB 0,60, F 0,18:0,07 (2,6), VIII
H 1–x 0,80–k 1,15–p 0,36–Ê 1,29–kp 1,51–Êp 1,65
BF 089 1365, Belegung 051: 085 1425 (095 1425)

Berthold-Schriften überzeugen du rch Schärfe und Qualität. Schriftq ualität ist eine Frage der Erfahrung Berthold hat diese Erfahrung seit über hundert Jahren. Zuerst im Sc hriftguß, dann im Fotosatz. Bertho ld-Schriften sind weltweit geschätz

2,92 mm (11 p), Zeilenabstand 4,63 mm

mager
light
maigre

SCHADOW-ANTIQUA

fina
chiarissimo
mager

Berthold-Schriften überzeugen durch Schärfe und Qualität. Schri
ftqualität ist eine Frage der Erfahrung. Berthold hat diese Erfahru
ng seit über hundert Jahren. Zuerst im Schriftguß, dann im Fotos
atz. Berthold-Schriften sind weltweit geschätzt. Im Schriftenateli
er München wird jeder Buchstabe in der Größe von zwölf Zentime
tern neu gezeichnet. Mit messerscharfen Konturen, um für die Sc
hriftscheiben das Optimale an Konturenschärfe herauszuholen
Um die Qualität des Einzelzeichens im Belichtungsvorgang zu be
wahren, wird durch die ruhende, nicht rotierende Schriftscheibe

1,33 mm (5 p) 20 30 40 50 60

Berthold-Schriften überzeugen durch Schärfe und Qualität
Schriftqualität ist eine Frage der Erfahrung. Berthold hat die
se Erfahrung seit über hundert Jahren. Zuerst im Schriftguß
dann im Fotosatz. Berthold-Schriften sind weltweit geschätz
t. Im Schriftenatelier München wird jeder Buchstabe in der G
röße von zwölf Zentimetern neu gezeichnet. Mit messerscha
rfen Konturen, um für die Schriftscheiben das Optimale an K
onturenschärfe herauszuholen. Um die Qualität des Einzelz
eichens im Belichtungsvorgang zu bewahren, wird durch die

1,45 mm (5,5 p) 20 30 40 50

Berthold-Schriften überzeugen durch Schärfe und Qual
ität. Schriftqualität ist eine Frage der Erfahrung. Berth
old hat diese Erfahrung seit über hundert Jahren. Zuers
t im Schriftguß, dann im Fotosatz. Berthold-Schriften si
nd weltweit geschätzt. Im Schriftenatelier München wir
d jeder Buchstabe in der Größe von zwölf Zentimetern
neu gezeichnet. Mit messerscharfen Konturen, um für
die Schriftscheiben das Optimale an Konturenschärfe
herauszuholen. Um die Qualität des Einzelzeichens im

1,60 mm (6 p) 20 30 40 50

Berthold-Schriften überzeugen durch Schärfe und
Qualität. Schriftqualität ist eine Frage der Erfahru
ng. Berthold hat diese Erfahrung seit über hundert
Jahren. Zuerst im Schriftguß, dann im Fotosatz. Be
rthold-Schriften sind weltweit geschätzt. Im Schrif
tenatelier München wird jeder Buchstabe in der Gr
öße von zwölf Zentimetern neu gezeichnet. Mit me
sserscharfen Konturen, um für die Schriftscheiben
das Optimale an Konturenschärfe herauszuholen

1,75 mm (6,5 p) 20 30 40 5

Berthold-Schriften überzeugen durch Schärfe u
nd Qualität. Schriftqualität ist eine Frage der Erf
ahrung. Berthold hat diese Erfahrung seit über h
undert Jahren. Zuerst im Schriftguß, dann im Fo
tosatz. Berthold-Schriften sind weltweit geschät
zt. Im Schriftenatelier München wird jeder Buch
stabe in der Größe von zwölf Zentimetern neu ge
zeichnet. Mit messerscharfen Konturen, um für
die Schriftscheiben das Optimale an Konturensc

1,86 mm (7 p) 20 30 40

Berthold-Schriften überzeugen durch Schärf
e und Qualität. Schriftqualität ist eine Frage d
er Erfahrung. Berthold hat diese Erfahrung s
eit über hundert Jahren. Zuerst im Schriftg
uß, dann im Fotosatz. Berthold-Schriften sind
weltweit geschätzt. Im Schriftenatelier Münc
hen wird jeder Buchstabe in der Größe von z
wölf Zentimetern neu gezeichnet. Mit messe
rscharfen Konturen, um für die Schriftscheib

2,00 mm (7,5 p) 20 30 40

Berthold-Schriften überzeugen durch Sch
ärfe und Qualität. Schriftqualität ist eine F
rage der Erfahrung. Berthold hat diese Erf
ahrung seit über hundert Jahren. Zuerst
im Schriftguß, dann im Fotosatz. Berthold
Schriften sind weltweit geschätzt. Im Schri
ftenatelier München wird jeder Buchstabe
in der Größe von zwölf Zentimetern neu ge
zeichnet. Mit messerscharfen Konturen, u

2,15 mm (8 p) 20 30 40

Georg Trump
1938
Johannes Wagner GmbH
H. Berthold AG

ABCDEFGHIJKLMNOPQ
RSTUVWXYZ
abcdefghijklmnopqrstuvwxyz
1/1234567890%
(.,-;:!¡?¿–)·[',„""»«]
+−=/$£†*&§
ÄÅÆÖØŒÜäåæıöøœßü
ÁÀÂÃÇČÉÈÊËÍÌÎÏĹŇÑÓÒÔÕ
ŔŘŠŤÚÙÛŴẄÝŶŸŽ
áàâãçčéèêëíìîïĺňñóòôõŕřš
úùûŵẅýỳÿž

Berthold-Schriftweite weit
Berthold-Schriftweite normal
Berthold-Schriftweite eng
Berthold-Schriftweite sehr eng
Berthold-Schriftweite extrem eng

Berthold
3,75 mm (14 p)

Berthold
4,25 mm (16 p)

Berthold
4,75 mm (18 p)

Berthold
5,30 mm (20 p)

Berthold
6,35 mm (24 p)

Berthold
7,40 mm (28 p)

Berthold
8,50 mm (32 p)

Berthold
9,55 mm (36 p)

Größe		Zeilenabstand			100 Zeichen		
mm	p	kp	Êp	Ex	0	−1	−2
1,33	5	1,75	2,19	2,00	90	87	84
1,60	6	2,13	2,56	2,50	107	103	99
1,86	7	2,44	3,00	3,00	122	118	114
2,15	8	2,81	3,50	3,50	139	134	129
2,40	9	3,13	3,88	3,75	156	150	144
2,65	10	3,50	4,25	4,25	172	165	158
2,92	11	3,81	4,69	4,75	188	181	174
3,20	12	4,19	5,13	5,25	204	196	188
3,45	13	4,50	5,56	5,75	220	212	204
3,72	14	4,88	6,00	–	236	227	218
3,98	15	5,19	6,38	–	252	243	234
4,25	16	5,56	6,81	–	268	258	248

WZ 13 E, NSW +1, MZB 0,65, F 0,12:0,075 (1,6), V
H 1–x 0,70–k 1,00–p 0,30–Ê 1,30–kp 1,30–Êp 1,60
BF 089 0592, Belegung 051: 085 0882 (095 0882)

Berthold-Schriften überzeugen durch
Schärfe und Qualität. Schriftqualität i
st eine Frage der Erfahrung. Berthold
hat diese Erfahrung seit über hundert
Jahren. Zuerst im Schriftguß, dann im
Fotosatz. Berthold-Schriften sind welt
weit geschätzt. Im Schriftenatelier Mü
nchen wird jeder Buchstabe in der Grö

2,40 mm (9 p) 20 30

Berthold-Schriften überzeugen du
rch Schärfe und Qualität. Schriftqu
alität ist eine Frage der Erfahrung
Berthold hat diese Erfahrung seit
über hundert Jahren. Zuerst im Sc
hriftguß, dann im Fotosatz. Berthol
d-Schriften sind weltweit geschätzt
Im Schriftenatelier München wird

2,65 mm (10 p) 20 30

Berthold-Schriften überzeugen
durch Schärfe und Qualität. Sc
hriftqualität ist eine Frage der E
rfahrung. Berthold hat diese E
rfahrung seit über hundert Jah
ren. Zuerst im Schriftguß, dann
im Fotosatz. Berthold-Schriften
sind weltweit geschätzt. Im Sch

2,92 mm (11 p) 10 20 30

Berthold-Schriften überzeug
en durch Schärfe und Qualitä
t. Schriftqualität ist eine Frag
e der Erfahrung. Berthold hat
diese Erfahrung seit über hu
ndert Jahren. Zuerst im Schr
iftguß, dann im Fotosatz. Ber
thold-Schriften sind weltweit

3,20 mm (12 p) 10 20

Berthold-Schriften überzeu
gen durch Schärfe und Qua
lität. Schriftqualität ist eine
Frage der Erfahrung. Berth
old hat diese Erfahrung seit
über hundert Jahren. Zuer
st im Schriftguß, dann im F
otosatz. Berthold-Schriften

3,45 mm (13 p) 10 20

mager
light
maigre

SCHADOW-ANTIQUA

fina
chiarissimo
mager

Berthold-Schriften überzeugen durch Schärfe und Qualität. Schriftqu alität ist eine Frage der Erfahrung. Berthold hat diese Erfahrung seit ü ber hundert Jahren. Zuerst im Schriftguß, dann im Fotosatz. Berthold Schriften sind weltweit geschätzt. Im Schriftenatelier München wird jeder Buchstabe in der Größe von zwölf Zentimetern neu gezeichnet Mit messerscharfen Konturen, um für die Schriftscheiben das Optim ale an Konturenschärfe herauszuholen. Um die Qualität des Einzelze ichens im Belichtungsvorgang zu bewahren, wird durch die ruhende nicht rotierende Schriftscheibe belichtet. Dieses optische System, ve

4,25 mm (16 p), Zeilenabstand 6,75 mm

SCHADOW-ANTIQUA LIGHT

In general, bodytypes are measured in the typo graphical point size. The sizes of Berthold Foto type faces can be exactly determined. All faces of same point size have the same capital height irrespective of their x-height. In hot metal and many other phototypesetting systems the capi tal heights often differ considerably from one face to the other. For measuring point sizes, a transparent size gauge is provided. To deter mine the point size, bring a capital letter into coincidence with that field which precisely cir cumscribes the letter at its upper and lower margin. Below the field you find the typographi cal point and below that the millimeter value which also refers to the height of a capital letter In Berthold-phototypesetting, the typewidth can be modified. The standard setting width of typefaces is determined by the principle of opti mum legibility. You should not depart from this typewidth without cogent reason. A typeface which is considered optically right when looked in a greater context, often seems bulky when

2,40 mm (9 p), Zeilenabstand 4,25 mm

SCHADOW-ANTIQUA MAIGRE

La valeur de la force de corps des caractè res de labeur èst généralement exprimée en points typographiques. La force de corps des caractères Berthold-Fototype peut être déterminée avec précision. Tous les caractères du même corps ont des capi tales d'une hauteur identique, indépen damment de la hauteur des bas de casse sans jambage. Dans la composition plomb ainsi que dans certains systèmes de photo composition, la hauteur des capitales, va rie souvent d'un caractère à l'autre. Pour déterminer la force de corps de nos carac tères, nous avons mis au point une réglette de hauteur d'œil transparente. On cherche le rectangle qui délimite exactement la hauteur d'œil d'une capitale du caractère choisi. Sous le rectangle correspondant la valeur de la force de corps est indiquée en points Didots et en millimètres. La valeur

2,65 mm (10 p), Zeilenabstand 4,69 mm

La indicación de las dimensiones para cuer pos de letra básicos tiene lugar en general en puntos tipográficos. Los cuerpos de letra de los caracteres Berthold Fototype pueden de terminarse exactemente par medición. Con independencia de la altura de sus longitudes centrales, todos los caracteres de idéntico cuerpo de letra presentan altura de mayús culas idéntica. En la composición en plomo y

2,15 mm (8 p), −1, Zeilenabstand 3,38 mm

123,– $	456,– £	7890,– DM	1 %
234,– $	789,– £	1234,– DM	2 %
567,– $	12,– £	5678,– DM	3 %
890,– $	345,– £	9012,– DM	4 %
123,– $	678,– £	3456,– DM	5 %
456,– $	901,– £	7890,– DM	6 %
789,– $	234,– £	1234,– DM	7 %
12,– $	567,– £	5678,– DM	8 %
345,– $	890,– £	9012,– DM	9 %

BF 089 0593

Le misure relative al corpo dei caratteri vengo no generalmente indicate in punti tipografici. Il corpo dei caratteri Fototypes può essere deter minato con esattezza per semplice misurazi one. Tutti i caratteri di uguale grandezza in punti hanno, indipendentemente dalla loro lunghezza, uguale altezza delle maiuscole. Nel la composizione in piombo ed in molti altri sistemi di fotocomposizione, l'altezza delle ma

2,15 mm (8 p), −2, Zeilenabstand 3,38 mm

halbfett
medium
demi-gras

SCHADOW-ANTIQUA

seminegra
neretto
halvfet

Berthold-Schriften überzeugen durch Schärfe und Qualität. Schriftqualität ist eine Frage der Erfahru ng. Berthold hat diese Erfahrung seit über hundert Jahren. Zuerst im Schriftguß, dann im Fotosatz Berthold-Schriften sind weltweit geschätzt. Im Sc hriftenatelier München wird jeder Buchstabe in der Größe von zwölf Zentimetern neu gezeichnet Mit messerscharfen Konturen, um für die Schrifts cheiben das Optimale an Konturenschärfe heraus

1,60 mm (6 p), Zeilenabstand 2,50 mm

Berthold-Schriften überzeugen durch Schär fe und Qualität. Schriftqualität ist eine Frage der Erfahrung. Berthold hat diese Erfahrung seit über hundert Jahren. Zuerst im Schriftg uß, dann im Fotosatz. Berthold-Schriften si nd weltweit geschätzt. Im Schriftenatelier München wird jeder Buchstabe in der Größe von zwölf Zentimetern neu gezeichnet. Mit

1,86 mm (7 p), Zeilenabstand 3,00 mm

Berthold-Schriften überzeugen durch Schärfe und Qualität. Schriftqualität ist eine Frage der Erfahrung. Berthold hat diese Erfahrung seit über hundert Jahr en. Zuerst im Schriftguß, dann im Fotos atz. Berthold-Schriften sind weltweit geschätzt. Im Schriftenatelier München wird jeder Buchstabe in der Größe von

2,15 mm (8 p), Zeilenabstand 3,50 mm

1939
Johannes Wagner GmbH
H. Berthold AG

ABCDEFGHIJKLMNOPQ
RSTUVWXYZ
abcdefghijklmnopqrstuvwxyz
1/1234567890%
(.,-;:!¡?¿–)·[‘‚„“»«]
+−=/$£†*&§
ÄÅÆÖØŒÜäåæıöøœßü
ÁÀÂÃÇČÉÈÊËÍÌÎÏĹŇÑÓÒÔÕ
ŔŘŠŤÚÙÛŴẄÝŶŸŽ
áàâãçčéèêëíìîïĺňñóòôõŕřš
úùûŵẅýỳÿž

Berthold-Schriftweite weit
Berthold-Schriftweite normal
Berthold-Schriftweite eng
Berthold-Schriftweite sehr eng
Berthold-Schriftweite extrem eng

In general, bodytypes are measured in the typograp hical point size. The sizes of Berthold Fototype faces can be exactly determined All faces of same point size have the same capital heig th-irrespective of their x heigth. In hot metal and m any other phototypesettin g systems the capital hei gths often differ considera bly from one face to the oth er. For measuring point si zes, a transparent size ga uge is provided. To determ ine the point size, bring a c

3,20 mm (12 p), Zeilenabstand 5,25 mm

Berthold's quick brown fox jumps over the lazy dog and feels as if he were
3,75 mm (14 p)

Berthold's quick brown fox jumps over the lazy dog and feels as
4,25 mm (16 p)

Berthold's quick brown fox jumps over the lazy dog and f
4,75 mm (18 p)

Berthold's quick brown fox jumps over the lazy dog
5,30 mm (20 p)

Berthold's quick brown fox jumps over the
6,35 mm (24 p)

Berthold's quick brown fox jumps ov
7,40 mm (28 p)

Berthold's quick brown fox jum
8,50 mm (32 p)

Berthold's quick brown fox j
9,55 mm (36 p)

Berthold-Schriften überzeugen du rch Schärfe und Qualität. Schriftqu alität ist eine Frage der Erfahrung Berthold hat diese Erfahrung seit ü ber hundert Jahren. Zuerst im Sch riftguß, dann im Fotosatz. Berthold Schriften sind weltweit geschätzt Im Schriftenatelier München wird j

2,40 mm (9 p), Zeilenabstand 4,00 mm

Größe		Zeilenabstand			100 Zeichen		
mm	p	kp	Êp	Ex	0	−1	−2
1,33	5	1,75	2,06	—	97	94	91
1,60	6	2,06	2,50	2,50	114	110	106
1,86	7	2,44	2,94	3,00	131	127	123
2,15	8	2,81	3,38	3,50	149	144	139
2,40	9	3,13	3,75	4,00	167	161	155
2,65	10	3,44	4,13	4,00	184	177	170
2,92	11	3,75	4,56	—	201	194	187
3,20	12	4,13	5,00	5,25	218	210	202
3,45	13	4,44	5,38	—	235	227	219
3,72	14	4,81	5,81	—	253	244	235
3,98	15	5,13	6,19	—	270	261	252
4,25	16	5,50	6,63	—	287	277	267

WZ 13 E, NSW −1, MZB 0,69, F 0,23:0,10 (2,3), V
H 1–x 0,72–k 1,00–p 0,28–Ê 1,27–kp 1,28–Êp 1,55
BF 089 0594, Belegung 051: 085 0885 (095 0885)

Berthold-Schriften überzeugen durch Schärfe und Qualität. Sc hriftqualität ist eine Frage der E rfahrung. Berthold hat diese Erf ahrung seit über hundert Jahre n. Zuerst im Schriftguß, dann im Fotosatz. Berthold-Schriften si nd weltweit geschätzt. Im Sch

2,65 mm (10 p), Zeilenabstand 4,00 mm

fett
bold
gras

SCHADOW-ANTIQUA

negra
nero
fet

Berthold-Schriften überzeugen durch Schärfe und Qualität. Schriftqualität ist eine Frage der Erfahrung. Berthold hat diese Erfahrung seit über hundert Jahren. Zuerst im Schriftguß, da nn im Fotosatz. Berthold-Schriften sind weltw eit geschätzt. Im Schriftenatelier München wi rd jeder Buchstabe in der Größe von zwölf Zenti metern neu gezeichnet. Mit messerscharfen Ko nturen, um für die Schriftscheiben das Optima

1,60 mm (6 p), Zeilenabstand 2,50 mm

Berthold-Schriften überzeugen durch Sc härfe und Qualität. Schriftqualität ist ei ne Frage der Erfahrung. Berthold hat die se Erfahrung seit über hundert Jahren Zuerst im Schriftguß, dann im Fotosatz Berthold-Schriften sind weltweit geschä tzt. Im Schriftenatelier München wird je der Buchstabe in der Größe von zwölf Ze

1,86 mm (7 p), Zeilenabstand 3,00 mm

Berthold-Schriften überzeugen dur ch Schärfe und Qualität. Schriftqual ität ist eine Frage der Erfahrung. Be rthold hat diese Erfahrung seit über hundert Jahren. Zuerst im Schriftg uß, dann im Fotosatz. Berthold-Schr iften sind weltweit geschätzt. Im Sc hriftenatelier München wird jeder B

2,15 mm (8 p), Zeilenabstand 3,50 mm

1952
Johannes Wagner GmbH
H. Berthold AG

ABCDEFGHIJKLMNOPQ
RSTUVWXYZ
abcdefghijklmnopqrstuvw
xyz1/1234567890%
(.,-;:!¡?¿–)·[‘‚“„”»«]
+–=/$£†*&§
ÄÅÆÖØŒÜäåæıöøœßü
ÁÀÂÃÇČÉÈÊËÍÌÎÏĹŇÑÓÒÔÕ
ŔŘŠŤÚÙÛŴẀÝŶŸŽ
áàâãçčéèêëíìîïĺňñóòôõŕřš
úùûŵẁýỳÿž

Berthold-Schriftweite weit
Berthold-Schriftweite normal
Berthold-Schriftweite eng
Berthold-Schriftweite sehr eng
Berthold-Schriftweite extrem eng

In general, bodytypes ar e measured in the typog raphical point size. The sizes of Berthold Fototy pe faces can be exactly d etermined. All faces of s ame point size have the same capital heigth-irr espective of their x-heig th. In hot metal and ma ny other phototypesetti ng systems the capital h eigths often differ cons iderably from one face to the other. For measuring point sizes, a transpare nt size gauge is provided

3,20 mm (12 p), Zeilenabstand 5,25 mm

Berthold's quick brown fox jumps over the lazy dog and feels as if h
3,75 mm (14 p)

Berthold's quick brown fox jumps over the lazy dog and fee
4,25 mm (16 p)

Berthold's quick brown fox jumps over the lazy dog
4,75 mm (18 p)

Berthold's quick brown fox jumps over the lazy
5,30 mm (20 p)

Berthold's quick brown fox jumps over
6,35 mm (24 p)

Berthold's quick brown fox jumps
7,40 mm (28 p)

Berthold's quick brown fox ju
8,50 mm (32 p)

Berthold's quick brown fo
9,55 mm (36 p)

Berthold-Schriften überzeugen durch Schärfe und Qualität. Sch riftqualität ist eine Frage der Er fahrung. Berthold hat diese Erfa hrung seit über hundert Jahren Zuerst im Schriftguß, dann im F otosatz. Berthold-Schriften sin d weltweit geschätzt. Im Schrift

2,40 mm (9 p), Zeilenabstand 4,00 mm

Größe		Zeilenabstand			100 Zeichen		
mm	p	kp	Êp	Ex	0	−1	−2
1,33	5	1,75	2,13	—	109	106	103
1,60	6	2,13	2,56	2,50	128	124	120
1,86	7	2,44	3,00	3,00	147	143	139
2,15	8	2,81	3,44	3,50	167	162	157
2,40	9	3,13	3,81	4,00	187	181	175
2,65	10	3,50	4,19	4,00	206	199	192
2,92	11	3,81	4,63	—	225	218	211
3,20	12	4,19	5,06	5,25	245	237	229
3,45	13	4,50	5,50	—	264	256	248
3,72	14	4,88	5,94	—	283	274	265
3,98	15	5,19	6,31	—	302	293	284
4,25	16	5,56	6,75	—	321	311	301

WZ 15 E, NSW 0, MZB 0,78, F 0,29:0,11 (2,7), V
H 1–x 0,73–k 1,00–p 0,30–Ê 1,28–kp 1,30–Êp 1,58
BF 089 0595, Belegung 051: 085 0888 (095 0888)

Berthold-Schriften überzeu gen durch Schärfe und Qualit ät. Schriftqualität ist eine Fr age der Erfahrung. Berthold hat diese Erfahrung seit über hundert Jahren. Zuerst im Sc hriftguß, dann im Fotosatz. B erthold-Schriften sind weltw

2,65 mm (10 p), Zeilenabstand 4,00 mm

schmalfett
bold condensed
étroit gras

SCHADOW-ANTIQUA

negra estrecha
nero stretto
smalfet

Berthold-Schriften überzeugen durch Schärfe und Qualität. Schriftquali
tät ist eine Frage der Erfahrung. Berthold hat diese Erfahrung seit über
hundert Jahren. Zuerst im Schriftguß, dann im Fotosatz. Berthold-Schrif
ten sind weltweit geschätzt. Im Schriftenatelier München wird jeder Buc
hstabe in der Größe von zwölf Zentimetern neu gezeichnet. Mit messersc
harfen Konturen, um für die Schriftscheiben das Optimale an Konturensc
härfe herauszuholen. Um die Qualität des Einzelzeichens im Belichtungs
vorgang zu bewahren, wird durch die ruhende, nicht rotierende Schrifts
cheibe belichtet. Dieses optische System, verbunden mit Präzisions-Chro

1,60 mm (6 p), Zeilenabstand 2,50 mm

Berthold-Schriften überzeugen durch Schärfe und Qualität. Sch
riftqualität ist eine Frage der Erfahrung. Berthold hat diese Erf
ahrung seit über hundert Jahren. Zuerst im Schriftguß, dann im
Fotosatz. Berthold-Schriften sind weltweit geschätzt. Im Schrif
tenatelier München wird jeder Buchstabe in der Größe von zwö
lf Zentimetern neu gezeichnet. Mit messerscharfen Konturen
um für die Schriftscheiben das Optimale an Konturenschärfe he
rauszuholen. Um die Qualität des Einzelzeichens im Belichtung

1,86 mm (7 p), Zeilenabstand 3,00 mm

Berthold-Schriften überzeugen durch Schärfe und Qualit
ät. Schriftqualität ist eine Frage der Erfahrung. Berthold
hat diese Erfahrung seit über hundert Jahren. Zuerst im
Schriftguß, dann im Fotosatz. Berthold-Schriften sind we
ltweit geschätzt. Im Schriftenatelier München wird jeder
Buchstabe in der Größe von zwölf Zentimetern neu gezei
chnet. Mit messerscharfen Konturen, um für die Schriftsc
heiben das Optimale an Konturenschärfe herauszuholen

2,15 mm (8 p), Zeilenabstand 3,50 mm

1945
Johannes Wagner GmbH
H. Berthold AG

ABCDEFGHIJKLMNOPQ
RSTUVWXYZ
abcdefghijklmnopqrstuvwxyz
1/1234567890 %
(.,-;:!¡?¿–) · ['‚"„"»«]
+–=/$£†*&§
ÄÅÆÖØŒÜäåæıöøœßü
ÁÀÂÃÇČÉÈÊËÍÌÎÏĹŇÑÓÒÔÕ
ŔŘŠŤÚÙÛŴẄÝŶŸŽ
áàâãçčéèêëíìîïĺňñóòôõŕřš
úùûŵẅýỳÿž

Berthold-Schriftweite weit
Berthold-Schriftweite normal
Berthold-Schriftweite eng
Berthold-Schriftweite sehr eng
Berthold-Schriftweite extrem eng

In general, bodytypes are measured in
the typographical point size. The sizes
of Berthold Fototype faces can be exact
ly determined. All faces of same point
size have the same capital height–irre
spective of their x-height. In hot metal
and many other phototypesetting syst
ems the capital heights often differ con
siderably from one face to the other
For measuring point sizes, a transpare
nt size gauge is provided. To determine
the point size, bring a capital letter into
coincidence with that field which preci
sely circumscribes the letter at its upp
er and lower margin. Below the field
you find the typographical point and
below that the millimeter value, which

3,20 mm (12 p), Zeilenabstand 5,25 mm

Berthold's quick brown fox jumps over the lazy dog and feels as if he were in the seventh heaven of typogr
3,75 mm (14 p)

Berthold's quick brown fox jumps over the lazy dog and feels as if he were in the seventh heav
4,25 mm (16 p)

Berthold's quick brown fox jumps over the lazy dog and feels as if he were in the sev
4,75 mm (18 p)

Berthold's quick brown fox jumps over the lazy dog and feels as if he were in
5,30 mm (20 p)

Berthold's quick brown fox jumps over the lazy dog and feels as
6,35 mm (24 p)

Berthold's quick brown fox jumps over the lazy dog an
7,40 mm (28 p)

Berthold's quick brown fox jumps over the lazy
8,50 mm (32 p)

Berthold's quick brown fox jumps over the
9,55 mm (36 p)

Berthold-Schriften überzeugen durch Schärfe und
Qualität. Schriftqualität ist eine Frage der Erfahru
ng. Berthold hat diese Erfahrung seit über hundert
Jahren. Zuerst im Schriftguß, dann im Fotosatz. Be
rthold-Schriften sind weltweit geschätzt. Im Sc
hriftenatelier München wird jeder Buchstabe in
der Größe von zwölf Zentimetern neu gezeichnet
Mit messerscharfen Konturen, um für die Schriftsc

2,40 mm (9 p), Zeilenabstand 4,00 mm

Größe		Zeilenabstand			100 Zeichen		
mm	p	kp	Êp	Ex	0	–1	–2
1,33	5	1,75	2,06	–	68	65	62
1,60	6	2,06	2,50	2,50	80	76	72
1,86	7	2,44	2,94	3,00	92	88	84
2,15	8	2,81	3,38	3,50	105	100	95
2,40	9	3,13	3,75	4,00	118	112	106
2,65	10	3,44	4,13	4,00	130	123	116
2,92	11	3,75	4,56	–	142	135	128
3,20	12	4,13	5,00	5,25	154	146	138
3,45	13	4,44	5,38	–	166	158	150
3,72	14	4,81	5,81	–	178	169	160
3,98	15	5,13	6,19	–	190	181	172
4,25	16	5,50	6,63	–	202	192	182

WZ 11 E, NSW 0, MZB 0,49, F 0,19:0,071 (2,7), V
H 1–x 0,73–k 1,00–p 0,28–Ê 1,27–kp 1,28–Êp 1,55
BF 089 0596, Belegung 051: 085 0891 (095 0891)

Berthold-Schriften überzeugen durch Schärfe
und Qualität. Schriftqualität ist eine Frage der
Erfahrung. Berthold hat diese Erfahrung seit
über hundert Jahren. Zuerst im Schriftguß, da
nn im Fotosatz. Berthold-Schriften sind weltw
eit geschätzt. Im Schriftenatelier München wi
rd jeder Buchstabe in der Größe von zwölf Zen
timetern neu gezeichnet. Mit messerscharfen

2,65 mm (10 p), Zeilenabstand 4,00 mm

SCHREIBMASCHINENSCHRIFT

Måttangivelse för gr
undstilsgrader sker
i allmänhet i typogr
afiska punkter. Stil
ar av Berthold Fotot
ype kan efter mätnin
g exakt gradbestämma
s. Alla typsnitt är
av samma punktstorle
k och har oberoende
av x-höjden en ident
isk versalhöjd. I bl
ysättning och i mång
a andra fotosättsyst
em varierar versalhö
jden avsevärt från t
ypsnitt till typsnit
t. För mätning av st
ilgraders finns en t

2,92 mm (11 p), Zeilenabstand 4,69 mm

1969
H. Berthold AG

ABCDEFGHIJKLMNOPQ
RSTUVWXYZ abcd
efghijklmnopqrstuvwxyz
_/1234567890%
(.,-;:!¡?¿–)·[’‘„”“›‹]
+-=/$£†*&§
ÄÅÆÖØŒÜäåæıöøœßü
ÁÀÂÃÇČÉÈÊËÍÌÎÏĹŇÑÓÒÔÕ
ŔŘŠŤÚÙÛŴẄÝŶŸŽ
áàâãçčéèêëíìîïĺňñóòôõ
ŕřšúùûŵẅýỳÿž

Schriftweite weit
Schriftweite normal
Schriftweite eng
Schriftweite sehr eng
Schriftweite extrem eng

In general, bodytyp
es are measured in
the typographical p
oint size. The size
s of Berthold Fotot
ype faces can be ex
actly determined. A
ll faces of same po
int size have the s
ame capital height
irrespective of the
ir x-height. In hot
metal and many othe
r phototypesetting
systems the capital
heights often diffe
r considerably from

3,20 mm (12 p), Zeilenabstand 5,25 mm

SCHREIBMASCHINENSCHRIFT

Die Maßangabe zu Grundschriftg
rößen erfolgt im allgemeinen i
n typographischen Punkten. Die
Schriftgrößen der Berthold-Fot
osatz-Schriften sind nach Mess
ung exakt bestimmbar. Alle Sch
riften gleicher Punktgröße wei
sen, unabhängig von der Höhe i
hrer Mittellängen, eine identi
sche Versalhöhe auf. Im Bleisa
tz und bei vielen anderen Foto
satz-Systemen differieren die
Versalhöhen von Schrift zu Sch
rift oft erheblich. Zum Messen
von Schriftgrößen steht ein tr
ansparentes Größenmaß zur Verf
ügung. Zum Messen wird ein Ver

2,40 mm (9 p), Zeilenabstand 4,25 mm

SCHREIBMASCHINENSCHRIFT

La valeur de la force de co
rps des caractères de labeu
r èst généralement exprimée
en points typographiques. L
a force de corps des caract
ères Berthold-Fototype peut
être déterminée avec précis
ion. Tous les caractères du
même corps ont des capitale
s d'une hauteur identique
indépendamment de la hauteu
r des bas de casse sans jam
bage. Dans la composition p
lomb, ainsi que dans certai
ns systèmes de photocomposi
tion, la hauteur des capita
les, varie souvent d'un car

2,65 mm (10 p), Zeilenabstand 4,25 mm

La indicación de las dimensiones par
a cuerpos de letra vásicos tiene lug
ar en general en puntos tipográficos
Los cuerpos de letra de los caracter
es Berthold Fototype pueden determin
arse exactemente par medición. Con i
ndependencia de la altura de sus lon
gitudes centrales, todos los caracte
res de idéntico cuerpo de letra pres
entan altura de mayúsculas idéntica
En la composición en plomo y en much
os otros sistemas de fotocomposición

1,60 mm (6 p), Zeilenabstand 2,50 mm

Größe mm	p	Zeilenabstand kp	Êp	Ex	100 Zeichen 0	−1	−2
1,33	5	1,75	2,13	—	132	129	126
1,60	6	2,06	2,50	2,50	155	151	147
1,86	7	2,44	2,94	—	179	175	171
2,15	8	2,81	3,38	3,38	203	198	193
2,40	9	3,13	3,75	4,25	227	221	215
2,65	10	3,44	4,19	4,25	251	244	237
2,92	11	3,75	4,56	4,69	274	267	260
3,20	12	4,13	5,00	5,25	297	289	281
3,45	13	4,44	5,44	—	321	313	305
3,72	14	4,81	5,81	—	344	335	326
3,98	15	5,13	6,25	—	367	358	349
4,25	16	5,50	6,69	—	391	381	371

WZ 34 E, NSW 0, MZB 0,94, F 0,14:0,094 (1,5), V
H 1–x 0,72–k 1,00–p 0,28–Ê 1,28–kp 1,28–Êp 1,56
BF 089 0597, Belegung 051: 085 0674 (095 0674)

Le misure relative al corpo
dei caratteri vengono gener
almente indicate in punti t
ipografici. Il corpo dei ca
ratteri Fototypes può esser
e determinato con esattezza
per semplice misurazione. T
utti i caratteri di uguale
grandezza in punti hanno, i

2,15 mm (8 p), Zeilenabstand 3,38 mm

mager
light
maigre

SENECA

fina
chiarissimo
mager

Berthold-Schriften überzeugen durch Schärfe und Qualität. Schriftqualität
ist eine Frage der Erfahrung. Berthold hat diese Erfahrung seit über hundert
Jahren. Zuerst im Schriftguß, dann im Fotosatz. Berthold-Schriften sind we
ltweit geschätzt. Im Schriftenatelier München wird jeder Buchstabe in der
Größe von zwölf Zentimetern neu gezeichnet. Mit messerscharfen Kontur
en, um für die Schriftscheiben das Optimale an Konturenschärfe herauszu
holen. Um die Qualität des Einzelzeichens im Belichtungsvorgang zu bew
ahren, wird durch die ruhende, nicht rotierende Schriftscheibe belichtet. Di
eses optische System, verbunden mit Präzisions-Chromglasscheiben, führt

1,33 mm (5 p) 20 30 40 50 60 70

Berthold-Schriften überzeugen durch Schärfe und Qualität. Schriftqu
alität ist eine Frage der Erfahrung. Berthold hat diese Erfahrung seit üb
er hundert Jahren. Zuerst im Schriftguß, dann im Fotosatz. Berthold-S
chriften sind weltweit geschätzt. Im Schriftenatelier München wird je
der Buchstabe in der Größe von zwölf Zentimetern neu gezeichnet. Mit
messerscharfen Konturen, um für die Schriftscheiben das Optimale an
Konturenschärfe herauszuholen. Um die Qualität des Einzelzeichens
im Belichtungsvorgang zu bewahren, wird durch die ruhende, nicht ro
tierende Schriftscheibe belichtet. Dieses optische System, verbunden

1,45 mm (5,5 p) 20 30 40 50 60

Berthold-Schriften überzeugen durch Schärfe und Qualität. Sch
riftqualität ist eine Frage der Erfahrung. Berthold hat diese Erfah
rung seit über hundert Jahren. Zuerst im Schriftguß, dann im Fot
osatz. Berthold-Schriften sind weltweit geschätzt. Im Schriftena
telier München wird jeder Buchstabe in der Größe von zwölf Ze
ntimetern neu gezeichnet. Mit messerscharfen Konturen, um für
die Schriftscheiben das Optimale an Konturenschärfe herauszuh
olen. Um die Qualität des Einzelzeichens im Belichtungsvorgang
zu bewahren, wird durch die ruhende, nicht rotierende Schriftsc

1,60 mm (6 p) 20 30 40 50 60

Berthold-Schriften überzeugen durch Schärfe und Qualität
Schriftqualität ist eine Frage der Erfahrung. Berthold hat di
ese Erfahrung seit über hundert Jahren. Zuerst im Schriftg
uß, dann im Fotosatz. Berthold-Schriften sind weltweit ges
chätzt. Im Schriftenatelier München wird jeder Buchstabe
in der Größe von zwölf Zentimetern neu gezeichnet. Mit
messerscharfen Konturen, um für die Schriftscheiben das O
ptimale an Konturenschärfe herauszuholen. Um die Qualit
ät des Einzelzeichens im Belichtungsvorgang zu bewahren

1,75 mm (6,5 p) 20 30 40 50

Berthold-Schriften überzeugen durch Schärfe und Qua
lität. Schriftqualität ist eine Frage der Erfahrung. Berth
old hat diese Erfahrung seit über hundert Jahren. Zuerst
im Schriftguß, dann im Fotosatz. Berthold-Schriften si
nd weltweit geschätzt. Im Schriftenatelier München wi
rd jeder Buchstabe in der Größe von zwölf Zentimetern
neu gezeichnet. Mit messerscharfen Konturen, um für
die Schriftscheiben das Optimale an Konturenschärfe
herauszuholen. Um die Qualität des Einzelzeichens im

1,86 mm (7 p) 20 30 40 50

Berthold-Schriften überzeugen durch Schärfe und
Qualität. Schriftqualität ist eine Frage der Erfahrung
Berthold hat diese Erfahrung seit über hundert Jahr
en. Zuerst im Schriftguß, dann im Fotosatz. Berthold
Schriften sind weltweit geschätzt. Im Schriftenatelier
München wird jeder Buchstabe in der Größe von zw
ölf Zentimetern neu gezeichnet. Mit messerscharfen
Konturen, um für die Schriftscheiben das Optimale
an Konturenschärfe herauszuholen. Um die Qualitä

2,00 mm (7,5 p) 20 30 40 5

Berthold-Schriften überzeugen durch Schärfe un
d Qualität. Schriftqualität ist eine Frage der Erfah
rung. Berthold hat diese Erfahrung seit über hund
ert Jahren. Zuerst im Schriftguß, dann im Fotosatz
Berthold-Schriften sind weltweit geschätzt. Im Sc
hriftenatelier München wird jeder Buchstabe in d
er Größe von zwölf Zentimetern neu gezeichnet
Mit messerscharfen Konturen, um für die Schrifts
cheiben das Optimale an Konturenschärfe heraus

2,15 mm (8 p) 20 30 40

Gustav Jaeger
1979
H. Berthold AG

ABCDEFGHIJKLMNOPQ
RSTUVWXYZ
abcdefghijklmnopqrstuvwxyz
1/1234567890%
(.,-;:!¡?¿–)·['‘„"“»«]
+−=/$£†*&§
ÄÅÆÖØŒÜäåæıöøœßü
ÁÀÂÃÇČÉÈÊËÍÌÎÏĹŇÑÓÒÔÕ
ŔŘŠŤÚÙÛŴẄÝŶŸŽ
áàâãçčéèêëíìîïĺňñóòôõŕřš
úùûŵẅýỳÿž

Berthold-Schriftweite weit
Berthold-Schriftweite normal
Berthold-Schriftweite eng
Berthold-Schriftweite sehr eng
Berthold-Schriftweite extrem eng

Berthold
3,72 mm (14 p)

Berthold
4,25 mm (16 p)

Berthold
4,75 mm (18 p)

Berthold
5,30 mm (20 p)

Berthold
6,35 mm (24 p)

Berthold
7,40 mm (28 p)

Berthold
8,50 mm (32 p)

Berthold
9,55 mm (36 p)

Größe		Zeilenabstand			100 Zeichen		
mm	p	kp	Êp	Ex	0	−1	−2
1,33	5	1,88	2,19	2,00	78	75	72
1,60	6	2,31	2,63	2,50	92	88	84
1,86	7	2,63	3,06	3,00	106	102	98
2,15	8	3,06	3,56	3,50	120	115	110
2,40	9	3,44	3,94	3,75	134	128	122
2,65	10	3,75	4,38	4,25	148	141	134
2,92	11	4,13	4,81	4,75	162	155	148
3,20	12	4,56	5,25	5,25	176	168	160
3,45	13	4,88	5,69	5,75	190	182	174
3,72	14	5,25	6,13	–	203	194	185
3,98	15	5,63	6,56	–	217	208	199
4,25	16	6,00	7,00	–	231	221	211

WZ 12 E, NSW 0, MZB 0,56, F 0,088:0,046 (1,9), III
H 1–x 0,64–k 1,03–p 0,38–Ê 0,26–kp 1,41–Êp 1,64
BF 089 0785, Belegung 051: 085 0167 (095 0167)

Berthold-Schriften überzeugen durch Schär
fe und Qualität. Schriftqualität ist eine Frage
der Erfahrung. Berthold hat diese Erfahrung
seit über hundert Jahren. Zuerst im Schriftgu
ß, dann im Fotosatz. Berthold-Schriften sind
weltweit geschätzt. Im Schriftenatelier Mün
chen wird jeder Buchstabe in der Größe von
zwölf Zentimetern neu gezeichnet. Mit mess

2,40 mm (9 p) 20 30 40

Berthold-Schriften überzeugen durch Sc
härfe und Qualität. Schriftqualität ist ei
ne Frage der Erfahrung. Berthold hat die
se Erfahrung seit über hundert Jahren. Z
uerst im Schriftguß, dann im Fotosatz. B
erthold-Schriften sind weltweit geschät
zt. Im Schriftenatelier München wird je
der Buchstabe in der Größe von zwölf Z

2,65 mm (10 p) 20 30

Berthold-Schriften überzeugen durc
h Schärfe und Qualität. Schriftqualit
ät ist eine Frage der Erfahrung. Berth
old hat diese Erfahrung seit über hun
dert Jahren. Zuerst im Schriftguß, da
nn im Fotosatz. Berthold-Schriften si
nd weltweit geschätzt. Im Schriftena
telier München wird jeder Buchstab

2,92 mm (11 p) 20 30

Berthold-Schriften überzeugen d
urch Schärfe und Qualität. Schrift
qualität ist eine Frage der Erfahru
ng. Berthold hat diese Erfahrung s
eit über hundert Jahren. Zuerst im
Schriftguß, dann im Fotosatz. Ber
thold-Schriften sind weltweit ges
chätzt. Im Schriftenatelier Münch

3,20 mm (12 p) 20 30

Berthold-Schriften überzeugen
durch Schärfe und Qualität. Sc
hriftqualität ist eine Frage der E
rfahrung. Berthold hat diese Er
fahrung seit über hundert Jahre
n. Zuerst im Schriftguß, dann i
m Fotosatz. Berthold-Schriften
sind weltweit geschätzt. Im Sch

3,45 mm (13 p) 10 20 3

mager
light
maigre

SENECA

fina
chiarissimo
mager

Berthold-Schriften überzeugen durch Schärfe und Qualität. Schriftqualität ist ei ne Frage der Erfahrung. Berthold hat diese Erfahrung seit über hundert Jahren Zuerst im Schriftguß, dann im Fotosatz. Berthold-Schriften sind weltweit gesch ätzt. Im Schriftenatelier München wird jeder Buchstabe in der Größe von zwölf Zentimetern neu gezeichnet. Mit messerscharfen Konturen, um für die Schriftsc heiben das Optimale an Konturenschärfe herauszuholen. Um die Qualität des Einzelzeichens im Belichtungsvorgang zu bewahren, wird durch die ruhende, ni cht rotierende Schriftscheibe belichtet. Dieses optische System, verbunden mit Präzisions-Chromglasscheiben, führt zu einer Schriftqualität, die im Qualitätss

4,25 mm (16 p), Zeilenabstand 6,75 mm

SENECA LIGHT

In general, bodytypes are measured in the typographi cal point size. The sizes of Berthold Fototype faces can be exactly determined. All faces of same point size have the same capital height–irrespective of their x height. In hot metal and many other phototypesetting systems the capital heights often differ considerably from one face to the other. For measuring point sizes, a transparent size gauge is provided. To determine the point size, bring a capital letter into coincidence with that field which precisely circumscribes the letter at its upper and lower margin. Below the field you find the typographical point and below that the millimeter value, which also refers to the height of a capital letter In Berthold-phototypesetting, the typewidth can be modified. The standard setting width of typefaces is determined by the principle of optimum legibility. You should not depart from this typewidth without cogent reason. A typeface which is considered optically right when looked in a greater context, often seems bulky when applied for a small amount of text, e. g. labels and ads. Here, a width reduction will be conducive to legibility. Small amounts of text seem to be optically

2,40 mm (9 p), Zeilenabstand 4,25 mm

SENECA MAIGRE

La valeur de la force de corps des caractères de la beur est généralement exprimée en points typo graphiques. La force de corps des caractères Bert hold-Fototype peut être déterminée avec préci sion. Tous les caractères du même corps ont des capitales d'une hauteur identique, indépendam ment de la hauteur des bas de casse sans jambage Dans la composition plomb, ainsi que dans cer tains systèmes de photocomposition, la hauteur des capitales, varie souvent d'un caractère à l'au tre. Pour déterminer la force de corps de nos caractères, nous avons mis au point une réglette de hauteur d'œil transparente. On cherche le rec tangle qui délimite exactement la hauteur d'œil d'une capitale du caractère choisi. Sous le rec tangle correspondant la valeur de la force de corps est indiquée en points Didots et en milli mètres. La valeur en millimètres exprime égale ment la hauteur des capitales. Pour toutes les in dications concernant la force de corps, il est utile

2,65 mm (10 p), Zeilenabstand 4,69 mm

La indicación de las dimensiones para cuerpos de le tra vasicos tiene lugar en general en puntos tipogra ficos. Los cuerpos de letra de los caracteres Berthold Fototype pueden determinarse exactemente par medición. Con independencia de la altura de sus longitudes centrales, todos los caracteres de idéntico cuerpo de letra presentan altura de mayúsculas idéntica. En la composición en plomo y en muchos otros sistemas de fotocomposición, las alturas de

2,15 mm (8 p), −1, Zeilenabstand 3,38 mm

123,– $	456,– £	7890,– DM	1 %
234,– $	789,– £	1234,– DM	2 %
567,– $	12,– £	5678,– DM	3 %
890,– $	345,– £	9012,– DM	4 %
123,– $	678,– £	3456,– DM	5 %
456,– $	901,– £	7890,– DM	6 %
789,– $	234,– £	1234,– DM	7 %
12,– $	567,– £	5678,– DM	8 %
345,– $	890,– £	9012,– DM	9 %

BF 089 0786

Le misure relative al corpo dei caratteri vengono gene ralmente indicate in punti tipografici. Il corpo dei ca ratteri Fototypes può essere determinato con esattezza per semplice misurazione. Tutti i caratteri di uguale grandezza in punti hanno, indipendentemente dalla loro lunghezza, uguale altezza delle maiuscole. Nella composizione in piombo ed in molti altri sistemi di fo tocomposizione, l'altezza delle maiuscole varia spesso da carattere a carattere. Per misurare il corpo dei ca

2,15 mm (8 p), −2, Zeilenabstand 3,38 mm

kursiv mager
light italic
italique maigre

SENECA

fina cursiva
chiarissimo corsivo
kursiv mager

Måttangivelse för grundstilsgrader sk er i allmänhet i typografiska punkter S tilar av Berthold Fototype kan efter m ätning exakt gradbestämmas. Alla ty psnitt är av samma punktstorlek och h ar oberoende av x-höjden en identisk versalhöjd. I blysättning och i många andra fotosättsystem varierar versalhö jden avsevärt från typsnitt till typsnitt För mätning av stilgrader finns en tra nsparent mätlinjal. Vid mätningen p lacerar man en versal bokstav så att ru torna begränsar tecknet upptill och ne dtill. Under rutorna finns stilstorleken i typografiska didotpunkter och i mm Även millimeteruppgiften avser versal höjden. Vid stilstorleksuppgifter anges alltid måttenheten efter sifferuppgiften t ex 14 punkter eller 14 p. Berthold-skr

2,92 mm (11 p), Zeilenabstand 4,69 mm

Gustav Jaeger
1983
H. Berthold AG

ABCDEFGHIJKLMNOPQ
RSTUVWXYZ
abcdefghijklmnopqrstuvwxyz
1/1234567890%
(.,-;:!¡?¿–)·[''„""»«]
+–=/$£†&§*
ÄÅÆÖØŒÜäåæıöøœßü
ÁÀÂÃÇČÉÈÊËÍÌÎÏĹŇÑÓÒÔÕ
ŔŘŠŤÚÙÛŴẄÝŶŸŽ
áàâãçčéèêëíìîïĺňñóòôõŕřš
úùûŵẅýŷÿž

Berthold-Schriftweite weit
Berthold-Schriftweite normal
Berthold-Schriftweite eng
Berthold-Schriftweite sehr eng
Berthold-Schriftweite extrem eng

In general, bodytypes are measured in the typographical point size. The sizes of Berthold Fototype faces can be exactly determined. All faces of same point size have the same capi tal height–irrespective of their x-h eight. In hot metal and many other phototypesetting systems the capit al heights often differ considerably from one face to the other. For mea suring point sizes, a transparent si ze gauge is provided. To determine the point size, bring a capital letter into coincidence with that field whi ch precisely circumscribes the letter at its upper and lower margin. Bel ow the field you find the typograph

3,20 mm (12 p), Zeilenabstand 5,25 mm

SENECA KURSIV MAGER

Die Maßangabe zu Grundschriftgrößen erfolgt im allge meinen in typographischen Punkten. Die Schriftgrößen der Berthold-Fotosatz-Schriften sind nach Messung exa kt bestimmbar. Alle Schriften gleicher Punktgröße weise n, unabhängig von der Höhe ihrer Mittellängen, eine id entische Versalhöhe auf. Im Bleisatz und bei vielen ande ren Fotosatz-Systemen differieren die Versalhöhen von S chrift zu Schrift oft erheblich. Zum Messen von Schriftgr ößen steht ein transparentes Größenmaß zur Verfügung Zum Messen wird ein Versalbuchstabe mit dem Feld in Deckung gebracht, das den Buchstaben oben und unten scharf begrenzt. Unter dem Feld ist die Schriftgröße in ty pographischen Didot-Punkten, darunter in Millimetern angegeben. Auch die Millimeterangaben beziehen sich auf die Höhe der Versalbuchstaben. Die Schriftweite ka nn im Berthold-Fotosatz beliebig verändert werden. Die Festlegung der Normalschriftweite erfolgt nach dem Pri nzip der optimalen Lesbarkeit bei größeren Textmengen

2,40 mm (9 p), Zeilenabstand 4 mm

SENECA ITALIQUE MAIGRE

La valeur de la force de corps des caractères de labe ur èst généralement exprimée en points typographi ques. La force de corps des caractères Berthold-Fot otype peut être déterminée avec précision. Tous les c aractères du même corps ont des capitales d'une ha uteur identique, indépendamment de la hauteur des bas de casse sans jambage. Dans la composition pl omb, ainsi que dans certains systèmes de photocom position, la hauteur des capitales, varie souvent d'un caractère à l'autre. Pour déterminer la force de corps de nos caractères, nous avons mis au point une régl ette de hauteur d'œil transparente. On cherche le re ctangle qui délimite exactement la hauteur d'œil d une capitale du caractère choisi. Sous le rectangle c orrespondant la valeur de la force de corps est indiq uée en points Didots et en millimètres. La valeur en

2,65 mm (10 p), Zeilenabstand 4,50 mm

La indicación de las dimensiones para cuerpos de letra vásicos tie ne lugar en general en puntos tipográficos. Los cuerpos de letra de los caracteres Berthold Fototype pueden determinarse exactemente par medición. Con independencia de la altura de sus longitudes ce ntrales, todos los caracteres de idéntico cuerpo de letra presentan a ltura de mayúsculas idéntica. En la composición en plomo y en mu chos otros sistemas de fotocomposición, las alturas de mayúsculas varían frecuentemmente en forma considerable de tipo de letra a ti po de letra. Para medir los cuerpos de letra se dispone de un tipóme tro, véase la figura. Para la medición se hace coincidir una letra m ayúscula con la casilla cuyos extremos coinciden con los extremos superior e inferior de la letra. Bajo la casilla se indica el cuerpo de

1,60 mm (6 p), Zeilenabstand 2,50 mm

Größe		Zeilenabstand			100 Zeichen		
mm	p	kp	Êp	Ex	0	–1	–2
1,33	5	1,88	2,19	–	77	74	71
1,60	6	2,25	2,63	2,50	91	87	83
1,86	7	2,63	3,06	–	105	101	97
2,15	8	3,06	3,56	3,38	119	114	109
2,40	9	3,38	3,94	4,00	133	127	121
2,65	10	3,75	4,38	4,50	147	140	133
2,92	11	4,13	4,81	4,69	161	154	147
3,20	12	4,50	5,25	5,25	174	166	158
3,45	13	4,88	5,69	–	188	180	172
3,72	14	5,25	6,13	–	202	193	184
3,98	15	5,63	6,56	–	215	206	197
4,25	16	6,00	7,00	–	229	219	209

WZ 13 E, NSW 0, MZB 0,55, F 0,08:0,04 (1,9), II
H 1–x 0,64–k 1,02–p 0,38–Ê 1,26–kp 1,40–Êp 1,64
BF 089 1246, Belegung 051: 085 1327 (095 1327)

Le misure relative al corpo dei caratteri vengono ge neralmente indicate in punti tipografici. Il corpo dei caratteri Fototypes può essere determinato con esatt ezza per semplice misurazione. Tutti i caratteri di u guale grandezza in punti hanno, indipendentemen te dalla loro lunghezza, uguale altezza delle maiusc ole. Nella composizione in piombo ed in molti altri s istemi di fotocomposizione, l'altezza delle maiuscole varia spesso da carattere a carattere. Per misurare il

2,15 mm (8 p), Zeilenabstand 3,38 mm

normal
regular
normal

SENECA

normal
chiaro tondo
normal

Berthold-Schriften überzeugen durch Schärfe und Qualität. Schriftqualit
ät ist eine Frage der Erfahrung. Berthold hat diese Erfahrung seit über hun
dert Jahren. Zuerst im Schriftguß, dann im Fotosatz. Berthold-Schriften si
nd weltweit geschätzt. Im Schriftenatelier München wird jeder Buchstabe
in der Größe von zwölf Zentimetern neu gezeichnet. Mit messerscharfen
Konturen, um für die Schriftscheiben das Optimale an Konturenschärfe h
erauszuholen. Um die Qualität des Einzelzeichens im Belichtungsvorgang
zu bewahren, wird durch die ruhende, nicht rotierende Schriftscheibe beli
chtet. Dieses optische System, verbunden mit Präzisions-Chromglassch

1,33 mm (5 p) 20 30 40 50 60 70

Berthold-Schriften überzeugen durch Schärfe und Qualität. Schrift
qualität ist eine Frage der Erfahrung. Berthold hat diese Erfahrung s
eit über hundert Jahren. Zuerst im Schriftguß, dann im Fotosatz. Ber
thold-Schriften sind weltweit geschätzt. Im Schriftenatelier Münch
en wird jeder Buchstabe in der Größe von zwölf Zentimetern neu gez
eichnet. Mit messerscharfen Konturen, um für die Schriftscheiben d
as Optimale an Konturenschärfe herauszuholen. Um die Qualität d
es Einzelzeichens im Belichtungsvorgang zu bewahren, wird durch
die ruhende, nicht rotierende Schriftscheibe belichtet. Dieses optisc

1,45 mm (5,5 p)20 30 40 50 60

Berthold-Schriften überzeugen durch Schärfe und Qualität. Sc
hriftqualität ist eine Frage der Erfahrung. Berthold hat diese Er
fahrung seit über hundert Jahren. Zuerst im Schriftguß, dann im
Fotosatz. Berthold-Schriften sind weltweit geschätzt. Im Schr
iftenatelier München wird jeder Buchstabe in der Größe von z
wölf Zentimetern neu gezeichnet. Mit messerscharfen Kontur
en, um für die Schriftscheiben das Optimale an Konturenschär
fe herauszuholen. Um die Qualität des Einzelzeichens im Belic
htungsvorgang zu bewahren, wird durch die ruhende, nicht ro

1,60 mm (6 p) 20 30 40 50 6

Berthold-Schriften überzeugen durch Schärfe und Qualit
ät. Schriftqualität ist eine Frage der Erfahrung. Berthold h
at diese Erfahrung seit über hundert Jahren. Zuerst im Sch
riftguß, dann im Fotosatz. Berthold-Schriften sind weltw
eit geschätzt. Im Schriftenatelier München wird jeder Bu
chstabe in der Größe von zwölf Zentimetern neu gezeich
net. Mit messerscharfen Konturen, um für die Schriftsche
iben das Optimale an Konturenschärfe herauszuholen
Um die Qualität des Einzelzeichens im Belichtungsvor

1,75 mm (6,5 p) 20 30 40 50

Berthold-Schriften überzeugen durch Schärfe und Qu
alität. Schriftqualität ist eine Frage der Erfahrung. Bert
hold hat diese Erfahrung seit über hundert Jahren. Zue
rst im Schriftguß, dann im Fotosatz. Berthold-Schriften
sind weltweit geschätzt. Im Schriftenatelier München
wird jeder Buchstabe in der Größe von zwölf Zentimet
ern neu gezeichnet. Mit messerscharfen Konturen, um
für die Schriftscheiben das Optimale an Konturenschä
rfe herauszuholen. Um die Qualität des Einzelzeichens

1,86 mm (7 p) 20 30 40 50

Berthold-Schriften überzeugen durch Schärfe und
Qualität. Schriftqualität ist eine Frage der Erfahru
ng. Berthold hat diese Erfahrung seit über hundert
Jahren. Zuerst im Schriftguß, dann im Fotosatz. Be
rthold-Schriften sind weltweit geschätzt. Im Schrif
tenatelier München wird jeder Buchstabe in der G
röße von zwölf Zentimetern neu gezeichnet. Mit m
esserscharfen Konturen, um für die Schriftscheiben
das Optimale an Konturenschärfe herauszuholen

2,00 mm (7,5 p) 20 30 40 5

Berthold-Schriften überzeugen durch Schärfe u
nd Qualität. Schriftqualität ist eine Frage der Erf
ahrung. Berthold hat diese Erfahrung seit über h
undert Jahren. Zuerst im Schriftguß, dann im Fo
tosatz. Berthold-Schriften sind weltweit geschä
tzt. Im Schriftenatelier München wird jeder Buc
hstabe in der Größe von zwölf Zentimetern ne
u gezeichnet. Mit messerscharfen Konturen, um
für die Schriftscheiben das Optimale an Konture

2,15 mm (8 p) 20 30 40

Gustav Jaeger
1977
H. Berthold AG

ABCDEFGHIJKLMNOPQ
RSTUVWXYZ
abcdefghijklmnopqrstuvwxyz
1/1234567890%
(.,-;:!¡?¿–) · ['',,""»«]
+–=/$£†*&§
ÄÅÆÖØŒÜäåæıöøœßü
ÁÀÂÃÇČÉÈÊËÍÌÎÏĹŇÑÓÒÔÕ
ŔŘŠŤÚÙÛŴẄÝỲŶŸŽ
áàâãçčéèêëíìîïĺňñóòôõŕřš
úùûŵẅýỳŷÿž

Berthold-Schriftweite weit
Berthold-Schriftweite normal
Berthold-Schriftweite eng
Berthold-Schriftweite sehr eng
Berthold-Schriftweite extrem eng

Berthold
3,75 mm (14 p)

Berthold
4,25 mm (16 p)

Berthold
4,75 mm (18 p)

Berthold
5,30 mm (20 p)

Berthold
6,35 mm (24 p)

Berthold
7,40 mm (28 p)

Berthold
8,50 mm (32 p)

Berthold
9,55 mm (36 p)

Größe		Zeilenabstand			100 Zeichen		
mm	p	kp	Êp	Ex	0	–1	–2
1,33	5	1,94	2,19	2,00	79	76	73
1,60	6	2,31	2,63	2,50	93	89	85
1,86	7	2,63	3,06	3,00	107	103	99
2,15	8	3,06	3,56	3,50	122	117	112
2,40	9	3,44	3,94	3,75	137	131	125
2,65	10	3,75	4,38	4,25	151	144	137
2,92	11	4,13	4,81	4,75	165	158	151
3,20	12	4,56	5,25	5,25	179	171	163
3,45	13	4,88	5,63	5,75	193	185	177
3,72	14	5,25	6,13	–	207	198	189
3,98	15	5,63	6,50	–	221	212	203
4,25	16	6,00	6,94	–	235	225	215

WZ 13 E, NSW 0, MZB 0,57, F 0,12:0,063 (1,9), II
H 1–x 0,64–k 1,03–p 0,38–Ê 1,25–kp 1,41–Êp 1,63
BF 089 0598, Belegung 051: 085 8011 (095 8011)

Berthold-Schriften überzeugen durch Schä
rfe und Qualität. Schriftqualität ist eine Fra
ge der Erfahrung. Berthold hat diese Erfahr
ung seit über hundert Jahren. Zuerst im Sch
riftguß, dann im Fotosatz. Berthold-Schrif
ten sind weltweit geschätzt. Im Schriftenat
elier München wird jeder Buchstabe in der
Größe von zwölf Zentimetern neu gezeich

2,40 mm (9 p) 20 30 40

Berthold-Schriften überzeugen durch
Schärfe und Qualität. Schriftqualität ist
eine Frage der Erfahrung. Berthold hat
diese Erfahrung seit über hundert Jahr
en. Zuerst im Schriftguß, dann im Foto
satz. Berthold-Schriften sind weltweit
geschätzt. Im Schriftenatelier München
wird jeder Buchstabe in der Größe von

2,65 mm (10 p) 20 30

Berthold-Schriften überzeugen dur
ch Schärfe und Qualität. Schriftquali
tät ist eine Frage der Erfahrung. Bert
hold hat diese Erfahrung seit über h
undert Jahren. Zuerst im Schriftguß
dann im Fotosatz. Berthold-Schrift
en sind weltweit geschätzt. Im Schrif
tenatelier München wird jeder Buch

2,92 mm (11 p) 20 30

Berthold-Schriften überzeugen d
urch Schärfe und Qualität. Schrif
tqualität ist eine Frage der Erfahr
ung. Berthold hat diese Erfahrun
g seit über hundert Jahren. Zuerst
im Schriftguß, dann im Fotosatz
Berthold-Schriften sind weltweit
geschätzt. Im Schriftenatelier Mü

3,20 mm (12 p) 10 20 30

Berthold-Schriften überzeugen
durch Schärfe und Qualität. Sc
hriftqualität ist eine Frage der E
rfahrung. Berthold hat diese Er
fahrung seit über hundert Jahre
n. Zuerst im Schriftguß, dann i
m Fotosatz. Berthold-Schriften
sind weltweit geschätzt. Im Sch

3,45 mm (13 p) 10 20

normal
regular
normal

SENECA

normal
chiaro tondo
normal

Berthold-Schriften überzeugen durch Schärfe und Qualität. Schriftqualität ist eine Frage der Erfahrung. Berthold hat diese Erfahrung seit über hundert Jahren Zuerst im Schriftguß, dann im Fotosatz. Berthold-Schriften sind weltweit gesc hätzt. Im Schriftenatelier München wird jeder Buchstabe in der Größe von zw ölf Zentimetern neu gezeichnet. Mit messerscharfen Konturen, um für die Schr iftscheiben das Optimale an Konturenschärfe herauszuholen. Um die Qualität des Einzelzeichens im Belichtungsvorgang zu bewahren, wird durch die ru hende, nicht rotierende Schriftscheibe belichtet. Dieses optische System, verbu nden mit Präzisions-Chromglasscheiben, führt zu einer Schriftqualität, die im

4,25 mm (16 p), Zeilenabstand 6,75 mm

SENECA REGULAR

In general, bodytypes are measured in the typograph ical point size. The sizes of Berthold Fototype faces can be exactly determined. All faces of same point size have the same capital heigth–irrespective of their x heigth. In hot metal and many other phototypesetting systems the capital heigths often differ considerably from one face to the other. For measuring point sizes a transparent size gauge is provided. To determine the point size, bring a capital letter into coincidence with that field which precisely circumscribes the letter at its upper and lower margin. Below the field you find the typographical point and below that the millimeter value, which also refers to the height of a capital letter In Berthold-phototypesetting, the typewidth can be modified. The standard setting width of typefaces is determined by the principle of optimum legibility You should not depart from this typewidth without cogent reason. A typeface which is considered opti cally right when looked in a greater context, often seems bulky when applied for a small amount of text e. g. labels and ads. Here, a width reduction will be conducive to legibility. Small amounts of text seem to

2,40 mm (9 p), Zeilenabstand 4,25 mm

SENECA NORMAL

La valeur de la force de corps des caractères de la beur èst généralement exprimée en points typo graphiques. La force de corps des caractères Bert hold-Fototype peut être déterminée avec préci sion. Tous les caractères du même corps ont des capitales d'une hauteur identique, indépendam ment de la hauteur des bas de casse sans jambage Dans la composition plomb, ainsi que dans cer tains systèmes de photocomposition, la hauteur des capitales, varie souvent d'un caractère à l'autre. Pour déterminer la force de corps de nos caractères, nous avons mis au point une réglette de hauteur d'œil transparente. On cherche le rec tangle qui délimite exactement la hauteur d'œil d'une capitale du caractère choisi. Sous le rec tangle correspondant la valeur de la force de corps est indiquée en points Didots et en milli mètres. La valeur en millimètres exprime égale ment la hauteur des capitales. Pour toutes les in dications concernant la force de corps, il est utile

2,65 mm (10 p), Zeilenabstand 4,69 mm

La indicación de las dimensiones para cuerpos de letra vásicos tiene lugar en general en puntos tipo gráficos. Los cuerpos de letra de los caracteres Bert hold Fototype pueden determinarse exactemente par medición. Con independencia de la altura de sus longitudes centrales, todos los caracteres de idénti co cuerpo de letra presentan altura de mayúsculas idéntica. En la composición en plomo y en muchos otros sistemas de fotocomposición, las alturas de

2,15 mm (8 p), –1, Zeilenabstand 3,38 mm

123,– $	456,– £	7890,– DM	1 %
234,– $	789,– £	1234,– DM	2 %
567,– $	12,– £	5678,– DM	3 %
890,– $	345,– £	9012,– DM	4 %
123,– $	678,– £	3456,– DM	5 %
456,– $	901,– £	7890,– DM	6 %
789,– $	234,– £	1234,– DM	7 %
12,– $	567,– £	5678,– DM	8 %
345,– $	890,– £	9012,– DM	9 %

BF 089 0599

Le misure relative al corpo dei caratteri vengono gene ralmente indicate in punti tipografici. Il corpo dei ca ratteri Fototypes può essere determinato con esattezza per semplice misurazione. Tutti i caratteri di uguale grandezza in punti hanno, indipendentemente dalla loro lunghezza, uguale altezza delle maiuscole. Nella composizione in piombo ed in molti altri sistemi di fo tocomposizione, l'altezza delle maiuscole varia spesso da carattere a carattere. Per misurare il corpo dei ca

2,15 mm (8 p), –2, Zeilenabstand 3,38 mm

kursiv
italic
italique

SENECA

cursiva
corsivo
kursiv

Måttangivelse för grundstilsgrader sker i allmänhet i typografiska punk ter. Stilar av Berthold Fototype kan efter mätning exakt gradbestämm as. Alla typsnitt är av samma punkt storlek och har oberoende av x-höjd en en identisk versalhöjd. I blysättni ng och i många andra fotosättsystem varierar versalhöjden avsevärt från typsnitt till typsnitt. För mätning av stilgrader finns en transparent mätl injal. Vid mätningen placerar man en versal bokstav så att rutorna begr änsar tecknet upptill och nedtill. Un der rutorna finns stilstorleken i typo grafiska didotpunkter och i mm. Äv en millimeteruppgiften avser versal höjden. Vid stilstorleksuppgifter an ges alltid måttenheten efter sifferup

2,92 mm (11 p), Zeilenabstand 4,69 mm

Gustav Jaeger
1977
H. Berthold AG

ABCDEFGHIJKLMNOPQ
RSTUVWXYZ
abcdefghijklmnopqrstuvwxyz
1/1234567890 %
(.,-;:!¡?¿–)·[’‘„”“»«]
+−=/$£†&§*
ÄÅÆÖØŒÜäåæıöøœßü
ÁÀÂÃÇČÉÈÊËÍÌÎÏĹŇÑÓÒÔÕ
ŔŘŠŤÚÙÛŴẄÝỲŶŸŽ
áàâãçčéèêëíìîïĺňñóòôõŕřš
úùûŵẅýỳÿž

Berthold-Schriftweite weit
Berthold-Schriftweite normal
Berthold-Schriftweite eng
Berthold-Schriftweite sehr eng
Berthold-Schriftweite extrem eng

In general, bodytypes are measu red in the typographical point si ze. The sizes of Berthold Fototype faces can be exactly determined All faces of same point size have the same capital heigth–irrespec tive of their x-heigth. In hot metal and many other phototypesetting systems the capital heigths often differ considerably from one face to the other. For measuring point sizes, a transparent size gauge is provided. To determine the point size, bring a capital letter into coi ncidence with that field which pr ecisely circumscribes the letter at its upper and lower margin. Bel

3,20 mm (12 p), Zeilenabstand 5,25 mm

SENECA KURSIV

Die Maßangabe zu Grundschriftgrößen erfolgt im allgemeinen in typographischen Punkten. Die Schrift größen der Berthold-Fotosatz-Schriften sind nach Messung exakt bestimmbar. Alle Schriften gleicher Punktgröße weisen, unabhängig von der Höhe ihrer Mittellängen, eine identische Versalhöhe auf. Im Bleisatz und bei vielen anderen Fotosatz-Systemen differieren die Versalhöhen von Schrift zu Schrift oft erheblich. Zum Messen von Schriftgrößen steht ein transparentes Größenmaß zur Verfügung. Zum Mes sen wird ein Versalbuchstabe mit dem Feld in Dec kung gebracht, das den Buchstaben oben und unten scharf begrenzt. Unter dem Feld ist die Schriftgröße in typographischen Didot-Punkten, darunter in Mil limetern angegeben. Auch die Millimeterangaben be ziehen sich auf die Höhe der Versalbuchstaben. Die Schriftweite kann im Berthold-Fotosatz beliebig ver ändert werden. Die Festlegung der Normalschriftwei

2,40 mm (9 p), Zeilenabstand 4 mm

SENECA ITALIQUE

La valeur de la force de corps des caractères de la beur est généralement exprimée en points typo graphiques. La force de corps des caractères Berthold-Fototype peut être déterminée avec précision. Tous les caractères du même corps ont des capitales d'une hauteur identique, indépen damment de la hauteur des bas de casse sans jambage. Dans la composition plomb, ainsi que dans certains systèmes de photocomposition, la hauteur des capitales, varie souvent d'un carac tère à l'autre. Pour déterminer la force de corps de nos caractères, nous avons mis au point une ré glette de hauteur d'œil transparente. On cherche le rectangle qui délimite exactement la hauteur d'œil d'une capitale du caractère choisi. Sous le rectangle correspondant la valeur de la force de

2,65 mm (10 p), Zeilenabstand 4,50 mm

La indicación de las dimensiones para cuerpos de letra vásicos ti ene lugar en general en puntos tipográficos. Los cuerpos de letra de los caracteres Berthold Fototype pueden determinarse ex actemente par medición. Con independencia de la altura de sus longitudes centrales, todos los caracteres de idéntico cuerpo de letra presentan altura de mayúsculas idéntica. En la composi ción en plomo y en muchos otros sistemas de fotocomposición, las alturas de mayúsculas varían frecuentemmente en forma consi derable de tipo de letra a tipo de letra. Para medir los cuer pos de letra se dispone de un tipómetro, véase la figura. Para la medición se hace coincidir una letra mayúscula con la casilla cu yos extremos coinciden con los extremos superior e inferior de la

1,60 mm (6 p), Zeilenabstand 2,50 mm

Größe		Zeilenabstand			100 Zeichen		
mm	p	kp	Êp	Ex	0	−1	−2
1,33	5	1,94	2,25	–	79	76	73
1,60	6	2,31	2,69	2,50	93	89	85
1,86	7	2,63	3,13	–	107	103	99
2,15	8	3,06	3,56	3,38	122	117	112
2,40	9	3,44	4,00	4,00	137	131	125
2,65	10	3,75	4,38	4,50	151	144	137
2,92	11	4,13	4,88	4,69	165	158	151
3,20	12	4,56	5,31	5,25	179	171	163
3,45	13	4,88	5,75	–	193	185	177
3,72	14	5,25	6,19	–	207	198	189
3,98	15	5,63	6,63	–	221	212	203
4,25	16	6,00	7,06	–	235	225	215

WZ 12 E, NSW 0, MZB 0,57, F 0,11:0,054 (2,1), II
H 1–x 0,64–k 1,03–p 0,38–Ê 1,27–kp 1,41–Êp 1,65
BF 089 0600, Belegung 051: 085 8012 (095 8012)

Le misure relative al corpo dei caratteri vengono generalmente indicate in punti tipografici. Il cor po dei caratteri Fototypes può essere determinato con esattezza per semplice misurazione. Tutti i ca ratteri di uguale grandezza in punti hanno, indi pendentemente dalla loro lunghezza, uguale al tezza delle maiuscole. Nella composizione in piombo ed in molti altri sistemi di fotocom posizi one, l'altezza delle maiuscole varia spesso da ca

2,15 mm (8 p), Zeilenabstand 3,38 mm

halbfett
medium
demi-gras

SENECA

seminegra
neretto
halvfet

Berthold-Schriften überzeugen durch Schärfe und Qualität Schriftqualität ist eine Frage der Erfahrung. Berthold hat di ese Erfahrung seit über hundert Jahren. Zuerst im Schriftg uß, dann im Fotosatz. Berthold-Schriften sind weltweit geschätzt. Im Schriftenatelier München wird jeder Buchsta be in der Größe von zwölf Zentimetern neu gezeichnet. Mit messerscharfen Konturen, um für die Schriftscheiben das Optimale an Konturenschärfe herauszuholen. Um die Qua lität des Einzelzeichens im Belichtungsvorgang zu bewahr

1,60 mm (6 p), Zeilenabstand 2,50 mm

Berthold-Schriften überzeugen durch Schärfe und Qualität. Schriftqualität ist eine Frage der Erfahru ng. Berthold hat diese Erfahrung seit über hundert Jahren. Zuerst im Schriftguß, dann im Fotosatz. Ber thold-Schriften sind weltweit geschätzt. Im Schrift enatelier München wird jeder Buchstabe in der Grö ße von zwölf Zentimetern neu gezeichnet. Mit mess erscharfen Konturen, um für die Schriftscheiben das

1,86 mm (7 p), Zeilenabstand 3,00 mm

Berthold-Schriften überzeugen durch Schärfe und Qualität. Schriftqualität ist eine Frage der Erfahrung. Berthold hat diese Erfahrung seit über hundert Jahren. Zuerst im Schriftguß dann im Fotosatz. Berthold-Schriften sind we ltweit geschätzt. Im Schriftenatelier München wird jeder Buchstabe in der Größe von zwölf Zentimetern neu gezeichnet. Mit messerscha

2,15 mm (8 p), Zeilenabstand 3,50 mm

Gustav Jaeger
1977
H. Berthold AG

ABCDEFGHIJKLMNOPQ
RSTUVWXYZ
abcdefghijklmnopqrstuvwxyz
1/1234567890 %
(.,-;:!¡?¿–) · ['‘„"“»«]
+−=/$£†*&§
ÄÅÆÖØŒÜäåæıöøœßü
ÁÀÂÃÇČÉÈÊËÍÌÎÏĹŇÑÓÒÔÕ
ŔŘŠŤÚÙÛŴẄÝỲŶŸŽ
áàâãçčéèêëíìîïĺňñóòôõŕřš
úùûŵẅýỳŷÿž

Berthold-Schriftweite weit
Berthold-Schriftweite normal
Berthold-Schriftweite eng
Berthold-Schriftweite sehr eng
Berthold-Schriftweite extrem eng

In general, bodytypes are me asured in the typographical po int size. The sizes of Berthold F ototype faces can be exactly de termined. All faces of same po int size have the same capital h eight–irrespective of their x-h eight. In hot metal and many o ther phototypesetting systems the capital heights often differ considerably from one face to t he other. For measuring point sizes, a transparent size gauge is provided. To determine the po int size, bring a capital letter in to coincidence with that field which precisely circumscribes

3,20 mm (12 p), Zeilenabstand 5,25 mm

Berthold's quick brown fox jumps over the lazy dog and feels as if he were in the seve
3,75 mm (14 p)

Berthold's quick brown fox jumps over the lazy dog and feels as if he were in
4,25 mm (16 p)

Berthold's quick brown fox jumps over the lazy dog and feels as if h
4,75 mm (18 p)

Berthold's quick brown fox jumps over the lazy dog and feels
5,30 mm (20 p)

Berthold's quick brown fox jumps over the lazy d
6,35 mm (24 p)

Berthold's quick brown fox jumps over the
7,40 mm (28 p)

Berthold's quick brown fox jumps ov
8,50 mm (32 p)

Berthold's quick brown fox jumps
9,55 mm (36 p)

Berthold-Schriften überzeugen durch Sc härfe und Qualität. Schriftqualität ist ei ne Frage der Erfahrung. Berthold hat die se Erfahrung seit über hundert Jahren. Z uerst im Schriftguß, dann im Fotosatz. B erthold-Schriften sind weltweit geschät zt. Im Schriftenatelier München wird jed er Buchstabe in der Größe von zwölf Zen

2,40 mm (9 p), Zeilenabstand 4,00 mm

Größe		Zeilenabstand			100 Zeichen		
mm	p	kp	Êp	Ex	0	−1	−2
1,33	5	1,81	2,19	–	84	81	78
1,60	6	2,19	2,63	2,50	99	95	91
1,86	7	2,56	3,06	3,00	114	110	106
2,15	8	2,94	3,56	3,50	129	124	119
2,40	9	3,31	3,94	4,00	144	138	132
2,65	10	3,63	4,38	4,00	159	152	145
2,92	11	4,00	4,81	–	174	167	160
3,20	12	4,38	5,25	5,25	189	181	173
3,45	13	4,75	5,63	–	204	196	188
3,72	14	5,06	6,13	–	219	210	201
3,98	15	5,44	6,50	–	233	224	215
4,25	16	5,81	6,94	–	248	238	228

WZ 13 E, NSW 0, MZB 0,60, F 0,16:0,058 (2,7), II
H 1–x 0,64–k 1,00–p 0,36–Ê 1,27–kp 1,36–Êp 1,63
BF 089 0601, Belegung 051: 085 8017 (095 8017)

Berthold-Schriften überzeugen durc h Schärfe und Qualität. Schriftqualit ät ist eine Frage der Erfahrung. Berth old hat diese Erfahrung seit über hun dert Jahren. Zuerst im Schriftguß, da nn im Fotosatz. Berthold-Schriften s ind weltweit geschätzt. Im Schriftena telier München wird jeder Buchstabe

2,65 mm (10 p), Zeilenabstand 4,00 mm

fett
bold
gras

SENECA

negra
nero
fet

Gustav Jaeger
1977
H. Berthold AG

Berthold-Schriften überzeugen durch Schärfe und Qua lität. Schriftqualität ist eine Frage der Erfahrung. Berth old hat diese Erfahrung seit über hundert Jahren. Zuer st im Schriftguß, dann im Fotosatz. Berthold-Schriften sind weltweit geschätzt. Im Schriftenatelier München wird jeder Buchstabe in der Größe von zwölf Zentimet ern neu gezeichnet. Mit messerscharfen Konturen, um für die Schriftscheiben das Optimale an Konturenschär fe herauszuholen. Um die Qualität des Einzelzeichens

1,60 mm (6 p), Zeilenabstand 2,50 mm

Berthold-Schriften überzeugen durch Schärfe und Qualität. Schriftqualität ist eine Frage der Erfahrung. Berthold hat diese Erfahrung seit üb er hundert Jahren. Zuerst im Schriftguß, dann im Fotosatz. Berthold-Schriften sind weltweit geschätzt. Im Schriftenatelier München wird je der Buchstabe in der Größe von zwölf Zentimet ern neu gezeichnet. Mit messerscharfen Kontur

1,86 mm (7 p), Zeilenabstand 3,00 mm

Berthold-Schriften überzeugen durch Sch ärfe und Qualität. Schriftqualität ist eine Frage der Erfahrung. Berthold hat diese Er fahrung seit über hundert Jahren. Zuerst im Schriftguß, dann im Fotosatz. Berthold Schriften sind weltweit geschätzt. Im Schri ftenatelier München wird jeder Buchstabe in der Größe von zwölf Zentimetern neu g

2,15 mm (8 p), Zeilenabstand 3,50 mm

ABCDEFGHIJKLMNOPQ
RSTUVWXYZ
abcdefghijklmnopqrstuvwxyz
1/1234567890 %
(.,-;:!¡?¿–) · ['‘„”“»«]
+−=/$£†*&§
ÄÅÆÖØŒÜäåæıöøœßü
ÁÀÂÃÇČÉÈÊËÍÌÎÏĹŇÑÓÒÔÕ
ŔŘŠŤÚÙÛŴẄÝỲŶŸŽ
áàâãçčéèêëíìîïĺňñóòôõŕřš
úùûŵẅýỳŷÿž

Berthold-Schriftweite weit
Berthold-Schriftweite normal
Berthold-Schriftweite eng
Berthold-Schriftweite sehr eng
Berthold-Schriftweite extrem eng

In general, bodytypes are me asured in the typographical point size. The sizes of Berth old Fototype faces can be exa ctly determined. All faces of same point size have the sam e capital height–irrespective of their x-height. In hot meta l and many other phototypes etting systems the capital hei ghts often differ considerab ly from one face to the other For measuring point sizes, a transparent size gauge is pro vided. To determine the poin t size, bring a capital letter in to coincidence with that field

3,20 mm (12 p), Zeilenabstand 5,25 mm

Berthold's quick brown fox jumps over the lazy dog and feels as if he were in t
3,75 mm (14 p)

Berthold's quick brown fox jumps over the lazy dog and feels as if he
4,25 mm (16 p)

Berthold's quick brown fox jumps over the lazy dog and feels
4,75 mm (18 p)

Berthold's quick brown fox jumps over the lazy dog an
5,30 mm (20 p)

Berthold's quick brown fox jumps over the la
6,35 mm (24 p)

Berthold's quick brown fox jumps over
7,40 mm (28 p)

Berthold's quick brown fox jumps
8,50 mm (32 p)

Berthold's quick brown fox ju
9,55 mm (36 p)

Berthold-Schriften überzeugen durch Schärfe und Qualität. Schriftqualität ist eine Frage der Erfahrung. Berthold hat diese Erfahrung seit über hundert Jahren. Zuerst im Schriftguß, dann im Fotosatz. Berthold-Schriften sind wel tweit geschätzt. Im Schriftenatelier M ünchen wird jeder Buchstabe in der G

2,40 mm (9 p), Zeilenabstand 4,00 mm

Größe mm	p	Zeilenabstand kp	Êp	Ex	100 Zeichen 0	−1	−2
1,33	5	1,94	2,19	—	90	87	84
1,60	6	2,31	2,63	2,50	106	102	98
1,86	7	2,63	3,06	3,00	122	118	114
2,15	8	3,06	3,56	3,50	139	134	129
2,40	9	3,44	3,94	4,00	156	150	144
2,65	10	3,75	4,38	4,00	172	165	158
2,92	11	4,13	4,81	—	188	181	174
3,20	12	4,56	5,25	5,25	204	196	188
3,45	13	4,88	5,69	—	220	212	204
3,72	14	5,25	6,13	—	236	227	218
3,98	15	5,63	6,56	—	252	243	234
4,25	16	6,00	7,00	—	268	258	248

WZ 13 E, NSW 0, MZB 0,65, F 0,24:0,075 (3,2), II
H 1–x 0,64–k 1,04–p 0,37–Ê 1,27–kp 1,41–Êp 1,64
BF 089 0602, Belegung 051: 085 8018 (095 8018)

Berthold-Schriften überzeugen d urch Schärfe und Qualität. Schrift qualität ist eine Frage der Erfahru ng. Berthold hat diese Erfahrung s eit über hundert Jahren. Zuerst im Schriftguß, dann im Fotosatz. Bert hold-Schriften sind weltweit gesc hätzt. Im Schriftenatelier Münche

2,65 mm (10 p), Zeilenabstand 4,00 mm

extrafett
extra bold
extra gras

SENECA

muy negra
nerissimo
extrafet

Berthold-Schriften überzeugen durch Schärfe und Qualität. Schriftqualität ist eine Frage der Erfahru ng. Berthold hat diese Erfahrung seit über hundert Jahren. Zuerst im Schriftguß, dann im Fotosatz. Be rthold-Schriften sind weltweit geschätzt. Im Schrif tenatelier München wird jeder Buchstabe in der Gr öße von zwölf Zentimetern neu gezeichnet. Mit me sserscharfen Konturen, um für die Schriftscheiben das Optimale an Konturenschärfe herauszuholen

1,60 mm (6 p), Zeilenabstand 2,50 mm

Berthold-Schriften überzeugen durch Schär fe und Qualität. Schriftqualität ist eine Frage der Erfahrung. Berthold hat diese Erfahrung seit über hundert Jahren. Zuerst im Schriftg uß, dann im Fotosatz. Berthold-Schriften si nd weltweit geschätzt. Im Schriftenatelier München wird jeder Buchstabe in der Größe von zwölf Zentimetern neu gezeichnet. Mit

1,86 mm (7 p), Zeilenabstand 3,00 mm

Berthold-Schriften überzeugen durch Schärfe und Qualität. Schriftqualität ist eine Frage der Erfahrung. Berthold hat diese Erfahrung seit über hundert Jahr en. Zuerst im Schriftguß, dann im Foto satz. Berthold-Schriften sind weltweit geschätzt. Im Schriftenatelier München wird jeder Buchstabe in der Größe von

2,15 mm (8 p), Zeilenabstand 3,50 mm

Gustav Jaeger
1977
H. Berthold AG

ABCDEFGHIJKLMNOPQ
RSTUVWXYZ
abcdefghijklmnopqrstuvwxyz
1/1234567890%
(.,-;:!¡?¿–)·['‘„”“»«]
+−=/$£†*&§
ÄÅÆÖØŒÜäåæıöøœßü
ÁÀÂÃÇČÉÈÊËÍÌÎÏĹŇÑÓÒÔÕ
ŔŘŠŤÚÙÛŴẄÝŶŸŽ
áàâãçčéèêëíìîïĺňñóòôõŕřš
úùûŵẅýỳÿž

Berthold-Schriftweite weit
Berthold-Schriftweite normal
Berthold-Schriftweite eng
Berthold-Schriftweite sehr eng
Berthold-Schriftweite extrem eng

In general, bodytypes are measured in the typograp hical point size. The sizes of Berthold Fototype faces can be exactly determined All faces of same point size have the same capital heig th–irrespective of their x-h eigth. In hot metal and ma ny other phototypesetting systems the capital heigths often differ considerably fr om one face to the other. F or measuring point sizes a transparent size gauge is p rovided. To determine the point size, bring a capital l

3,20 mm (12 p), Zeilenabstand 5,25 mm

Berthold's quick brown fox jumps over the lazy dog and feels as if he wer
3,75 mm (14 p)

Berthold's quick brown fox jumps over the lazy dog and feels as
4,25 mm (16 p)

Berthold's quick brown fox jumps over the lazy dog and
4,75 mm (18 p)

Berthold's quick brown fox jumps over the lazy dog
5,30 mm (20 p)

Berthold's quick brown fox jumps over the
6,35 mm (24 p)

Berthold's quick brown fox jumps ov
7,40 mm (28 p)

Berthold's quick brown fox jum
8,50 mm (32 p)

Berthold's quick brown fox j
9,55 mm (36 p)

Berthold-Schriften überzeugen du rch Schärfe und Qualität. Schriftq ualität ist eine Frage der Erfahrung Berthold hat diese Erfahrung seit über hundert Jahren. Zuerst im Sc hriftguß, dann im Fotosatz. Berth old-Schriften sind weltweit geschä tzt. Im Schriftenatelier München

2,40 mm (9 p), Zeilenabstand 4,00 mm

Größe		Zeilenabstand			100 Zeichen		
mm	p	kp	Êp	Ex	0	−1	−2
1,33	5	1,88	2,25	–	97	94	91
1,60	6	2,25	2,69	2,50	115	111	107
1,86	7	2,63	3,13	3,00	132	128	124
2,15	8	3,06	3,56	3,50	150	145	140
2,40	9	3,38	4,00	4,00	168	162	156
2,65	10	3,75	4,38	4,00	185	178	171
2,92	11	4,13	4,88	–	202	195	188
3,20	12	4,50	5,31	5,25	220	212	204
3,45	13	4,88	5,75	–	237	229	221
3,72	14	5,25	6,19	–	254	245	236
3,98	15	5,63	6,63	–	271	262	253
4,25	16	6,00	7,06	–	289	279	269

WZ 15 E, NSW 0, MZB 0,70, F 0,27:0,075 (3,6), II
H 1–x 0,63–k 1,02–p 0,38–Ê 1,27–kp 1,40–Êp 1,65
BF 089 0603, Belegung 051: 085 8019 (095 8019)

Berthold-Schriften überzeugen durch Schärfe und Qualität. Sc hriftqualität ist eine Frage der Erfahrung. Berthold hat diese Erfahrung seit über hundert Ja hren. Zuerst im Schriftguß, dan n im Fotosatz. Berthold-Schrift en sind weltweit geschätzt. Im

2,65 mm (10 p), Zeilenabstand 4,00 mm

mager
light
maigre

SERIF GOTHIC

fina
chiarissimo
mager

Berthold-Schriften überzeugen durch Schärfe und Qualität. Schriftq
ualität ist eine Frage der Erfahrung. Berthold hat diese Erfahrung seit
über hundert Jahren. Zuerst im Schriftguß, dann im Fotosatz. Bertho
ld-Schriften sind weltweit geschätzt. Im Schriftenatelier München wi
rd jeder Buchstabe in der Größe von zwölf Zentimetern neu gezeic
hnet. Mit messerscharfen Konturen, um für die Schriftscheiben das
Optimale an Konturenschärfe herauszuholen. Um die Qualität des
Einzelzeichens im Belichtungsvorgang zu bewahren, wird durch die
ruhende, nicht rotierende Schriftscheibe belichtet. Dieses optische S

1,33 mm (5 p) 20 30 40 50 60

Berthold-Schriften überzeugen durch Schärfe und Qualität. Sc
hriftqualität ist eine Frage der Erfahrung. Berthold hat diese Erf
ahrung seit über hundert Jahren. Zuerst im Schriftguß, dann im
Fotosatz. Berthold-Schriften sind weltweit geschätzt. Im Schrift
enatelier München wird jeder Buchstabe in der Größe von z
wölf Zentimetern neu gezeichnet. Mit messerscharfen Kontu
ren, um für die Schriftscheiben das Optimale an Konturensch
ärfe herauszuholen. Um die Qualität des Einzelzeichens im B
elichtungsvorgang zu bewahren, wird durch die ruhende, nic

1,45 mm (5,5 p) 20 30 40 50

Berthold-Schriften überzeugen durch Schärfe und Quali
tät. Schriftqualität ist eine Frage der Erfahrung. Berthold
hat diese Erfahrung seit über hundert Jahren. Zuerst im S
chriftguß, dann im Fotosatz. Berthold-Schriften sind welt
weit geschätzt. Im Schriftenatelier München wird jeder B
uchstabe in der Größe von zwölf Zentimetern neu gezei
chnet. Mit messerscharfen Konturen, um für die Schriftsc
heiben das Optimale an Konturenschärfe herauszuhole
n. Um die Qualität des Einzelzeichens im Belichtungsvor

1,60 mm (6 p) 20 30 40 50

Berthold-Schriften überzeugen durch Schärfe und Q
ualität. Schriftqualität ist eine Frage der Erfahrung. B
erthold hat diese Erfahrung seit über hundert Jahren
Zuerst im Schriftguß, dann im Fotosatz. Berthold-Sch
riften sind weltweit geschätzt. Im Schriftenatelier Mü
nchen wird jeder Buchstabe in der Größe von zwölf
Zentimetern neu gezeichnet. Mit messerscharfen Ko
nturen, um für die Schriftscheiben das Optimale an
Konturenschärfe herauszuholen. Um die Qualität de

1,75 mm (6,5 p) 20 30 40 5

Berthold-Schriften überzeugen durch Schärfe un
d Qualität. Schriftqualität ist eine Frage der Erfahr
ung. Berthold hat diese Erfahrung seit über hund
ert Jahren. Zuerst im Schriftguß, dann im Fotosatz
Berthold-Schriften sind weltweit geschätzt. Im Sc
hriftenatelier München wird jeder Buchstabe in d
er Größe von zwölf Zentimetern neu gezeichnet
Mit messerscharfen Konturen, um für die Schriftsc
heiben das Optimale an Konturenschärfe herau

1,86 mm (7 p) 20 30 40

Berthold-Schriften überzeugen durch Schärfe
und Qualität. Schriftqualität ist eine Frage der
Erfahrung. Berthold hat diese Erfahrung seit ü
ber hundert Jahren. Zuerst im Schriftguß, dann
im Fotosatz. Berthold-Schriften sind weltweit g
eschätzt. Im Schriftenatelier München wird jed
er Buchstabe in der Größe von zwölf Zentimet
ern neu gezeichnet. Mit messerscharfen Kont
uren, um für die Schriftscheiben das Optimale

2,00 mm (7,5 p) 20 30 40

Berthold-Schriften überzeugen durch Schär
fe und Qualität. Schriftqualität ist eine Frage
der Erfahrung. Berthold hat diese Erfahrung
seit über hundert Jahren. Zuerst im Schriftgu
ß, dann im Fotosatz. Berthold-Schriften sind
weltweit geschätzt. Im Schriftenatelier Mün
chen wird jeder Buchstabe in der Größe vo
n zwölf Zentimetern neu gezeichnet. Mit m
esserscharfen Konturen, um für die Schrifts

2,15 mm (8 p) 20 30 40

Herb Lubalin, Antonio Dispigna
1974
International Typeface Corp.
H. Berthold AG

ABCDEFGHIJKLMNOPQ
RSTUVWXYZ
abcdefghijklmnopqrstuvwxyz
1/1234567890%
(.,-;:!¡?¿–) · [‘‚“„”»«]
+–=/$£†*&§
ÄÅÆÖØŒÜäåæıöøœßü
ÁÀÂÃÇČÉÈÊËÍÌÎÏĹŇÑÓÒÔÕ
ŔŘŠŤÚÙÛŴẄÝŶŸŽ
áàâãçčéèêëíìîïĺňñóòôõŕřš
úùûŵẅýỳÿž

Berthold-Schriftweite weit
Berthold-Schriftweite normal
Berthold-Schriftweite eng
Berthold-Schriftweite sehr eng
Berthold-Schriftweite extrem eng

Berthold
3,75 mm (14 p)

Berthold
4,25 mm (16 p)

Berthold
4,75 mm (18 p)

Berthold
5,30 mm (20 p)

Berthold
6,35 mm (24 p)

Berthold
7,40 mm (28 p)

Berthold
8,50 mm (32 p)

Berthold
9,55 mm (36 p)

Größe		Zeilenabstand			100 Zeichen		
mm	p	kp	Êp	Ex	0	–1	–2
1,33	5	1,81	2,19	2,00	89	86	83
1,60	6	2,13	2,56	2,50	105	101	97
1,86	7	2,50	3,00	3,00	121	117	113
2,15	8	2,88	3,50	3,50	137	132	127
2,40	9	3,19	3,88	3,75	153	147	141
2,65	10	3,50	4,25	4,25	169	162	155
2,92	11	3,88	4,69	4,75	185	178	171
3,20	12	4,25	5,13	5,25	201	193	185
3,45	13	4,56	5,56	5,75	216	208	200
3,72	14	4,94	6,00	–	232	223	214
3,98	15	5,31	6,38	–	248	239	230
4,25	16	5,63	6,81	–	264	254	244

WZ 14 E, NSW 0, MZB 0,64, F 0,067:0,058 (1,1), VI
H 1–x 0,68–k 1,00–p 0,32–Ê 1,28–kp 1,32–Êp 1,60
BF 089 0604, Belegung 051: 085 0004 (095 0004)

Berthold-Schriften überzeugen durch S
chärfe und Qualität. Schriftqualität ist ei
ne Frage der Erfahrung. Berthold hat di
ese Erfahrung seit über hundert Jahren
Zuerst im Schriftguß, dann im Fotosatz
Berthold-Schriften sind weltweit gesch
ätzt. Im Schriftenatelier München wird j
eder Buchstabe in der Größe von zwölf

2,40 mm (9 p) 20 30

Berthold-Schriften überzeugen dur
ch Schärfe und Qualität. Schriftqual
ität ist eine Frage der Erfahrung. Be
rthold hat diese Erfahrung seit über
hundert Jahren. Zuerst im Schriftg
uß, dann im Fotosatz. Berthold-Schr
iften sind weltweit geschätzt. Im Sc
hriftenatelier München wird jeder

2,65 mm (10 p) 20 30

Berthold-Schriften überzeugen d
urch Schärfe und Qualität. Schrif
tqualität ist eine Frage der Erfahr
ung. Berthold hat diese Erfahrun
g seit über hundert Jahren. Zuer
st im Schriftguß, dann im Fotosa
tz. Berthold-Schriften sind weltw
eit geschätzt. Im Schriftenatelier

2,92 mm (11 p) 10 20 30

Berthold-Schriften überzeuge
n durch Schärfe und Qualität
Schriftqualität ist eine Frage d
er Erfahrung. Berthold hat die
se Erfahrung seit über hundert
Jahren. Zuerst im Schriftguß, d
ann im Fotosatz. Berthold-Sch
riften sind weltweit geschätzt

3,20 mm (12 p) 10 20

Berthold-Schriften überzeug
en durch Schärfe und Qual
ität. Schriftqualität ist eine Fr
age der Erfahrung. Berthold
hat diese Erfahrung seit übe
r hundert Jahren. Zuerst im S
chriftguß, dann im Fotosatz
Berthold-Schriften sind welt

3,45 mm (13 p) 10 20

mager
light
maigre

SERIF GOTHIC

fina
chiarissimo
mager

Berthold-Schriften überzeugen durch Schärfe und Qualität. Schriftqualit ät ist eine Frage der Erfahrung. Berthold hat diese Erfahrung seit über hundert Jahren. Zuerst im Schriftguß, dann im Fotosatz. Berthold-Schrift en sind weltweit geschätzt. Im Schriftenatelier München wird jeder Buc hstabe in der Größe von zwölf Zentimetern neu gezeichnet. Mit messer scharfen Konturen, um für die Schriftscheiben das Optimale an Kontur enschärfe herauszuholen. Um die Qualität des Einzelzeichens im Belich tungsvorgang zu bewahren, wird durch die ruhende, nicht rotierende Schriftscheibe belichtet. Dieses optische System, verbunden mit Präzisio

4,25 mm (16 p), Zeilenabstand 6,75 mm

SERIF GOTHIC LIGHT

In general, bodytypes are measured in the typo graphical point size. The sizes of Berthold Foto type faces can be exactly determined. All faces of same point size have the same capital heigth irrespective of their x-heigth. In hot metal and many other phototypesetting systems the capi tal heigths often differ considerably from one face to the other. For measuring point sizes, a transparent size gauge is provided. To deter mine the point size, bring a capital letter into co incidence with that field which precisely circum scribes the letter at its upper and lower margin Below the field you find the typographical point and below that the millimeter value, which also refers to the height of a capital letter. In Berthold phototypesetting, the typewidth can be modi fied. The standard setting width of typefaces is determined by the principle of optimum legibili ty. You should not depart from this typewidth without cogent reason. A typeface which is con sidered optically right when looked in a greater context, often seems bulky when applied for a

2,40 mm (9 p), Zeilenabstand 4,25 mm

SERIF GOTHIC MAIGRE

La valeur de la force de corps des caractè res de labeur èst généralement exprimée en points typographiques. La force de corps des caractères Berthold-Fototype peut être déterminée avec précision. Tous les carac tères du même corps ont des capitales d'une hauteur identique, indépendam ment de la hauteur des bas de casse sans jambage. Dans la composition plomb, ainsi que dans certains systèmes de photocom position, la hauteur des capitales, varie sou vent d'un caractère à l'autre. Pour détermi ner la force de corps de nos caractères nous avons mis au point une réglette de hauteur d'œil transparente. On cherche le rectangle qui délimite exactement la hau teur d'œil d'une capitale du caractère choisi Sous le rectangle correspondant la valeur de la force de corps est indiquée en points Didots et en millimètres. La valeur en milli

2,65 mm (10 p), Zeilenabstand 4,69 mm

La indicación de las dimensiones para cuer pos de letra vásicos tiene lugar en general en puntos tipográficos. Los cuerpos de letra de los caracteres Berthold Fototype pueden deter minarse exactemente par medición. Con independencia de la altura de sus longitudes centrales, todos los caracteres de idéntico cuerpo de letra presentan altura de mayúscu las idéntica. En la composición en plomo y en

2,15 mm (8 p), −1, Zeilenabstand 3,38 mm

123,– $	456,– £	7890,– DM	1 %
234,– $	789,– £	1234,– DM	2 %
567,– $	12,– £	5678,– DM	3 %
890,– $	345,– £	9012,– DM	4 %
123,– $	678,– £	3456,– DM	5 %
456,– $	901,– £	7890,– DM	6 %
789,– $	234,– £	1234,– DM	7 %
12,– $	567,– £	5678,– DM	8 %
345,– $	890,– £	9012,– DM	9 %

BF 089 0605

Le misure relative al corpo dei caratteri vengo no generalmente indicate in punti tipografici. Il corpo dei caratteri Fototypes può essere deter minato con esattezza per semplice misurazi one. Tutti i caratteri di uguale grandezza in punti hanno, indipendentemente dalla loro lunghez za, uguale altezza delle maiuscole. Nella com posizione in piombo ed in molti altri sistemi di fo tocomposizione, l'altezza delle maiuscole varia

2,15 mm (8 p), −2, Zeilenabstand 3,38 mm

normal
regular
normal

SERIF GOTHIC

normal
chiaro tondo
normal

Berthold-Schriften überzeugen durch Schärfe und Qualität. Schrift
qualität ist eine Frage der Erfahrung. Berthold hat diese Erfahrung
seit über hundert Jahren. Zuerst im Schriftguß, dann im Fotosatz. B
erthold-Schriften sind weltweit geschätzt. Im Schriftenatelier Mün
chen wird jeder Buchstabe in der Größe von zwölf Zentimetern n
eu gezeichnet. Mit messerscharfen Konturen, um für die Schriftsch
eiben das Optimale an Konturenschärfe herauszuholen. Um die
Qualität des Einzelzeichens im Belichtungsvorgang zu bewahren
wird durch die ruhende, nicht rotierende Schriftscheibe belichtet

1,33 mm (5 p) 20 30 40 50 60

Berthold-Schriften überzeugen durch Schärfe und Qualität. S
chriftqualität ist eine Frage der Erfahrung. Berthold hat diese
Erfahrung seit über hundert Jahren. Zuerst im Schriftguß, dan
n im Fotosatz. Berthold-Schriften sind weltweit geschätzt. Im
Schriftenatelier München wird jeder Buchstabe in der Größe
von zwölf Zentimetern neu gezeichnet. Mit messerscharfen
Konturen, um für die Schriftscheiben das Optimale an Kontur
enschärfe herauszuholen. Um die Qualität des Einzelzeiche
ns im Belichtungsvorgang zu bewahren, wird durch die ruhe

1,45 mm (5,5 p) 20 30 40 50

Berthold-Schriften überzeugen durch Schärfe und Qual
ität. Schriftqualität ist eine Frage der Erfahrung. Berthold
hat diese Erfahrung seit über hundert Jahren. Zuerst im
Schriftguß, dann im Fotosatz. Berthold-Schriften sind we
ltweit geschätzt. Im Schriftenatelier München wird jeder
Buchstabe in der Größe von zwölf Zentimetern neu gez
eichnet. Mit messerscharfen Konturen, um für die Schrift
scheiben das Optimale an Konturenschärfe herauszuh
olen. Um die Qualität des Einzelzeichens im Belichtun

1,60 mm (6 p) 20 30 40 50

Berthold-Schriften überzeugen durch Schärfe und
Qualität. Schriftqualität ist eine Frage der Erfahrung
Berthold hat diese Erfahrung seit über hundert Jahr
en. Zuerst im Schriftguß, dann im Fotosatz. Berthold
Schriften sind weltweit geschätzt. Im Schriftenat
elier München wird jeder Buchstabe in der Größe v
on zwölf Zentimetern neu gezeichnet. Mit messersc
harfen Konturen, um für die Schriftscheiben das Op
timale an Konturenschärfe herauszuholen. Um die

1,75 mm (6,5 p) 20 30 40 5

Berthold-Schriften überzeugen durch Schärfe u
nd Qualität. Schriftqualität ist eine Frage der Erfa
hrung. Berthold hat diese Erfahrung seit über hu
ndert Jahren. Zuerst im Schriftguß, dann im Fotos
atz. Berthold-Schriften sind weltweit geschätzt. I
m Schriftenatelier München wird jeder Buchstab
e in der Größe von zwölf Zentimetern neu gezei
chnet. Mit messerscharfen Konturen, um für die S
chriftscheiben das Optimale an Konturenschärf

1,86 mm (7 p) 20 30 40

Berthold-Schriften überzeugen durch Schärfe
und Qualität. Schriftqualität ist eine Frage der
Erfahrung. Berthold hat diese Erfahrung seit ü
ber hundert Jahren. Zuerst im Schriftguß, dann
im Fotosatz. Berthold-Schriften sind weltweit
geschätzt. Im Schriftenatelier München wird j
eder Buchstabe in der Größe von zwölf Zenti
metern neu gezeichnet. Mit messerscharfen
Konturen, um für die Schriftscheiben das O

2,00 mm (7,5 p) 20 30 40

Berthold-Schriften überzeugen durch Schä
rfe und Qualität. Schriftqualität ist eine Fra
ge der Erfahrung. Berthold hat diese Erfahr
ung seit über hundert Jahren. Zuerst im Sch
riftguß, dann im Fotosatz. Berthold-Schrifte
n sind weltweit geschätzt. Im Schriftenateli
er München wird jeder Buchstabe in der Gr
öße von zwölf Zentimetern neu gezeichne
t. Mit messerscharfen Konturen, um für die

2,15 mm (8 p) 20 30 40

Herb Lubalin, Antonio Dispigna
1974
International Typeface Corp.
H. Berthold AG

ABCDEFGHIJKLMNOPQ
RSTUVWXYZ
abcdefghijklmnopqrstuvwxyz
1/1234567890%
(.,-;:!¡?¿–)·[‚‘„“”»«]
+–=/$£†*&§
ÄÅÆÖØŒÜäåæıöøœßü
ÁÀÂÃÇČÉÈÊËÍÌÎÏĹŇÑÓÒÔÕ
ŔŘŠŤÚÙÛŴẄÝŶŸŽ
áàâãçčéèêëíìîïĺňñóòôõŕřš
úùûŵẅýỳŷÿž

Berthold-Schriftweite weit
Berthold-Schriftweite normal
Berthold-Schriftweite eng
Berthold-Schriftweite sehr eng
Berthold-Schriftweite extrem eng

Berthold
3,75 mm (14 p)

Berthold
4,25 mm (16 p)

Berthold
4,75 mm (18 p)

Berthold
5,30 mm (20 p)

Berthold
6,35 mm (24 p)

Berthold
7,40 mm (28 p)

Berthold
8,50 mm (32 p)

Berthold
9,55 mm (36 p)

Größe mm	p	Zeilenabstand kp	Êp	Ex	100 Zeichen 0	–1	–2
1,33	5	1,75	2,19	2,00	89	86	83
1,60	6	2,13	2,63	2,50	105	101	97
1,86	7	2,44	3,06	3,00	121	117	113
2,15	8	2,88	3,56	3,50	137	132	127
2,40	9	3,19	3,94	3,75	153	147	141
2,65	10	3,50	4,38	4,25	169	162	155
2,92	11	3,88	4,81	4,75	185	178	171
3,20	12	4,25	5,25	5,25	201	193	185
3,45	13	4,56	5,63	5,75	216	208	200
3,72	14	4,88	6,13	–	232	223	214
3,98	15	5,25	6,50	–	248	239	230
4,25	16	5,63	6,94	–	264	254	244

WZ 14 E, NSW 0, MZB 0,64, F 0,092:0,088 (1,0), VI
H 1–x 0,68–k 1,00–p 0,31–Ê 1,33–kp 1,31–Êp 1,63
BF 089 0606, Belegung 051: 087 3667 (097 3667)

Berthold-Schriften überzeugen durch
Schärfe und Qualität. Schriftqualität ist
eine Frage der Erfahrung. Berthold hat
diese Erfahrung seit über hundert Jahr
en. Zuerst im Schriftguß, dann im Fotos
atz. Berthold-Schriften sind weltweit g
eschätzt. Im Schriftenatelier München
wird jeder Buchstabe in der Größe von

2,40 mm (9 p) 20 30

Berthold-Schriften überzeugen du
rch Schärfe und Qualität. Schriftqu
alität ist eine Frage der Erfahrung
Berthold hat diese Erfahrung seit
über hundert Jahren. Zuerst im Sc
hriftguß, dann im Fotosatz. Berthol
d-Schriften sind weltweit geschätz
t. Im Schriftenatelier München wird

2,65 mm (10 p) 20 30

Berthold-Schriften überzeugen
durch Schärfe und Qualität. Sch
riftqualität ist eine Frage der Erf
ahrung. Berthold hat diese Erfa
hrung seit über hundert Jahren
Zuerst im Schriftguß, dann im
Fotosatz. Berthold-Schriften sind
weltweit geschätzt. Im Schrifte

2,92 mm (11 p) 10 20 30

Berthold-Schriften überzeug
en durch Schärfe und Qualit
ät. Schriftqualität ist eine Fra
ge der Erfahrung. Berthold h
at diese Erfahrung seit über h
undert Jahren. Zuerst im Schri
ftguß, dann im Fotosatz. Bert
hold-Schriften sind weltweit

3,20 mm (12 p) 10 20

Berthold-Schriften überze
ugen durch Schärfe und Q
ualität. Schriftqualität ist ei
ne Frage der Erfahrung. Be
rthold hat diese Erfahrung
seit über hundert Jahren. Z
uerst im Schriftguß, dann im
Fotosatz. Berthold-Schriften

3,45 mm (13 p) 10 20

normal
regular
normal

SERIF GOTHIC

normal
chiaro tondo
normal

Berthold-Schriften überzeugen durch Schärfe und Qualität. Schriftqua lität ist eine Frage der Erfahrung. Berthold hat diese Erfahrung seit über hundert Jahren. Zuerst im Schriftguß, dann im Fotosatz. Berthold-Schrif ten sind weltweit geschätzt. Im Schriftenatelier München wird jeder Buchstabe in der Größe von zwölf Zentimetern neu gezeichnet. Mit messerscharfen Konturen, um für die Schriftscheiben das Optimale an Konturenschärfe herauszuholen. Um die Qualität des Einzelzeichens im Belichtungsvorgang zu bewahren, wird durch die ruhende, nicht rotierende Schriftscheibe belichtet. Dieses optische System, verbund

4,25 mm (16 p), Zeilenabstand 6,75 mm

SERIF GOTHIC REGULAR

In general, bodytypes are measured in the ty pographical point size. The sizes of Berthold Fo totype faces can be exactly determined. All faces of same point size have the same capital heigth–irrespective of their x-heigth. In hot met al and many other phototypesetting systems the capital heigths often differ considerably from one face to the other. For measuring point sizes, a transparent size gauge is provided. To determine the point size, bring a capital letter into coincidence with that field which precisely circumscribes the letter at its upper and lower margin. Below the field you find the typograph ical point and below that the millimeter value which also refers to the height of a capital letter In Berthold-phototypesetting, the typewidth can be modified. The standard setting width of typefaces is determined by the principle of optimum legibility. You should not depart from this typewidth without cogent reason. A type face which is considered optically right when looked in a greater context, often seems bulky

2,40 mm (9 p), Zeilenabstand 4,25 mm

SERIF GOTHIC NORMAL

La valeur de la force de corps des caractè res de labeur èst généralement exprimée en points typographiques. La force de corps des caractères Berthold-Fototype peut être déterminée avec précision. Tous les caractères du même corps ont des capi tales d'une hauteur identique, indépen damment de la hauteur des bas de casse sans jambage. Dans la composition plomb ainsi que dans certains systèmes de photo composition, la hauteur des capitales, va rie souvent d'un caractère à l'autre. Pour déterminer la force de corps de nos carac tères, nous avons mis au point une réglette de hauteur d'œil transparente. On cher che le rectangle qui délimite exactement la hauteur d'œil d'une capitale du carac tère choisi. Sous le rectangle correspon dant la valeur de la force de corps est indi quée en points Didots et en millimètres. La

2,65 mm (10 p), Zeilenabstand 4,69 mm

La indicación de las dimensiones para cuer pos de letra vásicos tiene lugar en general en puntos tipográficos. Los cuerpos de letra de los caracteres Berthold Fototype pueden determinarse exactemente par medición Con independencia de la altura de sus longi tudes centrales, todos los caracteres de idén tico cuerpo de letra presentan altura de mayúsculas idéntica. En la composición en

2,15 mm (8 p), −1, Zeilenabstand 3,38 mm

123,– $	456,– £	7890,– DM	1 %
234,– $	789,– £	1234,– DM	2 %
567,– $	12,– £	5678,– DM	3 %
890,– $	345,– £	9012,– DM	4 %
123,– $	678,– £	3456,– DM	5 %
456,– $	901,– £	7890,– DM	6 %
789,– $	234,– £	1234,– DM	7 %
12,– $	567,– £	5678,– DM	8 %
345,– $	890,– £	9012,– DM	9 %

BF 089 0607

Le misure relative al corpo dei caratteri vengo no generalmente indicate in punti tipografici. Il corpo dei caratteri Fototypes può essere deter minato con esattezza per semplice misurazi one. Tutti i caratteri di uguale grandezza in punti hanno, indipendentemente dalla loro lunghezza, uguale altezza delle maiuscole Nella composizione in piombo ed in molti altri sistemi di fotocomposizione, l'altezza delle ma

2,15 mm (8 p), −2, Zeilenabstand 3,38 mm

fett
bold
gras

SERIF GOTHIC

negra
nero
fet

Berthold-Schriften überzeugen durch Schärfe und Qualität Schriftqualität ist eine Frage der Erfahrung. Berthold hat die se Erfahrung seit über hundert Jahren. Zuerst im Schriftguß dann im Fotosatz. Berthold-Schriften sind weltweit geschät zt. Im Schriftenatelier München wird jeder Buchstabe in der Größe von zwölf Zentimetern neu gezeichnet. Mit messers charfen Konturen, um für die Schriftscheiben das Optimale an Konturenschärfe herauszuholen. Um die Qualität des Ein zelzeichens im Belichtungsvorgang zu bewahren, wird dur

1,60 mm (6 p), Zeilenabstand 2,50 mm

Berthold-Schriften überzeugen durch Schärfe und Qualität. Schriftqualität ist eine Frage der Erfahrung Berthold hat diese Erfahrung seit über hundert Jahr en. Zuerst im Schriftguß, dann im Fotosatz. Bertho ld-Schriften sind weltweit geschätzt. Im Schriftenatel ier München wird jeder Buchstabe in der Größe von zwölf Zentimetern neu gezeichnet. Mit messerscha rfen Konturen, um für die Schriftscheiben das Optim

1,86 mm (7 p), Zeilenabstand 3,00 mm

Berthold-Schriften überzeugen durch Schärfe und Qualität. Schriftqualität ist eine Frage der Erfahrung. Berthold hat diese Erfahrung seit üb er hundert Jahren. Zuerst im Schriftguß, dann im Fotosatz. Berthold-Schriften sind weltweit geschätzt. Im Schriftenatelier München wird je der Buchstabe in der Größe von zwölf Zentim etern neu gezeichnet. Mit messerscharfen Ko

2,15 mm (8 p), Zeilenabstand 3,50 mm

Herb Lubalin, Antonio Dispigna
1974
International Typeface Corp.
H. Berthold AG

ABCDEFGHIJKLMNOPQ
RSTUVWXYZ
abcdefghijklmnopqrstuvwxyz
1⁄1 234567890%
(.,-;:!¡?¿–) · [",""»«]
+−=/$£†*&§
ÄÅÆÖØŒÜäåæıöøœßü
ÁÀÂÃÇČÉÈÊËÍÌÎÏĹŇÑÓÒÔÕ
ŔŘŠŤÚÙÛŴẄÝŶŸŽ
áàâãçčéèêëíìîïĺňñóòôõŕřš
úùûŵẅýỳÿž

Berthold-Schriftweite weit
Berthold-Schriftweite normal
Berthold-Schriftweite eng
Berthold-Schriftweite sehr eng
Berthold-Schriftweite extrem eng

In general, bodytypes are me asured in the typographical poi nt size. The sizes of Berthold Fo totype faces can be exactly de termined. All faces of same poi nt size have the same capital h eigth–irrespective of their x-he igth. In hot metal and many oth er phototypesetting systems th e capital heigths often differ co nsiderably from one face to the other. For measuring point size s, a transparent size gauge is pr ovided. To determine the point size, bring a capital letter into c oincidence with that field which precisely circumscribes the lette

3,20 mm (12 p), Zeilenabstand 5,25 mm

Berthold's quick brown fox jumps over the lazy dog and feels as if he were in the seve
3,75 mm (14 p)

Berthold's quick brown fox jumps over the lazy dog and feels as if he were in
4,25 mm (16 p)

Berthold's quick brown fox jumps over the lazy dog and feels as if he
4,75 mm (18 p)

Berthold's quick brown fox jumps over the lazy dog and feels
5,30 mm (20 p)

Berthold's quick brown fox jumps over the lazy dog
6,35 mm (24 p)

Berthold's quick brown fox jumps over the l
7,40 mm (28 p)

Berthold's quick brown fox jumps over
8,50 mm (32 p)

Berthold's quick brown fox jumps
9,55 mm (36 p)

Berthold-Schriften überzeugen durch Sch ärfe und Qualität. Schriftqualität ist eine F rage der Erfahrung. Berthold hat diese Erf ahrung seit über hundert Jahren. Zuerst im Schriftguß, dann im Fotosatz. Berthold Schriften sind weltweit geschätzt. Im Schri ftenatelier München wird jeder Buchstab e in der Größe von zwölf Zentimetern ne

2,40 mm (9 p), Zeilenabstand 4,00 mm

Größe		Zeilenabstand			100 Zeichen		
mm	p	kp	Êp	Ex	0	−1	−2
1,33	5	1,75	2,19	–	83	80	77
1,60	6	2,13	2,63	2,50	98	94	90
1,86	7	2,44	3,00	3,00	113	109	105
2,15	8	2,88	3,50	3,50	128	123	118
2,40	9	3,19	3,88	4,00	143	137	131
2,65	10	3,50	4,31	4,00	158	151	144
2,92	11	3,88	4,75	–	173	166	159
3,20	12	4,25	5,19	5,25	188	180	172
3,45	13	4,56	5,56	–	202	194	186
3,72	14	4,88	6,00	–	217	208	199
3,98	15	5,25	6,44	–	232	223	214
4,25	16	5,63	6,88	–	246	236	226

WZ 13 E, NSW −1, MZB 0,60, F 0,14:0,13 (1,1), VI
H 1–x 0,68–k 1,00–p 0,31–Ê 1,30–kp 1,31–Êp 1,61
BF 089 0608, Belegung 051: 087 3668 (097 3668)

Berthold-Schriften überzeugen durch Schärfe und Qualität. Schriftqualität ist eine Frage der Erfahrung. Berthold hat diese Erfahrung seit über hundert Jahr en. Zuerst im Schriftguß, dann im Foto satz. Berthold-Schriften sind weltweit geschätzt. Im Schriftenatelier Münch en wird jeder Buchstabe in der Größe

2,65 mm (10 p), Zeilenabstand 4,00 mm

extrafett
extra bold
extra gras

SERIF GOTHIC

muy negra
nerissimo
extrafet

Berthold-Schriften überzeugen durch Schärfe und Qualität Schriftqualität ist eine Frage der Erfahrung. Berthold hat die se Erfahrung seit über hundert Jahren. Zuerst im Schriftguß dann im Fotosatz. Berthold-Schriften sind weltweit geschät zt. Im Schriftenatelier München wird jeder Buchstabe in der Größe von zwölf Zentimetern neu gezeichnet. Mit messers charfen Konturen, um für die Schriftscheiben das Optimale an Konturenschärfe herauszuholen. Um die Qualität des Ein zelzeichens im Belichtungsvorgang zu bewahren, wird dur

1,60 mm (6 p), Zeilenabstand 2,50 mm

Berthold-Schriften überzeugen durch Schärfe und Qualität. Schriftqualität ist eine Frage der Erfahrung Berthold hat diese Erfahrung seit über hundert Jahr en. Zuerst im Schriftguß, dann im Fotosatz. Bertho ld-Schriften sind weltweit geschätzt. Im Schriftenate lier München wird jeder Buchstabe in der Größe von zwölf Zentimetern neu gezeichnet. Mit messerscha rfen Konturen, um für die Schriftscheiben das Optim

1,86 mm (7 p), Zeilenabstand 3,00 mm

Berthold-Schriften überzeugen durch Schärfe und Qualität. Schriftqualität ist eine Frage der Erfahrung. Berthold hat diese Erfahrung seit üb er hundert Jahren. Zuerst im Schriftguß, dann im Fotosatz. Berthold-Schriften sind weltweit geschätzt. Im Schriftenatelier München wird jeder Buchstabe in der Größe von zwölf Zenti metern neu gezeichnet. Mit messerscharfen

2,15 mm (8 p), Zeilenabstand 3,50 mm

Herb Lubalin, Antonio Dispigna
1974
International Typeface Corp.
H. Berthold AG

ABCDEFGHIJKLMNOPQ
RSTUVWXYZ
abcdefghijklmnopqrstuvwxyz
1/1234567890%
(.,-;:!¡?¿–)·["„"“»«]
+−=/$£†*&§
ÄÅÆÖØŒÜäåæıöøœßü
ÁÀÂÃÇČÉÈÊËÍÌÎÏĹŇÑÓÒÔÕ
ŔŘŠŤÚÙÛŴẄÝŶŸŽ
áàâãçčéèêëíìîïĺňñóòôõŕřš
úùûŵẅýỳÿž

Berthold-Schriftweite weit
Berthold-Schriftweite normal
Berthold-Schriftweite eng
Berthold-Schriftweite sehr eng
Berthold-Schriftweite extrem eng

In general, bodytypes are me asured in the typographical po int size. The sizes of Berthold Fo totype faces can be exactly de termined. All faces of same poi nt size have the same capital h eight–irrespective of their x-he ight. In hot metal and many ot her phototypesetting systems the capital heights often differ considerably from one face to t he other. For measuring point s izes, a transparent size gauge is provided. To determine the po int size, bring a capital letter int o coincidence with that field w hich precisely circumscribes the

3,20 mm (12 p), Zeilenabstand 5,25 mm

Berthold's quick brown fox jumps over the lazy dog and feels as if he were in the seve
3,75 mm (14 p)

Berthold's quick brown fox jumps over the lazy dog and feels as if he were i
4,25 mm (16 p)

Berthold's quick brown fox jumps over the lazy dog and feels as if he
4,75 mm (18 p)

Berthold's quick brown fox jumps over the lazy dog and feel
5,30 mm (20 p)

Berthold's quick brown fox jumps over the lazy do
6,35 mm (24 p)

Berthold's quick brown fox jumps over the l
7,40 mm (28 p)

Berthold's quick brown fox jumps over
8,50 mm (32 p)

Berthold's quick brown fox jumps
9,55 mm (36 p)

Berthold-Schriften überzeugen durch Sch ärfe und Qualität. Schriftqualität ist eine F rage der Erfahrung. Berthold hat diese Erf ahrung seit über hundert Jahren. Zuerst im Schriftguß, dann im Fotosatz. Berthold Schriften sind weltweit geschätzt. Im Sch riftenatelier München wird jeder Buchsta be in der Größe von zwölf Zentimetern n

2,40 mm (9 p), Zeilenabstand 4,00 mm

Größe		Zeilenabstand			100 Zeichen		
mm	p	kp	Êp	Ex	0	−1	−2
1,33	5	1,81	2,19	–	82	79	76
1,60	6	2,13	2,63	2,50	96	92	88
1,86	7	2,50	3,00	3,00	111	107	103
2,15	8	2,88	3,50	3,50	126	121	116
2,40	9	3,19	3,88	4,00	141	135	129
2,65	10	3,50	4,31	4,00	156	149	142
2,92	11	3,88	4,75	–	170	163	156
3,20	12	4,25	5,19	5,25	185	177	169
3,45	13	4,56	5,56	–	199	191	183
3,72	14	4,94	6,00	–	214	205	196
3,98	15	5,31	6,44	–	228	219	210
4,25	16	5,63	6,88	–	243	233	223

WZ 12 E, NSW −1, MZB 0,58, F 0,17:0,13 (1,3), VI
H 1–x 0,69–k 1,00–p 0,32–Ê 1,29–kp 1,32–Êp 1,61
BF 089 0609, Belegung 051: 087 3226 (097 3226)

Berthold-Schriften überzeugen durch Schärfe und Qualität. Schriftqualität ist eine Frage der Erfahrung. Berthold hat diese Erfahrung seit über hundert Jah ren. Zuerst im Schriftguß, dann im Fot osatz. Berthold-Schriften sind weltwe it geschätzt. Im Schriftenatelier Münc hen wird jeder Buchstabe in der Größ

2,65 mm (10 p), Zeilenabstand 4,00 mm

ultrafett
heavy
ultra gras

SERIF GOTHIC

ultra negra
ultra nero
ultra fet

Berthold-Schriften überzeugen durch Schärfe und Qualit ät. Schriftqualität ist eine Frage der Erfahrung. Berthold hat diese Erfahrung seit über hundert Jahren. Zuerst im Sc hriftguß, dann im Fotosatz. Berthold-Schriften sind weltw eit geschätzt. Im Schriftenatelier München wird jeder Buc hstabe in der Größe von zwölf Zentimetern neu gezeichn et. Mit messerscharfen Konturen, um für die Schriftscheib en das Optimale an Konturenschärfe herauszuholen. Um die Qualität des Einzelzeichens im Belichtungsvorgang

1,60 mm (6 p), Zeilenabstand 2,50 mm

Berthold-Schriften überzeugen durch Schärfe und Qualität. Schriftqualität ist eine Frage der Erfahru ng. Berthold hat diese Erfahrung seit über hundert Jahren. Zuerst im Schriftguß, dann im Fotosatz. Ber thold-Schriften sind weltweit geschätzt. Im Schrift enatelier München wird jeder Buchstabe in der Gr öße von zwölf Zentimetern neu gezeichnet. Mit m esserscharfen Konturen, um für die Schriftscheiben

1,86 mm (7 p), Zeilenabstand 3,00 mm

Berthold-Schriften überzeugen durch Schärfe und Qualität. Schriftqualität ist eine Frage der Erfahrung. Berthold hat diese Erfahrung seit über hundert Jahren. Zuerst im Schriftg uß, dann im Fotosatz. Berthold-Schriften sind weltweit geschätzt. Im Schriftenatelier Mün chen wird jeder Buchstabe in der Größe von zwölf Zentimetern neu gezeichnet. Mit mess

2,15 mm (8 p), Zeilenabstand 3,50 mm

Herb Lubalin, Antonio Dispigna
1974
International Typeface Corp.
H. Berthold AG

ABCDEFGHIJKLMNOPQ
RSTUVWXYZ
abcdefghijklmnopqrstuvwxyz
1/1234567890%
(.,-;:!¡?¿–)·["„"“»«]
+–=/$£†*&§
ÄÅÆÖØŒÜäåæıöøœßü
ÁÀÂÃÇČÉÈÊËÍÌÎÏĹŇÑÓÒÔÕ
ŔŘŠŤÚÙÛŴẄÝỲŸŽ
áàâãçčéèêëíìîïĺňñóòôõŕřš
úùûŵẅýỳÿž

Berthold-Schriftweite weit
Berthold-Schriftweite normal
Berthold-Schriftweite eng
Berthold-Schriftweite sehr eng
Berthold-Schriftweite extrem eng

In general, bodytypes are me asured in the typographical p oint size. The sizes of Berthold Fototype faces can be exactly determined. All faces of same point size have the same capi tal height–irrespective of their x-height. In hot metal and ma ny other phototypesetting sy stems the capital heights often differ considerably from one f ace to the other. For measurin g point sizes, a transparent siz e gauge is provided. To deter mine the point size, bring a ca pital letter into coincidence w ith that field which precisely ci

3,20 mm (12 p), Zeilenabstand 5,25 mm

Berthold's quick brown fox jumps over the lazy dog and feels as if he were in the se
3,75 mm (14 p)

Berthold's quick brown fox jumps over the lazy dog and feels as if he wer
4,25 mm (16 p)

Berthold's quick brown fox jumps over the lazy dog and feels as if
4,75 mm (18 p)

Berthold's quick brown fox jumps over the lazy dog and f
5,30 mm (20 p)

Berthold's quick brown fox jumps over the lazy
6,35 mm (24 p)

Berthold's quick brown fox jumps over the
7,40 mm (28 p)

Berthold's quick brown fox jumps ov
8,50 mm (32 p)

Berthold's quick brown fox jum
9,55 mm (36 p)

Berthold-Schriften überzeugen durch Sc härfe und Qualität. Schriftqualität ist ei ne Frage der Erfahrung. Berthold hat di ese Erfahrung seit über hundert Jahren Zuerst im Schriftguß, dann im Fotosatz Berthold-Schriften sind weltweit gesch ätzt. Im Schriftenatelier München wird jeder Buchstabe in der Größe von zwölf

2,40 mm (9 p), Zeilenabstand 4,00 mm

Größe mm	p	Zeilenabstand kp	Êp	Ex	100 Zeichen 0	−1	−2
1,33	5	1,75	2,19	–	87	84	81
1,60	6	2,13	2,63	2,50	103	99	95
1,86	7	2,44	3,06	3,00	118	114	110
2,15	8	2,81	3,50	3,50	134	129	124
2,40	9	3,13	3,94	4,00	150	144	138
2,65	10	3,50	4,31	4,00	165	158	151
2,92	11	3,81	4,75	–	181	174	167
3,20	12	4,19	5,19	5,25	196	188	180
3,45	13	4,50	5,63	–	212	204	196
3,72	14	4,88	6,06	–	227	218	209
3,98	15	5,19	6,50	–	243	234	225
4,25	16	5,56	6,94	–	258	248	238

WZ 12 E, NSW −1, MZB 0,62, F 0,21:0,16 (1,3), VI H 1–x 0,70–k 1,00–p 0,30–Ê 1,32–kp 1,30–Êp 1,62 BF 089 0610, Belegung 051: 087 3228 (097 3228)

Berthold-Schriften überzeugen durc h Schärfe und Qualität. Schriftqualit ät ist eine Frage der Erfahrung. Berth old hat diese Erfahrung seit über hu ndert Jahren. Zuerst im Schriftguß, d ann im Fotosatz. Berthold-Schriften sind weltweit geschätzt. Im Schrifte natelier München wird jeder Buchst

2,65 mm (10 p), Zeilenabstand 4,00 mm

Black
Black
Black

SERIF GOTHIC

Black
Black
Black

Berthold-Schriften überzeugen durch Schärfe und Quali tät. Schriftqualität ist eine Frage der Erfahrung. Berthold hat diese Erfahrung seit über hundert Jahren. Zuerst im Schriftguß, dann im Fotosatz. Berthold-Schriften sind weltweit geschätzt. Im Schriftenatelier München wird jeder Buchstabe in der Größe von zwölf Zentimetern neu gezeichnet. Mit messerscharfen Konturen, um für die Schriftscheiben das Optimale an Konturenschärfe herauszuholen. Um die Qualität des Einzelzeichens im

1,60 mm (6 p), Zeilenabstand 2,50 mm

Berthold-Schriften überzeugen durch Schärfe und Qualität. Schriftqualität ist eine Frage der Erfahr ung. Berthold hat diese Erfahrung seit über hund ert Jahren. Zuerst im Schriftguß, dann im Fotosa tz. Berthold-Schriften sind weltweit geschätzt Im Schriftenatelier München wird jeder Buchsta be in der Größe von zwölf Zentimetern neu geze ichnet. Mit messerscharfen Konturen, um für die

1,86 mm (7 p), Zeilenabstand 3,00 mm

Berthold-Schriften überzeugen durch Schär fe und Qualität. Schriftqualität ist eine Fra ge der Erfahrung. Berthold hat diese Erfahr ung seit über hundert Jahren. Zuerst im Sch riftguß dann im Fotosatz. Berthold-Schrift en sind weltweit geschätzt. Im Schriftenat elier München wird jeder Buchstabe in der Größe von zwölf Zentimetern neu gezeich

2,15 mm (8 p), Zeilenabstand 3,50 mm

Herb Lubalin, Antonio Dispigna
1974
International Typeface Corp.
H. Berthold AG

ABCDEFGHIJKLMNOPQ
RSTUVWXYZ
abcdefghijklmnopqrstuvwxyz
1/1234567890%
(.,-;:!¡?¿–)·['‚„"“»«]
+–=/$£†*&§
ÄÅÆÖØŒÜäåæıöøœßü
ÁÀÂÃÇČÉÈÊËÍÌÎÏĹŇÑÓÒÔÕ
ŔŘŠŤÚÙÛŴẄÝỲŶŸŽ
áàâãçčéèêëíìîïĺňñóòôõŕřš
úùûŵẅýỳŷÿž

Berthold-Schriftweite weit
Berthold-Schriftweite normal
Berthold-Schriftweite eng
Berthold-Schriftweite sehr eng
Berthold-Schriftweite extrem eng

In general, bodytypes are m easured in the typographical point size. The sizes of Ber thold Fototype faces can be e xactly determined. All faces of same point size have the s ame capital heigth–irrespect ive of their x-heigth. In hot m etal and many other phototy pesetting systems the capital heigths often differ consider ably from one face to the oth er. For measuring point sizes a transparent size gauge is p rovided. To determine the po int size, bring a capital letter into coincidence with that fie

3,20 mm (12 p), Zeilenabstand 5,25 mm

Berthold's quick brown fox jumps over the lazy dog and feels as if he were in the
3,75 mm (14 p)

Berthold's quick brown fox jumps over the lazy dog and feels as if he
4,25 mm (16 p)

Berthold's quick brown fox jumps over the lazy dog and feels a
4,75 mm (18 p)

Berthold's quick brown fox jumps over the lazy dog and
5,30 mm (20 p)

Berthold's quick brown fox jumps over the lazy
6,35 mm (24 p)

Berthold's quick brown fox jumps over t
7,40 mm (28 p)

Berthold's quick brown fox jumps o
8,50 mm (32 p)

Berthold's quick brown fox jum
9,55 mm (36 p)

Berthold-Schriften überzeugen durch S chärfe und Qualität. Schriftqualität ist eine Frage der Erfahrung. Berthold hat diese Erfahrung seit über hundert Jahr en. Zuerst im Schriftguß, dann im Fotos atz. Berthold-Schriften sind weltweit g eschätzt. Im Schriftenatelier München wird jeder Buchstabe in der Größe von

2,40 mm (9 p), Zeilenabstand 4,00 mm

Größe		Zeilenabstand			100 Zeichen		
mm	p	kp	Êp	Ex	0	–1	–2
1,33	5	1,75	2,13	–	89	86	83
1,60	6	2,13	2,56	2,50	105	101	97
1,86	7	2,44	3,00	3,00	121	117	113
2,15	8	2,81	3,44	3,50	137	132	127
2,40	9	3,13	3,88	4,00	153	147	141
2,65	10	3,44	4,25	4,00	169	162	155
2,92	11	3,81	4,69	–	185	178	171
3,20	12	4,19	5,13	5,25	201	193	185
3,45	13	4,50	5,50	–	216	208	200
3,72	14	4,81	5,94	–	232	223	214
3,98	15	5,19	6,38	–	248	239	230
4,25	16	5,50	6,81	–	264	254	244

WZ 13 E, NSW –1, MZB 0,64, F 0,26:0,15 (1,7), VI
H 1–x 0,71–k 1,00–p 0,29–Ê 1,30–kp 1,29–Êp 1,59
BF 089 0611, Belegung 051: 085 0016 (095 0016)

Berthold-Schriften überzeugen du rch Schärfe und Qualität. Schriftqu alität ist eine Frage der Erfahrung Berthold hat diese Erfahrung seit ü ber hundert Jahren. Zuerst im Schri ftguß, dann im Fotosatz. Berthold Schriften sind weltweit geschätzt Im Schriftenatelier München wird j

2,65 mm (10 p), Zeilenabstand 4,00 mm

licht
outline
éclairé

SERIF GOTHIC

luminosa
filettato
konturskrift

In general, bodytypes are measured in the typographical point size. The sizes of Berthold Fototype faces can be exactly determined. All faces of same point size have the same capital heigth—irrespective of their x—heigth. In hot metal and many other phototypesetting systems the capital heigths often differ considerably from one face to the other. For measuring point sizes, a transparent size gauge is provided. To determine the point size, bring a capital letter into coincidence with t

3,20 mm (12 p), Zeilenabstand 5,25 mm

Herb Lubalin, Antonio Dispigna
1974
International Typeface Corp.
H. Berthold AG

ABCDEFGHIJKLMNOPQ
RSTUVWXYZ
abcdefghijklmnopqrstuvwxyz
1/1234567890%
(.,-;:!¡?¿–)·["„""»«]
+−=/$£†*&§
ÄÅÆÖØŒÜäåæıöøœßü
ÁÀÂÃÇČÉÈÊËÍÌÎÏĹŇÑÓÒÔÕ
ŔŘŠÚÙÛŴẄÝỲŶŸŽ
áàâãçčéèêëíìîïĺňñóòôõŕřš
úùûŵẅýỳŷÿž

Berthold-Schriftweite weit
Berthold-Schriftweite normal
Berthold-Schriftweite eng
Berthold-Schriftweite sehr eng
Berthold-Schriftweite extrem eng

LA VALEUR DE LA FORCE DE CORPS DES CARACTERES DE LABEUR EST GENERALEMENT EXPRIMEE EN POINTS TYPOGRAPHIQUES. LA FORCE DE CORPS DES CARACTERES BERTHOLD FOTOTYPE PEUT ETRE DETERMINEE AVEC PRECISION TOUS LES CARACTERES DU MEME CORPS ONT DES CAPITALES D'UNE HAUTEUR IDENTIQUE, INDEPENDAMMENT DE LA HAUTEUR DES BAS DE CASSE SANS JAMBAGE. DANS LA COMPOSITION PLOMP, AINSI QUE DANS CERTAINS SYSTEMES DE PHOTOCOMPOSITION, LA H

3,20 mm (12 p), Zeilenabstand 5,25 mm

Berthold's quick brown fox jumps over the lazy dog and feels as if he were i
3,75 mm (14 p)

Berthold's quick brown fox jumps over the lazy dog and feels as if
4,25 mm (16 p)

Berthold's quick brown fox jumps over the lazy dog and fee
4,75 mm (18 p)

Berthold's quick brown fox jumps over the lazy dog a
5,30 mm (20 p)

Berthold's quick brown fox jumps over the la
6,35 mm (24 p)

Berthold's quick brown fox jumps ove
7,40 mm (28 p)

Berthold's quick brown fox jumps
8,50 mm (32 p)

Berthold's quick brown fox ju
9,55 mm (36 p)

Berthold-Schriften überzeugen durch Schärfe und Qualität. Schriftqualität ist eine Frage der Erfahrung. Berthold hat diese Erfahrung seit über hundert Jahren. Zuerst im Schriftguß, dann im Fotosatz. Berthold-Schriften sind welt weit geschätzt. Im Schriftenatelier München wird jeder Buchstabe in der G

2,40 mm (9 p), Zeilenabstand 4,00 mm

Größe mm	p	Zeilenabstand kp	Êp	Ex	100 Zeichen 0	−1	−2
1,33	5	1,75	2,19	—	91	88	85
1,60	6	2,13	2,56	—	107	103	99
1,86	7	2,44	3,00	—	123	119	115
2,15	8	2,81	3,50	—	140	135	130
2,40	9	3,13	3,88	4,00	157	151	145
2,65	10	3,50	4,25	4,00	173	166	159
2,92	11	3,81	4,69	—	189	182	175
3,20	12	4,19	5,13	5,25	205	197	189
3,45	13	4,50	5,56	—	221	213	205
3,72	14	4,88	6,00	—	237	228	219
3,98	15	5,19	6,38	—	253	244	235
4,25	16	5,56	6,81	—	269	259	249

WZ 16 E, NSW 0, MZB 0,65, F 0,22:0,17 (1,3), VII
H 1–x 0,71–k 1,00–p 0,30–Ê 1,30–kp 1,30–Êp 1,60
BF 089 0612, Belegung 051: 087 3221 (097 3221)

Berthold-Schriften überzeugen durch Schärfe und Qualität. Schriftqualität ist eine Frage der Erfahrung Berthold hat diese Erfahrung seit über hundert Jahren Zuerst im Schriftguß, dann im Fotosatz. Berthold-Schriften sind weltweit geschätzt. Im Schriftenatelier München wir

2,65 mm (10 p), Zeilenabstand 4,00 mm

kursiv leicht
light italic
italique maigre

SERIFA

fina cursiva
chiarissimo corsivo
kursiv mager

Måttangivelse för grundstilsg rader sker i allmänhet i typogr afiska punkter. Stilar av Berth old Fototype kan efter mätning exakt gradbestämmas. Alla ty psnitt är av samma punktstorl ek och har oberoende av x-höj den en identisk versalhöjd. I b lysättning och i många andra fotosättsystem varierar versal höjden avsevärt från typsnitt t ill typsnitt. För mätning av stil grader finns en transparent m ätlinjal. Vid mätningen placer ar man en versal bokstav så att rutorna begränsar tecknet up ptill och nedtill. Under rutorna finns stilstorleken i typografis ka didotpunkter och i mm. Äv

2,92 mm (11 p), Zeilenabstand 4,69 mm

Adrian Frutiger
1969
Bauersche Gießerei, Neufville
H. Berthold AG

ABCDEFGHIJKLMNOPQ
RSTUVWXYZ
abcdefghijklmnopqrstuvwxyz
1/1234567890%
(.,-;:!¡?¿–)·['„"“»«]
+−=/$£†&§*
ÄÅÆÖØŒÜäåæıöøœßü
ÁÀÂÃÇČÉÈÊËÍÌÎÏĹŇÑÓÒÔÕ
ŔŘŠŤÚÙÛŴẄÝŶŸŽ
áàâãçčéèêëíìîïĺňñóòôõŕřš
úùûŵẅýỳÿž

Berthold-Schriftweite weit
Berthold-Schriftweite normal
Berthold-Schriftweite eng
Berthold-Schriftweite sehr eng
Berthold-Schriftweite extrem eng

In general, bodytypes are m easured in the typographic al point size. The sizes of Be rthold Fototype faces can be exactly determined. All fac es of same point size have t he same capital height–irre spective of their x-height. In hot metal and many other p hototypesetting systems th e capital heights often differ considerably from one face to the other. For measuring point sizes, a transparent si ze gauge is provided. To det ermine the point size, bring a capital letter into coincide

3,20 mm (12 p), Zeilenabstand 5,25 mm

SERIFA KURSIV LEICHT

Die Maßangabe zu Grundschriftgrößen erfol gt im allgemeinen in typographischen Punkt en. Die Schriftgrößen der Berthold-Fotosatz Schriften sind nach Messung exakt bestimm bar. Alle Schriften gleicher Punktgröße weis en, unabhängig von der Höhe ihrer Mittellän gen, eine identische Versalhöhe auf. Im Bleis atz und bei vielen anderen Fotosatz-Systeme n differieren die Versalhöhen von Schrift zu S chrift oft erheblich. Zum Messen von Schrift größen steht ein transparentes Größenma ß zur Verfügung. Zum Messen wird ein Versa lbuchstabe mit dem Feld in Deckung gebrac ht, das den Buchstaben oben und unten sch arf begrenzt. Unter dem Feld ist die Schriftgr öße in typographischen Didot-Punkten, daru nter in Millimetern angegeben. Auch die Mil limeterangaben beziehen sich auf die Höhe

2,40 mm (9 p), Zeilenabstand 4 mm

SERIFA ITALIQUE MAIGRE

La valeur de la force de corps des caract ères de labeur est généralement exprim ée en points typographiques. La force de corps des caractères Berthold-Fototype peut être déterminée avec précision. To us les caractères du même corps ont des capitales d'une hauteur identique, indép endamment de la hauteur des bas de c asse sans jambage. Dans la compositio n plomb, ainsi que dans certains systèm es de photocomposition, la hauteur des capitales, varie souvent d'un caractère à l'autre. Pour déterminer la force de corps de nos caractères, nous avons mis au poi nt une réglette de hauteur d'œil transpar ente. On cherche le rectangle qui délimit

2,65 mm (10 p), Zeilenabstand 4,50 mm

La indicación de las dimensiones para cuerpos de let ra vásicos tiene lugar en general en puntos tipográfic os. Los cuerpos de letra de los caracteres Berthold Fo totype pueden determinarse exactemente par medic ión. Con independencia de la altura de sus longitudes centrales, todos los caracteres de idéntico cuerpo de l etra presentan altura de mayúsculas idéntica. En la c omposición en plomo y en muchos otros sistemas de fotocomposición, las alturas de mayúsculas varían fr ecuentemmente en forma considerable de tipo de let ra a tipo de letra. Para medir los cuerpos de letra se di spone de un tipómetro, véase la figura. Para la medici

1,60 mm (6 p), Zeilenabstand 2,50 mm

Größe		Zeilenabstand			100 Zeichen		
mm	p	kp	Êp	Ex	0	−1	−2
1,33	5	1,69	2,06	–	96	93	90
1,60	6	2,00	2,44	2,50	113	109	105
1,86	7	2,38	2,88	–	130	126	122
2,15	8	2,69	3,31	3,38	148	143	138
2,40	9	3,00	3,69	4,00	166	160	154
2,65	10	3,38	4,06	4,50	183	176	169
2,92	11	3,69	4,44	4,69	200	193	186
3,20	12	4,00	4,88	5,25	217	209	201
3,45	13	4,38	5,25	–	234	226	218
3,72	14	4,69	5,69	–	251	242	233
3,98	15	5,00	6,06	–	268	259	250
4,25	16	5,38	6,50	–	285	275	265

WZ 14 E, NSW 0, MZB 0,69, F 0,09:0,07 (1,3), V
H 1–x 0,70–k 1,00–p 0,25–Ê 1,27–kp 1,25–Êp 1,52
BF 089 1503, Belegung 051: 085 1620 (095 1620)

Le misure relative al corpo dei caratteri v engono generalmente indicate in punti ti pografici. Il corpo dei caratteri Fototypes può essere determinato con esattezza p er semplice misurazione. Tutti i caratteri di uguale grandezza in punti hanno, indi pendentemente dalla loro lunghezza, ug uale altezza delle maiuscole. Nella comp osizione in piombo ed in molti altri siste

2,15 mm (8 p), Zeilenabstand 3,38 mm

normal
regular
normal

SERIFA

normal
chiaro tondo
normal

Berthold-Schriften überzeugen durch Schärfe und Qualit ät. Schriftqualität ist eine Frage der Erfahrung. Berthold h at diese Erfahrung seit über hundert Jahren. Zuerst im Sch riftguß, dann im Fotosatz. Berthold-Schriften sind weltwe it geschätzt. Im Schriftenatelier München wird jeder Buch stabe in der Größe von zwölf Zentimetern neu gezeichnet Mit messerscharfen Konturen, um für die Schriftscheiben das Optimale an Konturenschärfe herauszuholen. Um die Qualität des Einzelzeichens im Belichtungsvorgang zu be

1,33 mm (5 p) 20 30 40 50

Berthold-Schriften überzeugen durch Schärfe und Qu alität. Schriftqualität ist eine Frage der Erfahrung. Ber thold hat diese Erfahrung seit über hundert Jahren. Zu erst im Schriftguß, dann im Fotosatz. Berthold-Schrift en sind weltweit geschätzt. Im Schriftenatelier Münc hen wird jeder Buchstabe in der Größe von zwölf Zenti metern neu gezeichnet. Mit messerscharfen Konturen um für die Schriftscheiben das Optimale an Konturens chärfe herauszuholen. Um die Qualität des Einzelzeic

1,45 mm (5,5 p) 20 30 40

Berthold-Schriften überzeugen durch Schärfe un d Qualität. Schriftqualität ist eine Frage der Erfa hrung. Berthold hat diese Erfahrung seit über h undert Jahren. Zuerst im Schriftguß, dann im Fot osatz. Berthold-Schriften sind weltweit geschätz t. Im Schriftenatelier München wird jeder Buchst abe in der Größe von zwölf Zentimetern neu gezei chnet. Mit messerscharfen Konturen, um für die S chriftscheiben das Optimale an Konturenschärfe

1,60 mm (6 p) 20 30 40

Berthold-Schriften überzeugen durch Schärfe und Qualität. Schriftqualität ist eine Frage d er Erfahrung. Berthold hat diese Erfahrung s eit über hundert Jahren. Zuerst im Schriftguß dann im Fotosatz. Berthold-Schriften sind we ltweit geschätzt. Im Schriftenatelier Münche n wird jeder Buchstabe in der Größe von zwölf Zentimetern neu gezeichnet. Mit messersch arfen Konturen, um für die Schriftscheiben d

1,75 mm (6,5 p) 20 30 40

Berthold-Schriften überzeugen durch Sch ärfe und Qualität. Schriftqualität ist eine F rage der Erfahrung. Berthold hat diese Erf ahrung seit über hundert Jahren. Zuerst im Schriftguß, dann im Fotosatz. Berthold-Sc hriften sind weltweit geschätzt. Im Schrift enatelier München wird jeder Buchstabe in der Größe von zwölf Zentimetern neu geze ichnet. Mit messerscharfen Konturen, um f

1,86 mm (7 p) 20 30

Berthold-Schriften überzeugen durch S chärfe und Qualität. Schriftqualität ist e ine Frage der Erfahrung. Berthold hat di ese Erfahrung seit über hundert Jahren Zuerst im Schriftguß, dann im Fotosatz Berthold-Schriften sind weltweit gesch ätzt. Im Schriftenatelier München wird j eder Buchstabe in der Größe von zwölf Z entimetern neu gezeichnet. Mit messers

2,00 mm (7,5 p) 20 30

Berthold-Schriften überzeugen durch Schärfe und Qualität. Schriftqualität i st eine Frage der Erfahrung. Berthold hat diese Erfahrung seit über hundert Jahren. Zuerst im Schriftguß, dann im Fotosatz. Berthold-Schriften sind wel tweit geschätzt. Im Schriftenatelier München wird jeder Buchstabe in der Größe von zwölf Zentimetern neu gez

2,15 mm (8 p) 10 20 30

Adrian Frutiger
1969
Bauersche Gießerei, Neufville
H. Berthold AG

ABCDEFGHIJKLMNOPQ
RSTUVWXYZ
abcdefghijklmnopqrstuvwxyz
1/1234567890%
(.,-;:!¡?¿–)·[",,""»«]
+−=/$£†*&§
ÄÅÆÖØŒÜäåæıöøœßü
ÁÀÂÃÇČÉÈÊËÍÌÎÏĹŇÑÓÒÔÕ
ŔŘŠŤÚÙÛŴẄÝŶŸŽ
áàâãçčéèêëíìîïĺňñóòôõŕřš
úùûŵẅýỳÿž

Berthold-Schriftweite weit
Berthold-Schriftweite normal
Berthold-Schriftweite eng
Berthold-Schriftweite sehr eng
Berthold-Schriftweite extrem eng

Berlin
3,72 mm (14 p)

Berlin
4,25 mm (16 p)

Berlin
4,75 mm (18 p)

Berlin
5,30 mm (20 p)

Berlin
6,35 mm (24 p)

Berlin
7,40 mm (28 p)

Berlin
8,50 mm (32 p)

Berlin
9,55 mm (36 p)

Größe		Zeilenabstand			100 Zeichen		
mm	p	kp	Êp	Ex	0	−1	−2
1,33	5	1,60	2,06	2,00	105	102	99
1,60	6	2,06	2,50	2,50	124	120	116
1,86	7	2,38	2,88	3,00	143	139	135
2,15	8	2,69	3,38	3,50	162	157	152
2,40	9	3,06	3,75	3,75	181	175	169
2,65	10	3,38	4,13	4,25	200	193	186
2,92	11	3,69	4,50	4,75	219	212	205
3,20	12	4,06	4,94	5,25	237	229	221
3,45	13	4,38	5,38	5,75	256	248	240
3,72	14	4,69	5,75	–	275	266	257
3,98	15	5,06	6,13	–	293	284	275
4,25	16	5,38	6,56	–	312	302	292

WZ 14 E, NSW 0, MZB 0,75, F 0,13:0,09 (1,5), V
H 1–x 0,70–k 1,00–p 0,26–Ê 1,28–kp 1,26–Êp 1,54
BF 089 1504, Belegung 051: 085 1602 (095 1602)

Berthold-Schriften überzeugen d urch Schärfe und Qualität. Schrift qualität ist eine Frage der Erfahr ung. Berthold hat diese Erfahrung seit über hundert Jahren. Zuerst i m Schriftguß, dann im Fotosatz. B erthold-Schriften sind weltweit g eschätzt. Im Schriftenatelier Mün

2,40 mm (9 p) 10 20 30

Berthold-Schriften überzeuge n durch Schärfe und Qualität Schriftqualität ist eine Frage der Erfahrung. Berthold hat di ese Erfahrung seit über hunde rt Jahren. Zuerst im Schriftg uß, dann im Fotosatz. Berthold Schriften sind weltweit gesch

2,65 mm (10 p) 10 20

Berthold-Schriften überzeu gen durch Schärfe und Qual ität. Schriftqualität ist eine Frage der Erfahrung. Berth old hat diese Erfahrung seit über hundert Jahren. Zuerst im Schriftguß, dann im Foto satz. Berthold-Schriften sind

2,92 mm (11 p) 10 20

Berthold-Schriften überz eugen durch Schärfe und Qualität. Schriftqualität i st eine Frage der Erfahru ng. Berthold hat diese Erf ahrung seit über hundert Jahren. Zuerst im Schrift guß, dann im Fotosatz. Be

3,20 mm (12 p) 10 20

Berthold-Schriften über zeugen durch Schärfe u nd Qualität. Schriftqual ität ist eine Frage der E rfahrung. Berthold hat d iese Erfahrung seit übe r hundert Jahren. Zuers t im Schriftguß, dann im

3,45 mm (13 p) 10 20

normal
regular
normal

SERIFA

normal
chiaro tondo
normal

Berthold-Schriften überzeugen durch Schärfe und Qualität. S chriftqualität ist eine Frage der Erfahrung. Berthold hat diese Erfahrung seit über hundert Jahren. Zuerst im Schriftguß, d ann im Fotosatz. Berthold-Schriften sind weltweit geschätzt Im Schriftenatelier München wird jeder Buchstabe in der Grö ße von zwölf Zentimetern neu gezeichnet. Mit messerscharf en Konturen, um für die Schriftscheiben das Optimale an Kon turenschärfe herauszuholen. Um die Qualität des Einzelzeic hens im Belichtungsvorgang zu bewahren, wird durch die ru

4,25 mm (16 p), Zeilenabstand 6,75 mm

SERIFA REGULAR

In general, bodytypes are measured in the typographical point size. The sizes of Bert hold Fototype faces can be exactly deter mined. All faces of same point size have t he same capital height–irrespective of th eir x-height. In hot metal and many other phototypesetting systems the capital hei ghts often differ considerably from one fa ce to the other. For measuring point sizes a transparent size gauge is provided. To determine the point size, bring a capital l etter into coincidence with that field whi ch precisely circumscribes the letter at its upper and lower margin. Below the field y ou find the typographical point and below that the millimeter value, which also refe rs to the height of a capital letter. In Berth old-phototypesetting, the typewidth can be modified. The standard setting width of typefaces is determined by the principl e of optimum legibility. You should not de part from this typewidth without cogent

2,40 mm (9 p), Zeilenabstand 4,25 mm

SERIFA NORMAL

La valeur de la force de corps des car actères de labeur èst généralement e xprimée en points typographiques. L a force de corps des caractères Berth old-Fototype peut être déterminée a vec précision. Tous les caractères du même corps ont des capitales d'une h auteur identique, indépendamment de la hauteur des bas de casse sans ja mbage. Dans la composition plomb, a insi que dans certains systèmes de p hotocomposition, la hauteur des capi tales, varie souvent d'un caractère à l'autre. Pour déterminer la force de co rps de nos caractères, nous avons mis au point une réglette de hauteur d'œil transparente. On cherche le rectangl e qui délimite exactement la hauteur d'œil d'une capitale du caractère cho isi. Sous le rectangle correspondant la

2,65 mm (10 p), Zeilenabstand 4,69 mm

La indicación de las dimensiones para cuerpos de letra vásicos tiene lugar en general en puntos tipográficos. Los cue rpos de letra de los caracteres Berthold Fototype pueden determinarse exacte mente par medición. Con independen cia de la altura de sus longitudes cen trales, todos los caracteres de idéntico cuerpo de letra presentan altura de ma

2,15 mm (8 p), −1, Zeilenabstand 3,38 mm

123,– $	456,– £	7890,– DM	1 %
234,– $	789,– £	1234,– DM	2 %
567,– $	12,– £	5678,– DM	3 %
890,– $	345,– £	9012,– DM	4 %
123,– $	678,– £	3456,– DM	5 %
456,– $	901,– £	7890,– DM	6 %
789,– $	234,– £	1234,– DM	7 %
12,– $	567,– £	5678,– DM	8 %
345,– $	890,– £	9012,– DM	9 %

BF 089 1505

Le misure relative al corpo dei caratteri v engono generalmente indicate in punti t ipografici. Il corpo dei caratteri Fototypes può essere determinato con esattezza p er semplice misurazione. Tutti i caratteri di uguale grandezza in punti hanno, indi pendentemente dalla loro lunghezza, ug uale altezza delle maiuscole. Nella comp osizione in piombo ed in molti altri siste

2,15 mm (8 p), −2, Zeilenabstand 3,38 mm

kursiv normal
regular italic
italique normal

SERIFA

cursiva
chiaro corsivo
kursiv

*Måttangivelse för grundstils
grader sker i allmänhet i typo
grafiska punkter. Stilar av Be
rthold Fototype kan efter mä
tning exakt gradbestämmas
Alla typsnitt är av samma pu
nktstorlek och har oberoende
av x-höjden en identisk versa
lhöjd. I blysättning och i mån
ga andra fotosättsystem vari
erar versalhöjden avsevärt fr
ån typsnitt till typsnitt. För m
ätning av stilgrader finns en t
ransparent mätlinjal. Vid mä
tningen placerar man en ver
sal bokstav så att rutorna beg
ränsar tecknet upptill och ne
dtill. Under rutorna finns stils
torleken i typografiska didot*

2,92 mm (11 p), Zeilenabstand 4,69 mm

*Adrian Frutiger
1969
Bauersche Gießerei, Neufville
H. Berthold AG*

*ABCDEFGHIJKLMNOPQ
RSTUVWXYZ
abcdefghijklmnopqrstuvwxyz
1/1234567890%
(.,-;:!¡?¿–)·[",,""»«]
+−=/$£†*&§
ÄÅÆÖØŒÜäåæıöøœßü
ÁÀÂÃÇČÉÈÊËÍÌÎÏĹŇÑÓÒÔÕ
ŔŘŠŤÚÙÛŴẄÝŶŸŽ
áàâãçčéèêëíìîïĺňñóòôõŕřš
úùûŵẅýỳÿž*

*Berthold-Schriftweite weit
Berthold-Schriftweite normal
Berthold-Schriftweite eng
Berthold-Schriftweite sehr eng
Berthold-Schriftweite extrem eng*

*In general, bodytypes are
measured in the typograp
hical point size. The sizes of
Berthold Fototype faces ca
n be exactly determined. A
ll faces of same point size
have the same capital heig
ht–irrespective of their x-h
eight. In hot metal and ma
ny other phototypesetting
systems the capital heights
often differ considerably fr
om one face to the other. F
or measuring point sizes, a
transparent size gauge is
provided. To determine the
point size, bring a capital l*

3,20 mm (12 p), Zeilenabstand 5,25 mm

SERIFA KURSIV NORMAL

*Die Maßangabe zu Grundschriftgrößen erf
olgt im allgemeinen in typographischen P
unkten. Die Schriftgrößen der Berthold-Fot
osatz-Schriften sind nach Messung exakt b
estimmbar. Alle Schriften gleicher Punktgr
öße weisen, unabhängig von der Höhe ihrer
Mittellängen, eine identische Versalhöhe a
uf. Im Bleisatz und bei vielen anderen Foto
satz-Systemen differieren die Versalhöhen
von Schrift zu Schrift oft erheblich. Zum
Messen von Schriftgrößen steht ein transp
arentes Größenmaß zur Verfügung. Zum M
essen wird ein Versalbuchstabe mit dem Fe
ld in Deckung gebracht, das den Buchstabe
n oben und unten scharf begrenzt. Unter d
em Feld ist die Schriftgröße in typographisc
hen Didot-Punkten, darunter in Millimetern
angegeben. Auch die Millimeterangaben b*

2,40 mm (9 p), Zeilenabstand 4 mm

SERIFA ITALIQUE NORMAL

*La valeur de la force de corps des carac
tères de labeur èst généralement expri
mée en points typographiques. La force
de corps des caractères Berthold-Fotot
ype peut être déterminée avec précisio
n. Tous les caractères du même corps o
nt des capitales d'une hauteur identiqu
e, indépendamment de la hauteur des
bas de casse sans jambage. Dans la co
mposition plomb, ainsi que dans certai
ns systèmes de photocomposition, la h
auteur des capitales, varie souvent d'un
caractère à l'autre. Pour déterminer la f
orce de corps de nos caractères, nous a
vons mis au point une réglette de haute
ur d'œil transparente. On cherche le rec*

2,65 mm (10 p), Zeilenabstand 4,50 mm

*La indicación de las dimensiones para cuerpos de l
etra vásicos tiene lugar en general en puntos tipogr
áficos. Los cuerpos de letra de los caracteres Bertho
ld Fototype pueden determinarse exactemente par
medición. Con independencia de la altura de sus lo
ngitudes centrales, todos los caracteres de idéntico
cuerpo de letra presentan altura de mayúsculas idé
ntica. En la composición en plomo y en muchos otro
s sistemas de fotocomposición, las alturas de mayú
sculas varían frecuentemmente en forma consider
able de tipo de letra a tipo de letra. Para medir los cu
erpos de letra se dispone de un tipómetro, véase la f*

1,60 mm (6 p), Zeilenabstand 2,50 mm

Größe		Zeilenabstand			100 Zeichen		
mm	p	kp	Êp	Ex	0	−1	−2
1,00	5	1,09	2,00		100	97	94
1,60	6	2,00	2,44	2,50	118	114	110
1,86	7	2,38	2,88	–	136	132	128
2,15	8	2,69	3,31	3,38	154	149	144
2,40	9	3,00	3,69	4,00	172	166	160
2,65	10	3,38	4,06	4,50	190	183	176
2,92	11	3,69	4,44	4,69	208	201	194
3,20	12	4,00	4,88	5,25	226	218	210
3,45	13	4,38	5,25	–	243	235	227
3,72	14	4,69	5,69	–	261	252	243
3,98	15	5,00	6,06	–	279	270	261
4,25	16	5,38	6,50	–	296	286	276

WZ 14 E, NSW 0, MZB 0,72, F 0,13:0,09 (1,4), V
H 1–x 0,70–k 1,00–p 0,25–Ê 1,27–kp 1,25–Êp 1,52
BF 089 1506, Belegung 051: 085 1621 (095 1621)

*Le misure relative al corpo dei caratteri
vengono generalmente indicato in pun
ti tipografici. Il corpo dei caratteri Fotot
ypes può essere determinato con esatte
zza per semplice misurazione. Tutti i ca
ratteri di uguale grandezza in punti ha
nno, indipendentemente dalla loro lun
ghezza, uguale altezza delle maiuscole
Nella composizione in piombo ed in mo*

2,15 mm (8 p), Zeilenabstand 3,38 mm

normal
regular
normal

SORBONNE

normal
chiaro tondo
normal

Berthold-Schriften überzeugen durch Schärfe und Qualität. Schriftq
ualität ist eine Frage der Erfahrung. Berthold hat diese Erfahrung seit
über hundert Jahren. Zuerst im Schriftguß, dann im Fotosatz. Berthol
d-Schriften sind weltweit geschätzt. Im Schriftenatelier München wir
d jeder Buchstabe in der Größe von zwölf Zentimetern neu gezeichne
t. Mit messerscharfen Konturen, um für die Schriftscheiben das Opti
male an Konturenschärfe herauszuholen. Um die Qualität des Einzelz
eichens im Belichtungsvorgang zu bewahren, wird durch die ruhende
nicht rotierende Schriftscheibe belichtet. Dieses optische System, v

1,33 mm (5 p) 20 30 40 50 60

Berthold-Schriften überzeugen durch Schärfe und Qualität. Sch
riftqualität ist eine Frage der Erfahrung. Berthold hat diese Erfah
rung seit über hundert Jahren. Zuerst im Schriftguß, dann im Fot
osatz. Berthold-Schriften sind weltweit geschätzt. Im Schriftena
telier München wird jeder Buchstabe in der Größe von zwölf Zent
imetern neu gezeichnet. Mit messerscharfen Konturen, um für
die Schriftscheiben das Optimale an Konturenschärfe herauszuh
olen. Um die Qualität des Einzelzeichens im Belichtungsvorgang
zu bewahren, wird durch die ruhende, nicht rotierende Schriftsc

1,45 mm (5,5 p) 20 30 40 50 60

Berthold-Schriften überzeugen durch Schärfe und Qualitä
t. Schriftqualität ist eine Frage der Erfahrung. Berthold hat
diese Erfahrung seit über hundert Jahren. Zuerst im Schrift
guß, dann im Fotosatz. Berthold-Schriften sind weltweit ge
schätzt. Im Schriftenatelier München wird jeder Buchstabe
in der Größe von zwölf Zentimetern neu gezeichnet. Mit me
sserscharfen Konturen, um für die Schriftscheiben das Opt
imale an Konturenschärfe herauszuholen. Um die Qualität
des Einzelzeichens im Belichtungsvorgang zu bewahren, wi

1,60 mm (6 p) 20 30 40 50

Berthold-Schriften überzeugen durch Schärfe und Qu
alität. Schriftqualität ist eine Frage der Erfahrung. Ber
thold hat diese Erfahrung seit über hundert Jahren. Zu
erst im Schriftguß, dann im Fotosatz. Berthold-Schrift
en sind weltweit geschätzt. Im Schriftenatelier Münch
en wird jeder Buchstabe in der Größe von zwölf Zenti
metern neu gezeichnet. Mit messerscharfen Konturen
um für die Schriftscheiben das Optimale an Konturen
schärfe herauszuholen. Um die Qualität des Einzelzei

1,75 mm (6,5 p) 20 30 40 50

Berthold-Schriften überzeugen durch Schärfe und
Qualität. Schriftqualität ist eine Frage der Erfahrun
g. Berthold hat diese Erfahrung seit über hundert Ja
hren. Zuerst im Schriftguß, dann im Fotosatz. Berth
old-Schriften sind weltweit geschätzt. Im Schriften
atelier München wird jeder Buchstabe in der Größ
e von zwölf Zentimetern neu gezeichnet. Mit messer
scharfen Konturen, um für die Schriftscheiben das
Optimale an Konturenschärfe herauszuholen. Um d

1,86 mm (7 p) 20 30 40 5

Berthold-Schriften überzeugen durch Schärfe u
nd Qualität. Schriftqualität ist eine Frage der Erf
ahrung. Berthold hat diese Erfahrung seit über h
undert Jahren. Zuerst im Schriftguß, dann im Fot
osatz. Berthold-Schriften sind weltweit geschät
zt. Im Schriftenatelier München wird jeder Buch
stabe in der Größe von zwölf Zentimetern neu g
ezeichnet. Mit messerscharfen Konturen, um für
die Schriftscheiben das Optimale an Konturens

2,00 mm (7,5 p) 20 30 40

Berthold-Schriften überzeugen durch Schärfe
und Qualität. Schriftqualität ist eine Frage der
Erfahrung. Berthold hat diese Erfahrung seit
über hundert Jahren. Zuerst im Schriftguß, da
nn im Fotosatz. Berthold-Schriften sind welt
weit geschätzt. Im Schriftenatelier München
wird jeder Buchstabe in der Größe von zwölf
Zentimetern neu gezeichnet. Mit messerscha
rfen Konturen, um für die Schriftscheiben das

2,15 mm (8 p) 20 30 40

1905
H. Berthold AG

ABCDEFGHIJKLMNOPQ
RSTUVWXYZ
abcdefghijklmnopqrstuvwxyz
1/1234567890 %
(.,-;:!¡?¿–)·[’‘„”“»«]
+−=/$£†*&§
ÄÅÆÖØŒÜäåæıöøœßü
ÁÀÂÃÇČÉÈÊËÍÌÎÏĹŇÑÓÒÔÕ
ŔŘŠŤÚÙÛŴẄÝŶŸŽ
áàâãçčéèêëíìîïĺňñóòôõŕřš
úùûŵẅýỳÿž

Berthold-Schriftweite weit
Berthold-Schriftweite normal
Berthold-Schriftweite eng
Berthold-Schriftweite sehr eng
Berthold-Schriftweite extrem eng

Berthold
3,75 mm (14 p)

Berthold
4,25 mm (16 p)

Berthold
4,75 mm (18 p)

Berthold
5,30 mm (20 p)

Berthold
6,35 mm (24 p)

Berthold
7,40 mm (28 p)

Berthold
8,50 mm (32 p)

Berthold
9,55 mm (36 p)

Größe mm	Größe p	Zeilenabstand kp	Zeilenabstand Êp	Zeilenabstand Ex	100 Zeichen 0	100 Zeichen −1	100 Zeichen −2
1,33	5	1,75	2,19	2,00	83	80	77
1,60	6	2,13	2,63	2,50	98	94	90
1,86	7	2,44	3,00	3,00	113	109	105
2,15	8	2,81	3,50	3,50	128	123	118
2,40	9	3,13	3,88	3,75	143	137	131
2,65	10	3,50	4,31	4,25	158	151	144
2,92	11	3,81	4,75	4,75	173	166	159
3,20	12	4,19	5,19	5,25	188	180	172
3,45	13	4,50	5,56	5,75	202	194	186
3,72	14	4,88	6,00	–	217	208	199
3,98	15	5,19	6,44	–	232	223	214
4,25	16	5,56	6,88	–	246	236	226

WZ 12 E, NSW +1, MZB 0,60, F 0,13:0,067 (1,9), III
H 1–x 0,63–k 1,00–p 0,30–Ê 1,31–kp 1,30–Êp 1,61
BF 089 0613, Belegung 051: 085 8921 (095 8921)

Berthold-Schriften überzeugen durch S
chärfe und Qualität. Schriftqualität ist ei
ne Frage der Erfahrung. Berthold hat die
se Erfahrung seit über hundert Jahren. Z
uerst im Schriftguß, dann im Fotosatz. B
erthold-Schriften sind weltweit geschätz
t. Im Schriftenatelier München wird jeder
Buchstabe in der Größe von zwölf Zenti

2,40 mm (9 p) 20 30 4

Berthold-Schriften überzeugen durc
h Schärfe und Qualität. Schriftqualit
ät ist eine Frage der Erfahrung. Berth
old hat diese Erfahrung seit über hun
dert Jahren. Zuerst im Schriftguß, da
nn im Fotosatz. Berthold-Schriften si
nd weltweit geschätzt. Im Schriftena
telier München wird jeder Buchstabe

2,65 mm (10 p) 20 30

Berthold-Schriften überzeugen d
urch Schärfe und Qualität. Schrift
qualität ist eine Frage der Erfahru
ng. Berthold hat diese Erfahrung s
eit über hundert Jahren. Zuerst im
Schriftguß, dann im Fotosatz. Ber
thold-Schriften sind weltweit ges
chätzt. Im Schriftenatelier Münch

2,92 mm (11 p) 20 30

Berthold-Schriften überzeugen
durch Schärfe und Qualität. Sc
hriftqualität ist eine Frage der
Erfahrung. Berthold hat diese
Erfahrung seit über hundert Ja
hren. Zuerst im Schriftguß, da
nn im Fotosatz. Berthold-Schri
ften sind weltweit geschätzt. Im

3,20 mm (12 p) 10 20 3

Berthold-Schriften überzeug
en durch Schärfe und Qualit
ät. Schriftqualität ist eine Fra
ge der Erfahrung. Berthold h
at diese Erfahrung seit über h
undert Jahren. Zuerst im Sch
riftguß, dann im Fotosatz. Be
rthold-Schriften sind weltwe

3,45 mm (13 p) 10 20

normal
regular
normal

SORBONNE

normal
chiaro tondo
normal

Berthold-Schriften überzeugen durch Schärfe und Qualität. Schriftqualität ist eine Frage der Erfahrung. Berthold hat diese Erfahrung seit über hunde rt Jahren. Zuerst im Schriftguß, dann im Fotosatz. Berthold-Schriften sind weltweit geschätzt. Im Schriftenatelier München wird jeder Buchstabe in der Größe von zwölf Zentimetern neu gezeichnet. Mit messerscharfen Kon turen, um für die Schriftscheiben das Optimale an Konturenschärfe herau szuholen. Um die Qualität des Einzelzeichens im Belichtungsvorgang zu bewahren, wird durch die ruhende, nicht rotierende Schriftscheibe belicht et. Dieses optische System, verbunden mit Präzisions-Chromglasscheib

4,25 mm (16 p), Zeilenabstand 6,75 mm

SORBONNE REGULAR

In general, bodytypes are measured in the typo graphical point size. The sizes of Berthold Foto type faces can be exactly determined. All faces of same point size have the same capital heigth–irre spective of their x-heigth. In hot metal and many other phototypesetting systems the capital heigths often differ considerably from one face to the other. For measuring point sizes, a transparent size gauge is. provided. To determine the point size, bring a capital letter into coincidence with that field which precisely circumscribes the letter at its upper and lower margin. Below the field you find the typographical point and below that the millimeter value, which also refers to the height of a capital letter. In Berthold-phototypesetting, the typewidth can be modified. The standard setting width of typefaces is determined by the principle of optimum legibility. You should not depart from this typewidth without cogent reason. A typeface which is considered optically right when looked in a greater context, often seems bulky when applied for a small amount of text, e. g. labels and ads

2,40 mm (9 p), Zeilenabstand 4,25 mm

SORBONNE NORMAL

La valeur de la force de corps des caractères de labeur èst généralement exprimée en points typographiques. La force de corps des caractères Berthold-Fototype peut être déter minée avec précision. Tous les caractères du même corps ont des capitales d'une hauteur identique, indépendamment de la hauteur des bas de casse sans jambage. Dans la composi tion plomb, ainsi que dans certains systèmes de photocomposition, la hauteur des capi tales, varie souvent d'un caractère à l'autre Pour déterminer la force de corps de nos caractères, nous avons mis au point une ré glette de hauteur d'œil transparente. On cher che le rectangle qui délimite exactement la hauteur d'œil d'une capitale du caractère choisi. Sous le rectangle correspondant la valeur de la force de corps est indiquée en points Didots et en millimètres. La valeur en millimètres exprime également la hauteur des

2,65 mm (10 p), Zeilenabstand 4,69 mm

La indicación de las dimensiones para cuerpos de letra vásicos tiene lugar en general en puntos tipográficos. Los cuerpos de letra de los caracte res Berthold Fototype pueden determinarse ex actemente par medición. Con independencia de la altura de sus longitudes centrales, todos los caracteres de idéntico cuerpo de letra presentan altura de mayúsculas idéntica. En la composi ción en plomo y en muchos otros sistemas de fo

2,15 mm (8 p), –1, Zeilenabstand 3,38 mm

123,– $	456,– £	7890,– DM	1 %
234,– $	789,– £	1234,– DM	2 %
567,– $	12,– £	5678,– DM	3 %
890,– $	345,– £	9012,– DM	4 %
123,– $	678,– £	3456,– DM	5 %
456,– $	901,– £	7890,– DM	6 %
789,– $	234,– £	1234,– DM	7 %
12,– $	567,– £	5678,– DM	8 %
345,– $	890,– £	9012,– DM	9 %

BF 089 0614

Le misure relative al corpo dei caratteri vengono generalmente indicate in punti tipografici. Il corpo dei caratteri Fototypes può essere determinato con esattezza per semplice misurazione. Tutti i ca ratteri di uguale grandezza in punti hanno, indi pendentemente dalla loro lunghezza, uguale altez za delle maiuscole. Nella composizione in piombo ed in molti altri sistemi di fotocomposizione, l'al tezza delle maiuscole varia spesso da carattere a

2,15 mm (8 p), –2, Zeilenabstand 3,38 mm

kursiv
italic
italique

SORBONNE

cursiva
corsivo
kursiv

Måttangivelse för grundstilsgrader sk er i allmänhet i typografiska punkter Stilar av Berthold Fototype kan efter mätning exakt gradbestämmas. Alla typsnitt är av samma punktstorlek oc h har oberoende av x-höjden en ident isk versalhöjd. I blysättning och i mån ga andra fotosättsystem varierar ver salhöjden avsevärt från typsnitt till ty psnitt. För mätning av stilgrader finns en transparent mätlinjal. Vid mätnin gen placerar man en versal bokstav så att rutorna begränsar tecknet uppti ll och nedtill. Under rutorna finns stils torleken i typografiska didotpunkter och i mm. Även millimeteruppgiften avser versalhöjden. Vid stilstorleksup pgifter anges alltid måttenheten efter sifferuppgiften t ex 14 punkter. Måtta

2,92 mm (11 p), Zeilenabstand 4,69 mm

H. Berthold AG

ABCDEFGHIJKLMNOPQ
RSTUVWXYZ
abcdefghijklmnopqrstuvwxyz
1/1234567890%
(.,-;:!¡?¿–)·[’‘„”“»«]
+—=/$£†&§*
ÄÅÆÖØŒÜäåæıöøœßü
ÁÀÂÃÇČÉÈÊËÍÌÎÏĹŇÑÓÒÔÕ
ŔŘŠŤÚÙÛŴẄÝỲŶŸŽ
áàâãçčéèêëíìîïĺňñóòôõŕřš
úùûŵẅýỳÿž

Berthold-Schriftweite weit
Berthold-Schriftweite normal
Berthold-Schriftweite eng
Berthold-Schriftweite sehr eng
Berthold-Schriftweite extrem eng

In general, bodytypes are measure d in the typographical point size. T he sizes of Berthold Fototype faces can be exactly determined. All fac es of same point size have the same capital heigth–irrespective of their x-heigth. In hot metal and many ot her phototypesetting systems the capital heigths often differ conside rably from one face to the other. F or measuring point sizes, a transpa rent size gauge is provided. To dete rmine the point size, bring a capital letter into coincidence with that fie ld which precisely circumscribes th e letter at its upper and lower mar gin. Below the field you find the ty

3,20 mm (12 p), Zeilenabstand 5,25 mm

SORBONNE KURSIV

Die Maßangabe zu Grundschriftgrößen erfolgt im allge meinen in typographischen Punkten. Die Schriftgrößen der Berthold-Fotosatz-Schriften sind nach Messung ex akt bestimmbar. Alle Schriften gleicher Punktgröße weisen, unabhängig von der Höhe ihrer Mittellängen eine identische Versalhöhe auf. Im Bleisatz und bei vie len anderen Fotosatz-Systemen differieren die Versal höhen von Schrift zu Schrift oft erheblich. Zum Messen von Schriftgrößen steht ein transparentes Größenmaß zur Verfügung. Zum Messen wird ein Versalbuchstabe mit dem Feld in Deckung gebracht, das den Buchstaben oben und unten scharf begrenzt. Unter dem Feld ist die Schriftgröße in typographischen Didot-Punkten, da runter in Millimetern angegeben. Auch die Millimeter angaben beziehen sich auf die Höhe der Versalbuchsta ben. Die Schriftweite kann im Berthold-Fotosatz belie big verändert werden. Die Festlegung der Normal schriftweite erfolgt nach dem Prinzip der optimalen

2,40 mm (9 p), Zeilenabstand 4 mm

SORBONNE ITALIQUE

La valeur de la force de corps des caractères de la beur èst généralement exprimée en points typogra phiques. La force de corps des caractères Berthold Fototype peut être déterminée avec précision. To us les caractères du même corps ont des capitales d'une hauteur identique, indépendamment de la hauteur des bas de casse sans jambage. Dans la co mposition plomb, ainsi que dans certains systèmes de photocomposition, la hauteur des capitales, va rie souvent d'un caractère à l'autre. Pour détermi ner la force de corps de nos caractères nous avons mis au point une réglette de hauteur d'œil transpa rente. On cherche le rectangle qui délimite exacte ment la hauteur d'œil d'une capitale du caractère choisi. Sous le rectangle correspondant la valeur de la force de corps est indiquée en points Didots

2,65 mm (10 p), Zeilenabstand 4,50 mm

La indicación de las dimensiones para cuerpos de letra vásicos ti ene lugar en general en puntos tipográficos. Los cuerpos de letra de los caracteres Berthold Fototype pueden determinarse exacte mente par medición. Con independencia de la altura de sus longi tudes centrales, todos los caracteres de idéntico cuerpo de letra presentan altura de mayúsculas idéntica. En la composición en plomo y en muchos otros sistemas de fotocomposición, las altu ras de mayúsculas varían frecuentemmente en forma conside rable de tipo de letra a tipo de letra. Para medir los cuer pos de letra se dispone de un tipómetro, véase la figura. Para la medición se hace coincidir una letra mayúscula con la casilla cu yos extremos coinciden con los extremos superior e inferior de la

1,60 mm (6 p), Zeilenabstand 2,50 mm

Größe		Zeilenabstand			100 Zeichen		
mm	p	kp	Êp	Ex	0	–1	–2
1,33	5	1,75	2,19	–	76	73	70
1,60	6	2,13	2,63	2,50	90	86	82
1,86	7	2,44	3,06	–	103	99	95
2,15	8	2,88	3,50	3,38	117	112	107
2,40	9	3,19	3,94	4,00	131	125	119
2,65	10	3,50	4,31	4,50	144	137	130
2,92	11	3,88	4,75	4,69	158	151	144
3,20	12	4,25	5,19	5,25	171	163	155
3,45	13	4,56	5,63	–	185	177	169
3,72	14	4,88	6,06	–	198	189	180
3,98	15	5,25	6,50	–	212	203	194
4,25	16	5,63	6,94	–	225	215	205

WZ 12 E, NSW 0, MZB 0,54, F 0,12:0,054 (2,2), III
H 1–x 0,60–k 1,00–p 0,31–Ê 1,31–kp 1,31–Êp 1,62
BF 089 0615, Belegung 051: 085 8922 (095 8922)

Le misure relative al corpo dei caratteri vengono generalmente indicate in punti tipografici. Il corpo dei caratteri Fototypes può essere determinato con esattezza per semplice misurazione. Tutti i caratte ri di uguale grandezza in punti hanno, indipenden te mente dalla loro lunghezza, uguale altezza delle maiuscole. Nella composizione in piombo ed in molti altri sistemi di fotocomposizione, l'altezza delle maiuscole varia spesso da carattere a caratte

2,15 mm (8 p), Zeilenabstand 3,38 mm

halbfett
medium
demi-gras

SORBONNE

seminegra
neretto
halvfet

Berthold-Schriften überzeugen durch Schärfe und Qualität Schriftqualität ist eine Frage der Erfahrung. Berthold hat di ese Erfahrung seit über hundert Jahren. Zuerst im Schriftg uß, dann im Fotosatz. Berthold-Schriften sind weltweit ges chätzt. Im Schriftenatelier München wird jeder Buchstabe in der Größe von zwölf Zentimetern neu gezeichnet. Mit me sserscharfen Konturen, um für die Schriftscheiben das Opt imale an Konturenschärfe herauszuholen. Um die Qualität des Einzelzeichens im Belichtungsvorgang zu bewahren, wi

1,60 mm (6 p), Zeilenabstand 2,50 mm

Berthold-Schriften überzeugen durch Schärfe und Qualität. Schriftqualität ist eine Frage der Erfahru ng. Berthold hat diese Erfahrung seit über hundert Jahren. Zuerst im Schriftguß, dann im Fotosatz. Bert hold-Schriften sind weltweit geschätzt. Im Schriften atelier München wird jeder Buchstabe in der Größe von zwölf Zentimetern neu gezeichnet. Mit messers charfen Konturen, um für die Schriftscheiben das O

1,86 mm (7 p), Zeilenabstand 3,00 mm

Berthold-Schriften überzeugen durch Schärfe und Qualität. Schriftqualität ist eine Frage der Erfahrung. Berthold hat diese Erfahrung seit über hundert Jahren. Zuerst im Schriftguß, da nn im Fotosatz. Berthold-Schriften sind weltw eit geschätzt. Im Schriftenatelier München wi rd jeder Buchstabe in der Größe von zwölf Zen timetern neu gezeichnet. Mit messerscharfen

2,15 mm (8 p), Zeilenabstand 3,50 mm

1906
H. Berthold AG

ABCDEFGHIJKLMNOPQ
RSTUVWXYZ
abcdefghijklmnopqrstuvwxyz
1/1234567890%
(.,-;:!¡?¿–)·['‘„”“»«]
+–=/$£†*&§
ÄÅÆÖØŒÜäåæıöøœßü
ÁÀÂÃÇČÉÈÊËÍÌÎÏĹŇÑÓÒÔÕ
ŔŘŠŤÚÙÛŴẄÝŶŸŽ
áàâãçčéèêëíìîïĺňñóòôõŕřš
úùûŵẅýỳÿž

Berthold-Schriftweite weit
Berthold-Schriftweite normal
Berthold-Schriftweite eng
Berthold-Schriftweite sehr eng
Berthold-Schriftweite extrem eng

In general, bodytypes are meas ured in the typographical point size. The sizes of Berthold Foto type faces can be exactly deter mined. All faces of same point size have the same capital heig ht–irrespective of their x-heigh t. In hot metal and many other phototypesetting systems the capital heights often differ cons iderably from one face to the ot her. For measuring point sizes a transparent size gauge is pro vided. To determine the point si ze, bring a capital letter into co incidence with that field which precisely circumscribes the lett

3,20 mm (12 p), Zeilenabstand 5,25 mm

Berthold's quick brown fox jumps over the lazy dog and feels as if he were in the seven
3,75 mm (14 p)

Berthold's quick brown fox jumps over the lazy dog and feels as if he were in
4,25 mm (16 p)

Berthold's quick brown fox jumps over the lazy dog and feels as if he
4,75 mm (18 p)

Berthold's quick brown fox jumps over the lazy dog and feels
5,30 mm (20 p)

Berthold's quick brown fox jumps over the lazy dog
6,35 mm (24 p)

Berthold's quick brown fox jumps over the
7,40 mm (28 p)

Berthold's quick brown fox jumps over
8,50 mm (32 p)

Berthold's quick brown fox jumps
9,55 mm (36 p)

Berthold-Schriften überzeugen durch Sc härfe und Qualität. Schriftqualität ist eine Frage der Erfahrung. Berthold hat diese Erfahrung seit über hundert Jahren. Zuer st im Schriftguß, dann im Fotosatz. Berth old-Schriften sind weltweit geschätzt. Im Schriftenatelier München wird jeder Buc hstabe in der Größe von zwölf Zentimete

2,40 mm (9 p), Zeilenabstand 4,00 mm

Größe		Zeilenabstand			100 Zeichen		
mm	p	kp	Êp	Ex	0	−1	−2
1,33	5	1,75	2,19	–	84	81	78
1,60	6	2,13	2,63	2,50	99	95	91
1,86	7	2,44	3,00	3,00	114	110	106
2,15	8	2,81	3,50	3,50	129	124	119
2,40	9	3,13	3,88	4,00	144	138	132
2,65	10	3,50	4,31	4,00	159	152	145
2,92	11	3,81	4,75	–	174	167	160
3,20	12	4,19	5,19	5,25	189	181	173
3,45	13	4,50	5,56	–	204	196	188
3,72	14	4,88	6,00	–	219	210	201
3,98	15	5,19	6,44	–	233	224	215
4,25	16	5,56	6,88	–	248	238	228

WZ 13 E, NSW 0, MZB 0,60, F 0,18:0,092 (1,9), III
H 1–x 0,63–k 1,00–p 0,30–Ê 1,31–kp 1,30–Êp 1,61
BF 089 0616, Belegung 051: 085 6230 (095 6230)

Berthold-Schriften überzeugen durc h Schärfe und Qualität. Schriftqualit ät ist eine Frage der Erfahrung. Bert hold hat diese Erfahrung seit über hu ndert Jahren. Zuerst im Schriftguß, d ann im Fotosatz. Berthold-Schriften sind weltweit geschätzt. Im Schriften atelier München wird jeder Buchstab

2,65 mm (10 p), Zeilenabstand 4,00 mm

fett
bold
gras

SORBONNE

negra
nero
fet

Berthold-Schriften überzeugen durch Schärfe und Qualität. Schriftqualität ist eine Frage der Erfahrung. Berthold hat di ese Erfahrung seit über hundert Jahren. Zuerst im Schriftg uß, dann im Fotosatz. Berthold-Schriften sind weltweit geschätzt. Im Schriftenatelier München wird jeder Buchsta be in der Größe von zwölf Zentimetern neu gezeichnet. Mit messerscharfen Konturen, um für die Schriftscheiben das Optimale an Konturenschärfe herauszuholen. Um die Qual ität des Einzelzeichens im Belichtungsvorgang zu bewahr

1,60 mm (6 p), Zeilenabstand 2,50 mm

Berthold-Schriften überzeugen durch Schärfe und Qualität. Schriftqualität ist eine Frage der Erfahru ng. Berthold hat diese Erfahrung seit über hundert Ja hren. Zuerst im Schriftguß, dann im Fotosatz. Berth old-Schriften sind weltweit geschätzt. Im Schriften atelier München wird jeder Buchstabe in der Größe von zwölf Zentimetern neu gezeichnet. Mit messersc harfen Konturen, um für die Schriftscheiben das

1,86 mm (7 p), Zeilenabstand 3,00 mm

Berthold-Schriften überzeugen durch Schärfe und Qualität. Schriftqualität ist eine Frage der Erfahrung. Berthold hat diese Erfahrung seit über hundert Jahren. Zuerst im Schriftguß dann im Fotosatz. Berthold-Schriften sind wel tweit geschätzt. Im Schriftenatelier München wird jeder Buchstabe in der Größe von zwölf Zentimetern neu gezeichnet. Mit messerschar

2,15 mm (8 p), Zeilenabstand 3,50 mm

1908
H. Berthold AG

ABCDEFGHIJKLMNOPQ
RSTUVWXYZ
abcdefghijklmnopqrstuvwxyz
1/1234567890 %
(.,-;:!¡?¿–) · [’‘„”“»«]
+—=/$£†*&§
ÄÅÆÖØŒÜäåæıöøœßü
ÁÀÂÃÇČÉÈÊËÍÌÎÏĹŇÑÓÒÔÕ
ŔŘŠŤÚÙÛŴẄÝŶŸŽ
áàâãçčéèêëíìîïĺňñóòôõŕřš
úùûŵẅýỳÿž

Berthold-Schriftweite weit
Berthold-Schriftweite normal
Berthold-Schriftweite eng
Berthold-Schriftweite sehr eng
Berthold-Schriftweite extrem eng

In general, bodytypes are meas ured in the typographical point size. The sizes of Berthold Foto type faces can be exactly dete rmined. All faces of same point size have the same capital heig th–irrespective of their x-heigt h. In hot metal and many other phototypesetting systems the c apital heigths often differ cons iderably from one face to the ot her. For measuring point sizes a transparent size gauge is pro vided. To determine the point s ize, bring a capital letter into c oincidence with that field whic h precisely circumscribes the l

3,20 mm (12 p), Zeilenabstand 5,25 mm

Berthold's quick brown fox jumps over the lazy dog and feels as if he were in the sevent
3,75 mm (14 p)

Berthold's quick brown fox jumps over the lazy dog and feels as if he were in
4,25 mm (16 p)

Berthold's quick brown fox jumps over the lazy dog and feels as if he
4,75 mm (18 p)

Berthold's quick brown fox jumps over the lazy dog and feels
5,30 mm (20 p)

Berthold's quick brown fox jumps over the lazy dog
6,35 mm (24 p)

Berthold's quick brown fox jumps over the l
7,40 mm (28 p)

Berthold's quick brown fox jumps over
8,50 mm (32 p)

Berthold's quick brown fox jumps
9,55 mm (36 p)

Berthold-Schriften überzeugen durch Sc härfe und Qualität. Schriftqualität ist ein e Frage der Erfahrung. Berthold hat diese Erfahrung seit über hundert Jahren. Zuer st im Schriftguß, dann im Fotosatz. Berth old-Schriften sind weltweit geschätzt. Im Schriftenatelier München wird jeder Buc hstabe in der Größe von zwölf Zentimete

2,40 mm (9 p), Zeilenabstand 4,00 mm

Größe		Zeilenabstand			100 Zeichen		
mm	p	kp	Êp	Ex	0	−1	−2
1,33	5	1,69	2,13	—	83	80	77
1,60	6	2,06	2,50	2,50	98	94	90
1,86	7	2,38	2,94	3,00	113	109	105
2,15	8	2,75	3,38	3,50	128	123	118
2,40	9	3,06	3,75	4,00	143	137	131
2,65	10	3,38	4,19	4,00	158	151	144
2,92	11	3,69	4,56	—	173	166	159
3,20	12	4,06	5,00	5,25	188	180	172
3,45	13	4,38	5,44	—	202	194	186
3,72	14	4,69	5,81	—	217	208	199
3,98	15	5,06	6,25	—	232	223	214
4,25	16	5,38	6,69	—	246	236	226

WZ 13 E, NSW 0, MZB 0,60, F 0,22:0,096 (2,3), III
H 1–x 0,63–k 1,00–p 0,26–Ê 1,30–kp 1,26–Êp 1,56
BF 089 0617, Belegung 051: 085 8923 (095 8923)

Berthold-Schriften überzeugen durc h Schärfe und Qualität. Schriftqualit ät ist eine Frage der Erfahrung. Bert hold hat diese Erfahrung seit über hu ndert Jahren. Zuerst im Schriftguß, d ann im Fotosatz. Berthold-Schriften sind weltweit geschätzt. Im Schriften atelier München wird jeder Buchstab

2,65 mm (10 p), Zeilenabstand 4,00 mm

schmalhalbfett
medium condensed
étroit demi-gras

SORBONNE

seminegra estrecha
neretto stretto
smalhalvfet

Berthold-Schriften überzeugen durch Schärfe und Qualität. Schriftqua lität ist eine Frage der Erfahrung. Berthold hat diese Erfahrung seit über hundert Jahren. Zuerst im Schriftguß, dann im Fotosatz. Berthold-Schri ften sind weltweit geschätzt. Im Schriftenatelier München wird jeder Buchstabe in der Größe von zwölf Zentimetern neu gezeichnet. Mit mes serscharfen Konturen, um für die Schriftscheiben das Optimale an Kont urenschärfe herauszuholen. Um die Qualität des Einzelzeichens im Be lichtungsvorgang zu bewahren, wird durch die ruhende, nicht rotierende Schriftscheibe belichtet. Dieses optische System, verbunden mit Präzis

1,60 mm (6 p), Zeilenabstand 2,50 mm

Berthold-Schriften überzeugen durch Schärfe und Qualität Schriftqualität ist eine Frage der Erfahrung. Berthold hat die se Erfahrung seit über hundert Jahren. Zuerst im Schriftguß dann im Fotosatz. Berthold-Schriften sind weltweit geschätzt Im Schriftenatelier München wird jeder Buchstabe in der Grö ße von zwölf Zentimetern neu gezeichnet. Mit messerscharfen Konturen, um für die Schriftscheiben das Optimale an Kontur enschärfe herauszuholen. Um die Qualität des Einzelzeichens

1,86 mm (7 p), Zeilenabstand 3,00 mm

Berthold-Schriften überzeugen durch Schärfe und Qual ität. Schriftqualität ist eine Frage der Erfahrung. Berth old hat diese Erfahrung seit über hundert Jahren. Zuerst im Schriftguß, dann im Fotosatz. Berthold-Schriften si nd weltweit geschätzt. Im Schriftenatelier München wi rd jeder Buchstabe in der Größe von zwölf Zentimetern neu gezeichnet. Mit messerscharfen Konturen, um für die Schriftscheiben das Optimale an Konturenschärfe

2,15 mm (8 p), Zeilenabstand 3,50 mm

1908
H. Berthold AG

ABCDEFGHIJKLMNOPQ
RSTUVWXYZ
abcdefghijklmnopqrstuvwxyz
1/1234567890 %
(.,-;:!¡?¿–) · ['„"“»«]
+−=/$£†*&§
ÄÅÆÖØŒÜäåæıöøœßü
ÁÀÂÃÇČÉÈÊËÍÌÎÏĹŇÑÓÒÔÕ
ŔŘŠŤÚÙÛŴẄÝŶŸŽ
áàâãçčéèêëíìîïĺňñóòôõŕřš
úùûŵẅýỳÿž

Berthold-Schriftweite weit
Berthold-Schriftweite normal
Berthold-Schriftweite eng
Berthold-Schriftweite sehr eng
Berthold-Schriftweite extrem eng

In general, bodytypes are measured in the typographical point size. The sizes of Berthold Fototype faces can be exa ctly determined. All faces of same poi nt size have the same capital height irrespective of their x-height. In hot metal and many other phototypesetti ng systems the capital heights often differ considerably from one face to the other. For measuring point sizes, a transparent size gauge is provided. To determine the point size, bring a capit al letter into coincidence with that fie ld which precisely circumscribes the letter at its upper and lower margin Below the field you find the typograp hical point and below that the millime

3,20 mm (12 p), Zeilenabstand 5,25 mm

Berthold's quick brown fox jumps over the lazy dog and feels as if he were in the seventh heaven of typog
3,75 mm (14 p)

Berthold's quick brown fox jumps over the lazy dog and feels as if he were in the seventh hea
4,25 mm (16 p)

Berthold's quick brown fox jumps over the lazy dog and feels as if he were in the se
4,75 mm (18 p)

Berthold's quick brown fox jumps over the lazy dog and feels as if he were
5,30 mm (20 p)

Berthold's quick brown fox jumps over the lazy dog and feels a
6,35 mm (24 p)

Berthold's quick brown fox jumps over the lazy dog a
7,40 mm (28 p)

Berthold's quick brown fox jumps over the lazy
8,50 mm (32 p)

Berthold's quick brown fox jumps over th
9,55 mm (36 p)

Berthold-Schriften überzeugen durch Schärfe und Qualität. Schriftqualität ist eine Frage der Erfahr ung. Berthold hat diese Erfahrung seit über hunde rt Jahren. Zuerst im Schriftguß, dann im Fotosatz Berthold-Schriften sind weltweit geschätzt. Im Schriftenatelier München wird jeder Buchstabe in der Größe von zwölf Zentimetern neu gezeichnet Mit messerscharfen Konturen, um für die Schrifts

2,40 mm (9 p), Zeilenabstand 4,00 mm

Größe		Zeilenabstand			100 Zeichen		
mm	p	kp	Êp	Ex	0	−1	−2
1,33	5	1,69	2,13	—	68	65	62
1,60	6	2,06	2,50	2,50	80	76	72
1,86	7	2,38	2,94	3,00	92	88	84
2,15	8	2,75	3,38	3,50	105	100	95
2,40	9	3,06	3,75	4,00	118	112	106
2,65	10	3,38	4,19	4,00	130	123	116
2,92	11	3,69	4,56	—	142	135	128
3,20	12	4,06	5,00	5,25	154	146	138
3,45	13	4,38	5,44	—	166	158	150
3,72	14	4,69	5,81	—	178	169	160
3,98	15	5,06	6,25	—	190	181	172
4,25	16	5,38	6,69	—	202	192	182

WZ 11 E, NSW 0, MZB 0,49, F 0,18:0,083 (2,1), III
H 1–x 0,63–k 1,00–p 0,26–Ê 1,30–kp 1,26–Êp 1,56
BF 089 0618, Belegung 051: 085 8924 (095 8924)

Berthold-Schriften überzeugen durch Schär fe und Qualität. Schriftqualität ist eine Frage der Erfahrung. Berthold hat diese Erfahrung seit über hundert Jahren. Zuerst im Schriftg uß, dann im Fotosatz. Berthold-Schriften sind weltweit geschätzt. Im Schriftenatelier Münc hen wird jeder Buchstabe in der Größe von zwölf Zentimetern neu gezeichnet. Mit messe

2,65 mm (10 p), Zeilenabstand 4,00 mm

mager
light
maigre

SOUVENIR

fina
chiarissimo
mager

Berthold-Schriften überzeugen durch Schärfe und Qualität. Schriftq
ualität ist eine Frage der Erfahrung. Berthold hat diese Erfahrung seit
über hundert Jahren. Zuerst im Schriftguß, dann im Fotosatz. Berthol
d-Schriften sind weltweit geschätzt. Im Schriftenatelier München wird
jeder Buchstabe in der Größe von zwölf Zentimetern neu gezeichnet
Mit messerscharfen Konturen, um für die Schriftscheiben das Opti
male an Konturenschärfe herauszuholen. Um die Qualität des Einzelz
eichens im Belichtungsvorgang zu bewahren, wird durch die ruhende
nicht rotierende Schriftscheibe belichtet. Dieses optische System, ver

1,33 mm (5 p) 20 30 40 50 60

Berthold-Schriften überzeugen durch Schärfe und Qualität. Sch
riftqualität ist eine Frage der Erfahrung. Berthold hat diese Erfa
hrung seit über hundert Jahren. Zuerst im Schriftguß, dann im F
otosatz. Berthold-Schriften sind weltweit geschätzt. Im Schrifte
natelier München wird jeder Buchstabe in der Größe von zwölf Z
entimetern neu gezeichnet. Mit messerscharfen Konturen, um fü
r die Schriftscheiben das Optimale an Konturenschärfe herausz
uholen. Um die Qualität des Einzelzeichens im Belichtungsvorg
ang zu bewahren, wird durch die ruhende, nicht rotierende Schri

1,45 mm (5,5 p) 20 30 40 50 60

Berthold-Schriften überzeugen durch Schärfe und Qualitä
t. Schriftqualität ist eine Frage der Erfahrung. Berthold hat
diese Erfahrung seit über hundert Jahren. Zuerst im Schrif
tguß, dann im Fotosatz. Berthold-Schriften sind weltweit g
eschätzt. Im Schriftenatelier München wird jeder Buchstab
e in der Größe von zwölf Zentimetern neu gezeichnet. Mit
messerscharfen Konturen, um für die Schriftscheiben das
Optimale an Konturenschärfe herauszuholen. Um die Qua
lität des Einzelzeichens im Belichtungsvorgang zu bewahr

1,60 mm (6 p) 20 30 40 50

Berthold-Schriften überzeugen durch Schärfe und Q
ualität. Schriftqualität ist eine Frage der Erfahrung. B
erthold hat diese Erfahrung seit über hundert Jahren
Zuerst im Schriftguß, dann im Fotosatz. Berthold-Sch
riften sind weltweit geschätzt. Im Schriftenatelier Mün
chen wird jeder Buchstabe in der Größe von zwölf Zen
timetern neu gezeichnet. Mit messerscharfen Konture
n, um für die Schriftscheiben das Optimale an Kontur
enschärfe herauszuholen. Um die Qualität des Einzelz

1,75 mm (6,5 p) 20 30 40 50

Berthold-Schriften überzeugen durch Schärfe und
Qualität. Schriftqualität ist eine Frage der Erfahrun
g. Berthold hat diese Erfahrung seit über hundert Ja
hren. Zuerst im Schriftguß, dann im Fotosatz. Berth
old-Schriften sind weltweit geschätzt. Im Schriftena
telier München wird jeder Buchstabe in der Größ
e von zwölf Zentimetern neu gezeichnet. Mit messer
scharfen Konturen, um für die Schriftscheiben das
Optimale an Konturenschärfe herauszuholen. Um

1,86 mm (7 p) 20 30 40 5

Berthold-Schriften überzeugen durch Schärfe u
nd Qualität. Schriftqualität ist eine Frage der Erf
ahrung. Berthold hat diese Erfahrung seit über
hundert Jahren. Zuerst im Schriftguß, dann im F
otosatz. Berthold-Schriften sind weltweit gesch
ätzt. Im Schriftenatelier München wird jeder Bu
chstabe in der Größe von zwölf Zentimetern neu
gezeichnet. Mit messerscharfen Konturen, um f
ür die Schriftscheiben das Optimale an Konture

2,00 mm (7,5 p) 20 30 40

Berthold-Schriften überzeugen durch Schärfe
und Qualität. Schriftqualität ist eine Frage der
Erfahrung. Berthold hat diese Erfahrung seit
über hundert Jahren. Zuerst im Schriftguß, d
ann im Fotosatz. Berthold-Schriften sind welt
weit geschätzt. Im Schriftenatelier München
wird jeder Buchstabe in der Größe von zwölf
Zentimetern neu gezeichnet. Mit messerscha
rfen Konturen, um für die Schriftscheiben das

2,15 mm (8 p) 20 30 40

Ed Benguiat
1970
International Typeface Corp.
H. Berthold AG

ABCDEFGHIJKLMNOPQ
RSTUVWXYZ
abcdefghijklmnopqrstuvwxyz
1/1234567890%
(.,-;:!¡?¿–)·[",,""»«]
+−=/$£†*&§
ÄÅÆÖØŒÜäåæıöøœßü
ÁÀÂÃÇČÉÈÊËÍÌÎÏĹŇÑÓÒÔÕ
ŔŘŠŤÚÙÛŴẄÝŶŸŽ
áàâãçčéèêëíìîïĺňñóòôõŕřš
úùûŵẅýỳÿž

Berthold-Schriftweite weit
Berthold-Schriftweite normal
Berthold-Schriftweite eng
Berthold-Schriftweite sehr eng
Berthold-Schriftweite extrem eng

Berthold
3,75 mm (14 p)

Berthold
4,25 mm (16 p)

Berthold
4,75 mm (18 p)

Berthold
5,30 mm (20 p)

Berthold
6,35 mm (24 p)

Berthold
7,40 mm (28 p)

Berthold
8,50 mm (32 p)

Berthold
9,55 mm (36 p)

Größe		Zeilenabstand			100 Zeichen		
mm	p	kp	Êp	Ex	0	−1	−2
1,33	5	1,75	2,13	2,00	84	81	78
1,60	6	2,13	2,56	2,50	99	95	91
1,86	7	2,44	2,94	3,00	114	110	106
2,15	8	2,81	3,44	3,50	129	124	119
2,40	9	3,13	3,81	3,75	144	138	132
2,65	10	3,50	4,19	4,25	159	152	145
2,92	11	3,81	4,63	4,75	174	167	160
3,20	12	4,19	5,06	5,25	189	181	173
3,45	13	4,50	5,44	5,75	204	196	188
3,72	14	4,88	5,88	—	219	210	201
3,98	15	5,19	6,25	—	233	224	215
4,25	16	5,56	6,69	—	248	238	228

WZ 14 E, NSW 0, MZB 0,60, F 0,10:0,063 (1,6), III
H 1–x 0,64–k 1,03–p 0,27–Ê 1,30–kp 1,30–Êp 1,57
BF 089 0619, Belegung 051: 087 3083 (097 3083)

Berthold-Schriften überzeugen durch S
chärfe und Qualität. Schriftqualität ist ei
ne Frage der Erfahrung. Berthold hat die
se Erfahrung seit über hundert Jahren. Z
uerst im Schriftguß, dann im Fotosatz. B
erthold-Schriften sind weltweit geschätz
t. Im Schriftenatelier München wird jeder
Buchstabe in der Größe von zwölf Zenti

2,40 mm (9 p) 20 30

Berthold-Schriften überzeugen durc
h Schärfe und Qualität. Schriftqualit
ät ist eine Frage der Erfahrung. Bert
hold hat diese Erfahrung seit über hu
ndert Jahren. Zuerst im Schriftguß, d
ann im Fotosatz. Berthold-Schriften
sind weltweit geschätzt. Im Schriften
atelier München wird jeder Buchsta

2,65 mm (10 p) 20 30

Berthold-Schriften überzeugen d
urch Schärfe und Qualität. Schrift
qualität ist eine Frage der Erfahru
ng. Berthold hat diese Erfahrung
seit über hundert Jahren. Zuerst
im Schriftguß, dann im Fotosatz
Berthold-Schriften sind weltweit
geschätzt. Im Schriftenatelier Mü

2,92 mm (11 p) 10 20 30

Berthold-Schriften überzeugen
durch Schärfe und Qualität. Sc
hriftqualität ist eine Frage der
Erfahrung. Berthold hat diese
Erfahrung seit über hundert Ja
hren. Zuerst im Schriftguß, dan
n im Fotosatz. Berthold-Schrift
en sind weltweit geschätzt. Im

3,20 mm (12 p) 10 20 3

Berthold-Schriften überzeug
en durch Schärfe und Qualit
ät. Schriftqualität ist eine Fra
ge der Erfahrung. Berthold h
at diese Erfahrung seit über
hundert Jahren. Zuerst im Sc
hriftguß, dann im Fotosatz. Be
rthold-Schriften sind weltwei

3,45 mm (13 p) 10 20

mager
light
maigre

SOUVENIR

fina
chiarissimo
mager

Berthold-Schriften überzeugen durch Schärfe und Qualität. Schriftqualität ist eine Frage der Erfahrung. Berthold hat diese Erfahrung seit über hunde rt Jahren. Zuerst im Schriftguß, dann im Fotosatz. Berthold-Schriften sind weltweit geschätzt. Im Schriftenatelier München wird jeder Buchstabe in der Größe von zwölf Zentimetern neu gezeichnet. Mit messerscharfen Ko nturen, um für die Schriftscheiben das Optimale an Konturenschärfe hera uszuholen. Um die Qualität des Einzelzeichens im Belichtungsvorgang zu bewahren, wird durch die ruhende, nicht rotierende Schriftscheibe belicht et. Dieses optische System, verbunden mit Präzisions-Chromglasscheiben

4,25 mm (16 p), Zeilenabstand 6,75 mm

SOUVENIR LIGHT

In general, bodytypes are measured in the typo graphical point size. The sizes of Berthold Foto type faces can be exactly determined. All faces of same point size have the same capital heigth–irre spective of their x-heigth. In hot metal and many other phototypesetting systems the capital heigths often differ considerably from one face to the oth er. For measuring point sizes, a transparent size gauge is provided. To determine the point size bring a capital letter into coincidence with that field which precisely circumscribes the letter at its upper and lower margin. Below the field you find the typographical point and below that the milli meter value, which also refers to the height of a capital letter. In Berthold-phototypesetting, the typewidth can be modified. The standard setting width of typefaces is determined by the principle of optimum legibility. You should not depart from this typewidth without cogent reason. A typeface which is considered optically right when looked in a greater context, often seems bulky when applied for a small amount of text, e. g. labels and ads

2,40 mm (9 p), Zeilenabstand 4,25 mm

SOUVENIR MAIGRE

La valeur de la force de corps des caractères de labeur èst généralement exprimée en points typographiques. La force de corps des caractères Berthold-Fototype peut être déter minée avec précision. Tous les caractères du même corps ont des capitales d'une hauteur identique, indépendamment de la hauteur des bas de casse sans jambage. Dans la com position plomb, ainsi que dans certains sys tèmes de photocomposition, la hauteur des capitales, varie souvent d'un caractère à l'au tre. Pour déterminer la force de corps de nos caractères, nous avons mis au point une ré glette de hauteur d'œil transparente. On cher che le rectangle qui délimite exactement la hauteur d'œil d'une capitale du caractère choisi. Sous le rectangle correspondant la valeur de la force de corps est indiquée en points Didots et en millimètres. La valeur en millimètres exprime également la hauteur

2,65 mm (10 p), Zeilenabstand 4,69 mm

La indicación de las dimensiones para cuerpos de letra vásicos tiene lugar en general en puntos tipográficos. Los cuerpos de letra de los caracte res Berthold Fototype pueden determinarse ex actemente par medición. Con independencia de la altura de sus longitudes centrales, todos los caracteres de idéntico cuerpo de letra presentan altura de mayúsculas idéntica. En la composi ción en plomo y en muchos otros sistemas de fo

2,15 mm (8 p), −1, Zeilenabstand 3,38 mm

123,– $	456,– £	7890,– DM	1 %
234,– $	789,– £	1234,– DM	2 %
567,– $	12,– £	5678,– DM	3 %
890,– $	345,– £	9012,– DM	4 %
123,– $	678,– £	3456,– DM	5 %
456,– $	901,– £	7890,– DM	6 %
789,– $	234,– £	1234,– DM	7 %
12,– $	567,– £	5678,– DM	8 %
345,– $	890,– £	9012,– DM	9 %

BF 089 0620

Le misure relative al corpo dei caratteri vengono generalmente indicate in punti tipografici. Il corpo dei caratteri Fototypes può essere determinato con esattezza per semplice misurazione. Tutti i ca ratteri di uguale grandezza in punti hanno, indi pendentemente dalla loro lunghezza, uguale altez za delle maiuscole. Nella composizione in piombo ed in molti altri sistemi di fotocomposizione, l'altez za delle maiuscole varia spesso da carattere a ca

2,15 mm (8 p), −2, Zeilenabstand 3,38 mm

kursiv mager
light italic
italique maigre

SOUVENIR

fina cursiva
chiarissimo corsivo
kursiv mager

Måttangivelse för grundstilsgrader sker i allmänhet i typografiska pun kter. Stilar av Berthold Fototype k an efter mätning exakt gradbestä mmas. Alla typsnitt är av samma punktstorlek och har oberoende a v x-höjden en identisk versalhöjd. I blysättning och i många andra fot osättsystem varierar versalhöjden avsevärt från typsnitt till typsnitt. F ör mätning av stilgrader finns en tr ansparent mätlinjal. Vid mätning en placerar man en versal bokstav så att rutorna begränsar tecknet upptill och nedtill. Under rutorna finns stilstorleken i typografiska di dotpunkter och i mm. Även millim eteruppgiften avser versalhöjden Vid stilstorleksuppgifter anges allti

2,92 mm (11 p), Zeilenabstand 4,69 mm

Ed Benguiat
1970
International Typeface Corp.
H. Berthold AG

ABCDEFGHIJKLMNOPQ
RSTUVWXYZ
abcdefghijklmnopqrstuvwxyz
1⁄1234567890%
(.,-;:!¡?¿–)·[’‘„”“»«]
+−=/$£†&§*
ÄÅÆÖØŒÜäåæıöøœßü
ÁÀÂÃÇČÉÈÊËÍÌÎÏĹŇÑÓÒÔÕ
ŔŘŠŤÚÙÛŴẄÝŶŸŽ
áàâãçčéèêëíìîïĺňñóòôõŕřš
úùûŵẅýỳÿž

Berthold-Schriftweite weit
Berthold-Schriftweite normal
Berthold-Schriftweite eng
Berthold-Schriftweite sehr eng
Berthold-Schriftweite extrem eng

In general, bodytypes are meas ured in the typographical point size. The sizes of Berthold Foto type faces can be exactly deter mined. All faces of same point si ze have the same capital heigth irrespective of their x-heigth. In hot metal and many other phot otypesetting systems the capital heigths often differ considerab ly from one face to the other. Fo r measuring point sizes, a trans parent size gauge is provided. T o determine the point size, brin g a capital letter into coinciden ce with that field which precise ly circumscribes the letter at its

3,20 mm (12 p), Zeilenabstand 5,25 mm

SOUVENIR KURSIV MAGER

Die Maßangabe zu Grundschriftgrößen erfolgt im allgemeinen in typographischen Punkten. Die Sch riftgrößen der Berthold-Fotosatz-Schriften sind na ch Messung exakt bestimmbar. Alle Schriften glei cher Punktgröße weisen, unabhängig von der Hö he ihrer Mittellängen, eine identische Versalhöhe auf. Im Bleisatz und bei vielen anderen Fotosatz Sy stemen differieren die Versalhöhen von Schrift zu Schrift oft erheblich. Zum Messen von Schriftgröß en steht ein transparentes Größenmaß zur Verfügu ng. Zum Messen wird ein Versalbuchstabe mit dem Feld in Deckung gebracht, das den Buchstaben ob en und unten scharf begrenzt. Unter dem Feld ist die Schriftgröße in typographischen Didot-Punkten darunter in Millimetern angegeben. Auch die Milli meterangaben beziehen sich auf die Höhe der Ver salbuchstaben. Die Schriftweite kann im Berthold Fotosatz beliebig verändert werden. Die Festlegun

2,40 mm (9 p), Zeilenabstand 4 mm

SOUVENIR ITALIQUE MAIGRE

La valeur de la force de corps des caractères de labeur èst généralement exprimée en poin ts typographiques. La force de corps des carac tères Berthold-Fototype peut être déterminée avec précision. Tous les caractères du même corps ont des capitales d'une hauteur identiqu e, indépendamment de la hauteur des bas de casse sans jambage. Dans la composition plo mb, ainsi que dans certains systèmes de photo composition, la hauteur des capitales, varie so uvent d'un caractère à l'autre. Pour détermin er la force de corps de nos caractères, nous av ons mis au point une réglette de hauteur d'œil transparente. On cherche le rectangle qui déli mite exactement la hauteur d'œil d'une capita le du caractère choisi. Sous le rectangle corre

2,65 mm (10 p), Zeilenabstand 4,50 mm

La indicación de las dimensiones para cuerpos de letra vási cos tiene lugar en general en puntos tipográficos. Los cuer pos de letra de los caracteres Berthold Fototype pueden de terminarse exactemente par medición. Con independencia de la altura de sus longitudes centrales, todos los caracteres de idéntico cuerpo de letra presentan altura de mayúscu las idéntica. En la composición en plomo y en muchos otros sistemas de fotocomposición, las alturas de mayúsculas va rían frecuentemmente en forma considerable de tipo de letra a tipo de letra. Para medir los cuerpos de letra se dispo ne de un tipómetro, véase la figura. Para la medición se hace coincidir una letra mayúscula con la casilla cuyos extremos

1,60 mm (6 p), Zeilenabstand 2,50 mm

Größe		Zeilenabstand			100 Zeichen		
mm	p	kp	Êp	Ex	0	−1	−2
1,33	5	1,75	2,06	–	84	81	78
1,60	6	2,06	2,50	2,50	99	95	91
1,86	7	2,44	2,88	–	114	110	106
2,15	8	2,81	3,31	3,38	129	124	119
2,40	9	3,13	3,69	4,00	144	138	132
2,65	10	3,44	4,06	4,50	159	152	145
2,92	11	3,75	4,50	4,69	174	167	160
3,20	12	4,13	4,94	5,25	189	181	173
3,45	13	4,44	5,31	–	204	196	188
3,72	14	4,81	5,75	–	219	210	201
3,98	15	5,13	6,13	–	233	224	215
4,25	16	5,50	6,56	–	248	238	228

WZ 13 E, NSW 0, MZB 0,60, F 0,096:0,075 (1,3), III
H 1–x 0,64–k 1,02–p 0,26–Ê 1,27–kp 1,28–Êp 1,53
BF 089 0621, Belegung 051: 087 3087 (097 3087)

Le misure relative al corpo dei caratteri vengo no generalmente indicate in punti tipografici. Il corpo dei caratteri Fototypes può essere deter minato con esattezza per semplice misurazio ne. Tutti i caratteri di uguale grandezza in pun ti hanno, indipendentemente dalla loro lunghe zza, uguale altezza delle maiuscole. Nella com posizione in piombo ed in molti altri sistemi di fotocomposizione, l'altezza delle maiuscole va

2,15 mm (8 p), Zeilenabstand 3,38 mm

normal
medium
normal

SOUVENIR

normal
chiaro tondo
normal

Berthold-Schriften überzeugen durch Schärfe und Qualität. Schr
iftqualität ist eine Frage der Erfahrung. Berthold hat diese Erfahr
ung seit über hundert Jahren. Zuerst im Schriftguß, dann im Fotos
atz. Berthold-Schriften sind weltweit geschätzt. Im Schriftenateli
er München wird jeder Buchstabe in der Größe von zwölf Zentimet
ern neu gezeichnet. Mit messerscharfen Konturen, um für die Schr
iftscheiben das Optimale an Konturenschärfe herauszuholen. Um
die Qualität des Einzelzeichens im Belichtungsvorgang zu bewah
ren, wird durch die ruhende, nicht rotierende Schriftscheibe belic

1,33 mm (5 p) 20 30 40 50 60

Berthold-Schriften überzeugen durch Schärfe und Qualität
Schriftqualität ist eine Frage der Erfahrung. Berthold hat die
se Erfahrung seit über hundert Jahren. Zuerst im Schriftguß
dann im Fotosatz. Berthold-Schriften sind weltweit geschätzt
Im Schriftenatelier München wird jeder Buchstabe in der Grö
ße von zwölf Zentimetern neu gezeichnet. Mit messerscharfen
Konturen, um für die Schriftscheiben das Optimale an Kontur
enschärfe herauszuholen. Um die Qualität des Einzelzeichens
im Belichtungsvorgang zu bewahren, wird durch die ruhende

1,45 mm (5,5 p) 20 30 40 50

Berthold-Schriften überzeugen durch Schärfe und Qua
lität. Schriftqualität ist eine Frage der Erfahrung. Berth
old hat diese Erfahrung seit über hundert Jahren. Zuerst
im Schriftguß, dann im Fotosatz. Berthold-Schriften sin
d weltweit geschätzt. Im Schriftenatelier München wird
jeder Buchstabe in der Größe von zwölf Zentimetern neu
gezeichnet. Mit messerscharfen Konturen, um für die Sc
hriftscheiben das Optimale an Konturenschärfe heraus
zuholen. Um die Qualität des Einzelzeichens im Belic

1,60 mm (6 p) 20 30 40 50

Berthold-Schriften überzeugen durch Schärfe und
Qualität. Schriftqualität ist eine Frage der Erfahru
ng. Berthold hat diese Erfahrung seit über hundert J
ahren. Zuerst im Schriftguß, dann im Fotosatz. Bert
hold-Schriften sind weltweit geschätzt. Im Schrifte
natelier München wird jeder Buchstabe in der Größe
von zwölf Zentimetern neu gezeichnet. Mit messers
charfen Konturen, um für die Schriftscheiben das O
ptimale an Konturenschärfe herauszuholen. Um die

1,75 mm (6,5 p) 20 30 40 5

Berthold-Schriften überzeugen durch Schärfe u
nd Qualität. Schriftqualität ist eine Frage der Erf
ahrung. Berthold hat diese Erfahrung seit über h
undert Jahren. Zuerst im Schriftguß, dann im Fot
osatz. Berthold-Schriften sind weltweit geschätzt
Im Schriftenatelier München wird jeder Buchsta
be in der Größe von zwölf Zentimetern neu gezeic
hnet. Mit messerscharfen Konturen, um für die Sc
hriftscheiben das Optimale an Konturenschärfe

1,86 mm (7 p) 20 30 40

Berthold-Schriften überzeugen durch Schärf
e und Qualität. Schriftqualität ist eine Frage d
er Erfahrung. Berthold hat diese Erfahrung se
it über hundert Jahren. Zuerst im Schriftguß
dann im Fotosatz. Berthold-Schriften sind wel
tweit geschätzt. Im Schriftenatelier München
wird jeder Buchstabe in der Größe von zwölf
Zentimetern neu gezeichnet. Mit messerschar
fen Konturen, um für die Schriftscheiben das

2,00 mm (7,5 p) 20 30 40

Berthold-Schriften überzeugen durch Sch
ärfe und Qualität. Schriftqualität ist eine Fr
age der Erfahrung. Berthold hat diese Erfa
hrung seit über hundert Jahren. Zuerst im S
chriftguß, dann im Fotosatz. Berthold-Schr
iften sind weltweit geschätzt. Im Schriftena
telier München wird jeder Buchstabe in der
Größe von zwölf Zentimetern neu gezeichn
et. Mit messerscharfen Konturen, um für die

2,15 mm (8 p) 20 30 40

Ed Benguiat
1970
International Typeface Corp.
H. Berthold AG

ABCDEFGHIJKLMNOPQ
RSTUVWXYZ
abcdefghijklmnopqrstuvwxyz
1/1234567890%
(.,-;:!i?¿–)·[‘„”“»«]
+-=/$£†*&§
ÄÅÆÖØŒÜäåæıöøœßü
ÁÀÂÃÇČÉÈÊËÍÌÎÏĹŇÑÓÒÔÕ
ŔŘŠŤÚÙÛẂẀŸÝŶŽ
áàâãçčéèêëíìîïĺňñóòôõŕřš
úùûẃẁýỳŷž

Berthold-Schriftweite weit
Berthold-Schriftweite normal
Berthold-Schriftweite eng
Berthold-Schriftweite sehr eng
Berthold-Schriftweite extrem eng

Berthold
3,75 mm (14 p)

Berthold
4,25 mm (16 p)

Berthold
4,75 mm (18 p)

Berthold
5,30 mm (20 p)

Berthold
6,35 mm (24 p)

Berthold
7,40 mm (28 p)

Berthold
8,50 mm (32 p)

Berthold
9,55 mm (36 p)

Größe mm	p	Zeilenabstand kp	Êp	Ex	100 Zeichen 0	−1	−2
1,33	5	1,75	2,13	2,00	87	84	81
1,60	6	2,13	2,56	2,50	103	99	95
1,86	7	2,44	2,94	3,00	118	114	110
2,15	8	2,88	3,44	3,50	134	129	124
2,40	9	3,19	3,81	3,75	150	144	138
2,65	10	3,50	4,19	4,25	165	158	151
2,92	11	3,88	4,63	4,75	181	174	167
3,20	12	4,25	5,06	5,25	196	188	180
3,45	13	4,56	5,44	5,75	212	204	196
3,72	14	4,88	5,88	–	227	218	209
3,98	15	5,25	6,25	–	243	234	225
4,25	16	5,63	6,69	–	258	248	238

WZ 13 E, NSW 0, MZB 0,62, F 0,18:0,070 (2,5), III
H 1–x 0,64–k 1,04–p 0,27–Ê 1,30–kp 1,31–Êp 1,57
BF 089 0622, Belegung 051: 087 3084 (097 3084)

Berthold-Schriften überzeugen durch
Schärfe und Qualität. Schriftqualität i
st eine Frage der Erfahrung. Berthold h
at diese Erfahrung seit über hundert
Jahren. Zuerst im Schriftguß, dann im
Fotosatz. Berthold-Schriften sind welt
weit geschätzt. Im Schriftenatelier Mü
nchen wird jeder Buchstabe in der Grö

2,40 mm (9 p) 20 30

Berthold-Schriften überzeugen du
rch Schärfe und Qualität. Schriftq
ualität ist eine Frage der Erfahrung
Berthold hat diese Erfahrung seit ü
ber hundert Jahren. Zuerst im Schr
iftguß, dann im Fotosatz. Berthold
Schriften sind weltweit geschätzt. I
m Schriftenatelier München wird j

2,65 mm (10 p) 20 30

Berthold-Schriften überzeugen
durch Schärfe und Qualität. Sc
hriftqualität ist eine Frage der E
rfahrung. Berthold hat diese Erf
ahrung seit über hundert Jahren
Zuerst im Schriftguß, dann im F
otosatz. Berthold-Schriften sind
weltweit geschätzt. Im Schriften

2,92 mm (11 p) 10 20 30

Berthold-Schriften überzeug
en durch Schärfe und Qualit
ät. Schriftqualität ist eine Fra
ge der Erfahrung. Berthold h
at diese Erfahrung seit über h
undert Jahren. Zuerst im Sch
riftguß, dann im Fotosatz. Ber
thold-Schriften sind weltweit

3,20 mm (12 p) 10 20

Berthold-Schriften überzeu
gen durch Schärfe und Qua
lität. Schriftqualität ist eine
Frage der Erfahrung. Berth
old hat diese Erfahrung sei
t über hundert Jahren. Zuer
st im Schriftguß, dann im F
otosatz. Berthold-Schriften

3,45 mm (13 p) 10 20

normal
medium
normal

SOUVENIR

normal
chiaro tondo
normal

Berthold-Schriften überzeugen durch Schärfe und Qualität. Schriftqu alität ist eine Frage der Erfahrung. Berthold hat diese Erfahrung seit üb er hundert Jahren. Zuerst im Schriftguß, dann im Fotosatz. Berthold Schriften sind weltweit geschätzt. Im Schriftenatelier München wird je der Buchstabe in der Größe von zwölf Zentimetern neu gezeichnet. Mit messerscharfen Konturen, um für die Schriftscheiben das Optimale an Konturenschärfe herauszuholen. Um die Qualität des Einzelzeichens im Belichtungsvorgang zu bewahren, wird durch die ruhende, nicht rot ierende Schriftscheibe belichtet. Dieses optische System, verbunden

4,25 mm (16 p), Zeilenabstand 6,75 mm

SOUVENIR REGULAR

In general, bodytypes are measured in the typo graphical point size. The sizes of Berthold Foto type faces can be exactly determined. All faces of same point size have the same capital height irrespective of their x-height. In hot metal and many other phototypesetting systems the capi tal heights often differ considerably from one face to the other. For measuring point sizes, a transparent size gauge is provided. To deter mine the point size, bring a capital letter into co incidence with that field which precisely cir cumscribes the letter at its upper and lower mar gin. Below the field you find the typographical point and below that the millimeter value, which also refers to the height of a capital letter. In Berthold-phototypesetting, the typewidth can be modified. The standard setting width of type faces is determined by the principle of optimum legibility. You should not depart from this type width without cogent reason. A typeface which is considered optically right when looked in a greater context, often seems bulky when applied

2,40 mm (9 p), Zeilenabstand 4,25 mm

SOUVENIR NORMAL

La valeur de la force de corps des caractè res de labeur èst généralement exprimée en points typographiques. La force de corps des caractères Berthold-Fototype peut être déterminée avec précision. Tous les carac tères du même corps ont des capitales d'une hauteur identique, indépendamment de la hauteur des bas de casse sans jambage Dans la composition plomb, ainsi que dans certains systèmes de photocomposition, la hauteur des capitales, varie souvent d'un caractère à l'autre. Pour déterminer la force de corps de nos caractères, nous avons mis au point une réglette de hauteur d'œil trans parente. On cherche le rectangle qui déli mite exactement la hauteur d'œil d'une ca pitale du caractère choisi. Sous le rectangle correspondant la valeur de la force de corps est indiquée en points Didots et en milli mètres. La valeur en millimètres exprime é

2,65 mm (10 p), Zeilenabstand 4,69 mm

La indicación de las dimensiones para cuer pos de letra vásicos tiene lugar en general en puntos tipográficos. Los cuerpos de letra de los caracteres Berthold Fototype pueden de terminarse exactemente par medición. Con independencia de la altura de sus longitudes centrales, todos los caracteres de idéntico cuerpo de letra presentan altura de mayúscu las idéntica. En la composición en plomo y en

2,15 mm (8 p), –1, Zeilenabstand 3,38 mm

123,– $	456,– £	7890,– DM	1 %
234,– $	789,– £	1234,– DM	2 %
567,– $	12,– £	5678,– DM	3 %
890,– $	345,– £	9012,– DM	4 %
123,– $	678,– £	3456,– DM	5 %
456,– $	901,– £	7890,– DM	6 %
789,– $	234,– £	1234,– DM	7 %
12,– $	567,– £	5678,– DM	8 %
345,– $	890,– £	9012,– DM	9 %

BF 089 0623

Le misure relative al corpo dei caratteri vengo no generalmente indicate in punti tipografici. Il corpo dei caratteri Fototypes può essere deter minato con esattezza per semplice misurazi one. Tutti i caratteri di uguale grandezza in punti hanno, indipendentemente dalla loro lunghez za, uguale altezza delle maiuscole. Nella com posizione in piombo ed in molti altri sistemi di fotocomposizione, l'altezza delle maiuscole va

2,15 mm (8 p), –2, Zeilenabstand 3,38 mm

kursiv
medium italic
italique

SOUVENIR

cursiva
corsivo
kursiv

Måttangivelse för grundstilsgrader sker i allmänhet i typografiska punkter. Stilar av Berthold Fototype kan efter mätning exakt gradbestämmas. Alla typsnitt är av samma punktstorlek och har oberoende av x-höjden en identisk versalhöjd. I blysättning och i många andra fotosättsystem varierar versalhöjden avsevärt från typsnitt till typsnitt. För mätning av stilgrader finns en transparent mätlinjal. Vid mätningen placerar man en versal bokstav så att rutorna begränsar tecknet upptill och nedtill. Under rutorna finns stilstorleken i typografiska didotpunkter och i mm. Även millimeteruppgiften

2,92 mm (11 p), Zeilenabstand 4,69 mm

Ed Benguiat
1970
International Typeface Corp.
H. Berthold AG

ABCDEFGHIJKLMNOPQ
RSTUVWXYZ
abcdefghijklmnopqrstuvwxyz
1/1234567890%
(.,-;:!¡?¿–)·[',,"“»«]
+−=/$£†&§*
ÄÅÆÖØŒÜäåæıöøœßü
ÁÀÂÃÇČÉÈÊËÍÌÎÏĹŇÑÓÒÔÕ
ŔŘŠŤÚÙÛŴẄÝỲŸŽ
áàâãçčéèêëíìîïĺňñóòôõŕřš
úùûŵẅýỳÿž

Berthold-Schriftweite weit
Berthold-Schriftweite normal
Berthold-Schriftweite eng
Berthold-Schriftweite sehr eng
Berthold-Schriftweite extrem eng

In general, bodytypes are measured in the typographical point size. The sizes of Berthold Fototype faces can be exactly determined. All faces of same point size have the same capital heigth–irrespective of their x-heigth. In hot metal and many other phototypesetting systems the capital heigths often differ considerably from one face to the other. For measuring point sizes, a transparent size gauge is provided. To determine the point size, bring a capital letter into coincidence with that field wi

3,20 mm (12 p), Zeilenabstand 5,25 mm

SOUVENIR KURSIV

Die Maßangabe zu Grundschriftgrößen erfolgt im allgemeinen in typographischen Punkten. Die Schriftgrößen der Berthold-Fotosatz-Schriften sind nach Messung exakt bestimmbar. Alle Schriften gleicher Punktgröße weisen unabhängig von der Höhe ihrer Mittellängen, eine identische Versalhöhe auf. Im Bleisatz und bei vielen anderen Fotosatz-Systemen differieren die Versalhöhen von Schrift zu Schrift oft erheblich Zum Messen von Schriftgrößen steht ein transparentes Größenmaß zur Verfügung. Zum Messen wird ein Versalbuchstabe mit dem Feld in Deckung gebracht, das den Buchstaben oben und unten scharf begrenzt. Unter dem Feld ist die Schriftgröße in typographischen Didot-Punkten, darunter in Millimetern angegeben. Auch die Millimeterangaben beziehen sich auf die Höhe der Versalbuchstaben. Die Schriftweite

2,40 mm (9 p), Zeilenabstand 4 mm

SOUVENIR ITALIQUE

La valeur de la force de corps des caractères de labeur èst généralement exprimée en points typographiques. La force de corps des caractères Berthold-Fototype peut être déterminée avec précision. Tous les caractères du même corps ont des capitales d'une hauteur identique, indépendamment de la hauteur des bas de casse sans jambage Dans la composition plomb, ainsi que dans certains systèmes de photocomposition, la hauteur des capitales, varie souvent d'un caractère à l'autre. Pour déterminer la force de corps de nos caractères, nous avons mis au point une réglette de hauteur d'œil transparente. On cherche le rectangle qui délimite exactement la hauteur d'œil d'une ca

2,65 mm (10 p), Zeilenabstand 4,50 mm

La indicación de las dimensiones para cuerpos de letra vásicos tiene lugar en general en puntos tipográficos Los cuerpos de letra de los caracteres Berthold Fototype pueden determinarse exactemente par medición. Con independencia de la altura de sus longitudes centrales todos los caracteres de idéntico cuerpo de letra presentan altura de mayúsculas idéntica. En la composición en plomo y en muchos otros sistemas de fotocomposición las alturas de mayúsculas varían frecuentemmente en forma considerable de tipo de letra a tipo de letra. Para medir los cuerpos de letra se dispone de un tipómetro véase la figura. Para la medición se hace coincidir una

1,60 mm (6 p), Zeilenabstand 2,50 mm

Größe		Zeilenabstand			100 Zeichen		
mm	p	kp	Êp	Ex	0	−1	−2
1,33	5	1,75	2,13	–	89	86	83
1,60	6	2,06	2,50	2,50	105	101	97
1,86	7	2,38	2,94	–	121	117	113
2,15	8	2,75	3,38	3,38	137	132	127
2,40	9	3,06	3,75	4,00	153	147	141
2,65	10	3,38	4,19	4,50	169	162	155
2,92	11	3,75	4,56	4,69	185	178	171
3,20	12	4,13	5,00	5,25	201	193	185
3,45	13	4,44	5,44	–	216	208	200
3,72	14	4,75	5,81	–	232	223	214
3,98	15	5,06	6,25	–	248	239	230
4,25	16	5,44	6,69	–	264	254	244

WZ 13 E, NSW 0, MZB 0,64, F 0,17:0,067 (2,5), III
H 1–x 0,65–k 1,01–p 0,26–Ê 1,30–kp 1,27–Êp 1,56
BF 089 0624, Belegung 051: 087 3088 (097 3088)

Le misure relative al corpo dei caratteri vengono generalmente indicate in punti tipografici. Il corpo dei caratteri Fototypes può essere determinato con esattezza per semplice misurazione. Tutti i caratteri di uguale grandezza in punti hanno, indipendentemente dalla loro lunghezza, uguale altezza delle maiuscole. Nella composizione in piombo ed in molti altri sistemi di fotocompos

2,15 mm (8 p), Zeilenabstand 3,38 mm

halbfett
demi-bold
demi-gras

SOUVENIR

seminegra
neretto
halvfet

Berthold-Schriften überzeugen durch Schärfe und Qualität. Schriftqualität ist eine Frage der Erfahru ng. Berthold hat diese Erfahrung seit über hundert Jahren. Zuerst im Schriftguß, dann im Fotosatz. Ber thold-Schriften sind weltweit geschätzt. Im Schrift enatelier München wird jeder Buchstabe in der Grö ße von zwölf Zentimetern neu gezeichnet. Mit mess erscharfen Konturen, um für die Schriftscheiben das Optimale an Konturenschärfe herauszuholen. Um

1,60 mm (6 p), Zeilenabstand 2,50 mm

Berthold-Schriften überzeugen durch Schär fe und Qualität. Schriftqualität ist eine Frage der Erfahrung. Berthold hat diese Erfahrung seit über hundert Jahren. Zuerst im Schriftg uß, dann im Fotosatz. Berthold-Schriften sind weltweit geschätzt. Im Schriftenatelier Mün chen wird jeder Buchstabe in der Größe von zwölf Zentimetern neu gezeichnet. Mit mess

1,86 mm (7 p), Zeilenabstand 3,00 mm

Berthold-Schriften überzeugen durch Schärfe und Qualität. Schriftqualität ist eine Frage der Erfahrung. Berthold hat diese Erfahrung seit über hundert Jahr en. Zuerst im Schriftguß dann im Fotosa tz. Berthold-Schriften sind weltweit ges chätzt. Im Schriftenatelier München wi rd jeder Buchstabe in der Größe von zw

2,15 mm (8 p), Zeilenabstand 3,50 mm

Ed Benguiat
1970
International Typeface Corp.
H. Berthold AG

ABCDEFGHIJKLMNOPQ
RSTUVWXYZ
abcdefghijklmnopqrstuvwxyz
1/1234567890%
(.,-;:!¡?¿–)· ['‘„”“»«]
+−=/$£†*&§
ÄÅÆÖØŒÜäåæıöøœßü
ÁÀÂÃÇČÉÈÊËÍÌÎÏĹŇÑÓÒÔÕ
ŔŘŠŤÚÙÛŴẄÝỲŸŽ
áàâãçčéèêëíìîïĺňñóòôõŕřš
úùûŵẅýỳÿž

Berthold-Schriftweite weit
Berthold-Schriftweite normal
Berthold-Schriftweite eng
Berthold-Schriftweite sehr eng
Berthold-Schriftweite extrem eng

In general, bodytypes are measured in the typograph ical point size. The sizes of Berthold Fototype faces c an be exactly determined All faces of same point size have the same capital heig ht–irrespective of their x-h eight. In hot metal and man y other phototypesetting s ystems the capital heights often differ considerably fr om one face to the other. F or measuring point sizes a transparent size gauge is p rovided. To determine the p oint size, bring a capital le

3,20 mm (12 p), Zeilenabstand 5,25 mm

Berthold's quick brown fox jumps over the lazy dog and feels as if he were i
3,75 mm (14 p)

Berthold's quick brown fox jumps over the lazy dog and feels as if
4,25 mm (16 p)

Berthold's quick brown fox jumps over the lazy dog and fe
4,75 mm (18 p)

Berthold's quick brown fox jumps over the lazy dog
5,30 mm (20 p)

Berthold's quick brown fox jumps over the l
6,35 mm (24 p)

Berthold's quick brown fox jumps ov
7,40 mm (28 p)

Berthold's quick brown fox jump
8,50 mm (32 p)

Berthold's quick brown fox ju
9,55 mm (36 p)

Berthold-Schriften überzeugen dur ch Schärfe und Qualität. Schriftqua lität ist eine Frage der Erfahrung. B erthold hat diese Erfahrung seit üb er hundert Jahren. Zuerst im Schrift guß, dann im Fotosatz. Berthold-Sc hriften sind weltweit geschätzt. Im Schriftenatelier München wird jeder

2,40 mm (9 p), Zeilenabstand 4,00 mm

Größe		Zeilenabstand			100 Zeichen		
mm	p	kp	Êp	Ex	0	−1	−2
1,33	5	1,75	2,13	–	96	93	90
1,60	6	2,06	2,50	2,50	113	109	105
1,86	7	2,44	2,94	3,00	130	126	122
2,15	8	2,81	3,38	3,50	148	143	138
2,40	9	3,13	3,75	4,00	166	160	154
2,65	10	3,44	4,19	4,00	183	176	169
2,92	11	3,75	4,56	–	200	193	186
3,20	12	4,13	5,00	5,25	217	209	201
3,45	13	4,44	5,44	–	134	226	218
3,72	14	4,81	5,81	–	251	242	233
3,98	15	5,13	6,25	–	268	259	250
4,25	16	5,50	6,69	–	285	275	265

WZ 14 E, NSW 0, MZB 0,69, F 0,23:0,088 (2,6), III
H 1–x 0,65–k 1,01–p 0,27–Ê 1,29–kp 1,28–Êp 1,56
BF 089 0625, Belegung 051: 087 3085 (097 3085)

Berthold-Schriften überzeugen durch Schärfe und Qualität. Sch riftqualität ist eine Frage der Erf ahrung. Berthold hat diese Erfa hrung seit über hundert Jahren Zuerst im Schriftguß, dann im F otosatz. Berthold-Schriften sind weltweit geschätzt. Im Schrifte

2,65 mm (10 p), Zeilenabstand 4,00 mm

kursiv halbfett
demi-bold italic
italique demi-gras

SOUVENIR

seminegra cursiva
neretto corsivo
kursiv halvfet

Berthold-Schriften überzeugen durch Schärfe und Qualität. Schriftqualität ist eine Frage der Erfahru ng. Berthold hat diese Erfahrung seit über hundert Jahren. Zuerst im Schriftguß, dann im Fotosatz. Ber thold-Schriften sind weltweit geschätzt. Im Schrifte natelier München wird jeder Buchstabe in der Größe von zwölf Zentimetern neu gezeichnet. Mit messersc harfen Konturen, um für die Schriftscheiben das Opt imale an Konturenschärfe herauszuholen. Um die

1,60 mm (6 p), Zeilenabstand 2,50 mm

Berthold-Schriften überzeugen durch Schär-fe und Qualität. Schriftqualität ist eine Frage der Erfahrung. Berthold hat diese Erfahrung seit über hundert Jahren. Zuerst im Schriftg uß, dann im Fotosatz. Berthold-Schriften sind weltweit geschätzt. Im Schriftenatelier Münc hen wird jeder Buchstabe in der Größe von zw ölf Zentimetern neu gezeichnet. Mit messers

1,86 mm (7 p), Zeilenabstand 3,00 mm

Berthold-Schriften überzeugen durch Schärfe und Qualität. Schriftqualität ist eine Frage der Erfahrung. Berthold hat di ese Erfahrung seit über hundert Jahren Zuerst im Schriftguß, dann im Fotosatz Berthold-Schriften sind weltweit geschä tzt. Im Schriftenatelier München wird je der Buchstabe in der Größe von zwölf Ze

2,15 mm (8 p), Zeilenabstand 3,50 mm

Ed Benguiat
1970
International Typeface Corp.
H. Berthold AG

ABCDEFGHIJKLMNOPQ
RSTUVWXYZ
abcdefghijklmnopqrstuvwxyz
1/1234567890%
(.,-;:!¡?¿–)·['„"“»«]
+−=/$£†*&§
ÄÅÆÖØŒÜäåæıöøœßü
ÁÀÂÃÇČÉÈÊËÍÌÎÏĹŇÑÓÒÔÕ
ŔŘŠŤÚÙÛŴẂÝỲŶŸŽ
áàâãçčéèêëíìîïĺňñóòôõŕřš
úùûŵẃýỳŷÿž

Berthold-Schriftweite weit
Berthold-Schriftweite normal
Berthold-Schriftweite eng
Berthold-Schriftweite sehr eng
Berthold-Schriftweite extrem eng

In general, bodytypes are m easured in the typographic al point size. The sizes of B erthold Fototype faces can be exactly determined. All faces of same point size ha ve the same capital height irrespective of their x-heigh t. In hot metal and many ot her phototypesetting syste ms the capital heights ofte n differ considerably from one face to the other. For m easuring point sizes, a tran sparent size gauge is provi ded. To determine the point size, bring a capital letter i

3,20 mm (12 p), Zeilenabstand 5,25 mm

Berthold's quick brown fox jumps over the lazy dog and feels as if he were in
3,75 mm (14 p)

Berthold's quick brown fox jumps over the lazy dog and feels as if
4,25 mm (16 p)

Berthold's quick brown fox jumps over the lazy dog and fee
4,75 mm (18 p)

Berthold's quick brown fox jumps over the lazy dog a
5,30 mm (20 p)

Berthold's quick brown fox jumps over the l
6,35 mm (24 p)

Berthold's quick brown fox jumps ov
7,40 mm (28 p)

Berthold's quick brown fox jump
8,50 mm (32 p)

Berthold's quick brown fox j
9,55 mm (36 p)

Berthold-Schriften überzeugen dur ch Schärfe und Qualität. Schriftqua lität ist eine Frage der Erfahrung. Be rthold hat diese Erfahrung seit über hundert Jahren. Zuerst im Schriftgu ß, dann im Fotosatz. Berthold-Schrif ten sind weltweit geschätzt. Im Schr iftenatelier München wird jeder Buc

2,40 mm (9 p), Zeilenabstand 4,00 mm

Größe mm	p	Zeilenabstand kp	Êp	Ex	100 Zeichen 0	−1	−2
1,33	5	1,69	2,06	–	96	93	90
1,60	6	2,00	2,50	2,50	112	108	104
1,86	7	2,38	2,94	3,00	129	125	121
2,15	8	2,69	3,38	3,50	147	142	137
2,40	9	3,00	3,75	4,00	165	159	153
2,65	10	3,31	4,13	4,00	182	175	168
2,92	11	3,69	4,56	–	198	191	184
3,20	12	4,00	5,00	5,25	215	207	199
3,45	13	4,31	5,38	–	232	224	216
3,72	14	4,69	5,81	–	249	240	231
3,98	15	5,00	6,19	–	266	257	248
4,25	16	5,31	6,63	–	283	273	263

WZ 14 E, NSW 0, MZB 0,69 F 0,21:0,083 (2,6), III
H 1–x 0,64–k 1,00–p 0,25–Ê 1,30–kp 1,25–Êp 1,55
BF 089 0626, Belegung 051: 087 3089 (097 3089)

Berthold-Schriften überzeugen d urch Schärfe und Qualität. Schr iftqualität ist eine Frage der Erfa hrung. Berthold hat diese Erfahr ung seit über hundert Jahren. Z uerst im Schriftguß, dann im Fot osatz. Berthold-Schriften sind w eltweit geschätzt. Im Schriftenat

2,65 mm (10 p), Zeilenabstand 4,00 mm

fett
bold
gras

SOUVENIR

negra
nero
fet

Berthold-Schriften überzeugen durch Schärfe un d Qualität. Schriftqualität ist eine Frage der Erfa hrung. Berthold hat diese Erfahrung seit über hun dert Jahren. Zuerst im Schriftguß, dann im Fotos atz. Berthold-Schriften sind weltweit geschätzt. I m Schriftenatelier München wird jeder Buchstabe in der Größe von zwölf Zentimetern neu gezeichn et. Mit messerscharfen Konturen, um für die Schr iftscheiben das Optimale an Konturenschärfe he

1,60 mm (6 p), Zeilenabstand 2,50 mm

Berthold-Schriften überzeugen durch Schä rfe und Qualität. Schriftqualität ist eine Fra ge der Erfahrung. Berthold hat diese Erfahr ung seit über hundert Jahren. Zuerst im Sch riftguß, dann im Fotosatz. Berthold-Schrift en sind weltweit geschätzt. Im Schriftenate lier München wird jeder Buchstabe in der Größe von zwölf Zentimetern neu gezeichn

1,86 mm (7 p), Zeilenabstand 3,00 mm

Berthold-Schriften überzeugen durch Schärfe und Qualität. Schriftqualität ist eine Frage der Erfahrung. Berthold hat diese Erfahrung seit über hundert Jahren. Zuerst im Schriftguß, dann im Fotosatz. Berthold-Schriften sind wel tweit geschätzt. Im Schriftenatelier M ünchen wird jeder Buchstabe in der Gr

2,15 mm (8 p), Zeilenabstand 3,50 mm

Ed Benguiat
1970
International Typeface Corp.
H. Berthold AG

ABCDEFGHIJKLMNOPQ
RSTUVWXYZ
abcdefghijklmnopqrstuvwxyz
1/1234567890%
(.,-;:!¡?¿–)·[‘‚„”“»«]
+−=/$£†*&§
ÄÅÆÖØŒÜäåæıöøœßü
ÁÀÂÃÇČÉÈÊËÍÌÎÏĹŇÑÓÒÔÕ
ŔŘŠŤÚÙÛŴẄÝŶŸŽ
áàâãçčéèêëíìîïĺňñóòôõŕřš
úùûŵẅýỳÿž

Berthold-Schriftweite weit
Berthold-Schriftweite normal
Berthold-Schriftweite eng
Berthold-Schriftweite sehr eng
Berthold-Schriftweite extrem eng

In general, bodytypes are measured in the typograp hical point size. The sizes of Berthold Fototype face s can be exactly determin ed. All faces of same point size have the same capital height–irrespective of th eir x-height. In hot metal and many other phototyp esetting systems the capi tal heights often differ co nsiderably from one face to the other. For measuri ng point sizes, a transpare nt size gauge is provided To determine the point si

3,20 mm (12 p), Zeilenabstand 5,25 mm

Berthold's quick brown fox jumps over the lazy dog and feels as if he w
3,75 mm (14 p)

Berthold's quick brown fox jumps over the lazy dog and feels
4,25 mm (16 p)

Berthold's quick brown fox jumps over the lazy dog and
4,75 mm (18 p)

Berthold's quick brown fox jumps over the lazy do
5,30 mm (20 p)

Berthold's quick brown fox jumps over th
6,35 mm (24 p)

Berthold's quick brown fox jumps o
7,40 mm (28 p)

Berthold's quick brown fox jum
8,50 mm (32 p)

Berthold's quick brown fox
9,55 mm (36 p)

Berthold-Schriften überzeugen d urch Schärfe und Qualität. Schrift qualität ist eine Frage der Erfahru ng. Berthold hat diese Erfahrung s eit über hundert Jahren. Zuerst im Schriftguß, dann im Fotosatz. Bert hold-Schriften sind weltweit gesc hätzt. Im Schriftenatelier Münche

2,40 mm (9 p), Zeilenabstand 4,00 mm

Größe		Zeilenabstand			100 Zeichen		
mm	p	kp	Êp	Ex	0	−1	−2
1,33	5	1,75	2,06	—	101	98	95
1,60	6	2,06	2,50	2,50	119	115	111
1,86	7	2,38	2,88	3,00	137	133	129
2,15	8	2,75	3,31	3,50	156	169	163
2,40	9	3,06	3,75	4,00	175	169	163
2,65	10	3,38	4,13	4,00	193	186	179
2,92	11	3,75	4,50	—	211	204	197
3,20	12	4,13	4,94	5,25	229	221	213
3,45	13	4,44	5,38	—	246	238	230
3,72	14	4,75	5,75	—	264	255	246
3,98	15	5,06	6,19	—	282	273	264
4,25	16	5,44	6,56	—	300	290	280

WZ 13 E, NSW 0, MZB 0,73, F 0,30:0,10 (3,0), III
H 1–x 0,65–k 1,03–p 0,24–Ê 1,30–kp 1,27–Êp 1,54
BF 089 0627, Belegung 051: 087 3086 (097 3086)

Berthold-Schriften überzeuge n durch Schärfe und Qualität. S chriftqualität ist eine Frage der Erfahrung. Berthold hat diese Erfahrung seit über hundert Ja hren. Zuerst im Schriftguß, dan n im Fotosatz. Berthold-Schrift en sind weltweit geschätzt. Im

2,65 mm (10 p), Zeilenabstand 4,00 mm

kursiv fett
bold italic
italique gras

SOUVENIR

negra cursiva
nero corsivo
kursiv fet

Berthold-Schriften überzeugen durch Schärfe und Qualität. Schriftqualität ist eine Frage der Erfahrung. Berthold hat diese Erfahrung seit üb er hundert Jahren. Zuerst im Schriftguß, dann im Fotosatz. Berthold-Schriften sind weltweit geschätzt. Im Schriftenatelier München wird jed er Buchstabe in der Größe von zwölf Zentimetern neu gezeichnet. Mit messerscharfen Konturen um für die Schriftscheiben das Optimale an Kon

1,60 mm (6 p), Zeilenabstand 2,50 mm

Berthold-Schriften überzeugen durch Sc härfe und Qualität. Schriftqualität ist eine Frage der Erfahrung. Berthold hat diese Erfahrung seit über hundert Jahren. Zuer st im Schriftguß, dann im Fotosatz. Berth old-Schriften sind weltweit geschätzt. Im Schriftenatelier München wird jeder Buc hstabe in der Größe von zwölf Zentimetern

1,86 mm (7 p), Zeilenabstand 3,00 mm

Berthold-Schriften überzeugen dur ch Schärfe und Qualität. Schriftqual ität ist eine Frage der Erfahrung. Ber thold hat diese Erfahrung seit über hundert Jahren. Zuerst im Schriftg uß, dann im Fotosatz. Berthold-Schri ften sind weltweit geschätzt. Im Schr iftenatelier München wird jeder Buc

2,15 mm (8 p), Zeilenabstand 3,50 mm

Ed Benguiat
1970
International Typeface Corp.
H. Berthold AG

ABCDEFGHIJKLMNOPQ
RSTUVWXYZ
abcdefghijklmnopqrstuvwxyz
1/1234567890%
(.,-;:!¡?¿–)·[‘‚„“‚»«]
+−=/$£†*&§
ÄÅÆÖØŒÜäåæıöøœßü
ÁÀÂÃÇČÉÈÊËÍÌÎÏĹŇÑÓÒÔÕ
ŔŘŠŤÚÙÛŴẄÝŶŸŽ
áàâãçčéèêëíìîïĺňñóòôõŕřš
úùûŵẅýỳÿž

Berthold-Schriftweite weit
Berthold-Schriftweite normal
Berthold-Schriftweite eng
Berthold-Schriftweite sehr eng
Berthold-Schriftweite extrem eng

In general, bodytypes are measured in the typogra phical point size. The siz es of Berthold Fototype f aces can be exactly dete rmined. All faces of same point size have the same capital heigth–irrespect ive of their x-heigth. In h ot metal and many other phototypesetting system s the capital heigths ofte n differ considerably fro m one face to the other. F or measuring point sizes a transparent size gauge is provided. To determine

3,20 mm (12 p), Zeilenabstand 5,25 mm

Berthold's quick brown fox jumps over the lazy dog and feels as if he
3,75 mm (14 p)

Berthold's quick brown fox jumps over the lazy dog and feels
4,25 mm (16 p)

Berthold's quick brown fox jumps over the lazy dog a
4,75 mm (18 p)

Berthold's quick brown fox jumps over the lazy d
5,30 mm (20 p)

Berthold's quick brown fox jumps over t
6,35 mm (24 p)

Berthold's quick brown fox jumps
7,40 mm (28 p)

Berthold's quick brown fox ju
8,50 mm (32 p)

Berthold's quick brown fox
9,55 mm (36 p)

Berthold-Schriften überzeugen d urch Schärfe und Qualität. Schr iftqualität ist eine Frage der Erf ahrung. Berthold hat diese Erfa hrung seit über hundert Jahren Zuerst im Schriftguß, dann im Fo tosatz. Berthold-Schriften sind w eltweit geschätzt. Im Schriftena

2,40 mm (9 p), Zeilenabstand 4,00 mm

Größe		Zeilenabstand			100 Zeichen		
mm	p	kp	Êp	Ex	0	−1	−2
1,33	5	1,75	2,13	–	105	102	99
1,60	6	2,13	2,56	2,50	123	119	115
1,86	7	2,44	2,94	3,00	142	138	134
2,15	8	2,81	3,44	3,50	161	156	151
2,40	9	3,13	3,81	4,00	180	174	168
2,65	10	3,44	4,19	4,00	199	192	185
2,92	11	3,81	4,63	–	217	210	203
3,20	12	4,19	5,06	5,25	236	228	220
3,45	13	4,50	5,44	–	254	246	238
3,72	14	4,81	5,88	–	273	264	255
3,98	15	5,19	6,25	–	291	282	273
4,25	16	5,50	6,69	–	310	300	290

WZ 14 E, NSW 0, MZB 0,75, F 0,28:0,10 (2,8), III
H 1–x 0,66–k 1,02–p 0,27–Ê 1,30–kp 1,29–Êp 1,57
BF 089 0628, Belegung 051: 087 3090 (097 3090)

Berthold-Schriften überzeug en durch Schärfe und Qualitä t. Schriftqualität ist eine Frag e der Erfahrung. Berthold hat diese Erfahrung seit über hun dert Jahren. Zuerst im Schrift guß, dann im Fotosatz. Berth old-Schriften sind weltweit g

2,65 mm (10 p), Zeilenabstand 4,00 mm

mager
light
maigre

SOUVENIR GOTHIC

fina
chiarissimo
mager

Berthold-Schriften überzeugen durch Schärfe und Qualität. Schriftqualität ist
eine Frage der Erfahrung. Berthold hat diese Erfahrung seit über hundert Jah
ren. Zuerst im Schriftguß, dann im Fotosatz. Berthold-Schriften sind weltweit
geschätzt. Im Schriftenatelier München wird jeder Buchstabe in der Größe v
on zwölf Zentimetern neu gezeichnet. Mit messerscharfen Konturen, um für
die Schriftscheiben das Optimale an Konturenschärfe herauszuholen. Um die
Qualität des Einzelzeichens im Belichtungsvorgang zu bewahren, wird durch
die ruhende, nicht rotierende Schriftscheibe belichtet. Dieses optische Syste
m, verbunden mit Präzisions-Chromglasscheiben, führt zu einer Schriftqual

1,33 mm (5 p)20 30 40 50 60 70

Berthold-Schriften überzeugen durch Schärfe und Qualität. Schriftqual
ität ist eine Frage der Erfahrung. Berthold hat diese Erfahrung seit über h
undert Jahren. Zuerst im Schriftguß, dann im Fotosatz. Berthold-Schrift
en sind weltweit geschätzt. Im Schriftenatelier München wird jeder Buc
hstabe in der Größe von zwölf Zentimetern neu gezeichnet. Mit messers
charfen Konturen, um für die Schriftscheiben das Optimale an Konturen
schärfe herauszuholen. Um die Qualität des Einzelzeichens im Belichtu
ngsvorgang zu bewahren, wird durch die ruhende, nicht rotierende Schr
iftscheibe belichtet. Dieses optische System, verbunden mit Präzisions

1,45 mm (5,5 p) 30 40 50 60

Berthold-Schriften überzeugen durch Schärfe und Qualität. Schri
ftqualität ist eine Frage der Erfahrung. Berthold hat diese Erfahrun
g seit über hundert Jahren. Zuerst im Schriftguß, dann im Fotosatz
Berthold-Schriften sind weltweit geschätzt. Im Schriftenatelier M
ünchen wird jeder Buchstabe in der Größe von zwölf Zentimetern
neu gezeichnet. Mit messerscharfen Konturen, um für die Schrifts
cheiben das Optimale an Konturenschärfe herauszuholen. Um die
Qualität des Einzelzeichens im Belichtungsvorgang zu bewahren
wird durch die ruhende, nicht rotierende Schriftscheibe belichtet

1,60 mm (6 p) 20 30 40 50 60

Berthold-Schriften überzeugen durch Schärfe und Qualität
Schriftqualität ist eine Frage der Erfahrung. Berthold hat dies
e Erfahrung seit über hundert Jahren. Zuerst im Schriftguß, d
ann im Fotosatz. Berthold-Schriften sind weltweit geschätzt. I
m Schriftenatelier München wird jeder Buchstabe in der Grö
ße von zwölf Zentimetern neu gezeichnet. Mit messerscharf
en Konturen, um für die Schriftscheiben das Optimale an Ko
nturenschärfe herauszuholen. Um die Qualität des Einzelzei
chens im Belichtungsvorgang zu bewahren, wird durch die r

1,75 mm (6,5 p) 20 30 40 50 6

Berthold-Schriften überzeugen durch Schärfe und Qualit
ät. Schriftqualität ist eine Frage der Erfahrung. Berthold h
at diese Erfahrung seit über hundert Jahren. Zuerst im Sch
riftguß, dann im Fotosatz. Berthold-Schriften sind weltweit
geschätzt. Im Schriftenatelier München wird jeder Buchst
abe in der Größe von zwölf Zentimetern neu gezeichnet
Mit messerscharfen Konturen, um für die Schriftscheiben
das Optimale an Konturenschärfe herauszuholen. Um die
Qualität des Einzelzeichens im Belichtungsvorgang zu be

1,86 mm (7 p) 20 30 40 50

Berthold-Schriften überzeugen durch Schärfe und Q
ualität. Schriftqualität ist eine Frage der Erfahrung. Ber
thold hat diese Erfahrung seit über hundert Jahren. Zu
erst im Schriftguß, dann im Fotosatz. Berthold-Schrift
en sind weltweit geschätzt. Im Schriftenatelier Münch
en wird jeder Buchstabe in der Größe von zwölf Zenti
metern neu gezeichnet. Mit messerscharfen Konturen
um für die Schriftscheiben das Optimale an Konturen
schärfe herauszuholen. Um die Qualität des Einzelzei

2,00 mm (7,5 p) 20 30 40 50

Berthold-Schriften überzeugen durch Schärfe und
Qualität. Schriftqualität ist eine Frage der Erfahrung
Berthold hat diese Erfahrung seit über hundert Jahr
en. Zuerst im Schriftguß, dann im Fotosatz. Berthol
d-Schriften sind weltweit geschätzt. Im Schriftenate
lier München wird jeder Buchstabe in der Größe vo
n zwölf Zentimetern neu gezeichnet. Mit messersc
harfen Konturen, um für die Schriftscheiben das O
ptimale an Konturenschärfe herauszuholen. Um die

2,15 mm (8 p) 20 30 40 5

1977
TypeSpectra, Inc.
H. Berthold AG

ABCDEFGHIJKLMNOPQ
RSTUVWXYZ
abcdefghijklmnopqrstuvwxyz
1/1234567890%
(.,-;:!¡?¿–)·['„"“»«]
+—=/$£†*&§
ÄÅÆÖØŒÜäåæıöøœßü
ÁÀÂÃÇČÉÈÊËÍÌÎÏĹŇÑÓÒÔÕ
ŔŘŠŤÚÙÛŴẄÝŶŸŽ
áàâãçčéèêëíìîïĺňñóòôõŕřš
úùûŵẅýỳÿž

Berthold-Schriftweite weit
Berthold-Schriftweite normal
Berthold-Schriftweite eng
Berthold-Schriftweite sehr eng
Berthold-Schriftweite extrem eng

Berthold
3,75 mm (14 p)

Berthold
4,25 mm (16 p)

Berthold
4,75 mm (18 p)

Berthold
5,30 mm (20 p)

Berthold
6,35 mm (24 p)

Berthold
7,40 mm (28 p)

Berthold
8,50 mm (32 p)

Berthold
9,55 mm (36 p)

Größe		Zeilenabstand			100 Zeichen		
mm	p	kp	Êp	Ex	0	−1	−2
1,33	5	1,75	2,06	2,00	75	72	69
1,60	6	2,06	2,50	2,50	88	84	80
1,86	7	2,38	2,88	3,00	101	97	93
2,15	8	2,75	3,31	3,50	115	110	105
2,40	9	3,06	3,69	3,75	129	123	117
2,65	10	3,38	4,06	4,25	142	135	128
2,92	11	3,75	4,50	4,75	155	148	141
3,20	12	4,13	4,94	5,25	168	160	152
3,45	13	4,44	5,31	5,75	182	174	166
3,72	14	4,75	5,75	—	195	186	177
3,98	15	5,06	6,13	—	208	199	190
4,25	16	5,44	6,56	—	221	211	201

WZ 12 E, NSW 0, MZB 0,53, F 0,10:0,063 (1,6), VI
H 1–x 0,63–k 1,02–p 0,25–Ê 1,28–kp 1,27–Êp 1,53
BF 089 0629, Belegung 051: 087 3661 (097 3661)

Berthold-Schriften überzeugen durch Schärf
e und Qualität. Schriftqualität ist eine Frage de
r Erfahrung. Berthold hat diese Erfahrung seit
über hundert Jahren. Zuerst im Schriftguß, da
nn im Fotosatz. Berthold-Schriften sind weltw
eit geschätzt. Im Schriftenatelier München wi
rd jeder Buchstabe in der Größe von zwölf Ze
ntimetern neu gezeichnet. Mit messerscharfe

2,40 mm (9 p) 20 30 40

Berthold-Schriften überzeugen durch Sc
härfe und Qualität. Schriftqualität ist eine
Frage der Erfahrung. Berthold hat diese E
rfahrung seit über hundert Jahren. Zuerst
im Schriftguß, dann im Fotosatz. Berthol
d-Schriften sind weltweit geschätzt. Im Sc
hriftenatelier München wird jeder Buchst
abe in der Größe von zwölf Zentimetern n

2,65 mm (10 p) 20 30 4

Berthold-Schriften überzeugen durch
Schärfe und Qualität. Schriftqualität ist
eine Frage der Erfahrung. Berthold hat
diese Erfahrung seit über hundert Jah
ren. Zuerst im Schriftguß, dann im Fot
osatz. Berthold-Schriften sind weltweit
geschätzt. Im Schriftenatelier Münch
en wird jeder Buchstabe in der Größe

2,92 mm (11 p) 20 30

Berthold-Schriften überzeugen du
rch Schärfe und Qualität. Schriftq
ualität ist eine Frage der Erfahrung
Berthold hat diese Erfahrung seit ü
ber hundert Jahren. Zuerst im Sch
riftguß, dann im Fotosatz. Berthold
Schriften sind weltweit geschätzt. I
m Schriftenatelier München wird j

3,20 mm (12 p) 20 30

Berthold-Schriften überzeugen
durch Schärfe und Qualität. Sch
riftqualität ist eine Frage der Erfa
hrung. Berthold hat diese Erfahr
ung seit über hundert Jahren. Z
uerst im Schriftguß, dann im Fot
osatz. Berthold-Schriften sind w
eltweit geschätzt. Im Schriftenat

3,45 mm (13 p) 10 20 30

mager
light
maigre

SOUVENIR GOTHIC

fina
chiarissimo
mager

Berthold-Schriften überzeugen durch Schärfe und Qualität. Schriftqualität ist eine Frage der Erfahrung. Berthold hat diese Erfahrung seit über hundert Jahren. Zuerst im Schriftguß, dann im Fotosatz. Berthold-Schriften sind weltweit geschätzt. Im Sch riftenatelier München wird jeder Buchstabe in der Größe von zwölf Zentimetern neu gezeichnet. Mit messerscharfen Konturen, um für die Schriftscheiben das Optimale an Konturenschärfe herauszuholen. Um die Qualität des Einzelzeichens im Belichtu ngsvorgang zu bewahren, wird durch die ruhende, nicht rotierende Schriftscheibe belichtet. Dieses optische System, verbunden mit Präzisions-Chromglasscheiben führt zu einer Schriftqualität, die im Qualitätssatz ihresgleichen sucht. Bei den hier ge

4,25 mm (16 p), Zeilenabstand 6,75 mm

SOUVENIR GOTHIC LIGHT

In general, bodytypes are measured in the typographi cal point size. The sizes of Berthold Fototype faces can be exactly determined. All faces of same point size have the same capital heigth–irrespective of their x heigth. In hot metal and many other phototypesetting systems the capital heigths often differ considerably from one face to the other. For measuring point sizes, a transparent size gauge is provided. To determine the point size, bring a capital letter into coincidence with that field which precisely circumscribes the letter at its upper and lower margin. Below the field you find the typographical point and below that the millimeter value, which also refers to the height of a capital letter In Berthold-phototypesetting, the typewidth can be modified. The standard setting width of typefaces is determined by the principle of optimum legibility. You should not depart from this typewidth without cogent reason. A typeface which is considered optically right when looked in a greater context, often seems bulky when applied for a small amount of text, e. g. labels and ads. Here, a width reduction will be conducive to legibility. Small amounts of text seem to be optically

2,40 mm (9 p), Zeilenabstand 4,25 mm

SOUVENIR GOTHIC MAIGRE

La valeur de la force de corps des caractères de la beur èst généralement exprimée en points typo graphiques. La force de corps des caractères Berthold-Fototype peut être déterminée avec précision. Tous les caractères du même corps ont des capitales d'une hauteur identique, indépen damment de la hauteur des bas de casse sans jam bage. Dans la composition plomb, ainsi que dans certains systèmes de photocomposition, la hau teur des capitales, varie souvent d'un caractère à l'autre. Pour déterminer la force de corps de nos caractères, nous avons mis au point une réglette de hauteur d'œil transparente. On cherche le rec tangle qui délimite exactement la hauteur d'œil d'une capitale du caractère choisi. Sous le rec tangle correspondant la valeur de la force de corps est indiquée en points Didots et en milli mètres. La valeur en millimètres exprime égale ment la hauteur des capitales. Pour toutes les indi cations concernant la force de corps, il est utile

2,65 mm (10 p), Zeilenabstand 4,69 mm

La indicación de las dimensiones para cuerpos de letra vasicos tiene lugar en general en puntos tipo gráficos. Los cuerpos de letra de los caracteres Bert hold Fototype pueden determinarse exactemente par medición. Con independencia de la altura de sus longitudes centrales, todos los caracteres de idénti co cuerpo de letra presentan altura de mayúsculas idéntica. En la composición en plomo y en muchos otros sistemas de fotocomposición, las alturas de

2,15 mm (8 p), –1, Zeilenabstand 3,38 mm

123,– $	456,– £	7890,– DM	1 %
234,– $	789,– £	1234,– DM	2 %
567,– $	12,– £	5678,– DM	3 %
890,– $	345,– £	9012,– DM	4 %
123,– $	678,– £	3456,– DM	5 %
456,– $	901,– £	7890,– DM	6 %
789,– $	234,– £	1234,– DM	7 %
12,– $	567,– £	5678,– DM	8 %
345,– $	890,– £	9012,– DM	9 %

BF 089 0630

Le misure relative al corpo dei caratteri vengono gene ralmente indicate in punti tipografici. Il corpo dei carat teri Fototypes può essere determinato con esattezza per semplice misurazione. Tutti i caratteri di uguale grandezza in punti hanno, indipendentemente dalla lo ro lunghezza, uguale altezza delle maiuscole. Nella composizione in piombo ed in molti altri sistemi di foto composizione, l'altezza delle maiuscole varia spesso da carattere a carattere. Per misurare il corpo dei ca

2,15 mm (8 p), –2, Zeilenabstand 3,38 mm

kursiv mager
light italic
italique maigre

SOUVENIR GOTHIC

fina cursiva
chiarissimo corsivo
kursiv mager

Måttangivelse för grundstilsgrader sker i allmänhet i typografiska punkter Stilar av Berthold Fototype kan efter mätning exakt gradbestämmas. Alla typsnitt är av samma punktstorlek och har oberoende av x-höjden en identisk versalhöjd. I blysättning och i många andra fotosättsystem varierar versalhöjden avsevärt från typsnitt till typsnitt För mätning av stilgrader finns en transparent mätlinjal. Vid mätningen placerar man en versal bokstav så att rutorna begränsar tecknet upptill och nedtill. Under rutorna finns stilstorleken i typografiska didotpunkter och i mm Även millimeteruppgiften avser versalhöjden. Vid stilstorleksuppgifter anges alltid måttenheten efter sifferuppgiften t ex 14 punkter eller 14 p. Berthold-skrif

2,92 mm (11 p), Zeilenabstand 4,69 mm

TypeSpectra, Inc.
1977
H. Berthold AG

ABCDEFGHIJKLMNOPQ
RSTUVWXYZ
abcdefghijklmnopqrstuvwxyz
1/1234567890%
(.,-;:!¡?¿–)·['‚"„"»«]
+—=/$£†&§*
ÄÅÆÖØŒÜäåæıöøœßü
ÁÀÂÃÇČÉÈÊËÍÌÎÏĹŇÑÓÒÔÕ
ŔŘŠŤÚÙÛŴẄÝŶŸŽ
áàâãçčéèêëíìîïĺňñóòôõŕřš
úùûŵẅýỳÿž

Berthold-Schriftweite weit
Berthold-Schriftweite normal
Berthold-Schriftweite eng
Berthold-Schriftweite sehr eng
Berthold-Schriftweite extrem eng

In general, bodytypes are measured in the typographical point size The sizes of Berthold Fototype faces can be exactly determined. All faces of same point size have the same capital height–irrespective of their x-height. In hot metal and many other phototypesetting systems the capital heights often differ considerably from one face to the other For measuring point sizes, a transparent size gauge is provided. To determine the point size, bring a capital letter into coincidence with that field which precisely circumscribes the letter at its upper and lower margin. Below the field you find the typ

3,20 mm (12 p), Zeilenabstand 5,25 mm

SOUVENIR GOTHIC

Die Maßangabe zu Grundschriftgrößen erfolgt im allgemeinen in typographischen Punkten. Die Schriftgrößen der Berthold-Fotosatz-Schriften sind nach Messung exakt bestimmbar. Alle Schriften gleicher Punktgröße weisen, unabhängig von der Höhe ihrer Mittellängen, eine identische Versalhöhe auf. Im Bleisatz und bei vielen anderen Fotosatz-Systemen differieren die Versalhöhen von Schrift zu Schrift oft erheblich. Zum Messen von Schriftgrößen steht ein transparentes Größenmaß zur Verfügung. Zum Messen wird ein Versalbuchstabe mit dem Feld in Deckung gebracht, das den Buchstaben oben und unten scharf begrenzt. Unter dem Feld ist die Schriftgröße in typographischen Didot-Punkten, darunter in Millimetern angegeben. Auch die Millimeterangaben beziehen sich auf die Höhe der Versalbuchstaben Die Schriftweite kann im Berthold-Fotosatz beliebig verändert werden. Die Festlegung der Normalschriftweite erfolgt nach dem Prinzip der optimalen Lesbarkeit bei

2,40 mm (9 p), Zeilenabstand 4 mm

SOUVENIR GOTHIC

La valeur de la force de corps des caractères de labeur èst généralement exprimée en points typographiques. La force de corps des caractères Berthold Fototype peut être déterminée avec précision. Tous les caractères du même corps ont des capitales d'une hauteur identique, indépendamment de la hauteur des bas de casse sans jambage. Dans la composition plomb, ainsi que dans certains systèmes de photocomposition, la hauteur des capitales, varie souvent d'un caractère à l'autre. Pour déterminer la force de corps de nos caractères nous avons mis au point une réglette de hauteur d'œil transparente. On cherche le rectangle qui délimite exactement la hauteur d'œil d'une capitale du caractère choisi. Sous le rectangle correspondant la valeur de la force de corps est indiquée en

2,65 mm (10 p), Zeilenabstand 4,50 mm

La indicación de las dimensiones para cuerpos de letra vásicos tiene lugar en general en puntos tipográficos. Los cuerpos de letra de los caracteres Berthold Fototype pueden determinarse exactamente par medición. Con independencia de la altura de sus longitudes centrales, todos los caracteres de idéntico cuerpo de letra presentan altura de mayúsculas idéntica. En la composición en plomo y en muchos otros sistemas de fotocomposición, las alturas de mayúsculas varían frecuentemmente en forma considerable de tipo de letra a tipo de letra. Para medir los cuerpos de letra se dispone de un tipómetro, véase la figura. Para la medición se hace coincidir una letra mayúscula con la casilla cuyos extremos coinciden con los extremos superior e inferior de la letra. Bajo la casilla

1,60 mm (6 p), Zeilenabstand 2,50 mm

Größe mm	p	Zeilenabstand kp	Êp	Ex	100 Zeichen 0	−1	−2
1,33	5	1,75	2,06	—	75	72	69
1,60	6	2,06	2,44	2,50	88	84	80
1,86	7	2,38	2,88	—	101	97	93
2,15	8	2,75	3,31	3,38	115	110	105
2,40	9	3,06	3,69	4,00	129	123	117
2,65	10	3,38	4,06	4,50	142	135	128
2,92	11	3,75	4,50	4,69	155	148	141
3,20	12	4,13	4,88	5,25	168	160	152
3,45	13	4,44	5,25	—	182	174	166
3,72	14	4,75	5,69	—	195	186	177
3,98	15	5,06	6,06	—	208	199	190
4,25	16	5,44	6,50	—	221	211	201

WZ 13 E, NSW 0, MZB 0,53, F 0,10:0,058 (1,7), VI
H 1–x 0,63–k 1,02–p 0,25–Ê 1,27–kp 1,27–Êp 1,52
BF 089 0631, Belegung 051: 087 3662 (097 3662)

Le misure relative al corpo dei caratteri vengono generalmente indicate in punti tipografici. Il corpo dei caratteri Fototypes può essere determinato con esattezza per semplice misurazione. Tutti i caratteri di uguale grandezza in punti hanno, indipendentemente dalla loro lunghezza, uguale altezza delle maiuscole. Nella composizione in piombo ed in molti altri sistemi di fotocomposizione, l'altezza delle maiuscole varia spesso da carattere a carattere. Per

2,15 mm (8 p), Zeilenabstand 3,38 mm

normal
medium
normal

SOUVENIR GOTHIC

normal
chiaro tondo
normal

Berthold-Schriften überzeugen durch Schärfe und Qualität. Schriftqu
alität ist eine Frage der Erfahrung. Berthold hat diese Erfahrung seit üb
er hundert Jahren. Zuerst im Schriftguß, dann im Fotosatz. Berthold S
chriften sind weltweit geschätzt. Im Schriftenatelier München wird jed
er Buchstabe in der Größe von zwölf Zentimetern neu gezeichnet. Mit
messerscharfen Konturen, um für die Schriftscheiben das Optimale an
Konturenschärfe herauszuholen. Um die Qualität des Einzelzeichens
im Belichtungsvorgang zu bewahren, wird durch die ruhende, nicht r
otierende Schriftscheibe belichtet. Dieses optische System, verbunde

1,33 mm (5 p) 20 30 40 50 60

Berthold-Schriften überzeugen durch Schärfe und Qualität. Schr
iftqualität ist eine Frage der Erfahrung. Berthold hat diese Erfahru
ng seit über hundert Jahren. Zuerst im Schriftguß, dann im Fotosa
tz. Berthold-Schriften sind weltweit geschätzt. Im Schriftenatelier
München wird jeder Buchstabe in der Größe von zwölf Zentimete
rn neu gezeichnet. Mit messerscharfen Konturen, um für die Schr
iftscheiben das Optimale an Konturenschärfe herauszuholen. Um
die Qualität des Einzelzeichens im Belichtungsvorgang zu bewah
ren, wird durch die ruhende, nicht rotierende Schriftscheibe beli

1,45 mm (5,5 p) 20 30 40 50 60

Berthold-Schriften überzeugen durch Schärfe und Qualitä
t. Schriftqualität ist eine Frage der Erfahrung. Berthold hat
diese Erfahrung seit über hundert Jahren. Zuerst im Schrift
guß, dann im Fotosatz. Berthold-Schriften sind weltweit ges
chätzt. Im Schriftenatelier München wird jeder Buchstabe i
n der Größe von zwölf Zentimetern neu gezeichnet. Mit mes
serscharfen Konturen, um für die Schriftscheiben das Opti
male an Konturenschärfe herauszuholen. Um die Qualität
des Einzelzeichens im Belichtungsvorgang zu bewahren, w

1,60 mm (6 p) 20 30 40 50

Berthold-Schriften überzeugen durch Schärfe und Qu
alität. Schriftqualität ist eine Frage der Erfahrung. Berth
old hat diese Erfahrung seit über hundert Jahren. Zuerst
im Schriftguß, dann im Fotosatz. Berthold-Schriften sin
d weltweit geschätzt. Im Schriftenatelier München wird
jeder Buchstabe in der Größe von zwölf Zentimetern ne
u gezeichnet. Mit messerscharfen Konturen, um für die
Schriftscheiben das Optimale an Konturenschärfe her
auszuholen. Um die Qualität des Einzelzeichens im Bel

1,75 mm (6,5 p) 20 30 40 50

Berthold-Schriften überzeugen durch Schärfe und
Qualität. Schriftqualität ist eine Frage der Erfahrung
Berthold hat diese Erfahrung seit über hundert Jahr
en. Zuerst im Schriftguß, dann im Fotosatz. Berthold
Schriften sind weltweit geschätzt. Im Schriftenatelier
München wird jeder Buchstabe in der Größe von zw
ölf Zentimetern neu gezeichnet. Mit messerscharfen
Konturen, um für die Schriftscheiben das Optimale
an Konturenschärfe herauszuholen. Um die Qualität

1,86 mm (7 p) 20 30 40 5

Berthold-Schriften überzeugen durch Schärfe u
nd Qualität. Schriftqualität ist eine Frage der Erfa
hrung. Berthold hat diese Erfahrung seit über hu
ndert Jahren. Zuerst im Schriftguß, dann im Foto
satz. Berthold-Schriften sind weltweit geschätzt. I
m Schriftenatelier München wird jeder Buchstab
e in der Größe von zwölf Zentimetern neu gezeic
hnet. Mit messerscharfen Konturen, um für die S
chriftscheiben das Optimale an Konturenschärfe

2,00 mm (7,5 p) 20 30 40

Berthold-Schriften überzeugen durch Schärfe
und Qualität. Schriftqualität ist eine Frage der
Erfahrung. Berthold hat diese Erfahrung seit ü
ber hundert Jahren. Zuerst im Schriftguß, dann
im Fotosatz. Berthold-Schriften sind weltweit g
eschätzt. Im Schriftenatelier München wird je
der Buchstabe in der Größe von zwölf Zentime
tern neu gezeichnet. Mit messerscharfen Kont
uren, um für die Schriftscheiben das Optimale

2,15 mm (8 p) 20 30 40

1977
TypeSpectra, Inc.
H. Berthold AG

ABCDEFGHIJKLMNOPQ
RSTUVWXYZ
abcdefghijklmnopqrstuvwxyz
1/1234567890%
(.,-;:!¡?¿–)·[‘‚„”“»«]
+–=/$£†*&§
ÄÅÆÖØŒÜäåæıöøœßü
ÁÀÂÃÇČÉÈÊËÍÌÎÏĹŇÑÓÒÔÕ
ŔŘŠŤÚÙÛŴẄÝŶŸŽ
áàâãçčéèêëíìîïĺňñóòôõŕřš
úùûŵẅýỳÿž

Berthold-Schriftweite weit
Berthold-Schriftweite normal
Berthold-Schriftweite eng
Berthold-Schriftweite sehr eng
Berthold-Schriftweite extrem eng

Berthold
3,75 mm (14 p)

Berthold
4,25 mm (16 p)

Berthold
4,75 mm (18 p)

Berthold
5,30 mm (20 p)

Berthold
6,35 mm (24 p)

Berthold
7,40 mm (28 p)

Berthold
8,50 mm (32 p)

Berthold
9,55 mm (36 p)

Größe mm	p	Zeilenabstand kp	Êp	Ex	100 Zeichen 0	–1	–2
1,33	5	1,75	2,13	2,00	83	80	77
1,60	6	2,06	2,50	2,50	98	94	90
1,86	7	2,44	2,94	3,00	113	109	105
2,15	8	2,81	3,38	3,50	128	123	118
2,40	9	3,13	3,75	3,75	143	137	131
2,65	10	3,44	4,19	4,25	158	151	144
2,92	11	3,75	4,56	4,75	173	166	159
3,20	12	4,13	5,00	5,25	188	180	172
3,45	13	4,44	5,44	5,75	202	194	186
3,72	14	4,81	5,81	—	217	208	199
3,98	15	5,13	6,25	—	232	223	214
4,25	16	5,50	6,69	—	246	236	226

WZ 13 E, NSW 0, MZB 0,60, F 0,17:0,067 (2,5), VI
H 1–x 0,63–k 1,03–p 0,25–Ê 1,31–kp 1,28–Êp 1,56
BF 089 0632, Belegung 051: 087 3663 (097 3663)

Berthold-Schriften überzeugen durch Sc
härfe und Qualität. Schriftqualität ist eine
Frage der Erfahrung. Berthold hat diese E
rfahrung seit über hundert Jahren. Zuerst
im Schriftguß, dann im Fotosatz. Berthol
d-Schriften sind weltweit geschätzt. Im Sc
hriftenatelier München wird jeder Buchst
abe in der Größe von zwölf Zentimetern n

2,40 mm (9 p) 20 30

Berthold-Schriften überzeugen durc
h Schärfe und Qualität. Schriftqualit
ät ist eine Frage der Erfahrung. Berth
old hat diese Erfahrung seit über hun
dert Jahren. Zuerst im Schriftguß, da
nn im Fotosatz. Berthold-Schriften si
nd weltweit geschätzt. Im Schriftenat
elier München wird jeder Buchstabe

2,65 mm (10 p) 20 30

Berthold-Schriften überzeugen d
urch Schärfe und Qualität. Schrift
qualität ist eine Frage der Erfahrun
g. Berthold hat diese Erfahrung seit
über hundert Jahren. Zuerst im Sc
hriftguß, dann im Fotosatz. Bertho
ld-Schriften sind weltweit geschät
zt. Im Schriftenatelier München wi

2,92 mm (11 p) 10 20 30

Berthold-Schriften überzeugen
durch Schärfe und Qualität. Sc
hriftqualität ist eine Frage der E
rfahrung. Berthold hat diese Er
fahrung seit über hundert Jahr
en. Zuerst im Schriftguß, dann i
m Fotosatz. Berthold-Schriften
sind weltweit geschätzt. Im Sch

3,20 mm (12 p) 10 20 30

Berthold-Schriften überzeug
en durch Schärfe und Qualit
ät. Schriftqualität ist eine Fra
ge der Erfahrung. Berthold h
at diese Erfahrung seit über h
undert Jahren. Zuerst im Sch
riftguß, dann im Fotosatz. Be
rthold-Schriften sind weltweit

3,45 mm (13 p) 10 20

normal
medium
normal

SOUVENIR GOTHIC

normal
chiaro tondo
normal

Berthold-Schriften überzeugen durch Schärfe und Qualität. Schriftqualität ist eine Frage der Erfahrung. Berthold hat diese Erfahrung seit über hundert Jahren. Zuerst im Schriftguß, dann im Fotosatz. Berthold-Schriften sind welt weit geschätzt. Im Schriftenatelier München wird jeder Buchstabe in der Gr öße von zwölf Zentimetern neu gezeichnet. Mit messerscharfen Konturen um für die Schriftscheiben das Optimale an Konturenschärfe herauszuhol en. Um die Qualität des Einzelzeichens im Belichtungsvorgang zu bewahr en, wird durch die ruhende, nicht rotierende Schriftscheibe belichtet. Dies es optische System, verbunden mit Präzisions-Chromglasscheiben, führt zu

4,25 mm (16 p), Zeilenabstand 6,75 mm

SOUVENIR GOTHIC MEDIUM

In general, bodytypes are measured in the typo graphical point size. The sizes of Berthold Fototype faces can be exactly determined. All faces of same point size have the same capital heigth–irrespective of their x-heigth. In hot metal and many other photo typesetting systems the capital heigths often differ considerably from one face to the other. For meas uring point sizes, a transparent size gauge is provid ed. To determine the point size, bring a capital letter into coincidence with that field which precisely cir cumscribes the letter at its upper and lower margin Below the field you find the typographical point and below that the millimeter value, which also refers to the height of a capital letter. In Berthold-phototype setting, the typewidth can be modified. The stand ard setting width of typefaces is determined by the principle of optimum legibility. You should not de part from this typewidth without cogent reason. A typeface which is considered optically right when looked in a greater context, often seems bulky when applied for a small amount of text, e. g. labels and ads. Here, a width reduction will be conducive to

2,40 mm (9 p), Zeilenabstand 4,25 mm

SOUVENIR GOTHIC NORMAL

La valeur de la force de corps des caractères de labeur èst généralement exprimée en points typographiques. La force de corps des caractères Berthold-Fototype peut être déter minée avec précision. Tous les caractères du même corps ont des capitales d'une hauteur identique, indépendamment de la hauteur des bas de casse sans jambage. Dans la com position plomb, ainsi que dans certains sys tèmes de photocomposition, la hauteur des capitales, varie souvent d'un caractère à l'au tre. Pour déterminer la force de corps de nos caractères, nous avons mis au point une ré glette de hauteur d'œil transparente. On cher che le rectangle qui délimite exactement la hauteur d'œil d'une capitale du caractère choisi. Sous le rectangle correspondant la valeur de la force de corps est indiquée en points Didots et en millimètres. La valeur en millimètres exprime également la hauteur des

2,65 mm (10 p), Zeilenabstand 4,69 mm

La indicación de las dimensiones para cuerpos de letra vásicos tiene lugar en general en puntos tipográficos. Los cuerpos de letra de los caracte res Berthold Fototype pueden determinarse ex actemente par medición. Con independencia de la altura de sus longitudes centrales, todos los ca racteres de idéntico cuerpo de letra presentan al tura de mayúsculas idéntica. En la composi ción en plomo y en muchos otros sistemas de fo

2,15 mm (8 p), –1, Zeilenabstand 3,38 mm

123,– $	456,– £	7890,– DM	1 %
234,– $	789,– £	1234,– DM	2 %
567,– $	12,– £	5678,– DM	3 %
890,– $	345,– £	9012,– DM	4 %
123,– $	678,– £	3456,– DM	5 %
456,– $	901,– £	7890,– DM	6 %
789,– $	234,– £	1234,– DM	7 %
12,– $	567,– £	5678,– DM	8 %
345,– $	890,– £	9012,– DM	9 %

BF 089 0633

Le misure relative al corpo dei caratteri vengono ge neralmente indicate in punti tipografici. Il corpo dei caratteri Fototypes può essere determinato con esattezza per semplice misurazione. Tutti i caratteri di uguale grandezza in punti hanno, indipendente mente dalla loro lunghezza, uguale altezza delle maiuscole. Nella composizione in piombo ed in molti altri sistemi di fotocomposizione, l'altezza del le maiuscole varia spesso da carattere a carattere

2,15 mm (8 p), –2, Zeilenabstand 3,38 mm

kursiv
medium italic
italique

SOUVENIR GOTHIC

cursiva
corsivo
kursiv

Måttangivelse för grundstilsgrader sker i allmänhet i typografiska pun kter. Stilar av Berthold Fototype kan efter mätning exakt gradbestä mmas. Alla typsnitt är av samma punktstorlek och har oberoende av x-höjden en identisk versalhöjd. I blysättning och i många andra fot osättsystem varierar versalhöjden avsevärt från typsnitt till typsnitt För mätning av stilgrader finns en transparent mätlinjal. Vid mätning en placerar man en versal bokstav så att rutorna begränsar tecknet upptill och nedtill. Under rutorna fi nns stilstorleken i typografiska did otpunkter och i mm. Även millime teruppgiften avser versalhöjden Vid stilstorleksuppgifter anges allt

2,92 mm (11 p), Zeilenabstand 4,69 mm

1977
TypeSpectra, Inc.
H. Berthold AG

ABCDEFGHIJKLMNOPQ
RSTUVWXYZ
abcdefghijklmnopqrstuvwxyz
1/1234567890%
(.,-;:!¡?¿–)·["„"“»«]
+−=/$£†&§*
ÄÅÆÖØŒÜäåæıöøœßü
ÁÀÂÃÇČÉÈÊËÍÌÎÏĹŇÑÓÒÔÕ
ŔŘŠŤÚÙÛŴẄÝỲŸŽ
áàâãçčéèêëíìîïĺňñóòôõŕřš
úùûŵẅýỳÿž

Berthold-Schriftweite weit
Berthold-Schriftweite normal
Berthold-Schriftweite eng
Berthold-Schriftweite sehr eng
Berthold-Schriftweite extrem eng

In general, bodytypes are meas ured in the typographical point size. The sizes of Berthold Foto type faces can be exactly deter mined. All faces of same point size have the same capital heig ht–irrespective of their x-height In hot metal and many other ph ototypesetting systems the cap ital heights often differ conside rably from one face to the othe r. For measuring point sizes, a transparent size gauge is provi ded. To determine the point si ze, bring a capital letter into co incidence with that field which precisely circumscribes the lett

3,20 mm (12 p), Zeilenabstand 5,25 mm

SOUVENIR GOTHIC

Die Maßangabe zu Grundschriftgrößen erfolgt im allgemeinen in typographischen Punkten. Die Schriftgrößen der Berthold-Fotosatz-Schriften sind nach Messung exakt bestimmbar. Alle Schriften gleicher Punktgröße weisen, unabhängig von der Höhe ihrer Mittellängen, eine identische Versalhö he auf. Im Bleisatz und bei vielen anderen Fotosatz Systemen differieren die Versalhöhen von Schrift zu Schrift oft erheblich. Zum Messen von Schriftgrö ßen steht ein transparentes Größenmaß zur Verfü gung. Zum Messen wird ein Versalbuchstabe mit dem Feld in Deckung gebracht, das den Buchsta ben oben und unten scharf begrenzt. Unter dem Feld ist die Schriftgröße in typographischen Didot Punkten, darunter in Millimetern angegeben. Auch die Millimeterangaben beziehen sich auf die Höhe der Versalbuchstaben. Die Schriftweite kann im Berthold-Fotosatz beliebig verändert werden. Die

2,40 mm (9 p), Zeilenabstand 4 mm

SOUVENIR GOTHIC

La valeur de la force de corps des caractères de labeur èst généralement exprimée en points typographiques. La force de corps des carac tères Berthold-Fototype peut être déterminée avec précision. Tous les caractères du même corps ont des capitales d'une hauteur iden tique, indépendamment de la hauteur des bas de casse sans jambage. Dans la composition plomb, ainsi que dans certains systèmes de photocomposition, la hauteur des capitales varie souvent d'un caractère à l'autre. Pour dé terminer la force de corps de nos caractères nous avons mis au point une réglette de hau teur d'œil transparente. On cherche le rec tangle qui délimite exactement la hauteur d'œil d'une capitale du caractère choisi. Sous

2,65 mm (10 p), Zeilenabstand 4,50 mm

La indicación de las dimensiones para cuerpos de letra vási cos tiene lugar en general en puntos tipográficos. Los cuer pos de letra de los caracteres Berthold Fototype pueden de terminarse exactemente par medición. Con independencia de la altura de sus longitudes centrales, todos los caracteres de idéntico cuerpo de letra presentan altura de mayúscu las idéntica. En la composición en plomo y en muchos otros sistemas de fotocomposición, las alturas de mayúsculas va rían frecuentemmente en forma considerable de tipo de letra a tipo de letra. Para medir los cuerpos de letra se dispo ne de un tipómetro, véase la figura. Para la medición se hace coincidir una letra mayúscula con la casilla cuyos extre

1,60 mm (6 p), Zeilenabstand 2,50 mm

Größe		Zeilenabstand			100 Zeichen		
mm	p	kp	Êp	Ex	0	−1	−2
1,33	5	1,75	2,00		00	00	77
1,60	6	2,06	2,50	2,50	97	93	89
1,86	7	2,44	2,94	—	112	108	104
2,15	8	2,81	3,38	3,38	127	122	117
2,40	9	3,13	3,75	4,00	142	136	130
2,65	10	3,44	4,13	4,50	157	150	143
2,92	11	3,75	4,56	4,69	171	164	157
3,20	12	4,13	5,00	5,25	186	178	170
3,45	13	4,44	5,38	—	201	193	185
3,72	14	4,81	5,81	—	215	206	197
3,98	15	5,13	6,19	—	230	221	212
4,25	16	5,50	6,63	—	244	234	224

WZ 13 E, NSW 0, MZB 0,59, F 0,17:0,063 (2,7), VI
H 1–x 0,64–k 1,03–p 0,25–Ê 1,30–kp 1,28–Êp 1,55
BF 089 0634, Belegung 051: 087 3664 (097 3664)

Le misure relative al corpo dei caratteri vengo no generalmente indicate in punti tipografici. Il corpo dei caratteri Fototypes può essere deter minato con esattezza per semplice misurazio ne. Tutti i caratteri di uguale grandezza in punti hanno, indipendentemente dalla loro lunghez za, uguale altezza delle maiuscole. Nella com posizione in piombo ed in molti altri sistemi di fotocomposizione, l'altezza delle maiuscole

2,15 mm (8 p), Zeilenabstand 3,38 mm

halbfett
demi-bold
demi-gras

SOUVENIR GOTHIC

seminegra
neretto
halvfet

Berthold-Schriften überzeugen durch Schärfe und Qualität. Schriftqualität ist eine Frage der Erfahrung. Berthold hat diese Erfahrung seit über hundert Jahren. Zuerst im Schriftguß, dann im Fotosatz. Berthold-Schriften sind weltweit geschätzt. Im Schriftenatelier München wird jeder Buchstabe in der Größe von zwölf Zentimetern neu gezeichnet. Mit messerscharfen Konturen, um für die Schriftscheiben das Optimale an Konturenschärfe herauszuholen. Um die Qualität des Einzelzeichens im Belichtun

1,60 mm (6 p), Zeilenabstand 2,50 mm

Berthold-Schriften überzeugen durch Schärfe und Qualität. Schriftqualität ist eine Frage der Erfahrung. Berthold hat diese Erfahrung seit über hundert Jahren. Zuerst im Schriftguß, dann im Fotosatz. Berthold-Schriften sind weltweit geschätzt Im Schriftenatelier München wird jeder Buchstabe in der Größe von zwölf Zentimetern neu gezeichnet. Mit messerscharfen Konturen, um für die

1,86 mm (7 p), Zeilenabstand 3,00 mm

Berthold-Schriften überzeugen durch Schärfe und Qualität. Schriftqualität ist eine Frage der Erfahrung. Berthold hat diese Erfahrung seit über hundert Jahren. Zuerst im Schriftguß, dann im Fotosatz. Berthold-Schriften sind weltweit geschätzt. Im Schriftenatelier München wird jeder Buchstabe in der Größe von zwölf Zentimetern neu gezeichnet

2,15 mm (8 p), Zeilenabstand 3,50 mm

1977
TypeSpectra, Inc.
H. Berthold AG

ABCDEFGHIJKLMNOPQ
RSTUVWXYZ
abcdefghijklmnopqrstuvwxyz
1/1234567890 %
(.,-;:!¡?¿–) · [",„"“»«]
+−=/$£†*&§
ÄÅÆÖØŒÜäåæıöøœßü
ÁÀÂÃÇČÉÈÊËÍÌÎÏĹŇÑÓÒÔÕ
ŔŘŠŤÚÙÛŴẄÝŶŸŽ
áàâãçčéèêëíìîïĺňñóòôõŕřš
úùûŵẅýỳÿž

Berthold-Schriftweite weit
Berthold-Schriftweite normal
Berthold-Schriftweite eng
Berthold-Schriftweite sehr eng
Berthold-Schriftweite extrem eng

In general, bodytypes are measured in the typographical point size. The sizes of Berthold Fototype faces can be exactly determined. All faces of same point size have the same capital height–irrespective of their x-height. In hot metal and many other phototype setting systems the capital heights often differ considerably from one face to the other. For measuring point sizes, a transparent size gauge is provided. To determine the point size, bring a capital letter into coincidence with that field whi

3,20 mm (12 p), Zeilenabstand 5,25 mm

Berthold's quick brown fox jumps over the lazy dog and feels as if he were in the s
3,75 mm (14 p)

Berthold's quick brown fox jumps over the lazy dog and feels as if he we
4,25 mm (16 p)

Berthold's quick brown fox jumps over the lazy dog and feels as
4,75 mm (18 p)

Berthold's quick brown fox jumps over the lazy dog and f
5,30 mm (20 p)

Berthold's quick brown fox jumps over the lazy
6,35 mm (24 p)

Berthold's quick brown fox jumps over t
7,40 mm (28 p)

Berthold's quick brown fox jumps o
8,50 mm (32 p)

Berthold's quick brown fox jum
9,55 mm (36 p)

Berthold-Schriften überzeugen durch Schärfe und Qualität. Schriftqualität ist eine Frage der Erfahrung. Berthold hat diese Erfahrung seit über hundert Jahren. Zuerst im Schriftguß, dann im Fotosatz. Berthold-Schriften sind weltweit geschätzt. Im Schriftenatelier München wird jeder Buchstabe in der Größe von

2,40 mm (9 p), Zeilenabstand 4,00 mm

Größe mm	p	Zeilenabstand kp	Êp	Ex	100 Zeichen 0	−1	−2
1,33	5	1,75	2,13	—	87	84	81
1,60	6	2,13	2,56	2,50	103	99	95
1,86	7	2,44	3,00	3,00	118	114	110
2,15	8	2,81	3,44	3,50	134	129	124
2,40	9	3,13	3,81	4,00	150	144	138
2,65	10	3,44	4,19	4,00	165	158	151
2,92	11	3,81	4,63	—	181	174	167
3,20	12	4,19	5,06	5,25	196	188	180
3,45	13	4,50	5,50	—	212	204	196
3,72	14	4,81	5,94	—	227	218	209
3,98	15	5,19	6,31	—	243	234	225
4,25	16	5,50	6,75	—	258	248	238

WZ 13 E, NSW 0, MZB 0,62, F 0,22:0,079 (2,8), VI H 1–x 0,63–k 1,02–p 0,27–Ê 1,31–kp 1,29–Êp 1,58 BF 089 0635, Belegung 051: 087 3665 (097 3665)

Berthold-Schriften überzeugen durch Schärfe und Qualität. Schriftqualität ist eine Frage der Erfahrung Berthold hat diese Erfahrung seit über hundert Jahren. Zuerst im Schriftguß, dann im Fotosatz. Berthold Schriften sind weltweit geschätzt. Im Schriftenatelier München wird je

2,65 mm (10 p), Zeilenabstand 4,00 mm

kursiv halbfett
demi-bold italic
italique demi-gras

SOUVENIR GOTHIC

seminegra cursiva
neretto corsivo
kursiv halvfet

Berthold-Schriften überzeugen durch Schärfe und Quali tät. Schriftqualität ist eine Frage der Erfahrung. Berthold hat diese Erfahrung seit über hundert Jahren. Zuerst im Schriftguß, dann im Fotosatz. Berthold-Schriften sind weltweit geschätzt. Im Schriftenatelier München wird je der Buchstabe in der Größe von zwölf Zentimetern neu gezeichnet. Mit messerscharfen Konturen, um für die Sc hriftscheiben das Optimale an Konturenschärfe herausz uholen. Um die Qualität des Einzelzeichens im Belichtun

1,60 mm (6 p), Zeilenabstand 2,50 mm

Berthold-Schriften überzeugen durch Schärfe und Qualität. Schriftqualität ist eine Frage der Erf ahrung. Berthold hat diese Erfahrung seit über hu ndert Jahren. Zuerst im Schriftguß, dann im Fotos atz. Berthold-Schriften sind weltweit geschätzt Im Schriftenatelier München wird jeder Buchsta be in der Größe von zwölf Zentimetern neu gezei chnet. Mit messerscharfen Konturen, um für die

1,86 mm (7 p), Zeilenabstand 3,00 mm

Berthold-Schriften überzeugen durch Schä rfe und Qualität. Schriftqualität ist eine Fra ge der Erfahrung. Berthold hat diese Erfahr ung seit über hundert Jahren. Zuerst im Sch riftguß, dann im Fotosatz. Berthold-Schrift en sind weltweit geschätzt. Im Schriftenatel ier München wird jeder Buchstabe in der Größe von zwölf Zentimetern neu gezeich

2,15 mm (8 p), Zeilenabstand 3,50 mm

1977
TypeSpectra, Inc.
H. Berthold AG

ABCDEFGHIJKLMNOPQ
RSTUVWXYZ
abcdefghijklmnopqrstuvwxyz
1/1234567890 %
(.,-;:!¡?¿–)·[‘‚„”“»«]
+−=/$£†*&§
ÄÅÆÖØŒÜäåæıöøœßü
ÁÀÂÃÇČÉÈÊËÍÌÎÏĹŇÑÓÒÔÕ
ŔŘŠŤÚÙÛŴẄÝŶŸŽ
áàâãçčéèêëíìîïĺňñóòôõŕřš
úùûŵẅýỳÿž

Berthold-Schriftweite weit
Berthold-Schriftweite normal
Berthold-Schriftweite eng
Berthold-Schriftweite sehr eng
Berthold-Schriftweite extrem eng

In general, bodytypes are me asured in the typographical p oint size. The sizes of Berthold Fototype faces can be exactly determined. All faces of same point size have the same capit al height–irrespective of their x-height. In hot metal and ma ny other phototypesetting syst ems the capital heights often di ffer considerably from one fa ce to the other. For measuring point sizes, a transparent size gauge is provided. To determi ne the point size, bring a capi tal letter into coincidence with that field which precisely circu

3,20 mm (12 p), Zeilenabstand 5,25 mm

Berthold's quick brown fox jumps over the lazy dog and feels as if he were in the s
3,75 mm (14 p)

Berthold's quick brown fox jumps over the lazy dog and feels as if he we
4,25 mm (16 p)

Berthold's quick brown fox jumps over the lazy dog and feels as
4,75 mm (18 p)

Berthold's quick brown fox jumps over the lazy dog and f
5,30 mm (20 p)

Berthold's quick brown fox jumps over the lazy
6,35 mm (24 p)

Berthold's quick brown fox jumps over t
7,40 mm (28 p)

Berthold's quick brown fox jumps o
8,50 mm (32 p)

Berthold's quick brown fox jum
9,55 mm (36 p)

Berthold-Schriften überzeugen durch Schärfe und Qualität. Schriftqualität ist eine Frage der Erfahrung. Berthold hat diese Erfahrung seit über hundert Jahr en. Zuerst im Schriftguß, dann im Foto satz. Berthold-Schriften sind weltweit geschätzt. Im Schriftenatelier München wird jeder Buchstabe in der Größe von

2,40 mm (9 p), Zeilenabstand 4,00 mm

Größe mm	p	Zeilenabstand kp	Êp	Ex	100 Zeichen 0	−1	−2
1,33	5	1,75	2,13	–	87	84	81
1,60	6	2,13	2,56	2,50	103	99	95
1,86	7	2,44	3,00	3,00	118	114	110
2,15	8	2,81	3,44	3,50	134	129	124
2,40	9	3,13	3,81	4,00	150	144	138
2,65	10	3,50	4,19	4,00	165	158	151
2,92	11	3,81	4,63	–	181	174	167
3,20	12	4,19	5,06	5,25	196	188	180
3,45	13	4,50	5,50	–	212	204	196
3,72	14	4,88	5,94	–	227	218	209
3,98	15	5,19	6,31	–	243	234	225
4,25	16	5,56	6,75	–	258	248	238

WZ 14 E, NSW 0, MZB 0,62, F 0,22:0,075 (2,9), VI H 1–x 0,63–k 1,03–p 0,27–Ê 1,31–kp 1,30–Êp 1,58
BF 089 0636, Belegung 051: 087 3666 (097 3666)

Berthold-Schriften überzeugen du rch Schärfe und Qualität. Schriftqu alität ist eine Frage der Erfahrung Berthold hat diese Erfahrung seit ü ber hundert Jahren. Zuerst im Schri ftguß, dann im Fotosatz. Berthold Schriften sind weltweit geschätzt. I m Schriftenatelier München wird je

2,65 mm (10 p), Zeilenabstand 4,00 mm

fett
bold
gras

STEILE FUTURA

negra
nero
fet

Berthold-Schriften überzeugen durch Schärfe und Qualität. Schriftqua lität ist eine Frage der Erfahrung. Berthold hat diese Erfahrung seit übe r hundert Jahren. Zuerst im Schriftguß, dann im Fotosatz. Berthold-Sc hriften sind weltweit geschätzt. Im Schriftenatelier München wird jed er Buchstabe in der Größe von zwölf Zentimetern neu gezeichnet. Mit messerscharfen Konturen, um für die Schriftscheiben das Optimale an Konturenschärfe herauszuholen. Um die Qualität des Einzelzeichens im Belichtungsvorgang zu bewahren, wird durch die ruhende, nicht ro tierende Schriftscheibe belichtet. Dieses optische System, verbunden

1,60 mm (6 p), Zeilenabstand 2,50 mm

Berthold-Schriften überzeugen durch Schärfe und Qualität. S chriftqualität ist eine Frage der Erfahrung. Berthold hat diese Erfahrung seit über hundert Jahren. Zuerst im Schriftguß, da nn im Fotosatz. Berthold-Schriften sind weltweit geschätzt. I m Schriftenatelier München wird jeder Buchstabe in der Grö ße von zwölf Zentimetern neu gezeichnet. Mit messerscharf en Konturen, um für die Schriftscheiben das Optimale an Kon turenschärfe herauszuholen. Um die Qualität des Einzelzeich

1,86 mm (7 p), Zeilenabstand 3,00 mm

Berthold-Schriften überzeugen durch Schärfe und Qua lität. Schriftqualität ist eine Frage der Erfahrung. Berth old hat diese Erfahrung seit über hundert Jahren. Zuer st im Schriftguß, dann im Fotosatz. Berthold-Schriften sind weltweit geschätzt. Im Schriftenatelier München wird jeder Buchstabe in der Größe von zwölf Zentimet ern neu gezeichnet. Mit messerscharfen Konturen, um für die Schriftscheiben das Optimale an Konturenschär

2,15 mm (8 p), Zeilenabstand 3,50 mm

Paul Renner
1953
Fundición Tipográfica Neufville, S.A.
H. Berthold AG

ABCDEFGHIJKLMNOPQ
RSTUVWXYZ
abcdefghijklmnopqrstuvwxyz
1/1234567890 %
(.,-;:!¡?¿–)·[‘‘„“”»«]
+–=/$£†*&§
ÄÅÆÖØŒÜäåæıöøœßü
ÁÀÂÃÇČÉÈÊËÍÌÎÏĹŇÑÓÒÔÕ
ŔŘŠŤÚÙÛŴẄÝŶŸŽ
áàâãçčéèêëíìîïĺňñóòôõŕřš
úùûŵẅýỳÿž

Berthold-Schriftweite weit
Berthold-Schriftweite normal
Berthold-Schriftweite eng
Berthold-Schriftweite sehr eng
Berthold-Schriftweite extrem eng

In general, bodytypes are measured in the typographical point size. The si zes of Berthold Fototype faces can be exactly determined. All faces of same point size have the same capital heig ht–irrespective of their x-height. In h ot metal and many other phototypes etting systems the capital heights o ften differ considerably from one face to the other. For measuring point siz es, a transparent size gauge is provid ed. To determine the point size, bring a capital letter into coincidence with t hat field which precisely circumscrib es the letter at its upper and lower m argin. Below the field you find the ty pographical point and below that the

3,20 mm (12 p), Zeilenabstand 5,25 mm

Berthold's quick brown fox jumps over the lazy dog and feels as if he were in the seventh heaven of ty
3,72 mm (14 p)

Berthold's quick brown fox jumps over the lazy dog and feels as if he were in the seventh
4,25 mm (16 p)

Berthold's quick brown fox jumps over the lazy dog and feels as if he were in the
4,75 mm (18 p)

Berthold's quick brown fox jumps over the lazy dog and feels as if he we
5,30 mm (20 p)

Berthold's quick brown fox jumps over the lazy dog and feels
6,35 mm (24 p)

Berthold's quick brown fox jumps over the lazy dog
7,40 mm (28 p)

Berthold's quick brown fox jumps over the la
8,50 mm (32 p)

Berthold's quick brown fox jumps over t
9,55 mm (36 p)

Berthold-Schriften überzeugen durch Schärfe un d Qualität. Schriftqualität ist eine Frage der Erfah rung. Berthold hat diese Erfahrung seit über hun dert Jahren. Zuerst im Schriftguß, dann im Fotos atz. Berthold-Schriften sind weltweit geschätzt. I m Schriftenatelier München wird jeder Buchstab e in der Größe von zwölf Zentimetern neu gezeic hnet. Mit messerscharfen Konturen, um für die S

2,40 mm (9 p), Zeilenabstand 4,00 mm

Größe		Zeilenabstand			100 Zeichen		
mm	p	kp	Êp	Ex	0	–1	–2
1,33	5	1,69	2,06	–	73	70	67
1,60	6	2,06	2,44	2,50	86	82	78
1,86	7	2,38	2,81	3,00	99	95	91
2,15	8	2,69	3,25	3,50	112	107	102
2,40	9	3,06	3,63	4,00	125	119	113
2,65	10	3,38	4,06	4,00	138	131	124
2,92	11	3,69	4,44	–	151	144	137
3,20	12	4,06	4,88	5,25	164	156	148
3,45	13	4,38	5,25	–	177	169	161
3,72	14	4,69	5,63	–	190	181	172
3,98	15	5,06	6,06	–	203	194	185
4,25	16	5,38	6,44	–	216	206	196

WZ 12 E, NSW 0, MZB 0,52, F 0,18:0,10 (1,8), VI
H 1–x 0,68–k 1,00–p 0,26–Ê 1,25–kp 1,26–Êp 1,51
BF 089 1441, Belegung 051: 085 1478 (095 1478)

Berthold-Schriften überzeugen durch Schärf e und Qualität. Schriftqualität ist eine Frage der Erfahrung. Berthold hat diese Erfahrung seit über hundert Jahren. Zuerst im Schriftg uß, dann im Fotosatz. Berthold-Schriften sin d weltweit geschätzt. Im Schriftenatelier M ünchen wird jeder Buchstabe in der Größe v on zwölf Zentimetern neu gezeichnet. Mit m

2,65 mm (10 p), Zeilenabstand 4,00 mm

schräg fett
bold oblique
oblique gras

STEILE FUTURA

negra inclinada
nero corsivo
lutande fet

Berthold-Schriften überzeugen durch Schärfe und Qualität. Schriftqualität ist eine Frage der Erfahrung. Berthold hat diese Erfahrung seit über hundert Jahren. Zuerst im Schriftguß, dann im Fotosatz. Berthold-Schriften sind weltweit geschätzt. Im Schriftenatelier München wird jeder Buchstabe in der Größe von zwölf Zentimetern neu gezeichnet. Mit messerscharfen Konturen, um für die Schriftscheiben das Optimale an Konturenschärfe herauszuholen. Um die Qualität des Einzelzeichens im Belichtungsvorgang zu bewahren wird durch die ruhende, nicht rotierende Schriftscheibe belichtet

1,60 mm (6 p), Zeilenabstand 2,50 mm

Berthold-Schriften überzeugen durch Schärfe und Qualität Schriftqualität ist eine Frage der Erfahrung. Berthold hat diese Erfahrung seit über hundert Jahren. Zuerst im Schriftguß, dann im Fotosatz. Berthold-Schriften sind weltweit geschätzt. Im Schriftenatelier München wird jeder Buchstabe in der Größe von zwölf Zentimetern neu gezeichnet Mit messerscharfen Konturen, um für die Schriftscheiben das Optimale an Konturenschärfe herauszuholen. Um die

1,86 mm (7 p), Zeilenabstand 3,00 mm

Berthold-Schriften überzeugen durch Schärfe und Qualität. Schriftqualität ist eine Frage der Erfahrung. Berthold hat diese Erfahrung seit über hundert Jahren. Zuerst im Schriftguß, dann im Fotosatz. Berthold-Schriften sind weltweit geschätzt. Im Schriftenatelier München wird jeder Buchstabe in der Größe von zwölf Zentimetern neu gezeichnet. Mit messerscharfen Konturen, um für die Schriftscheiben das O

2,15 mm (8 p), Zeilenabstand 3,50 mm

Paul Renner
1954
Fundición Tipográfica Neufville, S.A.
H. Berthold AG

ABCDEFGHIJKLMNOPQ
RSTUVWXYZ
abcdefghijklmnopqrstuvwxyz
1/1234567890%
(.,-;:!¡?¿–)·[‘‚„“”»«]
+–=/$£†*&§
ÄÅÆÖØŒÜäåæıöøœßü
ÁÀÂÃÇČÉÈÊËÍÌÎÏĹŇÑÓÒÔÕ
ŔŘŠŤÚÙÛŴẄÝŶŸŽ
áàâãçčéèêëíìîïĺňñóòôõŕřš
úùûŵẅýỳÿž

Berthold-Schriftweite weit
Berthold-Schriftweite normal
Berthold-Schriftweite eng
Berthold-Schriftweite sehr eng
Berthold-Schriftweite extrem eng

In general, bodytypes are measured in the typographical point size. The sizes of Berthold Fototype faces can be exactly determined. All faces of same point size have the same capital height–irrespective of their x height. In hot metal and many other phototypesetting systems the capital heights often differ considerably from one face to the other. For measuring point sizes, a transparent size gauge is provided. To determine the point size, bring a capital letter into coincidence with that field which precisely circumscribes the letter at its upper and lower margin. Below the field you find the typograp

3,20 mm (12 p), Zeilenabstand 5,25 mm

Berthold's quick brown fox jumps over the lazy dog and feels as if he were in the seventh heaven
3,72 mm (14 p)

Berthold's quick brown fox jumps over the lazy dog and feels as if he were in the sev
4,25 mm (16 p)

Berthold's quick brown fox jumps over the lazy dog and feels as if he were in
4,75 mm (18 p)

Berthold's quick brown fox jumps over the lazy dog and feels as if he
5,30 mm (20 p)

Berthold's quick brown fox jumps over the lazy dog and f
6,35 mm (24 p)

Berthold's quick brown fox jumps over the lazy d
7,40 mm (28 p)

Berthold's quick brown fox jumps over the
8,50 mm (32 p)

Berthold's quick brown fox jumps over
9,55 mm (36 p)

Berthold-Schriften überzeugen durch Schärfe und Qualität. Schriftqualität ist eine Frage der Erfahrung. Berthold hat diese Erfahrung seit über hundert Jahren. Zuerst im Schriftguß, dann im Fotosatz. Berthold-Schriften sind weltweit geschätzt. Im Schriftenatelier München wird jeder Buchstabe in der Größe von zwölf Zentimetern neu gezeichnet. Mit messerscharf

2,40 mm (9 p), Zeilenabstand 4,00 mm

Größe		Zeilenabstand			100 Zeichen		
mm	p	kp	Êp	Ex	0	–1	–2
1,33	5	1,75	2,13	–	77	74	71
1,60	6	2,06	2,56	2,50	91	87	83
1,86	7	2,44	2,94	3,00	105	101	97
2,15	8	2,81	3,38	3,50	119	114	109
2,40	9	3,13	3,81	4,00	133	127	121
2,65	10	3,44	4,19	4,00	147	140	133
2,92	11	3,75	4,63	–	161	154	147
3,20	12	4,13	5,06	5,25	174	166	158
3,45	13	4,44	5,44	–	188	180	172
3,72	14	4,81	5,88	–	202	193	184
3,98	15	5,13	6,25	–	215	206	197
4,25	16	5,50	6,69	–	229	219	209

WZ 12 E, NSW 0, MZB 0,55, F 0,17:0,06 (2,7), VI
H 1–x 0,72–k 1,00–p 0,28–Ê 1,29–kp 1,28–Êp 1,57
BF 089 1509, Belegung 051: 085 1479 (095 1479)

Berthold-Schriften überzeugen durch Schärfe und Qualität. Schriftqualität ist eine Frage der Erfahrung. Berthold hat diese Erfahrung seit über hundert Jahren. Zuerst im Schriftguß, dann im Fotosatz. Berthold-Schriften sind weltweit geschätzt. Im Schriftenatelier München wird jeder Buchstabe in der Größe von zwölf Zentimetern

2,65 mm (10 p), Zeilenabstand 4,00 mm

mager
light
maigre

STYMIE

fina
chiarissimo
mager

Berthold-Schriften überzeugen durch Schärfe und Qualität. Schriftqua
lität ist eine Frage der Erfahrung. Berthold hat diese Erfahrung seit über
hundert Jahren. Zuerst im Schriftguß, dann im Fotosatz. Berthold-Schrift
en sind weltweit geschätzt. Im Schriftenatelier München wird jeder Buc
hstabe in der Größe von zwölf Zentimetern neu gezeichnet. Mit messer
scharfen Konturen, um für die Schriftscheiben das Optimale an Kontur
enschärfe herauszuholen. Um die Qualität des Einzelzeichens im Belic
htungsvorgang zu bewahren, wird durch die ruhende, nicht rotierende
Schriftscheibe belichtet. Dieses optische System, verbunden mit Präz

1,33 mm (5 p) 20 30 40 50 60

Berthold-Schriften überzeugen durch Schärfe und Qualität. Schrif
tqualität ist eine Frage der Erfahrung. Berthold hat diese Erfahrung
seit über hundert Jahren. Zuerst im Schriftguß, dann im Fotosatz. B
erthold-Schriften sind weltweit geschätzt. Im Schriftenatelier Mün
chen wird jeder Buchstabe in der Größe von zwölf Zentimetern neu
gezeichnet. Mit messerscharfen Konturen, um für die Schriftschei
ben das Optimale an Konturenschärfe herauszuholen. Um die
Qualität des Einzelzeichens im Belichtungsvorgang zu bewahren
wird durch die ruhende, nicht rotierende Schriftscheibe belichtet

1,45 mm (5,5 p) 20 30 40 50 6

Berthold-Schriften überzeugen durch Schärfe und Qualität
Schriftqualität ist eine Frage der Erfahrung. Berthold hat dies
e Erfahrung seit über hundert Jahren. Zuerst im Schriftguß, d
ann im Fotosatz. Berthold-Schriften sind weltweit geschätzt. I
m Schriftenatelier München wird jeder Buchstabe in der Gr
öße von zwölf Zentimetern neu gezeichnet. Mit messerscha
rfen Konturen, um für die Schriftscheiben das Optimale an
Konturenschärfe herauszuholen. Um die Qualität des Einzel
zeichens im Belichtungsvorgang zu bewahren, wird durch

1,60 mm (6 p) 20 30 40 50

Berthold-Schriften überzeugen durch Schärfe und Qua
lität. Schriftqualität ist eine Frage der Erfahrung. Berthold
hat diese Erfahrung seit über hundert Jahren. Zuerst im S
chriftguß, dann im Fotosatz. Berthold-Schriften sind welt
weit geschätzt. Im Schriftenatelier München wird jeder
Buchstabe in der Größe von zwölf Zentimetern neu gez
eichnet. Mit messerscharfen Konturen, um für die Schrif
tscheiben das Optimale an Konturenschärfe herauszuh
olen. Um die Qualität des Einzelzeichens im Belichtungs

1,75 mm (6,5 p) 20 30 40 50

Berthold-Schriften überzeugen durch Schärfe und
Qualität. Schriftqualität ist eine Frage der Erfahrung
Berthold hat diese Erfahrung seit über hundert Jahre
n. Zuerst im Schriftguß, dann im Fotosatz. Berthold-S
chriften sind weltweit geschätzt. Im Schriftenatelier
München wird jeder Buchstabe in der Größe von zw
ölf Zentimetern neu gezeichnet. Mit messerscharfen
Konturen, um für die Schriftscheiben das Optimale an
Konturenschärfe herauszuholen. Um die Qualität des

1,86 mm (7 p) 20 30 40

Berthold-Schriften überzeugen durch Schärfe u
nd Qualität. Schriftqualität ist eine Frage der Erfa
hrung. Berthold hat diese Erfahrung seit über hu
ndert Jahren. Zuerst im Schriftguß, dann im Fotos
atz. Berthold-Schriften sind weltweit geschätzt. Im
Schriftenatelier München wird jeder Buchstabe
in der Größe von zwölf Zentimetern neu gezeich
net. Mit messerscharfen Konturen, um für die Sch
riftscheiben das Optimale an Konturenschärfe he

2,00 mm (7,5 p) 20 30 40

Berthold-Schriften überzeugen durch Schärfe
und Qualität. Schriftqualität ist eine Frage der E
rfahrung. Berthold hat diese Erfahrung seit übe
r hundert Jahren. Zuerst im Schriftguß, dann im
Fotosatz. Berthold-Schriften sind weltweit gesc
hätzt. Im Schriftenatelier München wird jeder
Buchstabe in der Größe von zwölf Zentimetern
neu gezeichnet. Mit messerscharfen Konturen
um für die Schriftscheiben das Optimale an Ko

2,15 mm (8 p) 20 30 40

Morris F. Benton
1931
American Typefounders
H. Berthold AG

ABCDEFGHIJKLMNOPQ
RSTUVWXYZ
abcdefghijklmnopqrstuvwxyz
1/1234567890%
(.,-;:!¡?¿–)·[''„""»«]
+−=/$£†*&§
ÄÅÆÖØŒÜäåæıöøœßü
ÁÀÂÃÇČÉÈÊËÍÌÎÏĹŇÑÓÒÔÕ
ŔŘŠŤÚÙÛŴẄÝŶŸŽ
áàâãçčéèêëíìîïĺňñóòôõŕřš
úùûŵẅýỳÿž

Berthold-Schriftweite weit
Berthold-Schriftweite normal
Berthold-Schriftweite eng
Berthold-Schriftweite sehr eng
Berthold-Schriftweite extrem eng

Berthold
3,72 mm (14 p)

Berthold
4,25 mm (16 p)

Berthold
4,75 mm (18 p)

Berthold
5,30 mm (20 p)

Berthold
6,35 mm (24 p)

Berthold
7,40 mm (28 p)

Berthold
8,50 mm (32 p)

Berthold
9,55 mm (36 p)

Größe		Zeilenabstand			100 Zeichen		
mm	p	kp	Êp	Ex	0	−1	−2
1,33	5	1,69	2,06	2,00	86	83	80
1,60	6	2,00	2,44	2,50	101	97	93
1,86	7	2,38	2,88	3,00	116	112	108
2,15	8	2,69	3,31	3,50	132	127	122
2,40	9	3,00	3,69	3,75	148	142	136
2,65	10	3,38	4,06	4,25	163	156	149
2,92	11	3,69	4,44	4,75	178	171	164
3,20	12	4,00	4,88	5,25	193	185	177
3,45	13	4,38	5,25	5,75	209	201	193
3,72	14	4,69	5,69	–	224	215	206
3,98	15	5,00	6,06	–	239	230	221
4,25	16	5,38	6,50	–	254	244	234

WZ 13 E, NSW 0, MZB 0,61, F 0,075:0,07 (1,1), V
H 1−x 0,61−k 1,00−p 0,25−Ê 0,27−kp 1,25−Êp 1,52
BF 089 0825, Belegung 051: 085 8932 (095 8932)

Berthold-Schriften überzeugen durch Sc
härfe und Qualität. Schriftqualität ist eine F
rage der Erfahrung. Berthold hat diese Erf
ahrung seit über hundert Jahren. Zuerst im
Schriftguß, dann im Fotosatz. Berthold-Sc
hriften sind weltweit geschätzt. Im Sch
riftenatelier München wird jeder Buchsta
be in der Größe von zwölf Zentimetern ne

2,40 mm (9 p) 20 30

Berthold-Schriften überzeugen durc
h Schärfe und Qualität. Schriftqualität
ist eine Frage der Erfahrung. Berthold
hat diese Erfahrung seit über hundert
Jahren. Zuerst im Schriftguß, dann im
Fotosatz. Berthold-Schriften sind welt
weit geschätzt. Im Schriftenatelier Mü
nchen wird jeder Buchstabe in der G

2,65 mm (10 p) 20 30

Berthold-Schriften überzeugen du
rch Schärfe und Qualität. Schriftqu
alität ist eine Frage der Erfahrung. B
erthold hat diese Erfahrung seit
über hundert Jahren. Zuerst im Sch
riftguß, dann im Fotosatz. Berthold
Schriften sind weltweit geschätzt. I
m Schriftenatelier München wird je

2,92 mm (11 p) 10 20 30

Berthold-Schriften überzeugen
durch Schärfe und Qualität. Sch
riftqualität ist eine Frage der Er
fahrung. Berthold hat diese Erfa
hrung seit über hundert Jahren
Zuerst im Schriftguß, dann im Fo
tosatz. Berthold-Schriften sind w
eltweit geschätzt. Im Schriftenat

3,20 mm (12 p) 10 20

Berthold-Schriften überzeug
en durch Schärfe und Qualitä
t. Schriftqualität ist eine Frage
der Erfahrung. Berthold hat d
iese Erfahrung seit über hund
ert Jahren. Zuerst im Schriftgu
ß, dann im Fotosatz. Berthold
Schriften sind weltweit gesch

3,45 mm (13 p) 10 20

mager
light
maigre

STYMIE

fina
chiarissimo
mager

Berthold-Schriften überzeugen durch Schärfe und Qualität. Schriftqualität ist
eine Frage der Erfahrung. Berthold hat diese Erfahrung seit über hundert Ja
hren Zuerst im Schriftguß, dann im Fotosatz. Berthold-Schriften sind weltweit
geschätzt. Im Schriftenatelier München wird jeder Buchstabe in der Größe
von zwölf Zentimetern neu gezeichnet. Mit messerscharfen Konturen, um für
die Schriftscheiben das Optimale an Konturenschärfe herauszuholen. Um d
ie Qualität des Einzelzeichens im Belichtungsvorgang zu bewahren, wird du
rch die ruhende, nicht rotierende Schriftscheibe belichtet. Dieses optische
System, verbunden mit Präzisions-Chromglasscheiben, führt zu einer Schrif

4,25 mm (16 p), Zeilenabstand 6,75 mm

STYMIE LIGHT

In general, bodytypes are measured in the typogr
aphical point size. The sizes of Berthold Fototype f
aces can be exactly determined. All faces of same
point size have the same capital height–irrespective
of their x-height. In hot metal and many other photot
ypesetting systems the capital heights often differ co
nsiderably from one face to the other. For measuri
ng point sizes, a transparent size gauge is provided
To determine the point size, bring a capital letter into
coincidence with that field which precisely circum
scribes the letter at its upper and lower margin. Be
low the field you find the typographical point and
below that the millimeter value, which also refers to
the height of a capital letter. In Berthold-phototype
setting, the typewidth can be modified. The standar
d setting width of typefaces is determined by the p
rinciple of optimum legibility. You should not depa
rt from this typewidth without cogent reason. A typ
eface which is considered optically right when look
ed in a greater context, often seems bulky when ap
plied for a small amount of text, e. g. labels and ads
Here, a width reduction will be conducive to legibili

2,40 mm (9 p), Zeilenabstand 4,25 mm

STYMIE MAIGRE

La valeur de la force de corps des caractères
de labeur èst généralement exprimée en poi
nts typographiques. La force de corps des car
actères Berthold-Fototype peut être détermin
ée avec précision. Tous les caractères du mê
me corps ont des capitales d'une hauteur iden
tique, indépendamment de la hauteur des bas
de casse sans jambage. Dans la composition p
lomb, ainsi que dans certains systèmes de pho
tocomposition, la hauteur des capitales, varie s
ouvent d'un caractère à l'autre. Pour détermin
er la force de corps de nos caractères, nous a
vons mis au point une réglette de hauteur d'œ
il transparente. On cherche le rectangle qui d
élimite exactement la hauteur d'œil d'une cap
itale du caractère choisi. Sous le rectangle cor
respondant la valeur de la force de corps est
indiquée en points Didots et en millimètres. La
valeur en millimètres exprime également la ha
uteur des capitales. Pour toutes les indications

2,65 mm (10 p), Zeilenabstand 4,69 mm

La indicación de las dimensiones para cuerpos de
letra vásicos tiene lugar en general en puntos tip
ográficos. Los cuerpos de letra de los caracteres
Berthold Fototype pueden determinarse exacte
mente par medición. Con independencia de la al
tura de sus longitudes centrales, todos los caracte
res de idéntico cuerpo de letra presentan altura
de mayúsculas idéntica. En la composición en plo
mo y en muchos otros sistemas de fotocomposi

2,15 mm (8 p), –1, Zeilenabstand 3,38 mm

123,– $	456,– £	7890,– DM	1 %
234,– $	789,– £	1234,– DM	2 %
567,– $	12,– £	5678,– DM	3 %
890,– $	345,– £	9012,– DM	4 %
123,– $	678,– £	3456,– DM	5 %
456,– $	901,– £	7890,– DM	6 %
789,– $	234,– £	1234,– DM	7 %
12,– $	567,– £	5678,– DM	8 %
345,– $	890,– £	9012,– DM	9 %

BF 089 0826

Le misure relative al corpo dei caratteri vengono g
eneralmente indicate in punti tipografici. Il corpo d
ei caratteri Fototypes può essere determinato con
esattezza per semplice misurazione. Tutti i caratteri
di uguale grandezza in punti hanno, indipendente
mente dalla loro lunghezza, uguale altezza delle m
aiuscole. Nella composizione in piombo ed in mol
ti altri sistemi di fotocomposizione, l'altezza delle mai
uscole varia spesso da carattere a carattere. Per mi

2,15 mm (8 p), –2, Zeilenabstand 3,38 mm

kursiv mager
light italic
italique maigre

STYMIE

fina cursiva
chiarissimo corsivo
kursiv mager

Måttangivelse för grundstilsgrad er sker i allmänhet i typografiska punkter. Stilar av Berthold Fototyp e kan efter mätning exakt gradbe stämmas. Alla typsnitt är av samm a punktstorlek och har oberoende av x-höjden en identisk versal höjd I blysättning och i många andra fo tosättsystem varierar versalhöjde n avsevärt från typsnitt till typsnitt För mätning av stilgrader finns en transparent mätlinjal. Vid mätnin gen placerar man en versal bokst av så att rutorna begränsar teckn et upptill och nedtill. Under rutorn a finns stilstorleken i typografiska didotpunkter och i mm. Även milli meteruppgiften avser versalhöjde n. Vid stilstorleksuppgifter anges a

2,92 mm (11 p), Zeilenabstand 4,69 mm

Morris F. Benton
1931
American Typefounders
H. Berthold AG

ABCDEFGHIJKLMNOPQ
RSTUVWXYZ
abcdefghijklmnopqrstuvwxyz
1/1234567890%
(.,-;:!¡?¿–)·['',""»«]
+−=/$£†&§*
ÄÅÆÖØŒÜäåæıöøœßü
ÁÀÂÃÇČÉÈÊËÍÌÎÏĹŇÑÓÒÔÕ
ŔŘŠŤÚÙÛŴẄÝỲŶŸŽ
áàâãçčéèêëíìîïĺňñóòôõŕřš
úùûŵẅýỳÿž

Berthold-Schriftweite weit
Berthold-Schriftweite normal
Berthold-Schriftweite eng
Berthold-Schriftweite sehr eng
Berthold-Schriftweite extrem eng

In general, bodytypes are mea sured in the typographical poin t size. The sizes of Berthold Foto type faces can be exactly deter mined. All faces of same point si ze have the same capital height irrespective of their x-height. In hot metal and many other phot otypesetting systems the capital heights often differ considerab ly from one face to the other. For measuring point sizes, a transp arent size gauge is provided. T o determine the point size, brin g a capital letter into coinciden ce with that field which precisel y circumscribes the letter at its

3,20 mm (12 p), Zeilenabstand 5,25 mm

STYMIE KURSIV MAGER

Die Maßangabe zu Grundschriftgrößen erfolgt im allgemeinen in typographischen Punkten. Die Sch riftgrößen der Berthold-Fotosatz-Schriften sind na ch Messung exakt bestimmbar. Alle Schriften glei cher Punktgröße weisen, unabhängig von der Hö he ihrer Mittellängen, eine identische Versalhöhe auf. Im Bleisatz und bei vielen anderen Fotosatz-Sy stemen differieren die Versalhöhen von Schrift zu Schrift oft erheblich. Zum Messen von Schriftgröße n steht ein transparentes Größenmaß zur Verfügu ng. Zum Messen wird ein Versalbuchstabe mit dem Feld in Deckung gebracht, das den Buchstaben o ben und unten scharf begrenzt. Unter dem Feld ist die Schriftgröße in typographischen Didot-Punkte n, darunter in Millimetern angegeben. Auch die M illimeterangaben beziehen sich auf die Höhe der V ersalbuchstaben. Die Schriftweite kann im Berthol d-Fotosatz beliebig verändert werden. Die Festleg

2,40 mm (9 p), Zeilenabstand 4 mm

STYMIE ITALIQUE MAIGRE

La valeur de la force de corps des caractères de labeur èst généralement exprimée en poi nts typographiques. La force de corps des ca ractères Berthold-Fototype peut être détermin ée avec précision. Tous les caractères du mêm e corps ont des capitales d'une hauteur iden tique, indépendamment de la hauteur des bas de casse sans jambage. Dans la composition plomb, ainsi que dans certains systèmes de p hotocomposition, la hauteur des capitales, v arie souvent d'un caractère à l'autre. Pour d éterminer la force de corps de nos caractère s, nous avons mis au point une réglette de ha uteur d'œil transparente. On cherche le rec tangle qui délimite exactement la hauteur d œil d'une capitale du caractère choisi. Sous

2,65 mm (10 p), Zeilenabstand 4,50 mm

La indicación de las dimensiones para cuerpos de letra vá sicos tiene lugar en general en puntos tipográficos. Los cu erpos de letra de los caracteres Berthold Fototype pueden determinarse exactemente par medición. Con independen cia de la altura de sus longitudes centrales, todos los carac teres de idéntico cuerpo de letra presentan altura de may úsculas idéntica. En la composición en plomo y en muchos otros sistemas de fotocomposición, las alturas de mayúscu las varían frecuentemmente en forma considerable de tipo de letra a tipo de letra. Para medir los cuerpos de letra se dispone de un tipómetro, véase la figura. Para la medición se hace coincidir una letra mayúscula con la casilla cuyos

1,60 mm (6 p), Zeilenabstand 2,50 mm

Größe		Zeilenabstand			100 Zeichen		
mm	p	kp	Êp	Ex	0	−1	−2
1,33	5	1,69	2,06	–	86	83	80
1,60	6	2,00	2,44	2,50	101	97	93
1,86	7	2,38	2,81	–	116	112	108
2,15	8	2,69	3,25	3,38	132	127	122
2,40	9	3,00	3,63	4,00	148	142	136
2,65	10	3,38	4,06	4,50	163	156	149
2,92	11	3,69	4,44	4,69	178	171	164
3,20	12	4,00	4,88	5,25	193	185	177
3,45	13	4,38	5,25	–	209	201	193
3,72	14	4,69	5,63	–	224	215	206
3,98	15	5,00	6,06	–	239	230	221
4,25	16	5,38	6,44	–	254	244	234

WZ 13 E, NSW 0, MZB 0,61, F 0,075:0,067 (1,1), V H 1–x 0,61–k 1,00–p 0,25–Ê 0,26–kp 1,25–Êp 1,51 BF 089 0827, Belegung 051: 085 8935 (095 8935)

Le misure relative al corpo dei caratteri veng ono generalmente indicate in punti tipografici Il corpo dei caratteri Fototypes può essere det erminato con esattezza per semplice misurazi one. Tutti i caratteri di uguale grandezza in p unti hanno, indipendentemente dalla loro lun ghezza, uguale altezza delle maiuscole. Nella composizione in piombo ed in molti altri siste mi di fotocomposizione, l'altezza delle maius

2,15 mm (8 p), Zeilenabstand 3,38 mm

normal
medium
normal

STYMIE

normal
chiaro tondo
normal

Berthold-Schriften überzeugen durch Schärfe und Qualität. Schrift
qualität ist eine Frage der Erfahrung. Berthold hat diese Erfahrung s
eit über hundert Jahren. Zuerst im Schriftguß, dann im Fotosatz. Bert
hold-Schriften sind weltweit geschätzt. Im Schriftenatelier München
wird jeder Buchstabe in der Größe von zwölf Zentimetern neu gezei
chnet. Mit messerscharfen Konturen, um für die Schriftscheiben das
Optimale an Konturenschärfe herauszuholen. Um die Qualität des E
inzelzeichens im Belichtungsvorgang zu bewahren, wird durch die r
uhende, nicht rotierende Schriftscheibe belichtet. Dieses optische

1,33 mm (5 p) 20 30 40 50 60

Berthold-Schriften überzeugen durch Schärfe und Qualität. Sc
hriftqualität ist eine Frage der Erfahrung. Berthold hat diese Erf
ahrung seit über hundert Jahren. Zuerst im Schriftguß, dann im F
otosatz. Berthold-Schriften sind weltweit geschätzt. Im Schrifte
natelier München wird jeder Buchstabe in der Größe von zwölf
Zentimetern neu gezeichnet. Mit messerscharfen Konturen, um
für die Schriftscheiben das Optimale an Konturenschärfe herau
szuholen. Um die Qualität des Einzelzeichens im Belichtungsvo
rgang zu bewahren, wird durch die ruhende, nicht rotierende S

1,45 mm (5,5 p) 20 30 40 50

Berthold-Schriften überzeugen durch Schärfe und Qualit
ät. Schriftqualität ist eine Frage der Erfahrung. Berthold h
at diese Erfahrung seit über hundert Jahren. Zuerst im Sch
riftguß, dann im Fotosatz. Berthold-Schriften sind weltweit
geschätzt. Im Schriftenatelier München wird jeder Buchs
tabe in der Größe von zwölf Zentimetern neu gezeichnet
Mit messerscharfen Konturen, um für die Schriftscheiben
das Optimale an Konturenschärfe herauszuholen. Um die
Qualität des Einzelzeichens im Belichtungsvorgang zu be

1,60 mm (6 p) 20 30 40 50

Berthold-Schriften überzeugen durch Schärfe und Q
ualität. Schriftqualität ist eine Frage der Erfahrung. B
erthold hat diese Erfahrung seit über hundert Jahren
Zuerst im Schriftguß, dann im Fotosatz. Berthold-Sch
riften sind weltweit geschätzt. Im Schriftenatelier Mü
nchen wird jeder Buchstabe in der Größe von zwölf Z
entimetern neu gezeichnet. Mit messerscharfen Kon
turen, um für die Schriftscheiben das Optimale an Ko
nturenschärfe herauszuholen. Um die Qualität des Ei

1,75 mm (6,5 p) 20 30 40 5

Berthold-Schriften überzeugen durch Schärfe und
Qualität. Schriftqualität ist eine Frage der Erfahrun
g. Berthold hat diese Erfahrung seit über hundert J
ahren. Zuerst im Schriftguß, dann im Fotosatz. Bert
hold-Schriften sind weltweit geschätzt. Im Schrifte
natelier München wird jeder Buchstabe in der Grö
ße von zwölf Zentimetern neu gezeichnet. Mit mes
serscharfen Konturen, um für die Schriftscheiben
das Optimale an Konturenschärfe herauszuholen

1,86 mm (7 p) 20 30 40

Berthold-Schriften überzeugen durch Schärfe
und Qualität. Schriftqualität ist eine Frage der
Erfahrung. Berthold hat diese Erfahrung seit üb
er hundert Jahren. Zuerst im Schriftguß, dann i
m Fotosatz. Berthold-Schriften sind weltweit ge
schätzt. Im Schriftenatelier München wird jede
r Buchstabe in der Größe von zwölf Zentimete
rn neu gezeichnet. Mit messerscharfen Kontur
en, um für die Schriftscheiben das Optimale an

2,00 mm (7,5 p) 20 30 40

Berthold-Schriften überzeugen durch Schärf
e und Qualität. Schriftqualität ist eine Frage
der Erfahrung. Berthold hat diese Erfahrung
seit über hundert Jahren. Zuerst im Schriftgu
ß, dann im Fotosatz. Berthold-Schriften sind
weltweit geschätzt. Im Schriftenatelier Münc
hen wird jeder Buchstabe in der Größe von
zwölf Zentimetern neu gezeichnet. Mit mess
erscharfen Konturen, um für die Schriftschei

2,15 mm (8 p) 20 30 40

Morris F. Benton
1931
American Typefounders
H. Berthold AG

ABCDEFGHIJKLMNOPQ
RSTUVWXYZ
abcdefghijklmnopqrstuvwxyz
1/1234567890%
(.,-;:!¡?¿–)·[",""»«]
+−=/$£†*&§
ÄÅÆÖØŒÜäåæıöøœßü
ÁÀÂÃÇČÉÈÊËÍÌÎÏĹŇÑÓÒÔÕ
ŔŘŠŤÚÙÛŴẄÝŶŸŽ
áàâãçčéèêëíìîïĺňñóòôõŕřš
úùûŵẅýỳÿž

Berthold-Schriftweite weit
Berthold-Schriftweite normal
Berthold-Schriftweite eng
Berthold-Schriftweite sehr eng
Berthold-Schriftweite extrem eng

Berthold
3,72 mm (14 p)

Berthold
4,25 mm (16 p)

Berthold
4,75 mm (18 p)

Berthold
5,30 mm (20 p)

Berthold
6,35 mm (24 p)

Berthold
7,40 mm (28 p)

Berthold
8,50 mm (32 p)

Berthold
9,55 mm (36 p)

Größe		Zeilenabstand			100 Zeichen		
mm	p	kp	Êp	Ex	0	−1	−2
1,33	5	1,69	2,06	2,00	87	84	81
1,60	6	2,06	2,44	2,50	103	99	95
1,86	7	2,38	2,88	3,00	118	114	110
2,15	8	2,75	3,31	3,50	134	129	124
2,40	9	3,06	3,69	3,75	150	144	138
2,65	10	3,38	4,06	4,25	165	158	151
2,92	11	3,69	4,44	4,75	181	174	167
3,20	12	4,06	4,88	5,25	196	188	180
3,45	13	4,38	5,25	5,75	212	204	196
3,72	14	4,69	5,69	–	227	218	209
3,98	15	5,06	6,06	–	243	234	225
4,25	16	5,38	6,50	–	258	248	238

WZ 13 E, NSW 0, MZB 0,62, F 0,13:0,10 (1,2), V
H 1-x 0,61-k 1,01-p 0,25-Ê 0,27-kp 1,26-Êp 1,52
BF 089 0828, Belegung 051: 085 8933 (095 8933)

Berthold-Schriften überzeugen durch S
chärfe und Qualität. Schriftqualität ist ei
ne Frage der Erfahrung. Berthold hat di
ese Erfahrung seit über hundert Jahren
Zuerst im Schriftguß, dann im Fotosatz. B
erthold-Schriften sind weltweit geschätz
t. Im Schriftenatelier München wird jede
r Buchstabe in der Größe von zwölf Zen

2,40 mm (9 p) 20 30

Berthold-Schriften überzeugen durc
h Schärfe und Qualität. Schriftqualit
ät ist eine Frage der Erfahrung. Bert
hold hat diese Erfahrung seit über h
undert Jahren. Zuerst im Schriftguß
dann im Fotosatz. Berthold-Schriften
sind weltweit geschätzt. Im Schriften
atelier München wird jeder Buchsta

2,65 mm (10 p) 20 30

Berthold-Schriften überzeugen
durch Schärfe und Qualität. Schr
iftqualität ist eine Frage der Erfah
rung. Berthold hat diese Erfahrun
g seit über hundert Jahren. Zuers
t im Schriftguß, dann im Fotosatz
Berthold-Schriften sind weltweit
geschätzt. Im Schriftenatelier Mü

2,92 mm (11 p) 10 20 30

Berthold-Schriften überzeuge
n durch Schärfe und Qualität. S
chriftqualität ist eine Frage der
Erfahrung. Berthold hat diese
Erfahrung seit über hundert Ja
hren. Zuerst im Schriftguß, dan
n im Fotosatz. Berthold-Schrif
ten sind weltweit geschätzt. Im

3,20 mm (12 p) 10 20

Berthold-Schriften überzeu
gen durch Schärfe und Qua
lität. Schriftqualität ist eine
Frage der Erfahrung. Berthol
d hat diese Erfahrung seit üb
er hundert Jahren. Zuerst im
Schriftguß, dann im Fotosatz
Berthold-Schriften sind welt

3,45 mm (13 p) 10 20

normal
medium
normal

STYMIE

normal
chiaro tondo
normal

Berthold-Schriften überzeugen durch Schärfe und Qualität. Schriftqualit ät ist eine Frage der Erfahrung. Berthold hat diese Erfahrung seit über hu ndert Jahren. Zuerst im Schriftguß, dann im Fotosatz. Berthold-Schriften sind weltweit geschätzt. Im Schriftenatelier München wird jeder Buchsta be in der Größe von zwölf Zentimetern neu gezeichnet. Mit messerscharf en Konturen, um für die Schriftscheiben das Optimale an Konturenschär fe herauszuholen. Um die Qualität des Einzelzeichens im Belichtungsvor gang zu bewahren, wird durch die ruhende, nicht rotierende Schriftsche ibe belichtet. Dieses optische System, verbunden mit Präzisions-Chrom

4,25 mm (16 p), Zeilenabstand 6,75 mm

STYMIE MEDIUM

In general, bodytypes are measured in the typog raphical point size. The sizes of Berthold Fototyp e faces can be exactly determined. All faces of s ame point size have the same capital height–irres pective of their x-height. In hot metal and many other phototypesetting systems the capital heigh ts often differ considerably from one face to the other. For measuring point sizes, a transparent s ize gauge is provided. To determine the point siz e, bring a capital letter into coincidence with tha t field which precisely circumscribes the letter at its upper and lower margin. Below the field you f ind the typographical point and below that the m illimeter value, which also refers to the height of a capital letter. In Berthold-phototypesetting, the typewidth can be modified. The standard setting width of typefaces is determined by the principle of optimum legibility. You should not depart from this typewidth without cogent reason. A typeface which is considered optically right when looked in a greater context, often seems bulky when ap plied for a small amount of text, e. g. labels and ads

2,40 mm (9 p), Zeilenabstand 4,25 mm

STYMIE NORMAL

La valeur de la force de corps des caractères de labeur èst généralement exprimée en po ints typographiques. La force de corps des c aractères Berthold-Fototype peut être déter minée avec précision. Tous les caractères du même corps ont des capitales d'une hauteur identique, indépendamment de la hauteur d es bas de casse sans jambage. Dans la comp osition plomb, ainsi que dans certains systèm es de photocomposition, la hauteur des capi tales, varie souvent d'un caractère à l'autre. P our déterminer la force de corps de nos cara ctères, nous avons mis au point une réglette de hauteur d'œil transparente. On cherche le rectangle qui délimite exactement la hauteur d'œil d'une capitale du caractère choisi. Sou s le rectangle correspondant la valeur de la force de corps est indiquée en points Didots et en millimètres. La valeur en millimètres ex prime également la hauteur des capitales. P

2,65 mm (10 p), Zeilenabstand 4,69 mm

La indicación de las dimensiones para cuerpos de letra vásicos tiene lugar en general en pun tos tipográficos. Los cuerpos de letra de los ca racteres Berthold Fototype pueden determina rse exactemente par medición. Con independ encia de la altura de sus longitudes centrales t odos los caracteres de idéntico cuerpo de letra presentan altura de mayúsculas idéntica. En la composición en plomo y en muchos otros siste

2,15 mm (8 p), –1, Zeilenabstand 3,38 mm

123,– $	456,– £	7890,– DM	1 %
234,– $	789,– £	1234,– DM	2 %
567,– $	12,– £	5678,– DM	3 %
890,– $	345,– £	9012,– DM	4 %
123,– $	678,– £	3456,– DM	5 %
456,– $	901,– £	7890,– DM	6 %
789,– $	234,– £	1234,– DM	7 %
12,– $	567,– £	5678,– DM	8 %
345,– $	890,– £	9012,– DM	9 %

BF 089 0829

Le misure relative al corpo dei caratteri vengono generalmente indicate in punti tipografici. Il cor po dei caratteri Fototypes può essere determina to con esattezza per semplice misurazione. Tutti i caratteri di uguale grandezza in punti hanno, indi pendentemente dalla loro lunghezza, uguale alte zza delle maiuscole. Nella composizione in piom bo ed in molti altri sistemi di fotocomposizio ne, l'altezza delle maiuscole varia spesso da carat

2,15 mm (8 p), –2, Zeilenabstand 3,38 mm

kursiv
medium italic
italique

STYMIE

cursiva
corsivo
kursiv

Måttangivelse för grundstilsgrad er sker i allmänhet i typografiska punkter. Stilar av Berthold Fototy pe kan efter mätning exakt grad bestämmas. Alla typsnitt är av sa mma punktstorlek och har obero ende av x-höjden en identisk ver salhöjd. I blysättning och i många andra fotosättsystem varierar ve rsalhöjden avsevärt från typsnitt till typsnitt. För mätning av stilgra der finns en transparent mätlinjal Vid mätningen placerar man en versal bokstav så att rutorna beg ränsar tecknet upptill och nedtill Under rutorna finns stilstorleken i typografiska didotpunkter och i mm. Även millimeteruppgiften a vser versalhöjden. Vid stilstorleks

2,92 mm (11 p), Zeilenabstand 4,69 mm

Morris F. Benton
1931
American Typefounders
H. Berthold AG

ABCDEFGHIJKLMNOPQ
RSTUVWXYZ
abcdefghijklmnopqrstuvwxyz
1/1234567890%
(.,-;:!¡?¿–)·[",,""»«]
+–=/$£†&§*
ÄÅÆÖØŒÜäåœıöøœßü
ÁÀÂÃÇČÉÈÊËÍÌÎÏĹŇÑÓÒÔÕ
ŔŘŠŤÚÙÛŴẄÝỲŸŽ
áàâãçčéèêëíìîïĺňñóòôõŕřš
úùûŵẅýỳÿž

Berthold-Schriftweite weit
Berthold-Schriftweite normal
Berthold-Schriftweite eng
Berthold-Schriftweite sehr eng
Berthold-Schriftweite extrem eng

In general, bodytypes are mea sured in the typographical poi nt size. The sizes of Berthold Fo totype faces can be exactly de termined. All faces of same po int size have the same capital height–irrespective of their x height. In hot metal and many other phototypesetting system s the capital heights often diffe r considerably from one face t o the other. For measuring poi nt sizes, a transparent size gau ge is provided. To determine t he point size, bring a capital le tter into coincidence with that field which precisely circumsc

3,20 mm (12 p), Zeilenabstand 5,25 mm

STYMIE KURSIV

Die Maßangabe zu Grundschriftgrößen erfolgt im allgemeinen in typographischen Punkten. Die Sc hriftgrößen der Berthold-Fotosatz-Schriften sind nach Messung exakt bestimmbar. Alle Schriften gleicher Punktgröße weisen, unabhängig von der Höhe ihrer Mittellängen, eine identische Versalh öhe auf. Im Bleisatz und bei vielen anderen Foto satz-Systemen differieren die Versalhöhen von S chrift zu Schrift oft erheblich. Zum Messen von S chriftgrößen steht ein transparentes Größenmaß zur Verfügung. Zum Messen wird ein Versalbuch stabe mit dem Feld in Deckung gebracht, das den Buchstaben oben und unten scharf begrenzt. Un ter dem Feld ist die Schriftgröße in typographisc hen Didot-Punkten, darunter in Millimetern ange geben. Auch die Millimeterangaben beziehen sic h auf die Höhe der Versalbuchstaben. Die Schrift weite kann im Berthold-Fotosatz beliebig veränd

2,40 mm (9 p), Zeilenabstand 4 mm

STYMIE ITALIQUE

La valeur de la force de corps des caractères de labeur èst généralement exprimée en po ints typographiques. La force de corps des c aractères Berthold-Fototype peut être déter minée avec précision. Tous les caractères du même corps ont des capitales d'une hauteur identique, indépendamment de la hauteur d es bas de casse sans jambage. Dans la com position plomb, ainsi que dans certains syst èmes de photocomposition, la hauteur des c apitales, varie souvent d'un caractère à l'au tre. Pour déterminer la force de corps de nos caractères, nous avons mis au point une rég lette de hauteur d'œil transparente. On cher che le rectangle qui délimite exactement la hauteur d'œil d'une capitale du caractère ch

2,65 mm (10 p), Zeilenabstand 4,50 mm

La indicación de las dimensiones para cuerpos de letra vásicos tiene lugar en general en puntos tipográficos. Los cuerpos de letra de los caracteres Berthold Fototype pue den determinarse exactemente par medición. Con indep endencia de la altura de sus longitudes centrales, todos los caracteres de idéntico cuerpo de letra presentan altu ra de mayúsculas idéntica. En la composición en plomo y en muchos otros sistemas de fotocomposición, las alturas de mayúsculas varían frecuentemmente en forma consid erable de tipo de letra a tipo de letra. Para medir los cue rpos de letra se dispone de un tipómetro, véase la figura Para la medición se hace coincidir una letra mayúscula

1,60 mm (6 p), Zeilenabstand 2,50 mm

Größe mm	p	Zeilenabstand kp	Êp	Ex	100 Zeichen 0	−1	−2
1,33	5	1,69	2,06	–	88	85	82
1,60	6	2,06	2,44	2,50	104	100	96
1,86	7	2,38	2,88	–	120	116	112
2,15	8	2,75	3,31	3,38	136	131	126
2,40	9	3,06	3,69	4,00	152	146	140
2,65	10	3,38	4,06	4,50	168	161	154
2,92	11	3,75	4,44	4,69	184	177	170
3,20	12	4,13	4,88	5,25	199	191	183
3,45	13	4,44	5,25	–	215	207	199
3,72	14	4,75	5,69	–	231	222	213
3,98	15	5,06	6,06	–	246	237	228
4,25	16	5,44	6,50	–	262	252	242

WZ 13 E, NSW 0, MZB 0,63, F 0,12:0,092 (1,3), V
H 1–x 0,61–k 1,02–p 0,25–Ê 1,27–kp 1,27–Êp 1,52
BF 089 0830, Belegung 051: 085 8936 (095 8936)

Le misure relative al corpo dei caratteri ven gono generalmente indicate in punti tipogra fici. Il corpo dei caratteri Fototypes può esse re determinato con esattezza per semplice m isurazione. Tutti i caratteri di uguale grande zza in punti hanno, indipendentemente dalla loro lunghezza, uguale altezza delle maiusco le. Nella composizione in piombo ed in molti altri sistemi di fotocomposizione, l'altezza de

2,15 mm (8 p), Zeilenabstand 3,38 mm

halbfett
bold
demi-gras

STYMIE

seminegra
neretto
halvfet

Berthold-Schriften überzeugen durch Schärfe und Qual ität. Schriftqualität ist eine Frage der Erfahrung. Berthold hat diese Erfahrung seit über hundert Jahren. Zuerst im S chriftguß, dann im Fotosatz. Berthold-Schriften sind wel tweit geschätzt. Im Schriftenatelier München wird jeder Buchstabe in der Größe von zwölf Zentimetern neu gezei chnet. Mit messerscharfen Konturen, um für die Schrifts cheiben das Optimale an Konturenschärfe herauszuhole n. Um die Qualität des Einzelzeichens im Belichtungsvo

1,60 mm (6 p), Zeilenabstand 2,50 mm

Berthold-Schriften überzeugen durch Schärfe un d Qualität. Schriftqualität ist eine Frage der Erfahr ung. Berthold hat diese Erfahrung seit über hunde rt Jahren. Zuerst im Schriftguß, dann im Fotosatz Berthold-Schriften sind weltweit geschätzt. Im Sc hriftenatelier München wird jeder Buchstabe in d er Größe von zwölf Zentimetern neu gezeichnet. M it messerscharfen Konturen, um für die Schriftsch

1,86 mm (7 p), Zeilenabstand 3,00 mm

Berthold-Schriften überzeugen durch Schä rfe und Qualität. Schriftqualität ist eine Frag e der Erfahrung. Berthold hat diese Erfahru ng seit über hundert Jahren. Zuerst im Schrif tguß, dann im Fotosatz. Berthold-Schriften s ind weltweit geschätzt. Im Schriftenatelier M ünchen wird jeder Buchstabe in der Größe von zwölf Zentimetern neu gezeichnet. Mit

2,15 mm (8 p), Zeilenabstand 3,50 mm

Morris F. Benton
1931
American Typefounders
H. Berthold AG

ABCDEFGHIJKLMNOPQ
RSTUVWXYZ
abcdefghijklmnopqrstuvwxyz
1/1234567890%
(.,-;:!¡?¿–)·["„""»«]
+−=/$£†*&§
ÄÅÆÖØŒÜäåæıöøœßü
ÁÀÂÃÇČÉÈÊËÍÌÎÏĹŇÑÓÒÔÕ
ŔŘŠŤÚÙÛŴẄÝŶŸŽ
áàâãçčéèêëíìîïĺňñóòôõŕřš
úùûŵẅýỳÿž

Berthold-Schriftweite weit
Berthold-Schriftweite normal
Berthold-Schriftweite eng
Berthold-Schriftweite sehr eng
Berthold-Schriftweite extrem eng

In general, bodytypes are mea sured in the typographical poi nt size. The sizes of Berthold Fototype faces can be exactly determined. All faces of same point size have the same capit al height—irrespective of their x-height. In hot metal and man y other phototypesetting syste ms the capital heights often di ffer considerably from one fac e to the other. For measuring p oint sizes, a transparent size ga uge is provided. To determine the point size, bring a capital l etter into coincidence with tha t field which precisely circum

3,20 mm (12 p), Zeilenabstand 5,25 mm

Berthold's quick brown fox jumps over the lazy dog and feels as if he were in the se
3,72 mm (14 p)

Berthold's quick brown fox jumps over the lazy dog and feels as if he wer
4,25 mm (16 p)

Berthold's quick brown fox jumps over the lazy dog and feels as i
4,75 mm (18 p)

Berthold's quick brown fox jumps over the lazy dog and fe
5,30 mm (20 p)

Berthold's quick brown fox jumps over the lazy
6,35 mm (24 p)

Berthold's quick brown fox jumps over th
7,40 mm (28 p)

Berthold's quick brown fox jumps ov
8,50 mm (32 p)

Berthold's quick brown fox jump
9,55 mm (36 p)

Berthold-Schriften überzeugen durch Schärfe und Qualität. Schriftqualität ist eine Frage der Erfahrung. Berthold hat diese Erfahrung seit über hundert Jahre n. Zuerst im Schriftguß, dann im Fotosa tz. Berthold-Schriften sind weltweit ges chätzt. Im Schriftenatelier München wi rd jeder Buchstabe in der Größe von zw

2,40 mm (9 p), Zeilenabstand 4,00 mm

Größe		Zeilenabstand			100 Zeichen		
mm	p	kp	Êp	Ex	0	−1	−2
1,33	5	1,69	2,06	–	88	85	82
1,60	6	2,06	2,44	2,50	104	100	96
1,86	7	2,38	2,81	3,00	120	116	112
2,15	8	2,75	3,25	3,50	136	131	126
2,40	9	3,06	3,63	4,00	152	146	140
2,65	10	3,38	4,06	4,00	168	161	154
2,92	11	3,69	4,44	–	184	177	170
3,20	12	4,06	4,88	5,25	199	191	183
3,45	13	4,38	5,25	–	215	207	199
3,72	14	4,69	5,63	–	231	222	213
3,98	15	5,06	6,06	–	246	237	228
4,25	16	5,38	6,44	–	262	252	242

WZ 13 E, NSW 0, MZB 0,63, F 0,15:0,12 (1,3), V
H 1–x 0,60–k 1,00–p 0,26–Ê 0,25–kp 1,26–Êp 1,51
BF 089 0831, Belegung 051: 085 8934 (095 8934)

Berthold-Schriften überzeugen dur ch Schärfe und Qualität. Schriftqu alität ist eine Frage der Erfahrung. B erthold hat diese Erfahrung seit übe r hundert Jahren. Zuerst im Schriftg uß, dann im Fotosatz. Berthold-Sch riften sind weltweit geschätzt. Im Sc chriftenatelier München wird jeder

2,65 mm (10 p), Zeilenabstand 4,00 mm

kursiv halbfett
bold italic
italique demi-gras

STYMIE

seminegra cursiva
neretto cursivo
kursiv halvfet

Berthold-Schriften überzeugen durch Schärfe und Qualität. Schriftqualität ist eine Frage der Erfahrung. Berthold hat diese Erfahrung seit über hundert Jahren. Zuerst im Schriftguß, dann im Fotosatz. Berthold-Schriften sind weltweit geschätzt. Im Schriftenatelier München wird jeder Buchstabe in der Größe von zwölf Zentimetern neu gezeichnet. Mit messerscharfen Konturen, um für die Schriftscheiben das Optimale an Konturenschärfe herauszuholen. Um die Qualität des Einzelzeichens im Belichtun

1,60 mm (6 p), Zeilenabstand 2,50 mm

Berthold-Schriften überzeugen durch Schärfe und Qualität. Schriftqualität ist eine Frage der Erfahrung. Berthold hat diese Erfahrung seit über hundert Jahren. Zuerst im Schriftguß, dann im Fotosatz. Berthold-Schriften sind weltweit geschätzt. Im Schriftenatelier München wird jeder Buchstabe in der Größe von zwölf Zentimetern neu gezeichnet Mit messerscharfen Konturen, um für die Schrifts

1,86 mm (7 p), Zeilenabstand 3,00 mm

Berthold-Schriften überzeugen durch Schärfe und Qualität. Schriftqualität ist eine Frage der Erfahrung. Berthold hat diese Erfahrung seit über hundert Jahren. Zuerst im Schriftguß, dann im Fotosatz. Berthold-Schriften sind weltweit geschätzt. Im Schriftenatelier München wird jeder Buchstabe in der Größe von zwölf Zentimetern neu gezeichnet. M

2,15 mm (8 p), Zeilenabstand 3,50 mm

Morris F. Benton
1931
American Typefounders
H. Berthold AG

ABCDEFGHIJKLMNOPQ
RSTUVWXYZ
abcdefghijklmnopqrstuvwxyz
1/1234567890%
(.,-;:!¡?¿–)·["„"“»«]
+−=/$£†&§*
ÄÅÆÖØŒÜäåœıöøœßü
ÁÀÂÃÇČÉÈÊËÍÌÎÏĹŇÑÓÒÔÕ
ŔŘŠŤÚÙÛŴẄÝŶŸŽ
áàâãçčéèêëíìîïĺňñóòôõŕřš
úùûŵẅýỳÿž

Berthold-Schriftweite weit
Berthold-Schriftweite normal
Berthold-Schriftweite eng
Berthold-Schriftweite sehr eng
Berthold-Schriftweite extrem eng

In general, bodytypes are measured in the typographical point size. The sizes of Berthold Fototype faces can be exactly determined. All faces of same point size have the same capital height–irrespective of their x-height. In hot metal and many other phototypesetting systems the capital heights often differ considerably from one face to the other. For measuring point sizes, a transparent size gauge is provided. To determine the point size, bring a capital letter into coincidence with that field which precisely ci

3,20 mm (12 p), Zeilenabstand 5,25 mm

Berthold's quick brown fox jumps over the lazy dog and feels as if he were in the se
3,72 mm (14 p)

Berthold's quick brown fox jumps over the lazy dog and feels as if he wer
4,25 mm (16 p)

Berthold's quick brown fox jumps over the lazy dog and feels as i
4,75 mm (18 p)

Berthold's quick brown fox jumps over the lazy dog and fe
5,30 mm (20 p)

Berthold's quick brown fox jumps over the lazy d
6,35 mm (24 p)

Berthold's quick brown fox jumps over the
7,40 mm (28 p)

Berthold's quick brown fox jumps ov
8,50 mm (32 p)

Berthold's quick brown fox jump
9,55 mm (36 p)

Berthold-Schriften überzeugen durch Schärfe und Qualität. Schriftqualität ist eine Frage der Erfahrung. Berthold hat diese Erfahrung seit über hundert Jahren. Zuerst im Schriftguß, dann im Fotosatz. Berthold-Schriften sind weltweit geschätzt. Im Schriftenatelier München wird jeder Buchstabe in der Größe von z

2,40 mm (9 p), Zeilenabstand 4,00 mm

Größe mm	p	Zeilenabstand kp	Êp	Ex	100 Zeichen 0	−1	−2
1,33	5	1,69	2,00	–	90	87	84
1,60	6	2,00	2,44	2,50	106	102	98
1,86	7	2,38	2,81	3,00	121	117	113
2,15	8	2,69	3,25	3,50	138	133	128
2,40	9	3,00	3,63	4,00	155	149	143
2,65	10	3,38	4,00	4,00	170	163	156
2,92	11	3,69	4,38	–	186	179	172
3,20	12	4,00	4,81	5,25	202	194	186
3,45	13	4,38	5,19	–	218	210	202
3,72	14	4,69	5,63	–	234	225	216
3,98	15	5,00	6,00	–	250	241	232
4,25	16	5,38	6,38	–	266	256	246

WZ 13 E, NSW 0, MZB 0,64, F 0,14:0,12 (1,2), V
H 1–x 0,60–k 1,00–p 0,25–Ê 0,25–kp 1,25–Êp 1,50
BF 089 0832, Belegung 051: 085 8937 (095 8937)

Berthold-Schriften überzeugen durch Schärfe und Qualität. Schriftqualität ist eine Frage der Erfahrung. Berthold hat diese Erfahrung seit über hundert Jahren. Zuerst im Schriftguß, dann im Fotosatz. Berthold-Schriften sind weltweit geschätzt. Im Schriftenatelier München wird jeder

2,65 mm (10 p), Zeilenabstand 4,00 mm

Black
black
black

STYMIE

black
black
black

Berthold-Schriften überzeugen durch Schärfe und Qualität. Schriftqualität ist eine Frage der Erfahru ng. Berthold hat diese Erfahrung seit über hundert Jahren. Zuerst im Schriftguß, dann im Fotosatz. Be rthold-Schriften sind weltweit geschätzt. Im Schrif tenatelier München wird jeder Buchstabe in der Gr öße von zwölf Zentimetern neu gezeichnet. Mit me sserscharfen Konturen, um für die Schriftscheiben das Optimale an Konturenschärfe herauszuholen

1,60 mm (6 p), Zeilenabstand 2,50 mm

Berthold-Schriften überzeugen durch Schä rfe und Qualität. Schriftqualität ist eine Fra ge der Erfahrung. Berthold hat diese Erfahr ung seit über hundert Jahren. Zuerst im Schr iftguß, dann im Fotosatz. Berthold-Schriften sind weltweit geschätzt. Im Schriftenatelier München wird jeder Buchstabe in der Größe von zwölf Zentimetern neu gezeichnet. Mit

1,86 mm (7 p), Zeilenabstand 3,00 mm

Berthold-Schriften überzeugen durch S chärfe und Qualität. Schriftqualität ist e ine Frage der Erfahrung. Berthold hat d iese Erfahrung seit über hundert Jahren Zuerst im Schriftguß, dann im Fotosatz Berthold-Schriften sind weltweit gesch ätzt. Im Schriftenatelier München wird jeder Buchstabe in der Größe von zwölf

2,15 mm (8 p), Zeilenabstand 3,50 mm

Morris F. Benton
1931
American Typefounders
H. Berthold AG

ABCDEFGHIJKLMNOPQ
RSTUVWXYZ
abcdefghijklmnopqrstuvwxyz
1/1234567890%
(.,-;:!¡?¿–)·["„""»«]
+–=/$£†*&§
ÄÅÆÖØŒÜäåæıöøœßü
ÁÀÂÃÇČÉÈÊËÍÌÎÏĹŇÑÓÒÔÕ
ŔŘŠŤÚÙÛŴẄÝŶŸŽ
áàâãçčéèêëíìîïĺňñóòôõŕřš
úùûŵẅýỳÿž

Berthold-Schriftweite weit
Berthold-Schriftweite normal
Berthold-Schriftweite eng
Berthold-Schriftweite sehr eng
Berthold-Schriftweite extrem eng

In general, bodytypes are measured in the typograp hical point size. The sizes o f Berthold Fototype faces c an be exactly determined All faces of same point size have the same capital heig ht–irrespective of their x-h eight. In hot metal and ma ny other phototypesetting systems the capital heights often differ considerably fr om one face to the other. F or measuring point sizes, a transparent size gauge is p rovided. To determine the point size, bring a capital l

3,20 mm (12 p), Zeilenabstand 5,25 mm

Berthold's quick brown fox jumps over the lazy dog and feels as if he were
3,72 mm (14 p)

Berthold's quick brown fox jumps over the lazy dog and feels as
4,25 mm (16 p)

Berthold's quick brown fox jumps over the lazy dog and
4,75 mm (18 p)

Berthold's quick brown fox jumps over the lazy dog
5,30 mm (20 p)

Berthold's quick brown fox jumps over the
6,35 mm (24 p)

Berthold's quick brown fox jumps ov
7,40 mm (28 p)

Berthold's quick brown fox jump
8,50 mm (32 p)

Berthold's quick brown fox j
9,55 mm (36 p)

Berthold-Schriften überzeugen du rch Schärfe und Qualität. Schriftqu alität ist eine Frage der Erfahrung Berthold hat diese Erfahrung seit ü ber hundert Jahren. Zuerst im Schr iftguß, dann im Fotosatz. Berthold Schriften sind weltweit geschätzt. I m Schriftenatelier München wird je

2,40 mm (9 p), Zeilenabstand 4,00 mm

Größe		Zeilenabstand			100 Zeichen		
mm	p	kp	Êp	Ex	0	–1	–2
1,33	5	1,75	2,13	–	100	97	94
1,60	6	2,13	2,50	2,50	118	114	110
1,86	7	2,44	2,94	3,00	136	132	128
2,15	8	2,81	3,38	3,50	154	149	144
2,40	9	3,13	3,75	4,00	172	166	160
2,65	10	3,44	4,19	4,00	190	183	176
2,92	11	3,81	4,56	–	208	201	194
3,20	12	4,13	5,00	5,25	226	218	210
3,45	13	4,50	5,44	–	243	235	227
3,72	14	4,81	5,81	–	261	252	243
3,98	15	5,19	6,25	–	279	270	261
4,25	16	5,50	6,63	–	296	286	276

WZ 14 E, NSW 0, MZB 0,72, F 0,31:0,14 (2,2), V
H 1–x 0,69–k 1,01–p 0,28–Ê 0,28–kp 1,29–Êp 1,56
BF 089 0833, Belegung 051: 085 8938 (095 8938)

Berthold-Schriften überzeugen durch Schärfe und Qualität. Sch riftqualität ist eine Frage der Er fahrung. Berthold hat diese Erf ahrung seit über hundert Jahre n. Zuerst im Schriftguß, dann i m Fotosatz. Berthold-Schriften sind weltweit geschätzt. Im Sch

2,65 mm (10 p), Zeilenabstand 4,00 mm

Buch
book
romain labeur

SYMBOL

libro
libro
buch

Berthold-Schriften überzeugen durch Schärfe und Qualität. Schriftqualit
ät ist eine Frage der Erfahrung. Berthold hat diese Erfahrung seit über hu
ndert Jahren. Zuerst im Schriftguß, dann im Fotosatz. Berthold-Schriften
sind weltweit geschätzt. Im Schriftenatelier München wird jeder Buchsta
be in der Größe von zwölf Zentimetern neu gezeichnet. Mit messerscharf
en Konturen, um für die Schriftscheiben das Optimale an Konturenschärfe
herauszuholen. Um die Qualität des Einzelzeichens im Belichtungsvorga
ng zu bewahren, wird durch die ruhende, nicht rotierende Schriftschei
be belichtet. Dieses optische System, verbunden mit Präzisions-Chromgl

1,33 mm (5 p) 20 30 40 50 60

Berthold-Schriften überzeugen durch Schärfe und Qualität. Schrift
qualität ist eine Frage der Erfahrung. Berthold hat diese Erfahrung s
eit über hundert Jahren. Zuerst im Schriftguß, dann im Fotosatz. Ber
thold-Schriften sind weltweit geschätzt. Im Schriftenatelier München
wird jeder Buchstabe in der Größe von zwölf Zentimetern neu gezei
chnet. Mit messerscharfen Konturen, um für die Schriftscheiben das
Optimale an Konturenschärfe herauszuholen. Um die Qualität des E
inzelzeichens im Belichtungsvorgang zu bewahren, wird durch die
ruhende, nicht rotierende Schriftscheibe belichtet. Dieses optische S

1,45 mm (5,5 p) 20 30 40 50 60

Berthold-Schriften überzeugen durch Schärfe und Qualität. S
chriftqualität ist eine Frage der Erfahrung. Berthold hat diese
Erfahrung seit über hundert Jahren. Zuerst im Schriftguß, dann
im Fotosatz. Berthold-Schriften sind weltweit geschätzt. Im Sc
hriftenatelier München wird jeder Buchstabe in der Größe von
zwölf Zentimetern neu gezeichnet. Mit messerscharfen Kontu
ren, um für die Schriftscheiben das Optimale an Konturensch
ärfe herauszuholen. Um die Qualität des Einzelzeichens im Be
lichtungsvorgang zu bewahren, wird durch die ruhende, nicht r

1,60 mm (6 p) 20 30 40 50

Berthold-Schriften überzeugen durch Schärfe und Quali
tät. Schriftqualität ist eine Frage der Erfahrung. Berthold
hat diese Erfahrung seit über hundert Jahren. Zuerst im S
chriftguß, dann im Fotosatz. Berthold-Schriften sind welt
weit geschätzt. Im Schriftenatelier München wird jeder B
uchstabe in der Größe von zwölf Zentimetern neu gezeic
hnet. Mit messerscharfen Konturen, um für die Schriftsc
heiben das Optimale an Konturenschärfe herauszuhole
n. Um die Qualität des Einzelzeichens im Belichtungsvor

1,75 mm (6,5 p) 20 30 40 50

Berthold-Schriften überzeugen durch Schärfe und Qu
alität. Schriftqualität ist eine Frage der Erfahrung. Bert
hold hat diese Erfahrung seit über hundert Jahren. Zu
erst im Schriftguß, dann im Fotosatz. Berthold-Schrift
en sind weltweit geschätzt. Im Schriftenatelier Münch
en wird jeder Buchstabe in der Größe von zwölf Zenti
metern neu gezeichnet. Mit messerscharfen Konturen
um für die Schriftscheiben das Optimale an Kontur
enschärfe herauszuholen. Um die Qualität des Einzelz

1,86 mm (7 p) 20 30 40 5

Berthold-Schriften überzeugen durch Schärfe und
Qualität. Schriftqualität ist eine Frage der Erfahrun
g. Berthold hat diese Erfahrung seit über hundert
Jahren. Zuerst im Schriftguß, dann im Fotosatz. Be
rthold-Schriften sind weltweit geschätzt. Im Schrift
enatelier München wird jeder Buchstabe in der Gr
öße von zwölf Zentimetern neu gezeichnet. Mit m
esserscharfen Konturen, um für die Schriftscheibe
n das Optimale an Konturenschärfe herauszuhole

2,00 mm (7,5 p) 20 30 40

Berthold-Schriften überzeugen durch Schärfe u
nd Qualität. Schriftqualität ist eine Frage der Er
fahrung. Berthold hat diese Erfahrung seit über
hundert Jahren. Zuerst im Schriftguß, dann im F
otosatz. Berthold-Schriften sind weltweit gesch
ätzt. Im Schriftenatelier München wird jeder Bu
chstabe in der Größe von zwölf Zentimetern ne
u gezeichnet. Mit messerscharfen Konturen, um
für die Schriftscheiben das Optimale an Kontur

2,15 mm (8 p) 20 30 40

Aldo Novarese
1984
International Typeface Corp.
H. Berthold AG

ABCDEFGHIJKLMNOPQ
RSTUVWXYZ
abcdefghijklmnopqrstuvwxyz
1/1234567890%
(.,-;:!¡?¿–)·['‘„"“»«]
+−=/$£†*&§
ÄÅÆÖØŒÜäåæıöøœßü
ÁÀÂÃÇČÉÈÊËÍÌÎÏĹŇÑÓÒÔÕ
ŔŘŠŤÚÙÛŴẄÝŶŸŽ
áàâãçčéèêëíìîïĺňñóòôõŕřš
úùûŵẅýỳÿž

Berthold-Schriftweite weit
Berthold-Schriftweite normal
Berthold-Schriftweite eng
Berthold-Schriftweite sehr eng
Berthold-Schriftweite extrem eng

Berthold
3,72 mm (14 p)

Berthold
4,25 mm (16 p)

Berthold
4,75 mm (18 p)

Berthold
5,30 mm (20 p)

Berthold
6,35 mm (24 p)

Berthold
7,40 mm (28 p)

Berthold
8,50 mm (32 p)

Berthold
9,55 mm (36 p)

Größe mm	p	Zeilenabstand kp	Êp	Ex	100 Zeichen 0	−1	−2
1,33	5	1,09	2,00	2,00	83	80	77
1,60	6	2,06	2,44	2,50	98	94	90
1,86	7	2,38	2,81	3,00	113	109	105
2,15	8	2,75	3,25	3,50	128	123	118
2,40	9	3,06	3,63	3,75	143	137	131
2,65	10	3,38	4,00	4,25	158	151	144
2,92	11	3,75	4,38	4,75	173	166	159
3,20	12	4,13	4,81	5,25	188	180	172
3,45	13	4,44	5,19	5,75	202	194	186
3,72	14	4,75	5,63	–	217	208	199
3,98	15	5,06	6,00	–	232	223	214
4,25	16	5,44	6,38	–	246	236	226

WZ 14 E, NSW 0, MZB 0,60, F 0,07:0,05 (1,4), VI
H 1–x 0,73–k 1,00–p 0,27–Ê 1,23–kp 1,27–Êp 1,50
BF 089 1528, Belegung 051: 085 1637 (095 1637)

Berthold-Schriften überzeugen durch Sch
ärfe und Qualität. Schriftqualität ist eine Fr
age der Erfahrung. Berthold hat diese Erfa
hrung seit über hundert Jahren. Zuerst im
Schriftguß, dann im Fotosatz. Berthold-Sc
hriften sind weltweit geschätzt. Im Schrifte
natelier München wird jeder Buchstabe in
der Größe von zwölf Zentimetern neu gez

2,40 mm (9 p) 20 30

Berthold-Schriften überzeugen durch
Schärfe und Qualität. Schriftqualität ist
eine Frage der Erfahrung. Berthold hat
diese Erfahrung seit über hundert Jah
ren. Zuerst im Schriftguß, dann im Fot
osatz. Berthold-Schriften sind weltweit
geschätzt. Im Schriftenatelier München
wird jeder Buchstabe in der Größe von

2,65 mm (10 p) 20 30

Berthold-Schriften überzeugen du
rch Schärfe und Qualität. Schriftqu
alität ist eine Frage der Erfahrung. B
erthold hat diese Erfahrung seit üb
er hundert Jahren. Zuerst im Schrif
tguß, dann im Fotosatz. Berthold-S
chriften sind weltweit geschätzt. Im
Schriftenatelier München wird jed

2,92 mm (11 p) 10 20 30

Berthold-Schriften überzeugen
durch Schärfe und Qualität. Sch
riftqualität ist eine Frage der Erf
ahrung. Berthold hat diese Erfa
hrung seit über hundert Jahren
Zuerst im Schriftguß, dann im
Fotosatz. Berthold-Schriften sind
weltweit geschätzt. Im Schriften

3,20 mm (12 p) 10 20 3

Berthold-Schriften überzeuge
n durch Schärfe und Qualität
Schriftqualität ist eine Frage d
er Erfahrung. Berthold hat die
se Erfahrung seit über hundert
Jahren. Zuerst im Schriftguß
dann im Fotosatz. Berthold-Sc
hriften sind weltweit geschätz

3,45 mm (13 p) 10 20

Buch book romain labeur	# SYMBOL	libro libro buch

Berthold-Schriften überzeugen durch Schärfe und Qualität. Schriftqualität ist e ine Frage der Erfahrung. Berthold hat diese Erfahrung seit über hundert Jahre n. Zuerst im Schriftguβ, dann im Fotosatz. Berthold-Schriften sind weltweit ges chätzt. Im Schriftenatelier München wird jeder Buchstabe in der Größe von zw ölf Zentimetern neu gezeichnet. Mit messerscharfen Konturen, um für die Sch riftscheiben das Optimale an Konturenschärfe herauszuholen. Um die Qualität des Einzelzeichens im Belichtungsvorgang zu bewahren, wird durch die ru hende, nicht rotierende Schriftscheibe belichtet. Dieses optische System, verb unden mit Präzisions-Chromglasscheiben, führt zu einer Schriftqualität, die im

4,25 mm (16 p), Zeilenabstand 6,75 mm

SYMBOL BOOK

In general, bodytypes are measured in the typograp hical point size. The sizes of Berthold Fototype faces can be exactly determined. All faces of same point si ze have the same capital height–irrespective of their x-height. In hot metal and many other phototypeset ting systems the capital heights often differ consider ably from one face to the other. For measuring point sizes, a transparent size gauge is provided. To deter mine the point size, bring a capital letter into coinci dence with that field which precisely circumscribes t he letter at its upper and lower margin. Below the fiel d you find the typographical point and below that the millimeter value, which also refers to the height of a c apital letter. In Berthold-phototypesetting, the type width can be modified. The standard setting width of typefaces is determined by the principle of optimum legibility. You should not depart from this typewidth without cogent reason. A typeface which is consider ed optically right when looked in a greater context, o ften seems bulky when applied for a small amount of text, e. g. labels and ads. Here, a width reduction will be conducive to legibility. Small amounts of text see

2,40 mm (9 p), Zeilenabstand 4,25 mm

SYMBOL ROMAIN LABEUR

La valeur de la force de corps des caractères de labeur èst généralement exprimée en points ty pographiques. La force de corps des caractères Berthold-Fototype peut être déterminée avec précision. Tous les caractères du même corps o nt des capitales d'une hauteur identique, indép endamment de la hauteur des bas de casse sans jambage. Dans la composition plomb, ainsi que dans certains systèmes de photocomposition, la hauteur des capitales, varie souvent d'un caract ère à l'autre. Pour déterminer la force de corps de nos caractères, nous avons mis au point une réglette de hauteur d'œil transparente. On cher che le rectangle qui délimite exactement la haut eur d'œil d'une capitale du caractère choisi. Sou s le rectangle correspondant la valeur de la forc e de corps est indiquée en points Didots et en millimètres. La valeur en millimètres exprime ég alement la hauteur des capitales. Pour toutes les indications concernant la force de corps, il est ut

2,65 mm (10 p), Zeilenabstand 4,69 mm

La indicación de las dimensiones para cuerpos de letra vásicos tiene lugar en general en puntos tipo gráficos. Los cuerpos de letra de los caracteres Be rthold Fototype pueden determinarse exacteme nte par medición. Con independencia de la altura de sus longitudes centrales, todos los caracteres d e idéntico cuerpo de letra presentan altura de ma yúsculas idéntica. En la composición en plomo y en muchos otros sistemas de fotocomposición, las alt

2,15 mm (8 p), –1, Zeilenabstand 3,38 mm

123,– $	456,– £	7890,– DM	1 %
234,– $	789,– £	1234,– DM	2 %
567,– $	12,– £	5678,– DM	3 %
890,– $	345,– £	9012,– DM	4 %
123,– $	678,– £	3456,– DM	5 %
456,– $	901,– £	7890,– DM	6 %
789,– $	234,– £	1234,– DM	7 %
12,– $	567,– £	5678,– DM	8 %
345,– $	890,– £	9012,– DM	9 %

BF 089 1529

Le misure relative al corpo dei caratteri vengono ge neralmente indicate in punti tipografici. Il corpo dei c aratteri Fototypes può essere determinato con esatt ezza per semplice misurazione. Tutti i caratteri di ugu ale grandezza in punti hanno, indipendentemente d alla loro lunghezza, uguale altezza delle maiuscole. N ella composizione in piombo ed in molti altri sistem i di fotocomposizione, l'altezza delle maiuscole varia spesso da carattere a carattere. Per misurare il corpo

2,15 mm (8 p), –2, Zeilenabstand 3,38 mm

Buch kursiv
book italic
italique romain labeur

SYMBOL

libro cursiva
libro corsivo
buch kursiv

Måttangivelse för grundstilsgrader sker i allmänhet i typografiska punk ter. Stilar av Berthold Fototype kan efter mätning exakt gradbestämm as. Alla typsnitt är av samma punkt storlek och har oberoende av x-höj den en identisk versalhöjd. I blysätt ning och i många andra fotosätts ystem varierar versalhöjden avsevä rt från typsnitt till typsnitt. För mätn ing av stilgrader finns en transpare nt mätlinjal. Vid mätningen placera r man en versal bokstav så att rutor na begränsar tecknet upptill och n edtill. Under rutorna finns stilstorlek en i typografiska didotpunkter och i mm. Även millimeteruppgiften avse r versalhöjden. Vid stilstorleksuppgi fter anges alltid måttenheten efter si

2,92 mm (11 p), Zeilenabstand 4,69 mm

Aldo Novarese
1984
International Typeface Corp.
H. Berthold AG

ABCDEFGHIJKLMNOPQ
RSTUVWXYZ
abcdefghijklmnopqrstuvwxyz
1/1234567890%
(.,-;:!¡?¿–)·[''„""»«]
+−=/$£†&§*
ÄÅÆÖØŒÜäåæıöøœßü
ÁÀÂÃÇČÉÈÊËÍÌÎÏĹÑŇÓÒÔÕ
ŔŘŠŤÚÙÛŴẄÝŶŸŽ
áàâãçčéèêëíìîïĺňñóòôõŕřš
úùûŵẅýỳÿž

Berthold-Schriftweite weit
Berthold-Schriftweite normal
Berthold-Schriftweite eng
Berthold-Schriftweite sehr eng
Berthold-Schriftweite extrem eng

In general, bodytypes are meas ured in the typographical point si ze. The sizes of Berthold Fototype faces can be exactly determined All faces of same point size have the same capital height–irrespe ctive of their x-height. In hot met al and many other phototypeset ting systems the capital heights often differ considerably from on e face to the other. For measuring point sizes, a transparent size ga uge is provided. To determine the point size, bring a capital letter in to coincidence with that field whi ch precisely circumscribes the le tter at its upper and lower margi

3,20 mm (12 p), Zeilenabstand 5,25 mm

SYMBOL BUCH KURSIV

Die Maßangabe zu Grundschriftgrößen erfolgt im all gemeinen in typographischen Punkten. Die Schriftgr ößen der Berthold-Fotosatz-Schriften sind nach Mes sung exakt bestimmbar. Alle Schriften gleicher Punkt größe weisen, unabhängig von der Höhe ihrer Mittell ängen, eine identische Versalhöhe auf. Im Bleisatz und bei vielen anderen Fotosatz-Systemen differieren die Versalhöhen von Schrift zu Schrift oft erheblich. Zum Messen von Schriftgrößen steht ein transparentes Gr ößenmaß zur Verfügung. Zum Messen wird ein Versa lbuchstabe mit dem Feld in Deckung gebracht, das d en Buchstaben oben und unten scharf begrenzt. Unter dem Feld ist die Schriftgröße in typographischen Did ot-Punkten, darunter in Millimetern angegeben. Auch die Millimeterangaben beziehen sich auf die Höhe der Versalbuchstaben. Die Schriftweite kann im Bertho ld-Fotosatz beliebig verändert werden. Die Festlegun g der Normalschriftweite erfolgt nach dem Prinzip der

2,40 mm (9 p), Zeilenabstand 4 mm

SYMBOL ITALIQUE ROMAIN LABEUR

La valeur de la force de corps des caractères de labeur èst généralement exprimée en points typ ographiques. La force de corps des caractères Berthold-Fototype peut être déterminée avec pr écision. Tous les caractères du même corps ont des capitales d'une hauteur identique, indépend amment de la hauteur des bas de casse sans ja mbage. Dans la composition plomb, ainsi que d ans certains systèmes de photocomposition, la hauteur des capitales, varie souvent d'un caract ère à l'autre. Pour déterminer la force de corps d e nos caractères, nous avons mis au point une r églette de hauteur d'œil transparente. On cherc he le rectangle qui délimite exactement la haute ur d'œil d'une capitale du caractère choisi. Sous le rectangle correspondant la valeur de la force

2,65 mm (10 p), Zeilenabstand 4,50 mm

La indicación de las dimensiones para cuerpos de letra vásicos tiene lugar en general en puntos tipográficos. Los cuerpos de l etra de los caracteres Berthold Fototype pueden determinarse exactemente par medición. Con independencia de la altura de sus longitudes centrales, todos los caracteres de idéntico cuer po de letra presentan altura de mayúsculas idéntica. En la com posición en plomo y en muchos otros sistemas de fotocomposi ción, las alturas de mayúsculas varían frecuentemmente en f orma considerable de tipo de letra a tipo de letra. Para medir lo s cuerpos de letra se dispone de un tipómetro, véase la figura. P ara la medición se hace coincidir una letra mayúscula con la ca silla cuyos extremos coinciden con los extremos superior e infe

1,60 mm (6 p), Zeilenabstand 2,50 mm

Größe		Zeilenabstand			100 Zeichen		
mm	p	kp	Êp	Ex	0	−1	−2
1,33	5	1,75	2,00		00	00	77
1,60	6	2,06	2,44	2,50	98	94	90
1,86	7	2,44	2,81	–	113	109	105
2,15	8	2,81	3,25	3,38	128	123	118
2,40	9	3,13	3,63	4,00	143	137	131
2,65	10	3,44	4,06	4,50	158	151	144
2,92	11	3,75	4,44	4,69	173	166	159
3,20	12	4,13	4,88	5,25	188	180	172
3,45	13	4,44	5,25	–	202	194	186
3,72	14	4,81	5,63	–	217	208	199
3,98	15	5,13	6,06	–	232	223	214
4,25	16	5,50	6,44	–	246	236	226

WZ 13 E, NSW 0, MZB 0,60, F 0,07:0,05 (1,3), VI
H 1–x 0,73–k 1,00–p 0,28–Ê 1,23–kp 1,28–Êp 1,51
BF 089 1530, Belegung 051: 085 1638 (095 1638)

Le misure relative al corpo dei caratteri vengono generalmente indicate in punti tipografici. Il corpo dei caratteri Fototypes può essere determinato c on esattezza per semplice misurazione. Tutti i ca ratteri di uguale grandezza in punti hanno, indip endentemente dalla loro lunghezza, uguale altez za delle maiuscole. Nella composizione in piomb o ed in molti altri sistemi di fotocomposizione, l'al tezza delle maiuscole varia spesso da carattere a

2,15 mm (8 p), Zeilenabstand 3,38 mm

normal
medium
normal

SYMBOL CAPS

normal
chiaro tondo
normal

T. S. ELIOT *Old Possums Katzenbuch*
GÜNTER EICH *Träume.* Vier Spiele
JEAN GIRAUDOUX *Eglantine.* Roman
WALTER BENJAMIN *Einbahnstraße*
ANTONIO MACHADO *Juan de Mairena*
G. B. SHAW *Musik in London.* Kritiken
PAUL VALÉRY *Über Kunst.* Essays
ERNST BLOCH *Spuren.* Parabeln
WILLIAM FAULKNER *Der Bär*
TRUMAN CAPOTE *Die Grasharfe*
ANDRÉ GIDE *Paludes.* Satire
GUISEPPE UNGARETTI *Gedichte*
JEAN GIRAUDOUX *Simon.* Roman
WILLIAM CARLOS WILLIAMS *Gedichte*
BERTHOLT BRECHT *Geschichten*
HENRY GREEN *Schwärmerei.* Roman
EZRA POUND *ABC des Lesens*
TH. W. ADORNO *Mahler.* Monographie

2,15 mm (8 p), Zeilenabstand 5,00 mm

ALDO NOVARESE
1984
INTERNATIONAL TYPEFACE CORP.
H. BERTHOLD AG

ABCDEFGHIJKLMNOPQ
RSTUVWXYZ
ABCDEFGHIJKLMNOPQRSTUVWXYZ
1234567890 %
(.,-;:!i?¿—) · ['‚„"“»«›‹]
+−=/$£†*&§©
ÄÅÆÖØŒÜÄÅÆÖØŒÜ
ÁÀÂÃÇČÉÈÊËÍÌÎÏĹŇÑ
ÓÒÔÕŔŘŠŤÚÙÛŴẂŶÝŸŽ
ÁÀÂÃÇČÉÈÊËÍÌÎÏĹŇÑÓÒÔÕŔŘŠ
ÚÙÛŴẂŶÝŸŽ

SCHRIFTWEITE WEIT
SCHRIFTWEITE NORMAL
SCHRIFTWEITE ENG
SCHRIFTWEITE SEHR ENG
SCHRIFTWEITE EXTREM ENG

CALAN: Hast du Furcht, daβ sein Vermögen nicht ausreicht? Mein Wort schlägt Hände ab – horch, ob sein Wort sie ihm behält. *Man hört schreien.* Wer, sagst du, Noah, wer, sagst du, wer, wenn nicht ich, ist der Herr?
NOAH: Sprich ein zweites Wort, Calan. *Das Schreien dauert an.* Töte ihn vollends, daβ nicht sein Schreien in meinen Eingeweiden schauert, sprich, Calan, sprich!
CALAN: Darum, daβ dein Eingeweide sich besänftigt? Darum, Noah, bitte ihn, den andern. Das Opfer ist getan, mag er sich sättigen am Schreien, denn es schreien viele, ohne daβ er ihr Schreien in Gnade ersäuft. Mag er sich auch eine Mühe machen mit einem Wort, wenn ihm an der Stille gelegen ist. Ich habe das Opfer von mir gegeben, und da es sein ist, soll er damit tun nach seinem Wohlgefallen. *Chus kommt mit zwei blutigen Händen.* Gut, Chus, nagle sie hier an den Pfosten, daβ er sieht, was Calan dargebracht, das nimmt er nicht wieder an sich. *Chus tut wie befohlen.*
CALAN *zu Noah, der sich die Ohren zuhält:* Nimm die Hände herunter und höre, was dein Gott dir zu hören gibt. Wenn es an dem ist, daβ er ihn schreien läβt, so hat er Wohlgefallen an seinem Schreien, und es kitzelt ihm die Eingeweide. Oder sollte sein Wort keine Kraft haben wenn ihn nach Stille verlangt?

1,86 mm (7 p), Zeilenabstand 3,00 mm

THE QUICK BROWN FOX JUMPS OVER THE LAZY DOG AND FEELS AS IF HE WERE IN THE SE
3,72 mm (14 p)

THE QUICK BROWN FOX JUMPS OVER THE LAZY DOG AND FEELS AS IF HE WERE
4,25 mm (16 p)

THE QUICK BROWN FOX JUMPS OVER THE LAZY DOG AND FEELS AS IF
4,75 mm (18 p)

THE QUICK BROWN FOX JUMPS OVER THE LAZY DOG AND FEE
5,30 mm (20 p)

THE QUICK BROWN FOX JUMPS OVER THE LAZY DOG
6,35 mm (24 p)

THE QUICK BROWN FOX JUMPS OVER THE L
7,40 mm (28 p)

THE QUICK BROWN FOX JUMPS OVER T
8,50 mm (32 p)

THE QUICK BROWN FOX JUMPS O
9,55 mm (36 p)

9/6

CHARLOTTE DUVALIER
PIANISTIN

PETER-PAUL-RUBENS-PLATZ 2, 1000 BERLIN 13
TELEFON 030–662284

2,40 mm (9 p) und 1,60 mm (6 p)

MONDAY		4	11	18	25
TUESDAY		5	12	19	26
WEDNESDAY		6	13	20	27
THURSDAY		7	14	21	28
FRIDAY	1	8	15	22	29
SATURDAY	2	9	16	23	30
SUNDAY	3	10	17	24	

2,40 mm (9 p) und 3,18 mm (12 p)
WZ 15 E, NSW +1, VI
BF 089 1507, Belegung 127: 085 1642 (095 1642)

10/7

JOCHEN VAN DIJK
LEHRER

HINTERM DOM 3, 5000 KÖLN AM RHEIN
TELEFON 0221–673358

2,65 mm (10 p) und 1,86 mm (7 p)

kursiv halbfett
bold italic
italique demi-gras

SYMBOL

seminegra cursiva
neretto corsivo
kursiv halvfet

Berthold-Schriften überzeugen durch Schärfe und Qualität. Schriftqualität ist eine Frage der Erfahrung. Berthold hat diese Erfahrung seit über hundert Jahren. Zuerst im Schriftguß, dann im Fotosatz. Berthold-Schriften sind weltweit geschätzt. Im Schriftenatelier München wird jeder Buchstabe in der Größe von zwölf Zentimetern neu gezeichnet. Mit messerscharfen Konturen, um für die Schriftscheiben das Optimale an Konturenschärfe herauszuholen. Um die Qualität des Einzelzeich

1,60 mm (6 p), Zeilenabstand 2,50 mm

Berthold-Schriften überzeugen durch Schärfe und Qualität. Schriftqualität ist eine Frage der Erfahrung. Berthold hat diese Erfahrung seit über hundert Jahren. Zuerst im Schriftguß, dann im Fotosatz. Berthold-Schriften sind weltweit geschätzt. Im Schriftenatelier München wird jeder Buchstabe in der Größe von zwölf Zentimetern neu gezeichnet. Mit messerscharfen Konturen, u

1,86 mm (7 p), Zeilenabstand 3,00 mm

Berthold-Schriften überzeugen durch Schärfe und Qualität. Schriftqualität ist eine Frage der Erfahrung. Berthold hat diese Erfahrung seit über hundert Jahren. Zuerst im Schriftguß, dann im Fotosatz. Berthold-Schriften sind weltweit geschätzt. Im Schriftenatelier München wird jeder Buchstabe in der Größe von zwölf Zentimetern neu gez

2,15 mm (8 p), Zeilenabstand 3,50 mm

Aldo Novarese
1984
International Typeface Corp.
H. Berthold AG

ABCDEFGHIJKLMNOPQ
RSTUVWXYZ
abcdefghijklmnopqrstuvwxyz
1/1234567890 %
(.,-;:!¡?¿–)·[’‘„”“»«]
+−=/$£†&§*
ÄÅÆÖØŒÜäåæıöøœßü
ÁÀÂÃÇČÉÈÊËÍÌÎÏĹÑÑÓÒÔÕ
ŔŘŠŤÚÙÛŴẄÝŶŸŽ
áàâãçčéèêëíìîïĺňñóòôõŕřš
úùûŵẅýỳÿž

Berthold-Schriftweite weit
Berthold-Schriftweite normal
Berthold-Schriftweite eng
Berthold-Schriftweite sehr eng
Berthold-Schriftweite extrem eng

In general, bodytypes are measured in the typographical point size. The sizes of Berthold Fototype faces can be exactly determined. All faces of same point size have the same capital height–irrespective of their x-height. In hot metal and many other phototypesetting systems the capital heights often differ considerably from one face to the other. For measuring point sizes, a transparent size gauge is provided. To determine the point size, bring a capital letter into coincidence

3,20 mm (12 p), Zeilenabstand 5,25 mm

Berthold’s quick brown fox jumps over the lazy dog and feels as if he were in the
3,72 mm (14 p)

Berthold’s quick brown fox jumps over the lazy dog and feels as if he
4,25 mm (16 p)

Berthold’s quick brown fox jumps over the lazy dog and feels
4,75 mm (18 p)

Berthold’s quick brown fox jumps over the lazy dog and
5,30 mm (20 p)

Berthold’s quick brown fox jumps over the lazy
6,35 mm (24 p)

Berthold’s quick brown fox jumps over t
7,40 mm (28 p)

Berthold’s quick brown fox jumps o
8,50 mm (32 p)

Berthold’s quick brown fox jum
9,55 mm (36 p)

Berthold-Schriften überzeugen durch Schärfe und Qualität. Schriftqualität ist eine Frage der Erfahrung. Berthold hat diese Erfahrung seit über hundert Jahren. Zuerst im Schriftguß, dann im Fotosatz. Berthold-Schriften sind weltweit geschätzt. Im Schriftenatelier München wird jeder Buchstabe in der Gr

2,40 mm (9 p), Zeilenabstand 4,00 mm

Größe mm	p	Zeilenabstand kp	Êp	Ex	100 Zeichen 0	−1	−2
1,33	5	1,75	2,13	–	93	90	87
1,60	6	2,06	2,50	2,50	109	105	101
1,86	7	2,44	2,94	3,00	126	122	118
2,15	8	2,81	3,38	3,50	143	138	133
2,40	9	3,13	3,75	4,00	160	154	148
2,65	10	3,44	4,13	4,00	177	170	163
2,92	11	3,75	4,56	–	193	186	179
3,20	12	4,13	5,00	5,25	209	201	193
3,45	13	4,44	5,38	–	226	218	210
3,72	14	4,81	5,81	–	242	233	224
3,98	15	5,13	6,19	–	259	250	241
4,25	16	5,50	6,63	–	275	265	255

WZ 13 E, NSW 0, MZB 0,67, F 0,18:0,10 (1,8), VI
H 1–x 0,73–k 1,00–p 0,28–Ê 1,27–kp 1,28–Êp 1,55
BF 089 1508, Belegung 051: 085 1644 (095 1644)

Berthold-Schriften überzeugen durch Schärfe und Qualität. Schriftqualität ist eine Frage der Erfahrung. Berthold hat diese Erfahrung seit über hundert Jahren. Zuerst im Schriftguß, dann im Fotosatz. Berthold-Schriften sind weltweit geschätzt. Im Schriftenatelier Mün

2,65 mm (10 p), Zeilenabstand 4,00 mm

normal
regular
normal

SYNTAX

normal
chiaro tondo
normal

Berthold-Schriften überzeugen durch Schärfe und Qualität. Schriftqua
lität ist eine Frage der Erfahrung. Berthold hat diese Erfahrung seit über
hundert Jahren. Zuerst im Schriftguß, dann im Fotosatz. Berthold-Schri
ften sind weltweit geschätzt. Im Schriftenatelier München wird jeder B
uchstabe in der Größe von zwölf Zentimetern neu gezeichnet. Mit mes
serscharfen Konturen, um für die Schriftscheiben das Optimale an Kon
turenschärfe herauszuholen. Um die Qualität des Einzelzeichens im Be
lichtungsvorgang zu bewahren, wird durch die ruhende, nicht rotieren
de Schriftscheibe belichtet. Dieses optische System, verbunden mit Prä

1,33 mm (5 p) 20 30 40 50 60

Berthold-Schriften überzeugen durch Schärfe und Qualität. Schrif
tqualität ist eine Frage der Erfahrung. Berthold hat diese Erfahrung
seit über hundert Jahren. Zuerst im Schriftguß, dann im Fotosatz
Berthold-Schriften sind weltweit geschätzt. Im Schriftenatelier M
ünchen wird jeder Buchstabe in der Größe von zwölf Zentimetern
neu gezeichnet. Mit messerscharfen Konturen, um für die Schrifts
cheiben das Optimale an Konturenschärfe herauszuholen. Um die
Qualität des Einzelzeichens im Belichtungsvorgang zu bewahren
wird durch die ruhende, nicht rotierende Schriftscheibe belichtet

1,45 mm (5,5 p) 20 30 40 50 60

Berthold-Schriften überzeugen durch Schärfe und Qualität
Schriftqualität ist eine Frage der Erfahrung. Berthold hat die
se Erfahrung seit über hundert Jahren. Zuerst im Schriftguß
dann im Fotosatz. Berthold-Schriften sind weltweit geschät
zt. Im Schriftenatelier München wird jeder Buchstabe in der
Größe von zwölf Zentimetern neu gezeichnet. Mit messe
rscharfen Konturen, um für die Schriftscheiben das Optimale
an Konturenschärfe herauszuholen. Um die Qualität des Ei
nzelzeichens im Belichtungsvorgang zu bewahren, wird dur

1,60 mm (6 p) 20 30 40 50

Berthold-Schriften überzeugen durch Schärfe und Qua
lität. Schriftqualität ist eine Frage der Erfahrung. Bertho
ld hat diese Erfahrung seit über hundert Jahren. Zuerst i
m Schriftguß, dann im Fotosatz. Berthold-Schriften sind
weltweit geschätzt. Im Schriftenatelier München wird j
eder Buchstabe in der Größe von zwölf Zentimetern ne
u gezeichnet. Mit messerscharfen Konturen, um für die
Schriftscheiben das Optimale an Konturenschärfe hera
uszuholen. Um die Qualität des Einzelzeichens im Belic

1,75 mm (6,5 p) 20 30 40 50

Berthold-Schriften überzeugen durch Schärfe und Q
ualität. Schriftqualität ist eine Frage der Erfahrung. Be
rthold hat diese Erfahrung seit über hundert Jahren. Z
uerst im Schriftguß, dann im Fotosatz. Berthold-Schri
ften sind weltweit geschätzt. Im Schriftenatelier Mün
chen wird jeder Buchstabe in der Größe von zwölf Ze
ntimetern neu gezeichnet. Mit messerscharfen Kont
uren, um für die Schriftscheiben das Optimale an Ko
nturenschärfe herauszuholen. Um die Qualität des Ei

1,86 mm (7 p) 20 30 40 5

Berthold-Schriften überzeugen durch Schärfe un
d Qualität. Schriftqualität ist eine Frage der Erfahr
ung. Berthold hat diese Erfahrung seit über hund
ert Jahren. Zuerst im Schriftguß, dann im Fotosatz
Berthold-Schriften sind weltweit geschätzt. Im Sc
hriftenatelier München wird jeder Buchstabe in d
er Größe von zwölf Zentimetern neu gezeichnet
Mit messerscharfen Konturen, um für die Schrifts
cheiben das Optimale an Konturenschärfe herau

2,00 mm (7,5 p) 20 30 40

Berthold-Schriften überzeugen durch Schärfe
und Qualität. Schriftqualität ist eine Frage der
Erfahrung. Berthold hat diese Erfahrung seit üb
er hundert Jahren. Zuerst im Schriftguß, dann i
m Fotosatz. Berthold-Schriften sind weltweit g
eschätzt. Im Schriftenatelier München wird jed
er Buchstabe in der Größe von zwölf Zentimet
ern neu gezeichnet. Mit messerscharfen Kontu
ren, um für die Schriftscheiben das Optimale an

2,15 mm (8 p) 20 30 40

Hans Eduard Meyer
1968
D. Stempel AG
H. Berthold AG

ABCDEFGHIJKLMNOPQ
RSTUVWXYZ
abcdefghijklmnopqrstuvwxyz
1/1234567890%
(.,-;:!i?¿–) · [",„""»«]
+−=/$£†*&§
ÄÅÆÖØŒÜäåæıöøœßü
ÁÀÂÃÇČÉÈÊËÍÌÎÏĹŇÑÓÒÔÕ
ŔŘŠŤÚÙÛŴẄÝŶŸŽ
áàâãçčéèêëíìîïĺňñóòôõŕřš
úùûŵẅýỳŷÿž

Berthold-Schriftweite weit
Berthold-Schriftweite normal
Berthold-Schriftweite eng
Berthold-Schriftweite sehr eng
Berthold-Schriftweite extrem eng

Berthold
3,75 mm (14 p)

Berthold
4,25 mm (16 p)

Berthold
4,75 mm (18 p)

Berthold
5,30 mm (20 p)

Berthold
6,35 mm (24 p)

Berthold
7,40 mm (28 p)

Berthold
8,50 mm (32 p)

Berthold
9,55 mm (36 p)

Größe mm	p	Zeilenabstand kp	Êp	Ex	100 Zeichen 0	−1	−2
1,33	5	1,94	2,19	2,00	83	80	77
1,60	6	2,31	2,56	2,50	98	94	90
1,86	7	2,63	3,00	3,00	113	109	105
2,15	8	3,06	3,50	3,50	128	123	118
2,40	9	3,44	3,88	3,75	143	137	131
2,65	10	3,75	4,25	4,25	158	151	144
2,92	11	4,13	4,69	4,75	173	166	159
3,20	12	4,56	5,13	5,25	188	180	172
3,45	13	4,88	5,56	5,75	202	194	186
3,72	14	5,25	6,00	–	217	208	199
3,98	15	5,63	6,38	–	232	223	214
4,25	16	6,00	6,81	–	246	236	226

WZ 14 E, NSW 0, MZB 0,60, F 0,12:0,079 (1,5), VI
H 1–x 0,72–k 1,08–p 0,33–Ê 1,27–kp 1,41–Êp 1,60
BF 089 0637, Belegung 051: 086 2243 (096 2243)

Berthold-Schriften überzeugen durch Sch
ärfe und Qualität. Schriftqualität ist eine Fr
age der Erfahrung. Berthold hat diese Erfa
hrung seit über hundert Jahren. Zuerst im
Schriftguß, dann im Fotosatz. Berthold-Sc
hriften sind weltweit geschätzt. Im Schrifte
natelier München wird jeder Buchstabe in
der Größe von zwölf Zentimetern neu gez

2,40 mm (9 p) 20 30 4

Berthold-Schriften überzeugen durch
Schärfe und Qualität. Schriftqualität ist
eine Frage der Erfahrung. Berthold hat
diese Erfahrung seit über hundert Jahr
en. Zuerst im Schriftguß, dann im Foto
satz. Berthold-Schriften sind weltweit
geschätzt. Im Schriftenatelier Münche
n wird jeder Buchstabe in der Größe v

2,65 mm (10 p) 20 30

Berthold-Schriften überzeugen dur
ch Schärfe und Qualität. Schriftqual
ität ist eine Frage der Erfahrung. Bert
hold hat diese Erfahrung seit über h
undert Jahren. Zuerst im Schriftguß
dann im Fotosatz. Berthold-Schrifte
n sind weltweit geschätzt. Im Schrif
tenatelier München wird jeder Buc

2,92 mm (11 p) 20 30

Berthold-Schriften überzeugen
durch Schärfe und Qualität. Sch
riftqualität ist eine Frage der Erfa
hrung. Berthold hat diese Erfahr
ung seit über hundert Jahren. Zu
erst im Schriftguß, dann im Foto
satz. Berthold-Schriften sind wel
tweit geschätzt. Im Schriftenatel

3,20 mm (12 p) 10 20 3

Berthold-Schriften überzeuge
n durch Schärfe und Qualität
Schriftqualität ist eine Frage d
er Erfahrung. Berthold hat die
se Erfahrung seit über hundert
Jahren. Zuerst im Schriftguß, d
ann im Fotosatz. Berthold-Sc
hriften sind weltweit geschätz

3,45 mm (13 p) 10 20

normal
regular
normal

SYNTAX

normal
chiaro tondo
normal

Berthold-Schriften überzeugen durch Schärfe und Qualität. Schriftqualität ist eine Frage der Erfahrung. Berthold hat diese Erfahrung seit über hundert Jahr en. Zuerst im Schriftguß, dann im Fotosatz. Berthold-Schriften sind weltweit geschätzt. Im Schriftenatelier München wird jeder Buchstabe in der Größe von zwölf Zentimetern neu gezeichnet. Mit messerscharfen Konturen, um für die Schriftscheiben das Optimale an Konturenschärfe herauszuholen. Um die Qualität des Einzelzeichens im Belichtungsvorgang zu bewahren, wird durch die ruhende, nicht rotierende Schriftscheibe belichtet. Dieses optische System, verbunden mit Präzisions-Chromglasscheiben, führt zu einer Schrift

4,25 mm (16 p), Zeilenabstand 6,75 mm

SYNTAX REGULAR

In general, bodytypes are measured in the typo graphical point size. The sizes of Berthold Fototype faces can be exactly determined. All faces of same point size have the same capital heigth–irrespective of their x-heigth. In hot metal and many other pho totypesetting systems the capital heigths often dif fer considerably from one face to the other. For measuring point sizes, a transparent size gauge is provided. To determine the point size, bring a capi tal letter into coincidence with that field which pre cisely circumscribes the letter at its upper and lower margin. Below the field you find the typographical point and below that the millimeter value, which al so refers to the height of a capital letter. In Berthold phototypesetting, the typewidth can be modified The standard setting width of typefaces is deter mined by the principle of optimum legibility. You should not depart from this typewidth without co gent reason. A typeface which is considered opti cally right when looked in a greater context, often seems bulky when applied for a small amount of text, e. g. labels and ads. Here, a width reduction will

2,40 mm (9 p), Zeilenabstand 4,25 mm

SYNTAX NORMAL

La valeur de la force de corps des caractères de labeur èst généralement exprimée en points typographiques. La force de corps des carac tères Berthold-Fototype peut être déterminée avec précision. Tous les caractères du même corps ont des capitales d'une hauteur iden tique, indépendamment de la hauteur des bas de casse sans jambage. Dans la composition plomb, ainsi que dans certains systèmes de photocomposition, la hauteur des capitales varie souvent d'un caractère à l'autre. Pour dé terminer la force de corps de nos caractères nous avons mis au point une réglette de hauteur d'œil transparente. On cherche le rec tangle qui délimite exactement la hauteur d'œil d'une capitale du caractère choisi. Sous le rectangle correspondant la valeur de la force de corps est indiquée en points Didots et en millimètres. La valeur en millimètres exprime également la hauteur des capitales. Pour toutes

2,65 mm (10 p), Zeilenabstand 4,69 mm

La indicación de las dimensiones para cuerpos de letra básicos tiene lugar en general en puntos ti pográficos. Los cuerpos de letra de los caracteres Berthold Fototype pueden determinarse exacte mente par medición. Con independencia de la al tura de sus longitudes centrales, todos los caracte res de idéntico cuerpo de letra presentan altura de mayúsculas idéntica. En la composición en plomo y en muchos otros sistemas de fotocom

2,15 mm (8 p), –1, Zeilenabstand 3,38 mm

123,– $	456,– £	7890,– DM	1 %
231,– $	789,– £	1231,– DM	2 %
567,– $	12,– £	5678,– DM	3 %
890,– $	345,– £	9012,– DM	4 %
123,– $	678,– £	3456,– DM	5 %
456,– $	901,– £	7890,– DM	6 %
789,– $	234,– £	1234,– DM	7 %
12,– $	567,– £	5678,– DM	8 %
345,– $	890,– £	9012,– DM	9 %

BF 089 0638

Le misure relative al corpo dei caratteri vengono ge neralmente indicate in punti tipografici. Il corpo dei caratteri Fototypes può essere determinato con esattezza per semplice misurazione. Tutti i caratteri di uguale grandezza in punti hanno, indipendente mente dalla loro lunghezza, uguale altezza delle maiuscole. Nella composizione in piombo ed in molti altri sistemi di fotocomposizione, l'altezza delle maiuscole varia spesso da carattere a carattere. Per

2,15 mm (8 p), –2, Zeilenabstand 3,38 mm

kursiv
italic
italique

SYNTAX

cursiva
corsivo
kursiv

*Måttangivelse för grundstilsgrader
sker i allmänhet i typografiska pun
kter. Stilar av Berthold Fototype
kan efter mätning exakt gradbestä
mmas. Alla typsnitt är av samma
punktstorlek och har oberoende av
x-höjden en identisk versalhöjd. I
blysättning och i många andra fot
osättsystem varierar versalhöjden
avsevärt från typsnitt till typsnitt
För mätning av stilgrader finns en
transparent mätlinjal. Vid mätning
en placerar man en versal bokstav
så att rutorna begränsar tecknet
upptill och nedtill. Under rutorna fi
nns stilstorleken i typografiska did
otpunkter och i mm. Även millimet
eruppgiften avser versalhöjden. Vid
stilstorleksuppgifter anges alltid må*

2,92 mm (11 p), Zeilenabstand 4,69 mm

*Hans Eduard Meyer
1972
D. Stempel AG
H. Berthold AG*

*ABCDEFGHIJKLMNOPQ
RSTUVWXYZ
abcdefghijklmnopqrstuvwxyz
1/1234567890%
(.,-;:!i?¿–) · [",„""»«]
+−=/$£†*&§
ÄÅÆÖØŒÜäåæıöøœßü
ÁÀÂÃÇČÉÈÊËÍÌÎÏĹŇÑÓÒÔÕ
ŔŘŠŤÚÙÛŴẀÝŶŸŽ
áàâãçčéèêëíìîïĺňñóòôõŕřš
úùûŵẁýỳÿž*

*Berthold-Schriftweite weit
Berthold-Schriftweite normal
Berthold-Schriftweite eng
Berthold-Schriftweite sehr eng
Berthold-Schriftweite extrem eng*

*In general, bodytypes are meas
ured in the typographical point
size. The sizes of Berthold Fotot
ype faces can be exactly determ
ined. All faces of same point size
have the same capital heigth–ir
respective of their x-heigth. In
hot metal and many other phot
otypesetting systems the capital
heigths often differ considerab
ly from one face to the other
For measuring point sizes, a tra
nsparent size gauge is provided
To determine the point size, br
ing a capital letter into coincide
nce with that field which precis
ely circumscribes the letter at its*

3,20 mm (12 p), Zeilenabstand 5,25 mm

SYNTAX KURSIV

*Die Maßangabe zu Grundschriftgrößen erfolgt im
allgemeinen in typographischen Punkten. Die
Schriftgrößen der Berthold-Fotosatz-Schriften sind
nach Messung exakt bestimmbar. Alle Schriften
gleicher Punktgröße weisen, unabhängig von der
Höhe ihrer Mittellängen, eine identische Versalhö
he auf. Im Bleisatz und bei vielen anderen Fotosatz
Systemen differieren die Versalhöhen von Schrift
zu Schrift oft erheblich. Zum Messen von Schriftgrö
ßen steht ein transparentes Größenmaß zur Verfü
gung. Zum Messen wird ein Versalbuchstabe mit
dem Feld in Deckung gebracht, das den Buchstaben
oben und unten scharf begrenzt. Unter dem Feld ist
die Schriftgröße in typographischen Didot-Punk
ten, darunter in Millimetern angegeben. Auch die
Millimeterangaben beziehen sich auf die Höhe der
Versalbuchstaben. Die Schriftweite kann im Bert
hold-Fotosatz beliebig verändert werden. Die Fest*

2,40 mm (9 p), Zeilenabstand 4 mm

SYNTAX ITALIQUE

*La valeur de la force de corps des caractères de
labeur èst généralement exprimée en points
typographiques. La force de corps des carac
tères Berthold-Fototype peut être déterminée
avec précision. Tous les caractères du même
corps ont des capitales d'une hauteur iden
tique, indépendamment de la hauteur des bas
de casse sans jambage. Dans la composition
plomb, ainsi que dans certains systèmes de
photocomposition, la hauteur des capitales
varie souvent d'un caractère à l'autre. Pour dé
terminer la force de corps de nos caractères
nous avons mis au point une réglette de
hauteur d'œil transparente. On cherche le rec
tangle qui délimite exactement la hauteur
d'œil d'une capitale du caractère choisi. Sous le*

2,65 mm (10 p), Zeilenabstand 4,50 mm

*La indicación de las dimensiones para cuerpos de letra vási
cos tiene lugar en general en puntos tipográficos. Los cuer
pos de letra de los caracteres Berthold Fototype pueden de
terminarse exactemente par medición. Con independencia
de la altura de sus longitudes centrales, todos los caracteres
de idéntico cuerpo de letra presentan altura de mayúscu
las idéntica. En la composición en plomo y en muchos otros
sistemas de fotocomposición, las alturas de mayúsculas va
rían frecuentemmente en forma considerable de tipo de
letra a tipo de letra. Para medir los cuerpos de letra se dispo
ne de un tipómetro, véase la figura. Para la medición se hace
coincidir una letra mayúscula con la casilla cuyos extremos*

1,60 mm (6 p), Zeilenabstand 2,50 mm

Größe		Zeilenabstand			100 Zeichen		
mm	p	kp	Êp	Ex	0	−1	−2
1,33	5	1,88	2,19	–	83	80	77
1,60	6	2,25	2,56	2,50	98	94	90
1,86	7	2,63	3,00	–	113	109	105
2,15	8	3,06	3,50	3,38	128	123	118
2,40	9	3,38	3,88	4,00	143	137	131
2,65	10	3,75	4,25	4,50	158	151	144
2,92	11	4,13	4,69	4,69	173	166	159
3,20	12	4,50	5,13	5,25	188	180	172
3,45	13	4,88	5,56	–	202	194	186
3,72	14	5,25	6,00	–	217	208	199
3,98	15	5,63	6,38	–	232	223	214
4,25	16	6,00	6,81	–	246	236	226

WZ 14 E, NSW 0, MZB 0,60, F 0,11:0,075 (1,4), VI
H 1–x 0,72–k 1,07–p 0,33–Ê 1,27–kp 1,40–Êp 1,60
BF 089 0639, Belegung 051: 086 2244 (096 2244)

*Le misure relative al corpo dei caratteri vengo
no generalmente indicate in punti tipografici. Il
corpo dei caratteri Fototypes può essere deter
minato con esattezza per semplice misurazio
ne. Tutti i caratteri di uguale grandezza in punti
hanno, indipendentemente dalla loro lunghez
za, uguale altezza delle maiuscole. Nella com
posizione in piombo ed in molti altri sistemi di
fotocomposizione, l'altezza delle maiuscole va*

2,15 mm (8 p), Zeilenabstand 3,38 mm

halbfett
medium
demi-gras

SYNTAX

seminegra
neretto
halvfet

Berthold-Schriften überzeugen durch Schärfe und Qualität Schriftqualität ist eine Frage der Erfahrung. Berthold hat di ese Erfahrung seit über hundert Jahren. Zuerst im Schriftg uß, dann im Fotosatz. Berthold-Schriften sind weltweit geschätzt. Im Schriftenatelier München wird jeder Buchsta be in der Größe von zwölf Zentimetern neu gezeichnet. Mit messerscharfen Konturen, um für die Schriftscheiben das Optimale an Konturenschärfe herauszuholen. Um die Qua lität des Einzelzeichens im Belichtungsvorgang zu bewahr

1,60 mm (6 p), Zeilenabstand 2,50 mm

Berthold-Schriften überzeugen durch Schärfe und Qualität. Schriftqualität ist eine Frage der Erfahrung Berthold hat diese Erfahrung seit über hundert Jahr en. Zuerst im Schriftguß, dann im Fotosatz. Bertho ld-Schriften sind weltweit geschätzt. Im Schriftenat elier München wird jeder Buchstabe in der Größe von zwölf Zentimetern neu gezeichnet. Mit messers charfen Konturen, um für die Schriftscheiben das

1,86 mm (7 p), Zeilenabstand 3,00 mm

Berthold-Schriften überzeugen durch Schärfe und Qualität. Schriftqualität ist eine Frage der Erfahrung. Berthold hat diese Erfahrung seit über hundert Jahren. Zuerst im Schriftguß dann im Fotosatz. Berthold-Schriften sind wel tweit geschätzt. Im Schriftenatelier München wird jeder Buchstabe in der Größe von zwölf Zentimetern neu gezeichnet. Mit messerscha

2,15 mm (8 p), Zeilenabstand 3,50 mm

Hans Eduard Meyer
1969
D. Stempel AG
H. Berthold AG

ABCDEFGHIJKLMNOPQ
RSTUVWXYZ
abcdefghijklmnopqrstuvwxyz
1/1234567890%
(.,-;:!i?¿–)·[',,""»«]
+−=/$£†*&§
ÄÅÆÖØŒÜäåæıöøœßü
ÁÀÂÃÇČÉÈÊËÍÌÎÏĹŇÑÓÒÔÕ
ŔŘŠŤÚÙÛŴẄÝŶŸŽ
áàâãçčéèêëíìîïĺňñóòôõŕřš
úùûŵẅýỳÿž

Berthold-Schriftweite weit
Berthold-Schriftweite normal
Berthold-Schriftweite eng
Berthold-Schriftweite sehr eng
Berthold-Schriftweite extrem eng

In general, bodytypes are me asured in the typographical po int size. The sizes of Berthold F ototype faces can be exactly de termined. All faces of same poi nt size have the same capital h eigth–irrespective of their x-he igth. In hot metal and many ot her phototypesetting systems the capital heigths often differ considerably from one face to the other. For measuring point sizes, a transparent size gauge is provided. To determine the po int size, bring a capital letter int o coincidence with that field w hich precisely circumscribes th

3,20 mm (12 p), Zeilenabstand 5,25 mm

Berthold's quick brown fox jumps over the lazy dog and feels as if he were in the seve
3,75 mm (14 p)

Berthold's quick brown fox jumps over the lazy dog and feels as if he were i
4,25 mm (16 p)

Berthold's quick brown fox jumps over the lazy dog and feels as if
4,75 mm (18 p)

Berthold's quick brown fox jumps over the lazy dog and feels
5,30 mm (20 p)

Berthold's quick brown fox jumps over the lazy do
6,35 mm (24 p)

Berthold's quick brown fox jumps over the
7,40 mm (28 p)

Berthold's quick brown fox jumps ov
8,50 mm (32 p)

Berthold's quick brown fox jumps
9,55 mm (36 p)

Berthold-Schriften überzeugen durch Sc härfe und Qualität. Schriftqualität ist eine Frage der Erfahrung. Berthold hat diese E rfahrung seit über hundert Jahren. Zuerst im Schriftguß, dann im Fotosatz. Berthol d-Schriften sind weltweit geschätzt. Im S chriftenatelier München wird jeder Buch stabe in der Größe von zwölf Zentimetern

2,40 mm (9 p), Zeilenabstand 4,00 mm

Größe		Zeilenabstand			100 Zeichen		
mm	p	kp	Êp	Ex	0	−1	−2
1,33	5	1,94	2,19	—	84	81	78
1,60	6	2,31	2,63	2,50	99	95	91
1,86	7	2,63	3,06	3,00	114	110	106
2,15	8	3,06	3,50	3,50	129	124	119
2,40	9	3,44	3,94	4,00	144	138	132
2,65	10	3,75	4,31	4,00	159	152	145
2,92	11	4,13	4,75	—	174	167	160
3,20	12	4,56	5,19	5,25	189	181	173
3,45	13	4,88	5,63	—	204	196	188
3,72	14	5,25	6,06	—	219	210	201
3,98	15	5,63	6,50	—	233	224	215
4,25	16	6,00	6,94	—	248	238	228

WZ 14 E, NSW 0, MZB 0,60, F 0,18:0,12 (1,4), VI
H 1–x 0,73–k 1,08–p 0,33–Ê 1,29–kp 1,41–Êp 1,62
BF 089 0640, Belegung 051: 086 2245 (096 2245)

Berthold-Schriften überzeugen durc h Schärfe und Qualität. Schriftqualit ät ist eine Frage der Erfahrung. Berth old hat diese Erfahrung seit über hun dert Jahren. Zuerst im Schriftguß, da nn im Fotosatz. Berthold-Schriften s ind weltweit geschätzt. Im Schriften atelier München wird jeder Buchsta

2,65 mm (10 p), Zeilenabstand 4,00 mm

fett
bold
gras

SYNTAX

negra
nero
fet

Berthold-Schriften überzeugen durch Schärfe und Q ualität. Schriftqualität ist eine Frage der Erfahrung Berthold hat diese Erfahrung seit über hundert Jahr en. Zuerst im Schriftguß, dann im Fotosatz. Berthold Schriften sind weltweit geschätzt. Im Schriftenateli er München wird jeder Buchstabe in der Größe von z wölf Zentimetern neu gezeichnet. Mit messerscharf en Konturen, um für die Schriftscheiben das Optima le an Konturenschärfe herauszuholen. Um die Quali

1,60 mm (6 p), Zeilenabstand 2,50 mm

Berthold-Schriften überzeugen durch Schärfe und Qualität. Schriftqualität ist eine Frage der Erfahrung. Berthold hat diese Erfahrung seit über hundert Jahren. Zuerst im Schriftguß, d ann im Fotosatz. Berthold-Schriften sind wel tweit geschätzt. Im Schriftenatelier München wird jeder Buchstabe in der Größe von zwölf Zentimetern neu gezeichnet. Mit messersch

1,86 mm (7 p), Zeilenabstand 3,00 mm

Berthold-Schriften überzeugen durch S chärfe und Qualität. Schriftqualität ist e ine Frage der Erfahrung. Berthold hat di ese Erfahrung seit über hundert Jahren Zuerst im Schriftguß, dann im Fotosatz Berthold-Schriften sind weltweit gesch ätzt. Im Schriftenatelier München wird jeder Buchstabe in der Größe von zwölf

2,15 mm (8 p), Zeilenabstand 3,50 mm

Hans Eduard Meyer
1982
D. Stempel AG
H. Berthold AG

ABCDEFGHIJKLMNOPQ
RSTUVWXYZ
abcdefghijklmnopqrstuvwxyz
1/1234567890%
(.,-;:!i?¿–)·['‘„"“»«]
+−=/$£†*&§
ÄÅÆÖØŒÜäåæıöøœßü
ÁÀÂÃÇČÉÈÊËÍÌÎÏĹŇÑÓÒÔÕ
ŔŘŠŤÚÙÛŴẄÝỲŸŽ
áàâãçčéèêëíìîïĺňñóòôõŕřš
úùûŵẅýỳÿž

Berthold-Schriftweite weit
Berthold-Schriftweite normal
Berthold-Schriftweite eng
Berthold-Schriftweite sehr eng
Berthold-Schriftweite extrem eng

In general, bodytypes are measured in the typograp hical point size. The sizes of Berthold Fototype faces ca n be exactly determined. All faces of same point size ha ve the same capital height irrespective of their x-heig ht. In hot metal and many o ther phototypesetting sys tems the capital heights o ften differ considerably fr om one face to the other. F or measuring point sizes, a transparent size gauge is p rovided. To determine the point size, bring a capital le

3,20 mm (12 p), Zeilenabstand 5,25 mm

Berthold's quick brown fox jumps over the lazy dog and feels as if he were
3,72 mm (14 p)

Berthold's quick brown fox jumps over the lazy dog and feels as if
4,25 mm (16 p)

Berthold's quick brown fox jumps over the lazy dog and fe
4,75 mm (18 p)

Berthold's quick brown fox jumps over the lazy dog
5,30 mm (20 p)

Berthold's quick brown fox jumps over the l
6,35 mm (24 p)

Berthold's quick brown fox jumps ov
7,40 mm (28 p)

Berthold's quick brown fox jump
8,50 mm (32 p)

Berthold's quick brown fox j
9,55 mm (36 p)

Berthold-Schriften überzeugen dur ch Schärfe und Qualität. Schriftqual ität ist eine Frage der Erfahrung. Ber thold hat diese Erfahrung seit über hundert Jahren. Zuerst im Schriftgu ß, dann im Fotosatz. Berthold-Schri ften sind weltweit geschätzt. Im Sch riftenatelier München wird jeder Bu

2,40 mm (9 p), Zeilenabstand 4,00 mm

Größe		Zeilenabstand			100 Zeichen		
mm	p	kp	Êp	Ex	0	−1	−2
1,33	5	1,94	2,13	—	96	93	90
1,60	6	2,31	2,56	2,50	113	109	105
1,86	7	2,69	3,00	3,00	130	126	122
2,15	8	3,13	3,44	3,50	148	143	138
2,40	9	3,44	3,88	4,00	166	160	154
2,65	10	3,81	4,25	4,00	183	176	169
2,92	11	4,19	4,69	—	200	193	186
3,20	12	4,63	5,13	5,25	217	209	201
3,45	13	4,94	5,56	—	234	226	218
3,72	14	5,38	6,00	—	251	242	233
3,98	15	5,75	6,38	—	268	259	250
4,25	16	6,13	6,81	—	285	275	265

WZ 14 E, NSW 0, MZB 0,69, F 0,25:0,16 (1,5), VI
H 1–x 0,73–k 1,08–p 0,35–Ê 1,25–kp 1,43–Êp 1,60
BF 089 1099, Belegung 051: 085 1164 (095 1164)

Berthold-Schriften überzeugen durch Schärfe und Qualität. Schr iftqualität ist eine Frage der Erfa hrung. Berthold hat diese Erfahr ung seit über hundert Jahren. Zu erst im Schriftguß, dann im Foto satz. Berthold-Schriften sind we ltweit geschätzt. Im Schriftenat

2,65 mm (10 p), Zeilenabstand 4,00 mm

extrafett
extra bold
extra gras

SYNTAX

muy negra
nerissimo
extra fet

Berthold-Schriften überzeugen durch Schärfe und Qualität. Schriftqualität ist eine Frage der Erfahrung. Berthold hat diese Erfahrung seit über hundert Jahren. Zuerst im Schriftguß, da nn im Fotosatz. Berthold-Schriften sind welt weit geschätzt. Im Schriftenatelier München wird jeder Buchstabe in der Größe von zwölf Zentimetern neu gezeichnet. Mit messerschar fen Konturen, um für die Schriftscheiben das

1,60 mm (6 p), Zeilenabstand 2,50 mm

Berthold-Schriften überzeugen durch Sc härfe und Qualität. Schriftqualität ist ei ne Frage der Erfahrung. Berthold hat di ese Erfahrung seit über hundert Jahren Zuerst im Schriftguß, dann im Fotosatz Berthold-Schriften sind weltweit gesch ätzt. Im Schriftenatelier München wird jeder Buchstabe in der Größe von zwölf

1,86 mm (7 p), Zeilenabstand 3,00 mm

Berthold-Schriften überzeugen dur ch Schärfe und Qualität. Schriftqua lität ist eine Frage der Erfahrung Berthold hat diese Erfahrung seit über hundert Jahren. Zuerst im Sch riftguß, dann im Fotosatz. Bertho ld-Schriften sind weltweit geschät zt. Im Schriftenatelier München wi

2,15 mm (8 p), Zeilenabstand 3,50 mm

Hans Eduard Meyer
1970
D. Stempel AG
H. Berthold AG

ABCDEFGHIJKLMNOPQ
RSTUVWXYZ
abcdefghijklmnopqrstuvw
xyz 1/1234567890%
(.,-;:!¡?¿–)·["‚„"“»«]
+−=/$£†*&§
ÄÅÆÖØŒÜäåæıöøœßü
ÁÀÂÃÇČÉÈÊËÍÌÎÏĹŇÑÓÒÔÕ
ŔŘŠŤÚÙÛŴẄÝỲŸŽ
áàâãçčéèêëíìîïĺňñóòôõŕřš
úùûŵẅýỳÿž

Schriftweite weit
Schriftweite normal
Schriftweite eng
Schriftweite sehr eng
Schriftweite extrem eng

In general, bodytypes a re measured in the typo graphical point size. The sizes of Berthold Fotot ype faces can be exactly determined. All faces of same point size have th e same capital heigth–i rrespective of their x-h eigth. In hot metal and many other phototype setting systems the cap ital heigths often differ considerably from one face to the other. For m easuring point sizes, a t ransparent size gauge is

3,20 mm (12 p), Zeilenabstand 5,25 mm

Berthold's quick brown fox jumps over the lazy dog and feels as if
3,75 mm (14 p)

Berthold's quick brown fox jumps over the lazy dog and f
4,25 mm (16 p)

Berthold's quick brown fox jumps over the lazy dog
4,75 mm (18 p)

Berthold's quick brown fox jumps over the la
5,30 mm (20 p)

Berthold's quick brown fox jumps over
6,35 mm (24 p)

Berthold's quick brown fox jum
7,40 mm (28 p)

Berthold's quick brown fox j
8,50 mm (32 p)

Berthold's quick brown fo
9,55 mm (36 p)

Berthold-Schriften überzeugen durch Schärfe und Qualität. Sch riftqualität ist eine Frage der E rfahrung. Berthold hat diese Er fahrung seit über hundert Jahr en. Zuerst im Schriftguß, dann i m Fotosatz. Berthold-Schriften sind weltweit geschätzt. Im Sc

2,40 mm (9 p), Zeilenabstand 4,00 mm

Größe		Zeilenabstand			100 Zeichen		
mm	p	kp	Êp	Ex	0	−1	−2
1,33	5	2,00	2,25	—	109	106	103
1,60	6	2,38	2,69	2,50	128	124	120
1,86	7	2,81	3,13	3,00	147	143	139
2,15	8	3,19	3,63	3,50	167	162	157
2,40	9	3,56	4,00	4,00	187	181	175
2,65	10	3,94	4,44	4,00	206	199	192
2,92	11	4,38	4,88	—	225	218	211
3,20	12	4,75	5,31	5,25	245	237	229
3,45	13	5,13	5,75	—	264	256	248
3,72	14	5,56	6,19	—	283	274	265
3,98	15	5,94	6,63	—	302	293	284
4,25	16	6,31	7,06	—	321	311	301

WZ 18 E, NSW 0, MZB 0,78, F 0,34:0,15 (2,3), VI
H 1–x 0,74–k 1,10–p 0,38–Ê 1,28–kp 1,48–Êp 1,66
BF 089 0641, Belegung 051: 086 2246 (096 2246)

Berthold-Schriften überzeug en durch Schärfe und Qualit ät. Schriftqualität ist eine F rage der Erfahrung. Berthold hat diese Erfahrung seit über hundert Jahren. Zuerst im S chriftguß, dann im Fotosatz Berthold-Schriften sind wel

2,65 mm (10 p), Zeilenabstand 4,00 mm

mager
light
maigre

TIFFANY

fina
chiarissimo
mager

Berthold-Schriften überzeugen durch Schärfe und Qualität. Schriftqualität ist eine Frage der Erfahrung. Berthold hat diese Erfahrung seit über hundert Jahren. Zuerst im Schriftguß, dann im Fotosatz. Berthold-Schriften sind weltweit geschätzt. Im Schriftenatelier München wird jeder Buchstabe in der Größe von zwölf Zentimetern neu gezeichnet. Mit messerscharfen Konturen, um für die Schriftscheiben das Optimale an Konturenschärfe herauszuholen. Um die Qualität des Einzelzeichens im Belichtungsvorgang zu bewahren, wird durch die ruhende, nicht rotierende Schriftsc

1,33 mm (5 p) 20 30 40 50 60

Berthold-Schriften überzeugen durch Schärfe und Qualität Schriftqualität ist eine Frage der Erfahrung. Berthold hat diese Erfahrung seit über hundert Jahren. Zuerst im Schriftguß, dann im Fotosatz. Berthold-Schriften sind weltweit geschätzt. Im Schriftenatelier München wird jeder Buchstabe in der Größe von zwölf Zentimetern neu gezeichnet. Mit messerscharfen Konturen, um für die Schriftscheiben das Optimale an Konturenschärfe herauszuholen. Um die Qualität des Einzelzeichens im Belichtungsvorgang zu bewahren

1,45 mm (5,5 p) 20 30 40 50

Berthold-Schriften überzeugen durch Schärfe und Qualität. Schriftqualität ist eine Frage der Erfahrung. Berthold hat diese Erfahrung seit über hundert Jahren. Zuerst im Schriftguß, dann im Fotosatz. Berthold-Schriften sind weltweit geschätzt. Im Schriftenatelier München wird jeder Buchstabe in der Größe von zwölf Zentimetern neu gezeichnet. Mit messerscharfen Konturen um für die Schriftscheiben das Optimale an Konturenschärfe herauszuholen. Um die Qualität des Einzelz

1,60 mm (6 p) 20 30 40 50

Berthold-Schriften überzeugen durch Schärfe und Qualität. Schriftqualität ist eine Frage der Erfahrung. Berthold hat diese Erfahrung seit über hundert Jahren. Zuerst im Schriftguß, dann im Fotosatz. Berthold-Schriften sind weltweit geschätzt. Im Schriftenatelier München wird jeder Buchstabe in der Größe von zwölf Zentimetern neu gezeichnet. Mit messerscharfen Konturen, um für die Schriftscheiben das Optimale an Konturenschärfe herauszuh

1,75 mm (6,5 p) 20 30 40 5

Berthold-Schriften überzeugen durch Schärfe und Qualität. Schriftqualität ist eine Frage der Erfahrung. Berthold hat diese Erfahrung seit über hundert Jahren. Zuerst im Schriftguß, dann im Fotosatz. Berthold-Schriften sind weltweit geschätzt. Im Schriftenatelier München wird jeder Buchstabe in der Größe von zwölf Zentimetern neu gezeichnet. Mit messerscharfen Konturen, um für die Schriftscheiben das Optimale

1,86 mm (7 p) 20 30 40

Berthold-Schriften überzeugen durch Schärfe und Qualität. Schriftqualität ist eine Frage der Erfahrung. Berthold hat diese Erfahrung seit über hundert Jahren. Zuerst im Schriftguß, dann im Fotosatz. Berthold-Schriften sind weltweit geschätzt. Im Schriftenatelier München wird jeder Buchstabe in der Größe von zwölf Zentimetern neu gezeichnet. Mit messerscharfen Konturen, um für die Schrifts

2,00 mm (7,5 p) 20 30 40

Berthold-Schriften überzeugen durch Schärfe und Qualität. Schriftqualität ist eine Frage der Erfahrung. Berthold hat diese Erfahrung seit über hundert Jahren. Zuerst im Schriftguß, dann im Fotosatz. Berthold Schriften sind weltweit geschätzt. Im Schriftenatelier München wird jeder Buchstabe in der Größe von zwölf Zentimetern neu gezeichnet. Mit messerscharfen Kontur

2,15 mm (8 p) 20 30 40

Ed Benguiat
1974
International Typeface Corp.
H. Berthold AG

ABCDEFGHIJKLMNOPQ
RSTUVWXYZ
abcdefghijklmnopqrstuvwxyz
1/1234567890%
(.,-;:!¡?¿–) · [",„"“»«]
+–=/$£†*&§
ÄÅÆÖØŒÜäåæıöøœßü
ÁÀÂÃÇČÉÈÊËÍÌÎÏĹŇÑÓÒÔÕ
ŔŘŠŤÚÙÛŴẄÝỲŶŸŽ
áàâãçčéèêëíìîïĺňñóòôõŕřš
úùûŵẅýỳÿž

Berthold-Schriftweite weit
Berthold-Schriftweite normal
Berthold-Schriftweite eng
Berthold-Schriftweite sehr eng
Berthold-Schriftweite extrem eng

Berthold
3,75 mm (14 p)

Berthold
4,25 mm (16 p)

Berthold
4,75 mm (18 p)

Berthold
5,30 mm (20 p)

Berthold
6,35 mm (24 p)

Berthold
7,40 mm (28 p)

Berthold
8,50 mm (32 p)

Berthold
9,55 mm (36 p)

Größe mm	p	Zeilenabstand kp	Êp	Ex	100 Zeichen 0	–1	–2
1,33	5	1,75	2,13	2,00	90	87	84
1,60	6	2,13	2,50	2,50	106	102	98
1,86	7	2,44	2,94	3,00	122	118	114
2,15	8	2,88	3,38	3,50	139	134	129
2,40	9	3,19	3,75	3,75	156	150	144
2,65	10	3,50	4,19	4,25	172	165	158
2,92	11	3,88	4,56	4,75	188	181	174
3,20	12	4,25	5,00	5,25	204	196	188
3,45	13	4,56	5,44	5,75	220	212	204
3,72	14	4,88	5,81	–	236	227	218
3,98	15	5,25	6,25	–	252	243	234
4,25	16	5,63	6,69	–	268	258	248

WZ 14 E, NSW –1, MZB 0,65, F 0,11:0,038 (3,0), III
H 1–x 0,64–k 1,02–p 0,29–Ê 1,27–kp 1,31–Êp 1,56
BF 089 0642, Belegung 051: 087 3362 (097 3362)

Berthold-Schriften überzeugen durch Schärfe und Qualität. Schriftqualität ist eine Frage der Erfahrung. Berthold hat diese Erfahrung seit über hundert Jahren. Zuerst im Schriftguß, dann im Fotosatz. Berthold-Schriften sind weltweit geschätzt. Im Schriftenatelier München wird jeder Buchstabe in der

2,40 mm (9 p) 20 30

Berthold-Schriften überzeugen durch Schärfe und Qualität. Schriftqualität ist eine Frage der Erfahrung. Berthold hat diese Erfahrung seit über hundert Jahren. Zuerst im Schriftguß, dann im Fotosatz Berthold-Schriften sind weltweit geschätzt. Im Schriftenatelier Mü

2,65 mm (10 p) 20 30

Berthold-Schriften überzeugen durch Schärfe und Qualität. Schriftqualität ist eine Frage der Erfahrung. Berthold hat diese Erfahrung seit über hundert Jahren. Zuerst im Schriftguß, dann im Fotosatz. Berthold-Schriften sind weltweit geschätzt

2,92 mm (11 p) 10 20 3

Berthold-Schriften überzeugen durch Schärfe und Qualität. Schriftqualität ist eine Frage der Erfahrung. Berthold hat diese Erfahrung seit über hundert Jahren. Zuerst im Schriftguß, dann im Fotosatz Berthold-Schriften sind wel

3,20 mm (12 p) 10 20

Berthold-Schriften überzeugen durch Schärfe und Qualität. Schriftqualität ist eine Frage der Erfahrung. Berthold hat diese Erfahrung seit über hundert Jahren Zuerst im Schriftguß, dann im Fotosatz. Berthold-Sch

3,45 mm (13 p) 10 20

mager
light
maigre

TIFFANY

fina
chiarissimo
mager

Berthold-Schriften überzeugen durch Schärfe und Qualität. Schriftq ualität ist eine Frage der Erfahrung. Berthold hat diese Erfahrung seit über hundert Jahren. Zuerst im Schriftguß, dann im Fotosatz. Berth old-Schriften sind weltweit geschätzt. Im Schriftenatelier München wird jeder Buchstabe in der Größe von zwölf Zentimetern neu gezei chnet. Mit messerscharfen Konturen, um für die Schriftscheiben das Optimale an Konturenschärfe herauszuholen. Um die Qualität des Einzelzeichens im Belichtungsvorgang zu bewahren, wird durch die ruhende, nicht rotierende Schriftscheibe belichtet. Dieses optisc

4,25 mm (16 p), Zeilenabstand 6,75 mm

TIFFANY LIGHT

In general, bodytypes are measured in the ty pographical point size. The sizes of Berthold Fototype faces can be exactly determined. All faces of same point size have the same capital heigth–irrespective of their x-heigth. In hot metal and many other phototypesetting sys tems the capital heigths often differ consider ably from one face to the other. For measur ing point sizes, a transparent size gauge is pro vided. To determine the point size, bring a capital letter into coincidence with that field which precisely circumscribes the letter at its upper and lower margin. Below the field you find the typographical point and below that the millimeter value, which also refers to the height of a capital letter. In Berthold-photo typesetting, the typewidth can be modified The standard setting width of typefaces is de termined by the principle of optimum legibili ty. You should not depart from this typewidth without cogent reason. A typeface which is considered optically right when looked in a

2,40 mm (9 p), Zeilenabstand 4,25 mm

TIFFANY MAIGRE

La valeur de la force de corps des caractè res de labeur èst généralement exprimée en points typographiques. La force de corps des caractères Berthold-Fototype peut être déterminée avec précision. Tou s les caractères du même corps ont des ca pitales d'une hauteur identique, indépend amment de la hauteur des bas de casse sa ns jambage. Dans la composition plomp, a insi que dans certains systèmes de photo composition, la hauteur des capitales, var ie souvent d'un caractère à l'autre. Pour déterminer la force de corps de nos carac tères, nous avons mis au point une réglet te de hauteur d'œil transparente. On cher che le rectangle qui délimite exactement la hauteur d'œil d'une capitale du caractè re choisi. Sous le rectangle correspondant la valeur de la force de corps est indiquée en points Didots et en millimètres. La val

2,65 mm (10 p), Zeilenabstand 4,69 mm

La indicación de las dimensiones para cuer pos de letra vásicos tiene lugar en general en puntos tipográficos. Los cuerpos de letra de los caracteres Berthold Fototype pueden de terminarse exactemente par medición. Con independencia de la altura de sus longitudes centrales, todos los caracteres de idéntico cuerpo de letra presentan altura de mayús culas idéntica. En la composición en plomo

2,15 mm (8 p), –1, Zeilenabstand 3,38 mm

123,– $	456,– £	7890,– DM	1 %
234,– $	789,– £	1234,– DM	2 %
567,– $	12,– £	5678,– DM	3 %
890,– $	345,– £	9012,– DM	4 %
123,– $	678,– £	3456,– DM	5 %
456,– $	901,– £	7890,– DM	6 %
789,– $	234,– £	1234,– DM	7 %
12,– $	567,– £	5678,– DM	8 %
345,– $	890,– £	9012,– DM	9 %

BF 089 0643

Le misure relative al corpo dei caratteri vengo no generalmente indicate in punti tipografici Il corpo dei caratteri Fototypes può essere de terminato con esattezza per semplice misura zione. Tutti i caratteri di uguale grandezza in punti hanno, indipendentemente dalla loro lunghezza, uguale altezza delle maiuscole Nel la composizione in piombo ed in molti altri sistemi di fotocomposizione, l'altezza delle

2,15 mm (8 p), –2, Zeilenabstand 3,38 mm

mager
light
maigre

Tiffany Caps

fina
chiarissimo
mager

T. S. Eliot *Old Possums Katzenbuch*
Günter Eich *Träume.* Vier Spiele
Jean Giraudoux *Eglantine.* Roman
Walter Benjamin *Einbahnstraße*
Antonio Machado *Juan de Mairena*
G. B. Shaw *Musik in London.* Kritiken
Paul Valéry *Über Kunst.* Essays
Ernst Bloch *Spuren.* Parabeln
William Faulkner *Der Bär*
Truman Capote *Die Grasharfe*
André Gide *Paludes.* Satire
Guiseppe Ungaretti *Gedichte*
Jean Giraudoux *Simon.* Roman
William Carlos Williams *Gedichte*
Bertholt Brecht *Geschichten*
Henry Green *Schwärmerei.* Roman
Ezra Pound *ABC des Lesens*
Th. W. Adorno *Mahler.* Monographie

2,15 mm (8 p), Zeilenabstand 5,00 mm

Ed Benguiat
1981
International Typeface Corp.
H. Berthold AG

ABCDEFGHIJKLMNOPQ
RSTUVWXYZ
ABCDEFGHIJKLMNOPQRSTUVW
XYZ 1234567890 %
(.,-;:!¡?¿–) · ['‚"„"«»‹›]
+–=/$¢†*&§©
ÄÅÆÖØŒÜÄÅÆÖØŒÜ
ÁÀÂÃÇČÉÈÊËÍÌÎÏĹŇÑ
ÓÒÔÕŔŘŠŤÚÙÛŴẄÝŶŸŽ
ÁÀÂÃÇČÉÈÊËÍÌÎÏĹŇÑÓÒÔÕŔŘŠ
ÚÙÛŴẄÝŶŸŽ

Schriftweite weit
Schriftweite normal
Schriftweite eng
Schriftweite sehr eng
Schriftweite extrem eng

Calan: Hast du Furcht, daß sein Vermögen nicht ausreicht? Mein Wort schlägt Hände ab – horch, ob sein Wort sie ihm behält. *Man hört schreien.* Wer, sagst du, Noah, wer, sagst du, wer, wenn nicht ich, ist der Herr?
Noah: Sprich ein zweites Wort, Calan. *Das Schreien dauert an.* Töte ihn vollends, daß nicht sein Schreien in meinen Eingeweiden schauert, sprich, Calan, sprich!
Calan: Darum, daß dein Eingeweide sich besänftigt? Darum, Noah, bitte ihn, den andern. Das Opfer ist getan, mag er sich sättigen am Schreien, denn es schreien viele, ohne daß er ihr Schreien in Gnade ersäuft. Mag er sich auch eine Mühe machen mit einem Wort, wenn ihm an der Stille gelegen ist. Ich habe das Opfer von mir gegeben, und da es sein ist, soll er damit tun nach seinem Wohlgefallen. *Chus kommt mit zwei blutigen Händen.* Gut, Chus, nagle sie hier an den Pfosten, daß er sieht, was Calan dargebracht, das nimmt er nicht wieder an sich. *Chus tut wie befohlen.*
Calan *zu Noah, der sich die Ohren zuhält:* Nimm die Hände herunter und höre, was dein Gott dir zu hören gibt. Wenn es an dem ist, daß er ihn schreien läßt, so hat er Wohlgefallen an seinem Schreien, und es kitzelt ihm die Eingeweide. Oder sollte sein Wort keine Kraft haben, wenn ihn nach

1,86 mm (7 p), Zeilenabstand 3,00 mm

The Quick Brown Fox Jumps over the Lazy Dog and Feels as if he were
3,72 mm (14 p)
The Quick Brown Fox Jumps over the Lazy Dog and Feels as if
4,25 mm (16 p)
The Quick Brown Fox Jumps over the Lazy Dog and Fe
4,75 mm (18 p)
The Quick Brown Fox Jumps over the Lazy Dog an
5,30 mm (20 p)
The Quick Brown Fox Jumps over the Lazy
6,35 mm (24 p)
The Quick Brown Fox Jumps over th
7,40 mm (28 p)
The Quick Brown Fox Jumps ove
8,50 mm (32 p)
The Quick Brown Fox Jumps
9,55 mm (36 p)

9/6

Charlotte Duvalier
Pianistin

Peter-Paul-Rubens-Platz 2, 1000 Berlin 13
Telefon 030 – 66 22 84

Monday		4	11	18	25
Tuesday		5	12	19	26
Wednesday		6	13	20	27
Thursday		7	14	21	28
Friday	1	8	15	22	29
Saturday	2	9	16	23	30
Sunday	3	10	17	24	

10/7

Jochen van Dijk
Lehrer

Hinterm Dom 3, 5000 Köln am Rhein
Telefon 02 21 – 67 33 58

2,40 mm (9 p) und 1,60 mm (6 p)

2,40 mm (9 p) und 3,20 mm (12 p)
WZ 15 E, NSW 0, III
BF 089 1300, Belegung 027: 085 1259 (095 1259)

2,65 mm (10 p) und 1,86 mm (7 p)

kursiv mager
light italic
italique maigre

TIFFANY

fina cursiva
chiarissimo corsivo
kursiv mager

Måttangivelse för grundstilsgrader sker i allmänhet i typografiska punkter. Stilar av Berthold Fototype kan efter mätning exakt gradbestämmas. Alla typsnitt är av samma punktstorlek och har oberoende av x-höjden en identisk versalhöjd. I blysättning och i många andra fotosättsystem varierar versalhöjden avsevärt från typsnitt till typsnitt För mätning av stilgrader finns en transparent mätlinjal. Vid mätningen placerar man en versal bokstav så att rutorna begränsar tecknet upptill och nedtill Under rutorna finns stilstorlek en i typografiska didotpunkter och i mm. Även millimeteruppg

2,92 mm (11 p), Zeilenabstand 4,69 mm

Ed Benguiat
1981
International Typeface Corp.
H. Berthold AG

ABCDEFGHIJKLMNOPQ
RSTUVWXYZ
abcdefghijklmnopqrstuvwxyz
1/1234567890%
(.,-:;!¡?¿–)·[",„"‹»«]
+–=/$£†&§*
ÄÅÆÖØŒÜäåæöøœßü
ÁÀÂÃÇČÉÈÊËÍÌÎÏĹŇÑÓÒÔÕ
ŔŘŠŤÚÙÛŴẄÝŶŸŽ
áàâãçčéèêëíìîïĺňñóòôõŕřš
úùûŵẅýŷÿž

Berthold-Schriftweite weit
Berthold-Schriftweite normal
Berthold-Schriftweite eng
Berthold-Schriftweite sehr eng
Berthold-Schriftweite extrem eng

In general, bodytypes are measured in the typographical point size. The sizes of Berthold Fototype faces can be exactly determined. All faces of same point size have the same capital height–irrespective of their x-height. In hot metal and many other phototype setting systems the capital heights often differ considerably from one face to the other For measuring point sizes, a transparent size gauge is provided. To determine the point size, bring a capital letter into coincidence with that field

3,20 mm (12 p), Zeilenabstand 5,25 mm

TIFFANY KURSIV MAGER

Die Maßangabe zu Grundschriftgrößen erfolgt im allgemeinen in typographischen Punkten. Die Schriftgrößen der Berthold-Fotosatz-Schriften sind nach Messung exakt bestimmbar. Alle Schriften gleicher Punktgröße weisen, unabhängig von der Höhe ihrer Mittellängen, eine identische Versalhöhe auf. Im Bleisatz und bei vielen anderen Fotosatz-Systemen differieren die Versalhöhen von Schrift zu Schrift oft erheblich. Zum Messen von Schriftgrößen steht ein transparentes Größenmaß zur Verfügung. Zum Messen wird ein Versalbuchstabe mit dem Feld in Deckung gebracht, das den Buchstaben oben und unten scharf begrenzt. Unter dem Feld ist die Schriftgröße in typographischen Didot-Punkten, darunter in Millimetern angegeben. Auch die Millimeterangaben beziehen sich auf die Höhe der Versalbuchstaben. Die Schriftweite k

2,40 mm (9 p), Zeilenabstand 4 mm

TIFFANY ITALIQUE MAIGRE

La valeur de la force de corps des caractères de labeur èst généralement exprimée en points typographiques. La force de corps des caractères Berthold-Fototype peut être déterminée avec précision. Tous les caractères du même corps ont des capitales d'une hauteur identique, indépendamment de la hauteur des bas de casse sans jambage Dans la composition plomb, ainsi que dans certains systèmes de photocomposition, la hauteur des capitales, varie souvent d'un caractère à l'autre. Pour déterminer la force de corps de nos caractères, nous avons mis au point une réglette de hauteur d'œil transparente. On cherche le rectangle qui délimite exactement la hauteur d'œil d'une ca

2,65 mm (10 p), Zeilenabstand 4,50 mm

La indicación de las dimensiones para cuerpos de letra básicos tiene lugar en general en puntos tipográficos. Los cuerpos de letra de los caracteres Berthold Fototype pueden determinarse exactemente par medición. Con independencia de la altura de sus longitudes centrales, todos los caracteres de idéntico cuerpo de letra presentan altura de mayúsculas idéntica. En la composición en plomo y en muchos otros sistemas de fotocomposición las alturas de mayúsculas varían frecuentemmente en forma considerable de tipo de letra a tipo de letra. Para medir los cuerpos de letra se dispone de un tipómetro, véase la figura. Para la medición se hace coincidir una let

1,60 mm (6 p), Zeilenabstand 2,50 mm

Größe mm	p	Zeilenabstand kp	Êp	Ex	100 Zeichen 0	–1	–2
1,33	5	1,81	2,13	–	91	88	85
1,60	6	2,19	2,63	2,50	107	103	99
1,86	7	2,56	3,00	–	123	119	115
2,15	8	2,94	3,50	3,38	140	135	130
2,40	9	3,25	3,88	4,00	157	151	145
2,65	10	3,63	4,31	4,50	173	166	159
2,92	11	4,00	4,75	4,69	189	182	175
3,20	12	4,38	5,19	5,25	205	197	189
3,45	13	4,69	5,56	–	221	213	205
3,72	14	5,06	6,00	–	237	228	219
3,98	15	5,38	6,44	–	253	244	235
4,25	16	5,75	6,88	–	269	259	249

WZ 13 E, NSW 0, MZB 0,65, F 0,10:0,03 (4,2), III
H 1–x 0,68–k 1,04–p 0,31–Ê 1,30–kp 1,35–Êp 1,61
BF 089 1123, Belegung 051: 085 1255 (095 1255)

Le misure relative al corpo dei caratteri vengono generalmente indicate in punti tipografici. Il corpo dei caratteri Fototypes può essere determinato con esattezza per semplice misurazione. Tutti i caratteri di uguale grandezza in punti hanno, indipendentemente dalla loro lunghezza, uguale altezza delle maiuscole. Nella composizione in piombo ed in molti altri sistemi di fotocomposizion

2,15 mm (8 p), Zeilenabstand 3,38 mm

normal
medium
normal

TIFFANY

normal
chiaro tondo
normal

Berthold-Schriften überzeugen durch Schärfe und Qualität
Schriftqualität ist eine Frage der Erfahrung. Berthold hat die
se Erfahrung seit über hundert Jahren. Zuerst im Schriftguß
dann im Fotosatz. Berthold-Schriften sind weltweit geschätzt
Im Schriftenatelier München wird jeder Buchstabe in der Gr
öße von zwölf Zentimetern neu gezeichnet. Mit messerscharf
en Konturen, um für die Schriftscheiben das Optimale an Kon
turenschärfe herauszuholen. Um die Qualität des Einzelzeic
hens im Belichtungsvorgang zu bewahren, wird durch die ruh

1,33 mm (5 p) 20 30 40 50

Berthold-Schriften überzeugen durch Schärfe und Qual
ität. Schriftqualität ist eine Frage der Erfahrung. Bertho
ld hat diese Erfahrung seit über hundert Jahren. Zuerst
im Schriftguß, dann im Fotosatz. Berthold-Schriften sind
weltweit geschätzt. Im Schriftenatelier München wird je
der Buchstabe in der Größe von zwölf Zentimetern neu
gezeichnet. Mit messerscharfen Konturen, um für die Sc
hriftscheiben das Optimale an Konturenschärfe heraus
zuholen. Um die Qualität des Einzelzeichens im Belichtu

1,45 mm (5,5 p) 20 30 40 50

Berthold-Schriften überzeugen durch Schärfe und
Qualität. Schriftqualität ist eine Frage der Erfahru
ng. Berthold hat diese Erfahrung seit über hundert
Jahren. Zuerst im Schriftguß, dann im Fotosatz. Be
rthold-Schriften sind weltweit geschätzt. Im Schri
ftenatelier München wird jeder Buchstabe in der G
röße von zwölf Zentimetern neu gezeichnet. Mit me
sserscharfen Konturen, um für die Schriftscheiben
das Optimale an Konturenschärfe herauszuholen

1,60 mm (6 p) 20 30 40

Berthold-Schriften überzeugen durch Schärfe
und Qualität. Schriftqualität ist eine Frage der
Erfahrung. Berthold hat diese Erfahrung seit ü
ber hundert Jahren. Zuerst im Schriftguß, dann
im Fotosatz. Berthold-Schriften sind weltweit
geschätzt. Im Schriftenatelier München wird j
eder Buchstabe in der Größe von zwölf Zenti
metern neu gezeichnet. Mit messerscharfen Ko
nturen, um für die Schriftscheiben das Optima

1,75 mm (6,5 p) 20 30 40

Berthold-Schriften überzeugen durch Schä
rfe und Qualität. Schriftqualität ist eine Frag
e der Erfahrung. Berthold hat diese Erfahru
ng seit über hundert Jahren. Zuerst im Schri
ftguß, dann im Fotosatz. Berthold-Schriften
sind weltweit geschätzt. Im Schriftenatelier
München wird jeder Buchstabe in der Größ
e von zwölf Zentimetern neu gezeichnet. Mit
messerscharfen Konturen, um für die Schrif

1,86 mm (7 p) 20 30 40

Berthold-Schriften überzeugen durch Sc
härfe und Qualität. Schriftqualität ist eine
Frage der Erfahrung. Berthold hat diese E
rfahrung seit über hundert Jahren. Zuerst
im Schriftguß, dann im Fotosatz. Berthol
d-Schriften sind weltweit geschätzt. Im S
chriftenatelier München wird jeder Buch
stabe in der Größe von zwölf Zentimetern
neu gezeichnet. Mit messerscharfen Kont

2,00 mm (7,5 p) 20 30

Berthold-Schriften überzeugen durch S
chärfe und Qualität. Schriftqualität ist e
ine Frage der Erfahrung. Berthold hat di
ese Erfahrung seit über hundert Jahren
Zuerst im Schriftguß, dann im Fotosatz
Berthold-Schriften sind weltweit gesch
ätzt. Im Schriftenatelier München wird
jeder Buchstabe in der Größe von zwölf
Zentimetern neu gezeichnet. Mit messer

2,15 mm (8 p) 20 30

Ed Benguiat
1974
International Typeface Corp.
H. Berthold AG

ABCDEFGHIJKLMNOPQ
RSTUVWXYZ
abcdefghijklmnopqrstuvwxyz
1⁄1234567890%
(.,-;:!¡?¿–) · [",„"“»«]
+−=/$£†*&§
ÄÅÆÖØŒÜäåæıöøœßü
ÁÀÂÃÇČÉÈÊËÍÌÎÏĹŇÑÓÒÔÕ
ŔŘŠŤÚÙÛŴẄÝŶŸŽ
áàâãçčéèêëíìîïĺňñóòôõŕřš
úùûŵẅýỳÿž

Berthold-Schriftweite weit
Berthold-Schriftweite normal
Berthold-Schriftweite eng
Berthold-Schriftweite sehr eng
Berthold-Schriftweite extrem eng

Berthold
3,75 mm (14 p)

Berthold
4,25 mm (16 p)

Berthold
4,75 mm (18 p)

Berthold
5,30 mm (20 p)

Berthold
6,35 mm (24 p)

Berthold
7,40 mm (28 p)

Berthold
8,50 mm (32 p)

Berthold
9,55 mm (36 p)

Größe		Zeilenabstand			100 Zeichen		
mm	p	kp	Êp	Ex	0	−1	−2
1,33	5	1,81	2,13	2,00	99	96	93
1,60	6	2,19	2,56	2,50	116	112	108
1,86	7	2,50	3,00	3,00	134	130	126
2,15	8	2,94	3,44	3,50	152	147	142
2,40	9	3,25	3,88	3,75	170	164	158
2,65	10	3,56	4,25	4,25	187	180	173
2,92	11	3,94	4,69	4,75	205	198	191
3,20	12	4,31	5,13	5,25	222	214	206
3,45	13	4,63	5,50	5,75	240	232	224
3,72	14	5,00	5,94	—	257	248	239
3,98	15	5,38	6,38	—	275	266	257
4,25	16	5,75	6,81	—	292	282	272

WZ 14 E, NSW −1, MZB 0,70, F 0,15:0,033 (4,4), III
H 1−x 0,64−k 1,03−p 0,31−Ê 1,28−kp 1,34−Êp 1,59
BF 089 0644, Belegung 051: 087 3363 (097 3363)

Berthold-Schriften überzeugen dur
ch Schärfe und Qualität. Schriftqua
lität ist eine Frage der Erfahrung. Be
rthold hat diese Erfahrung seit über
hundert Jahren. Zuerst im Schriftg
uß, dann im Fotosatz. Berthold-Sch
riften sind weltweit geschätzt. Im Sc
hriftenatelier München wird jeder

2,40 mm (9 p) 10 20 30

Berthold-Schriften überzeugen
durch Schärfe und Qualität. Sc
hriftqualität ist eine Frage der
Erfahrung. Berthold hat diese E
rfahrung seit über hundert Jah
ren. Zuerst im Schriftguß, dann
im Fotosatz. Berthold-Schriften
sind weltweit geschätzt. Im Sch

2,65 mm (10 p) 10 20

Berthold-Schriften überzeug
en durch Schärfe und Qualität
Schriftqualität ist eine Frage
der Erfahrung. Berthold hat d
iese Erfahrung seit über hund
ert Jahren. Zuerst im Schriftg
uß, dann im Fotosatz. Berthol
d-Schriften sind weltweit ges

2,92 mm (11 p) 10 20

Berthold-Schriften überze
ugen durch Schärfe und Qu
alität. Schriftqualität ist ei
ne Frage der Erfahrung. Be
rthold hat diese Erfahrung
seit über hundert Jahren. Z
uerst im Schriftguß, dann i
m Fotosatz. Berthold-Schri

3,20 mm (12 p) 10 20

Berthold-Schriften über
zeugen durch Schärfe un
d Qualität. Schriftqualitä
t ist eine Frage der Erfah
rung. Berthold hat diese
Erfahrung seit über hund
ert Jahren. Zuerst im Sch
riftguß, dann im Fotosatz

3,45 mm (13 p) 10 20

normal
medium
normal

TIFFANY

normal
chiaro tondo
normal

Berthold-Schriften überzeugen durch Schärfe und Qualität. Schrif tqualität ist eine Frage der Erfahrung. Berthold hat diese Erfahru ng seit über hundert Jahren. Zuerst im Schriftguß, dann im Fotosa tz. Berthold-Schriften sind weltweit geschätzt. Im Schriftenatelier München wird jeder Buchstabe in der Größe von zwölf Zentimete rn neu gezeichnet. Mit messerscharfen Konturen, um für die Schrif tscheiben das Optimale an Konturenschärfe herauszuholen. Um die Qualität des Einzelzeichens im Belichtungsvorgang zu bewah ren, wird durch die ruhende, nicht rotierende Schriftscheibe belic

4,25 mm (16 p), Zeilenabstand 6,75 mm

TIFFANY MEDIUM

In general, bodytypes are measured in the typographical point size. The sizes of Bert hold Fototype faces can be exactly deter mined. All faces of same point size have the same capital heigth–irrespective of their x heigth. In hot metal and many other photo typesetting systems the capital heigths of ten differ considerably from one face to the other. For measuring point sizes, a trans parent size gauge is provided. To determine the point size, bring a capital letter into co incidence with that field which precisely circumscribes the letter at its upper and lower margin. Below the field you find the typographical point and below that the mil limeter value, which also refers to the height of a capital letter. In Berthold-phototype setting, the typewidth can be modified. The standard setting width of typefaces is de termined by the principle of optimum legi bility. You should not depart from this type width without cogent reason. A typeface is

2,40 mm (9 p), Zeilenabstand 4,25 mm

TIFFANY NORMAL

La valeur de la force de corps des carac tères de labeur èst généralement expri mée en points typographiques. La force de corps des caractères Berthold-Foto type peut être déterminée avec préci sion. Tous les caractères du même corps ont des capitales d'une hauteur identique, indépendamment de la hau teur des bas de casse sans jambage Dans la composition plomb, ainsi que dans certains systèmes de photocom position, la hauteur des capitales, varie souvent d'un caractère à l'autre. Pour déterminer la force de corps de nos caractères, nous avons mis au point une réglette de hauteur d'œil transparente On cherche le rectangle qui délimite ex actement la hauteur d'œil d'une capita le du caractère choisi. Sous le rectangl e correspondant la valeur de la force d

2,65 mm (10 p), Zeilenabstand 4,69 mm

La indicación de las dimensiones para cuerpos de letra básicos tiene lugar en ge neral en puntos tipográficos. Los cuerpos de letra de los caracteres Berthold Foto type pueden determinarse exactemente par medición. Con independencia de la altura de sus longitudes centrales, todos los caracteres de idéntico cuerpo de letra presentan altura de mayúsculas idéntica

2,15 mm (8 p), –1, Zeilenabstand 3,38 mm

123,– $	456,– £	7890,– DM	1 %
234, $	780, £	1234, DM	2 %
567,– $	12,– £	5678,– DM	3 %
890,– $	345,– £	9012,– DM	4 %
123,– $	678,– £	3456,– DM	5 %
456,– $	901,– £	7890,– DM	6 %
789,– $	234,– £	1234,– DM	7 %
12,– $	567,– £	5678,– DM	8 %
345,– $	890,– £	9012,– DM	9 %

BF 089 0645

Le misure relative al corpo dei caratteri vengono generalmente indicate in punti ti pografici. Il corpo dei caratteri Fototypes può essere determinato con esattezza per semplice misurazione. Tutti i caratteri di uguale grandezza in punti hanno, indipen dentemente dalla loro lunghezza, uguale altezza delle maiuscole. Nella composizi one in piombo ed in molti altri sistemi di f

2,15 mm (8 p), –2, Zeilenabstand 3,38 mm

normal
medium
normal

Tiffany Caps

normal
chiaro tondo
normal

T. S. Eliot *Old Possums Katzenbuch*
Günter Eich *Träume.* Vier Spiele
Jean Giraudoux *Eglantine.* Roman
Walter Benjamin *Einbahnstraße*
Antonio Machado *Juan de Mairena*
G. B. Shaw *Musik in London.* Kritiken
Paul Valéry *Über Kunst.* Essays
Ernst Bloch *Spuren.* Parabeln
William Faulkner *Der Bär*
Truman Capote *Die Grasharfe*
André Gide *Paludes.* Satire
Guiseppe Ungaretti *Gedichte*
Jean Giraudoux *Simon.* Roman
William Carlos Williams *Gedichte*
Bertholt Brecht *Geschichten*
Henry Green *Schwärmerei.* Roman
Ezra Pound *ABC des Lesens*
Th. W. Adorno *Mahler.* Monographie

2,15 mm (8 p), Zeilenabstand 5,00 mm

Ed Benguiat
1981
International Typeface Corp.
H. Berthold AG

ABCDEFGHIJKLMNOPQ
RSTUVWXYZ
ABCDEFGHIJKLMNOPQRSTUVW
XYZ 1234567890 %
(.,-;:!¡?¿—)·['‘„”“»«›‹]
+−=/$£†*&§©
ÄÅÆÖØŒÜÄÅÆÖØŒÜ
ÁÀÂÃÇČÉÈÊËÍÌÎÏĹŇÑ
ÓÒÔÕŔŘŠŤÚÙÛŴẄÝŶŸŽ
ÁÀÂÃÇČÉÈÊËÍÌÎÏĹŇÑÓÒÔÕŔŘŠ
ÚÙÛŴẄÝỲŸŽ

Schriftweite weit
Schriftweite normal
Schriftweite eng
Schriftweite sehr eng
Schriftweite extrem eng

Calan: Hast du Furcht, daß sein Vermögen nicht ausreicht? Mein Wort schlägt Hände ab – horch, ob sein Wort sie ihm behält. *Man hört schreien.* Wer, sagst du, Noah, wer, sagst du, wer, wenn nicht ich, ist der Herr?
Noah: Sprich ein zweites Wort, Calan. *Das Schreien dauert an.* Töte ihn vollends, daß nicht sein Schreien in meinen Eingeweiden schauert, sprich, Calan, sprich!
Calan: Darum, daß dein Eingeweide sich besänftigt? Darum, Noah, bitte ihn, den andern. Das Opfer ist getan, mag er sich sättigen am Schreien, denn es schreien viele, ohne daß er ihr Schreien in Gnade ersäuft. Mag er sich auch eine Mühe machen mit einem Wort, wenn ihm an der Stille gelegen ist. Ich habe das Opfer von mir gegeben, und da es sein ist, soll er damit tun nach seinem Wohlgefallen. *Chus kommt mit zwei blutigen Händen.* Gut, Chus, nagle sie hier an den Pfosten, daß er sieht, was Calan dargebracht, das nimmt er nicht wieder an sich. *Chus tut wie befohlen.*
Calan *zu Noah, der sich die Ohren zuhält:* Nimm die Hände herunter und höre, was dein Gott dir zu hören gibt. Wenn es an dem ist, daß er ihn schreien läßt,

1,86 mm (7 p), Zeilenabstand 3,00 mm

The Quick Brown Fox Jumps over the Lazy Dog and Feels as if he were
3,72 mm (14 p)

The Quick Brown Fox Jumps over the Lazy Dog and Feels as if
4,25 mm (16 p)

The Quick Brown Fox Jumps over the Lazy Dog and Fe
4,75 mm (18 p)

The Quick Brown Fox Jumps over the Lazy Dog a
5,30 mm (20 p)

The Quick Brown Fox Jumps over the Laz
6,35 mm (24 p)

The Quick Brown Fox Jumps over t
7,40 mm (28 p)

The Quick Brown Fox Jumps ov
8,50 mm (32 p)

The Quick Brown Fox Jump
9,55 mm (36 p)

9/6

Charlotte Duvalier
Pianistin

Peter-Paul-Rubens-Platz 2, 1000 Berlin 13
Telefon 030 – 66 22 84

Monday		4	11	18	25
Tuesday		5	12	19	26
Wednesday		6	13	20	27
Thursday		7	14	21	28
Friday	1	8	15	22	29
Saturday	2	9	16	23	30
Sunday	3	10	17	24	

10/7

Jochen van Dijk
Lehrer

Hinterm Dom 3, 5000 Köln am Rhein
Telefon 02 21 – 67 33 58

2,40 mm (9 p) und 1,60 mm (6 p)

2,40 mm (9 p) und 3,20 mm (12 p)
WZ 15 E, NSW 0, III
BF 089 1301, Belegung 027: 085 1260 (095 1260)

2,65 mm (10 p) und 1,86 mm (7 p)

kursiv
italic
italique

TIFFANY

cursiva
chiaro corsivo
kursiv

*Måttangivelse för grundstilsgr
ader sker i allmänhet i typograf
iska punkter. Stilar av Berthol
d Fototype kan efter mätning e
xakt gradbestämmas. Alla typ
snitt är av samma punktstorlek
och har oberoende av x-höjden
en identisk versalhöjd. I blysät
tning och i många andra fotosä
ttsystem varierar versalhöjden
avsevärt från typsnitt till typsn
itt. För mätning av stilgrader fi
nns en transparent mätlinjal
Vid mätningen placerar man e
n versal bokstav så att rutorna
begränsar tecknet upptill och n
edtill. Under rutorna finns stils
torleken i typografiska didotpu
nkter och i mm. Även millimete*

2,92 mm (11 p), Zeilenabstand 4,69 mm

Ed Benguiat
1981
International Typeface Corp.
H. Berthold AG

ABCDEFGHIJKLMNOPQ
RSTUVWXYZ
abcdefghijklmnopqrstuvwxyz
1/1234567890%
(.,-;:!¡?¿–)·['',,""»«]
+−=/$£†&§*
ÄÅÆÖØŒÜäåæıöøœßü
ÁÀÂÃÇČÉÈÊËÍÌÎÏĹŇÑÓÒÔÕ
ŔŘŠŤÚÙÛŴẄÝỲŶŸŽ
áàâãçčéèêëíìîïĺňñóòôõŕřš
úùûŵẅýỳÿž

Berthold-Schriftweite weit
Berthold-Schriftweite normal
Berthold-Schriftweite eng
Berthold-Schriftweite sehr eng
Berthold-Schriftweite extrem eng

*In general, bodytypes are m
easured in the typographical
point size. The sizes of Berth
old Fototype faces can be ex
actly determined. All faces of
same point size have the sam
e capital height–irrespective
of their x-height. In hot metal
and many other phototypese
tting systems the capital hei
ghts often differ considerabl
y from one face to the other
For measuring point sizes, a
transparent size gauge is pr
ovided. To determine the poi
nt size, bring a capital letter
into coincidence with that fi*

3,20 mm (12 p), Zeilenabstand 5,25 mm

TIFFANY KURSIV

*Die Maßangabe zu Grundschriftgrößen erfolg
t im allgemeinen in typographischen Punkten
Die Schriftgrößen der Berthold-Fotosatz-Schr
iften sind nach Messung exakt bestimmbar. Al
le Schriften gleicher Punktgröße weisen, unab
hängig von der Höhe ihrer Mittellängen, eine i
dentische Versalhöhe auf. Im Bleisatz und bei
vielen anderen Fotosatz-Systemen differieren
die Versalhöhen von Schrift zu Schrift oft erhe
blich. Zum Messen von Schriftgrößen steht ein
transparentes Größenmaß zur Verfügung. Zu
m Messen wird ein Versalbuchstabe mit dem F
eld in Deckung gebracht, das den Buchstaben
oben und unten scharf begrenzt. Unter dem Fel
d ist die Schriftgröße in typographischen Dido
t-Punkten, darunter in Millimetern angegeben
Auch die Millimeterangaben beziehen sich auf
die Höhe der Versalbuchstaben. Die Schriftw*

2,40 mm (9 p), Zeilenabstand 4 mm

TIFFANY ITALIQUE

*La valeur de la force de corps des caractèr
es de labeur est généralement exprimée en
points typographiques. La force de corps
des caractères Berthold-Fototype peut être
déterminée avec précision. Tous les carac
tères du même corps ont des capitales d'un
e hauteur identique, indépendamment de l
a hauteur des bas de casse sans jambage
Dans la composition plomb, ainsi que da
ns certains systèmes de photocompositio
n, la hauteur des capitales, varie souvent
d'un caractère à l'autre. Pour déterminer l
a force de corps de nos caractères, nous av
ons mis au point une réglette de hauteur
d'œil transparente. On cherche le rectangl
e qui délimite exactement la hauteur d'œil*

2,65 mm (10 p), Zeilenabstand 4,50 mm

*La indicación de las dimensiones para cuerpos de letra
básicos tiene lugar en general en puntos tipográficos
Los cuerpos de letra de los caracteres Berthold Fototy
pe pueden determinarse exactemente par medición. Co
n independencia de la altura de sus longitudes centrale
s, todos los caracteres de idéntico cuerpo de letra prese
ntan altura de mayúsculas idéntica. En la composición
en plomo y en muchos otros sistemas de fotocomposici
ón, las alturas de mayúsculas varían frecuentemmente
en forma considerable de tipo de letra a tipo de letra. P
ara medir los cuerpos de letra se dispone de un tipómet
ro, véase la figura. Para la medición se hace coincidir u*

1,60 mm (6 p), Zeilenabstand 2,50 mm

Größe		Zeilenabstand			100 Zeichen		
mm	p	kp	Êp	Ex	0	−1	−2
1,33	5	1,81	2,25	–	93	90	87
1,60	6	2,13	2,69	2,50	109	105	101
1,86	7	2,50	3,13	–	126	122	118
2,15	8	2,88	3,56	3,38	143	138	133
2,40	9	3,25	4,00	4,00	160	154	148
2,65	10	3,56	4,38	4,50	177	170	163
2,92	11	3,94	4,88	4,69	193	186	179
3,20	12	4,31	5,31	5,25	209	201	193
3,45	13	4,63	5,75	–	226	218	210
3,72	14	5,00	6,19	–	242	233	224
3,98	15	5,31	6,63	–	259	250	241
4,25	16	5,69	7,06	–	275	265	255

WZ 13 E, NSW 0, MZB 0,67, F 0,14:0,03 (4,9), III
H 1–x 0,65–k 1,04–p 0,29–Ê 1,36–kp 1,33–Êp 1,65
BF 089 1100, Belegung 051: 085 1256 (095 1256)

*Le misure relative al corpo dei caratteri ve
ngono generalmente indicate in punti tipo
grafici. Il corpo dei caratteri Fototypes può
essere determinato con esattezza per semp
lice misurazione. Tutti i caratteri di uguale
grandezza in punti hanno, indipendentem
ente dalla loro lunghezza, uguale altezza d
elle maiuscole. Nella composizione in pio
mbo ed in molti altri sistemi di fotocom*

2,15 mm (8 p), Zeilenabstand 3,38 mm

halbfett
demi-bold
demi-gras

TIFFANY

seminegra
neretto
halvfet

Berthold-Schriften überzeugen durch Schärfe und Qualität. Schriftqualität ist eine Frage der Er fahrung. Berthold hat diese Erfahrung seit über hundert Jahren. Zuerst im Schriftguß, dann im Fotosatz. Berthold-Schriften sind weltweit gesch ätzt. Im Schriftenatelier München wird jeder Buc hstabe in der Größe von zwölf Zentimetern neu gezeichnet. Mit messerscharfen Konturen, um für die Schriftscheiben das Optimale an Konturensc

1,60 mm (6 p), Zeilenabstand 2,50 mm

Berthold-Schriften überzeugen durch Sch ärfe und Qualität. Schriftqualität ist eine Frage der Erfahrung. Berthold hat diese Er fahrung seit über hundert Jahren. Zuerst im Schriftguß, dann im Fotosatz. Bertho ld-Schriften sind weltweit geschätzt. Im Sc hriftenatelier München wird jeder Buchsta be in der Größe von zwölf Zentimetern neu

1,86 mm (7 p), Zeilenabstand 3,00 mm

Berthold-Schriften überzeugen durch Schärfe und Qualität. Schriftqualität ist eine Frage der Erfahrung. Berthold hat diese Erfahrung seit über hundert Jahren. Zuerst im Schriftguß, dann im Fotosatz. Berthold-Schriften sind wel tweit geschätzt. Im Schriftenatelier M ünchen wird jeder Buchstabe in der G

2,15 mm (8 p), Zeilenabstand 3,50 mm

Ed Benguiat
1974
International Typeface Corp.
H. Berthold AG

ABCDEFGHIJKLMNOPQ
RSTUVWXYZ
abcdefghijklmnopqrstuvwxyz
1/1234567890%
(.,-;:!¡?¿–)·[",""«»]
+−=/$£†*&§
ÄÅÆÖØŒÜäåæıöøœßü
ÁÀÂÃÇČÉÈÊËÍÌÎÏĹŇÑÓÒÔÕ
ŔŘŠŤÚÙÛŴẄÝỲŸŽ
áàâãçčéèêëíìîïĺňñóòôõŕřš
úùûŵẅýỳÿž

Berthold-Schriftweite weit
Berthold-Schriftweite normal
Berthold-Schriftweite eng
Berthold-Schriftweite sehr eng
Berthold-Schriftweite extrem eng

In general, bodytypes are measured in the typogra phical point size. The size s of Berthold Fototype fa ces can be exactly determ ined. All faces of same po int size have the same ca pital heigth–irrespective of their x-heigth. In hot m etal and many other phot otypesetting systems the capital heigths often diffe r considerably from one face to the other. For mea suring point sizes, a tran sparent size gauge is pro vided. To determine the p

3,20 mm (12 p), Zeilenabstand 5,25 mm

Berthold's quick brown fox jumps over the lazy dog and feels as if he w
3,75 mm (14 p)

Berthold's quick brown fox jumps over the lazy dog and feels
4,25 mm (16 p)

Berthold's quick brown fox jumps over the lazy dog and
4,75 mm (18 p)

Berthold's quick brown fox jumps over the lazy d
5,30 mm (20 p)

Berthold's quick brown fox jumps over t
6,35 mm (24 p)

Berthold's quick brown fox jumps
7,40 mm (28 p)

Berthold's quick brown fox ju
8,50 mm (32 p)

Berthold's quick brown fox
9,55 mm (36 p)

Berthold-Schriften überzeugen d urch Schärfe und Qualität. Schrif tqualität ist eine Frage der Erfahr ung. Berthold hat diese Erfahrung seit über hundert Jahren. Zuerst im Schriftguß, dann im Fotosatz Berthold-Schriften sind weltweit geschätzt. Im Schriftenatelier Mü

2,40 mm (9 p), Zeilenabstand 4,00 mm

Größe mm	p	Zeilenabstand kp	Êp	Ex	100 Zeichen 0	−1	−2
1,33	5	1,81	2,13	–	101	98	95
1,60	6	2,19	2,56	2,50	119	115	111
1,86	7	2,56	3,00	3,00	137	133	129
2,15	8	2,94	3,44	3,50	156	151	146
2,40	9	3,25	3,81	4,00	175	169	163
2,65	10	3,63	4,19	4,00	193	186	179
2,92	11	4,00	4,63	–	211	204	197
3,20	12	4,38	5,06	5,25	229	221	213
3,45	13	4,69	5,50	–	246	238	230
3,72	14	5,06	5,94	–	264	255	246
3,98	15	5,38	6,31	–	282	273	264
4,25	16	5,75	6,75	–	300	290	280

WZ 14 E, NSW −1, MZB 0,72, F 0,19:0,038 (5,0), III
H 1–x 0,64–k 1,04–p 0,31–Ê 1,27–kp 1,35–Êp 1,58
BF 089 0646, Belegung 051: 087 3364 (097 3364)

Berthold-Schriften überzeuge n durch Schärfe und Qualität Schriftqualität ist eine Frage d er Erfahrung. Berthold hat die se Erfahrung seit über hundert Jahren. Zuerst im Schriftguß dann im Fotosatz. Berthold-Sc hriften sind weltweit geschätz

2,65 mm (10 p), Zeilenabstand 4,00 mm

kursiv halbfett
demi-bold italic
italique demi-gras

TIFFANY

seminegra cursiva
neretto corsivo
kursiv halvfet

Ed Benguiat
1981
International Typeface Corp.
H. Berthold AG

ABCDEFGHIJKLMNOPQ
RSTUVWXYZ
abcdefghijklmnopqrstuvwxyz
1/1234567890 %
(.,-;:!¡?¿–)·['‚„""»«]
+–=/$£†*&§
ÄÅÆÖØŒÜäåæıöøœßü
ÁÀÂÃÇČÉÈÊËÍÌÎÏĹŇÑÓÒÔÕ
ŔŘŠŤÚÙÛŴẄÝŶŸŽ
áàâãçčéèêëíìîïĺňñóòôõŕřš
úùûŵẅýỳÿž

Berthold-Schriftweite weit
Berthold-Schriftweite normal
Berthold-Schriftweite eng
Berthold-Schriftweite sehr eng
Berthold-Schriftweite extrem eng

Berthold-Schriften überzeugen durch Schärfe und Qu alität. Schriftqualität ist eine Frage der Erfahrung. B erthold hat diese Erfahrung seit über hundert Jahren Zuerst im Schriftguß, dann im Fotosatz. Berthold-Sc hriften sind weltweit geschätzt. Im Schriftenatelier M ünchen wird jeder Buchstabe in der Größe von zwölf Z entimetern neu gezeichnet. Mit messerscharfen Kont uren, um für die Schriftscheiben das Optimale an Kon turenschärfe herauszuholen. Um die Qualität des Ein

1,60 mm (6 p), Zeilenabstand 2,50 mm

Berthold-Schriften überzeugen durch Schärfe und Qualität. Schriftqualität ist eine Frage der Erfahrung. Berthold hat diese Erfahrung seit über hundert Jahren. Zuerst im Schriftguß, da nn im Fotosatz. Berthold-Schriften sind weltw eit geschätzt. Im Schriftenatelier München wir d jeder Buchstabe in der Größe von zwölf Zent imetern neu gezeichnet. Mit messerscharfen K

1,86 mm (7 p), Zeilenabstand 3,00 mm

Berthold-Schriften überzeugen durch Sc härfe und Qualität. Schriftqualität ist ei ne Frage der Erfahrung. Berthold hat die se Erfahrung seit über hundert Jahren. Z uerst im Schriftguß, dann im Fotosatz. B erthold-Schriften sind weltweit geschätzt Im Schriftenatelier München wird jeder Buchstabe in der Größe von zwölf Zentim

2,15 mm (8 p), Zeilenabstand 3,50 mm

In general, bodytypes are m easured in the typographic al point size. The sizes of Be rthold Fototype faces can be exactly determined. All fac es of same point size have the same capital height–irr espective of their x-height. In hot metal and many other p hototypesetting systems the capital heights often differ c onsiderably from one face to the other. For measuring po int sizes, a transparent size gauge is provided. To deter mine the point size, bring a c apital letter into coincidenc

3,20 mm (12 p), Zeilenabstand 5,25 mm

Berthold's quick brown fox jumps over the lazy dog and feels as if he were in t
3,72 mm (14 p)

Berthold's quick brown fox jumps over the lazy dog and feels as if he
4,25 mm (16 p)

Berthold's quick brown fox jumps over the lazy dog and feels
4,75 mm (18 p)

Berthold's quick brown fox jumps over the lazy dog an
5,30 mm (20 p)

Berthold's quick brown fox jumps over the laz
6,35 mm (24 p)

Berthold's quick brown fox jumps over
7,40 mm (28 p)

Berthold's quick brown fox jumps
8,50 mm (32 p)

Berthold's quick brown fox ju
9,55 mm (36 p)

Berthold-Schriften überzeugen durc h Schärfe und Qualität. Schriftquali tät ist eine Frage der Erfahrung. Bert hold hat diese Erfahrung seit über h undert Jahren. Zuerst im Schriftguß dann im Fotosatz. Berthold-Schriften sind weltweit geschätzt. Im Schriften atelier München wird jeder Buchsta

2,40 mm (9 p), Zeilenabstand 4,00 mm

Größe		Zeilenabstand			100 Zeichen		
mm	p	kp	Êp	Ex	0	–1	–2
1,33	5	1,81	2,25	–	97	94	91
1,60	6	2,19	2,69	2,50	115	111	107
1,86	7	2,56	3,13	3,00	132	128	124
2,15	8	2,94	3,56	3,50	150	145	140
2,40	9	3,31	4,00	4,00	168	162	156
2,65	10	3,63	4,38	4,00	185	178	171
2,92	11	4,00	4,88	–	202	195	188
3,20	12	4,38	5,31	5,25	220	212	204
3,45	13	4,75	5,75	–	237	229	221
3,72	14	5,06	6,19	–	254	245	236
3,98	15	5,44	6,63	–	271	262	253
4,25	16	5,81	7,06	–	289	279	269

WZ 12 E, NSW 0, MZB 0,70, F 0,16:0,03 (6,6), III
H 1–x 0,65–k 1,06–p 0,30–Ê 1,35–kp 1,36–Êp 1,65
BF 089 1155, Belegung 051: 085 1257 (095 1257)

Berthold-Schriften überzeugen d urch Schärfe und Qualität. Schri ftqualität ist eine Frage der Erfa hrung. Berthold hat diese Erfahr ung seit über hundert Jahren. Zu erst im Schriftguß, dann im Foto satz. Berthold-Schriften sind wel tweit geschätzt. Im Schriftenatel

2,65 mm (10 p), Zeilenabstand 4,00 mm

fett
bold
gras

TIFFANY

negra
nero
fet

Berthold-Schriften überzeugen durch Schärfe und Qualität. Schriftqualität ist eine Frage der Erfahrung. Berthold hat diese Erfahrung seit über hundert Jahren. Zuerst im Schriftguß, dann im Fotosatz. Berthold Schriften sind weltweit geschätzt. Im Schriftenatelier München wird jeder Buchstabe in der Größe von zwölf Zentimetern neu gezeichnet. Mit messerscharfen Konturen, u

1,60 mm (6 p), Zeilenabstand 2,50 mm

Berthold-Schriften überzeugen durch Schärfe und Qualität. Schriftqualität ist eine Frage der Erfahrung. Berthold hat diese Erfahrung seit über hundert Jahren. Zuerst im Schriftguß, dann im Fotosatz. Berthold-Schrften sind weltweit geschätzt. Im Schriftenatelier München wird jeder Buc

1,86 mm (7 p), Zeilenabstand 3,00 mm

Berthold-Schriften überzeugen durch Schärfe und Qualität. Schriftqualität ist eine Frage der Erfahrung. Berthold hat diese Erfahrung seit über hundert Jahren Zuerst im Schriftguß, dann im Fotosatz. Berthold-Schriften sind weltweit geschätzt. Im Schriften

2,15 mm (8 p), Zeilenabstand 3,50 mm

Ed Benguiat
1974
International Typeface
H. Berthold AG

ABCDEFGHIJKLMNOPQ
RSTUVWXYZ
abcdefghijklmnopqrstuvw
xyz+−=/$£†*&§
1/1234567890%
(.,-;:!¡?¿–)·[‘‚„”“»«]
ÄÅÆÖØŒÜäåæıöøœßü
ÁÀÂÃÇČÉÈÊËÍÌÎÏĹŇÑÓÒÔ
ÕŔŘŠŤÚÙÛŴẄÝỲŸŽ
áàâãçčéèêëíìîïĺňñóòôõŕřš
úùûŵẅýỳÿž

Schriftweite weit
Schriftweite normal
Schriftweite eng
Schriftweite sehr eng
Schriftweite extrem eng

In general, bodytypes are measured in the typographical point size. The sizes of Berthold Fototype faces can be exactly determined. All faces of same point size have the same capital height–irrespective of their x-height. In hot metal and many other phototypesetting systems the capital heights often differ considerably from one face to the other. For measuring point siz

3,20 mm (12 p), Zeilenabstand 5,25 mm

Berthold's quick brown fox jumps over the lazy dog and fee
3,75 mm (14 p)

Berthold's quick brown fox jumps over the lazy dog
4,25 mm (16 p)

Berthold's quick brown fox jumps over the laz
4,75 mm (18 p)

Berthold's quick brown fox jumps over th
5,30 mm (20 p)

Berthold's quick brown fox jumps
6,35 mm (24 p)

Berthold's quick brown fox ju
7,40 mm (28 p)

Berthold's quick brown fo
8,50 mm (32 p)

Berthold's quick brow
9,55 mm (36 p)

Berthold-Schriften überzeugen durch Schärfe und Qualität. Schriftqualität ist eine Frage der Erfahrung. Berthold hat diese Erfahrung seit über hundert Jahren. Zuerst im Schriftguß, dann im Fotosatz. Berthold-Schriften sind welt

2,40 mm (9 p), Zeilenabstand 4,00 mm

Größe mm	p	Zeilenabstand kp	Êp	Ex	100 Zeichen 0	−1	−2
1,33	5	1,75	2,13	—	122	119	116
1,60	6	2,13	2,56	2,50	143	139	135
1,86	7	2,44	3,00	3,00	165	161	157
2,15	8	2,81	3,44	3,50	187	182	177
2,40	9	3,13	3,81	4,00	209	203	197
2,65	10	3,50	4,19	4,00	231	224	217
2,92	11	3,81	4,63	—	252	245	238
3,20	12	4,19	5,06	5,25	274	266	258
3,45	13	4,50	5,50	—	295	287	279
3,72	14	4,88	5,94	—	317	308	299
3,98	15	5,19	6,31	—	338	329	320
4,25	16	5,56	6,75	—	360	350	340

WZ 17 E, NSW 0, MZB 0,87, F 0,34:0,038 (9,0), III
H 1–x 0,63–k 1,01–p 0,29–Ê 1,29–kp 1,30–Êp 1,58
BF 089 0647, Belegung 051: 087 3365 (097 3365)

Berthold-Schriften überzeugen durch Schärfe und Qualität. Schriftqualität ist eine Frage der Erfahrung. Berthold hat diese Erfahrung seit über hundert Jahren. Zuerst im Schriftguß, dann im Fotosatz. Be

2,65 mm (10 p), Zeilenabstand 4,00 mm

kursiv fett
bold italic
italique gras

TIFFANY

negra cursiva
nero corsivo
kursiv fet

Berthold-Schriften überzeugen durch Sch ärfe und Qualität. Schriftqualität ist eine F rage der Erfahrung. Berthold hat diese Erf ahrung seit über hundert Jahren. Zuerst im Schriftguß, dann im Fotosatz. Berthold-Sc hriften sind weltweit geschätzt. Im Schrifte natelier München wird jeder Buchstabe in der Größe von zwölf Zentimetern neu gezeic hnet. Mit messerscharfen Konturen, um für

1,60 mm (6 p), Zeilenabstand 2,50 mm

Berthold-Schriften überzeugen durc h Schärfe und Qualität. Schriftqualit ät ist eine Frage der Erfahrung. Bert hold hat diese Erfahrung seit über hu ndert Jahren. Zuerst im Schriftguß, d ann im Fotosatz. Berthold-Schriften sind weltweit geschätzt. Im Schriften atelier München wird jeder Buchstab

1,86 mm (7 p), Zeilenabstand 3,00 mm

Berthold-Schriften überzeugen d urch Schärfe und Qualität. Schrif tqualität ist eine Frage der Erfah rung. Berthold hat diese Erfahru ng seit über hundert Jahren. Zue rst im Schriftguß, dann im Fotosa tz. Berthold-Schriften sind weltw eit geschätzt. Im Schriftenatelier

2,15 mm (8 p), Zeilenabstand 3,50 mm

Ed Benguiat
1981
Internat. Typeface Corp.
H. Berthold AG

ABCDEFGHIJKLMNOPQ
RSTUVWXYZ
abcdefghijklmnopqrstuvw
xyz 1/1234567890 %
(.,-;:!¡?¿–)·[‘‚„’’‘‘»«]
+–=/$£†*&§
ÄÅÆÖØŒÜäåæıöøœßü
ÁÀÂÃÇČÉÈÊËÍÌÎÏĹŇÑÓÒ
ÔÕŔŘŠŤÚÙÛŴẄÝŶŸŽ
áàâãçčéèêëíìîĺňñóòôõŕřš
úùûŵẅýỳÿž

Berthold-Schriftweite weit
Schriftweite normal
Schriftweite eng
Schriftweite sehr eng
Schriftweite extrem eng

In general, bodytypes are measured in the ty pographical point siz e. The sizes of Berthold Fototype faces can be exactly determined. Al l faces of same point si ze have the same capit al height–irrespective of their x-height. In hot metal and many other phototypesetting syst ems the capital heights often differ considera bly from one face to the other. For measuring point sizes, a transpar

3,20 mm (12 p), Zeilenabstand 5,25 mm

Berthold's quick brown fox jumps over the lazy dog and feels

3,72 mm (14 p)

Berthold's quick brown fox jumps over the lazy dog a

4,25 mm (16 p)

Berthold's quick brown fox jumps over the lazy

4,75 mm (18 p)

Berthold's quick brown fox jumps over the

5,30 mm (20 p)

Berthold's quick brown fox jumps o

6,35 mm (24 p)

Berthold's quick brown fox ju

7,40 mm (28 p)

Berthold's quick brown fox

8,50 mm (32 p)

Berthold's quick brown

9,55 mm (36 p)

Berthold-Schriften überzeug en durch Schärfe und Qualitä t. Schriftqualität ist eine Frag e der Erfahrung. Berthold hat diese Erfahrung seit über hun dert Jahren. Zuerst im Schrif tguß, dann im Fotosatz. Berth old-Schriften sind weltweit ge

2,40 mm (9 p), Zeilenabstand 4,00 mm

Größe mm	p	Zeilenabstand kp	Êp	Ex	100 Zeichen 0	–1	–2
1,33	5	1,81	2,31	–	119	116	113
1,60	6	2,19	2,75	2,50	140	136	132
1,86	7	2,50	3,19	3,00	161	157	153
2,15	8	2,94	3,69	3,50	183	178	173
2,40	9	3,25	4,13	4,00	205	199	193
2,65	10	3,56	4,56	4,00	226	219	212
2,92	11	3,94	5,00	–	247	240	233
3,20	12	4,31	5,50	5,25	268	260	252
3,45	13	4,63	5,94	–	289	281	273
3,72	14	5,00	6,38	–	310	301	292
3,98	15	5,38	6,81	–	331	322	313
4,25	16	5,75	7,31	–	352	342	332

WZ 14 E, NSW 0, MZB 0,85, F 0,33:0,03 (13,0), III
H 1–x 0,65–k 1,04–p 0,30–Ê 1,41–kp 1,34–Êp 1,71
BF 089 1256, Belegung 051: 085 1258 (095 1258)

Berthold-Schriften überze ugen durch Schärfe und Q ualität. Schriftqualität ist eine Frage der Erfahrung Berthold hat diese Erfahr ung seit über hundert Jah ren. Zuerst im Schriftguß dann im Fotosatz. Berthol

2,65 mm (10 p), Zeilenabstand 4,00 mm

TIMES NEW ROMAN

Berthold-Schriften überzeugen durch Schärfe und Qualität. Schrift
qualität ist eine Frage der Erfahrung. Berthold hat diese Erfahrung s
eit über hundert Jahren. Zuerst im Schriftguß, dann im Fotosatz. Be
rthold-Schriften sind weltweit geschätzt. Im Schriftenatelier Münc
hen wird jeder Buchstabe in der Größe von zwölf Zentimetern n
eu gezeichnet. Mit messerscharfen Konturen, um für die Schriftsche
iben das Optimale an Konturenschärfe herauszuholen. Um die Qual
ität des Einzelzeichens im Belichtungsvorgang zu bewahren, wird d
urch die ruhende, nicht rotierende Schriftscheibe belichtet. Dieses

1,33 mm (5 p) 20 30 40 50 60

Berthold-Schriften überzeugen durch Schärfe und Qualität. Sc
hriftqualität ist eine Frage der Erfahrung. Berthold hat diese Erf
ahrung seit über hundert Jahren. Zuerst im Schriftguß, dann im
Fotosatz. Berthold-Schriften sind weltweit geschätzt. Im Schrif
tenatelier München wird jeder Buchstabe in der Größe von zw
ölf Zentimetern neu gezeichnet. Mit messerscharfen Konturen
um für die Schriftscheiben das Optimale an Konturenschärfe h
erauszuholen. Um die Qualität des Einzelzeichens im Belichtu
ngsvorgang zu bewahren, wird durch die ruhende, nicht rotiere

1,45 mm (5,5 p) 20 30 40 50 6

Berthold-Schriften überzeugen durch Schärfe und Qualit
ät. Schriftqualität ist eine Frage der Erfahrung. Berthold
hat diese Erfahrung seit über hundert Jahren. Zuerst im S
chriftguß, dann im Fotosatz. Berthold-Schriften sind welt
weit geschätzt. Im Schriftenatelier München wird jeder B
uchstabe in der Größe von zwölf Zentimetern neu gezeic
hnet. Mit messerscharfen Konturen, um für die Schriftsc
heiben das Optimale an Konturenschärfe herauszuholen
Um die Qualität des Einzelzeichens im Belichtungsvorga

1,60 mm (6 p) 20 30 40 50

Berthold-Schriften überzeugen durch Schärfe und Q
ualität. Schriftqualität ist eine Frage der Erfahrung. B
erthold hat diese Erfahrung seit über hundert Jahren
Zuerst im Schriftguß, dann im Fotosatz. Berthold-Sc
hriften sind weltweit geschätzt. Im Schriftenatelier M
ünchen wird jeder Buchstabe in der Größe von zwölf
Zentimetern neu gezeichnet. Mit messerscharfen Ko
nturen, um für die Schriftscheiben das Optimale an K
onturenschärfe herauszuholen. Um die Qualität des

1,75 mm (6,5 p) 20 30 40 50

Berthold-Schriften überzeugen durch Schärfe und
Qualität. Schriftqualität ist eine Frage der Erfahru
ng. Berthold hat diese Erfahrung seit über hundert
Jahren. Zuerst im Schriftguß, dann im Fotosatz. B
erthold-Schriften sind weltweit geschätzt. Im Schr
iftenatelier München wird jeder Buchstabe in der
Größe von zwölf Zentimetern neu gezeichnet. Mit
messerscharfen Konturen, um für die Schriftschei
ben das Optimale an Konturenschärfe herauszuho

1,86 mm (7 p) 20 30 40

Berthold-Schriften überzeugen durch Schärfe
und Qualität. Schriftqualität ist eine Frage der
Erfahrung. Berthold hat diese Erfahrung seit ü
ber hundert Jahren. Zuerst im Schriftguß, dann
im Fotosatz. Berthold-Schriften sind weltweit
geschätzt. Im Schriftenatelier München wird j
eder Buchstabe in der Größe von zwölf Zentim
etern neu gezeichnet. Mit messerscharfen Kon
turen, um für die Schriftscheiben das Optimale

2,00 mm (7,5 p) 20 30 40

Berthold-Schriften überzeugen durch Schär
fe und Qualität. Schriftqualität ist eine Frage
der Erfahrung. Berthold hat diese Erfahrung
seit über hundert Jahren. Zuerst im Schriftg
uß, dann im Fotosatz. Berthold-Schriften sin
d weltweit geschätzt. Im Schriftenatelier Mü
nchen wird jeder Buchstabe in der Größe von
zwölf Zentimetern neu gezeichnet. Mit mess
erscharfen Konturen, um für die Schriftschei

2,15 mm (8 p) 20 30 40

Stanley Morison
1932
Monotype Corp. Ltd.
H. Berthold AG

ABCDEFGHIJKLMNOPQ
RSTUVWXYZ
abcdefghijklmnopqrstuvwxyz
1/1234567890%
(.,-;:!¡?¿–)·[’‘„”“»«]
+−=/$£†*&§
ÄÅÆÖØŒÜäåæıöøœßü
ÁÀÂÃÇČÉÈÊËÍÌÎÏĹŇÑÓÒÔÕ
ŔŘŠŤÚÙÛŴẄÝŶŸŽ
áàâãçčéèêëíìîïĺňñóòôõŕřš
úùûŵẅýỳÿž

Berthold-Schriftweite weit
Berthold-Schriftweite normal
Berthold-Schriftweite eng
Berthold-Schriftweite sehr eng
Berthold-Schriftweite extrem eng

Berthold
3,75 mm (14 p)

Berthold
4,25 mm (16 p)

Berthold
4,75 mm (18 p)

Berthold
5,30 mm (20 p)

Berthold
6,35 mm (24 p)

Berthold
7,40 mm (28 p)

Berthold
8,50 mm (32 p)

Berthold
9,55 mm (36 p)

Größe		Zeilenabstand			100 Zeichen		
mm	p	kp	Êp	Ex	0	−1	−2
1,33	5	1,69	2,00	2,00	86	83	80
1,60	6	2,06	2,38	2,50	101	97	93
1,86	7	2,38	2,81	3,00	116	112	108
2,15	8	2,75	3,19	3,50	132	127	122
2,40	9	3,06	3,56	3,75	148	142	136
2,65	10	3,38	3,94	4,25	163	156	149
2,92	11	3,69	4,38	4,75	178	171	164
3,20	12	4,06	4,75	5,25	193	185	177
3,45	13	4,38	5,13	5,75	209	201	193
3,72	14	4,69	5,56	–	224	215	206
3,98	15	5,06	5,94	–	239	230	221
4,25	16	5,38	6,31	–	254	244	234

WZ 13 E, NSW 0, MZB 0,61, F 0,12:0,054 (2,2), III
H 1–x 0,69–k 1,03–p 0,23–Ê 1,25–kp 1,26–Êp 1,48
BF 089 0648, Belegung 051: 086 2059 (096 2059)

Berthold-Schriften überzeugen durch S
chärfe und Qualität. Schriftqualität ist e
ine Frage der Erfahrung. Berthold hat di
ese Erfahrung seit über hundert Jahren
Zuerst im Schriftguß, dann im Fotosatz
Berthold-Schriften sind weltweit gesch
ätzt. Im Schriftenatelier München wird
jeder Buchstabe in der Größe von zwölf

2,40 mm (9 p) 20 30

Berthold-Schriften überzeugen dur
ch Schärfe und Qualität. Schriftqual
ität ist eine Frage der Erfahrung. Be
rthold hat diese Erfahrung seit über
hundert Jahren. Zuerst im Schriftg
uß, dann im Fotosatz. Berthold-Sch
riften sind weltweit geschätzt. Im Sc
hriftenatelier München wird jeder

2,65 mm (10 p) 20 30

Berthold-Schriften überzeugen d
urch Schärfe und Qualität. Schri
ftqualität ist eine Frage der Erfah
rung. Berthold hat diese Erfahru
ng seit über hundert Jahren. Zue
rst im Schriftguß, dann im Fotosa
tz. Berthold-Schriften sind weltw
eit geschätzt. Im Schriftenatelier

2,92 mm (11 p) 10 20 30

Berthold-Schriften überzeuge
n durch Schärfe und Qualität
Schriftqualität ist eine Frage d
er Erfahrung. Berthold hat die
se Erfahrung seit über hundert
Jahren. Zuerst im Schriftguß
dann im Fotosatz. Berthold-Sc
hriften sind weltweit geschätzt

3,20 mm (12 p) 10 20

Berthold-Schriften überzeu
gen durch Schärfe und Quali
tät. Schriftqualität ist eine F
rage der Erfahrung. Berthol
d hat diese Erfahrung seit üb
er hundert Jahren. Zuerst im
Schriftguß, dann im Fotosat
z. Berthold-Schriften sind w

3,45 mm (13 p) 10 20

TIMES NEW ROMAN

Berthold-Schriften überzeugen durch Schärfe und Qualität. Schriftqualit ät ist eine Frage der Erfahrung. Berthold hat diese Erfahrung seit über hu ndert Jahren. Zuerst im Schriftguß, dann im Fotosatz. Berthold-Schriften sind weltweit geschätzt. Im Schriftenatelier München wird jeder Buchsta be in der Größe von zwölf Zentimetern neu gezeichnet. Mit messerscha rfen Konturen, um für die Schriftscheiben das Optimale an Konturensch ärfe herauszuholen. Um die Qualität des Einzelzeichens im Belichtungs vorgang zu bewahren, wird durch die ruhende, nicht rotierende Schriftsc heibe belichtet. Dieses optische System, verbunden mit Präzisions-Chro

4,25 mm (16 p), Zeilenabstand 6,75 mm

TIMES NEW ROMAN

In general, bodytypes are measured in the typo graphical point size. The sizes of Berthold Foto type faces can be exactly determined. All faces of same point size have the same capital heigth–irre spective of their x-heigth. In hot metal and many other phototypesetting systems the capital heigths often differ considerably from one face to the other. For measuring point sizes, a transpar ent size gauge is provided. To determine the point size, bring a capital letter into coincidence with that field which precisely circumscribes the letter at its upper and lower margin. Below the field you find the typographical point and below that the millimeter value, which also refers to the height of a capital letter. In Berthold-phototypesetting, the typewidth can be modified. The standard setting width of typefaces is determined by the principle of optimum legibility. You should not depart from this typewidth without cogent reason. A typeface which is considered optically right when looked in a greater context, often seems bulky when applied for a small amount of text, e. g. labels and ads

2,40 mm (9 p), Zeilenabstand 4,25 mm

TIMES NEW ROMAN

La valeur de la force de corps des caractères de labeur èst généralement exprimée en points typographiques. La force de corps des caractères Berthold-Fototype peut être dé terminée avec précision. Tous les caractères du même corps ont des capitales d'une hau teur identique, indépendamment de la hau teur des bas de casse sans jambage. Dans la composition plomb, ainsi que dans certains systèmes de photocomposition, la hauteur des capitales, varie souvent d'un caractère à l'autre. Pour déterminer la force de corps de nos caractères, nous avons mis au point une réglette de hauteur d'œil transparente. On cherche le rectangle qui délimite exacte ment la hauteur d'œil d'une capitale du ca ractère choisi. Sous le rectangle correspon dant la valeur de la force de corps est indi quée en points Didots et en millimètres. La valeur en millimètres exprime également la

2,65 mm (10 p), Zeilenabstand 4,69 mm

La indicación de las dimensiones para cuerpos de letra vásicos tiene lugar en general en puntos tipográficos. Los cuerpos de letra de los caracte res Berthold Fototype pueden determinarse exactemente par medición. Con independen cia de la altura de sus longitudes centrales, to dos los caracteres de idéntico cuerpo de letra presentan altura de mayúsculas idéntica. En la composición en plomo y en muchos otros siste

2,15 mm (8 p), −1, Zeilenabstand 3,38 mm

123,– $	456,– £	7890,– DM	1 %
234,– $	789,– £	1234,– DM	2 %
567,– $	12,– £	5678,– DM	3 %
890,– $	345,– £	9012,– DM	4 %
123,– $	678,– £	3456,– DM	5 %
456,– $	901,– £	7890,– DM	6 %
789,– $	234,– £	1234,– DM	7 %
12,– $	567,– £	5678,– DM	8 %
345,– $	890,– £	9012,– DM	9 %

BF 089 0649

Le misure relative al corpo dei caratteri vengono generalmente indicate in punti tipografici. Il cor po dei caratteri Fototypes può essere determinato con esattezza per semplice misurazione. Tutti i ca ratteri di uguale grandezza in punti hanno, indi pendentemente dalla loro lunghezza, uguale al tezza delle maiuscole. Nella composizione in piombo ed in molti altri sistemi di fotocomposizi one, l'altezza delle maiuscole varia spesso da ca

2,15 mm (8 p), −2, Zeilenabstand 3,38 mm

TIMES NEW ROMAN CAPS

Berthold-Schriften überz eugen durch Schärfe und Qualität. Schriftqualitä t ist eine Frage der Erfah rung. Berthold hat diese Erfahrung seit über hund ert Jahren. Zuerst im Sch riftguss, dann im Fotosatz Berthold-Schriften sind weltweit geschätzt. Im Sc hriftenatelier München wird jeder Buchstabe in d er Grösse von zwölf Zent imetern neu gezeichnet. M it messerscharfen Kontur en, um für die Schriftsche iben das Optimale an Kont

3,20 mm (12 p), Zeilenabstand 5,25 mm

Stanley Morison
1932
Monotype Corp. Ltd.
H. Berthold AG

ABCDEFGHIJKLMNOPQ
RSTUVWXYZ
ABCDEFGHIJKLMNOPQRSTUVWXYZ
1/1234567890%
(.,-;:!¡?¿–)·['',,""»«]
+−=/$£†*&§©
ÄÅÆÖØŒÜ ÄÅÆIÖØŒÜ
ÁÀÂÃÇČÉÈÊËÍÌÎÏĹŇÑÓÒÔÕ
ŔŘŠŤÚÙÛŴẄÝŶŸŽ
ÁÀÂÃÇČÉÈÊËÍÌÎÏĹŇÑÓÒÔÕŔŘŠ
ÚÙÛŴẄÝỲŸŽ

Berthold-Schriftweite weit
Berthold-Schriftweite normal
Berthold-Schriftweite eng
Berthold-Schriftweite sehr eng
Berthold-Schriftweite extrem eng

LA VALEUR DE LA FOR CE DE CORPS DES CARA TERES DE LABEUR EST GENERALEMENT EXPRI MEE EN POINTS TYPOGR APHIQUES. LA FORCE D E CORPS DES CARACTE RES BERTHOLD FOTOTY PE PEUT ETRE DETERMI NEE AVEC PRECISION. T OUS LES CARACTERES D U MEME CORPS ONT DES CAPITALES D'UNE HAU TEUR IDENTIQUE, INDE PENDAMMENT DE LA H AUTEUR DES BAS DE CA SSE SANS JAMBAGE. DA

3,20 mm (12 p), Zeilenabstand 5,25 mm

8/5

Marie-Therèse Rochefort
Directrice

Paris, Rue Victor Hugo 69, Telefon 37 25 86

10/7

Florentino Delleone
Maître de Plaisir

Firenze, Via Ludovica Aretino 33

12/9

Eulalia Piragallie
Sopranistin

Bremen, Holstensteingasse 22

Berlin
3,75 mm (14 p)

Berlin
4,25 mm (16 p)

Berlin
4,75 mm (18 p)

Berlin
5,30 mm (20 p)

Berlin
6,35 mm (24 p)

Berlin
7,40 mm (28 p)

Berlin
8,50 mm (32 p)

Berlin
9,55 mm (36 p)

9/6

Hans-Otto von Schlick
Landrat

Kappeln an der Schlei, Am Horst 10, Tel. 66 34

11/8

Jan van der Falk
Detektivbüro

Amsterdam, Halve Maan Straat 78

13/10

Vladimir Iribozov
Saxophonist

Mainz, Dom-Pedro-Strasse 2

La indicación de las dimensiones para cuerpos de letra vási cos tiene lugar en general en puntos tipográficos. Los cuer pos de letra de los caracteres Berthold Fototype pueden determinarse exactemente par medición. Con independen cia de la altura de sus longitudes centrales, todos los ca racteres de idéntico cuerpo de letra presentan altura de mayúsculas idéntica. En la composición en plomo y en mu chos otros sistemas de fotocomposición, las alturas de may úsculas varían frecuentemmente en forma considerable de tipo de letra a tipo de letra. Para medir los cuerpos de letra se dispone de un tipómetro, véase la figura. Para la medición se hace coincidir una letra mayúscula con la casilla cuyos extremos coinciden con los extremos superior e inferior de la letra. Bajo la casilla se indica el cuerpo de letra en pun tos tipográficos Didot, y debajo en mm. También las indicaci

1,33 mm (5 p), Zeilenabstand 1,94 mm

Le misure relative al corpo dei caratteri ven gono generalmente indicate in punti tipogra fici. Il corpo dei caratteri Fototypes può esse re determinato con esattezza per semplice mi surazione. Tutti i caratteri di uguale gran dezza in punti hanno, indipendentemente dal la loro lunghezza uguale altezza delle mai uscole. Nella composizione in piombo ed in mo lti altri sistemi di fotocomposizione, l'altez za delle maiuscole varia spesso da carattere a carattere. Per misurare il corpo dei carat teri è indispensabile un apposito tipometro tr

1,60 mm (6 p), Zeilenabstand 2,44 mm
WZ 17 E, NSW +1, III
BF 089 0736, Belegung 027: 086 2529 (096 2529)

In general bodytypes are measured in the ty pographical point size. The sizes of Berthol d-Fototype faces can be exactly determined All faces of same point size have the same ca pital-height – irrespective of their x-height In hot metal and many other phototypesett ing systems the capital heights often differ considerably from one face to the other. Fo r measuring point sizes, a transparent size gauge is provided. To determine the point si

1,86 mm (7 p), Zeilenabstand 3,00 mm

kursiv
italic
italique

TIMES

cursiva
corsivo
kursiv

Måttangivelse för grundstilsgrader sker i allmänhet i typografiska pu nkter. Stilar av Berthold Fototype kan efter mätning exakt gradbest ämmas. Alla typsnitt är av sam ma punktstorlek och har oberoen de av x-höjden en identisk versalh öjd. I blysättning och i många and ra fotosättsystem varierar versalh öjden avsevärt från typsnitt till typ snitt. För mätning av stilgrader fin ns en transparent mätlinjal. Vid mätningen placerar man en versal bokstav så att rutorna begränsar tecknet upptill och nedtill. Under rutorna finns stilstorleken i typogr afiska didotpunkter och i mm. Äv en millimeteruppgiften avser vers alhöjden. Vid stilstorleksuppgifter

2,92 mm (11 p), Zeilenabstand 4,69 mm

Stanley Morison
1932
Monotype Corp. Ltd.
H. Berthold AG

ABCDEFGHIJKLMNOPQ
RSTUVWXYZ
abcdefghijklmnopqrstuvwxyz
1/1234567890%
(.,-;:!¡?¿–)·['‘„"“»«]
+−=/$£†&§*
ÄÅÆÖØŒÜäåæıöøœßü
ÁÀÂÃÇČÉÈÊËÍÌÎÏĹŇÑÓÒÔÕ
ŔŘŠŤÚÙÛŴẄÝỲŸŽ
áàâãçčéèêëíìîïĺňñóòôõŕřš
úùûŵẅýỳÿž

Berthold-Schriftweite weit
Berthold-Schriftweite normal
Berthold-Schriftweite eng
Berthold-Schriftweite sehr eng
Berthold-Schriftweite extrem eng

In general, bodytypes are meas ured in the typographical point size. The sizes of Berthold Fotot ype faces can be exactly determ ined. All faces of same point size have the same capital heigth–ir respective of their x-heigth. In hot metal and many other phot otypesetting systems the capital heigths often differ considerably from one face to the other. For measuring point sizes, a transp arent size gauge is provided. To determine the point size, bring a capital letter into coincidence with that field which precisely circumscribes the letter at its up

3,20 mm (12 p), Zeilenabstand 5,25 mm

TIMES KURSIV

Die Maßangabe zu Grundschriftgrößen erfolgt im allgemeinen in typographischen Punkten. Die Schri ftgrößen der Berthold-Fotosatz-Schriften sind nach Messung exakt bestimmbar. Alle Schriften gleicher Punktgröße weisen, unabhängig von der Höhe ihrer Mittellängen, eine identische Versalhöhe auf. Im Bl eisatz und bei vielen anderen Fotosatz Systemen dif ferieren die Versalhöhen von Schrift zu Schrift oft er heblich. Zum Messen von Schriftgrößen steht ein tra nsparentes Größenmaß zur Verfügung. Zum Messen wird ein Versalbuchstabe mit dem Feld in Deckung gebracht, das den Buchstaben oben und unten scha rf begrenzt. Unter dem Feld ist die Schriftgröße in ty pographischen Didot-Punkten darunter in Millime tern angegeben. Auch die Millimeterangaben bezie hen sich auf die Höhe der Versalbuchstaben. Die Sc hriftweite kann im Berthold Fotosatz beliebig verän dert werden. Die Festlegung der Normalschriftweite

2,40 mm (9 p), Zeilenabstand 4 mm

TIMES ITALIQUE

La valeur de la force de corps des caractères de labeur èst généralement exprimée en points ty pographiques. La force de corps des caractères Berthold-Fototype peut être déterminée avec précision. Tous les caractères du même corps ont des capitales d'une hauteur identique, in dépendamment de la hauteur des bas de casse sans jambage. Dans la composition plomb ainsi que dans certains systèmes de photocom position, la hauteur des capitales, varie sou vent d'un caractère à l'autre. Pour déterminer la force de corps de nos caractères, nous avons mis au point une réglette de hauteur d'œil transparente. On cherche le rectangle qui déli mite exactement la hauteur d'œil d'une capi tale du caractère choisi. Sous le rectangle cor

2,65 mm (10 p), Zeilenabstand 4,50 mm

La indicación de las dimensiones para cuerpos de letra vási cos tiene lugar en general en puntos tipográficos. Los cuerpos de letra de los caracteres Berthold Fototype pueden determi narse exactemente par medición. Con independencia de la altura de sus longitudes centrales, todos los caracteres de idéntico cuerpo de letra presentan altura de mayúsculas idéntica. En la composición en plomo y en muchos otros sis temas de fotocomposición, las alturas de mayúsculas varían frecuentemmente en forma considerable de tipo de letra a ti po de letra. Para medir los cuerpos de letra se dispone de un tipómetro, véase la figura. Para la medición se hace coincidir una letra mayúscula con la casilla cuyos extremos coinciden

1,60 mm (6 p), Zeilenabstand 2,50 mm

Größe		Zeilenabstand			100 Zeichen		
mm	p	kp	Êp	Ex	0	−1	−2
1,33	5	1,69	2,06	—	82	79	76
1,60	6	2,00	2,44	2,50	96	92	88
1,86	7	2,38	2,88	—	111	107	103
2,15	8	2,69	3,31	3,38	126	121	116
2,40	9	3,00	3,69	4,00	141	135	129
2,65	10	3,31	4,06	4,50	156	149	142
2,92	11	3,69	4,50	4,69	170	163	156
3,20	12	4,00	4,88	5,25	185	177	169
3,45	13	4,31	5,25	—	199	191	183
3,72	14	4,69	5,69	—	214	205	196
3,98	15	5,00	6,06	—	228	219	210
4,25	16	5,31	6,50	—	243	233	223

WZ 13 E, NSW 0, MZB 0,58, F 0,11:0,042 (2,6), III
H 1–x 0,65–k 1,00–p 0,25–Ê 1,27–kp 1,25–Êp 1,52
BF 089 0650, Belegung 051: 086 2060 (096 2060)

Le misure relative al corpo dei caratteri vengo no generalmente indicate in punti tipografici. Il corpo dei caratteri Fototypes può essere deter minato con esattezza per semplice misurazio ne. Tutti i caratteri di uguale grandezza in punti hanno, indipendentemente dalla loro lunghez za, uguale altezza delle maiuscole. Nella com posizione in piombo ed in molti altri sistemi di fotocomposizione, l'altezza delle maiuscole va

2,15 mm (8 p), Zeilenabstand 3,38 mm

fett
bold
gras

TIMES

negra
nero
fet

Berthold-Schriften überzeugen durch Schärfe und Qualität Schriftqualität ist eine Frage der Erfahrung. Berthold hat di ese Erfahrung seit über hundert Jahren. Zuerst im Schriftg uß, dann im Fotosatz. Berthold-Schriften sind weltweit gesc hätzt. Im Schriftenatelier München wird jeder Buchstabe in der Größe von zwölf Zentimetern neu gezeichnet. Mit messe rscharfen Konturen, um für die Schriftscheiben das Optima le an Konturenschärfe herauszuholen. Um die Qualität des Einzelzeichens im Belichtungsvorgang zu bewahren, wird

1,60 mm (6 p), Zeilenabstand 2,50 mm

Berthold-Schriften überzeugen durch Schärfe und Qualität. Schriftqualität ist eine Frage der Erfahrung Berthold hat diese Erfahrung seit über hundert Jahr en. Zuerst im Schriftguß, dann im Fotosatz. Bertho ld-Schriften sind weltweit geschätzt. Im Schriftenate lier München wird jeder Buchstabe in der Größe von zwölf Zentimetern neu gezeichnet. Mit messerscharf en Konturen, um für die Schriftscheiben das Optima

1,86 mm (7 p), Zeilenabstand 3,00 mm

Berthold-Schriften überzeugen durch Schärfe und Qualität. Schriftqualität ist eine Frage der Erfahrung. Berthold hat diese Erfahrung seit über hundert Jahren. Zuerst im Schriftguß dann im Fotosatz. Berthold-Schriften sind wel tweit geschätzt. Im Schriftenatelier München wird jeder Buchstabe in der Größe von zwölf Zentimetern neu gezeichnet. Mit messerschar

2,15 mm (8 p), Zeilenabstand 3,50 mm

Stanley Morison
1932
Monotype Corp. Ltd.
H. Berthold AG

ABCDEFGHIJKLMNOPQ
RSTUVWXYZ
abcdefghijklmnopqrstuvwxyz
1/1234567890 %
(.,-;:!¡?¿–)·['‘„”“»«]
+−=/$£†*&§
ÄÅÆÖØŒÜäåæıöøœßü
ÁÀÂÃÇČÉÈÊËÍÌÎÏĹŇÑÓÒÔÕ
ŔŘŠŤÚÙÛŴẄÝŶŸŽ
áàâãçčéèêëíìîïĺňñóòôõŕřš
úùûŵẅýỳÿž

Berthold-Schriftweite weit
Berthold-Schriftweite normal
Berthold-Schriftweite eng
Berthold-Schriftweite sehr eng
Berthold-Schriftweite extrem eng

In general, bodytypes are meas ured in the typographical point size. The sizes of Berthold Foto type faces can be exactly dete rmined. All faces of same point size have the same capital heigt h-irrespective of their x-heigth In hot metal and many other phototypesetting systems the c apital heigths often differ cons iderably from one face to the ot her. For measuring point sizes a transparent size gauge is prov ided. To determine the point si ze, bring a capital letter into coi ncidence with that field which precisely circumscribes the lett

3,20 mm (12 p), Zeilenabstand 5,25 mm

Berthold's quick brown fox jumps over the lazy dog and feels as if he were in the seventh
3,75 mm (14 p)

Berthold's quick brown fox jumps over the lazy dog and feels as if he were in t
4,25 mm (16 p)

Berthold's quick brown fox jumps over the lazy dog and feels as if he
4,75 mm (18 p)

Berthold's quick brown fox jumps over the lazy dog and feels
5,30 mm (20 p)

Berthold's quick brown fox jumps over the lazy dog
6,35 mm (24 p)

Berthold's quick brown fox jumps over the l
7,40 mm (28 p)

Berthold's quick brown fox jumps over
8,50 mm (32 p)

Berthold's quick brown fox jumps
9,55 mm (36 p)

Berthold-Schriften überzeugen durch Sc härfe und Qualität. Schriftqualität ist eine Frage der Erfahrung. Berthold hat diese Erfahrung seit über hundert Jahren. Zue rst im Schriftguß, dann im Fotosatz. Bert hold-Schriften sind weltweit geschätzt. Im Schriftenatelier München wird jeder Buc hstabe in der Größe von zwölf Zentimeter

2,40 mm (9 p), Zeilenabstand 4,00 mm

Größe mm	p	Zeilenabstand kp	Êp	Ex	100 Zeichen 0	−1	−2
1,33	5	1,69	2,00	–	82	79	76
1,60	6	2,00	2,44	2,50	96	92	88
1,86	7	2,31	2,81	3,00	111	107	103
2,15	8	2,69	3,25	3,50	126	121	116
2,40	9	3,00	3,63	4,00	141	135	129
2,65	10	3,31	4,00	4,00	156	149	142
2,92	11	3,63	4,38	–	170	163	156
3,20	12	3,94	4,81	5,25	185	177	169
3,45	13	4,25	5,19	–	199	191	183
3,72	14	4,63	5,56	–	214	205	196
3,98	15	4,94	5,94	–	228	219	210
4,25	16	5,25	6,38	–	243	233	223

WZ 13 E, NSW 0, MZB 0,58, F 0,19:0,058 (3,3), III
H 1–x 0,68–k 1,00–p 0,23–Ê 1,26–kp 1,23–Êp 1,49
BF 089 0651, Belegung 051: 086 2061 (096 2061)

Berthold-Schriften überzeugen durch Schärfe und Qualität. Schriftqualität ist eine Frage der Erfahrung. Berthold hat diese Erfahrung seit über hundert Jahren. Zuerst im Schriftguß, dann im Fotosatz. Berthold-Schriften sind wel tweit geschätzt. Im Schriftenatelier M ünchen wird jeder Buchstabe in der G

2,65 mm (10 p), Zeilenabstand 4,00 mm

kursiv fett
bold italic
italique gras

TIMES

negra cursiva
nero corsivo
kursiv fet

Berthold-Schriften überzeugen durch Schärfe und Qualit ät. Schriftqualität ist eine Frage der Erfahrung. Berthold hat diese Erfahrung seit über hundert Jahren. Zuerst im Schriftguß, dann im Fotosatz. Berthold-Schriften sind wel tweit geschätzt. Im Schriftenatelier München wird jeder Buchstabe in der Größe von zwölf Zentimetern neu gezeich net. Mit messerscharfen Konturen, um für die Schriftschei ben das Optimale an Konturenschärfe herauszuholen. Um die Qualität des Einzelzeichens im Belichtungsvorgang zu

1,60 mm (6 p), Zeilenabstand 2,50 mm

Berthold-Schriften überzeugen durch Schärfe und Qualität. Schriftqualität ist eine Frage der Erfahru ng. Berthold hat diese Erfahrung seit über hundert Jahren. Zuerst im Schriftguß, dann im Fotosatz. Be rthold-Schriften sind weltweit geschätzt. Im Schrift enatelier München wird jeder Buchstabe in der Grö ße von zwölf Zentimetern neu gezeichnet. Mit messe rscharfen Konturen, um für die Schriftscheiben das

1,86 mm (7 p), Zeilenabstand 3,00 mm

Berthold-Schriften überzeugen durch Schärfe und Qualität. Schriftqualität ist eine Frage der Erfahrung. Berthold hat diese Erfahrung seit über hundert Jahren. Zuerst im Schriftg uß, dann im Fotosatz. Berthold-Schriften sind weltweit geschätzt. Im Schriftenatelier Münc hen wird jeder Buchstabe in der Größe von zw ölf Zentimetern neu gezeichnet. Mit messersc

2,15 mm (8 p), Zeilenabstand 3,50 mm

Monotype Corp. Ltd.
H. Berthold AG

ABCDEFGHIJKLMNOPQ
RSTUVWXYZ
abcdefghijklmnopqrstuvwxyz
1/1234567890%
(.,-;:!¡?¿–)·['‘„”“»«]
+−=/$£†*&§
ÄÅÆÖØŒÜäåæıöøœßü
ÁÀÂÃÇČÉÈÊËÍÌÎÏĹŇÑÓÒÔÕ
ŔŘŠŤÚÙÛŴẄÝŶŸŽ
áàâãçčéèêëíìîïĺňñóòôõŕřš
úùûŵẅýỳÿž

Berthold-Schriftweite weit
Berthold-Schriftweite normal
Berthold-Schriftweite eng
Berthold-Schriftweite sehr eng
Berthold-Schriftweite extrem eng

In general, bodytypes are me asured in the typographical po int size. The sizes of Berthold F ototype faces can be exactly de termined. All faces of same poi nt size have the same capital h eigth–irrespective of their x-he igth. In hot metal and many ot her phototypesetting systems t he capital heigths often differ considerably from one face to the other. For measuring point sizes, a transparent size gauge is provided. To determine the p oint size, bring a capital letter into coincidence with that field which precisely circumscribes

3,20 mm (12 p), Zeilenabstand 5,25 mm

Berthold's quick brown fox jumps over the lazy dog and feels as if he were in the seven
3,75 mm (14 p)

Berthold's quick brown fox jumps over the lazy dog and feels as if he were in
4,25 mm (16 p)

Berthold's quick brown fox jumps over the lazy dog and feels as if he
4,75 mm (18 p)

Berthold's quick brown fox jumps over the lazy dog and feels
5,30 mm (20 p)

Berthold's quick brown fox jumps over the lazy dog
6,35 mm (24 p)

Berthold's quick brown fox jumps over the
7,40 mm (28 p)

Berthold's quick brown fox jumps ove
8,50 mm (32 p)

Berthold's quick brown fox jumps
9,55 mm (36 p)

Berthold-Schriften überzeugen durch Sc härfe und Qualität. Schriftqualität ist ei ne Frage der Erfahrung. Berthold hat die se Erfahrung seit über hundert Jahren. Z uerst im Schriftguß, dann im Fotosatz. B erthold-Schriften sind weltweit geschät zt. Im Schriftenatelier München wird jed er Buchstabe in der Größe von zwölf Zen

2,40 mm (9 p), Zeilenabstand 4,00 mm

Größe		Zeilenabstand			100 Zeichen		
mm	p	kp	Êp	Ex	0	−1	−2
1,33	5	1,75	2,06	–	86	83	80
1,60	6	2,06	2,44	2,50	101	97	93
1,86	7	2,44	2,88	3,00	116	112	108
2,15	8	2,81	3,31	3,50	132	127	122
2,40	9	3,13	3,69	4,00	148	142	136
2,65	10	3,44	4,06	4,00	163	156	149
2,92	11	3,75	4,50	–	178	171	164
3,20	12	4,13	4,88	5,25	193	185	177
3,45	13	4,44	5,25	–	209	201	193
3,72	14	4,81	5,69	–	224	215	206
3,98	15	5,13	6,06	–	239	230	221
4,25	16	5,50	6,50	–	254	244	234

WZ 13 E, NSW 0, MZB 0,61, F 0,18:0,046 (3,9), III
H 1–x 0,68–k 1,03–p 0,25–Ê 1,27–kp 1,28–Êp 1,52
BF 089 0652, Belegung 051: 086 2134 (096 2134)

Berthold-Schriften überzeugen durch Schärfe und Qualität. Schriftqualit ät ist eine Frage der Erfahrung. Berth old hat diese Erfahrung seit über hu ndert Jahren. Zuerst im Schriftguß, d ann im Fotosatz. Berthold-Schriften sind weltweit geschätzt. Im Schriften atelier München wird jeder Buchsta

2,65 mm (10 p), Zeilenabstand 4,00 mm

extrafett
extra bold
extra gras

TIMES

muy negra
nerissimo
extra fet

Berthold-Schriften überzeugen durch Schärfe und Qualität. Schriftqualität ist eine Frage der Erfahrung Berthold hat diese Erfahrung seit über hundert Jahr en. Zuerst im Schriftguß, dann im Fotosatz. Berthold Schriften sind weltweit geschätzt. Im Schriftenatelier München wird jeder Buchstabe in der Größe von zwölf Zentimetern neu gezeichnet. Mit messerscharfen Ko nturen, um für die Schriftscheiben das Optimale an Konturenschärfe herauszuholen. Um die Qualität des

1,60 mm (6 p), Zeilenabstand 2,50 mm

Berthold-Schriften überzeugen durch Schärfe und Qualität. Schriftqualität ist eine Frage der Erfahrung. Berthold hat diese Erfahrung seit über hundert Jahren. Zuerst im Schriftguß, da nn im Fotosatz. Berthold-Schriften sind weltw eit geschätzt. Im Schriftenatelier München wi rd jeder Buchstabe in der Größe von zwölf Zen timetern neu gezeichnet. Mit messerscharfen

1,86 mm (7 p), Zeilenabstand 3,00 mm

Berthold-Schriften überzeugen durch Sc härfe und Qualität. Schriftqualität ist ei ne Frage der Erfahrung. Berthold hat die se Erfahrung seit über hundert Jahren Zuerst im Schriftguß, dann im Fotosatz Berthold-Schriften sind weltweit geschä tzt. Im Schriftenatelier München wird je der Buchstabe in der Größe von zwölf Ze

2,15 mm (8 p), Zeilenabstand 3,50 mm

Monotype Corp. Ltd.
H. Berthold AG

ABCDEFGHIJKLMNOPQ
RSTUVWXYZ
abcdefghijklmnopqrstuvwxyz
1/1234567890%
(.,-;:!¡?¿–)·['‘„”“»«]
+−=/$£†*&§
ÄÅÆÖØŒÜäåæıöøœßü
ÁÀÂÃÇČÉÈÊËÍÌÎÏĹŇÑÓÒÔÕ
ŔŘŠŤÚÙÛŴẄÝỲŸŽ
áàâãçčéèêëíìîïĺňñóòôõŕřš
úùûŵẅýỳÿž

Berthold-Schriftweite weit
Berthold-Schriftweite normal
Berthold-Schriftweite eng
Berthold-Schriftweite sehr eng
Berthold-Schriftweite extrem eng

In general, bodytypes are m easured in the typographic al point size. The sizes of Be rthold Fototype faces can be exactly determined. All fac es of same point size have the same capital height–irr espective of their x-height In hot metal and many other phototypesetting systems t he capital heights often diff er considerably from one fa ce to the other. For measuri ng point sizes, a transparent size gauge is provided. To determine the point size, br ing a capital letter into coin

3,20 mm (12 p), Zeilenabstand 5,25 mm

Berthold's quick brown fox jumps over the lazy dog and feels as if he were in t
3,75 mm (14 p)

Berthold's quick brown fox jumps over the lazy dog and feels as if he
4,25 mm (16 p)

Berthold's quick brown fox jumps over the lazy dog and feel
4,75 mm (18 p)

Berthold's quick brown fox jumps over the lazy dog a
5,30 mm (20 p)

Berthold's quick brown fox jumps over the la
6,35 mm (24 p)

Berthold's quick brown fox jumps over
7,40 mm (28 p)

Berthold's quick brown fox jumps
8,50 mm (32 p)

Berthold's quick brown fox ju
9,55 mm (36 p)

Berthold-Schriften überzeugen durc h Schärfe und Qualität. Schriftquali tät ist eine Frage der Erfahrung. Bert hold hat diese Erfahrung seit über h undert Jahren. Zuerst im Schriftguß dann im Fotosatz. Berthold-Schrifte n sind weltweit geschätzt. Im Schrift enatelier München wird jeder Buchs

2,40 mm (9 p), Zeilenabstand 4,00 mm

Größe		Zeilenabstand			100 Zeichen		
mm	p	kp	Êp	Ex	0	−1	−2
1,33	5	1,75	2,06	—	93	90	87
1,60	6	2,13	2,44	2,50	109	105	101
1,86	7	2,44	2,88	3,00	126	122	118
2,15	8	2,88	3,31	3,50	143	138	133
2,40	9	3,19	3,69	4,00	160	154	148
2,65	10	3,50	4,06	4,00	177	170	163
2,92	11	3,88	4,50	—	193	186	179
3,20	12	4,25	4,88	5,25	209	201	193
3,45	13	4,56	5,25	—	226	218	210
3,72	14	4,88	5,69	—	242	233	224
3,98	15	5,25	6,06	—	259	250	241
4,25	16	5,63	6,50	—	275	265	255

WZ 14 E, NSW 0, MZB 0,67, F 0,28:0,063 (4,5), III
H 1–x 0,72–k 1,05–p 0,26–Ê 1,26–kp 1,31–Êp 1,52
BF 089 0653, Belegung 051: 085 2070 (095 2070)

Berthold-Schriften überzeugen durch Schärfe und Qualität. Sch riftqualität ist eine Frage der Erf ahrung. Berthold hat diese Erfah rung seit über hundert Jahren. Z uerst im Schriftguß, dann im Fot osatz. Berthold-Schriften sind w eltweit geschätzt. Im Schriftenat

2,65 mm (10 p), Zeilenabstand 4,00 mm

kursiv extrafett
extra bold italic
italique extra gras

TIMES

muy negra cursiva
nerissimo corsivo
kursiv extrafet

Berthold-Schriften überzeugen durch Schärfe und Qua lität. Schriftqualität ist eine Frage der Erfahrung. Bert hold hat diese Erfahrung seit über hundert Jahren. Zue rst im Schriftguß, dann im Fotosatz. Berthold-Schriften sind weltweit geschätzt. Im Schriftenatelier München w ird jeder Buchstabe in der Größe von zwölf Zentimetern neu gezeichnet. Mit messerscharfen Konturen, um für d ie Schriftscheiben das Optimale an Konturenschärfe he rauszuholen. Um die Qualität des Einzelzeichens im Bel

1,60 mm (6 p), Zeilenabstand 2,50 mm

Berthold-Schriften überzeugen durch Schärfe u nd Qualität. Schriftqualität ist eine Frage der Erf ahrung. Berthold hat diese Erfahrung seit über h undert Jahren. Zuerst im Schriftguß, dann im Fo tosatz. Berthold-Schriften sind weltweit geschät zt. Im Schriftenatelier München wird jeder Buch stabe in der Größe von zwölf Zentimetern neu gez eichnet. Mit messerscharfen Konturen, um für die

1,86 mm (7 p), Zeilenabstand 3,00 mm

Berthold-Schriften überzeugen durch Sch ärfe und Qualität. Schriftqualität ist eine F rage der Erfahrung. Berthold hat diese Erf ahrung seit über hundert Jahren. Zuerst im Schriftguß, dann im Fotosatz. Berthold-Sc hriften sind weltweit geschätzt. Im Schrifte natelier München wird jeder Buchstabe in der Größe von zwölf Zentimetern neu gezei

2,15 mm (8 p), Zeilenabstand 3,50 mm

Monotype Corporation Ltd.
H. Berthold AG

ABCDEFGHIJKLMNOPQ
RSTUVWXYZ
abcdefghijklmnopqrstuvwxyz
1/1234567890 %
(.,-;:!¡?¿–)·[’‘„”“»«]
+–=/$£†*&§
ÄÅÆÖØŒÜäåæıöøœßü
ÁÀÂÃÇČÉÈÊËÍÌÎÏĹŇÑÓÒÔÕ
ŔŘŠŤÚÙÛŴẄÝỲŶŸŽ
áàâãçčéèêëíìîïĺňñóòôõŕřš
úùûŵẅýỳÿž

Berthold-Schriftweite weit
Berthold-Schriftweite normal
Berthold-Schriftweite eng
Berthold-Schriftweite sehr eng
Berthold-Schriftweite extrem eng

In general, bodytypes are me asured in the typographical point size. The sizes of Berth old Fototype faces can be exa ctly determined. All faces of s ame point size have the same capital height–irrespective of their x-height. In hot metal a nd many other phototypesett ing systems the capital height s often differ considerably fr om one face to the other. For measuring point sizes, a tran sparent size gauge is provide d. To determine the point size bring a capital letter into coi ncidence with that field which

3,20 mm (12 p), Zeilenabstand 5,25 mm

Berthold's quick brown fox jumps over the lazy dog and feels as if he were in the se
3,72 mm (14 p)

Berthold's quick brown fox jumps over the lazy dog and feels as if he wer
4,25 mm (16 p)

Berthold's quick brown fox jumps over the lazy dog and feels as i
4,75 mm (18 p)

Berthold's quick brown fox jumps over the lazy dog and fe
5,30 mm (20 p)

Berthold's quick brown fox jumps over the lazy d
6,35 mm (24 p)

Berthold's quick brown fox jumps over th
7,40 mm (28 p)

Berthold's quick brown fox jumps o
8,50 mm (32 p)

Berthold's quick brown fox jum
9,55 mm (36 p)

Berthold-Schriften überzeugen durch Schärfe und Qualität. Schriftqualität ist eine Frage der Erfahrung. Berthold hat diese Erfahrung seit über hundert Jahren. Zuerst im Schriftguß, dann im Fotosatz. Berthold-Schriften sind welt weit geschätzt. Im Schriftenatelier Mü nchen wird jeder Buchstabe in der Grö

2,40 mm (9 p), Zeilenabstand 4,00 mm

Größe mm	p	Zeilenabstand kp	Êp	Ex	100 Zeichen 0	–1	–2
1,33	5	1,69	2,06	–	91	88	85
1,60	6	2,00	2,44	2,50	107	103	99
1,86	7	2,31	2,81	3,00	123	119	115
2,15	8	2,69	3,25	3,50	140	135	130
2,40	9	3,00	3,63	4,00	157	151	145
2,65	10	3,31	4,06	4,00	173	166	159
2,92	11	3,63	4,44	–	189	182	175
3,20	12	4,00	4,88	5,25	205	197	189
3,45	13	4,31	5,25	–	221	213	205
3,72	14	4,63	5,63	–	237	228	219
3,98	15	4,94	6,06	–	253	244	235
4,25	16	5,31	6,44	–	269	259	249

WZ 12 E, NSW 0, MZB 0,65, F 0,23:0,05 (4,3), III
H 1–x 0,68–k 1,00–p 0,24–Ê 1,27–kp 1,24–Êp 1,51
BF 089 1247, Belegung 051: 085 2119 (095 2119)

Berthold-Schriften überzeugen du rch Schärfe und Qualität. Schriftq ualität ist eine Frage der Erfahrun g. Berthold hat diese Erfahrung se it über hundert Jahren. Zuerst im Schriftguß, dann im Fotosatz. Bert hold-Schriften sind weltweit gesch ätzt. Im Schriftenatelier München

2,65 mm (10 p), Zeilenabstand 4,00 mm

TIMES NEW ROMAN 327

Berthold-Schriften überzeugen durch Schärfe und Qualität. Schriftq
ualität ist eine Frage der Erfahrung. Berthold hat diese Erfahrung seit
über hundert Jahren. Zuerst im Schriftguß, dann im Fotosatz. Bertho
ld-Schriften sind weltweit geschätzt. Im Schriftenatelier München wi
rd jeder Buchstabe in der Größe von zwölf Zentimetern neu gezeichn
et. Mit messerscharfen Konturen, um für die Schriftscheiben das Opt
imale an Konturenschärfe herauszuholen. Um die Qualität des Einze
lzeichens im Belichtungsvorgang zu bewahren, wird durch die ruhen
de, nicht rotierende Schriftscheibe belichtet. Dieses optische System

1,33 mm (5 p) 20 30 40 50 60

Berthold-Schriften überzeugen durch Schärfe und Qualität. Sch
riftqualität ist eine Frage der Erfahrung. Berthold hat diese Erfa
hrung seit über hundert Jahren. Zuerst im Schriftguß, dann im F
otosatz. Berthold-Schriften sind weltweit geschätzt. Im Schrifte
natelier München wird jeder Buchstabe in der Größe von zwölf
Zentimetern neu gezeichnet. Mit messerscharfen Konturen, um
für die Schriftscheiben das Optimale an Konturenschärfe herau
szuholen. Um die Qualität des Einzelzeichens im Belichtungsvo
rgang zu bewahren, wird durch die ruhende, nicht rotierende Sc

1,45 mm (5,5 p) 20 30 40 50

Berthold-Schriften überzeugen durch Schärfe und Qualit
ät. Schriftqualität ist eine Frage der Erfahrung. Berthold hat
diese Erfahrung seit über hundert Jahren. Zuerst im Schrif
tguß, dann im Fotosatz. Berthold-Schriften sind weltweit g
eschätzt. Im Schriftenatelier München wird jeder Buchsta
be in der Größe von zwölf Zentimetern neu gezeichnet. Mit
messerscharfen Konturen, um für die Schriftscheiben das
Optimale an Konturenschärfe herauszuholen. Um die Qu
alität des Einzelzeichens im Belichtungsvorgang zu bewah

1,60 mm (6 p) 20 30 40 50

Berthold-Schriften überzeugen durch Schärfe und Q
ualität. Schriftqualität ist eine Frage der Erfahrung. Be
rthold hat diese Erfahrung seit über hundert Jahren. Z
uerst im Schriftguß, dann im Fotosatz. Berthold-Schr
iften sind weltweit geschätzt. Im Schriftenatelier Mün
chen wird jeder Buchstabe in der Größe von zwölf Ze
ntimetern neu gezeichnet. Mit messerscharfen Kontu
ren, um für die Schriftscheiben das Optimale an Kont
urenschärfe herauszuholen. Um die Qualität des Einz

1,75 mm (6,5 p) 20 30 40 5

Berthold-Schriften überzeugen durch Schärfe und
Qualität. Schriftqualität ist eine Frage der Erfahrun
g. Berthold hat diese Erfahrung seit über hundert Ja
hren. Zuerst im Schriftguß, dann im Fotosatz. Bert
hold-Schriften sind weltweit geschätzt. Im Schrifte
natelier München wird jeder Buchstabe in der Grö
ße von zwölf Zentimetern neu gezeichnet. Mit mess
erscharfen Konturen, um für die Schriftscheiben d
as Optimale an Konturenschärfe herauszuholen. U

1,86 mm (7 p) 20 30 40

Berthold-Schriften überzeugen durch Schärfe
und Qualität. Schriftqualität ist eine Frage der E
rfahrung. Berthold hat diese Erfahrung seit über
hundert Jahren. Zuerst im Schriftguß, dann im
Fotosatz. Berthold-Schriften sind weltweit ge
schätzt. Im Schriftenatelier München wird jeder
Buchstabe in der Größe von zwölf Zentimetern
neu gezeichnet. Mit messerscharfen Konturen
um für die Schriftscheiben das Optimale an Ko

2,00 mm (7,5 p) 20 30 40

Berthold-Schriften überzeugen durch Schärf
e und Qualität. Schriftqualität ist eine Frage d
er Erfahrung. Berthold hat diese Erfahrung s
eit über hundert Jahren. Zuerst im Schriftguß
dann im Fotosatz. Berthold-Schriften sind w
eltweit geschätzt. Im Schriftenatelier Münch
en wird jeder Buchstabe in der Größe von zw
ölf Zentimetern neu gezeichnet. Mit messers
charfen Konturen, um für die Schriftscheiben

2,15 mm (8 p) 20 30 40

Stanley Morison
1932
Monotype Corp. Ltd.
Berthold AG

ABCDEFGHIJKLMNOPQ
RSTUVWXYZ
abcdefghijklmnopqrstuvwxyz
1/1234567890%
(.,-;:!¡?¿–)·[’‘„”“»«]
+−=/$£†*&§
ÄÅÆÖØŒÜäåæıöøœßü
ÁÀÂÃÇČÉÈÊËÍÌÎÏĹŇÑÓÒÔÕ
ŔŘŠŤÚÙÛŴẄÝŶŸŽ
áàâãçčéèêëíìîïĺňñóòôõŕřš
úùûŵẅýỳÿž

Berthold-Schriftweite weit
Berthold-Schriftweite normal
Berthold-Schriftweite eng
Berthold-Schriftweite sehr eng
Berthold-Schriftweite extrem eng

Berthold
3,72 mm (14 p)

Berthold
4,25 mm (16 p)

Berthold
4,75 mm (18 p)

Berthold
5,30 mm (20 p)

Berthold
6,35 mm (24 p)

Berthold
7,40 mm (28 p)

Berthold
8,50 mm (32 p)

Berthold
9,55 mm (36 p)

Größe mm	p	Zeilenabstand kp	Êp	Ex	100 Zeichen 0	−1	−2
1,33	5	1,81	2,13	2,00	87	84	81
1,60	6	2,19	2,56	2,50	103	99	95
1,86	7	2,50	2,94	3,00	118	114	110
2,15	8	2,94	3,38	3,50	134	129	124
2,40	9	3,25	3,81	3,75	150	144	138
2,65	10	3,56	4,19	4,25	165	158	151
2,92	11	3,94	4,63	4,75	181	174	167
3,20	12	4,31	5,06	5,25	196	188	180
3,45	13	4,63	5,44	5,75	212	204	196
3,72	14	5,00	5,88	–	227	218	209
3,98	15	5,38	6,25	–	243	234	225
4,25	16	5,75	6,69	–	258	248	238

WZ 12 E, NSW 0, MZB 0,62, F 0,13:0,067 (2,0), III
H 1–x 0,67–k 1,03–p 0,31–Ê 1,26–kp 1,34–Êp 1,57
BF 089 1041, Belegung 051: 085 1035 (095 1035)

Berthold-Schriften überzeugen durch S
chärfe und Qualität. Schriftqualität ist ei
ne Frage der Erfahrung. Berthold hat die
se Erfahrung seit über hundert Jahren. Z
uerst im Schriftguß, dann im Fotosatz. B
erthold-Schriften sind weltweit geschätz
t. Im Schriftenatelier München wird jed
er Buchstabe in der Größe von zwölf Ze

2,40 mm (9 p) 20 30

Berthold-Schriften überzeugen durc
h Schärfe und Qualität. Schriftqualit
ät ist eine Frage der Erfahrung. Berth
old hat diese Erfahrung seit über hun
dert Jahren. Zuerst im Schriftguß, da
nn im Fotosatz. Berthold-Schriften s
ind weltweit geschätzt. Im Schriften
atelier München wird jeder Buchsta

2,65 mm (10 p)10 20 30

Berthold-Schriften überzeugen d
urch Schärfe und Qualität. Schrif
tqualität ist eine Frage der Erfahr
ung. Berthold hat diese Erfahrung
seit über hundert Jahren. Zuerst
im Schriftguß, dann im Fotosatz
Berthold-Schriften sind weltweit
geschätzt. Im Schriftenatelier Mü

2,92 mm (11 p) 10 20 30

Berthold-Schriften überzeuge
n durch Schärfe und Qualität
Schriftqualität ist eine Frage d
er Erfahrung. Berthold hat die
se Erfahrung seit über hundert
Jahren. Zuerst im Schriftguß
dann im Fotosatz. Berthold-S
chriften sind weltweit geschätz

3,20 mm (12 p) 10 20

Berthold-Schriften überzeug
en durch Schärfe und Qualit
ät. Schriftqualität ist eine Fra
ge der Erfahrung. Berthold h
at diese Erfahrung seit über h
undert Jahren. Zuerst im Sch
riftguß, dann im Fotosatz. Be
rthold-Schriften sind weltwe

3,45 mm (13 p) 10 20

TIMES NEW ROMAN 327

Berthold-Schriften überzeugen durch Schärfe und Qualität. Schriftqualität ist eine Frage der Erfahrung. Berthold hat diese Erfahrung seit über hunde rt Jahren. Zuerst im Schriftguß, dann im Fotosatz. Berthold-Schriften sind weltweit geschätzt. Im Schriftenatelier München wird jeder Buchstabe in der Größe von zwölf Zentimetern neu gezeichnet. Mit messerscharfen Ko nturen, um für die Schriftscheiben das Optimale an Konturenschärfe hera uszuholen. Um die Qualität des Einzelzeichens im Belichtungsvorgang zu bewahren, wird durch die ruhende, nicht rotierende Schriftscheibe belicht et. Dieses optische System, verbunden mit Präzisions-Chromglasscheibe

4,25 mm (16 p), Zeilenabstand 6,75 mm

TIMES NEW ROMAN 327

In general, bodytypes are measured in the typogr aphical point size. The sizes of Berthold Fototype faces can be exactly determined. All faces of same point size have the same capital height–irrespecti ve of their x-height. In hot metal and many other phototypesetting systems the capital heights often differ considerably from one face to the other. For measuring point sizes, a transparent size gauge is provided. To determine the point size, bring a cap ital letter into coincidence with that field which pr ecisely circumscribes the letter at its upper and lo wer margin. Below the field you find the typograp hical point and below that the millimeter value, w hich also refers to the height of a capital letter. In B erthold-phototypesetting, the typewidth can be m odified. The standard setting width of typefaces is determined by the principle of optimum legibility You should not depart from this typewidth witho ut cogent reason. A typeface which is considered optically right when looked in a greater context, oft en seems bulky when applied for a small amount of text, e. g. labels and ads. Here, a width reduction

2,40 mm (9 p), Zeilenabstand 4,25 mm

TIMES NEW ROMAN 327

La valeur de la force de corps des caractères de labeur èst généralement exprimée en points t ypographiques. La force de corps des caractè res Berthold-Fototype peut être déterminée a vec précision. Tous les caractères du même c orps ont des capitales d'une hauteur identiqu e, indépendamment de la hauteur des bas de c asse sans jambage. Dans la composition plo mb, ainsi que dans certains systèmes de phot ocomposition, la hauteur des capitales, varie souvent d'un caractère à l'autre. Pour déterm iner la force de corps de nos caractères, nous avons mis au point une réglette de hauteur dœ il transparente. On cherche le rectangle qui d élimite exactement la hauteur d'œil d'une capi tale du caractère choisi. Sous le rectangle cor respondant la valeur de la force de corps est in diquée en points Didots et en millimètres. La valeur en millimètres exprime également la h auteur des capitales. Pour toutes les indicatio

2,65 mm (10 p), Zeilenabstand 4,69 mm

La indicación de las dimensiones para cuerpos de letra vásicos tiene lugar en general en puntos tipográficos. Los cuerpos de letra de los caracte res Berthold Fototype pueden determinarse ex actemente par medición. Con independencia de la altura de sus longitudes centrales, todos los c aracteres de idéntico cuerpo de letra presentan altura de mayúsculas idéntica. En la composici ón en plomo y en muchos otros sistemas de fot

2,15 mm (8 p), –1, Zeilenabstand 3,38 mm

123,– $	456,– £	7890,– DM	1 %
234,– $	789,– £	1234,– DM	2 %
567,– $	12,– £	5678,– DM	3 %
890,– $	345,– £	9012,– DM	4 %
123,– $	678,– £	3456,– DM	5 %
456,– $	901,– £	7890,– DM	6 %
789,– $	234,– £	1234,– DM	7 %
12,– $	567,– £	5678,– DM	8 %
345,– $	890,– £	9012,– DM	9 %

BF 089 1042

Le misure relative al corpo dei caratteri vengono generalmente indicate in punti tipografici. Il corpo dei caratteri Fototypes può essere determinato co n esattezza per semplice misurazione. Tutti i carat teri di uguale grandezza in punti hanno, indipende ntemente dalla loro lunghezza, uguale altezza delle maiuscole. Nella composizione in piombo ed in molti altri sistemi di fotocomposizione, l'altezza d elle maiuscole varia spesso da carattere a carattere

2,15 mm (8 p), –2, Zeilenabstand 3,38 mm

TIMES NEW ROMAN 327 CAPS

Berthold-Schriften überz eugen durch Schärfe und Qualität. Schriftqualität i st eine Frage der Erfahrun g. Berthold hat diese Erfa hrung seit über hundert Ja hren. Zuerst im Schriftgus s, dann im Fotosatz. Bertho ld-Schriften sind weltweit geschätzt. Im Schriftenate lier München wird jeder B uchstabe in der Grösse von zwölf Zentimetern neu gez eichnet. Mit messerscharfe n Konturen, um für die Sch riftscheiben das Optimale an Konturenschärfe hera

3,20 mm (12 p), Zeilenabstand 5,25 mm

Stanley Morison
1932
Monotype Corp. Ltd.
H. Berthold AG

ABCDEFGHIJKLMNOPQ
RSTUVWXYZ
ABCDEFGHIJKLMNOPQRSTUVWXYZ
1234567890 %
(.,-;:!¡?¿–)·[",,""»«›‹]
+−=/$£†*&§©
ÄÅÆÖØŒÜÄÅÆÖØŒÜ
ÁÀÂÃÇČÉÈÊËÍÌÎÏĹŇÑÓÒÔÕ
ŔŘŠŤÚÙÛŴẄÝŶŸŽ
ÁÀÂÃÇČÉÈÊËÍÌÎÏĹŇÑÓÒÔÕŔŘŠ
ÚÙÛŴẄÝỲŶŸŽ

Berthold-Schriftweite weit
Berthold-Schriftweite normal
Berthold-Schriftweite eng
Berthold-Schriftweite sehr eng
Berthold-Schriftweite extrem eng

LA VALEUR DE LA FORCE DE CORPS DES CARACTE RES DE LABEUR EST GEN ERALEMENT EXPRIMEE EN POINTS TYPOGRAPHI QUES. LA FORCE DE COR PS DES CARACTERES BE RTHOLD FOTOTYPE PEU T ETRE DETERMINEE AV EC PRECISION. TOUS LES CARACTERES DU MEME CORPS ONT DES CAPITA LES D'UNE HAUTEUR ID ENTIQUE, INDEPENDAM MENT DE LA HAUTEUR DES BAS DE CASSE SANS JAMBAGE. DANS LA COM

3,20 mm (12 p), Zeilenabstand 5,25 mm

8/5

MARIE-THERÈSE ROCHEFORT
Directrice

Rue Victor Hugo 69, Paris, Téléphone 37 25 86

10/7

FLORENTINO CAVALLO
Maître de Plaisir

Via Ludovica Aretino 33, Firenze

12/9

EULALIA LOEFFEL
Diätköchin

Am Gänsemarkt 2, Vilshofen

Berlin
3,72 mm (14 p)

Berlin
4,25 mm (16 p)

Berlin
4,75 mm (18 p)

Berlin
5,30 mm (20 p)

Berlin
6,35 mm (24 p)

Berlin
7,40 mm (28 p)

Berlin
8,50 mm (32 p)

Berlin
9,55 mm (36 p)

9/6

HANS-OTTO VON SCHLICK
Landrat

Am Horst 10, Kappeln an der Schlei, Tel. 66 34

11/8

JAN VAN DER FALK
Detektivbüro

Halve Maan Straat 78, Amsterdam

13/10

VLADIMIR IRIBOZOV
Saxophonist

Dom-Pedro-Strasse, München

La indicación de las dimensiones para cuerpos de letra vásic os tiene lugar en general en puntos tipográficos. Los cuerpo s de letra de los caracteres Berthold Fototype pueden deter minarse exactemente par medición. Con independencia de la altura de sus longitudes centrales, todos los caracteres de idéntico cuerpo de letra presentan altura de mayúsculas idéntica. En la composición en plomo y en muchos otros siste mas de fotocomposición, las alturas de mayúsculas varían frecuentemmente en forma considerable de tipo de letra a ti po de letra. Para medir los cuerpos de letra se dispone de un tipómetro, véase la figura. Para la medición se hace coincidir una letra mayúscula con la casilla cuyos extremos coinciden con los extremos superior e inferior de la letra. Bajo la casil la se indica el cuerpo de letra en puntos tipográficos Didot, y debajo en mm. También las indicaciónes en mm se refieren a la

1,33 mm (5 p), Zeilenabstand 1,94 mm

Le misure relative al corpo dei caratteri ven gono generalmente indicate in punti tipograf ici. Il corpo dei caratteri Fototypes può essere determinato con esattezza per semplice misu razione. Tutti i caratteri di uguale grandez za in punti hanno, indipendentemente dalla loro lunghezza, uguale altezza delle maius cole. Nella composizione in piombo ed in molti altri sistemi di fotocomposizione, l'altezza delle maiuscole varia spesso da carattere a carattere. Per misurare il corpo dei caratteri è indispensabile un apposito tipometro traspa

1,60 mm (6 p), Zeilenabstand 2,44 mm
WZ 14 E, NSW 0, III
BF 089 1043, Belegung 127: 085 1038 (095 1038)

In general bodytypes are measured in the ty pographical point size. The sizes of Berthol d-Fototype faces can be exactly determined All faces of same point size have the same ca pital height–irrespective of their x-height. I n hot metal and many other phototypesettin g systems the capital heights often differ co nsiderably from one face to the other. For m easuring point sizes a transparent size gauge is provided. To determine the point size, brin

1,86 mm (7 p), Zeilenabstand 3,00 mm

kursiv
italic
italique

TIMES 327

cursiva
chiaro corsivo
kursiv

*Måttangivelse för grundstilsgrader
sker i allmänhet i typografiska pun
kter. Stilar av Berthold Fototype ka
n efter mätning exakt gradbestäm
mas. Alla typsnitt är av samma pun
ktstorlek och har oberoende av x
höjden en identisk versalhöjd. I bly
sättning och i många andra fotosätt
system varierar versalhöjden avsev
ärt från typsnitt till typsnitt. För mät
ning av stilgrader finns en transpar
ent mätlinjal. Vid mätningen place
rar man en versal bokstav så att rut
orna begränsar tecknet upptill och
nedtill. Under rutorna finns stilstor
leken i typografiska didotpunkter o
ch i mm. Även millimeteruppgiften
avser versalhöjden. Vid stilstorleks
uppgifter anges alltid måttenheten*

2,92 mm (11 p), Zeilenabstand 4,69 mm

*Stanley Morison
1932
Monotype Corp. Ltd.
H. Berthold AG*

*ABCDEFGHIJKLMNOPQ
RSTUVWXYZ
abcdefghijklmnopqrstuvwxyz
1/1234567890%
(.,-;:!¡?¿–)·['‚„"“»«]
+−=/$£†*&§
ÄÅÆÖØŒÜäåæıöøœßü
ÁÀÂÃÇČÉÈÊËÍÌÎÏĹŇÑÓÒÔÕ
ŔŘŠŤÚÙÛŴẄÝỲŶŸŽ
áàâãçčéèêëíìîïĺňñóòôõŕřš
úùûŵẅýỳŷÿž*

*Berthold-Schriftweite weit
Berthold-Schriftweite normal
Berthold-Schriftweite eng
Berthold-Schriftweite sehr eng
Berthold-Schriftweite extrem eng*

*In general, bodytypes are measu
red in the typographical point siz
e. The sizes of Berthold Fototype
faces can be exactly determined
All faces of same point size have
the same capital height–irrespec
tive of their x-height. In hot metal
and many other phototypesetting
systems the capital heights often
differ considerably from one fa
ce to the other. For measuring po
int sizes, a transparent size gauge
is provided. To determine the po
int size, bring a capital letter into
coincidence with that field which
precisely circumscribes the letter
at its upper and lower margin. B*

3,20 mm (12 p), Zeilenabstand 5,25 mm

TIMES 327 KURSIV

*Die Maßangabe zu Grundschriftgrößen erfolgt im al
lgemeinen in typographischen Punkten. Die Schriftg
rößen der Berthold-Fotosatz-Schriften sind nach Me
ssung exakt bestimmbar. Alle Schriften gleicher Pun
ktgröße weisen, unabhängig von der Höhe ihrer Mitt
ellängen, eine identische Versalhöhe auf. Im Bleisatz
und bei vielen anderen Fotosatz-Systemen differieren
die Versalhöhen von Schrift zu Schrift oft erheblich
Zum Messen von Schriftgrößen steht ein transpare
ntes Größenmaß zur Verfügung. Zum Messen wird e
in Versalbuchstabe mit dem Feld in Deckung gebrach
t, das den Buchstaben oben und unten scharf begrenzt
Unter dem Feld ist die Schriftgröße in typographisch
en Didot-Punkten, darunter in Millimetern angegeb
en. Auch die Millimeterangaben beziehen sich auf die
Höhe der Versalbuchstaben. Die Schriftweite kann i
m Berthold-Fotosatz beliebig verändert werden. Die
Festlegung der Normalschriftweite erfolgt nach dem*

2,40 mm (9 p), Zeilenabstand 4 mm

TIMES 327 ITALIQUE

*La valeur de la force de corps des caractères de l
abeur èst généralement exprimée en points typo
graphiques. La force de corps des caractères Ber
thold-Fototype peut être déterminée avec précis
ion. Tous les caractères du même corps ont des c
apitales d'une hauteur identique, indépendam
ment de la hauteur des bas de casse sans jamba
ge. Dans la composition plomb, ainsi que dans c
ertains systèmes de photocomposition, la haute
ur des capitales, varie souvent d'un caractère à
l'autre. Pour déterminer la force de corps de nos
caractères, nous avons mis au point une réglette
de hauteur d'œil transparente. On cherche le rec
tangle qui délimite exactement la hauteur d'œil
d'une capitale du caractère choisi. Sous le recta
ngle correspondant la valeur de la force de corps*

2,65 mm (10 p), Zeilenabstand 4,50 mm

*La indicación de las dimensiones para cuerpos de letra vásicos
tiene lugar en general en puntos tipográficos. Los cuerpos de le
tra de los caracteres Berthold Fototype pueden determinarse e
xactemente par medición. Con independencia de la altura de s
us longitudes centrales, todos los caracteres de idéntico cuerpo
de letra presentan altura de mayúsculas idéntica. En la compo
sición en plomo y en muchos otros sistemas de fotocomposició
n, las alturas de mayúsculas varían frecuentemmente en forma
considerable de tipo de letra a tipo de letra. Para medir los cuer
pos de letra se dispone de un tipómetro, véase la figura. Para la
medición se hace coincidir una letra mayúscula con la casilla c
uyos extremos coinciden con los extremos superior e inferior de*

1,60 mm (6 p), Zeilenabstand 2,50 mm

Größe mm	p	Zeilenabstand kp	Êp	Ex	100 Zeichen 0	−1	−2
1,33	5	1,69	2,06	–	83	80	77
1,60	6	2,00	2,44	2,50	98	94	90
1,86	7	2,38	2,88	–	113	109	105
2,15	8	2,69	3,31	3,38	128	123	118
2,40	9	3,00	3,69	4,00	143	137	131
2,65	10	3,38	4,06	4,50	158	151	144
2,92	11	3,69	4,44	4,69	173	166	159
3,20	12	4,00	4,88	5,25	188	180	172
3,45	13	4,38	5,25	–	202	194	186
3,72	14	4,69	5,69	–	217	208	199
3,98	15	5,00	6,06	–	232	223	214
4,25	16	5,38	6,50	–	246	236	226

WZ 13 E, NSW 0, MZB 0,60, F 0,12:0,04 (2,8), III
H 1–x 0,67–k 1,00–p 0,25–Ê 1,27–kp 1,25–Êp 1,52
BF 089 1101, Belegung 051: 085 1037 (095 1037)

*Le misure relative al corpo dei caratteri vengono
generalmente indicate in punti tipografici. Il cor
po dei caratteri Fototypes può essere determinato
con esattezza per semplice misurazione. Tutti i c
aratteri di uguale grandezza in punti hanno, ind
ipendentemente dalla loro lunghezza, uguale alt
ezza delle maiuscole. Nella composizione in pio
mbo ed in molti altri sistemi di fotocomposizione
l'altezza delle maiuscole varia spesso da caratte*

2,15 mm (8 p), Zeilenabstand 3,38 mm

halbfett
semi-bold
demi-gras

TIMES 421

seminegra cursiva
neretto corsivo
kursiv halvfet

Berthold-Schriften überzeugen durch Schärfe und Qualität. Schriftqualität ist eine Frage der Erfahrung. Berthold hat diese Erfahrung seit über hundert Jahren. Zuerst im Schriftguß, dann im Fotosatz. Berthold-Schriften sind weltweit geschätzt. Im Schriftenatelier München wird jeder Buchstabe in der Größe von zwölf Zentimetern neu gezeichnet. Mit messerscharfen Konturen um für die Schriftscheiben das Optimale an Konturenschärfe herauszuholen. Um die Qualität des Einzel

1,60 mm (6 p), Zeilenabstand 2,50 mm

Berthold-Schriften überzeugen durch Schärfe und Qualität. Schriftqualität ist eine Frage der Erfahrung. Berthold hat diese Erfahrung seit über hundert Jahren. Zuerst im Schriftguß, dann im Fotosatz. Berthold-Schriften sind weltweit geschätzt. Im Schriftenatelier München wird jeder Buchstabe in der Größe von zwölf Zentimetern neu gezeichnet. Mit messerscharfen Kont

1,86 mm (7 p), Zeilenabstand 3,00 mm

Berthold-Schriften überzeugen durch Schärfe und Qualität. Schriftqualität ist eine Frage der Erfahrung. Berthold hat diese Erfahrung seit über hundert Jahren. Zuerst im Schriftguß, dann im Fotosatz. Berthold-Schriften sind weltweit geschätzt. Im Schriftenatelier München wird jeder Buchstabe in der Größe von zwölf Zentimete

2,15 mm (8 p), Zeilenabstand 3,50 mm

Stanley Morison
1932
Monotype Corp. Ltd.
H. Berthold AG

ABCDEFGHIJKLMNOPQ
RSTUVWXYZ
abcdefghijklmnopqrstuvwxyz
1/1234567890%
(.,-;:!¡?¿–)·[',,"“»«]
+−=/$£†*&§
ÄÅÆÖØŒÜäåæıöøœßü
ÁÀÂÃÇČÉÈÊËÍÌÎÏĹŇÑ
ÓÒÔÕŔŘŠŤÚÙÛŴẄÝŶŸŽ
áàâãçčéèêëíìîïĺňñóòôõŕřš
úùûŵẅýỳÿž

Berthold-Schriftweite weit
Berthold-Schriftweite normal
Berthold-Schriftweite eng
Berthold-Schriftweite sehr eng
Berthold-Schriftweite extrem eng

In general, bodytypes are measured in the typographical point size. The sizes of Berthold Fototype faces can be exactly determined. All faces of same point size have the same capital height–irrespective of their x-height. In hot metal and many other photypesetting systems the capital heights often differ considerably from one face to the other. For measuring point sizes, a transparent size gauge is provided. To determine the point size, bring a capital letter into coincidence

3,20 mm (12 p), Zeilenabstand 5,25 mm

Berthold's quick brown fox jumps over the lazy dog and feels as if he were in th
3,72 mm (14 p)

Berthold's quick brown fox jumps over the lazy dog and feels as if he
4,25 mm (16 p)

Berthold's quick brown fox jumps over the lazy dog and feels
4,75 mm (18 p)

Berthold's quick brown fox jumps over the lazy dog an
5,30 mm (20 p)

Berthold's quick brown fox jumps over the la
6,35 mm (24 p)

Berthold's quick brown fox jumps over
7,40 mm (28 p)

Berthold's quick brown fox jumps
8,50 mm (32 p)

Berthold's quick brown fox ju
9,55 mm (36 p)

Berthold-Schriften überzeugen durch Schärfe und Qualität. Schriftqualität ist eine Frage der Erfahrung. Berthold hat diese Erfahrung seit über hundert Jahren. Zuerst im Schriftguß, dann im Fotosatz. Berthold-Schriften sind weltweit geschätzt. Im Schriftenatelier München wird jeder Buchstabe

2,40 mm (9 p), Zeilenabstand 4,00 mm

Größe mm	p	Zeilenabstand kp	Êp	Ex	100 Zeichen 0	−1	−2
1,33	5	1,81	2,13	–	93	90	87
1,60	6	2,13	2,56	2,50	109	105	101
1,86	7	2,50	3,00	3,00	126	122	118
2,15	8	2,88	3,44	3,50	143	138	133
2,40	9	3,25	3,88	4,00	160	154	148
2,65	10	3,56	4,25	4,00	177	170	163
2,92	11	3,94	4,69	–	193	186	179
3,20	12	4,31	5,13	5,25	209	201	193
3,45	13	4,63	5,50	–	226	218	210
3,72	14	5,00	5,94	–	242	233	224
3,98	15	5,31	6,38	–	259	250	241
4,25	16	5,69	6,81	–	275	265	255

WZ 12 E, NSW 0, MZB 0,67, F 0,19:0,077 (2,5), III
H 1–x 0,68–k 1,00–p 0,33–Ê 1,26–kp 1,33–Êp 1,59
BF 089 1044, Belegung 051: 085 1036 (095 1036)

Berthold-Schriften überzeugen durch Schärfe und Qualität. Schriftqualität ist eine Frage der Erfahrung. Berthold hat diese Erfahrung seit über hundert Jahren. Zuerst im Schriftguß, dann im Fotosatz Berthold-Schriften sind weltweit geschätzt. Im Schriftenatelier Mü

2,65 mm (10 p), Zeilenabstand 4,00 mm

kursiv halbfett
semi-bold italic
italique demi-gras

TIMES 421

seminegra cursiva
neretto corsivo
kursiv halvfet

Berthold-Schriften überzeugen durch Schärfe und Quali tät. Schriftqualität ist eine Frage der Erfahrung. Berthold hat diese Erfahrung seit über hundert Jahren. Zuerst im Schriftguß, dann im Fotosatz. Berthold-Schriften sind w eltweit geschätzt. Im Schriftenatelier München wird jeder Buchstabe in der Größe von zwölf Zentimetern neu gezei chnet. Mit messerscharfen Konturen, um für die Schrifts cheiben das Optimale an Konturenschärfe herauszuhole n. Um die Qualität des Einzelzeichens im Belichtungsvor

1,60 mm (6 p), Zeilenabstand 2,50 mm

Berthold-Schriften überzeugen durch Schärfe und Qualität. Schriftqualität ist eine Frage der Erfahr ung. Berthold hat diese Erfahrung seit über hunde rt Jahren. Zuerst im Schriftguß, dann im Fotosatz Berthold-Schriften sind weltweit geschätzt. Im Sc hriftenatelier München wird jeder Buchstabe in d er Größe von zwölf Zentimetern neu gezeichnet. M it messerscharfen Konturen, um für die Schriftsch

1,86 mm (7 p), Zeilenabstand 3,00 mm

Berthold-Schriften überzeugen durch Schä rfe und Qualität. Schriftqualität ist eine Fra ge der Erfahrung. Berthold hat diese Erfahr ung seit über hundert Jahren. Zuerst im Sch riftguß, dann im Fotosatz. Berthold-Schrifte n sind weltweit geschätzt. Im Schriftenatelier München wird jeder Buchstabe in der Größe von zwölf Zentimetern neu gezeichnet. Mit

2,15 mm (8 p), Zeilenabstand 3,50 mm

Stanley Morison
1932
Monotype Corp. Ltd.
H. Berthold AG

ABCDEFGHIJKLMNOPQ
RSTUVWXYZ
abcdefghijklmnopqrstuvwxyz
1/1234567890%
(.,-;:!¡?¿–)·[’‘„”“»«]
+−=/$£†&§*
ÄÅÆÖØŒÜäåæıöøœßü
ÁÀÂÃÇČÉÈÊËÍÌÎÏĹŇÑÓÒÔÕ
ŔŘŠŤÚÙÛŴẄÝỲŸŽ
áàâãçčéèêëíìîïĺňñóòôõŕřš
úùûŵẅýỳÿž

Berthold-Schriftweite weit
Berthold-Schriftweite normal
Berthold-Schriftweite eng
Berthold-Schriftweite sehr eng
Berthold-Schriftweite extrem eng

In general, bodytypes are me asured in the typographical p oint size. The sizes of Berthold Fototype faces can be exactly determined. All faces of same point size have the same capit al height–irrespective of their x-height. In hot metal and ma ny other phototypesetting syst ems the capital heights often d iffer considerably from one fa ce to the other. For measuring point sizes, a transparent size gauge is provided. To determi ne the point size, bring a capit al letter into coincidence with that field which precisely circ

3,20 mm (12 p), Zeilenabstand 5,25 mm

Berthold's quick brown fox jumps over the lazy dog and feels as if he were in the sev
3,72 mm (14 p)

Berthold's quick brown fox jumps over the lazy dog and feels as if he were
4,25 mm (16 p)

Berthold's quick brown fox jumps over the lazy dog and feels as if
4,75 mm (18 p)

Berthold's quick brown fox jumps over the lazy dog and fe
5,30 mm (20 p)

Berthold's quick brown fox jumps over the lazy d
6,35 mm (24 p)

Berthold's quick brown fox jumps over the
7,40 mm (28 p)

Berthold's quick brown fox jumps ov
8,50 mm (32 p)

Berthold's quick brown fox jum
9,55 mm (36 p)

Berthold-Schriften überzeugen durch Schärfe und Qualität. Schriftqualität ist eine Frage der Erfahrung. Berthold hat diese Erfahrung seit über hundert Jahr en. Zuerst im Schriftguß, dann im Foto satz. Berthold-Schriften sind weltweit g eschätzt. Im Schriftenatelier München wird jeder Buchstabe in der Größe von

2,40 mm (9 p), Zeilenabstand 4,00 mm

Größe		Zeilenabstand			100 Zeichen		
mm	p	kp	Êp	Ex	0	−1	−2
1,33	5	1,81	2,13	–	89	86	83
1,60	6	2,19	2,56	2,50	105	101	97
1,86	7	2,56	3,00	3,00	121	117	113
2,15	8	2,94	3,44	3,50	137	132	127
2,40	9	3,31	3,88	4,00	153	147	141
2,65	10	3,63	4,25	4,00	169	162	155
2,92	11	4,00	4,69	–	185	178	171
3,20	12	4,38	5,13	5,25	201	193	185
3,45	13	4,75	5,50	–	216	208	200
3,72	14	5,06	5,94	–	232	223	214
3,98	15	5,44	6,38	–	248	239	230
4,25	16	5,81	6,81	–	264	254	244

WZ 13 E, NSW 0, MZB 0,64, F 0,16:0,06 (2,5), III
H 1–x 0,68–k 1,04–p 0,32–Ê 1,27–kp 1,36–Êp 1,59
BF 089 1442, Belegung 051: 085 2197 (095 2197)

Berthold-Schriften überzeugen dur ch Schärfe und Qualität. Schriftqu alität ist eine Frage der Erfahrung Berthold hat diese Erfahrung seit ü ber hundert Jahren. Zuerst im Schr iftguß, dann im Fotosatz. Berthold Schriften sind weltweit geschätzt. Im Schriftenatelier München wird jede

2,65 mm (10 p), Zeilenabstand 4,00 mm

normal
regular
normal

TRUMP-MEDIÄVAL

normal
chiaro tondo
normal

Berthold-Schriften überzeugen durch Schärfe und Qualität. Sch
riftqualität ist eine Frage der Erfahrung. Berthold hat diese Erfahr
ung seit über hundert Jahren. Zuerst im Schriftguß, dann im Foto
satz. Berthold-Schriften sind weltweit geschätzt. Im Schriftenate
lier München wird jeder Buchstabe in der Größe von zwölf Zenti
metern neu gezeichnet. Mit messerscharfen Konturen, um für die
Schriftscheiben das Optimale an Konturenschärfe herauszuhole
n. Um die Qualität des Einzelzeichens im Belichtungsvorgang zu
bewahren, wird durch die ruhende, nicht rotierende Schriftsc

1,33 mm (5 p) 20 30 40 50

Berthold-Schriften überzeugen durch Schärfe und Qualität
Schriftqualität ist eine Frage der Erfahrung. Berthold hat die
se Erfahrung seit über hundert Jahren. Zuerst im Schriftguß
dann im Fotosatz. Berthold-Schriften sind weltweit geschät
zt. Im Schriftenatelier München wird jeder Buchstabe in der
Größe von zwölf Zentimetern neu gezeichnet. Mit messers
charfen Konturen, um für die Schriftscheiben das Optimale
an Konturenschärfe herauszuholen. Um die Qualität des Ei
nzelzeichens im Belichtungsvorgang zu bewahren, wird du

1,45 mm (5,5 p) 20 30 40 50

Berthold-Schriften überzeugen durch Schärfe und Qua
lität. Schriftqualität ist eine Frage der Erfahrung. Berth
old hat diese Erfahrung seit über hundert Jahren. Zuerst
im Schriftguß, dann im Fotosatz. Berthold-Schriften si
nd weltweit geschätzt. Im Schriftenatelier München wi
rd jeder Buchstabe in der Größe von zwölf Zentimetern
neu gezeichnet. Mit messerscharfen Konturen, um für
die Schriftscheiben das Optimale an Konturenschärfe
herauszuholen. Um die Qualität des Einzelzeichens im

1,60 mm (6 p) 20 30 40 5

Berthold-Schriften überzeugen durch Schärfe und
Qualität. Schriftqualität ist eine Frage der Erfahru
ng. Berthold hat diese Erfahrung seit über hundert
Jahren. Zuerst im Schriftguß, dann im Fotosatz. Be
rthold-Schriften sind weltweit geschätzt. Im Schri
ftenatelier München wird jeder Buchstabe in der
Größe von zwölf Zentimetern neu gezeichnet. Mit
messerscharfen Konturen, um für die Schriftschei
ben das Optimale an Konturenschärfe herauszuh

1,75 mm (6,5 p) 20 30 40

Berthold-Schriften überzeugen durch Schärfe u
nd Qualität. Schriftqualität ist eine Frage der Erf
ahrung. Berthold hat diese Erfahrung seit über
hundert Jahren. Zuerst im Schriftguß, dann im
Fotosatz. Berthold-Schriften sind weltweit gesc
hätzt. Im Schriftenatelier München wird jeder
Buchstabe in der Größe von zwölf Zentimetern
neu gezeichnet. Mit messerscharfen Konturen
um für die Schriftscheiben das Optimale an Ko

1,86 mm (7 p) 20 30 40

Berthold-Schriften überzeugen durch Schärf
e und Qualität. Schriftqualität ist eine Frage
der Erfahrung. Berthold hat diese Erfahrung
seit über hundert Jahren. Zuerst im Schriftg
uß, dann im Fotosatz. Berthold-Schriften sind
weltweit geschätzt. Im Schriftenatelier Mün
chen wird jeder Buchstabe in der Größe von
zwölf Zentimetern neu gezeichnet. Mit m
esserscharfen Konturen, um für die Schriftsc

2,00 mm (7,5 p) 20 30 40

Berthold-Schriften überzeugen durch Sch
ärfe und Qualität. Schriftqualität ist eine F
rage der Erfahrung. Berthold hat diese Erf
ahrung seit über hundert Jahren. Zuerst
im Schriftguß, dann im Fotosatz. Berthold
Schriften sind weltweit geschätzt. Im Schr
iftenatelier München wird jeder Buchstab
e in der Größe von zwölf Zentimetern ne
u gezeichnet. Mit messerscharfen Kontur

2,15 mm (8 p) 20 30

Georg Trump
1954
D. Stempel AG
H. Berthold AG

ABCDEFGHIJKLMNOPQ
RSTUVWXYZ
abcdefghijklmnopqrstuvwxyz
1/1234567890%
(.,-;:!¡?¿–)·[‘’„“”›‹]
+–=/$£†*&§
ÄÅÆÖØŒÜäåæıöøœßü
ÁÀÂÃÇČÉÈÊËÍÌÎÏĹŇÑÓÒÔÕ
ŔŘŠŤÚÙÛŴẄÝỲŶŸŽ
áàâãçčéèêëíìîïĺňñóòôõŕřš
úùûŵẅýỳŷÿž

Berthold-Schriftweite weit
Berthold-Schriftweite normal
Berthold-Schriftweite eng
Berthold-Schriftweite sehr eng
Berthold-Schriftweite extrem eng

Berthold
3,75 mm (14 p)

Berthold
4,25 mm (16 p)

Berthold
4,75 mm (18 p)

Berthold
5,30 mm (20 p)

Berthold
6,35 mm (24 p)

Berthold
7,40 mm (28 p)

Berthold
8,50 mm (32 p)

Berthold
9,55 mm (36 p)

Größe mm	p	Zeilenabstand kp	Êp	Ex	100 Zeichen 0	−1	−2
1,33	5	1,94	2,13	2,00	93	90	87
1,60	6	2,31	2,50	2,50	109	105	101
1,86	7	2,69	2,94	3,00	126	122	118
2,15	8	3,13	3,38	3,50	143	138	133
2,40	9	3,44	3,75	3,75	160	154	148
2,65	10	3,81	4,19	4,25	176	169	162
2,92	11	4,19	4,56	4,75	193	186	179
3,20	12	4,63	5,00	5,25	209	201	193
3,45	13	4,94	5,44	5,75	226	218	210
3,72	14	5,38	5,81	–	242	233	224
3,98	15	5,75	6,25	–	259	250	241
4,25	16	6,13	6,69	–	275	265	255

WZ 14 E, NSW −1, MZB 0,66, F 0,13:0,046 (2,7), II
H 1–x 0,68–k 1,13–p 0,30–Ê 1,26–kp 1,43–Êp 1,56
BF 089 0654, Belegung 051: 086 7130 (096 7130)

Berthold-Schriften überzeugen durch
Schärfe und Qualität. Schriftqualität
ist eine Frage der Erfahrung. Berthold
hat diese Erfahrung seit über hundert
Jahren. Zuerst im Schriftguß, dann im
Fotosatz. Berthold-Schriften sind welt
weit geschätzt. Im Schriftenatelier M
ünchen wird jeder Buchstabe in der G

2,40 mm (9 p) 20 30

Berthold-Schriften überzeugen d
urch Schärfe und Qualität. Schrift
qualität ist eine Frage der Erfahru
ng. Berthold hat diese Erfahrung
seit über hundert Jahren. Zuerst i
m Schriftguß, dann im Fotosatz. B
erthold-Schriften sind weltweit ge
schätzt. Im Schriftenatelier Münc

2,65 mm (10 p) 10 20 30

Berthold-Schriften überzeugen
durch Schärfe und Qualität. Sc
hriftqualität ist eine Frage der E
rfahrung. Berthold hat diese E
rfahrung seit über hundert Jahr
en. Zuerst im Schriftguß, dann
im Fotosatz. Berthold-Schriften
sind weltweit geschätzt. Im Sch

2,92 mm (11 p) 10 20

Berthold-Schriften überzeug
en durch Schärfe und Quali
tät. Schriftqualität ist eine Fr
age der Erfahrung. Berthold
hat diese Erfahrung seit über
hundert Jahren. Zuerst im S
chriftguß, dann im Fotosatz
Berthold-Schriften sind welt

3,20 mm (12 p) 10 20

Berthold-Schriften überze
ugen durch Schärfe und Q
ualität. Schriftqualität ist e
ine Frage der Erfahrung. B
erthold hat diese Erfahrun
g seit über hundert Jahren
Zuerst im Schriftguß, dan
n im Fotosatz. Berthold-Sc

3,45 mm (13 p) 10 20

normal
regular
normal

TRUMP-MEDIÄVAL

normal
chiaro tondo
normal

Berthold-Schriften überzeugen durch Schärfe und Qualität. Schriftqual ität ist eine Frage der Erfahrung. Berthold hat diese Erfahrung seit über hundert Jahren. Zuerst im Schriftguß, dann im Fotosatz. Berthold-Schri ften sind weltweit geschätzt. Im Schriftenatelier München wird jeder Buchstabe in der Größe von zwölf Zentimetern neu gezeichnet. Mit messerscharfen Konturen, um für die Schriftscheiben das Optimale an Konturenschärfe herauszuholen. Um die Qualität des Einzelzeichens im Belichtungsvorgang zu bewahren, wird durch die ruhende, nicht rot ierende Schriftscheibe belichtet. Dieses optische System, verbunden

4,25 mm (16 p), Zeilenabstand 6,75 mm

TRUMP-MEDIÄVAL

In general, bodytypes are measured in the ty pographical point size. The sizes of Berthold Fototype faces can be exactly determined. All faces of same point size have the same capital heigth–irrespective of their x-heigth. In hot metal and many other phototypesetting sys tems the capital heigths often differ consider ably from one face to the other. For measur ing point sizes, a transparent size gauge is pro vided. To determine the point size, bring a cap ital letter into coincidence with that field which precisely circumscribes the letter at its upper and lower margin. Below the field you find the typographical point and below that the millimeter value, which also refers to the height of a capital letter. In Berthold-photo typesetting, the typewidth can be modified The standard setting width of typefaces is de termined by the principle of optimum legibili ty. You should not depart from this typewidth without cogent reason. A typeface which is considered optically right when looked in a

2,40 mm (9 p), Zeilenabstand 4,25 mm

TRUMP-MEDIÄVAL

La valeur de la force de corps des caractè res de labeur èst généralement exprimée en points typographiques. La force de corps des caractères Berthold-Fototype peut être déterminée avec précision. Tous les caractères du même corps ont des capi tales d'une hauteur identique, indépen damment de la hauteur des bas de casse sans jambage. Dans la composition plomb, ainsi que dans certains systèmes de photocomposition, la hauteur des capi tales, varie souvent d'un caractère à l'au tre. Pour déterminer la force de corps de nos caractères, nous avons mis au point une réglette de hauteur d'œil transpa rente. On cherche le rectangle qui déli mite exactement la hauteur d'œil d'une capitale du caractère choisi. Sous le rec tangle correspondant la valeur de la force de corps est indiquée en points Didots et

2,65 mm (10 p), Zeilenabstand 4,69 mm

La indicación de las dimensiones para cuer pos de letra vásicos tiene lugar en general en puntos tipográficos. Los cuerpos de letra de los caracteres Berthold Fototype pueden de terminarse exactemente par medición. Con independencia de la altura de sus longitudes centrales, todos los caracteres de idéntico cuerpo de letra presentan altura de mayús culas idéntica. En la composición en plomo y

2,15 mm (8 p), –1, Zeilenabstand 3,38 mm

123,– $	456,– £	7890,– DM	1 %
234,– $	789,– £	1234,– DM	2 %
567,– $	12,– £	5678,– DM	3 %
890,– $	345,– £	9012,– DM	4 %
123,– $	678,– £	3456,– DM	5 %
456,– $	901,– £	7890,– DM	6 %
789,– $	234,– £	1234,– DM	7 %
12,– $	567,– £	5678,– DM	8 %
345,– $	890,– £	9012,– DM	9 %

BF 089 0655

Le misure relative al corpo dei caratteri vengo no generalmente indicate in punti tipografici Il corpo dei caratteri Fototypes può essere de terminato con esattezza per semplice misura zione. Tutti i caratteri di uguale grandezza in punti hanno, indipendentemente dalla loro lunghezza, uguale altezza delle maiuscole Nella composizione in piombo ed in molti altri sistemi di fotocomposizione, l'altezza del

2,15 mm (8 p), –2, Zeilenabstand 3,38 mm

kursiv
italic
italique

TRUMP-MEDIÄVAL

cursiva
corsivo
kursiv

Måttangivelse för grundstilsg rader sker i allmänhet i typogr afiska punkter. Stilar av Berth old Fototype kan efter mätni ng exakt gradbestämmas. Alla typsnitt är av samma punktst orlek och har oberoende av x höjden en identisk versalhöjd I blysättning och i många and ra fotosättsystem varierar vers alhöjden avsevärt från typsni tt till typsnitt. För mätning av stilgrader finns en transparent mätlinjal. Vid mätningen plac erar man en versal bokstav så att rutorna begränsar tecknet upptill och nedtill. Under rut orna finns stilstorleken i typo grafiska didotpunkter och i m

2,92 mm (11 p), Zeilenabstand 4,69 mm

Georg Trump
1956
D. Stempel AG
H. Berthold AG

ABCDEFGHIJKLMNOPQ
RSTUVWXYZ
abcdefghijklmnopqrstuvwxyz
1/1234567890%
(.,-;:!¡?¿–)·[''„"“»«]
+−= /$£†&§*
ÄÅÆÖØŒÜäåæıöøœßü
ÁÀÂÃÇČÉÈÊËÍÌÎÏĹŇÑÓÒÔÕ
ŔŘŠŤÚÙÛŴẄÝỲŸŽ
áàâãçčéèêëíìîïĺňñóòôõŕřš
úùûŵẅýỳÿž

Berthold-Schriftweite weit
Berthold-Schriftweite normal
Berthold-Schriftweite eng
Berthold-Schriftweite sehr eng
Berthold-Schriftweite extrem eng

In general, bodytypes are measured in the typographi cal point size. The sizes of Berthold Fototype faces can be exactly determined. All faces of same point size have the same capital height–irr espective of their x-height In hot metal and many oth er phototypesetting systems the capital heights often dif fer considerably from one face to the other. For measu ring point sizes, a transpare nt size gauge is provided. To determine the point size, br ing a capital letter into coin

3,20 mm (12 p), Zeilenabstand 5,25 mm

TRUMP-MEDIÄVAL

Die Maßangabe zu Grundschriftgrößen er folgt im allgemeinen in typographischen Punkten. Die Schriftgrößen der Berthold-Fo tosatz-Schriften sind nach Messung exakt be stimmbar. Alle Schriften gleicher Punktgrö ße weisen, unabhängig von der Höhe ihrer Mittellängen, eine identische Versalhöhe auf. Im Bleisatz und bei vielen anderen Foto satz-Systemen differieren die Versalhöhen von Schrift zu Schrift oft erheblich. Zum Messen von Schriftgrößen steht ein transpa rentes Größenmaß zur Verfügung. Zum Mes sen wird ein Versalbuchstabe mit dem Feld in Deckung gebracht, das den Buchstaben oben und unten scharf begrenzt. Unter dem Feld ist die Schriftgröße in typographischen Didot Punkten, darunter in Millimetern angege ben. Auch die Millimeterangaben beziehen

2,40 mm (9 p), Zeilenabstand 4 mm

TRUMP-MEDIÄVAL

La valeur de la force de corps des carac tères de labeur èst généralement expri mée en points typographiques. La force de corps des caractères Berthold-Foto type peut être déterminée avec précision Tous les caractères du même corps ont des capitales d'une hauteur identique in dépendamment de la hauteur des bas de casse sans jambage. Dans la composi tion plomb, ainsi que dans certains sys tèmes de photocomposition, la hauteur des capitales, varie souvent d'un carac tère à l'autre. Pour déterminer la force de corps de nos caractères, nous avons mis au point une réglette de hauteur d'œil transparente. On cherche le rectangle

2,65 mm (10 p), Zeilenabstand 4,50 mm

La indicación de las dimensiones para cuerpos de letra vásicos tiene lugar en general en puntos tipográficos Los cuerpos de letra de los caracteres Berthold Foto type pueden determinarse exactemente par medi ción. Con independencia de la altura de sus longitu des centrales, todos los caracteres de idéntico cuerpo de letra presentan altura de mayúsculas idéntica. En la composición en plomo y en muchos otros sistemas de fotocomposición, las alturas de mayúsculas varían frecuentemmente en forma considerable de tipo de letra a tipo de letra. Para medir los cuerpos de letra se dispone de un tipómetro, véase la figura. Para la me

1,60 mm (6 p), Zeilenabstand 2,50 mm

Größe		Zeilenabstand			100 Zeichen		
mm	p	kp	Êp	Ex	0	−1	−2
1,33	5	1,94	2,13	–	96	93	90
1,60	6	2,31	2,56	2,50	112	108	104
1,86	7	2,69	2,94	–	129	125	121
2,15	8	3,13	3,44	3,38	147	142	137
2,40	9	3,44	3,81	4,00	165	159	153
2,65	10	3,81	4,19	4,50	182	175	168
2,92	11	4,19	4,63	4,69	198	191	184
3,20	12	4,63	5,06	5,25	215	207	199
3,45	13	4,94	5,44	–	232	224	216
3,72	14	5,38	5,88	–	249	240	231
3,98	15	5,75	6,25	–	266	257	248
4,25	16	6,13	6,69	–	283	273	263

WZ 13 E, NSW 0, MZB 0,68, F 0,10:0,033 (3,1), II
H 1–x 0,68–k 1,13–p 0,30–Ê 1,27–kp 1,43–Êp 1,57
BF 089 0656, Belegung 051: 086 7131 (096 7131)

Le misure relative al corpo dei caratteri vengono generalmente indicate in punti tipografici. Il corpo dei caratteri Foto types può essere determinato con esattez za per semplice misurazione. Tutti i carat teri di uguale grandezza in punti hanno indipendentemente dalla loro lunghezza uguale altezza delle maiuscole. Nella composizione in piombo ed in molti altri

2,15 mm (8 p), Zeilenabstand 3,38 mm

halbfett
bold
demi-gras

TRUMP-MEDIÄVAL

seminegra
neretto
halvfet

Berthold-Schriften überzeugen durch Schärfe und Qualität. Schriftqualität ist eine Frage der Erfahrung Berthold hat diese Erfahrung seit über hundert Jahr en. Zuerst im Schriftguß, dann im Fotosatz. Berthold Schriften sind weltweit geschätzt. Im Schriftenateli er München wird jeder Buchstabe in der Größe von zwölf Zentimetern neu gezeichnet. Mit messerschar fen Konturen, um für die Schriftscheiben das Optim ale an Konturenschärfe herauszuholen. Um die Qual

1,60 mm (6 p), Zeilenabstand 2,50 mm

Berthold-Schriften überzeugen durch Schärfe und Qualität. Schriftqualität ist eine Frage der Erfahrung. Berthold hat diese Erfahrung seit über hundert Jahren. Zuerst im Schriftguß, da nn im Fotosatz. Berthold-Schriften sind welt weit geschätzt. Im Schriftenatelier München wird jeder Buchstabe in der Größe von zwölf Zentimetern neu gezeichnet. Mit messerscha

1,86 mm (7 p), Zeilenabstand 3,00 mm

Berthold-Schriften überzeugen durch Sc härfe und Qualität. Schriftqualität ist ei ne Frage der Erfahrung. Berthold hat die se Erfahrung seit über hundert Jahren Zuerst im Schriftguß, dann im Fotosatz Berthold-Schriften sind weltweit geschä tzt. Im Schriftenatelier München wird je der Buchstabe in der Größe von zwölf Ze

2,15 mm (8 p), Zeilenabstand 3,50 mm

Georg Trump
1958
D. Stempel AG
H. Berthold AG

ABCDEFGHIJKLMNOPQ
RSTUVWXYZ
abcdefghijklmnopqrstuvwxyz
1/1234567890%
(.,-;:!¡?¿–)·[''„""»«]
+−=/$£†*&§
ÄÅÆÖØŒÜäåæıöøœßü
ÁÀÂÃÇČÉÈÊËÍÌÎÏĹŇÑÓÒÔÕ
ŔŘŠŤÚÙÛŴẄÝỲŸŽ
áàâãçčéèêëíìîïĺňñóòôõŕřš
úùûŵẅýỳÿž

Berthold-Schriftweite weit
Berthold-Schriftweite normal
Berthold-Schriftweite eng
Berthold-Schriftweite sehr eng
Berthold-Schriftweite extrem eng

In general, bodytypes are m easured in the typographic al point size. The sizes of B erthold Fototype faces can be exactly determined. All faces of same point size hav e the same capital heigth–i rrespective of their x-heigt h. In hot metal and many ot her phototypesetting syste ms the capital heigths often differ considerably from on e face to the other. For meas uring point sizes a transpar ent size gauge is provided To determine the point siz e, bring a capital letter into

3,20 mm (12 p), Zeilenabstand 5,25 mm

Berthold's quick brown fox jumps over the lazy dog and feels as if he were in
3,75 mm (14 p)

Berthold's quick brown fox jumps over the lazy dog and feels as if h
4,25 mm (16 p)

Berthold's quick brown fox jumps over the lazy dog and fee
4,75 mm (18 p)

Berthold's quick brown fox jumps over the lazy dog a
5,30 mm (20 p)

Berthold's quick brown fox jumps over the la
6,35 mm (24 p)

Berthold's quick brown fox jumps over
7,40 mm (28 p)

Berthold's quick brown fox jumps
8,50 mm (32 p)

Berthold's quick brown fox ju
9,55 mm (36 p)

Berthold-Schriften überzeugen durc h Schärfe und Qualität. Schriftquali tät ist eine Frage der Erfahrung. Bert hold hat diese Erfahrung seit über h undert Jahren. Zuerst im Schriftguß dann im Fotosatz. Berthold-Schrifte n sind weltweit geschätzt. Im Schrif tenatelier München wird jeder Buch

2,40 mm (9 p), Zeilenabstand 4,00 mm

Größe		Zeilenabstand			100 Zeichen		
mm	p	kp	Êp	Ex	0	−1	−2
1,33	5	1,94	2,13	—	96	93	90
1,60	6	2,31	2,56	2,50	112	108	104
1,86	7	2,69	2,94	3,00	129	125	121
2,15	8	3,13	3,44	3,50	147	142	137
2,40	9	3,44	3,81	4,00	165	159	153
2,65	10	3,81	4,19	4,00	182	175	168
2,92	11	4,19	4,63	—	198	191	184
3,20	12	4,63	5,06	5,25	215	207	199
3,45	13	4,94	5,44	—	232	224	216
3,72	14	5,38	5,88	—	249	240	231
3,98	15	5,75	6,25	—	266	257	248
4,25	16	6,13	6,69	—	283	273	263

WZ 14 E, NSW 0, MZB 0,68, F 0,18:0,058 (3,0), II
H 1–x 0,68–k 1,13–p 0,30–Ê 1,27–kp 1,43–Êp 1,57
BF 089 0657, Belegung 051: 086 7132 (096 7132)

Berthold-Schriften überzeugen durch Schärfe und Qualität. Sch riftqualität ist eine Frage der Erf ahrung. Berthold hat diese Erfah rung seit über hundert Jahren. Z uerst im Schriftguß, dann im Fot osatz. Berthold-Schriften sind we ltweit geschätzt. Im Schriftenate

2,65 mm (10 p), Zeilenabstand 4,00 mm

fett
extra bold
gras

TRUMP-MEDIÄVAL

negra
nero
fet

Berthold-Schriften überzeugen durch Schä rfe und Qualität. Schriftqualität ist eine Fr age der Erfahrung. Berthold hat diese Erfah rung seit über hundert Jahren. Zuerst im Sc hriftguß, dann im Fotosatz. Berthold-Schri ften sind weltweit geschätzt. Im Schriftena telier München wird jeder Buchstabe in der Größe von zwölf Zentimetern neu gezeich net. Mit messerscharfen Konturen, um für

1,60 mm (6 p), Zeilenabstand 2,50 mm

Berthold-Schriften überzeugen durch Schärfe und Qualität. Schriftqualität ist eine Frage der Erfahrung. Berthold hat diese Erfahrung seit über hundert Jahren. Zuerst im Schriftguß, dann im Fotosatz. Berthold-Schriften sind wel tweit geschätzt. Im Schriftenatelier München wird jeder Buchstabe in d

1,86 mm (7 p), Zeilenabstand 3,00 mm

Berthold-Schriften überzeugen durch Schärfe und Qualität. Schr iftqualität ist eine Frage der Erfa hrung. Berthold hat diese Erfahr ung seit über hundert Jahren. Zu erst im Schriftguß, dann im Fotos atz. Berthold-Schriften sind wel tweit geschätzt. Im Schriftenatel

2,15 mm (8 p), Zeilenabstand 3,50 mm

Georg Trump
1958
D. Stempel AG
H. Berthold AG

ABCDEFGHIJKLMNOPQ
RSTUVWXYZ
abcdefghijklmnopqrst
uvwxyz+−=/$$†*&§
1/1234567890%
(.,-;:!¡?¿–)·["„"“»«]
ÄÅÆÖØŒÜäåæıöøœßü
ÁÀÂÃÇČÉÈÊËÍÌÎÏĹŇÑÓÒ
ÔÕŔŘŠŤÚÙÛŴẄÝỲŸŽ
áàâãçčéèêëíìîïĺňñóòôõŕřš
úùûŵẅýỳÿž

Schriftweite weit
Schriftweite normal
Schriftweite eng
Schriftweite sehr eng
Schriftweite extrem eng

In general, bodytypes are measured in the t ypographical point si ze. The sizes of Bertho ld Fototype faces can be exactly determine d. All faces of same poi nt size have the same capital height-irresp ective of their x-heigh t. In hot metal and ma ny other phototypese tting systems the capi tal heights often differ considerably from one face to the other. For measuring point sizes

3,20 mm (12 p), Zeilenabstand 5,25 mm

Berthold's quick brown fox jumps over the lazy dog and feels
3,75 mm (14 p)

Berthold's quick brown fox jumps over the lazy dog a
4,25 mm (16 p)

Berthold's quick brown fox jumps over the lazy
4,75 mm (18 p)

Berthold's quick brown fox jumps over the
5,30 mm (20 p)

Berthold's quick brown fox jumps o
6,35 mm (24 p)

Berthold's quick brown fox ju
7,40 mm (28 p)

Berthold's quick brown fox
8,50 mm (32 p)

Berthold's quick brown
9,55 mm (36 p)

Berthold-Schriften überzeug en durch Schärfe und Qualitä t. Schriftqualität ist eine Frag e der Erfahrung. Berthold hat diese Erfahrung seit über hu ndert Jahren. Zuerst im Schri ftguß, dann im Fotosatz. Bert hold-Schriften sind weltweit

2,40 mm (9 p), Zeilenabstand 4,00 mm

Größe		Zeilenabstand			100 Zeichen		
mm	p	kp	Êp	Ex	0	−1	−2
1,33	5	1,94	2,06	–	116	113	110
1,60	6	2,31	2,50	2,50	137	133	129
1,86	7	2,69	2,88	3,00	158	154	150
2,15	8	3,13	3,31	3,50	179	174	169
2,40	9	3,44	3,75	4,00	200	194	188
2,65	10	3,81	4,13	4,00	221	214	207
2,92	11	4,19	4,50	–	242	235	228
3,20	12	4,63	4,94	5,25	262	254	246
3,45	13	4,94	5,38	–	283	275	267
3,72	14	5,38	5,75	–	303	294	285
3,98	15	5,75	6,19	–	324	315	306
4,25	16	6,13	6,56	–	345	335	325

WZ 15 E, NSW −1, MZB 0,83, F 0,26:0,075 (3,4), II
H 1–x 0,68–k 1,13–p 0,30–Ê 1,24–kp 1,43–Êp 1,54
BF 089 0658, Belegung 051: 086 7133 (096 7133)

Berthold-Schriften überze ugen durch Schärfe und Q ualität. Schriftqualität ist eine Frage der Erfahrung Berthold hat diese Erfahr ung seit über hundert Jah ren. Zuerst im Schriftguß dann im Fotosatz. Berthol

2,65 mm (10 p), Zeilenabstand 4,00 mm

Unger-Fraktur

Berthold-Schriften überzeugen durch Schärfe und Qualität. Sch riftqualität iſt eine Frage der Erfahrung. Berthold hat dieſe Erfa hrung ſeit über hundert Jahren. Zuerſt im Schriftguß, dann im Fo toſatz. Berthold-Schriften ſind weltweit geſchätzt. Im Schriften atelier München wird jeder Buchſtabe in der Größe von zwölf Zen timetern neu gezeichnet. Mit meſſerſcharfen Konturen, um für die Schriftſcheiben das Optimale an Konturenſchärfe herauszuholen Um die Qualität des Einzelzeichens im Belichtungsvorgang zu be wahren, wird durch die ruhende, nicht rotierende Schriftſcheibe beli

1,60 mm (6 p), Zeilenabstand 2,50 mm

Berthold-Schriften überzeugen durch Schärfe und Quali tät. Schriftqualität iſt eine Frage der Erfahrung. Berthol d hat dieſe Erfahrung ſeit über hundert Jahren. Zuerſt im Schriftguß, dann im Fotoſatz. Berthold-Schriften ſind w eltweit geſchätzt. Im Schriftenatelier München wird jeder Buchſtabe in der Größe von zwölf Zentimetern neu gezeich net. Mit meſſerſcharfen Konturen, um für die Schriftſcheib en das Optimale an Konturenſchärfe herauszuholen. Um die

1,86 mm (7 p), Zeilenabstand 3,00 mm

Berthold-Schriften überzeugen durch Schärfe und Qualität. Schriftqualität iſt eine Frage der Erfahr ung. Berthold hat dieſe Erfahrung ſeit über hundert Jahren. Zuerſt im Schriftguß, dann im Fotoſatz Berthold-Schriften ſind weltweit geſchätzt. Im S chriftenatelier München wird jeder Buchſtabe in der Größe von zwölf Zentimetern neu gezeichnet. Mit meſſerſcharfen Konturen, um für die Schriftſcheiben

2,15 mm (8 p), Zeilenabstand 3,50 mm

Johann Friedrich Unger
um 1800
H. Berthold AG

ABCDEFG
HIJKLMNOPQRSTU
VWXYZÄÖÜ
abcdefghijklmnopqrsſ
tuvwxyzäöü
chckffſifl ftllſiſſſtßtttz
1234567890
1234567890%
(.,=;:!?-)·['„"»«]
/+−=×~∞∅°/
¢†*&§

Berthold-Schriftweite weit
Berthold-Schriftweite normal
Berthold-Schriftweite eng
Berthold-Schriftweite ſehr eng
Berthold-Schriftweite extrem eng

In general, bodytypes are meaſur ed in the typographical point ſize The ſizes of Berthold Fototype fac es can be exactly determined. All f aces of ſame point ſize have the ſame capital height-irreſpective of their x-height. In hot metal and many ot her phototypeſetting ſyſtems the ca pital heights often differ conſidera bly from one face to the other. For m eaſuring point ſizes, a tranſparent ſ ize gauge is provided. To determine the point ſize, bring a capital letter into coincidence with that field whi ch preciſely circumſcribes the letter at its upper and lower margin. Bel ow the field you find the typographi

3,20 mm (12 p), Zeilenabstand 5,25 mm

Berthold's quick brown fox jumps over the lazy dog and feels as if he were in the ſeventh heaven of
3,72 mm (14 p)

Berthold's quick brown fox jumps over the lazy dog and feels as if he were in the ſevent
4,25 mm (16 p)

Berthold's quick brown fox jumps over the lazy dog and feels as if he were in t
4,75 mm (18 p)

Berthold's quick brown fox jumps over the lazy dog and feels as if he
5,30 mm (20 p)

Berthold's quick brown fox jumps over the lazy dog and fe
6,35 mm (24 p)

Berthold's quick brown fox jumps over the lazy d
7,40 mm (28 p)

Berthold's quick brown fox jumps over the l
8,50 mm (32 p)

Berthold's quick brown fox jumps over
9,55 mm (36 p)

Berthold-Schriften überzeugen durch Schär fe und Qualität. Schriftqualität iſt eine Frage der Erfahrung. Berthold hat dieſe Erfahrung ſeit über hundert Jahren. Zuerſt im Schriftgu ß, dann im Fotoſatz. Berthold-Schriften ſind weltweit geſchätzt. Im Schriftenatelier Mü nchen wird jeder Buchſtabe in der Größe von z wölf Zentimetern neu gezeichnet. Mit meſſerſ

2,40 mm (9 p), Zeilenabstand 4,00 mm

Größe		Zeilenabstand			100 Zeichen		
mm	p	kp	Êp	Ex	0	−1	−2
1,33	5	1,81	2,19	–	77	74	71
1,60	6	2,19	2,63	2,50	91	87	83
1,86	7	2,56	3,06	3,00	105	101	97
2,15	8	2,94	3,56	3,50	119	114	109
2,40	9	3,25	3,94	4,00	133	127	121
2,65	10	3,63	4,38	4,00	147	140	133
2,92	11	4,00	4,81	–	161	154	147
3,20	12	4,38	5,25	5,25	174	166	158
3,45	13	4,69	5,63	–	188	180	172
3,72	14	5,06	6,13	–	202	193	184
3,98	15	5,38	6,50	–	215	206	197
4,25	16	5,75	6,94	–	229	219	209

WZ 13 E, NSW 0, MZB 0,55, F 0,11:0,03 (3,3), I
H 1–x 0,63–k 1,01–p 0,34–Ê 1,29–kp 1,35–Êp 1,63
BF 089 1510, Belegung 025: 085 1494 (095 1494)

Berthold-Schriften überzeugen durch S chärfe und Qualität. Schriftqualität iſt ei ne Frage der Erfahrung. Berthold hat di eſe Erfahrung ſeit über hundert Jahren Zuerſt im Schriftguß, dann im Fotoſatz Berthold-Schriften ſind weltweit geſchä tzt. Im Schriftenatelier München wird j eder Buchſtabe in der Größe von zwölf Ze

2,65 mm (10 p), Zeilenabstand 4,00 mm

mager
light
maigre

UNIVERS 45

fina
chiarissimo
mager

Berthold-Schriften überzeugen durch Schärfe und Qualität. Schriftqu
alität ist eine Frage der Erfahrung. Berthold hat diese Erfahrung seit ü
ber hundert Jahren. Zuerst im Schriftguß, dann im Fotosatz. Berthold
Schriften sind weltweit geschätzt. Im Schriftenatelier München wird j
eder Buchstabe in der Größe von zwölf Zentimetern neu gezeichnet
Mit messerscharfen Konturen, um für die Schriftscheiben das Opti
male an Konturenschärfe herauszuholen. Um die Qualität des Einzelz
eichens im Belichtungsvorgang zu bewahren, wird durch die ruhende
nicht rotierende Schriftscheibe belichtet. Dieses optische System, ve

1,33 mm (5 p) 20 30 40 50 60

Berthold-Schriften überzeugen durch Schärfe und Qualität. Sch
riftqualität ist eine Frage der Erfahrung. Berthold hat diese Erfahr
ung seit über hundert Jahren. Zuerst im Schriftguß, dann im Foto
satz. Berthold-Schriften sind weltweit geschätzt. Im Schriftenat
elier München wird jeder Buchstabe in der Größe von zwölf Zent
imetern neu gezeichnet. Mit messerscharfen Konturen, um für
die Schriftscheiben das Optimale an Konturenschärfe herauszu
holen. Um die Qualität des Einzelzeichens im Belichtungsvorgan
g zu bewahren, wird durch die ruhende, nicht rotierende Schrift

1,45 mm (5,5 p) 20 30 40 50

Berthold-Schriften überzeugen durch Schärfe und Qualität
Schriftqualität ist eine Frage der Erfahrung. Berthold hat di
ese Erfahrung seit über hundert Jahren. Zuerst im Schriftgu
ß, dann im Fotosatz. Berthold-Schriften sind weltweit gesc
hätzt. Im Schriftenatelier München wird jeder Buchstabe in
der Größe von zwölf Zentimetern neu gezeichnet. Mit mess
erscharfen Konturen, um für die Schriftscheiben das Optim
ale an Konturenschärfe herauszuholen. Um die Qualität des
Einzelzeichens im Belichtungsvorgang zu bewahren, wird

1,60 mm (6 p) 20 30 40 50

Berthold-Schriften überzeugen durch Schärfe und Qu
alität. Schriftqualität ist eine Frage der Erfahrung. Bert
hold hat diese Erfahrung seit über hundert Jahren. Zu
erst im Schriftguß, dann im Fotosatz. Berthold-Schrift
en sind weltweit geschätzt. Im Schriftenatelier Münch
en wird jeder Buchstabe in der Größe von zwölf Zenti
metern neu gezeichnet. Mit messerscharfen Konturen
um für die Schriftscheiben das Optimale an Konturen
schärfe herauszuholen. Um die Qualität des Einzelzeic

1,75 mm (6,5 p) 20 30 40 5

Berthold-Schriften überzeugen durch Schärfe und
Qualität. Schriftqualität ist eine Frage der Erfahrung
Berthold hat diese Erfahrung seit über hundert Jahr
en. Zuerst im Schriftguß, dann im Fotosatz. Berthol
d-Schriften sind weltweit geschätzt. Im Schriftenat
elier München wird jeder Buchstabe in der Größ
e von zwölf Zentimetern neu gezeichnet. Mit messe
rscharfen Konturen, um für die Schriftscheiben das
Optimale an Konturenschärfe herauszuholen. Um

1,86 mm (7 p) 20 30 40

Berthold-Schriften überzeugen durch Schärfe u
nd Qualität. Schriftqualität ist eine Frage der Erfa
hrung. Berthold hat diese Erfahrung seit über hu
ndert Jahren. Zuerst im Schriftguß, dann im Fot
osatz. Berthold-Schriften sind weltweit geschät
zt. Im Schriftenatelier München wird jeder Buch
stabe in der Größe von zwölf Zentimetern neu g
ezeichnet. Mit messerscharfen Konturen, um für
die Schriftscheiben das Optimale an Konturens

2,00 mm (7,5 p) 20 30 40

Berthold-Schriften überzeugen durch Schärfe
und Qualität. Schriftqualität ist eine Frage der
Erfahrung. Berthold hat diese Erfahrung seit ü
ber hundert Jahren. Zuerst im Schriftguß, dan
n im Fotosatz. Berthold-Schriften sind weltwe
it geschätzt. Im Schriftenatelier München wird
jeder Buchstabe in der Größe von zwölf Zenti
metern neu gezeichnet. Mit messerscharfen
Konturen, um für die Schriftscheiben das Opt

2,15 mm (8 p) 20 30 40

Adrian Frutiger
1957
Haas'sche Schriftgießerei AG
H. Berthold AG

ABCDEFGHIJKLMNOPQ
RSTUVWXYZ
abcdefghijklmnopqrstuvwxyz
1/1234567890%
(.,-;:!¡?¿–)·['',„""›‹]
+−=/$£†*&§
ÄÅÆÖØŒÜäåæıöøœßü
ÁÀÂÃÇČÉÈÊËÍÌÎÏĹŇÑÓÒÔÕ
ŔŘŠŤÚÙÛŴẄÝŶŸŽ
áàâãçčéèêëíìîïĺňñóòôõŕřš
úùûŵẅýỳÿž

Berthold-Schriftweite weit
Berthold-Schriftweite normal
Berthold-Schriftweite eng
Berthold-Schriftweite sehr eng
Berthold-Schriftweite extrem eng

Berthold
3,75 mm (14 p)

Berthold
4,25 mm (16 p)

Berthold
4,75 mm (18 p)

Berthold
5,30 mm (20 p)

Berthold
6,35 mm (24 p)

Berthold
7,40 mm (28 p)

Berthold
8,50 mm (32 p)

Berthold
9,55 mm (36 p)

Größe		Zeilenabstand			100 Zeichen		
mm	p	kp	Êp	Ex	0	−1	−2
1,33	5	1,69	2,06	2,00	86	83	80
1,60	6	2,00	2,44	2,50	101	97	93
1,86	7	2,38	2,88	3,00	117	113	109
2,15	8	2,69	3,31	3,50	132	127	122
2,40	9	3,00	3,69	3,75	147	141	135
2,65	10	3,31	4,06	4,25	162	155	148
2,92	11	3,69	4,50	4,75	178	171	164
3,20	12	4,00	4,88	5,25	193	185	177
3,45	13	4,31	5,25	5,75	208	200	192
3,72	14	4,69	5,69	—	223	214	205
3,98	15	5,00	6,06	—	239	230	221
4,25	16	5,31	6,50	—	254	244	234

WZ 14 E, NSW −1, MZB 0,61, F 0,088:0,071 (1,2), VI
H 1–x 0,70–k 1,00–p 0,25–Ê 1,27–kp 1,25–Êp 1,52
BF 089 0659, Belegung 051: 085 4188 (095 4188)

Berthold-Schriften überzeugen durch S
chärfe und Qualität. Schriftqualität ist ei
ne Frage der Erfahrung. Berthold hat die
se Erfahrung seit über hundert Jahren. Z
uerst im Schriftguß, dann im Fotosatz. B
erthold-Schriften sind weltweit geschät
zt. Im Schriftenatelier München wird jed
er Buchstabe in der Größe von zwölf Zen

2,40 mm (9 p) 20 30

Berthold-Schriften überzeugen durc
h Schärfe und Qualität. Schriftqualit
ät ist eine Frage der Erfahrung. Berth
old hat diese Erfahrung seit über hun
dert Jahren. Zuerst im Schriftguß, da
nn im Fotosatz. Berthold-Schriften si
nd weltweit geschätzt. Im Schriftena
telier München wird jeder Buchstabe

2,65 mm (10 p) 20 30

Berthold-Schriften überzeugen d
urch Schärfe und Qualität. Schrift
qualität ist eine Frage der Erfahru
ng. Berthold hat diese Erfahrung s
eit über hundert Jahren. Zuerst i
m Schriftguß, dann im Fotosatz
Berthold-Schriften sind weltweit
geschätzt. Im Schriftenatelier Mü

2,92 mm (11 p) 10 20 30

Berthold-Schriften überzeugen
durch Schärfe und Qualität. Sc
hriftqualität ist eine Frage der E
rfahrung. Berthold hat diese Er
fahrung seit über hundert Jahr
en. Zuerst im Schriftguß, dann
im Fotosatz. Berthold-Schriften
sind weltweit geschätzt. Im Sc

3,20 mm (12 p) 10 20

Berthold-Schriften überzeu
gen durch Schärfe und Qual
ität. Schriftqualität ist eine Fr
age der Erfahrung. Berthold
hat diese Erfahrung seit übe
r hundert Jahren. Zuerst im
Schriftguß, dann im Fotosat
z. Berthold-Schriften sind w

3,45 mm (13 p) 10 20

mager
light
maigre

UNIVERS 45

fina
chiarissimo
mager

Berthold-Schriften überzeugen durch Schärfe und Qualität. Schriftqualität ist eine Frage der Erfahrung. Berthold hat diese Erfahrung seit über hundert Jahren. Zuerst im Schriftguß, dann im Fotosatz. Berthold-Schriften sind weltweit geschätzt. Im Schriftenatelier München wird jeder Buchstabe in der Größe von zwölf Zentimetern neu gezeichnet. Mit messerscharfen Ko nturen, um für die Schriftscheiben das Optimale an Konturenschärfe hera uszuholen. Um die Qualität des Einzelzeichens im Belichtungsvorgang zu bewahren, wird durch die ruhende, nicht rotierende Schriftscheibe belicht et. Dieses optische System, verbunden mit Präzisions-Chromglasscheib

4,25 mm (16 p), Zeilenabstand 6,75 mm

UNIVERS 45 LIGHT

In general, bodytypes are measured in the typo graphical point size. The sizes of Berthold Fototype faces can be exactly determined. All faces of same point size have the same capital heigth–irrespec tive of their x-heigth. In hot metal and many other phototypesetting systems the capital heigths of ten differ considerably from one face to the other For measuring point sizes, a transparent size gauge is provided. To determine the point size bring a capital letter into coincidence with that field which precisely circumscribes the letter at its upper and lower margin. Below the field you find the typographical point and below that the milli meter value, which also refers to the height of a capital letter. In Berthold-phototypesetting, the typewidth can be modified. The standard setting width of typefaces is determined by the principle of optimum legibility. You should not depart from this typewidth without cogent reason. A typeface which is considered optically right when looked in a greater context, often seems bulky when applied for a small amount of text, e. g. labels and ads

2,40 mm (9 p), Zeilenabstand 4,25 mm

UNIVERS 45 MAIGRE

La valeur de la force de corps des caractères de labeur èst généralement exprimée en points typographiques. La force de corps des caractères Berthold-Fototype peut être déter minée avec précision. Tous les caractères du même corps ont des capitales d'une hauteur identique, indépendamment de la hauteur des bas de casse sans jambage. Dans la com position plomb, ainsi que dans certains sys tèmes de photocomposition, la hauteur des capitales, varie souvent d'un caractère à l'au tre. Pour déterminer la force de corps de nos caractères, nous avons mis au point une ré glette de hauteur d'œil transparente. On cher che le rectangle qui délimite exactement la hauteur d'œil d'une capitale du caractère choisi. Sous le rectangle correspondant la valeur de la force de corps est indiquée en points Didots et en millimètres. La valeur en millimètres exprime également la hauteur des

2,65 mm (10 p), Zeilenabstand 4,69 mm

La indicación de las dimensiones para cuerpos de letra vásicos tiene lugar en general en puntos tipográficos. Los cuerpos de letra de los carac teres Berthold Fototype pueden determinarse exactemente par medición. Con independencia de la altura de sus longitudes centrales, todos los caracteres de idéntico cuerpo de letra pre sentan altura de mayúsculas idéntica. En la composición en plomo y en muchos otros siste

2,15 mm (8 p), –1, Zeilenabstand 3,38 mm

123,– $	456,– £	7890,– DM	1 %
234,– $	789,– £	1234,– DM	2 %
567,– $	12,– £	5678,– DM	3 %
890,– $	345,– £	9012,– DM	4 %
123,– $	678,– £	3456,– DM	5 %
456,– $	901,– £	7890,– DM	6 %
789,– $	234,– £	1234,– DM	7 %
12,– $	567,– £	5678,– DM	8 %
345,– $	890,– £	9012,– DM	9 %

BF 089 0660

Le misure relative al corpo dei caratteri vengono generalmente indicate in punti tipografici. Il corpo dei caratteri Fototypes può essere determinato con esattezza per semplice misurazione. Tutti i ca ratteri di uguale grandezza in punti hanno, indi pendentemente dalla loro lunghezza, uguale altez za delle maiuscole. Nella composizione in piombo ed in molti altri sistemi di fotocomposizione, l'altez za delle maiuscole varia spesso da carattere a ca

2,15 mm (8 p), –2, Zeilenabstand 3,38 mm

kursiv mager
light italic
italique maigre

UNIVERS 46

fina cursiva
chiarissimo corsivo
kursiv mager

Måttangivelse för grundstilsgrader sker i allmänhet i typografiska punkter. Stilar av Berthold Fototype kan efter mätning exakt gradbestämmas. Alla typsnitt är av samma punktstorlek och har oberoende av x-höjden en identisk versalhöjd. I blysättning och i många andra fotosättsystem varierar versalhöjden avsevärt från typsnitt till typsnitt. För mätning av stilgrader finns en transparent mätlinjal. Vid mätningen placerar man en versal bokstav så att rutorna begränsar tecknet upptill och nedtill. Under rutorna finns stilstorleken i typografiska didot punkter och i mm. Även millimeteruppgiften avser versalhöjde

2,92 mm (11 p), Zeilenabstand 4,69 mm

Adrian Frutiger
1957
Haas'sche Schriftgießerei AG
H. Berthold AG

ABCDEFGHIJKLMNOPQ
RSTUVWXYZ
abcdefghijklmnopqrstuvwxyz
1/1234567890%
(.,-;:!i?¿–)·[',„""›‹]
+−=/$£†&§*
ÄÅÆÖØŒÜäåæıöøœßü
ÁÀÂÃÇČÉÈÊËÍÌÎÏĹŇÑÓÒÔÕ
ŔŘŠŤÚÙÛŴẄÝŶŸŽ
áàâãçčéèêëíìîïĺňñóòôõŕřš
úùûŵẅýỳÿž

Berthold-Schriftweite weit
Berthold-Schriftweite normal
Berthold-Schriftweite eng
Berthold-Schriftweite sehr eng
Berthold-Schriftweite extrem eng

In general, bodytypes are measured in the typographical point size. The sizes of Berthold Fototype faces can be exactly determined. All faces of same point size have the same capital heigth–irrespective of their x-heigth. In hot metal and many other phototypesetting systems the capital heigths often differ considerably from one face to the other. For measuring point sizes, a transparent size gauge is provided. To determine the point size, bring a capital letter into coincidence with that field which pre

3,20 mm (12 p), Zeilenabstand 5,25 mm

UNIVERS 46 KURSIV MAGER

Die Maßangabe zu Grundschriftgrößen erfolgt im allgemeinen in typographischen Punkten. Die Schriftgrößen der Berthold-Fotosatz-Schriften sind nach Messung exakt bestimmbar. Alle Schriften gleicher Punktgröße weisen, unabhängig von der Höhe ihrer Mittellängen, eine identische Versalhöhe auf. Im Bleisatz und bei vielen anderen Fotosatz-Systemen differieren die Versalhöhen von Schrift zu Schrift oft erheblich. Zum Messen von Schriftgrößen steht ein transparentes Größenmaß zur Verfügung. Zum Messen wird ein Versalbuchstabe mit dem Feld in Deckung gebracht, das den Buchstaben oben und unten scharf begrenzt. Unter dem Feld ist die Schriftgröße in typographischen Didot-Punkten darunter in Millimetern angegeben. Auch die Millimeterangaben beziehen sich auf die Höhe der Versalbuchstaben. Die Schriftweite kann im

2,40 mm (9 p), Zeilenabstand 4 mm

UNIVERS 46 ITALIQUE MAIGRE

La valeur de la force de corps des caractères de labeur èst généralement exprimée en points typographiques. La force de corps des caractères Berthold-Fototype peut être déterminée avec précision. Tous les caractères du même corps ont des capitales d'une hauteur identique, indépendamment de la hauteur des bas de casse sans jambage. Dans la composition plomb ainsi que dans certains systèmes de photocomposition, la hauteur des capitales, varie souvent d'un caractère à l'autre. Pour déterminer la force de corps de nos caractères, nous avons mis au point une réglette de hauteur d'œil transparente. On cherche le rectangle qui délimite exactement la hau

2,65 mm (10 p), Zeilenabstand 4,50 mm

La indicación de las dimensiones para cuerpos de letra básicos tiene lugar en general en puntos tipográficos Los cuerpos de letra de los caracteres Berthold Fototype pueden determinarse exactemente par medición. Con independencia de la altura de sus longitudes centrales todos los caracteres de idéntico cuerpo de letra presentan altura de mayúsculas idéntica. En la composición en plomo y en muchos otros sistemas de fotocomposición las alturas de mayúsculas varían frecuentemmente en forma considerable de tipo de letra a tipo de letra. Para medir los cuerpos de letra se dispone de un tipómetro véase la figura. Para la medición se hace coincidir una

1,60 mm (6 p), Zeilenabstand 2,50 mm

Größe mm	p	Zeilenabstand kp	Êp	Ex	100 Zeichen 0	−1	−2
1,33	5	1,69	2,06	–	88	85	82
1,60	6	2,00	2,44	2,50	104	100	96
1,86	7	2,38	2,88	–	120	116	112
2,15	8	2,69	3,31	3,38	136	131	126
2,40	9	3,00	3,69	4,00	152	146	140
2,65	10	3,31	4,06	4,50	168	161	154
2,92	11	3,69	4,50	4,69	184	177	170
3,20	12	4,00	4,88	5,25	199	191	183
3,45	13	4,31	5,25	–	215	207	199
3,72	14	4,69	5,69	–	231	222	213
3,98	15	5,00	6,06	–	246	237	228
4,25	16	5,31	6,50	–	262	252	242

WZ 14 E, NSW 0, MZB 0,63, F 0,083:0,075 (1,1), VI
H 1–x 0,70–k 1,00–p 0,25–Ê 1,27–kp 1,25–Êp 1,52
BF 089 0661, Belegung 051: 085 4189 (095 4189)

Le misure relative al corpo dei caratteri vengono generalmente indicate in punti tipografici. Il corpo dei caratteri Fototypes può essere determinato con esattezza per semplice misurazione. Tutti i caratteri di uguale grandezza in punti hanno, indipendentemente dalla loro lunghezza, uguale altezza delle maiuscole. Nella composizione in piombo ed in molti altri sistemi di fotocom

2,15 mm (8 p), Zeilenabstand 3,38 mm

normal
medium
normal

UNIVERS 55

normal
chiaro tondo
normal

Berthold-Schriften überzeugen durch Schärfe und Qualität. Schr
iftqualität ist eine Frage der Erfahrung. Berthold hat diese Erfahru
ng seit über hundert Jahren. Zuerst im Schriftguß, dann im Fotos
atz. Berthold-Schriften sind weltweit geschätzt. Im Schriftenatel
ier München wird jeder Buchstabe in der Größe von zwölf Zentim
etern neu gezeichnet. Mit messerscharfen Konturen, um für die S
chriftscheiben das Optimale an Konturenschärfe herauszuholen
Um die Qualität des Einzelzeichens im Belichtungsvorgang zu be
wahren, wird durch die ruhende, nicht rotierende Schriftscheibe

1,33 mm (5 p) 20 30 40 50 60

Berthold-Schriften überzeugen durch Schärfe und Qualität
Schriftqualität ist eine Frage der Erfahrung. Berthold hat die
se Erfahrung seit über hundert Jahren. Zuerst im Schriftguß
dann im Fotosatz. Berthold-Schriften sind weltweit geschät
zt. Im Schriftenatelier München wird jeder Buchstabe in der
Größe von zwölf Zentimetern neu gezeichnet. Mit messersc
harfen Konturen, um für die Schriftscheiben das Optimale an
Konturenschärfe herauszuholen. Um die Qualität des Einzel
zeichens im Belichtungsvorgang zu bewahren, wird durch

1,45 mm (5,5 p) 20 30 40 50

Berthold-Schriften überzeugen durch Schärfe und Qu
alität. Schriftqualität ist eine Frage der Erfahrung. Bert
hold hat diese Erfahrung seit über hundert Jahren. Zuer
st im Schriftguß, dann im Fotosatz. Berthold-Schriften
sind weltweit geschätzt. Im Schriftenatelier München w
ird jeder Buchstabe in der Größe von zwölf Zentimeter
n neu gezeichnet. Mit messerscharfen Konturen, um fü
r die Schriftscheiben das Optimale an Konturenschärfe
herauszuholen. Um die Qualität des Einzelzeichens im B

1,60 mm (6 p) 20 30 40 50

Berthold-Schriften überzeugen durch Schärfe und
Qualität. Schriftqualität ist eine Frage der Erfahrun
g. Berthold hat diese Erfahrung seit über hundert J
ahren. Zuerst im Schriftguß, dann im Fotosatz. Ber
thold-Schriften sind weltweit geschätzt. Im Schrif
tenatelier München wird jeder Buchstabe in der Gr
öße von zwölf Zentimetern neu gezeichnet. Mit me
sserscharfen Konturen, um für die Schriftscheiben
das Optimale an Konturenschärfe herauszuholen

1,75 mm (6,5 p) 20 30 40 5

Berthold-Schriften überzeugen durch Schärfe
und Qualität. Schriftqualität ist eine Frage der E
rfahrung. Berthold hat diese Erfahrung seit über
hundert Jahren. Zuerst im Schriftguß, dann im
Fotosatz. Berthold-Schriften sind weltweit ges
chätzt. Im Schriftenatelier München wird jeder
Buchstabe in der Größe von zwölf Zentimetern
neu gezeichnet. Mit messerscharfen Konturen
um für die Schriftscheiben das Optimale an Kon

1,86 mm (7 p) 20 30 40

Berthold-Schriften überzeugen durch Schär
fe und Qualität. Schriftqualität ist eine Frage
der Erfahrung. Berthold hat diese Erfahrung
seit über hundert Jahren. Zuerst im Schriftg
uß, dann im Fotosatz. Berthold-Schriften sin
d weltweit geschätzt. Im Schriftenatelier Mü
nchen wird jeder Buchstabe in der Größe von
zwölf Zentimetern neu gezeichnet. Mit me
sserscharfen Konturen, um für die Schriftsc

2,00 mm (7,5 p) 20 30 40

Berthold-Schriften überzeugen durch Sc
härfe und Qualität. Schriftqualität ist eine
Frage der Erfahrung. Berthold hat diese Er
fahrung seit über hundert Jahren. Zuerst
im Schriftguß, dann im Fotosatz. Berthold
Schriften sind weltweit geschätzt. Im Sch
riftenatelier München wird jeder Buchsta
be in der Größe von zwölf Zentimetern ne
u gezeichnet. Mit messerscharfen Kontur

2,15 mm (8 p) 20 30 40

Adrian Frutiger
1957
Haas'sche Schriftgießerei AG
H. Berthold AG

ABCDEFGHIJKLMNOPQ
RSTUVWXYZ
abcdefghijklmnopqrstuvwxyz
1/1234567890%
(.,-;:!¡?¿–)·['',,""›‹]
+−=/$£†*&§
ÄÅÆÖØŒÜäåæıöøœßü
ÁÀÂÃÇČÉÈÊËÍÌÎÏĹŇÑÓÒÔÕ
ŔŘŠŤÚÙÛŴẄÝŶŸŽ
áàâãçčéèêëíìîïĺňñóòôõŕřš
úùûŵẅýỳÿž

Berthold-Schriftweite weit
Berthold-Schriftweite normal
Berthold-Schriftweite eng
Berthold-Schriftweite sehr eng
Berthold-Schriftweite extrem eng

Berthold
3,75 mm (14 p)

Berthold
4,25 mm (16 p)

Berthold
4,75 mm (18 p)

Berthold
5,30 mm (20 p)

Berthold
6,35 mm (24 p)

Berthold
7,40 mm (28 p)

Berthold
8,50 mm (32 p)

Berthold
9,55 mm (36 p)

Größe		Zeilenabstand			100 Zeichen		
mm	p	kp	Êp	Ex	0	−1	−2
1,33	5	1,75	2,06	2,00	90	87	84
1,60	6	2,06	2,50	2,50	106	102	98
1,86	7	2,38	2,88	3,00	122	118	114
2,15	8	2,75	3,31	3,50	139	134	129
2,40	9	3,06	3,75	3,75	156	150	144
2,65	10	3,38	4,13	4,25	172	165	158
2,92	11	3,75	4,50	4,75	188	181	174
3,20	12	4,13	4,94	5,25	204	196	188
3,45	13	4,44	5,38	5,75	220	212	204
3,72	14	4,75	5,75	–	236	227	218
3,98	15	5,06	6,19	–	252	243	234
4,25	16	5,44	6,56	–	268	258	248

WZ 14 E, NSW 0, MZB 0,65, F 0,13:0,10 (1,3), VI
H 1–x 0,69–k 1,00–p 0,27–Ê 1,27–kp 1,27–Êp 1,54
BF 089 0662, Belegung 051: 085 4080 (095 4080)

Berthold-Schriften überzeugen durch
Schärfe und Qualität. Schriftqualität i
st eine Frage der Erfahrung. Berthold
hat diese Erfahrung seit über hundert
Jahren. Zuerst im Schriftguß, dann im
Fotosatz. Berthold-Schriften sind wel
tweit geschätzt. Im Schriftenatelier M
ünchen wird jeder Buchstabe in der

2,40 mm (9 p) 20 30

Berthold-Schriften überzeugen d
urch Schärfe und Qualität. Schrift
qualität ist eine Frage der Erfahru
ng. Berthold hat diese Erfahrung
seit über hundert Jahren. Zuerst i
m Schriftguß, dann im Fotosatz. B
erthold-Schriften sind weltweit g
eschätzt. Im Schriftenatelier Münc

2,65 mm (10 p) 20 30

Berthold-Schriften überzeugen
durch Schärfe und Qualität. Sc
hriftqualität ist eine Frage der E
rfahrung. Berthold hat diese E
rfahrung seit über hundert Jah
ren. Zuerst im Schriftguß, dann
im Fotosatz. Berthold-Schriften
sind weltweit geschätzt. Im Sc

2,92 mm (11 p) 10 20 3

Berthold-Schriften überzeug
en durch Schärfe und Quali
tät. Schriftqualität ist eine Fr
age der Erfahrung. Berthold
hat diese Erfahrung seit über
hundert Jahren. Zuerst im S
chriftguß, dann im Fotosatz
Berthold-Schriften sind welt

3,20 mm (12 p) 10 20

Berthold-Schriften überze
ugen durch Schärfe und Q
ualität. Schriftqualität ist ei
ne Frage der Erfahrung. Be
rthold hat diese Erfahrung
seit über hundert Jahren. Z
uerst im Schriftguß, dann i
m Fotosatz. Berthold-Schr

3,45 mm (13 p) 10 20

normal
medium
normal

UNIVERS 55

normal
chiaro tondo
normal

Berthold-Schriften überzeugen durch Schärfe und Qualität. Schriftq ualität ist eine Frage der Erfahrung. Berthold hat diese Erfahrung seit über hundert Jahren. Zuerst im Schriftguß, dann im Fotosatz. Bertho ld-Schriften sind weltweit geschätzt. Im Schriftenatelier München wird jeder Buchstabe in der Größe von zwölf Zentimetern neu gezeic hnet. Mit messerscharfen Konturen, um für die Schriftscheiben das Optimale an Konturenschärfe herauszuholen. Um die Qualität des Ei nzelzeichens im Belichtungsvorgang zu bewahren, wird durch die ru hende, nicht rotierende Schriftscheibe belichtet. Dieses optische Sy

4,25 mm (16 p), Zeilenabstand 6,75 mm

UNIVERS 55 MEDIUM

In general, bodytypes are measured in the ty pographical point size. The sizes of Berthold Fototype faces can be exactly determined. All faces of same point size have the same capital heigth–irrespective of their x-heigth. In hot metal and many other phototypesetting sys tems the capital heigths often differ consider ably from one face to the other. For measur ing point sizes, a transparent size gauge is pro vided. To determine the point size, bring a capi tal letter into coincidence with that field which precisely circumscribes the letter at its upper and lower margin. Below the field you find the typographical point and below that the mil limeter value, which also refers to the height of a capital letter. In Berthold-phototypesetting the typewidth can be modified. The standard setting width of typefaces is determined by the principle of optimum legibility. You should not depart from this typewidth without cogent reason. A typeface which is considered opti cally right when looked in a greater context, of

2,40 mm (9 p), Zeilenabstand 4,25 mm

UNIVERS 55 NORMAL

La valeur de la force de corps des caractè res de labeur èst généralement exprimée en points typographiques. La force de corps des caractères Berthold-Fototype peut être déterminée avec précision. Tous les caractères du même corps ont des ca pitales d'une hauteur identique, indépen damment de la hauteur des bas de casse sans jambage. Dans la composition plomb, ainsi que dans certains systèmes de photocomposition, la hauteur des capi tales, varie souvent d'un caractère à l'au tre. Pour déterminer la force de corps de nos caractères, nous avons mis au point une réglette de hauteur d'œil transpa rente. On cherche le rectangle qui délimite exactement la hauteur d'œil d'une capitale du caractère choisi. Sous le rectangle cor respondant la valeur de la force de corps est indiquée en points Didots et en milli

2,65 mm (10 p), Zeilenabstand 4,69 mm

La indicación de las dimensiones para cuer pos de letra vásicos tiene lugar en general en puntos tipográficos. Los cuerpos de letra de los caracteres Berthold Fototype pueden de terminarse exactemente par medición. Con independencia de la altura de sus longitudes centrales, todos los caracteres de idéntico cuerpo de letra presentan altura de mayús culas idéntica. En la composición en plomo y

2,15 mm (8 p), –1, Zeilenabstand 3,38 mm

123,– $	456,– £	7890,– DM	1 %
234,– $	789,– £	1234,– DM	2 %
567,– $	12,– £	5678,– DM	3 %
890,– $	345,– £	9012,– DM	4 %
123,– $	678,– £	3456,– DM	5 %
456,– $	901,– £	7890,– DM	6 %
789,– $	234,– £	1234,– DM	7 %
12,– $	567,– £	5678,– DM	8 %
345,– $	890,– £	9012,– DM	9 %

BF 089 0663

Le misure relative al corpo dei caratteri vengo no generalmente indicate in punti tipografici. Il corpo dei caratteri Fototypes può essere deter minato con esattezza per semplice misurazi one. Tutti i caratteri di uguale grandezza in punti hanno, indipendentemente dalla loro lunghezza, uguale altezza delle maiuscole. Nel la composizione in piombo ed in molti altri sistemi di fotocomposizione, l'altezza delle ma

2,15 mm (8 p), –2, Zeilenabstand 3,38 mm

kursiv
medium italic
italique

UNIVERS 56

cursiva
corsivo
kursiv

*Måttangivelse för grundstilsgra
der sker i allmänhet i typografis
ka punkter. Stilar av Berthold Fo
totype kan efter mätning exakt
gradbestämmas. Alla typsnitt är
av samma punktstorlek och har
oberoende av x-höjden en identi
sk versalhöjd. I blysättning och i
många andra fotosättsystem va
rierar versalhöjden avsevärt från
typsnitt till typsnitt. För mätning
av stilgrader finns en transpare
nt mätlinjal. Vid mätningen plac
erar man en versal bokstav så att
rutorna begränsar tecknet uppti
ll och nedtill. Under rutorna finns
stilstorleken i typografiska didot
punkter och i mm. Även millim
eteruppgiften avser versalhöjde*

2,92 mm (11 p), Zeilenabstand 4,69 mm

*Adrian Frutiger
1957
Haas'sche Schriftgießerei AG
H. Berthold AG*

*ABCDEFGHIJKLMNOPQ
RSTUVWXYZ
abcdefghijklmnopqrstuvwxyz
1/1234567890%
(.,-;:!i?¿–)·['',,""›‹]
+−=/$£†*&§
ÄÅÆÖØŒÜäåæıöøœßü
ÁÀÂÃÇČÉÈÊËÍÌÎÏĹŇÑÓÒÔÕ
ŔŘŠŤÚÙÛŴẄÝŶŸŽ
áàâãçčéèêëíìîïĺňñóòôõŕřš
úùûŵẅýỳÿž*

*Berthold-Schriftweite weit
Berthold-Schriftweite normal
Berthold-Schriftweite eng
Berthold-Schriftweite sehr eng
Berthold-Schriftweite extrem eng*

*In general, bodytypes are me
asured in the typographical
point size. The sizes of Berth
old Fototype faces can be exa
ctly determined. All faces of
same point size have the sa
me capital heigth–irrespecti
ve of their x-heigth. In hot me
tal and many other phototyp
esetting systems the capital
heigths often differ considera
bly from one face to the other
For measuring point sizes, a
transparent size gauge is pro
vided. To determine the point
size, bring a capital letter into
coincidence with that field w*

3,20 mm (12 p), Zeilenabstand 5,25 mm

UNIVERS 56 KURSIV

*Die Maßangabe zu Grundschriftgrößen erfolgt
im allgemeinen in typographischen Punkten. Di
e Schriftgrößen der Berthold-Fotosatz-Schriften
sind nach Messung exakt bestimmbar. Alle Sch
riften gleicher Punktgröße weisen, unabhängig
von der Höhe ihrer Mittellängen, eine identische
Versalhöhe auf. Im Bleisatz und bei vielen ande
ren Fotosatz-Systemen differieren die Versalhö
hen von Schrift zu Schrift oft erheblich. Zum M
essen von Schriftgrößen steht ein transparente
s Größenmaß zur Verfügung. Zum Messen wird
ein Versalbuchstabe mit dem Feld in Deckung
gebracht, das den Buchstaben oben und unten
scharf begrenzt. Unter dem Feld ist die Schriftg
röße in typographischen Didot-Punkten, darunt
er in Millimetern angegeben. Auch die Millimet
erangaben beziehen sich auf die Höhe der Vers
albuchstaben. Die Schriftweite kann im Berthol*

2,40 mm (9 p), Zeilenabstand 4 mm

UNIVERS 56 ITALIQUE

*La valeur de la force de corps des caractères
de labeur èst généralement exprimée en
points typographiques. La force de corps
des caractères Berthold-Fototype peut être
déterminée avec précision. Tous les carac
tères du même corps ont des capitales
d'une hauteur identique, indépendamment
de la hauteur des bas de casse sans jam
bage. Dans la composition plomb, ainsi
que dans certains systèmes de photocom
position, la hauteur des capitales, varie sou
vent d'un caractère à l'autre. Pour détermi
ner la force de corps de nos caractères, nous
avons mis au point une réglette de hauteur
d'œil transparente. On cherche le rectangle
qui délimite exactement la hauteur d'œil*

2,65 mm (10 p), Zeilenabstand 4,50 mm

*La indicación de las dimensiones para cuerpos de letra
vásicos tiene lugar en general en puntos tipográficos. Los
cuerpos de letra de los caracteres Berthold Fototype pue
den determinarse exactemente par medición. Con inde
pendencia de la altura de sus longitudes centrales, todos
los caracteres de idéntico cuerpo de letra presentan altu
ra de mayúsculas idéntica. En la composición en plomo y
en muchos otros sistemas de fotocomposición, las altu
ras de mayúsculas varían frecuentemmente en forma
considerable de tipo de letra a tipo de letra. Para medir los
cuerpos de letra se dispone de un tipómetro, véase la figu
ra. Para la medición se hace coincidir una letra mayúscu*

1,60 mm (6 p), Zeilenabstand 2,50 mm

Größe		Zeilenabstand			100 Zeichen		
mm	p	kp	Êp	Ex	0	−1	−2
1,33	5	1,75	2,06	–	89	86	83
1,60	6	2,06	2,50	2,50	105	101	97
1,86	7	2,44	2,88	–	121	117	113
2,15	8	2,81	3,31	3,38	137	132	127
2,40	9	3,13	3,75	4,00	153	147	141
2,65	10	3,44	4,13	4,50	169	162	155
2,92	11	3,75	4,50	4,69	185	178	171
3,20	12	4,13	4,94	5,25	201	193	185
3,45	13	4,44	5,38	–	216	208	200
3,72	14	4,81	5,75	–	232	223	214
3,98	15	5,13	6,19	–	248	239	230
4,25	16	5,50	6,56	–	264	254	244

WZ 14 E, NSW 0, MZB 0,64, F 0,13:0,10 (1,3), VI
H 1–x 0,69–k 1,00–p 0,28–Ê 1,26–kp 1,28–Êp 1,54
BF 089 0664, Belegung 051: 085 4081 (095 4081)

*Le misure relative al corpo dei caratteri ven
gono generalmente indicate in punti tipo
grafici. Il corpo dei caratteri Fototypes può
essere determinato con esattezza per semp
lice misurazione. Tutti i caratteri di uguale
grandezza in punti hanno, indipendente
mente dalla loro lunghezza, uguale altezza
delle maiuscole. Nella composizione in pio
mbo ed in molti altri sistemi di fotocompo*

2,15 mm (8 p), Zeilenabstand 3,38 mm

halbfett
bold
demi-gras

UNIVERS 65

seminegra
neretto
halvfet

Berthold-Schriften überzeugen durch Schärfe und Qualität. Schriftqualität ist eine Frage der Erfahrung Berthold hat diese Erfahrung seit über hundert Jahr en. Zuerst im Schriftguß, dann im Fotosatz. Berthold Schriften sind weltweit geschätzt. Im Schriftenateli er München wird jeder Buchstabe in der Größe von zwölf Zentimetern neu gezeichnet. Mit messerschar fen Konturen, um für die Schriftscheiben das Optima le an Konturenschärfe herauszuholen. Um die Qualit

1,60 mm (6 p), Zeilenabstand 2,50 mm

Berthold-Schriften überzeugen durch Schärfe und Qualität. Schriftqualität ist eine Frage der Erfahrung. Berthold hat diese Erfahrung seit über hundert Jahren. Zuerst im Schriftguß dann im Fotosatz. Berthold-Schriften sind we ltweit geschätzt. Im Schriftenatelier Münch en wird jeder Buchstabe in der Größe von zw ölf Zentimetern neu gezeichnet. Mit messers

1,86 mm (7 p), Zeilenabstand 3,00 mm

Berthold-Schriften überzeugen durch Schärfe und Qualität. Schriftqualität ist eine Frage der Erfahrung. Berthold hat di ese Erfahrung seit über hundert Jahren Zuerst im Schriftguß, dann im Fotosatz Berthold-Schriften sind weltweit gesch ätzt. Im Schriftenatelier München wird jeder Buchstabe in der Größe von zwölf

2,15 mm (8 p), Zeilenabstand 3,50 mm

Adrian Frutiger
1957
Haas'sche Schriftgießerei AG
H. Berthold AG

ABCDEFGHIJKLMNOPQ
RSTUVWXYZ
abcdefghijklmnopqrstuvwxyz
1/1234567890%
(.,-;:!i?¿–)·[",„""›‹]
+−=/$£†*&§
ÄÅÆÖØŒÜäåæıöøœßü
ÁÀÂÃÇČÉÈÊËÍÌÎÏĹŇÑÓÒÔÕ
ŔŘŠŤÚÙÛŴẄÝỲŸŽ
áàâãçčéèêëíìîïĺňñóòôõŕřš
úùûŵẅýỳÿž

Berthold-Schriftweite weit
Berthold-Schriftweite normal
Berthold-Schriftweite eng
Berthold-Schriftweite sehr eng
Berthold-Schriftweite extrem eng

In general, bodytypes are m easured in the typographic al point size. The sizes of Be rthold Fototype faces can b e exactly determined. All fa ces of same point size have the same capital height–irr espective of their x-height. I n hot metal and many other phototypesetting systems the capital heights often dif fer considerably from one fa ce to the other. For measuri ng point sizes, a transparent size gauge is provided. To de termine the point size, bring a capital letter into coincide

3,20 mm (12 p), Zeilenabstand 5,25 mm

Berthold's quick brown fox jumps over the lazy dog and feels as if he were in
3,75 mm (14 p)

Berthold's quick brown fox jumps over the lazy dog and feels as if
4,25 mm (16 p)

Berthold's quick brown fox jumps over the lazy dog and fe
4,75 mm (18 p)

Berthold's quick brown fox jumps over the lazy dog a
5,30 mm (20 p)

Berthold's quick brown fox jumps over the l
6,35 mm (24 p)

Berthold's quick brown fox jumps ov
7,40 mm (28 p)

Berthold's quick brown fox jump
8,50 mm (32 p)

Berthold's quick brown fox ju
9,55 mm (36 p)

Berthold-Schriften überzeugen dur ch Schärfe und Qualität. Schriftqual ität ist eine Frage der Erfahrung. Bert hold hat diese Erfahrung seit über h undert Jahren. Zuerst im Schriftguß dann im Fotosatz. Berthold-Schrifte n sind weltweit geschätzt. Im Schrif tenatelier München wird jeder Buc

2,40 mm (9 p), Zeilenabstand 4,00 mm

Größe		Zeilenabstand			100 Zeichen		
mm	p	kp	Êp	Ex	0	−1	−2
1,33	5	1,75	2,06	—	96	93	90
1,60	6	2,06	2,50	2,50	113	109	105
1,86	7	2,38	2,88	3,00	130	126	122
2,15	8	2,75	3,31	3,50	148	143	138
2,40	9	3,06	3,75	4,00	166	160	154
2,65	10	3,38	4,13	4,00	183	176	169
2,92	11	3,75	4,50	—	200	193	186
3,20	12	4,13	4,94	5,25	217	209	201
3,45	13	4,44	5,38	—	234	226	218
3,72	14	4,75	5,75	—	251	242	233
3,98	15	5,06	6,19	—	268	259	250
4,25	16	5,44	6,56	—	285	275	265

WZ 14 E, NSW −1, MZB 0,69, F 0,20:0,13 (1,5), VI
H 1–x 0,72–k 1,00–p 0,27–Ê 1,27–kp 1,27–Êp 1,54
BF 089 0665, Belegung 051: 085 4082 (095 4082)

Berthold-Schriften überzeugen durch Schärfe und Qualität. Sch riftqualität ist eine Frage der Erfa hrung. Berthold hat diese Erfahr ung seit über hundert Jahren. Zu erst im Schriftguß, dann im Foto satz. Berthold-Schriften sind we ltweit geschätzt. Im Schriftenat

2,65 mm (10 p), Zeilenabstand 4,00 mm

kursiv halbfett
bold italic
italique demi-gras

UNIVERS 66

seminegra cursiva
neretto corsivo
kursiv halvfet

Berthold-Schriften überzeugen durch Schärfe und Qualität. Schriftqualität ist eine Frage der Erfahrung Berthold hat diese Erfahrung seit über hundert Jahr en. Zuerst im Schriftguß, dann im Fotosatz. Berthold Schriften sind weltweit geschätzt. Im Schriftenateli er München wird jeder Buchstabe in der Größe von zwölf Zentimetern neu gezeichnet. Mit messers charfen Konturen, um für die Schriftscheiben das Op timale an Konturenschärfe herauszuholen. Um die

1,60 mm (6 p), Zeilenabstand 2,50 mm

Berthold-Schriften überzeugen durch Schär fe und Qualität. Schriftqualität ist eine Frage der Erfahrung. Berthold hat diese Erfahrung seit über hundert Jahren. Zuerst im Schriftg uß, dann im Fotosatz. Berthold-Schriften sind weltweit geschätzt. Im Schriftenatelier Mün chen wird jeder Buchstabe in der Größe von zwölf Zentimetern neu gezeichnet. Mit mess

1,86 mm (7 p), Zeilenabstand 3,00 mm

Berthold-Schriften überzeugen durch Sc härfe und Qualität. Schriftqualität ist eine Frage der Erfahrung. Berthold hat diese Erfahrung seit über hundert Jahren. Zuer st im Schriftguß, dann im Fotosatz. Berth old-Schriften sind weltweit geschätzt. Im Schriftenatelier München wird jeder Buc hstabe in der Größe von zwölf Zentimete

2,15 mm (8 p), Zeilenabstand 3,50 mm

Adrian Frutiger
1957
Haas'sche Schriftgießerei AG
H. Berthold AG

ABCDEFGHIJKLMNOPQ
RSTUVWXYZ
abcdefghijklmnopqrstuvwxyz
1/1234567890%
(.,-;:!¡?¿–)·[",,""›‹]
+−=/$£†&§*
ÄÅÆÖØŒÜäåæıöøœßü
ÁÀÂÃÇČÉÈÊËÍÌÎÏĹŇÑÓÒÔÕ
ŔŘŠŤÚÙÛŴẄÝỲŶŸŽ
áàâãçčéèêëíìîïĺňñóòôõŕřš
úùûŵẅýỳÿž

Berthold-Schriftweite weit
Berthold-Schriftweite normal
Berthold-Schriftweite eng
Berthold-Schriftweite sehr eng
Berthold-Schriftweite extrem eng

In general, bodytypes are measured in the typograph ical point size. The sizes of Berthold Fototype faces ca n be exactly determined. A ll faces of same point size h ave the same capital height irrespective of their x-heig ht. In hot metal and many other phototypesetting sys tems the capital heights of ten differ considerably from one face to the other. For m easuring point sizes, a tran sparent size gauge is provi ded. To determine the point size, bring a capital letter in

3,20 mm (12 p), Zeilenabstand 5,25 mm

Berthold's quick brown fox jumps over the lazy dog and feels as if he were in
3,75 mm (14 p)

Berthold's quick brown fox jumps over the lazy dog and feels as if
4,25 mm (16 p)

Berthold's quick brown fox jumps over the lazy dog and fe
4,75 mm (18 p)

Berthold's quick brown fox jumps over the lazy dog a
5,30 mm (20 p)

Berthold's quick brown fox jumps over the l
6,35 mm (24 p)

Berthold's quick brown fox jumps ov
7,40 mm (28 p)

Berthold's quick brown fox jumps
8,50 mm (32 p)

Berthold's quick brown fox ju
9,55 mm (36 p)

Berthold-Schriften überzeugen dur ch Schärfe und Qualität. Schriftqual ität ist eine Frage der Erfahrung. Ber thold hat diese Erfahrung seit über h undert Jahren. Zuerst im Schriftguß dann im Fotosatz. Berthold-Schrifte n sind weltweit geschätzt. Im Schri ftenatelier München wird jeder Buc

2,40 mm (9 p), Zeilenabstand 4,00 mm

Größe		Zeilenabstand			100 Zeichen		
mm	p	kp	Êp	Ex	0	−1	−2
1,33	5	1,75	2,06	—	96	93	90
1,60	6	2,06	2,50	2,50	113	109	105
1,86	7	2,38	2,88	3,00	130	126	122
2,15	8	2,75	3,31	3,50	148	143	138
2,40	9	3,06	3,75	4,00	166	160	154
2,65	10	3,38	4,13	4,00	183	176	169
2,92	11	3,75	4,50	—	200	193	186
3,20	12	4,13	4,94	5,25	217	209	201
3,45	13	4,44	5,38	—	234	226	218
3,72	14	4,75	5,75	—	251	242	233
3,98	15	5,06	6,19	—	268	259	250
4,25	16	5,44	6,56	—	285	275	265

WZ 14 E, NSW −1, MZB 0,69, F 0,19:0,12 (1,6), VI
H 1–x 0,69–k 1,00–p 0,27–Ê 1,27–kp 1,27–Êp 1,54
BF 089 0666, Belegung 051: 085 4154 (095 4154)

Berthold-Schriften überzeugen d urch Schärfe und Qualität. Schrif tqualität ist eine Frage der Erfahr ung. Berthold hat diese Erfahrung seit über hundert Jahren. Zuerst im Schriftguß, dann im Fotosatz Berthold-Schriften sind weltweit geschätzt. Im Schriftenatelier M

2,65 mm (10 p), Zeilenabstand 4,00 mm

fett
extra bold
gras

UNIVERS 75

negra
nero
fet

**Berthold-Schriften überzeugen durch Schärfe
und Qualität. Schriftqualität ist eine Frage der Erf
ahrung. Berthold hat diese Erfahrung seit über hu
ndert Jahren. Zuerst im Schriftguß, dann im Foto
satz. Berthold-Schriften sind weltweit geschätzt
Im Schriftenatelier München wird jeder Buchsta
be in der Größe von zwölf Zentimetern neu gezeic
hnet. Mit messerscharfen Konturen, um für die
Schriftscheiben das Optimale an Konturenschär**

1,60 mm (6 p), Zeilenabstand 2,50 mm

**Berthold-Schriften überzeugen durch Schä
rfe und Qualität. Schriftqualität ist eine Fra
ge der Erfahrung. Berthold hat diese Erfahr
ung seit über hundert Jahren. Zuerst im Sc
hriftguß, dann im Fotosatz. Berthold-Schri
ften sind weltweit geschätzt. Im Schriften
atelier München wird jeder Buchstabe in
der Größe von zwölf Zentimetern neu gezei**

1,86 mm (7 p), Zeilenabstand 3,00 mm

**Berthold-Schriften überzeugen durch
Schärfe und Qualität. Schriftqualität
ist eine Frage der Erfahrung. Berthold
hat diese Erfahrung seit über hundert
Jahren. Zuerst im Schriftguß, dann im
Fotosatz. Berthold-Schriften sind wel
tweit geschätzt. Im Schriftenatelier
München wird jeder Buchstabe in der**

2,15 mm (8 p), Zeilenabstand 3,50 mm

**Adrian Frutiger
1957
Haas'sche Schriftgießerei AG
H. Berthold AG**

**ABCDEFGHIJKLMNOPQ
RSTUVWXYZ
abcdefghijklmnopqrstuvwxyz
1/1 234567890 %
(.,-;:!¡?¿–)·[''„""›‹]
+−=/$£†*&§
ÄÅÆÖØŒÜäåæıöøœßü
ÁÀÂÃÇČÉÈÊËÍÌÎÏĹŇÑÓÒÔÕ
ŔŘŠŤÚÙÛŴẄÝŶŸŽ
áàâãçčéèêëíìîïĺňñóòôõŕřš
úùûŵẅýỳÿž**

**Berthold-Schriftweite weit
Berthold-Schriftweite normal
Berthold-Schriftweite eng
Berthold-Schriftweite sehr eng
Berthold-Schriftweite extrem eng**

**In general, bodytypes are
measured in the typograp
hical point size. The sizes
of Berthold Fototype face
s can be exactly determin
ed. All faces of same point
size have the same capital
heigth–irrespective of th
eir x-heigth. In hot metal
and many other phototyp
esetting systems the capi
tal heigths often differ co
nsiderably from one face
to the other. For measuri
ng point sizes, a transpar
ent size gauge is provided
To determine the point si**

3,20 mm (12 p), Zeilenabstand 5,25 mm

Berthold's quick brown fox jumps over the lazy dog and feels as if he w
3,75 mm (14 p)

Berthold's quick brown fox jumps over the lazy dog and feels a
4,25 mm (16 p)

Berthold's quick brown fox jumps over the lazy dog and
4,75 mm (18 p)

Berthold's quick brown fox jumps over the lazy d
5,30 mm (20 p)

Berthold's quick brown fox jumps over th
6,35 mm (24 p)

Berthold's quick brown fox jumps o
7,40 mm (28 p)

Berthold's quick brown fox ju
8,50 mm (32 p)

Berthold's quick brown fox
9,55 mm (36 p)

**Berthold-Schriften überzeugen d
urch Schärfe und Qualität. Schrift
qualität ist eine Frage der Erfahru
ng. Berthold hat diese Erfahrung s
eit über hundert Jahren. Zuerst im
Schriftguß, dann im Fotosatz. Ber
thold-Schriften sind weltweit ges
chätzt. Im Schriftenatelier Münch**

2,40 mm (9 p), Zeilenabstand 4,00 mm

Größe		Zeilenabstand			100 Zeichen		
mm	p	kp	Êp	Ex	0	−1	−2
1,33	5	1,69	2,06	—	100	97	94
1,60	6	2,06	2,50	2,50	118	114	110
1,86	7	2,38	2,88	3,00	136	132	128
2,15	8	2,75	3,31	3,50	154	149	144
2,40	9	3,06	3,69	4,00	172	166	160
2,65	10	3,38	4,06	4,00	190	183	176
2,92	11	3,69	4,50	—	208	201	194
3,20	12	4,06	4,94	5,25	226	218	210
3,45	13	4,38	5,31	—	243	235	227
3,72	14	4,69	5,75	—	261	252	243
3,98	15	5,06	6,13	—	279	270	261
4,25	16	5,38	6,56	—	296	286	276

WZ 14 E, NSW −1, MZB 0,72, F 0,26:0,092 (2,8), VI
H 1–x 0,70–k 1,00–p 0,26–Ê 1,27–kp 1,26–Êp 1,53
BF 089 0667, Belegung 051: 085 4113 (095 4113)

**Berthold-Schriften überzeuge
n durch Schärfe und Qualität
Schriftqualität ist eine Frage d
er Erfahrung. Berthold hat dies
e Erfahrung seit über hundert
Jahren. Zuerst im Schriftguß
dann im Fotosatz. Berthold-Sc
hriften sind weltweit geschätz**

2,65 mm (10 p), Zeilenabstand 4,00 mm

kursiv fett
extra bold italic
italique gras

UNIVERS 76

negra cursiva
nero corsivo
kursiv fet

Berthold-Schriften überzeugen durch Schärfe und Qualität. Schriftqualität ist eine Frage der Erfahru ng. Berthold hat diese Erfahrung seit über hundert Jahren. Zuerst im Schriftguß, dann im Fotosatz Berthold-Schriften sind weltweit geschätzt. Im Sc hriftenatelier München wird jeder Buchstabe in der Größe von zwölf Zentimetern neu gezeichnet Mit messerscharfen Konturen, um für die Schrifts cheiben das Optimale an Konturenschärfe herausz

1,60 mm (6 p), Zeilenabstand 2,50 mm

Berthold-Schriften überzeugen durch Schär fe und Qualität. Schriftqualität ist eine Frage der Erfahrung. Berthold hat diese Erfahrung seit über hundert Jahren. Zuerst im Schrift guß, dann im Fotosatz. Berthold-Schriften sind weltweit geschätzt. Im Schriftenatelier München wird jeder Buchstabe in der Größe von zwölf Zentimetern neu gezeichnet. Mit

1,86 mm (7 p), Zeilenabstand 3,00 mm

Berthold-Schriften überzeugen durch Schärfe und Qualität. Schriftqualität ist eine Frage der Erfahrung. Berthold hat diese Erfahrung seit über hundert Jahr en. Zuerst im Schriftguß, dann im Foto satz. Berthold-Schriften sind weltweit geschätzt. Im Schriftenatelier Münch en wird jeder Buchstabe in der Größe v

2,15 mm (8 p), Zeilenabstand 3,50 mm

Adrian Frutiger
1957
Haas'sche Schriftgießerei AG
H. Berthold AG

ABCDEFGHIJKLMNOPQ
RSTUVWXYZ
abcdefghijklmnopqrstuvwxyz
1/1234567890%
(.,-;:!¡?¿–)·[',,""›‹]
+−=/$£†&§*
ÄÅÆÖØŒÜäåæıöøœßü
ÁÀÂÃÇČÉÈÊËÍÌÎÏĹŇÑÓÒÔÕ
ŔŘŠŤÚÙÛŴẄÝỲŸŽ
áàâãçčéèêëíìîïĺňñóòôõŕřš
úùûŵẅýỳÿž

Berthold-Schriftweite weit
Berthold-Schriftweite normal
Berthold-Schriftweite eng
Berthold-Schriftweite sehr eng
Berthold-Schriftweite extrem eng

In general, bodytypes are measured in the typograp hical point size. The sizes of Berthold Fototype faces can be exactly determine d. All faces of same point size have the same capital heigth–irrespective of th eir x-heigth. In hot metal and many other phototyp esetting systems the capi tal heigths often differ co nsiderably from one face t o the other. For measuring point sizes, a transparent size gauge is provided. To determine the point size, b

3,20 mm (12 p), Zeilenabstand 5,25 mm

Berthold's quick brown fox jumps over the lazy dog and feels as if he we
3,75 mm (14 p)

Berthold's quick brown fox jumps over the lazy dog and feels as
4,25 mm (16 p)

Berthold's quick brown fox jumps over the lazy dog and
4,75 mm (18 p)

Berthold's quick brown fox jumps over the lazy dog
5,30 mm (20 p)

Berthold's quick brown fox jumps over the
6,35 mm (24 p)

Berthold's quick brown fox jumps o
7,40 mm (28 p)

Berthold's quick brown fox jum
8,50 mm (32 p)

Berthold's quick brown fox j
9,55 mm (36 p)

Berthold-Schriften überzeugen du rch Schärfe und Qualität. Schriftq ualität ist eine Frage der Erfahrung Berthold hat diese Erfahrung seit über hundert Jahren. Zuerst im Sc hriftguß, dann im Fotosatz. Berth old-Schriften sind weltweit gesch ätzt. Im Schriftenatelier München

2,40 mm (9 p), Zeilenabstand 4,00 mm

Größe mm	p	Zeilenabstand kp	Êp	Ex	100 Zeichen 0	−1	−2
1,33	5	1,69	2,00		100	97	94
1,60	6	2,06	2,50	2,50	118	114	110
1,86	7	2,38	2,88	3,00	136	132	128
2,15	8	2,75	3,31	3,50	154	149	144
2,40	9	3,06	3,69	4,00	172	166	160
2,65	10	3,38	4,06	4,00	190	183	176
2,92	11	3,69	4,50	—	208	201	194
3,20	12	4,06	4,94	5,25	226	218	210
3,45	13	4,38	5,31		243	235	227
3,72	14	4,69	5,75	—	261	252	243
3,98	15	5,06	6,13	—	279	270	261
4,25	16	5,38	6,56	—	296	286	276

WZ 16 E, NSW −1, MZB 0,71, F 0,25:0,13 (1,9), VI
H 1–x 0,69–k 1,00–p 0,26–Ê 1,27–kp 1,26–Êp 1,53
BF 089 0668, Belegung 051: 085 4143 (095 4143)

Berthold-Schriften überzeugen durch Schärfe und Qualität. Sc hriftqualität ist eine Frage der Erfahrung. Berthold hat diese E rfahrung seit über hundert Jah ren. Zuerst im Schriftguß, dann im Fotosatz. Berthold-Schrifte n sind weltweit geschätzt. Im S

2,65 mm (10 p), Zeilenabstand 4,00 mm

extrafett
ultra bold
extra gras

UNIVERS 85

muy negra
nerissimo
extrafet

Berthold-Schriften überzeugen durch Schärfe und Qualität. Schriftqualität ist eine Frage der Erfahru ng. Berthold hat diese Erfahrung seit über hundert Jahren. Zuerst im Schriftguß, dann im Fotosatz Berthold-Schriften sind weltweit geschätzt. Im Schriftenatelier München wird jeder Buchstabe in der Größe von zwölf Zentimetern neu gezeichnet Mit messerscharfen Konturen, um für die Schrifts cheiben das Optimale an Konturenschärfe heraus

1,60 mm (6 p), Zeilenabstand 2,50 mm

Berthold-Schriften überzeugen durch Sch ärfe und Qualität. Schriftqualität ist eine Fr age der Erfahrung. Berthold hat diese Erfah rung seit über hundert Jahren. Zuerst im Sc hriftguß, dann im Fotosatz. Berthold-Schri ften sind weltweit geschätzt. Im Schriften atelier München wird jeder Buchstabe in der Größe von zwölf Zentimetern neu gezeic

1,86 mm (7 p), Zeilenabstand 3,00 mm

Berthold-Schriften überzeugen durch Schärfe und Qualität. Schriftqualität ist eine Frage der Erfahrung. Berthold hat diese Erfahrung seit über hundert Jahren. Zuerst im Schriftguß dann im Fotosatz. Berthold-Schriften sind wel tweit geschätzt. Im Schriftenatelier München wird jeder Buchstabe in der

2,15 mm (8 p), Zeilenabstand 3,50 mm

Adrian Frutiger
1957
Haas'sche Schriftgießerei AG
H. Berthold AG

ABCDEFGHIJKLMNOPQ
RSTUVWXYZ
abcdefghijklmnopqrstuvwxyz
1/1234567890%
(.,-;:!i?¿–)·[",„""›‹]
+–=/$£†*&§
ÄÅÆÖØŒÜäåæıöøœßü
ÁÀÂÃÇČÉÈÊËÍÌÎÏĹŇÑÓÒÔÕ
ŔŘŠŤÚÙÛŴẄÝŶŸŽ
áàâãçčéèêëíìîïĺňñóòôõŕřš
úùûŵẅýỳÿž

Berthold-Schriftweite weit
Berthold-Schriftweite normal
Berthold-Schriftweite eng
Berthold-Schriftweite sehr eng
Berthold-Schriftweite extrem eng

In general, bodytypes are measured in the typograp hical point size. The sizes of Berthold Fototype face s can be exactly determin ed. All faces of same point size have the same capital heigth–irrespective of th eir x-heigth. In hot metal and many other phototyp esetting systems the capi tal heigths often differ co nsiderably from one face to the other. For measurin g point sizes, a transpare nt size gauge is provided To determine the point si

3,20 mm (12 p), Zeilenabstand 5,25 mm

Berthold's quick brown fox jumps over the lazy dog and feels as if he w
3,75 mm (14 p)

Berthold's quick brown fox jumps over the lazy dog and feels a
4,25 mm (16 p)

Berthold's quick brown fox jumps over the lazy dog and
4,75 mm (18 p)

Berthold's quick brown fox jumps over the lazy d
5,30 mm (20 p)

Berthold's quick brown fox jumps over th
6,35 mm (24 p)

Berthold's quick brown fox jumps o
7,40 mm (28 p)

Berthold's quick brown fox ju
8,50 mm (32 p)

Berthold's quick brown fox
9,55 mm (36 p)

Berthold-Schriften überzeugen d urch Schärfe und Qualität. Schrift qualität ist eine Frage der Erfahru ng. Berthold hat diese Erfahrung s eit über hundert Jahren. Zuerst im Schriftguß, dann im Fotosatz. Ber thold-Schriften sind weltweit ges chätzt. Im Schriftenatelier Münch

2,40 mm (9 p), Zeilenabstand 4,00 mm

Größe mm	p	Zeilenabstand kp	Êp	Ex	100 Zeichen 0	−1	−2
1,33	5	1,69	2,06	–	100	97	94
1,60	6	2,06	2,50	2,50	118	114	110
1,86	7	2,38	2,88	3,00	136	132	128
2,15	8	2,75	3,31	3,50	154	149	144
2,40	9	3,06	3,75	4,00	172	166	160
2,65	10	3,38	4,13	4,00	190	183	176
2,92	11	3,69	4,50	–	208	201	194
3,20	12	4,06	4,94	5,25	226	218	210
3,45	13	4,38	5,38	–	243	235	227
3,72	14	4,69	5,75	–	261	252	243
3,98	15	5,06	6,19	–	279	270	261
4,25	16	5,38	6,56	–	296	286	276

WZ 14 E, NSW 0, MZB 0,71, F 0,33:0,15 (2,2), VI
H 1–x 0,70–k 1,00–p 0,26–Ê 1,28–kp 1,26–Êp 1,54
BF 089 0669, Belegung 051: 085 2572 (095 2572)

Berthold-Schriften überzeugen durch Schärfe und Qualität. Sc hriftqualität ist eine Frage der Erfahrung. Berthold hat diese Erfahrung seit über hundert Ja hren. Zuerst im Schriftguß, da nn im Fotosatz. Berthold-Schr iften sind weltweit geschätzt. I

2,65 mm (10 p), Zeilenabstand 4,00 mm

extraschmal ultraleicht
ultra light extra condensed
extra étroit ultra maigre

UNIVERS 39

muy fina ultra estrecha
ultra chiaro stretissimo
extrasmal ultramager

Berthold-Schriften überzeugen durch Schärfe und Qualität. Schriftqualität ist eine Frage der Erfahrung. Berthold hat diese Erfahrung seit über hundert Jahren. Zuerst im Schriftguß, dann im Fotosatz. Berthold-Schriften sind welt weit geschätzt. Im Schriftenatelier München wird jeder Buchstabe in der Größe von zwölf Zentimetern neu gezeichnet. Mit messerscharfen Konturen, um für die Schriftscheiben das Optimale an Konturenschärfe herau szuholen. Um die Qualität des Einzelzeichens im Belichtungsvorgang zu bewahren, wird durch die ruhende, nicht ro tierende Schriftscheibe belichtet. Dieses optische System, verbunden mit Präzisions-Chromglasscheiben, führt zu einer Schriftqualität, die im Layout- und Mengensatz nicht ihresgleichen findet. Bei den hier gezeigten Zeilen handelt es sich um einen fingierten Blindtext, der lediglich die Aufgabe hat, Ihnen ein optisch gültiges Bild der von Ihnen für Ihren Text vorgehenen Schrift zu vermitteln. Das Berthold-Schriftenprogramm umfaßt derzeit weit

1,60 mm (6 p), Zeilenabstand 2,50 mm

Berthold-Schriften überzeugen durch Schärfe und Qualität. Schriftqualität ist eine Frage der Erfahrung Berthold hat diese Erfahrung seit über hundert Jahren. Zuerst im Schriftguß, dann im Fotosatz. Berthold Schriften sind weltweit geschätzt. Im Schriftenatelier München wird jeder Buchstabe in der Größe von zwölf Zentimetern neu gezeichnet. Mit messerscharfen Konturen, um für die Schriftscheiben das Opti male an Konturenschärfe herauszuholen. Um die Qualität des Einzelzeichens im Belichtungsvorgang zu be wahren, wird durch die ruhende, nicht rotierende Schriftscheibe belichtet. Dieses optische System vebunden mit Präzision-Chromglasscheiben, führt zu einer Schriftqualität, die im Layout- und Menge nsatz nicht ihresgleichen findet. Bei den hier gezeigten Zeilen handelt es sich um einen fingierten

1,86 mm (7 p), Zeilenabstand 3,00 mm

Berthold-Schriften überzeugen durch Schärfe und Qualität. Schriftqualität ist eine Frage der Er fahrung. Berthold hat diese Erfahrung seit über hundert Jahren. Zuerst im Schriftguß, dann im Fotosatz. Berthold-Schriften sind weltweit geschätzt. Im Schriftenatelier München wird jeder Buchstabe in der Größe von zwölf Zentimetern neu gezeichnet. Mit messerscharfen Kontu ren, um für die Schriftscheiben das Optimale an Konturenschärfe herauszuholen. Um die Quali tät des Einzelzeichens im Belichtungsvorgang zu bewahren, wird durch die ruhende, nicht rotierende Schriftscheibe geblitzt. Dieses optische System, verbunden mit Prazisions-Chrom glasscheiben, führt zu einer Schriftqualität, die im Layout- und Mengensatz nicht ihresgleichen

2,15 mm (8 p), Zeilenabstand 3,50 mm

Adrian Frutiger
1957
Haas'sche Schriftgießerei AG
H. Berthold AG

ABCDEFGHIJKLMNOPQ
RSTUVWXYZ
abcdefghijklmnopqrstuvwxyz
1/1234567890 %
(.,-;:!¡?¿-)·['',"">‹]
+−=/$£†*&§
ÄÅÆÖØŒÜäåæıöøœßü
ÁÀÂÃÇČÉÈÊËÍÌÎÏĹŇÑÓÒÔÕ
ŔŘŠŤÚÙÛŴẄÝŶŸŽ
áàâãçčéèêëíìîïĺňñóòôõŕřš
úùûŵẅýỳÿž

Berthold-Schriftweite weit
Berthold-Schriftweite normal
Berthold-Schriftweite eng
Berthold-Schriftweite sehr eng
Berthold-Schriftweite extrem eng

In general, bodytypes are measured in the typographical point size The sizes of Berthold Fototype faces can be exactly determined. All faces of same point size have the same capital height-irrespec tive of their x-height. In hot metal and many other phototypesetti ng systems the capital heights often differ considerably from one face to the other. For measuring point sizes, a transparent size ga uge is provided. To determine the point size, bring a capital letter into coincidence with that field which precisely circumscribes the letter at its upper and lower margin. Below the field you find the ty pographical point and below that the millimeter value, which also refers to the height of a capital letter. In Berthold-phototypesetti ng, the typewidth can be modified. The standard setting width of ty pefaces is determined by the principle of optimum legibility. You should not depart from this typewidth without cogent reason. A typeface which is considered optically right when looked at in a greater context, often seems bulky when applied for a small amou nt of text, e. g. labels and ads. Here, a width reduction often will

3,20 mm (12 p), Zeilenabstand 5,25 mm

Berthold's quick brown fox jumps over the lazy dog and feels as if he were in the seventh heaven of typography together with Hermann Zapf, the most famous artist of the
3,75 mm (14 p)

Berthold's quick brown fox jumps over the lazy dog and feels as if he were in the seventh heaven of typography together with Hermann Zapf, the most famous
4,25 mm (16 p)

Berthold's quick brown fox jumps over the lazy dog and feels as if he were in the seventh heaven of typography together with Hermann
4,75 mm (18 p)

Berthold's quick brown fox jumps over the lazy dog and feels as if he were in the seventh heaven of typography together with
5,30 mm (20 p)

Berthold's quick brown fox jumps over the lazy dog and feels as if he were in the seventh heaven of typography
6,35 mm (24 p)

Berthold's quick brown fox jumps over the lazy dog and feels as if he were in the seventh
7,40 mm (28 p)

Berthold's quick brown fox jumps over the lazy dog and feels as if he were in the
8,50 mm (32 p)

Berthold's quick brown fox jumps over the lazy dog and feels as if he were
9,55 mm (36 p)

Berthold-Schriften überzeugen durch Schärfe und Qualität. Schriftqualität ist eine Fra ge der Erfahrung. Berthold hat diese Erfahrung seit über hundert Jahren. Zuerst im Schr iftguß, dann im Fotosatz. Berthold-Schriften sind weltweit geschätzt. Im Schriften atelier München wird jeder Buchstabe in der Größe von zwölf Zentimetern neu gezeich net. Mit messerscharfen Konturen, um für die Schriftscheiben das Optimale an Kontu renschärfe herauszuholen. Um die Qualität des Einzelzeichens im Belichtungsvorgang zu bewahren, wird durch die ruhende, nicht rotierende Schriftscheibe belichtet. Dieses optische System, verbunden mit Präzisions-Chromglasscheiben, führt zu einer Qualität

2,40 mm (9 p), Zeilenabstand 4,00 mm

Größe		Zeilenabstand			100 Zeichen		
mm	p	kp	Êp	Ex	0	−1	−2
1,33	5	1,75	2,06	—	42	39	36
1,60	6	2,06	2,50	2,50	49	45	41
1,86	7	2,44	2,88	3,00	56	52	48
2,15	8	2,81	3,31	3,50	64	59	54
2,40	9	3,13	3,69	4,00	72	66	60
2,65	10	3,44	4,06	4,00	79	72	65
2,92	11	3,75	4,50	—	86	79	72
3,20	12	4,13	4,94	5,25	94	86	78
3,45	13	4,44	5,31	—	101	93	85
3,72	14	4,81	5,75	—	108	99	90
3,98	15	5,13	6,13	—	116	107	98
4,25	16	5,50	6,56	—	123	113	103

WZ 10 E, NSW 0, MZB 0,30, F 0,054:0,046 (1,2), VI
H 1–x 0,70–k 1,02–p 0,26–Ê 1,27–kp 1,28–Êp 1,53
BF 089 0670, Belegung 051: 085 0244 (095 0244)

Berthold-Schriften überzeugen durch Schärfe und Qualität. Schriftqualität ist eine Frage der Erfahrung. Berthold hat diese Erfahrung seit über hundert Jahren. Zuerst im Schriftguß, dann im Fotosatz. Berthold-Schriften sind weltweit geschätzt. Im Schriftenatelier München wird jeder Buchstabe in der Größe von zwölf Zentimetern neu gezeichnet. Mit messerscharfen Konturen um für die Schriftscheiben das Optimale an Konturenschärfe herauszzuholen Um die Qualität des Einzelzeichens im Belichtungsvorgang zu bewahren, wird durch die ruhende, nicht rotierende Schriftscheibe belichtet. Dieses optisch

2,65 mm (10 p), Zeilenabstand 4,00 mm

extra schmalmager
extra light condensed
extra étroit maigre

UNIVERS 49

muy fina estrecha
chiarissimo stretissimo
extra smalmager

Berthold-Schriften überzeugen durch Schärfe und Qualität. Schriftqualität ist eine Frage der Erfahrung. Berthold hat diese Erfahrung seit über hundert Jahren. Zuerst im Schriftguß, dann im Fotosatz. Berthold-Schriften sind welt weit geschätzt. Im Schriftenatelier München wird jeder Buchstabe in der Größe von zwölf Zentimetern neu gezeichnet. Mit messerscharfen Konturen, um für die Schriftscheiben das Optimale an Konturenschärfe herau szuholen. Um die Qualität des Einzelzeichens im Belichtungsvorgang zu bewahren, wird durch die ruhende, nicht rotierende Schriftscheibe belichtet. Dieses optische System, verbunden mit Präzisions-Chromglasscheiben führt zu einer Schriftqualität, die im Layout- und Mengensatz nicht ihresgleichen findet. Bei den hier gezeigten Zeilen handelt es sich um einen fingierten Blindtext, der lediglich die Aufgabe hat, Ihnen ein optisch gültiges Bild der von Ihnen für Ihren Text vorgesehenen Schrift zu vermitteln. Das Berthold-Schriftenprogramm umfaßt derzeit weit

1,60 mm (6 p), Zeilenabstand 2,50 mm

Berthold-Schriften überzeugen durch Schärfe und Qualität. Schriftqualität ist eine Frage der Erfahrung Berthold hat diese Erfahrung seit über hundert Jahren. Zuerst im Schriftguß, dann im Fotosatz. Berthold Schriften sind weltweit geschätzt. Im Schriftenatelier München wird jeder Buchstabe in der Größe von zwölf Zentimetern neu gezeichnet. Mit messerscharfen Konturen, um für die Schriftscheiben das Opti male an Konturenschärfe herauszuholen. Um die Qualität des Einzelzeichens im Belichtungsvorgang zu be wahren, wird durch die ruhende, nicht rotierende Schriftscheibe belichtet. Dieses optische System verbunden mit Präzision-Chromglasscheiben, führt zu einer Schriftqualität, die im Layout- und Menge nsatz nicht ihresgleichen findet. Bei den hier gezeigten Zeilen handelt es sich um einen fingierten

1,86 mm (7 p), Zeilenabstand 3,00 mm

Berthold-Schriften überzeugen durch Schärfe und Qualität. Schriftqualität ist eine Frage der Er fahrung. Berthold hat diese Erfahrung seit über hundert Jahren. Zuerst im Schriftguß, dann im Fotosatz. Berthold-Schriften sind weltweit geschätzt. Im Schriftenatelier München wird jeder Buchstabe in der Größe von zwölf Zentimetern neu gezeichnet. Mit messerscharfen Kont uren, um für die Schriftscheiben das Optimale an Konturenschärfe herauszuholen. Um die Qu alität des Einzelzeichens im Belichtungsvorgang zu bewahren, wird durch die ruhende, nicht rotierende Schriftscheibe belichtet. Dieses optische System, verbunden mit Prazisions-Chrom glasscheiben, führt zu einer Schriftqualität, die im Layout- und Mengensatz nicht ihresgleic

2,15 mm (8 p), Zeilenabstand 3,50 mm

Adrian Frutiger
1957
Haas'sche Schriftgießerei AG
H. Berthold AG

ABCDEFGHIJKLMNOPQ
RSTUVWXYZ
abcdefghijklmnopqrstuvwxyz
1/1234567890 %
(.,-;:!¡?¿-) · [‘’„“”›‹]
+−=/$£†*&§
ÄÅÆÖØŒÜäåæıöøœßü
ÁÀÂÃÇČÉÈÊËÍÌÎÏŁŇÑÓÒÔÕ
ŔŘŠŤÚÙÛŴẄÝŶŸŽ
áàâãçčéèêëíìîïłňñóòôõŕřš
úùûŵẅýỳÿž

Berthold-Schriftweite weit
Berthold-Schriftweite normal
Berthold-Schriftweite eng
Berthold-Schriftweite sehr eng
Berthold-Schriftweite extrem eng

In general, bodytypes are measured in the typographical point si ze. The sizes of Berthold Fototype faces can be exactly determined All faces of same point size have the same capital height-irrespec tive of their x-height. In hot metal and many other phototypesetti ng systems the capital heights often differ considerably from one face to the other. For measuring point sizes, a transparent size ga uge is provided. To determine the point size, bring a capital letter into coincidence with that field which precisely circumscribes the letter at its upper and lower margin. Below the field you find the ty pographical point and below that the millimeter value, which also refers to the height of a capital letter. In Berthold-phototypesetti ng, the typewidth can be modified. The standard setting width of typefaces is determined by the principle of optimum legibility. You should not depart from this typewidth without cogent reason. A typeface which is considered optically right when looked at in a greater context, often seems bulky when applied for a small amou nt of text, e. g. labels and ads. Here, a width reduction often will

3,20 mm (12 p), Zeilenabstand 5,25 mm

Berthold's quick brown fox jumps over the lazy dog and feels as if he were in the seventh heaven of typography together with Hermann Zapf, the most famous artist of the
3,75 mm (14 p)

Berthold's quick brown fox jumps over the lazy dog and feels as if he were in the seventh heaven of typography together with Hermann Zapf, the most famous
4,25 mm (16 p)

Berthold's quick brown fox jumps over the lazy dog and feels as if he were in the seventh heaven of typography together with Hermann Zapf
4,75 mm (18 p)

Berthold's quick brown fox jumps over the lazy dog and feels as if he were in the seventh heaven of typography together with
5,30 mm (20 p)

Berthold's quick brown fox jumps over the lazy dog and feels as if he were in the seventh heaven of typo
6,35 mm (24 p)

Berthold's quick brown fox jumps over the lazy dog and feels as if he were in the seventh
7,40 mm (28 p)

Berthold's quick brown fox jumps over the lazy dog and feels as if he were in th
8,50 mm (32 p)

Berthold's quick brown fox jumps over the lazy dog and feels as if he we
9,55 mm (36 p)

Berthold-Schriften überzeugen durch Schärfe und Qualität. Schriftqualität ist eine Fra ge der Erfahrung. Berthold hat diese Erfahrung seit über hundert Jahren. Zuerst im Sc hriftguß, dann im Fotosatz. Berthold-Schriften sind weltweit geschätzt. Im Schriften atelier München wird jeder Buchstabe in der Größe von zwölf Zentimetern neu gezeich net. Mit messerscharfen Konturen, um für die Schriftscheiben das Optimale an Kontu renschärfe herauszuholen. Um die Qualität des Einzelzeichens im Belichtungsvorgang zu bewahren, wird durch die ruhende, nicht rotierende Schriftscheibe belichtet Dieses optische System, verbunden mit Präzisions-Chromglasscheiben, führt zu einer

2,40 mm (9 p), Zeilenabstand 4,00 mm

Größe mm	p	Zeilenabstand kp	Êp	Ex	100 Zeichen 0	−1	−2
1,33	5	1,69	2,06	—	42	39	36
1,60	6	2,06	2,44	2,50	49	45	41
1,86	7	2,38	2,88	3,00	56	52	48
2,15	8	2,75	3,31	3,50	64	59	54
2,40	9	3,06	3,69	4,00	72	66	60
2,65	10	3,38	4,06	4,00	79	72	65
2,92	11	3,69	4,50	—	86	79	72
3,20	12	4,06	4,88	5,25	94	86	78
3,45	13	4,38	5,25	—	101	93	85
3,72	14	4,69	5,69	—	108	99	90
3,98	15	5,06	6,06	—	116	107	98
4,25	16	5,38	6,50	—	123	113	103

WZ 10 E, NSW 0, MZB 0,30, F 0,075:0,054 (1,4), VI
H 1−x 0,69−k 1,00−p 0,26−Ê 1,26−kp 1,26−Êp 1,52
BF 089 0671, Belegung 051: 085 0245 (095 0245)

Berthold-Schriften überzeugen durch Schärfe und Qualität. Schriftqualität ist eine Frage der Erfahrung. Berthold hat diese Erfahrung seit über hundert Jahren. Zuerst im Schriftguß, dann im Fotosatz. Berthold-Schriften sind weltweit geschätzt. Im Schriftenatelier München wird jeder Buchstabe in der Größe von zwölf Zentimetern neu gezeichnet. Mit messerscharfen Konturen um für die Schriftscheiben das Optimale an Konturenschärfe herauszuholen Um die Qualität des Einzelzeichens im Belichtungsvorgang zu bewahren, wird durch die ruhende, nicht rotierende Schriftscheibe belichtet. Dieses opti

2,65 mm (10 p), Zeilenabstand 4,00 mm

extraschmal
extra condensed
extra étroit

UNIVERS 59

muy estrecha
stretissimo
extrasmal

Berthold-Schriften überzeugen durch Schärfe und Qualität. Schriftqualität ist eine Frage der Erfahrung. Berthold hat diese Erfahrung seit über hundert Jahren. Zuerst im Schriftguß, dann im Fotosatz. Berthold-Schriften sind weltweit geschätzt. Im Sc hriftenatelier München wird jeder Buchstabe in der Größe von zwölf Zentimetern neu gezeichnet. Mit messerscharfen Konturen, um für die Schriftscheiben das Opti male an Konturenschärfe herauszuholen. Um die Qualität des Einzelzeichens im Be lichtungsvorgang zu bewahren, wird durch die ruhende, nicht rotierende Schriftsc heibe belichtet. Dieses optische System, verbunden mit Präzisions-Chromglasscheiben führt zu einer Schriftqualität, die im Layout- und Mengensatz nicht ihresgleichen findet

1,60 mm (6 p), Zeilenabstand 2,50 mm

Berthold-Schriften überzeugen durch Schärfe und Qualität. Schriftqualität ist eine Frage der Erfahrung. Berthold hat diese Erfahrung seit über hundert Jah ren. Zuerst im Schriftguß, dann im Fotosatz. Berthold-Schriften sind weltweit geschätzt. Im Schriftenatelier München wird jeder Buchstabe in der Größe von zwölf Zentimetern neu gezeichnet. Mit messerscharfen Konturen, um für die Schriftscheiben das Optimale an Konturenschärfe herauszuholen. Um die Qualität des Einzelzeichens im Belichtungsvorgang zu bewahren, wird durch die ruhende, nicht rotierende Schriftscheibe belichtet. Dieses optische System

1,86 mm (7 p), Zeilenabstand 3,00 mm

Berthold-Schriften überzeugen durch Schärfe und Qualität. Schriftqua lität ist eine Frage der Erfahrung. Berthold hat diese Erfahrung seit üb er hundert Jahren. Zuerst im Schriftguß, dann im Fotosatz. Berthold Schriften sind weltweit geschätzt. Im Schriftenatelier München wird jeder Buchstabe in der Größe von zwölf Zentimetern neu gezeichnet Mit messerscharfen Konturen, um für die Schriftscheiben das Optima le an Konturenschärfe herauszuholen. Um die Qualität des Einzelzeich ens im Belichtungsvorgang zu bewahren, wird durch die ruhende, nicht

2,15 mm (8 p), Zeilenabstand 3,50 mm

Adrian Frutiger
1957
Haas'sche Schriftgießerei AG
H. Berthold AG

ABCDEFGHIJKLMNOPQ
RSTUVWXYZ
abcdefghijklmnopqrstuvwxyz
1/1234567890 %
(.,-;:!¡?¿–)·[‘’„“”›‹]
+–=/$£†*&§
ÄÅÆÖØŒÜäåæıöøœßü
ÁÀÂÃÇČÉÈÊËÍÌÎÏĹŇÑÓÒÔÕ
ŔŘŠŤÚÙÛŴẄÝŶŸŽ
áàâãçčéèêëíìîïĺňñóòôõŕřš
úùûŵẅýỳÿž

Berthold-Schriftweite weit
Berthold-Schriftweite normal
Berthold-Schriftweite eng
Berthold-Schriftweite sehr eng
Berthold-Schriftweite extrem eng

In general, bodytypes are measured in the typo graphical point size. The sizes of Berthold Foto type faces can be exactly determined. All faces of same point size have the same capital height irrespective of their x-height. In hot metal and many other phototypesetting systems the capital heights often differ considerably from one face to the other. For measuring point sizes, a trans parent size gauge is provided. To determine the point size, bring a capital letter into coincidence with that field which precisely circumscribes the letter at its upper and lower margin. Below the field you find the typographical point and below that the millimeter value, which also refers to the height of a capital letter. In Berthold-phototype setting, the typewidth can be modified. The st andard setting width of typefaces is determined

3,20 mm (12 p), Zeilenabstand 5,25 mm

Berthold's quick brown fox jumps over the lazy dog and feels as if he were in the seventh heaven of typography together with Herm
3,75 mm (14 p)

Berthold's quick brown fox jumps over the lazy dog and feels as if he were in the seventh heaven of typography togeth
4,25 mm (16 p)

Berthold's quick brown fox jumps over the lazy dog and feels as if he were in the seventh heaven of typ
4,75 mm (18 p)

Berthold's quick brown fox jumps over the lazy dog and feels as if he were in the seventh heaven
5,30 mm (20 p)

Berthold's quick brown fox jumps over the lazy dog and feels as if he were in the
6,35 mm (24 p)

Berthold's quick brown fox jumps over the lazy dog and feels as if he
7,40 mm (28 p)

Berthold's quick brown fox jumps over the lazy dog and feels
8,50 mm (32 p)

Berthold's quick brown fox jumps over the lazy dog a
9,55 mm (36 p)

Berthold-Schriften überzeugen durch Schärfe und Qualität. Sc hriftqualität ist eine Frage der Erfahrung. Berthold hat diese Erfahrung seit über hundert Jahren. Zuerst im Schriftguß, dann im Fotosatz. Berthold-Schriften sind weltweit geschätzt. Im Sc hriftenatelier München wird jeder Buchstabe in der Größe von zwölf Zentimetern neu gezeichnet. Mit messerscharfen Kontu ren, um für die Schriftscheiben das Optimale an Konturenschä rfe herauszuholen. Um die Qualität des Einzelzeichens im Beli

2,40 mm (9 p), Zeilenabstand 4,00 mm

Größe		Zeilenabstand			100 Zeichen		
mm	p	kp	Êp	Ex	0	–1	–2
1,33	5	1,69	2,06	–	54	51	48
1,60	6	2,06	2,50	2,50	63	59	55
1,86	7	2,38	2,88	3,00	73	69	65
2,15	8	2,75	3,31	3,50	83	78	73
2,40	9	3,06	3,69	4,00	93	87	81
2,65	10	3,38	4,06	4,00	103	96	89
2,92	11	3,69	4,50	–	112	105	98
3,20	12	4,06	4,94	5,25	122	114	106
3,45	13	4,38	5,31	–	131	123	115
3,72	14	4,69	5,75	–	141	132	123
3,98	15	5,06	6,13	–	150	141	132
4,25	16	5,38	6,56	–	160	150	140

WZ 11 E, NSW 0, MZB 0,38, F 0,13:0,088 (1,5), VI
H 1–x 0,69–k 1,00–p 0,26–Ê 1,27–kp 1,26–Êp 1,53
BF 089 0672, Belegung 051: 085 0246 (095 0246)

Berthold-Schriften überzeugen durch Schärfe und Qualit ät. Schriftqualität ist eine Frage der Erfahrung. Berthold hat diese Erfahrung seit über hundert Jahren. Zuerst im Schriftguß, dann im Fotosatz. Berthold-Schriften sind weltweit geschätzt. Im Schriftenatelier München wird je der Buchstabe in der Größe von zwölf Zentimetern neu gezeichnet. Mit messerscharfen Konturen, um für die Sc hriftscheiben das Optimale an Konturenschärfe herausz

2,65 mm (10 p), Zeilenabstand 4,00 mm

schmalmager
light condensed
étroit maigre

UNIVERS 47

fina estrecha
chiarissimo stretto
smalmager

Berthold-Schriften überzeugen durch Schärfe und Qualität. Schriftqualität ist eine Frage der Erfahrung. Berthold hat diese Erfahrung seit über hundert Jahr en. Zuerst im Schriftguß, dann im Fotosatz. Berthold-Schriften sind weltweit geschätzt. Im Schriftenatelier München wird jeder Buchstabe in der Größe von zwölf Zentimetern neu gezeichnet. Mit messerscharfen Konturen, um für die Schriftscheiben das Optimale an Konturenschärfe herauszuholen. Um die Qualität des Einzelzeichens im Belichtungsvorgang zu bewahren, wird durch die ruhende, nicht rotierende Schriftscheibe belichtet. Dieses optische Syst em, verbunden mit Präzisions-Chromglasscheiben, führt zu einer Schriftqualit

1,60 mm (6 p), Zeilenabstand 2,50 mm

Berthold-Schriften überzeugen durch Schärfe und Qualität. Schriftq ualität ist eine Frage der Erfahrung. Berthold hat diese Erfahrung seit über hundert Jahren. Zuerst im Schriftguß, dann im Fotosatz. Bertho ld-Schriften sind weltweit geschätzt. Im Schriftenatelier München wird jeder Buchstabe in der Größe von zwölf Zentimetern neu gezeic hnet. Mit messerscharfen Konturen, um für die Schriftscheiben das Optimale an Konturenschärfe herauszuholen. Um die Qualität des Ei nzelzeichens im Belichtungsvorgang zu bewahren, wird durch die ru

1,86 mm (7 p), Zeilenabstand 3,00 mm

Berthold-Schriften überzeugen durch Schärfe und Qualität Schriftqualität ist eine Frage der Erfahrung. Berthold hat die se Erfahrung seit über hundert Jahren. Zuerst im Schriftguß dann im Fotosatz. Berthold-Schriften sind weltweit geschätzt Im Schriftenatelier München wird jeder Buchstabe in der Grö ße von zwölf Zentimetern neu gezeichnet. Mit messerscharf en Konturen, um für die Schriftscheiben das Optimale an Kon turenschärfe herauszuholen. Um die Qualität des Einzelzeich

2,15 mm (8 p), Zeilenabstand 3,50 mm

Adrian Frutiger
1957
Haas'sche Schriftgießerei AG
H. Berthold AG

ABCDEFGHIJKLMNOPQ
RSTUVWXYZ
abcdefghijklmnopqrstuvwxyz
1/1234567890%
(.,-;:!¡?¿–)·['',,""›‹]
+−=/$£†*&§
ÄÅÆÖØŒÜäåæıöøœßü
ÁÀÂÃÇČÉÈÊËÍÌÎÏĹŇÑÓÒÔÕ
ŔŘŠŤÚÙÛŴẄÝŶŸŽ
áàâãçčéèêëíìîïĺňñóòôõŕřš
úùûŵẅýỳÿž

Berthold-Schriftweite weit
Berthold-Schriftweite normal
Berthold-Schriftweite eng
Berthold-Schriftweite sehr eng
Berthold-Schriftweite extrem eng

In general, bodytypes are measured in the typographical point size. The sizes of Ber thold Fototype faces can be exactly dete rmined. All faces of same point size have the same capital heigth–irrespective of t heir x-heigth. In hot metal and many other phototypesetting systems the capital hei gths often differ considerably from one fa ce to the other. For measuring point sizes a transparent size gauge is provided. To determine the point size, bring a capital I etter into coincidence with that field whi ch precisely circumscribes the letter at it s upper and lower margin. Below the field you find the typographical point and belo w that the millimeter value, which also re fers to the height of a capital letter. In Ber

3,20 mm (12 p), Zeilenabstand 5,25 mm

Berthold's quick brown fox jumps over the lazy dog and feels as if he were in the seventh heaven of typography to
3,75 mm (14 p)

Berthold's quick brown fox jumps over the lazy dog and feels as if he were in the seventh heaven of ty
4,25 mm (16 p)

Berthold's quick brown fox jumps over the lazy dog and feels as if he were in the seventh h
4,75 mm (18 p)

Berthold's quick brown fox jumps over the lazy dog and feels as if he were in the
5,30 mm (20 p)

Berthold's quick brown fox jumps over the lazy dog and feels as if he
6,35 mm (24 p)

Berthold's quick brown fox jumps over the lazy dog and fe
7,40 mm (28 p)

Berthold's quick brown fox jumps over the lazy dog
8,50 mm (32 p)

Berthold's quick brown fox jumps over the laz
9,55 mm (36 p)

Berthold-Schriften überzeugen durch Schärfe und Qual ität. Schriftqualität ist eine Frage der Erfahrung. Bertho ld hat diese Erfahrung seit über hundert Jahren. Zuerst im Schriftguß, dann im Fotosatz. Berthold-Schriften sin d weltweit geschätzt. Im Schriftenatelier München wird jeder Buchstabe in der Größe von zwölf Zentimetern ne u gezeichnet. Mit messerscharfen Konturen, um für die Schriftscheiben das Optimale an Konturenschärfe hera

2,40 mm (9 p), Zeilenabstand 4,00 mm

Größe		Zeilenabstand			100 Zeichen		
mm	p	kp	Êp	Ex	0	−1	−2
1,33	5	1,69	2,06	–	60	57	54
1,60	6	2,00	2,44	2,50	71	67	63
1,86	7	2,38	2,88	3,00	82	78	74
2,15	8	2,69	3,31	3,50	93	88	83
2,40	9	3,00	3,69	4,00	104	98	92
2,65	10	3,31	4,06	4,00	115	108	101
2,92	11	3,69	4,50	–	126	119	112
3,20	12	4,00	4,88	5,25	136	128	120
3,45	13	4,31	5,25	–	147	139	131
3,72	14	4,69	5,69	–	158	149	140
3,98	15	5,00	6,06	–	168	159	150
4,25	16	5,31	6,50	–	179	169	159

WZ 11 E, NSW 0, MZB 0,43, F 0,088:0,067 (1,3), VI H 1–x 0,70–k 1,00–p 0,25–Ê 1,27–kp 1,25–Êp 1,52 BF 089 0673, Belegung 051: 085 4144 (095 4144)

Berthold-Schriften überzeugen durch Schärfe und Qualität. Schriftqualität ist eine Frage der Erfahru ng. Berthold hat diese Erfahrung seit über hundert Jahren. Zuerst im Schriftguß, dann im Fotosatz. B erthold-Schriften sind weltweit geschätzt. Im Sch riftenatelier München wird jeder Buchstabe in der Größe von zwölf Zentimetern neu gezeichnet. Mit messerscharfen Konturen, um für die Schriftschei

2,65 mm (10 p), Zeilenabstand 4,00 mm

kursiv schmalmager
light condensed italic
italique étroit maigre

UNIVERS 48

fina estrecha cursiva
chiarissimo stretto corsivo
kursiv smalmager

*Berthold-Schriften überzeugen durch Schärfe und Qualität. Schriftqualität
ist eine Frage der Erfahrung. Berthold hat diese Erfahrung seit über hundert
Jahren. Zuerst im Schriftguß, dann im Fotosatz. Berthold-Schriften sind
weltweit geschätzt. Im Schriftenatelier München wird jeder Buchstabe in
der Größe von zwölf Zentimetern neu gezeichnet. Mit messerscharfen Kont
uren, um für die Schriftscheiben das Optimale an Konturenschärfe herausz
uholen. Um die Qualität des Einzelzeichens im Belichtungsvorgang zu bew
ahren, wird durch die ruhende, nicht rotierende Schriftscheibe belichtet. Di
eses optische System, verbunden mit Präzisions-Chromglasscheiben, führt*

1,60 mm (6 p), Zeilenabstand 2,50 mm

*Berthold-Schriften überzeugen durch Schärfe und Qualität. Schri
ftqualität ist eine Frage der Erfahrung. Berthold hat diese Erfahru
ng seit über hundert Jahren. Zuerst im Schriftguß, dann im Fotosa
tz. Berthold-Schriften sind weltweit geschätzt. Im Schriftenatelier
München wird jeder Buchstabe in der Größe von zwölf Zentimete
rn neu gezeichnet. Mit messerscharfen Konturen, um für die Schri
ftscheiben das Optimale an Konturenschärfe herauszuholen. Um
die Qualität des Einzelzeichens im Belichtungsvorgang zu bewahr*

1,86 mm (7 p), Zeilenabstand 3,00 mm

*Berthold-Schriften überzeugen durch Schärfe und Qualität
Schriftqualität ist eine Frage der Erfahrung. Berthold hat di
ese Erfahrung seit über hundert Jahren. Zuerst im Schriftg
uß, dann im Fotosatz. Berthold-Schriften sind weltweit ges
chätzt. Im Schriftenatelier München wird jeder Buchstabe
in der Größe von zwölf Zentimetern neu gezeichnet. Mit m
esserscharfen Konturen, um für die Schriftscheiben das Op
timale an Konturenschärfe herauszuholen. Um die Qualität*

2,15 mm (8 p), Zeilenabstand 3,50 mm

*Adrian Frutiger
1957
Haas'sche Schriftgießerei AG
H. Berthold AG*

*ABCDEFGHIJKLMNOPQ
RSTUVWXYZ
abcdefghijklmnopqrstuvwxyz
1/1234567890%
(.,-;:!¡?¿–)·[''„""›‹]
+−=/$£†*&§
ÄÅÆÖØŒÜäåæıöøœßü
ÁÀÂÃÇČÉÈÊËÍÌÎÏĹŇÑÓÒÔÕ
ŔŘŠŤÚÙÛŴẄÝŶŸŽ
áàâãçčéèêëíìîïĺňñóòôõŕřš
úùûŵẅýỳÿž*

*Berthold-Schriftweite weit
Berthold-Schriftweite normal
Berthold-Schriftweite eng
Berthold-Schriftweite sehr eng
Berthold-Schriftweite extrem eng*

*In general, bodytypes are measured in t
he typographical point size. The sizes of
Berthold Fototype faces can be exactly
determined. All faces of same point size
have the same capital heigth–irrespecti
ve of their x-heigth. In hot metal and ma
ny other phototypesetting systems the c
apital heigths often differ considerably f
rom one face to the other. For measuring
point sizes, a transparent size gauge is p
rovided. To determine the point size, bri
ng a capital letter into coincidence with
that field which precisely circumscribes
the letter at its upper and lower margin
Below the field you find the typographic
al point and below that the millimeter va
lue, which also refers to the height of a c*

3,20 mm (12 p), Zeilenabstand 5,25 mm

Berthold's quick brown fox jumps over the lazy dog and feels as if he were in the seventh heaven of typo
3,75 mm (14 p)

Berthold's quick brown fox jumps over the lazy dog and feels as if he were in the seventh heaven
4,25 mm (16 p)

Berthold's quick brown fox jumps over the lazy dog and feels as if he were in the sevent
4,75 mm (18 p)

Berthold's quick brown fox jumps over the lazy dog and feels as if he were in th
5,30 mm (20 p)

Berthold's quick brown fox jumps over the lazy dog and feels as if
6,35 mm (24 p)

Berthold's quick brown fox jumps over the lazy dog and f
7,40 mm (28 p)

Berthold's quick brown fox jumps over the lazy do
8,50 mm (32 p)

Berthold's quick brown fox jumps over the l
9,55 mm (36 p)

*Berthold-Schriften überzeugen durch Schärfe und Qu
alität. Schriftqualität ist eine Frage der Erfahrung. Be
rthold hat diese Erfahrung seit über hundert Jahren
Zuerst im Schriftguß, dann im Fotosatz. Berthold-Sc
hriften sind weltweit geschätzt. Im Schriftenatelier
München wird jeder Buchstabe in der Größe von zwö
lf Zentimetern neu gezeichnet. Mit messerscharfen
Konturen, um für die Schriftscheiben das Optimale an*

2,40 mm (9 p), Zeilenabstand 4,00 mm

Größe mm	p	Zeilenabstand kp	Êp	Ex	100 Zeichen 0	−1	−2
1,33	5	1,75	2,06	—	64	61	58
1,60	6	2,06	2,50	2,50	76	72	68
1,86	7	2,38	2,88	3,00	87	83	79
2,15	8	2,75	3,31	3,50	99	94	89
2,40	9	3,06	3,69	4,00	111	105	99
2,65	10	3,38	4,06	4,00	122	115	108
2,92	11	3,75	4,50	—	134	127	120
3,20	12	4,13	4,94	5,25	145	137	129
3,45	13	4,44	5,31	—	156	148	140
3,72	14	4,75	5,75	—	168	159	150
3,98	15	5,06	6,13	—	179	170	161
4,25	16	5,44	6,56	—	191	181	171

WZ 12 E, NSW +1, MZB 0,46, F 0,083:0,071 (1,2), VI
H 1–x 0,70–k 1,00–p 0,27–Ê 1,26–kp 1,27–Êp 1,53
BF 089 0674, Belegung 051: 085 4145 (095 4145)

*Berthold-Schriften überzeugen durch Schärfe u
nd Qualität. Schriftqualität ist eine Frage der Erf
ahrung. Berthold hat diese Erfahrung seit über
hundert Jahren. Zuerst im Schriftguß, dann im
Fotosatz. Berthold-Schriften sind weltweit ges
chätzt. Im Schriftenatelier München wird jeder
Buchstabe in der Größe von zwölf Zentimetern
neu gezeichnet. Mit messerscharfen Konturen*

2,65 mm (10 p), Zeilenabstand 4,00 mm

schmal
medium condensed
étroit

UNIVERS 57

estrecha
stretto
smal

Berthold-Schriften überzeugen durch Schärfe und Qualität. Schriftqu alität ist eine Frage der Erfahrung. Berthold hat diese Erfahrung seit üb er hundert Jahren. Zuerst im Schriftguß, dann im Fotosatz. Berthold Schriften sind weltweit geschätzt. Im Schriftenatelier München wird jeder Buchstabe in der Größe von zwölf Zentimetern neu gezeichnet Mit messerscharfen Konturen, um für die Schriftscheiben das Optima le an Konturenschärfe herauszuholen. Um die Qualität des Einzelzeich ens im Belichtungsvorgang zu bewahren, wird durch die ruhende, nicht rotierende Schriftscheibe belichtet. Dieses optische System, verbund

1,60 mm (6 p), Zeilenabstand 2,50 mm

Berthold-Schriften überzeugen durch Schärfe und Qualität Schriftqualität ist eine Frage der Erfahrung. Berthold hat die se Erfahrung seit über hundert Jahren. Zuerst im Schriftguß dann im Fotosatz. Berthold-Schriften sind weltweit geschät zt. Im Schriftenatelier München wird jeder Buchstabe in der Größe von zwölf Zentimetern neu gezeichnet. Mit messersch arfen Konturen, um für die Schriftscheiben das Optimale an Konturenschärfe herauszuholen. Um die Qualität des Einze

1,86 mm (7 p), Zeilenabstand 3,00 mm

Berthold-Schriften überzeugen durch Schärfe und Qu alität. Schriftqualität ist eine Frage der Erfahrung. Ber thold hat diese Erfahrung seit über hundert Jahren. Zu erst im Schriftguß, dann im Fotosatz. Berthold-Schrift en sind weltweit geschätzt. Im Schriftenatelier Münc hen wird jeder Buchstabe in der Größe von zwölf Zenti metern neu gezeichnet. Mit messerscharfen Konturen um für die Schriftscheiben das Optimale an Konturen

2,15 mm (8 p), Zeilenabstand 3,50 mm

Adrian Frutiger
1957
Haas'sche Schriftgießerei AG
H. Berthold AG

ABCDEFGHIJKLMNOPQ
RSTUVWXYZ
abcdefghijklmnopqrstuvwxyz
1/1234567890 %
(.,-;:!i?¿–) · [‘‘„"“›‹]
+–=/$£†*&§
ÄÅÆÖØŒÜäåæıöøœßü
ÁÀÂÃÇČÉÈÊËÍÌÎÏĹŇÑÓÒÔÕ
ŔŘŠŤÚÙÛŴẄÝŶŸŽ
áàâãçčéèêëíìîïĺňñóòôõŕřš
úùûŵẅýỳÿž

Berthold-Schriftweite weit
Berthold-Schriftweite normal
Berthold-Schriftweite eng
Berthold-Schriftweite sehr eng
Berthold-Schriftweite extrem eng

In general, bodytypes are measured i n the typographical point size. The si zes of Berthold Fototype faces can be exactly determined. All faces of same point size have the same capital heig th–irrespective of their x-heigth. In h ot metal and many other phototypese tting systems the capital heigths oft en differ considerably from one fa ce to the other. For measuring point s izes, a transparent size gauge is prov ided. To determine the point size, bri ng a capital letter into coincidence w ith that field which precisely circum scribes the letter at its upper and low er margin. Below the field you find the typographical point and below that t

3,20 mm (12 p), Zeilenabstand 5,25 mm

Berthold's quick brown fox jumps over the lazy dog and feels as if he were in the seventh heaven of typ
3,75 mm (14 p)

Berthold's quick brown fox jumps over the lazy dog and feels as if he were in the seventh h
4,25 mm (16 p)

Berthold's quick brown fox jumps over the lazy dog and feels as if he were in the
4,75 mm (18 p)

Berthold's quick brown fox jumps over the lazy dog and feels as if he wer
5,30 mm (20 p)

Berthold's quick brown fox jumps over the lazy dog and feels
6,35 mm (24 p)

Berthold's quick brown fox jumps over the lazy dog
7,40 mm (28 p)

Berthold's quick brown fox jumps over the lazy
8,50 mm (32 p)

Berthold's quick brown fox jumps over t
9,55 mm (36 p)

Berthold-Schriften überzeugen durch Schärfe u nd Qualität. Schriftqualität ist eine Frage der Erf ahrung. Berthold hat diese Erfahrung seit über h undert Jahren. Zuerst im Schriftguß, dann im Fo tosatz. Berthold-Schriften sind weltweit geschät zt. Im Schriftenatelier München wird jeder Buch stabe in der Größe von zwölf Zentimetern ne u gezeichnet. Mit messerscharfen Konturen, um

2,40 mm (9 p), Zeilenabstand 4,00 mm

Größe		Zeilenabstand			100 Zeichen		
mm	p	kp	Êp	Ex	0	–1	–2
1,33	5	1,69	2,06	–	71	68	65
1,60	6	2,00	2,44	2,50	83	79	75
1,86	7	2,38	2,88	3,00	96	92	88
2,15	8	2,69	3,31	3,50	109	104	99
2,40	9	3,00	3,69	4,00	122	116	110
2,65	10	3,31	4,06	4,00	135	128	121
2,92	11	3,69	4,50	–	147	140	133
3,20	12	4,00	4,88	5,25	160	152	144
3,45	13	4,31	5,25	–	172	164	156
3,72	14	4,69	5,69	–	185	176	167
3,98	15	5,00	6,06	–	197	188	179
4,25	16	5,31	6,50	–	210	200	190

WZ 12 E, NSW 0, MZB 0,51, F 0,14:0,10 (1,3), VI
H 1–x 0,69–k 1,00–p 0,25–Ê 1,27–kp 1,25–Êp 1,52
BF 089 0675, Belegung 051: 085 4146 (095 4146)

Berthold-Schriften überzeugen durch Schär fe und Qualität. Schriftqualität ist eine Frage der Erfahrung. Berthold hat diese Erfahrung seit über hundert Jahren. Zuerst im Schriftg uß, dann im Fotosatz. Berthold-Schriften si nd weltweit geschätzt. Im Schriftenatelier München wird jeder Buchstabe in der Größe von zwölf Zentimetern neu gezeichnet. Mit

2,65 mm (10 p), Zeilenabstand 4,00 mm

kursiv schmal
medium condensed italic
italique étroit

UNIVERS 58

estrecha cursiva
stretto corsivo
kursiv smal

Berthold-Schriften überzeugen durch Schärfe und Qualität. Schrift qualität ist eine Frage der Erfahrung. Berthold hat diese Erfahrung seit über hundert Jahren. Zuerst im Schriftguß, dann im Fotosatz Berthold-Schriften sind weltweit geschätzt. Im Schriftenatelier München wird jeder Buchstabe in der Größe von zwölf Zentimetern neu gezeichnet. Mit messerscharfen Konturen, um für die Schrifts cheiben das Optimale an Konturenschärfe herauszuholen. Um die Qualität des Einzelzeichens im Belichtungsvorgang zu bewahren wird durch die ruhende, nicht rotierende Schriftscheibe belichtet

1,60 mm (6 p), Zeilenabstand 2,50 mm

Berthold-Schriften überzeugen durch Schärfe und Qualität Schriftqualität ist eine Frage der Erfahrung. Berthold hat di ese Erfahrung seit über hundert Jahren. Zuerst im Schriftg uß, dann im Fotosatz. Berthold-Schriften sind weltweit ges chätzt. Im Schriftenatelier München wird jeder Buchstabe in der Größe von zwölf Zentimetern neu gezeichnet. Mit me sserscharfen Konturen, um für die Schriftscheiben das Optimale an Konturenschärfe herauszuholen. Um die Qualit

1,86 mm (7 p), Zeilenabstand 3,00 mm

Berthold-Schriften überzeugen durch Schärfe und Qualität. Schriftqualität ist eine Frage der Erfahrung Berthold hat diese Erfahrung seit über hundert Jahr en. Zuerst im Schriftguß dann im Fotosatz. Berthold Schriften sind weltweit geschätzt. Im Schriftenateli er München wird jeder Buchstabe in der Größe von zwölf Zentimetern neu gezeichnet. Mit messerschar fen Konturen, um für die Schriftscheiben das Optima

2,15 mm (8 p), Zeilenabstand 3,50 mm

Adrian Frutiger
1957
Haas'sche Schriftgießerei AG
H. Berthold AG

ABCDEFGHIJKLMNOPQ
RSTUVWXYZ
abcdefghijklmnopqrstuvwxyz
1/1234567890%
(.,-;:!¡?¿–)·[‘‘„”“›‹]
+−=/$£†&§*
ÄÅÆÖØŒÜäåæıöøœßü
ÁÀÂÃÇČÉÈÊËÍÌÎÏĹŇÑÓÒÔÕ
ŔŘŠŤÚÙÛŴẄÝŶŸŽ
áàâãçčéèêëíìîïĺňñóòôõŕřš
úùûŵẅýỳÿž

Berthold-Schriftweite weit
Berthold-Schriftweite normal
Berthold-Schriftweite eng
Berthold-Schriftweite sehr eng
Berthold-Schriftweite extrem eng

In general, bodytypes are measured in the typographical point size. The sizes of Berthold Fototype faces can be exactly determined. All faces of same point size have the same capi tal heigth–irrespective of their x-he igth. In hot metal and many other phototypesetting systems the capit al heigths often differ considerably from one face to the other. For meas uring point sizes, a transparent size gauge is provided. To determine the point size, bring a capital letter into coincidence with that field which p recisely circumscribes the letter at i ts upper and lower margin. Below the field you find the typographical

3,20 mm (12 p), Zeilenabstand 5,25 mm

Berthold's quick brown fox jumps over the lazy dog and feels as if he were in the seventh heaven of
3,75 mm (14 p)

Berthold's quick brown fox jumps over the lazy dog and feels as if he were in the seven
4,25 mm (16 p)

Berthold's quick brown fox jumps over the lazy dog and feels as if he were in
4,75 mm (18 p)

Berthold's quick brown fox jumps over the lazy dog and feels as if he
5,30 mm (20 p)

Berthold's quick brown fox jumps over the lazy dog and fe
6,35 mm (24 p)

Berthold's quick brown fox jumps over the lazy d
7,40 mm (28 p)

Berthold's quick brown fox jumps over the l
8,50 mm (32 p)

Berthold's quick brown fox jumps over
9,55 mm (36 p)

Berthold-Schriften überzeugen durch Schärfe und Qualität. Schriftqualität ist eine Frage der Erfahrung. Berthold hat diese Erfahrung seit ü ber hundert Jahren. Zuerst im Schriftguß, dan n im Fotosatz. Berthold-Schriften sind weltwe it geschätzt. Im Schriftenatelier München wird jeder Buchstabe in der Größe von zwölf Zentim etern neu gezeichnet. Mit messerscharfen Kon

2,40 mm (9 p), Zeilenabstand 4,00 mm

Größe mm	p	Zeilenabstand kp	Êp	Ex	100 Zeichen 0	−1	−2
1,33	5	1,69	2,06	—	73	70	67
1,60	6	2,06	2,50	2,50	86	82	78
1,86	7	2,38	2,88	3,00	99	95	91
2,15	8	2,75	3,31	3,50	112	107	102
2,40	9	3,06	3,69	4,00	125	119	113
2,65	10	3,38	4,06	4,00	138	131	124
2,92	11	3,69	4,50	—	151	144	137
3,20	12	4,06	4,94	5,25	164	156	148
3,45	13	4,38	5,31	—	177	169	161
3,72	14	4,69	5,75	—	190	181	172
3,98	15	5,06	6,13	—	203	194	185
4,25	16	5,38	6,56	—	216	206	196

WZ 13 E, NSW 0, MZB 0,52, F 0,13:0,092 (1,4), VI H 1–x 0,69–k 1,00–p 0,26–Ê 1,27–kp 1,26–Êp 1,53 BF 089 0676, Belegung 051: 085 4147 (095 4147)

Berthold-Schriften überzeugen durch Sch ärfe und Qualität. Schriftqualität ist eine F rage der Erfahrung. Berthold hat diese Erfa hrung seit über hundert Jahren. Zuerst im Schriftguß, dann im Fotosatz. Berthold-S chriften sind weltweit geschätzt. Im Sch riftenatelier München wird jeder Buchsta be in der Größe von zwölf Zentimetern neu

2,65 mm (10 p), Zeilenabstand 4,00 mm

schmalhalbfett
bold condensed
étroit demi-gras

UNIVERS 67

seminegra estrecha
neretto stretto
smal halvfet

Berthold-Schriften überzeugen durch Schärfe und Qualität. Schr
iftqualität ist eine Frage der Erfahrung. Berthold hat diese Erfahr
ung seit über hundert Jahren. Zuerst im Schriftguß, dann im Foto
satz. Berthold-Schriften sind weltweit geschätzt. Im Schriftenat
elier München wird jeder Buchstabe in der Größe von zwölf Zenti
metern neu gezeichnet. Mit messerscharfen Konturen, um für
die Schriftscheiben das Optimale an Konturenschärfe herauszuh
olen. Um die Qualität des Einzelzeichens im Belichtungsvorgang
zu bewahren, wird durch die ruhende, nicht rotierende Schriftsc

1,60 mm (6 p), Zeilenabstand 2,50 mm

Berthold-Schriften überzeugen durch Schärfe und Qualit
ät. Schriftqualität ist eine Frage der Erfahrung. Berthold
hat diese Erfahrung seit über hundert Jahren. Zuerst im
Schriftguß, dann im Fotosatz. Berthold-Schriften sind
weltweit geschätzt. Im Schriftenatelier München wird je
der Buchstabe in der Größe von zwölf Zentimetern neu ge
zeichnet. Mit messerscharfen Konturen, um für die Schri
ftscheiben das Optimale an Konturenschärfe herauszuho

1,86 mm (7 p), Zeilenabstand 3,00 mm

Berthold-Schriften überzeugen durch Schärfe und
Qualität. Schriftqualität ist eine Frage der Erfahru
ng. Berthold hat diese Erfahrung seit über hundert
Jahren. Zuerst im Schriftguß, dann im Fotosatz. Be
rthold-Schriften sind weltweit geschätzt. Im Schri
ftenatelier München wird jeder Buchstabe in der
Größe von zwölf Zentimetern neu gezeichnet. Mit
messerscharfen Konturen, um für die Schriftschei

2,15 mm (8 p), Zeilenabstand 3,50 mm

Adrian Frutiger
1957
Haas'sche Schriftgießerei AG
H. Berthold AG

ABCDEFGHIJKLMNOPQ
RSTUVWXYZ
abcdefghijklmnopqrstuvwxyz
1/1234567890%
(.,-;:!i?¿–)·[''„""›‹]
+−=/$£†*&§
ÄÅÆÖØŒÜäåæıöøœßü
ÁÀÂÃÇČÉÈÊËÍÌÎÏĹŇÑÓÒÔÕ
ŔŘŠŤÚÙÛŴẄÝỲŸŽ
áàâãçčéèêëíìîïĺňñóòôõŕřš
úùûŵẅýỳÿž

Berthold-Schriftweite weit
Berthold-Schriftweite normal
Berthold-Schriftweite eng
Berthold-Schriftweite sehr eng
Berthold-Schriftweite extrem eng

In general, bodytypes are measur
ed in the typographical point size
The sizes of Berthold Fototype fac
es can be exactly determined. All f
aces of same point size have the s
ame capital heigth–irrespective of
their x-heigth. In hot metal and ma
ny other phototypesetting syste
ms the capital heigths often differ
considerably from one face to the
other. For measuring point sizes
a transparent size gauge is provid
ed. To determine the point size, br
ing a capital letter into coincidenc
e with that field which precisely ci
rcumscribes the letter at its upper
and lower margin. Below the field

3,20 mm (12 p), Zeilenabstand 5,25 mm

Berthold's quick brown fox jumps over the lazy dog and feels as if he were in the seventh heav
3,75 mm (14 p)

Berthold's quick brown fox jumps over the lazy dog and feels as if he were in the se
4,25 mm (16 p)

Berthold's quick brown fox jumps over the lazy dog and feels as if he were
4,75 mm (18 p)

Berthold's quick brown fox jumps over the lazy dog and feels as if
5,30 mm (20 p)

Berthold's quick brown fox jumps over the lazy dog and
6,35 mm (24 p)

Berthold's quick brown fox jumps over the lazy
7,40 mm (28 p)

Berthold's quick brown fox jumps over the
8,50 mm (32 p)

Berthold's quick brown fox jumps ov
9,55 mm (36 p)

Berthold-Schriften überzeugen durch Schärf
e und Qualität. Schriftqualität ist eine Frage
der Erfahrung. Berthold hat diese Erfahrung
seit über hundert Jahren. Zuerst im Schriftg
uß, dann im Fotosatz. Berthold-Schriften sin
d weltweit geschätzt. Im Schriftenatelier M
ünchen wird jeder Buchstabe in der Größe vo
n zwölf Zentimetern neu gezeichnet. Mit me

2,40 mm (9 p), Zeilenabstand 4,00 mm

Größe mm	p	Zeilenabstand kp	Êp	Ex	100 Zeichen 0	−1	−2
1,33	5	1,69	2,06	–	76	73	70
1,60	6	2,00	2,44	2,50	90	86	82
1,86	7	2,38	2,88	3,00	103	99	95
2,15	8	2,69	3,31	3,50	117	112	107
2,40	9	3,00	3,69	4,00	131	125	119
2,65	10	3,31	4,06	4,00	144	137	130
2,92	11	3,69	4,50	–	158	151	144
3,20	12	4,00	4,88	5,25	171	163	155
3,45	13	4,31	5,25	–	185	177	169
3,72	14	4,69	5,69	–	198	189	180
3,98	15	5,00	6,06	–	212	203	194
4,25	16	5,31	6,50	–	225	215	205

WZ 12 E, NSW 0, MZB 0,54, F 0,20:0,11 (1,7), VI
H 1–x 0,69–k 1,00–p 0,25–Ê 1,27 kp 1,25–Êp 1,52
BF 089 0677, Belegung 051: 085 4148 (095 4148)

Berthold-Schriften überzeugen durch Sc
härfe und Qualität. Schriftqualität ist ein
e Frage der Erfahrung. Berthold hat diese
Erfahrung seit über hundert Jahren. Zuer
st im Schriftguß, dann im Fotosatz. B
erthold-Schriften sind weltweit geschät
zt. Im Schriftenatelier München wird jed
er Buchstabe in der Größe von zwölf Zent

2,65 mm (10 p), Zeilenabstand 4,00 mm

kursiv schmalhalbfett
bold condensed italic
italique demi-gras

UNIVERS 68

seminegra estrecha cursiva
neretto stretto corsivo
kursiv smalhalvfet

Berthold-Schriften überzeugen durch Schärfe und Qualität. Schr iftqualität ist eine Frage der Erfahrung. Berthold hat diese Erfahr ung seit über hundert Jahren. Zuerst im Schriftguß, dann im Fot osatz. Berthold-Schriften sind weltweit geschätzt. Im Schriftena telier München wird jeder Buchstabe in der Größe von zwölf Zent imetern neu gezeichnet. Mit messerscharfen Konturen, um für die Schriftscheiben das Optimale an Konturenschärfe herauszuh olen. Um die Qualität des Einzelzeichens im Belichtungsvorgang zu bewahren, wird durch die ruhende, nicht rotierende Schriftsc

1,60 mm (6 p), Zeilenabstand 2,50 mm

Berthold-Schriften überzeugen durch Schärfe und Qualit ät. Schriftqualität ist eine Frage der Erfahrung. Berthold hat diese Erfahrung seit über hundert Jahren. Zuerst im Schriftguß, dann im Fotosatz. Berthold-Schriften sind weltweit geschätzt. Im Schriftenatelier München wird je der Buchstabe in der Größe von zwölf Zentimetern neu ge zeichnet. Mit messerscharfen Konturen, um für die Schr iftscheiben das Optimale an Konturenschärfe herauszuh

1,86 mm (7 p), Zeilenabstand 3,00 mm

Berthold-Schriften überzeugen durch Schärfe und Qualität. Schriftqualität ist eine Frage der Erfahru ng. Berthold hat diese Erfahrung seit über hundert Jahren. Zuerst im Schriftguß dann im Fotosatz. Be rthold-Schriften sind weltweit geschätzt. Im Schri ftenatelier München wird jeder Buchstabe in der Größe von zwölf Zentimetern neu gezeichnet. Mit messerscharfen Konturen, um für die Schriftschei

2,15 mm (8 p), Zeilenabstand 3,50 mm

Adrian Frutiger
1957
Haas'sche Schriftgießerei AG
H. Berthold AG

ABCDEFGHIJKLMNOPQ
RSTUVWXYZ
abcdefghijklmnopqrstuvwxyz
1/1234567890%
(.,-;:!¡?¿–)·[’„“”›‹]
+–=/$£†&§*
ÄÅÆÖØŒÜäåæıöøœßü
ÁÀÂÃÇČÉÈÊËÍÌÎÏĹŇÑÓÒÔÕ
ŔŘŠŤÚÙÛŴẄÝỲŸŽ
áàâãçčéèêëíìîïĺňñóòôõŕřš
úùûŵẅýỳÿž

Berthold-Schriftweite weit
Berthold-Schriftweite normal
Berthold-Schriftweite eng
Berthold-Schriftweite sehr eng
Berthold-Schriftweite extrem eng

In general, bodytypes are measur ed in the typographical point size The sizes of Berthold Fototype fac es can be exactly determined. All faces of same point size have the same capital heigth–irrespective of their x-heigth. In hot metal and many other phototypesetting syst ems the capital heigths often diffe r considerably from one face to the other. For measuring point sizes a transparent size gauge is provid ed. To determine the point size, br ing a capital letter into coincidenc e with that field which precisely ci rcumscribes the letter at its upper and lower margin. Below the field

3,20 mm (12 p), Zeilenabstand 5,25 mm

Berthold's quick brown fox jumps over the lazy dog and feels as if he were in the seventh heav
3,75 mm (14 p)

Berthold's quick brown fox jumps over the lazy dog and feels as if he were in the se
4,25 mm (16 p)

Berthold's quick brown fox jumps over the lazy dog and feels as if he were
4,75 mm (18 p)

Berthold's quick brown fox jumps over the lazy dog and feels as if
5,30 mm (20 p)

Berthold's quick brown fox jumps over the lazy dog and
6,35 mm (24 p)

Berthold's quick brown fox jumps over the lazy
7,40 mm (28 p)

Berthold's quick brown fox jumps over the
8,50 mm (32 p)

Berthold's quick brown fox jumps ov
9,55 mm (36 p)

Berthold-Schriften überzeugen durch Schär fe und Qualität. Schriftqualität ist eine Frage der Erfahrung. Berthold hat diese Erfahrung seit über hundert Jahren. Zuerst im Schriftg uß, dann im Fotosatz. Berthold-Schriften sin d weltweit geschätzt. Im Schriftenatelier Mü nchen wird jeder Buchstabe in der Größe von zwölf Zentimetern neu gezeichnet. Mit mess

2,40 mm (9 p), Zeilenabstand 4,00 mm

Größe mm	p	Zeilenabstand kp	Êp	Ex	100 Zeichen 0	−1	−2
1,33	5	1,69	2,00	—	76	73	70
1,60	6	2,00	2,44	2,50	90	86	82
1,86	7	2,38	2,81	3,00	103	99	95
2,15	8	2,69	3,25	3,50	117	112	107
2,40	9	3,00	3,63	4,00	131	125	119
2,65	10	3,31	4,00	4,00	144	137	130
2,92	11	3,69	4,38	—	158	151	144
3,20	12	4,00	4,81	5,25	171	163	155
3,45	13	4,31	5,19	—	185	177	169
3,72	14	4,69	5,56	—	198	189	180
3,98	15	5,00	5,94	—	212	203	194
4,25	16	5,31	6,38	—	225	215	205

WZ 13 E, NSW 0, MZB 0,54, F 0,19:0,12 (1,6), VI
H 1–x 0,70–k 1,00–p 0,25–Ê 1,24–kp 1,25–Êp 1,49
BF 089 0678, Belegung 051: 085 4149 (095 4149)

Berthold-Schriften überzeugen durch Sc härfe und Qualität. Schriftqualität ist ein e Frage der Erfahrung. Berthold hat diese Erfahrung seit über hundert Jahren. Zue rst im Schriftguß, dann im Fotosatz. B erthold-Schriften sind weltweit geschät zt. Im Schriftenatelier München wird jed er Buchstabe in der Größe von zwölf Zent

2,65 mm (10 p), Zeilenabstand 4,00 mm

breit
medium expanded
large

UNIVERS 53

ancha
largo
bred

Berthold-Schriften überzeugen durch Schärfe und Qualität. Schriftqualität ist eine Frage der Er fahrung. Berthold hat diese Erfahrung seit über hundert Jahren. Zuerst im Schriftguß, dann im Fotosatz. Berthold-Schriften sind weltweit ges chätzt. Im Schriftenatelier München wird jeder Buchstabe in der Größe von zwölf Zentimetern neu gezeichnet. Mit messerscharfen Konturen um für die Schriftscheiben das Optimale an Kon

1,60 mm (6 p), Zeilenabstand 2,50 mm

Berthold-Schriften überzeugen durch Sc härfe und Qualität. Schriftqualität ist eine Frage der Erfahrung. Berthold hat diese Erfahrung seit über hundert Jahren. Zuer st im Schriftguß, dann im Fotosatz. Berth old-Schriften sind weltweit geschätzt. Im Schriftenatelier München wird jeder Buc hstabe in der Größe von zwölf Zentimete

1,86 mm (7 p), Zeilenabstand 3,00 mm

Berthold-Schriften überzeugen dur ch Schärfe und Qualität. Schriftquali tät ist eine Frage der Erfahrung. Bert hold hat diese Erfahrung seit über hundert Jahren. Zuerst im Schriftg uß, dann im Fotosatz. Berthold-Schr iften sind weltweit geschätzt. Im Sch riftenatelier München wird jeder Bu

2,15 mm (8 p), Zeilenabstand 3,50 mm

Adrian Frutiger
1957
Haas'sche Schriftgießerei
H. Berthold AG

ABCDEFGHIJKLMNOPQ
RSTUVWXYZ
abcdefghijklmnopqrstuvw
xyz 1/1 234567890%
(.,-;:!¡?¿–)·[‘’„“”›‹]
+−=/$£†*&§
ÄÅÆÖØŒÜäåæıöøœßü
ÁÀÂÃÇČÉÈÊËÍÌÎÏĹŇÑÓÒÔÕ
ŔŘŠŤÚÙÛŴẀÝŶŸŽ
áàâãçčéèêëíìîïľňñóòôõŕřš
úùûŵẁýŷÿž

Berthold-Schriftweite weit
Berthold-Schriftweite normal
Berthold-Schriftweite eng
Berthold-Schriftweite sehr eng
Berthold-Schriftweite extrem eng

In general, bodytypes ar e measured in the typog raphical point size. The s izes of Berthold Fototype faces can be exactly det ermined. All faces of sa me point size have the s ame capital height–irre spective of their x-heigh t. In hot metal and many other phototypesetting systems the capital hei ghts often differ consid erably from one face to t he other. For measuring point sizes a transparent size gauge is provided. T

3,20 mm (12 p), Zeilenabstand 5,25 mm

Berthold's quick brown fox jumps over the lazy dog and feels as if h
3,75 mm (14 p)

Berthold's quick brown fox jumps over the lazy dog and fe
4,25 mm (16 p)

Berthold's quick brown fox jumps over the lazy dog
4,75 mm (18 p)

Berthold's quick brown fox jumps over the lazy
5,30 mm (20 p)

Berthold's quick brown fox jumps over
6,35 mm (24 p)

Berthold's quick brown fox jumps
7,40 mm (28 p)

Berthold's quick brown fox ju
8,50 mm (32 p)

Berthold's quick brown fo
9,55 mm (36 p)

Berthold-Schriften überzeugen durch Schärfe und Qualität. Schr iftqualität ist eine Frage der Erfa hrung. Berthold hat diese Erfahr ung seit über hundert Jahren. Z uerst im Schriftguß, dann im Fot osatz. Berthold-Schriften sind w eltweit geschätzt. Im Schriftenat

2,40 mm (9 p), Zeilenabstand 4,00 mm

Größe		Zeilenabstand			100 Zeichen		
mm	p	kp	Êp	Ex	0	−1	−2
1,33	5	1,69	2,06	—	107	104	101
1,60	6	2,06	2,50	2,50	126	122	118
1,86	7	2,38	2,88	3,00	145	141	137
2,15	8	2,75	3,31	3,50	165	160	155
2,40	9	3,06	3,69	4,00	185	179	193
2,65	10	3,38	4,06	4,00	204	197	190
2,92	11	3,69	4,50	—	223	216	209
3,20	12	4,06	4,94	5,25	242	234	226
3,45	13	4,38	5,31	—	261	253	245
3,72	14	4,69	5,75	—	280	271	262
3,98	15	5,06	6,13	—	299	290	281
4,25	16	5,38	6,56	—	318	308	298

WZ 17 E, NSW 0, MZB 0,77, F 0,13:0,092 (1,5), VI H 1–x 0,69–k 1,00–p 0,26–Ê 1,27–kp 1,26–Êp 1,53 BF 089 0679, Belegung 051: 085 4071 (095 4071)

Berthold-Schriften überzeug en durch Schärfe und Qualitä t. Schriftqualität ist eine Frage der Erfahrung. Berthold hat d iese Erfahrung seit über hun dert Jahren. Zuerst im Schrift guß, dann im Fotosatz. Berth old-Schriften sind weltweit g

2,65 mm (10 p), Zeilenabstand 4,00 mm

breithalbfett
bold expanded
large demi-gras

UNIVERS 63

seminegra ancha
neretto largo
bredhalvfet

Berthold-Schriften überzeugen durch Schä rfe und Qualität. Schriftqualität ist eine Frag e der Erfahrung. Berthold hat diese Erfahrun g seit über hundert Jahren. Zuerst im Schrift guß, dann im Fotosatz. Berthold-Schriften s ind weltweit geschätzt. Im Schriftenatelier München wird jeder Buchstabe in der Größe von zwölf Zentimetern neu gezeichnet. Mit messerscharfen Konturen, um für die Schrif

1,60 mm (6 p), Zeilenabstand 2,50 mm

Berthold-Schriften überzeugen durch Schärfe und Qualität. Schriftqualität i st eine Frage der Erfahrung. Berthold hat diese Erfahrung seit über hundert Jahren. Zuerst im Schriftguß, dann im Fotosatz. Berthold-Schriften sind wel tweit geschätzt. Im Schriftenatelier M ünchen wird jeder Buchstabe in der Gr

1,86 mm (7 p), Zeilenabstand 3,00 mm

Berthold-Schriften überzeugen d urch Schärfe und Qualität. Schrift qualität ist eine Frage der Erfahru ng. Berthold hat diese Erfahrung seit über hundert Jahren. Zuerst i m Schriftguß, dann im Fotosatz Berthold-Schriften sind weltweit geschätzt. Im Schriftenatelier Mü

2,15 mm (8 p), Zeilenabstand 3,50 mm

Adrian Frutiger
1957
Haas'sche Schriftgießerei
H. Berthold AG

ABCDEFGHIJKLMNOPQ
RSTUVWXYZ
abcdefghijklmnopqrstuvw
xyz+−=/$£†*&§
1/1234567890%
(.,-;:!¡?¿–)·['„""›‹]
ÄÅÆÖØŒÜäåæıöøœßü
ÁÀÂÃÇČÉÈÊËÍÌÎÏĹŇÑÓÒÔ
ÕŔŘŠŤÚÙÛŴẄÝỲŸŽ
áàâãçčéèêëíìîïĺňñóòôõŕřš
úùûŵẅýỳÿž

Schriftweite weit
Schriftweite normal
Schriftweite eng
Schriftweite sehr eng
Schriftweite extrem eng

In general, bodytypes are measured in the ty pographical point size The sizes of Berthold F ototype faces can be e xactly determined. All faces of same point siz e have the same capit al height–irrespective of their x-height. In hot metal and many other phototypesetting sys tems the capital heigh ts often differ conside rably from one face to the other. For measuri ng point sizes, a transp

3,20 mm (12 p), Zeilenabstand 5,25 mm

Berthold's quick brown fox jumps over the lazy dog and feels
3,75 mm (14 p)

Berthold's quick brown fox jumps over the lazy dog an
4,25 mm (16 p)

Berthold's quick brown fox jumps over the lazy
4,75 mm (18 p)

Berthold's quick brown fox jumps over the l
5,30 mm (20 p)

Berthold's quick brown fox jumps o
6,35 mm (24 p)

Berthold's quick brown fox ju
7,40 mm (28 p)

Berthold's quick brown fox
8,50 mm (32 p)

Berthold's quick brown f
9,55 mm (36 p)

Berthold-Schriften überzeuge n durch Schärfe und Qualität Schriftqualität ist eine Frage der Erfahrung. Berthold hat di ese Erfahrung seit über hunde rt Jahren. Zuerst im Schriftgu ß, dann im Fotosatz. Berthold Schriften sind weltweit gesc

2,40 mm (9 p), Zeilenabstand 4,00 mm

Größe		Zeilenabstand			100 Zeichen		
mm	p	kp	Êp	Ex	0	−1	−2
1,33	5	1,69	2,06	–	115	112	109
1,60	6	2,00	2,44	2,50	135	131	127
1,86	7	2,38	2,88	3,00	156	152	148
2,15	8	2,69	3,31	3,50	177	172	167
2,40	9	3,00	3,69	4,00	198	192	186
2,65	10	3,31	4,06	4,00	219	212	205
2,92	11	3,69	4,50	–	239	232	225
3,20	12	4,00	4,88	5,25	259	251	243
3,45	13	4,31	5,25	–	280	272	264
3,72	14	4,69	5,69	–	300	291	282
3,98	15	5,00	6,06	–	320	311	302
4,25	16	5,31	6,50	–	341	331	321

WZ 17 E, NSW 0, MZB 0,82, F 0,20:0,12 (1,6), VI
H 1-x 0,70-k 1,00-p 0,25-Ê 1,27-kp 1,25-Êp 1,52
BF 089 0680, Belegung 051: 085 4075 (095 4075)

Berthold-Schriften überzeu gen durch Schärfe und Qa alität. Schriftqualität ist ein e Frage der Erfahrung. Ber thold hat diese Erfahrung s eit über hundert Jahren. Zu erst im Schriftguß, dann im Fotosatz. Berthold-Schrifte

2,65 mm (10 p), Zeilenabstand 4,00 mm

breitfett
ultra bold expanded
large gras

UNIVERS 73

negra ancha
nero largo
bredfet

Berthold-Schriften überzeugen durch Schärfe und Qualität. Schriftqualität ist eine Frage der Erfahrung. Berthold hat diese Erfahrung seit über hundert Jahren. Zuerst im Schriftguß, dann im Fotosatz. Berthold-Schriften sind weltweit geschätzt. Im Schriftenatelier München wird jeder Buchstabe in der Größe von zwölf Zentimetern neu gezeichnet. Mit messerscharfen Konturen, um f

1,60 mm (6 p), Zeilenabstand 2,50 mm

Berthold-Schriften überzeugen durch Schärfe und Qualität. Schriftqualität ist eine Frage der Erfahrung. Berthold hat diese Erfahrung seit über hundert Jahren. Zuerst im Schriftguß, dann im Fotosatz. Berthold-Schriften sind weltweit geschätzt. Im Schriftenatelier München wird jeder Buchstabe in d

1,86 mm (7 p), Zeilenabstand 3,00 mm

Berthold-Schriften überzeugen durch Schärfe und Qualität. Schriftqualität ist eine Frage der Erfahrung. Berthold hat diese Erfahrung seit über hundert Jahren. Zuerst im Schriftguß, dann im Fotosatz. Berthold-Schriften sind weltweit geschätzt. Im Schriftenatel

2,15 mm (8 p), Zeilenabstand 3,50 mm

Adrian Frutiger
1957
Haas'sche Schriftgießerei
H. Berthold AG

ABCDEFGHIJKLMNOPQ
RSTUVWXYZ
abcdefghijklmnopqrstuvw
xyz+−=/$£†*&§
1/1234567890%
(.,-;:!¡?¿–)·['',,""›‹]
ÄÅÆÖØŒÜäåæıöøœßü
ÁÀÂÃÇČÉÈÊËÍÌÎÏĹŇÑÓÒÔÕ
ŔŘŠŤÚÙÛŴẄÝŶŸŽ
áàâãçčéèêëíìîïĺňñóòôõŕřš
úùûŵẅýỳÿž

Schriftweite weit
Schriftweite normal
Schriftweite eng
Schriftweite sehr eng
Schriftweite extrem eng

In general, bodytypes are measured in the typographical point size The sizes of Berthold Fototype faces can be exactly determined. All faces of same point size have the same capital heigth–irrespective of their x-heigth. In hot metal and many other phototypesetting systems the capital heigths often differ considerably from one face to the other. For measuring point sizes, bring

3,20 mm (12 p), Zeilenabstand 5,25 mm

Berthold's quick brown fox jumps over the lazy dog and feels
3,75 mm (14 p)

Berthold's quick brown fox jumps over the lazy dog a
4,25 mm (16 p)

Berthold's quick brown fox jumps over the lazy
4,75 mm (18 p)

Berthold's quick brown fox jumps over the
5,30 mm (20 p)

Berthold's quick brown fox jumps o
6,35 mm (24 p)

Berthold's quick brown fox ju
7,40 mm (28 p)

Berthold's quick brown fox
8,50 mm (32 p)

Berthold's quick brown f
9,55 mm (36 p)

Berthold-Schriften überzeugen durch Schärfe und Qualität Schriftqualität ist eine Frage der Erfahrung. Berthold hat diese Erfahrung seit über hundert Jahren. Zuerst im Schriftguß, dann im Fotosatz. Berthold-Schriften sind weltweit ge

2,40 mm (9 p), Zeilenabstand 4,00 mm

Größe		Zeilenabstand			100 Zeichen		
mm	p	kp	Êp	Ex	0	−1	−2
1,33	5	1,69	2,06	—	116	113	110
1,60	6	2,00	2,44	2,50	137	133	129
1,86	7	2,38	2,88	3,00	158	154	150
2,15	8	2,69	3,31	3,50	179	174	169
2,40	9	3,00	3,69	4,00	200	194	188
2,65	10	3,31	4,06	4,00	221	214	207
2,92	11	3,69	4,50	—	242	235	228
3,20	12	4,00	4,88	5,25	262	254	246
3,45	13	4,31	5,25	—	283	275	267
3,72	14	4,69	5,69	—	303	294	285
3,98	15	5,00	6,06	—	324	315	306
4,25	16	5,31	6,50	—	345	335	325

WZ 18 E, NSW −1, MZB 0,83, F 0,25:0,14 (1,8), VI
H 1–x 0,70–k 1,00–p 0,25–Ê 1,27–kp 1,25–Êp 1,52
BF 089 0681, Belegung 051: 085 4078 (095 4078)

Berthold-Schriften überzeugen durch Schärfe und Qualität. Schriftqualität ist eine Frage der Erfahrung Berthold hat diese Erfahrung seit über hundert Jahren. Zuerst im Schriftguß, dann im Fotosatz. Berthold

2,65 mm (10 p), Zeilenabstand 4,00 mm

breit extrafett
ultra bold expanded
large extra gras

UNIVERS 83

muy negra ancha
nerissimo largo
bred extrafet

Berthold-Schriften überzeugen durch Sc härfe und Qualität. Schriftqualität ist eine Frage der Erfahrung. Berthold hat diese E rfahrung seit über hundert Jahren. Zuerst im Schriftguß, dann im Fotosatz. Berthol d-Schriften sind weltweit geschätzt. Im S chriftenatelier München wird jeder Buch stabe in der Größe von zwölf Zentimetern neu gezeichnet. Mit messerscharfen Kon

1,60 mm (6 p), Zeilenabstand 2,50 mm

Berthold-Schriften überzeugen dur ch Schärfe und Qualität. Schriftqua lität ist eine Frage der Erfahrung. Be rthold hat diese Erfahrung seit über hundert Jahren. Zuerst im Schriftg uß, dann im Fotosatz. Berthold-Sch riften sind weltweit geschätzt. Im S chriftenatelier München wird jeder

1,86 mm (7 p), Zeilenabstand 3,00 mm

Berthold-Schriften überzeugen durch Schärfe und Qualität. Sc hriftqualität ist eine Frage der E rfahrung. Berthold hat diese Erf ahrung seit über hundert Jahre n. Zuerst im Schriftguß, dann im Fotosatz. Berthold-Schriften si nd weltweit geschätzt. Im Schri

2,15 mm (8 p), Zeilenabstand 3,50 mm

Adrian Frutiger
1957
Haas'sche Schriftgießerei
H. Berthold AG

ABCDEFGHIJKLMNOPQ
RSTUVWXYZ
abcdefghijklmnopqrst
uvwxyz+−=/$£†*&§
1/1234567890%
(.,-;:!i?¿–)·[‘‚„“”›‹]
ÄÅÆÖØŒÜäåæıöøœßü
ÁÀÂÃÇČÉÈÊËÍÌÎÏĹŇÑÓÒ
ÔÕŔŘŠŤÚÙÛŴẄÝỲŸŽ
áàâãçčéèêëíìîïĺňñóòôõŕř
šúùûŵẅýỳÿž

Schriftweite weit
Schriftweite normal
Schriftweite eng
Schriftweite sehr eng
Schriftweite extrem eng

In general, bodytypes are measured in the t ypographical point s ize. The sizes of Bert hold Fototype faces c an be exactly determ ined. All faces of sam e point size have the same capital heigth–i rrespective of their x heigth. In hot metal and many other phot otypesetting systems the capital heigths of ten differ considerab ly from one face to th e other. For measurin

3,20 mm (12 p), Zeilenabstand 5,25 mm

Berthold's quick brown fox jumps over the lazy dog and fe
3,75 mm (14 p)

Berthold's quick brown fox jumps over the lazy dog
4,25 mm (16 p)

Berthold's quick brown fox jumps over the la
4,75 mm (18 p)

Berthold's quick brown fox jumps over t
5,30 mm (20 p)

Berthold's quick brown fox jumps
6,35 mm (24 p)

Berthold's quick brown fox j
7,40 mm (28 p)

Berthold's quick brown f
8,50 mm (32 p)

Berthold's quick brow
9,55 mm (36 p)

Berthold-Schriften überzeu gen durch Schärfe und Qual ität. Schriftqualität ist eine Frage der Erfahrung. Bertho ld hat diese Erfahrung seit ü ber hundert Jahren. Zuerst im Schriftguß, dann im Foto satz. Berthold-Schriften sin

2,40 mm (9 p), Zeilenabstand 4,00 mm

Größe		Zeilenabstand			100 Zeichen		
mm	p	kp	Êp	Ex	0	−1	−2
1,33	5	1,69	2,00	–	121	118	115
1,60	6	2,00	2,44	2,50	142	138	134
1,86	7	2,31	2,81	3,00	164	160	156
2,15	8	2,69	3,25	3,50	186	181	176
2,40	9	3,00	3,63	4,00	208	202	196
2,65	10	3,31	4,00	4,00	230	223	216
2,92	11	3,63	4,44	–	251	244	237
3,20	12	4,00	4,81	5,25	272	264	256
3,45	13	4,31	5,19	–	294	286	278
3,72	14	4,63	5,63	–	315	306	297
3,98	15	4,94	6,00	–	337	328	319
4,25	16	5,31	6,38	–	358	348	338

WZ 18 E, NSW −1, MZB 0,87, F 0,32:0,15 (2,2), VI H 1–x 0,69–k 1,00–p 0,26–Ê 1,24–kp 1,24–Êp 1,50 BF 089 0682, Belegung 051: 085 4151 (095 4151)

Berthold-Schriften überz eugen durch Schärfe und Qualität. Schriftqualität i st eine Frage der Erfahru ng. Berthold hat diese Erf ahrung seit über hundert Jahren. Zuerst im Schrift guß, dann im Fotosatz. B

2,65 mm (10 p), Zeilenabstand 4,00 mm

Buch
book
romain labeur

USHERWOOD

libro
libro
buch

Berthold-Schriften überzeugen durch Schärfe und Qualität. Schr
iftqualität ist eine Frage der Erfahrung. Berthold hat diese Erfahru
ng seit über hundert Jahren. Zuerst im Schriftguß, dann im Fotosa
tz. Berthold-Schriften sind weltweit geschätzt. Im Schriftenatelier
München wird jeder Buchstabe in der Größe von zwölf Zentimete
rn neu gezeichnet. Mit messerscharfen Konturen, um für die Schr
iftscheiben das Optimale an Konturenschärfe herauszuholen. Um
die Qualität des Einzelzeichens im Belichtungsvorgang zu bewa
hren, wird durch die ruhende, nicht rotierende Schriftscheibe bel

1,33 mm (5 p) 20 30 40 50 6

Berthold-Schriften überzeugen durch Schärfe und Qualität
Schriftqualität ist eine Frage der Erfahrung. Berthold hat dies
e Erfahrung seit über hundert Jahren. Zuerst im Schriftguß, d
ann im Fotosatz. Berthold-Schriften sind weltweit geschätzt
Im Schriftenatelier München wird jeder Buchstabe in der Gr
öße von zwölf Zentimetern neu gezeichnet. Mit messerschar
fen Konturen, um für die Schriftscheiben das Optimale an K
onturenschärfe herauszuholen. Um die Qualität des Einzelze
ichens im Belichtungsvorgang zu bewahren, wird durch die r

1,45 mm (5,5 p) 20 30 40 50

Berthold-Schriften überzeugen durch Schärfe und Qua
lität. Schriftqualität ist eine Frage der Erfahrung. Bertho
ld hat diese Erfahrung seit über hundert Jahren. Zuerst i
m Schriftguß, dann im Fotosatz. Berthold-Schriften sind
weltweit geschätzt. Im Schriftenatelier München wird j
eder Buchstabe in der Größe von zwölf Zentimetern neu
gezeichnet. Mit messerscharfen Konturen, um für die S
chriftscheiben das Optimale an Konturenschärfe hera
uszuholen. Um die Qualität des Einzelzeichens im Belic

1,60 mm (6 p) 20 30 40 50

Berthold-Schriften überzeugen durch Schärfe und
Qualität. Schriftqualität ist eine Frage der Erfahrun
g. Berthold hat diese Erfahrung seit über hundert J
ahren. Zuerst im Schriftguß, dann im Fotosatz. Bert
hold-Schriften sind weltweit geschätzt. Im Schrifte
natelier München wird jeder Buchstabe in der Grö
ße von zwölf Zentimetern neu gezeichnet. Mit mes
serscharfen Konturen, um für die Schriftscheiben
das Optimale an Konturenschärfe herauszuhole

1,75 mm (6,5 p) 20 30 40

Berthold-Schriften überzeugen durch Schärfe u
nd Qualität. Schriftqualität ist eine Frage der Erf
ahrung. Berthold hat diese Erfahrung seit über h
undert Jahren. Zuerst im Schriftguß, dann im Fo
tosatz. Berthold-Schriften sind weltweit geschä
tzt. Im Schriftenatelier München wird jeder Buc
hstabe in der Größe von zwölf Zentimetern neu
gezeichnet. Mit messerscharfen Konturen, um f
ür die Schriftscheiben das Optimale an Konture

1,86 mm (7 p) 20 30 40

Berthold-Schriften überzeugen durch Schärf
e und Qualität. Schriftqualität ist eine Frage d
er Erfahrung. Berthold hat diese Erfahrung se
it über hundert Jahren. Zuerst im Schriftguß
dann im Fotosatz. Berthold-Schriften sind we
ltweit geschätzt. Im Schriftenatelier München
wird jeder Buchstabe in der Größe von zwölf
Zentimetern neu gezeichnet. Mit messerscha
rfen Konturen, um für die Schriftscheiben das

2,00 mm (7,5 p) 20 30 40

Berthold-Schriften überzeugen durch Sch
ärfe und Qualität. Schriftqualität ist eine Fr
age der Erfahrung. Berthold hat diese Erfa
hrung seit über hundert Jahren. Zuerst im
Schriftguß, dann im Fotosatz. Berthold-Sc
hriften sind weltweit geschätzt. Im Schrift
enatelier München wird jeder Buchstabe in
der Größe von zwölf Zentimetern neu gez
eichnet. Mit messerscharfen Konturen, um

2,15 mm (8 p) 20 30

Leslie Usherwood
1984
International Typeface Corp.
H. Berthold AG

ABCDEFGHIJKLMNOPQ
RSTUVWXYZ
abcdefghijklmnopqrstuvwxyz
1/1234567890%
(.,-;:!¡?¿–)·['‘„”“»«]
+−=/$£†*&§
ÄÅÆÖØŒÜäåæıöøœßü
ÁÀÂÃÇČÉÈÊËÍÌÎÏĹŇÑÓÒÔÕ
ŔŘŠŤÚÙÛŴẄÝŶŸŽ
áàâãçčéèêëíìîïĺňñóòôõŕřš
úùûŵẅýỳÿž

Berthold-Schriftweite weit
Berthold-Schriftweite normal
Berthold-Schriftweite eng
Berthold-Schriftweite sehr eng
Berthold-Schriftweite extrem eng

Berthold
3,72 mm (14 p)

Berthold
4,25 mm (16 p)

Berthold
4,75 mm (18 p)

Berthold
5,30 mm (20 p)

Berthold
6,35 mm (24 p)

Berthold
7,40 mm (28 p)

Berthold
8,50 mm (32 p)

Berthold
9,55 mm (36 p)

Größe mm	p	Zeilenabstand kp	Êp	Ex	100 Zeichen 0	−1	−2
1,33	5	2,00	2,19	2,00	93	90	87
1,60	6	2,38	2,63	2,50	109	105	101
1,86	7	2,75	3,00	3,00	126	122	118
2,15	8	3,19	3,50	3,50	143	138	133
2,40	9	3,56	3,88	3,75	160	154	148
2,65	10	3,88	4,31	4,25	177	170	163
2,92	11	4,31	4,75	4,75	193	186	179
3,20	12	4,69	5,19	5,25	209	201	193
3,45	13	5,06	5,56	5,75	226	218	210
3,72	14	5,44	6,00	–	242	233	224
3,98	15	5,88	6,44	–	259	250	241
4,25	16	6,25	6,88	–	275	265	255

WZ 14 E, NSW 0, MZB 0,67, F 0,10:0,05 (1,9), II
H 1–x 0,74–k 1,08–p 0,38–Ê 1,23–kp 1,46–Êp 1,61
BF 089 1443, Belegung 051: 085 1560 (095 1560)

Berthold-Schriften überzeugen durch
Schärfe und Qualität. Schriftqualität i
st eine Frage der Erfahrung. Berthold
hat diese Erfahrung seit über hundert
Jahren. Zuerst im Schriftguß, dann im
Fotosatz. Berthold-Schriften sind welt
weit geschätzt. Im Schriftenatelier Mü
nchen wird jeder Buchstabe in der Gr

2,40 mm (9 p) 20 30

Berthold-Schriften überzeugen du
rch Schärfe und Qualität. Schriftq
ualität ist eine Frage der Erfahrung
Berthold hat diese Erfahrung seit
über hundert Jahren. Zuerst im Sc
hriftguß, dann im Fotosatz. Bertho
ld-Schriften sind weltweit geschä
tzt. Im Schriftenatelier München w

2,65 mm (10 p) 10 20 30

Berthold-Schriften überzeugen
durch Schärfe und Qualität. Sc
hriftqualität ist eine Frage der E
rfahrung. Berthold hat diese E
rfahrung seit über hundert Jahr
en. Zuerst im Schriftguß, dann i
m Fotosatz. Berthold-Schriften
sind weltweit geschätzt. Im Sch

2,92 mm (11 p) 10 20

Berthold-Schriften überzeug
en durch Schärfe und Qualit
ät. Schriftqualität ist eine Fra
ge der Erfahrung. Berthold h
at diese Erfahrung seit über
hundert Jahren. Zuerst im Sc
hriftguß, dann im Fotosatz. B
erthold-Schriften sind weltw

3,20 mm (12 p) 10 20

Berthold-Schriften überze
ugen durch Schärfe und Q
ualität. Schriftqualität ist ei
ne Frage der Erfahrung. Be
rthold hat diese Erfahrung
seit über hundert Jahren. Z
uerst im Schriftguß, dann i
m Fotosatz. Berthold-Schri

3,45 mm (13 p) 10 20

Buch
book
romain labeur

USHERWOOD

libro
libro
buch

Berthold-Schriften überzeugen durch Schärfe und Qualität. Schriftq ualität ist eine Frage der Erfahrung. Berthold hat diese Erfahrung seit über hundert Jahren. Zuerst im Schriftguß, dann im Fotosatz. Berthol d-Schriften sind weltweit geschätzt. Im Schriftenatelier München w ird jeder Buchstabe in der Größe von zwölf Zentimetern neu gezeic hnet. Mit messerscharfen Konturen, um für die Schriftscheiben das Optimale an Konturenschärfe herauszuholen. Um die Qualität des Ei nzelzeichens im Belichtungsvorgang zu bewahren, wird durch die ru hende, nicht rotierende Schriftscheibe belichtet. Dieses optische Syst

4,25 mm (16 p), Zeilenabstand 6,75 mm

USHERWOOD BOOK

In general, bodytypes are measured in the typ ographical point size. The sizes of Berthold Fot otype faces can be exactly determined. All face s of same point size have the same capital heig ht-irrespective of their x-height. In hot metal a nd many other phototypesetting systems the capital heights often differ considerably from o ne face to the other. For measuring point sizes, a transparent size gauge is provided. To determi ne the point size, bring a capital letter into coin cidence with that field which precisely circum scribes the letter at its upper and lower margin Below the field you find the typographical point and below that the millimeter value, which also refers to the height of a capital letter. In Berthol d-phototypesetting, the typewidth can be mo dified. The standard setting width of typefaces is determined by the principle of optimum legi bility. You should not depart from this typewid th without cogent reason. A typeface which is c onsidered optically right when looked in a grea ter context, often seems bulky when applied f

2,40 mm (9 p), Zeilenabstand 4,25 mm

USHERWOOD ROMAIN LABEUR

La valeur de la force de corps des caractèr es de labeur èst généralement exprimée e n points typographiques. La force de corps des caractères Berthold-Fototype peut êt re déterminée avec précision. Tous les car actères du même corps ont des capitales d'une hauteur identique, indépendamme nt de la hauteur des bas de casse sans jam bage. Dans la composition plomb, ainsi que dans certains systèmes de photocom position, la hauteur des capitales, varie so uvent d'un caractère à l'autre. Pour déter miner la force de corps de nos caractères nous avons mis au point une réglette de hauteur d'œil transparente. On cherche le rectangle qui délimite exactement la haut eur d'œil d'une capitale du caractère choi si. Sous le rectangle correspondant la vale ur de la force de corps est indiquée en poi nts Didots et en millimètres. La valeur en

2,65 mm (10 p), Zeilenabstand 4,69 mm

La indicación de las dimensiones para cuer pos de letra vásicos tiene lugar en general en puntos tipográficos. Los cuerpos de letra de l os caracteres Berthold Fototype pueden det erminarse exactemente par medición. Con independencia de la altura de sus longitudes centrales, todos los caracteres de idéntico c uerpo de letra presentan altura de mayúscul as idéntica. En la composición en plomo y en

2,15 mm (8 p), –1, Zeilenabstand 3,38 mm

123,– $	456,– £	7890,– DM	1 %
234,– $	789,– £	1234,– DM	2 %
567,– $	12,– £	5678,– DM	3 %
890,– $	345,– £	9012,– DM	4 %
123,– $	678,– £	3456,– DM	5 %
456,– $	901,– £	7890,– DM	6 %
789,– $	234,– £	1234,– DM	7 %
12,– $	567,– £	5678,– DM	8 %
345,– $	890,– £	9012,– DM	9 %

BF 089 1444

Le misure relative al corpo dei caratteri vengo no generalmente indicate in punti tipografici. Il corpo dei caratteri Fototypes può essere deter minato con esattezza per semplice misurazi one. Tutti i caratteri di uguale grandezza in pun ti hanno, indipendentemente dalla loro lungh ezza, uguale altezza delle maiuscole. Nella co mposizione in piombo ed in molti altri sist emi di fotocomposizione, l'altezza delle maius

2,15 mm (8 p), –2, Zeilenabstand 3,38 mm

Buch
book
romain labeur

USHERWOOD CAPS

libro
libro
buch

T. S. ELIOT *Old Possums Katzenbuch*
GÜNTER EICH *Träume.* Vier Spiele
JEAN GIRAUDOUX *Eglantine.* Roman
WALTER BENJAMIN *Einbahnstraße*
ANTONIO MACHADO *Juan de Mairena*
G. B. SHAW *Musik in London.* Kritiken
PAUL VALÉRY *Über Kunst.* Essays
ERNST BLOCH *Spuren.* Parabeln
WILLIAM FAULKNER *Der Bär*
TRUMAN CAPOTE *Die Grasharfe*
ANDRÉ GIDE *Paludes.* Satire
GUISEPPE UNGARETTI *Gedichte*
JEAN GIRAUDOUX *Simon.* Roman
WILLIAM CARLOS WILLIAMS *Gedichte*
BERTHOLT BRECHT *Geschichten*
HENRY GREEN *Schwärmerei.* Roman
EZRA POUND *ABC des Lesens*
TH. W. ADORNO *Mahler.* Monographie

2,15 mm (8 p), Zeilenabstand 5,00 mm

LESLIE USHERWOOD
1984
INTERNATIONAL TYPEFACE CORP.
H. BERTHOLD AG

ABCDEFGHIJKLMNOPQ
RSTUVWXYZ
ABCDEFGHIJKLMNOPQRSTUVW
XYZ 1234567890%
(.,-;:!¡?¿–)·['‚"“»«›‹]
+–=/$£†*&§©
ÄÅÆÖØŒÜÄÅÆÖØŒÜ
ÁÀÂÃÇČÉÈÊËÍÌÎÏĹÑŇ
ÓÒÔÕŔŘŠŤÚÙÛŴẄÝŶŸŽ
ÁÀÂÃÇČÉÈÊËÍÌÎÏĹÑŇÓÒÔÕŔŘŠ
ÚÙÛŴẄÝŶŸŽ

SCHRIFTWEITE WEIT
SCHRIFTWEITE NORMAL
SCHRIFTWEITE ENG
SCHRIFTWEITE SEHR ENG
SCHRIFTWEITE EXTREM ENG

CALAN: Hast du Furcht, daß sein Vermögen nicht ausreicht? Mein Wort schlägt Hände ab – horch, ob sein Wort sie ihm behält. *Man hört schreien.* Wer, sagst du, Noah, wer, sagst du, wer, wenn nicht ich, ist der Herr?
NOAH: Sprich ein zweites Wort, Calan. *Das Schreien dauert an.* Töte ihn vollends, daß nicht sein Schreien in meinen Eingeweiden schauert, sprich, Calan, sprich!
CALAN: Darum, daß dein Eingeweide sich besänftigt? Darum, Noah, bitte ihn, den andern. Das Opfer ist getan, mag er sich sättigen am Schreien, denn es schreien viele, ohne daß er ihr Schreien in Gnade ersäuft. Mag er sich auch eine Mühe machen mit einem Wort, wenn ihm an der Stille gelegen ist. Ich habe das Opfer von mir gegeben, und da es sein ist, soll er damit tun nach seinem Wohlgefallen. *Chus kommt mit zwei blutigen Händen.* Gut, Chus, nagle sie hier an den Pfosten, daß er sieht, was Calan dargebracht, das nimmt er nicht wieder an sich. *Chus tut wie befohlen.*
CALAN *zu Noah, der sich die Ohren zuhält:* Nimm die Hände herunter und höre, was dein Gott dir zu hören gibt. Wenn es an dem ist, daß er ihn schreien läßt, so hat er Wohlgefallen an seinem Schreien, und es kitzelt ihm die Eingeweide. Oder sollte sein Wort keine Kraft haben, wenn ihn nach

1,86 mm (7 p), Zeilenabstand 3,00 mm

THE QUICK BROWN FOX JUMPS OVER THE LAZY DOG AND FEELS AS IF HE WERE I
3,72 mm (14 p)

THE QUICK BROWN FOX JUMPS OVER THE LAZY DOG AND FEELS AS IF H
4,25 mm (16 p)

THE QUICK BROWN FOX JUMPS OVER THE LAZY DOG AND FEEL
4,75 mm (18 p)

THE QUICK BROWN FOX JUMPS OVER THE LAZY DOG AND
5,30 mm (20 p)

THE QUICK BROWN FOX JUMPS OVER THE LAZY D
6,35 mm (24 p)

THE QUICK BROWN FOX JUMPS OVER THE
7,40 mm (28 p)

THE QUICK BROWN FOX JUMPS OVER
8,50 mm (32 p)

THE QUICK BROWN FOX JUMPS O
9,55 mm (36 p)

9/6

CHARLOTTE DUVALIER
PIANISTIN

PETER-PAUL-RUBENS-PLATZ 2, 1000 BERLIN 13
TELEFON 030 – 66 22 84

MONDAY		4	11	18	25
TUESDAY		5	12	19	26
WEDNESDAY		6	13	20	27
THURSDAY		7	14	21	28
FRIDAY	1	8	15	22	29
SATURDAY	2	9	16	23	30
SUNDAY	3	10	17	24	

10/7

JOCHEN VAN DIJK
LEHRER

HINTERM DOM 3, 5000 KÖLN AM RHEIN
TELEFON 02 21 – 67 33 58

2,40 mm (9 p) und 1,60 mm (6 p)

2,40 mm (9 p) und 3,20 mm (12 p)
WZ 15 E, NSW 0, II
BF 089 1445, Belegung 127: 0851562 (0951562)

2,65 mm (10 p) und 1,86 mm (7 p)

Buch kursiv
book italic
italique romain labeur

USHERWOOD

libro cursiva
libro corsivo
buch kursiv

Måttangivelse för grundstilsgra der sker i allmänhet i typografi ska punkter. Stilar av Berthold Fototype kan efter mätning exa kt gradbestämmas. Alla typsnitt är av samma punktstorlek och har oberoende av x-höjden en i dentisk versalhöjd. I blysättning och i många andra fotosättsyst em varierar versalhöjden avsev ärt från typsnitt till typsnitt. För mätning av stilgrader finns en t ransparent mätlinjal. Vid mätni ngen placerar man en versal bo kstav så att rutorna begränsar t ecknet upptill och nedtill. Under rutorna finns stilstorleken i typ ografiska didotpunkter och i m m. Även millimeteruppgiften av

2,92 mm (11 p), Zeilenabstand 4,69 mm

Leslie Usherwood
1984
International Typeface Corp.
H. Berthold AG

ABCDEFGHIJKLMNOPQ
RSTUVWXYZ
abcdefghijklmnopqrstuvwxyz
1/1234567890%
(.,-;:!i?¿–)·['„"“»«]
+−=/$£†&§*
ÄÅÆÖØŒÜäåæıöøœßü
ÁÀÂÃÇČÉÈÊËÍÌÎÏĹŇÑÓÒÔÕ
ŔŘŠŤÚÙÛŴẄÝŶŸŽ
áàâãçčéèêëíìîïĺňñóòôõŕřš
úùûŵẅýŷÿž

Berthold-Schriftweite weit
Berthold-Schriftweite normal
Berthold-Schriftweite eng
Berthold-Schriftweite sehr eng
Berthold-Schriftweite extrem eng

In general, bodytypes are me asured in the typographical point size. The sizes of Berth old Fototype faces can be exa ctly determined. All faces of s ame point size have the same capital height–irrespective of their x-height. In hot metal a nd many other phototypeset ting systems the capital heig hts often differ considerably from one face to the other. For measuring point sizes, a tran sparent size gauge is provide d. To determine the point size bring a capital letter into coin cidence with that field which

3,20 mm (12 p), Zeilenabstand 5,25 mm

USHERWOOD BUCH KURSIV

Die Maßangabe zu Grundschriftgrößen erfolgt i m allgemeinen in typographischen Punkten. Die Schriftgrößen der Berthold-Fotosatz-Schriften sind nach Messung exakt bestimmbar. Alle Sch riften gleicher Punktgröße weisen, unabhängig von der Höhe ihrer Mittellängen, eine identische Versalhöhe auf. Im Bleisatz und bei vielen ander en Fotosatz-Systemen differieren die Versalhö hen von Schrift zu Schrift oft erheblich. Zum Messen von Schriftgrößen steht ein transparen tes Größenmaß zur Verfügung. Zum Messen wi rd ein Versalbuchstabe mit dem Feld in Deckung gebracht, das den Buchstaben oben und unten s charf begrenzt. Unter dem Feld ist die Schriftgrö ße in typographischen Didot-Punkten, darunter in Millimetern angegeben. Auch die Millimetera ngaben beziehen sich auf die Höhe der Versalbu chstaben. Die Schriftweite kann im Berthold-Fo

2,40 mm (9 p), Zeilenabstand 4 mm

USHERWOOD ITALIQUE ROMAIN LABEUR

La valeur de la force de corps des caractères de labeur èst généralement exprimée en p oints typographiques. La force de corps des caractères Berthold-Fototype peut être dé terminée avec précision. Tous les caractèr es du même corps ont des capitales d'un e hauteur identique, indépendamment de la hauteur des bas de casse sans jambage. Da ns la composition plomb, ainsi que dans ce rtains systèmes de photocomposition, la h auteur des capitales, varie souvent d'un ca ractère à l'autre. Pour déterminer la force d e corps de nos caractères, nous avons mis au point une réglette de hauteur d'œil tran sparente. On cherche le rectangle qui délim ite exactement la hauteur d'œil d'une capit

2,65 mm (10 p), Zeilenabstand 4,50 mm

La indicación de las dimensiones para cuerpos de letra vásicos tiene lugar en general en puntos tipográficos. L os cuerpos de letra de los caracteres Berthold Fototype pueden determinarse exactemente par medición. Con i ndependencia de la altura de sus longitudes centrales, t odos los caracteres de idéntico cuerpo de letra presenta n altura de mayúsculas idéntica. En la composición en pl omo y en muchos otros sistemas de fotocomposición, las alturas de mayúsculas varían frecuentemmente en for ma considerable de tipo de letra a tipo de letra. Para me dir los cuerpos de letra se dispone de un tipómetro, véas e la figura. Para la medición se hace coincidir una letra

1,60 mm (6 p), Zeilenabstand 2,50 mm

Größe		Zeilenabstand			100 Zeichen		
mm	p	kp	Êp	Ex	0	−1	−2
1,00	[illegible]	1,01	[illegible]		89	86	83
1,60	6	2,31	2,56	2,50	105	101	97
1,86	7	2,69	3,00	–	121	117	113
2,15	8	3,13	3,44	3,38	137	132	127
2,40	9	3,50	3,88	4,00	153	147	141
2,65	10	3,88	4,25	4,50	169	162	155
2,92	11	4,25	4,69	4,69	185	178	171
3,20	12	4,63	5,13	5,25	201	193	185
3,45	13	4,94	5,56		216	208	200
3,72	14	5,38	6,00	–	232	223	214
3,98	15	5,75	6,38	–	248	239	230
4,25	16	6,13	6,81	–	264	254	244

WZ 13 E, NSW 0, MZB 0,64, F 0,09:0,06 (1,5), II
H 1–x 0,74–k 1,08–p 0,36–Ê 1,24–kp 1,44–Êp 1,60
BF 089 1446, Belegung 051: 085 1561 (095 1561)

Le misure relative al corpo dei caratteri ven gono generalmente indicate in punti tipogr afici. Il corpo dei caratteri Fototypes può es sere determinato con esattezza per semplic e misurazione. Tutti i caratteri di uguale gra ndezza in punti hanno, indipendentemente dalla loro lunghezza, uguale altezza delle m aiuscole. Nella composizione in piombo ed in molti altri sistemi di fotocomposizione, l'alt

2,15 mm (8 p), Zeilenabstand 3,38 mm

normal
medium
normal

USHERWOOD

normal
chiaro tondo
normal

Berthold-Schriften überzeugen durch Schärfe und Qualität. S chriftqualität ist eine Frage der Erfahrung. Berthold hat diese Erfahrung seit über hundert Jahren. Zuerst im Schriftguß, dann im Fotosatz. Berthold-Schriften sind weltweit geschätzt. Im Sc hriftenatelier München wird jeder Buchstabe in der Größe von zwölf Zentimetern neu gezeichnet. Mit messerscharfen Kontu ren, um für die Schriftscheiben das Optimale an Konturensch ärfe herauszuholen. Um die Qualität des Einzelzeichens im Be lichtungsvorgang zu bewahren, wird durch die ruhende, nicht

1,33 mm (5 p) 20 30 40 50

Berthold-Schriften überzeugen durch Schärfe und Qualit ät. Schriftqualität ist eine Frage der Erfahrung. Berthold h at diese Erfahrung seit über hundert Jahren. Zuerst im Sch riftguß, dann im Fotosatz. Berthold-Schriften sind weltwe it geschätzt. Im Schriftenatelier München wird jeder Buch stabe in der Größe von zwölf Zentimetern neu gezeichnet Mit messerscharfen Konturen, um für die Schriftscheiben das Optimale an Konturenschärfe herauszuholen. Um die Qualität des Einzelzeichens im Belichtungsvorgang zu be

1,45 mm (5,5 p) 20 30 40 50

Berthold-Schriften überzeugen durch Schärfe und Qualität. Schriftqualität ist eine Frage der Erfahrung Berthold hat diese Erfahrung seit über hundert Jahre n. Zuerst im Schriftguß, dann im Fotosatz. Berthold-S chriften sind weltweit geschätzt. Im Schriftenatelier München wird jeder Buchstabe in der Größe von zw ölf Zentimetern neu gezeichnet. Mit messerscharfen Konturen, um für die Schriftscheiben das Optimale a n Konturenschärfe herauszuholen. Um die Qualität

1,60 mm (6 p) 20 30 40 5

Berthold-Schriften überzeugen durch Schärfe u nd Qualität. Schriftqualität ist eine Frage der Erf ahrung. Berthold hat diese Erfahrung seit über h undert Jahren. Zuerst im Schriftguß, dann im Fot osatz. Berthold-Schriften sind weltweit geschät zt. Im Schriftenatelier München wird jeder Buch stabe in der Größe von zwölf Zentimetern neu g ezeichnet. Mit messerscharfen Konturen, um für die Schriftscheiben das Optimale an Konturens

1,75 mm (6,5 p) 20 30 40

Berthold-Schriften überzeugen durch Schärfe und Qualität. Schriftqualität ist eine Frage der Erfahrung. Berthold hat diese Erfahrung seit über hundert Jahren. Zuerst im Schriftguß, da nn im Fotosatz. Berthold-Schriften sind welt weit geschätzt. Im Schriftenatelier München wird jeder Buchstabe in der Größe von zwölf Zentimetern neu gezeichnet. Mit messerscha rfen Konturen, um für die Schriftscheiben das

1,86 mm (7 p) 20 30 40

Berthold-Schriften überzeugen durch Sch ärfe und Qualität. Schriftqualität ist eine Fr age der Erfahrung. Berthold hat diese Erfa hrung seit über hundert Jahren. Zuerst im S chriftguß, dann im Fotosatz. Berthold-Schr iften sind weltweit geschätzt. Im Schriften atelier München wird jeder Buchstabe in d er Größe von zwölf Zentimetern neu gezeic hnet. Mit messerscharfen Konturen, um für

2,00 mm (7,5 p) 20 30 40

Berthold-Schriften überzeugen durch S chärfe und Qualität. Schriftqualität ist ei ne Frage der Erfahrung. Berthold hat die se Erfahrung seit über hundert Jahren. Z uerst im Schriftguß, dann im Fotosatz. B erthold-Schriften sind weltweit geschät zt. Im Schriftenatelier München wird jed er Buchstabe in der Größe von zwölf Zen timetern neu gezeichnet. Mit messersch

2,15 mm (8 p) 20 30

Leslie Usherwood
1984
International Typeface Corp.
H. Berthold AG

ABCDEFGHIJKLMNOPQ
RSTUVWXYZ
abcdefghijklmnopqrstuvwxyz
1/1234567890%
(.,-;:!¡?¿–)·[’‘„”“»«]
+−=/$£†*&§
ÄÅÆÖØŒÜäåæıöøœßü
ÁÀÂÃÇČÉÈÊËÍÌÎÏĹŇÑÓÒÔÕ
ŔŘŠŤÚÙÛŴẄÝŶŸŽ
áàâãçčéèêëíìîïĺňñóòôõŕřš
úùûŵẅýỳÿž

Berthold-Schriftweite weit
Berthold-Schriftweite normal
Berthold-Schriftweite eng
Berthold-Schriftweite sehr eng
Berthold-Schriftweite extrem eng

Berthold
3,72 mm (14 p)

Berthold
4,25 mm (16 p)

Berthold
4,75 mm (18 p)

Berthold
5,30 mm (20 p)

Berthold
6,35 mm (24 p)

Berthold
7,40 mm (28 p)

Berthold
8,50 mm (32 p)

Berthold
9,55 mm (36 p)

Größe		Zeilenabstand			100 Zeichen		
mm	p	kp	Êp	Ex	0	−1	−2
1,33	5	2,00	2,19	2,00	96	93	90
1,60	6	2,44	2,63	2,50	113	109	105
1,86	7	2,81	3,06	3,00	130	126	122
2,15	8	3,25	3,50	3,50	148	143	138
2,40	9	3,63	3,94	3,75	166	160	154
2,65	10	4,00	4,31	4,25	183	176	169
2,92	11	4,38	4,75	4,75	200	193	186
3,20	12	4,81	5,19	5,25	217	209	201
3,45	13	5,19	5,63	5,75	234	226	218
3,72	14	5,56	6,06	–	251	242	233
3,98	15	5,94	6,50	–	268	259	250
4,25	16	6,38	6,94	–	285	275	265

WZ 14 E, NSW 0, MZB 0,69, F 0,13:0,07 (1,8), II
H 1–x 0,75–k 1,10–p 0,39–Ê 1,23–kp 1,49–Êp 1,62
BF 089 1447, Belegung 051: 085 1563 (095 1563)

Berthold-Schriften überzeugen dur ch Schärfe und Qualität. Schriftqual ität ist eine Frage der Erfahrung. Ber thold hat diese Erfahrung seit über hundert Jahren. Zuerst im Schriftgu ß, dann im Fotosatz. Berthold-Schri ften sind weltweit geschätzt. Im Sch riftenatelier München wird jeder Bu

2,40 mm (9 p) 10 20 30

Berthold-Schriften überzeugen d urch Schärfe und Qualität. Schr iftqualität ist eine Frage der Erfa hrung. Berthold hat diese Erfahr ung seit über hundert Jahren. Zu erst im Schriftguß, dann im Foto satz. Berthold-Schriften sind we ltweit geschätzt. Im Schriftenate

2,65 mm (10 p) 10 20 30

Berthold-Schriften überzeuge n durch Schärfe und Qualität Schriftqualität ist eine Frage der Erfahrung. Berthold hat di ese Erfahrung seit über hund ert Jahren. Zuerst im Schriftg uß, dann im Fotosatz. Berthol d-Schriften sind weltweit ges

2,92 mm (11 p) 10 20

Berthold-Schriften überzeu gen durch Schärfe und Qua lität. Schriftqualität ist eine Frage der Erfahrung. Berth old hat diese Erfahrung seit über hundert Jahren. Zuerst im Schriftguß, dann im Fot osatz. Berthold-Schriften s

3,20 mm (12 p) 10 20

Berthold-Schriften überz eugen durch Schärfe und Qualität. Schriftqualität is t eine Frage der Erfahrun g. Berthold hat diese Erfa hrung seit über hundert J ahren. Zuerst im Schriftg uß, dann im Fotosatz. Bert

3,45 mm (13 p) 10 20

normal
medium
normal

USHERWOOD

normal
chiaro tondo
normal

Berthold-Schriften überzeugen durch Schärfe und Qualität. Schri ftqualität ist eine Frage der Erfahrung. Berthold hat diese Erfahru ng seit über hundert Jahren. Zuerst im Schriftguß, dann im Fotosat z. Berthold-Schriften sind weltweit geschätzt. Im Schriftenatelier München wird jeder Buchstabe in der Größe von zwölf Zentimete rn neu gezeichnet. Mit messerscharfen Konturen, um für die Schri ftscheiben das Optimale an Konturenschärfe herauszuholen. Um die Qualität des Einzelzeichens im Belichtungsvorgang zu bewah ren, wird durch die ruhende, nicht rotierende Schriftscheibe belic

4,25 mm (16 p), Zeilenabstand 6,75 mm

USHERWOOD MEDIUM

In general, bodytypes are measured in the ty pographical point size. The sizes of Berthold Fototype faces can be exactly determined. A ll faces of same point size have the same capital height–irrespective of their x-height In hot metal and many other phototypesetti ng systems the capital heights often differ c onsiderably from one face to the other. For measuring point sizes, a transparent size ga uge is provided. To determine the point size, bring a capital letter into coincidence with t hat field which precisely circumscribes the letter at its upper and lower margin. Below t he field you find the typographical point and below that the millimeter value, which also r efers to the height of a capital letter. In Berth old-phototypesetting, the typewidth can be modified. The standard setting width of typ efaces is determined by the principle of opti mum legibility. You should not depart from t his typewidth without cogent reason. A type face which is considered optically right whe

2,40 mm (9 p), Zeilenabstand 4,25 mm

USHERWOOD NORMAL

La valeur de la force de corps des caract ères de labeur èst généralement exprim ée en points typographiques. La force de corps des caractères Berthold-Fototype peut être déterminée avec précision. To us les caractères du même corps ont des capitales d'une hauteur identique, indép endamment de la hauteur des bas de ca sse sans jambage. Dans la composition plomb, ainsi que dans certains systèmes de photocomposition, la hauteur des ca pitales, varie souvent d'un caractère à l'autre. Pour déterminer la force de corps de nos caractères, nous avons mis au poi nt une réglette de hauteur d'œil transpar ente. On cherche le rectangle qui délimi te exactement la hauteur d'œil d'une ca pitale du caractère choisi. Sous le rectan gle correspondant la valeur de la force de corps est indiquée en points Didots et en

2,65 mm (10 p), Zeilenabstand 4,69 mm

La indicación de las dimensiones para cue rpos de letra vásicos tiene lugar en general en puntos tipográficos. Los cuerpos de letr a de los caracteres Berthold Fototype pue den determinarse exactemente par medi ción. Con independencia de la altura de sus longitudes centrales, todos los caracteres de idéntico cuerpo de letra presentan altu ra de mayúsculas idéntica. En la composici

2,15 mm (8 p), −1, Zeilenabstand 3,38 mm

123,– $	456,– £	7890,– DM	1 %
234,– $	789,– £	1234,– DM	2 %
567,– $	12,– £	5678,– DM	3 %
890,– $	345,– £	9012,– DM	4 %
123,– $	678,– £	3456,– DM	5 %
456,– $	901,– £	7890,– DM	6 %
789,– $	234,– £	1234,– DM	7 %
12,– $	567,– £	5678,– DM	8 %
345,– $	890,– £	9012,– DM	9 %

BF 089 1448

Le misure relative al corpo dei caratteri ven gono generalmente indicate in punti tipogr afici. Il corpo dei caratteri Fototypes può ess ere determinato con esattezza per semplice misurazione. Tutti i caratteri di uguale grand ezza in punti hanno, indipendentemente da lla loro lunghezza, uguale altezza delle maiu scole. Nella composizione in piombo ed in molti altri sistemi di fotocomposizione, l'alte

2,15 mm (8 p), −2, Zeilenabstand 3,38 mm

normal
medium
normal

Usherwood Caps

normal
chiaro tondo
normal

T. S. Eliot *Old Possums Katzenbuch*
Günter Eich *Träume.* Vier Spiele
Jean Giraudoux *Eglantine.* Roman
Walter Benjamin *Einbahnstraße*
Antonio Machado *Juan de Mairena*
G. B. Shaw *Musik in London.* Kritiken
Paul Valéry *Über Kunst.* Essays
Ernst Bloch *Spuren.* Parabeln
William Faulkner *Der Bär*
Truman Capote *Die Grasharfe*
André Gide *Paludes.* Satire
Guiseppe Ungaretti *Gedichte*
Jean Giraudoux *Simon.* Roman
William Carlos Williams *Gedichte*
Bertholt Brecht *Geschichten*
Henry Green *Schwärmerei.* Roman
Ezra Pound *ABC des Lesens*
Th. W. Adorno *Mahler.* Monographie

2,15 mm (8 p), Zeilenabstand 5,00 mm

Leslie Usherwood
1984
International Typeface Corp.
H. Berthold AG

ABCDEFGHIJKLMNOPQ
RSTUVWXYZ
ABCDEFGHIJKLMNOPQRSTUVW
XYZ 1234567890%
(.,-;:!¡?¿—)·['',,""»«›‹]
+−=/$£†*&§©
ÄÅÆÖØŒÜÄÅÆÖØŒÜ
ÁÀÂÃÇČÉÈÊËÍÌÎÏĹŇÑ
ÓÒÔÕŔŘŠŤÚÙÛŴẄÝŶŸŽ
ÁÀÂÃÇČÉÈÊËÍÌÎÏĹŇÑÓÒÔÕŔŘŠ
ÚÙÛŴẄÝỲŸŽ

Schriftweite weit
Schriftweite normal
Schriftweite eng
Schriftweite sehr eng
Schriftweite extrem eng

Calan: Hast du Furcht, daß sein Vermögen nicht ausreicht? Mein Wort schlägt Hände ab – horch, ob sein Wort sie ihm behält. *Man hört schreien.* Wer, sagst du, Noah, wer, sagst du, wer, wenn nicht ich, ist der Herr?
Noah: Sprich ein zweites Wort, Calan. *Das Schreien dauert an.* Töte ihn vollends, daß nicht sein Schreien in meinen Eingeweiden schauert, sprich, Calan, sprich!
Calan: Darum, daß dein Eingeweide sich besänftigt? Darum, Noah, bitte ihn, den andern. Das Opfer ist getan, mag er sich sättigen am Schreien, denn es schreien viele, ohne daß er ihr Schreien in Gnade ersäuft. Mag er sich auch eine Mühe machen mit einem Wort, wenn ihm an der Stille gelegen ist. Ich habe das Opfer von mir gegeben, und da es sein ist, soll er damit tun nach seinem Wohlgefallen. *Chus kommt mit zwei blutigen Händen.* Gut, Chus, nagle sie hier an den Pfosten, daß er sieht, was Calan dargebracht, das nimmt er nicht wieder an sich. *Chus tut wie befohlen.*
Calan *zu Noah, der sich die Ohren zuhält:* Nimm die Hände herunter und höre, was dein Gott dir zu hören gibt. Wenn es an dem ist, daß er ihn schreien läßt, so hat er Wohlgefallen an seinem Schreien, und es kitzelt ihm die Eingeweide. Oder sollte sein

1,86 mm (7 p), Zeilenabstand 3,00 mm

The Quick Brown Fox Jumps over the Lazy Dog and Feels as if he we
3,72 mm (14 p)

The Quick Brown Fox Jumps over the Lazy Dog and Feels as
4,25 mm (16 p)

The Quick Brown Fox Jumps over the Lazy Dog and F
4,75 mm (18 p)

The Quick Brown Fox Jumps over the Lazy Dog a
5,30 mm (20 p)

The Quick Brown Fox Jumps over the La
6,35 mm (24 p)

The Quick Brown Fox Jumps over t
7,40 mm (28 p)

The Quick Brown Fox Jumps ov
8,50 mm (32 p)

The Quick Brown Fox Jump
9,55 mm (36 p)

9/6

Charlotte Duvalier
Pianistin

Peter-Paul-Rubens-Platz 2, 1000 Berlin 13
Telefon 030–66 22 84

2,40 mm (9 p) und 1,60 mm (6 p)

Monday		4	11	18	25
Tuesday		5	12	19	26
Wednesday		6	13	20	27
Thursday		7	14	21	28
Friday	1	8	15	22	29
Saturday	2	9	16	23	30
Sunday	3	10	17	24	

2,40 mm (9 p) und 3,20 mm (12 p)
WZ 15 E, NSW 0, II
BF 089 1449, Belegung 127: 0851565 (0951565)

10/7

Jochen van Dijk
Lehrer

Hinterm Dom 3, 5000 Köln am Rhein
Telefon 02 21–67 33 58

2,65 mm (10 p) und 1,86 mm (7 p)

kursiv
italic
italique

USHERWOOD

cursiva
chiaro corsivo
kursiv

*Måttangivelse för grundstilsg
rader sker i allmänhet i typogr
afiska punkter. Stilar av Berth
old Fototype kan efter mätning
exakt gradbestämmas. Alla ty
psnitt är av samma punktstorl
ek och har oberoende av x-höj
den en identisk versalhöjd. I bl
ysättning och i många andra f
otosättsystem varierar versal
höjden avsevärt från typsnitt t
ill typsnitt. För mätning av stil
grader finns en transparent m
ätlinjal. Vid mätningen placer
ar man en versal bokstav så att
rutorna begränsar tecknet up
ptill och nedtill. Under rutorna
finns stilstorleken i typografis
ka didotpunkter och i mm. Äve*

2,92 mm (11 p), Zeilenabstand 4,69 mm

*Leslie Usherwood
1984
International Typeface Corp.
H. Berthold AG*

*ABCDEFGHIJKLMNOPQ
RSTUVWXYZ
abcdefghijklmnopqrstuvwxyz
1/1234567890%
(.,-;:!¡?¿–)·['‚,"“»«]
+−=/$£†*&§
ÄÅÆÖØŒÜäåæıöøœßü
ÁÀÂÃÇČÉÈÊËÍÌÎÏĹŇÑÓÒÔÕ
ŔŘŠŤÚÙÛŴẄÝŶŸŽ
áàâãçčéèêëíìîïĺňñóòôõŕřš
úùûŵẅýŷÿž*

*Berthold-Schriftweite weit
Berthold-Schriftweite normal
Berthold-Schriftweite eng
Berthold-Schriftweite sehr eng
Berthold-Schriftweite extrem eng*

*In general, bodytypes are m
easured in the typographic
al point size. The sizes of Be
rthold Fototype faces can be
exactly determined. All face
s of same point size have th
e same capital height–irres
pective of their x-height. In
hot metal and many other p
hototypesetting systems the
capital heights often differ
considerably from one face
to the other. For measuring
point sizes, a transparent si
ze gauge is provided. To det
ermine the point size, bring
a capital letter into coincide*

3,20 mm (12 p), Zeilenabstand 5,25 mm

USHERWOOD KURSIV

*Die Maßangabe zu Grundschriftgrößen erfol
gt im allgemeinen in typographischen Punkt
en. Die Schriftgrößen der Berthold-Fotosatz
Schriften sind nach Messung exakt bestimm
bar. Alle Schriften gleicher Punktgröße weis
en, unabhängig von der Höhe ihrer Mittellän
gen, eine identische Versalhöhe auf. Im Bleis
atz und bei vielen anderen Fotosatz-Systeme
n differieren die Versalhöhen von Schrift zu
Schrift oft erheblich. Zum Messen von Schrift
größen steht ein transparentes Größenmaß z
ur Verfügung. Zum Messen wird ein Versalbu
chstabe mit dem Feld in Deckung gebracht, da
s den Buchstaben oben und unten scharf begr
enzt. Unter dem Feld ist die Schriftgröße in ty
pographischen Didot-Punkten, darunter in M
illimetern angegeben. Auch die Millimeteran
gaben beziehen sich auf die Höhe der Versalb*

2,40 mm (9 p), Zeilenabstand 4 mm

USHERWOOD ITALIQUE

*La valeur de la force de corps des caract
ères de labeur èst généralement exprimé
e en points typographiques. La force de c
orps des caractères Berthold-Fototype p
eut être déterminée avec précision. Tous
les caractères du même corps ont des ca
pitales d'une hauteur identique, indépen
damment de la hauteur des bas de casse s
ans jambage. Dans la composition plomb
ainsi que dans certains systèmes de phot
ocomposition, la hauteur des capitales, v
arie souvent d'un caractère à l'autre. Pour
déterminer la force de corps de nos carac
tères, nous avons mis au point une réglet
te de hauteur d'œil transparente. On che
rche le rectangle qui délimite exactement*

2,65 mm (10 p), Zeilenabstand 4,50 mm

*La indicación de las dimensiones para cuerpos de letra
vásicos tiene lugar en general en puntos tipográficos
Los cuerpos de letra de los caracteres Berthold Fototy
pe pueden determinarse exactemente par medición. C
on independencia de la altura de sus longitudes centr
ales, todos los caracteres de idéntico cuerpo de letra p
resentan altura de mayúsculas idéntica. En la compos
ición en plomo y en muchos otros sistemas de fotoco
mposición, las alturas de mayúsculas varían frecuent
emmente en forma considerable de tipo de letra a tipo
de letra. Para medir los cuerpos de letra se dispone de
un tipómetro, véase la figura. Para la medición se hace*

1,60 mm (6 p), Zeilenabstand 2,50 mm

Größe mm	p	Zeilenabstand kp	Êp	Ex	100 Zeichen 0	−1	−2
1,33	5	2,00	2,19	–	96	93	90
1,60	6	2,38	2,63	2,50	112	108	104
1,86	7	2,75	3,06	–	129	125	121
2,15	8	3,19	3,50	3,38	147	142	137
2,40	9	3,56	3,94	4,00	165	159	153
2,65	10	3,88	4,31	4,50	182	175	168
2,92	11	4,31	4,75	4,69	198	191	184
3,20	12	4,69	5,19	5,25	215	207	199
3,45	13	5,06	5,63	–	232	224	216
3,72	14	5,44	6,06	–	249	240	231
3,98	15	5,88	6,50	–	266	257	248
4,25	16	6,25	6,94	–	283	273	263

WZ 13 E, NSW 0, MZB 0,68, F 0,13:0,06 (2,0), II
H 1–x 0,75–k 1,08–p 0,38–Ê 1,24–kp 1,46–Êp 1,62
BF 089 1450, Belegung 051: 085 1564 (095 1564)

*Le misure relative al corpo dei caratteri v
engono generalmente indicate in punti ti
pografici. Il corpo dei caratteri Fototypes
può essere determinato con esattezza per
semplice misurazione. Tutti i caratteri di
uguale grandezza in punti hanno, indipe
ndentemente dalla loro lunghezza, uguale
altezza delle maiuscole. Nella composizi
one in piombo ed in molti altri sistemi di f*

2,15 mm (8 p), Zeilenabstand 3,38 mm

halbfett
bold
demi-gras

USHERWOOD

seminegra
neretto
halvfet

Berthold-Schriften überzeugen durch Schärfe und Qualität. Schriftqualität ist eine Frage der Erfahrun g. Berthold hat diese Erfahrung seit über hundert Ja hren. Zuerst im Schriftguß, dann im Fotosatz. Berth old-Schriften sind weltweit geschätzt. Im Schriften atelier München wird jeder Buchstabe in der Grö ße von zwölf Zentimetern neu gezeichnet. Mit mess erscharfen Konturen, um für die Schriftscheiben das Optimale an Konturenschärfe herauszuholen. Um

1,60 mm (6 p), Zeilenabstand 2,50 mm

Berthold-Schriften überzeugen durch Schärf e und Qualität. Schriftqualität ist eine Frage d er Erfahrung. Berthold hat diese Erfahrung se it über hundert Jahren. Zuerst im Schriftguß dann im Fotosatz. Berthold-Schriften sind w eltweit geschätzt. Im Schriftenatelier Münch en wird jeder Buchstabe in der Größe von zw ölf Zentimetern neu gezeichnet. Mit messers

1,86 mm (7 p), Zeilenabstand 3,00 mm

Berthold-Schriften überzeugen durch S chärfe und Qualität. Schriftqualität ist e ine Frage der Erfahrung. Berthold hat di ese Erfahrung seit über hundert Jahren Zuerst im Schriftguß, dann im Fotosatz Berthold-Schriften sind weltweit gesc hätzt. Im Schriftenatelier München wird jeder Buchstabe in der Größe von zwölf

2,15 mm (8 p), Zeilenabstand 3,50 mm

Leslie Usherwood
1984
International Typeface Corp.
H. Berthold AG

ABCDEFGHIJKLMNOPQ
RSTUVWXYZ
abcdefghijklmnopqrstuvwxyz
1/1234567890%
(.,-;:!¡?¿–)·['‘„”“»«]
+−=/$£†*&§
ÄÅÆÖØŒÜäåæıöøœßü
ÁÀÂÃÇČÉÈÊËÍÌÎÏĹŇÑÓÒÔÕ
ŔŘŠŤÚÙÛŴẄÝŶŸŽ
áàâãçčéèêëíìîïĺňñóòôõŕřš
úùûŵẅýỳÿž

Berthold-Schriftweite weit
Berthold-Schriftweite normal
Berthold-Schriftweite eng
Berthold-Schriftweite sehr eng
Berthold-Schriftweite extrem eng

In general, bodytypes are measured in the typograp hical point size. The sizes of Berthold Fototype faces c an be exactly determined All faces of same point size have the same capital heig ht-irrespective of their x h-eight. In hot metal and m any other phototypesettin g systems the capital heig hts often differ considerab ly from one face to the oth er. For measuring point siz es, a transparent size gauge is provided. To determine t he point size, bring a capita

3,20 mm (12 p), Zeilenabstand 5,25 mm

Berthold's quick brown fox jumps over the lazy dog and feels as if he were
3,72 mm (14 p)

Berthold's quick brown fox jumps over the lazy dog and feels as if
4,25 mm (16 p)

Berthold's quick brown fox jumps over the lazy dog and fe
4,75 mm (18 p)

Berthold's quick brown fox jumps over the lazy dog
5,30 mm (20 p)

Berthold's quick brown fox jumps over the
6,35 mm (24 p)

Berthold's quick brown fox jumps ove
7,40 mm (28 p)

Berthold's quick brown fox jump
8,50 mm (32 p)

Berthold's quick brown fox ju
9,55 mm (36 p)

Berthold-Schriften überzeugen du rch Schärfe und Qualität. Schriftqu alität ist eine Frage der Erfahrung. B erthold hat diese Erfahrung seit üb er hundert Jahren. Zuerst im Schrift guß, dann im Fotosatz. Berthold-Sc hriften sind weltweit geschätzt. Im Schriftenatelier München wird jeder

2,40 mm (9 p), Zeilenabstand 4,00 mm

Größe		Zeilenabstand			100 Zeichen		
mm	p	kp	Êp	Ex	0	−1	−2
1,33	5	2,06	2,25	–	97	94	91
1,60	6	2,44	2,69	2,50	115	111	107
1,86	7	2,88	3,13	3,00	132	128	124
2,15	8	3,31	3,56	3,50	150	145	140
2,40	9	3,69	4,06	4,00	168	162	156
2,65	10	4,06	4,38	4,00	185	178	171
2,92	11	4,44	4,94	–	202	195	188
3,20	12	4,88	5,38	5,25	220	212	204
3,45	13	5,19	5,81	–	237	229	221
3,72	14	5,69	6,25	–	254	245	236
3,98	15	6,06	6,69	–	271	262	253
4,25	16	6,50	7,19	–	289	279	269

WZ 13 E, NSW 0, MZB 0,70, F 0,18:0,08 (2,2), II
H 1–x 0,75–k 1,11–p 0,41–Ê 1,27–kp 1,52–Êp 1,68
BF 089 1451, Belegung 051: 085 1566 (095 1566)

Berthold-Schriften überzeugen d urch Schärfe und Qualität. Schri ftqualität ist eine Frage der Erfa hrung. Berthold hat diese Erfahr ung seit über hundert Jahren. Zu erst im Schriftguß, dann im Foto satz. Berthold-Schriften sind w eltweit geschätzt. Im Schriftena

2,65 mm (10 p), Zeilenabstand 4,00 mm

kursiv halbfett
bold italic
italique demi-gras

USHERWOOD

seminegra cursiva
neretto corsivo
kursiv halvfet

Berthold-Schriften überzeugen durch Schärfe und Qualität. Schriftqualität ist eine Frage der Erfahr ung. Berthold hat diese Erfahrung seit über hunde rt Jahren. Zuerst im Schriftguß, dann im Fotosatz Berthold-Schriften sind weltweit geschätzt. Im Sc hriftenatelier München wird jeder Buchstabe in d er Größe von zwölf Zentimetern neu gezeichnet. M it messerscharfen Konturen, um für die Schriftsch eiben das Optimale an Konturenschärfe herauszu

1,60 mm (6 p), Zeilenabstand 2,50 mm

Berthold-Schriften überzeugen durch Schä rfe und Qualität. Schriftqualität ist eine Fra ge der Erfahrung. Berthold hat diese Erfahr ung seit über hundert Jahren. Zuerst im Schr iftguß, dann im Fotosatz. Berthold-Schriften sind weltweit geschätzt. Im Schriftenatelier München wird jeder Buchstabe in der Größe von zwölf Zentimetern neu gezeichnet. Mit

1,86 mm (7 p), Zeilenabstand 3,00 mm

Berthold-Schriften überzeugen durch Schärfe und Qualität. Schriftqualität i st eine Frage der Erfahrung. Berthold hat diese Erfahrung seit über hundert Jahren. Zuerst im Schriftguß, dann im Fotosatz. Berthold-Schriften sind welt weit geschätzt. Im Schriftenatelier Mü nchen wird jeder Buchstabe in der Grö

2,15 mm (8 p), Zeilenabstand 3,50 mm

Leslie Usherwood
1984
International Typeface Corp.
H. Berthold AG

ABCDEFGHIJKLMNOPQ
RSTUVWXYZ
abcdefghijklmnopqrstuvwxyz
1/1234567890%
(.,-;:!¡?¿–)·[',,"“»«]
+−=/$£†&§*
ÄÅÆÖØŒÜäåæıöøœßü
ÁÀÂÃÇČÉÈÊËÍÌÎĬĹŇÑÓÒÔÕ
ŔŘŠŤÚÙÛŴẄÝŶŸŽ
áàâãçčéèêëíìîïĺňñóòôõŕřš
úùûŵẅýỳÿž

Berthold-Schriftweite weit
Berthold-Schriftweite normal
Berthold-Schriftweite eng
Berthold-Schriftweite sehr eng
Berthold-Schriftweite extrem eng

In general, bodytypes are measured in the typograp hical point size. The sizes of Berthold Fototype faces can be exactly determined All faces of same point siz e have the same capital h eight-irrespective of their x-height. In hot metal and many other phototypeset ting systems the capital h eights often differ consid erably from one face to the other. For measuring poi nt sizes, a transparent size gauge is provided. To det ermine the point size, brin

3,20 mm (12 p), Zeilenabstand 5,25 mm

Berthold's quick brown fox jumps over the lazy dog and feels as if he we
3,72 mm (14 p)

Berthold's quick brown fox jumps over the lazy dog and feels as
4,25 mm (16 p)

Berthold's quick brown fox jumps over the lazy dog and
4,75 mm (18 p)

Berthold's quick brown fox jumps over the lazy dog
5,30 mm (20 p)

Berthold's quick brown fox jumps over the
6,35 mm (24 p)

Berthold's quick brown fox jumps o
7,40 mm (28 p)

Berthold's quick brown fox jum
8,50 mm (32 p)

Berthold's quick brown fox j
9,55 mm (36 p)

Berthold-Schriften überzeugen du rch Schärfe und Qualität. Schriftq ualität ist eine Frage der Erfahrun g. Berthold hat diese Erfahrung seit über hundert Jahren. Zuerst im Sc hriftguß, dann im Fotosatz. Berth old-Schriften sind weltweit gesch ätzt. Im Schriftenatelier München

2,40 mm (9 p), Zeilenabstand 4,00 mm

Größe		Zeilenabstand			100 Zeichen		
mm	p	kp	Êp	Ex	0	−1	−2
1,33	5	2,00	2,19	–	100	97	94
1,60	6	2,44	2,63	2,50	118	114	110
1,86	7	2,81	3,06	3,00	136	132	128
2,15	8	3,25	3,56	3,50	154	149	144
2,40	9	3,63	3,94	4,00	172	166	160
2,65	10	4,00	4,38	4,00	190	183	176
2,92	11	4,44	4,81	–	208	201	194
3,20	12	4,81	5,25	5,25	226	218	210
3,45	13	5,19	5,69	–	243	235	227
3,72	14	5,63	6,13	–	261	252	243
3,98	15	6,00	6,56	–	279	270	261
4,25	16	6,38	7,00	–	296	286	276

WZ 13 E, NSW 0, MZB 0,72, F 0,18:0,09 (2,0), II
H 1–x 0,75–k 1,11–p 0,39–Ê 1,25–kp 1,50–Êp 1,64
BF 089 1452, Belegung 051: 085 1567 (095 1567)

Berthold-Schriften überzeugen durch Schärfe und Qualität. Sc hriftqualität ist eine Frage der Erfahrung. Berthold hat diese Erfahrung seit über hundert Ja hren. Zuerst im Schriftguß, dan n im Fotosatz. Berthold-Schrif ten sind weltweit geschätzt. Im

2,65 mm (10 p), Zeilenabstand 4,00 mm

fett
black
gras

USHERWOOD

negra
nero
fet

Berthold-Schriften überzeugen durch Schärfe und Qualität. Schriftqualität ist eine Frage der Erfahrung. Berthold hat diese Erfahrung seit ü ber hundert Jahren. Zuerst im Schriftguß, dann im Fotosatz. Berthold-Schriften sind weltweit geschätzt. Im Schriftenatelier München wird j eder Buchstabe in der Größe von zwölf Zentim etern neu gezeichnet. Mit messerscharfen Kon turen, um für die Schriftscheiben das Optimale

1,60 mm (6 p), Zeilenabstand 2,50 mm

Berthold-Schriften überzeugen durch S chärfe und Qualität. Schriftqualität ist e ine Frage der Erfahrung. Berthold hat di ese Erfahrung seit über hundert Jahren Zuerst im Schriftguß, dann im Fotosatz Berthold-Schriften sind weltweit gesch ätzt. Im Schriftenatelier München wird j eder Buchstabe in der Größe von zwölf Z

1,86 mm (7 p), Zeilenabstand 3,00 mm

Berthold-Schriften überzeugen dur ch Schärfe und Qualität. Schriftqu alität ist eine Frage der Erfahrung Berthold hat diese Erfahrung seit ü ber hundert Jahren. Zuerst im Schri ftguß, dann im Fotosatz. Berthold-S chriften sind weltweit geschätzt. Im Schriftenatelier München wird jed

2,15 mm (8 p), Zeilenabstand 3,50 mm

Leslie Usherwood
1984
International Typeface Corp.
H. Berthold AG

ABCDEFGHIJKLMNOPQ
RSTUVWXYZ
abcdefghijklmnopqrstuvw
xyz 1/1234567890%
(.,-;:!¡?¿–)·[’‘„”“»«]
+−=/$£†*&§
ÄÅÆÖØŒÜäåæıöøœßü
ÁÀÂÃÇČÉÈÊËÍÌÎÏĹŇÑÓÒÔÕ
ŔŘŠŤÚÙÛŴẄÝỲŶŸŽ
áàâãçčéèêëíìîïĺňñóòôõŕřš
úùûŵẅýỳÿž

Berthold-Schriftweite weit
Berthold-Schriftweite normal
Berthold-Schriftweite eng
Berthold-Schriftweite sehr eng
Berthold-Schriftweite extrem eng

In general, bodytypes a re measured in the typo graphical point size. The sizes of Berthold Fototy pe faces can be exactly determined. All faces of same point size have the same capital height-irr espective of their x-hei ght. In hot metal and ma ny other phototypesett ing systems the capital heights often differ con siderably from one face to the other. For measur ing point sizes, a transp arent size gauge is provi

3,20 mm (12 p), Zeilenabstand 5,25 mm

Berthold's quick brown fox jumps over the lazy dog and feels as if h
3,72 mm (14 p)

Berthold's quick brown fox jumps over the lazy dog and fe
4,25 mm (16 p)

Berthold's quick brown fox jumps over the lazy dog
4,75 mm (18 p)

Berthold's quick brown fox jumps over the lazy
5,30 mm (20 p)

Berthold's quick brown fox jumps over
6,35 mm (24 p)

Berthold's quick brown fox jumps
7,40 mm (28 p)

Berthold's quick brown fox ju
8,50 mm (32 p)

Berthold's quick brown fo
9,55 mm (36 p)

Berthold-Schriften überzeugen durch Schärfe und Qualität. Sc hriftqualität ist eine Frage der E rfahrung. Berthold hat diese Erf ahrung seit über hundert Jahren Zuerst im Schriftguß, dann im F otosatz. Berthold-Schriften sind weltweit geschätzt. Im Schrifte

2,40 mm (9 p), Zeilenabstand 4,00 mm

Größe		Zeilenabstand			100 Zeichen		
mm	p	kp	Êp	Ex	0	−1	−2
1,33	5	2,06	2,25	–	110	107	104
1,60	6	2,50	2,75	2,50	130	126	122
1,86	7	2,88	3,13	3,00	150	146	142
2,15	8	3,38	3,63	3,50	170	165	160
2,40	9	3,75	4,06	4,00	190	184	178
2,65	10	4,13	4,50	4,00	210	203	196
2,92	11	4,50	4,94	–	229	222	215
3,20	12	4,94	5,44	5,25	249	241	233
3,45	13	5,38	5,81	–	269	261	253
3,72	14	5,75	6,25	–	288	279	270
3,98	15	6,13	6,69	–	308	299	290
4,25	16	6,56	7,19	–	327	317	307

WZ 13 E, NSW 0, MZB 0,79, F 0,26:0,13 (2,1), II
H 1–x 0,75–k 1,12–p 0,42–Ê 1,26–kp 1,54–Êp 1,68
BF 089 1453, Belegung 051: 085 1568 (095 1568)

Berthold-Schriften überzeu gen durch Schärfe und Quali tät. Schriftqualität ist eine F rage der Erfahrung. Berthold hat diese Erfahrung seit über hundert Jahren. Zuerst im Sc hriftguß, dann im Fotosatz. B erthold-Schriften sind weltw

2,65 mm (10 p), Zeilenabstand 4,00 mm

kursiv fett
black italic
italique gras

USHERWOOD

negra cursiva
nero corsivo
kursiv fet

Berthold-Schriften überzeugen durch Schärfe und Qualität. Schriftqualität ist eine Frage der Erfahrung. Berthold hat diese Erfahrung seit ü ber hundert Jahren. Zuerst im Schriftguß, da nn im Fotosatz. Berthold-Schriften sind weltw eit geschätzt. Im Schriftenatelier München wi rd jeder Buchstabe in der Größe von zwölf Zent imetern neu gezeichnet. Mit messerscharfen K onturen, um für die Schriftscheiben das Optim

1,60 mm (6 p), Zeilenabstand 2,50 mm

Berthold-Schriften überzeugen durch S chärfe und Qualität. Schriftqualität ist e ine Frage der Erfahrung. Berthold hat di ese Erfahrung seit über hundert Jahren Zuerst im Schriftguß, dann im Fotosatz Berthold-Schriften sind weltweit gesch ätzt. Im Schriftenatelier München wird j eder Buchstabe in der Größe von zwölf Ze

1,86 mm (7 p), Zeilenabstand 3,00 mm

Berthold-Schriften überzeugen dur ch Schärfe und Qualität. Schriftqua lität ist eine Frage der Erfahrung. B erthold hat diese Erfahrung seit üb er hundert Jahren. Zuerst im Schrif tguß, dann im Fotosatz. Berthold-S chriften sind weltweit geschätzt. Im Schriftenatelier München wird jede

2,15 mm (8 p), Zeilenabstand 3,50 mm

Leslie Usherwood
1984
International Typeface Corp.
H. Berthold AG

ABCDEFGHIJKLMNOPQ
RSTUVWXYZ
abcdefghijklmnopqrstuvw
xyz 1/1234567890%
(.,-;:!¡?¿–)·[',„"“»«]
+−=/$£†&§*
ÄÅÆÖØŒÜäåæıöøœßü
ÁÀÂÃÇČÉÈÊËÍÌÎÏĹŇÑ
ÓÒÔÕŔŘŠŤÚÙÛŴẄÝŶŸŽ
áàâãçčéèêëíìîïĺňñóòôõŕřš
úùûŵẅýỳÿž

Berthold-Schriftweite weit
Berthold-Schriftweite normal
Berthold-Schriftweite eng
Berthold-Schriftweite sehr eng
Berthold-Schriftweite extrem eng

In general, bodytypes a re measured in the typo graphical point size. The sizes of Berthold Fototy pe faces can be exactly determined. All faces of same point size have the same capital height-irr espective of their x-hei ght. In hot metal and m any other phototypesett ing systems the capital h eights often differ consi derably from one face to the other. For measuring point sizes, a transpare nt size gauge is provided

3,20 mm (12 p), Zeilenabstand 5,25 mm

Berthold's quick brown fox jumps over the lazy dog and feels as if h
3,72 mm (14 p)

Berthold's quick brown fox jumps over the lazy dog and fe
4,25 mm (16 p)

Berthold's quick brown fox jumps over the lazy dog
4,75 mm (18 p)

Berthold's quick brown fox jumps over the lazy
5,30 mm (20 p)

Berthold's quick brown fox jumps over
6,35 mm (24 p)

Berthold's quick brown fox jumps
7,40 mm (28 p)

Berthold's quick brown fox ju
8,50 mm (32 p)

Berthold's quick brown fo
9,55 mm (36 p)

Berthold-Schriften überzeugen durch Schärfe und Qualität. Sc hriftqualität ist eine Frage der E rfahrung. Berthold hat diese Erf ahrung seit über hundert Jahren Zuerst im Schriftguß, dann im F otosatz. Berthold-Schriften sin d weltweit geschätzt. Im Schrifte

2,40 mm (9 p), Zeilenabstand 4,00 mm

Größe mm	p	Zeilenabstand kp	Êp	Ex	100 Zeichen 0	−1	−2
1,33	5	2,00	2,25	–	110	107	104
1,60	6	2,44	2,69	2,50	130	126	122
1,86	7	2,81	3,13	3,00	150	146	142
2,15	8	3,25	3,63	3,50	170	165	160
2,40	9	3,63	4,00	4,00	190	184	178
2,65	10	4,00	4,44	4,00	210	203	196
2,92	11	4,44	4,88	–	229	222	215
3,20	12	4,81	5,31	5,25	249	241	233
3,45	13	5,19	5,75	–	269	261	253
3,72	14	5,63	6,19	–	288	279	270
3,98	15	6,00	6,63	–	308	299	290
4,25	16	6,38	7,06	–	327	317	307

WZ 13 E, NSW 0, MZB 0,79, F 0,24:0,10 (2,4), II
H 1–x 0,75–k 1,10–p 0,40–Ê 1,26–kp 1,50–Êp 1,66
BF 089 1454, Belegung 051: 085 1569 (095 1569)

Berthold-Schriften überzeu gen durch Schärfe und Quali tät. Schriftqualität ist eine F rage der Erfahrung. Berthold hat diese Erfahrung seit über hundert Jahren. Zuerst im Sc hriftguß, dann im Fotosatz. B erthold-Schriften sind weltw

2,65 mm (10 p), Zeilenabstand 4,00 mm

VAG RUNDSCHRIFT

Berthold-Schriften überzeugen durch Schärfe und Qualität. Schriftqualität ist eine Frage der Erfahrung Berthold hat diese Erfahrung seit über hundert Jahr en. Zuerst im Schriftguß, dann im Fotosatz. Berthold Schriften sind weltweit geschätzt. Im Schriftenatelier München wird jeder Buchstabe in der Größe von zwölf Zentimetern neu gezeichnet. Mit messerscharfen Ko nturen, um für die Schriftscheiben das Optimale an Konturenschärfe herauszuholen. Um die Qualität des

1,60 mm (6 p), Zeilenabstand 2,50 mm

Berthold-Schriften überzeugen durch Schär fe und Qualität. Schriftqualität ist eine Frage der Erfahrung. Berthold hat diese Erfahrung seit über hundert Jahren. Zuerst im Schriftg uß, dann im Fotosatz. Berthold-Schriften sind weltweit geschätzt. Im Schriftenatelier Münc hen wird jeder Buchstabe in der Größe von zw ölf Zentimetern neu gezeichnet. Mit messers

1,86 mm (7 p), Zeilenabstand 3,00 mm

Berthold-Schriften überzeugen durch S chärfe und Qualität. Schriftqualität ist e ine Frage der Erfahrung. Berthold hat di ese Erfahrung seit über hundert Jahren Zuerst im Schriftguß, dann im Fotosatz Berthold-Schriften sind weltweit gesch ätzt. Im Schriftenatelier München wird j eder Buchstabe in der Größe von zwölf Z

2,15 mm (8 p), Zeilenabstand 3,50 mm

1979
H. Berthold AG

ABCDEFGHIJKLMNOPQ
RSTUVWXYZ
abcdefghijklmnopqrstuvwxyz
1/1234567890%
(.,-;:!i?¿–)·[''„""›‹]
+-=/$£†*&§
ÄÅÆÖØŒÜäåæıöøœßü
ÁÀÂÃÇČÉÈÊËÍÌÎÏĹÑÑÓÒÔÕ
ŔŘŠŤÚÙÛŴẄÝŶŸŽ
áàâãçčéèêëíìîïĺňñóòôõŕřš
úùûŵẅýỳÿž

Berthold-Schriftweite weit
Berthold-Schriftweite normal
Berthold-Schriftweite eng
Berthold-Schriftweite sehr eng
Berthold-Schriftweite extrem eng

In general, bodytypes are measured in the typograp hical point size. The sizes of Berthold Fototype faces ca n be exactly determined. All faces of same point size ha ve the same capital height irrespective of their x-heigh t. In hot metal and many ot her phototypesetting syste ms the capital heights ofte n differ considerably from o ne face to the other. For m easuring point sizes, a tran sparent size gauge is provi ded. To determine the point size, bring a capital letter in

3,20 mm (12 p), Zeilenabstand 5,25 mm

Berthold's quick brown fox jumps over the lazy dog and feels as if he were in
3,75 mm (14 p)

Berthold's quick brown fox jumps over the lazy dog and feels as if
4,25 mm (16 p)

Berthold's quick brown fox jumps over the lazy dog and fe
4,75 mm (18 p)

Berthold's quick brown fox jumps over the lazy dog a
5,30 mm (20 p)

Berthold's quick brown fox jumps over the la
6,35 mm (24 p)

Berthold's quick brown fox jumps over
7,40 mm (28 p)

Berthold's quick brown fox jumps
8,50 mm (32 p)

Berthold's quick brown fox ju
9,55 mm (36 p)

Berthold-Schriften überzeugen durc h Schärfe und Qualität. Schriftqual ität ist eine Frage der Erfahrung. Ber thold hat diese Erfahrung seit über h undert Jahren. Zuerst im Schriftguß dann im Fotosatz. Berthold-Schrifte n sind weltweit geschätzt. Im Schrift enatelier München wird jeder Buchs

2,40 mm (9 p), Zeilenabstand 4,00 mm

Größe		Zeilenabstand			100 Zeichen		
mm	p	kp	Êp	Ex	0	−1	−2
1,33	5	1,88	2,19	—	96	93	90
1,60	6	2,25	2,63	2,50	113	109	105
1,86	7	2,63	3,06	3,00	130	126	122
2,15	8	3,06	3,56	3,50	148	143	138
2,40	9	3,38	3,94	4,00	166	160	154
2,65	10	3,75	4,38	4,00	183	176	169
2,92	11	4,13	4,81	—	200	193	186
3,20	12	4,50	5,25	5,25	217	209	201
3,45	13	4,88	5,63	—	234	226	218
3,72	14	5,25	6,13	—	251	242	233
3,98	15	5,63	6,50	—	268	259	250
4,25	16	6,00	6,94	—	285	275	265

WZ 14 E, NSW +1, MZB 0,69, F 0,22:0,15 (1,5), VII
H 1–x 0,75–k 1,09–p 0,31–Ê 1,32–kp 1,40–Êp 1,63
BF 089 0683, Belegung 051: 085 0508 (095 0508)

Berthold-Schriften überzeugen durch Schärfe und Qualität. Sch riftqualität ist eine Frage der Erf ahrung. Berthold hat diese Erfa hrung seit über hundert Jahren Zuerst im Schriftguß, dann im Fo tosatz. Berthold-Schriften sind w eltweit geschätzt. Im Schriftena

2,65 mm (10 p), Zeilenabstand 4,00 mm

normal
medium
normal

VAN DIJCK TITLING

normal
chiaro tondo
normal

Berthold-Schriften überzeugen durch Schärfe und Qualität. Schriftq
ualität ist eine Frage der Erfahrung. Berthold hat diese Erfahrung seit
über hundert Jahren. Zuerst im Schriftguß, dann im Fotosatz. Berthol
d-Schriften sind weltweit geschätzt. Im Schriftenatelier München wir
d jeder Buchstabe in der Größe von zwölf Zentimetern neu gezeichne
t. Mit messerscharfen Konturen, um für die Schriftscheiben das Opti
male an Konturenschärfe herauszuholen. Um die Qualität des Einzelz
eichens im Belichtungsvorgang zu bewahren, wird durch die ruhende
nicht rotierende Schriftscheibe belichtet. Dieses optische System, ver

1,33 mm (5 p) 20 30 40 50 60

Berthold-Schriften überzeugen durch Schärfe und Qualität. Sch
riftqualität ist eine Frage der Erfahrung. Berthold hat diese Erfah
rung seit über hundert Jahren. Zuerst im Schriftguß, dann im Fot
osatz. Berthold-Schriften sind weltweit geschätzt. Im Schriftenat
elier München wird jeder Buchstabe in der Größe von zwölf Zen
timetern neu gezeichnet. Mit messerscharfen Konturen, um für
die Schriftscheiben das Optimale an Konturenschärfe herauszuh
olen. Um die Qualität des Einzelzeichens im Belichtungsvorgang
zu bewahren, wird durch die ruhende, nicht rotierende Schriftsc

1,45 mm (5,5 p) 20 30 40 50

Berthold-Schriften überzeugen durch Schärfe und Qualität
Schriftqualität ist eine Frage der Erfahrung. Berthold hat di
ese Erfahrung seit über hundert Jahren. Zuerst im Schriftgu
ß, dann im Fotosatz. Berthold-Schriften sind weltweit gesc
hätzt. Im Schriftenatelier München wird jeder Buchstabe in
der Größe von zwölf Zentimetern neu gezeichnet. Mit mes
serscharfen Konturen, um für die Schriftscheiben das Opti
male an Konturenschärfe herauszuholen. Um die Qualität
des Einzelzeichens im Belichtungsvorgang zu bewahren, w

1,60 mm (6 p) 20 30 40 50

Berthold-Schriften überzeugen durch Schärfe und Qu
alität. Schriftqualität ist eine Frage der Erfahrung. Bert
hold hat diese Erfahrung seit über hundert Jahren. Zu
erst im Schriftguß, dann im Fotosatz. Berthold-Schrift
en sind weltweit geschätzt. Im Schriftenatelier Münch
en wird jeder Buchstabe in der Größe von zwölf Zenti
metern neu gezeichnet. Mit messerscharfen Konturen
um für die Schriftscheiben das Optimale an Konturens
chärfe herauszuholen. Um die Qualität des Einzelzeic

1,75 mm (6,5 p) 20 30 40 5

Berthold-Schriften überzeugen durch Schärfe und
Qualität. Schriftqualität ist eine Frage der Erfahrun
g. Berthold hat diese Erfahrung seit über hundert Ja
hren. Zuerst im Schriftguß, dann im Fotosatz. Berth
old-Schriften sind weltweit geschätzt. Im Schriften
atelier München wird jeder Buchstabe in der Größ
e von zwölf Zentimetern neu gezeichnet. Mit messe
rscharfen Konturen, um für die Schriftscheiben das
Optimale an Konturenschärfe herauszuholen. Um

1,86 mm (7 p) 20 30 40

Berthold-Schriften überzeugen durch Schärfe u
nd Qualität. Schriftqualität ist eine Frage der Erf
ahrung. Berthold hat diese Erfahrung seit über h
undert Jahren. Zuerst im Schriftguß, dann im Fo
tosatz. Berthold-Schriften sind weltweit geschät
zt. Im Schriftenatelier München wird jeder Buc
hstabe in der Größe von zwölf Zentimetern neu
gezeichnet. Mit messerscharfen Konturen, um f
ür die Schriftscheiben das Optimale an Konture

2,00 mm (7,5 p) 20 30 40

Berthold-Schriften überzeugen durch Schärfe
und Qualität. Schriftqualität ist eine Frage der
Erfahrung. Berthold hat diese Erfahrung seit
über hundert Jahren. Zuerst im Schriftguß, da
nn im Fotosatz. Berthold-Schriften sind welt
weit geschätzt. Im Schriftenatelier München
wird jeder Buchstabe in der Größe von zwölf
Zentimetern neu gezeichnet. Mit messerscha
rfen Konturen, um für die Schriftscheiben das

2,15 mm (8 p) 20 30 40

Jan van Krimpen
1935
Monotype Corporation Ltd.
H. Berthold AG

ABCDEFGHIJKLMNOPQ
RSTUVWXYZ
abcdefghijklmnopqrstuvwxyz
I/I234567890%
(.,-;:!¡?¿–)·[’‘„”“»«]
+-=/$£†*&§
ÄÅÆÖØŒÜäåæıöøœßü
ÁÀÂÃÇČÉÈÊËÍÌÎÏĹŇÑÓÒÔÕ
ŔŘŠŤÚÙÛŴẄÝŶŸŽ
áàâãçčéèêëíìîïĺňñóòôõŕřš
úùûŵẅýỳÿž

Berthold-Schriftweite weit
Berthold-Schriftweite normal
Berthold-Schriftweite eng
Berthold-Schriftweite sehr eng
Berthold-Schriftweite extrem eng

Berthold
3,72 mm (14 p)

Berthold
4,25 mm (16 p)

Berthold
4,75 mm (18 p)

Berthold
5,30 mm (20 p)

Berthold
6,35 mm (24 p)

Berthold
7,40 mm (28 p)

Berthold
8,50 mm (32 p)

Berthold
9,55 mm (36 p)

Größe		Zeilenabstand			100 Zeichen		
mm	p	kp	Êp	Ex	0	−1	−2
1,33	5	2,13	2,31	2,00	87	84	81
1,60	6	2,56	2,75	2,50	103	99	95
1,86	7	3,00	3,19	3,00	118	114	110
2,15	8	3,44	3,69	3,50	134	129	124
2,40	9	3,88	4,13	3,75	150	144	138
2,65	10	4,25	4,56	4,25	165	158	151
2,92	11	4,69	5,00	4,75	181	174	167
3,20	12	5,13	5,50	5,25	196	188	180
3,45	13	5,50	5,94	5,75	212	204	196
3,72	14	5,94	6,38	–	227	218	209
3,98	15	6,38	6,81	–	243	234	225
4,25	16	6,81	7,31	–	258	248	238

WZ 14 E, NSW 0, MZB 0,62, F 0,10:0,02 (4,6), III
H 1–x 0,60–k 1,17–p 0,42–Ê 1,29–kp 1,59–Êp 1,71
BF 089 1455, Belegung 051: 085 1554 (095 1554)

Berthold-Schriften überzeugen durch S
chärfe und Qualität. Schriftqualität ist ei
ne Frage der Erfahrung. Berthold hat die
se Erfahrung seit über hundert Jahren. Z
uerst im Schriftguß, dann im Fotosatz. B
erthold-Schriften sind weltweit geschätz
t. Im Schriftenatelier München wird jeder
Buchstabe in der Größe von zwölf Zenti

2,40 mm (9 p) 20 30

Berthold-Schriften überzeugen durc
h Schärfe und Qualität. Schriftqualit
ät ist eine Frage der Erfahrung. Berth
old hat diese Erfahrung seit über hun
dert Jahren. Zuerst im Schriftguß, da
nn im Fotosatz. Berthold-Schriften si
nd weltweit geschätzt. Im Schriftena
telier München wird jeder Buchstabe

2,65 mm (10 p) 20 30

Berthold-Schriften überzeugen d
urch Schärfe und Qualität. Schrift
qualität ist eine Frage der Erfahru
ng. Berthold hat diese Erfahrung s
eit über hundert Jahren. Zuerst
im Schriftguß, dann im Fotosatz
Berthold-Schriften sind weltweit
geschätzt. Im Schriftenatelier Mü

2,92 mm (11 p) 10 20 30

Berthold-Schriften überzeugen
durch Schärfe und Qualität. Sc
hriftqualität ist eine Frage der
Erfahrung. Berthold hat diese
Erfahrung seit über hundert Ja
hren. Zuerst im Schriftguß, dan
n im Fotosatz. Berthold-Schrif
ten sind weltweit geschätzt. Im

3,20 mm (12 p) 10 20

Berthold-Schriften überzeug
en durch Schärfe und Qualit
ät. Schriftqualität ist eine Fra
ge der Erfahrung. Berthold h
at diese Erfahrung seit über
hundert Jahren. Zuerst im S
chriftguß, dann im Fotosatz
Berthold-Schriften sind welt

3,45 mm (13 p) 10 20

normal
medium
normal

VAN DIJCK TITLING

normal
chiaro tondo
normal

Berthold-Schriften überzeugen durch Schärfe und Qualität. Schriftqualität ist eine Frage der Erfahrung. Berthold hat diese Erfahrung seit über hundert Jahren. Zuerst im Schriftguß, dann im Fotosatz. Berthold-Schriften sind we ltweit geschätzt. Im Schriftenatelier München wird jeder Buchstabe in der Größe von zwölf Zentimetern neu gezeichnet. Mit messerscharfen Kontu ren, um für die Schriftscheiben das Optimale an Konturenschärfe herauszu holen. Um die Qualität des Einzelzeichens im Belichtungsvorgang zu bew ahren, wird durch die ruhende, nicht rotierende Schriftscheibe belichtet. D ieses optische System, verbunden mit Präzisions-Chromglasscheiben, führt

4,25 mm (16 p), Zeilenabstand 6,75 mm

VAN DIJCK TITLING MEDIUM

In general, bodytypes are measured in the typogra phical point size. The sizes of Berthold Fototype f aces can be exactly determined. All faces of same p oint size have the same capital height–irrespective of their x-height. In hot metal and many other pho totypesetting systems the capital heights often diff er considerably from one face to the other. For me asuring point sizes, a transparent size gauge is prov ided. To determine the point size, bring a capital le tter into coincidence with that field which precisel y circumscribes the letter at its upper and lower m argin. Below the field you find the typographical p oint and below that the millimeter value, which als o refers to the height of a capital letter. In Berthold phototypesetting, the typewidth can be modified The standard setting width of typefaces is determi ned by the principle of optimum legibility. You sh ould not depart from this typewidth without coge nt reason. A typeface which is considered opti cally right when looked in a greater context, often seems bulky when applied for a small amount of te xt, e. g. labels and ads. Here, a width reduction will

2,40 mm (9 p), Zeilenabstand 4,25 mm

VAN DIJCK TITLING NORMAL

La valeur de la force de corps des caractères de labeur èst généralement exprimée en points t ypographiques. La force de corps des caractèr es Berthold-Fototype peut être déterminée a vec précision. Tous les caractères du même c orps ont des capitales d'une hauteur identique indépendamment de la hauteur des bas de cas se sans jambage. Dans la composition plomb ainsi que dans certains systèmes de photocom position, la hauteur des capitales, varie souve nt d'un caractère à l'autre. Pour déterminer la force de corps de nos caractères, nous avons mis au point une réglette de hauteur d'œil tra nsparente. On cherche le rectangle qui délimi te exactement la hauteur d'œil d'une capitale du caractère choisi. Sous le rectangle corresp ondant la valeur de la force de corps est indiq uée en points Didots et en millimètres. La val eur en millimètres exprime également la haut eur des capitales. Pour toutes les indications c

2,65 mm (10 p), Zeilenabstand 4,69 mm

La indicación de las dimensiones para cuerpos de letra vásicos tiene lugar en general en puntos tip ográficos. Los cuerpos de letra de los caracteres Berthold Fototype pueden determinarse exacte mente par medición. Con independencia de la a ltura de sus longitudes centrales, todos los caract eres de idéntico cuerpo de letra presentan altura de mayúsculas idéntica. En la composición en pl omo y en muchos otros sistemas de fotocompos

2,15 mm (8 p), –1, Zeilenabstand 3,38 mm

123,– $	456,– £	7890,– DM	1 %
234,– $	789,– £	1234,– DM	2 %
567,– $	12,– £	5678,– DM	3 %
890,– $	345,– £	9012,– DM	4 %
123,– $	678,– £	3456,– DM	5 %
456,– $	901,– £	7890,– DM	6 %
789,– $	234,– £	1234,– DM	7 %
12,– $	567,– £	5678,– DM	8 %
345,– $	890,– £	9012,– DM	9 %

BF 089 1456

Le misure relative al corpo dei caratteri vengono g eneralmente indicate in punti tipografici. Il corpo dei caratteri Fototypes può essere determinato con esattezza per semplice misurazione. Tutti i caratte ri di uguale grandezza in punti hanno, indipendent emente dalla loro lunghezza, uguale altezza delle maiuscole. Nella composizione in piombo ed in m olti altri sistemi di fotocomposizione, l'altezza delle maiuscole varia spesso da carattere a carattere. Per

2,15 mm (8 p), –2, Zeilenabstand 3,38 mm

normal
medium
normal

Van Dijck Titling Caps

normal
chiaro tondo
normal

T. S. Eliot *Old Possums Katzenbuch*
Günter Eich *Träume.* Vier Spiele
Jean Giraudoux *Eglantine.* Roman
Walter Benjamin *Einbahnstraße*
Antonio Machado *Juan de Mairena*
G. B. Shaw *Musik in London.* Kritiken
Paul Valéry *Über Kunst.* Essays
Ernst Bloch *Spuren.* Parabeln
William Faulkner *Der Bär*
Truman Capote *Die Grasharfe*
André Gide *Paludes.* Satire
Guiseppe Ungaretti *Gedichte*
Jean Giraudoux *Simon.* Roman
William Carlos Williams *Gedichte*
Bertholt Brecht *Geschichten*
Henry Green *Schwärmerei.* Roman
Ezra Pound *ABC des Lesens*
Th. W. Adorno *Mahler.* Monographie

2,15 mm (8 p), Zeilenabstand 5,00 mm

Jan van Krimpen
1935
Monotype Corporation Ltd.
H. Berthold AG

ABCDEFGHIJKLMNOPQ
RSTUVWXYZ
ABCDEFGHIJKLMNOPQRSTUVWXYZ
1234567890 %
(.,-;:!¡?¿–) · [''„""»«›‹]
+–=/$£†*&§©
ÄÅÆÖØŒÜÄÅÆÖØŒÜ
ÁÀÂÃÇČÉÈÊËÍÌÎÏĹÑŇ
ÓÒÔÕŔŘŠŤÚÙÛŴẂẀŶÝŸŽ
ÁÀÂÃÇČÉÈÊËÍÌÎÏĹÑŇÓÒÔÕŔŘŠ
ÚÙÛŴẂẀÝŸŽ

Schriftweite weit
Schriftweite normal
Schriftweite eng
Schriftweite sehr eng
Schriftweite extrem eng

Calan: Hast du Furcht, daß sein Vermögen nicht ausreicht? Mein Wort schlägt Hände ab – horch, ob sein Wort sie ihm behält. *Man hört schreien.* Wer, sagst du, Noah, wer, sagst du, wer, wenn nicht ich, ist der Herr?
Noah: Sprich ein zweites Wort, Calan. *Das Schreien dauert an.* Töte ihn vollends, daß nicht sein Schreien in meinen Eingeweiden schauert, sprich, Calan, sprich!
Calan: Darum, daß dein Eingeweide sich besänftigt? Darum, Noah, bitte ihn, den andern. Das Opfer ist getan, mag er sich sättigen am Schreien, denn es schreien viele, ohne daß er ihr Schreien in Gnade ersäuft. Mag er sich auch eine Mühe machen mit einem Wort, wenn ihm an der Stille gelegen ist. Ich habe das Opfer von mir gegeben, und da es sein ist, soll er damit tun nach seinem Wohlgefallen. *Chus kommt mit zwei blutigen Händen.* Gut, Chus, nagle sie hier an den Pfosten, daß er sieht, was Calan dargebracht, das nimmt er nicht wieder an sich. *Chus tut wie befohlen.*
Calan *zu Noah, der sich die Ohren zuhält:*
Nimm die Hände herunter und höre, was dein Gott dir zu hören gibt. Wenn es an dem ist, daß er ihn schreien läßt, so hat er Wohlgefallen an seinem Schreien, und es kitzelt ihm die Eingeweide. Oder sollte sein Wort keine Kraft haben wenn ihn nach Stille verlangt?

1,86 mm (7 p), Zeilenabstand 3,00 mm

The Quick Brown Fox Jumps over the Lazy Dog and Feels as if he were in th
3,72 mm (14 p)

The Quick Brown Fox Jumps over the Lazy Dog and Feels as if he
4,25 mm (16 p)

The Quick Brown Fox Jumps over the Lazy Dog and Feels a
4,75 mm (18 p)

The Quick Brown Fox Jumps over the Lazy Dog and F
5,30 mm (20 p)

The Quick Brown Fox Jumps over the Lazy
6,35 mm (24 p)

The Quick Brown Fox Jumps over the
7,40 mm (28 p)

The Quick Brown Fox Jumps over
8,50 mm (32 p)

The Quick Brown Fox Jumps o
9,55 mm (36 p)

9/6

Charlotte Duvalier
Pianistin

Peter-Paul-Rubens-Platz 2, 1000 Berlin 13
Telefon 030 – 66 22 84

2,40 mm (9 p) und 1,60 mm (6 p)

Monday		4	11	18	25
Tuesday		5	12	19	26
Wednesday		6	13	20	27
Thursday		7	14	21	28
Friday	1	8	15	22	29
Saturday	2	9	16	23	30
Sunday	3	10	17	24	

2,40 mm (9 p) und 3,20 mm (12 p)
WZ 14 E, NSW +1, III
BF 089 1511, Belegung 127: 085 1625 (095 1625)

10/7

Jochen van Dijk
Lehrer

Hinterm Dom 3, 5000 Köln am Rhein
Telefon 02 21 – 67 33 58

2,65 mm (10 p) und 1,86 mm (7 p)

kursiv
italic
italique

VAN DIJCK TITLING

cursiva
chiaro corsivo
kursiv

Måttangivelse för grundstilsgrader sker i allmänhet i typografiska punkter. Stilar av Berthold Fototype kan efter mätning exakt gradbestämmas. Alla typsnitt är av sam ma punktstorlek och har oberoende av x höjden en identisk versalhöjd. I blysättni ng och i många andra fotosättsystem vari erar versalhöjden avsevärt från typsnitt ti ll typsnitt. För mätning av stilgrader finns en transparent mätlinjal. Vid mätningen placerar man en versal bokstav så att rut orna begränsar tecknet upptill och nedtill Under rutorna finns stilstorleken i typogr afiska didotpunkter och i mm. Även milli meteruppgiften avser versalhöjden. Vid s tilstorleksuppgifter anges alltid måttenhete n efter sifferuppgiften t ex 14 punkter eller 14 p. Berthold-skrifter övertygar genom sk arphet och kvalitet. Skriftkvalitet kan efte

2,92 mm (11 p), Zeilenabstand 4,69 mm

Jan van Krimpen
1935
Monotype Corporation Ltd.
H. Berthold AG

ABCDEFGHIJKLMNOPQ
RSTUVWXYZ
abcdefghijklmnopqrstuvwxyz
1/1234567890%
(.,-;:!¡?¿–)·['‚"„"»«]
+–=/$£†&§*
ÄÅÆÖØŒÜäåæıöøœßü
ÁÀÂÃÇČÉÈÊËÍÌÎÏĹŇÑÓÒÔÕ
ŔŘŠŤÚÙÛŴẄÝỲŸŽ
áàâãçčéèêëíìîïĺňñóòôõŕřš
úùûŵẅýỳÿž

Berthold-Schriftweite weit
Berthold-Schriftweite normal
Berthold-Schriftweite eng
Berthold-Schriftweite sehr eng
Berthold-Schriftweite extrem eng

In general, bodytypes are measured in the typographical point size. The siz es of Berthold Fototype faces can be exactly determined. All faces of same point size have the same capital height irrespective of their x-height. In hot me tal and many other phototypesetting sy stems the capital heights often differ con siderably from one face to the other. For measuring point sizes, a transparent si ze gauge is provided. To determine the point size, bring a capital letter into coi ncidence with that field which precisely circumscribes the letter at its upper and lower margin. Below the field you find the typographical point and below that the millimeter value, which also refers to

3,20 mm (12 p), Zeilenabstand 5,25 mm

VAN DIJCK TITLING KURSIV

Die Maßangabe zu Grundschriftgrößen erfolgt im allgemeinen in typographischen Punkten. Die Schriftgrößen der Berthold Fotosatz-Schriften sind nach Messung exakt bestimmbar. Al le Schriften gleicher Punktgröße weisen, unabhängig von der Höhe ihrer Mittellängen, eine identische Versalhöhe auf. Im Bleisatz und bei vielen anderen Fotosatz-Systemen differie ren die Versalhöhen von Schrift zu Schrift oft erheblich. Zum Messen von Schriftgrößen steht ein transparentes Größenma ß zur Verfügung. Zum Messen wird ein Versalbuchstabe mit dem Feld in Deckung gebracht, das den Buchstaben oben und unten scharf begrenzt. Unter dem Feld ist die Schriftgröße in typographischen Didot-Punkten, darunter in Millimetern a ngegeben. Auch die Millimeterangaben beziehen sich auf die Höhe der Versalbuchstaben. Die Schriftweite kann im Bertho ld-Fotosatz beliebig verändert werden. Die Festlegung der N ormalschriftweite erfolgt nach dem Prinzip der optimalen Lesb arkeit bei größeren Textmengen. Man sollte nicht ohne zwinge nden Grund von dieser Weite abgehen. Schrift, die im großen

2,40 mm (9 p), Zeilenabstand 4 mm

VAN DIJCK TITLING ITALIQUE

La valeur de la force de corps des caractères de labeur èst généralement exprimée en points typographiques. La f orce de corps des caractères Berthold-Fototype peut être d éterminée avec précision. Tous les caractères du même corps ont des capitales d'une hauteur identique, indépendamme nt de la hauteur des bas de casse sans jambage. Dans la co mposition plomb, ainsi que dans certains systèmes de phot ocomposition, la hauteur des capitales, varie souvent d'un caractère à l'autre. Pour déterminer la force de corps de nos caractères, nous avons mis au point une réglette de hauteur d'œil transparente. On cherche le rectangle qui délimit e exactement la hauteur d'œil d'une capitale du caract ère choisi. Sous le rectangle correspondant la valeur d e la force de corps est indiquée en points Didots et en m illimètres. La valeur en millimètres exprime également la hauteur des capitales. Pour toutes les indications concern

2,65 mm (10 p), Zeilenabstand 4,50 mm

La indicación de las dimensiones para cuerpos de letra vásicos tiene lu gar en general en puntos tipográficos. Los cuerpos de letra de los carac teres Berthold Fototype pueden determinarse exactemente par medició n. Con independencia de la altura de sus longitudes centrales, todos los caracteres de idéntico cuerpo de letra presentan altura de mayúscu las idéntica. En la composición en plomo y en muchos otros sistemas de fotocomposición, las alturas de mayúsculas varían frecuentemmente e n forma considerable de tipo de letra a tipo de letra. Para medir los cuer pos de letra se dispone de un tipómetro, véase la figura. Para la me dición se hace coincidir una letra mayúscula con la casilla cuyos extre mos coinciden con los extremos superior e inferior de la letra. Bajo la casilla se indica el cuerpo de letra en puntos tipográficos Didot, y debajo

1,60 mm (6 p), Zeilenabstand 2,50 mm

Größe		Zeilenabstand			100 Zeichen		
mm	p	kp	Êp	Ex	0	–1	–2
1,33	5	2,13	2,25	–	68	65	62
1,60	6	2,50	2,69	2,50	80	76	72
1,86	7	2,94	3,13	–	92	88	84
2,15	8	3,38	3,63	3,38	105	100	95
2,40	9	3,75	4,06	4,00	118	112	106
2,65	10	4,19	4,44	4,50	130	123	116
2,92	11	4,56	4,88	4,69	142	135	128
3,20	12	5,00	5,38	5,25	154	146	138
3,45	13	5,44	5,81	–	166	158	150
3,72	14	5,81	6,25	–	178	169	160
3,98	15	6,25	6,69	–	190	181	172
4,25	16	6,63	7,13	–	202	192	182

WZ 11 E, NSW 0, MZB 0,49, F 0,09:0,04 (2,4), III
H 1–x 0,60–k 1,16–p 0,40–Ê 1,27–kp 1,56–Êp 1,67
BF 089 1457, Belegung 051: 085 1555 (095 1555)

Le misure relative al corpo dei caratteri vengono gene ralmente indicate in punti tipografici. Il corpo dei carat teri Fototypes può essere determinato con esattezza p er semplice misurazione. Tutti i caratteri di uguale gran dezza in punti hanno, indipendentemente dalla loro lun ghezza, uguale altezza delle maiuscole. Nella compos izione in piombo ed in molti altri sistemi di fotocom posizione, l'altezza delle maiuscole varia spesso da ca rattere a carattere. Per misurare il corpo dei caratteri è ind

2,15 mm (8 p), Zeilenabstand 3,38 mm

Buch
book
romain labeur

VELJOVIC

libro
libro
buch

Berthold-Schriften überzeugen durch Schärfe und Qualität
Schriftqualität ist eine Frage der Erfahrung. Berthold hat die
se Erfahrung seit über hundert Jahren. Zuerst im Schriftguß
dann im Fotosatz. Berthold-Schriften sind weltweit geschät
zt. Im Schriftenatelier München wird jeder Buchstabe in der
Größe von zwölf Zentimetern neu gezeichnet. Mit messersc
harfen Konturen, um für die Schriftscheiben das Optimale an
Konturenschärfe herauszuholen. Um die Qualität des Einzel
zeichens im Belichtungsvorgang zu bewahren, wird durch di

1,33 mm (5 p) 20 30 40 50

Berthold-Schriften überzeugen durch Schärfe und Qual
ität. Schriftqualität ist eine Frage der Erfahrung. Berthold
hat diese Erfahrung seit über hundert Jahren. Zuerst im
Schriftguß, dann im Fotosatz. Berthold-Schriften sind w
eltweit geschätzt. Im Schriftenatelier München wird jed
er Buchstabe in der Größe von zwölf Zentimetern neu g
ezeichnet. Mit messerscharfen Konturen, um für die Sch
riftscheiben das Optimale an Konturenschärfe herausz
uholen. Um die Qualität des Einzelzeichens im Belichtu

1,45 mm (5,5 p) 20 30 40 50

Berthold-Schriften überzeugen durch Schärfe und
Qualität. Schriftqualität ist eine Frage der Erfahrun
g. Berthold hat diese Erfahrung seit über hundert J
ahren. Zuerst im Schriftguß, dann im Fotosatz. Bert
hold-Schriften sind weltweit geschätzt. Im Schrifte
natelier München wird jeder Buchstabe in der Grö
ße von zwölf Zentimetern neu gezeichnet. Mit mes
serscharfen Konturen, um für die Schriftscheiben
das Optimale an Konturenschärfe herauszuholen

1,60 mm (6 p) 20 30 40

Berthold-Schriften überzeugen durch Schärfe
und Qualität. Schriftqualität ist eine Frage der
Erfahrung. Berthold hat diese Erfahrung seit ü
ber hundert Jahren. Zuerst im Schriftguß, dann
im Fotosatz. Berthold-Schriften sind weltweit
geschätzt. Im Schriftenatelier München wird j
eder Buchstabe in der Größe von zwölf Zenti
metern neu gezeichnet. Mit messerscharfen K
onturen, um für die Schriftscheiben das Optim

1,75 mm (6,5 p) 20 30 40

Berthold-Schriften überzeugen durch Schär
fe und Qualität. Schriftqualität ist eine Frage
der Erfahrung. Berthold hat diese Erfahrung
seit über hundert Jahren. Zuerst im Schriftg
uß, dann im Fotosatz. Berthold-Schriften sind
weltweit geschätzt. Im Schriftenatelier Mün
chen wird jeder Buchstabe in der Größe von
zwölf Zentimetern neu gezeichnet. Mit mess
erscharfen Konturen, um für die Schriftschei

1,86 mm (7 p) 20 30 40

Berthold-Schriften überzeugen durch Sc
härfe und Qualität. Schriftqualität ist eine
Frage der Erfahrung. Berthold hat diese E
rfahrung seit über hundert Jahren. Zuerst
im Schriftguß, dann im Fotosatz. Berthold
Schriften sind weltweit geschätzt. Im Sch
riftenatelier München wird jeder Buchsta
be in der Größe von zwölf Zentimetern ne
u gezeichnet. Mit messerscharfen Kontur

2,00 mm (7,5 p) 20 30

Berthold-Schriften überzeugen durch S
chärfe und Qualität. Schriftqualität ist
eine Frage der Erfahrung. Berthold hat
diese Erfahrung seit über hundert Jahr
en. Zuerst im Schriftguß, dann im Fotos
atz. Berthold-Schriften sind weltweit g
eschätzt. Im Schriftenatelier München
wird jeder Buchstabe in der Größe von
zwölf Zentimetern neu gezeichnet. Mit

2,15 mm (8 p) 20 30

Jovica Veljovic
1984
International Typeface Corp.
H. Berthold AG

ABCDEFGHIJKLMNOPQ
RSTUVWXYZ
abcdefghijklmnopqrstuvwxyz
1/1234567890%
(.,-;:!¡?¿–)·[",„"“»«]
+−=/$£†*&§
ÄÅÆÖØŒÜäåæıöøœßü
ÁÀÂÃÇČÉÈÊËÍÌÎÏĹŇÑÓÒÔÕ
ŔŘŠŤÚÙÛŴẄÝŶŸŽ
áàâãçčéèêëíìîïĺňñóòôõŕřš
úùûŵẅýỳÿž

Berthold-Schriftweite weit
Berthold-Schriftweite normal
Berthold-Schriftweite eng
Berthold-Schriftweite sehr eng
Berthold-Schriftweite extrem eng

Berthold
3,72 mm (14 p)

Berthold
4,25 mm (16 p)

Berthold
4,75 mm (18 p)

Berthold
5,30 mm (20 p)

Berthold
6,35 mm (24 p)

Berthold
7,40 mm (28 p)

Berthold
8,50 mm (32 p)

Berthold
9,55 mm (36 p)

Größe		Zeilenabstand			100 Zeichen		
mm	p	kp	Êp	Ex	0	−1	−2
1,33	5	2,00	2,25	2,00	100	97	94
1,60	6	2,38	2,69	2,50	118	114	110
1,86	7	2,75	3,13	3,00	136	132	128
2,15	8	3,19	3,63	3,50	154	149	144
2,40	9	3,56	4,06	3,75	172	166	160
2,65	10	3,88	4,50	4,25	190	183	176
2,92	11	4,31	4,94	4,75	208	201	194
3,20	12	4,69	5,38	5,25	226	218	210
3,45	13	5,06	5,81	5,75	243	235	227
3,72	14	5,44	6,25	—	261	252	243
3,98	15	5,88	6,69	—	279	270	261
4,25	16	6,25	7,19	—	296	286	276

WZ 14 E, NSW 0, MZB 0,72, F 0,11:0,04 (2,5), II
H 1–x 0,73–k 1,13–p 0,33–Ê 1,35–kp 1,46–Êp 1,68
BF 089 1512, Belegung 051: 085 1584 (095 1584)

Berthold-Schriften überzeugen du
rch Schärfe und Qualität. Schriftqu
alität ist eine Frage der Erfahrung
Berthold hat diese Erfahrung seit ü
ber hundert Jahren. Zuerst im Sch
riftguß, dann im Fotosatz. Berthold
Schriften sind weltweit geschätzt. I
m Schriftenatelier München wird je

2,40 mm (9 p) 10 20 30

Berthold-Schriften überzeugen
durch Schärfe und Qualität. Sch
riftqualität ist eine Frage der Erf
ahrung. Berthold hat diese Erfa
hrung seit über hundert Jahren
Zuerst im Schriftguß, dann im F
otosatz. Berthold-Schriften sind
weltweit geschätzt. Im Schrifte

2,65 mm (10 p) 10 20 3

Berthold-Schriften überzeug
en durch Schärfe und Qualit
ät. Schriftqualität ist eine Fra
ge der Erfahrung. Berthold h
at diese Erfahrung seit über h
undert Jahren. Zuerst im Sch
riftguß, dann im Fotosatz. Be
rthold-Schriften sind weltwe

2,92 mm (11 p) 10 20

Berthold-Schriften überze
ugen durch Schärfe und Q
ualität. Schriftqualität ist e
ine Frage der Erfahrung. B
erthold hat diese Erfahrun
g seit über hundert Jahren
Zuerst im Schriftguß, dann
im Fotosatz. Berthold-Sch

3,20 mm (12 p) 10 20

Berthold-Schriften über
zeugen durch Schärfe u
nd Qualität. Schriftquali
tät ist eine Frage der Erfa
hrung. Berthold hat diese
Erfahrung seit über hun
dert Jahren. Zuerst im S
chriftguß, dann im Foto

3,45 mm (13 p) 10 20

Buch
book
romain labeur

VELJOVIC

libro
libro
buch

Berthold-Schriften überzeugen durch Schärfe und Qualität. Sch
riftqualität ist eine Frage der Erfahrung. Berthold hat diese Erfah
rung seit über hundert Jahren. Zuerst im Schriftguß, dann im Fo
tosatz. Berthold-Schriften sind weltweit geschätzt. Im Schriften
atelier München wird jeder Buchstabe in der Größe von zwölf Z
entimetern neu gezeichnet. Mit messerscharfen Konturen, um f
ür die Schriftscheiben das Optimale an Konturenschärfe heraus
zuholen. Um die Qualität des Einzelzeichens im Belichtungsvor
gang zu bewahren, wird durch die ruhende, nicht rotierende Sc

4,25 mm (16 p), Zeilenabstand 6,75 mm

VELJOVIC BOOK

In general, bodytypes are measured in the t
ypographical point size. The sizes of Berth
old Fototype faces can be exactly determin
ed. All faces of same point size have the sa
me capital height–irrespective of their x-he
ight. In hot metal and many other photot
ypesetting systems the capital heights oft
en differ considerably from one face to the
other. For measuring point sizes, a transpar
ent size gauge is provided. To determine the
point size, bring a capital letter into coinci
dence with that field which precisely circu
mscribes the letter at its upper and lower m
argin. Below the field you find the typogra
phical point and below that the millimeter
value, which also refers to the height of a ca
pital letter. In Berthold-phototypesetting, t
he typewidth can be modified. The stand
ard setting width of typefaces is determine
d by the principle of optimum legibility. Yo
u should not depart from this typewidth
without cogent reason. A typeface which is

2,40 mm (9 p), Zeilenabstand 4,25 mm

VELJOVIC ROMAIN LABEUR

La valeur de la force de corps des caract
ères de labeur èst généralement expri
mée en points typographiques. La force
de corps des caractères Berthold-Fotot
ype peut être déterminée avec précisio
n. Tous les caractères du même corps o
nt des capitales d'une hauteur identiqu
e, indépendamment de la hauteur des
bas de casse sans jambage. Dans la co
mposition plomb, ainsi que dans certai
ns systèmes de photocomposition, la
hauteur des capitales, varie souvent d
un caractère à l'autre. Pour déterminer
la force de corps de nos caractères, nou
s avons mis au point une réglette de
hauteur d'œil transparente. On cherche
le rectangle qui délimite exactement la
hauteur d'œil d'une capitale du caractè
re choisi. Sous le rectangle correspond
ant la valeur de la force de corps est ind

2,65 mm (10 p), Zeilenabstand 4,69 mm

La indicación de las dimensiones para cu
erpos de letra vásicos tiene lugar en gene
ral en puntos tipográficos. Los cuerpos de
letra de los caracteres Berthold Fototype
pueden determinarse exactemente par
medición. Con independencia de la altura
de sus longitudes centrales, todos los car
acteres de idéntico cuerpo de letra prese
ntan altura de mayúsculas idéntica. En la

2,15 mm (8 p), –1, Zeilenabstand 3,38 mm

123,– $	456,– £	7890,– DM	1 %
234,– $	789,– £	1234,– DM	2 %
567,– $	12,– £	5678,– DM	3 %
890,– $	345,– £	9012,– DM	4 %
123,– $	678,– £	3456,– DM	5 %
456,– $	901,– £	7890,– DM	6 %
789,– $	234,– £	1234,– DM	7 %
12,– $	567,– £	5678,– DM	8 %
345,– $	890,– £	9012,– DM	9 %

BF 089 1513

Le misure relative al corpo dei caratteri ve
ngono generalmente indicate in punti tipo
grafici. Il corpo dei caratteri Fototypes può
essere determinato con esattezza per sem
plice misurazione. Tutti i caratteri di uguale
grandezza in punti hanno, indipendentem
ente dalla loro lunghezza, uguale altezza d
elle maiuscole. Nella composizione in pio
mbo ed in molti altri sistemi di fotocompo

2,15 mm (8 p), –2, Zeilenabstand 3,38 mm

Buch
book
romain labeur

VELJOVIC CAPS

libro
libro
buch

T. S. ELIOT *Old Possums Katzenbuch*
GÜNTER EICH *Träume.* Vier Spiele
JEAN GIRAUDOUX *Eglantine.* Roman
WALTER BENJAMIN *Einbahnstraße*
ANTONIO MACHADO *Juan de Mairena*
G. B. SHAW *Musik in London.* Kritiken
PAUL VALÉRY *Über Kunst.* Essays
ERNST BLOCH *Spuren.* Parabeln
WILLIAM FAULKNER *Der Bär*
TRUMAN CAPOTE *Die Grasharfe*
ANDRÉ GIDE *Paludes.* Satire
GUISEPPE UNGARETTI *Gedichte*
JEAN GIRAUDOUX *Simon.* Roman
WILLIAM CARLOS WILLIAMS *Gedichte*
BERTHOLT BRECHT *Geschichten*
HENRY GREEN *Schwärmerei.* Roman
EZRA POUND *ABC des Lesens*
TH. W. ADORNO *Mahler.* Monographie

2,15 mm (8 p), Zeilenabstand 5,00 mm

JOVICA VELJOVIC
1984
INTERNATIONAL TYPEFACE CORP.
H. BERTHOLD AG

ABCDEFGHIJKLMNOPQ
RSTUVWXYZ
ABCDEFGHIJKLMNOPQRSTUVWXYZ
1234567890 %
(.,-;:!¡?¿—) · [’‘„”“»«›‹]
+−=/$£†*&§©
ÄÅÆÖØŒÜÄÅÆÖØŒÜ
ÁÀÂÃÇČÉÈÊËÍÌÎÏĹŇÑ
ÓÒÔÕŔŘŠŤÚÙÛŴẄÝŶŸŽ
ÁÀÂÃÇČÉÈÊËÍÌÎÏĹŇÑÓÒÔÕŔŘŠ
ÚÙÛŴẄÝŶŸŽ

SCHRIFTWEITE WEIT
SCHRIFTWEITE NORMAL
SCHRIFTWEITE ENG
SCHRIFTWEITE SEHR ENG
SCHRIFTWEITE EXTREM ENG

CALAN: Hast du Furcht, daß sein Vermögen nicht ausreicht? Mein Wort schlägt Hände ab – horch, ob sein Wort sie ihm behält. *Man hört schreien.* Wer, sagst du, Noah, wer, sagst du, wer, wenn nicht ich, ist der Herr?
NOAH: Sprich ein zweites Wort, Calan. *Das Schreien dauert an.* Töte ihn vollends, daß nicht sein Schreien in meinen Eingeweiden schauert, sprich, Calan, sprich!
CALAN: Darum, daß dein Eingeweide sich besänftigt? Darum, Noah, bitte ihn, den andern. Das Opfer ist getan, mag er sich sättigen am Schreien, denn es schreien viele, ohne daß er ihr Schreien in Gnade ersäuft. Mag er sich auch eine Mühe machen mit einem Wort, wenn ihm an der Stille gelegen ist. Ich habe das Opfer von mir gegeben, und da es sein ist, soll er damit tun nach seinem Wohlgefallen. *Chus kommt mit zwei blutigen Händen.* Gut, Chus, nagle sie hier an den Pfosten, daß er sieht, was Calan dargebracht, das nimmt er nicht wieder an sich. *Chus tut wie befohlen.*
CALAN *zu Noah, der sich die Ohren zuhält:* Nimm die Hände herunter und höre, was dein Gott dir zu hören gibt. Wenn es an dem ist, daß er ihn schreien läßt, so hat er Wohlgefallen an seinem Schreien, und es kitzelt ihm die Eingeweide.

1,86 mm (7 p), Zeilenabstand 3,00 mm

THE QUICK BROWN FOX JUMPS OVER THE LAZY DOG AND FEELS AS IF HE WERE I
3,72 mm (14 p)

THE QUICK BROWN FOX JUMPS OVER THE LAZY DOG AND FEELS AS IF
4,25 mm (16 p)

THE QUICK BROWN FOX JUMPS OVER THE LAZY DOG AND FEE
4,75 mm (18 p)

THE QUICK BROWN FOX JUMPS OVER THE LAZY DOG A
5,30 mm (20 p)

THE QUICK BROWN FOX JUMPS OVER THE LAZY
6,35 mm (24 p)

THE QUICK BROWN FOX JUMPS OVER TH
7,40 mm (28 p)

THE QUICK BROWN FOX JUMPS OV
8,50 mm (32 p)

THE QUICK BROWN FOX JUMPS
9,55 mm (36 p)

9/6

CHARLOTTE DUVALIER
PIANISTIN

PETER-PAUL-RUBENS-PLATZ 2, 1000 BERLIN 13
TELEFON 030 — 66 22 84

MONDAY		4	11	18	25
TUESDAY		5	12	19	26
WEDNESDAY		6	13	20	27
THURSDAY		7	14	21	28
FRIDAY	1	8	15	22	29
SATURDAY	2	9	16	23	30
SUNDAY	3	10	17	24	

10/7

JOCHEN VAN DIJK
LEHRER

HINTERM DOM 3, 5000 KÖLN AM RHEIN
TELEFON 02 21 — 67 33 58

2,40 mm (9 p) und 1,60 mm (6 p)

2,40 mm (9 p) und 3,20 mm (12 p)
WZ 15 E, NSW +1, II
BF 089 1514, Belegung 127: 085 1586 (095 1586)

2,65 mm (10 p) und 1,86 mm (7 p)

Buch kursiv
book italic
italique romain labeur

VELJOVIC

libro cursiva
libro corsivo
buch kursiv

*Måttangivelse för grundstilsg
rader sker i allmänhet i typogr
afiska punkter. Stilar av Berth
old Fototype kan efter mätning
exakt gradbestämmas. Alla ty
psnitt är av samma punktstorl
ek och har oberoende av x-höj
den en identisk versalhöjd. I bl
ysättning och i många andra
fotosättsystem varierar versal
höjden avsevärt från typsnitt t
ill typsnitt. För mätning av stil
grader finns en transparent m
ätlinjal. Vid mätningen placer
ar man en versal bokstav så att
rutorna begränsar tecknet up
ptill och nedtill. Under rutorna
finns stilstorleken i typografis
ka didotpunkter och i mm. Äve*

2,92 mm (11 p), Zeilenabstand 4,69 mm

*Jovica Veljovic
1984
International Typeface Corp.
H. Berthold AG*

*ABCDEFGHIJKLMNOPQ
RSTUVWXYZ
abcdefghijklmnopqrstuvwxyz
1/1234567890%
(.,-;:!¡?¿–)·[",""»«]
+−=/$£†*&§
ÄÅÆÖØŒÜäåæıöøœßü
ÁÀÂÃÇČÉÈÊËÍÌÎÏĹŇÑÓÒÔÕ
ŔŘŠŤÚÙÛŴẄÝỲŸŽ
áàâãçčéèêëíìîïĺňñóòôõŕřš
úùûŵẅýỳÿž*

*Berthold-Schriftweite weit
Berthold-Schriftweite normal
Berthold-Schriftweite eng
Berthold-Schriftweite sehr eng
Berthold-Schriftweite extrem eng*

*In general, bodytypes are m
easured in the typographic
al point size. The sizes of Be
rthold Fototype faces can be
exactly determined. All faces
of same point size have the s
ame capital height–irrespe
ctive of their x-height. In hot
metal and many other phot
otypesetting systems the ca
pital heights often differ con
siderably from one face to t
he other. For measuring poi
nt sizes, a transparent size g
auge is provided. To determ
ine the point size, bring a ca
pital letter into coincidence*

3,20 mm (12 p), Zeilenabstand 5,25 mm

VELJOVIC

*Die Maßangabe zu Grundschriftgrößen erfol
gt im allgemeinen in typographischen Punkt
en. Die Schriftgrößen der Berthold-Fotosatz
Schriften sind nach Messung exakt bestimm
bar. Alle Schriften gleicher Punktgröße weise
n, unabhängig von der Höhe ihrer Mittelläng
en, eine identische Versalhöhe auf. Im Bleisat
z und bei vielen anderen Fotosatz-Systemen
differieren die Versalhöhen von Schrift zu Sc
hrift oft erheblich. Zum Messen von Schriftgr
ößen steht ein transparentes Größenmaß zur
Verfügung. Zum Messen wird ein Versalbuc
hstabe mit dem Feld in Deckung gebracht, das
den Buchstaben oben und unten scharf begre
nzt. Unter dem Feld ist die Schriftgröße in typ
ographischen Didot-Punkten, darunter in Mi
llimetern angegeben. Auch die Millimeteran
gaben beziehen sich auf die Höhe der Versalb*

2,40 mm (9 p), Zeilenabstand 4 mm

VELJOVIC

*La valeur de la force de corps des caract
ères de labeur èst généralement exprimée
en points typographiques. La force de cor
ps des caractères Berthold-Fototype peut
être déterminée avec précision. Tous les c
aractères du même corps ont des capitale
s d'une hauteur identique, indépendam
ment de la hauteur des bas de casse sans
jambage. Dans la composition plomb, ai
nsi que dans certains systèmes de photoc
omposition, la hauteur des capitales, vari
e souvent d'un caractère à l'autre. Pour d
éterminer la force de corps de nos carac
tères, nous avons mis au point une réglett
e de hauteur d'œil transparente. On cher
che le rectangle qui délimite exactement l*

2,65 mm (10 p), Zeilenabstand 4,50 mm

*La indicación de las dimensiones para cuerpos de letra
vásicos tiene lugar en general en puntos tipográficos
Los cuerpos de letra de los caracteres Berthold Fototy
pe pueden determinarse exactemente par medición. C
on independencia de la altura de sus longitudes ce
ntrales, todos los caracteres de idéntico cuerpo de letra
presentan altura de mayúsculas idéntica. En la compo
sición en plomo y en muchos otros sistemas de fotoco
mposición, las alturas de mayúsculas varían frecuent
emmente en forma considerable de tipo de letra a tipo
de letra. Para medir los cuerpos de letra se dispone de
un tipómetro, véase la figura. Para la medición se hace*

1,60 mm (6 p), Zeilenabstand 2,50 mm

Größe		Zeilenabstand			100 Zeichen		
mm	p	kp	Êp	Ex	0	−1	−2
1,33	5	2,00	2,25	–	96	93	90
1,60	6	2,38	2,69	2,50	112	108	104
1,86	7	2,81	3,13	–	129	125	121
2,15	8	3,19	3,63	3,38	147	142	137
2,40	9	3,56	4,06	4,00	165	159	153
2,65	10	3,94	4,44	4,50	182	175	168
2,92	11	4,38	4,88	4,69	198	191	184
3,20	12	4,75	5,38	5,25	215	207	199
3,45	13	5,13	5,81	–	232	224	216
3,72	14	5,56	6,25	–	249	240	231
3,98	15	5,94	6,69	–	266	257	248
4,25	16	6,31	7,13	–	283	273	263

WZ 14 E, NSW 0, MZB 0,68, F 0,09:0,04 (2,2), II
H 1–x 0,73–k 1,15–p 0,33–Ê 1,34–kp 1,48–Êp 1,67
BF 089 1515, Belegung 051: 085 1585 (095 1585)

*Le misure relative al corpo dei caratteri v
engono generalmente indicate in punti ti
pografici. Il corpo dei caratteri Fototypes
può essere determinato con esattezza p
er semplice misurazione. Tutti i caratteri
di uguale grandezza in punti hanno, indi
pendentemente dalla loro lunghezza, ugu
ale altezza delle maiuscole. Nella compos
izione in piombo ed in molti altri sistemi di*

2,15 mm (8 p), Zeilenabstand 3,38 mm

normal
medium
normal

VELJOVIC

normal
chiaro tondo
normal

Berthold-Schriften überzeugen durch Schärfe und Quali tät. Schriftqualität ist eine Frage der Erfahrung. Berthold hat diese Erfahrung seit über hundert Jahren. Zuerst im Schriftguß, dann im Fotosatz. Berthold-Schriften sind weltweit geschätzt. Im Schriftenatelier München wird je der Buchstabe in der Größe von zwölf Zentimetern neu gezeichnet. Mit messerscharfen Konturen, um für die Sc hriftscheiben das Optimale an Konturenschärfe herausz uholen. Um die Qualität des Einzelzeichens im Belichtun

1,33 mm (5 p) 20 30 40 50

Berthold-Schriften überzeugen durch Schärfe und Q ualität. Schriftqualität ist eine Frage der Erfahrung. B erthold hat diese Erfahrung seit über hundert Jah ren. Zuerst im Schriftguß, dann im Fotosatz. Berthol d-Schriften sind weltweit geschätzt. Im Schriftenate lier München wird jeder Buchstabe in der Größe v on zwölf Zentimetern neu gezeichnet. Mit messersc harfen Konturen, um für die Schriftscheiben das Opt imale an Konturenschärfe herauszuholen. Um die

1,45 mm (5,5 p) 20 30 40

Berthold-Schriften überzeugen durch Schärfe u nd Qualität. Schriftqualität ist eine Frage der Erf ahrung. Berthold hat diese Erfahrung seit über hundert Jahren. Zuerst im Schriftguß, dann im F otosatz. Berthold-Schriften sind weltweit gesch ätzt. Im Schriftenatelier München wird jeder Bu chstabe in der Größe von zwölf Zentimetern neu gezeichnet. Mit messerscharfen Konturen, um f ür die Schriftscheiben das Optimale an Kontur

1,60 mm (6 p) 20 30 40

Berthold-Schriften überzeugen durch Schä rfe und Qualität. Schriftqualität ist eine Frag e der Erfahrung. Berthold hat diese Erfahr ung seit über hundert Jahren. Zuerst im Sch riftguß, dann im Fotosatz. Berthold-Schrifte n sind weltweit geschätzt. Im Schriftenateli er München wird jeder Buchstabe in der Größe von zwölf Zentimetern neu gezeichn et. Mit messerscharfen Konturen, um für die

1,75 mm (6,5 p) 20 30 40

Berthold-Schriften überzeugen durch Sc härfe und Qualität. Schriftqualität ist eine Frage der Erfahrung. Berthold hat diese Erfahrung seit über hundert Jahren. Zuer st im Schriftguß, dann im Fotosatz. Berth old-Schriften sind weltweit geschätzt. Im Schriftenatelier München wird jeder Buc hstabe in der Größe von zwölf Zentimeter n neu gezeichnet. Mit messerscharfen Ko

1,86 mm (7 p) 20 30

Berthold-Schriften überzeugen durch Schärfe und Qualität. Schriftqualität ist eine Frage der Erfahrung. Berthold hat diese Erfahrung seit über hundert Jahr en. Zuerst im Schriftguß, dann im Fotos atz. Berthold-Schriften sind weltweit g eschätzt. Im Schriftenatelier München wird jeder Buchstabe in der Größe von zwölf Zentimetern neu gezeichnet. Mit

2,00 mm (7,5 p) 20 30

Berthold-Schriften überzeugen dur ch Schärfe und Qualität. Schriftquali tät ist eine Frage der Erfahrung. Bert hold hat diese Erfahrung seit über h undert Jahren. Zuerst im Schriftguß dann im Fotosatz. Berthold-Schriften sind weltweit geschätzt. Im Schrifte natelier München wird jeder Buchst abe in der Größe von zwölf Zentimet

2,15 mm (8 p) 10 20 30

Jovica Veljovic
1984
International Typeface Corp.
H. Berthold AG

ABCDEFGHIJKLMNOPQ
RSTUVWXYZ
abcdefghijklmnopqrstuvw
xyz1/1234567890%
(.,-;:!¡?¿–)·['‚„"“»«]
+−=/$£†*&§
ÄÅÆÖØŒÜäåæıöøœßü
ÁÀÂÃÇČÉÈÊËÍÌÎÏĹŇÑÓÒÔÕ
ŔŘŠŤÚÙÛŴẄÝŶŸŽ
áàâãçčéèêëíìîïĺňñóòôõŕřš
úùûŵẅýỳÿž

Berthold-Schriftweite weit
Berthold-Schriftweite normal
Berthold-Schriftweite eng
Berthold-Schriftweite sehr eng
Berthold-Schriftweite extrem eng

Berlin
3,72 mm (14 p)

Berlin
4,25 mm (16 p)

Berlin
4,75 mm (18 p)

Berlin
5,30 mm (20 p)

Berlin
6,35 mm (24 p)

Berlin
7,40 mm (28 p)

Berlin
8,50 mm (32 p)

Berlin
9,55 mm (36 p)

Größe mm	p	Zeilenabstand kp	Êp	Ex	100 Zeichen 0	−1	−2
1,33	5	2,00	2,25	2,00	107	104	101
1,60	6	2,38	2,69	2,50	126	122	118
1,86	7	2,81	3,13	3,00	145	141	137
2,15	8	3,19	3,63	3,50	165	160	155
2,40	9	3,56	4,06	3,75	185	179	173
2,65	10	3,94	4,44	4,25	204	197	190
2,92	11	4,38	4,88	4,75	223	216	209
3,20	12	4,75	5,38	5,25	242	234	226
3,45	13	5,13	5,81	5,75	261	253	245
3,72	14	5,56	6,25	–	280	271	262
3,98	15	5,94	6,69	–	299	290	281
4,25	16	6,31	7,13	–	318	308	298

WZ 14 E, NSW 0, MZB 0,77, F 0,16:0,05 (3,3), II
H 1–x 0,73–k 1,14–p 0,34–Ê 1,33–kp 1,48–Êp 1,67
BF 089 1516, Belegung 051: 085 1587 (095 1587)

Berthold-Schriften überzeugen d urch Schärfe und Qualität. Schr iftqualität ist eine Frage der Erfa hrung. Berthold hat diese Erfahr ung seit über hundert Jahren. Zu erst im Schriftguß, dann im Foto satz. Berthold-Schriften sind wel tweit geschätzt. Im Schriftenatel

2,40 mm (9 p) 10 20 30

Berthold-Schriften überzeug en durch Schärfe und Qualitä t. Schriftqualität ist eine Frage der Erfahrung. Berthold hat diese Erfahrung seit über hu ndert Jahren. Zuerst im Schri ftguß, dann im Fotosatz. Bert hold-Schriften sind weltweit

2,65 mm (10 p) 10 20

Berthold-Schriften überze ugen durch Schärfe und Q ualität. Schriftqualität ist e ine Frage der Erfahrung. B erthold hat diese Erfahrung seit über hundert Jahren. Z uerst im Schriftguß, dann i m Fotosatz. Berthold-Schri

2,92 mm (11 p) 10 20

Berthold-Schriften über zeugen durch Schärfe u nd Qualität. Schriftquali tät ist eine Frage der Erfa hrung. Berthold hat diese Erfahrung seit über hun dert Jahren. Zuerst im Sc hriftguß, dann im Fotosa

3,20 mm (12 p) 10 20

Berthold-Schriften übe rzeugen durch Schärfe und Qualität. Schriftqu alität ist eine Frage der Erfahrung. Berthold h at diese Erfahrung seit über hundert Jahren. Z uerst im Schriftguß, da

3,45 mm (13 p) 10 20

normal
medium
normal

VELJOVIC

normal
chiaro tondo
normal

Berthold-Schriften überzeugen durch Schärfe und Qualität Schriftqualität ist eine Frage der Erfahrung. Berthold hat di ese Erfahrung seit über hundert Jahren. Zuerst im Schriftgu ß, dann im Fotosatz. Berthold-Schriften sind weltweit gesch ätzt. Im Schriftenatelier München wird jeder Buchstabe in der Größe von zwölf Zentimetern neu gezeichnet. Mit mess erscharfen Konturen, um für die Schriftscheiben das Optim ale an Konturenschärfe herauszuholen. Um die Qualität des Einzelzeichens im Belichtungsvorgang zu bewahren, wird

4,25 mm (16 p), Zeilenabstand 6,75 mm

VELJOVIC MEDIUM

In general, bodytypes are measured in t he typographical point size. The sizes of Berthold Fototype faces can be exactly determined. All faces of same point siz e have the same capital height–irrespec tive of their x-height. In hot metal and many other phototypesetting systems t he capital heights often differ considera bly from one face to the other. For meas uring point sizes, a transparent size gau ge is provided. To determine the point si ze, bring a capital letter into coincidence with that field which precisely circumsc ribes the letter at its upper and lower ma rgin. Below the field you find the typogr aphical point and below that the millime ter value, which also refers to the height of a capital letter. In Berthold-phototype setting, the typewidth can be modified The standard setting width of typefaces is determined by the principle of optimu m legibility. You should not depart from

2,40 mm (9 p), Zeilenabstand 4,25 mm

VELJOVIC NORMAL

La valeur de la force de corps des car actères de labeur èst généralement exprimée en points typographiques La force de corps des caractères Ber thold-Fototype peut être déterminé e avec précision. Tous les caractères du même corps ont des capitales d'u ne hauteur identique, indépendam ment de la hauteur des bas de casse s ans jambage. Dans la composition p lomb, ainsi que dans certains systè mes de photocomposition, la haute ur des capitales, varie souvent d'un caractère à l'autre. Pour déterminer la force de corps de nos caractères nous avons mis au point une réglette de hauteur d'œil transparente. On c herche le rectangle qui délimite exa ctement la hauteur d'œil d'une capit ale du caractère choisi. Sous le recta

2,65 mm (10 p), Zeilenabstand 4,69 mm

La indicación de las dimensiones para cuerpos de letra vásicos tiene lugar en general en puntos tipográficos. Los cu erpos de letra de los caracteres Bertho ld Fototype pueden determinarse exa ctemente par medición. Con indepen dencia de la altura de sus longitudes c entrales, todos los caracteres de idénti co cuerpo de letra presentan altura de

2,15 mm (8 p), –1, Zeilenabstand 3,38 mm

123,– $	456,– £	7890,– DM	1 %
234,– $	789,– £	1234,– DM	2 %
567,– $	12,– £	5678,– DM	3 %
890,– $	345,– £	9012,– DM	4 %
123,– $	678,– £	3456,– DM	5 %
456,– $	901,– £	7890,– DM	6 %
789,– $	234,– £	1234,– DM	7 %
12,– $	567,– £	5678,– DM	8 %
345,– $	890,– £	9012,– DM	9 %

BF 089 1517

Le misure relative al corpo dei caratteri vengono generalmente indicate in pun ti tipografici. Il corpo dei caratteri Fotot ypes può essere determinato con esatte zza per semplice misurazione. Tutti i ca ratteri di uguale grandezza in punti han no, indipendentemente dalla loro lung hezza, uguale altezza delle maiuscole Nella composizione in piombo ed in m

2,15 mm (8 p), –2, Zeilenabstand 3,38 mm

normal
medium
normal

Veljovic Caps

normal
chiaro tondo
normal

T. S. Eliot *Old Possums Katzenbuch*
Günter Eich *Träume.* Vier Spiele
Jean Giraudoux *Eglantine.* Roman
Walter Benjamin *Einbahnstraße*
Antonio Machado *Juan de Mairena*
G. B. Shaw *Musik in London.* Kritik
Paul Valéry *Über Kunst.* Essays
Ernst Bloch *Spuren.* Parabeln
William Faulkner *Der Bär*
Truman Capote *Die Grasharfe*
André Gide *Paludes.* Satire
Guiseppe Ungaretti *Gedichte*
Jean Giraudoux *Simon.* Roman
William Carlos Williams *Gedichte*
Bertholt Brecht *Geschichten*
Henry Green *Schwärmerei.* Roman
Ezra Pound *ABC des Lesens*
Th. W. Adorno *Mahler.* Biographie

2,15 mm (8 p), Zeilenabstand 5,00 mm

Jovica Veljovic
1984
International Typeface Corp.
H. Berthold AG

ABCDEFGHIJKLMNOPQ
RSTUVWXYZ
ABCDEFGHIJKLMNOPQRSTUVW
XYZ 1234567890 %
(.,-;:!¡?¿—) · [’‘„”“»«›‹]
+−=/$£†*&§©
ÄÅÆÖØŒÜÄÅÆÖØŒÜ
ÁÀÂÃÇČÉÈÊËÍÌÎÏĹŇÑ
ÓÒÔÕŔŘŠŤÚÙÛŴẄÝŶŸŽ
ÁÀÂÃÇČÉÈÊËÍÌÎÏĹŇÑÓÒÔÕŔŘŠ
ÚÙÛŴẄÝỲŸŽ

Schriftweite weit
Schriftweite normal
Schriftweite eng
Schriftweite sehr eng
Schriftweite extrem eng

Calan: Hast du Furcht, daß sein Vermögen nicht ausreicht? Mein Wort schlägt Hände ab – horch, ob sein Wort sie ihm behält. *Man hört schreien.* Wer, sagst du, Noah, wer, sagst du, wer, wenn nicht ich, ist der Herr?
Noah: Sprich ein zweites Wort, Calan. *Das Schreien dauert an.* Töte ihn vollends, daß nicht sein Schreien in meinen Eingeweiden schauert, sprich, Calan, sprich!
Calan: Darum, daß dein Eingeweide sich besänftigt? Darum, Noah, bitte ihn, den andern. Das Opfer ist getan, mag er sich sättigen am Schreien, denn es schreien viele, ohne daß er ihr Schreien in Gnade ersäuft. Mag er sich auch eine Mühe machen mit einem Wort, wenn ihm an der Stille gelegen ist. Ich habe das Opfer von mir gegeben, und da es sein ist, soll er damit tun nach seinem Wohlgefallen. *Chus kommt mit zwei blutigen Händen.* Gut, Chus, nagle sie hier an den Pfosten, daß er sieht, was Calan dargebracht, das nimmt er nicht wieder an sich. *Chus tut wie befohlen.*
Calan *zu Noah, der sich die Ohren zuhält:* Nimm die Hände herunter und höre, was dein Gott dir zu hören gibt. Wenn es an dem ist, daß er ihn schreien läßt,

1,86 mm (7 p), Zeilenabstand 3,00 mm

The Quick Brown Fox Jumps over the Lazy Dog and Feels as if he w
3,72 mm (14 p)

The Quick Brown Fox Jumps over the Lazy Dog and Feels as
4,25 mm (16 p)

The Quick Brown Fox Jumps over the Lazy Dog and
4,75 mm (18 p)

The Quick Brown Fox Jumps over the Lazy Dog
5,30 mm (20 p)

The Quick Brown Fox Jumps over the L
6,35 mm (24 p)

The Quick Brown Fox Jumps over
7,40 mm (28 p)

The Quick Brown Fox Jumps o
8,50 mm (32 p)

The Quick Brown Fox Jum
9,55 mm (36 p)

9/6

Charlotte Duvalier
Pianistin

Peter-Paul-Rubens-Platz 2, 1000 Berlin 13
Telefon 030 — 66 22 84

Monday		4	11	18	25
Tuesday		5	12	19	26
Wednesday		6	13	20	27
Thursday		7	14	21	28
Friday	1	8	15	22	29
Saturday	2	9	16	23	30
Sunday	3	10	17	24	

10/7

Jochen van Dijk
Lehrer

Hinterm Dom 3, 5000 Köln am Rhein
Telefon 02 21 — 67 33 58

2,40 mm (9 p) und 1,60 mm (6 p)

2,40 mm (9 p) und 3,20 mm (12 p)
WZ 15 E, NSW +1, II
BF 089 1518, Belegung 127: 085 1589 (095 1589)

2,65 mm (10 p) und 1,86 mm (7 p)

kursiv
medium italic
italique

VELJOVIC

cursiva
chiaro corsivo
kursiv

Måttangivelse för grundstils grader sker i allmänhet i typ ografiska punkter. Stilar av Berthold Fototype kan efter mätning exakt gradbestäm mas. Alla typsnitt är av sam ma punktstorlek och har obe roende av x-höjden en identi sk versalhöjd. I blysättning o ch i många andra fotosättsy stem varierar versalhöjden avsevärt från typsnitt till typ snitt. För mätning av stilgra der finns en transparent mät linjal. Vid mätningen placer ar man en versal bokstav så att rutorna begränsar teckn et upptill och nedtill. Under r utorna finns stilstorleken i ty

2,92 mm (11 p), Zeilenabstand 4,69 mm

Jovica Veljovic
1984
International Typeface Corp.
H. Berthold AG

ABCDEFGHIJKLMNOPQ
RSTUVWXYZ
abcdefghijklmnopqrstuvwxyz
1/1234567890%
(.,-;:!¡?¿–)·[‘„”“»«]
+−=/$£†&§*
ÄÅÆÖØŒÜäåæıöøœßü
ÁÀÂÃÇČÉÈÊËÍÌÎÏĹŇÑÓÒÔÕ
ŔŘŠŤÚÙÛŴẄÝŶŸŽ
áàâãçčéèêëíìîïĺňñóòôõŕřš
úùûŵẅýỳÿž

Berthold-Schriftweite weit
Berthold-Schriftweite normal
Berthold-Schriftweite eng
Berthold-Schriftweite sehr eng
Berthold-Schriftweite extrem eng

In general, bodytypes are measured in the typograp hical point size. The sizes of Berthold Fototype faces can be exactly determined All faces of same point size have the same capital heig ht–irrespective of their x height. In hot metal and m any other phototypesettin g systems the capital heig hts often differ considera bly from one face to the ot her. For measuring point sizes, a transparent size g auge is provided. To deter mine the point size, bring a

3,20 mm (12 p), Zeilenabstand 5,25 mm

VELJOVIC KURSIV

Die Maßangabe zu Grundschriftgrößen er folgt im allgemeinen in typographischen P unkten. Die Schriftgrößen der Berthold-Fo tosatz-Schriften sind nach Messung exakt bestimmbar. Alle Schriften gleicher Punkt größe weisen, unabhängig von der Höhe ih rer Mittellängen, eine identische Versalhö he auf. Im Bleisatz und bei vielen anderen Fotosatz-Systemen differieren die Versalh öhen von Schrift zu Schrift oft erheblich. Z um Messen von Schriftgrößen steht ein tra nsparentes Größenmaß zur Verfügung. Zu m Messen wird ein Versalbuchstabe mit dem Feld in Deckung gebracht, das den Bu chstaben oben und unten scharf begrenzt Unter dem Feld ist die Schriftgröße in typo graphischen Didot-Punkten, darunter in Millimetern angegeben. Auch die Millimet

2,40 mm (9 p), Zeilenabstand 4 mm

VELJOVIC ITALIQUE

La valeur de la force de corps des cara ctères de labeur èst généralement expr imée en points typographiques. La for ce de corps des caractères Berthold-Fo totype peut être déterminée avec préci sion. Tous les caractères du même cor ps ont des capitales d'une hauteur iden tique, indépendamment de la hauteur des bas de casse sans jambage. Dans la composition plomb, ainsi que dans cer tains systèmes de photocomposition, la hauteur des capitales, varie souvent d un caractère à l'autre. Pour déterminer la force de corps de nos caractères, no us avons mis au point une réglette de h auteur d'œil transparente. On cherche

2,65 mm (10 p), Zeilenabstand 4,50 mm

La indicación de las dimensiones para cuerpos de l etra vásicos tiene lugar en general en puntos tipog ráficos. Los cuerpos de letra de los caracteres Bert hold Fototype pueden determinarse exactemente p ar medición. Con independencia de la altura de sus longitudes centrales, todos los caracteres de idénti co cuerpo de letra presentan altura de mayúscu las idéntica. En la composición en plomo y en much os otros sistemas de fotocomposición, las alturas d e mayúsculas varían frecuentemmente en forma c onsiderable de tipo de letra a tipo de letra. Para me dir los cuerpos de letra se dispone de un tipómetro

1,60 mm (6 p), Zeilenabstand 2,50 mm

Größe		Zeilenabstand			100 Zeichen		
mm	p	kp	Êp	Ex	0	−1	−2
1,33	5	2,00	2,25	–	100	97	94
1,60	6	2,38	2,69	2,50	118	114	110
1,86	7	2,81	3,13	–	136	132	128
2,15	8	3,19	3,63	3,38	154	149	144
2,40	9	3,56	4,06	4,00	172	166	160
2,65	10	3,94	4,50	4,50	190	183	176
2,92	11	4,38	4,94	4,69	208	201	194
3,20	12	4,75	5,38	5,25	226	218	210
3,45	13	5,13	5,81	–	243	235	227
3,72	14	5,56	6,25	–	261	252	243
3,98	15	5,94	6,69	–	279	270	261
4,25	16	6,31	7,19	–	296	286	276

WZ 14 E, NSW 0, MZB 0,72, F 0,14:0,04 (3,8), II
H 1–x 0,73–k 1,14–p 0,34–Ê 1,34–kp 1,48–Êp 1,68
BF 089 1519, Belegung 051: 085 1588 (095 1588)

Le misure relative al corpo dei caratteri vengono generalmente indicate in pun ti tipografici. Il corpo dei caratteri Foto types può essere determinato con esatt ezza per semplice misurazione. Tutti i c aratteri di uguale grandezza in punti h anno, indipendentemente dalla loro lu nghezza, uguale altezza delle maiuscol e. Nella composizione in piombo ed in

2,15 mm (8 p), Zeilenabstand 3,38 mm

halbfett
bold
demi-gras

VELJOVIC

seminegra
neretto
halvfet

Berthold-Schriften überzeugen durch Schärfe und Qualität. Schriftqualität ist eine Frage der Erfahrung. Berthold hat diese Erfahrung seit über hundert Jahren. Zuerst im Schriftguß, da nn im Fotosatz. Berthold-Schriften sind welt weit geschätzt. Im Schriftenatelier München wird jeder Buchstabe in der Größe von zwölf Z entimetern neu gezeichnet. Mit messerscharf en Konturen, um für die Schriftscheiben das

1,60 mm (6 p), Zeilenabstand 2,50 mm

Berthold-Schriften überzeugen durch S chärfe und Qualität. Schriftqualität ist eine Frage der Erfahrung. Berthold hat diese Erfahrung seit über hundert Jahr en. Zuerst im Schriftguß, dann im Fotos atz. Berthold-Schriften sind weltweit g eschätzt. Im Schriftenatelier München wird jeder Buchstabe in der Größe von

1,86 mm (7 p), Zeilenabstand 3,00 mm

Berthold-Schriften überzeugen du rch Schärfe und Qualität. Schriftqu alität ist eine Frage der Erfahrung Berthold hat diese Erfahrung seit ü ber hundert Jahren. Zuerst im Schr iftguß, dann im Fotosatz. Berthold Schriften sind weltweit geschätzt. I m Schriftenatelier München wird j

2,15 mm (8 p), Zeilenabstand 3,50 mm

Jovica Veljovic
1984
International Typeface Corp.
H. Berthold AG

ABCDEFGHIJKLMNOPQ
RSTUVWXYZ
abcdefghijklmnopqrstuvw
xyz1/1234567890%
(.,-;:!¡?¿–)·['‘„"“»«]
+−=/$£†*&§
ÄÅÆÖØŒÜäåæıöøœßü
ÁÀÂÃÇČÉÈÊËÍÌÎÏĹŇÑ
ÓÒÔÕŔŘŠŤÚÙÛŴẄÝŶŸŽ
áàâãçčéèêëíìîïĺňñóòôõŕřš
úùûŵẅýỳÿž

Schriftweite weit
Schriftweite normal
Schriftweite eng
Schriftweite sehr eng
Schriftweite extrem eng

In general, bodytypes a re measured in the typo graphical point size. Th e sizes of Berthold Foto type faces can be exactl y determined. All faces of same point size have the same capital heigh t–irrespective of their x height. In hot metal and many other phototypes etting systems the cap ital heights often differ considerably from one face to the other. For m easuring point sizes, a t ransparent size gauge is

3,20 mm (12 p), Zeilenabstand 5,25 mm

Berthold's quick brown fox jumps over the lazy dog and feels as if
3,72 mm (14 p)

Berthold's quick brown fox jumps over the lazy dog and f
4,25 mm (16 p)

Berthold's quick brown fox jumps over the lazy dog
4,75 mm (18 p)

Berthold's quick brown fox jumps over the la
5,30 mm (20 p)

Berthold's quick brown fox jumps over
6,35 mm (24 p)

Berthold's quick brown fox jum
7,40 mm (28 p)

Berthold's quick brown fox j
8,50 mm (32 p)

Berthold's quick brown f
9,55 mm (36 p)

Berthold-Schriften überzeugen durch Schärfe und Qualität. Sc hriftqualität ist eine Frage der Erfahrung. Berthold hat diese Erfahrung seit über hundert Ja hren. Zuerst im Schriftguß, dan n im Fotosatz. Berthold-Schrift en sind weltweit geschätzt. Im

2,40 mm (9 p), Zeilenabstand 4,00 mm

Größe mm	p	Zeilenabstand kp	Êp	Ex	100 Zeichen 0	−1	−2
1,33	5	2,00	2,25	–	114	111	108
1,60	6	2,38	2,69	2,50	134	130	126
1,86	7	2,81	3,13	3,00	154	150	146
2,15	8	3,19	3,63	3,50	175	170	165
2,40	9	3,56	4,06	4,00	196	190	184
2,65	10	3,94	4,50	4,00	216	209	202
2,92	11	4,38	4,94	–	236	229	222
3,20	12	4,75	5,38	5,25	256	248	240
3,45	13	5,13	5,81	–	276	268	260
3,72	14	5,56	6,25	–	297	288	279
3,98	15	5,94	6,69	–	317	308	299
4,25	16	6,31	7,19	–	337	327	317

WZ 14 E, NSW 0, MZB 0,81, F 0,22:0,05 (4,8), II
H 1–x 0,73–k 1,14–p 0,34–Ê 1,34–kp 1,48–Êp 1,68
BF 089 1520, Belegung 051: 085 1590 (095 1590)

Berthold-Schriften überzeu gen durch Schärfe und Qual ität. Schriftqualität ist eine Frage der Erfahrung. Berth old hat diese Erfahrung seit über hundert Jahren. Zuerst im Schriftguß, dann im Foto satz. Berthold-Schriften sin

2,65 mm (10 p), Zeilenabstand 4,00 mm

kursiv halbfett
medium italic
italique demi-gras

VELJOVIC

seminegra cursiva
neretto corsivo
kursiv halvfet

Berthold-Schriften überzeugen durch Schärfe u nd Qualität. Schriftqualität ist eine Frage der E rfahrung. Berthold hat diese Erfahrung seit über hundert Jahren. Zuerst im Schriftguß, dann im Fotosatz. Berthold-Schriften sind weltweit gesc hätzt. Im Schriftenatelier München wird jeder B uchstabe in der Größe von zwölf Zentimetern ne u gezeichnet. Mit messerscharfen Konturen, um für die Schriftscheiben das Optimale an Kontur

1,60 mm (6 p), Zeilenabstand 2,50 mm

Berthold-Schriften überzeugen durch Sc härfe und Qualität. Schriftqualität ist ein e Frage der Erfahrung. Berthold hat diese Erfahrung seit über hundert Jahren. Zue rst im Schriftguß, dann im Fotosatz. Bert hold-Schriften sind weltweit geschätzt. Im Schriftenatelier München wird jeder Buc hstabe in der Größe von zwölf Zentimeter

1,86 mm (7 p), Zeilenabstand 3,00 mm

Berthold-Schriften überzeugen durc h Schärfe und Qualität. Schriftquali tät ist eine Frage der Erfahrung. Ber thold hat diese Erfahrung seit über h undert Jahren. Zuerst im Schriftguß dann im Fotosatz. Berthold-Schrifte n sind weltweit geschätzt. Im Schrift enatelier München wird jeder Buchs

2,15 mm (8 p), Zeilenabstand 3,50 mm

Jovica Veljovic
1984
International Typeface Corp.
H. Berthold AG

ABCDEFGHIJKLMNOPQ
RSTUVWXYZ
abcdefghijklmnopqrstuvw
xyz 1/1 234567890%
(.,-;:!¡?¿–)·['‚„"“»«]
+−=/$£†&§*
ÄÅÆÖØŒÜäåæıöøœßü
ÁÀÂÃÇČÉÈÊËÍÌÎÏĹŇÑÓÒÔÕ
ŔŘŠŤÚÙÛŴẄÝŶŸŽ
áàâãçčéèêëíìîïĺňñóòôõŕřš
úùûŵẅýỳÿž

Berthold-Schriftweite weit
Berthold-Schriftweite normal
Berthold-Schriftweite eng
Berthold-Schriftweite sehr eng
Berthold-Schriftweite extrem eng

In general, bodytypes ar e measured in the typog raphical point size. The sizes of Berthold Fototy pe faces can be exactly d etermined. All faces of s ame point size have the s ame capital height–irre spective of their x-height In hot metal and many o ther phototypesetting sy stems the capital heights often differ considerably from one face to the othe r. For measuring point si zes, a transparent size g auge is provided. To det

3,20 mm (12 p), Zeilenabstand 5,25 mm

Berthold's quick brown fox jumps over the lazy dog and feels as if he
3,72 mm (14 p)

Berthold's quick brown fox jumps over the lazy dog and feels
4,25 mm (16 p)

Berthold's quick brown fox jumps over the lazy dog a
4,75 mm (18 p)

Berthold's quick brown fox jumps over the lazy
5,30 mm (20 p)

Berthold's quick brown fox jumps over t
6,35 mm (24 p)

Berthold's quick brown fox jumps
7,40 mm (28 p)

Berthold's quick brown fox ju
8,50 mm (32 p)

Berthold's quick brown fox
9,55 mm (36 p)

Berthold-Schriften überzeugen d urch Schärfe und Qualität. Sch riftqualität ist eine Frage der Er fahrung. Berthold hat diese Erfa hrung seit über hundert Jahren Zuerst im Schriftguß, dann im F otosatz. Berthold-Schriften sind weltweit geschätzt. Im Schriften

2,40 mm (9 p), Zeilenabstand 4,00 mm

Größe mm	p	Zeilenabstand kp	Êp	Ex	100 Zeichen 0	−1	−2
1,33	5	2,00	2,31	–	106	103	100
1,60	6	2,38	2,75	2,50	125	121	117
1,86	7	2,75	3,19	3,00	143	139	135
2,15	8	3,19	3,69	3,50	163	158	153
2,40	9	3,56	4,13	4,00	183	177	171
2,65	10	3,94	4,56	4,00	201	194	187
2,92	11	4,31	5,00	–	220	213	206
3,20	12	4,75	5,50	5,25	239	231	223
3,45	13	5,13	5,94	–	258	250	242
3,72	14	5,50	6,38	–	276	267	258
3,98	15	5,88	6,81	–	295	286	277
4,25	16	6,25	7,31	–	314	304	294

WZ 14 E, NSW 0, MZB 0,76, F 0,20:0,04 (5,2), II
H 1–x 0,73–k 1,13–p 0,34–Ê 1,37–kp 1,47–Êp 1,71
BF 089 1521, Belegung 051: 085 1591 (095 1591)

Berthold-Schriften überzeug en durch Schärfe und Qualit ät. Schriftqualität ist eine Fr age der Erfahrung. Berthold hat diese Erfahrung seit über hundert Jahren. Zuerst im Sc hriftguß, dann im Fotosatz. B erthold-Schriften sind weltw

2,65 mm (10 p), Zeilenabstand 4,00 mm

fett
black
gras

VELJOVIC

negra
nero
fet

Berthold-Schriften überzeugen durch Schärfe und Qualität. Schriftqualität ist eine Frage der Erfahrung. Berthold hat diese Erfahrung seit über hundert Jahren. Zuerst im Schriftguß, dann im Fotosatz. Berthold-Schriften sind weltweit geschätzt. Im Schriftenatelier München wird jeder Buchstabe in der Größe von zwölf Zentimetern neu gezeichnet. Mit messerscharfen Konturen, u

1,60 mm (6 p), Zeilenabstand 2,50 mm

Berthold-Schriften überzeugen durch Schärfe und Qualität. Schriftqualität ist eine Frage der Erfahrung. Berthold hat diese Erfahrung seit über hundert Jahren. Zuerst im Schriftguß dann im Fotosatz. Berthold-Schriften sind weltweit geschätzt. Im Schriftenatelier München wird jeder Buchs

1,86 mm (7 p), Zeilenabstand 3,00 mm

Berthold-Schriften überzeugen durch Schärfe und Qualität. Schriftqualität ist eine Frage der Erfahrung. Berthold hat diese Erfahrung seit über hundert Jahren Zuerst im Schriftguß, dann im Fotosatz. Berthold-Schriften sind weltweit geschätzt. Im Schrifte

2,15 mm (8 p), Zeilenabstand 3,50 mm

Jovica Veljovic
1984
Intern. Typeface Corp.
H. Berthold AG

ABCDEFGHIJKLMNOPQ
RSTUVWXYZ
abcdefghijklmnopqrstuv
wxyz 1/1234567890%
(.,-;:!¡?¿–)·['„"“»«]
+–=/$£†*&§
ÄÅÆÖØŒÜäåæıöøœßü
ÁÀÂÃÇČÉÈÊËÍÌÎÏĹŇÑ
ÓÒÔÕŔŘŠŤÚÙÛŴẄÝŶŸŽ
áàâãçčéèêëíìîïĺňñ
óòôõŕřšúùûŵẅýỳÿž

Schriftweite weit
Schriftweite normal
Schriftweite eng
Schriftweite sehr eng
Schriftweite extrem eng

In general, bodytypes are measured in the typographical point size. The sizes of Berthold Fototype faces can be exactly determined. All faces of same point size have the same capital height–irrespective of their x-height. In hot metal and many other phototypesetting systems the capital heights often differ considerably from one face to the other. For measuring point

3,20 mm (12 p), Zeilenabstand 5,25 mm

Berthold's quick brown fox jumps over the lazy dog and feel
3,72 mm (14 p)

Berthold's quick brown fox jumps over the lazy dog
4,25 mm (16 p)

Berthold's quick brown fox jumps over the lazy
4,75 mm (18 p)

Berthold's quick brown fox jumps over th
5,30 mm (20 p)

Berthold's quick brown fox jumps
6,35 mm (24 p)

Berthold's quick brown fox ju
7,40 mm (28 p)

Berthold's quick brown fo
8,50 mm (32 p)

Berthold's quick brown
9,55 mm (36 p)

Berthold-Schriften überzeugen durch Schärfe und Qualität. Schriftqualität ist eine Frage der Erfahrung. Berthold hat diese Erfahrung seit über hundert Jahren. Zuerst im Schriftguß, dann im Fotosatz. Berthold-Schriften sind weltw

2,40 mm (9 p), Zeilenabstand 4,00 mm

Größe mm	p	Zeilenabstand kp	Êp	Ex	100 Zeichen 0	–1	–2
1,33	5	2,00	2,25	–	123	120	117
1,60	6	2,38	2,69	2,50	145	141	137
1,86	7	2,81	3,13	3,00	167	163	159
2,15	8	3,19	3,63	3,50	189	184	179
2,40	9	3,56	4,06	4,00	212	206	200
2,65	10	3,94	4,50	4,00	234	227	220
2,92	11	4,38	4,94	–	255	248	241
3,20	12	4,75	5,38	5,25	277	269	261
3,45	13	5,13	5,81	–	299	291	283
3,72	14	5,56	6,25	–	320	311	302
3,98	15	5,94	6,69	–	343	334	325
4,25	16	6,31	7,19	–	364	354	344

WZ 14 E, NSW 0, MZB 0,88, F 0,30:0,05 (5,5), II
H 1–x 0,73–k 1,14–p 0,34–Ê 1,34–kp 1,48–Êp 1,68
BF 089 1522, Belegung 051: 085 1592 (095 1592)

Berthold-Schriften überzeugen durch Schärfe und Qualität. Schriftqualität ist eine Frage der Erfahrung. Berthold hat diese Erfahrung seit über hundert Jahren. Zuerst im Schriftguß, dann im Fotosatz. Be

2,65 mm (10 p), Zeilenabstand 4,00 mm

kursiv fett
black italic
italique gras

VELJOVIC

negra cursiva
nero corsivo
kursiv fet

Berthold-Schriften überzeugen durch Schärfe und Qualität. Schriftqualität ist eine Frage der Erfahrung. Berthold hat diese Erfahrung seit über hundert Jahren. Zuerst im Schriftguß, dann im Fotosatz. Berthold-Schriften sind weltweit geschätzt. Im Schriftenatelier München wird jeder Buchstabe in der Größe von zwölf Zentimetern neu gezeichnet. Mit messerscharfen Konturen, um für die Schri

1,60 mm (6 p), Zeilenabstand 2,50 mm

Berthold-Schriften überzeugen durch Schärfe und Qualität. Schriftqualität ist eine Frage der Erfahrung. Berthold hat diese Erfahrung seit über hundert Jahren. Zuerst im Schriftguß, dann im Fotosatz. Berthold-Schriften sind weltweit geschätzt. Im Schriftenatelier München wird jeder Buchstabe in der Gr

1,86 mm (7 p), Zeilenabstand 3,00 mm

Berthold-Schriften überzeugen durch Schärfe und Qualität. Schriftqualität ist eine Frage der Erfahrung. Berthold hat diese Erfahrung seit über hundert Jahren. Zuerst im Schriftguß, dann im Fotosatz. Berthold-Schriften sind weltweit geschätzt. Im Schriftenatelier

2,15 mm (8 p), Zeilenabstand 3,50 mm

Jovica Veljovic
1984
Intern. Typeface Corp.
H. Berthold AG

ABCDEFGHIJKLMNOPQ
RSTUVWXYZ
abcdefghijklmnopqrstuvw
xyz1/1234567890%
(.,-;:!¡?¿–)·['‚„"“»«]
+−=/$£†&§*
ÄÅÆÖØŒÜäåæıöøœßü
ÁÀÂÃÇČÉÈÊËÍÌÎÏĹŇÑ
ÓÒÔÕŔŘŠŤÚÙÛŴẄÝỲŸŽ
áàâãçčéèêëíìîïĺňñóòôõŕřš
úùûŵẅýỳÿž

Schriftweite weit
Schriftweite normal
Schriftweite eng
Schriftweite sehr eng
Schriftweite extrem eng

In general, bodytypes are measured in the typographical point size. The sizes of Berthold Fototype faces can be exactly determined. All faces of same point size have the same capital height–irrespective of their x-height. In hot metal and many other phototypesetting systems the capital heights often differ considerably from one face to the other. For measuring point sizes, a transp

3,20 mm (12 p), Zeilenabstand 5,25 mm

Berthold's quick brown fox jumps over the lazy dog and feels as
3,72 mm (14 p)

Berthold's quick brown fox jumps over the lazy dog and
4,25 mm (16 p)

Berthold's quick brown fox jumps over the lazy d
4,75 mm (18 p)

Berthold's quick brown fox jumps over the l
5,30 mm (20 p)

Berthold's quick brown fox jumps ov
6,35 mm (24 p)

Berthold's quick brown fox jum
7,40 mm (28 p)

Berthold's quick brown fox
8,50 mm (32 p)

Berthold's quick brown f
9,55 mm (36 p)

Berthold-Schriften überzeugen durch Schärfe und Qualität. Schriftqualität ist eine Frage der Erfahrung. Berthold hat diese Erfahrung seit über hundert Jahren. Zuerst im Schriftguß, dann im Fotosatz. Berthold-Schriften sind weltweit gesc

2,40 mm (9 p), Zeilenabstand 4,00 mm

Größe		Zeilenabstand			100 Zeichen		
mm	p	kp	Êp	Ex	0	−1	−2
1,33	5	2,00	2,31	–	116	113	110
1,60	6	2,44	2,75	2,50	137	133	129
1,86	7	2,81	3,19	3,00	158	154	150
2,15	8	3,25	3,69	3,50	179	174	169
2,40	9	3,63	4,13	4,00	200	194	188
2,65	10	4,00	4,56	4,00	221	214	207
2,92	11	4,38	5,00	–	242	235	228
3,20	12	4,81	5,44	5,25	262	254	246
3,45	13	5,19	5,88	–	283	275	267
3,72	14	5,56	6,38	–	303	294	285
3,98	15	5,94	6,81	–	324	315	306
4,25	16	6,38	7,25	–	345	335	325

WZ 14 E, NSW 0, MZB 0,83, F 0,26:0,05 (5,7), II
H 1–x 0,73–k 1,15–p 0,34–Ê 1,36–kp 1,49–Êp 1,70
BF 089 1523, Belegung 051: 085 1593 (095 1593)

Berthold-Schriften überzeugen durch Schärfe und Qualität. Schriftqualität ist eine Frage der Erfahrung. Berthold hat diese Erfahrung seit über hundert Jahren. Zuerst im Schriftguß, dann im Fotosatz. Berthold-Schri

2,65 mm (10 p), Zeilenabstand 4,00 mm

normal
regular
normal

VENDÔME

normal
chiaro tondo
normal

Berthold-Schriften überzeugen durch Schärfe und Qualität. Schri
ftqualität ist eine Frage der Erfahrung. Berthold hat diese Erfahru
ng seit über hundert Jahren. Zuerst im Schriftguß, dann im Fotos
atz. Berthold-Schriften sind weltweit geschätzt. Im Schriftenateli
er München wird jeder Buchstabe in der Größe von zwölf Zentim
etern neu gezeichnet. Mit messerscharfen Konturen, um für die S
chriftscheiben das Optimale an Konturenschärfe herauszuholen
Um die Qualität des Einzelzeichens im Belichtungsvorgang zu be
wahren, wird durch die ruhende, nicht rotierende Schriftscheibe

1,33 mm (5 p) 20 30 40 50 60

Berthold-Schriften überzeugen durch Schärfe und Qualität. S
chriftqualität ist eine Frage der Erfahrung. Berthold hat diese
Erfahrung seit über hundert Jahren. Zuerst im Schriftguß, da
nn im Fotosatz. Berthold-Schriften sind weltweit geschätzt. Im
Schriftenatelier München wird jeder Buchstabe in der Größe v
on zwölf Zentimetern neu gezeichnet. Mit messerscharfen K
onturen, um für die Schriftscheiben das Optimale an Konture
nschärfe herauszuholen. Um die Qualität des Einzelzeichens i
m Belichtungsvorgang zu bewahren, wird durch die ruhende

1,45 mm (5,5 p) 20 30 40 50

Berthold-Schriften überzeugen durch Schärfe und Qua
lität. Schriftqualität ist eine Frage der Erfahrung. Berth
old hat diese Erfahrung seit über hundert Jahren. Zuerst
im Schriftguß, dann im Fotosatz. Berthold-Schriften sin
d weltweit geschätzt. Im Schriftenatelier München wird
jeder Buchstabe in der Größe von zwölf Zentimetern ne
u gezeichnet. Mit messerscharfen Konturen, um für die
Schriftscheiben das Optimale an Konturenschärfe hera
uszuholen. Um die Qualität des Einzelzeichens im Belic

1,60 mm (6 p) 20 30 40 50

Berthold-Schriften überzeugen durch Schärfe und
Qualität. Schriftqualität ist eine Frage der Erfahrun
g. Berthold hat diese Erfahrung seit über hundert Ja
hren. Zuerst im Schriftguß, dann im Fotosatz. Berth
old-Schriften sind weltweit geschätzt. Im Schriftena
telier München wird jeder Buchstabe in der Größe v
on zwölf Zentimetern neu gezeichnet. Mit messersc
harfen Konturen, um für die Schriftscheiben das Op
timale an Konturenschärfe herauszuholen. Um die

1,75 mm (6,5 p) 20 30 40 5

Berthold-Schriften überzeugen durch Schärfe u
nd Qualität. Schriftqualität ist eine Frage der Erf
ahrung. Berthold hat diese Erfahrung seit über h
undert Jahren. Zuerst im Schriftguß, dann im Fo
tosatz. Berthold-Schriften sind weltweit geschät
zt. Im Schriftenatelier München wird jeder Buch
stabe in der Größe von zwölf Zentimetern neu ge
zeichnet. Mit messerscharfen Konturen, um für
die Schriftscheiben das Optimale an Konturensc

1,86 mm (7 p) 20 30 40

Berthold-Schriften überzeugen durch Schärfe
und Qualität. Schriftqualität ist eine Frage der
Erfahrung. Berthold hat diese Erfahrung seit
über hundert Jahren. Zuerst im Schriftguß, d
ann im Fotosatz. Berthold-Schriften sind welt
weit geschätzt. Im Schriftenatelier München
wird jeder Buchstabe in der Größe von zwölf
Zentimetern neu gezeichnet. Mit messerscha
rfen Konturen, um für die Schriftscheiben das

2,00 mm (7,5 p) 20 30 40

Berthold-Schriften überzeugen durch Schä
rfe und Qualität. Schriftqualität ist eine Fra
ge der Erfahrung. Berthold hat diese Erfahr
ung seit über hundert Jahren. Zuerst im Sc
hriftguß, dann im Fotosatz. Berthold-Schri
ften sind weltweit geschätzt. Im Schriftenat
elier München wird jeder Buchstabe in der
Größe von zwölf Zentimetern neu gezeich
net. Mit messerscharfen Konturen, um für

2,15 mm (8 p) 20 30 40

François Ganeau
1952
Marcel Olive
H. Berthold AG

ABCDEFGHIJKLMNOPQ
RSTUVWXYZ
abcdefghijklmnopqrstuvwxyz
1/1234567890%
(.,-;:!¡?¿–)·[’‘„”“»«]
+–=/$£†*&§
ÄÅÆÖØŒÜäåæıöøœßü
ÁÀÂÃÇČÉÈÊËÍÌÎÏĹŇÑÓÒÔÕ
ŔŘŠŤÚÙÛŴẄÝỲŸŽ
áàâãçčéèêëíìîïĺňñóòôõŕřš
úùûŵẅýỳÿž

Berthold-Schriftweite weit
Berthold-Schriftweite normal
Berthold-Schriftweite eng
Berthold-Schriftweite sehr eng
Berthold-Schriftweite extrem eng

Berthold
3,75 mm (14 p)

Berthold
4,25 mm (16 p)

Berthold
4,75 mm (18 p)

Berthold
5,30 mm (20 p)

Berthold
6,35 mm (24 p)

Berthold
7,40 mm (28 p)

Berthold
8,50 mm (32 p)

Berthold
9,55 mm (36 p)

Größe		Zeilenabstand			100 Zeichen		
mm	p	kp	Êp	Ex	0	–1	–2
1,33	5	1,88	2,19	2,00	91	88	85
1,60	6	2,25	2,63	2,50	107	103	99
1,86	7	2,63	3,06	3,00	123	119	115
2,15	8	3,00	3,50	3,50	140	135	130
2,40	9	3,38	3,94	3,75	157	151	145
2,65	10	3,69	4,31	4,25	173	166	159
2,92	11	4,06	4,75	4,75	189	182	175
3,20	12	4,44	5,19	5,25	205	197	189
3,45	13	4,81	5,63	5,75	221	213	205
3,72	14	5,19	6,06	–	237	228	219
3,98	15	5,50	6,50	–	253	244	235
4,25	16	5,88	6,94	–	269	259	249

WZ 13 E, NSW 0, MZB 0,65, F 0,14:0,06 (2,4), II
H 1–x 0,65–k 1,03–p 0,35–Ê 1,27–kp 1,38–Êp 1,62
BF 089 0948, Belegung 051: 085 1024 (095 1024)

Berthold-Schriften überzeugen durch
Schärfe und Qualität. Schriftqualität ist
eine Frage der Erfahrung. Berthold hat
diese Erfahrung seit über hundert Jahr
en. Zuerst im Schriftguß, dann im Fot
osatz. Berthold-Schriften sind weltweit
geschätzt. Im Schriftenatelier Münch
en wird jeder Buchstabe in der Größe v

2,40 mm (9 p) 20 30

Berthold-Schriften überzeugen du
rch Schärfe und Qualität. Schriftq
ualität ist eine Frage der Erfahrung
Berthold hat diese Erfahrung seit ü
ber hundert Jahren. Zuerst im Sch
riftguß, dann im Fotosatz. Berthol
d-Schriften sind weltweit geschätz
t. Im Schriftenatelier München wir

2,65 mm (10 p) 20 30

Berthold-Schriften überzeugen
durch Schärfe und Qualität. Sch
riftqualität ist eine Frage der Erf
ahrung. Berthold hat diese Erfa
hrung seit über hundert Jahren
Zuerst im Schriftguß, dann im F
otosatz. Berthold-Schriften sind
weltweit geschätzt. Im Schrifte

2,92 mm (11 p) 10 20 3

Berthold-Schriften überzeug
en durch Schärfe und Qualit
ät. Schriftqualität ist eine Fra
ge der Erfahrung. Berthold
hat diese Erfahrung seit über
hundert Jahren. Zuerst im Sc
hriftguß, dann im Fotosatz. B
erthold-Schriften sind weltw

3,20 mm (12 p) 10 20

Berthold-Schriften überze
ugen durch Schärfe und Q
ualität. Schriftqualität ist ei
ne Frage der Erfahrung. Be
rthold hat diese Erfahrung
seit über hundert Jahren. Z
uerst im Schriftguß, dann
im Fotosatz. Berthold-Schr

3,45 mm (13 p) 10 20

normal
regular
normal

VENDÔME

normal
chiaro tondo
normal

Berthold-Schriften überzeugen durch Schärfe und Qualität. Schriftqu alität ist eine Frage der Erfahrung. Berthold hat diese Erfahrung seit üb er hundert Jahren. Zuerst im Schriftguß, dann im Fotosatz. Berthold Schriften sind weltweit geschätzt. Im Schriftenatelier München wird je der Buchstabe in der Größe von zwölf Zentimetern neu gezeichnet Mit messerscharfen Konturen, um für die Schriftscheiben das Optima le an Konturenschärfe herauszuholen. Um die Qualität des Einzelzeic hens im Belichtungsvorgang zu bewahren, wird durch die ruhende nicht rotierende Schriftscheibe belichtet. Dieses optische System, verb

4,25 mm (16 p), Zeilenabstand 6,75 mm

VENDÔME REGULAR

In general, bodytypes are measured in the typo graphical point size. The sizes of Berthold Foto type faces can be exactly determined. All faces of same point size have the same capital height irrespective of their x height. In hot metal and many other phototypesetting systems the capi tal heights often differ considerably from one face to the other. For measuring point sizes, a transparent size gauge is provided. To deter mine the point size, bring a capital letter into co incidence with that field which precisely cir cumscribes the letter at its upper and lower mar gin. Below the field you find the typographical point and below that the millimeter value which also refers to the height of a capital letter. In Bert hold-phototypesetting, the typewidth can be modified. The standard setting width of type faces is determined by the principle of optimum legibility. You should not depart from this type width without cogent reason. A typeface which is considered optically right when looked in a greater context, often seems bulky when ap

2,40 mm (9 p), Zeilenabstand 4,25 mm

VENDÔME NORMAL

La valeur de la force de corps des caractères de labeur èst généralement exprimée en points typographiques. La force de corps des caractères Berthold-Fototype peut être déterminée avec précision. Tous les carac tères du même corps ont des capitales d'une hauteur identique, indépendamm ent de la hauteur des bas de casse sans jam bage. Dans la composition plomb, ainsi q ue dans certains systèmes de photocompo sition, la hauteur des capitales, varie sou ve nt d'un caractère à l'autre. Pour détermine r la force de corps de nos caractères nous a vons mis au point une réglette de hauteur d'œil transparente. On cherche le rec tangle qui délimite exactement la hauteur d'œil d'une capitale du caractère choisi Sous le rectangle correspondant la valeur de la force de corps est indiquée en points Didots et en millimètres. La valeur en milli

2,65 mm (10 p), Zeilenabstand 4,69 mm

La indicación de las dimensiones para cuer pos de letra vásicos tiene lugar en general en puntos tipográficos. Los cuerpos de letra de los caracteres Berthold Fototype pueden determinarse exactemente par medición Con independencia de la altura de sus longi tudes centrales, todos los caracteres de idéntico cuerpo de letra presentan altura de mayúsculas idéntica. En la composición en

2,15 mm (8 p), −1, Zeilenabstand 3,38 mm

123,– $	456,– £	7890,– DM	1 %
234,– $	789,– £	1234,– DM	2 %
567,– $	12,– £	5678,– DM	3 %
890,– $	345,– £	9012,– DM	4 %
123,– $	678,– £	3456,– DM	5 %
456,– $	901,– £	7890,– DM	6 %
789,– $	234,– £	1234,– DM	7 %
12,– $	567,– £	5678,– DM	8 %
345,– $	890,– £	9012,– DM	9 %

BF 089 0949

Le misure relative al corpo dei caratteri ven gono generalmente indicate in punti tipo grafici. Il corpo dei caratteri Fototypes può essere determinato con esattezza per semp lice misurazione. Tutti i caratteri di uguale grandezza in punti hanno, indipendente mente dalla loro lunghezza, uguale altezza delle maiuscole. Nella composizione in piombo ed in molti altri sistemi di fotocom

2,15 mm (8 p), −2, Zeilenabstand 3,38 mm

kursiv
italic
italique

VENDÔME

cursiva
corsivo
kursiv

Måttangivelse för grundstilsgrader sker i allmänhet i typografiskapunkter. Stilar av Berthold Fototype kan efter mätning exakt gradbestämmas. Alla typsnitt är av samma punktstorlek och har oberoende av x-höjden en identisk versalhöjd. I blysättning och i många andra fotosättsystem varierar versalhöjden avsevärt från typsnitt till typsnitt För mätning av stilgrader finns en transparent mätlinjal. Vid mätningen placerar man en versal bokstav så att rutorna begränsar tecknet upptill och nedtill. Under rutorna finns stilstorleken i typografiska didotpunkter och i mm. Även millimeteruppgiften avser versalhöjden. Vid stilstorleksuppgifter anges

2,92 mm (11 p), Zeilenabstand 4,69 mm

François Ganeau
1952
Marcel Olive
H. Berthold AG

ABCDEFGHIJKLMNOPQ
RSTUVWXYZ
abcdefghijklmnopqrstuvwxyz
1/1234567890%
(.,-;:!¡?¿–)·['‚„"“»«]
+–=/$£†&§*
ÄÅÆÖØŒÜäåæıöøœßü
ÁÀÂÃÇČÉÈÊËÍÌÎÏĹŇÑÓÒÔÕ
ŔŘŠŤÚÙÛŴẄÝỲŶŸŽ
áàâãçčéèêëíìîïĺňñóòôõŕřš
úùûŵẅýỳŷÿž

Berthold-Schriftweite weit
Berthold-Schriftweite normal
Berthold-Schriftweite eng
Berthold-Schriftweite sehr eng
Berthold-Schriftweite extrem eng

In general, bodytypes are measured in the typographical point size. The sizes of Berthold Fototype faces can be exactly determined. All faces of same point size have the same capital height–irrespective of their x-height In hot metal and many other phototypesetting systems the capital heights often differ considerably from one face to the other. For measuring point sizes a transparent size gauge is provided. To determine the point size, bring a capital letter into coincidence with that field which precisely circumscribes the lett

3,20 mm (12 p), Zeilenabstand 5,25 mm

VENDÔME KURSIV

Die Maßangabe zu Grundschriftgrößen erfolgt im allgemeinen in typographischen Punkten. Die Schriftgrößen der Berthold-Fotosatz-Schriften sind nach Messung exakt bestimmbar. Alle Schriften gleicher Punktgröße weisen, unabhängig von der Höhe ihrer Mittellängen, eine identische Versalhöhe auf. Im Bleisatz und bei vielen anderen Fotosatz-Systemen differieren die Versalhöhen von Schrift zu Schrift oft erheblich. Zum Messen von Schriftgrößen steht ein transparentes Größenmaß zur Verfügung. Zum Messen wird ein Versalbuchstabe mit dem Feld in Deckung gebracht, das den Buchstaben oben und unten scharf begrenzt. Unter dem Feld ist die Schriftgröße in typographischen Didot Punkten, darunter in Millimetern angegeben. Auch die Millimeterangaben beziehen sich auf die Höhe der Versalbuchstaben. Die Schriftweite kann im Berthold Fotosatz beliebig verändert werden. Die Festlegun

2,40 mm (9 p), Zeilenabstand 4 mm

VENDÔME ITALIQUE

La valeur de la force de corps des caractères de labeur èst généralement exprimée en points typographiques. La force de corps des caractères Berthold-Fototype peut être déterminée avec précision. Tous les caractères du même corps ont des capitales d'une hauteur identique indépendamment de la hauteur des bas de casse sans jambage. Dans la composition plomb, ainsi que dans certains systèmes de photocomposition, la hauteur des capitales, varie souvent d'un caractère à l'autre. Pour déterminer la force de corps de nos caractères, nous avons mis au point une réglette de hauteur d'œil transparente. On cherche le rectangle qui délimite exactement la hauteur d'œil d'une capitale du caractère choisi. Sous le rectangle corre

2,65 mm (10 p), Zeilenabstand 4,50 mm

La indicación de las dimensiones para cuerpos de letra vásicos tiene lugar en general en puntos tipográficos. Los cuerpos de letra de los caracteres Berthold Fototype pueden determinarse exactemente par medición. Con independencia de la altura de sus longitudes centrales, todos los caracteres de idéntico cuerpo de letra presentan altura de mayúsculas idéntica. En la composición en plomo y en muchos otros sistemas de fotocomposición, las alturas de mayúsculas varían frecuentemmente en forma considerable de tipo de letra a tipo de letra. Para medir los cuerpos de letra se dispone de un tipómetro, véase la figura. Para la medición se hace coincidir una letra mayúscula con la casilla cuyos extre

1,60 mm (6 p), Zeilenabstand 2,50 mm

Größe		Zeilenabstand			100 Zeichen		
mm	p	kp	Êp	Ex	0	–1	–2
1,33	5	1,81	2,13	–	86	83	80
1,60	6	2,13	2,56	2,50	101	97	93
1,86	7	2,50	3,00	–	116	112	108
2,15	8	2,88	3,44	3,38	132	127	122
2,40	9	3,25	3,88	4,00	148	142	136
2,65	10	3,56	4,25	4,50	163	156	149
2,92	11	3,94	4,69	4,69	178	171	164
3,20	12	4,31	5,13	5,25	193	185	177
3,45	13	4,63	5,56	–	209	201	193
3,72	14	5,00	6,00	–	224	215	206
3,98	15	5,31	6,38	–	239	230	221
4,25	16	5,69	6,81	–	254	244	234

WZ 13 E, NSW 0, MZB 0,61, F 0,13:0,06 (2,0), II
H 1–x 0,68–k 1,00–p 0,33–Ê 1,27–kp 1,33–Êp 1,60
BF 089 0950, Belegung 051: 085 1027 (095 1027)

Le misure relative al corpo dei caratteri vengono generalmente indicate in punti tipografici Il corpo dei caratteri Fototypes può essere determinato con esattezza per semplice misurazione. Tutti i caratteri di uguale grandezza in punti hanno, indipendentemente dalla loro lunghezza, uguale altezza delle maiuscole. Nella composizione in piombo ed in molti altri sistemi di fotocomposizione, l'altezza delle

2,15 mm (8 p), Zeilenabstand 3,38 mm

halbfett
medium
demi-gras

VENDÔME

seminegra
neretto
halvfet

Berthold-Schriften überzeugen durch Schärfe und Qualität. Schriftqualität ist eine Frage der Erfahru ng. Berthold hat diese Erfahrung seit über hundert Jahren. Zuerst im Schriftguß, dann im Fotosatz. B erthold-Schriften sind weltweit geschätzt. Im Schr iftenatelier München wird jeder Buchstabe in der Größe von zwölf Zentimetern neu gezeichnet. Mit messerscharfen Konturen, um für die Schriftschei ben das Optimale an Konturenschärfe herauszuho

1,60 mm (6 p), Zeilenabstand 2,50 mm

Berthold-Schriften überzeugen durch Schär fe und Qualität. Schriftqualität ist eine Frage der Erfahrung. Berthold hat diese Erfahrung seit über hundert Jahren. Zuerst im Schriftg uß, dann im Fotosatz. Berthold-Schriften si nd weltweit geschätzt. Im Schriftenatelier M ünchen wird jeder Buchstabe in der Größe v on zwölf Zentimetern neu gezeichnet. Mit m

1,86 mm (7 p), Zeilenabstand 3,00 mm

Berthold-Schriften überzeugen durch Schärfe und Qualität. Schriftqualität ist eine Frage der Erfahrung. Berthold hat diese Erfahrung seit über hundert Jahr en. Zuerst im Schriftguß, dann im Foto satz. Berthold-Schriften sind weltweit geschätzt. Im Schriftenatelier Münche n wird jeder Buchstabe in der Größe von

2,15 mm (8 p), Zeilenabstand 3,50 mm

François Ganeau
1952
Marcel Olive
H. Berthold AG

ABCDEFGHIJKLMNOPQ
RSTUVWXYZ
abcdefghijklmnopqrstuvwxyz
1/1234567890%
(.,-;:!¡?¿–)·[′‘„″“»«]
+−=/$£†*&§
ÄÅÆÖØŒÜäåæıöøœßü
ÁÀÂÃÇČÉÈÊËÍÌÎÏĹŇÑÓÒÔÕ
ŔŘŠŤÚÙÛŴẄÝŶŸŽ
áàâãçčéèêëíìîïĺňñóòôõŕřš
úùûŵẅýỳÿž

Berthold-Schriftweite weit
Berthold-Schriftweite normal
Berthold-Schriftweite eng
Berthold-Schriftweite sehr eng
Berthold-Schriftweite extrem eng

In general, bodytypes are measured in the typograp hical point size. The sizes of Berthold Fototype faces can be exactly determined All faces of same point size have the same capital heig ht-irrespective of their x height. In hot metal and m any other phototypesettin g systems the capital heigh ts often differ considerabl y from one face to the othe r. For measuring point siz es, a transparent size gauge is provided. To determine the point size, bring a capi

3,20 mm (12 p), Zeilenabstand 5,25 mm

Berthold's quick brown fox jumps over the lazy dog and feels as if he were
3,72 mm (14 p)

Berthold's quick brown fox jumps over the lazy dog and feels as i
4,25 mm (16 p)

Berthold's quick brown fox jumps over the lazy dog and f
4,75 mm (18 p)

Berthold's quick brown fox jumps over the lazy dog
5,30 mm (20 p)

Berthold's quick brown fox jumps over the
6,35 mm (24 p)

Berthold's quick brown fox jumps o
7,40 mm (28 p)

Berthold's quick brown fox jum
8,50 mm (32 p)

Berthold's quick brown fox j
9,55 mm (36 p)

Berthold-Schriften überzeugen du rch Schärfe und Qualität. Schriftq ualität ist eine Frage der Erfahrung Berthold hat diese Erfahrung seit ü ber hundert Jahren. Zuerst im Sch riftguß, dann im Fotosatz. Berthol d-Schriften sind weltweit geschätz t. Im Schriftenatelier München wi

2,40 mm (9 p), Zeilenabstand 4,00 mm

Größe		Zeilenabstand			100 Zeichen		
mm	p	kp	Êp	Ex	0	−1	−2
1,33	5	1,88	2,19	–	99	96	93
1,60	6	2,25	2,63	2,50	116	112	108
1,86	7	2,63	3,00	3,00	134	130	126
2,15	8	3,00	3,50	3,50	152	147	142
2,40	9	3,38	3,88	4,00	170	164	158
2,65	10	3,69	4,31	4,00	188	181	174
2,92	11	4,06	4,75	–	205	198	191
3,20	12	4,44	5,19	5,25	223	215	207
3,45	13	4,81	5,56	–	240	232	224
3,72	14	5,19	6,00	–	258	249	240
3,98	15	5,50	6,44	–	275	266	257
4,25	16	5,88	6,88	–	293	283	273

WZ 13 E, NSW 0, MZB 0,71, F 0,22:0,06 (3,5), II
H 1–x 0,65–k 1,05–p 0,33–Ê 1,28–kp 1,38–Êp 1,61
BF 089 1016, Belegung 051: 085 1025 (095 1025)

Berthold-Schriften überzeugen durch Schärfe und Qualität. Sc hriftqualität ist eine Frage der Erfahrung. Berthold hat diese Erfahrung seit über hundert Ja hren. Zuerst im Schriftguß, da nn im Fotosatz. Berthold-Schri ften sind weltweit geschätzt. Im

2,65 mm (10 p), Zeilenabstand 4,00 mm

kursiv halbfett
medium italic
italique demi-gras

VENDÔME

seminegra cursiva
neretto corsivo
kursiv halvfet

Berthold-Schriften überzeugen durch Schärfe u nd Qualität. Schriftqualität ist eine Frage der Erf ahrung. Berthold hat diese Erfahrung seit über h undert Jahren. Zuerst im Schriftguß, dann im Fot osatz. Berthold-Schriften sind weltweit geschätzt Im Schriftenatelier München wird jeder Buchsta be in der Größe von zwölf Zentimetern neu gezei chnet. Mit messerscharfen Konturen, um für die Schriftscheiben das Optimale an Konturenschärf

1,60 mm (6 p), Zeilenabstand 2,50 mm

Berthold-Schriften überzeugen durch Sch ärfe und Qualität. Schriftqualität ist eine F rage der Erfahrung. Berthold hat diese Er fahrung seit über hundert Jahren. Zuerst i m Schriftguß, dann im Fotosatz. Berthold Schriften sind weltweit geschätzt. Im Schri ftenatelier München wird jeder Buchstabe in der Größe von zwölf Zentimetern neu g

1,86 mm (7 p), Zeilenabstand 3,00 mm

Berthold-Schriften überzeugen durc h Schärfe und Qualität. Schriftqualität ist eine Frage der Erfahrung. Berthol d hat diese Erfahrung seit über hund ert Jahren. Zuerst im Schriftguß, dan n im Fotosatz. Berthold-Schriften sind weltweit geschätzt. Im Schriftenatelie r München wird jeder Buchstabe in d

2,15 mm (8 p), Zeilenabstand 3,50 mm

François Ganeau
1952
Marcel Olive
H. Berthold AG

ABCDEFGHIJKLMNOPQ
RSTUVWXYZ
abcdefghijklmnopqrstuvwxyz
1/1234567890 %
(.,-;:!¡?¿–)·[’‘„”“»«]
+−=/$£†*&§
ÄÅÆÖØŒÜäåæıöøœßü
ÁÀÂÃÇČÉÈÊËÍÌÎÏĹŇÑÓÒÔÕ
ŔŘŠŤÚÙÛŴẄÝŶŸŽ
áàâãçčéèêëíìîïĺňñóòôõŕřš
úùûŵẅýỳÿž

Berthold-Schriftweite weit
Berthold-Schriftweite normal
Berthold-Schriftweite eng
Berthold-Schriftweite sehr eng
Berthold-Schriftweite extrem eng

In general, bodytypes are measured in the typogra phical point size. The size s of Berthold Fototype fac es can be exactly determi ned. All faces of same poi nt size have the same capi tal height–irrespective of their x-height. In hot met al and many other photot ypesetting systems the ca pital heights often differ considerably from one fa ce to the other. For measu ring point sizes, a transp arent size gauge is provid ed. To determine the poi

3,20 mm (12 p), Zeilenabstand 5,25 mm

Berthold’s quick brown fox jumps over the lazy dog and feels as if he w
3,72 mm (14 p)

Berthold’s quick brown fox jumps over the lazy dog and feels
4,25 mm (16 p)

Berthold’s quick brown fox jumps over the lazy dog an
4,75 mm (18 p)

Berthold’s quick brown fox jumps over the lazy d
5,30 mm (20 p)

Berthold’s quick brown fox jumps over t
6,35 mm (24 p)

Berthold’s quick brown fox jumps
7,40 mm (28 p)

Berthold’s quick brown fox ju
8,50 mm (32 p)

Berthold’s quick brown fox
9,55 mm (36 p)

Berthold-Schriften überzeugen d urch Schärfe und Qualität. Schrif tqualität ist eine Frage der Erfahr ung. Berthold hat diese Erfahrun g seit über hundert Jahren. Zuerst im Schriftguß, dann im Fotosatz Berthold-Schriften sind weltweit geschätzt. Im Schriftenatelier Mü

2,40 mm (9 p), Zeilenabstand 4,00 mm

Größe		Zeilenabstand			100 Zeichen		
mm	p	kp	Êp	Ex	0	−1	−2
1,33	5	1,88	2,19	–	105	102	99
1,60	6	2,25	2,63	2,50	124	120	116
1,86	7	2,63	3,06	3,00	143	139	135
2,15	8	3,00	3,56	3,50	162	157	152
2,40	9	3,38	3,94	4,00	181	175	169
2,65	10	3,69	4,38	4,00	200	193	186
2,92	11	4,06	4,81	–	219	212	205
3,20	12	4,50	5,25	5,25	237	229	221
3,45	13	4,81	5,69	–	256	248	240
3,72	14	5,19	6,13	–	275	266	257
3,98	15	5,56	6,56	–	293	284	275
4,25	16	5,94	7,00	–	312	302	292

WZ 12 E, NSW 0, MZB 0,75, F 0,24:0,063 (3,9), II
H 1–x 0,69–k 1,05–p 0,34–Ê 1,30–kp 1,39–Êp 1,64
BF 089 1017, Belegung 051: 085 1028 (095 1028)

Berthold-Schriften überzeuge n durch Schärfe und Qualität. S chriftqualität ist eine Frage de r Erfahrung. Berthold hat die se Erfahrung seit über hundert Jahren. Zuerst im Schriftguß dann im Fotosatz. Berthold-Sc hriften sind weltweit geschätzt

2,65 mm (10 p), Zeilenabstand 4,00 mm

fett
extra bold
noir

VENDÔME

negra
nero
fet

Berthold-Schriften überzeugen durch Schärfe und Qualität. Schriftqualität ist eine Frage der Erfahrung. Berthold hat diese Erfahrung seit über hundert Jahren. Zuerst im Schriftguß, dann im Fotosatz. Berthold-Schriften sind weltweit geschätzt. Im Schriftenatelier München wird jeder Buchstabe in der Größe von zwölf Zentimetern neu gezeichnet. Mit messerscharfen Konturen, um für die Sch

1,60 mm (6 p), Zeilenabstand 2,50 mm

Berthold-Schriften überzeugen durch Schärfe und Qualität. Schriftqualität ist eine Frage der Erfahrung. Berthold hat diese Erfahrung seit über hundert Jahren. Zuerst im Schriftguß, dann im Fotosatz. Berthold-Schriften sind weltweit geschätzt. Im Schriftenatelier München wird jeder Buchstabe in der G

1,86 mm (7 p), Zeilenabstand 3,00 mm

Berthold-Schriften überzeugen durch Schärfe und Qualität. Schriftqualität ist eine Frage der Erfahrung. Berthold hat diese Erfahrung seit über hundert Jahren. Zuerst im Schriftguß, dann im Fotosatz Berthold-Schriften sind weltweit geschätzt. Im Schriftenatelier Mü

2,15 mm (8 p), Zeilenabstand 3,50 mm

François Ganeau
1952
Marcel Olive
H. Berthold AG

ABCDEFGHIJKLMNOPQ
RSTUVWXYZ
abcdefghijklmnopqrstuvw
xyz 1/1234567890%
(.,-;:!¡?¿–)·[’‘„”“»«]
+–=/$£†*&§
ÄÅÆÖØŒÜäåæıöøœßü
ÁÀÂÃÇČÉÈÊËÍÌÎÏĹŇÑÓÒÔÕ
ŔŘŠŤÚÙÛŴẄÝỲŶŸŽ
áàâãçčéèêëíìîïĺňñóòôõŕřš
úùûŵẅýỳŷÿž

Schriftweite weit
Schriftweite normal
Schriftweite eng
Schriftweite sehr eng
Schriftweite extrem eng

In general, bodytypes are measured in the typographical point size The sizes of Berthold Fototype faces can be exactly determined. All faces of same point size have the same capital height-irrespective of their x-height. In hot metal and many other phototypesetting systems the capital heights often differ considerably from one face to the other. For measuring point sizes, a transp

3,20 mm (12 p), Zeilenabstand 5,25 mm

Berthold's quick brown fox jumps over the lazy dog and feels
3,72 mm (14 p)

Berthold's quick brown fox jumps over the lazy dog an
4,25 mm (16 p)

Berthold's quick brown fox jumps over the lazy
4,75 mm (18 p)

Berthold's quick brown fox jumps over the
5,30 mm (20 p)

Berthold's quick brown fox jumps o
6,35 mm (24 p)

Berthold's quick brown fox ju
7,40 mm (28 p)

Berthold's quick brown fox
8,50 mm (32 p)

Berthold's quick brown
9,55 mm (36 p)

Berthold-Schriften überzeugen durch Schärfe und Qualität Schriftqualität ist eine Frage der Erfahrung. Berthold hat diese Erfahrung seit über hundert Jahren. Zuerst im Schriftguß, dann im Fotosatz. Berthold-Schriften sind weltweit ges

2,40 mm (9 p), Zeilenabstand 4,00 mm

Größe		Zeilenabstand			100 Zeichen		
mm	p	kp	Êp	Ex	0	−1	−2
1,33	5	1,81	2,25	–	119	116	113
1,60	6	2,19	2,69	2,50	140	136	132
1,86	7	2,56	3,13	3,00	161	157	153
2,15	8	2,94	3,56	3,50	183	178	173
2,40	9	3,25	4,00	4,00	205	199	193
2,65	10	3,63	4,38	4,00	226	219	212
2,92	11	4,00	4,88	–	247	240	233
3,20	12	4,38	5,31	5,25	268	260	252
3,45	13	4,69	5,75	–	289	281	273
3,72	14	5,06	6,19	–	310	301	292
3,98	15	5,38	6,63	–	331	322	313
4,25	16	5,75	7,06	–	352	342	332

WZ 14 E, NSW 0, MZB 0,85, F 0,32:0,06 (5,2), II
H 1–x 0,68–k 1,00–p 0,35–Ê 1,30–kp 1,35–Êp 1,65
BF 089 0951, Belegung 051: 085 1026 (095 1026)

Berthold-Schriften überzeugen durch Schärfe und Qualität. Schriftqualität ist eine Frage der Erfahrung Berthold hat diese Erfahrung seit über hundert Jahren. Zuerst im Schriftguß, dann im Fotosatz. Berthold

2,65 mm (10 p), Zeilenabstand 4,00 mm

schmal
condensed
étroit

VENDÔME

estrecha
stretto
smal

Berthold-Schriften überzeugen durch Schärfe und Qualität. Schriftqualität ist eine Fr age der Erfahrung. Berthold hat diese Erfahrung seit über hundert Jahren. Zuerst im S chriftguß, dann im Fotosatz. Berthold-Schriften sind weltweit geschätzt. Im Schrifte natelier München wird jeder Buchstabe in der Größe von zwölf Zentimetern neu gezeic hnet. Mit messerscharfen Konturen, um für die Schriftscheiben das Optimale an Kontu renschärfe herauszuholen. Um die Qualität des Einzelzeichens im Belichtungsvorgang zu bewahren, wird durch die ruhende, nicht rotierende Schriftscheibe belichtet. Dieses optische System, verbunden mit Präzisions-Chromglasscheiben, führt zu einer Schrift qualität, die im Layout- und Mengensatz nicht ihresgleichen findet. Bei den hier gezeig

1,60 mm (6 p), Zeilenabstand 2,50 mm

Berthold-Schriften überzeugen durch Schärfe und Qualität. Schriftqualität ist eine Frage der Erfahrung. Berthold hat diese Erfahrung seit über hundert Jahren. Zuerst im Schriftguß, dann im Fotosatz. Berthold-Schriften sind w eltweit geschätzt. Im Schriftenatelier München wird jeder Buchstabe in der Größe von zwölf Zentimetern neu gezeichnet. Mit messerscharfen Konturen um für die Schriftscheiben das Optimale an Konturenschärfe herauszuhole n. Um die Qualität des Einzelzeichens im Belichtungsvorgang zu bewahren wird durch die ruhende, nicht rotierende Schriftscheibe belichtet. Dieses o

1,86 mm (7 p), Zeilenabstand 3,00 mm

Berthold-Schriften überzeugen durch Schärfe und Qualität. Schrift qualität ist eine Frage der Erfahrung. Berthold hat diese Erfahrung seit über hundert Jahren. Zuerst im Schriftguß, dann im Fotosatz. B erthold-Schriften sind weltweit geschätzt. Im Schriftenatelier Mün chen wird jeder Buchstabe in der Größe von zwölf Zentimetern neu gezeichnet. Mit messerscharfen Konturen, um für die Schriftscheib en das Optimale an Konturenschärfe herauszuholen. Um die Qualit ät des Einzelzeichens im Belichtungsvorgang zu bewahren, wird du

2,15 mm (8 p), Zeilenabstand 3,50 mm

François Ganeau
1952
Marcel Olive
H. Berthold AG

ABCDEFGHIJKLMNOPQ
RSTUVWXYZ
abcdefghijklmnopqrstuvwxyz
1/1234567890%
(.,-;:!¡?¿-)·[",„""»«]
+−=/$£†*&§
ÄÅÆÖØŒÜäåæıöøœßü
ÁÀÂÃÇČÉÈÊËÍÌÎÏĹŇÑÓÒÔÕ
ŔŘŠŤÚÙÛŴẄÝŶŸŽ
áàâãçčéèêëíìîïĺňñóòôõŕřš
úùûŵẅýỳÿž

Berthold-Schriftweite weit
Berthold-Schriftweite normal
Berthold-Schriftweite eng
Berthold-Schriftweite sehr eng
Berthold-Schriftweite extrem eng

In general, bodytypes are measured in the typ ographical point size. The sizes of Berthold Fo totype faces can be exactly determined. All fa ces of same point size have the same capital h eight-irrespective of their x-height. In hot me tal and many other phototypesetting systems the capital heights often differ considerably f rom one face to the other. For measuring point sizes, a transparent size gauge is provided. To determine the point size, bring a capital letter into coincidence with that field which precise ly circumscribes the letter at its upper and lo wer margin. Below the field you find the typog raphical point and below that the millimeter value, which also refers to the height of a capi tal letter. In Berthold-phototypesetting, the t ypewidth can be modified. The standard setti

3,20 mm (12 p), Zeilenabstand 5,25 mm

Berthold's quick brown fox jumps over the lazy dog and feels as if he were in the seventh heaven of typography together with
3,72 mm (14 p)

Berthold's quick brown fox jumps over the lazy dog and feels as if he were in the seventh heaven of typography to
4,25 mm (16 p)

Berthold's quick brown fox jumps over the lazy dog and feels as if he were in the seventh heaven of t
4,75 mm (18 p)

Berthold's quick brown fox jumps over the lazy dog and feels as if he were in the seventh h
5,30 mm (20 p)

Berthold's quick brown fox jumps over the lazy dog and feels as if he were in
6,35 mm (24 p)

Berthold's quick brown fox jumps over the lazy dog and feels as if
7,40 mm (28 p)

Berthold's quick brown fox jumps over the lazy dog and f
8,50 mm (32 p)

Berthold's quick brown fox jumps over the lazy dog
9,55 mm (36 p)

Berthold-Schriften überzeugen durch Schärfe und Qualität Schriftqualität ist eine Frage der Erfahrung. Berthold hat di ese Erfahrung seit über hundert Jahren. Zuerst im Schriftgu ß, dann im Fotosatz. Berthold-Schriften sind weltweit gesch ätzt. Im Schriftenatelier München wird jeder Buchstabe in d er Größe von zwölf Zentimetern neu gezeichnet. Mit messers charfen Konturen, um für die Schriftscheiben das Optimale an Konturenschärfe herauszuholen. Um die Qualität des Ein

2,40 mm (9 p), Zeilenabstand 4,00 mm

Größe		Zeilenabstand			100 Zeichen		
mm	p	kp	Êp	Ex	0	−1	−2
1,00	[illegible]	1,01	[illegible]		[illegible]	[illegible]	[illegible]
1,60	6	2,19	2,50	2,50	67	63	59
1,86	7	2,56	2,88	3,00	77	73	69
2,15	8	2,94	3,31	3,50	88	83	78
2,40	9	3,31	3,69	4,00	99	93	87
2,65	10	3,63	4,06	4,00	109	102	95
2,92	11	4,00	4,50	—	119	112	105
3,20	12	4,38	4,94	5,25	129	121	113
3,45	13	4,75	5,31	—	139	131	123
3,72	14	5,06	5,75	—	149	140	131
3,98	15	5,44	6,13	—	159	150	141
4,25	16	5,81	6,56	—	169	159	149

WZ 9 E, NSW +1, MZB 0,41, F 0,13:0,04 (3,3), II
H 1–x 0,68–k 1,04–p 0,32–Ê 1,21–kp 1,36–Êp 1,53
BF 089 0952, Belegung 051: 085 1029 (095 1029)

Berthold-Schriften überzeugen durch Schärfe und Qua lität. Schriftqualität ist eine Frage der Erfahrung. Bert hold hat diese Erfahrung seit über hundert Jahren. Zue rst im Schriftguß, dann im Fotosatz. Berthold-Schriften sind weltweit geschätzt. Im Schriftenatelier München wird jeder Buchstabe in der Größe von zwölf Zentimete rn neu gezeichnet. Mit messerscharfen Konturen, um für die Schriftscheiben das Optimale an Konturenschärfe

2,65 mm (10 p), Zeilenabstand 4,00 mm

mager
light
maigre

VENUS

fina
chiarissimo
mager

Berthold-Schriften überzeugen durch Schärfe und Qualität. Schriftqualität
ist eine Frage der Erfahrung. Berthold hat diese Erfahrung seit über hundert
Jahren. Zuerst im Schriftguß, dann im Fotosatz. Berthold-Schriften sind wel
tweit geschätzt. Im Schriftenatelier München wird jeder Buchstabe in der
Größe von zwölf Zentimetern neu gezeichnet. Mit messerscharfen Kontur
en, um für die Schriftscheiben das Optimale an Konturenschärfe herauszu
holen. Um die Qualität des Einzelzeichens im Belichtungsvorgang zu bewa
hren, wird durch die ruhende, nicht rotierende Schriftscheibe belichtet. Die
ses optische System, verbunden mit Präzisions-Chromglasscheiben, führt

1,33 mm (5 p) 20 30 40 50 60

Berthold-Schriften überzeugen durch Schärfe und Qualität. Schriftq
ualität ist eine Frage der Erfahrung. Berthold hat diese Erfahrung seit
über hundert Jahren. Zuerst im Schriftguß, dann im Fotosatz. Berthol
d-Schriften sind weltweit geschätzt. Im Schriftenatelier München wird
jeder Buchstabe in der Größe von zwölf Zentimetern neu gezeichnet
Mit messerscharfen Konturen, um für die Schriftscheiben das Optim
ale an Konturenschärfe herauszuholen. Um die Qualität des Einzelzei
chens im Belichtungsvorgang zu bewahren, wird durch die ruhende
nicht rotierende Schriftscheibe belichtet. Dieses optische System, v

1,45 mm (5,5 p) 20 30 40 50 60

Berthold-Schriften überzeugen durch Schärfe und Qualität. Sc
hriftqualität ist eine Frage der Erfahrung. Berthold hat diese Erf
ahrung seit über hundert Jahren. Zuerst im Schriftguß, dann im
Fotosatz. Berthold-Schriften sind weltweit geschätzt. Im Schrift
enatelier München wird jeder Buchstabe in der Größe von zwölf
Zentimetern neu gezeichnet. Mit messerscharfen Konturen, um
für die Schriftscheiben das Optimale an Konturenschärfe hera
uszuholen. Um die Qualität des Einzelzeichens im Belichtungsv
organg zu bewahren, wird durch die ruhende, nicht rotierende

1,60 mm (6 p) 20 30 40 50

Berthold-Schriften überzeugen durch Schärfe und Qualit
ät. Schriftqualität ist eine Frage der Erfahrung. Berthold h
at diese Erfahrung seit über hundert Jahren. Zuerst im Sc
hriftguß, dann im Fotosatz. Berthold-Schriften sind weltwe
it geschätzt. Im Schriftenatelier München wird jeder Buc
hstabe in der Größe von zwölf Zentimetern neu gezeichnet
Mit messerscharfen Konturen, um für die Schriftscheiben
das Optimale an Konturenschärfe herauszuholen. Um die
Qualität des Einzelzeichens im Belichtungsvorgang zu be

1,75 mm (6,5 p) 20 30 40 50

Berthold-Schriften überzeugen durch Schärfe und Qua
lität. Schriftqualität ist eine Frage der Erfahrung. Bertho
ld hat diese Erfahrung seit über hundert Jahren. Zuerst
im Schriftguß, dann im Fotosatz. Berthold-Schriften sind
weltweit geschätzt. Im Schriftenatelier München wird je
der Buchstabe in der Größe von zwölf Zentimetern neu
gezeichnet. Mit messerscharfen Konturen, um für die S
chriftscheiben das Optimale an Konturenschärfe herau
szuholen. Um die Qualität des Einzelzeichens im Belic

1,86 mm (7 p) 20 30 40 50

Berthold-Schriften überzeugen durch Schärfe und
Qualität. Schriftqualität ist eine Frage der Erfahrung
Berthold hat diese Erfahrung seit über hundert J
ahren. Zuerst im Schriftguß, dann im Fotosatz. Bert
hold-Schriften sind weltweit geschätzt. Im Schriften
atelier München wird jeder Buchstabe in der Größe
von zwölf Zentimetern neu gezeichnet. Mit messer
scharfen Konturen, um für die Schriftscheiben das
Optimale an Konturenschärfe herauszuholen. Um

2,00 mm (7,5 p) 20 30 40

Berthold-Schriften überzeugen durch Schärfe un
d Qualität. Schriftqualität ist eine Frage der Erfah
rung. Berthold hat diese Erfahrung seit über hun
dert Jahren. Zuerst im Schriftguß, dann im Fotosa
tz. Berthold-Schriften sind weltweit geschätzt. Im
Schriftenatelier München wird jeder Buchstabe i
n der Größe von zwölf Zentimetern neu gezeichne
t. Mit messerscharfen Konturen, um für die Schrif
tscheiben das Optimale an Konturenschärfe her

2,15 mm (8 p) 20 30 40

1907
Fundición Typográfica Neufville, S. A.
H. Berthold AG

ABCDEFGHIJKLMNOPQ
RSTUVWXYZ
abcdefghijklmnopqrstuvwxyz
1/1234567890%
(.,-;:!¡?¿–)·['‘„"“»«]
+−=/$£†‡&§
ÄÅÆÖØŒÜäåæıöøœßü
ÁÀÂÃÇČÉÈÊËÍÌÎÏĹŇÑÓÒÔÕ
ŔŘŠŤÚÙÛŴẄÝŶŸŽ
áàâãçčéèêëíìîïĺňñóòôõŕřš
úùûŵẅýỳÿž

Berthold-Schriftweite weit
Berthold-Schriftweite normal
Berthold-Schriftweite eng
Berthold-Schriftweite sehr eng
Berthold-Schriftweite extrem eng

Berthold
3,72 mm (14 p)

Berthold
4,25 mm (16 p)

Berthold
4,75 mm (18 p)

Berthold
5,30 mm (20 p)

Berthold
6,35 mm (24 p)

Berthold
7,40 mm (28 p)

Berthold
8,50 mm (32 p)

Berthold
9,55 mm (36 p)

Größe		Zeilenabstand			100 Zeichen		
mm	p	kp	Êp	Ex	0	−1	−2
1,33	5	1,75	2,13	2,00	83	80	77
1,60	6	2,13	2,50	2,50	97	93	89
1,86	7	2,44	2,94	3,00	112	108	104
2,15	8	2,81	3,38	3,50	127	122	117
2,40	9	3,13	3,75	3,75	142	136	130
2,65	10	3,44	4,19	4,25	157	150	143
2,92	11	3,81	4,56	4,75	171	164	157
3,20	12	4,13	5,00	5,25	186	178	170
3,45	13	4,50	5,44	5,75	201	193	185
3,72	14	4,81	5,81	–	215	206	197
3,98	15	5,19	6,25	–	230	221	212
4,25	16	5,50	6,63	–	244	234	224

WZ 13 E, NSW 0, MZB 0,59, F 0,06:0,05 (1,2), VI
H 1–x 0,67–k 1,00–p 0,29–Ê 1,27–kp 1,29–Êp 1,56
BF 089 1102, Belegung 051: 085 1096 (095 1096)

Berthold-Schriften überzeugen durch Schä
rfe und Qualität. Schriftqualität ist eine Frag
e der Erfahrung. Berthold hat diese Erfahr
ung seit über hundert Jahren. Zuerst im Sch
riftguß, dann im Fotosatz. Berthold-Schrift
en sind weltweit geschätzt. Im Schriftenatel
ier München wird jeder Buchstabe in der
Größe von zwölf Zentimetern neu gezeichne

2,40 mm (9 p) 20 30 4

Berthold-Schriften überzeugen durch
Schärfe und Qualität. Schriftqualität ist
eine Frage der Erfahrung. Berthold hat
diese Erfahrung seit über hundert Jahr
en. Zuerst im Schriftguß, dann im Fotos
atz. Berthold-Schriften sind weltweit ge
schätzt. Im Schriftenatelier München wi
rd jeder Buchstabe in der Größe von

2,65 mm (10 p) 20 30

Berthold-Schriften überzeugen durc
h Schärfe und Qualität. Schriftquali
tät ist eine Frage der Erfahrung. Bert
hold hat diese Erfahrung seit über
hundert Jahren. Zuerst im Schriftgu
ß, dann im Fotosatz. Berthol d-Schrift
en sind weltweit geschätzt. Im Schrif
tenatelier München wird jeder Buch

2,92 mm (11 p) 10 20 30

Berthold-Schriften überzeugen d
urch Schärfe und Qualität. Schrif
tqualität ist eine Frage der Erfahr
ung. Berthold hat diese Erfahru
ng seit über hundert Jahren. Zuer
st im Schriftguß, dann im Fotosatz
Berthold-Schriften sind weltweit g
eschätzt. Im Schriftenatelier Mün

3,20 mm (12 p) 10 20 30

Berthold-Schriften überzeugen
durch Schärfe und Qualität. Sc
hriftqualität ist eine Frage der
Erfahrung. Berthold hat diese
Erfahrung seit über hundert Ja
hren. Zuerst im Schriftguß, dan
n im Fotosatz. Berthold-Schrift
en sind weltweit geschätzt. Im

3,45 mm (13 p) 10 20

mager
light
maigre

VENUS

fina
chiarissimo
mager

Berthold-Schriften überzeugen durch Schärfe und Qualität. Schriftqualität ist ei ne Frage der Erfahrung. Berthold hat diese Erfahrung seit über hundert Jahren Zuerst im Schriftguß, dann im Fotosatz. Berthold-Schriften sind weltweit geschät zt. Im Schriftenatelier München wird jeder Buchstabe in der Größe von zwölf Zen timetern neu gezeichnet. Mit messerscharfen Konturen, um für die Schriftschei ben das Optimale an Konturenschärfe herauszuholen. Um die Qualität des Einze lzeichens im Belichtungsvorgang zu bewahren, wird durch die ruhende, nicht roti erende Schriftscheibe belichtet. Dieses optische System, verbunden mit Präzisio ns-Chromglasscheiben, führt zu einer Schriftqualität, die im Qualitätssatz ihres

4,25 mm (16 p), Zeilenabstand 6,75 mm

VENUS LIGHT

In general, bodytypes are measured in the typographi cal point size. The sizes of Berthold Fototype faces can be exactly determined. All faces of same point size hav e the same capital height–irrespective of their x-heigh t. In hot metal and many other phototypesetting syste ms the capital heights often differ considerably from one face to the other. For measuring point sizes, a trans parent size gauge is provided. To determine the point size, bring a capital letter into coincidence with that fiel d which precisely circumscribes the letter at its upper and lower margin. Below the field you find the typogr aphical point and below that the millimeter value whic h also refers to the height of a capital letter. In Berthol d-phototypesetting, the typewidth can be modified. T he standard setting width of typefaces is determined by the principle of optimum legibility. You should not depart from this typewidth without cogent reason A typeface which is considered optically right when lo oked in a greater context, often seems bulky when app lied for a small amount of text, e. g. labels and ads. Her e, a width reduction will be conducive to legibility. Sma ll amounts of text seem to be optically compact when

2,40 mm (9 p), Zeilenabstand 4,25 mm

VENUS MAIGRE

La valeur de la force de corps des caractères de l abeur èst généralement exprimée en points typo graphiques. La force de corps des caractères Be rthold-Fototype peut être déterminée avec pré cision. Tous les caractères du même corps ont de s capitales d'une hauteur identique, indépenda mment de la hauteur des bas de casse sans jamb age. Dans la composition plomb, ainsi que dans c ertains systèmes de photocomposition, la haute ur des capitales, varie souvent d'un caractère à l'autre. Pour déterminer la force de corps de nos caractères, nous avons mis au point une réglette de hauteur d'œil transparente. On cherche le rect angle qui délimite exactement la hauteur d'œil d une capitale du caractère choisi. Sous le rectangl e correspondant la valeur de la force de corps est indiquée en points Didots et en millimètres. La v aleur en millimètres exprime également la haute ur des capitales. Pour toutes les indications conc ernant la force de corps, il est utile de préciser l'u

2,65 mm (10 p), Zeilenabstand 4,69 mm

La indicación de las dimensiones para cuerpos de le tra vácicoc tiono lugar on gonoral on puntos tipográ ficos. Los cuerpos de letra de los caracteres Berthol d Fototype pueden determinarse exactemente par medición. Con independencia de la altura de sus lon gitudes centrales, todos los caracteres de idéntico c uerpo de letra presentan altura de mayúsculas idén tica. En la composición en plomo y en muchos otros sistemas de fotocomposición, las alturas de mayús

2,15 mm (8 p), –1, Zeilenabstand 3,38 mm

123,– $	456,– £	7890,– DM	1 %
234,– $	789,– £	1234,– DM	2 %
567,– $	12,– £	5678,– DM	3 %
890,– $	345,– £	9012,– DM	4 %
123,– $	678,– £	3456,– DM	5 %
456,– $	901,– £	7890,– DM	6 %
789,– $	234,– £	1234,– DM	7 %
12,– $	567,– £	5678,– DM	8 %
345,– $	890,– £	9012,– DM	9 %

BF 089 1103

Le misure relative al corpo dei caratteri vengono gener almente indicate in punti tipografici. Il corpo dei caratte ri Fototypes può essere determinato con esattezza per semplice misurazione. Tutti i caratteri di uguale grande zza in punti hanno, indipendentemente dalla loro lungh ezza, uguale altezza delle maiuscole. Nella composizio ne in piombo ed in molti altri sistemi di fotocomposizio ne, l'altezza delle maiuscole varia spesso da carattere a carattere. Per misurare il corpo dei caratteri è indispen

2,15 mm (8 p), –2, Zeilenabstand 3,38 mm

kursiv mager
light italic
italique maigre

VENUS

fina cursiva
chiarissimo corsivo
kursiv mager

*Måttangivelse för grundstilsgrader s
ker i allmänhet i typografiska punkter
Stilar av Berthold Fototype kan efter
mätning exakt gradbestämmas. Alla
typsnitt är av samma punktstorlek oc
h har oberoende av x-höjden en iden
tisk versalhöjd. I blysättning och i må
nga andra fotosättsystem varierar ve
rsalhöjden avsevärt från typsnitt ti
ll typsnitt. För mätning av stilgrader fi
nns en transparent mätlinjal. Vid mät
ningen placerar man en versal bokst
av så att rutorna begränsar tecknet u
pptill och nedtill. Under rutorna finns
stilstorleken i typografiska didotpun
kter och i mm. Även millimeteruppgif
ten avser versalhöjden. Vid stilstorle
ksuppgifter anges alltid måttenheten
efter sifferuppgiften t ex 14 punkter*

2,92 mm (11 p), Zeilenabstand 4,69 mm

*1910
Fundición Tipográfica Neufville, S.A.
H. Berthold AG*

*ABCDEFGHIJKLMNOPQ
RSTUVWXYZ
abcdefghijklmnopqrstuvwxyz
1/1234567890%
(.,-;:!İ?¿–)·['‚„""»«]
+–=/$£†‡&§
ÄÅÆÖØŒÜäåæıöøœßü
ÁÀÂÃÇČÉÈÊËÍÌÎÏĹŇÑÓÒÔÕ
ŔŘŠŤÚÙÛŴẄÝỲŸŽ
áàâãçčéèêëíìîïĺňñóòôõŕřš
úùûŵẅýỳÿž*

*Berthold-Schriftweite weit
Berthold-Schriftweite normal
Berthold-Schriftweite eng
Berthold-Schriftweite sehr eng
Berthold-Schriftweite extrem eng*

*In general, bodytypes are measur
ed in the typographical point size
The sizes of Berthold Fototype fa
ces can be exactly determined. All
faces of same point size have the
same capital height–irrespective
of their x-height. In hot metal and
many other phototypesetting syst
ems the capital heights often differ
considerably from one face to the
other. For measuring point sizes, a
transparent size gauge is provide
d. To determine the point size, br
ing a capital letter into coincidenc
e with that field which precisely cir
cumscribes the letter at its upper
and lower margin. Below the field*

3,20 mm (12 p), Zeilenabstand 5,25 mm

VENUS KURSIV MAGER

*Die Maßangabe zu Grundschriftgrößen erfolgt im allg
emeinen in typographischen Punkten. Die Schriftgröß
en der Berthold-Fotosatz-Schriften sind nach Messun
g exakt bestimmbar. Alle Schriften gleicher Punktgröß
e weisen, unabhängig von der Höhe ihrer Mittellängen
eine identische Versalhöhe auf. Im Bleisatz und bei vie
len anderen Fotosatz-Systemen differieren die Versal
höhen von Schrift zu Schrift oft erheblich. Zum Messen
von Schriftgrößen steht ein transparentes Größenma
ß zur Verfügung. Zum Messen wird ein Versalbuchsta
be mit dem Feld in Deckung gebracht, das den Buchst
aben oben und unten scharf begrenzt. Unter dem Feld
ist die Schriftgröße in typographischen Didot-Punkten
darunter in Millimetern angegeben. Auch die Millimet
erangaben beziehen sich auf die Höhe der Versalbuc
hstaben. Die Schriftweite kann im Berthold-Fotosatz b
eliebig verändert werden. Die Festlegung der Normals
chriftweite erfolgt nach dem Prinzip der optimalen Les*

2,40 mm (9 p), Zeilenabstand 4 mm

VENUS ITALIQUE MAIGRE

*La valeur de la force de corps des caractères de l
abeur èst généralement exprimée en points typo
graphiques. La force de corps des caractères Be
rthold-Fototype peut être déterminée avec précis
ion. Tous les caractères du même corps ont des c
apitales d'une hauteur identique, indépendamm
ent de la hauteur des bas de casse sans jambage
Dans la composition plomb, ainsi que dans certai
ns systèmes de photocomposition, la hauteur de
s capitales, varie souvent d'un caractère à l'autre
Pour déterminer la force de corps de nos carac
tères, nous avons mis au point une réglette de ha
uteur d'œil transparente. On cherche le rectangle
qui délimite exactement la hauteur d'œil d'une ca
pitale du caractère choisi. Sous le rectangle corre
spondant la valeur de la force de corps est indiqu*

2,65 mm (10 p), Zeilenabstand 4,50 mm

*La indicación de las dimensiones para cuerpos de letra vásicos t
iene lugar en general en puntos tipográficos. Los cuerpos de let
ra de los caracteres Berthold Fototype pueden determinarse ex
actemente par medición. Con independencia de la altura de sus
longitudes centrales, todos los caracteres de idéntico cuerpo de
letra presentan altura de mayúsculas idéntica. En la composició
n en plomo y en muchos otros sistemas de fotocomposición, las
alturas de mayúsculas varían frecuentemmente en forma consi
derable de tipo de letra a tipo de letra. Para medir los cuerpos
de letra se dispone de un tipómetro, véase la figura. Para la medi
ción se hace coincidir una letra mayúscula con la casilla cuy
os extremos coinciden con los extremos superior e inferior de la*

1,60 mm (6 p), Zeilenabstand 2,50 mm

Größe		Zeilenabstand			100 Zeichen		
mm	p	kp	Êp	Ex	0	–1	–2
1,33	5	1,69	2,06	–	83	80	77
1,60	6	2,06	2,50	2,50	97	93	89
1,86	7	2,38	2,88	–	112	108	104
2,15	8	2,75	3,38	3,38	127	122	117
2,40	9	3,06	3,75	4,00	142	136	130
2,65	10	3,38	4,13	4,50	157	150	143
2,92	11	3,75	4,50	4,69	171	164	157
3,20	12	4,13	4,94	5,25	186	178	170
3,45	13	4,44	5,38	–	201	193	185
3,72	14	4,75	5,75	–	215	206	197
3,98	15	5,06	6,13	–	230	221	212
4,25	16	5,44	6,56	–	244	234	224

WZ 13 E, NSW 0, MZB 0,59, F 0,06:0,05 (1,1), VI
H 1–x 0,67–k 1,00–p 0,27–Ê 1,27–kp 1,27–Êp 1,54
BF 089 1104, Belegung 051: 085 1098 (095 1098)

*Le misure relative al corpo dei caratteri vengono g
eneralmente indicate in punti tipografici. Il corpo d
ei caratteri Fototypes può essere determinato con
esattezza per semplice misurazione. Tutti i caratte
ri di uguale grandezza in punti hanno, indipendent
emente dalla loro lunghezza, uguale altezza delle
maiuscole. Nella composizione in piombo ed in m
olti altri sistemi di fotocomposizione, l'altezza delle
maiuscole varia spesso da carattere a carattere. P*

2,15 mm (8 p), Zeilenabstand 3,38 mm

halbfett
medium
demi-gras

VENUS

seminegra
neretto
halvfet

Berthold-Schriften überzeugen durch Schärfe und Qualität. Schriftqualität ist eine Frage der Erfahrung. Berthold hat diese Erfahrung seit über hundert Jahren. Zuerst im Schriftguß, da nn im Fotosatz. Berthold-Schriften sind weltweit geschätzt Im Schriftenatelier München wird jeder Buchstabe in der Grö ße von zwölf Zentimetern neu gezeichnet. Mit messerscharfen Konturen, um für die Schriftscheiben das Optimale an Kontur enschärfe herauszuholen. Um die Qualität des Einzelzeichens im Belichtungsvorgang zu bewahren, wird durch die ruhende

1,60 mm (6 p), Zeilenabstand 2,50 mm

Berthold-Schriften überzeugen durch Schärfe und Q ualität. Schriftqualität ist eine Frage der Erfahrung. Be rthold hat diese Erfahrung seit über hundert Jahren. Z uerst im Schriftguß, dann im Fotosatz. Berthold-Sch riften sind weltweit geschätzt. Im Schriftenatelier Mü nchen wird jeder Buchstabe in der Größe von zwölf Ze ntimetern neu gezeichnet. Mit messerscharfen Kontu ren, um für die Schriftscheiben das Optimale an Kont

1,86 mm (7 p), Zeilenabstand 3,00 mm

Berthold-Schriften überzeugen durch Schärfe und Qualität. Schriftqualität ist eine Frage der E rfahrung. Berthold hat diese Erfahrung seit über hundert Jahren. Zuerst im Schriftguß, dann im Fotosatz. Berthold-Schriften sind weltweit gesc hätzt. Im Schriftenatelier München wird jeder B uchstabe in der Größe von zwölf Zentimetern n eu gezeichnet. Mit messerscharfen Konturen, u

2,15 mm (8 p), Zeilenabstand 3,50 mm

1907
Fundición Tipográfica Neufville, S.A.
H. Berthold AG

ABCDEFGHIJKLMNOPQ
RSTUVWXYZ
abcdefghijklmnopqrstuvwxyz
1/1 2 3 4 5 6 7 8 9 0 %
(.,-;:!¡?¿–)·['‚"„"»«]
+−=/$£†*&§
ÄÅÆÖØŒÜäåæıöøœßü
ÁÀÂÃÇČÉÈÊËÍÌÎÏĹŇÑÓÒÔÕ
ŔŘŠŤÚÙÛŴẄÝŶŸŽ
áàâãçčéèêëíìîïĺňñóòôõŕřš
úùûŵẅýỳÿž

Berthold-Schriftweite weit
Berthold-Schriftweite normal
Berthold-Schriftweite eng
Berthold-Schriftweite sehr eng
Berthold-Schriftweite extrem eng

In general, bodytypes are meas ured in the typographical point size. The sizes of Berthold Fotot ype faces can be exactly determ ined. All faces of same point size have the same capital height–irr espective of their x-height. In hot metal and many other phototyp esetting systems the capital hei ghts often differ considerably fr om one face to the other. For me asuring point sizes, a transpare nt size gauge is provided. To det ermine the point size, bring a ca pital letter into coincidence with that field which precisely circum scribes the letter at its upper and

3,20 mm (12 p), Zeilenabstand 5,25 mm

Berthold's quick brown fox jumps over the lazy dog and feels as if he were in the seventh
3,72 mm (14 p)

Berthold's quick brown fox jumps over the lazy dog and feels as if he were in th
4,25 mm (16 p)

Berthold's quick brown fox jumps over the lazy dog and feels as if he
4,75 mm (18 p)

Berthold's quick brown fox jumps over the lazy dog and feels as
5,30 mm (20 p)

Berthold's quick brown fox jumps over the lazy dog a
6,35 mm (24 p)

Berthold's quick brown fox jumps over the la
7,40 mm (28 p)

Berthold's quick brown fox jumps over t
8,50 mm (32 p)

Berthold's quick brown fox jumps
9,55 mm (36 p)

Berthold-Schriften überzeugen durch Sc härfe und Qualität. Schriftqualität ist eine Frage der Erfahrung. Berthold hat diese Er fahrung seit über hundert Jahren. Zuerst im Schriftguß, dann im Fotosatz. Berthold Schriften sind weltweit geschätzt. Im Schri ftenatelier München wird jeder Buchstabe in der Größe von zwölf Zentimetern neu ge

2,40 mm (9 p), Zeilenabstand 4,00 mm

Größe mm	p	Zeilenabstand kp	Êp	Ex	100 Zeichen 0	−1	−2
1,33	5	1,75	2,13	–	86	83	80
1,60	6	2,13	2,56	2,50	101	97	93
1,86	7	2,44	3,00	3,00	116	112	108
2,15	8	2,88	3,44	3,50	132	127	122
2,40	9	3,19	3,88	4,00	148	142	136
2,65	10	3,50	4,25	4,00	163	156	149
2,92	11	3,88	4,69	–	178	171	164
3,20	12	4,25	5,13	5,25	193	185	177
3,45	13	4,56	5,50	–	209	201	193
3,72	14	4,88	5,94	–	224	215	206
3,98	15	5,25	6,38	–	239	230	221
4,25	16	5,63	6,81	–	254	244	234

WZ 13 E, NSW 0, MZB 0,61, F 0,11:0,10 (1,2), VI
H 1–x 0,69–k 1,00–p 0,31–Ê 1,28–kp 1,31–Êp 1,59
BF 089 1150, Belegung 051: 085 1097 (095 1097)

Berthold-Schriften überzeugen durch Schärfe und Qualität. Schriftqualität ist eine Frage der Erfahrung. Berthold hat diese Erfahrung seit über hundert Jah ren. Zuerst im Schriftguß, dann im Fot osatz. Berthold-Schriften sind weltweit geschätzt. Im Schriftenatelier Münche n wird jeder Buchstabe in der Größe v

2,65 mm (10 p), Zeilenabstand 4,00 mm

kursiv halbfett
medium italic
italique demi-gras

VENUS

seminegra cursiva
neretto corsivo
kursiv halvfet

Måttangivelse för grundstilsgrader sker i allmänhet i typografiska pun kter. Stilar av Berthold Fototype kan efter mätning exakt gradbestämm as. Alla typsnitt är av samma punkt storlek och har oberoende av x höj den en identisk versalhöjd. I blysät tning och i många andra fotosättsy stem varierar versalhöjden avsevä rt från typsnitt till typsnitt. För mätni ng av stilgrader finns en transpare nt mätlinjal. Vid mätningen placera r man en versal bokstav så att rutor na begränsar tecknet upptill och n edtill. Under rutorna finns stilstorle ken i typografiska didotpunkter och i mm. Även millimeteruppgiften av ser versalhöjden. Vid stilstorleksup pgifter anges alltid måttenheten ef

2,92 mm (11 p), Zeilenabstand 4,69 mm

Bauersche Gießerei
1910
Fundición Tipográfica Neufville
H. Berthold AG

ABCDEFGHIJKLMNOPQ
RSTUVWXYZ
abcdefghijklmnopqrstuvwxyz
1/1234567890%
(.,-;:!¡?¿–)·[‚'„"“»«]
+−=/$£†&§*
ÄÅÆÖØŒÜäåæıöøœßü
ÁÀÂÃÇČÉÈÊËÍÌÎÏĹŇÑÓÒÔÕ
ŔŘŠŤÚÙÛŴẄÝŶŸŽ
áàâãçčéèêëíìîïĺňñóòôõŕřš
úùûŵẅýỳÿž

Berthold-Schriftweite weit
Berthold-Schriftweite normal
Berthold-Schriftweite eng
Berthold-Schriftweite sehr eng
Berthold-Schriftweite extrem eng

In general, bodytypes are meas ured in the typographical point size. The sizes of Berthold Fotot ype faces can be exactly determ ined. All faces of same point size have the same capital height–ir respective of their x-height. In h ot metal and many other photot ypesetting systems the capital heights often differ considerably from one face to the other. For m easuring point sizes, a transpar ent size gauge is provided. To de termine the point size, bring a c apital letter into coincidence wit h that field which precisely circu mscribes the letter at its upper a

3,20 mm (12 p), Zeilenabstand 5,25 mm

VENUS KURSIV HALBFETT

Die Maßangabe zu Grundschriftgrößen erfolgt im a llgemeinen in typographischen Punkten. Die Schrif tgrößen der Berthold-Fotosatz-Schriften sind nach Messung exakt bestimmbar. Alle Schriften gleicher Punktgröße weisen, unabhängig von der Höhe ihrer Mittellängen, eine identische Versalhöhe auf. Im Bl eisatz und bei vielen anderen Fotosatz-Systemen d ifferieren die Versalhöhen von Schrift zu Schrift oft e rheblich. Zum Messen von Schriftgrößen steht ein transparentes Größenmaß zur Verfügung. Zum Me ssen wird ein Versalbuchstabe mit dem Feld in Dec kung gebracht, das den Buchstaben oben und unte n scharf begrenzt. unter dem Feld ist die Schrift größe in typographischen Didot-Punkten, darunter in Millimetern angegeben. Auch die Millimeterang aben beziehen sich auf die Höhe der Versalbuchsta ben. Die Schriftweite kann im Berthold-Fotosatz be liebig verändert werden. Die Festlegung der Norma

2,40 mm (9 p), Zeilenabstand 4 mm

VENUS ITALIQUE DEMI-GRAS

La valeur de la force de corps des caractères de labeur èst généralement exprimée en points ty pographiques. La force de corps des caractères Berthold-Fototype peut être déterminée avec précision. Tous les caractères du même corps ont des capitales d'une hauteur identique, ind épendamment de la hauteur des bas de casse sans jambage. Dans la composition plomb, ain si que dans certains systèmes de photocompo sition, la hauteur des capitales, varie souvent d'un caractère à l'autre. Pour déterminer la force de corps de nos caractères, nous avons mis au point une réglette de hauteur d'œil transparent e. On cherche le rectangle qui délimite exacte ment la hauteur d'œil d'une capitale du caractè re choisi. Sous le rectangle correspondant la v

2,65 mm (10 p), Zeilenabstand 4,50 mm

La indicación de las dimensiones para cuerpos de letra vásic os tiene lugar en general en puntos tipográficos. Los cuerpos de letra de los caracteres Berthold Fototype pueden determin arse exactemente par medición. Con independencia de la alt ura de sus longitudes centrales, todos los caracteres de idént ico cuerpo de letra presentan altura de mayúsculas idéntica En la composición en plomo y en muchos otros sistemas de fo tocomposición, las alturas de mayúsculas varían frecuentem mente en forma considerable de tipo de letra a tipo de letra Para medir los cuerpos de letra se dispone de un tipómetro véase la figura. Para la medición se hace coincidir una letra mayúscula con la casilla cuyos extremos coinciden con los ex

1,60 mm (6 p), Zeilenabstand 2,50 mm

Größe		Zeilenabstand			100 Zeichen		
mm	p	kp	Êp	Ex	0	−1	−2
1,33	5	1,75	2,13	–	86	83	80
1,60	6	2,13	2,56	2,50	101	97	93
1,86	7	2,44	2,94	–	116	112	108
2,15	8	2,81	3,38	3,38	132	127	122
2,40	9	3,13	3,81	4,00	148	142	136
2,65	10	3,44	4,19	4,50	163	156	149
2,92	11	3,81	4,63	4,69	178	171	164
3,20	12	4,13	5,06	5,25	193	185	177
3,45	13	4,50	5,44	–	209	201	193
3,72	14	4,81	5,88	–	224	215	206
3,98	15	5,19	6,25	–	239	230	221
4,25	16	5,50	6,69	–	254	244	234

WZ 12 E, NSW 0 MZB 0,61, F 0,12:0,1 (1,2), VI
H 1–x 0,68–k 1,00–p 0,29–Ê 1,28–kp 1,29–Êp 1,57
BF 089 1045, Belegung 051: 085 1099 (095 1099)

Le misure relative al corpo dei caratteri vengon o generalmente indicate in punti tipografici. Il c orpo dei caratteri Fototypes può essere determ inato con esattezza per semplice misurazione Tutti i caratteri di uguale grandezza in punti ha nno, indipendentemente dalla loro lunghezza uguale altezza delle maiuscole. Nella composi zione in piombo ed in molti altri sistemi di foto composizione, l'altezza delle maiuscole varia

2,15 mm (8 p), Zeilenabstand 3,38 mm

linkskursiv
reclining
penchée à gauche

VENUS

cursiva izquierda
corsivo a sinistra
vänster kursiv

Berthold-Schriften überzeugen durch Schärfe und Qualität. Schriftqualität ist eine Frage der Erfahrung. Berthold hat di ese Erfahrung seit über hundert Jahren. Zuerst im Schriftg uß, dann im Fotosatz. Berthold-Schriften sind weltweit gesc hätzt. Im Schriftenatelier München wird jeder Buchstabe in der Größe von zwölf Zentimetern neu gezeichnet. Mit mess erscharfen Konturen, um für die Schriftscheiben das Optim ale an Konturenschärfe herauszuholen. Um die Qualität des Einzelzeichens im Belichtungsvorgang zu bewahren, wird d

1,60 mm (6 p), Zeilenabstand 2,50 mm

Berthold-Schriften überzeugen durch Schärfe und Qualität. Schriftqualität ist eine Frage der Erfahrung Berthold hat diese Erfahrung seit über hundert Jahr en. Zuerst im Schriftguß, dann im Fotosatz. Berthold Schriften sind weltweit geschätzt. Im Schriftenateli er München wird jeder Buchstabe in der Größe von zwölf Zentimetern neu gezeichnet. Mit messerschar fen Konturen, um für die Schriftscheiben das Optim

1,86 mm (7 p), Zeilenabstand 3,00 mm

Berthold-Schriften überzeugen durch Schärfe und Qualität. Schriftqualität ist eine Frage der Erfahrung. Berthold hat diese Erfahrung seit ü ber hundert Jahren. Zuerst im Schriftguß, dann im Fotosatz. Berthold-Schriften sind weltweit geschätzt. Im Schriftenatelier München wird j eder Buchstabe in der Größe von zwölf Zenti metern neu gezeichnet. Mit messerscharfen

2,15 mm (8 p), Zeilenabstand 3,50 mm

Fundición Tipográfica Neufville, S.A.
H. Berthold AG

ABCDEFGHIJKLMNOPQ
RSTUVWXYZ
abcdefghijklmnopqrstuvwxyz
1/1234567890%
(.,-;:!i?¿–)·[",""»«]
+-=\$£†*&§
ÄÅÆÖØŒÜäåæıöøœßü
ÁÀÂÃÇČÉÈÊËÍÌÎÏĹŇÑÓÒÔÕ
ŔŘŠŤÚÙÛŴẄÝŶŸŽ
áàâãçčéèêëíìîïĺňñóòôõŕřš
úùûŵẅýỳÿž

Berthold-Schriftweite weit
Berthold-Schriftweite normal
Berthold-Schriftweite eng
Berthold-Schriftweite sehr eng
Berthold-Schriftweite extrem eng

In general, bodytypes are me asured in the typographical po int size. The sizes of Berthold F ototype faces can be exactly d etermined. All faces of same p oint size have the same capital height–irrespective of their x height. In hot metal and many o ther phototypesetting systems the capital heights often differ considerably from one face to the other. For measuring point sizes, a transparent size gauge is provided. To determine the p oint size, bring a capital letter i nto coincidence with that field which precisely circumscribes

3,20 mm (12 p), Zeilenabstand 5,25 mm

Berthold's quick brown fox jumps over the lazy dog and feels as if he were in the seven
3,72 mm (14 p)

Berthold's quick brown fox jumps over the lazy dog and feels as if he were in
4,25 mm (16 p)

Berthold's quick brown fox jumps over the lazy dog and feels as if he
4,75 mm (18 p)

Berthold's quick brown fox jumps over the lazy dog and feels
5,30 mm (20 p)

Berthold's quick brown fox jumps over the lazy dog
6,35 mm (24 p)

Berthold's quick brown fox jumps over the
7,40 mm (28 p)

Berthold's quick brown fox jumps over
8,50 mm (32 p)

Berthold's quick brown fox jumps
9,55 mm (36 p)

Berthold-Schriften überzeugen durch Sc härfe und Qualität. Schriftqualität ist eine Frage der Erfahrung. Berthold hat diese Erfahrung seit über hundert Jahren. Zue rst im Schriftguß, dann im Fotosatz. Bert hold-Schriften sind weltweit geschätzt. Im Schriftenatelier München wird jeder Bu chstabe in der Größe von zwölf Zentimet

2,40 mm (9 p), Zeilenabstand 4,00 mm

Größe		Zeilenabstand			100 Zeichen		
mm	p	kp	Êp	Ex	0	−1	−2
1,33	5	1,69	2,06	–	87	84	81
1,60	6	2,06	2,50	2,50	103	99	95
1,86	7	2,38	2,88	3,00	118	114	110
2,15	8	2,75	3,38	3,50	134	129	124
2,40	9	3,06	3,75	4,00	150	144	138
2,65	10	3,38	4,13	4,00	165	158	151
2,92	11	3,75	4,50	–	181	174	167
3,20	12	4,13	4,94	5,25	196	188	180
3,45	13	4,44	5,38	–	212	204	196
3,72	14	4,75	5,75	–	227	218	209
3,98	15	5,06	6,13	–	243	234	225
4,25	16	5,44	6,56	–	258	248	238

WZ 13 E, NSW 0, MZB 0,62, F 0,10:0,09 (1,1), VI
H 1–x 0,73–k 1,00–p 0,27–Ê 1,27–kp 1,27–Êp 1,54
BF 089 1149, Belegung 051: 085 1204 (095 1204)

Berthold-Schriften überzeugen durc h Schärfe und Qualität. Schriftqualität ist eine Frage der Erfahrung. Berthold hat diese Erfahrung seit über hundert Jahren. Zuerst im Schriftguß, dann im Fotosatz. Berthold-Schriften sind we ltweit geschätzt. Im Schriftenatelier München wird jeder Buchstabe in der

2,65 mm (10 p), Zeilenabstand 4,00 mm

halbfett
medium
demi-gras

VENUS-EGYPTIENNE

seminegra
neretto
halvfet

Berthold-Schriften überzeugen durch Schärfe und Qualität Schriftqualität ist eine Frage der Erfahrung. Berthold hat di ese Erfahrung seit über hundert Jahren. Zuerst im Schriftg uß, dann im Fotosatz. Berthold-Schriften sind weltweit gesc hätzt. Im Schriftenatelier München wird jeder Buchstabe in der Größe von zwölf Zentimetern neu gezeichnet. Mit messe rscharfen Konturen, um für die Schriftscheiben das Optima le an Konturenschärfe herauszuholen. Um die Qualität des Einzelzeichens im Belichtungsvorgang zu bewahren, wird

1,60 mm (6 p), Zeilenabstand 2,50 mm

Berthold-Schriften überzeugen durch Schärfe und Qualität. Schriftqualität ist eine Frage der Erfahrun g. Berthold hat diese Erfahrung seit über hundert Ja hren. Zuerst im Schriftguß, dann im Fotosatz. Berth old-Schriften sind weltweit geschätzt. Im Schriften atelier München wird jeder Buchstabe in der Größe von zwölf Zentimetern neu gezeichnet. Mit messersc harfen Konturen, um für die Schriftscheiben das Op

1,86 mm (7 p), Zeilenabstand 3,00 mm

Berthold-Schriften überzeugen durch Schärfe und Qualität. Schriftqualität ist eine Frage der Erfahrung. Berthold hat diese Erfahrung seit über hundert Jahren. Zuerst im Schriftguß, da nn im Fotosatz. Berthold-Schriften sind weltw eit geschätzt. Im Schriftenatelier München wi rd jeder Buchstabe in der Größe von zwölf Zen timetern neu gezeichnet. Mit messerscharfen

2,15 mm (8 p), Zeilenabstand 3,50 mm

Fundición Tipográfica Neufville, S.A.
H. Berthold AG

ABCDEFGHIJKLMNOPQ
RSTUVWXYZ
abcdefghijklmnopqrstuvwxyz
1/1234567890%
(.,-;:!¡?¿–)·['',„""»«]
+−=/$£†*&§
ÄÅÆÖØŒÜäåæıöøœßü
ÁÀÂÃÇČÉÈÊËÍÌÎÏĹŇÑÓÒÔÕ
ŔŘŠŤÚÙÛŴẄÝŶŸŽ
áàâãçčéèêëíìîïĺňñóòôõŕřš
úùûŵẅýỳÿž

Berthold-Schriftweite weit
Berthold-Schriftweite normal
Berthold-Schriftweite eng
Berthold-Schriftweite sehr eng
Berthold-Schriftweite extrem eng

In general, bodytypes are mea sured in the typographical poi nt size. The sizes of Berthold Fo totype faces can be exactly de termined. All faces of same poi nt size have the same capital h eight–irrespective of their x-h eight. In hot metal and many ot her phototypesetting systems t he capital heights often differ c onsiderably from one face to the other. For measuring point size s, a transparent size gauge is p rovided. To determine the point size, bring a capital letter into c oincidence with that field which precisely circumscribes the lett

3,20 mm (12 p), Zeilenabstand 5,25 mm

Berthold's quick brown fox jumps over the lazy dog and feels as if he were in the sevent
3,72 mm (14 p)

Berthold's quick brown fox jumps over the lazy dog and feels as if he were in
4,25 mm (16 p)

Berthold's quick brown fox jumps over the lazy dog and feels as if he
4,75 mm (18 p)

Berthold's quick brown fox jumps over the lazy dog and feels
5,30 mm (20 p)

Berthold's quick brown fox jumps over the lazy dog
6,35 mm (24 p)

Berthold's quick brown fox jumps over the l
7,40 mm (28 p)

Berthold's quick brown fox jumps over
8,50 mm (32 p)

Berthold's quick brown fox jumps
9,55 mm (36 p)

Berthold-Schriften überzeugen durch S chärfe und Qualität. Schriftqualität ist ei ne Frage der Erfahrung. Berthold hat die se Erfahrung seit über hundert Jahren. Z uerst im Schriftguß, dann im Fotosatz. Be rthold-Schriften sind weltweit geschätzt Im Schriftenatelier München wird jeder Buchstabe in der Größe von zwölf Zentim

2,40 mm (9 p), Zeilenabstand 4,00 mm

Größe mm	p	Zeilenabstand kp	Êp	Ex	100 Zeichen 0	−1	−2
1,33	5	1,75	2,13	–	86	83	80
1,60	6	2,13	2,56	2,50	101	97	93
1,86	7	2,44	3,00	3,00	116	112	108
2,15	8	2,81	3,44	3,50	132	127	122
2,40	9	3,13	3,88	4,00	148	142	136
2,65	10	3,50	4,25	4,00	163	156	149
2,92	11	3,81	4,69	–	178	171	164
3,20	12	4,19	5,13	5,25	193	185	177
3,45	13	4,50	5,56	–	209	201	193
3,72	14	4,88	6,00	–	224	215	206
3,98	15	5,19	6,38	–	239	230	221
4,25	16	5,56	6,81	–	254	244	234

WZ 13 E, NSW 0, MZB 0,61, F 0,12:0,10 (1,2), V
H 1–x 0,67–k 1,00–p 0,30–Ê 1,30–kp 1,30–Êp 1,60
BF 089 1105, Belegung 051: 085 1100 (095 1100)

Berthold-Schriften überzeugen durc h Schärfe und Qualität. Schriftqualit ät ist eine Frage der Erfahrung. Bert hold hat diese Erfahrung seit über hu ndert Jahren. Zuerst im Schriftguß, d ann im Fotosatz. Berthold-Schriften sind weltweit geschätzt. Im Schriften atelier München wird jeder Buchsta

2,65 mm (10 p), Zeilenabstand 4,00 mm

kursiv halbfett
medium italic
italique demi-gras

VENUS-EGYPTIENNE

seminegra cursiva
neretto corsivo
kursiv halvfet

Berthold-Schriften überzeugen durch Schärfe und Qualit ät. Schriftqualität ist eine Frage der Erfahrung. Berthold h at diese Erfahrung seit über hundert Jahren. Zuerst im Sc hriftguß, dann im Fotosatz. Berthold-Schriften sind weltw eit geschätzt. Im Schriftenatelier München wird jeder Buc hstabe in der Größe von zwölf Zentimetern neu gezeichnet Mit messerscharfen Konturen, um für die Schriftscheiben das Optimale an Konturenschärfe herauszuholen. Um die Qualität des Einzelzeichens im Belichtungsvorgang zu be

1,60 mm (6 p), Zeilenabstand 2,50 mm

Berthold-Schriften überzeugen durch Schärfe und Qualität. Schriftqualität ist eine Frage der Erfahru ng. Berthold hat diese Erfahrung seit über hundert Jahren. Zuerst im Schriftguß, dann im Fotosatz. Be rthold-Schriften sind weltweit geschätzt. Im Schrif tenatelier München wird jeder Buchstabe in der Gr öße von zwölf Zentimetern neu gezeichnet. Mit mes serscharfen Konturen, um für die Schriftscheiben

1,86 mm (7 p), Zeilenabstand 3,00 mm

Berthold-Schriften überzeugen durch Schär fe und Qualität. Schriftqualität ist eine Frage der Erfahrung. Berthold hat diese Erfahrung seit über hundert Jahren. Zuerst im Schriftgu ß, dann im Fotosatz. Berthold-Schriften sind weltweit geschätzt. Im Schriftenatelier Münc hen wird jeder Buchstabe in der Größe von zw ölf Zentimetern neu gezeichnet. Mit messersc

2,15 mm (8 p), Zeilenabstand 3,50 mm

Fundición Tipográfica Neufville, S.A.
H. Berthold AG

ABCDEFGHIJKLMNOPQ
RSTUVWXYZ
abcdefghijklmnopqrstuvwxyz
1/1234567890 %
(.,-;:!¡?¿–)·['',,""»«]
+−=/$£†&§*
ÄÅÆÖØŒÜäåæıöøœßü
ÁÀÂÃÇČÉÈÊËÍÌÎÏĹŇÑÓÒÔÕ
ŔŘŠŤÚÙÛŴẄÝỲŶŸŽ
áàâãçčéèêëíìîïĺňñóòôõŕřš
úùûŵẅýỳÿž

Berthold-Schriftweite weit
Berthold-Schriftweite normal
Berthold-Schriftweite eng
Berthold-Schriftweite sehr eng
Berthold-Schriftweite extrem eng

In general, bodytypes are mea sured in the typographical poi nt size. The sizes of Berthold F ototype faces can be exactly d etermined. All faces of same p oint size have the same capital height-irrespective of their x height. In hot metal and many other phototypesetting systems the capital heights often differ considerably from one face to the other. For measuring point sizes, a transparent size gauge is provided. To determine the p oint size, bring a capital letter i nto coincidence with that field which precisely circumscribes

3,20 mm (12 p), Zeilenabstand 5,25 mm

Berthold's quick brown fox jumps over the lazy dog and feels as if he were in the seve
3,72 mm (14 p)

Berthold's quick brown fox jumps over the lazy dog and feels as if he were
4,25 mm (16 p)

Berthold's quick brown fox jumps over the lazy dog and feels as if
4,75 mm (18 p)

Berthold's quick brown fox jumps over the lazy dog and fee
5,30 mm (20 p)

Berthold's quick brown fox jumps over the lazy do
6,35 mm (24 p)

Berthold's quick brown fox jumps over the
7,40 mm (28 p)

Berthold's quick brown fox jumps ov
8,50 mm (32 p)

Berthold's quick brown fox jumps
9,55 mm (36 p)

Berthold-Schriften überzeugen durch S chärfe und Qualität. Schriftqualität ist e ine Frage der Erfahrung. Berthold hat di ese Erfahrung seit über hundert Jahren Zuerst im Schriftguß, dann im Fotosatz Berthold-Schriften sind weltweit geschä tzt. Im Schriftenatelier München wird je der Buchstabe in der Größe von zwölf Ze

2,40 mm (9 p), Zeilenabstand 4,00 mm

Größe		Zeilenabstand			100 Zeichen		
mm	p	kp	Êp	Ex	0	−1	−2
1,33	5	1,69	2,06	–	88	85	82
1,60	6	2,00	2,50	2,50	104	100	96
1,86	7	2,31	2,88	3,00	120	116	112
2,15	8	2,69	3,31	3,50	136	131	126
2,40	9	3,00	3,69	4,00	152	146	140
2,65	10	3,31	4,06	4,00	168	161	154
2,92	11	3,63	4,50	–	184	177	170
3,20	12	4,00	4,94	5,25	199	191	183
3,45	13	4,31	5,31	–	215	207	199
3,72	14	4,63	5,75	–	231	222	213
3,98	15	4,94	6,13	–	246	237	228
4,25	16	5,31	6,56	–	262	252	242

WZ 13 E, NSW 0, MZB 0,63, F 0,11:0,10 (1,2), V
H 1–x 0,66–k 1,00–p 0,24–Ê 1,29–kp 1,24–Êp 1,53
BF 089 1106, Belegung 051: 085 1101 (095 1101)

Berthold-Schriften überzeugen dur ch Schärfe und Qualität. Schriftqual ität ist eine Frage der Erfahrung. Be rthold hat diese Erfahrung seit über hundert Jahren. Zuerst im Schriftgu ß, dann im Fotosatz. Berthold-Schrif ten sind weltweit geschätzt. Im Schri ftenatelier München wird jeder Buc

2,65 mm (10 p), Zeilenabstand 4,00 mm

normal
regular
normal

WALBAUM BUCH

normal
chiaro tondo
normal

Berthold-Schriften überzeugen durch Schärfe und Qualität. Sc
hriftqualität ist eine Frage der Erfahrung. Berthold hat diese Erf
ahrung seit über hundert Jahren. Zuerst im Schriftguß, dann im
Fotosatz. Berthold-Schriften sind weltweit geschätzt. Im Schrif
tenatelier München wird jeder Buchstabe in der Größe von
zwölf Zentimetern neu gezeichnet. Mit messerscharfen Kontur
en, um für die Schriftscheiben das Optimale an Konturenschärfe
herauszuholen. Um die Qualität des Einzelzeichens im Belicht
ungsvorgang zu bewahren, wird durch die ruhende, nicht rotie

1,33 mm (5 p) 20 30 40 50 60

Berthold-Schriften überzeugen durch Schärfe und Qualität
Schriftqualität ist eine Frage der Erfahrung. Berthold hat di
ese Erfahrung seit über hundert Jahren. Zuerst im Schriftg
uß, dann im Fotosatz. Berthold-Schriften sind weltweit gesc
hätzt. Im Schriftenatelier München wird jeder Buchstabe in
der Größe von zwölf Zentimetern neu gezeichnet. Mit mess
erscharfen Konturen, um für die Schriftscheiben das Optim
ale an Konturenschärfe herauszuholen. Um die Qualität des
Einzelzeichens im Belichtungsvorgang zu bewahren, wird

1,45 mm (5,5 p) 20 30 40 50

Berthold-Schriften überzeugen durch Schärfe und Qu
alität. Schriftqualität ist eine Frage der Erfahrung. Ber
thold hat diese Erfahrung seit über hundert Jahren. Z
uerst im Schriftguß, dann im Fotosatz. Berthold-Schrif
ten sind weltweit geschätzt. Im Schriftenatelier Münc
hen wird jeder Buchstabe in der Größe von zwölf Zent
imetern neu gezeichnet. Mit messerscharfen Konture
n, um für die Schriftscheiben das Optimale an Kontur
enschärfe herauszuholen. Um die Qualität des Einzel

1,60 mm (6 p) 20 30 40 50

Berthold-Schriften überzeugen durch Schärfe und
Qualität. Schriftqualität ist eine Frage der Erfahr
ung. Berthold hat diese Erfahrung seit über hund
ert Jahren. Zuerst im Schriftguß, dann im Foto
satz. Berthold-Schriften sind weltweit geschätzt. I
m Schriftenatelier München wird jeder Buchstabe
in der Größe von zwölf Zentimetern neu gezeichn
et. Mit messerscharfen Konturen, um für die Schr
iftscheiben das Optimale an Konturenschärfe her

1,75 mm (6,5 p) 20 30 40 5

Berthold-Schriften überzeugen durch Schärfe
und Qualität. Schriftqualität ist eine Frage der E
rfahrung. Berthold hat diese Erfahrung seit üb
er hundert Jahren. Zuerst im Schriftguß, da
nn im Fotosatz. Berthold-Schriften sind weltwe
it geschätzt. Im Schriftenatelier München wird
jeder Buchstabe in der Größe von zwölf Zentim
etern neu gezeichnet. Mit messerscharfen Kon
turen, um für die Schriftscheiben das Optimale

1,86 mm (7 p) 20 30 40

Berthold-Schriften überzeugen durch Schär
fe und Qualität. Schriftqualität ist eine Frage
der Erfahrung. Berthold hat diese Erfahrung
seit über hundert Jahren. Zuerst im Schriftg
uß, dann im Fotosatz. Berthold-Schriften sin
d weltweit geschätzt. Im Schriftenatelier M
ünchen wird jeder Buchstabe in der Größe v
on zwölf Zentimetern neu gezeichnet. Mit
messerscharfen Konturen, um für die Schrif

2,00 mm (7,5 p) 20 30 40

Berthold-Schriften überzeugen durch Sc
härfe und Qualität. Schriftqualität ist eine
Frage der Erfahrung. Berthold hat diese E
rfahrung seit über hundert Jahren. Zuerst
im Schriftguß, dann im Fotosatz. Berthold
Schriften sind weltweit geschätzt. Im Schr
iftenatelier München wird jeder Buchsta
be in der Größe von zwölf Zentimetern ne
u gezeichnet. Mit messerscharfen Kontur

2,15 mm (8 p) 20 30 40

Günter Gerhard Lange
1975
H. Berthold AG

ABCDEFGHIJKLMNOPQ
RSTUVWXYZ
abcdefghijklmnopqrstuvwxyz
1/1234567890%
(.,-;:!¡?¿–)·[’‘„”“»«]
+−=/$£†*&§
ÄÅÆÖØŒÜäåæıöøœßü
ÁÀÂÃÇČÉÈÊËÍÌÎÏĹŇÑÓÒÔÕ
ŔŘŠŤÚÙÛŴẄÝŶŸŽ
áàâãçčéèêëíìîïĺňñóòôõŕřš
úùûŵẅýỳÿž

Berthold-Schriftweite weit
Berthold-Schriftweite normal
Berthold-Schriftweite eng
Berthold-Schriftweite sehr eng
Berthold-Schriftweite extrem eng

Berthold
3,75 mm (14 p)

Berthold
4,25 mm (16 p)

Berthold
4,75 mm (18 p)

Berthold
5,30 mm (20 p)

Berthold
6,35 mm (24 p)

Berthold
7,40 mm (28 p)

Berthold
8,50 mm (32 p)

Berthold
9,55 mm (36 p)

Größe		Zeilenabstand			100 Zeichen		
mm	p	kp	Êp	Ex	0	−1	−2
1,33	5	1,75	2,13	2,00	91	88	85
1,60	6	2,13	2,56	2,50	107	103	99
1,86	7	2,44	3,00	3,00	123	119	115
2,15	8	2,88	3,44	3,50	140	135	130
2,40	9	3,19	3,81	3,75	157	151	145
2,65	10	3,50	4,19	4,25	173	166	159
2,92	11	3,88	4,63	4,75	189	182	175
3,20	12	4,25	5,06	5,25	205	197	189
3,45	13	4,56	5,50	5,75	221	213	205
3,72	14	4,88	5,94	–	237	228	219
3,98	15	5,25	6,31	–	253	244	235
4,25	16	5,63	6,75	–	269	259	249

WZ 13 E, NSW −1, MZB 0,65, F 0,14:0,042 (3,3), IV
H 1–x 0,68–k 1,00–p 0,31–Ê 1,27–kp 1,31–Êp 1,58
BF 089 0684, Belegung 051: 085 0032 (095 0032)

Berthold-Schriften überzeugen durc
h Schärfe und Qualität. Schriftqualität
ist eine Frage der Erfahrung. Berthold
hat diese Erfahrung seit über hundert
Jahren. Zuerst im Schriftguß, dann im
Fotosatz. Berthold-Schriften sind wel
tweit geschätzt. Im Schriftenatelier
München wird jeder Buchstabe in der

2,40 mm (9 p) 20 30

Berthold-Schriften überzeugen d
urch Schärfe und Qualität. Schrif
tqualität ist eine Frage der Erfahr
ung. Berthold hat diese Erfahrung
seit über hundert Jahren. Zuerst
im Schriftguß, dann im Fotosatz
Berthold-Schriften sind weltweit
geschätzt. Im Schriftenatelier Mü

2,65 mm (10 p) 20 30

Berthold-Schriften überzeuge
n durch Schärfe und Qualität
Schriftqualität ist eine Frage d
er Erfahrung. Berthold hat die
se Erfahrung seit über hundert
Jahren. Zuerst im Schriftguß, d
ann im Fotosatz. Berthold-Sch
riften sind weltweit geschätzt

2,92 mm (11 p) 10 20 3

Berthold-Schriften überzeu
gen durch Schärfe und Qual
ität. Schriftqualität ist eine F
rage der Erfahrung. Bertho
ld hat diese Erfahrung seit ü
ber hundert Jahren. Zuerst i
m Schriftguß, dann im Fotos
atz. Berthold-Schriften sind

3,20 mm (12 p) 10 20

Berthold-Schriften überze
ugen durch Schärfe und Q
ualität. Schriftqualität ist e
ine Frage der Erfahrung
Berthold hat diese Erfahr
ung seit über hundert Jah
ren. Zuerst im Schriftguß
dann im Fotosatz. Berthol

3,45 mm (13 p) 10 20

normal
regular
normal

WALBAUM BUCH

normal
chiaro tondo
normal

Berthold-Schriften überzeugen durch Schärfe und Qualität. Schriftq ualität ist eine Frage der Erfahrung. Berthold hat diese Erfahrung se it über hundert Jahren. Zuerst im Schriftguß, dann im Fotosatz. Bert hold-Schriften sind weltweit geschätzt. Im Schriftenatelier München wird jeder Buchstabe in der Größe von zwölf Zentimetern neu gezei chnet. Mit messerscharfen Konturen, um für die Schriftscheiben das Optimale an Konturenschärfe herauszuholen. Um die Qualität des Einzelzeichens im Belichtungsvorgang zu bewahren, wird durch die ruhende, nicht rotierende Schriftscheibe belichtet. Dieses optisc

4,25 mm (16 p), Zeilenabstand 6,75 mm

WALBAUM BUCH REGULAR

In general, bodytypes are measured in the ty pographical point size. The sizes of Berthold Fototype faces can be exactly determined. All faces of same point size have the same capital heigth–irrespective of their x-heigth. In hot metal and many other phototypesetting sys tems the capital heigths often differ consider ably from one face to the other. For measur ing point sizes, a transparent size gauge is pro vided. To determine the point size, bring a cap ital letter into coincidence with that field which precisely circumscribes the letter at its upper and lower margin. Below the field you find the typographical point and below that the millimeter value, which also refers to the height of a capital letter. In Berthold-photo typesetting, the typewidth can be modified The standard setting width of typefaces is de termined by the principle of optimum legibili ty. You should not depart from this typewidth without cogent reason. A typeface which is considered optically right when looked in a

2,40 mm (9 p), Zeilenabstand 4,25 mm

WALBAUM BUCH NORMAL

La valeur de la force de corps des caractè res de labeur èst généralement exprimée en points typographiques. La force de corps des caractères Berthold-Fototype peut être déterminée avec précision. Tous les caractères du même corps ont des ca pitales d'une hauteur identique, indépen damment de la hauteur des bas de casse sans jambage. Dans la composition plomb, ainsi que dans certains systèmes de photocomposition, la hauteur des capi tales, varie souvent d'un caractère à l'au tre. Pour déterminer la force de corps de nos caractères, nous avons mis au point une réglette de hauteur d'œil transpa rente. On cherche le rectangle qui déli mite exactement la hauteur d'œil d'une capitale du caractère choisi. Sous le rec tangle correspondant la valeur de la force de corps est indiquée en points Didots et

2,65 mm (10 p), Zeilenabstand 4,69 mm

La indicación de las dimensiones para cuer pos de letra vásicos tiene lugar en general en puntos tipográficos. Los cuerpos de letra de los caracteres Berthold Fototype pueden de terminarse exactemente par medición. Con independencia de la altura de sus longitudes centrales, todos los caracteres de idéntico cuerpo de letra presentan altura de mayús culas idéntica. En la composición en plomo y

2,15 mm (8 p), –1, Zeilenabstand 3,38 mm

123,– $	456,– £	7890,– DM	1 %
234,– $	709,– £	1234,– DM	2 %
567,– $	12,– £	5678,– DM	3 %
890,– $	345,– £	9012,– DM	4 %
123,– $	678,– £	3456,– DM	5 %
456,– $	901,– £	7890,– DM	6 %
789,– $	234,– £	1234,– DM	7 %
12,– $	567,– £	5678,– DM	8 %
345,– $	890,– £	9012,– DM	9 %

BF 089 0685

Le misure relative al corpo dei caratteri ven gono generalmente indicate in punti tipografi ci. Il corpo dei caratteri Fototypes può essere determinato con esattezza per semplice misu razione. Tutti i caratteri di uguale grandezza in punti hanno, indipendentemente dalla loro lunghezza, uguale altezza delle maiuscole Nella composizione in piombo ed in molti altri sistemi di fotocomposizione, l'altezza delle

2,15 mm (8 p), –2, Zeilenabstand 3,38 mm

normal
regular
normal

WALBAUM BUCH CAPS

normal
chiaro tondo
normal

BERTHOLD-SCHRIFTEN ÜBER ZEUGEN DURCH SCHÄRFE UN D QUALITÄT. SCHRIFTQUALIT ÄT IST EINE FRAGE DER ERFA HRUNG. BERTHOLD HAT DIES E ERFAHRUNG SEIT ÜBER HU NDERT JAHREN. ZUERST IM S CHRIFTGUSS, DANN IM FOTOS ATZ. BERTHOLD-SCHRIFTEN S IND WELTWEIT GESCHÄTZT. I M SCHRIFTENATELIER MÜNC HEN WIRD JEDER BUCHSTABE IN DER GRÖSSE VON ZWÖLF Z ENTIMETERN NEU GEZEICHN ET. MIT MESSERSCHARFEN K ONTUREN, UM FÜR DIE SCHRI FTSCHEIBEN DAS OPTIMALE A

3,20 mm (12 p), Zeilenabstand 5,25 mm

GÜNTER GERHARD LANGE
1978
(J. E. WALBAUM 1800)
H. BERTHOLD AG

ABCDEFGHIJKLMNOPQ
RSTUVWXYZ
ABCDEFGHIJKLMNOPQRSTUVWXYZ
1/1234567890%
(.,-;:!¡?¿–) · [’‘„”“»«]
+−=/$£†*&§©
ÄÅÆÖØŒÜÄÅÆIÖØŒÜ
ÁÀÂÃÇČÉÈÊËÍÌÎÏĹŇÑÓÒÔÕ
ŔŘŠŤÚÙÛŴẄÝŶŸŽ
ÁÀÂÃÇČÉÈÊËÍÌÎÏĹŇÑÓÒÔÕŔŘŠ
ÚÙÛŴẄÝỲŸŽ

BERTHOLD-SCHRIFTWEITE WEIT
BERTHOLD-SCHRIFTWEITE NORMAL
BERTHOLD-SCHRIFTWEITE ENG
BERTHOLD-SCHRIFTWEITE SEHR ENG
BERTHOLD-SCHRIFTWEITE EXTREM ENG

LA VALEUR DE LA FORCE DE CORPS DES CARACTE RES DE LABEUR EST GE NERALEMENT EXPRIMEE EN POINTS TYPOGRAPHI QUES. LA FORCE DE COR PS DES CARACTERES BER THOLD FOTOTYPE PEUT ETRE DETERMINEE AVEC PRECISION. TOUS LES CA RACTERES DU MEME CO RPS ONT DES CAPITALES D'UNE HAUTEUR IDENTI QUE, INDEPENDAMMENT DE LA HAUTEUR DES BAS DE CASSE SANS JAMBAGE DANS LA COMPOSITION P

3,20 mm (12 p), Zeilenabstand 5,25 mm

8/5

MARIE-THERÈSE ROCHEFORT
DIRECTRICE

69, RUE VICTOR HUGO, 75 PARIS, TÉLÉPHONE 372586

10/7

FLORENTINO CAVALLO
MAÎTRE DE PLAISIR

VIA LUDOVICA ARETINO 33, FIRENZE

12/9

EULALIA HOFFENSTEIN
DIÄTKÖCHIN

AM OBEREN MARKT 2, VILSHOFEN

BERLIN
3,75 mm (14 p)

BERLIN
4,25 mm (16 p)

BERLIN
4,75 mm (18 p)

BERLIN
5,30 mm (20 p)

BERLIN
6,35 mm (24 p)

BERLIN
7,40 mm (28 p)

BERLIN
8,50 mm (32 p)

BERLIN
9,55 mm (36 p)

9/6

HANS-OTTO VON SCHLICK
LANDRAT

AM HORST 10, KAPPELN AN DER SCHLEI, TEL. 6634

11/8

JAN VAN DER FALK
DETEKTIVBÜRO

HALVE MAAN STRAAT 78, AMSTERDAM

13/10

VLADIMIR IRIBOZOV
SAXOPHONIST

MOOSGRUNDALLEE 2, MÜNCHEN

LA INDICACIÓN DE LAS DIMENSIONES PARA CUERPOS DE LETRA VÁSI COS TIENE LUGAR EN GENERAL EN PUNTOS TIPOGRÁFICOS. LOS CUE RPOS DE LETRA DE LOS CARACTERES BERTHOLD FOTOTYPE PUEDEN DETERMINARSE EXACTEMENTE PAR MEDICIÓN. CON INDEPENDEN CIA DE LA ALTURA DE SUS LONGITUDES CENTRALES, TODOS LOS CA RACTERES DE IDÉNTICO CUERPO DE LETRA PRESENTAN ALTURA DE MAYÚSCULAS IDÉNTICA. EN LA COMPOSICIÓN EN PLOMO Y EN MU CHOS OTROS SISTEMAS DE FOTOCOMPOSICIÓN, LAS ALTURAS DE MAYÚSCULAS VARÍAN FRECUENTEMMENTE EN FORMA CONSIDERA BLE DE TIPO DE LETRA A TIPO DE LETRA. PARA MEDIR LOS CUERPOS DE LETRA SE DISPONE DE UN TIPÓMETRO, VÉASE LA FIGURA. PARA LA MEDICIÓN SE HACE COINCIDIR UNA LETRA MAYÚSCULA CON LA CASILLA CUYOS EXTREMOS COINCIDEN CON LOS EXTREMOS SUPERI OR E INFERIOR DE LA LETRA. BAJO LA CASILLA SE INDICA EL CUERPO DE LETRA EN PUNTOS TIPOGRÁFICOS DIDOT, Y DEBAJO EN MM. TAM

1,33 mm (5 p), Zeilenabstand 1,94 mm

LE MISURE RELATIVE AL CORPO DEI CARATTERI VE NGONO GENERALMENTE INDICATE IN PUNTI TIPO GRAFICI. IL CORPO DEI CARATTERI FOTOTYPES PUÒ ESSERE DETERMINATO CON ESATTEZZA PER SEMP LICE MISURAZIONE. TUTTI I CARATTERI DI UGUALE GRANDEZZA IN PUNTI HANNO, INDIPENDENTEMEN TE DALLA LORO LUNGHEZZA, UGUALE ALTEZZA DE LLE MAIUSCOLE. NELLA COMPOSIZIONE IN PIOMBO ED IN MOLTI ALTRI SISTEMI DI FOTOCOMPOSIZIONE L'ALTEZZA DELLE MAIUSCOLE VARIA SPESSO DA CA RATTERE A CARATTERE. PER MISURARE IL CORPO CORPO DEI CARATTERI È INDISPENSABILE UN APPO

1,60 mm (6 p), Zeilenabstand 2,44 mm
WZ 16 E, NSW 0, IV
BF 089 0737, Belegung 027: 085 0538 (095 0538)

IN GENERAL BODYTYPES ARE MEASURED IN THE TYPOGRAPHICAL POINT SIZE. THE SIZES OF BER THOLD-FOTOTYPE FACES CAN BE EXACTLY DETER MINED. ALL FACES OF SAME POINT SIZE HAVE THE SAME CAPITAL HEIGHT—IRRESPECTIVE OF THEIR X-HEIGHT. IN HOT METAL AND MANY OTHER PHOT OTYPESETTING SYSTEMS THE CAPITAL HEIGHTS OFTEN DIFFER CONSIDERABLY FROM ONE FACE TO THE OTHER. FOR MEASURING POINT SIZES, A TRANSPARENT SIZE GAUGE IS PROVIDED. TO DETE

1,86 mm (7 p), Zeilenabstand 3,00 mm

kursiv
italic
italique

WALBAUM BUCH

cursiva
corsivo
kursiv

Måttangivelse för grundstilsgrader sker i allmänhet i typografiska punkter. Stilar av Berthold Fototype kan efter mätning exakt gradbestämmas. Alla typsnitt är av samma punktstorlek och har oberoende av x-höjden en identisk versalhöjd. I blysättning och i många andra fotosättsystem varierar versalhöjden avsevärt från typsnitt till typsnitt. För mätning av stilgrader finns en transparent mätlinjal. Vid mätningen placerar man en versal bokstav så att rutorna begränsar tecknet upptill och nedtill. Under rutorna finns stilstorleken i typografiska didotpunkter och i mm

2,92 mm (11 p), Zeilenabstand 4,69 mm

Günter Gerhard Lange
1976
H. Berthold AG

ABCDEFGHIJKLMNOPQ
RSTUVWXYZ
abcdefghijklmnopqrstuvwxyz
1/1234567890%
(.,-;:!¡?¿–)·[’‘„”“»«]
+–=/$£†&§*
ÄÅÆÖØŒÜäåæıöøœßü
ÁÀÂÃÇČÉÈÊËÍÌÎÏĹŇÑÓÒÔÕ
ŔŘŠŤÚÙÛŴẄÝŶŸŽ
áàâãçčéèêëíìîïĺňñóòôõŕřš
úùûŵẅýỳÿž

Berthold-Schriftweite weit
Berthold-Schriftweite normal
Berthold-Schriftweite eng
Berthold-Schriftweite sehr eng
Berthold-Schriftweite extrem eng

In general, bodytypes are measured in the typographical point size. The sizes of Berthold Fototype faces can be exactly determined. All faces of same point size have the same capital heigth–irrespective of their x-heigth. In hot metal and many other photypesetting systems the capital heigths often differ considerably from one face to the other. For measuring point sizes, a transparent size gauge is provided. To determine the point size, bring a capital letter into coincidence with

3,20 mm (12 p), Zeilenabstand 5,25 mm

WALBAUM BUCH KURSIV

Die Maßangabe zu Grundschriftgrößen erfolgt im allgemeinen in typographischen Punkten. Die Schriftgrößen der Berthold-Fotosatz-Schriften sind nach Messung exakt bestimmbar. Alle Schriften gleicher Punktgröße weisen, unabhängig von der Höhe ihrer Mittellängen, eine identische Versalhöhe auf. Im Bleisatz und bei vielen anderen Fotosatz-Systemen differieren die Versalhöhen von Schrift zu Schrift oft erheblich. Zum Messen von Schriftgrößen steht ein transparentes Größenmaß zur Verfügung. Zum Messen wird ein Versalbuchstabe mit dem Feld in Deckung gebracht, das den Buchstaben oben und unten scharf begrenzt. Unter dem Feld ist die Schriftgröße in typographischen Didot Punkten, darunter in Millimetern angegeben Auch die Millimeterangaben beziehen sich

2,40 mm (9 p), Zeilenabstand 4 mm

WALBAUM BUCH ITALIQUE

La valeur de la force de corps des caractères de labeur èst généralement exprimée en points typographiques. La force de corps des caractères Berthold-Fototype peut être déterminée avec précision. Tous les caractères du même corps ont des capitales d'une hauteur identique, indépendamment de la hauteur des bas de casse sans jambage. Dans la composition plomb, ainsi que dans certains systèmes de photocomposition, la hauteur des capitales, varie souvent d'un caractère à l'autre. Pour déterminer la force de corps de nos caractères, nous avons mis au point une réglette de hauteur d'œil transparente. On cherche le rectangle qui déli

2,65 mm (10 p), Zeilenabstand 4,50 mm

La indicación de las dimensiones para cuerpos de letra básicos tiene lugar en general en puntos tipográficos Los cuerpos de letra de los caracteres Berthold Fototype pueden determinarse exactemente par medición Con independencia de la altura de sus longitudes centrales, todos los caracteres de idéntico cuerpo de letra presentan altura de mayúsculas idéntica. En la composición en plomo y en muchos otros sistemas de fotocomposición, las alturas de mayúsculas varían frecuentemmente en forma considerable de tipo de letra a tipo de letra. Para medir los cuerpos de letra se dispone de un tipómetro, véase la figura. Para la medición se

1,60 mm (6 p), Zeilenabstand 2,50 mm

Größe		Zeilenabstand			100 Zeichen		
mm	p	kp	Êp	Ex	0	–1	–2
1,33	5	1,75	2,13	–	92	89	86
1,60	6	2,13	2,56	2,50	108	104	100
1,86	7	2,44	3,00	–	124	120	116
2,15	8	2,88	3,44	3,38	141	136	131
2,40	9	3,19	3,81	4,00	158	152	146
2,65	10	3,50	4,19	4,50	174	167	160
2,92	11	3,88	4,63	4,69	190	183	176
3,20	12	4,25	5,06	5,25	207	199	191
3,45	13	4,56	5,50	–	223	215	207
3,72	14	4,88	5,94	–	239	230	221
3,98	15	5,25	6,31	–	255	246	237
4,25	16	5,63	6,75	–	271	261	251

WZ 14 E, NSW 0, MZB 0,65, F 0,13:0,033 (3,8), IV
H 1–x 0,68–k 1,00–p 0,31–Ê 1,27–kp 1,31–Êp 1,58
BF 089 0686, Belegung 051: 085 0033 (095 0033)

Le misure relative al corpo dei caratteri vengono generalmente indicate in punti tipografici. Il corpo dei caratteri Fototypes può essere determinato con esattezza per semplice misurazione. Tutti i caratteri di uguale grandezza in punti hanno indipendentemente dalla loro lunghezza uguale altezza delle maiuscole. Nella composizione in piombo ed in molti altri

2,15 mm (8 p), Zeilenabstand 3,38 mm

halbfett
medium
demi-gras

WALBAUM BUCH

seminegra
neretto
halvfet

Berthold-Schriften überzeugen durch Schärfe und Qualität. Schriftqualität ist eine Frage der Erfahr ung. Berthold hat diese Erfahrung seit über hunde rt Jahren. Zuerst im Schriftguß, dann im Fotosatz Berthold-Schriften sind weltweit geschätzt. Im Sc hriftenatelier München wird jeder Buchstabe in der Größe von zwölf Zentimetern neu gezeichnet Mit messerscharfen Konturen, um für die Schrifts cheiben das Optimale an Konturenschärfe herau

1,60 mm (6 p), Zeilenabstand 2,50 mm

Berthold-Schriften überzeugen durch Sch ärfe und Qualität. Schriftqualität ist eine Frage der Erfahrung. Berthold hat diese Erf ahrung seit über hundert Jahren. Zuerst im Schriftguß, dann im Fotosatz. Berthold-Sc hriften sind weltweit geschätzt. Im Schrifte natelier München wird jeder Buchstabe in der Größe von zwölf Zentimetern neu gezei

1,86 mm (7 p), Zeilenabstand 3,00 mm

Berthold-Schriften überzeugen durch Schärfe und Qualität. Schriftqualität ist eine Frage der Erfahrung. Berthold hat diese Erfahrung seit über hundert Jahren. Zuerst im Schriftguß, dann im Fotosatz. Berthold-Schriften sind wel tweit geschätzt. Im Schriftenatelier M ünchen wird jeder Buchstabe in der G

2,15 mm (8 p), Zeilenabstand 3,50 mm

Günter Gerhard Lange
1975
H. Berthold AG

ABCDEFGHIJKLMNOPQ
RSTUVWXYZ
abcdefghijklmnopqrstuvwxyz
1/1234567890%
(.,-;:!¡?¿–) · ['‚„"“»«]
+−=/$£†*&§
ÄÅÆÖØŒÜäåæıöøœßü
ÁÀÂÃÇČÉÈÊËÍÌÎÏĹŇÑÓÒÔÕ
ŔŘŠŤÚÙÛŴẄÝŶŸŽ
áàâãçčéèêëíìîïĺňñóòôõŕřš
úùûŵẅýỳÿž

Berthold-Schriftweite weit
Berthold-Schriftweite normal
Berthold-Schriftweite eng
Berthold-Schriftweite sehr eng
Berthold-Schriftweite extrem eng

In general, bodytypes are measured in the typogra phical point size. The sizes of Berthold Fototype faces can be exactly determine d. All faces of same point s ize have the same capital heigth–irrespective of th eir x-heigth. In hot metal and many other phototy pesetting systems the cap ital heigths often differ co nsiderably from one face to the other. For measuri ng point sizes, a transpar ent size gauge is provided To determine the point si

3,20 mm (12 p), Zeilenabstand 5,25 mm

Berthold's quick brown fox jumps over the lazy dog and feels as if he w
3,75 mm (14 p)

Berthold's quick brown fox jumps over the lazy dog and feels a
4,25 mm (16 p)

Berthold's quick brown fox jumps over the lazy dog and
4,75 mm (18 p)

Berthold's quick brown fox jumps over the lazy d
5,30 mm (20 p)

Berthold's quick brown fox jumps over th
6,35 mm (24 p)

Berthold's quick brown fox jumps
7,40 mm (28 p)

Berthold's quick brown fox ju
8,50 mm (32 p)

Berthold's quick brown fox
9,55 mm (36 p)

Berthold-Schriften überzeugen d urch Schärfe und Qualität. Schrift qualität ist eine Frage der Erfahru ng. Berthold hat diese Erfahrung s eit über hundert Jahren. Zuerst im Schriftguß, dann im Fotosatz. Ber thold-Schriften sind weltweit ges chätzt. Im Schriftenatelier Münch

2,40 mm (9 p), Zeilenabstand 4,00 mm

Größe		Zeilenabstand			100 Zeichen		
mm	p	kp	Êp	Ex	0	−1	−2
1,33	5	1,81	2,13	–	101	98	95
1,60	6	2,13	2,56	2,50	119	115	111
1,86	7	2,50	3,00	3,00	137	133	129
2,15	8	2,88	3,44	3,50	156	151	146
2,40	9	3,19	3,81	4,00	175	169	163
2,65	10	3,50	4,19	4,00	193	186	179
2,92	11	3,88	4,63	–	211	204	197
3,20	12	4,25	5,06	5,25	229	221	213
3,45	13	4,56	5,50	–	246	238	230
3,72	14	4,94	5,94	–	264	255	246
3,98	15	5,31	6,31	–	282	273	264
4,25	16	5,63	6,75	–	300	290	280

WZ 14 E, NSW 0, MZB 0,73, F 0,20:0,042 (4,8), IV
H 1–x 0,69–k 1,01–p 0,31–Ê 1,27–kp 1,32–Êp 1,58
BF 089 0687, Belegung 051: 085 0034 (095 0034)

Berthold-Schriften überzeuge n durch Schärfe und Qualität Schriftqualität ist eine Frage d er Erfahrung. Berthold hat die se Erfahrung seit über hundert Jahren. Zuerst im Schriftguß d ann im Fotosatz. Berthold-Sc hriften sind weltweit geschätzt

2,65 mm (10 p), Zeilenabstand 4,00 mm

kursiv halbfett
medium italic
italique demi-gras

WALBAUM BUCH

seminegra cursiva
neretto corsivo
kursiv halvfet

*Berthold-Schriften überzeugen durch Schärfe und
Qualität. Schriftqualität ist eine Frage der Erfahru
ng. Berthold hat diese Erfahrung seit über hundert
Jahren. Zuerst im Schriftguß, dann im Fotosatz. Be
rthold-Schriften sind weltweit geschätzt. Im Schrif
tenatelier München wird jeder Buchstabe in der Gr
öße von zwölf Zentimetern neu gezeichnet. Mit mes
serscharfen Konturen, um für die Schriftscheiben
das Optimale an Konturenschärfe herauszuholen*

1,60 mm (6 p), Zeilenabstand 2,50 mm

*Berthold-Schriften überzeugen durch Schär
fe und Qualität. Schriftqualität ist eine Frage
der Erfahrung. Berthold hat diese Erfahrung
seit über hundert Jahren. Zuerst im Schriftg
uß, dann im Fotosatz. Berthold-Schriften si
nd weltweit geschätzt. Im Schriftenatelier
München wird jeder Buchstabe in der Größe
von zwölf Zentimetern neu gezeichnet. Mit m*

1,86 mm (7 p), Zeilenabstand 3,00 mm

*Berthold-Schriften überzeugen durch
Schärfe und Qualität. Schriftqualität
ist eine Frage der Erfahrung. Berthold
hat diese Erfahrung seit über hundert
Jahren. Zuerst im Schriftguß dann im
Fotosatz. Berthold-Schriften sind welt
weit geschätzt. Im Schriftenatelier Mü
nchen wird jeder Buchstabe in der Grö*

2,15 mm (8 p), Zeilenabstand 3,50 mm

*Günter Gerhard Lange
1976
H. Berthold AG*

*ABCDEFGHIJKLMNOPQ
RSTUVWXYZ
abcdefghijklmnopqrstuvwxyz
1/1234567890%
(.,-;:!¡?¿–)·[‘„”“»«]
+−=/$£†*&§
ÄÅÆÖØŒÜäåæıöøœßü
ÁÀÂÃÇČÉÈÊËÍÌÎÏĹŇÑÓÒÔÕ
ŔŘŠŤÚÙÛŴẄÝŶŸŽ
áàâãçčéèêëíìîïĺňñóòôõŕřš
úùûŵẅýỳÿž*

*Berthold-Schriftweite weit
Berthold-Schriftweite normal
Berthold-Schriftweite eng
Berthold-Schriftweite sehr eng
Berthold-Schriftweite extrem eng*

*In general, bodytypes are
measured in the typograp
hical point size. The sizes of
Berthold Fototype faces ca
n be exactly determined. A
ll faces of same point size h
ave the same capital heigt
h–irrespective of their x-h
eigth. In hot metal and ma
ny other phototypesetting
systems the capital heigths
often differ considerably f
rom one face to the other
For measuring point sizes
a transparent size gauge is
provided. To determine the
point size, bring a capital l*

3,20 mm (12 p), Zeilenabstand 5,25 mm

Berthold's quick brown fox jumps over the lazy dog and feels as if he were
3,75 mm (14 p)

Berthold's quick brown fox jumps over the lazy dog and feels as if
4,25 mm (16 p)

Berthold's quick brown fox jumps over the lazy dog and f
4,75 mm (18 p)

Berthold's quick brown fox jumps over the lazy dog
5,30 mm (20 p)

Berthold's quick brown fox jumps over the
6,35 mm (24 p)

Berthold's quick brown fox jumps o
7,40 mm (28 p)

Berthold's quick brown fox jum
8,50 mm (32 p)

Berthold's quick brown fox j
9,55 mm (36 p)

*Berthold-Schriften überzeugen du
rch Schärfe und Qualität. Schriftq
ualität ist eine Frage der Erfahrun
g. Berthold hat diese Erfahrung seit
über hundert Jahren. Zuerst im Sc
hriftguß, dann im Fotosatz. Bertho
ld-Schriften sind weltweit geschät
zt. Im Schriftenatelier München wi*

2,40 mm (9 p), Zeilenabstand 4,00 mm

Größe		Zeilenabstand			100 Zeichen		
mm	p	kp	Êp	Ex	0	−1	−2
1,33	5	1,81	2,13	–	97	94	91
1,60	6	2,13	2,56	2,50	114	110	106
1,86	7	2,50	3,00	3,00	131	127	123
2,15	8	2,88	3,44	3,50	149	144	139
2,40	9	3,19	3,81	4,00	167	161	155
2,65	10	3,50	4,19	4,00	184	177	170
2,92	11	3,88	4,63	–	201	194	187
3,20	12	4,25	5,06	5,25	218	210	202
3,45	13	4,56	5,50	–	235	227	219
3,72	14	4,94	5,94	–	253	244	235
3,98	15	5,31	6,31	–	270	261	252
4,25	16	5,63	6,75	–	287	277	267

WZ 14 E, NSW −1, MZB 0,69, F 0,18:0,038 (4,9), IV
H 1–x 0,68–k 1,01–p 0,31–Ê 1,27–kp 1,32–Êp 1,58
BF 089 0688, Belegung 051: 085 0035 (095 0035)

*Berthold-Schriften überzeugen
durch Schärfe und Qualität. Sc
hriftqualität ist eine Frage der
Erfahrung. Berthold hat diese
Erfahrung seit über hundert Ja
hren. Zuerst im Schriftguß, dan
n im Fotosatz. Berthold-Schrift
en sind weltweit geschätzt. Im S*

2,65 mm (10 p), Zeilenabstand 4,00 mm

fett
bold
gras

WALBAUM BUCH

negra
nero
fet

Berthold-Schriften überzeugen durch Schärfe und Qualität. Schriftqualität ist eine Frage der Erfahrung. Berthold hat diese Erfahrung seit üb er hundert Jahren. Zuerst im Schriftguß, dann im Fotosatz. Berthold-Schriften sind weltweit gesc hätzt. Im Schriftenatelier München wird je der Buchstabe in der Größe von zwölf Zentimete rn neu gezeichnet. Mit messerscharfen Kontur en um für die Schriftscheiben das Optimale an K

1,60 mm (6 p), Zeilenabstand 2,50 mm

Berthold-Schriften überzeugen durch Sc härfe und Qualität. Schriftqualität ist ein e Frage der Erfahrung. Berthold hat diese Erfahrung seit über hundert Jahren. Zue rst im Schriftguß, dann im Fotosatz. Berth old-Schriften sind weltweit geschätzt. Im Schriftenatelier München wird jeder Buc hstabe in der Größe von zwölf Zentimeter

1,86 mm (7 p), Zeilenabstand 3,00 mm

Berthold-Schriften überzeugen durc h Schärfe und Qualität. Schriftqualit ät ist eine Frage der Erfahrung. Bert hold hat diese Erfahrung seit über hu ndert Jahren. Zuerst im Schriftguß, d ann im Fotosatz. Berthold-Schriften sind weltweit geschätzt. Im Schriften atelier München wird jeder Buchsta

2,15 mm (8 p), Zeilenabstand 3,50 mm

Günter Gerhard Lange
1976
H. Berthold AG

ABCDEFGHIJKLMNOPQ
RSTUVWXYZ
abcdefghijklmnopqrstuvw
xyz 1/1234567890%
(.,-;:!¡?¿–)·['',,""»«]
+−=/$£†*&§
ÄÅÆÖØŒÜäåæıöøœßü
ÁÀÂÃÇČÉÈÊËÍÌÎÏĹŇÑÓÒÔÕ
ŔŘŠŤÚÙÛŴẄÝŶŸŽ
áàâãçčéèêëíìîïĺňñóòôõŕřš
úùûŵẅýỳÿž

Berthold-Schriftweite weit
Berthold-Schriftweite normal
Berthold-Schriftweite eng
Berthold-Schriftweite sehr eng
Berthold-Schriftweite extrem eng

In general, bodytypes ar e measured in the typogr aphical point size. The si zes of Berthold Fototype faces can be exactly dete rmined. All faces of same point size have the same capital height–irrespecti ve of their x-height. In ho t metal and many other p hototypesetting systems the capital heights often differ considerably from one face to the other. For measuring point sizes, a transparent size gauge is provided. To determine t

3,20 mm (12 p), Zeilenabstand 5,25 mm

Berthold's quick brown fox jumps over the lazy dog and feels as if h
3,75 mm (14 p)

Berthold's quick brown fox jumps over the lazy dog and fee
4,25 mm (16 p)

Berthold's quick brown fox jumps over the lazy dog a
4,75 mm (18 p)

Berthold's quick brown fox jumps over the lazy
5,30 mm (20 p)

Berthold's quick brown fox jumps over t
6,35 mm (24 p)

Berthold's quick brown fox jumps
7,40 mm (28 p)

Berthold's quick brown fox ju
8,50 mm (32 p)

Berthold's quick brown fo
9,55 mm (36 p)

Berthold-Schriften überzeugen durch Schärfe und Qualität. Schr iftqualität ist eine Frage der Erfa hrung. Berthold hat diese Erfah rung seit über hundert Jahren. Z uerst im Schriftguß, dann im Fot osatz. Berthold-Schriften sind w eltweit geschätzt. Im Schriftena

2,40 mm (9 p), Zeilenabstand 4,00 mm

Größe		Zeilenabstand			100 Zeichen		
mm	p	kp	Êp	Ex	0	−1	−2
1,33	5	1,81	2,13	–	102	99	96
1,60	6	2,13	2,56	2,50	120	116	112
1,86	7	2,50	3,00	3,00	138	134	130
2,15	8	2,88	3,44	3,50	157	152	147
2,40	9	3,19	3,81	4,00	176	170	164
2,65	10	3,50	4,19	4,00	194	187	180
2,92	11	3,88	4,63	–	212	205	198
3,20	12	4,25	5,06	5,25	230	222	214
3,45	13	4,56	5,50	–	248	240	232
3,72	14	4,94	5,94	–	266	257	248
3,98	15	5,31	6,31	–	284	275	266
4,25	16	5,63	6,75	–	302	292	282

WZ 14 E, NSW 0, MZB 0,73, F 0,27:0,046 (5,8), IV
H 1–x 0,68–k 1,01–p 0,31–Ê 1,27–kp 1,32–Êp 1,58
BF 089 0689, Belegung 051: 085 0730 (095 0730)

Berthold-Schriften überzeug en durch Schärfe und Qualitä t. Schriftqualität ist eine Frag e der Erfahrung. Berthold hat diese Erfahrung seit über hu ndert Jahren. Zuerst im Schri ftguß, dann im Fotosatz. Bert hold-Schriften sind weltweit

2,65 mm (10 p), Zeilenabstand 4,00 mm

kursiv fett
bold italic
italique gras

WALBAUM BUCH

negra cursiva
nero corsivo
kursiv fet

Berthold-Schriften überzeugen durch Schärfe und Qualität. Schriftqualität ist eine Frage der Erfahrung. Berthold hat diese Erfahrung seit über hundert Jahren. Zuerst im Schriftguß, dann im Fotosatz. Berthold-Schriften sind weltweit geschätzt. Im Schriftenatelier München wird jeder Buchstabe in der Größe von zwölf Zentimetern neu gezeichnet. Mit messerscharfen Konturen, um für die Schriftscheiben das Optimale an Konturensc

1,60 mm (6 p), Zeilenabstand 2,50 mm

Berthold-Schriften überzeugen durch Schärfe und Qualität. Schriftqualität ist eine Frage der Erfahrung. Berthold hat diese Erfahrung seit über hundert Jahren. Zuerst im Schriftguß, dann im Fotosatz. Berthold-Schriften sind weltweit geschätzt. Im Schriftenatelier München wird jeder Buchstabe in der Größe von zwölf Zentimetern

1,86 mm (7 p), Zeilenabstand 3,00 mm

Berthold-Schriften überzeugen durch Schärfe und Qualität. Schriftqualität ist eine Frage der Erfahrung. Berthold hat diese Erfahrung seit über hundert Jahren. Zuerst im Schriftguß, dann im Fotosatz. Berthold-Schriften sind weltweit geschätzt. Im Schriftenatelier München wird jeder Buchstabe

2,15 mm (8 p), Zeilenabstand 3,50 mm

Günter Gerhard Lange
1976
H. Berthold AG

ABCDEFGHIJKLMNOPQ
RSTUVWXYZ
abcdefghijklmnopqrstuvwxyz
1/1234567890%
(.,-;:!¡?¿–)·[’‘„”“»«]
+−=/$£†*&§
ÄÅÆÖØŒÜäåæıöøœßü
ÁÀÂÃÇČÉÈÊËÍÌÎÏĹŇÑÓÒÔÕ
ŔŘŠŤÚÙÛŴẄÝỲŸŽ
áàâãçčéèêëíìîïĺňñóòôõŕřš
úùûŵẅýỳÿž

Berthold-Schriftweite weit
Berthold-Schriftweite normal
Berthold-Schriftweite eng
Berthold-Schriftweite sehr eng
Berthold-Schriftweite extrem eng

In general, bodytypes are measured in the typographical point size. The sizes of Berthold Fototype faces can be exactly determined. All faces of same point size have the same capital height–irrespective of their x-height. In hot metal and many other photot ypesetting systems the capital heights often differ considerably from one face to the other. For measuring point sizes, a transparent size gauge is provided. To determine the point

3,20 mm (12 p), Zeilenabstand 5,25 mm

Berthold's quick brown fox jumps over the lazy dog and feels as if he
3,75 mm (14 p)

Berthold's quick brown fox jumps over the lazy dog and feels
4,25 mm (16 p)

Berthold's quick brown fox jumps over the lazy dog an
4,75 mm (18 p)

Berthold's quick brown fox jumps over the lazy
5,30 mm (20 p)

Berthold's quick brown fox jumps over t
6,35 mm (24 p)

Berthold's quick brown fox jumps
7,40 mm (28 p)

Berthold's quick brown fox ju
8,50 mm (32 p)

Berthold's quick brown fox
9,55 mm (36 p)

Berthold-Schriften überzeugen durch Schärfe und Qualität. Schriftqualität ist eine Frage der Erfahrung. Berthold hat diese Erfahrung seit über hundert Jahren. Zuerst im Schriftguß, dann im Fotosatz Berthold-Schriften sind weltweit geschätzt. Im Schriftenatelier Mü

2,40 mm (9 p), Zeilenabstand 4,00 mm

Größe mm	p	Zeilenabstand kp	Êp	Ex	100 Zeichen 0	−1	−2
1,33	5	1,01	2,10		100	00	96
1,60	6	2,13	2,56	2,50	120	116	112
1,86	7	2,50	3,00	3,00	138	134	130
2,15	8	2,88	3,44	3,50	157	152	147
2,40	9	3,19	3,81	4,00	176	170	164
2,65	10	3,50	4,19	4,00	194	187	180
2,92	11	3,88	4,63	—	212	205	198
3,20	12	4,25	5,06	5,25	230	222	214
3,45	13	4,56	5,50	—	248	240	232
3,72	14	4,94	5,94	—	266	257	248
3,98	15	5,31	6,31	—	284	275	266
4,25	16	5,63	6,75	—	302	292	282

WZ 14 E, NSW 0, MZB 0,73, F 0,25:0,04 (6,0), IV
H 1–x 0,68–k 1,01–p 0,31–Ê 1,27–kp 1,32–Êp 1,58
BF 089 0690, Belegung 051: 085 0747 (095 0747)

Berthold-Schriften überzeugen durch Schärfe und Qualität. Schriftqualität ist eine Frage der Erfahrung. Berthold hat diese Erfahrung seit über hundert Jahren. Zuerst im Schriftguß dann im Fotosatz. Berthold-Schriften sind weltweit geschätzt

2,65 mm (10 p), Zeilenabstand 4,00 mm

Walbaum-Fraktur

J. E. Walbaum
1800
H. Berthold AG

ABCDEFG
HIJKLMNOPQRSTU
VWXYZÄÖÜ
abcdefghijklmnopqrss
tuvwxyzäöü
ch ck ff fi fl ft ll si ss st ß tt tz
1234567890
1234567890%
(.,= ;:!?–) · [',,"»«]
/+—=×~∞ø°/
₵†*&§

Berthold-Schriftweite weit
Berthold-Schriftweite normal
Berthold-Schriftweite eng
Berthold-Schriftweite sehr eng
Berthold-Schriftweite extrem eng

Berthold-Schriften überzeugen durch Schärfe und Qualität. Schri ftqualität ist eine Frage der Erfahrung. Berthold hat diese Erfahrung seit über hundert Jahren. Zuerst im Schriftguß, dann im Fotosatz. Be rthold-Schriften sind weltweit geschätzt. Im Schriftenatelier Münch en wird jeder Buchstabe in der Größe von zwölf Zentimetern neu gezei chnet. Mit messerscharfen Konturen, um für die Schriftscheiben das Optimale an Konturenschärfe herauszuholen. Um die Qualität des Einzelzeichens im Belichtungsvorgang zu bewahren, wird durch die ruhende, nicht rotierende Schriftscheibe belichtet. Dieses optische Sy

1,60 mm (6 p), Zeilenabstand 2,50 mm

Berthold-Schriften überzeugen durch Schärfe und Qualität Schriftqualität ist eine Frage der Erfahrung. Berthold hat diese Erfahrung seit über hundert Jahren. Zuerst im Schrift guß, dann im Fotosatz. Berthold-Schriften sind weltweit ges chätzt. Im Schriftenatelier München wird jeder Buchstabe in der Größe von zwölf Zentimetern neu gezeichnet. Mit messers charfen Konturen, um für die Schriftscheiben das Optimale an Konturenschärfe herauszuholen. Um die Qualität des

1,86 mm (7 p), Zeilenabstand 3,00 mm

Berthold-Schriften überzeugen durch Schärfe und Qualität. Schriftqualität ist eine Frage der Erfahru ng. Berthold hat diese Erfahrung seit über hundert Jahren. Zuerst im Schriftguß dann im Fotosatz. Bert hold-Schriften sind weltweit geschätzt. Im Schriftena telier München wird jeder Buchstabe in der Größe von zwölf Zentimetern neu gezeichnet. Mit messerscharfen Konturen, um für die Schriftscheiben das Optimale an

2,15 mm (8 p), Zeilenabstand 3,50 mm

In general, bodytypes are measured in the typographical point size. The sizes of Berthold Fototype faces can be exactly determined. All faces of sa me point size have the same capital height-irrespective of their x-height In hot metal and many other photo typesetting systems the capital heigh ts often differ considerably from one face to the other. For measuring po int sizes, a transparent size gauge is provided. To determine the point size bring a capital letter into coincid ence with that field which precisely circu mscribes the letter at its upper and lo wer margin. Below the field you find the typographical point and bel

3,20 mm (12 p), Zeilenabstand 5,25 mm

Berthold's quick brown fox jumps over the lazy dog and feels as if he were in the seventh heaven of ty
3,75 mm (14 p)

Berthold's quick brown fox jumps over the lazy dog and feels as if he were in the seventh
4,25 mm (16 p)

Berthold's quick brown fox jumps over the lazy dog and feels as if he were in the
4,75 mm (18 p)

Berthold's quick brown fox jumps over the lazy dog and feels as if he we
5,30 mm (20 p)

Berthold's quick brown fox jumps over the lazy dog and feel
6,35 mm (24 p)

Berthold's quick brown fox jumps over the lazy dog
7,40 mm (28 p)

Berthold's quick brown fox jumps over the la
8,50 mm (32 p)

Berthold's quick brown fox jumps over
9,55 mm (36 p)

Berthold-Schriften überzeugen durch Schärfe und Qualität. Schriftqualität ist eine Frage der Erfahrung. Berthold hat diese Erfahrung seit über hundert Jahren. Zuerst im Schriftguß, da nn im Fotosatz. Berthold-Schriften sind weltwe it geschätzt. Im Schriftenatelier München wird jeder Buchstabe in der Größe von zwölf Zentim etern neu gezeichnet. Mit messerscharfen Kontur

2,40 mm (9 p), Zeilenabstand 4,00 mm

Größe		Zeilenabstand			100 Zeichen		
mm	p	kp	Êp	Ex	0	−1	−2
1,33	5	1,69	2,06	—	72	69	66
1,60	6	2,00	2,44	2,50	85	81	77
1,86	7	2,31	2,88	3,00	98	94	90
2,15	8	2,69	3,31	3,50	111	106	101
2,40	9	3,00	3,69	4,00	124	118	112
2,65	10	3,31	4,06	4,00	137	130	123
2,92	11	3,63	4,50	—	150	143	136
3,20	12	4,00	4,88	5,25	163	155	147
3,45	13	4,31	5,25	—	175	167	159
3,72	14	4,63	5,69	—	188	179	170
3,98	15	4,94	6,06	—	201	192	183
4,25	16	5,31	6,50	—	214	204	194

WZ 12 E, NSW 0, MZB 0,52, F 0,14:0,029 (4,9), I H 1–x 0,75–k 1,01–p 0,23–Ê 1,29–kp 1,24–Êp 1,52 BF 089 0694, Belegung 025: 085 0117 (095 0117)

Berthold-Schriften überzeugen durch Sch ärfe und Qualität. Schriftqualität ist eine Frage der Erfahrung. Berthold hat diese Erfahrung seit über hundert Jahren. Zuerst im Schriftguß, dann im Fotosatz. Berthold Schriften sind weltweit geschätzt. Im Schri ftenatelier München wird jeder Buchstabe in der Größe von zwölf Zentimetern neu gezei

2,65 mm (10 p), Zeilenabstand 4,00 mm

normal
regular
normal

WALBAUM STANDARD

normal
chiaro tondo
normal

Berthold-Schriften überzeugen durch Schärfe und Qualität. Schr
iftqualität ist eine Frage der Erfahrung. Berthold hat diese Erfahr
ung seit über hundert Jahren. Zuerst im Schriftguß, dann im Foto
satz. Berthold-Schriften sind weltweit geschätzt. Im Schriftenate
lier München wird jeder Buchstabe in der Größe von zwölf Zenti
metern neu gezeichnet. Mit messerscharfen Konturen, um für die
Schriftscheiben das Optimale an Konturenschärfe herauszuhole
n. Um die Qualität des Einzelzeichens im Belichtungsvorgang zu
bewahren, wird durch die ruhende, nicht rotierende Schriftsc

1,33 mm (5 p) 20 30 40 50 60

Berthold-Schriften überzeugen durch Schärfe und Qualität
Schriftqualität ist eine Frage der Erfahrung. Berthold hat di
ese Erfahrung seit über hundert Jahren. Zuerst im Schriftgu
ß, dann im Fotosatz. Berthold-Schriften sind weltweit gesch
ätzt. Im Schriftenatelier München wird jeder Buchstabe in d
er Größe von zwölf Zentimetern neu gezeichnet. Mit messe
rscharfen Konturen, um für die Schriftscheiben das Optima
le an Konturenschärfe herauszuholen. Um die Qualität des
Einzelzeichens im Belichtungsvorgang zu bewahren, wird d

1,45 mm (5,5 p) 20 30 40 50

Berthold-Schriften überzeugen durch Schärfe und Qua
lität. Schriftqualität ist eine Frage der Erfahrung. Berth
old hat diese Erfahrung seit über hundert Jahren. Zuerst
im Schriftguß, dann im Fotosatz. Berthold-Schriften si
nd weltweit geschätzt. Im Schriftenatelier München wi
rd jeder Buchstabe in der Größe von zwölf Zentimetern
neu gezeichnet. Mit messerscharfen Konturen, um für
die Schriftscheiben das Optimale an Konturenschärfe h
erauszuholen. Um die Qualität des Einzelzeichens im B

1,60 mm (6 p) 20 30 40 50

Berthold-Schriften überzeugen durch Schärfe und
Qualität. Schriftqualität ist eine Frage der Erfahru
ng. Berthold hat diese Erfahrung seit über hundert
Jahren. Zuerst im Schriftguß, dann im Fotosatz. B
erthold-Schriften sind weltweit geschätzt. Im Sch
riftenatelier München wird jeder Buchstabe in der
Größe von zwölf Zentimetern neu gezeichnet. Mit
messerscharfen Konturen, um für die Schriftschei
ben das Optimale an Konturenschärfe herauszuho

1,75 mm (6,5 p) 20 30 40 5

Berthold-Schriften überzeugen durch Schärfe u
nd Qualität. Schriftqualität ist eine Frage der Erf
ahrung. Berthold hat diese Erfahrung seit über
hundert Jahren. Zuerst im Schriftguß, dann im
Fotosatz. Berthold-Schriften sind weltweit gesc
hätzt. Im Schriftenatelier München wird jeder
Buchstabe in der Größe von zwölf Zentimetern
neu gezeichnet. Mit messerscharfen Konturen
um für die Schriftscheiben das Optimale an Kon

1,86 mm (7 p) 20 30 40

Berthold-Schriften überzeugen durch Schärf
e und Qualität. Schriftqualität ist eine Frage
der Erfahrung. Berthold hat diese Erfahrung
seit über hundert Jahren. Zuerst im Schriftg
uß, dann im Fotosatz. Berthold-Schriften sind
weltweit geschätzt. Im Schriftenatelier Mün
chen wird jeder Buchstabe in der Größe von z
wölf Zentimetern neu gezeichnet. Mit messe
rscharfen Konturen, um für die Schriftscheib

2,00 mm (7,5 p) 20 30 40

Berthold-Schriften überzeugen durch Schä
rfe und Qualität. Schriftqualität ist eine Fra
ge der Erfahrung. Berthold hat diese Erfah
rung seit über hundert Jahren. Zuerst im
Schriftguß, dann im Fotosatz. Berthold-Sc
hriften sind weltweit geschätzt. Im Schrifte
natelier München wird jeder Buchstabe in
der Größe von zwölf Zentimetern neu geze
ichnet. Mit messerscharfen Konturen, um

2,15 mm (8 p) 20 30 40

Günter Gerhard Lange 1976
(J. E. Walbaum 1800)
H. Berthold AG

ABCDEFGHIJKLMNOPQ
RSTUVWXYZ
abcdefghijklmnopqrstuvwxyz
1/1234567890%
(.,-;:!¡?¿–)·['‘„"“»«]
+–=/$£†*&§
ÄÅÆÖØŒÜäåæıöøœßü
ÁÀÂÃÇČÉÈÊËÍÌÎÏĹŇÑÓÒÔÕ
ŔŘŠŤÚÙÛŴẄÝŶŸŽ
áàâãçčéèêëíìîïĺňñóòôõŕřš
úùûŵẅýỳÿž

Berthold-Schriftweite weit
Berthold-Schriftweite normal
Berthold-Schriftweite eng
Berthold-Schriftweite sehr eng
Berthold-Schriftweite extrem eng

Berthold
3,75 mm (14 p)

Berthold
4,25 mm (16 p)

Berthold
4,75 mm (18 p)

Berthold
5,30 mm (20 p)

Berthold
6,35 mm (24 p)

Berthold
7,40 mm (28 p)

Berthold
8,50 mm (32 p)

Berthold
9,55 mm (36 p)

Größe		Zeilenabstand			100 Zeichen		
mm	p	kp	Êp	Ex	0	−1	−2
1,33	5	1,94	2,31	2,00	90	87	84
1,60	6	2,31	2,75	2,50	106	102	98
1,86	7	2,63	3,19	3,00	112	118	114
2,15	8	3,06	3,69	3,50	139	134	129
2,40	9	3,44	4,13	3,75	156	150	144
2,65	10	3,75	4,56	4,25	172	165	158
2,92	11	4,13	5,00	4,75	188	181	174
3,20	12	4,56	5,50	5,25	204	196	188
3,45	13	4,88	5,94	5,75	220	212	204
3,72	14	5,25	6,38	–	236	227	218
3,98	15	5,63	6,81	–	252	243	234
4,25	16	6,00	7,31	–	268	258	248

WZ 14 E, NSW 0, MZB 0,65, F 0,11:0,042 (2,7), IV
H 1–x 0,61–k 1,00–p 0,41–Ê 1,30–kp 1,41–Êp 1,71
BF 089 0691, Belegung 051: 085 0581 (095 0581)

Berthold-Schriften überzeugen durch
Schärfe und Qualität. Schriftqualität is
t eine Frage der Erfahrung. Berthold
hat diese Erfahrung seit über hundert
Jahren. Zuerst im Schriftguß, dann im
Fotosatz. Berthold-Schriften sind welt
weit geschätzt. Im Schriftenatelier Mü
nchen wird jeder Buchstabe in der Grö

2,40 mm (9 p) 20 30

Berthold-Schriften überzeugen du
rch Schärfe und Qualität. Schriftqu
alität ist eine Frage der Erfahrung
Berthold hat diese Erfahrung seit
über hundert Jahren. Zuerst im Sc
hriftguß, dann im Fotosatz. Bertho
ld-Schriften sind weltweit geschät
zt. Im Schriftenatelier München wi

2,65 mm (10 p) 20 30

Berthold-Schriften überzeugen
durch Schärfe und Qualität. Sc
hriftqualität ist eine Frage der
Erfahrung. Berthold hat diese
Erfahrung seit über hundert Ja
hren. Zuerst im Schriftguß, da
nn im Fotosatz. Berthold-Schri
ften sind weltweit geschätzt. Im

2,92 mm (11 p) 10 20 3

Berthold-Schriften überzeug
en durch Schärfe und Qualitä
t. Schriftqualität ist eine Frag
e der Erfahrung. Berthold hat
diese Erfahrung seit über hu
ndert Jahren. Zuerst im Schr
iftguß, dann im Fotosatz. Ber
thold-Schriften sind weltweit

3,20 mm (12 p) 10 20

Berthold-Schriften überze
ugen durch Schärfe und Qu
alität. Schriftqualität ist ein
e Frage der Erfahrung. Ber
thold hat diese Erfahrung s
eit über hundert Jahren. Zu
erst im Schriftguß, dann im
Fotosatz. Berthold-Schrifte

3,45 mm (13 p) 10 20

normal
regular
normal

WALBAUM STANDARD

normal
chiaro tondo
normal

Berthold-Schriften überzeugen durch Schärfe und Qualität. Schriftq ualität ist eine Frage der Erfahrung. Berthold hat diese Erfahrung seit über hundert Jahren. Zuerst im Schriftguß, dann im Fotosatz. Bertho ld-Schriften sind weltweit geschätzt. Im Schriftenatelier München wird jeder Buchstabe in der Größe von zwölf Zentimetern neu gezeic hnet. Mit messerscharfen Konturen, um für die Schriftscheiben das Optimale an Konturenschärfe herauszuholen. Um die Qualität des Ei nzelzeichens im Belichtungsvorgang zu bewahren, wird durch die ru hende, nicht rotierende Schriftscheibe belichtet. Dieses optische Syst

4,25 mm (16 p), Zeilenabstand 6,75 mm

WALBAUM STANDARD

In general, bodytypes are measured in the typo graphical point size. The sizes of Berthold Foto type faces can be exactly determined. All faces of same point size have the same capital heigth irrespective of their x-heigth. In hot metal and many other phototypesetting systems the capi tal heigths often differ considerably from one face to the other. For measuring point sizes, a transparent size gauge is provided. To deter mine the point size, bring a capital letter into coincidence with that field which precisely cir cumscribes the letter at its upper and lower margin. Below the field you find the typograph ical point and below that the millimeter value which also refers to the height of a capital letter In Berthold-phototypesetting, the typewidth can be modified. The standard setting width of typefaces is determined by the principle of optimum legibility. You should not depart from this typewidth without cogent reason. A type face which is considered optically right when looked in a greater context, often seems bulky

2,40 mm (9 p), Zeilenabstand 4,25 mm

WALBAUM STANDARD

La valeur de la force de corps des caractè res de labeur èst généralement exprimée en points typographiques. La force de corps des caractères Berthold-Fototype peut être déterminée avec précision. Tous les caractères du même corps ont des capi tales d'une hauteur identique, indépen damment de la hauteur des bas de casse sans jambage. Dans la composition plomb ainsi que dans certains systèmes de photo composition, la hauteur des capitales, va rie souvent d'un caractère à l'autre. Pour déterminer la force de corps de nos carac tères, nous avons mis au point une réglette de hauteur d'œil transparente. On cherche le rectangle qui délimite exactement la hauteur d'œil d'une capitale du caractère choisi. Sous le rectangle correspondant la valeur de la force de corps est indiquée en points Didots et en millimètres. La valeur

2,65 mm (10 p), Zeilenabstand 4,69 mm

La indicación de las dimensiones para cuer pos de letra vásicos tiene lugar en general en puntos tipográficos. Los cuerpos de letra de los caracteres Berthold Fototype pueden de terminarse exactemente par medición. Con independencia de la altura de sus longitudes centrales, todos los caracteres de idéntico cuerpo de letra presentan altura de mayúscu las idéntica. En la composición en plomo y en

2,15 mm (8 p), −1, Zeilenabstand 3,38 mm

123,– $	456,– £	7890,– DM	1 %
234,– $	789,– £	1234,– DM	2 %
567,– $	12,– £	5678,– DM	3 %
890,– $	345,– £	9012,– DM	4 %
123,– $	678,– £	3456,– DM	5 %
456,– $	901,– £	7890,– DM	6 %
789,– $	234,– £	1234,– DM	7 %
12,– $	567,– £	5678,– DM	8 %
345,– $	890,– £	9012,– DM	9 %

BF 089 0692

Le misure relative al corpo dei caratteri vengo no generalmente indicate in punti tipografici. Il corpo dei caratteri Fototypes può essere deter minato con esattezza per semplice misurazi one. Tutti i caratteri di uguale grandezza in punti hanno, indipendentemente dalla loro lunghezza, uguale altezza delle maiuscole. Nel la composizione in piombo ed in molti altri sis temi di fotocomposizione, l'altezza delle mai

2,15 mm (8 p), −2, Zeilenabstand 3,38 mm

normal
regular
normal

WALBAUM STANDARD CAPS

normal
chiaro tondo
normal

Berthold-Schriften überz eugen durch Schärfe und Q ualität. Schriftqualität is t eine Frage der Erfahrung Berthold hat diese Erfahr ung seit über hundert Jahr en. Zuerst im Schriftguss dann im Fotosatz. Berthol d-Schriften sind weltweit geschätzt. Im Schriftenate lier München wird jeder B uchstabe in der Grösse von zwölf Zentimetern neu gez eichnet. Mit messerscharf en Konturen, um für die Sc hriftscheiben das Optimal e an Konturenschärfe hera

3,20 mm (12 p), Zeilenabstand 5,25 mm

Günter Gerhard Lange
1976
H. Berthold AG

ABCDEFGHIJKLMNOPQ
RSTUVWXYZ
ABCDEFGHIJKLMNOPQRSTUVWXYZ
1234567890%
(.,-;:!i?¿–)·[’‘„”“»«]
+–=/$£†*&§©®
ÄÅÆÖØŒÜÄÅÆIÖØŒÜ
ÁÀÂÃÇČÉÈÊËÍÌÎÏĹŇÑÓÒÔÕ
ŔŘŠŤÚÙÛŴẄÝŶŸŽ
ÁÀÂÃÇČÉÈÊËÍÌÎÏĹŇÑÓÒÔÕŔŘŠ
ÚÙÛŴẄÝŶŸŽ

Berthold-Schriftweite weit
Berthold-Schriftweite normal
Berthold-Schriftweite eng
Berthold-Schriftweite sehr eng
Berthold-Schriftweite extrem eng

LA VALEUR DE LA FORCE DE CORPS DES CARACTE RES DE LABEUR EST GE NERALEMENT EXPRIME E EN POINTS TYPOGRAP HIQUES. LA FORCE DE CO RPS DES CARACTERES BE RTHOLD FOTOTYPE PEU T ETRE DETERMINEE AV EC PRECISION. TOUS LES CARACTERES DU MEME CORPS ONT DES CAPITAL ES D’UNE HAUTEUR IDEN TIQUE, INDEPENDAMME NT DE LA HAUTEUR DES BAS DE CASSE SANS JAM BAGE. DANS LA COMPOSI

3,20 mm (12 p), Zeilenabstand 5,25 mm

8/5

MARIE-THERÈSE ROCHEFORT
Directrice

69, Rue Victor Hugo, 75 Paris, Téléphone 372586

10/7

FLORENTINO CAVALLO
Maître de Plaisir

Via Ludovica Aretino 33, Firence

12/9

EULALIA OFFENSTEIN
Diätköchin

Am Gänsemarkt 2, Vilshofen

Berlin
3,75 mm (14 p)

Berlin
4,25 mm (16 p)

Berlin
4,75 mm (18 p)

Berlin
5,30 mm (20 p)

Berlin
6,35 mm (24 p)

Berlin
7,40 mm (28 p)

Berlin
8,50 mm (32 p)

Berlin
9,55 mm (36 p)

9/6

HANS-OTTO VON SCHLICK
Landrat

Am Horst 10, Kappeln an der Schlei, Tel. 66 34

11/8

JAN VAN DER FALK
Detektivbüro

Halve Maan Straat 78, Amsterdam

13/10

VLADIMIR IRIBOZOV
Saxophonist

Dom-Pedro-Strasse 2, Münster

La indicación de las dimensiones para cuerpos de letra vásicos tiene lugar en general en puntos tipográficos. Los cuerpos de letra de los caracteres Berthold Fototype pueden determina rse exactemente par medición. Con independencia de la altu ra de sus longitudes centrales, todos los caracteres de idén tico cuerpo de letra presentan altura de mayúsculas idéntica En la composición en plomo y en muchos otros sistemas de foto composición, las alturas de mayúsculas varían frecuentemmen te en forma considerable de tipo de letra a tipo de letra. Para medir los cuerpos de letra se dispone de un tipómetro, véase la figura. Para la medición·se hace coincidir una letra mayús cula con la casilla cuyos extremos coinciden con los extremos superior e inferior de la letra. Bajo la casilla se indica el cu erpo de letra en puntos tipográficos Didot, y debajo en mm. Ta mbién las indicaciónes en mm se refieren a la altura de las may

1,33 mm (5 p), Zeilenabstand 1,94 mm

Le misure relative al corpo dei caratteri ven gono generalmente indicate in punti tipografi ci. Il corpo dei caratteri Fototypes può essere determinato con esattezza per semplice misura zione. Tutti i caratteri di uguale grandezza in punti hanno, indipendentemente dalla loro lu nghezza, uguale altezza delle maiuscole. Nel la composizione in piombo ed in molti altri sis temi di fotocomposizione, l’altezza delle mai uscole varia spesso da carattere a carattere Per misurare il corpo dei caratteri è indispen sabile un apposito tipometro trasparente. La

1,60 mm (6 p), Zeilenabstand 2,44 mm
WZ 16 E, NSW 0, IV
BF 089 0738, Belegung 027: 085 0440 (095 0440)

In general bodytypes are measured in the ty pographical point size. The sizes of Berthold Fototype faces can be exactly determined. Al l faces of same point size have the same capita l-height—irrespective of their x-height. In h ot metal and many other phototypesetting systems the capital heights often differ con siderably from one face to the other. For me asuring point sizes, a transparent size gauge is provided. To determine the point size, brin

1,86 mm (7 p), Zeilenabstand 3,00 mm

kursiv
italic
italique

WALBAUM STANDARD

cursiva
corsivo
kursiv

Måttangivelse för grundstilsgrader sker i allmänhet i typografiska punkter. Stilar av Berthold Fototype kan efter mätning exakt gradbestämmas. Alla typsnitt är av samma punktstorlek och har oberoende av x-höjden en identisk versalhöjd. I blysättning och i många andra fotosättsystem varierar versalhöjden avsevärt från typsnitt till typsnitt. För mätning av stilgrader finns en transparent mätlinjal. Vid mätningen placerar man en versal bokstav så att rutorna begränsar tecknet upptill och nedtill. Under rutorna finns stilstorleken i typografiska didotpunkter och i mm. Även millimeteruppgiften avser versal

2,92 mm (11 p), Zeilenabstand 4,69 mm

Günter Gerhard Lange
1976
(J. E. Walbaum 1800)
H. Berthold AG

ABCDEFGHIJKLMNOPQ
RSTUVWXYZ
abcdefghijklmnopqrstuvwxyz
1/1234567890%
(.,-;:!¡?¿–)·["„"“»«]
+−=/$£†&§*
ÄÅÆÖØŒÜäåæıöøœßü
ÁÀÂÃÇČÉÈÊËÍÌÎÏĹŇÑÓÒÔÕ
ŔŘŠŤÚÙÛŴẄÝŶŸŽ
áàâãçčéèêëíìîïĺňñóòôõŕřš
úùûŵẅýỳÿž

Berthold-Schriftweite weit
Berthold-Schriftweite normal
Berthold-Schriftweite eng
Berthold-Schriftweite sehr eng
Berthold-Schriftweite extrem eng

In general, bodytypes are measured in the typographical point size. The sizes of Berthold Fototype faces can be exactly determined. All faces of same point size have the same capital height–irrespective of their x-height. In hot metal and many other phototypesetting systems the capital heights often differ considerably from one face to the other. For measuring point sizes, a transparent size gauge is provided. To determine the point size, bring a capital letter into coincidence with that field which precisely circum

3,20 mm (12 p), Zeilenabstand 5,25 mm

WALBAUM STANDARD

Die Maßangabe zu Grundschriftgrößen erfolgt im allgemeinen in typographischen Punkten. Die Schriftgrößen der Berthold-Fotosatz-Schriften sind nach Messung exakt bestimmbar. Alle Schriften gleicher Punktgröße weisen, unabhängig von der Höhe ihrer Mittellängen, eine identische Versalhöhe auf. Im Bleisatz und bei vielen anderen Fotosatz-Systemen differieren die Versalhöhen von Schrift zu Schrift oft erheblich. Zum Messen von Schriftgrößen steht ein transparentes Größenmaß zur Verfügung. Zum Messen wird ein Versalbuchstabe mit dem Feld in Deckung gebracht, das den Buchstaben oben und unten scharf begrenzt. Unter dem Feld ist die Schriftgröße in typographischen Didot-Punkten, darunter in Millimetern angegeben. Auch die Millimeterangaben beziehen sich auf die Höhe der Versalbuchstaben. Die Schriftweite kann im Bertho

2,40 mm (9 p), Zeilenabstand 4 mm

WALBAUM STANDARD

La valeur de la force de corps des caractères de labeur èst généralement exprimée en points typographiques. La force de corps des caractères Berthold-Fototype peut être déterminée avec précision. Tous les caractères du même corps ont des capitales d'une hauteur identique, indépendamment de la hauteur des bas de casse sans jambage. Dans la composition plomb, ainsi que dans certains systèmes de photocomposition, la hauteur des capitales, varie souvent d'un caractère à l'autre. Pour déterminer la force de corps de nos caractères, nous avons mis au point une réglette de hauteur d'œil transparente. On cherche le rectangle qui délimite exactement la hauteur d'œil d'une capitale

2,65 mm (10 p), Zeilenabstand 4,50 mm

La indicación de las dimensiones para cuerpos de letra vásicos tiene lugar en general en puntos tipográficos. Los cuerpos de letra de los caracteres Berthold Fototype pueden determinarse exactemente par medición. Con independencia de la altura de sus longitudes centrales, todos los caracteres de idéntico cuerpo de letra presentan altura de mayúsculas idéntica. En la composición en plomo y en muchos otros sistemas de fotocomposición, las alturas de mayúsculas varían frecuentemmente en forma considerable de tipo de letra a tipo de letra. Para medir los cuerpos de letra se dispone de un tipómetro, véase la figura. Para la medición se hace coincidir una letra mayúscu

1,60 mm (6 p), Zeilenabstand 2,50 mm

Größe		Zeilenabstand			100 Zeichen		
mm	p	kp	Êp	Ex	0	−1	−2
1,33	5	1,94	2,13	–	87	84	81
1,60	6	2,31	2,75	2,50	103	99	95
1,86	7	2,69	3,19	–	118	114	110
2,15	8	3,13	3,69	3,38	134	129	124
2,40	9	3,44	4,13	4,00	150	144	138
2,65	10	3,81	4,56	4,50	165	158	151
2,92	11	4,19	5,00	4,69	181	174	167
3,20	12	4,63	5,50	5,25	196	188	167
3,45	13	4,94	5,88	–	212	204	196
3,72	14	5,38	6,38	–	227	218	209
3,98	15	5,75	6,81	–	243	234	225
4,25	16	6,13	7,25	–	258	248	238

WZ 13 E, NSW 0, MZB 0,62, F 0,11:0,033 (3,3), IV
H 1–x 0,61–k 1,01–p 0,42–Ê 1,28–kp 1,43–Êp 1,70
BF 089 0693, Belegung 051: 085 0584 (095 0584)

Le misure relative al corpo dei caratteri vengono generalmente indicate in punti tipografici. Il corpo dei caratteri Fototypes può essere determinato con esattezza per semplice misurazione. Tutti i caratteri di uguale grandezza in punti hanno, indipendentemente dalla loro lunghezza, uguale altezza delle maiuscole. Nella composizione in piombo ed in molti altri sistemi di fotocom

2,15 mm (8 p), Zeilenabstand 3,38 mm

halbfett
medium
demi-gras

WALBAUM STANDARD

seminegra
neretto
halvfet

Berthold-Schriften überzeugen durch Schärfe und Qualit ät. Schriftqualität ist eine Frage der Erfahrung. Berthold hat diese Erfahrung seit über hundert Jahren. Zuerst im Schriftguß, dann im Fotosatz. Berthold-Schriften sind w eltweit geschätzt. Im Schriftenatelier München wird jed er Buchstabe in der Größe von zwölf Zentimetern neu ge zeichnet. Mit messerscharfen Konturen, um für die Schri ftscheiben das Optimale an Konturenschärfe herauszuho len. Um die Qualität des Einzelzeichens im Belichtungsv

1,60 mm (6 p), Zeilenabstand 2,50 mm

Berthold-Schriften überzeugen durch Schärfe und Qualität. Schriftqualität ist eine Frage der Erfahru ng. Berthold hat diese Erfahrung seit über hundert Jahren. Zuerst im Schriftguß, dann im Fotosatz. B erthold-Schriften sind weltweit geschätzt. Im Schr iftenatelier München wird jeder Buchstabe in der Größe von zwölf Zentimetern neu gezeichnet. Mit messerscharfen Konturen, um für die Schriftschei

1,86 mm (7 p), Zeilenabstand 3,00 mm

Berthold-Schriften überzeugen durch Schär fe und Qualität. Schriftqualität ist eine Frage der Erfahrung. Berthold hat diese Erfahrung seit über hundert Jahren. Zuerst im Schriftg uß, dann im Fotosatz. Berthold-Schriften si nd weltweit geschätzt. Im Schriftenatelier München wird jeder Buchstabe in der Größe von zwölf Zentimetern neu gezeichnet. Mit

2,15 mm (8 p), Zeilenabstand 3,50 mm

Günter Gerhard Lange
1979
(Monotype Corp. Ltd. 1933)
H. Berthold AG

ABCDEFGHIJKLMNOPQ
RSTUVWXYZ
abcdefghijklmnopqrstuvwxyz
+-=/$£†*&§
1/1234567890%
(.,-;:!¡?¿-)·['‚"""»«]
ÄÅÆÖØŒÜäåæıöøœßü
ÁÀÂÃÇČÉÈÊËÍÌÎÏĹŇÑÓÒÔÕ
ŔŘŠŤÚÙÛŴẂŶÝŸŽ
áàâãçčéèêëíìîĺňñóòôõŕřš
úùûŵẃýŷÿž

Berthold-Schriftweite weit
Berthold-Schriftweite normal
Berthold-Schriftweite eng
Berthold-Schriftweite sehr eng
Berthold-Schriftweite extrem eng

In general, bodytypes are mea sured in the typographical poi nt size. The sizes of Berthold F ototype faces can be exactly de termined. All faces of same poi nt size have the same capital h eight–irrespective of their x-h eight. In hot metal and many other phototypesetting syste ms the capital heights often di ffer considerably from one fac e to the other. For measuring point sizes, a transparent size gauge is provided. To determi ne the point size, bring a capit al letter into coincidence with that field which precisely circu

3,20 mm (12 p), Zeilenabstand 5,25 mm

Berthold's quick brown fox jumps over the lazy dog and feels as if he were in the
3,72 mm (14 p)

Berthold's quick brown fox jumps over the lazy dog and feels as if he wer
4,25 mm (16 p)

Berthold's quick brown fox jumps over the lazy dog and feels as if
4,75 mm (18 p)

Berthold's quick brown fox jumps over the lazy dog and fe
5,30 mm (20 p)

Berthold's quick brown fox jumps over the lazy d
6,35 mm (24 p)

Berthold's quick brown fox jumps over th
7,40 mm (28 p)

Berthold's quick brown fox jumps ov
8,50 mm (32 p)

Berthold's quick brown fox jum
9,55 mm (36 p)

Berthold-Schriften überzeugen durch S chärfe und Qualität. Schriftqualität ist ei ne Frage der Erfahrung. Berthold hat di ese Erfahrung seit über hundert Jahren Zuerst im Schriftguß, dann im Fotosatz Berthold-Schriften sind weltweit gesch ätzt. Im Schriftenatelier München wird jeder Buchstabe in der Größe von zwölf

2,40 mm (9 p), Zeilenabstand 4,00 mm

Größe		Zeilenabstand			100 Zeichen		
mm	p	kp	Êp	Ex	0	−1	−2
1,33	5	1,94	2,31	—	89	86	83
1,60	6	2,31	2,81	2,50	104	100	96
1,86	7	2,69	3,25	3,00	120	116	112
2,15	8	3,06	3,75	3,50	136	131	126
2,40	9	3,44	4,13	4,00	152	146	140
2,65	10	3,81	4,56	4,00	167	160	153
2,92	11	4,19	5,06	—	183	176	169
3,20	12	5,56	5,56	5,25	199	191	183
3,45	13	4,94	5,94	—	215	207	199
3,72	14	5,31	6,44	—	230	221	212
3,98	15	5,69	6,88	—	246	237	228
4,25	16	6,06	7,31	—	261	251	241

WZ 13 E, NSW −1, MZB 0,63, F 0,16:0,054 (3,0), IV
H 1–x 0,61–k 1,00–p 0,42–Ê 1,30–kp 1,42–Êp 1,72
BF 089 0795, Belegung 051: 085 0587 (095 0587)

Berthold-Schriften überzeugen dur ch Schärfe und Qualität. Schriftqual ität ist eine Frage der Erfahrung. Be rthold hat diese Erfahrung seit über hundert Jahren. Zuerst im Schriftg uß, dann im Fotosatz. Berthold-Sch riften sind weltweit geschätzt. Im Sc hriftenatelier München wird jeder

2,65 mm (10 p), Zeilenabstand 4,00 mm

Buch
book
romain labeur

WEIDEMANN

libro
libro
buch

Berthold-Schriften überzeugen durch Schärfe und Qualität. Schriftqualität i
st eine Frage der Erfahrung. Berthold hat diese Erfahrung seit über hundert J
ahren. Zuerst im Schriftguß, dann im Fotosatz. Berthold-Schriften sind welt
weit geschätzt. Im Schriftenatelier München wird jeder Buchstabe in der G
röße von zwölf Zentimetern neu gezeichnet. Mit messerscharfen Konturen
um für die Schriftscheiben das Optimale an Konturenschärfe herauszuhole
n. Um die Qualität des Einzelzeichens im Belichtungsvorgang zu bewahre
n, wird durch die ruhende, nicht rotierende Schriftscheibe belichtet. Dieses
optische System, verbunden mit Präzisions-Chromglasscheiben, führt zu e

1,33 mm (5 p) 20 30 40 50 60 70

Berthold-Schriften überzeugen durch Schärfe und Qualität. Schriftqu
alität ist eine Frage der Erfahrung. Berthold hat diese Erfahrung seit ü
ber hundert Jahren. Zuerst im Schriftguß, dann im Fotosatz. Berthold-S
chriften sind weltweit geschätzt. Im Schriftenatelier München wird j
eder Buchstabe in der Größe von zwölf Zentimetern neu gezeichnet
Mit messerscharfen Konturen, um für die Schriftscheiben das Optima
le an Konturenschärfe herauszuholen. Um die Qualität des Einzelzeic
hens im Belichtungsvorgang zu bewahren, wird durch die ruhende, n
icht rotierende Schriftscheibe belichtet. Dieses optische System, verb

1,45 mm (5,5 p)20 30 40 50 60

Berthold-Schriften überzeugen durch Schärfe und Qualität. Sch
riftqualität ist eine Frage der Erfahrung. Berthold hat diese Erfah
rung seit über hundert Jahren. Zuerst im Schriftguß, dann im Fot
osatz. Berthold-Schriften sind weltweit geschätzt. Im Schriften
atelier München wird jeder Buchstabe in der Größe von zwölf Z
entimetern neu gezeichnet. Mit messerscharfen Konturen, um f
ür die Schriftscheiben das Optimale an Konturenschärfe heraus
zuholen. Um die Qualität des Einzelzeichens im Belichtungsvo
rgang zu bewahren, wird durch die ruhende, nicht rotierende S

1,60 mm (6 p) 20 30 40 50 6

Berthold-Schriften überzeugen durch Schärfe und Qualität
Schriftqualität ist eine Frage der Erfahrung. Berthold hat di
ese Erfahrung seit über hundert Jahren. Zuerst im Schriftgu
ß, dann im Fotosatz. Berthold-Schriften sind weltweit gesc
hätzt. Im Schriftenatelier München wird jeder Buchstabe in
der Größe von zwölf Zentimetern neu gezeichnet. Mit mes
serscharfen Konturen, um für die Schriftscheiben das Opti
male an Konturenschärfe herauszuholen. Um die Qualität
des Einzelzeichens im Belichtungsvorgang zu bewahren

1,75 mm (6,5 p) 20 30 40 50

Berthold-Schriften überzeugen durch Schärfe und Qual
ität. Schriftqualität ist eine Frage der Erfahrung. Bertho
ld hat diese Erfahrung seit über hundert Jahren. Zuerst i
m Schriftguß, dann im Fotosatz. Berthold-Schriften sind
weltweit geschätzt. Im Schriftenatelier München wird
jeder Buchstabe in der Größe von zwölf Zentimetern ne
u gezeichnet. Mit messerscharfen Konturen, um für die
Schriftscheiben das Optimale an Konturenschärfe hera
uszuholen. Um die Qualität des Einzelzeichens im Beli

1,86 mm (7 p) 20 30 40 50

Berthold-Schriften überzeugen durch Schärfe und Q
ualität. Schriftqualität ist eine Frage der Erfahrung. B
erthold hat diese Erfahrung seit über hundert Jahren
Zuerst im Schriftguß, dann im Fotosatz. Berthold-Sc
hriften sind weltweit geschätzt. Im Schriftenatelier
München wird jeder Buchstabe in der Größe von z
wölf Zentimetern neu gezeichnet. Mit messerscharf
en Konturen, um für die Schriftscheiben das Optimal
e an Konturenschärfe herauszuholen. Um die Qualit

2,00 mm (7,5 p) 20 30 40 5

Berthold-Schriften überzeugen durch Schärfe und
Qualität. Schriftqualität ist eine Frage der Erfahru
ng. Berthold hat diese Erfahrung seit über hundert
Jahren. Zuerst im Schriftguß, dann im Fotosatz. Be
rthold-Schriften sind weltweit geschätzt. Im Schr
iftenatelier München wird jeder Buchstabe in der
Größe von zwölf Zentimetern neu gezeichnet. Mit
messerscharfen Konturen, um für die Schriftschei
ben das Optimale an Konturenschärfe herauszuh

2,15 mm (8 p) 20 30 40

Prof. Kurt Weidemann
1983
International Typeface Corp.
H. Berthold AG

ABCDEFGHIJKLMNOPQ
RSTUVWXYZ
abcdefghijklmnopqrstuvwxyz
1/1234567890%
(.,-;:!¡?¿–)·['‘„"“»«]
+−=/$£†*&§
ÄÅÆÖØŒÜäåæıöøœßü
ÁÀÂÃÇČÉÈÊËÍÌÎÏĹŇÑÓÒÔÕ
ŔŘŠŤÚÙÛŴẄÝŶŸŽ
áàâãçčéèêëíìîïĺňñóòôõŕřš
úùûŵẅýỳÿž

Berthold-Schriftweite weit
Berthold-Schriftweite normal
Berthold-Schriftweite eng
Berthold-Schriftweite sehr eng
Berthold-Schriftweite extrem eng

Berthold
3,72 mm (14 p)

Berthold
4,25 mm (16 p)

Berthold
4,75 mm (18 p)

Berthold
5,30 mm (20 p)

Berthold
6,35 mm (24 p)

Berthold
7,40 mm (28 p)

Berthold
8,50 mm (32 p)

Berthold
9,55 mm (36 p)

Größe mm	p	Zeilenabstand kp	Êp	Ex	100 Zeichen 0	−1	−2
1,33	5	1,75	2,13	2,00	79	76	73
1,60	6	2,13	2,50	2,50	93	89	85
1,86	7	2,44	2,94	3,00	107	103	99
2,15	8	2,81	3,38	3,50	122	117	112
2,40	9	3,13	3,75	3,75	137	131	125
2,65	10	3,44	4,19	4,25	151	144	137
2,92	11	3,81	4,56	4,75	165	158	151
3,20	12	4,13	5,00	5,25	179	171	163
3,45	13	4,50	5,44	5,75	193	185	177
3,72	14	4,81	5,81	–	207	198	189
3,98	15	5,19	6,25	–	221	212	203
4,25	16	5,50	6,63	–	235	225	215

WZ 11 E, NSW 0, MZB 0,57, F 0,08:0,07 (1,3), II
H 1–x 0,71–k 1,00–p 0,29–Ê 1,27–kp 1,29–Êp 1,56
BF 089 1396, Belegung 051: 085 1455 (095 1455)

Berthold-Schriften überzeugen durch Schär
fe und Qualität. Schriftqualität ist eine Frage
der Erfahrung. Berthold hat diese Erfahrung
seit über hundert Jahren. Zuerst im Schriftgu
ß, dann im Fotosatz. Berthold-Schriften sind
weltweit geschätzt. Im Schriftenatelier Mü
nchen wird jeder Buchstabe in der Größe vo
n zwölf Zentimetern neu gezeichnet. Mit

2,40 mm (9 p) 20 30 40

Berthold-Schriften überzeugen durch S
chärfe und Qualität. Schriftqualität ist ei
ne Frage der Erfahrung. Berthold hat die
se Erfahrung seit über hundert Jahren. Z
uerst im Schriftguß, dann im Fotosatz. B
erthold-Schriften sind weltweit geschät
zt. Im Schriftenatelier München wird je
der Buchstabe in der Größe von zwölf Ze

2,65 mm (10 p) 20 30

Berthold-Schriften überzeugen durc
h Schärfe und Qualität. Schriftqualit
ät ist eine Frage der Erfahrung. Berth
old hat diese Erfahrung seit über hun
dert Jahren. Zuerst im Schriftguß, da
nn im Fotosatz. Berthold-Schriften si
nd weltweit geschätzt. Im Schriften
atelier München wird jeder Buchsta

2,92 mm (11 p)10 20 30

Berthold-Schriften überzeugen d
urch Schärfe und Qualität. Schrift
qualität ist eine Frage der Erfahru
ng. Berthold hat diese Erfahrung s
eit über hundert Jahren. Zuerst im
Schriftguß, dann im Fotosatz. Ber
thold-Schriften sind weltweit ges
chätzt. Im Schriftenatelier Münc

3,20 mm (12 p) 10 20 30

Berthold-Schriften überzeugen
durch Schärfe und Qualität. Sc
hriftqualität ist eine Frage der E
rfahrung. Berthold hat diese Erf
ahrung seit über hundert Jahre
n. Zuerst im Schriftguß, dann im
Fotosatz. Berthold-Schriften si
nd weltweit geschätzt. Im Schr

3,45 mm (13 p) 10 20

Buch
book
romain labeur

WEIDEMANN

libro
libro
buch

Berthold-Schriften überzeugen durch Schärfe und Qualität. Schriftqualität ist ein e Frage der Erfahrung. Berthold hat diese Erfahrung seit über hundert Jahren. Zu erst im Schriftguß, dann im Fotosatz. Berthold-Schriften sind weltweit geschätzt Im Schriftenatelier München wird jeder Buchstabe in der Größe von zwölf Zenti metern neu gezeichnet. Mit messerscharfen Konturen, um für die Schriftscheib en das Optimale an Konturenschärfe herauszuholen. Um die Qualität des Einzel zeichens im Belichtungsvorgang zu bewahren, wird durch die ruhende, nicht ro tierende Schriftscheibe belichtet. Dieses optische System, verbunden mit Präzisi ons-Chromglasscheiben, führt zu einer Schriftqualität, die im Qualitätssatz ihres

4,25 mm (16 p), Zeilenabstand 6,75 mm

WEIDEMANN BOOK

In general, bodytypes are measured in the typographic al point size. The sizes of Berthold Fototype faces can be exactly determined. All faces of same point size have t he same capital height–irrespective of their x-height. In hot metal and many other phototypesetting systems t he capital heights often differ considerably from one fa ce to the other. For measuring point sizes, a transparent size gauge is provided. To determine the point size, bri ng a capital letter into coincidence with that field which precisely circumscribes the letter at its upper and lower margin. Below the field you find the typographical poi nt and below that the millimeter value, which also refe rs to the height of a capital letter. In Berthold-phototyp esetting, the typewidth can be modified. The stand ard setting width of typefaces is determined by the pri nciple of optimum legibility. You should not depart fro m this typewidth without cogent reason. A typeface w hich is considered optically right when looked in a grea ter context, often seems bulky when applied for a small amount of text, e. g. labels and ads. Here, a width reduc tion will be conducive to legibility. Small amounts of te xt seem to be optically compact when set somewhat cl

2,40 mm (9 p), Zeilenabstand 4,25 mm

WEIDEMANN ROMAIN LABEUR

La valeur de la force de corps des caractères de lab eur èst généralement exprimée en points typogra phiques. La force de corps des caractères Berthol d-Fototype peut être déterminée avec précision. T ous les caractères du même corps ont des capitales d'une hauteur identique, indépendamment de la hauteur des bas de casse sans jambage. Dans la co mposition plomb, ainsi que dans certains systèm es de photocomposition, la hauteur des capitales varie souvent d'un caractère à l'autre. Pour déter miner la force de corps de nos caractères, nous av ons mis au point une réglette de hauteur d'œil tra nsparente. On cherche le rectangle qui délimite e xactement la hauteur d'œil d'une capitale du cara ctère choisi. Sous le rectangle correspondant la valeur de la force de corps est indiquée en points Didots et en millimètres. La valeur en millimètres exprime également la hauteur des capitales. Pour toutes les indications concernant la force de corps il est utile de préciser l'unité de mesure après le c

2,65 mm (10 p), Zeilenabstand 4,69 mm

La indicación de las dimensiones para cuerpos de let ra vásicos tiene lugar en general en puntos tipográtic os. Los cuerpos de letra de los caracteres Berthold Fot otype pueden determinarse exactemente par medic ión. Con independencia de la altura de sus longitudes centrales, todos los caracteres de idéntico cuerpo de l etra presentan altura de mayúsculas idéntica. En la c omposición en plomo y en muchos otros sistemas de fotocomposición, las alturas de mayúsculas varían fr

2,15 mm (8 p), −1, Zeilenabstand 3,38 mm

123,– $	456,– £	7890,– DM	1 %
234,– $	789,– £	1234,– DM	2 %
567,– $	12,– £	5678,– DM	3 %
890,– $	345,– £	9012,– DM	4 %
123,– $	678,– £	3456,– DM	5 %
456,– $	901,– £	7890,– DM	6 %
789,– $	234,– £	1234,– DM	7 %
12,– $	567,– £	5678,– DM	8 %
345,– $	890,– £	9012,– DM	9 %

BF 089 1397

Le misure relative al corpo dei caratteri vengono genera lmente indicate in punti tipografici. Il corpo dei caratteri Fototypes può essere determinato con esattezza per se mplice misurazione. Tutti i caratteri di uguale grandezza in punti hanno, indipendentemente dalla loro lunghez za, uguale altezza delle maiuscole. Nella composizione in piombo ed in molti altri sistemi di fotocomposizione l'altezza delle maiuscole varia spesso da carattere a cara ttere. Per misurare il corpo dei caratteri è indispensabile

2,15 mm (8 p), −2, Zeilenabstand 3,38 mm

Buch
book
romain labeur

Weidemann Caps

libro
libro
buch

T. S. Eliot *Old Possums Katzenbuch*
Günter Eich *Träume.* Vier Spiele
Jean Giraudoux *Eglantine.* Roman
Walter Benjamin *Einbahnstraße*
Antonio Machado *Juan de Mairena*
G. B. Shaw *Musik in London.* Kritiken
Paul Valéry *Über Kunst.* Essays
Ernst Bloch *Spuren.* Parabeln
William Faulkner *Der Bär*
Truman Capote *Die Grasharfe*
André Gide *Paludes.* Satire
Guiseppe Ungaretti *Gedichte*
Jean Giraudoux *Simon.* Roman
William Carlos Williams *Gedichte*
Bertholt Brecht *Geschichten*
Henry Green *Schwärmerei.* Roman
Ezra Pound *ABC des Lesens*
Th. W. Adorno *Mahler.* Monographie

2,15 mm (8 p), Zeilenabstand 5,00 mm

Prof. Kurt Weidemann
1983
International Typeface Corp.
H. Berthold AG

ABCDEFGHIJKLMNOPQ
RSTUVWXYZ
ABCDEFGHIJKLMNOPQRSTUVWXYZ
1234567890 %
(.,-;:!¡?¿–) · ['‚"„"»«›‹]
+−=/$£†*&§ ©
ÄÅÆÖØŒÜÄÅÆÖØŒÜ
ÁÀÂÃÇČÉÈÊËÍÌÎÏĹŇÑ
ÓÒÔÕŔŘŠŤÚÙÛŴẄÝŶŸŽ
ÁÀÂÃÇČÉÈÊËÍÌÎÏĹŇÑÓÒÔÕŔŘŠ
ÚÙÛŴẄÝŶŸŽ

Schriftweite weit
Schriftweite normal
Schriftweite eng
Schriftweite sehr eng
Schriftweite extrem eng

Calan: Hast du Furcht, daß sein Vermögen nicht ausreicht? Mein Wort schlägt Hände ab – horch, ob sein Wort sie ihm behält. *Man hört schreien.* Wer, sagst du, Noah, wer, sagst du, wer, wenn nicht ich, ist der Herr?
Noah: Sprich ein zweites Wort, Calan. *Das Schreien dauert an.* Töte ihn vollends, daß nicht sein Schreien in meinen Eingeweiden schauert, sprich, Calan, sprich!
Calan: Darum, daß dein Eingeweide sich besänftigt? Darum, Noah, bitte ihn, den andern. Das Opfer ist getan, mag er sich sättigen am Schreien, denn es schreien viele, ohne daß er ihr Schreien in Gnade ersäuft. Mag er sich auch eine Mühe machen mit einem Wort, wenn ihm an der Stille gelegen ist. Ich habe das Opfer von mir gegeben, und da es sein ist, soll er damit tun nach seinem Wohlgefallen. *Chus kommt mit zwei blutigen Händen.* Gut, Chus, nagle sie hier an den Pfosten, daß er sieht, was Calan dargebracht, das nimmt er nicht wieder an sich. *Chus tut wie befohlen.*
Calan *zu Noah, der sich die Ohren zuhält:* Nimm die Hände herunter und höre, was dein Gott dir zu hören gibt. Wenn es an dem ist, daß er ihn schreien läßt, so hat er Wohlgefallen an seinem Schreien, und es kitzelt ihm die Eingeweide. Oder sollte sein Wort keine Kraft haben wenn ihn nach Stille verlangt?

1,86 mm (7 p), Zeilenabstand 3,00 mm

The Quick Brown Fox Jumps over the Lazy Dog and Feels as if he were in the seventh Heav
3,72 mm (14 p)

The Quick Brown Fox Jumps over the Lazy Dog and Feels as if he were in the sev
4,25 mm (16 p)

The Quick Brown Fox Jumps over the Lazy Dog and Feels as if he were i
4,75 mm (18 p)

The Quick Brown Fox Jumps over the Lazy Dog and Feels as if h
5,30 mm (20 p)

The Quick Brown Fox Jumps over the Lazy Dog and Fe
6,35 mm (24 p)

The Quick Brown Fox Jumps over the Lazy Do
7,40 mm (28 p)

The Quick Brown Fox Jumps over the Laz
8,50 mm (32 p)

The Quick Brown Fox Jumps over the
9,55 mm (36 p)

9/6

Charlotte Duvalier
Pianistin

Peter-Paul-Rubens-Platz 2, 1000 Berlin 13
Telefon 030 – 66 22 84

Monday		4	11	18	25
Tuesday		5	12	19	26
Wednesday		6	13	20	27
Thursday		7	14	21	28
Friday	1	8	15	22	29
Saturday	2	9	16	23	30
Sunday	3	10	17	24	

10/7

Jochen van Dijk
Lehrer

Hinterm Dom 3, 5000 Köln am Rhein
Telefon 02 21 – 67 33 58

2,40 mm (9 p) und 1,60 mm (6 p)

2,40 mm (9 p) und 3,20 mm (12 p)
WZ 13 E, NSW 0, II
BF 089 1398, Belegung 127: 085 1463 (095 1463)

2,65 mm (10 p) und 1,86 mm (7 p)

Buch kursiv
book italic
italique romain labeur

WEIDEMANN

libro cursiva
libro corsivo
buch kursiv

Måttangivelse för grundstilsgrader s ker i allmänhet i typografiska punkte r. Stilar av Berthold Fototype kan efte r mätning exakt gradbestämmas. All a typsnitt är av samma punktstorlek och har oberoende av x-höjden en id entisk versalhöjd. I blysättning och i många andra fotosättsystem varierar versalhöjden avsevärt från typsnitt ti ll typsnitt. För mätning av stilgrader f inns en transparent mätlinjal. Vid m ätningen placerar man en versal bok stav så att rutorna begränsar tecknet upptill och nedtill. Under rutorna fin ns stilstorleken i typografiska didotp unkter och i mm. Även millimeterup pgiften avser versalhöjden. Vid stilst orleksuppgifter anges alltid måttenh eten efter sifferuppgiften t ex 14 pun

2,92 mm (11 p), Zeilenabstand 4,69 mm

Prof. Kurt Weidemann
1983
International Typeface Corp.
H. Berthold AG

ABCDEFGHIJKLMNOPQ
RSTUVWXYZ
abcdefghijklmnopqrstuvwxyz
1/1234567890%
(.,-;:!¡?¿–)·['",,""»«]
+–=/$£†&§*
ÄÅÆÖØŒÜäåæıöøœßü
ÁÀÂÃÇČÉÈÊËÍÌÎÏĹŇÑÓÒÔÕ
ŔŘŠŤÚÙÛŴẄÝỲŸŽ
áàâãçčéèêëíìîïĺňñóòôõŕřš
úùûŵẅýỳÿž

Berthold-Schriftweite weit
Berthold-Schriftweite normal
Berthold-Schriftweite eng
Berthold-Schriftweite sehr eng
Berthold-Schriftweite extrem eng

In general, bodytypes are measur ed in the typographical point size The sizes of Berthold Fototype fac es can be exactly determined. All f aces of same point size have the s ame capital height–irrespective of their x-height. In hot metal and m any other phototypesetting syste ms the capital heights often differ considerably from one face to the other. For measuring point sizes, a transparent size gauge is provide d. To determine the point size, br ing a capital letter into coincidence with that field which precisely cir cumscribes the letter at its upper a nd lower margin. Below the field

3,20 mm (12 p), Zeilenabstand 5,25 mm

WEIDEMANN BUCH KURSIV

Die Maßangabe zu Grundschriftgrößen erfolgt im allg emeinen in typographischen Punkten. Die Schriftgröß en der Berthold-Fotosatz-Schriften sind nach Messung exakt bestimmbar. Alle Schriften gleicher Punktgröße weisen, unabhängig von der Höhe ihrer Mittellängen eine identische Versalhöhe auf. Im Bleisatz und bei viel en anderen Fotosatz-Systemen differieren die Versalh öhen von Schrift zu Schrift oft erheblich. Zum Messen von Schriftgrößen steht ein transparentes Größenma ß zur Verfügung. Zum Messen wird ein Versalbuchsta be mit dem Feld in Deckung gebracht, das den Buchsta ben oben und unten scharf begrenzt. Unter dem Feld ist die Schriftgröße in typographischen Didot-Punkten, d arunter in Millimetern angegeben. Auch die Millimete rangaben beziehen sich auf die Höhe der Versalbuchst aben. Die Schriftweite kann im Berthold-Fotosatz belie big verändert werden. Die Festlegung der Normalschri ftweite erfolgt nach dem Prinzip der optimalen Lesbar

2,40 mm (9 p), Zeilenabstand 4 mm

WEIDEMANN ITALIQUE ROMAIN LABEUR

La valeur de la force de corps des caractères de la beur èst généralement exprimée en points typogr aphiques. La force de corps des caractères Bertho ld-Fototype peut être déterminée avec précision Tous les caractères du même corps ont des capita les d'une hauteur identique, indépendamment de la hauteur des bas de casse sans jambage. Dans la composition plomb, ainsi que dans certains syst èmes de photocomposition, la hauteur des capita les, varie souvent d'un caractère à l'autre. Pour dé terminer la force de corps de nos caractères, nous avons mis au point une réglette de hauteur d'œil t ransparente. On cherche le rectangle qui délimit e exactement la hauteur d'œil d'une capitale du c aractère choisi. Sous le rectangle correspondant l a valeur de la force de corps est indiquée en point

2,65 mm (10 p), Zeilenabstand 4,50 mm

La indicación de las dimensiones para cuerpos de letra vásicos ti ene lugar en general en puntos tipográficos. Los cuerpos de letra de los caracteres Berthold Fototype pueden determinarse exacte mente par medición. Con independencia de la altura de sus longi tudes centrales, todos los caracteres de idéntico cuerpo de letra presentan altura de mayúsculas idéntica. En la composición en plomo y en muchos otros sistemas de fotocomposición, las altur as de mayúsculas varían frecuentemmente en forma considerabl e de tipo de letra a tipo de letra. Para medir los cuerpos de letra se dispone de un tipómetro, véase la figura. Para la medición se hace coincidir una letra mayúscula con la casilla cuyos extremos coin ciden con los extremos superior e inferior de la letra. Bajo la casil

1,60 mm (6 p), Zeilenabstand 2,50 mm

Größe		Zeilenabstand			100 Zeichen		
mm	p	kp	Êp	Ex	0	–1	–2
1,33	5	1,75	2,13	–	79	76	73
1,60	6	2,13	2,50	2,50	93	89	85
1,86	7	2,44	2,94	–	107	103	99
2,15	8	2,81	3,38	3,38	122	117	112
2,40	9	3,13	3,75	4,00	137	131	125
2,65	10	3,44	4,19	4,50	151	144	137
2,92	11	3,81	4,56	4,69	165	158	151
3,20	12	4,13	5,00	5,25	179	171	163
3,45	13	4,50	5,44	–	193	185	177
3,72	14	4,81	5,81	–	207	198	189
3,98	15	5,19	6,25	–	221	212	203
4,25	16	5,50	6,63	–	235	225	215

WZ 11 E, NSW 0, MZB 0,57, F 0,08:0,06 (1,3), II
H 1–x 0,71–k 1,00–p 0,29–Ê 1,27–kp 1,29–Êp 1,56
BF 089 1399, Belegung 051: 085 1456 (095 1456)

Le misure relative al corpo dei caratteri vengono g eneralmente indicate in punti tipografici. Il corpo dei caratteri Fototypes può essere determinato con esattezza per semplice misurazione. Tutti i caratt eri di uguale grandezza in punti hanno, indipende ntemente dalla loro lunghezza, uguale altezza del le maiuscole. Nella composizione in piombo ed in molti altri sistemi di fotocomposizione, l'altezza d elle maiuscole varia spesso da carattere a caratter

2,15 mm (8 p), Zeilenabstand 3,38 mm

normal
medium
normal

WEIDEMANN

normal
chiaro tondo
normal

Berthold-Schriften überzeugen durch Schärfe und Qualität. Schriftqualität
ist eine Frage der Erfahrung. Berthold hat diese Erfahrung seit über hunde
rt Jahren. Zuerst im Schriftguß, dann im Fotosatz. Berthold-Schriften sind
weltweit geschätzt. Im Schriftenatelier München wird jeder Buchstabe in
der Größe von zwölf Zentimetern neu gezeichnet. Mit messerscharfen Ko
nturen, um für die Schriftscheiben das Optimale an Konturenschärfe hera
uszuholen. Um die Qualität des Einzelzeichens im Belichtungsvorgang zu
bewahren, wird durch die ruhende, nicht rotierende Schriftscheibe belich
tet. Dieses optische System, verbunden mit Präzisions-Chromglasscheibe

1,33 mm (5 p) 20 30 40 50 60

Berthold-Schriften überzeugen durch Schärfe und Qualität. Schriftq
ualität ist eine Frage der Erfahrung. Berthold hat diese Erfahrung seit
über hundert Jahren. Zuerst im Schriftguß, dann im Fotosatz. Bertho
ld-Schriften sind weltweit geschätzt. Im Schriftenatelier München
wird jeder Buchstabe in der Größe von zwölf Zentimetern neu gezei
chnet. Mit messerscharfen Konturen, um für die Schriftscheiben das
Optimale an Konturenschärfe herauszuholen. Um die Qualität des E
inzelzeichens im Belichtungsvorgang zu bewahren, wird durch die r
uhende, nicht rotierende Schriftscheibe belichtet. Dieses optische S

1,45 mm (5,5 p) 20 30 40 50 60

Berthold-Schriften überzeugen durch Schärfe und Qualität. Sc
hriftqualität ist eine Frage der Erfahrung. Berthold hat diese Erf
ahrung seit über hundert Jahren. Zuerst im Schriftguß, dann im
Fotosatz. Berthold-Schriften sind weltweit geschätzt. Im Schri
ftenatelier München wird jeder Buchstabe in der Größe von zw
ölf Zentimetern neu gezeichnet. Mit messerscharfen Konturen
um für die Schriftscheiben das Optimale an Konturenschärfe he
rauszuholen. Um die Qualität des Einzelzeichens im Belichtun
gsvorgang zu bewahren, wird durch die ruhende, nicht rotieren

1,60 mm (6 p) 20 30 40 50

Berthold-Schriften überzeugen durch Schärfe und Qualit
ät. Schriftqualität ist eine Frage der Erfahrung. Berthold h
at diese Erfahrung seit über hundert Jahren. Zuerst im Sch
riftguß, dann im Fotosatz. Berthold-Schriften sind weltw
eit geschätzt. Im Schriftenatelier München wird jeder Bu
chstabe in der Größe von zwölf Zentimetern neu gezeich
net. Mit messerscharfen Konturen, um für die Schriftsche
iben das Optimale an Konturenschärfe herauszuholen. U
m die Qualität des Einzelzeichens im Belichtungsvorgang

1,75 mm (6,5 p) 20 30 40 50

Berthold-Schriften überzeugen durch Schärfe und Qu
alität. Schriftqualität ist eine Frage der Erfahrung. Bert
hold hat diese Erfahrung seit über hundert Jahren. Zue
rst im Schriftguß, dann im Fotosatz. Berthold-Schriften
sind weltweit geschätzt. Im Schriftenatelier München
wird jeder Buchstabe in der Größe von zwölf Zentimet
ern neu gezeichnet. Mit messerscharfen Konturen, um
für die Schriftscheiben das Optimale an Konturenschä
rfe herauszuholen. Um die Qualität des Einzelzeichens

1,86 mm (7 p) 20 30 40 5

Berthold-Schriften überzeugen durch Schärfe und
Qualität. Schriftqualität ist eine Frage der Erfahrun
g. Berthold hat diese Erfahrung seit über hundert Ja
hren. Zuerst im Schriftguß, dann im Fotosatz. Berth
old-Schriften sind weltweit geschätzt. Im Schriften
atelier München wird jeder Buchstabe in der Größe
von zwölf Zentimetern neu gezeichnet. Mit messer
scharfen Konturen, um für die Schriftscheiben das
Optimale an Konturenschärfe herauszuholen. Um

2,00 mm (7,5 p) 20 30 40

Berthold-Schriften überzeugen durch Schärfe u
nd Qualität. Schriftqualität ist eine Frage der Erf
ahrung. Berthold hat diese Erfahrung seit über h
undert Jahren. Zuerst im Schriftguß, dann im Fot
osatz. Berthold-Schriften sind weltweit geschät
zt. Im Schriftenatelier München wird jeder Buch
stabe in der Größe von zwölf Zentimetern neu ge
zeichnet. Mit messerscharfen Konturen, um für
die Schriftscheiben das Optimale an Konturensc

2,15 mm (8 p) 20 30 40

Prof. Kurt Weidemann
1983
International Typeface Corp.
H. Berthold AG

ABCDEFGHIJKLMNOPQ
RSTUVWXYZ
abcdefghijklmnopqrstuvwxyz
1/1234567890%
(.,-;:!¡?¿–)·[’‘„”“»«]
+−=/$£†*&§
ÄÅÆÖØŒÜäåæıöøœßü
ÁÀÂÃÇČÉÈÊËÍÌÎÏĹŇÑÓÒÔÕ
ŔŘŠŤÚÙÛŴẄÝŶŸŽ
áàâãçčéèêëíìîïĺňñóòôõŕřš
úùûŵẅýỳÿž

Berthold-Schriftweite weit
Berthold-Schriftweite normal
Berthold-Schriftweite eng
Berthold-Schriftweite sehr eng
Berthold-Schriftweite extrem eng

Berthold
3,72 mm (14 p)

Berthold
4,25 mm (16 p)

Berthold
4,75 mm (18 p)

Berthold
5,30 mm (20 p)

Berthold
6,35 mm (24 p)

Berthold
7,40 mm (28 p)

Berthold
8,50 mm (32 p)

Berthold
9,55 mm (36 p)

Größe		Zeilenabstand			100 Zeichen		
mm	p	kp	Êp	Ex	0	−1	−2
1,33	5	1,69	2,06	2,00	83	80	77
1,60	6	2,06	2,50	2,50	98	94	90
1,86	7	2,38	2,88	3,00	113	109	105
2,15	8	2,75	3,31	3,50	128	123	118
2,40	9	3,06	3,69	3,75	143	137	131
2,65	10	3,38	4,06	4,25	158	151	144
2,92	11	3,75	4,50	4,75	173	166	159
3,20	12	4,13	4,94	5,25	188	180	172
3,45	13	4,44	5,31	5,75	202	194	186
3,72	14	4,75	5,75	–	217	208	199
3,98	15	5,06	6,13	–	232	223	214
4,25	16	5,44	6,56	–	246	236	226

WZ 12 E, NSW 0, MZB 0,60, F 0,12:0,08 (1,5), II
H 1–x 0,71–k 1,00–p 0,27–Ê 1,26–kp 1,27–Êp 1,53
BF 089 1400, Belegung 051: 085 1457 (095 1457)

Berthold-Schriften überzeugen durch Schä
rfe und Qualität. Schriftqualität ist eine Fra
ge der Erfahrung. Berthold hat diese Erfahr
ung seit über hundert Jahren. Zuerst im Sch
riftguß, dann im Fotosatz. Berthold-Schrift
en sind weltweit geschätzt. Im Schriftenat
elier München wird jeder Buchstabe in der
Größe von zwölf Zentimetern neu gezeichn

2,40 mm (9 p) 20 30 4

Berthold-Schriften überzeugen durch S
chärfe und Qualität. Schriftqualität ist e
ine Frage der Erfahrung. Berthold hat d
iese Erfahrung seit über hundert Jahren
Zuerst im Schriftguß, dann im Fotosatz
Berthold-Schriften sind weltweit gesch
ätzt. Im Schriftenatelier München wird
jeder Buchstabe in der Größe von zwölf

2,65 mm (10 p) 20 30

Berthold-Schriften überzeugen dur
ch Schärfe und Qualität. Schriftqual
ität ist eine Frage der Erfahrung. Ber
thold hat diese Erfahrung seit über
hundert Jahren. Zuerst im Schriftgu
ß, dann im Fotosatz. Berthold-Schri
ften sind weltweit geschätzt. Im Sc
hriftenatelier München wird jeder

2,92 mm (11 p) 10 20 30

Berthold-Schriften überzeugen d
urch Schärfe und Qualität. Schrif
tqualität ist eine Frage der Erfah
rung. Berthold hat diese Erfahru
ng seit über hundert Jahren. Zuer
st im Schriftguß, dann im Fotosat
z. Berthold-Schriften sind weltw
eit geschätzt. Im Schriftenatelier

3,20 mm (12 p) 10 20 3

Berthold-Schriften überzeugen
durch Schärfe und Qualität. Sc
hriftqualität ist eine Frage der
Erfahrung. Berthold hat diese
Erfahrung seit über hundert Ja
hren. Zuerst im Schriftguß, da
nn im Fotosatz. Berthold-Schri
ften sind weltweit geschätzt. I

3,45 mm (13 p) 10 20

normal medium normal	# WEIDEMANN	normal chiaro tondo normal

Berthold-Schriften überzeugen durch Schärfe und Qualität. Schriftqualität ist ei ne Frage der Erfahrung. Berthold hat diese Erfahrung seit über hundert Jahren Zuerst im Schriftguß, dann im Fotosatz. Berthold-Schriften sind weltweit gesch ätzt. Im Schriftenatelier München wird jeder Buchstabe in der Größe von zwölf Zentimetern neu gezeichnet. Mit messerscharfen Konturen, um für die Schrifts cheiben das Optimale an Konturenschärfe herauszuholen. Um die Qualität des Einzelzeichens im Belichtungsvorgang zu bewahren, wird durch die ruhende nicht rotierende Schriftscheibe belichtet. Dieses optische System, verbunden m it Präzisions-Chromglasscheiben, führt zu einer Schriftqualität, die im Qualitäts

4,25 mm (16 p), Zeilenabstand 6,75 mm

WEIDEMANN MEDIUM

In general, bodytypes are measured in the typograph ical point size. The sizes of Berthold Fototype faces ca n be exactly determined. All faces of same point size have the same capital height–irrespective of their x-h eight. In hot metal and many other phototypesetting systems the capital heights often differ considerably f rom one face to the other. For measuring point sizes, a transparent size gauge is provided. To determine the point size, bring a capital letter into coincidence with that field which precisely circumscribes the letter at i ts upper and lower margin. Below the field you find the typographical point and below that the millimeter value, which also refers to the height of a capital lette r. In Berthold-phototypesetting, the typewidth can be modified. The standard setting width of typefaces is determined by the principle of optimum legibility. You should not depart from this typewidth without cogen t reason. A typeface which is considered optically rig ht when looked in a greater context, often seems bulky when applied for a small amount of text, e. g. la bels and ads. Here, a width reduction will be conduci ve to legibility. Small amounts of text seem to be optic

2,40 mm (9 p), Zeilenabstand 4,25 mm

WEIDEMANN NORMAL

La valeur de la force de corps des caractères de la beur èst généralement exprimée en points typog raphiques. La force de corps des caractères Bert hold-Fototype peut être déterminée avec précisi on. Tous les caractères du même corps ont des ca pitales d'une hauteur identique, indépendamme nt de la hauteur des bas de casse sans jambage. D ans la composition plomb, ainsi que dans certain s systèmes de photocomposition, la hauteur des capitales, varie souvent d'un caractère à l'autre Pour déterminer la force de corps de nos caractèr es, nous avons mis au point une réglette de haute ur d'œil transparente. On cherche le rectangle q ui délimite exactement la hauteur d'œil d'une ca pitale du caractère choisi. Sous le rectangle corre spondant la valeur de la force de corps est indiqu ée en points Didots et en millimètres. La valeur en millimètres exprime également la hauteur des ca pitales. Pour toutes les indications concernant la force de corps, il est utile de préciser l'unité de m

2,65 mm (10 p), Zeilenabstand 4,69 mm

La indicación de las dimensiones para cuerpos de le tra básicos tiene lugar en general en puntos tipográ ficos. Los cuerpos de letra de los caracteres Berthol d Fototype pueden determinarse exactemente par medición. Con independencia de la altura de sus lo ngitudes centrales, todos los caracteres de idéntico cuerpo de letra presentan altura de mayúsculas idé ntica. En la composición en plomo y en muchos otr os sistemas de fotocomposición, las alturas de may

2,15 mm (8 p), –1, Zeilenabstand 3,38 mm

123,– $	456,– £	7890,– DM	1 %
234,– $	789,– £	1234,– DM	2 %
567,– $	12,– £	5678,– DM	3 %
890,– $	345,– £	9012,– DM	4 %
123,– $	678,– £	3456,– DM	5 %
456,– $	901,– £	7890,– DM	6 %
789,– $	234,– £	1234,– DM	7 %
12,– $	567,– £	5678,– DM	8 %
345,– $	890,– £	9012,– DM	9 %

BF 089 1401

Le misure relative al corpo dei caratteri vengono gene ralmente indicate in punti tipografici. Il corpo dei cara tteri Fototypes può essere determinato con esattezza per semplice misurazione. Tutti i caratteri di uguale gr andezza in punti hanno, indipendentemente dalla lor o lunghezza, uguale altezza delle maiuscole. Nella co mposizione in piombo ed in molti altri sistemi di fotoc omposizione, l'altezza delle maiuscole varia spesso da carattere a carattere. Per misurare il corpo dei caratteri

2,15 mm (8 p), –2, Zeilenabstand 3,38 mm

normal
medium
normal

WEIDEMANN CAPS

normal
chiaro tondo
normal

T. S. ELIOT *Old Possums Katzenbuch*
GÜNTER EICH *Träume.* Vier Spiele
JEAN GIRAUDOUX *Eglantine.* Roman
WALTER BENJAMIN *Einbahnstraße*
ANTONIO MACHADO *Juan de Mairena*
G. B. SHAW *Musik in London.* Kritiken
PAUL VALÉRY *Über Kunst.* Essays
ERNST BLOCH *Spuren.* Parabeln
WILLIAM FAULKNER *Der Bär*
TRUMAN CAPOTE *Die Grasharfe*
ANDRÉ GIDE *Paludes.* Satire
GUISEPPE UNGARETTI *Gedichte*
JEAN GIRAUDOUX *Simon.* Roman
WILLIAM CARLOS WILLIAMS *Gedichte*
BERTHOLT BRECHT *Geschichten*
HENRY GREEN *Schwärmerei.* Roman
EZRA POUND *ABC des Lesens*
TH. W. ADORNO *Mahler.* Monographie

2,15 mm (8 p), Zeilenabstand 5,00 mm

PROF. KURT WEIDEMANN
1983
INTERNATIONAL TYPEFACE CORP.
H. BERTHOLD AG

ABCDEFGHIJKLMNOPQ
RSTUVWXYZ
ABCDEFGHIJKLMNOPQRSTUVWXYZ
1234567890 %
(.,-;:!¡?¿–) · [",„"“»«›‹]
+−=/$£†*&§©
ÄÅÆÖØŒÜÄÅÆÖØŒÜ
ÁÀÂÃÇČÉÈÊËÍÌÎÏĹÑŇ
ÓÒÔÕŔŘŠŤÚÙÛŴẂÝŶŸŽ
ÁÀÂÃÇČÉÈÊËÍÌÎÏĹÑŇÓÒÔÕŔŘŠ
ÚÙÛŴẂÝỲŸŽ

SCHRIFTWEITE WEIT
SCHRIFTWEITE NORMAL
SCHRIFTWEITE ENG
SCHRIFTWEITE SEHR ENG
SCHRIFTWEITE EXTREM ENG

CALAN: Hast du Furcht, daß sein Vermögen nicht ausreicht? Mein Wort schlägt Hände ab – horch, ob sein Wort sie ihm behält. *Man hört schreien.* Wer, sagst du, Noah, wer, sagst du, wer, wenn nicht ich, ist der Herr?
NOAH: Sprich ein zweites Wort, Calan. *Das Schreien dauert an.* Töte ihn vollends, daß nicht sein Schreien in meinen Eingeweiden schauert, sprich, Calan, sprich!
CALAN: Darum, daß dein Eingeweide sich besänftigt? Darum, Noah, bitte ihn, den andern. Das Opfer ist getan, mag er sich sättigen am Schreien, denn es schreien viele, ohne daß er ihr Schreien in Gnade ersäuft. Mag er sich auch eine Mühe machen mit einem Wort, wenn ihm an der Stille gelegen ist. Ich habe das Opfer von mir gegeben, und da es sein ist, soll er damit tun nach seinem Wohlgefallen. *Chus kommt mit zwei blutigen Händen.* Gut, Chus, nagle sie hier an den Pfosten, daß er sieht, was Calan dargebracht, das nimmt er nicht wieder an sich. *Chus tut wie befohlen.*
CALAN *zu Noah, der sich die Ohren zuhält:* Nimm die Hände herunter und höre, was dein Gott dir zu hören gibt. Wenn es an dem ist, daß er ihn schreien läßt, so hat er Wohlgefallen an seinem Schreien, und es kitzelt ihm die Eingeweide. Oder sollte sein Wort keine Kraft haben wenn ihn nach Stille verlangt?

1,86 mm (7 p), Zeilenabstand 3,00 mm

THE QUICK BROWN FOX JUMPS OVER THE LAZY DOG AND FEELS AS IF HE WERE IN THE SEVENTH HEA
3,72 mm (14 p)

THE QUICK BROWN FOX JUMPS OVER THE LAZY DOG AND FEELS AS IF HE WERE IN THE SE
4,25 mm (16 p)

THE QUICK BROWN FOX JUMPS OVER THE LAZY DOG AND FEELS AS IF HE WERE
4,75 mm (18 p)

THE QUICK BROWN FOX JUMPS OVER THE LAZY DOG AND FEELS AS IF
5,30 mm (20 p)

THE QUICK BROWN FOX JUMPS OVER THE LAZY DOG AND F
6,35 mm (24 p)

THE QUICK BROWN FOX JUMPS OVER THE LAZY D
7,40 mm (28 p)

THE QUICK BROWN FOX JUMPS OVER THE LA
8,50 mm (32 p)

THE QUICK BROWN FOX JUMPS OVER T
9,55 mm (36 p)

9/6

CHARLOTTE DUVALIER
PIANISTIN

PETER-PAUL-RUBENS-PLATZ 2, 1000 BERLIN 13
TELEFON 030 – 66 22 84

2,40 mm (9 p) und 1,60 mm (6 p)

MONDAY		4	11	18	25
TUESDAY		5	12	19	26
WEDNESDAY		6	13	20	27
THURSDAY		7	14	21	28
FRIDAY	1	8	15	22	29
SATURDAY	2	9	16	23	30
SUNDAY	3	10	17	24	

2,40 mm (9 p) und 3,20 mm (12 p)
WZ 13 E, NSW 0, II
BF 089 1402, Belegung 127: 085 1464 (095 1464)

10/7

JOCHEN VAN DIJK
LEHRER

HINTERM DOM 3, 5000 KÖLN AM RHEIN
TELEFON 02 21 – 67 33 58

2,65 mm (10 p) und 1,86 mm (7 p)

kursiv
medium italic
italique

WEIDEMANN

cursiva
chiaro corsivo
kursiv

Måttangivelse för grundstilsgrader sker i allmänhet i typografiska pun kter. Stilar av Berthold Fototype ka n efter mätning exakt gradbestäm mas. Alla typsnitt är av samma pun ktstorlek och har oberoende av x höjden en identisk versalhöjd. I bly sättning och i många andra fotosät tsystem varierar versalhöjden avse värt från typsnitt till typsnitt. För m ätning av stilgrader finns en transp arent mätlinjal. Vid mätningen pla cerar man en versal bokstav så att rutorna begränsar tecknet upptill och nedtill. Under rutorna finns sti lstorleken i typografiska didotpun kter och i mm. Även millimeterupp giften avser versalhöjden. Vid stilst orleksuppgifter anges alltid måtten

2,92 mm (11 p), Zeilenabstand 4,69 mm

Prof. Kurt Weidemann
1983
International Typeface Corp.
H. Berthold AG

ABCDEFGHIJKLMNOPQ
RSTUVWXYZ
abcdefghijklmnopqrstuvwxyz
1/1234567890%
(.,-;:!¡?¿–)·[’‘„”“»«]
+−=/$£†&§*
ÄÅÆÖØŒÜäåæıöøœßü
ÁÀÂÃÇČÉÈÊËÍÌÎÏĹŇÑÓÒÔÕ
ŔŘŠŤÚÙÛŴẄÝŶŸŽ
áàâãçčéèêëíìîïĺňñóòôõŕřš
úùûŵẅýỳÿž

Berthold-Schriftweite weit
Berthold-Schriftweite normal
Berthold-Schriftweite eng
Berthold-Schriftweite sehr eng
Berthold-Schriftweite extrem eng

In general, bodytypes are meas ured in the typographical point size. The sizes of Berthold Fotot ype faces can be exactly determi ned. All faces of same point size have the same capital height–ir respective of their x-height. In h ot metal and many other photot ypesetting systems the capital h eights often differ considerably from one face to the other. For measuring point sizes, a transp arent size gauge is provided. To determine the point size, bring a capital letter into coincidence w ith that field which precisely cir cumscribes the letter at its upper

3,20 mm (12 p), Zeilenabstand 5,25 mm

WEIDEMANN KURSIV

Die Maßangabe zu Grundschriftgrößen erfolgt im a llgemeinen in typographischen Punkten. Die Schrif tgrößen der Berthold-Fotosatz-Schriften sind nach Messung exakt bestimmbar. Alle Schriften gleicher Punktgröße weisen, unabhängig von der Höhe ihrer Mittellängen, eine identische Versalhöhe auf. Im Bleisatz und bei vielen anderen Fotosatz-Systemen differieren die Versalhöhen von Schrift zu Schrift oft erheblich. Zum Messen von Schriftgrößen steht ein transparentes Größenmaß zur Verfügung. Zum Me ssen wird ein Versalbuchstabe mit dem Feld in Deck ung gebracht, das den Buchstaben oben und unten scharf begrenzt. Unter dem Feld ist die Schriftgröße in typographischen Didot-Punkten, darunter in Mill imetern angegeben. Auch die Millimeterangaben b eziehen sich auf die Höhe der Versalbuchstaben. Di e Schriftweite kann im Berthold-Fotosatz beliebig v erändert werden. Die Festlegung der Normalschrift

2,40 mm (9 p), Zeilenabstand 4 mm

WEIDEMANN ITALIQUE

La valeur de la force de corps des caractères de l abeur èst généralement exprimée en points typ ographiques. La force de corps des caractères B erthold-Fototype peut être déterminée avec pré cision. Tous les caractères du même corps ont d es capitales d'une hauteur identique, indépend amment de la hauteur des bas de casse sans jam bage. Dans la composition plomb, ainsi que da ns certains systèmes de photocomposition, la h auteur des capitales, varie souvent d'un caract ère à l'autre. Pour déterminer la force de corps de nos caractères, nous avons mis au point une réglette de hauteur d'œil transparente. On che rche le rectangle qui délimite exactement la ha uteur d'œil d'une capitale du caractère choisi. S ous le rectangle correspondant la valeur de la f

2,65 mm (10 p), Zeilenabstand 4,50 mm

La indicación de las dimensiones para cuerpos de letra vásicos tiene lugar en general en puntos tipográficos. Los cuerpos de letra de los caracteres Berthold Fototype pueden determinars e exactemente par medición. Con independencia de la altura de sus longitudes centrales, todos los caracteres de idéntico c uerpo de letra presentan altura de mayúsculas idéntica. En la composición en plomo y en muchos otros sistemas de fotoco mposición, las alturas de mayúsculas varían frecuentemment e en forma considerable de tipo de letra a tipo de letra. Para m edir los cuerpos de letra se dispone de un tipómetro, véase la f igura. Para la medición se hace coincidir una letra mayúscula con la casilla cuyos extremos coinciden con los extremos sup

1,60 mm (6 p), Zeilenabstand 2,50 mm

Größe		Zeilenabstand			100 Zeichen		
mm	p	kp	Êp	Ex	0	−1	−2
1,33	5	1,69	2,13	–	86	83	80
1,60	6	2,06	2,50	2,50	101	97	93
1,86	7	2,38	2,94	–	116	112	108
2,15	8	2,75	3,38	3,38	132	127	122
2,40	9	3,06	3,75	4,00	148	142	136
2,65	10	3,38	4,13	4,50	163	156	149
2,92	11	3,75	4,56	4,69	178	171	164
3,20	12	4,13	5,00	5,25	193	185	177
3,45	13	4,44	5,38	–	209	201	193
3,72	14	4,75	5,81	–	224	215	206
3,98	15	5,06	6,19	–	239	230	221
4,25	16	5,44	6,63	–	254	244	234

WZ 12 E, NSW 0, MZB 0,61, F 0,12:0,08 (1,5), II
H 1–x 0,71–k 0,99–p 0,28–Ê 1,27–kp 1,27–Êp 1,55
BF 089 1403, Belegung 051: 085 1458 (095 1458)

Le misure relative al corpo dei caratteri vengon o generalmente indicate in punti tipografici. Il corpo dei caratteri Fototypes può essere deter minato con esattezza per semplice misurazion e. Tutti i caratteri di uguale grandezza in punti hanno, indipendentemente dalla loro lunghez za, uguale altezza delle maiuscole. Nella comp osizione in piombo ed in molti altri sistemi di fo tocomposizione, l'altezza delle maiuscole varia

2,15 mm (8 p), Zeilenabstand 3,38 mm

halbfett
bold
demi-gras

WEIDEMANN

seminegra
neretto
halvfet

Berthold-Schriften überzeugen durch Schärfe und Quali tät. Schriftqualität ist eine Frage der Erfahrung. Berthold hat diese Erfahrung seit über hundert Jahren. Zuerst im S chriftguß, dann im Fotosatz. Berthold-Schriften sind wel tweit geschätzt. Im Schriftenatelier München wird jeder Buchstabe in der Größe von zwölf Zentimetern neu gezei chnet. Mit messerscharfen Konturen, um für die Schrifts cheiben das Optimale an Konturenschärfe herauszuhole n. Um die Qualität des Einzelzeichens im Belichtungsvor

1,60 mm (6 p), Zeilenabstand 2,50 mm

Berthold-Schriften überzeugen durch Schärfe und Qualität. Schriftqualität ist eine Frage der Erfahru ng. Berthold hat diese Erfahrung seit über hundert Jahren. Zuerst im Schriftguß, dann im Fotosatz. Be rthold-Schriften sind weltweit geschätzt. Im Schr iftenatelier München wird jeder Buchstabe in der Größe von zwölf Zentimetern neu gezeichnet. Mit messerscharfen Konturen, um für die Schriftschei

1,86 mm (7 p), Zeilenabstand 3,00 mm

Berthold-Schriften überzeugen durch Schä rfe und Qualität. Schriftqualität ist eine Frag e der Erfahrung. Berthold hat diese Erfahru ng seit über hundert Jahren. Zuerst im Schrif tguß, dann im Fotosatz. Berthold-Schriften s ind weltweit geschätzt. Im Schriftenatelier München wird jeder Buchstabe in der Größe von zwölf Zentimetern neu gezeichnet. Mit

2,15 mm (8 p), Zeilenabstand 3,50 mm

Prof. Kurt Weidemann
1983
International Typeface Corp.
H. Berthold AG

ABCDEFGHIJKLMNOPQ
RSTUVWXYZ
abcdefghijklmnopqrstuvwxyz
1/1234567890%
(.,-;:!¡?¿–)·['‘„"“»«]
+−=/$£†*&§
ÄÅÆÖØŒÜäåæıöøœßü
ÁÀÂÃÇČÉÈÊËÍÌÎÏĹŇÑÓÒÔÕ
ŔŘŠŤÚÙÛŴẄÝŶŸŽ
áàâãçčéèêëíìîïĺňñóòôõŕřš
úùûŵẅýỳÿž

Berthold-Schriftweite weit
Berthold-Schriftweite normal
Berthold-Schriftweite eng
Berthold-Schriftweite sehr eng
Berthold-Schriftweite extrem eng

In general, bodytypes are me asured in the typographical p oint size. The sizes of Berthold Fototype faces can be exactly determined. All faces of same point size have the same capit al height–irrespective of their x-height. In hot metal and ma ny other phototypesetting sys tems the capital heights often differ considerably from one f ace to the other. For measuri ng point sizes, a transparent si ze gauge is provided. To deter mine the point size, bring a ca pital letter into coincidence w ith that field which precisely

3,20 mm (12 p), Zeilenabstand 5,25 mm

Berthold's quick brown fox jumps over the lazy dog and feels as if he were in the s
3,72 mm (14 p)

Berthold's quick brown fox jumps over the lazy dog and feels as if he we
4,25 mm (16 p)

Berthold's quick brown fox jumps over the lazy dog and feels as if
4,75 mm (18 p)

Berthold's quick brown fox jumps over the lazy dog and f
5,30 mm (20 p)

Berthold's quick brown fox jumps over the lazy
6,35 mm (24 p)

Berthold's quick brown fox jumps over t
7,40 mm (28 p)

Berthold's quick brown fox jumps o
8,50 mm (32 p)

Berthold's quick brown fox jum
9,55 mm (36 p)

Berthold-Schriften überzeugen durch Schärfe und Qualität. Schriftqualität ist eine Frage der Erfahrung. Berthold hat diese Erfahrung seit über hundert Jahre n. Zuerst im Schriftguß, dann im Fotosa tz. Berthold-Schriften sind weltweit ge schätzt. Im Schriftenatelier München wird jeder Buchstabe in der Größe von

2,40 mm (9 p), Zeilenabstand 4,00 mm

Größe		Zeilenabstand			100 Zeichen		
mm	p	kp	Êp	Ex	0	−1	−2
1,33	5	1,69	2,13	–	89	86	83
1,60	6	2,06	2,56	2,50	105	101	97
1,86	7	2,38	2,94	3,00	121	117	113
2,15	8	2,75	3,38	3,50	137	132	127
2,40	9	3,06	3,81	4,00	153	147	141
2,65	10	3,38	4,19	4,00	169	162	155
2,92	11	3,75	4,63	–	185	178	171
3,20	12	4,13	5,06	5,25	201	193	185
3,45	13	4,44	5,44	–	216	208	200
3,72	14	4,75	5,88	–	232	223	214
3,98	15	5,06	6,25	–	248	239	230
4,25	16	5,44	6,69	–	264	254	244

WZ 12 E, NSW 0, MZB 0,64, F 0,16:0,10 (1,5), II
H 1–x 0,71–k 0,99–p 0,28–Ê 1,29–kp 1,27–Êp 1,57
BF 089 1404, Belegung 051: 085 1459 (095 1459)

Berthold-Schriften überzeugen dur ch Schärfe und Qualität. Schriftqua lität ist eine Frage der Erfahrung. B erthold hat diese Erfahrung seit übe r hundert Jahren. Zuerst im Schriftg uß, dann im Fotosatz. Berthold-Sch riften sind weltweit geschätzt. Im S chriftenatelier München wird jeder

2,65 mm (10 p), Zeilenabstand 4,00 mm

kursiv halbfett
bold italic
italique demi-gras

WEIDEMANN

seminegra cursiva
neretto corsivo
kursiv halvfet

Berthold-Schriften überzeugen durch Schärfe und Qualität. Schriftqualität ist eine Frage der Erfahrung. Berthold hat diese Erfahrung seit über hundert Jahren. Zuerst im Schriftguß, dann im Fotosatz. Berthold-Schriften sind weltweit geschätzt. Im Schriftenatelier München wird jeder Buchstabe in der Größe von zwölf Zentimetern neu gezeichnet. Mit messerscharfen Konturen, um für die Schriftscheiben das Optimale an Konturenschärfe herauszuholen. Um die Qualität des Einzelzeichens im Belicht

1,60 mm (6 p), Zeilenabstand 2,50 mm

Berthold-Schriften überzeugen durch Schärfe und Qualität. Schriftqualität ist eine Frage der Erfahrung. Berthold hat diese Erfahrung seit über hundert Jahren. Zuerst im Schriftguß, dann im Fotosatz. Berthold-Schriften sind weltweit geschätzt. Im Schriftenatelier München wird jeder Buchstabe in der Größe von zwölf Zentimetern neu gezeichnet. Mit messerscharfen Konturen, um für

1,86 mm (7 p), Zeilenabstand 3,00 mm

Berthold-Schriften überzeugen durch Schärfe und Qualität. Schriftqualität ist eine Frage der Erfahrung. Berthold hat diese Erfahrung seit über hundert Jahren. Zuerst im Schriftguß, dann im Fotosatz. Berthold-Schriften sind weltweit geschätzt. Im Schriftenatelier München wird jeder Buchstabe in der Größe von zwölf Zentimetern neu gezei

2,15 mm (8 p), Zeilenabstand 3,50 mm

Prof. Kurt Weidemann
1983
International Typeface Corp.
H. Berthold AG

ABCDEFGHIJKLMNOPQ
RSTUVWXYZ
abcdefghijklmnopqrstuvwxyz
1/1234567890%
(.,-;:!¡?¿–)·[’‘„”“»«]
+−=/$£†&§*
ÄÅÆÖØŒÜäåæıöøœßü
ÁÀÂÃÇČÉÈÊËÍÌÎÏĹŇÑÓÒÔÕ
ŔŘŠŤÚÙÛŴẄÝŶŸŽ
áàâãçčéèêëíìîïĺňñóòôõŕřš
úùûŵẅýỳÿž

Berthold-Schriftweite weit
Berthold-Schriftweite normal
Berthold-Schriftweite eng
Berthold-Schriftweite sehr eng
Berthold-Schriftweite extrem eng

In general, bodytypes are measured in the typographical point size. The sizes of Berthold Fototype faces can be exactly determined. All faces of same point size have the same capital height–irrespective of their x-height. In hot metal and many other phototypesetting systems the capital heights often differ considerably from one face to the other. For measuring point sizes, a transparent size gauge is provided. To determine the point size bring a capital letter into coincidence with that field which

3,20 mm (12 p), Zeilenabstand 5,25 mm

Berthold's quick brown fox jumps over the lazy dog and feels as if he were in the
3,72 mm (14 p)

Berthold's quick brown fox jumps over the lazy dog and feels as if he w
4,25 mm (16 p)

Berthold's quick brown fox jumps over the lazy dog and feels as
4,75 mm (18 p)

Berthold's quick brown fox jumps over the lazy dog and f
5,30 mm (20 p)

Berthold's quick brown fox jumps over the lazy
6,35 mm (24 p)

Berthold's quick brown fox jumps over t
7,40 mm (28 p)

Berthold's quick brown fox jumps o
8,50 mm (32 p)

Berthold's quick brown fox jum
9,55 mm (36 p)

Berthold-Schriften überzeugen durch Schärfe und Qualität. Schriftqualität ist eine Frage der Erfahrung. Berthold hat diese Erfahrung seit über hundert Jahren. Zuerst im Schriftguß, dann im Fotosatz. Berthold-Schriften sind weltweit geschätzt. Im Schriftenatelier München wird jeder Buchstabe in der Größe

2,40 mm (9 p), Zeilenabstand 4,00 mm

Größe mm	p	Zeilenabstand kp	Êp	Ex	100 Zeichen 0	−1	−2
1,33	5	1,75	2,19		02	00	00
1,60	6	2,13	2,63	2,50	108	104	100
1,86	7	2,44	3,00	3,00	124	120	116
2,15	8	2,81	3,50	3,50	141	136	131
2,40	9	3,13	3,88	4,00	158	152	146
2,65	10	3,50	4,31	4,00	174	167	160
2,92	11	3,81	4,75	—	190	183	176
3,20	12	4,19	5,19	5,25	207	199	191
3,45	13	4,50	5,56	—	223	215	207
3,72	14	4,88	6,00	—	239	230	221
3,98	15	5,19	6,44	—	255	246	237
4,25	16	5,56	6,88	—	271	261	251

WZ 12 E, NSW 0, MZB 0,66, F 0,16:0,11 (1,5), II
H 1–x 0,71–k 1,00–p 0,30–Ê 1,31–kp 1,30–Êp 1,61
BF 089 1405, Belegung 051: 085 1460 (095 1460)

Berthold-Schriften überzeugen durch Schärfe und Qualität. Schriftqualität ist eine Frage der Erfahrung. Berthold hat diese Erfahrung seit über hundert Jahren. Zuerst im Schriftguß, dann im Fotosatz. Berthold Schriften sind weltweit geschätzt Im Schriftenatelier München wird

2,65 mm (10 p), Zeilenabstand 4,00 mm

fett
black
gras

WEIDEMANN

negra
nero
fet

Berthold-Schriften überzeugen durch Schärfe und Qu alität. Schriftqualität ist eine Frage der Erfahrung. Bert hold hat diese Erfahrung seit über hundert Jahren. Zue rst im Schriftguß, dann im Fotosatz. Berthold-Schriften sind weltweit geschätzt. Im Schriftenatelier München wird jeder Buchstabe in der Größe von zwölf Zentimet ern neu gezeichnet. Mit messerscharfen Konturen, um für die Schriftscheiben das Optimale an Konturenschä rfe herauszuholen. Um die Qualität des Einzelzeichens

1,60 mm (6 p), Zeilenabstand 2,50 mm

Berthold-Schriften überzeugen durch Schärfe und Qualität. Schriftqualität ist eine Frage der Erfahrung. Berthold hat diese Erfahrung seit ü ber hundert Jahren. Zuerst im Schriftguß, dann im Fotosatz. Berthold-Schriften sind weltweit geschätzt. Im Schriftenatelier München wird j eder Buchstabe in der Größe von zwölf Zentim etern neu gezeichnet. Mit messerscharfen Kon

1,86 mm (7 p), Zeilenabstand 3,00 mm

Berthold-Schriften überzeugen durch Sc härfe und Qualität. Schriftqualität ist eine Frage der Erfahrung. Berthold hat diese E rfahrung seit über hundert Jahren. Zuerst im Schriftguß, dann im Fotosatz. Berthold Schriften sind weltweit geschätzt. Im Sch riftenatelier München wird jeder Buchst abe in der Größe von zwölf Zentimetern n

2,15 mm (8 p), Zeilenabstand 3,50 mm

Prof. Kurt Weidemann
1983
International Typeface Corp.
H. Berthold AG

ABCDEFGHIJKLMNOPQ
RSTUVWXYZ
abcdefghijklmnopqrstuvwxyz
1/1234567890%
(.,-;:!¡?¿–)·['‘„”“»«]
+–=/$£†*&§
ÄÅÆÖØŒÜäåæıöøœßü
ÁÀÂÃÇČÉÈÊËÍÌÎÏĹŇÑÓÒÔÕ
ŔŘŠŤÚÙÛŴẄÝŶŸŽ
áàâãçčéèêëíìîïĺňñóòôõŕřš
úùûŵẅýỳÿž

Berthold-Schriftweite weit
Berthold-Schriftweite normal
Berthold-Schriftweite eng
Berthold-Schriftweite sehr eng
Berthold-Schriftweite extrem eng

In general, bodytypes are m easured in the typographica l point size. The sizes of Bert hold Fototype faces can be e xactly determined. All faces of same point size have the s ame capital height–irrespe ctive of their x-height. In hot metal and many other photo typesetting systems the cap ital heights often differ cons iderably from one face to the other. For measuring point s izes, a transparent size gaug e is provided. To determine the point size, bring a capital letter into coincidence with

3,20 mm (12 p), Zeilenabstand 5,25 mm

Berthold's quick brown fox jumps over the lazy dog and feels as if he were in t
3,72 mm (14 p)

Berthold's quick brown fox jumps over the lazy dog and feels as if he
4,25 mm (16 p)

Berthold's quick brown fox jumps over the lazy dog and feels
4,75 mm (18 p)

Berthold's quick brown fox jumps over the lazy dog an
5,30 mm (20 p)

Berthold's quick brown fox jumps over the la
6,35 mm (24 p)

Berthold's quick brown fox jumps over
7,40 mm (28 p)

Berthold's quick brown fox jumps
8,50 mm (32 p)

Berthold's quick brown fox ju
9,55 mm (36 p)

Berthold-Schriften überzeugen durch Schärfe und Qualität. Schriftqualität ist eine Frage der Erfahrung. Berthold hat diese Erfahrung seit über hundert Jahren. Zuerst im Schriftguß, dann im Fotosatz. Berthold-Schriften sind we ltweit geschätzt. Im Schriftenatelier München wird jeder Buchstabe in der

2,40 mm (9 p), Zeilenabstand 4,00 mm

Größe mm	p	Zeilenabstand kp	Êp	Ex	100 Zeichen 0	−1	−2
1,33	5	1,75	2,13	–	96	93	90
1,60	6	2,13	2,56	2,50	112	108	104
1,86	7	2,44	3,00	3,00	129	125	121
2,15	8	2,81	3,44	3,50	147	142	137
2,40	9	3,13	3,88	4,00	165	159	153
2,65	10	3,44	4,25	4,00	182	175	168
2,92	11	3,81	4,69	–	198	191	184
3,20	12	4,13	5,13	5,25	215	207	199
3,45	13	4,50	5,56	–	232	224	216
3,72	14	4,81	6,00	–	249	240	231
3,98	15	5,19	6,38	–	266	257	248
4,25	16	5,50	6,81	–	283	273	263

WZ 12 E, NSW 0, MZB 0,68, F 0,20:0,13 (1,6), II
H 1–x 0,72–k 0,99–p 0,30–Ê 1,30–kp 1,29–Êp 1,60
BF 089 1406, Belegung 051: 085 1461 (095 1461)

Berthold-Schriften überzeugen d urch Schärfe und Qualität. Schrift qualität ist eine Frage der Erfahru ng. Berthold hat diese Erfahrung s eit über hundert Jahren. Zuerst im Schriftguß, dann im Fotosatz. Bert hold-Schriften sind weltweit gesc hätzt. Im Schriftenatelier Münch

2,65 mm (10 p), Zeilenabstand 4,00 mm

kursiv fett
black italic
italique gras

WEIDEMANN

negra cursiva
nero corsivo
kursiv fet

Berthold-Schriften überzeugen durch Schärfe und Qua lität. Schriftqualität ist eine Frage der Erfahrung. Berth old hat diese Erfahrung seit über hundert Jahren. Zuerst im Schriftguß, dann im Fotosatz. Berthold-Schriften si nd weltweit geschätzt. Im Schriftenatelier München wi rd jeder Buchstabe in der Größe von zwölf Zentimetern neu gezeichnet. Mit messerscharfen Konturen, um für die Schriftscheiben das Optimale an Konturenschärfe herauszuholen. Um die Qualität des Einzelzeichens im

1,60 mm (6 p), Zeilenabstand 2,50 mm

Berthold-Schriften überzeugen durch Schärfe u nd Qualität. Schriftqualität ist eine Frage der Er fahrung. Berthold hat diese Erfahrung seit über hundert Jahren. Zuerst im Schriftguß, dann im Fotosatz. Berthold-Schriften sind weltweit gesc hätzt. Im Schriftenatelier München wird jeder Buchstabe in der Größe von zwölf Zentimetern neu gezeichnet. Mit messerscharfen Konturen

1,86 mm (7 p), Zeilenabstand 3,00 mm

Berthold-Schriften überzeugen durch Sch ärfe und Qualität. Schriftqualität ist eine Frage der Erfahrung. Berthold hat diese E rfahrung seit über hundert Jahren. Zuerst im Schriftguß, dann im Fotosatz. Berthold Schriften sind weltweit geschätzt. Im Schr iftenatelier München wird jeder Buchstab e in der Größe von zwölf Zentimetern neu

2,15 mm (8 p), Zeilenabstand 3,50 mm

Prof. Kurt Weidemann
1983
International Typeface Corp.
H. Berthold AG

ABCDEFGHIJKLMNOPQ
RSTUVWXYZ
abcdefghijklmnopqrstuvwxyz
1/1234567890%
(.,-;:!¡?¿–)·[’‘„”“»«]
+–=/$£†&§*
ÄÅÆÖØŒÜäåæıöøœßü
ÁÀÂÃÇČÉÈÊËÍÌÎÏĹŇÑÓÒÔÕ
ŔŘŠŤÚÙÛŴẄÝŶŸŽ
áàâãçčéèêëíìîïĺňñóòôõŕřš
úùûŵẅýỳÿž

Berthold-Schriftweite weit
Berthold-Schriftweite normal
Berthold-Schriftweite eng
Berthold-Schriftweite sehr eng
Berthold-Schriftweite extrem eng

In general, bodytypes are m easured in the typographical point size. The sizes of Bert hold Fototype faces can be e xactly determined. All faces of same point size have the s ame capital height–irrespec tive of their x-height. In hot metal and many other photo typesetting systems the cap ital heights often differ cons iderably from one face to the other. For measuring point sizes, a transparent size ga uge is provided. To determi ne the point size, bring a ca pital letter into coincidence

3,20 mm (12 p), Zeilenabstand 5,25 mm

Berthold's quick brown fox jumps over the lazy dog and feels as if he were in th
3,72 mm (14 p)

Berthold's quick brown fox jumps over the lazy dog and feels as if he
4,25 mm (16 p)

Berthold's quick brown fox jumps over the lazy dog and feels
4,75 mm (18 p)

Berthold's quick brown fox jumps over the lazy dog and
5,30 mm (20 p)

Berthold's quick brown fox jumps over the laz
6,35 mm (24 p)

Berthold's quick brown fox jumps over
7,40 mm (28 p)

Berthold's quick brown fox jumps
8,50 mm (32 p)

Berthold's quick brown fox ju
9,55 mm (36 p)

Berthold-Schriften überzeugen durch Schärfe und Qualität. Schriftqualität ist eine Frage der Erfahrung. Berthold hat diese Erfahrung seit über hundert Jahren. Zuerst im Schriftguß, dann im Fotosatz. Berthold-Schriften sind we ltweit geschätzt. Im Schriftenatelier München wird jeder Buchstabe in der

2,40 mm (9 p), Zeilenabstand 4,00 mm

Größe mm	p	Zeilenabstand kp	Êp	Ex	100 Zeichen 0	–1	–2
1,33	5	1,75	2,19	–	90	93	90
1,60	6	2,13	2,63	2,50	112	108	104
1,86	7	2,44	3,00	3,00	129	125	121
2,15	8	2,88	3,50	3,50	147	142	137
2,40	9	3,19	3,88	4,00	165	159	153
2,65	10	3,50	4,31	4,00	182	175	168
2,92	11	3,88	4,75	–	198	191	184
3,20	12	4,25	5,19	5,25	215	207	199
3,45	13	4,56	5,56	–	232	224	216
3,72	14	4,88	6,00	–	249	240	231
3,98	15	5,25	6,44	–	266	257	248
4,25	16	5,63	6,88	–	283	273	263

WZ 12 E, NSW 0, MZB 0,68, F 0,20:0,13 (1,6), II
H 1–x 0,71–k 1,01–p 0,30–Ê 1,31–kp 1,31–Êp 1,61
BF 089 1407, Belegung 051: 085 1462 (095 1462)

Berthold-Schriften überzeugen d urch Schärfe und Qualität. Schrift qualität ist eine Frage der Erfahru ng. Berthold hat diese Erfahrung s eit über hundert Jahren. Zuerst im Schriftguß, dann im Fotosatz. Ber thold-Schriften sind weltweit ges chätzt. Im Schriftenatelier Münc

2,65 mm (10 p), Zeilenabstand 4,00 mm

normal
regular
normal

WEISS-ANTIQUA

normal
chiaro tondo
normal

Berthold-Schriften überzeugen durch Schärfe und Qualität. Schriftqualit ät ist eine Frage der Erfahrung. Berthold hat diese Erfahrung seit über hun dert Jahren. Zuerst im Schriftguß, dann im Fotosatz. Berthold-Schriften si nd weltweit geschätzt. Im Schriftenatelier München wird jeder Buchstabe in der Größe von zwölf Zentimetern neu gezeichnet. Mit messerscharfen Konturen, um für die Schriftscheiben das Optimale an Konturenschärfe h erauszuholen. Um die Qualität des Einzelzeichens im Belichtungsvorgang zu bewahren, wird durch die ruhende, nicht rotierende Schriftscheibe beli chtet. Dieses optische System, verbunden mit Präzisions-Chromglassch

1,33 mm (5 p) 20 30 40 50 60 70

Berthold-Schriften überzeugen durch Schärfe und Qualität. Schrift qualität ist eine Frage der Erfahrung. Berthold hat diese Erfahrung s eit über hundert Jahren. Zuerst im Schriftguß, dann im Fotosatz. Ber thold-Schriften sind weltweit geschätzt. Im Schriftenatelier Münch en wird jeder Buchstabe in der Größe von zwölf Zentimetern neu ge zeichnet. Mit messerscharfen Konturen, um für die Schriftscheiben das Optimale an Konturenschärfe herauszuholen. Um die Qualität des Einzelzeichens im Belichtungsvorgang zu bewahren, wird durch die ruhende, nicht rotierende Schriftscheibe belichtet. Dieses optisc

1,45 mm (5,5 p)20 30 40 50 60

Berthold-Schriften überzeugen durch Schärfe und Qualität. S chriftqualität ist eine Frage der Erfahrung. Berthold hat diese E rfahrung seit über hundert Jahren. Zuerst im Schriftguß, dann i m Fotosatz. Berthold-Schriften sind weltweit geschätzt. Im Sc hriftenatelier München wird jeder Buchstabe in der Größe von zwölf Zentimetern neu gezeichnet. Mit messerscharfen Kontu ren, um für die Schriftscheiben das Optimale an Konturenschä rfe herauszuholen. Um die Qualität des Einzelzeichens im Beli chtungsvorgang zu bewahren, wird durch die ruhende, nicht r

1,60 mm (6 p) 20 30 40 50 6

Berthold-Schriften überzeugen durch Schärfe und Quali tät. Schriftqualität ist eine Frage der Erfahrung. Berthold hat diese Erfahrung seit über hundert Jahren. Zuerst im S chriftguß, dann im Fotosatz. Berthold-Schriften sind welt weit geschätzt. Im Schriftenatelier München wird jeder B uchstabe in der Größe von zwölf Zentimetern neu gezeic hnet. Mit messerscharfen Konturen, um für die Schriftsch eiben das Optimale an Konturenschärfe herauszuhole n. Um die Qualität des Einzelzeichens im Belichtungsvor

1,75 mm (6,5 p) 20 30 40 50

Berthold-Schriften überzeugen durch Schärfe und Q ualität. Schriftqualität ist eine Frage der Erfahrung. Ber thold hat diese Erfahrung seit über hundert Jahren. Zu erst im Schriftguß, dann im Fotosatz. Berthold-Schrift en sind weltweit geschätzt. Im Schriftenatelier Münch en wird jeder Buchstabe in der Größe von zwölf Zenti metern neu gezeichnet. Mit messerscharfen Konturen um für die Schriftscheiben das Optimale an Kontur enschärfe herauszuholen. Um die Qualität des Einzel

1,86 mm (7 p) 20 30 40 50

Berthold-Schriften überzeugen durch Schärfe und Qualität. Schriftqualität ist eine Frage der Erfahrun g. Berthold hat diese Erfahrung seit über hundert Ja hren. Zuerst im Schriftguß, dann im Fotosatz. Bert hold-Schriften sind weltweit geschätzt. Im Schrifte natelier München wird jeder Buchstabe in der Grö ße von zwölf Zentimetern neu gezeichnet. Mit m esserscharfen Konturen, um für die Schriftscheiben das Optimale an Konturenschärfe herauszuholen

2,00 mm (7,5 p) 20 30 40 5

Berthold-Schriften überzeugen durch Schärfe u nd Qualität. Schriftqualität ist eine Frage der Erf ahrung. Berthold hat diese Erfahrung seit über h undert Jahren. Zuerst im Schriftguß, dann im Fot osatz. Berthold-Schriften sind weltweit geschät zt. Im Schriftenatelier München wird jeder Buch stabe in der Größe von zwölf Zentimetern ne u gezeichnet. Mit messerscharfen Konturen, um für die Schriftscheiben das Optimale an Konture

2,15 mm (8 p) 20 30 40

Emil Rudolf Weiß
1928
Fundición Tipográfica Neufville
H. Berthold AG

ABCDEFGHIJKLMNOPQ
RSTUVWXYZ
abcdefghijklmnopqrstuvwxyz
1/1234567890 %
(.,-;:!¡?¿–) · [›‹„“”»«]
+–=/$£†*&§
ÄÅÆÖØŒÜäåæıöøœßü
ÁÀÂÃÇČÉÈÊËÍÌÎÏĹŇÑÓÒÔÕ
ŔŘŠŤÚÙÛŴẄÝŶŸŽ
áàâãçčéèêëíìîïĺňñóòôõŕřš
úùûŵẅýỳÿž

Berthold-Schriftweite weit
Berthold-Schriftweite normal
Berthold-Schriftweite eng
Berthold-Schriftweite sehr eng
Berthold-Schriftweite extrem eng

Berthold
3,75 mm (14 p)

Berthold
4,25 mm (16 p)

Berthold
4,75 mm (18 p)

Berthold
5,30 mm (20 p)

Berthold
6,35 mm (24 p)

Berthold
7,40 mm (28 p)

Berthold
8,50 mm (32 p)

Berthold
9,55 mm (36 p)

Größe mm	p	Zeilenabstand kp	Êp	Ex	100 Zeichen 0	−1	−2
1,33	5	1,88	2,25	2,00	79	76	73
1,60	6	2,25	2,69	2,50	93	89	85
1,86	7	2,63	3,13	3,00	107	103	99
2,15	8	3,00	3,56	3,50	122	117	112
2,40	9	3,38	4,00	3,75	137	131	125
2,65	10	3,69	4,38	4,25	151	144	137
2,92	11	4,06	4,88	4,75	165	158	151
3,20	12	4,50	5,31	5,25	179	171	163
3,45	13	4,81	5,75	5,75	193	185	177
3,72	14	5,19	6,19	–	207	198	189
3,98	15	5,56	6,63	–	221	212	203
4,25	16	5,94	7,06	–	235	225	215

WZ 11 E, NSW 0, MZB 0,57, F 0,11:0,046 (2,4), II
H 1–x 0,62–k 1,06–p 0,33–Ê 1,32–kp 1,39–Êp 1,65
BF 089 0695, Belegung 051: 085 0588 (095 0588)

Berthold-Schriften überzeugen durch Sch ärfe und Qualität. Schriftqualität ist eine Fr age der Erfahrung. Berthold hat diese Erfah rung seit über hundert Jahren. Zuerst im Sc hriftguß, dann im Fotosatz. Berthold-Schri ften sind weltweit geschätzt. Im Schriftena telier München wird jeder Buchstabe in der Größe von zwölf Zentimetern neu gezeich

2,40 mm (9 p) 20 30 40

Berthold-Schriften überzeugen durch Schärfe und Qualität. Schriftqualität ist eine Frage der Erfahrung. Berthold hat diese Erfahrung seit über hundert Jahr en. Zuerst im Schriftguß, dann im Foto satz. Berthold-Schriften sind weltweit geschätzt. Im Schriftenatelier München wird jeder Buchstabe in der Größe von

2,65 mm (10 p) 20 30

Berthold-Schriften überzeugen dur ch Schärfe und Qualität. Schriftqua lität ist eine Frage der Erfahrung. Be rthold hat diese Erfahrung seit über hundert Jahren. Zuerst im Schriftgu ß, dann im Fotosatz. Berthold-Schri ften sind weltweit geschätzt. Im Sch riftenatelier München wird jeder Bu

2,92 mm (11 p) 20 30

Berthold-Schriften überzeugen durch Schärfe und Qualität. Sch riftqualität ist eine Frage der Erfa hrung. Berthold hat diese Erfahr ung seit über hundert Jahren. Zu erst im Schriftguß, dann im Foto satz. Berthold-Schriften sind we ltweit geschätzt. Im Schriftenate

3,20 mm (12 p) 10 20 30

Berthold-Schriften überzeuge n durch Schärfe und Qualität Schriftqualität ist eine Frage d er Erfahrung. Berthold hat die se Erfahrung seit über hundert Jahren. Zuerst im Schriftguß da nn im Fotosatz. Berthold-Schri ften sind weltweit geschätzt. Im

3,45 mm (13 p) 10 20

normal
regular
normal

WEISS-ANTIQUA

normal
chiaro tondo
normal

Berthold-Schriften überzeugen durch Schärfe und Qualität. Schriftqualität ist eine Frage der Erfahrung. Berthold hat diese Erfahrung seit über hundert Jahren Zuerst im Schriftguß, dann im Fotosatz. Berthold-Schriften sind weltweit gesch ätzt. Im Schriftenatelier München wird jeder Buchstabe in der Größe von zwölf Zentimetern neu gezeichnet. Mit messerscharfen Konturen, um für die Schrifts cheiben das Optimale an Konturenschärfe herauszuholen. Um die Qualität des Einzelzeichens im Belichtungsvorgang zu bewahren, wird durch die ruhende nicht rotierende Schriftscheibe belichtet. Dieses optische System, verbunden mit Präzisions-Chromglasscheiben, führt zu einer Schriftqualität, die im Qualit

4,25 mm (16 p), Zeilenabstand 6,75 mm

WEISS-ANTIQUA REGULAR

In general, bodytypes are measured in the typograph ical point size. The sizes of Berthold Fototype faces can be exactly determined. All faces of same point size have the same capital heigth-irrespective of their x heigth. In hot metal and many other phototypeset ting systems the capital heigths often differ consider ably from one face to the other. For measuring point sizes, a transparent size gauge is provided. To deter mine the point size, bring a capital letter into coinci dence with that field which precisely circumscribes the letter at its upper and lower margin. Below the field you find the typographical point and below that the millimeter value, which also refers to the height of a capital letter. In Berthold-phototypesetting, the typewidth can be modified. The standard setting width of typefaces is determined by the principle of optimum legibility. You should not depart from this typewidth without cogent reason. A typeface which is considered optically right when looked in a greater context, often seems bulky when applied for a small a mount of text, e. g. labels and ads. Here, a width re duction will be conducive to legibility. Small amounts

2,40 mm (9 p), Zeilenabstand 4,25 mm

WEISS-ANTIQUA NORMAL

La valeur de la force de corps des caractères de labeur èst généralement exprimée en points ty pographiques. La force de corps des caractères Berthold-Fototype peut être déterminée avec précision. Tous les caractères du même corps ont des capitales d'une hauteur identique, indé pendamment de la hauteur des bas de casse sans jambage. Dans la composition plomb, ainsi que dans certains systèmes de photocomposition, la hauteur des capitales, varie souvent d'un carac tère à l'autre. Pour déterminer la force de corps de nos caractères, nous avons mis au point une réglette de hauteur d'œil transparente. On cher che le rectangle qui délimite exactement la hau teur d'œil d'une capitale du caractère choisi. So us le rectangle correspondant la valeur de la force de corps est indiquée en points Didots et en millimètres. La valeur en millimètres exprime é galement la hauteur des capitales. Pour toutes les indications concernant la force de corps, il est

2,65 mm (10 p), Zeilenabstand 4,69 mm

La indicación de las dimensiones para cuerpos de letra vasicos tiene lugar en general en puntos tipo gráficos. Los cuerpos de letra de los caracteres Bert hold Fototype pueden determinarse exactemente par medición. Con independencia de la altura de sus longitudes centrales, todos los caracteres de idéntico cuerpo de letra presentan altura de mayús culas idéntica. En la composición en plomo y en muchos otros sistemas de fotocomposición, las al

2,15 mm (8 p), –1, Zeilenabstand 3,38 mm

123,– $	456,– £	7890,– DM	1 %
234,– $	789,– £	1234,– DM	2 %
567,– $	12,– £	5678,– DM	3 %
890,– $	345,– £	9012,– DM	4 %
123,– $	678,– £	3456,– DM	5 %
456,– $	901,– £	7890,– DM	6 %
789,– $	234,– £	1234,– DM	7 %
12,– $	567,– £	5678,– DM	8 %
345,– $	890,– £	9012,– DM	9 %

BF 089 0696

Le misure relative al corpo dei caratteri vengono gene ralmente indicate in punti tipografici. Il corpo dei ca ratteri Fototypes può essere determinato con esattez za per semplice misurazione. Tutti i caratteri di uguale grandezza in punti hanno, indipendentemente dalla loro lunghezza, uguale altezza delle maiuscole. Nella composizione in piombo ed in molti altri sistemi di fo tocomposizione, l'altezza delle maiuscole varia spesso da carattere a carattere. Per misurare il corpo dei ca

2,15 mm (8 p), –2, Zeilenabstand 3,38 mm

kursiv
italic
italique

WEISS-ANTIQUA

cursiva
corsivo
kursiv

Måttangivelse för grundstilsgrader sker i allmänhet i typografiska punkter. Stilar av Berthold Fototype kan efter mätning exakt gradbestämmas. Alla typsnitt är av samma punktstorlek och har oberoende av x-höjden en identisk versalhöjd. I blysätt ning och i många andra fotosättsystem va rierar versalhöjden avsevärt från typsnitt till typsnitt. För mätning av stilgrader fin ns en transparent mätlinjal. Vid mätning en placerar man en versal bokstav så att rutorna begränsar tecknet upptill och ned till. Under rutorna finns stilstorleken i ty pografiska didotpunkter och i mm. Även millimeteruppgiften avser versalhöjden. V id stilstorleksuppgifter anges alltid måtten heten efter sifferuppgiften t ex 14 punkter ell er 14 p. Berthold-skrifter övertygar genom skarphet och kvalitet. Skriftkvalitet kan ef

2,92 mm (11 p), Zeilenabstand 4,69 mm

Emil Rudolf Weiß
1928
Fundición Tipográfica Neufville
H. Berthold AG

ABCDEFGHIJKLMNOPQ
RSTUVWXYZ
abcdefghijklmnopqrstuvwxyz
1/1234567890 %
(.,-;:!¡?¿–) · [" „ "" »«]
+−=/$£†&§*
ÄÅÆÖØŒÜäåæıöøœßü
ÁÀÂÃÇČÉÈÊËÍÌÎÏĹŇÑÓÒÔÕ
ŔŘŠŤÚÙÛŴẄÝỲŶŸŽ
áàâãçčéèêëíìîïĺňñóòôõŕřš
úùûŵẅýỳŷÿž

Berthold-Schriftweite weit
Berthold-Schriftweite normal
Berthold-Schriftweite eng
Berthold-Schriftweite sehr eng
Berthold-Schriftweite extrem eng

In general, bodytypes are measured in the typographical point size. The sizes of Berthold Fototype faces can be exact ly determined. All faces of same point si ze have the same capital height-irrespe ctive of their x-height. In hot metal and many other phototypesetting systems t he capital heights often differ considera bly from one face to the other. For meas uring point sizes, a transparent size gau ge is provided. To determine the point si ze, bring a capital letter into coincidence with that field which precisely circumsc ribes the letter at its upper and lower ma rgin. Below the field you find the typogr aphical point and below that the millim eter value, which also refers to the height

3,20 mm (12 p), Zeilenabstand 5,25 mm

WEISS-ANTIQUA KURSIV

Die Maßangabe zu Grundschriftgrößen erfolgt im allgemeinen in typographischen Punkten. Die Schriftgrößen der Berthold Fotosatz-Schriften sind nach Messung exakt bestimmbar. Al le Schriften gleicher Punktgröße weisen, unabhängig von der Höhe ihrer Mittellängen, eine identische Versalhöhe auf. Im Bleisatz und bei vielen anderen Fotosatz-Systemen differie ren die Versalhöhen von Schrift zu Schrift oft erheblich. Zum Messen von Schriftgrößen steht ein transparentes Größenmaß zur Verfügung. Zum Messen wird ein Versalbuchstabe mit dem Feld in Deckung gebracht, das den Buchstaben oben und unten scharf begrenzt. Unter dem Feld ist die Schriftgröße in typographischen Didot-Punkten, darunter in Millimetern angegeben. Auch die Millimeterangaben beziehen sich auf die Höhe der Versalbuchstaben. Die Schriftweite kann im Berthold-Fotosatz beliebig verändert werden. Die Festlegung der Normalschriftweite erfolgt nach dem Prinzip der optima len Lesbarkeit bei größeren Textmengen. Man sollte nicht ob ne zwingenden Grund von dieser Weite abgehen. Schrift, die

2,40 mm (9 p), Zeilenabstand 4 mm

WEISS-ANTIQUA ITALIQUE

La valeur de la force de corps des caractères de labeur èst généralement exprimée en points typographiques. La force de corps des caractères Berthold-Fototype peut être déterminée avec précision. Tous les caractères du même corps ont des capitales d'une hauteur identique, in dépendamment de la hauteur des bas de casse sans jam bage. Dans la composition plomb, ainsi que dans cer tains systèmes de photocomposition, la hauteur des capi tales, varie souvent d'un caractère à l'autre. Pour détermi ner la force de corps de nos caractères, nous avons mis au point une réglette de hauteur d'œil transparente. On cher che le rectangle qui délimite exactement la hauteur d'œil d'une capitale du caractère choisi. Sous le rectangle cor respondant la valeur de la force de corps est indiquée en points Didots et en millimètres. La valeur en millimètres exprime également la hauteur des capitales. Pour toute

2,65 mm (10 p), Zeilenabstand 4,50 mm

La indicación de las dimensiones para cuerpos de letra vásicos tiene lu gar en general en puntos tipográficos. Los cuerpos de letra de los carac teres Berthold Fototype pueden determinarse exactemente par medi ción. Con independencia de la altura de sus longitudes centrales, todos los caracteres de idéntico cuerpo de letra presentan altura de mayúscu las idéntica. En la composición en plomo y en muchos otros sistemas de fotocomposición, las alturas de mayúsculas varían frecuentemmente en forma considerable de tipo de letra a tipo de letra. Para medir los cuerpos de letra se dispone de un tipómetro, véase la figura. Para la me dición se hace coincidir una letra mayúscula con la casilla cuyos extre mos coinciden con los extremos superior e inferior de la letra. Bajo la ca silla se indica el cuerpo de letra en puntos tipográficos Didot, y debajo en

1,60 mm (6 p), Zeilenabstand 2,50 mm

Größe		Zeilenabstand			100 Zeichen		
mm	p	kp	Êp	Ex	0	−1	−2
1,33	5	1,75	2,00	—	66	63	60
1,60	6	2,13	2,44	2,50	78	74	70
1,86	7	2,44	2,81	—	90	86	82
2,15	8	2,88	3,25	3,38	102	97	92
2,40	9	3,19	3,63	4,00	114	108	102
2,65	10	3,50	4,00	4,50	126	119	112
2,92	11	3,88	4,38	4,69	138	131	124
3,20	12	4,25	4,81	5,25	149	141	133
3,45	13	4,56	5,19	—	161	153	145
3,72	14	4,88	5,56	—	173	164	155
3,98	15	5,25	5,94	—	185	176	167
4,25	16	5,63	6,38	—	196	186	176

WZ 10 E, NSW 0, MZB 0,48, F 0,096:0,042 (2,3), II
H 1–x 0,62–k 1,07–p 0,24–Ê 1,25–kp 1,31–Êp 1,49
BF 089 0697, Belegung 051: 085 0618 (095 0618)

Le misure relative al corpo dei caratteri vengono gene ralmente indicate in punti tipografici. Il corpo dei carat teri Fototypes può essere determinato con esattezza per semplice misurazione. Tutti i caratteri di uguale grandez za in punti hanno, indipendentemente dalla loro lunghez za, uguale altezza delle maiuscole. Nella composizione in piombo ed in molti altri sistemi di fotocomposizione l'altezza delle maiuscole varia spesso da carattere a carat tere. Per misurare il corpo dei caratteri è indispensabile

2,15 mm (8 p), Zeilenabstand 3,38 mm

halbfett
medium
demi-gras

WEISS-ANTIQUA

seminegra
neretto
halvfet

Berthold-Schriften überzeugen durch Schärfe und Qualität Schriftqualität ist eine Frage der Erfahrung. Berthold hat die se Erfahrung seit über hundert Jahren. Zuerst im Schriftguß, dann im Fotosatz. Berthold-Schriften sind weltweit geschät zt. Im Schriftenatelier München wird jeder Buchstabe in der Größe von zwölf Zentimetern neu gezeichnet. Mit messersc harfen Konturen, um für die Schriftscheiben das Optimale an Konturenschärfe herauszuholen. Um die Qualität des Ein zelzeichens im Belichtungsvorgang zu bewahren, wird dur

1,60 mm (6 p), Zeilenabstand 2,50 mm

Berthold-Schriften überzeugen durch Schärfe und Qualität. Schriftqualität ist eine Frage der Erfahrung Berthold hat diese Erfahrung seit über hundert Jahr en. Zuerst im Schriftguß, dann im Fotosatz. Bertho ld-Schriften sind weltweit geschätzt. Im Schriftenate lier München wird jeder Buchstabe in der Größe von zwölf Zentimetern neu gezeichnet. Mit messerscharf en Konturen, um für die Schriftscheiben das Optima

1,86 mm (7 p), Zeilenabstand 3,00 mm

Berthold-Schriften überzeugen durch Schärfe und Qualität. Schriftqualität ist eine Frage der Erfahrung. Berthold hat diese Erfahrung seit über hundert Jahren. Zuerst im Schriftguß, da nn im Fotosatz. Berthold-Schriften sind weltw eit geschätzt. Im Schriftenatelier München wi rd jeder Buchstabe in der Größe von zwölf Zen timetern neu gezeichnet. Mit messerscharfen

2,15 mm (8 p), Zeilenabstand 3,50 mm

Emil Rudolf Weiß
1931
Fundición Tipográfica Neufville
H. Berthold AG

ABCDEFGHIJKLMNOPQ
RSTUVWXYZ
abcdefghijklmnopqrstuvwxyz
1/1234567890%
(.,-;:!¡?¿–) · ["„"“»«]
+−=/$£†*&§
ÄÅÆÖØŒÜäåæıöøœßü
ÁÀÂÃÇČÉÈÊËÍÌÎÏĹŇÑÓÒÔÕ
ŔŘŠŤÚÙÛŴẄÝŶŸŽ
áàâãçčéèêëíìîïĺňñóòôõŕřš
úùûŵẅýỳÿž

Berthold-Schriftweite weit
Berthold-Schriftweite normal
Berthold-Schriftweite eng
Berthold-Schriftweite sehr eng
Berthold-Schriftweite extrem eng

In general, bodytypes are meas ured in the typographical point size. The sizes of Berthold Foto type faces can be exactly dete rmined. All faces of same point size have the same capital heigt h–irrespective of their x-heigth In hot metal and many other phototypesetting systems the c apital heigths often differ cons iderably from one face to the ot her. For measuring point sizes a transparent size gauge is prov ided. To determine the point si ze, bring a capital letter into coi ncidence with that field which precisely circumscribes the lett

3,20 mm (12 p), Zeilenabstand 5,25 mm

Berthold's quick brown fox jumps over the lazy dog and feels as if he were in the seventh
3,75 mm (14 p)

Berthold's quick brown fox jumps over the lazy dog and feels as if he were in t
4,25 mm (16 p)

Berthold's quick brown fox jumps over the lazy dog and feels as if he
4,75 mm (18 p)

Berthold's quick brown fox jumps over the lazy dog and feels
5,30 mm (20 p)

Berthold's quick brown fox jumps over the lazy dog
6,35 mm (24 p)

Berthold's quick brown fox jumps over the l
7,40 mm (28 p)

Berthold's quick brown fox jumps over
8,50 mm (32 p)

Berthold's quick brown fox jumps
9,55 mm (36 p)

Berthold-Schriften überzeugen durch Schärfe und Qualität. Schriftqualität ist eine Frage der Erfahrung. Berthold hat diese E rfahrung seit über hundert Jahren. Zuerst im Schriftguß, dann im Fotosatz. Berthold Schriften sind weltweit geschätzt. Im Schr iftenatelier München wird jeder Buchsta be in der Größe von zwölf Zentimetern n

2,40 mm (9 p), Zeilenabstand 4,00 mm

Größe		Zeilenabstand			100 Zeichen		
mm	p	kp	Êp	Ex	0	–1	–2
1,33	5	1,88	2,13	–	83	80	77
1,60	6	2,25	2,56	2,50	98	94	90
1,86	7	2,56	3,00	3,00	113	109	105
2,15	8	3,00	3,44	3,50	128	123	118
2,40	9	3,31	3,81	4,00	143	137	131
2,65	10	3,69	4,19	4,00	158	151	144
2,92	11	4,06	4,63	–	173	166	159
3,20	12	4,44	5,06	5,25	188	180	172
3,45	13	4,75	5,50	–	202	194	186
3,72	14	5,13	5,94	–	217	208	199
3,98	15	5,50	6,31	–	232	223	214
4,25	16	5,88	6,75	–	246	236	226

WZ 11 E, NSW 0, MZB 0,60, F 0,15:0,063 (2,4), II
H 1–x 0,62–k 1,06–p 0,31–Ê 1,27–kp 1,37–Êp 1,58
BF 089 0698, Belegung 051: 085 0595 (095 0595)

Berthold-Schriften überzeugen durch Schärfe und Qualität. Schriftqualität i st eine Frage der Erfahrung. Berthold hat diese Erfahrung seit über hundert Jahren. Zuerst im Schriftguß, dann im Fotosatz. Berthold-Schriften sind wel tweit geschätzt. Im Schriftenatelier M ünchen wird jeder Buchstabe in der

2,65 mm (10 p), Zeilenabstand 4,00 mm

fett
bold
gras

WEISS-ANTIQUA

negra
nero
fet

**Berthold-Schriften überzeugen durch Schärfe und Qual
ität. Schriftqualität ist eine Frage der Erfahrung. Bertho
ld hat diese Erfahrung seit über hundert Jahren. Zuerst
im Schriftguß, dann im Fotosatz. Berthold-Schriften sind
weltweit geschätzt. Im Schriftenatelier München wird je
der Buchstabe in der Größe von zwölf Zentimetern neu
gezeichnet. Mit messerscharfen Konturen, um für die Sc
hriftscheiben das Optimale an Konturenschärfe heraus
zuholen. Um die Qualität des Einzelzeichens im Belicht**

1,60 mm (6 p), Zeilenabstand 2,50 mm

**Berthold-Schriften überzeugen durch Schärfe
und Qualität. Schriftqualität ist eine Frage der Er
fahrung. Berthold hat diese Erfahrung seit über
hundert Jahren. Zuerst im Schriftguß, dann im
Fotosatz. Berthold-Schriften sind weltweit gesch
ätzt. Im Schriftenatelier München wird jeder Buc
hstabe in der Größe von zwölf Zentimetern neu
gezeichnet. Mit messerscharfen Konturen, um für**

1,86 mm (7 p), Zeilenabstand 3,00 mm

**Berthold-Schriften überzeugen durch Schä
rfe und Qualität. Schriftqualität ist eine Fra
ge der Erfahrung. Berthold hat diese Erfahr
ung seit über hundert Jahren. Zuerst im Sch
riftguß, dann im Fotosatz. Berthold-Schrift
en sind weltweit geschätzt. Im Schriftenatel
ier München wird jeder Buchstabe in der
Größe von zwölf Zentimetern neu gezeich**

2,15 mm (8 p), Zeilenabstand 3,50 mm

**Emil Rudolf Weiß
1948
Fundición Tipográfica Neufville
H. Berthold AG**

**ABCDEFGHIJKLMNOPQ
RSTUVWXYZ
abcdefghijklmnopqrstuvwxyz
1/1234567890%
(.,-;:!¡?¿–) · [’‘„“”»«]
+–=/$£†* &§
ÄÅÆÖØŒÜäåæıöøœßü
ÁÀÂÃÇČÉÈÊËÍÌÎÏĹŇÑÓÒÔÕ
ŔŘŠŤÚÙÛŴẄÝŶŸŽ
áàâãçčéèêëíìîïĺňñóòôõŕřš
úùûŵẅýỳÿž**

**Berthold-Schriftweite weit
Berthold-Schriftweite normal
Berthold-Schriftweite eng
Berthold-Schriftweite sehr eng
Berthold-Schriftweite extrem eng**

**In general, bodytypes are me
asured in the typographical
point size. The sizes of Ber
thold Fototype faces can be e
xactly determined. All faces
of same point size have the sa
me capital heigth–irrespecti
ve of their x-heigth. In hot me
tal and many other phototyp
esetting systems the capital h
eigths often differ considera
bly from one face to the other
For measuring point sizes, a t
ransparent size gauge is prov
ided. To determine the point
size, bring a capital letter into
coincidence with that field w**

3,20 mm (12 p), Zeilenabstand 5,25 mm

Berthold's quick brown fox jumps over the lazy dog and feels as if he were in the s
3,75 mm (14 p)

Berthold's quick brown fox jumps over the lazy dog and feels as if he w
4,25 mm (16 p)

Berthold's quick brown fox jumps over the lazy dog and feels as
4,75 mm (18 p)

Berthold's quick brown fox jumps over the lazy dog and
5,30 mm (20 p)

Berthold's quick brown fox jumps over the lazy
6,35 mm (24 p)

Berthold's quick brown fox jumps over t
7,40 mm (28 p)

Berthold's quick brown fox jumps
8,50 mm (32 p)

Berthold's quick brown fox jum
9,55 mm (36 p)

**Berthold-Schriften überzeugen durch
Schärfe und Qualität. Schriftqualität is
t eine Frage der Erfahrung. Berthold ha
t diese Erfahrung seit über hundert Jah
ren. Zuerst im Schriftguß, dann im Fot
osatz. Berthold-Schriften sind weltweit
geschätzt. Im Schriftenatelier Münche
n wird jeder Buchstabe in der Größe v**

2,40 mm (9 p), Zeilenabstand 4,00 mm

Größe		Zeilenabstand			100 Zeichen		
mm	p	kp	Êp	Ex	0	−1	−2
1,33	5	1,88	2,19	–	89	86	83
1,60	6	2,25	2,56	2,50	105	101	97
1,86	7	2,63	3,00	3,00	121	117	113
2,15	8	3,06	3,50	3,50	137	132	127
2,40	9	3,38	3,88	4,00	153	147	141
2,65	10	3,75	4,25	4,00	169	162	155
2,92	11	4,13	4,69	–	185	178	171
3,20	12	4,50	5,13	5,25	201	193	185
3,45	13	4,88	5,56	–	216	208	200
3,72	14	5,25	6,00	–	232	223	214
3,98	15	5,63	6,38	–	248	239	230
4,25	16	6,00	6,81	–	264	254	244

WZ 12 E, NSW 0, MZB 0,64, F 0,20:0,071 (2,9), II
H 1–x 0,64–k 1,11–p 0,29–Ê 1,31–kp 1,40–Êp 1,60
BF 089 0699, Belegung 051: 085 0614 (095 0164)

**Berthold-Schriften überzeugen du
rch Schärfe und Qualität. Schriftq
ualität ist eine Frage der Erfahru
ng. Berthold hat diese Erfahrung se
it über hundert Jahren. Zuerst im S
chriftguß, dann im Fotosatz. Berth
old-Schriften sind weltweit geschä
tzt. Im Schriftenatelier München w**

2,65 mm (10 p), Zeilenabstand 4,00 mm

extrafett
extra bold
extra gras

WEISS-ANTIQUA

muy negra
nerissimo
extra fet

Berthold-Schriften überzeugen durch Schärfe und Qualität. Schriftqualität ist eine Frage der Erfahrung. Berthold hat diese Erfahrung seit über hundert Jahren Zuerst im Schriftguß, dann im Fotosatz. Berthold-Schriften sind weltweit geschätzt. Im Schriftenatelier München wird jeder Buchstabe in der Größe von zwölf Zentimetern neu gezeichnet. Mit messerscharfen Konturen um für die Schriftscheiben das Optimale an Konturenschärfe herauszuholen. Um die Qualität des Einzelzeic

1,60 mm (6 p), Zeilenabstand 2,50 mm

Berthold-Schriften überzeugen durch Schärfe und Qualität. Schriftqualität ist eine Frage der Erfahrung. Berthold hat diese Erfahrung seit über hundert Jahren. Zuerst im Schriftguß, dann im Fotosatz. Berthold-Schriften sind weltweit geschätzt. Im Schriftenatelier München wird jeder Buchstabe in der Größe von zwölf Zentimetern neu gezeichnet. Mit messerscharfen Kontur

1,86 mm (7 p), Zeilenabstand 3,00 mm

Berthold-Schriften überzeugen durch Schärfe und Qualität. Schriftqualität ist eine Frage der Erfahrung. Berthold hat diese Erfahrung seit über hundert Jahren. Zuerst im Schriftguß, dann im Fotosatz. Berthold Schriften sind weltweit geschätzt. Im Schriftenatelier München wird jeder Buchstabe in der Größe von zwölf Zentimetern neu

2,15 mm (8 p), Zeilenabstand 3,50 mm

Fundición Tipográfica Neufville
H. Berthold AG

ABCDEFGHIJKLMNOPQ
RSTUVWXYZ
abcdefghijklmnopqrstuvwxyz
1/1234567890%
(.,-;:!¡?¿–) · ['‘„"“»«]
+−=/$£†*&§
ÄÅÆÖØŒÜäåæıöøœßü
ÁÀÂÃÇČÉÈÊËÍÌÎÏĹŇÑÓÒÔÕ
ŔŘŠŤÚÙÛŴẄÝŶŸŽ
áàâãçčéèêëíìîïĺňñóòôõŕřš
úùûŵẅýỳÿž

Berthold-Schriftweite weit
Berthold-Schriftweite normal
Berthold-Schriftweite eng
Berthold-Schriftweite sehr eng
Berthold-Schriftweite extrem eng

In general, bodytypes are measured in the typographical point size. The sizes of Berthold Fototype faces can be exactly determined. All faces of same point size have the same capital height–irrespective of their x-height. In hot metal and many other phototypesetting systems the capital heights often differ considerably from one face to the other. For measuring point sizes, a transparent size gauge is provided. To determine the point size, bring a capital letter into coincidence with t

3,20 mm (12 p), Zeilenabstand 5,25 mm

Berthold's quick brown fox jumps over the lazy dog and feels as if he were in th
3,75 mm (14 p)

Berthold's quick brown fox jumps over the lazy dog and feels as if he
4,25 mm (16 p)

Berthold's quick brown fox jumps over the lazy dog and feels
4,75 mm (18 p)

Berthold's quick brown fox jumps over the lazy dog and
5,30 mm (20 p)

Berthold's quick brown fox jumps over the laz
6,35 mm (24 p)

Berthold's quick brown fox jumps over
7,40 mm (28 p)

Berthold's quick brown fox jumps
8,50 mm (32 p)

Berthold's quick brown fox ju
9,55 mm (36 p)

Berthold-Schriften überzeugen durch Schärfe und Qualität. Schriftqualität ist eine Frage der Erfahrung. Berthold hat diese Erfahrung seit über hundert Jahren. Zuerst im Schriftguß, dann im Fotosatz. Berthold-Schriften sind weltweit geschätzt. Im Schriftenatelier München wird jeder Buchstabe i

2,40 mm (9 p), Zeilenabstand 4,00 mm

Größe mm	p	Zeilenabstand kp	Êp	Ex	100 Zeichen 0	−1	−2
1,33	5	1,81	2,19	–	90	87	84
1,60	6	2,13	2,56	2,50	106	102	98
1,86	7	2,50	3,00	3,00	122	118	114
2,15	8	2,88	3,50	3,50	139	134	129
2,40	9	3,19	3,88	4,00	156	150	144
2,65	10	3,50	4,25	4,00	172	165	158
2,92	11	3,88	4,69	–	188	181	174
3,20	12	4,25	5,13	5,25	204	196	188
3,45	13	4,56	5,56	–	220	212	204
3,72	14	4,94	6,00	–	236	227	218
3,98	15	5,31	6,38	–	252	243	234
4,25	16	5,63	6,81	–	268	258	248

WZ 13 E, NSW 0, MZB 0,65, F 0,27:0,067 (4,0), II
H 1–x 0,64–k 1,03–p 0,29–Ê 1,31–kp 1,32–Êp 1,60
BF 089 0700, Belegung 051: 085 0511 (095 0511)

Berthold-Schriften überzeugen durch Schärfe und Qualität. Schriftqualität ist eine Frage der Erfahrung. Berthold hat diese Erfahrung seit über hundert Jahren. Zuerst im Schriftguß, dann im Fotosatz. Berthold-Schriften sind weltweit geschätzt. Im Schriftenatelier Münche

2,65 mm (10 p), Zeilenabstand 4,00 mm

ultrafett
ultra bold
ultra gras

WEISS-ANTIQUA

ultra negra
ultra nero
ultrafet

Berthold-Schriften überzeugen durch Schärfe und Qualität. Schriftqualität ist eine Frage der Erfahru ng. Berthold hat diese Erfahrung seit über hundert Jahren. Zuerst im Schriftguß, dann im Fotosatz. Bert hold-Schriften sind weltweit geschätzt. Im Schriften atelier München wird jeder Buchstabe in der Größe von zwölf Zentimetern neu gezeichnet. Mit messersc harfen Konturen, um für die Schriftscheiben das Op timale an Konturenschärfe herauszuholen. Um die

1,60 mm (6 p), Zeilenabstand 2,50 mm

Berthold-Schriften überzeugen durch Schärfe und Qualität. Schriftqualität ist eine Frage der Erfahrung. Berthold hat diese Erfahrung seit über hundert Jahren. Zuerst im Schriftguß dann im Fotosatz. Berthold-Schriften sind we ltweit geschätzt. Im Schriftenatelier München wird jeder Buchstabe in der Größe von zwölf Zentimetern neu gezeichnet. Mit messerschar

1,86 mm (7 p), Zeilenabstand 3,00 mm

Berthold-Schriften überzeugen durch Schärfe und Qualität. Schriftqualität ist eine Frage der Erfahrung. Berthold hat diese Erfahrung seit über hundert Jahr en. Zuerst im Schriftguß, dann im Fotos atz. Berthold-Schriften sind weltweit ge schätzt. Im Schriftenatelier München wi rd jeder Buchstabe in der Größe von zw

2,15 mm (8 p), Zeilenabstand 3,50 mm

Fundición Tipográfica Neufville
H. Berthold AG

ABCDEFGHIJKLMNOPQ
RSTUVWXYZ
abcdefghijklmnopqrstuvwxyz
1/1234567890%
(.,-;:!¡?¿–) · [’‘„″“»«]
+−=/$£†*&§
ÄÅÆÖØŒUäåæıöøœßü
ÁÀÂÃÇČÉÈÊËÍÌÎÏĹŇÑÓÒÔÕ
ŔŘŠŤÚÙÛŴẄÝŶŸŽ
áàâãçčéèêëíìîïĺňñóòôõŕřš
úùûŵẅýỳÿž

Berthold-Schriftweite weit
Berthold-Schriftweite normal
Berthold-Schriftweite eng
Berthold-Schriftweite sehr eng
Berthold-Schriftweite extrem eng

In general, bodytypes are measured in the typograp hical point size. The sizes of Berthold Fototype faces ca n be exactly determined. Al l faces of same point size ha ve the same capital heigth irrespective of their x-heigt h. In hot metal and many ot her phototypesetting syste ms the capital heigths often differ considerably from o ne face to the other. For me asuring point sizes, a trans parent size gauge is provid ed. To determine the point size, bring a capital letter i

3,20 mm (12 p), Zeilenabstand 5,25 mm

Berthold’s quick brown fox jumps over the lazy dog and feels as if he were i
3,75 mm (14 p)

Berthold’s quick brown fox jumps over the lazy dog and feels as if
4,25 mm (16 p)

Berthold’s quick brown fox jumps over the lazy dog and fe
4,75 mm (18 p)

Berthold’s quick brown fox jumps over the lazy dog
5,30 mm (20 p)

Berthold’s quick brown fox jumps over the l
6,35 mm (24 p)

Berthold’s quick brown fox jumps ov
7,40 mm (28 p)

Berthold’s quick brown fox jum
8,50 mm (32 p)

Berthold’s quick brown fox j
9,55 mm (36 p)

Berthold-Schriften überzeugen dur ch Schärfe und Qualität. Schriftqua lität ist eine Frage der Erfahrung. Be rthold hat diese Erfahrung seit über hundert Jahren. Zuerst im Schriftgu ß, dann im Fotosatz. Berthold-Schri ften sind weltweit geschätzt. Im Sch riftenatelier München wird jeder B

2,40 mm (9 p), Zeilenabstand 4,00 mm

Größe mm	p	Zeilenabstand kp	Êp	Ex	100 Zeichen 0	−1	−2
1,33	5	1,81	2,19	—	97	94	91
1,60	6	2,13	2,56	2,50	114	110	106
1,86	7	2,50	3,00	3,00	131	127	123
2,15	8	2,88	3,50	3,50	149	144	139
2,40	9	3,19	3,88	4,00	167	161	155
2,65	10	3,50	4,25	4,00	184	177	170
2,92	11	3,88	4,69	—	201	194	187
3,20	12	4,25	5,13	5,25	218	210	202
3,45	13	4,56	5,56	—	235	227	219
3,72	14	4,94	6,00	—	253	244	235
3,98	15	5,31	6,38	—	270	261	252
4,25	16	5,63	6,81	—	287	277	267

WZ 14 E, NSW 0, MZB 0,69, F 0,30:0,071 (4,3), II
H 1–x 0,65–k 1,03–p 0,29–Ê 1,31–kp 1,32–Êp 1,60
BF 089 0701, Belegung 051: 085 0523 (095 0523)

Berthold-Schriften überzeugen durch Schärfe und Qualität. Sch riftqualität ist eine Frage der Erf ahrung. Berthold hat diese Erfa hrung seit über hundert Jahren Zuerst im Schriftguß, dann im F otosatz. Berthold-Schriften sind weltweit geschätzt. Im Schriften

2,65 mm (10 p), Zeilenabstand 4,00 mm

schmalfett
extra bold condensed
étroit extra gras

WEISS-ANTIQUA

negra estrecha
nero stretto
smalfet

Berthold-Schriften überzeugen durch Schärfe und Qualität. Sc hriftqualität ist eine Frage der Erfahrung. Berthold hat diese Er fahrung seit über hundert Jahren. Zuerst im Schriftguß, dann im Fotosatz. Berthold-Schriften sind weltweit geschätzt. Im Schri ftenatelier München wird jeder Buchstabe in der Größe von zw ölf Zentimetern neu gezeichnet. Mit messerscharfen Konturen um für die Schriftscheiben das Optimale an Konturenschärfe herauszuholen. Um die Qualität des Einzelzeichens im Belicht ungsvorgang zu bewahren, wird durch die ruhende, nicht rotie

1,60 mm (6 p), Zeilenabstand 2,50 mm

Berthold-Schriften überzeugen durch Schärfe und Qu alität. Schriftqualität ist eine Frage der Erfahrung. Ber thold hat diese Erfahrung seit über hundert Jahren. Zu erst im Schriftguß, dann im Fotosatz. Berthold-Schrift en sind weltweit geschätzt. Im Schriftenatelier Münch en wird jeder Buchstabe in der Größe von zwölf Zenti metern neu gezeichnet. Mit messerscharfen Konturen um für die Schriftscheiben das Optimale an Konturens

1,86 mm (7 p), Zeilenabstand 3,00 mm

Berthold-Schriften überzeugen durch Schärfe und Qualität. Schriftqualität ist eine Frage der Erfahrung. Berthold hat diese Erfahrung seit üb er hundert Jahren. Zuerst im Schriftguß, dann im Fotosatz. Berthold-Schriften sind weltweit gesc hätzt. Im Schriftenatelier München wird jeder Buchstabe in der Größe von zwölf Zentimetern neu gezeichnet. Mit messerscharfen Konturen

2,15 mm (8 p), Zeilenabstand 3,50 mm

Fundición Tipográfica Neufville
H. Berthold AG

ABCDEFGHIJKLMNOPQ
RSTUVWXYZ
abcdefghijklmnopqrstuvwxyz
1/1234567890 %
(.,-;:!¡?¿–) · [’‘„"“»«]
+−=/$£†*&§
ÄÅÆÖØŒÜäåæıöøœßü
ÁÀÂÃÇČÉÈÊËÍÌÎÏĹŇÑÓÒÔÕ
ŔŘŠŤÚÙÛŴẄÝỲŶŸŽ
áàâãçčéèêëíìîïĺňñóòôõŕřš
úùûŵẅýỳÿž

Berthold-Schriftweite weit
Berthold-Schriftweite normal
Berthold-Schriftweite eng
Berthold-Schriftweite sehr eng
Berthold-Schriftweite extrem eng

In general, bodytypes are meas ured in the typographical point size. The sizes of Berthold Fotot ype faces can be exactly dete rmined. All faces of same point s ize have the same capital heigth irrespective of their x-heigth. In hot metal and many other photo typesetting systems the capital h eigths often differ considerably from one face to the other. For measuring point sizes a transpar ent size gauge is provided. To determine the point size, bring a capital letter into coincidence w ith that field which precisely circ umscribes the letter at its upper

3,20 mm (12 p), Zeilenabstand 5,25 mm

Berthold's quick brown fox jumps over the lazy dog and feels as if he were in the seventh
3,75 mm (14 p)

Berthold's quick brown fox jumps over the lazy dog and feels as if he were in th
4,25 mm (16 p)

Berthold's quick brown fox jumps over the lazy dog and feels as if he
4,75 mm (18 p)

Berthold's quick brown fox jumps over the lazy dog and feels a
5,30 mm (20 p)

Berthold's quick brown fox jumps over the lazy dog
6,35 mm (24 p)

Berthold's quick brown fox jumps over the la
7,40 mm (28 p)

Berthold's quick brown fox jumps over
8,50 mm (32 p)

Berthold's quick brown fox jumps
9,55 mm (36 p)

Berthold-Schriften überzeugen durch Sch ärfe und Qualität. Schriftqualität ist eine Fr age der Erfahrung. Berthold hat diese Erfa hrung seit über hundert Jahren. Zuerst im S chriftguß, dann im Fotosatz. Berthold-Schr iften sind weltweit geschätzt. Im Schriftena telier München wird jeder Buchstabe in der Größe von zwölf Zentimetern neu gezeich

2,40 mm (9 p), Zeilenabstand 4,00 mm

Größe		Zeilenabstand			100 Zeichen		
mm	p	kp	Êp	Ex	0	−1	−2
1,33	5	1,81	2,13	—	79	76	73
1,60	6	2,13	2,56	2,50	93	89	85
1,86	7	2,50	3,00	3,00	107	103	99
2,15	8	2,88	3,44	3,50	122	117	112
2,40	9	3,19	3,88	4,00	137	131	125
2,65	10	3,50	4,25	4,00	151	144	137
2,92	11	3,88	4,69	—	165	158	151
3,20	12	4,25	5,13	5,25	179	171	163
3,45	13	4,56	5,50	—	193	185	177
3,72	14	4,94	5,94	—	207	198	189
3,98	15	5,31	6,38	—	221	212	203
4,25	16	5,63	6,81	—	235	225	215

WZ 12 E, NSW 0, MZB 0,57, F 0,23:0,067 (3,4), II H 1–x 0,64–k 1,03–p 0,29–Ê 1,30–kp 1,32–Êp 1,59 BF 089 0702, Belegung 051: 085 0520 (095 0520)

Berthold-Schriften überzeugen durch Schärfe und Qualität. Schriftqualität ist eine Frage der Erfahrung. Berthold hat diese Erfahrung seit über hundert Jahr en. Zuerst im Schriftguß, dann im Foto satz. Berthold-Schriften sind weltweit geschätzt. Im Schriftenatelier München wird jeder Buchstabe in der Größe von

2,65 mm (10 p), Zeilenabstand 4,00 mm

schmal extrafett
extra bold condensed
étroit extra gras

WEISS-ANTIQUA

muy negra estrecha
nerissimo stretto
smal extrafet

Berthold-Schriften überzeugen durch Schärfe und Qualität Schriftqualität ist eine Frage der Erfahrung. Berthold hat di ese Erfahrung seit über hundert Jahren. Zuerst im Schriftg uß, dann im Fotosatz. Berthold-Schriften sind weltweit geschätzt. Im Schriftenatelier München wird jeder Buchsta be in der Größe von zwölf Zentimetern neu gezeichnet. Mit messerscharfen Konturen, um für die Schriftscheiben das Optimale an Konturenschärfe herauszuholen. Um die Qua lität des Einzelzeichens im Belichtungsvorgang zu bewahr

1,60 mm (6 p), Zeilenabstand 2,50 mm

Berthold-Schriften überzeugen durch Schärfe und Qualität. Schriftqualität ist eine Frage der Erfahru ng. Berthold hat diese Erfahrung seit über hundert Jahren. Zuerst im Schriftguß, dann im Fotosatz. Bert hold-Schriften sind weltweit geschätzt. Im Schrifte natelier München wird jeder Buchstabe in der Größe von zwölf Zentimetern neu gezeichnet. Mit messers charfen Konturen, um für die Schriftscheiben das

1,86 mm (7 p), Zeilenabstand 3,00 mm

Berthold-Schriften überzeugen durch Schärfe und Qualität. Schriftqualität ist eine Frage der Erfahrung. Berthold hat diese Erfahrung seit über hundert Jahren. Zuerst im Schriftguß, da nn im Fotosatz. Berthold-Schriften sind wel tweit geschätzt. Im Schriftenatelier München wird jeder Buchstabe in der Größe von zwölf Zentimetern neu gezeichnet. Mit messerscha

2,15 mm (8 p), Zeilenabstand 3,50 mm

Fundición Tipográfica Neufville
H. Berthold AG

ABCDEFGHIJKLMNOPQ
RSTUVWXYZ
abcdefghijklmnopqrstuvwxyz
1/1234567890%
(.,-;:!¡?¿–) · ['‘„"“»«]
+-=/$£†*&§
ÄÅÆÖØŒÜäåæıöøœßü
ÁÀÂÃÇČÉÈÊËÍÌÎÏĹŇÑÓÒÔÕ
ŔŘŠŤÚÙÛŴẄÝŶŸŽ
áàâãçčéèêëíìîïĺňñóòôõŕřš
úùûŵẅýỳÿž

Berthold-Schriftweite weit
Berthold-Schriftweite normal
Berthold-Schriftweite eng
Berthold-Schriftweite sehr eng
Berthold-Schriftweite extrem eng

In general, bodytypes are me asured in the typographical po int size. The sizes of Berthold F ototype faces can be exactly de termined. All faces of same poi nt size have the same capital he ight–irrespective of their x-hei ght. In hot metal and many oth er phototypesetting systems th e capital heights often differ co nsiderably from one face to the other. For measuring point siz es a transparent size gauge is p rovided. To determine the poi nt size, bring a capital letter into coincidence with that field whi ch precisely circumscribes the

3,20 mm (12 p), Zeilenabstand 5,25 mm

Berthold's quick brown fox jumps over the lazy dog and feels as if he were in the seve
3,72 mm (14 p)

Berthold's quick brown fox jumps over the lazy dog and feels as if he were i
4,25 mm (16 p)

Berthold's quick brown fox jumps over the lazy dog and feels as if h
4,75 mm (18 p)

Berthold's quick brown fox jumps over the lazy dog and feel
5,30 mm (20 p)

Berthold's quick brown fox jumps over the lazy do
6,35 mm (24 p)

Berthold's quick brown fox jumps over the
7,40 mm (28 p)

Berthold's quick brown fox jumps ov
8,50 mm (32 p)

Berthold's quick brown fox jumps
9,55 mm (36 p)

Berthold-Schriften überzeugen durch Sc härfe und Qualität. Schriftqualität ist ein e Frage der Erfahrung. Berthold hat diese Erfahrung seit über hundert Jahren. Zuer st im Schriftguß, dann im Fotosatz. Berth old-Schriften sind weltweit geschätzt. Im Schriftenatelier München wird jeder Buc hstabe in der Größe von zwölf Zentimete

2,40 mm (9 p), Zeilenabstand 4,00 mm

Größe		Zeilenabstand			100 Zeichen		
mm	p	kp	Êp	Ex	0	–1	–2
1,33	5	1,81	2,19	–	83	80	77
1,60	6	2,13	2,56	2,50	98	94	90
1,86	7	2,50	3,00	3,00	113	109	105
2,15	8	2,88	3,50	3,50	128	123	118
2,40	9	3,19	3,88	4,00	143	137	131
2,65	10	3,50	4,25	4,00	158	151	144
2,92	11	3,88	4,69	–	173	166	159
3,20	12	4,25	5,13	5,25	188	180	172
3,45	13	4,56	5,56	–	202	194	186
3,72	14	4,94	6,00	–	217	208	199
3,98	15	5,31	6,38	–	232	223	214
4,25	16	5,63	6,81	–	246	236	226

WZ 12 E, NSW 0, MZB 0,60, F 0,25:0,071 (3,5), II
H 1–x 0,64–k 1,03–p 0,29–Ê 1,31–kp 1,32–Êp 1,60
BF 089 0703, Belegung 051: 085 0514 (095 0514)

Berthold-Schriften überzeugen durch Schärfe und Qualität. Schriftqualität ist eine Frage der Erfahrung. Berthold hat diese Erfahrung seit über hundert Jahren. Zuerst im Schriftguß, dann im Fotosatz. Berthold-Schriften sind we ltweit geschätzt. Im Schriftenatelier München wird jeder Buchstabe in der

2,65 mm (10 p), Zeilenabstand 4,00 mm

Weiß-Rundgotisch 1

Berthold-Schriften überzeugen durch Schärfe und Qualität Schriftqualität ist eine Frage der Erfahrung. Berthold hat d iese Erfahrung seit über hundert Jahren. Zuerst im Schriftgu ß, dann im Fotosatz. Berthold-Schriften sind weltweit geschä tzt. Im Schriftenatelier München wird jeder Buchstabe in der Größe von zwölf Zentimetern neu gezeichnet. Mit messerscha rfen Konturen, um für die Schriftscheiben das Optimale an K onturenschärfe herauszuholen. Um die Qualität des Einzelz eichens im Belichtungsvorgang zu bewahren, wird durch die

1,60 mm (6 p), Zeilenabstand 2,50 mm

Berthold-Schriften überzeugen durch Schärfe und Q ualität. Schriftqualität ist eine Frage der Erfahrung. B erthold hat diese Erfahrung seit über hundert Jahren Zuerst im Schriftguß, dann im Fotosatz. Berthold-S chriften sind weltweit geschätzt. Im Schriftenatelier M ünchen wird jeder Buchstabe in der Größe von zwölf Zentimetern neu gezeichnet. Mit messerscharfen Kont uren, um für die Schriftscheiben das Optimale an Kon

1,86 mm (7 p), Zeilenabstand 3,00 mm

Berthold-Schriften überzeugen durch Schärfe und Qualität. Schriftqualität ist eine Frage der Erfahrung. Berthold hat diese Erfahrung seit über hundert Jahren. Zuerst im Schriftguß, da nn im Fotosatz. Berthold-Schriften sind weltw eit geschätzt. Im Schriftenatelier München wird jeder Buchstabe in der Größe von zwölf Zenti metern neu gezeichnet. Mit messerscharfen Kont

2,15 mm (8 p), Zeilenabstand 3,50 mm

Emil Rudolf Weiß
1937
Fundicion Tipografica Neufville
H. Berthold AG

ABCDEFG
HIJKLMNOPQRSTU
VWXYZÄÖÜ
abcdefghijklmnopqrsſ
tuvwxyzäöü
chckfffiflſtllſiſſſtßttz
1234567890
1234567890%
(.,-;:!?–)·[',"»«]
/+—=×~∞Ø°/
₵+*&§

Berthold-Schriftweite weit
Berthold-Schriftweite normal
Berthold-Schriftweite eng
Berthold-Schriftweite sehr eng
Berthold-Schriftweite extrem eng

In general, bodytypes are meas ured in the typographical point size. The sizes of Berthold Fotot ype faces can be exactly determ ined. All faces of same point size have the same capital height-irr espective of their x-height. In hot metal and many other phototyp esetting systems the capital heig hts often differ considerably fro m one face to the other. For me asuring point sizes, a transparent size gauge is provided. To dete rmine the point size, bring a capi tal letter into coincidence with t hat field which precisely circums cribes the letter at its upper and

3,20 mm (12 p), Zeilenabstand 5,25 mm

Berthold's quick brown fox jumps over the lazy dog and feels as if he were in the seventh
3,72 mm (14 p)

Berthold's quick brown fox jumps over the lazy dog and feels as if he were in t
4,25 mm (16 p)

Berthold's quick brown fox jumps over the lazy dog and feels as if he
4,75 mm (18 p)

Berthold's quick brown fox jumps over the lazy dog and feels
5,30 mm (20 p)

Berthold's quick brown fox jumps over the lazy dog
6,35 mm (24 p)

Berthold's quick brown fox jumps over the la
7,40 mm (28 p)

Berthold's quick brown fox jumps over
8,50 mm (32 p)

Berthold's quick brown fox jumps
9,55 mm (36 p)

Berthold-Schriften überzeugen durch Sch ärfe und Qualität. Schriftqualität ist eine F rage der Erfahrung. Berthold hat diese Erf ahrung seit über hundert Jahren. Zuerst im Schriftguß, dann im Fotosatz. Berthold-S chriften sind weltweit geschätzt. Im Schrift enatelier München wird jeder Buchstabe in der Größe von zwölf Zentimetern neu gez

2,40 mm (9 p), Zeilenabstand 4,00 mm

Größe		Zeilenabstand			100 Zeichen		
mm	p	kp	Êp	Ex	0	−1	−2
1,33	5	1,88	2,13	–	86	83	80
1,60	6	2,31	2,56	2,50	101	97	93
1,86	7	2,63	3,00	3,00	116	112	108
2,15	8	3,06	3,44	3,50	132	127	122
2,40	9	3,44	3,88	4,00	148	142	136
2,65	10	3,75	4,25	4,00	163	156	149
2,92	11	4,13	4,69	–	178	171	164
3,20	12	4,56	5,13	5,25	193	185	177
3,45	13	4,88	5,50	–	209	201	193
3,72	14	5,25	5,94	–	224	215	206
3,98	15	5,63	6,38	–	239	230	221
4,25	16	6,00	6,81	–	254	244	234

WZ 13 E, NSW 0, MZB 0,61, F 0,18:0,04 (4,2), I
H 1–x 0,76–k 1,11–p 0,30–Ê 1,29–kp 1,41–Êp 1,59
BF 089 1525, Belegung 025: 085 1490 (095 1490)

Berthold-Schriften überzeugen durch Schärfe und Qualität. Schriftqualität ist eine Frage der Erfahrung. Bertho ld hat diese Erfahrung seit über hund ert Jahren. Zuerst im Schriftguß, da nn im Fotosatz. Berthold-Schriften si nd weltweit geschätzt. Im Schriftenat elier München wird jeder Buchstabe in

2,65 mm (10 p), Zeilenabstand 4,00 mm

Weiß-Rundgotiſch 2

Berthold-Schriften überzeugen durch Schärfe und Qualität
Schriftqualität iſt eine Frage der Erfahrung. Berthold hat d
ieſe Erfahrung ſeit über hundert Jahren. Zuerſt im Schriftgu
ß, dann im Fotoſatz. Berthold-Schriften ſind weltweit geſchä
tzt. Im Schriftenatelier München wird jeder Buchſtabe in der
Größe von zwölf Zentimetern neu gezeichnet. Mit meſſerſcha
rfen Konturen, um für die Schriftſcheiben das Optimale an K
onturenſchärfe herauszuholen. Um die Qualität des Einzelz
eichens im Belichtungsvorgang zu bewahren, wird durch die r

1,60 mm (6 p), Zeilenabstand 2,50 mm

Berthold-Schriften überzeugen durch Schärfe und Qu
alität. Schriftqualität iſt eine Frage der Erfahrung. Ber
thold hat dieſe Erfahrung ſeit über hundert Jahren. Zu
erſt im Schriftguß, dann im Fotoſatz. Berthold-Schrift
en ſind weltweit geſchätzt. Im Schriftenatelier München
wird jeder Buchſtabe in der Größe von zwölf Zentimet
ern neu gezeichnet. Mit meſſerſcharfen Konturen, um f
ür die Schriftſcheiben das Optimale an Konturenſchär

1,86 mm (7 p), Zeilenabstand 3,00 mm

Berthold-Schriften überzeugen durch Schärfe u
nd Qualität. Schriftqualität iſt eine Frage der E
rfahrung. Berthold hat dieſe Erfahrung ſeit üb
er hundert Jahren. Zuerſt im Schriftguß, dann
im Fotoſatz. Berthold-Schriften ſind weltweit g
eſchätzt. Im Schriftenatelier München wird jeder
Buchſtabe in der Größe von zwölf Zentimetern
neu gezeichnet. Mit meſſerſcharfen Konturen, um

2,15 mm (8 p), Zeilenabstand 3,50 mm

Emil Rudolf Weiß
1937
Fundicion Tipografica Neufville
H. Berthold AG

ABCDEFG
HIJKLMNOPQRSTU
VWXYZÄÖÜ
abcdefghijklmnopqrſ
tuvwxyzäöü
chckffſiflftllſiſſſtßttz
1234567890
1234567890%
(.,-;:!?–)·['„"»«]
/+–=×~∞Ø°/
₵+*&§

Berthold-Schriftweite weit
Berthold-Schriftweite normal
Berthold-Schriftweite eng
Berthold-Schriftweite ſehr eng
Berthold-Schriftweite extrem eng

In general, bodytypes are meaſu
red in the typographical point ſi
ze. The ſizes of Berthold Fototy
pe faces can be exactly determin
ed. All faces of ſame point ſize h
ave the ſame capital height–irreſ
pective of their x-height. In hot m
etal and many other phototypeſ
etting ſyſtems the capital heights
often differ conſiderably from o
ne face to the other. For meaſurin
g point ſizes, a tranſparent ſize g
auge is provided. To determine
the point ſize, bring a capital lett
er into coincidence with that fiel
d which preciſely circumſcribes
the letter at its upper and lower

3,20 mm (12 p), Zeilenabstand 5,25 mm

Berthold's quick brown fox jumps over the lazy dog and feels as if he were in the ſeventh
3,72 mm (14 p)

Berthold's quick brown fox jumps over the lazy dog and feels as if he were in t
4,25 mm (16 p)

Berthold's quick brown fox jumps over the lazy dog and feels as if he
4,75 mm (18 p)

Berthold's quick brown fox jumps over the lazy dog and feels a
5,30 mm (20 p)

Berthold's quick brown fox jumps over the lazy dog
6,35 mm (24 p)

Berthold's quick brown fox jumps over the la
7,40 mm (28 p)

Berthold's quick brown fox jumps over
8,50 mm (32 p)

Berthold's quick brown fox jumps
9,55 mm (36 p)

Berthold-Schriften überzeugen durch Sch
ärfe und Qualität. Schriftqualität iſt eine F
rage der Erfahrung. Berthold hat dieſe Erfa
hrung ſeit über hundert Jahren. Zuerſt im S
chriftguß, dann im Fotoſatz. Berthold-Schr
iften ſind weltweit geſchätzt. Im Schriftenat
elier München wird jeder Buchſtabe in der
Größe von zwölf Zentimetern neu gezeich

2,40 mm (9 p), Zeilenabstand 4,00 mm

Größe mm	p	Zeilenabstand kp	Êp	Ex	100 Zeichen 0	–1	–2
1,33	5	1,88	2,13	–	86	83	80
1,60	6	2,31	2,56	2,50	101	97	93
1,86	7	2,63	3,00	3,00	116	112	108
2,15	8	3,06	3,44	3,50	132	127	122
2,40	9	3,44	3,88	4,00	148	142	136
2,65	10	3,75	4,25	4,00	163	156	149
2,92	11	4,13	4,69	–	178	171	164
3,20	12	4,56	5,13	5,25	193	185	177
3,45	13	4,88	5,50	–	209	201	193
3,72	14	5,25	5,94	–	224	215	206
3,98	15	5,63	6,38	–	239	230	221
4,25	16	6,00	6,81	–	254	244	234

WZ 13 E, NSW 0, MZB 0,61, F 0,18:0,04 (4,2), I
H 1–x 0,76–k 1,11–p 0,30–Ê 1,29–kp 1,41–Êp 1,59
BF 089 1526, Belegung 025: 085 1491 (095 1491)

Berthold-Schriften überzeugen durch
Schärfe und Qualität. Schriftqualität
iſt eine Frage der Erfahrung. Bertho
ld hat dieſe Erfahrung ſeit über hund
ert Jahren. Zuerſt im Schriftguß, da
nn im Fotoſatz. Berthold-Schriften ſi
nd weltweit geſchätzt. Im Schriftenat
elier München wird jeder Buchſtabe in

2,65 mm (10 p), Zeilenabstand 4,00 mm

Wilhelm-Klingspor-Gotisch

Berthold-Schriften überzeugen durch Schärfe und Qualität. Schriftqualität ist ei ne Frage der Erfahrung. Berthold hat diese Erfahrung seit über hundert Jahren Zuerst im Schriftguß, dann im Fotosatz. Berthold-Schriften sind weltweit geschätz t. Im Schriftenatelier München wird jeder Buchstabe in der Größe von zwölf Ze ntimetern neu gezeichnet. Mit messerscharfen Konturen, um für die Schriftscheiben das Optimale an Konturenschärfe herauszuholen. Um die Qualität des Einzel zeichens im Belichtungsvorgang zu bewahren, wird durch die ruhende, nicht rotie rende Schriftscheibe belichtet. Dieses optische System verbunden mit Präzisions Chromglasscheiben, führt zu einer Schriftqualität, die im Layout- und Mengens

1,60 mm (6 p), Zeilenabstand 2,50 mm

Berthold-Schriften überzeugen durch Schärfe und Qualität. Schriftqu alität ist eine Frage der Erfahrung. Berthold hat diese Erfahrung seit ü ber hundert Jahren. Zuerst im Schriftguß, dann im Fotosatz. Berthold Schriften sind weltweit geschätzt. Im Schriftenatelier München wird jeder Buchstabe in der Größe von zwölf Zentimetern neu gezeichnet. Mit me sserscharfen Konturen, um für die Schriftscheiben das Optimale an Kon turenschärfe herauszuholen. Um die Qualität des Einzelzeichens im B elichtungsvorgang zu bewahren, wird durch die ruhende, nicht rotierende

1,86 mm (7 p), Zeilenabstand 3,00 mm

Berthold-Schriften überzeugen durch Schärfe und Qualität. S chriftqualität ist eine Frage der Erfahrung. Berthold hat diese Erfahrung seit über hundert Jahren. Zuerst im Schriftguß, dann im Fotosatz. Berthold-Schriften sind weltweit geschätzt. Im Sch riftenatelier München wird jeder Buchstabe in der Größe von z wölf Zentimetern neu gezeichnet. Mit messerscharfen Konturen um für die Schriftscheiben das Optimale an Konturenschärfe he rauszuholen. Um die Qualität des Einzelzeichens im Belichtu

2,15 mm (8 p), Zeilenabstand 3,50 mm

Rudolf Koch
1925
D. Stempel AG
H. Berthold AG

ABCDEFG
HIJKLMNOPQRSTU
VWXYZÄÖÜ
abcdefghijklmnopqrsſ
tuvwxyzäöü
chckfffiflftllſiſſſtßttz
1234567890
1234567890%
(.,-;:!?–)·['„"»«|
/+–=×~∞ø°/
◖†*&§

Berthold-Schriftweite weit
Berthold-Schriftweite normal
Berthold-Schriftweite eng
Berthold-Schriftweite sehr eng
Berthold-Schriftweite extrem eng

In general, bodytypes are measured in the t ypographical point size. The sizes of Berth old Fototype faces can be exactly determin ed. All faces of same point size have the sam e capital height–irrespective of their x-heig ht. In hot metal and many other phototype setting systems the capital heights often differ considerably from one face to the other. For measuring point sizes, a transparent size ga uge is provided. To determine the point size bring a capital letter into coincidence with t hat field which precisely circumscribes the le tter at its upper and lower margin. Below the field you find the typographical poi nt and below that the millimeter value, whi ch also refers to the height of a capital letter In Berthold-phototypesetting, the typewid

3,20 mm (12 p), Zeilenabstand 5,25 mm

Berthold's quick brown fox jumps over the lazy dog and feels as if he were in the seventh heaven of typography togeth
3,72 mm (14 p)

Berthold's quick brown fox jumps over the lazy dog and feels as if he were in the seventh heaven of the typo
4,25 mm (16 p)

Berthold's quick brown fox jumps over the lazy dog and feels as if he were in the seventh heaven
4,75 mm (18 p)

Berthold's quick brown fox jumps over the lazy dog and feels as if he were in the seve
5,30 mm (20 p)

Berthold's quick brown fox jumps over the lazy dog and feels as if he w
6,35 mm (24 p)

Berthold's quick brown fox jumps over the lazy dog and feels
7,40 mm (28 p)

Berthold's quick brown fox jumps over the lazy dog a
8,50 mm (32 p)

Berthold's quick brown fox jumps over the lazy
9,55 mm (36 p)

Berthold-Schriften überzeugen durch Schärfe und Quali tät. Schriftqualität ist eine Frage der Erfahrung. Berthold hat diese Erfahrung seit über hundert Jahren. Zuerst im S chriftguß, dann im Fotosatz. Berthold-Schriften sind welt weit geschätzt. Im Schriftenatelier München wird jeder B uchstabe in der Größe von zwölf Zentimetern neu gezeich net. Mit messerscharfen Konturen, um für die Schriftschei ben das Optimale an Konturenschärfe herauszuholen

2,40 mm (9 p), Zeilenabstand 4,00 mm

Größe mm	p	Zeilenabstand kp	Êp	Ex	100 Zeichen 0	−1	−2
1,33	5	1,75	2,00	–	64	61	58
1,60	6	2,13	2,44	2,50	75	71	67
1,86	7	2,44	2,81	3,00	86	82	78
2,15	8	2,81	3,25	3,50	98	93	88
2,40	9	3,13	3,63	4,00	110	104	98
2,65	10	3,44	4,00	4,00	121	114	107
2,92	11	3,81	4,38	–	132	125	118
3,20	12	4,13	4,81	5,25	144	136	128
3,45	13	4,50	5,19	–	155	147	139
3,72	14	4,81	5,63	–	166	157	148
3,98	15	5,19	6,00	–	177	168	159
4,25	16	5,50	6,38	–	189	179	169

WZ 10 E, NSW 0, MZB 0,46, F 0,13:0,02 (7,8), I
H 1-x 0,78-k 1,07-p 0,22-Ê 1,28-kp 1,29-Êp 1,50
BF 089 1298, Belegung 025: 085 1331 (095 1331)

Berthold-Schriften überzeugen durch Schärfe und Qualität. Schriftqualität ist eine Frage der Erfahru ng. Berthold hat diese Erfahrung seit über hundert J ahren. Zuerst im Schriftguß, dann im Fotosatz. Bert hold-Schriften sind weltweit geschätzt. Im Schriften atelier München wird jeder Buchstabe in der Größe von zwölf Zentimetern neu gezeichnet. Mit messersch arfen Konturen, um für die Schriftscheiben das Opt

2,65 mm (10 p), Zeilenabstand 4,00 mm

mager
light
maigre

WINDSOR

fina
chiarissimo
mager

Berthold-Schriften überzeugen durch Schärfe und Qualität. Schr
iftqualität ist eine Frage der Erfahrung. Berthold hat diese Erfahru
ng seit über hundert Jahren. Zuerst im Schriftguß, dann im Fotosa
tz. Berthold-Schriften sind weltweit geschätzt. Im Schriftenatelier
München wird jeder Buchstabe in der Größe von zwölf Zentimeter
n neu gezeichnet. Mit messerscharfen Konturen, um für die Schrift
scheiben das Optimale an Konturenschärfe herauszuholen. Um die
Qualität des Einzelzeichens im Belichtungsvorgang zu bewahren
wird durch die ruhende, nicht rotierende Schriftscheibe belichtet

1,33 mm (5 p) 20 30 40 50 60

Berthold-Schriften überzeugen durch Schärfe und Qualität
Schriftqualität ist eine Frage der Erfahrung. Berthold hat die
se Erfahrung seit über hundert Jahren. Zuerst im Schriftguß
dann im Fotosatz. Berthold-Schriften sind weltweit geschätz
t. Im Schriftenatelier München wird jeder Buchstabe in der G
röße von zwölf Zentimetern neu gezeichnet. Mit messerschar
fen Konturen, um für die Schriftscheiben das Optimale an Ko
nturenschärfe herauszuholen. Um die Qualität des Einzelzei
chens im Belichtungsvorgang zu bewahren, wird durch die ru

1,45 mm (5,5 p) 20 30 40 50 60

Berthold-Schriften überzeugen durch Schärfe und Qu
alität. Schriftqualität ist eine Frage der Erfahrung. Bert
hold hat diese Erfahrung seit über hundert Jahren. Zuer
st im Schriftguß, dann im Fotosatz. Berthold-Schrift
en sind weltweit geschätzt. Im Schriftenatelier München
wird jeder Buchstabe in der Größe von zwölf Zentimete
rn neu gezeichnet. Mit messerscharfen Konturen, um für
die Schriftscheiben das Optimale an Konturenschärfe
herauszuholen. Um die Qualität des Einzelzeichens im

1,60 mm (6 p) 20 30 40 50

Berthold-Schriften überzeugen durch Schärfe und
Qualität. Schriftqualität ist eine Frage der Erfahrun
g. Berthold hat diese Erfahrung seit über hundert Ja
hren. Zuerst im Schriftguß, dann im Fotosatz. Berth
old-Schriften sind weltweit geschätzt. Im Schriften
atelier München wird jeder Buchstabe in der Größe
von zwölf Zentimetern neu gezeichnet. Mit messersc
harfen Konturen, um für die Schriftscheiben das Opt
imale an Konturenschärfe herauszuholen. Um die Q

1,75 mm (6,5 p) 20 30 40 50

Berthold-Schriften überzeugen durch Schärfe u
nd Qualität. Schriftqualität ist eine Frage der Erf
ahrung. Berthold hat diese Erfahrung seit über h
undert Jahren. Zuerst im Schriftguß, dann im Fot
osatz. Berthold-Schriften sind weltweit geschätz
t. Im Schriftenatelier München wird jeder Buchst
abe in der Größe von zwölf Zentimetern neu geze
ichnet. Mit messerscharfen Konturen, um für die
Schriftscheiben das Optimale an Konturenschä

1,86 mm (7 p) 20 30 40 5

Berthold-Schriften überzeugen durch Schär
fe und Qualität. Schriftqualität ist eine Frage
der Erfahrung. Berthold hat diese Erfahrung
seit über hundert Jahren. Zuerst im Schriftg
uß, dann im Fotosatz. Berthold-Schriften sind
weltweit geschätzt. Im Schriftenatelier Münc
hen wird jeder Buchstabe in der Größe von z
wölf Zentimetern neu gezeichnet. Mit messer
scharfen Konturen, um für die Schriftscheibe

2,00 mm (7,5 p) 20 30 40

Berthold-Schriften überzeugen durch Sch
ärfe und Qualität. Schriftqualität ist eine Fr
age der Erfahrung. Berthold hat diese Erfah
rung seit über hundert Jahren. Zuerst im Sc
hriftguß, dann im Fotosatz. Berthold-Schrif
ten sind weltweit geschätzt. Im Schriftenatel
ier München wird jeder Buchstabe in der Gr
öße von zwölf Zentimetern neu gezeichnet
Mit messerscharfen Konturen, um für die Sc

2,15 mm (8 p) 20 30 40

1905
Stephenson Blake & Company Ltd.
H. Berthold AG

ABCDEFGHIJKLMNOPQ
RSTUVWXYZ
abcdefghijklmnopqrstuvwxyz
1/1234567890 %
(.,-;:!¡?¿–) · [‘‘„”“»«]
+−=/$£†*&§
ÄÅÆÖØŒÜäåæıöøœßü
ÁÀÂÃÇČÉÈÊËÍÌÎÏĹŇÑÓÒÔÕ
ŔŘŠŤÚÙÛŴẄÝŶŸŽ
áàâãçčéèêëíìîïĺňñóòôõŕřš
úùûŵẅýỳÿž

Berthold-Schriftweite weit
Berthold-Schriftweite normal
Berthold-Schriftweite eng
Berthold-Schriftweite sehr eng
Berthold-Schriftweite extrem eng

Berthold
3,75 mm (14 p)

Berthold
4,25 mm (16 p)

Berthold
4,75 mm (18 p)

Berthold
5,30 mm (20 p)

Berthold
6,35 mm (24 p)

Berthold
7,40 mm (28 p)

Berthold
8,50 mm (32 p)

Berthold
9,55 mm (36 p)

Größe mm	p	Zeilenabstand kp	Êp	Ex	100 Zeichen 0	−1	−2
1,33	5	1,63	2,06	2,00	87	84	81
1,60	6	2,00	2,44	2,50	103	99	95
1,86	7	2,31	2,81	3,00	118	114	110
2,15	8	2,63	3,25	3,50	134	129	124
2,40	9	2,94	3,63	3,75	150	144	138
2,65	10	3,25	4,06	4,25	166	159	152
2,92	11	3,56	4,44	4,75	181	174	167
3,20	12	3,94	4,88	5,25	197	189	181
3,45	13	4,25	5,25	5,75	212	204	196
3,72	14	4,56	5,63	–	228	219	210
3,98	15	4,88	6,06	–	242	233	224
4,25	16	5,19	6,44	–	258	248	238

WZ 13 E, NSW +1, MZB 0,63, F 0,11:0,029 (3,7), III
H 1−x 0,61−k 1,00−p 0,22−Ê 1,29−kp 1,22−Êp 1,51
BF 089 0704, Belegung 051: 085 4561 (095 4561)

Berthold-Schriften überzeugen durch
Schärfe und Qualität. Schriftqualität i
st eine Frage der Erfahrung. Berthold
hat diese Erfahrung seit über hundert
Jahren. Zuerst im Schriftguß, dann im
Fotosatz. Berthold-Schriften sind welt
weit geschätzt. Im Schriftenatelier Mü
nchen wird jeder Buchstabe in der Grö

2,40 mm (9 p) 20 30

Berthold-Schriften überzeugen du
rch Schärfe und Qualität. Schriftq
ualität ist eine Frage der Erfahrung
Berthold hat diese Erfahrung seit
über hundert Jahren. Zuerst im Sc
hriftguß, dann im Fotosatz. Bertho
ld-Schriften sind weltweit geschät
zt. Im Schriftenatelier München wi

2,65 mm (10 p) 20 30

Berthold-Schriften überzeugen
durch Schärfe und Qualität. Sc
hriftqualität ist eine Frage der E
rfahrung. Berthold hat diese E
rfahrung seit über hundert Jahr
en. Zuerst im Schriftguß, dann i
m Fotosatz. Berthold-Schriften
sind weltweit geschätzt. Im Sch

2,92 mm (11 p) 20 30

Berthold-Schriften überzeug
en durch Schärfe und Qualität
Schriftqualität ist eine Frage
der Erfahrung. Berthold hat d
iese Erfahrung seit über hund
ert Jahren. Zuerst im Schriftg
uß, dann im Fotosatz. Berthol
d-Schriften sind weltweit ges

3,20 mm (12 p) 10 20 3

Berthold-Schriften überzeu
gen durch Schärfe und Qua
lität. Schriftqualität ist eine
Frage der Erfahrung. Berth
old hat diese Erfahrung seit
über hundert Jahren. Zuerst
im Schriftguß, dann im Fot
osatz. Berthold-Schriften si

3,45 mm (13 p) 10 20

mager
light
maigre

WINDSOR

fina
chiarissimo
mager

Berthold-Schriften überzeugen durch Schärfe und Qualität. Schriftqu alität ist eine Frage der Erfahrung. Berthold hat diese Erfahrung seit üb er hundert Jahren. Zuerst im Schriftguß, dann im Fotosatz. Berthold-S chriften sind weltweit geschätzt. Im Schriftenatelier München wird jed er Buchstabe in der Größe von zwölf Zentimetern neu gezeichnet. Mit messerscharfen Konturen, um für die Schriftscheiben das Optimale an Konturenschärfe herauszuholen. Um die Qualität des Einzelzeichens im Belichtungsvorgang zu bewahren, wird durch die ruhende, nicht roti erende Schriftscheibe belichtet. Dieses optische System, verbunden

4,25 mm (16 p), Zeilenabstand 6,75 mm

WINDSOR LIGHT

In general, bodytypes are measured in the typo graphical point size. The sizes of Berthold Foto type faces can be exactly determined. All faces of same point size have the same capital heigth irrespective of their x-heigth. In hot metal and many other phototypesetting systems the capi tal heigths often differ considerably from one face to the other. For measuring point sizes, a transparent size gauge is provided. To deter mine the point size, bring a capital letter into co incidence with that field which precisely circum scribes the letter at its upper and lower margin Below the field you find the typographical point and below that the millimeter value, which also refers to the height of a capital letter. In Berthold phototypesetting, the typewidth can be modi fied. The standard setting width of typefaces is determined by the principle of optimum legibili ty. You should not depart from this typewidth without cogent reason. A typeface which is con sidered optically right when looked in a greater context, often seems bulky when applied for a

2,40 mm (9 p), Zeilenabstand 4,25 mm

WINDSOR MAIGRE

La valeur de la force de corps des caractè res de labeur èst généralement exprimée en points typographiques. La force de corps des caractères Berthold-Fototype peut être déterminée avec précision. Tous les carac tères du même corps ont des capitales d'une hauteur identique, indépendamment de la hauteur des bas de casse sans jam bage. Dans la composition plomb, ainsi que dans certains systèmes de photocom position, la hauteur des capitales, varie sou vent d'un caractère à l'autre. Pour détermi ner la force de corps de nos caractères nous avons mis au point une réglette de hauteur d'œil transparente. On cherche le rectangle qui délimite exactement la hau teur d'œil d'une capitale du caractère choisi Sous le rectangle correspondant la valeur de la force de corps est indiquée en points Didots et en millimètres. La valeur en milli

2,65 mm (10 p), Zeilenabstand 4,69 mm

La indicación de las dimensiones para cuer pos de letra vácioos tiene lugar en general en puntos tipográficos. Los cuerpos de letra de los caracteres Berthold Fototype pueden de terminarse exactemente par medición. Con independencia de la altura de sus longitudes centrales, todos los caracteres de idéntico cuerpo de letra presentan altura de mayúscu las idéntica. En la composición en plomo y en

2,15 mm (8 p), –1, Zeilenabstand 3,38 mm

123,– $	456,– £	7890,– DM	1 %
234,– $	789,– £	1234,– DM	2 %
567,– $	12,– £	5678,– DM	3 %
890,– $	345,– £	9012,– DM	4 %
123,– $	678,– £	3456,– DM	5 %
456,– $	901,– £	7890,– DM	6 %
789,– $	234,– £	1234,– DM	7 %
12,– $	567,– £	5678,– DM	8 %
345,– $	890,– £	9012,– DM	9 %

BF 089 0705

Le misure relative al corpo dei caratteri vengo no generalmente indicate in punti tipografici. Il corpo dei caratteri Fototypes può essere deter minato con esattezza per semplice misurazi one. Tutti i caratteri di uguale grandezza in punti hanno, indipendentemente dalla loro lunghez za, uguale altezza delle maiuscole. Nella compo sizione in piombo ed in molti altri sistemi di foto composizione, l'altezza delle maiuscole varia

2,15 mm (8 p), –2, Zeilenabstand 3,38 mm

fett
bold
gras

WINDSOR

negra
nero
fet

Berthold-Schriften überzeugen durch Schärfe und Q ualität. Schriftqualität ist eine Frage der Erfahrung Berthold hat diese Erfahrung seit über hundert Jahr en. Zuerst im Schriftguß, dann im Fotosatz. Berthol d-Schriften sind weltweit geschätzt. Im Schriftenat elier München wird jeder Buchstabe in der Größe von zwölf Zentimetern neu gezeichnet. Mit messerschar fen Konturen, um für die Schriftscheiben das Optima le an Konturenschärfe herauszuholen. Um die Qualit

1,60 mm (6 p), Zeilenabstand 2,50 mm

Berthold-Schriften überzeugen durch Schär fe und Qualität. Schriftqualität ist eine Frage der Erfahrung. Berthold hat diese Erfahrung seit über hundert Jahren. Zuerst im Schriftgu ß, dann im Fotosatz. Berthold-Schriften sind weltweit geschätzt. Im Schriftenatelier Münc hen wird jeder Buchstabe in der Größe von zw ölf Zentimetern neu gezeichnet. Mit messersc

1,86 mm (7 p), Zeilenabstand 3,00 mm

Berthold-Schriften überzeugen durch S chärfe und Qualität. Schriftqualität ist ei ne Frage der Erfahrung. Berthold hat die se Erfahrung seit über hundert Jahren Zuerst im Schriftguß, dann im Fotoatz Berthold-Schriften sind weltweit gesch ätzt. Im Schriftenatelier München wird jeder Buchstabe in der Größe von zwölf

2,15 mm (8 p), Zeilenabstand 3,50 mm

1905
Stephenson Blake & Company Ltd.
H. Berthold AG

ABCDEFGHIJKLMNOPQ
RSTUVWXYZ
abcdefghijklmnopqrstuvwxyz
+–=/$£†*&§
1/1234567890%
(.,-;:!¡?¿–)·["„""»«]
ÄÅÆÖØŒÜäåæıöøœßü
ÁÀÂÃÇČÉÈÊËÍÌÎÏĹŇÑÓÒÔÕ
ŔŘŠŤÚÙÛŴẄÝŶŸŽ
áàâãçčéèêëíìîïĺňñóòôõŕřš
úùûŵẅýỳÿž

Berthold-Schriftweite weit
Berthold-Schriftweite normal
Berthold-Schriftweite eng
Berthold-Schriftweite sehr eng
Berthold-Schriftweite extrem eng

In general, bodytypes are m easured in the typographic al point size. The sizes of B erthold Fototype faces can be exactly determined. All faces of same point size hav e the same capital height–ir respective of their x-height In hot metal and many othe r phototypesetting systems the capital heights often diff er considerably from one fa ce to the other. For measur ing point sizes, a transpare nt size gauge is provided. T o determine the point size bring a capital letter into co

3,20 mm (12 p), Zeilenabstand 5,25 mm

Berthold's quick brown fox jumps over the lazy dog and feels as if he were
3,72 mm (14 p)

Berthold's quick brown fox jumps over the lazy dog and feels as if
4,25 mm (16 p)

Berthold's quick brown fox jumps over the lazy dog and fee
4,75 mm (18 p)

Berthold's quick brown fox jumps over the lazy dog a
5,30 mm (20 p)

Berthold's quick brown fox jumps over the la
6,35 mm (24 p)

Berthold's quick brown fox jumps ove
7,40 mm (28 p)

Berthold's quick brown fox jumps
8,50 mm (32 p)

Berthold's quick brown fox ju
9,55 mm (36 p)

Berthold-Schriften überzeugen dur ch Schärfe und Qualität. Schriftqual ität ist eine Frage der Erfahrung. Be rthold hat diese Erfahrung seit über hundert Jahren. Zuerst im Schriftgu ß, dann im Fotosatz. Berthold-Schri iften sind weltweit geschätzt. Im Sc hriftenatelier München wird jeder B

2,40 mm (9 p), Zeilenabstand 4,00 mm

Größe		Zeilenabstand			100 Zeichen		
mm	p	kp	Êp	Ex	0	–1	–2
1,33	5	1,69	2,13	–	97	94	91
1,60	6	2,00	2,50	2,50	115	111	107
1,86	7	2,31	2,94	3,00	132	128	124
2,15	8	2,69	3,38	3,50	150	145	140
2,40	9	3,00	3,75	4,00	168	162	156
2,65	10	3,31	4,13	4,00	185	178	171
2,92	11	3,63	4,56	–	202	195	188
3,20	12	3,94	5,00	5,25	220	212	204
3,45	13	4,25	5,38	–	237	229	221
3,72	14	4,63	5,81	–	254	245	236
3,98	15	4,94	6,19	–	271	262	253
4,25	16	5,25	6,63	–	289	279	269

WZ 14 E, NSW –1, MZB 0,70, F 0,19:0,07 (2,9), III
H 1–x 0,67–k 1,00–p 0,23–Ê 1,32–kp 1,23–Êp 1,55
BF 089 0796, Belegung 051: 086 2574 (096 2574)

Berthold-Schriften überzeugen durch Schärfe und Qualität. Sch riftqualität ist eine Frage der Erf ahrung. Berthold hat diese Erfah rung seit über hundert Jahren. Z uerst im Schriftguß, dann im Fot osatz. Berthold-Schriften sind w eltweit geschätzt. Im Schriftateli

2,65 mm (10 p), Zeilenabstand 4,00 mm

schmalfett
elongated
étroit gras

WINDSOR

negra estrecha
nero stretto
smalfet

Berthold-Schriften überzeugen durch Schärfe und Qualität. Schriftqualität ist eine Fra ge der Erfahrung. Berthold hat diese Erfahrung seit über hundert Jahren. Zuerst im Sch riftguß, dann im Fotosatz. Berthold-Schriften sind weltweit geschätzt. Im Schriftenate lier München wird jeder Buchstabe in der Größe von zwölf Zentimetern neu gezeichnet Mit messerscharfen Konturen, um für die Schriftscheiben das Optimale an Konturensch ärfe herauszuholen. Um die Qualität des Einzelzeichens im Belichtungsvorgang zu bewa hren, wird durch die ruhende, nicht rotierende Schriftscheibe belichtet. Dieses optische System, verbunden mit Präzisions-Chromglasscheiben, führt zu einer Schriftqualität die im Layout- und Mengensatz nicht ihresgleichen findet. Bei den hier gezeigten Zeilen

1,60 mm (6 p), Zeilenabstand 2,50 mm

Berthold-Schriften überzeugen durch Schärfe und Qualität. Schriftqualität ist eine Frage der Erfahrung. Berthold hat diese Erfahrung seit über hundert Jahren. Zuerst im Schriftguß, dann im Fotosatz. Berthold-Schriften sind we ltweit geschätzt. Im Schriftenatelier München wird jeder Buchstabe in der Größe von zwölf Zentimetern neu gezeichnet. Mit messerscharfen Konturen um für die Schriftscheiben das Optimale an Konturenschärfe herauszuholen Um die Qualität des Einzelzeichens im Belichtungsvorgang zu bewahren, wird durch die ruhende, nicht rotierende Schriftscheibe belichtet. Dieses optische

1,86 mm (7 p), Zeilenabstand 3,00 mm

Berthold-Schriften überzeugen durch Schärfe und Qualität. Schriftq ualität ist eine Frage der Erfahrung. Berthold hat diese Erfahrung se it über hundert Jahren. Zuerst im Schriftguß, dann im Fotosatz. Bert hold-Schriften sind weltweit geschätzt. Im Schriftenatelier München wird jeder Buchstabe in der Größe von zwölf Zentimetern neu gezeic hnet. Mit messerscharfen Konturen, um für die Schriftscheiben das Optimale an Konturenschärfe herauszuholen. Um die Qualität des Ei nzelzeichens im Belichtungsvorgang zu bewahren, wird durch die ru

2,15 mm (8 p), Zeilenabstand 3,50 mm

1905
Stephenson Blake & Company Ltd.
H. Berthold AG

ABCDEFGHIJKLMNOPQ
RSTUVWXYZ
abcdefghijklmnopqrstuvwxyz
1/1234567890 %
(.,-;:!¡?¿-)·['‚„"“»«]
+−=/$£†*&§
ÄÅÆÖØŒÜäåæıöøœßü
ÁÀÂÃÇČÉÈÊËÍÌÎÏĹŇÑÓÒÔÕ
ŔŘŠŤÚÙÛŴẄÝŶŸŽ
áàâãçčéèêëíìîïĺňñóòôõŕřš
úùûŵẅýỳÿž

Berthold-Schriftweite weit
Berthold-Schriftweite normal
Berthold-Schriftweite eng
Berthold-Schriftweite sehr eng
Berthold-Schriftweite extrem eng

In general, bodytypes are measured in the typo graphical point size. The sizes of Berthold Foto type faces can be exactly determined. All faces of same point size have the same capital height irrespective of their x-height. In hot metal and many other phototypesetting systems the capit al heights often differ considerably from one fa ce to the other. For measuring point sizes, a tra nsparent size gauge is provided. To determine the point size, bring a capital letter into coincid ence with that field which precisely circumscri bes the letter at its upper and lower margin. Be low the field you find the typographical point and below that the millimeter value, which also refers to the height of a capital letter. In Bertho ld-phototypesetting, the typewidth can be mod ified. The standard setting width of typefaces is

3,20 mm (12 p), Zeilenabstand 5,25 mm

Berthold's quick brown fox jumps over the lazy dog and feels as if he were in the seventh heaven of typography together with Herma
3,72 mm (14 p)

Berthold's quick brown fox jumps over the lazy dog and feels as if he were in the seventh heaven of typography toget
4,25 mm (16 p)

Berthold's quick brown fox jumps over the lazy dog and feels as if he were in the seventh heaven of typo
4,75 mm (18 p)

Berthold's quick brown fox jumps over the lazy dog and feels as if he were in the seventh heav
5,30 mm (20 p)

Berthold's quick brown fox jumps over the lazy dog and feels as if he were in th
6,35 mm (24 p)

Berthold's quick brown fox jumps over the lazy dog and feels as if h
7,40 mm (28 p)

Berthold's quick brown fox jumps over the lazy dog and feel
8,50 mm (32 p)

Berthold's quick brown fox jumps over the lazy dog a
9,55 mm (36 p)

Berthold-Schriften überzeugen durch Schärfe und Qualität Schriftqualität ist eine Frage der Erfahrung. Berthold hat die se Erfahrung seit über hundert Jahren. Zuerst im Schriftguß dann im Fotosatz. Berthold-Schriften sind weltweit geschätzt Im Schriftenatelier München wird jeder Buchstabe in der Grö ße von zwölf Zentimetern neu gezeichnet. Mit messerscharfen Konturen, um für die Schriftscheiben das Optimale an Kontu renschärfe herauszuholen. Um die Qualität des Einzelzeichen

2,40 mm (9 p), Zeilenabstand 4,00 mm

Größe		Zeilenabstand			100 Zeichen		
mm	p	kp	Êp	Ex	0	−1	−2
1,00	5	1,60	2,00		57	54	51
1,60	6	2,00	2,44	2,50	67	63	59
1,86	7	2,31	2,81	3,00	77	73	69
2,15	8	2,69	3,25	3,50	87	82	77
2,40	9	3,00	3,63	4,00	97	91	85
2,65	10	3,31	4,00	4,00	107	100	99
2,92	11	3,63	4,38	—	117	110	103
3,20	12	3,94	4,81	5,25	127	119	111
3,45	13	4,25	5,19	—	137	129	121
3,72	14	4,63	5,63	—	147	138	129
3,98	15	4,94	6,00	—	157	148	139
4,25	16	5,25	6,38	—	167	157	147

WZ 11 E, NSW 0, MZB 0,40, F 0,15:0,06 (2,3), III
H 1–x 0,66–k 1,00–p 0,23–Ê 1,27–kp 1,23–Êp 1,50
BF 089 0797, Belegung 051: 086 2575 (096 2575)

Berthold-Schriften überzeugen durch Schärfe und Quali tät. Schriftqualität ist eine Frage der Erfahrung. Bertho ld hat diese Erfahrung seit über hundert Jahren. Zuerst im Schriftguß, dann im Fotosatz. Berthold-Schriften si nd weltweit geschätzt. Im Schriftenatelier München wird jeder Buchstabe in der Größe von zwölf Zentimetern neu gezeichnet. Mit messerscharfen Konturen, um für die Sc hriftscheiben das Optimale an Konturenschärfe heraus

2,65 mm (10 p), Zeilenabstand 4,00 mm

mager
light
maigre

ZAPF BOOK

fina
chiarissimo
mager

Berthold-Schriften überzeugen durch Schärfe und Qualität
Schriftqualität ist eine Frage der Erfahrung. Berthold hat di
ese Erfahrung seit über hundert Jahren. Zuerst im Schriftg
uß, dann im Fotosatz. Berthold-Schriften sind weltweit gesc
hätzt. Im Schriftenatelier München wird jeder Buchstabe in
der Größe von zwölf Zentimetern neu gezeichnet. Mit mess
erscharfen Konturen, um für die Schriftscheiben das Opti
male an Konturenschärfe herauszuholen. Um die Qualität d
es Einzelzeichens im Belichtungsvorgang zu bewahren, wir

1,33 mm (5 p) 20 30 40 50

Berthold-Schriften überzeugen durch Schärfe und Qu
alität. Schriftqualität ist eine Frage der Erfahrung. Bert
hold hat diese Erfahrung seit über hundert Jahren. Zue
rst im Schriftguß, dann im Fotosatz. Berthold-Schriften
sind weltweit geschätzt. Im Schriftenatelier München
wird jeder Buchstabe in der Größe von zwölf Zentimet
ern neu gezeichnet. Mit messerscharfen Konturen, um
für die Schriftscheiben das Optimale an Konturenschä
rfe herauszuholen. Um die Qualität des Einzelzeichens

1,45 mm (5,5 p) 20 30 40 50

Berthold-Schriften überzeugen durch Schärfe un
d Qualität. Schriftqualität ist eine Frage der Erfahr
ung. Berthold hat diese Erfahrung seit über h
undert Jahren. Zuerst im Schriftguß, dann im Fot
osatz. Berthold-Schriften sind weltweit geschätzt
Im Schriftenatelier München wird jeder Buchstab
e in der Größe von zwölf Zentimetern neu gezeich
net. Mit messerscharfen Konturen, um für die Sch
riftscheiben das Optimale an Konturenschärfe he

1,60 mm (6 p) 20 30 40

Berthold-Schriften überzeugen durch Schärfe
und Qualität. Schriftqualität ist eine Frage der
Erfahrung. Berthold hat diese Erfahrung seit ü
ber hundert Jahren. Zuerst im Schriftguß, dan
n im Fotosatz. Berthold-Schriften sind weltwe
it geschätzt. Im Schriftenatelier München wird
jeder Buchstabe in der Größe von zwölf Zenti
metern neu gezeichnet. Mit messerscharfen K
onturen, um für die Schriftscheiben das Opti

1,75 mm (6,5 p) 20 30 40

Berthold-Schriften überzeugen durch Schä
rfe und Qualität. Schriftqualität ist eine Frage
der Erfahrung. Berthold hat diese Erfahrung
seit über hundert Jahren. Zuerst im Schriftg
uß, dann im Fotosatz. Berthold-Schriften sin
d weltweit geschätzt. Im Schriftenatelier M
ünchen wird jeder Buchstabe in der Größ
e von zwölf Zentimetern neu gezeichnet. Mit
messerscharfen Konturen, um für die Schri

1,86 mm (7 p) 20 30 40

Berthold-Schriften überzeugen durch Sc
härfe und Qualität. Schriftqualität ist eine
Frage der Erfahrung. Berthold hat diese
Erfahrung seit über hundert Jahren Zuer
st im Schriftguß, dann im Fotosatz. Berth
old-Schriften sind weltweit geschätzt. Im
Schriftenatelier München wird jeder Buc
hstabe in der Größe von zwölf Zentimete
rn neu gezeichnet. Mit messerscharfen K

2,00 mm (7,5 p) 20 30

Berthold-Schriften überzeugen durch
Schärfe und Qualität. Schriftqualität ist
eine Frage der Erfahrung. Berthold hat
diese Erfahrung seit über hundert Jah
ren. Zuerst im Schriftguß, dann im Fot
osatz. Berthold-Schriften sind weltweit
geschätzt. Im Schriftenatelier Münche
n wird jeder Buchstabe in der Größe v
on zwölf Zentimetern neu gezeichnet

2,15 mm (8 p) 20 30

Hermann Zapf
1976
International Typeface Corp.
H. Berthold AG

ABCDEFGHIJKLMNOPQ
RSTUVWXYZ
abcdefghijklmnopqrstuvwxyz
1/1234567890%
(.,-;:!¡?¿–)·['‘„"“»«]
+−=/$£†*&§
ÄÅÆÖØŒÜäåæıöøœßü
ÁÀÂÃÇČÉÈÊËÍÌÎÏĹŇÑÓÒÔÕ
ŔŘŠŤÚÙÛŴẄÝỲŸŽ
áàâãçčéèêëíìîïĺňñóòôõŕřš
úùûŵẅýỳÿž

Berthold-Schriftweite weit
Berthold-Schriftweite normal
Berthold-Schriftweite eng
Berthold-Schriftweite sehr eng
Berthold-Schriftweite extrem eng

Berthold
3,75 mm (14 p)

Berthold
4,25 mm (16 p)

Berthold
4,75 mm (18 p)

Berthold
5,30 mm (20 p)

Berthold
6,35 mm (24 p)

Berthold
7,40 mm (28 p)

Berthold
8,50 mm (32 p)

Berthold
9,55 mm (36 p)

Größe mm	p	Zeilenabstand kp	Êp	Ex	100 Zeichen 0	−1	−2
1,33	5	2,00	2,31	2,00	101	98	95
1,60	6	2,44	2,75	2,50	119	115	111
1,86	7	2,81	3,19	3,00	137	133	129
2,15	8	3,25	3,69	3,50	156	151	146
2,40	9	3,63	4,13	3,75	175	169	163
2,65	10	4,00	4,56	4,25	193	186	179
2,92	11	4,38	5,00	4,75	211	204	197
3,20	12	4,81	5,50	5,25	229	221	213
3,45	13	5,19	5,94	5,75	246	238	230
3,72	14	5,56	6,38	–	264	255	246
3,98	15	5,94	6,81	–	282	273	264
4,25	16	6,38	7,31	–	300	290	280

WZ 16 E, NSW +1, MZB 0,73, F 0,14:0,046 (3,0), IV
H 1–x 0,72–k 1,10–p 0,39–Ê 1,32–kp 1,49–Êp 1,71
BF 089 0706, Belegung 051: 085 4932 (095 4932)

Berthold-Schriften überzeugen du
rch Schärfe und Qualität. Schriftq
ualität ist eine Frage der Erfahru
ng. Berthold hat diese Erfahrung s
eit über hundert Jahren. Zuerst im
Schriftguß, dann im Fotosatz. Bert
hold-Schriften sind weltweit gesch
ätzt. Im Schriftenatelier München

2,40 mm (9 p) 10 20 30

Berthold-Schriften überzeugen
durch Schärfe und Qualität. Sc
hriftqualität ist eine Frage der
Erfahrung. Berthold hat diese
Erfahrung seit über hundert Ja
hren. Zuerst im Schriftguß, da
nn im Fotosatz. Berthold-Schri
ften sind weltweit geschätzt. Im

2,65 mm (10 p) 10 20

Berthold-Schriften überzeug
en durch Schärfe und Qualit
ät. Schriftqualität ist eine Fra
ge der Erfahrung. Berthold h
at diese Erfahrung seit über
hundert Jahren. Zuerst im S
chriftguß, dann im Fotosatz
Berthold-Schriften sind welt

2,92 mm (11 p) 10 20

Berthold-Schriften überze
ugen durch Schärfe und Q
ualität. Schriftqualität ist e
ine Frage der Erfahrung. B
erthold hat diese Erfahrun
g seit über hundert Jahren
Zuerst im Schriftguß, dann
im Fotosatz. Berthold-Schr

3,20 mm (12 p) 10 20

Berthold-Schriften über
zeugen durch Schärfe u
nd Qualität. Schriftqualit
ät ist eine Frage der Erfa
hrung. Berthold hat dies
e Erfahrung seit über hu
ndert Jahren. Zuerst im
Schriftguß, dann im Foto

3,45 mm (13 p) 10 20

mager
light
maigre

ZAPF BOOK

fina
chiarissimo
mager

Berthold-Schriften überzeugen durch Schärfe und Qualität. Sc hriftqualität ist eine Frage der Erfahrung. Berthold hat diese Er fahrung seit über hundert Jahren. Zuerst im Schriftguß, dann im Fotosatz. Berthold-Schriften sind weltweit geschätzt. Im Sc hriftenatelier München wird jeder Buchstabe in der Größe von zwölf Zentimetern neu gezeichnet. Mit messerscharfen Kontu ren, um für die Schriftscheiben das Optimale an Konturenschä rfe herauszuholen. Um die Qualität des Einzelzeichens im Beli chtungsvorgang zu bewahren, wird durch die ruhende, nicht

4,25 mm (16 p), Zeilenabstand 6,75 mm

ZAPF BOOK LIGHT

In general, bodytypes are measured in the ty pographical point size. The sizes of Berthold Fototype faces can be exactly determined. Al l faces of same point size have the same capit al height–irrespective of their x-height. In h ot metal and many other phototypesetting sy stems the capital heights often differ conside rably from one face to the other. For measur ing point sizes, a transparent size gauge is pr ovided. To determine the point size, bring a capital letter into coincidence with that field which precisely circumscribes the letter at it s upper and lower margin. Below the field y ou find the typographical point and below th at the millimeter value, which also refers to the height of a capital letter. In Berthold phot otypesetting, the typewidth can be modified The standard setting width of typefaces is de termined by the principle of optimum legibil ity. You should not depart from this typewid th without cogent reason. A typeface which is considered optically right when looked in

2,40 mm (9 p), Zeilenabstand 4,25 mm

ZAPF BOOK MAIGRE

La valeur de la force de corps des caract ères de labeur èst généralement exprim ée en points typographiques. La force de corps des caractères Berthold-Fototype peut être déterminée avec précision. To us les caractères du même corps ont des capitales d'une hauteur identique indép endamment de la hauteur des bas de cas se sans jambage. Dans la composition pl omb ainsi que dans certains systèmes de photocomposition, la hauteur des capita les, varie souvent d'un caractère à l'autr e. Pour déterminer la force de corps de nos caractères, nous avons mis au point une réglette de hauteur d'œil transparen te. On cherche le rectangle qui délimite exactement la hauteur d'œil d'une capit ale du caractère choisi. Sous le rectangl e correspondant la valeur de la force de corps est indiquée en points Didots et

2,65 mm (10 p), Zeilenabstand 4,69 mm

La indicación de las dimensiones para cuerpos de letra básicos tiene lugar en general en puntos tipográficos. Los cuerpos de letra de los caracteres Bert hold Fototype pueden determinarse ex actemente par medición. Con indepen dencia de la altura de sus longitudes cen trales, todos los caracteres de idéntico cuerpo de letra presentan altura de may

2,15 mm (8 p), –1, Zeilenabstand 3,38 mm

123,– $ 456,– £ 7890,– DM 1 %
231, $ 780, £ 1234, DM 2 %
567,– $ 12,– £ 5678,– DM 3 %
890,– $ 345,– £ 9012,– DM 4 %
123,– $ 678,– £ 3456,– DM 5 %
456,– $ 901,– £ 7890,– DM 6 %
789,– $ 234,– £ 1234,– DM 7 %
12,– $ 567,– £ 5678,– DM 8 %
345,– $ 890,– £ 9012,– DM 9 %

BF 089 0707

Le misure relative al corpo dei caratteri vengono generalmente indicate in punti tipografici. Il corpo dei caratteri Fototypes può essere determinato con esattezza per semplice misurazione. Tutti i caratteri di uguale grandezza in punti hanno, indi pendentemente dalla loro lunghezza uguale altezza delle maiuscole. Nella com posizione in piombo ed in molti altri sis

2,15 mm (8 p), –2, Zeilenabstand 3,38 mm

kursiv mager
light italic
italique maigre

ZAPF BOOK

fina cursiva
chiarissimo corsivo
kursiv mager

Måttangivelse för grundstilsg rader sker i allmänhet i typogr afiska punkter. Stilar av Berth old Fototype kan efter mätning exakt gradbestämmas. Alla ty psnitt är av samma punktstorl ek och har oberoende av x–höj den en identisk versalhöjd. I b lysättning och i många andra fotosättsystem varierar versal höjden avsevärt från typsnitt till typsnitt. För mätning av st ilgrader finns en transparent mätlinjal. Vid mätningen plac erar man en versal bokstav så att rutorna begränsar tecknet upptill och nedtill. Under ruto rna finns stilstorleken i typogr afiska didotpunkter och i mm

2,92 mm (11 p), Zeilenabstand 4,69 mm

Hermann Zapf
1976
International Typeface Corp.
H. Berthold AG

ABCDEFGHIJKLMNOPQ
RSTUVWXYZ
abcdefghijklmnopqrstuvwxyz
1/1234567890%
(.,-;:!¡?¿–)·[’‘„”“»«]
+–=/$£+&§*
ÄÅÆÖØŒÜäåæıöøœßü
ÁÀÂÃÇČÉÈÊËÍÌÎÏĹŇÑÓÒÔÕ
ŔŘŠŤÚÙÛŴẄÝŶŸŽ
áàâãçčéèêëíìîïĺňñóòôõŕřš
úùûŵẅýỳÿž

Berthold-Schriftweite weit
Berthold-Schriftweite normal
Berthold-Schriftweite eng
Berthold-Schriftweite sehr eng
Berthold-Schriftweite extrem eng

In general, bodytypes are measured in the typograph ical point size. The sizes of Berthold Fototype faces can be exactly determined. All faces of same point size ha ve the same capital height irrespective of their x–heig ht. In hot metal and many ot her phototypesetting syste ms the capital heights often differ considerably from on e face to the other. For meas uring point sizes, a transpa rent size gauge is provided To determine the point size bring a capital letter into coi

3,20 mm (12 p), Zeilenabstand 5,25 mm

ZAPF BOOK

Die Maßangabe zu Grundschriftgrößen erfo lgt im allgemeinen in typographischen Punkt en. Die Schriftgrößen der Berthold-Fotosat z-Schriften sind nach Messung exakt bestim mbar. Alle Schriften gleicher Punktgröße we isen, unabhängig von der Höhe ihrer Mittellä ngen, eine identische Versalhöhe auf. Im Blei satz und bei vielen anderen Fotosatz-Syste men differieren die Versalhöhen von Schrift zu Schrift oft erheblich. Zum Messen von Sc hriftgrößen steht ein transparentes Größen maß zur Verfügung. Zum Messen wird ein V ersalbuchstabe mit dem Feld in Deckung ge bracht, das den Buchstaben oben und unten scharf begrenzt. Unter dem Feld ist die Schri ftgröße in typographischen Didot-Punkten d arunter in Millimetern angegeben. Auch die Millimeterangaben beziehen sich auf die Hö

2,40 mm (9 p), Zeilenabstand 4 mm

ZAPF BOOK

La valeur de la force de corps des carac tères de labeur èst généralement expri mée en points typographiques. La force de corps des caractères Berthold-Foto type peut être déterminée avec précisio n. Tous les caractères du même corps ont des capitales d'une hauteur identique, in dépendamment de la hauteur des bas de casse sans jambage. Dans la composition plomb, ainsi que dans certains systèmes de photocomposition, la hauteur des ca pitales, varie souvent d'un caractère à l'autre. Pour déterminer la force de corps de nos caractères, nous avons mis au poi nt une réglette de hauteur d'œil transpar ente. On cherche le rectangle qui délimite

2,65 mm (10 p), Zeilenabstand 4,50 mm

La indicación de las dimensiones para cuerpos de le tra vásicos tiene lugar en general en puntos tipográfi cos. Los cuerpos de letra de los caracteres Berthold Fototype pueden determinarse exactemente par me dición. Con independencia de la altura de sus longitu des centrales, todos los caracteres de idéntico cuerpo de letra presentan altura de mayúsculas idéntica. En la composición en plomo y en muchos otros sistemas de fotocomposición, las alturas de mayúsculas varían frecuentemmente en forma considerable de tipo de letra a tipo de letra. Para medir los cuerpos de letra se dispone de un tipómetro, véase la figura. Para la me

1,60 mm (6 p), Zeilenabstand 2,50 mm

Größe		Zeilenabstand			100 Zeichen		
mm	p	kp	Êp	Ex	0	–1	–2
1,33	5	2,06	2,31	–	92	89	86
1,60	6	2,50	2,75	2,50	108	104	100
1,86	7	2,88	3,19	–	124	120	116
2,15	8	3,31	3,69	3,38	141	136	131
2,40	9	3,69	4,13	4,00	158	152	146
2,65	10	4,06	4,56	4,50	174	167	160
2,92	11	4,50	5,00	4,69	190	183	176
3,20	12	4,94	5,50	5,25	207	199	191
3,45	13	5,31	5,94	–	223	215	207
3,72	14	5,75	6,38	–	239	230	221
3,98	15	6,13	6,81	–	255	246	237
4,25	16	6,56	7,31	–	271	261	251

WZ 13 E, NSW 0, MZB 0,65, F 0,13:0,046 (2,9), IV
H 1–x 0,71–k 1,13–p 0,40–Ê 1,31–kp 1,53–Êp 1,71
BF 089 0708, Belegung 051: 085 4934 (095 4934)

Le misure relative al corpo dei caratteri vengono generalmente indicate in punti tipografici. Il corpo dei caratteri Fototy pes può essere determinato con esattez za per semplice misurazione. Tutti i cara tteri di uguale grandezza in punti hanno indipendentemente dalla loro lunghezza uguale altezza delle maiuscole. Nella com posizione in piombo ed in moltialtri siste

2,15 mm (8 p), Zeilenabstand 3,38 mm

normal
medium
normal

ZAPF BOOK

normal
chiaro tondo
normal

Berthold-Schriften überzeugen durch Schärfe und Qu
alität. Schriftqualität ist eine Frage der Erfahrung. Bert
hold hat diese Erfahrung seit über hundert Jahren. Zu
erst im Schriftguß, dann im Fotosatz. Berthold-Schrifte
n sind weltweit geschätzt. Im Schriftenatelier München
wird jeder Buchstabe in der Größe von zwölf Zentimet
ern neu gezeichnet. Mit messerscharfen Konturen, um
für die Schriftscheiben das Optimale an Konturenschä
rfe herauszuholen. Um die Qualität des Einzelzeichens

1,33 mm (5 p) 20 30 40 50

Berthold-Schriften überzeugen durch Schärfe und
Qualität. Schriftqualität ist eine Frage der Erfahru
ng. Berthold hat diese Erfahrung seit über hundert
Jahren. Zuerst im Schriftguß, dann im Fotosatz. Be
rthold-Schriften sind weltweit geschätzt. Im Schrif
tenatelier München wird jeder Buchstabe in der G
röße von zwölf Zentimetern neu gezeichnet. Mit m
esserscharfen Konturen, um für die Schriftscheib
en das Optimale an Konturenschärfe herauszuhol

1,45 mm (5,5 p) 20 30 40

Berthold-Schriften überzeugen durch Schärfe
und Qualität. Schriftqualität ist eine Frage der
Erfahrung. Berthold hat diese Erfahrung seit ü
ber hundert Jahren. Zuerst im Schriftguß, dan
n im Fotosatz. Berthold-Schriften sind weltwe
it geschätzt. Im Schriftenatelier München wird
jeder Buchstabe in der Größe von zwölf Zenti
metern neu gezeichnet. Mit messerscharfen K
onturen, um für die Schriftscheiben das Opti

1,60 mm (6 p) 20 30 40

Berthold-Schriften überzeugen durch Sch
ärfe und Qualität. Schriftqualität ist eine Fr
age der Erfahrung. Berthold hat diese Erfa
hrung seit über hundert Jahren. Zuerst im
Schriftguß, dann im Fotosatz. Berthold-Sc
hriften sind weltweit geschätzt. Im Schrifte
natelier München wird jeder Buchstabe in
der Größe von zwölf Zentimetern neu gez
eichnet. Mit messerscharfen Konturen, um

1,75 mm (6,5 p) 20 30 40

Berthold-Schriften überzeugen durch S
chärfe und Qualität. Schriftqualität ist ei
ne Frage der Erfahrung. Berthold hat die
se Erfahrung seit über hundert Jahren
Zuerst im Schriftguß, dann im Fotosatz
Berthold-Schriften sind weltweit gesch
ätzt. Im Schriftenatelier München wird j
eder Buchstabe in der Größe von zwölf
Zentimetern neu gezeichnet. Mit messe

1,86 mm (7 p) 20 30

Berthold-Schriften überzeugen durch
Schärfe und Qualität. Schriftqualität i
st eine Frage der Erfahrung. Berthold
hat diese Erfahrung seit über hundert
Jahren. Zuerst im Schriftguß, dann im
Fotosatz. Berthold-Schriften sind wel
tweit geschätzt. Im Schriftenatelier M
ünchen wird jeder Buchstabe in der G
röße von zwölf Zentimetern neu geze

2,00 mm (7,5 p) 20 30

Berthold-Schriften überzeugen du
rch Schärfe und Qualität. Schriftqu
alität ist eine Frage der Erfahrung. B
erthold hat diese Erfahrung seit üb
er hundert Jahren. Zuerst im Schrif
tguß, dann im Fotosatz. Berthold-S
chriften sind weltweit geschätzt. Im
Schriftenatelier München wird jed
er Buchstabe in der Größe von zwö

2,15 mm (8 p) 20 30

Hermann Zapf
1976
International Typeface Corp.
H. Berthold AG

ABCDEFGHIJKLMNOPQ
RSTUVWXYZ
abcdefghijklmnopqrstuvw
xyz 1/1234567890%
(.,-;:!¡?¿–)·['‘„"“»«]
+−=/$£†*&§
ÄÅÆÖØŒÜäåæıöøœßü
ÁÀÂÃÇČÉÈÊËÍÌÎÏĹŇÑÓÒÔÕ
ŔŘŠŤÚÙÛŴẄÝỲŸŽ
áàâãçčéèêëíìîïĺňñóòôõŕřš
úùûŵẅýỳÿž

Berthold-Schriftweite weit
Berthold-Schriftweite normal
Berthold-Schriftweite eng
Berthold-Schriftweite sehr eng
Berthold-Schriftweite extrem eng

Berlin
3,75 mm (14 p)

Berlin
4,25 mm (16 p)

Berlin
4,75 mm (18 p)

Berlin
5,30 mm (20 p)

Berlin
6,35 mm (24 p)

Berlin
7,40 mm (28 p)

Berlin
8,50 mm (32 p)

Berlin
9,55 mm (36 p)

Größe mm	p	Zeilenabstand kp	Êp	Ex	100 Zeichen 0	−1	−2
1,33	5	2,00	2,25	2,00	110	107	104
1,60	6	2,44	2,75	2,50	130	126	122
1,86	7	2,81	3,19	3,00	150	146	142
2,15	8	3,25	3,69	3,50	170	165	160
2,40	9	3,63	4,06	3,75	190	184	178
2,65	10	4,00	4,50	4,25	210	203	196
2,92	11	4,38	4,94	4,75	229	222	215
3,20	12	4,81	5,44	5,25	249	241	233
3,45	13	5,19	5,88	5,75	269	261	253
3,72	14	5,56	6,31	–	288	279	270
3,98	15	5,94	6,75	–	308	299	290
4,25	16	6,38	7,19	–	327	317	307

WZ 16 E, NSW +1, MZB 0,79, F 0,18:0,046 (3,9), IV
H 1–x 0,72–k 1,10–p 0,39–Ê 1,30–kp 1,49–Êp 1,69
BF 089 0709, Belegung 051: 085 4976 (095 4976)

Berthold-Schriften überzeugen
durch Schärfe und Qualität. Sc
hriftqualität ist eine Frage der E
rfahrung. Berthold hat diese Erf
ahrung seit über hundert Jahre
n. Zuerst im Schriftguß, dann im
Fotosatz. Berthold-Schriften sin
d weltweit geschätzt. Im Schrift

2,40 mm (9 p) 10 20 3

Berthold-Schriften überzeug
en durch Schärfe und Qualit
ät. Schriftqualität ist eine Fra
ge der Erfahrung. Berthold h
at diese Erfahrung seit über h
undert Jahren. Zuerst im Sch
riftguß, dann im Fotosatz. Be
rthold-Schriften sind weltwe

2,65 mm (10 p) 10 20

Berthold-Schriften überze
ugen durch Schärfe und Q
ualität. Schriftqualität ist ei
ne Frage der Erfahrung. Be
rthold hat diese Erfahrung
seit über hundert Jahren
Zuerst im Schriftguß, dann
im Fotosatz. Berthold-Sch

2,92 mm (11 p) 10 20

Berthold-Schriften über
zeugen durch Schärfe u
nd Qualität. Schriftqualit
ät ist eine Frage der Erfa
hrung. Berthold hat dies
e Erfahrung seit über hu
ndert Jahren. Zuerst im
Schriftguß, dann im Foto

3,20 mm (12 p) 10 20

Berthold-Schriften üb
erzeugen durch Schär
fe und Qualität. Schrift
qualität ist eine Frage
der Erfahrung. Bertho
ld hat diese Erfahrung
seit über hundert Jahr
en. Zuerst im Schriftgu

3,45 mm (13 p) 10 20

normal
medium
normal

ZAPF BOOK

normal
chiaro tondo
normal

Berthold-Schriften überzeugen durch Schärfe und Qualit ät. Schriftqualität ist eine Frage der Erfahrung. Berthold hat diese Erfahrung seit über hundert Jahren. Zuerst im Schriftguß, dann im Fotosatz. Berthold-Schriften sind wel tweit geschätzt. Im Schriftenatelier München wird jeder Buchstabe in der Größe von zwölf Zentimetern neu gezei chnet. Mit messerscharfen Konturen, um für die Schriftsc heiben das Optimale an Konturenschärfe herauszuholen Um die Qualität des Einzelzeichens im Belichtungsvorga

4,25 mm (16 p), Zeilenabstand 6,75 mm

ZAPF BOOK MEDIUM

In general, bodytypes are measured in the typographical point size. The sizes of Berthold Fototype faces can be ex actly determined. All faces of same point size have the same capital heigth irrespective of their x-heigth. In hot metal and many other phototypeset ting systems the capital heigths often differ considerably from one face to the other. For measuring point sizes, a transparent size gauge is provided. To determine the point size, bring a capital letter into coincidence with that field which precisely circumscribes the let ter at its upper and lower margin. Be low the field you find the typographical point and below that the millimeter val ue, which also refers to the height of a capital letter. In Berthold-phototype setting the typewidth can be modified The standard setting width of typefaces is determined by the principle of opti

2,40 mm (9 p), Zeilenabstand 4,25 mm

ZAPF BOOK NORMAL

La valeur de la force de corps des caractères de labeur èst générale ment exprimée en points typogra phiques. La force de corps des ca ractères Berthold-Fototype peut être déterminée avec précision Tous les caractères du même corps ont des capitales d'une hauteur i dentique, indépendamment de la hauteur des bas de casse sans jam bage. Dans la composition plomb ainsi que dans certains systèmes de photocomposition, la hauteur des capitales, varie souvent d'un carac tère à l'autre. Pour déterminer la force de corps de nos caractères nous avons mis au point une réglet te de hauteur d'œil transparente. O n cherche le rectangle qui délimite exactement la hauteur d'œil d'une

2,65 mm (10 p), Zeilenabstand 4,69 mm

La indicación de las dimensiones pa ra cuerpos de letra vásicos tiene lu gar en general en puntos tipográfi cos. Los cuerpos de letra de los ca racteres Berthold Fototype pueden determinarse exactemente par me dición. Con independencia de la altu ra de sus longitudes centrales, todos los caracteres de idéntico cuerpo de

2,15 mm (8 p), −1, Zeilenabstand 3,38 mm

123,–	$	456,–	£	7890,–	DM	1	%
234,–	$	789,–	£	1234,–	DM	2	%
567,–	$	12,–	£	5678,–	DM	3	%
890,–	$	345,–	£	9012,–	DM	4	%
123,–	$	678,–	£	3456,–	DM	5	%
456,–	$	901,–	£	7890,–	DM	6	%
789,–	$	234,–	£	1234,–	DM	7	%
12,–	$	567,–	£	5678,–	DM	8	%
345,–	$	890,–	£	9012,–	DM	9	%

BF 089 0710

Le misure relative al corpo dei caratte ri vengono generalmente indicate in punti tipografici. Il corpo dei caratteri Fototypes può essere determinato con esattezza per semplice misurazione Tutti i caratteri di uguale grandezza in punti hanno, indipendentemente dalla loro lunghezza, uguale altezza delle maiuscole. Nella composizione in pio

2,15 mm (8 p), −2, Zeilenabstand 3,38 mm

kursiv
italic
italique

ZAPF BOOK

cursiva
corsivo
kursiv

Måttangivelse för grundstil sgrader sker i allmänhet i typografiska punkter. Stilar av Berthold Fototype kan ef ter mätning exakt gradbest ämmas. Alla typsnitt är av samma punktstorlek och har oberoende av x-höjden en identisk versalhöjd. I bly sättning och i många andra fotosättsystem varierar ver salhöjden avsevärt från typ snitt till typsnitt. För mätni ng av stilgrader finns en tra nsparent mätlinjal. Vid mät ningen placerar man en ve rsal bokstav så att rutorna begränsar tecknet upptill o ch nedtill. Under rutorna fi

2,92 mm (11 p), Zeilenabstand 4,69 mm

Hermann Zapf
1976
International Typeface Corp.
H. Berthold AG

ABCDEFGHIJKLMNOPQ
RSTUVWXYZ
abcdefghijklmnopqrstuvw
xyz 1/1234567890%
(.,-;:!¡?¿–)·[’‘„”“»«]
+−=/$£+&§*
ÄÅÆÖØŒÜäåæıöøœßü
ÁÀÂÃÇČÉÈÊËÍÌÎÏĹŇÑÓÒÔÕ
ŔŘŠŤÚÙÛŴẄÝỲŸŽ
áàâãçčéèêëíìîïĺňñóòôõŕřš
úùûŵẅýỳÿž

Berthold-Schriftweite weit
Berthold-Schriftweite normal
Berthold-Schriftweite eng
Berthold-Schriftweite sehr eng
Berthold-Schriftweite extrem eng

In general, bodytypes are measured in the typogra phical point size. The siz es of Berthold Fototype fa ces can be exactly deter mined. All faces of same point size have the same capital heigth–irrespecti ve of their x-heigth. In hot metal and many other ph ototypesetting systems th e capital heigths often dif fer considerably from on e face to the other. For m easuring point sizes, a tr ansparent size gauge is p rovided. To determine th

3,20 mm (12 p), Zeilenabstand 5,25 mm

ZAPF BOOK KURSIV

Die Maßangabe zu Grundschriftgrößen erfolgt im allgemeinen in typographi schen Punkten. Die Schriftgrößen der Berthold-Fotosatz-Schriften sind nach Messung exakt bestimmbar. Alle Schrif ten gleicher Punktgröße weisen, unab hängig von der Höhe ihrer Mittellängen eine identische Versalhöhe auf. Im Blei satz und bei vielen anderen Fotosatz-Sy stemen differieren die Versalhöhen von Schrift zu Schrift oft erheblich. Zum Mes sen von Schriftgrößen steht ein transpa rentes Größenmaß zur Verfügung. Zum Messen wird ein Versalbuchstabe mit dem Feld in Deckung gebracht, das den Buchstaben oben und unten scharf be grenzt. Unter dem Feld ist die Schriftgrö ße in typographischen Didot-Punkten, da

2,40 mm (9 p), Zeilenabstand 4 mm

ZAPF BOOK ITALIQUE

La valeur de la force de corps des ca ractères de labeur èst généralement exprimée en points typographiques La force de corps des caractères Bert hold-Fototype peut être déterminée avec précision. Tous les caractères du même corps ont des capitales d'une hauteur identique, indépen damment de la hauteur des bas de casse sans jambage. Dans la composi tion plomb, ainsi que dans certains systèmes de photocomposition, la hauteur des capitales, varie souvent d'un caractère à l'autre. Pour déter miner la force de corps de nos carac tères, nous avons mis au point une ré

2,65 mm (10 p), Zeilenabstand 4,50 mm

La indicación de las dimensiones para cuerpos de letra vásicos tiene lugar en general en puntos tipográficos. Los cuerpos de letra de los carac teres Berthold Fototype pueden determinarse exactemente par medición. Con independencia de la altura de sus longitudes centrales, todos los caracteres de idéntico cuerpo de letra presen tan altura de mayúsculas idéntica. En la composi ción en plomo y en muchos otros sistemas de fotocomposición, las alturas de mayúsculas va rían frecuentemmente en forma considerable de tipo de letra a tipo de letra. Para medir los cuer

1,60 mm (6 p), Zeilenabstand 2,50 mm

Größe		Zeilenabstand			100 Zeichen		
mm	p	kp	Êp	Ex	0	−1	−2
1,33	5	2,06	2,31	—	105	102	99
1,60	6	2,44	2,75	2,50	123	119	115
1,86	7	2,88	3,19	—	142	138	134
2,15	8	3,31	3,69	3,38	161	156	151
2,40	9	3,69	4,13	4,00	180	174	168
2,65	10	4,06	4,56	4,50	199	192	185
2,92	11	4,50	5,00	4,69	217	210	203
3,20	12	4,88	5,50	5,25	236	228	220
3,45	13	5,25	5,88	—	254	246	238
3,72	14	5,69	6,38	—	273	264	255
3,98	15	6,06	6,81	—	291	282	273
4,25	16	6,50	7,25	—	310	300	290

WZ 15 E, NSW 0, MZB 0,75, F 0,18:0,046 (3,8), IV
H 1–x 0,71–k 1,13–p 0,39–Ê 1,31–kp 1,52–Êp 1,70
BF 089 0711, Belegung 051: 085 4978 (095 4978)

Le misure relative al corpo dei carat teri vengono generalmente indicate in punti tipografici. Il corpo dei carat teri Fototypes può essere determina to con esattezza per semplice misura zione. Tutti i caratteri di uguale gran dezza in punti hanno, indipendente mente dalla loro lunghezza, uguale al tezza delle maiuscole. Nella composi

2,15 mm (8 p), Zeilenabstand 3,38 mm

halbfett
demi
demi-gras

ZAPF BOOK

seminegra
neretto
halvfet

Berthold-Schriften überzeugen durch Schär fe und Qualität. Schriftqualität ist eine Frage der Erfahrung. Berthold hat diese Erfahrung seit über hundert Jahren. Zuerst im Schriftg uß, dann im Fotosatz. Berthold-Schriften sind weltweit geschätzt. Im Schriftenatelier Münc hen wird jeder Buchstabe in der Größe von zwölf Zentimetern neu gezeichnet. Mit messe rscharfen Konturen, um für die Schriftscheib

1,60 mm (6 p), Zeilenabstand 2,50 mm

Berthold-Schriften überzeugen durch Schärfe und Qualität. Schriftqualität ist eine Frage der Erfahrung. Berthold hat diese Erfahrung seit über hundert Jahr en. Zuerst im Schriftguß, dann im Foto satz. Berthold-Schriften sind weltweit geschätzt. Im Schriftenatelier München wird jeder Buchstabe in der Größe von

1,86 mm (7 p), Zeilenabstand 3,00 mm

Berthold-Schriften überzeugen du rch Schärfe und Qualität. Schriftqu alität ist eine Frage der Erfahrung Berthold hat diese Erfahrung seit ü ber hundert Jahren. Zuerst im Sch riftguß, dann im Fotosatz. Berthol d-Schriften sind weltweit geschätz t. Im Schriftenatelier München wir

2,15 mm (8 p), Zeilenabstand 3,50 mm

Hermann Zapf
1976
International Typeface Corp.
H. Berthold AG

ABCDEFGHIJKLMNOPQ
RSTUVWXYZ
abcdefghijklmnopqrstuvw
xyz 1/1234567890%
(.,-;:!¡?¿–)·[’‘„”“»«]
+−=/$£†*&§
ÄÅÆÖØŒÜäåæıöøœßü
ÁÀÂÃÇČÉÈÊËÍÌÎÏĹŇÑÓÒÔÕ
ŔŘŠŤÚÙÛŴẄÝỲŸŽ
áàâãçčéèêëíìîïĺňñóòôõŕřš
úùûŵẅýỳÿž

Schriftweite weit
Schriftweite normal
Schriftweite eng
Schriftweite sehr eng
Schriftweite extrem eng

In general, bodytypes a re measured in the typ ographical point size. T he sizes of Berthold Fo totype faces can be exa ctly determined. All fac es of same point size ha ve the same capital hei ght–irrespective of the ir x-height. In hot metal and many other photot ypesetting systems the capital heights often dif fer considerably from one face to the other. F or measuring point siz es a transparent size ga

3,20 mm (12 p), Zeilenabstand 5,25 mm

Berthold’s quick brown fox jumps over the lazy dog and feels as
3,75 mm (14 p)

Berthold’s quick brown fox jumps over the lazy dog and
4,25 mm (16 p)

Berthold’s quick brown fox jumps over the lazy d
4,75 mm (18 p)

Berthold’s quick brown fox jumps over the la
5,30 mm (20 p)

Berthold’s quick brown fox jumps ov
6,35 mm (24 p)

Berthold’s quick brown fox jum
7,40 mm (28 p)

Berthold’s quick brown fox
8,50 mm (32 p)

Berthold’s quick brown f
9,55 mm (36 p)

Berthold-Schriften überzeuge n durch Schärfe und Qualität. S chriftqualität ist eine Frage der Erfahrung. Berthold hat diese Erfahrung seit über hundert Ja hren. Zuerst im Schriftguß, da nn im Fotosatz. Berthold-Schri ften sind weltweit geschätzt. Im

2,40 mm (9 p), Zeilenabstand 4,00 mm

Größe		Zeilenabstand			100 Zeichen		
mm	p	kp	Êp	Ex	0	−1	−2
1,33	5	2,06	2,25	—	111	108	105
1,60	6	2,44	2,75	2,50	131	127	123
1,86	7	2,81	3,13	3,00	150	146	142
2,15	8	3,25	3,63	3,50	171	166	161
2,40	9	3,63	4,06	4,00	192	186	180
2,65	10	4,06	4,50	4,00	211	204	197
2,92	11	4,44	4,94	—	231	224	217
3,20	12	4,88	5,44	5,25	251	243	235
3,45	13	5,25	5,81	—	270	262	254
3,72	14	5,63	6,25	—	290	281	272
3,98	15	6,06	6,69	—	310	301	292
4,25	16	6,44	7,19	—	329	319	309

WZ 15 E, NSW 0, MZB 0,79, F 0,26:0,054 (4,8), IV
H 1–x 0,73–k 1,13–p 0,38–Ê 1,30–kp 1,51–Êp 1,68
BF 089 0712, Belegung 051: 085 4980 (095 4980)

Berthold-Schriften überzeu gen durch Schärfe und Qua lität. Schriftqualität ist eine F rage der Erfahrung. Berthol d hat diese Erfahrung seit üb er hundert Jahren. Zuerst i im Schriftguß, dann im Foto satz. Berthold-Schriften sin

2,65 mm (10 p), Zeilenabstand 4,00 mm

kursiv halbfett
demi italic
italique demi-gras

ZAPF BOOK

seminegra cursiva
neretto corsivo
kursiv halvfet

Berthold-Schriften überzeugen durch Schärfe und Qualität. Schriftqualität ist eine Frage der Erfahrung. Berthold hat diese Erfahrung seit über hundert Jahren. Zuerst im Schriftguß, da nn im Fotosatz. Berthold-Schriften sind weltw eit geschätzt. Im Schriftenatelier München wird jeder Buchstabe in der Größe von zwölf Zentim etern neu gezeichnet. Mit messerscharfen Kont uren, um für die Schriftscheiben das Optimale

1,60 mm (6 p), Zeilenabstand 2,50 mm

Berthold-Schriften überzeugen durch Schärfe und Qualität. Schriftqualität ist eine Frage der Erfahrung. Berthold hat diese Erfahrung seit über hundert Jahr en. Zuerst im Schriftguß, dann im Fotosa tz. Berthold-Schriften sind weltweit gesc hätzt. Im Schriftenatelier München wird jeder Buchstabe in der Größe von zwölf

1,86 mm (7 p), Zeilenabstand 3,00 mm

Berthold-Schriften überzeugen du rch Schärfe und Qualität. Schriftqu alität ist eine Frage der Erfahrung Berthold hat diese Erfahrung seit über hundert Jahren. Zuerst im Sch riftguß, dann im Fotosatz. Berthold Schriften sind weltweit geschätzt. Im Schriftenatelier München wird jeder

2,15 mm (8 p), Zeilenabstand 3,50 mm

Hermann Zapf
1976
International Typeface Corp.
H. Berthold AG

ABCDEFGHIJKLMNOPQ
RSTUVWXYZ
abcdefghijklmnopqrstuvw
xyz 1/1234567890%
(.,-;:!¡?¿–)·[’‘„”“»«]
+−=/$£†&§*
ÄÅÆÖØŒÜäåæıöøœßü
ÁÀÂÃÇČÉÈÊËÍÌÎÏĹŇÑÓÒÔÕ
ŔŘŠŤÚÙÛŴẄÝỲŶŸŽ
áàâãçčéèêëíìîïĺňñóòôõŕřš
úùûŵẅýỳÿž

Berthold-Schriftweite weit
Berthold-Schriftweite normal
Berthold-Schriftweite eng
Berthold-Schriftweite sehr eng
Berthold-Schriftweite extrem eng

In general, bodytypes a re measured in the typo graphical point size. The sizes of Berthold Fototy pe faces can be exactly determined. All faces of same point size have the same capital height–irr espective of their x-heig ht. In hot metal and man y other phototypesetting systems the capital hei ghts often differ consid erably from one face to t he other. For measuring point sizes, a transparen t size gauge is provided

3,20 mm (12 p), Zeilenabstand 5,25 mm

Berthold's quick brown fox jumps over the lazy dog and feels as if
3,75 mm (14 p)

Berthold's quick brown fox jumps over the lazy dog and fe
4,25 mm (16 p)

Berthold's quick brown fox jumps over the lazy dog
4,75 mm (18 p)

Berthold's quick brown fox jumps over the lazy
5,30 mm (20 p)

Berthold's quick brown fox jumps over
6,35 mm (24 p)

Berthold's quick brown fox jump
7,40 mm (28 p)

Berthold's quick brown fox j
8,50 mm (32 p)

Berthold's quick brown f
9,55 mm (36 p)

Berthold-Schriften überzeugen durch Schärfe und Qualität. Sch riftqualität ist eine Frage der Erf ahrung. Berthold hat diese Erfa hrung seit über hundert Jahren Zuerst im Schriftguß, dann im F otosatz. Berthold-Schriften sin d weltweit geschätzt. Im Schrift

2,40 mm (9 p), Zeilenabstand 4,00 mm

Größe		Zeilenabstand			100 Zeichen		
mm	p	kp	Êp	Ex	0	−1	−2
1,33	5	1,94	2,31	–	107	104	101
1,60	6	2,38	2,75	2,50	126	122	118
1,86	7	2,75	3,19	3,00	145	141	137
2,15	8	3,13	3,69	3,50	165	160	155
2,40	9	3,50	4,13	4,00	185	179	173
2,65	10	3,88	4,56	4,00	204	197	190
2,92	11	4,25	5,00	—	223	216	209
3,20	12	4,69	5,50	5,25	242	234	226
3,45	13	5,06	5,88	—	261	253	245
3,72	14	5,44	6,38	—	280	271	262
3,98	15	5,81	6,81	—	299	290	281
4,25	16	6,19	7,25	—	318	308	298

WZ 15 E, NSW 0, MZB 0,77, F 0,24:0,042 (5,8), IV
H 1–x 0,68–k 1,06–p 0,39–Ê 1,31–kp 1,45–Êp 1,70
BF 089 0713, Belegung 051: 085 2592 (095 2592)

Berthold-Schriften überzeu gen durch Schärfe und Quali tät. Schriftqualität ist eine Fr age der Erfahrung. Berthold hat diese Erfahrung seit über hundert Jahren. Zuerst im S chriftguß, dann im Fotosatz Berthold-Schriften sind welt

2,65 mm (10 p), Zeilenabstand 4,00 mm

fett
heavy
gras

ZAPF BOOK

negra
nero
fet

Berthold-Schriften überzeugen durch Schärfe und Qualität. Schriftqualität ist eine Frage der Erfahrung. Berthold hat diese Erfahrung seit über hundert Jahren. Zuerst im Schriftguß, dann im Fotosatz. Berthold-Schriften sind weltweit geschätzt. Im Schriftenatelier München wird jeder Buchstabe in der Größe von zwölf Zentimetern neu gezeichnet. Mit messerscharfen Kont

1,60 mm (6 p), Zeilenabstand 2,50 mm

Berthold-Schriften überzeugen durch Schärfe und Qualität. Schriftqualität ist eine Frage der Erfahrung. Berthold hat diese Erfahrung seit über hundert Jahren. Zuerst im Schriftguß, dann im Fotosatz. Berthold-Schriften sind weltweit geschätzt. Im Schriftenatelier München wird jeder

1,86 mm (7 p), Zeilenabstand 3,00 mm

Berthold-Schriften überzeugen durch Schärfe und Qualität. Schriftqualität ist eine Frage der Erfahrung. Berthold hat diese Erfahrung seit über hundert Jahren Zuerst im Schriftguß, dann im Fotosatz. Berthold-Schriften sind weltweit geschätzt. Im Schriftte

2,15 mm (8 p), Zeilenabstand 3,50 mm

Hermann Zapf
1976
Intern. Typeface Corp.
H. Berthold AG

ABCDEFGHIJKLMNOPQ
RSTUVWXYZ
abcdefghijklmnopqrst
uvwxyz+−=/$£†*&§
1/1234567890%
(.,-;:!¡?¿–)·['‚"“»«]
ÄÅÆÖØŒÜäåæıöøœßü
ÁÀÂÃÇČÉÈÊËÍÌÎÏĹŇÑÓÒ
ÔÕŔŘŠŤÚÙÛŴẄÝŶŸŽ
áàâãçčéèêëíìîïĺňñóòôõŕřš
úùûŵẅýỳÿž

Schriftweite weit
Schriftweite normal
Schriftweite eng
Schriftweite sehr eng
Schriftweite extrem eng

In general, bodytypes are measured in the typographical point size The sizes of Berthold Fototype faces can be exactly determined. All faces of same point size have the same capital height–irrespective of their x-height. In hot metal and many other phototypesetting systems the capital heights often differ considerably from one face to the other. For measuring point sizes a t

3,20 mm (12 p), Zeilenabstand 5,25 mm

Berthold's quick brown fox jumps over the lazy dog and fe
3,75 mm (14 p)

Berthold's quick brown fox jumps over the lazy dog
4,25 mm (16 p)

Berthold's quick brown fox jumps over the la
4,75 mm (18 p)

Berthold's quick brown fox jumps over t
5,30 mm (20 p)

Berthold's quick brown fox jumps
6,35 mm (24 p)

Berthold's quick brown fox j
7,40 mm (28 p)

Berthold's quick brown f
8,50 mm (32 p)

Berthold's quick brow
9,55 mm (36 p)

Berthold-Schriften überzeugen durch Schärfe und Qualität. Schriftqualität ist eine Frage der Erfahrung. Berthold hat diese Erfahrung seit über hundert Jahren. Zuerst im Schriftguß, dann im Fotosatz Berthold-Schriften sind wel

2,40 mm (9 p), Zeilenabstand 4,00 mm

Größe mm	p	Zeilenabstand kp	Êp	Ex	100 Zeichen 0	−1	−2
1,33	5	2,06	2,25	–	122	119	116
1,60	6	2,44	2,75	2,50	143	139	135
1,86	7	2,81	3,19	3,00	165	161	157
2,15	8	3,25	3,69	3,50	187	182	177
2,40	9	3,63	4,06	4,00	209	203	197
2,65	10	4,06	4,50	4,00	231	224	217
2,92	11	4,44	4,94	–	252	245	238
3,20	12	4,88	5,44	5,25	274	266	258
3,45	13	5,25	5,88	–	295	287	279
3,72	14	5,63	6,31	–	317	308	299
3,98	15	6,06	6,75	–	338	329	320
4,25	16	6,44	7,19	–	360	350	340

WZ 18 E, NSW +1, MZB 0,87, F 0,33:0,058 (5,7), IV
H 1–x 0,72–k 1,13–p 0,38–Ê 1,31–kp 1,51–Êp 1,69
BF 089 0714, Belegung 051: 085 2594 (095 2594)

Berthold-Schriften überzeugen durch Schärfe und Qualität. Schriftqualität ist eine Frage der Erfahrung Berthold hat diese Erfahrung seit über hundert Jahren. Zuerst im Schriftguß dann im Fotosatz. Berthol

2,65 mm (10 p), Zeilenabstand 4,00 mm

kursiv fett
heavy italic
italique gras

ZAPF BOOK

negra cursiva
nero corsivo
kursiv fet

Berthold-Schriften überzeugen durch Schä
rfe und Qualität. Schriftqualität ist eine Fra
ge der Erfahrung. Berthold hat diese Erfah
rung seit über hundert Jahren. Zuerst im Sc
hriftguß, dann im Fotosatz. Berthold-Schri
ften sind weltweit geschätzt. Im Schriftenat
elier München wird jeder Buchstabe in der
Größe von zwölf Zentimetern neu gezeichnet
Mit messerscharfen Konturen, um für die Sc

1,60 mm (6 p), Zeilenabstand 2,50 mm

Berthold-Schriften überzeugen durch
Schärfe und Qualität. Schriftqualität
ist eine Frage der Erfahrung. Berthold
hat diese Erfahrung seit über hundert
Jahren. Zuerst im Schriftguß, dann im
Fotosatz. Berthold-Schriften sind wel
tweit geschätzt. Im Schriftenatelier M
ünchen wird jeder Buchstabe in der G

1,86 mm (7 p), Zeilenabstand 3,00 mm

Berthold-Schriften überzeugen d
urch Schärfe und Qualität. Schrif
tqualität ist eine Frage der Erfahr
ung. Berthold hat diese Erfahrung
seit über hundert Jahren. Zuerst
im Schriftguß, dann im Fotosatz
Berthold-Schriften sind weltweit
geschätzt. Im Schriftenatelier Mü

2,15 mm (8 p), Zeilenabstand 3,50 mm

Hermann Zapf
1976
Intern. Typeface Corp.
H. Berthold AG

ABCDEFGHIJKLMNOPQ
RSTUVWXYZ
abcdefghijklmnopqrstuvw
xyz+−=/$£†*&§
1/1234567890%
(.,-;:!¡?¿–)·[’‘„”“»«]
ÄÅÆÖØŒÜäåæıöøœßü
ÁÀÂÃÇČÉÈÊËÍÌÎÏĹŇÑÓÒ
ÔÕŔŘŠŤÚÙÛŴẄÝỲŸŽ
áàâãçčéèêëíìîïĺňñóòôõŕřš
úùûŵẅýỳÿž

Schriftweite weit
Schriftweite normal
Schriftweite eng
Schriftweite sehr eng
Schriftweite extrem eng

In general, bodytypes
are measured in the ty
pographical point size
The sizes of Berthold
Fototype faces can be e
xactly determined. All f
aces of same point size
have the same capital
height–irrespective of
their x-height. In hot m
etal and many other ph
ototypeseting systems
the capital heights ofte
n differ considerably fr
om one face to the othe
r. For measuring point
sizes, a transparent siz

3,20 mm (12 p), Zeilenabstand 5,25 mm

Berthold’s quick brown fox jumps over the lazy dog and feels
3,75 mm (14 p)

Berthold’s quick brown fox jumps over the lazy dog an
4,25 mm (16 p)

Berthold’s quick brown fox jumps over the lazy
4,75 mm (18 p)

Berthold’s quick brown fox jumps over the
5,30 mm (20 p)

Berthold’s quick brown fox jumps o
6,35 mm (24 p)

Berthold’s quick brown fox ju
7,40 mm (28 p)

Berthold’s quick brown fox
8,50 mm (32 p)

Berthold’s quick brown
9,55 mm (36 p)

Berthold-Schriften überzeuge
n durch Schärfe und Qualität
Schriftqualität ist eine Frage
der Erfahrung. Berthold hat di
ese Erfahrung seit über hunde
rt Jahren. Zuerst im Schriftgu
ß, dann im Fotosatz. Berthold
Schriften sind weltweit geschä

2,40 mm (9 p), Zeilenabstand 4,00 mm

Größe		Zeilenabstand			100 Zeichen		
mm	p	kp	Êp	Ex	0	−1	−2
1,33	5	1,94	2,25	—	115	112	109
1,60	6	2,31	2,69	2,50	135	131	127
1,86	7	2,63	3,13	3,00	156	152	148
2,15	8	3,06	3,63	3,50	177	172	167
2,40	9	3,44	4,00	4,00	198	192	186
2,65	10	3,75	4,44	4,00	219	212	205
2,92	11	4,13	4,88	—	239	232	225
3,20	12	4,56	5,31	5,25	259	251	243
3,45	13	4,88	5,75	—	280	272	264
3,72	14	5,25	6,19	—	300	291	282
3,98	15	5,63	6,63	—	320	311	302
4,25	16	6,00	7,06	—	341	331	321

WZ 15 E, NSW 0, MZB 0,82, F 0,33:0,042 (8,0), IV
H 1–x 0,70–k 1,04–p 0,37–Ê 1,29–kp 1,41–Êp 1,66
BF 089 0715, Belegung 051: 085 2599 (095 2599)

Berthold-Schriften überze
ugen durch Schärfe und Q
ualität. Schriftqualität ist e
ine Frage der Erfahrung. B
erthold hat diese Erfahrun
g seit über hundert Jahren
Zuerst im Schriftguß, dann
im Fotosatz. Berthold-Schr

2,65 mm (10 p), Zeilenabstand 4,00 mm

mager
light
maigre

ZAPF CHANCERY

fina
chiarissimo
mager

Berthold-Schriften überzeugen durch Schärfe und Qualität. Schriftqualit
ät ist eine Frage der Erfahrung. Berthold hat diese Erfahrung seit über hun
dert Jahren. Zuerst im Schriftguß, dann im Fotosatz. Berthold-Schriften
sind weltweit geschätzt. Im Schriftenatelier München wird jeder Buchsta
be in der Größe von zwölf Zentimetern neu gezeichnet. Mit messerscharf
en Konturen, um für die Schriftscheiben das Optimale an Konturenschär
fe herauszuholen. Um die Qualität des Einzelzeichens im Belichtungsvor
gang zu bewahren, wird durch die ruhende, nicht rotierende Schriftscheibe
belichtet. Dieses optische System, verbunden mit Präzisions-Chromglassc

1,33 mm (5 p) 20 30 40 50 60 7

Berthold-Schriften überzeugen durch Schärfe und Qualität. Schriftq
ualität ist eine Frage der Erfahrung. Berthold hat diese Erfahrung se
it über hundert Jahren. Zuerst im Schriftguß, dann im Fotosatz. Bert
hold-Schriften sind weltweit geschätzt. Im Schriftenatelier München
wird jeder Buchstabe in der Größe von zwölf Zentimetern neu gezeic
hnet. Mit messerscharfen Konturen, um für die Schriftscheiben das
Optimale an Konturenschärfe herauszuholen. Um die Qualität des
Einzelzeichens im Belichtungsvorgang zu bewahren, wird durch die
ruhende, nicht rotierende Schriftscheibe belichtet. Dieses optische Sy

1,45 mm (5,5 p) 20 30 40 50 60

Berthold-Schriften überzeugen durch Schärfe und Qualität. S
chriftqualität ist eine Frage der Erfahrung. Berthold hat diese
Erfahrung seit über hundert Jahren. Zuerst im Schriftguß, da
nn im Fotosatz. Berthold-Schriften sind weltweit geschätzt. Im
Schriftenatelier München wird jeder Buchstabe in der Größe
von zwölf Zentimetern neu gezeichnet. Mit messerscharfen
Konturen, um für die Schriftscheiben das Optimale an Kontur
enschärfe herauszuholen. Um die Qualität des Einzelzeichens
im Belichtungsvorgang zu bewahren, wird durch die ruhende

1,60 mm (6 p) 20 30 40 50 6

Berthold-Schriften überzeugen durch Schärfe und Qualit
ät. Schriftqualität ist eine Frage der Erfahrung. Berthold
hat diese Erfahrung seit über hundert Jahren. Zuerst im Sc
hriftguß, dann im Fotosatz. Berthold-Schriften sind welt
weit geschätzt. Im Schriftenatelier München wird jeder
Buchstabe in der Größe von zwölf Zentimetern neu gezeic
hnet. Mit messerscharfen Konturen, um für die Schriftsch
eiben das Optimale an Konturenschärfe herauszuholen
Um die Qualität des Einzelzeichens im Belichtungsvorga

1,75 mm (6,5 p) 20 30 40 50

Berthold-Schriften überzeugen durch Schärfe und Qua
lität. Schriftqualität ist eine Frage der Erfahrung. Bert
hold hat diese Erfahrung seit über hundert Jahren. Zue
rst im Schriftguß, dann im Fotosatz. Berthold-Schriften
sind weltweit geschätzt. Im Schriftenatelier München
wird jeder Buchstabe in der Größe von zwölf Zentimet
ern neu gezeichnet. Mit messerscharfen Konturen, um
für die Schriftscheiben das Optimale an Konturenschä
rfe herauszuholen. Um die Qualität des Einzelzeichens

1,86 mm (7 p) 20 30 40 50

Berthold-Schriften überzeugen durch Schärfe und
Qualität. Schriftqualität ist eine Frage der Erfahru
ng. Berthold hat diese Erfahrung seit über hundert
Jahren. Zuerst im Schriftguß, dann im Fotosatz. Be
rthold-Schriften sind weltweit geschätzt. Im Schrif
tenatelier München wird jeder Buchstabe in der Gr
öße von zwölf Zentimetern neu gezeichnet. Mit me
sserscharfen Konturen, um für die Schriftscheiben
das Optimale an Konturenschärfe herauszuholen

2,00 mm (7,5 p) 20 30 40

Berthold-Schriften überzeugen durch Schärfe un
d Qualität. Schriftqualität ist eine Frage der Erf
ahrung. Berthold hat diese Erfahrung seit über
hundert Jahren. Zuerst im Schriftguß, dann im
Fotosatz. Berthold-Schriften sind weltweit gesch
ätzt. Im Schriftenatelier München wird jeder Bu
chstabe in der Größe von zwölf Zentimetern neu
gezeichnet. Mit messerscharfen Konturen, um fü
r die Schriftscheiben das Optimale an Konturens

2,15 mm (8 p) 20 30 40

Hermann Zapf
1979
International Typeface Corp.
H. Berthold AG

ABCDEFGHIJKLMNOPQ
RSTUVWXYZ
abcdefghijklmnopqrstuvwxyz
1/1234567890%
(.,-;:!¡?¿–)·[’‘„”“»«]
+–=/$£†*&§
ÄÅÆÖØŒÜäåæıöøœßü
ÁÀÂÃÇČÉÈÊËÍÌÎÏĹŇÑÓÒÔÕ
ŔŘŠŤÚÙÛŴẄÝỲŸŽ
áàâãçčéèêëíìîïĺňñóòôõŕřš
úùûŵẅýỳÿž

Berthold-Schriftweite weit
Berthold-Schriftweite normal
Berthold-Schriftweite eng
Berthold-Schriftweite sehr eng
Berthold-Schriftweite extrem eng

Berthold
3,72 mm (14 p)

Berthold
4,25 mm (16 p)

Berthold
4,75 mm (18 p)

Berthold
5,30 mm (20 p)

Berthold
6,35 mm (24 p)

Berthold
7,40 mm (28 p)

Berthold
8,50 mm (32 p)

Berthold
9,55 mm (36 p)

Größe		Zeilenabstand			100 Zeichen		
mm	p	kp	Êp	Ex	0	–1	–2
1,33	5	2,25	0,00	2,00	81	78	75
1,60	6	2,75	0,00	2,50	95	91	87
1,86	7	3,19	0,00	3,00	109	105	101
2,15	8	3,69	0,00	3,50	124	119	114
2,40	9	4,06	0,00	3,75	139	133	127
2,65	10	4,50	0,00	4,25	153	146	139
2,92	11	4,94	0,00	4,75	167	160	153
3,20	12	5,44	0,00	5,25	182	174	166
3,45	13	5,88	0,00	5,75	196	188	180
3,72	14	6,31	0,00	–	210	201	192
3,98	15	6,75	0,00	–	224	215	206
4,25	16	7,19	0,00	–	239	229	219

WZ 13 E, NSW 0, MZB 0,58, F 0,092:0,038 (2,4), II
H 1–x 0,71–k 1,19–p 0,50–Ê 1,30–kp 1,69–Êp 1,80
BF 089 0787, Belegung 051: 085 2101 (095 2101)

Berthold-Schriften überzeugen durch Schä
rfe und Qualität. Schriftqualität ist eine Fr
age der Erfahrung. Berthold hat diese Erfa
hrung seit über hundert Jahren. Zuerst im
Schriftguß, dann im Fotosatz. Berthold-Sc
hriften sind weltweit geschätzt. Im Schrift
enatelier München wird jeder Buchstabe in
der Größe von zwölf Zentimetern neu gezei

2,40 mm (9 p) 20 30 40

Berthold-Schriften überzeugen durch S
chärfe und Qualität. Schriftqualität ist
eine Frage der Erfahrung. Berthold hat
diese Erfahrung seit über hundert Jahr
en. Zuerst im Schriftguß, dann im Foto
satz. Berthold-Schriften sind weltweit
geschätzt. Im Schriftenatelier Münche
n wird jeder Buchstabe in der Größe vo

2,65 mm (10 p) 20 30

Berthold-Schriften überzeugen durc
h Schärfe und Qualität. Schriftqual
ität ist eine Frage der Erfahrung. Be
rthold hat diese Erfahrung seit über
hundert Jahren. Zuerst im Schriftgu
ß, dann im Fotosatz. Berthold-Schri
ften sind weltweit geschätzt. Im Sch
riftenatelier München wird jeder Bu

2,92 mm (11 p) 20 30

Berthold-Schriften überzeugen d
urch Schärfe und Qualität. Schri
ftqualität ist eine Frage der Erfah
rung. Berthold hat diese Erfahru
ng seit über hundert Jahren. Zuer
st im Schriftguß, dann im Fotosa
tz. Berthold-Schriften sind weltw
eit geschätzt. Im Schriftenatelier

3,20 mm (12 p) 10 20 30

Berthold-Schriften überzeugen
durch Schärfe und Qualität. Sc
hriftqualität ist eine Frage der
Erfahrung. Berthold hat diese
Erfahrung seit über hundert Ja
hren. Zuerst im Schriftguß, da
nn im Fotosatz. Berthold-Schr
iften sind weltweit geschätzt. I

3,45 mm (13 p) 10 20

mager
light
maigre

ZAPF CHANCERY

fina
chiarissimo
mager

Berthold-Schriften überzeugen durch Schärfe und Qualität. Schriftqualität ist eine Frage der Erfahrung. Berthold hat diese Erfahrung seit über hundert Jahr en. Zuerst im Schriftguß, dann im Fotosatz. Berthold-Schriften sind weltweit geschätzt. Im Schriftenatelier München wird jeder Buchstabe in der Größe von zwölf Zentimetern neu gezeichnet. Mit messerscharfen Konturen, um für die Schriftscheiben das Optimale an Konturenschärfe herauszuholen. Um die Qu alität des Einzelzeichens im Belichtungsvorgang zu bewahren, wird durch die ruhende, nicht rotierende Schriftscheibe belichtet. Dieses optische System, ver bunden mit Präzisions-Chromglasscheiben, führt zu einer Schriftqualität, die

4,25 mm (16 p), Zeilenabstand 6,75 mm

ZAPF CHANCERY LIGHT

In general, bodytypes are measured in the typograph ical point size. The sizes of Berthold Fototype faces can be exactly determined. All faces of same point size have the same capital height–irrespective of their x height. In hot metal and many other phototypeset ting systems the capital heights often differ consider ably from one face to the other. For measuring point sizes, a transparent size gauge is provided. To deter mine the point size, bring a capital letter into coinci dence with that field which precisely circumscribes the letter at its upper and lower margin. Below the field you find the typographical point and below that the millimeter value, which also refers to the height of a capital letter. In Berthold-phototypesetting, the typewidth can be modified. The standard setting width of typefaces is determined by the principle of optimum legibility. You should not depart from this typewidth without cogent reason. A typeface which is considered optically right when looked in a greater context, often seems bulky when applied for a small amount of text, e. g. labels and ads. Here, a width re duction will be conducive to legibility. Small amoun

2,40 mm (9 p), Zeilenabstand 4,25 mm

ZAPF CHANCERY MAIGRE

La valeur de la force de corps des caractères de la beur èst généralement exprimée en points typo graphiques. La force de corps des caractères Berthold-Fototype peut être déterminée avec précision. Tous les caractères du même corps ont des capitales d'une hauteur identique, indépen damment de la hauteur des bas de casse sans jambage. Dans la composition plomb, ainsi que dans certains systèmes de photocomposi tion, la hauteur des capitales, varie souvent d'un caractère à l'autre. Pour déterminer la force de corps de nos caractères, nous avons mis au point une réglette de hauteur d'œil transparente. On cherche le rectangle qui délimite exactement la hauteur d'œil d'une capitale du caractère choisi Sous le rectangle correspondant la valeur de la force de corps est indiquée en points Didots et en millimètres. La valeur en millimètres exprime é galement la hauteur des capitales. Pour toutes les indications concernant la force de corps, il est

2,65 mm (10 p), Zeilenabstand 4,69 mm

La indicación de las dimensiones para cuerpos de letra vasicos tiene lugar en general en puntos tipo gráficos. Los cuerpos de letra de los caracteres Bert hold Fototype pueden determinarse exactemente par medición. Con independencia de la altura de sus longitudes centrales, todos los caracteres de idéntico cuerpo de letra presentan altura de mayús culas idéntica. En la composición en plomo y en muchos otros sistemas de fotocomposición, las al

2,15 mm (8 p), −1, Zeilenabstand 3,38 mm

123,– $	456,– £	7890,– DM	1 %
234,– $	789,– £	1234,– DM	2 %
567,– $	12,– £	5678,– DM	3 %
890,– $	345,– £	9012,– DM	4 %
123,– $	678,– £	3456,– DM	5 %
456,– $	901,– £	7890,– DM	6 %
789,– $	234,– £	1234,– DM	7 %
12,– $	567,– £	5678,– DM	8 %
345,– $	890,– £	9012,– DM	9 %

BF 089 0788

Le misure relative al corpo dei caratteri vengono ge neralmente indicate in punti tipografici. Il corpo dei caratteri Fototypes può essere determinato con esat tezza per semplice misurazione. Tutti i caratteri di uguale grandezza in punti hanno, indipendentemen te dalla loro lunghezza, uguale altezza delle maiusco le. Nella composizione in piombo ed in molti altri sis temi di fotocomposizione, l'altezza delle maiuscole varia spesso da carattere a carattere. Per misurare il

2,15 mm (8 p), −2, Zeilenabstand 3,38 mm

mager Swash
light swash
maigre lettres ornées

ZAPF CHANCERY

fina letras adornadas
chiarissimo lettre ornate
mager ornament bokstäver

Berthold-Schriften überzeugen durch Schärfe und Qualität. Schriftquali
tät ist eine Frage der Erfahrung. Berthold hat diese Erfahrung seit über
hundert Jahren. Zuerst im Schriftguß, dann im Fotosatz. Berthold-Schri
ften sind weltweit geschätzt. Im Schriftenatelier München wird jeder Bu
chstabe in der Größe von zwölf Zentimetern neu gezeichnet. Mit messer
scharfen Konturen, um für die Schriftscheiben das Optimale an Konture
nschärfe herauszuholen. Um die Qualität des Einzelzeichens im Belichtu
ngsvorgang zu bewahren, wird durch die ruhende, nicht rotierende Schri
ftscheibe belichtet. Dieses optische System, verbunden mit Präzisions-Ch

1,33 mm (5 p) 20 30 40 50 60 7

Berthold-Schriften überzeugen durch Schärfe und Qualität. Schrift
qualität ist eine Frage der Erfahrung. Berthold hat diese Erfahrung
seit über hundert Jahren. Zuerst im Schriftguß, dann im Fotosatz
Berthold-Schriften sind weltweit geschätzt. Im Schriftenatelier Mü
nchen wird jeder Buchstabe in der Größe von zwölf Zentimetern neu
gezeichnet. Mit messerscharfen Konturen, um für die Schriftscheib
en das Optimale an Konturenschärfe herauszuholen. Um die Quali
tät des Einzelzeichens im Belichtungsvorgang zu bewahren, wird
durch die ruhende, nicht rotierende Schriftscheibe belichtet. Dieses

1,45 mm (5,5 p) 20 30 40 50 60

Berthold-Schriften überzeugen durch Schärfe und Qualität
Schriftqualität ist eine Frage der Erfahrung. Berthold hat die
se Erfahrung seit über hundert Jahren. Zuerst im Schriftguß
dann im Fotosatz. Berthold-Schriften sind weltweit geschät
zt. Im Schriftenatelier München wird jeder Buchstabe in der
Größe von zwölf Zentimetern neu gezeichnet. Mit messersch
arfen Konturen, um für die Schriftscheiben das Optimale an
Konturenschärfe herauszuholen. Um die Qualität des Einzel
zeichens im Belichtungsvorgang zu bewahren, wird durch die

1,60 mm (6 p) 20 30 40 50 6

Berthold-Schriften überzeugen durch Schärfe und Quali
tät. Schriftqualität ist eine Frage der Erfahrung. Berthold
hat diese Erfahrung seit über hundert Jahren. Zuerst im
Schriftguß, dann im Fotosatz. Berthold-Schriften sind
weltweit geschätzt. Im Schriftenatelier München wird je
der Buchstabe in der Größe von zwölf Zentimetern neu
gezeichnet. Mit messerscharfen Konturen, um für die Sc
hriftscheiben das Optimale an Konturenschärfe herausz
uholen. Um die Qualität des Einzelzeichens im Belichtu

1,75 mm (6,5 p) 20 30 40 50

Berthold-Schriften überzeugen durch Schärfe und Qu
alität. Schriftqualität ist eine Frage der Erfahrung. Be
rthold hat diese Erfahrung seit über hundert Jahren. Zu
erst im Schriftguß, dann im Fotosatz. Berthold-Schrif
ten sind weltweit geschätzt. Im Schriftenatelier Münc
hen wird jeder Buchstabe in der Größe von zwölf Zent
imetern neu gezeichnet. Mit messerscharfen Konturen
um für die Schriftscheiben das Optimale an Konturens
chärfe herauszuholen. Um die Qualität des Einzelzeic

1,86 mm (7 p) 20 30 40 50

Berthold-Schriften überzeugen durch Schärfe und
Qualität. Schriftqualität ist eine Frage der Erfahr
ung. Berthold hat diese Erfahrung seit über hund
ert Jahren. Zuerst im Schriftguß, dann im Fotosatz
Berthold-Schriften sind weltweit geschätzt. Im Sc
hriftenatelier München wird jeder Buchstabe in de
r Größe von zwölf Zentimetern neu gezeichnet. M
it messerscharfen Konturen, um für die Schriftsche
iben das Optimale an Konturenschärfe herauszuh

2,00 mm (7,5 p) 20 30 40

Berthold-Schriften überzeugen durch Schärfe
und Qualität. Schriftqualität ist eine Frage der
Erfahrung. Berthold hat diese Erfahrung seit
über hundert Jahren. Zuerst im Schriftguß, dann
im Fotosatz. Berthold-Schriften sind weltweit
geschätzt. Im Schriftenatelier München wird je
der Buchstabe in der Größe von zwölf Zentime
tern neu gezeichnet. Mit messerscharfen Kontur
en, um für die Schriftscheiben das Optimale an

2,15 mm (8 p) 20 30 40

Hermann Zapf
1979
International Typeface Corp.
H. Berthold AG

ABCDEFGHIJKLMNOPQ
RSTUVWXYZ
abcdefghijklmnopqr
stuvwxyz
ÆŒĲ
ðLeefkrtvwyyy
ffthst
1234567890%
(.,-;:!?)·['„""‹›]
¶+=/$¢£‡*&§©
ÄÖÜäöüß

Berthold-Schriftweite weit
Berthold-Schriftweite normal
Berthold-Schriftweite eng
Berthold-Schriftweite sehr eng
Berthold-Schriftweite extrem eng

Berthold
3,72 mm (14 p)

Berthold
4,25 mm (16 p)

Berthold
4,75 mm (18 p)

Berthold
5,30 mm (20 p)

Berthold
6,35 mm (24 p)

Berthold
7,40 mm (28 p)

Berthold
8,50 mm (32 p)

Berthold
9,55 mm (36 p)

Größe mm	p	Zeilenabstand kp	Êp	Ex	100 Zeichen 0	−1	−2
1,33	5	2,25	2,44	2,00	81	78	75
1,60	6	2,69	2,94	2,50	95	91	87
1,86	7	3,13	3,38	3,00	109	105	101
2,15	8	3,63	3,88	3,50	124	119	114
2,40	9	4,06	4,38	3,75	139	133	127
2,65	10	4,44	4,81	4,25	153	146	139
2,92	11	4,88	5,31	4,75	167	160	153
3,20	12	5,38	5,81	5,25	182	174	166
3,45	13	5,81	6,25	5,75	196	188	180
3,72	14	6,25	6,75	–	210	201	192
3,98	15	6,69	7,19	–	224	215	206
4,25	16	7,13	7,69	–	239	229	219

WZ 13 E, NSW 0, MZB 0,58, F 0,092:0,038 (2,4), II
H 1–x 0,71–k 1,17–p 0,50–Ê 1,30–kp 1,67–Êp 1,80
BF 089 0798, Belegung 069: 085 2107 (095 2107)

Berthold-Schriften überzeugen durch Schä
rfe und Qualität. Schriftqualität ist eine Fr
age der Erfahrung. Berthold hat diese Erf
ahrung seit über hundert Jahren. Zuerst im
Schriftguß, dann im Fotosatz. Berthold-Sc
hriften sind weltweit geschätzt. Im Schrift
enatelier München wird jeder Buchstabe in
der Größe von zwölf Zentimetern neu geze

2,40 mm (9 p) 20 30 40

Berthold-Schriften überzeugen durch
Schärfe und Qualität. Schriftqualität
ist eine Frage der Erfahrung. Berthold
hat diese Erfahrung seit über hundert
Jahren. Zuerst im Schriftguß, dann im
Fotosatz. Berthold-Schriften sind wel
tweit geschätzt. Im Schriftenatelier M
ünchen wird jeder Buchstabe in der Gr

2,65 mm (10 p) 20 30

Berthold-Schriften überzeugen dur
ch Schärfe und Qualität. Schriftqua
lität ist eine Frage der Erfahrung
Berthold hat diese Erfahrung seit
über hundert Jahren. Zuerst im Sch
riftguß, dann im Fotosatz. Berthold
Schriften sind weltweit geschätzt. I
m Schriftenatelier München wird

2,92 mm (11 p) 20 30

Berthold-Schriften überzeugen
durch Schärfe und Qualität. Sch
riftqualität ist eine Frage der Erf
ahrung. Berthold hat diese Erfa
hrung seit über hundert Jahren
Zuerst im Schriftguß, dann im F
otosatz. Berthold-Schriften sind
weltweit geschätzt. Im Schriften

3,20 mm (12 p) 10 20 30

Berthold-Schriften überzeuge
n durch Schärfe und Qualität
Schriftqualität ist eine Frage
der Erfahrung. Berthold hat
diese Erfahrung seit über hun
dert Jahren. Zuerst im Schrift
guß, dann im Fotosatz. Berth
old-Schriften sind weltweit ge

3,45 mm (13 p) 10 20

mager Swash
light swash
maigre lettres ornées

ZAPF CHANCERY

fina letras adornadas
chiarissimo lettere ornate
mager ornamentbokstäver

Berthold-Schriften überzeugen durch Schärfe und Qualität. Schriftqualität ist eine Frage der Erfahrung. Berthold hat diese Erfahrung seit über hundert Jahren. Zuerst im Schriftguß, dann im Fotosatz. Berthold-Schriften sind wel tweit geschätzt. Im Schriftenatelier München wird jeder Buchstabe in der Größe von zwölf Zentimetern neu gezeichnet. Mit messerscharfen Kontur en, um für die Schriftscheiben das Optimale an Konturenschärfe herauszuho len. Um die Qualität des Einzelzeichens im Belichtungsvorgang zu bewahr en, wird durch die ruhende, nicht rotierende Schriftscheibe belichtet. Dieses optische System, verbunden mit Präzisions-Chromglasscheiben, führt zu ei

4,25 mm (16 p), Zeilenabstand 6,75 mm

ZAPF CHANCERY

In general, bodytypes are measured in the typo graphical point size. The sizes of Berthold Fototype faces can be exactly determined. All faces of same point size have the same capital height-irrespective of their x-height. In hot metal and many other pho totypesetting systems the capital heights often differ considerably from one face to the other. For measur ing point sizes, a transparent size gauge is provid ed. To determine the point size, bring a capital letter into coincidence with that field which precisely cir cumscribes the letter at its upper and lower margin Below the field you find the typographical point and below that the millimeter value, which also re fers to the height of a capital letter. In Berthold-pho totypesetting, the typewidth can be modified. The standard setting width of typefaces is determined by the principle of optimum legibility. You should not depart from this typewidth without cogent reason A typeface which is considered optically right when looked in a greater context, often seems bulky when applied for a small amount of text, e.g. labels and ads. Here, a width reduction will be conducive to leg

2,40 mm (9 p), Zeilenabstand 4,25 mm

ZAPF CHANCERY

Die Maßangabe zu Grundschriftgrößen erfolgt im allgemeinen in typographischen Punkten Die Schriftgrößen der Berthold-Fotosatz Schriften sind nach Messung exakt bestimm bar. Alle Schriften gleicher Punktgröße weisen unabhängig von der Höhe ihrer Mittellängen eine identische Versalhöhe auf. Im Bleisatz und bei vielen anderen Fotosatz-Systemen differie ren die Versalhöhen von Schrift zu Schrift oft erheblich. Zum Messen von Schriftgrößen steht ein transparentes Größenmaß zur Verfügung Zum Messen wird ein Versalbuchstabe mit dem Feld in Deckung gebracht, das den Buch staben oben und unten scharf begrenzt. Unter dem Feld ist die Schriftgröße in typographi schen Didot-Punkten, darunter in Millimetern angegeben. Auch die Millimeterangaben be ziehen sich auf die Höhe der Versalbuchstaben Die Schriftweite kann im Berthold-Fotosatz beliebig verändert werden. Die Festlegung der

2,65 mm (10 p), Zeilenabstand 4,69 mm

In general, bodytypes are measured in the typo graphical point size. The sizes of Berthold Foto type faces can be exactly determined. All faces of same point size have the same capital height-irre spective of their x-height. In hot metal and many other phototypesetting systems the capital heights often differ considerably from one face to the other For measuring point sizes, a transparent size gauge is provided. To determine the point size

2,15 mm (8 p), –1, Zeilenabstand 3,38 mm

Bouillabaisse	7,95
Frisch gebeizter Ostseelachs	16,70
Japanische Wachteleier	13,75
Gegrillte Scampi	17,80
Lammkotelett Provencyale	15,30
Hasenkeule Chasseur	19,50
Ente pochiert in der Blase	22,50
Kalbsmedaillons Gourmet	18,50
Kalbsfilet Grand Seigneur	24,50

BF 089 0799

In general, bodytypes are measured in the typo graphical point size. The sizes of Berthold Fototype faces can be exactly determined. All faces of same point size have the same capital height-irrespective of their x-height. In hot metal and many other photo typesetting systems the capital heights often differ considerably from one face to the other. For measur ing point sizes, a transparent size gauge is provided To determine the point size, bring a capital letter into

2,15 mm (8 p), –2, Zeilenabstand 3,38 mm

mager Kapitälchen
light caps
maigre petites capitales

ZAPF CHANCERY

fina mayusculita
chiarissimo maiuscoletto
mager kapitäler

Berthold-Schriften übe rzeugen durch Schärfe u nd Qualität. Schriftqua lität ist eine Frage der E rfahrung. Berthold hat diese Erfahrung seit übe r hundert Jahren. Zuers t im Schriftguss, dann im Fotosatz. Berthold-Sch riften sind weltweit ges chätzt. Im Schriftenatel ier München wird jeder Buchstabe in der Grösse von zwölf Zentimetern neu gezeichnet. Mit mess erscharfen Konturen, u m für die Schriftscheiben

3,20 mm (12 p), Zeilenabstand 5,25 mm

Hermann Zapf
1979
International Typeface Corp.
H. Berthold AG

ABCDEFGHIJKLMNOPQ
RSTUVWXYZ
ABCDEFGHIJKLMNOPQRSTUVW
XYZ 1234567890%
(.,-;:!i?¿—)·[‘’„“”»«›‹]
+−=/$£†*&§©
ÄÅÆÖØŒÜÄÅÆÖØŒÜ
ÁÀÂÃÇČÉÈÊËÍÌÎÏĹŇÑÓÒÔÕ
ŔŘŠŤÚÙÛŴẀÝỲŸŽ
ÁÀÂÃÇČÉÈÊËÍÌÎÏĹŇÑÓÒÔÕŔŘŠ
ÚÙÛŴẀÝỲŸŽ

Berthold-Schriftweite weit
Berthold-Schriftweite normal
Berthold-Schriftweite eng
Berthold-Schriftweite sehr eng
Berthold-Schriftweite extrem eng

LA VALEUR DE LA FORCE DE CORPS DES CARACTE RES DE LABEUR EST GEN ERALEMENT EXPRIMEE EN POINTS TYPOGRAPHI QUES. LA FORCE DE COR PS DES CARACTERES BE RTHOLD FOTOTYPE PEU T ETRE DETERMINEE AV EC PRECISION. TOUS LES CARACTERES DU MEME CORPS ONT DES CAPITA LES D'UNE HAUTEUR IDE NTIQUE, INDEPENDAM MENT DE LA HAUTEUR D ES BAS DE CASSE SANS JA MBAGE. DANS LA COMP

3,20 mm (12 p), Zeilenabstand 5,25 mm

8/5

MARIE-THERÈSE ROCHEFORT
Directrice

Paris, Rue Victor Hugo 69, Telefon 37 25 86

10/7

FLORENTINO CAVALLO
Maître de Plaisir

Firenze, Via Ludovica Aretino 33

12/9

EULALIA SCHÄFER
Diätköchin

Vilshofen, Am Markt 2

Berlin
3,72 mm (14 p)

Berlin
4,25 mm (16 p)

Berlin
4,75 mm (18 p)

Berlin
5,30 mm (20 p)

Berlin
6,35 mm (24 p)

Berlin
7,40 mm (28 p)

Berlin
8,50 mm (32 p)

Berlin
9,55 mm (36 p)

9/6

HANS-OTTO VON SCHLICK
Landrat

Kappeln an der Schlei, Am Horst 10, Tel. 66 34

11/8

JAN VAN DER FALK
Detektivbüro

Amsterdam, Halve Maan Straat 78

13/10

VLADIMIR IRIBOZOV
Saxophonist

München, Domstrasse 2

La indicación de las dimensiones para cuerpos de letra vásicos tiene lugar en general en puntos tipográficos Los cuerpos de letra de los caracteres Berthold Foto type pueden determinarse exactemente par medición Con independencia de la altura de sus longitudes cen trales, todos los caracteres de idéntico cuerpo de letra presentan altura de mayúsculas idéntica. En la composi ción en plomo y en muchos otros sistemas de fotocomposi ción, las alturas de mayúsculas varían frecuentem mente en forma considerable de tipo de letra a tipo de letra. Para medir los cuerpos de letra se dispone de un ti pómetro, véase la figura. Para la medición se hace coin cidir una letra mayúscula con la casilla cuyos extre mos coinciden con los extremos superior e inferior de la letra. Bajo la casilla se indica el cuerpo de letra en pun

1,33 mm (5 p), Zeilenabstand 1,94 mm

Le misure relative al corpo dei caratteri vengono generalmente indicate in punti ti pografici. Il corpo dei caratteri Fototypes può essere determinato con esattezza per semplice misurazione. Tutti i caratteri di uguale grandezza in punti hanno, indipen dentemente dalla loro lunghezza, uguale altezza delle maiuscole. Nella composizi one in piombo ed in molti altri sistemi di fo tocomposizione, l'altezza delle maiuscole varia spesso da carattere a carattere. Per misurare il corpo dei caratteri è indispen

1,60 mm (6 p), Zeilenabstand 2,44 mm
WZ 16 E, NSW +1, II
BF 089 0800, Belegung 027: 085 2113 (095 2113)

In general, bodytypes are measured in the typographical point size. The sizes of Ber thold Fototype faces can be exactly dete rmined. All faces of same point size have t he same capital height—irrespective of t heir x-height. In hot metal and many oth er phototypesetting systems the capital h eights often differ considerably from on e face to the other. For measuring point s izes, a transparent size gauge is provided

1,86 mm (7 p), Zeilenabstand 3,00 mm

kursiv mager
light italic
italique maigre

ZAPF CHANCERY

fina cursiva
chiarissimo corsivo
kursiv mager

Måttangivelse för grundstilsgrader sker i allmänhet i typografiska punkter. Stilar av Berthold Fototype kan efter mätning exakt gradbestämmas Alla typsnitt är av samma punktstorlek och har oberoende av x-höjden en identisk versalhöjd. I blysättning och i många andra fotosättsystem varierar versalhöjden avsevärt från typsnitt till typsnitt. För mätning av stilgrader finns en transparent mätlinjal. Vid mätningen placerar man en versal bokstav så att rutorna begränsar tecknet upptill och nedtill. Under rutorna finns stilstorleken i typografiska didotpunkter och i mm. Även millimeteruppgiften avser versalhöjden. Vid stilstorleksuppgifter anges alltid måttenheten efter sifferupp

2,92 mm (11 p), Zeilenabstand 4,69 mm

Hermann Zapf
1979
International Typeface Corp.
H. Berthold AG

ABCDEFGHIJKLMNOPQ
RSTUVWXYZ
abcdefghijklmnopqrstuvwxyz
1/1234567890 %
(.,-;:!¡?¿–)·[‘‘„”“»«]
+–=/$£†*&§
ÄÅÆÖØŒÜäåæıöøœßü
ÁÀÂÃÇČÉÈÊËÍÌÎÏĹŇÑÓÒÔÕ
ŔŘŠŤÚÙÛŴẄÝŶŸŽ
áàâãçčéèêëíìîïĺňñóòôõŕřš
úùûŵẅýỳÿž

Berthold-Schriftweite weit
Berthold-Schriftweite normal
Berthold-Schriftweite eng
Berthold-Schriftweite sehr eng
Berthold-Schriftweite extrem eng

In general, bodytypes are measured in the typographical point size The sizes of Berthold Fototype faces can be exactly determined. All faces of same point size have the same capital height–irrespective of their x-height. In hot metal and many other phototypesetting systems the capital heights often differ considerably from one face to the other. For measuring point sizes a transparent size gauge is provided. To determine the point size bring a capital letter into coincidence with that field which precisely circumscribes the letter at its upper and lower margin. Below th

3,20 mm (12 p), Zeilenabstand 5,25 mm

ZAPF CHANCERY

Die Maßangabe zu Grundschriftgrößen erfolgt im allgemeinen in typographischen Punkten. Die Schriftgrößen der Berthold-Fotosatz-Schriften sind nach Messung exakt bestimmbar. Alle Schriften gleicher Punktgröße weisen, unabhängig von der Höhe ihrer Mittellängen, eine identische Versalhöhe auf. Im Bleisatz und bei vielen anderen Fotosatz-Systemen differieren die Versalhöhen von Schrift zu Schrift oft erheblich Zum Messen von Schriftgrößen steht ein transparentes Größenmaß zur Verfügung. Zum Messen wird ein Versalbuchstabe mit dem Feld in Deckung gebracht das den Buchstaben oben und unten scharf begrenzt Unter dem Feld ist die Schriftgröße in typographischen Didot-Punkten, darunter in Millimetern angegeben. Auch die Millimeterangaben beziehen sich auf die Höhe der Versalbuchstaben. Die Schriftweite kann im Berthold-Fotosatz beliebig verändert werden. Die Festlegung der Normalschriftweite erfolgt nach dem

2,40 mm (9 p), Zeilenabstand 4 mm

ZAPF CHANCERY

La valeur de la force de corps des caractères de labeur èst généralement exprimée en points typographiques. La force de corps des caractères Berthold-Fototype peut être déterminée avec précision. Tous les caractères du même corps ont des capitales d'une hauteur identique, indépendamment de la hauteur des bas de casse sans jambage Dans la composition plomb, ainsi que dans certains systèmes de photocomposition, la hauteur des capitales, varie souvent d'un caractère à l'autre. Pour déterminer la force de corps de nos caractères, nous avons mis au point une réglette de hauteur d'œil transparente. On cherche le rectangle qui délimite exactement la hauteur d'œil d'une capitale du caractère choisi. Sous le rectangle correspondant la valeur de la force de corps est

2,65 mm (10 p), Zeilenabstand 4,50 mm

La indicación de las dimensiones para cuerpos de letra vásicos tiene lugar en general en puntos tipográficos. Los cuerpos de letra de los caracteres Berthold Fototype pueden determinarse exactemente par medición. Con independencia de la altura de sus longitudes centrales, todos los caracteres de idéntico cuerpo de letra presentan altura de mayúsculas idéntica. En la composición en plomo y en muchos otros sistemas de fotocomposición, las alturas de mayúsculas varían frecuentemmente en forma considerable de tipo de letra a tipo de letra. Para medir los cuerpos de letra se dispone de un tipómetro, véase la figura. Para la medición se hace coincidir una letra mayúscula con la casilla cuyos extremos coinciden con los extremos superior e inferior de

1,60 mm (6 p), Zeilenabstand 2,50 mm

Größe		Zeilenabstand			100 Zeichen		
mm	p	kp	Êp	Ex	0	−1	−2
1,33	5	2,25	2,44	—	79	76	73
1,60	6	2,75	2,94	2,50	93	89	85
1,86	7	3,19	3,44	—	107	103	99
2,15	8	3,69	3,94	3,38	122	117	112
2,40	9	4,06	4,38	4,00	137	131	125
2,65	10	4,50	4,88	4,50	151	144	137
2,92	11	4,94	5,38	4,69	165	158	151
3,20	12	5,44	5,88	5,25	179	171	163
3,45	13	5,88	6,31	—	193	185	177
3,72	14	6,31	6,81	—	207	198	189
3,98	15	6,75	7,25	—	221	212	203
4,25	16	7,19	7,75	—	235	225	215

WZ 14 E, NSW 0, MZB 0,57, F 0,092:0,042 (2,2), II
H 1–x 0,69–k 1,19–p 0,50–Ê 1,32–kp 1,69–Êp 1,82
BF 089 0834, Belegung 051: 085 2105 (095 2105)

Le misure relative al corpo dei caratteri vengono generalmente indicato in punti tipografici. Il corpo dei caratteri Fototypes può essere determinato con esattezza per semplice misurazione. Tutti i caratteri di uguale grandezza in punti hanno, indipendentemente dalla loro lunghezza, uguale altezza delle maiuscole. Nella composizione in piombo ed in molti altri sistemi di fotocomposizione l'altezza delle maiuscole varia spesso da carattere

2,15 mm (8 p), Zeilenabstand 3,38 mm

kursiv mager Swash
light italic swash
italique maigre lettres ornées

ZAPF CHANCERY

fina cursiva letras adornadas
chiarissimo corsivo lettere ornate
kursiv mager ornament bokstäver

Die Maßangabe zu Grundschriftgr
ößen erfolgt im allgemeinen in typo
graphischen Punkten. Die Schriftgr
ößen der Berthold-Fotosatz-Schrifte
n sind nach Messung exakt bestimm
bar. Alle Schriften gleicher Punktgrö
ße weisen, unabhängig von der Hö
he ihrer Mittellängen eine identisch
e Versalhöhe auf. Im Bleisatz und
bei vielen anderen Fotosatz-Systeme
n differieren die Versalhöhen von S
chrift zu Schrift oft erheblich. Zum
Messen von Schriftgrößen steht ein
transparentes Größenmaß zur Verfü
gung. Zum Messen wird ein Versalb
uchstabe mit dem Feld in Deckung g
ebracht, das den Buchstaben oben un
d unten scharf begrenzt. Unter dem F
eld ist die Schriftgröße in typograp

2,92 mm (11 p), Zeilenabstand 4,69 mm

Hermann Zapf
1979
International Typeface Corp.
H. Berthold AG

ABCDEFGHIJKLMNOPQ
RSTUVWXYZ
abcdefghijklmnopqr
stuvwxyz
AEJLT
ddeefkrtvwyyy
ofstth
1234567890%
(.,-;:!?)·[',""›‹]
¶+=/$$¢¢£‡*&§©
ÄÖÜäöüß

Berthold-Schriftweite weit
Berthold-Schriftweite normal
Berthold-Schriftweite eng
Berthold-Schriftweite sehr eng
Berthold-Schriftweite extrem eng

In general, bodytypes are measu
red in the typographical point si
ze. The sizes of Berthold Fototyp
e faces can be exactly determine
d. All faces of same point size h
ave the same capital height irr
espective of their x-height. In hot
metal and many other phototypes
etting systems the capital heights
often differ considerably from on
e face to the other. For measur
ing point sizes, a transparent siz
e gauge is provided. To determin
e the point size, bring a capital
letter into coincidence with that
field which precisely circumscrib
es the letter at its upper and lowe

3,20 mm (12 p), Zeilenabstand 5,25 mm

ZAPF CHANCERY

Die Maßangabe zu Grundschriftgrößen erfolgt im a
llgemeinen in typographischen Punkten. Die Schrift
größen der Berthold-Fotosatz-Schriften sind nach Me
ssung exakt bestimmbar. Alle Schriften gleicher Punk
tgröße weisen, unabhängig von der Höhe ihrer Mit
tellängen, eine identische Versalhöhe auf. Im Bleisa
tz und bei vielen anderen Fotosatz-Systemen differier
en die Versalhöhen von Schrift zu Schrift oft erhebl
ich. Zum Messen von Schriftgrößen steht ein transpa
rentes Größenmaß zur Verfügung. Zum Messen wird
ein Versalbuchstabe mit dem Feld in Deckung gebrach
t, das den Buchstaben oben und unten scharf begrenzt.
Unter dem Feld ist die Schriftgröße in typographisch
en Didot-Punkten, darunter in Millimetern angegebe
n. Auch die Millimeterangaben beziehen sich auf die
Höhe der Versalbuchstaben. Die Schriftweite kann i
m Berthold-Fotosatz beliebig verändert werden. Di
e Festlegung der Normalschriftweite erfolgt nach de

2,40 mm (9 p), Zeilenabstand 4 mm

ZAPF CHANCERY

In general, bodytypes are measured in the typo
graphical point size. The sizes of Berthold Foto
type faces can be exactly determined. All faces
of same point size have the same capital heig
ht irrespective of their x-height. In hot metal an
d many other phototypesetting systems the capit
al heights often differ considerably from one fa
ce to the other. For measuring point sizes, a tra
nsparent size gauge is provided. To determine
the point size, bring a capital letter into coincid
ence with that field which precisely circumsrib
es the letter at its upper and lower margin. Belo
w that field you find the typographical point
and below that the millimeter value, wich also
refers to the height of a capital letter. In Berthold
phototypesetting the typewidth can be modified

2,65 mm (10 p), Zeilenabstand 4,50 mm

Die Maßangabe zu Grundschriftgrößen erfolgt im allgemeine
n in typographischen Punkten. Die Schriftgrößen der Berthold
Fotosatz-Schriften sind nach Messung exakt bestimmbar. Alle
Schriften gleicher Punktgröße weisen, unabhängig von der Hö
he ihrer Mittellängen, eine identische Versalhöhe auf. Im Bl
eisatz und bei vielen anderen Fotosatz-Systemen differieren die
Versalhöhen von Schrift zu Schrift oft erheblich. Zum Messen
von Schriftgrößen steht ein transparentes Größenmaß zur Ver
fügung. Zum Messen wird ein Versalbuchstabe mit dem Feld in
Deckung gebracht, das den Buchstaben oben und unten scharf be
grenzt. Unter dem Feld ist die Schriftgröße in typographischen
Didot-Punkten, darunter in Millimetern angegeben. Auch die

1,60 mm (6 p), Zeilenabstand 2,50 mm

Größe mm	p	Zeilenabstand kp	Êp	Ex	100 Zeichen 0	−1	−2
1,33	5	2,25	2,44	—	79	76	73
1,60	6	2,69	2,94	2,50	93	89	85
1,86	7	3,13	3,44	—	107	103	99
2,15	8	3,63	3,94	3,38	122	117	112
2,40	9	4,06	4,38	4,00	137	131	125
2,65	10	4,50	4,88	4,50	151	144	137
2,92	11	4,94	5,38	4,69	165	158	151
3,20	12	5,38	5,88	5,25	179	171	163
3,45	13	5,81	6,31	—	193	185	177
3,72	14	6,25	6,81	—	207	198	189
3,98	15	6,69	7,25	—	221	212	203
4,25	16	7,19	7,75	—	235	225	215

WZ 12 E, NSW 0, MZB 0,57, F 0,092:0,038 (2,4), II
H 1–x 0,69–k 1,19–p 0,50–Ê 1,32–kp 1,69–Êp 1,82
BF 089 0953, Belegung 069: 085 2111 (095 2111)

In general, bodytypes are measured in the typo
graphical point size. The sizes of Berthold Foto
type faces can be exactly determined. All faces
of same point size have the same capital heig
ht irrespective of their x-height. In hot metal and
many other phototypesetting systems the capital
heights often differ considerably from one face
to the other. For measuring point sizes, a transpa
rent size gauge is provided. To determine the p

2,15 mm (8 p), Zeilenabstand 3,38 mm

normal
medium
normal

ZAPF CHANCERY

normal
chiaro tondo
normal

Berthold-Schriften überzeugen durch Schärfe und Qualität. Schriftqua
lität ist eine Frage der Erfahrung. Berthold hat diese Erfahrung seit üb
er hundert Jahren. Zuerst im Schriftguß, dann im Fotosatz. Berthold-S
chriften sind weltweit geschätzt. Im Schriftenatelier München wird je
der Buchstabe in der Größe von zwölf Zentimetern neu gezeichnet. Mit
messerscharfen Konturen, um für die Schriftscheiben das Optimale an
Konturenschärfe herauszuholen. Um die Qualität des Einzelzeichens i
m Belichtungsvorgang zu bewahren, wird durch die ruhende, nicht roti
erende Schriftscheibe belichtet. Dieses optische System, verbunden mit

1,33 mm (5 p) 20 30 40 50 60

Berthold-Schriften überzeugen durch Schärfe und Qualität. Schrif
tqualität ist eine Frage der Erfahrung. Berthold hat diese Erfahru
ng seit über hundert Jahren. Zuerst im Schriftguß, dann im Fotosa
tz. Berthold-Schriften sind weltweit geschätzt. Im Schriftenatelier
München wird jeder Buchstabe in der Größe von zwölf Zentimete
rn neu gezeichnet. Mit messerscharfen Konturen, um für die Schrif
tscheiben das Optimale an Konturenschärfe herauszuholen. Um d
ie Qualität des Einzelzeichens im Belichtungsvorgang zu bewahr
en, wird durch die ruhende, nicht rotierende Schriftscheibe belicht

1,45 mm (5,5 p) 20 30 40 50 60

Berthold-Schriften überzeugen durch Schärfe und Qualität. S
chriftqualität ist eine Frage der Erfahrung. Berthold hat die
se Erfahrung seit über hundert Jahren. Zuerst im Schriftguß
dann im Fotosatz. Berthold-Schriften sind weltweit geschät
zt. Im Schriftenatelier München wird jeder Buchstabe in der
Größe von zwölf Zentimetern neu gezeichnet. Mit messersc
harfen Konturen, um für die Schriftscheiben das Optimale a
n Konturenschärfe herauszuholen. Um die Qualität des Ein
zelzeichens im Belichtungsvorgang zu bewahren, wird durc

1,60 mm (6 p) 20 30 40 50

Berthold-Schriften überzeugen durch Schärfe und Qua
lität. Schriftqualität ist eine Frage der Erfahrung. Bert
hold hat diese Erfahrung seit über hundert Jahren. Zue
rst im Schriftguß, dann im Fotosatz. Berthold-Schriften
sind weltweit geschätzt. Im Schriftenatelier München
wird jeder Buchstabe in der Größe von zwölf Zentimet
ern neu gezeichnet. Mit messerscharfen Konturen, um
für die Schriftscheiben das Optimale an Konturenschär
fe herauszuholen. Um die Qualität des Einzelzeichens

1,75 mm (6,5 p) 20 30 40 50

Berthold-Schriften überzeugen durch Schärfe und Q
ualität. Schriftqualität ist eine Frage der Erfahrung
Berthold hat diese Erfahrung seit über hundert Jahre
n. Zuerst im Schriftguß, dann im Fotosatz. Berthold
Schriften sind weltweit geschätzt. Im Schriftenatelier
München wird jeder Buchstabe in der Größe von zwö
lf Zentimetern neu gezeichnet. Mit messerscharfen
Konturen, um für die Schriftscheiben das Optimale an
Konturenschärfe herauszuholen. Um die Qualität de

1,86 mm (7 p) 20 30 40 5

Berthold-Schriften überzeugen durch Schärfe und
Qualität. Schriftqualität ist eine Frage der Erfah
rung. Berthold hat diese Erfahrung seit über hun
dert Jahren. Zuerst im Schriftguß, dann im Fotos
atz. Berthold-Schriften sind weltweit geschätzt. I
m Schriftenatelier München wird jeder Buchstabe
in der Größe von zwölf Zentimetern neu gezeich
net. Mit messerscharfen Konturen, um für die Sc
hriftscheiben das Optimale an Konturenschärfe h

2,00 mm (7,5 p) 20 30 40

Berthold-Schriften überzeugen durch Schärfe
und Qualität. Schriftqualität ist eine Frage der
Erfahrung. Berthold hat diese Erfahrung seit
über hundert Jahren. Zuerst im Schriftguß, da
nn im Fotosatz. Berthold-Schriften sind weltw
eit geschätzt. Im Schriftenatelier München wir
d jeder Buchstabe in der Größe von zwölf Zenti
metern neu gezeichnet. Mit messerscharfen Ko
nturen, um für die Schriftscheiben das Optima

2,15 mm (8 p) 20 30 40

Hermann Zapf
1979
International Typeface Corp.
H. Berthold AG

ABCDEFGHIJKLMNOPQ
RSTUVWXYZ
abcdefghijklmnopqrstuvwxyz
1/1234567890%
(.,-;:!¡?¿–)·[’‘„”“»«]
+−=/$£†*&§
ÄÅÆÖØŒÜäåæıöøœßü
ÁÀÂÃÇČÉÈÊËÍÌÎÏĹŇÑÓÒÔÕ
ŔŘŠŤÚÙÛŴẄÝỲŶŸŽ
áàâãçčéèêëíìîïľňñóòôõŕřš
úùûŵẅýỳÿž

Berthold-Schriftweite weit
Berthold-Schriftweite normal
Berthold-Schriftweite eng
Berthold-Schriftweite sehr eng
Berthold-Schriftweite extrem eng

Berthold
3,72 mm (14 p)

Berthold
4,25 mm (16 p)

Berthold
4,75 mm (18 p)

Berthold
5,30 mm (20 p)

Berthold
6,35 mm (24 p)

Berthold
7,40 mm (28 p)

Berthold
8,50 mm (32 p)

Berthold
9,55 mm (36 p)

Größe		Zeilenabstand			100 Zeichen		
mm	p	kp	Êp	Ex	0	−1	−2
1,33	5	2,25	2,44	2,00	84	81	78
1,60	6	2,75	2,94	2,50	99	95	91
1,86	7	3,19	3,38	3,00	114	110	106
2,15	8	3,69	3,88	3,50	129	124	119
2,40	9	4,06	4,38	3,75	144	138	132
2,65	10	4,50	4,81	4,25	159	152	145
2,92	11	4,94	5,31	4,75	174	167	160
3,20	12	5,44	5,81	5,25	189	181	173
3,45	13	5,88	6,25	5,75	204	196	188
3,72	14	6,31	6,75	—	219	210	201
3,98	15	6,75	7,19	—	233	224	215
4,25	16	7,19	7,06	—	248	238	228

WZ 13 E, NSW 0, MZB 0,60, F 0,12:0,046 (2,5), II
H 1–x 0,71–k 1,19–p 0,50–Ê 1,30–kp 1,69–Êp 1,80
BF 089 0835, Belegung 051: 085 2102 (095 2102)

Berthold-Schriften überzeugen durch Sch
ärfe und Qualität. Schriftqualität ist eine
Frage der Erfahrung. Berthold hat diese E
rfahrung seit über hundert Jahren. Zuerst
im Schriftguß, dann im Fotosatz. Berthol
d-Schriften sind weltweit geschätzt. Im S
chriftenatelier München wird jeder Buchs
tabe in der Größe von zwölf Zentimetern

2,40 mm (9 p) 20 30

Berthold-Schriften überzeugen durch
Schärfe und Qualität. Schriftqualität
ist eine Frage der Erfahrung. Berthold
hat diese Erfahrung seit über hundert
Jahren. Zuerst im Schriftguß, dann im
Fotosatz. Berthold-Schriften sind wel
tweit geschätzt. Im Schriftenatelier M
ünchen wird jeder Buchstabe in der G

2,65 mm (10 p) 20 30

Berthold-Schriften überzeugen dur
ch Schärfe und Qualität. Schriftqu
alität ist eine Frage der Erfahrung
Berthold hat diese Erfahrung seit ü
ber hundert Jahren. Zuerst im Sch
riftguß, dann im Fotosatz. Berthol
d-Schriften sind weltweit geschätz
t. Im Schriftenatelier München wir

2,92 mm (11 p) 10 20 30

Berthold-Schriften überzeugen
durch Schärfe und Qualität. Sch
riftqualität ist eine Frage der Er
fahrung. Berthold hat diese Erfa
hrung seit über hundert Jahren
Zuerst im Schriftguß, dann im F
otosatz. Berthold-Schriften sind
weltweit geschätzt. Im Schrifte

3,20 mm (12 p) 10 20 3

Berthold-Schriften überzeuge
n durch Schärfe und Qualität
Schriftqualität ist eine Frage d
er Erfahrung. Berthold hat di
ese Erfahrung seit über hunde
rt Jahren. Zuerst im Schriftgu
ß, dann im Fotosatz. Berthold
Schriften sind weltweit gesch

3,45 mm (13 p) 10 20

normal
medium
normal

ZAPF CHANCERY

normal
chiaro tondo
normal

Berthold-Schriften überzeugen durch Schärfe und Qualität. Schriftqualität is t eine Frage der Erfahrung. Berthold hat diese Erfahrung seit über hundert J ahren. Zuerst im Schriftguß, dann im Fotosatz. Berthold-Schriften sind welt weit geschätzt. Im Schriftenatelier München wird jeder Buchstabe in der Gr öße von zwölf Zentimetern neu gezeichnet. Mit messerscharfen Konturen, u m für die Schriftscheiben das Optimale an Konturenschärfe herauszuholen Um die Qualität des Einzelzeichens im Belichtungsvorgang zu bewahren, w ird durch die ruhende, nicht rotierende Schriftscheibe belichtet. Dieses optisc he System, verbunden mit Präzisions-Chromglasscheiben, führt zu einer Sch

4,25 mm (16 p), Zeilenabstand 6,75 mm

ZAPF CHANCERY MEDIUM

In general, bodytypes are measured in the typogra phical point size. The sizes of Berthold Fototype fac es can be exactly determined. All faces of same point size have the same capital height–irrespective of th eir x-height. In hot metal and many other phototy pesetting systems the capital heights often differ co nsiderably from one face to the other. For measurin g point sizes, a transparent size gauge is provided To determine the point size, bring a capital letter in to coincidence with that field which precisely circu mscribes the letter at its upper and lower margin. B elow the field you find the typographical point and below that the millimeter value, which also refers to the height of a capital letter. In Berthold-phototype setting, the typewidth can be modified. The standa rd setting width of typefaces is determined by the p rinciple of optimum legibility. You should not dep art from this typewidth without cogent reason. A t ypeface which is considered optically right when lo oked in a greater context, often seems bulky when applied for a small amount of text, e. g. labels and ads. Here, a width reduction will be conducive to le

2,40 mm (9 p), Zeilenabstand 4,25 mm

ZAPF CHANCERY NORMAL

La valeur de la force de corps des caractères de labeur èst généralement exprimée en points ty pographiques. La force de corps des caractères Berthold-Fototype peut être déterminée avec p récision. Tous les caractères du même corps on t des capitales d'une hauteur identique, indépe ndamment de la hauteur des bas de casse sans jambage. Dans la composition plomb, ainsi qu e dans certains systèmes de photocomposition la hauteur des capitales, varie souvent d'un car actère à l'autre. Pour déterminer la force de co rps de nos caractères, nous avons mis au point une réglette de hauteur d'œil transparente. On cherche le rectangle qui délimite exactement la hauteur d'œil d'une capitale du caractère choisi Sous le rectangle correspondant la valeur de la force de corps est indiquée en points Didots et en millimètres. La valeur en millimètres exprime également la hauteur des capitales. Pour toutes les indications concernant la force de corps, il e

2,65 mm (10 p), Zeilenabstand 4,69 mm

La indicación de las dimensiones para cuerpos de letra vásicos tiene lugar en general en puntos tipo gráficos. Los cuerpos de letra de los caracteres B erthold Fototype pueden determinarse exactemen te par medición. Con independencia de la altura de sus longitudes centrales, todos los caracteres d e idéntico cuerpo de letra presentan altura de ma yúsculas idéntica. En la composición en plomo y en muchos otros sistemas de fotocomposición, las

2,15 mm (8 p), –1, Zeilenabstand 3,38 mm

123,– $	456,– £	7890,– DM	1 %
234,– $	789,– £	1234,– DM	2 %
567,– $	12,– £	5678,– DM	3 %
890,– $	345,– £	9012,– DM	4 %
123,– $	678,– £	3456,– DM	5 %
456,– $	901,– £	7890,– DM	6 %
789,– $	234,– £	1234,– DM	7 %
12,– $	567,– £	5678,– DM	8 %
345,– $	890,– £	9012,– DM	9 %

BF 089 0836

Le misure relative al corpo dei caratteri vengono ge neralmente indicate in punti tipografici. Il corpo dei caratteri Fototypes può essere determinato con esat tezza per semplice misurazione. Tutti i caratteri di uguale grandezza in punti hanno, indipendenteme nte dalla loro lunghezza, uguale altezza delle mai uscole. Nella composizione in piombo ed in molti a ltri sistemi di fotocomposizione, l'altezza delle mai uscole varia spesso da carattere a carattere. Per mi

2,15 mm (8 p), –2, Zeilenabstand 3,38 mm

normal swash
medium swash
normal lettres ornées

ZAPF CHANCERY

normal letres adornadas
chiaro tondo lettere ornate
normal ornament bokstäver

Berthold-Schriften überzeugen durch Schärfe und Qualität. Schriftqua lität ist eine Frage der Erfahrung. Berthold hat diese Erfahrung seit üb er hundert Jahren. Zuerst im Schriftguß, dann im Fotosatz. Berthold-Sc hriften sind weltweit geschätzt. Im Schriftenatelier München wird jed er Buchstabe in der Größe von zwölf Zentimetern neu gezeichnet. Mit messerscharfen Konturen, um für die Schriftscheiben das Optimale an Konturenschärfe herauszuholen. Um die Qualität des Einzelzeichens im Belichtungsvorgang zu bewahren, wird durch die ruhende, nicht ro tierende Schriftscheibe belichtet. Dieses optische System, verbunden

1,33 mm (5 p) 20 30 40 50 60

Berthold-Schriften überzeugen durch Schärfe und Qualität. Schr iftqualität ist eine Frage der Erfahrung. Berthold hat diese Erfahr ung seit über hundert Jahren. Zuerst im Schriftguß, dann im Foto satz. Berthold-Schriften sind weltweit geschätzt. Im Schriftenate lier München wird jeder Buchstabe in der Größe von zwölf Zenti metern neu gezeichnet. Mit messerscharfen Konturen, um für die Schriftscheiben das Optimale an Konturenschärfe herauszuholen Um die Qualität des Einzelzeichens im Belichtungsvorgang zu bewahren, wird durch die ruhende, nicht rotierende Schriftscheibe

1,45 mm (5,5 p) 20 30 40 50 60

Berthold-Schriften überzeugen durch Schärfe und Qualität Schriftqualität ist eine Frage der Erfahrung. Berthold hat di ese Erfahrung seit über hundert Jahren. Zuerst im Schriftguß dann im Fotosatz. Berthold-Schriften sind weltweit geschät zt. Im Schriftenatelier München wird jeder Buchstabe in der Größe von zwölf Zentimetern neu gezeichnet. Mit messersc harfen Konturen, um für die Schriftscheiben das Optimale an Konturenschärfe herauszuholen. Um die Qualität des Einze lzeichens im Belichtungsvorgang zu bewahren, wird durch

1,60 mm (6 p) 20 30 40 50

Berthold-Schriften überzeugen durch Schärfe und Qual ität. Schriftqualität ist eine Frage der Erfahrung. Berth old hat diese Erfahrung seit über hundert Jahren. Zuer st im Schriftguß, dann im Fotosatz. Berthold-Schriften sind weltweit geschätzt. Im Schriftenatelier München wird jeder Buchstabe in der Größe von zwölf Zentimet ern neu gezeichnet. Mit messerscharfen Konturen, um für die Schriftscheiben das Optimale an Konturenschär fe herauszuholen. Um die Qualität des Einzelzeichens

1,75 mm (6,5 p) 20 30 40 50

Berthold-Schriften überzeugen durch Schärfe und Q ualität. Schriftqualität ist eine Frage der Erfahrung Berthold hat diese Erfahrung seit über hundert Jahr en. Zuerst im Schriftguß, dann im Fotosatz. Berthold Schriften sind weltweit geschätzt. Im Schriftenateli er München wird jeder Buchstabe in der Größe von zwölf Zentimetern neu gezeichnet. Mit messerschar fen Konturen, um für die Schriftscheiben das Optima le an Konturenschärfe herauszuholen. Um die Quali

1,86 mm (7 p) 20 30 40 5

Berthold-Schriften überzeugen durch Schärfe und Qualität. Schriftqualität ist eine Frage der Erfahr ung. Berthold hat diese Erfahrung seit über hund ert Jahren. Zuerst im Schriftguß, dann im Fotosa tz. Berthold-Schriften sind weltweit geschätzt. I m Schriftenatelier München wird jeder Buchstabe in der Größe von zwölf Zentimetern neu gezeich net. Mit messerscharfen Konturen, um für die Sch riftscheiben das Optimale an Konturenschärfe her

2,00 mm (7,5 p) 20 30 40

Berthold-Schriften überzeugen durch Schärfe und Qualität. Schriftqualität ist eine Frage der Erfahrung. Berthold hat diese Erfahrung seit über hundert Jahren. Zuerst im Schriftguß, da nn im Fotosatz. Berthold-Schriften sind welt weit geschätzt. Im Schriftenatelier München wird jeder Buchstabe in der Größe von zwölf Zentimetern neu gezeichnet. Mit messerscharf en Konturen, um für die Schriftscheiben das Op

2,15 mm (8 p) 20 30 40

Hermann Zapf
1979
International Typeface Corp.
H. Berthold AG

ABCDEFGHIJKLMNOPQ
RSTUVWXYZ
abcdefghijklmnopqr
stuvwxyz
ÆŒIJŁT
ð ł e e f k r t v w y y y
ß st th
1234567890%
(.,-;:!?)·['„"“›‹]
¶+=/$$¢¢£‡*&§©
ÄÖÜäöüß

Berthold-Schriftweite weit
Berthold-Schriftweite normal
Berthold-Schriftweite eng
Berthold-Schriftweite sehr eng
Berthold-Schriftweite extrem eng

Berthold
3,72 mm (14 p)

Berthold
4,25 mm (16 p)

Berthold
4,75 mm (18 p)

Berthold
5,30 mm (20 p)

Berthold
6,35 mm (24 p)

Berthold
7,40 mm (28 p)

Berthold
8,50 mm (32 p)

Berthold
9,55 mm (36 p)

Größe mm	p	Zeilenabstand kp	Êp	Ex	100 Zeichen 0	−1	−2
1,33	5	2,25	2,44	2,00	83	80	77
1,60	6	2,69	2,88	2,50	98	94	90
1,86	7	3,13	3,38	3,00	113	109	105
2,15	8	3,63	3,88	3,50	128	123	118
2,40	9	4,06	4,31	3,75	143	137	131
2,65	10	4,50	4,75	4,25	158	151	144
2,92	11	4,94	5,25	4,75	173	166	159
3,20	12	5,38	5,75	5,25	188	180	172
3,45	13	5,81	6,19	5,75	202	194	186
3,72	14	6,25	6,69	–	217	208	199
3,98	15	6,69	7,13	–	232	223	214
4,25	16	7,19	7,63	–	246	236	226

WZ 14 E, NSW 0, MZB 0,60, F 0,12:0,046 (2,5), II
H 1–x 0,71–k 1,19–p 0,49–Ê 1,30–kp 1,68–Êp 1,79
BF 089 0801, Belegung 069: 085 2108 (095 2108)

Berthold-Schriften überzeugen durch Sch ärfe und Qualität. Schriftqualität ist eine Frage der Erfahrung. Berthold hat diese Erfahrung seit über hundert Jahren. Zuer st im Schriftguß, dann im Fotosatz. Berth old-Schriften sind weltweit geschätzt. Im Schriftenatelier München wird jeder Buc hstabe in der Größe von zwölf Zentimete

2,40 mm (9 p) 20 30

Berthold-Schriften überzeugen durch Schärfe und Qualität. Schriftqualität ist eine Frage der Erfahrung. Berthold hat diese Erfahrung seit über hundert Jahren. Zuerst im Schriftguß, dann im Fotosatz. Berthold-Schriften sind we ltweit geschätzt. Im Schriftenatelier München wird jeder Buchstabe in der

2,65 mm (10 p) 20 30

Berthold-Schriften überzeugen du rch Schärfe und Qualität. Schriftqu alität ist eine Frage der Erfahrung Berthold hat diese Erfahrung seit über hundert Jahren. Zuerst im Sch riftguß, dann im Fotosatz. Berthol d-Schriften sind weltweit geschät zt. Im Schriftenatelier München wi

2,92 mm (11 p) 10 20 30

Berthold-Schriften überzeugen durch Schärfe und Qualität. Sch riftqualität ist eine Frage der Er fahrung. Berthold hat diese Erf ahrung seit über hundert Jahren Zuerst im Schriftguß, dann im F otosatz. Berthold-Schriften sind weltweit geschätzt. Im Schrifte

3,20 mm (12 p) 10 20 3

Berthold-Schriften überzeug en durch Schärfe und Qualität Schriftqualität ist eine Frage der Erfahrung. Berthold hat diese Erfahrung seit über hun dert Jahren. Zuerst im Schrift guß, dann im Fotosatz. Berth old-Schriften sind weltweit g

3,45 mm (13 p) 10 20

normal Swash
medium swash
normal lettres ornées

ZAPF CHANCERY

normal letras adornadas
chiaro tondo lettere ornate
normal ornament bokstäver

Berthold-Schriften überzeugen durch Schärfe und Qualität. Schriftqualität ist eine Frage der Erfahrung. Berthold hat diese Erfahrung seit über hundert Jahren. Zuerst im Schriftguß, dann im Fotosatz. Berthold-Schriften sind weltweit geschätzt. Im Schriftenatelier München wird jeder Buchstabe in der Größe von zwölf Zentimetern neu gezeichnet. Mit messerscharfen Kon turen, um für die Schriftscheiben das Optimale an Konturenschärfe heraus zuholen. Um die Qualität des Einzelzeichens im Belichtungsvorgang zu bewahren, wird durch die ruhende, nicht rotierende Schriftscheibe belichtet. Dieses optische System, verbunden mit Präzisions-Chromglasscheiben, fü

4,25 mm (16 p), Zeilenabstand 6,75 mm

ZAPF CHANCERY

In general, bodytypes are measured in the typo graphical point size. The sizes of Berthold Fototype faces can be exactly determined. All faces of same point size have the same capital height irrespective of their x-height. In hot metal and many other pho totypesetting systems the capital heights often dif fer considerably from one face to the other. For me asuring point sizes, a transparent size gauge is pro vided. To determine the point size, bring a capital letter into coincidence with that field which preci sely circumscribes the letter at its upper and lower margin. Below the field you find the typographi cal point and below that the millimeter value, whi ch also refers to the height of a capital letter. In Ber thold-phototypesetting, the typewidth can be modi fied. The standard setting width of typefaces is de termined by the principle of optimum legibility You should not depart from this typewidth without cogent reason. A typeface which is considered opti cally right when looked in a greater context, often seems bulky when applied for a small amount of text, e.g. labels and ads. Here, a width reduction

2,40 mm (9 p), Zeilenabstand 4,25 mm

ZAPF CHANCERY

Die Maßangabe zu Grundschriftgrößen er folgt im allgemeinen in typographischen Punkten. Die Schriftgrößen der Berthold-Fo tosatz-Schriften sind nach Messung exakt be stimmbar. Alle Schriften gleicher Punktgröße weisen unabhängig von der Höhe ihrer Mit tellängen eine identische Versalhöhe auf. Im Bleisatz und bei vielen anderen Fotosatz-Sy stemen differieren die Versalhöhen von Schrift zu Schrift oft erheblich. Zum Messen von Schriftgrößen steht ein transparentes Größen maß zur Verfügung. Zum Messen wird ein Versalbuchstabe mit dem Feld in Deckung ge bracht, das den Buchstaben oben und unten scharf begrenzt. Unter dem Feld ist die Schrift größe in typographischen Didot-Punkten, da runter in Millimetern angegeben. Auch die Millimeterangaben beziehen sich auf die Hö he der Versalbuchstaben. Die Schriftweite kann im Berthold-Fotosatz beliebig verändert

2,65 mm (10 p), Zeilenabstand 4,69 mm

In general, bodytypes are measured in the typo graphical point size. The sizes of Berthold Foto type faces can be exactly determined. All faces of same point size have the same capital height-irre spective of their x-height. In hot metal and many other phototypesetting systems the capital heights often differ considerably from one face to the other For measuring point sizes, a transparent size gau ge is provided. To determine the point size bring a

2,15 mm (8 p), −1, Zeilenabstand 3,38 mm

Bouillabaisse	7,95
Frisch gebeizter Ostseelachs	16,70
Japanische Wachteleier..........	13,75
Gegrillte Scampi	17,80
Lammkotelett Provencale	15,30
Hasenkeule Chasseur...........	19,50
Ente pochiert in der Blase	22,50
Kalbsmedaillons Gourmet	18,50
Kalbsfilet Grand Seigneur.......	24,50

BF 089 0802

In general, bodytypes are measured in the typo graphical point size. The sizes of Berthold Fototype faces can be exactly determined. All faces of same point size have the same capital height-irrespective of their x-height. In hot metal and many other pho totypesetting systems the capital heights often dif fer considerably from one face to the other. For measuring point sizes, a transparent size gauge is provided. To determine the point size, bring a capi

2,15 mm (8 p), −2, Zeilenabstand 3,38 mm

normal Kapitälchen
medium caps
normal petit capitale

ZAPF CHANCERY

normal maiuscoletto
chiaro tondo mayusculita
normal kapitäla

Berthold-Schriften über
zeugen durch Schärfe un
d Qualität. Schriftquali
tät ist eine Frage der Erf
ahrung. Berthold hat di
ese Erfahrung seit über
hundert Jahren. Zuerst i
m Schriftguss, dann im Fo
tosatz. Berthold-Schrift
en sind weltweit geschät
zt. Im Schriftenatelier M
ünchen wird jeder Buchs
tabe in der Grösse von zw
ölf Zentimetern neu gez
eichnet. Mit messerschar
fen Konturen, um für die
Schriftscheiben das Opti

3,20 mm (12 p), Zeilenabstand 5,25 mm

Hermann Zapf
1979
International Typeface Corp.
H. Berthold AG

ABCDEFGHIJKLMNOPQ
RSTUVWXYZ
abcdefghijklmnopqrstuvwxyz
1234567890 %
(.,-;:!¡?¿—)·[’‘„”“»«›‹]
+−=/$£†*&§©
ÄÅÆÖØŒÜäåæöøœü
ÁÀÂÃÇČÉÈÊËÍÌÎÏĹŇÑÓÒÔÕ
ŔŘŠŤÚÙÛŴẄÝỲŸŽ
áàâãçčéèêëíìîïĺňñóòôõŕřš
úùûŵẅýỳÿž

Berthold-Schriftweite weit
Berthold-Schriftweite normal
Berthold-Schriftweite eng
Berthold-Schriftweite sehr eng
Berthold-Schriftweite extrem eng

LA VALEUR DE LA FORCE
DE CORPS DES CARACTE
RES DE LABEUR EST GEN
ERALEMENT EXPRIMEE
EN POINTS TYPOGRAPHI
QUES. LA FORCE DE COR
PS DES CARACTERES BE
RTHOLD FOTOTYPE PEU
T ETRE DETERMINEE AV
EC PRECISION TOUS LES
CARACTERES DU MEME
CORPS ONT DES CAPITA
LES D'UNE HAUTEUR ID
ENTIQUE, INDEPENDAM
MENT DE LA HAUTER DE
S BAS DE CASSE SANS JA
MBAGE. DANS LA COMPO

3,20 mm (12 p), Zeilenabstand 5,25 mm

8/5

MARIE-THERÈSE ROCHEFORT
Directrice

Paris, Rue Victor Hugo 69, Telefon 37 25 86

10/7

FLORENTINO CAVALLO
Maître de Plaisir

Firenze, Via Ludovica Aretino 33

12/9

EULALIA SCHÄFER
Diätköchin

Vilshofen, Am oberen Markt 2

Berlin
3,72 mm (14 p)

Berlin
4,25 mm (16 p)

Berlin
4,75 mm (18 p)

Berlin
5,30 mm (20 p)

Berlin
6,35 mm (24 p)

Berlin
7,40 mm (28 p)

Berlin
8,50 mm (32 p)

Berlin
9,55 mm (36 p)

9/6

HANS-OTTO VON SCHLICK
Landrat

Kappeln an der Schlei, Am Horst 10, Tel. 66 34

11/8

JAN VAN DER FALK
Detektivbüro

Amsterdam, Halve Maan Straat 78

13/10

VLADIMIR IRIBOZOV
Saxophonist

München, Domstrasse 2

La indicación de las dimensiones para cuerpos de letra
básicos tiene lugar en general en puntos tipográficos. Los
cuerpos de letra de los caracteres Berthold Fototype
pueden determinarse exactemente par medición. Con
independencia de la altura de sus longitudes centrales
todos los caracteres de idéntico cuerpo de letra presen
tan altura de mayúsculas idéntica. En la composición en
plomo y en muchos otros sistemas de fotocomposición, las
alturas de mayúsculas varían frecuentemmente en for
ma considerable de tipo de letra a tipo de letra. Para me
dir los cuerpos de letra se dispone de un tipómetro, véase
la figura. Para la medición se hace coincidir una letra
mayúscula con la casilla cuyos extremos coinciden con
los extremos superior e inferior de la letra. Bajo la casil
la se indica el cuerpo de letra en puntos tipográfi

1,33 mm (5 p), Zeilenabstand 1,94 mm

Le misure relative al corpo dei caratteri
vengono generalmente indicate in punti ti
pografici. Il corpo dei caratteri Fototypes
può essere determinato con esattezza per
semplice misurazione. Tutti i caratteri di
uguale grandezza in punti hanno, indipen
dentemente dalla loro lunghezza, uguale
altezza delle maiuscole. Nella composizi
one in piombo ed in molti altri sistemi di fo
tocomposizione, l'altezza delle maiuscole
varia spesso da carattere a carattere. Per
misurare il corpo dei caratteri è indispen

1,60 mm (6 p), Zeilenabstand 2,44 mm
WZ 17 E, NSW +1, II
BF 089 0803, Belegung 027: 085 2114 (095 2114)

In general, bodytypes are measured in the
typographical point size. The sizes of Bert
hold Fototype faces can be exactly determ
ined. All faces of same point size have the
same capital height—irrespective of their
x-height. In hot metal and many other pho
totypesetting systems the capital heights
often differ considerably from one face to
the other. For measuring point sizes, a tra
nsparent size gauge is provided. To determ

1,86 mm (7 p), Zeilenabstand 3,00 mm

kursiv
medium italic
italique

ZAPF CHANCERY

cursiva
corsivo
kursiv

Måttangivelse för grundstilsgrader sker i allmänhet i typografiska pun kter. Stilar av Berthold Fototype k an efter mätning exakt gradbestäm mas. Alla typsnitt är av samma pun ktstorlek och har oberoende av x-hö jden en identisk versalhöjd. I blysätt ning och i många andra fotosättsyst em varierar versalhöjden avsevärt från typsnitt till typsnitt. För mätni ng av stilgrader finns en transparent mätlinjal. Vid mätningen placerar man en versal bokstav så att rutor na begränsar tecknet upptill och ned till. Under rutorna finns stilstorlek en i typografiska didotpunkter och i mm. Även millimeteruppgiften avs er versalhöjden. Vid stilstorleksupp gifter anges alltid måttenheten efter

2,92 mm (11 p), Zeilenabstand 4,69 mm

Hermann Zapf
1979
International Typeface Corp.
H. Berthold AG

ABCDEFGHIJKLMNOPQ
RSTUVWXYZ
abcdefghijklmnopqrstuvwxyz
1/1234567890 %
(.,-;:!¡?¿–)·['‘„"“»«]
+–=/$£†*&§
ÄÅÆÖØŒÜäåæıöøœßü
ÁÀÂÃÇČÉÈÊËÍÌÎĹŇÑÓÒÔÕ
ŔŘŠŤÚÙÛŴẄÝŶŸŽ
áàâãçčéèêëíìîïĺňñóòôõŕřš
úùûŵẅýỳÿž

Berthold-Schriftweite weit
Berthold-Schriftweite normal
Berthold-Schriftweite eng
Berthold-Schriftweite sehr eng
Berthold-Schriftweite extrem eng

In general, bodytypes are measur ed in the typographical point size The sizes of Berthold Fototype fa ces can be exactly determined. All faces of same point size have the same capital height–irrespective of their x-height. In hot metal an d many other phototypesetting systems the capital heights often differ considerably from one face to the other. For measuring point sizes, a transparent size gauge is provided. To determine the point size, bring a capital letter into coi ncidence with that field which pr ecisely circumscribes the letter at its upper and lower margin. Bel

3,20 mm (12 p), Zeilenabstand 5,25 mm

ZAPF CHANCERY

Die Maßangabe zu Grundschriftgrößen erfolgt im allgemeinen in typographischen Punkten. Die Schrif tgrößen der Berthold-Fotosatz-Schriften sind nach Messung exakt bestimmbar. Alle Schriften gleicher Punktgröße weisen, unabhängig von der Höhe ihrer Mittellängen, eine identische Versalhöhe auf. Im Bl eisatz und bei vielen anderen Fotosatz-Systemen dif ferieren die Versalhöhen von Schrift zu Schrift oft er heblich. Zum Messen von Schriftgrößen steht ein tra nsparentes Größenmaß zur Verfügung. Zum Messen wird ein Versalbuchstabe mit dem Feld in Deckung gebracht, das den Buchstaben oben und unten scharf begrenzt. Unter dem Feld ist die Schriftgröße in typo graphischen Didot-Punkten, darunter in Millimete rn angegeben. Auch die Millimeterangaben beziehen sich auf die Höhe der Versalbuchstaben. Die Schrift weite kann im Berthold-Fotosatz beliebig verändert werden. Die Festlegung der Normalschriftweite erfo

2,40 mm (9 p), Zeilenabstand 4 mm

ZAPF CHANCERY

La valeur de la force de corps des caractères de labeur èst généralement exprimée en points typo graphiques. La force de corps des caractères Bert hold-Fototype peut être déterminée avec précisi on. Tous les caractères du même corps ont des ca pitales d'une hauteur identique, indépendamme nt de la hauteur des bas de casse sans jambage Dans la composition plomb, ainsi que dans cert ains systèmes de photocomposition, la hauteur des capitales, varie souvent d'un caractère à l'au tre. Pour déterminer la force de corps de nos car actères, nous avons mis au point une réglette de hauteur d'œil transparente. On cherche le rectan gle qui délimite exactement la hauteur d'œil d'un e capitale du caractère choisi. Sous le rectangle correspondant la valeur de la force de corps est

2,65 mm (10 p), Zeilenabstand 4,50 mm

La indicación de las dimensiones para cuerpos de letra vásicos tiene lugar en general en puntos tipográficos. Los cuerpos de letra de los caracteres Berthold Fototype pueden determinarse exactemente par medición. Con independencia de la altura de sus longitudes centrales, todos los caracteres de idéntico cuerpo de letra presentan altura de mayúsculas idéntica. En la com posición en plomo y en muchos otros sistemas de fotocomposi ción, las alturas de mayúsculas varían frecuentemmente en for ma considerable de tipo de letra a tipo de letra. Para medir los cuerpos de letra se dispone de un tipómetro, véase la figura. Pa ra la medición se hace coincidir una letra mayúscula con la ca silla cuyos extremos coinciden con los extremos superior e infe

1,60 mm (6 p), Zeilenabstand 2,50 mm

Größe		Zeilenabstand			100 Zeichen		
mm	p	kp	Êp	Ex	0	–1	–2
1,33	5	2,25	2,44	–	81	78	75
1,60	6	2,69	2,94	2,50	95	91	87
1,86	7	3,13	3,44	–	109	105	101
2,15	8	3,63	3,94	3,38	124	119	114
2,40	9	4,06	4,38	4,00	139	133	127
2,65	10	4,50	4,88	4,50	153	146	139
2,92	11	4,94	5,38	4,69	167	160	153
3,20	12	5,38	5,88	5,25	182	174	166
3,45	13	5,81	6,31	–	196	188	180
3,72	14	6,25	6,81	–	210	201	192
3,98	15	6,69	7,25	–	224	215	206
4,25	16	7,19	7,75	–	239	229	219

WZ 13 E, NSW 0, MZB 0,58, F 0,12:0,046 (2,5), II
H 1–x 0,70–k 1,18–p 0,50–Ê 1,32–kp 1,68–Êp 1,82
BF 089 0804, Belegung 051: 085 2106 (095 2106)

Le misure relative al corpo dei caratteri vengono generalmente indicate in punti tipografici. Il cor po dei caratteri Fototypes può essere determina to con esattezza per semplice misurazione. Tutti i caratteri di uguale grandezza in punti hanno indipendentemente dalla loro lunghezza, uguale altezza delle maiuscole. Nella composizione in piombo ed in molti altri sistemi di fotocomposizi one, l'altezza delle maiuscole varia spesso da car

2,15 mm (8 p), Zeilenabstand 3,38 mm

kursiv Swash
italic swash
italique lettres ornées

ZAPF CHANCERY

cursiva letras adornadas
corsivo lettere ornate
kursiv ornament bokstäver

*Die Maßangabe zu Grundschrift
größen erfolgt im allgemeinen in t
ypographischen Punkten. Die Schr
iftgrößen der Berthold-Fotosatz-Sc
hriften sind nach Messung exakt b
estimmbar. Alle Schriften gleicher
Punktgröße weisen, unabhängig
von der Höhe ihrer Mittellängen
eine identische Versalhöhe auf. I
m Bleisatz und bei vielen anderen F
otosatz-Systemen differieren die Ve
rsalhöhen von Schrift zu Schrift of
t erheblich. Zum Messen von Schri
ftgrößen steht ein transparentes Gr
ößenmaß zur Verfügung. Zum Mess
en wird ein Versalbuchstabe mit d
em Feld in Deckung gebracht, das
den Buchstaben oben und unten sch
arf begrenzt. Unter dem Feld ist die*

2,92 mm (11 p), Zeilenabstand 4,69 mm

Hermann Zapf
1979
International Typeface Corp.
H. Berthold AG

*ABCDEFGHIJKLMNOPQ
RSTUVWXYZ
abcdefghijklmnopqr
stuvwxyz
AEILT
ðLeefkrtvwyyy
ffstth
1234567890 %
(.,-;:!?)·[',,"«»]
†+=/$$¢¢£‡*&§©
ÄÖÜäöüß*

Berthold-Schriftweite weit
Berthold-Schriftweite normal
Berthold-Schriftweite eng
Berthold-Schriftweite sehr eng
Berthold-Schriftweite extrem eng

*In general, bodytypes are meas
ured in the typographical point
size. The sizes of Berthold Fot
otype faces can be exactly det
ermined. All faces of same poin
t size have the same capital h
eight-irrespective of their x-hei
ght. In hot metal and many other
phototypesetting systems the ca
pital heights often differ consider
ably from one face to the othe
r. For measuring point sizes, a tr
ansparent size gauge is provid
ed. To determine the point siz
e bring a capital letter into coin
cidence with that field which p
recisely circumscribes the letter*

3,20 mm (12 p), Zeilenabstand 5,25 mm

ZAPF CHANCERY

*Die Maßangabe zu Grundschriftgrößen erfolgt im
allgemeinen in typographischen Punkten. Die Schr
iftgrößen der Berthold-Fotosatz-Schriften sind nach
Messung exakt bestimmbar. Alle Schriften gleicher
Punktgröße weisen, unabhängig von der Höhe ih
rer Mittellängen, eine identische Versalhöhe auf. I
m Bleisatz und bei vielen anderen Fotosatz-System
en differieren die Versalhöhen von Schrift zu Schr
ift oft erheblich. Zum Messen von Schriftgrößen st
eht ein transparentes Größenmaß zur Verfügung. Z
um Messen wird ein Versalbuchstabe mit dem Feld
in Deckung gebracht, das den Buchstaben oben und
unten scharf begrenzt. Unter dem Feld ist die Schrift
größe in typographischen Didot-Punkten, darunte
r in Millimetern angegeben. Auch die Millimeteran
gaben beziehen sich auf die Höhe der Versalbuchsta
ben. Die Schriftweite kann im Berthold-Fotosatz be
liebig verändert werden. Die Festlegung der Norm*

2,40 mm (9 p), Zeilenabstand 4 mm

ZAPF CHANCERY

*In general, bodytypes are measured in the typ
ographical point size. The sizes of Berthold F
ototype faces can be exactly determined. All f
aces of same point size have the same capit
al height-irrespective of their x-height. In hot
metal and many other phototypesetting systems
the capital heights often differ considerably fro
m one face to the other. For measuring point
sizes, a transparent size gauge is provided. To
determine the point size, bring a capital letter
into coincidence with that field which precise
ly circumscribes the letter at its upper and low
er margin. Below that field you find the typo
graphical point and below that the millimeter
value, which also refers to the height of a ca
pital letter. In Berthold-phototypesetting the t*

2,65 mm (10 p), Zeilenabstand 4,50 mm

*Die Maßangabe zu Grundschriftgrößen erfolgt im allgeme
inen in typographischen Punkten. Die Schriftgrößen der Ber
thold-Fotosatz-Schriften sind nach Messung exakt bestimmba
r. Alle Schriften gleicher Punktgröße weisen, unabhängig v
on der Höhe ihrer Mittellängen, eine identische Versalhöhe
auf. Im Bleisatz und bei vielen anderen Fotosatz-Systemen
differieren die Versalhöhen von Schrift zu Schrift oft erheb
lich. Zum Messen von Schriftgrößen steht ein transparentes
Größenmaß zur Verfügung. Zum Messen wird ein Versalbuch
stabe mit dem Feld in Deckung gebracht, das den Buchstaben
oben und unten scharf begrenzt. Unter dem Feld ist die Schr
iftgröße in typographischen Didot-Punkten, darunter in M*

1,60 mm (6 p), Zeilenabstand 2,50 mm

Größe		Zeilenabstand			100 Zeichen		
mm	p	kp	Êp	Ex	0	−1	−2
1,33	5	2,25	2,44	—	81	78	75
1,60	6	2,69	2,94	2,50	95	91	87
1,86	7	3,13	3,44	—	109	105	101
2,15	8	3,63	3,94	3,38	124	119	114
2,40	9	4,06	4,38	4,00	139	133	127
2,65	10	4,50	4,88	4,50	153	146	139
2,92	11	4,94	5,38	4,69	167	160	153
3,20	12	5,38	5,88	5,25	182	174	166
3,45	13	5,81	6,31	—	196	188	180
3,72	14	6,25	6,81	—	210	201	192
3,98	15	6,69	7,25	—	224	215	206
4,25	16	7,19	7,75	—	239	229	219

WZ 13 E, NSW 0, MZB 0,58, F 0,12:0,042 (2,8), II
H 1–x 0,70–k 1,18–p 0,50–Ê 1,32–kp 1,68–Êp 1,82
BF 089 0837, Belegung 069: 085 2112 (095 2112)

*In general, bodytypes are measured in the typ
ographical point size. The sizes of Berthold F
ototype faces can be exactly determined. All
faces of same point size have the same cap
ital height-irrespective of their x-height. In ho
t metal and many other phototypesetting system
s the capital heights often differ considerably fr
om one face to the other. For measuring point
sizes, a transparent size gauge is provided. To*

2,15 mm (8 p), Zeilenabstand 3,38 mm

halbfett
demi
demi-gras

ZAPF CHANCERY

seminegra
neretto
halvfet

Berthold-Schriften überzeugen durch Schärfe und Qualität. Sc
hriftqualität ist eine Frage der Erfahrung. Berthold hat diese Er
fahrung seit über hundert Jahren. Zuerst im Schriftguß, dann
im Fotosatz. Berthold-Schriften sind weltweit geschätzt. Im Sc
hriftenatelier München wird jeder Buchstabe in der Größe von
zwölf Zentimetern neu gezeichnet. Mit messerscharfen Kontu
ren, um für die Schriftscheiben das Optimale an Konturenschä
rfe herauszuholen. Um die Qualität des Einzelzeichens im Beli
chtungsvorgang zu bewahren, wird durch die ruhende, nicht ro

1,33 mm (5 p) 20 30 40 50

Berthold-Schriften überzeugen durch Schärfe und Qualität
Schriftqualität ist eine Frage der Erfahrung. Berthold hat
diese Erfahrung seit über hundert Jahren. Zuerst im Schrif
tguß, dann im Fotosatz. Berthold-Schriften sind weltweit
geschätzt. Im Schriftenatelier München wird jeder Buchsta
be in der Größe von zwölf Zentimetern neu gezeichnet. Mit
messerscharfen Konturen, um für die Schriftscheiben das
Optimale an Konturenschärfe herauszuholen. Um die Qua
lität des Einzelzeichens im Belichtungsvorgang zu bewah

1,45 mm (5,5 p) 20 30 40 50

Berthold-Schriften überzeugen durch Schärfe und Qu
alität. Schriftqualität ist eine Frage der Erfahrung. Be
rthold hat diese Erfahrung seit über hundert Jahren
Zuerst im Schriftguß, dann im Fotosatz. Berthold-Sch
riften sind weltweit geschätzt. Im Schriftenatelier Mü
nchen wird jeder Buchstabe in der Größe von zwölf Ze
ntimetern neu gezeichnet. Mit messerscharfen Kontu
ren, um für die Schriftscheiben das Optimale an Kont
urenschärfe herauszuholen. Um die Qualität des Ein

1,60 mm (6 p) 20 30 40 5

Berthold-Schriften überzeugen durch Schärfe und
Qualität. Schriftqualität ist eine Frage der Erfahr
ung. Berthold hat diese Erfahrung seit über hunde
rt Jahren. Zuerst im Schriftguß, dann im Fotosatz
Berthold-Schriften sind weltweit geschätzt. Im Sc
hriftenatelier München wird jeder Buchstabe in
der Größe von zwölf Zentimetern neu gezeichnet
Mit messerscharfen Konturen, um für die Schrift
scheiben das Optimale an Konturenschärfe herau

1,75 mm (6,5 p) 20 30 40

Berthold-Schriften überzeugen durch Schärfe
und Qualität. Schriftqualität ist eine Frage der
Erfahrung. Berthold hat diese Erfahrung seit
über hundert Jahren. Zuerst im Schriftguß, da
nn im Fotosatz. Berthold-Schriften sind weltw
eit geschätzt. Im Schriftenatelier München wi
rd jeder Buchstabe in der Größe von zwölf Zen
timetern neu gezeichnet. Mit messerscharfen
Konturen, um für die Schriftscheiben das Opti

1,86 mm (7 p) 20 30 40

Berthold-Schriften überzeugen durch Schä
rfe und Qualität. Schriftqualität ist eine Fra
ge der Erfahrung. Berthold hat diese Erfahr
ung seit über hundert Jahren. Zuerst im Sch
riftguß, dann im Fotosatz. Berthold-Schrift
en sind weltweit geschätzt. Im Schriftenatel
ier München wird jeder Buchstabe in der Gr
öße von zwölf Zentimetern neu gezeichnet
Mit messerscharfen Konturen, um für die Sc

2,00 mm (7,5 p) 20 30 40

Berthold-Schriften überzeugen durch Sch
ärfe und Qualität. Schriftqualität ist eine
Frage der Erfahrung. Berthold hat diese
Erfahrung seit über hundert Jahren. Zuer
st im Schriftguß, dann im Fotosatz. Berth
old-Schriften sind weltweit geschätzt. Im
Schriftenatelier München wird jeder Buc
hstabe in der Größe von zwölf Zentimete
rn neu gezeichnet. Mit messerscharfen Ko

2,15 mm (8 p) 20 30

Hermann Zapf
1979
International Typeface Corp.
H. Berthold AG

ABCDEFGHIJKLMNOPQ
RSTUVWXYZ
abcdefghijklmnopqrstuvwxyz
1/1234567890 %
(.,-;:!¡?¿–)·[''„"“»«]
+–=/$£†*&§
ÄÅÆÖØŒÜäåæıöøœßü
ÁÀÂÃÇČÉÈÊËÍÌÎÏĹŇÑÓÒÔÕ
ŔŘŠŤÚÙÛŴẄÝỲŸŽ
áàâãçčéèêëíìîïĺňñóòôõŕřš
úùûŵẅýỳÿž

Berthold-Schriftweite weit
Berthold-Schriftweite normal
Berthold-Schriftweite eng
Berthold-Schriftweite sehr eng
Berthold-Schriftweite extrem eng

Berthold
3,72 mm (14 p)

Berthold
4,25 mm (16 p)

Berthold
4,75 mm (18 p)

Berthold
5,30 mm (20 p)

Berthold
6,35 mm (24 p)

Berthold
7,40 mm (28 p)

Berthold
8,50 mm (32 p)

Berthold
9,55 mm (36 p)

Größe		Zeilenabstand			100 Zeichen		
mm	p	kp	Êp	Ex	0	–1	–2
1,33	5	2,31	2,44	2,00	96	93	90
1,60	6	2,75	2,94	2,50	113	109	105
1,86	7	3,19	3,38	3,00	130	126	122
2,15	8	3,69	3,94	3,50	148	143	138
2,40	9	4,13	4,38	3,75	166	160	154
2,65	10	4,56	4,81	4,25	183	176	169
2,92	11	5,00	5,31	4,75	200	193	186
3,20	12	5,44	5,81	5,25	217	209	201
3,45	13	5,88	6,25	5,75	234	226	218
3,72	14	6,38	6,75	–	251	242	233
3,98	15	6,81	7,25	–	268	259	250
4,25	16	7,25	7,75	–	285	275	265

WZ 13 E, NSW 0, MZB 0,69, F 0,16:0,046 (3,5), II
H 1–x 0,73–k 1,20–p 0,50–Ê 1,31–kp 1,70–Êp 1,81
BF 089 0789, Belegung 051: 085 2103 (095 2103)

Berthold-Schriften überzeugen durc
h Schärfe und Qualität. Schriftqualit
ät ist eine Frage der Erfahrung. Berth
old hat diese Erfahrung seit über hun
dert Jahren. Zuerst im Schriftguß, da
nn im Fotosatz. Berthold-Schriften si
nd weltweit geschätzt. Im Schriftena
telier München wird jeder Buchstabe

2,40 mm (9 p) 10 20 30

Berthold-Schriften überzeugen d
urch Schärfe und Qualität. Schrift
qualität ist eine Frage der Erfahru
ng. Berthold hat diese Erfahrung
seit über hundert Jahren. Zuerst i
m Schriftguß, dann im Fotosatz. B
erthold-Schriften sind weltweit g
eschätzt. Im Schriftenatelier Mü

2,65 mm (10 p) 10 20 30

Berthold-Schriften überzeuge
n durch Schärfe und Qualität
Schriftqualität ist eine Frage d
er Erfahrung. Berthold hat die
se Erfahrung seit über hundert
Jahren. Zuerst im Schriftguß
dann im Fotosatz. Berthold-Sc
hriften sind weltweit geschätz

2,92 mm (11 p) 10 20

Berthold-Schriften überzeu
gen durch Schärfe und Qual
ität. Schriftqualität ist eine
Frage der Erfahrung. Berth
old hat diese Erfahrung seit
über hundert Jahren. Zuerst
im Schriftguß, dann im Foto
satz. Berthold-Schriften sin

3,20 mm (12 p) 10 20

Berthold-Schriften überze
ugen durch Schärfe und Q
ualität. Schriftqualität ist
eine Frage der Erfahrung
Berthold hat diese Erfahr
ung seit über hundert Jahr
en. Zuerst im Schriftguß
dann im Fotosatz. Berthol

3,45 mm (13 p) 10 20

halbfett
demi
demi-gras

ZAPF CHANCERY

seminegra
neretto
halvfet

Berthold-Schriften überzeugen durch Schärfe und Qualität. Schrif tqualität ist eine Frage der Erfahrung. Berthold hat diese Erfahru ng seit über hundert Jahren. Zuerst im Schriftguß, dann im Fotosa tz. Berthold-Schriften sind weltweit geschätzt. Im Schriftenatelier München wird jeder Buchstabe in der Größe von zwölf Zentimete rn neu gezeichnet. Mit messerscharfen Konturen, um für die Schrif tscheiben das Optimale an Konturenschärfe herauszuholen. Um die Qualität des Einzelzeichens im Belichtungsvorgang zu bewah ren, wird durch die ruhende, nicht rotierende Schriftscheibe belich

4,25 mm (16 p), Zeilenabstand 6,75 mm

ZAPF CHANCERY DEMI

In general, bodytypes are measured in the ty pographical point size. The sizes of Berthold Fototype faces can be exactly determined. All faces of same point size have the same capital height–irrespective of their x-height. In hot metal and many other phototypesetting sys tems the capital heights often differ consider ably from one face to the other. For measur ing point sizes, a transparent size gauge is provided. To determine the point size, bring a capital letter into coincidence with that field which precisely circumscribes the letter at its upper and lower margin. Below the field you find the typographical point and below that the millimeter value, which also refers to the height of a capital letter. In Berthold-photo typesetting, the typewidth can be modified The standard setting width of typefaces is de termined by the principle of optimum legibi lity. You should not depart from this type width without cogent reason. A typeface whi ch is considered optically right when looked

2,40 mm (9 p), Zeilenabstand 4,25 mm

ZAPF CHANCERY DEMI-GRAS

La valeur de la force de corps des caractè res de labeur èst généralement exprimée en points typographiques. La force de corps des caractères Berthold-Fototype peut être déterminée avec précision. Tous les caractères du même corps ont des ca pitales d'une hauteur identique, indépen damment de la hauteur des bas de casse sans jambage. Dans la composition plom b, ainsi que dans certains systèmes de ph otocomposition, la hauteur des capitales varie souvent d'un caractère à l'autre. Po ur déterminer la force de corps de nos cara ctères, nous avons mis au point une rég lette de hauteur d'œil transparente. On ch erche le rectangle qui délimite exacteme nt la hauteur d'œil d'une capitale du car actère choisi. Sous le rectangle correspo ndant la valeur de la force de corps est in diquée en points Didots et en millimètres

2,65 mm (10 p), Zeilenabstand 4,69 mm

La indicación de las dimensiones para cuer pos de letra básicos tiene lugar en general en puntos tipográficos. Los cuerpos de letra de los caracteres Berthold Fototype pueden determinarse exactamente par medición Con independencia de la altura de sus lon gitudes centrales, todos los caracteres de idéntico cuerpo de letra presentan altura de mayúsculas idéntica. En la composición en

2,15 mm (8 p), –1, Zeilenabstand 3,38 mm

123,– $	456,– £	7890,– DM	1 %
234,– $	789,– £	1234,– DM	2 %
567,– $	12,– £	5678,– DM	3 %
890,– $	345,– £	9012,– DM	4 %
123,– $	678,– £	3456,– DM	5 %
456,– $	901,– £	7890,– DM	6 %
789,– $	234,– £	1234,– DM	7 %
12,– $	567,– £	5678,– DM	8 %
345,– $	890,– £	9012,– DM	9 %

BF 089 0790

Le misure relative al corpo dei caratteri ven gono generalmente indicate in punti tipogra fici. Il corpo dei caratteri Fototypes può essere determinato con esattezza per semplice mi surazione. Tutti i caratteri di uguale gran dezza in punti hanno, indipendentemente dalla loro lunghezza, uguale altezza delle maiuscole. Nella composizione in piombo ed in molti altri sistemi di fotocomposizione

2,15 mm (8 p), –2, Zeilenabstand 3,38 mm

halbfett Swash
demi swash
demi-gras lettres ornées

ZAPF CHANCERY

seminegra letras adonadas
neretto lettere ornate
halvfet ornament bokstäver

Berthold-Schriften überzeugen durch Schärfe und Qualität. Sc
hriftqualität ist eine Frage der Erfahrung. Berthold hat diese Er
fahrung seit über hundert Jahren. Zuerst im Schriftguß, dann
im Fotosatz. Berthold-Schriften sind weltweit geschätzt. Im
Schriftenatelier München wird jeder Buchstabe in der Größe
von zwölf Zentimetern neu gezeichnet. Mit messerscharfen Ko
nturen, um für die Schriftscheiben das Optimale an Konturens
chärfe herauszuholen. Um die Qualität des Einzelzeichens im
Belichtungsvorgang zu bewahren, wird durch die ruhende, ni

1,33 mm (5 p) 20 30 40 50

Berthold-Schriften überzeugen durch Schärfe und Qualität
Schriftqualität ist eine Frage der Erfahrung. Berthold hat
diese Erfahrung seit über hundert Jahren. Zuerst im Schri
ftguß, dann im Fotosatz. Berthold-Schriften sind weltweit
geschätzt. Im Schriftenatelier München wird jeder Buchst
abe in der Größe von zwölf Zentimetern neu gezeichnet
Mit messerscharfen Konturen, um für die Schriftscheiben
das Optimale an Konturenschärfe herauszuholen. Um die
Qualität des Einzelzeichens im Belichtungsvorgang zu be

1,45 mm (5,5 p) 20 30 40 50

Berthold-Schriften überzeugen durch Schärfe und Qu
alität. Schriftqualität ist eine Frage der Erfahrung. Be
rthold hat diese Erfahrung seit über hundert Jahren
Zuerst im Schriftguß, dann im Fotosatz. Berthold-Sc
hriften sind weltweit geschätzt. Im Schriftenatelier
München wird jeder Buchstabe in der Größe von zwö
lf Zentimetern neu gezeichnet. Mit messerscharfen Ko
nturen, um für die Schriftscheiben das Optimale an K
onturenschärfe herauszuholen. Um die Qualität des

1,60 mm (6 p) 20 30 40 5

Berthold-Schriften überzeugen durch Schärfe und
Qualität. Schriftqualität ist eine Frage der Erfah
rung. Berthold hat diese Erfahrung seit über hun
dert Jahren. Zuerst im Schriftguß, dann im Fotos
atz. Berthold-Schriften sind weltweit geschätzt. I
m Schriftenatelier München wird jeder Buchsta
be in der Größe von zwölf Zentimetern neu gezei
chnet. Mit messerscharfen Konturen, um für die
Schriftscheiben das Optimale an Konturenschärf

1,75 mm (6,5 p) 20 30 40

Berthold-Schriften überzeugen durch Schärfe
und Qualität. Schriftqualität ist eine Frage der
Erfahrung. Berthold hat diese Erfahrung seit
über hundert Jahren. Zuerst im Schriftguß, da
nn im Fotosatz. Berthold-Schriften sind welt
weit geschätzt. Im Schriftenatelier München
wird jeder Buchstabe in der Größe von zwölf
Zentimetern neu gezeichnet. Mit messerscharf
en Konturen, um für die Schriftscheiben das Op

1,86 mm (7 p) 20 30 40

Berthold-Schriften überzeugen durch Schä
rfe und Qualität. Schriftqualität ist eine Fra
ge der Erfahrung. Berthold hat diese Erfah
rung seit über hundert Jahren. Zuerst im Sc
hriftguß, dann im Fotosatz. Berthold-Schri
ften sind weltweit geschätzt. Im Schriftena
telier München wird jeder Buchstabe in der
Größe von zwölf Zentimetern neu gezeichn
et. Mit messerscharfen Konturen, um für di

2,00 mm (7,5 p) 20 30 40

Berthold-Schriften überzeugen durch Sc
härfe und Qualität. Schriftqualität ist ei
ne Frage der Erfahrung. Berthold hat di
ese Erfahrung seit über hundert Jahren
Zuerst im Schriftguß, dann im Fotosatz
Berthold-Schriften sind weltweit geschä
tzt. Im Schriftenatelier München wird je
der Buchstabe in der Größe von zwölf Ze
ntimetern neu gezeichnet. Mit messersch

2,15 mm (8 p) 20 30

Hermann Zapf
1979
International Typeface Corp.
H. Berthold AG

ABCDEFGHIJKLMNOPQ
RSTUVWXYZ
abcdefghijklmnopqr
stuvwxyz
ÆŒIJLT
ðdLeefkrtvwyyy
ffsttth
1234567890%
(.,-;:!?)·['„"«›‹]
§+=/
$$¢£‡*&§©
ÄÖÜäöüß

Berthold-Schriftweite weit
Berthold-Schriftweite normal
Berthold-Schriftweite eng
Berthold-Schriftweite sehr eng
Berthold-Schriftweite extrem eng

Berthold
3,72 mm (14 p)

Berthold
4,25 mm (16 p)

Berthold
4,75 mm (18 p)

Berthold
5,30 mm (20 p)

Berthold
6,35 mm (24 p)

Berthold
7,40 mm (28 p)

Berthold
8,50 mm (32 p)

Berthold
9,55 mm (36 p)

Größe mm	p	Zeilenabstand kp	Êp	Ex	100 Zeichen 0	−1	−2
1,33	5	2,31	2,44	2,00	96	93	90
1,60	6	2,75	2,94	2,50	113	109	105
1,86	7	3,19	3,38	3,00	130	126	122
2,15	8	3,69	3,94	3,50	148	143	138
2,40	9	4,13	4,38	3,75	166	160	154
2,65	10	4,56	4,81	4,25	183	176	169
2,92	11	5,00	5,31	4,75	200	193	186
3,20	12	5,44	5,81	5,25	217	209	201
3,45	13	5,88	6,25	5,75	234	226	218
3,72	14	6,38	6,75	–	251	242	233
3,98	15	6,81	7,25	–	268	259	250
4,25	16	7,25	7,75	–	285	275	265

WZ 15 E, NSW 0, MZB 0,69, F 0,16:0,046 (3,5), II
H 1–x 0,73–k 1,20–p 0,50–Ê 1,31–kp 1,70–Êp 1,81
BF 089 0805, Belegung 069: 085 2109 (095 2109)

Berthold-Schriften überzeugen durc
h Schärfe und Qualität. Schriftqualit
ät ist eine Frage der Erfahrung. Ber
thold hat diese Erfahrung seit über h
undert Jahren. Zuerst im Schriftguß
dann im Fotosatz. Berthold-Schrifte
n sind weltweit geschätzt. Im Schrift
enatelier München wird jeder Buch

2,40 mm (9 p) 20 30

Berthold-Schriften überzeugen d
urch Schärfe und Qualität. Schrif
tqualität ist eine Frage der Erfah
rung. Berthold hat diese Erfahru
ng seit über hundert Jahren. Zuer
st im Schriftguß, dann im Fotosat
z. Berthold-Schriften sind weltw
eit geschätzt. Im Schriftenatelier

2,65 mm (10 p) 10 20 30

Berthold-Schriften überzeuge
n durch Schärfe und Qualität
Schriftqualität ist eine Frage d
er Erfahrung. Berthold hat die
se Erfahrung seit über hundert
Jahren. Zuerst im Schriftguß
dann im Fotosatz. Berthold-Sc
hriften sind weltweit geschätz

2,92 mm (11 p) 10 20

Berthold-Schriften überzeu
gen durch Schärfe und Qual
ität. Schriftqualität ist eine
Frage der Erfahrung. Berth
old hat diese Erfahrung seit
über hundert Jahren. Zuerst
im Schriftguß, dann im Foto
satz. Berthold-Schriften sin

3,20 mm (12 p) 10 20

Berthold-Schriften überz
eugen durch Schärfe und
Qualität. Schriftqualität i
st eine Frage der Erfahru
ng. Berthold hat diese Erf
ahrung seit über hundert
Jahren. Zuerst im Schriftg
uß, dann im Fotosatz. Ber

3,45 mm (13 p) 10 20

fett
bold
gras

ZAPF CHANCERY

negra
nero
fet

Berthold-Schriften überzeugen durch Schärfe und
Qualität. Schriftqualität ist eine Frage der Erfahru
ng. Berthold hat diese Erfahrung seit über hundert
Jahren. Zuerst im Schriftguß, dann im Fotosatz. Berthold-Schriften sind weltweit geschätzt. Im Schrifte
natelier München wird jeder Buchstabe in der Größe
von zwölf Zentimetern neu gezeichnet. Mit messersc
harfen Konturen, um für die Schriftscheiben das Opt
imale an Konturenschärfe herauszuholen. Um die Q

1,60 mm (6 p), Zeilenabstand 2,50 mm

Berthold-Schriften überzeugen durch Schärfe
und Qualität. Schriftqualität ist eine Frage de
r Erfahrung. Berthold hat diese Erfahrung se
it über hundert Jahren. Zuerst im Schriftguß
dann im Fotosatz. Berthold-Schriften sind we
ltweit geschätzt. Im Schriftenatelier München
wird jeder Buchstabe in der Größe von zwölf
Zentimetern neu gezeichnet. Mit messerschar

1,86 mm (7 p), Zeilenabstand 3,00 mm

Berthold-Schriften überzeugen durch Sc
härfe und Qualität. Schriftqualität ist ei
ne Frage der Erfahrung. Berthold hat di
ese Erfahrung seit über hundert Jahren
Zuerst im Schriftguß, dann im Fotosatz
Berthold-Schriften sind weltweit gesch
ätzt. Im Schriftenatelier München wird
jeder Buchstabe in der Größe von zwölf

2,15 mm (8 p), Zeilenabstand 3,50 mm

Hermann Zapf
1979
International Typeface Corp.
H. Berthold AG

ABCDEFGHIJKLMNOPQ
RSTUVWXYZ
abcdefghijklmnopqrstuvwxyz
1/1234567890%
(.,-;:!¡?¿–)·['„"“»«]
+–=/$£†*&§
ÄÅÆÖØŒÜäåæıöøœßü
ÁÀÂÃÇČÉÈÊËÍÌÎÏĹŇÑÓÒÔÕ
ŔŘŠŤÚÙÛŴẄÝỲŸŽ
áàâãçčéèêëíìîïĺňñóòôõŕřš
úùûŵẅýỳÿž

Berthold-Schriftweite weit
Berthold-Schriftweite normal
Berthold-Schriftweite eng
Berthold-Schriftweite sehr eng
Berthold-Schriftweite extrem eng

In general, bodytypes are m
easured in the typographic
al point size. The sizes of Be
rthold Fototypefaces can be
exactly determined. All fac
es of same point size have t
he same capital height–irre
spective of their x-height. In
hot metal and many other
phototypesetting systems t
he capital heights often dif
fer considerably from one fa
ce to the other. For measuri
ng point sizes, a transparen
t size gauge is provided. To
determine the point size, br
ing a capital letter into coi

3,20 mm (12 p), Zeilenabstand 5,25 mm

Berthold's quick brown fox jumps over the lazy dog and feels as if he were i
3,72 mm (14 p)

Berthold's quick brown fox jumps over the lazy dog and feels as if
4,25 mm (16 p)

Berthold's quick brown fox jumps over the lazy dog and fe
4,75 mm (18 p)

Berthold's quick brown fox jumps over the lazy dog
5,30 mm (20 p)

Berthold's quick brown fox jumps over the l
6,35 mm (24 p)

Berthold's quick brown fox jumps ov
7,40 mm (28 p)

Berthold's quick brown fox jump
8,50 mm (32 p)

Berthold's quick brown fox j
9,55 mm (36 p)

Berthold-Schriften überzeugen dur
ch Schärfe und Qualität. Schriftqua
litätist eine Frage der Erfahrung. Be
rthold hat diese Erfahrung seit über
hundert Jahren. Zuerst im Schriftgu
ß, dann im Fotosatz. Berthold-Schri
ften sind weltweit geschätzt. Im Sch
riftenatelier München wird jeder Bu

2,40 mm (9 p), Zeilenabstand 4,00 mm

Größe mm	p	Zeilenabstand kp	Êp	Ex	100 Zeichen 0	–1	–2
1,33	5	2,25	2,44	–	97	94	91
1,60	6	2,75	2,94	2,50	115	111	107
1,86	7	3,19	3,38	3,00	132	128	124
2,15	8	3,69	3,94	3,50	150	145	140
2,40	9	4,06	4,38	4,00	168	162	156
2,65	10	4,50	4,81	4,00	185	178	171
2,92	11	4,94	5,31	–	202	195	188
3,20	12	5,44	5,81	5,25	220	212	204
3,45	13	5,88	6,25	–	237	229	221
3,72	14	6,31	6,75	–	254	245	236
3,98	15	6,75	7,25	–	271	262	253
4,25	16	7,19	7,75	–	289	279	269

WZ 13 E, NSW 0, MZB 0,70, F 0,22:0,05 (4,3), II
H 1–x 0,73–k 1,19–p 0,50–Ê 1,31–kp 1,69–Êp 1,81
BF 089 0790, Belegung 051: 085 2104 (095 2104)

Berthold-Schriften überzeugen
durch Schärfe und Qualität. Sch
riftqualität ist eine Frage der Erf
ahrung. Berthold hat diese Erfa
hrung seit über hundert Jahren
Zuerst im Schriftguß, dann im F
otosatz. Berthold-Schriften sind
weltweit geschätzt. Im Schriften

2,65 mm (10 p), Zeilenabstand 4,00 mm

fett Swash
bold swash
gras lettres ornées

ZAPF CHANCERY

negra letras adornadas
nero lettere ornate
fet ornament bokstäver

Berthold-Schriften überzeugen durch Schärfe und
Qualität. Schriftqualität ist eine Frage der Erfahru
ng. Berthold hat diese Erfahrung seit über hundert
Jahren. Zuerst im Schriftguß, dann im Fotosatz. Ber
thold-Schriften sind weltweit geschätzt. Im Schrifte
natelier München wird jeder Buchstabe in der Grö
ße von zwölf Zentimetern neu gezeichnet. Mit mess
erscharfen Konturen, um für die Schriftscheiben das
Optimale an Konturenschärfe herauszuholen. Um

1,60 mm (6 p), Zeilenabstand 2,50 mm

Berthold-Schriften überzeugen durch Schärfe
und Qualität. Schriftqualität ist eine Frage d
er Erfahrung. Berthold hat diese Erfahrung
seit über hundert Jahren. Zuerst im Schriftgu
ß, dann im Fotosatz. Berthold-Schriften sind
weltweit geschätzt. Im Schriftenatelier Mün
chen wird jeder Buchstabe in der Größe von
zwölf Zentimetern neu gezeichnet. Mit messe

1,86 mm (7 p), Zeilenabstand 3,00 mm

Berthold-Schriften überzeugen durch S
chärfe und Qualität. Schriftqualität ist
eine Frage der Erfahrung. Berthold hat
diese Erfahrung seit über hundert Jahr
en. Zuerst im Schriftguß, dann im Foto
satz. Berthold-Schriften sind weltweit
geschätzt. Im Schriftenatelier München
wird jeder Buchstabe in der Größe von

2,15 mm (8 p), Zeilenabstand 3,50 mm

Hermann Zapf
1979
International Typeface Corp.
H. Berthold AG

ABCDEFGHIJKLMNOPQ
RSTUVWXYZ
abcdefghijklmnopq
rstuvwxyz
AEILT
ddLeefkrtvwyyy
ofstth
1234567890%
(.,-;:!?)·[',„"“›‹]
¶+=/$$¢¢£‡*&§©
ÄÖÜäöüß

Berthold-Schriftweite weit
Berthold-Schriftweite normal
Berthold-Schriftweite eng
Berthold-Schriftweite sehr eng
Berthold-Schriftweite extrem eng

In general, bodytypes are
measured in the typograph
ical point size. The sizes of
Berthold Fototype faces ca
n be exactly determined. Al
l faces of same point size ha
ve the same capital height
irrespective of their x-heigh
t. In hot metal and many o
ther phototypesetting syste
ms the capital heights ofte
n differ considerably from
one face to the other. For m
easuring point sizes, a tran
sparent size gauge is provi
ded. To determine the point
size, bring a capital letter i

3,20 mm (12 p), Zeilenabstand 5,25 mm

Berthold's quick brown fox jumps over the lazy dog and feels as if he wer
3,72 mm (14 p)

Berthold's quick brown fox jumps over the lazy dog and feels as i
4,25 mm (16 p)

Berthold's quick brown fox jumps over the lazy dog and f
4,75 mm (18 p)

Berthold's quick brown fox jumps over the lazy dog
5,30 mm (20 p)

Berthold's quick brown fox jumps over the
6,35 mm (24 p)

Berthold's quick brown fox jumps ov
7,40 mm (28 p)

Berthold's quick brown fox jum
8,50 mm (32 p)

Berthold's quick brown fox j
9,55 mm (36 p)

Berthold-Schriften überzeugen dur
ch Schärfe und Qualität. Schriftqu
alität ist eine Frage der Erfahrung
Berthold hat diese Erfahrung seit
über hundert Jahren. Zuerst im Sch
riftguß, dann im Fotosatz. Berthold
Schriften sind weltweit geschätzt. I
m Schriftenatelier München wird j

2,40 mm (9 p), Zeilenabstand 4,00 mm

Größe		Zeilenabstand			100 Zeichen		
mm	p	kp	Êp	Ex	0	−1	−2
1,33	5	2,25	2,44	–	99	96	93
1,60	6	2,75	2,94	2,50	116	112	108
1,86	7	3,19	3,38	3,00	134	130	126
2,15	8	3,69	3,94	3,50	152	147	142
2,40	9	4,06	4,38	4,00	170	164	158
2,65	10	4,50	4,81	4,00	188	181	174
2,92	11	4,94	5,31	–	205	198	191
3,20	12	5,44	5,81	5,25	223	215	207
3,45	13	5,88	6,25	5,75	240	232	224
3,72	14	6,31	6,75	–	258	249	240
3,98	15	6,75	7,25	–	275	266	257
4,25	16	7,19	7,75	–	293	283	273

WZ 15 E, NSW 0, MZB 0,71, F 0,22:0,05 (4,3), II
H 1–x 0,73–k 1,19–p 0,50–Ê 1,31–kp 1,69–Êp 1,81
BF 089 0807, Belegung 069: 085 2110 (095 2110)

Berthold-Schriften überzeugen
durch Schärfe und Qualität. Sch
riftqualität ist eine Frage der Er
fahrung. Berthold hat diese Erf
ahrung seit über hundert Jahren
Zuerst im Schriftguß, dann im F
otosatz. Berthold-Schriften sind
weltweit geschätzt. Im Schrifte

2,65 mm (10 p), Zeilenabstand 4,00 mm

mager
light
maigre

ZAPF INTERNATIONAL

fina
chiarissimo
mager

Berthold-Schriften überzeugen durch Schärfe und Qualität
Schriftqualität ist eine Frage der Erfahrung. Berthold hat die
se Erfahrung seit über hundert Jahren. Zuerst im Schriftguß
dann im Fotosatz. Berthold-Schriften sind weltweit geschät
zt. Im Schriftenatelier München wird jeder Buchstabe in der
Größe von zwölf Zentimetern neu gezeichnet. Mit messersc
harfen Konturen, um für die Schriftscheiben das Optimale a
n Konturenschärfe herauszuholen. Um die Qualität des Ein
zelzeichens im Belichtungsvorgang zu bewahren, wird dur

1,33 mm (5 p) 20 30 40 50

Berthold-Schriften überzeugen durch Schärfe und Qua
lität. Schriftqualität ist eine Frage der Erfahrung. Berth
old hat diese Erfahrung seit über hundert Jahren. Zuerst
im Schriftguß, dann im Fotosatz. Berthold-Schriften si
nd weltweit geschätzt. Im Schriftenatelier München w
ird jeder Buchstabe in der Größe von zwölf Zentimetern
neu gezeichnet. Mit messerscharfen Konturen, um für
die Schriftscheiben das Optimale an Konturenschärfe
herauszuholen. Um die Qualität des Einzelzeichens im

1,45 mm (5,5 p) 20 30 40 50

Berthold-Schriften überzeugen durch Schärfe und
Qualität. Schriftqualität ist eine Frage der Erfahru
ng. Berthold hat diese Erfahrung seit über hundert
Jahren. Zuerst im Schriftguß, dann im Fotosatz. B
erthold-Schriften sind weltweit geschätzt. Im Sch
riftenatelier München wird jeder Buchstabe in der
Größe von zwölf Zentimetern neu gezeichnet. Mit
messerscharfen Konturen, um für die Schriftschei
ben das Optimale an Konturenschärfe herauszuh

1,60 mm (6 p) 20 30 40 5

Berthold-Schriften überzeugen durch Schärfe
und Qualität. Schriftqualität ist eine Frage der
Erfahrung. Berthold hat diese Erfahrung seit ü
ber hundert Jahren. Zuerst im Schriftguß, dan
n im Fotosatz. Berthold-Schriften sind weltwe
it geschätzt. Im Schriftenatelier München wird
jeder Buchstabe in der Größe von zwölf Zenti
metern neu gezeichnet. Mit messerscharfen K
onturen, um für die Schriftscheiben das Opti

1,75 mm (6,5 p) 20 30 40

Berthold-Schriften überzeugen durch Schär
fe und Qualität. Schriftqualität ist eine Frage
der Erfahrung. Berthold hat diese Erfahrung
seit über hundert Jahren. Zuerst im Schriftg
uß, dann im Fotosatz. Berthold-Schriften si
nd weltweit geschätzt. Im Schriftenatelier
München wird jeder Buchstabe in der Größe
von zwölf Zentimetern neu gezeichnet. Mit
messerscharfen Konturen, um für die Schrif

1,86 mm (7 p) 20 30 40

Berthold-Schriften überzeugen durch Sc
härfe und Qualität. Schriftqualität ist eine
Frage der Erfahrung. Berthold hat diese
Erfahrung seit über hundert Jahren. Zue
rst im Schriftguß, dann im Fotosatz. Bert
hold-Schriften sind weltweit geschätzt. I
m Schriftenatelier München wird jeder B
uchstabe in der Größe von zwölf Zentim
etern neu gezeichnet. Mit messerscharfen

2,00 mm (7,5 p) 20 30 40

Berthold-Schriften überzeugen durch
Schärfe und Qualität. Schriftqualität ist
eine Frage der Erfahrung. Berthold hat
diese Erfahrung seit über hundert Jahr
en. Zuerst im Schriftguß, dann im Foto
satz. Berthold-Schriften sind weltweit
geschätzt. Im Schriftenatelier Münche
n wird jeder Buchstabe in der Größe v
on zwölf Zentimetern neu gezeichnet

2,15 mm (8 p) 20 30

Hermann Zapf
1977
International Typeface Corp.
H. Berthold AG

ABCDEFGHIJKLMNOPQ
RSTUVWXYZ
abcdefghijklmnopqrstuvwxyz
1/1234567890%
(.,-;:!¡?¿–)·['‘„"“»«]
+−=/$£†*&§
ÄÅÆÖØŒÜäåæıöøœßü
ÁÀÂÃÇČÉÈÊËÍÌÎÏĹŇÑÓÒÔÕ
ŔŘŠŤÚÙÛŴẄÝŶŸŽ
áàâãçčéèêëíìîïĺňñóòôõŕřš
úùûŵẅýỳÿž

Berthold-Schriftweite weit
Berthold-Schriftweite normal
Berthold-Schriftweite eng
Berthold-Schriftweite sehr eng
Berthold-Schriftweite extrem eng

Berthold
3,75 mm (14 p)

Berthold
4,25 mm (16 p)

Berthold
4,75 mm (18 p)

Berthold
5,30 mm (20 p)

Berthold
6,35 mm (24 p)

Berthold
7,40 mm (28 p)

Berthold
8,50 mm (32 p)

Berthold
9,55 mm (36 p)

Größe mm	p	Zeilenabstand kp	Êp	Ex	100 Zeichen 0	−1	−2
1,33	5	2,25	2,31	2,00	100	97	94
1,60	6	2,69	2,81	2,50	118	114	110
1,86	7	3,13	3,25	3,00	135	131	127
2,15	8	3,63	3,75	3,50	154	149	144
2,40	9	4,00	4,19	3,75	173	167	161
2,65	10	4,44	4,56	4,25	191	184	177
2,92	11	4,88	5,06	4,75	208	201	194
3,20	12	5,31	5,56	5,25	226	218	210
3,45	13	5,75	5,94	5,75	243	235	227
3,72	14	6,19	6,44	–	262	253	244
3,98	15	6,63	6,88	–	279	270	261
4,25	16	7,06	7,31	–	297	287	277

WZ 14 E, NSW +1, MZB 0,72, F 0,11:0,038 (3,0), III
H 1–x 0,71–k 1,15–p 0,41–Ê 1,31–kp 1,66–Êp 1,72
BF 089 0716, Belegung 051: 086 2551 (096 2551)

Berthold-Schriften überzeugen du
rch Schärfe und Qualität. Schriftq
ualität ist eine Frage der Erfahrun
g. Berthold hat diese Erfahrung se
it über hundert Jahren. Zuerst im S
chriftguß, dann im Fotosatz. Bert
hold-Schriften sind weltweit gesc
hätzt. Im Schriftenatelier München

2,40 mm (9 p) 20 30

Berthold-Schriften überzeugen
durch Schärfe und Qualität. Sc
hriftqualität ist eine Frage der
Erfahrung. Berthold hat diese
Erfahrung seit über hundert Ja
hren. Zuerst im Schriftguß, da
nn im Fotosatz. Berthold-Schri
ften sind weltweit geschätzt. Im

2,65 mm (10 p) 10 20 30

Berthold-Schriften überzeug
en durch Schärfe und Qualit
ät. Schriftqualität ist eine Fra
ge der Erfahrung. Berthold h
at diese Erfahrung seit über h
undert Jahren. Zuerst im Sc
hriftguß, dann im Fotosatz. B
erthold-Schriften sind weltw

2,92 mm (11 p) 10 20

Berthold-Schriften überze
ugen durch Schärfe und Q
ualität. Schriftqualität ist
eine Frage der Erfahrung
Berthold hat diese Erfahr
ung seit über hundert Jah
ren. Zuerst im Schriftguß
dann im Fotosatz. Berthol

3,20 mm (12 p) 10 20

Berthold-Schriften über
zeugen durch Schärfe u
nd Qualität. Schriftquali
tät ist eine Frage der Erfa
hrung. Berthold hat die
se Erfahrung seit über h
undert Jahren. Zuerst im
Schriftguß, dann im Fot

3,45 mm (13 p) 10 20

mager
light
maigre

ZAPF INTERNATIONAL

fina
chiarissimo
mager

Berthold-Schriften überzeugen durch Schärfe und Qualität. Sc hriftqualität ist eine Frage der Erfahrung. Berthold hat diese Erf ahrung seit über hundert Jahren. Zuerst im Schriftguß, dann im Fotosatz. Berthold-Schriften sind weltweit geschätzt. Im Schrift enatelier München wird jeder Buchstabe in der Größe von zwö lf Zentimetern neu gezeichnet. Mit messerscharfen Konturen, u m für die Schriftscheiben das Optimale an Konturenschärfe her auszuholen. Um die Qualität des Einzelzeichens im Belichtungs vorgang zu bewahren, wird durch die ruhende, nicht rotierend

4,25 mm (16 p), Zeilenabstand 6,75 mm

ZAPF INTERNATIONAL

In general, bodytypes are measured in the typographical point size. The sizes of Bert hold Fototype faces can be exactly deter mined. All faces of same point size have the same capital height–irrespective of their x height. In hot metal and many other photo typesetting systems the capital heights of ten differ considerably from one face to the other. For measuring point sizes, a trans parent size gauge is provided. To determi ne the point size, bring a capital letter into coincidence with that field which precisely circumscribes the letter at its upper and lo wer margin. Below the field you find the ty pographical point and below that the milli meter value, which also refers to the height of a capital letter. In Berthold-phototypeset ting, the typewidth can be modified. The st andard setting width of typefaces is deter mined by the principle of optimum legibili ty. You should not depart from this typewi dth without cogent reason. A typeface whi

2,40 mm (9 p), Zeilenabstand 4,25 mm

ZAPF INTERNATIONAL

La valeur de la force de corps des carac tères de labeur èst généralement expri mée en points typographiques. La for ce de corps des caractères Berthold Fot otype peut être déterminée avec précisi on. Tous les caractères du même corps ont des capitales d'une hauteur identiq ue, indépendamment de la hauteur des bas de casse sans jambage. Dans la co mposition plomb ainsi que dans certai ns systèmes de photocomposition, la hauteur des capitales, varie souvent d un caractère à l'autre. Pour déterminer la force de corps de nos caractères, no us avons mis au point une réglette de ha uteur d'œil transparente. On cherche le rectangle qui délimite exactement la ha uteur d'œil d'une capitale du caractère choisi. Sous le rectangle correspondant la valeur de la force de corps est indiqu

2,65 mm (10 p), Zeilenabstand 4,69 mm

La indicación de las dimensiones para cu erpos de letra vásicos tiene lugar en gene ral en puntos tipográficos. Los cuerpos de letra de los caracteres Berthold Fototy pe pueden determinarse exactemente pa r medición. Con independencia de la altu ra de sus longitudes centrales todos los ca racteres de idéntico cuerpo de letra prese ntan altura de mayúsculas idéntica. En la

2,15 mm (8 p), –1, Zeilenabstand 3,38 mm

123,– $	456,– £	7890,– DM	1 %
234,– $	789,– £	1234,– DM	2 %
567,– $	12,– £	5678,– DM	3 %
890,– $	345,– £	9012,– DM	4 %
123,– $	678,– £	3456,– DM	5 %
456,– $	901,– £	7890,– DM	6 %
789,– $	234,– £	1234,– DM	7 %
12,– $	567,– £	5678,– DM	8 %
345,– $	890,– £	9012,– DM	9 %

BF 089 0717

Le misure relative al corpo dei caratteri ve ngono generalmente indicate in punti tipo grafici. Il corpo dei caratteri Fototypes puó essere determinato con esattezza per sem plice misurazione. Tutti i caratteri di ugua le grandezza in punti hanno, indipendente mente dalla loro lunghezza uguale altezza delle maiuscole. Nella composizione in pio mbo ed in molti altri sistemi di fotocompo

2,15 mm (8 p), –2, Zeilenabstand 3,38 mm

kursiv mager
light italic
italique maigre

ZAPF INTERNATIONAL

fina cursiva
chiarissimo corsivo
kursiv mager

Måttangivelse för grundstilsgr ader sker i allmänhet i typogr afiska punkter. Stilar av Berth old Fototype kan efter mätning exakt gradbestämmas. Alla t ypsnitt är av samma punktst orlek och har oberoende av x höjden en identisk versalhöjd I blysättning och i många and ra fotosättsystem varierar ver salhöjden avsevärt från typsn itt till typsnitt. För mätning av stilgrader finns en transparent mätlinjal. Vid mätningen plac erar man en versal bokstav så att rutorna begränsar tecknet upptill och nedtill. Under ruto rna finns stilstorleken i typogr afiska didotpunkter och i mm

2,92 mm (11 p), Zeilenabstand 4,69 mm

Hermann Zapf
1977
International Typeface Corp.
H. Berthold AG

ABCDEFGHIJKLMNOPQ
RSTUVWXYZ
abcdefghijklmnopqrstuvwxyz
1/1234567890%
(.,-;:!¡?¿–)·[’‘„”“»«]
+–=/$£†&§*
ÄÅÆÖØŒÜäåæıöøœßü
ÁÀÂÃÇČÉÈÊËÍÌÎÏĹŇÑÓÒÔÕ
ŔŘŠŤÚÙÛŴẄÝỲŶŸŽ
áàâãçčéèêëíìîïĺňñóòôõŕřš
úùûŵẅýỳŷÿž

Berthold-Schriftweite weit
Berthold-Schriftweite normal
Berthold-Schriftweite eng
Berthold-Schriftweite sehr eng
Berthold-Schriftweite extrem eng

In general, bodytypes are measured in the typographi cal point size. The sizes of Berthold Fototype faces can be exactly determined. All faces of same point size have the same capital height–irr espective of their x-height. In hot metal and many other phototypesetting systems th e capital heights often differ considerably from one face to the other. For measuring point sizes, a transparent si ze gauge is provided. To det ermine the point size, bring a capital letter into coincide

3,20 mm (12 p), Zeilenabstand 5,25 mm

ZAPF INTERNATIONAL

Die Maßangabe zu Grundschriftgrößen erf olgt im allgemeinen in typographischen P unkten. Die Schriftgrößen der Berthold-Foto satz-Schriften sind nach Messung exakt best immbar. Alle Schriften gleicher Punktgröße w eisen, unabhängig von der Höhe ihrer Mitt ellängen, eine identische Versalhöhe auf. Im Bleisatz und bei vielen anderen Fotosatz-Sy stemen differieren die Versalhöhen von Sc hrift zu Schrift oft erheblich. Zum Messen v on Schriftgrößen steht ein transparentes G rößenmaß zur Verfügung. Zum Messen wir d ein Versalbuchstabe mit dem Feld in De ckung gebracht, das den Buchstaben oben u nd unten scharf begrenzt. Unter dem Feld ist d ie Schriftgröße in typographischen Didot P unkten, darunter in Millimetern angegeben. A uch die Millimeterangaben beziehen sich a

2,40 mm (9 p), Zeilenabstand 4 mm

ZAPF INTERNATIONAL

La valeur de la force de corps des carac tères de labeur èst généralement exprimée en points typographiques. La force de corps des caractères Berthold-Fototype peut être déterminée avec précision. Tous les caractères du même corps ont des ca pitales d'une hauteur identique, indépen damment de la hauteur des bas de casse sans jambage. Dans la composition p lomb, ainsi que dans certains systèmes d e photocomposition, la hauteur des cap itales, varie souvent d'un caractère à l' autre. Pour déterminer la force de corps d e nos caractères, nous avons mis au p oint une réglette de hauteur d'œil transp arente. On cherche le rectangle qui délim

2,65 mm (10 p), Zeilenabstand 4,50 mm

La indicación de las dimensiones para cuerpos de letra vásicos tiene lugar en general en puntos tipográficos Los cuerpos de letra de los caracteres Berthold Foto type pueden determinarse exactemente par medición Con independencia de la altura de sus longitudes cen trales, todos los caracteres de idéntico cuerpo de letra presentan altura de mayúsculas idéntica. En la com posición en plomo y en muchos otros sistemas de fotocomposición, las alturas de mayúsculas varían frecuentemmente en forma considerable de tipo de letra a tipo de letra. Para medir los cuerpos de letra se dispone de un tipómetro, véase la figura. Para la me

1,60 mm (6 p), Zeilenabstand 2,50 mm

Größe		Zeilenabstand			100 Zeichen		
mm	p	kp	Êp	Ex	0	–1	–2
1,33	5	2,19	2,38	–	92	89	86
1,60	6	2,56	2,81	2,50	108	104	100
1,86	7	3,00	3,25	–	124	120	116
2,15	8	3,50	3,75	3,38	141	136	131
2,40	9	3,88	4,19	4,00	158	152	146
2,65	10	4,25	4,63	4,50	174	167	160
2,92	11	4,69	5,13	4,69	190	183	176
3,20	12	5,13	5,63	5,25	207	199	191
3,45	13	5,56	6,06	–	223	215	207
3,72	14	6,00	6,50	–	239	230	221
3,98	15	6,38	6,94	–	255	246	237
4,25	16	6,81	7,44	–	271	261	251

WZ 15 E, NSW 0, MZB 0,65, F 0,10:0,033 (3,1), III
H 1–x 0,71–k 1,18–p 0,42–Ê 1,32–kp 1,60–Êp 1,74
BF 089 0718, Belegung 051: 086 2552 (096 2552)

Le misure relative al corpo dei caratteri vengono generalmente indicate in punti ti pografici. Il corpo dei caratteri Fototypes può essere determinato con esattezza per semplice misurazione. Tutti i caratteri di uguale grandezza in punti hanno, indi pendentemente dalla loro lunghezza, ugu ale altezza delle maiuscole. Nella com posizione in piombo ed in molti altri sis

2,15 mm (8 p), Zeilenabstand 3,38 mm

normal
medium
normal

ZAPF INTERNATIONAL

normal
chiaro tondo
normal

Berthold-Schriften überzeugen durch Schärfe und Qualitä
t. Schriftqualität ist eine Frage der Erfahrung. Berthold hat
diese Erfahrung seit über hundert Jahren. Zuerst im Schrif
tguß, dann im Fotosatz. Berthold-Schriften sind weltweit g
eschätzt. Im Schriftenatelier München wird jeder Buchsta
be in der Größe von zwölf Zentimetern neu gezeichnet. Mit
messerscharfen Konturen, um für die Schriftscheiben das
Optimale an Konturenschärfe herauszuholen. Um die Qua
lität des Einzelzeichens im Belichtungsvorgang zu bewah

1,33 mm (5 p) 20 30 40 50

Berthold-Schriften überzeugen durch Schärfe und Qu
alität. Schriftqualität ist eine Frage der Erfahrung. Ber
thold hat diese Erfahrung seit über hundert Jahren. Zu
erst im Schriftguß, dann im Fotosatz. Berthold-Schrift
en sind weltweit geschätzt. Im Schriftenatelier Münch
en wird jeder Buchstabe in der Größe von zwölf Zenti
metern neu gezeichnet. Mit messerscharfen Konturen
um für die Schriftscheiben das Optimale an Konturen
schärfe herauszuholen. Um die Qualität des Einzelzei

1,45 mm (5,5 p) 20 30 40 50

Berthold-Schriften überzeugen durch Schärfe un
d Qualität. Schriftqualität ist eine Frage der Erfah
rung. Berthold hat diese Erfahrung seit über hund
ert Jahren. Zuerst im Schriftguß, dann im Fotosa
tz. Berthold-Schriften sind weltweit geschätzt. Im
Schriftenatelier München wird jeder Buchstabe in
der Größe von zwölf Zentimetern neu gezeichnet
Mit messerscharfen Konturen, um für die Schrifts
cheiben das Optimale an Konturenschärfe heraus

1,60 mm (6 p) 20 30 40

Berthold-Schriften überzeugen durch Schärfe
und Qualität. Schriftqualität ist eine Frage der
Erfahrung. Berthold hat diese Erfahrung seit
über hundert Jahren. Zuerst im Schriftguß, d
ann im Fotosatz. Berthold-Schriften sind wel
tweit geschätzt. Im Schriftenatelier München
wird jeder Buchstabe in der Größe von zwölf
Zentimetern neu gezeichnet. Mit messerscha
rfen Konturen, um für die Schriftscheiben das

1,75 mm (6,5 p) 20 30 40

Berthold-Schriften überzeugen durch Schä
rfe und Qualität. Schriftqualität ist eine Fra
ge der Erfahrung. Berthold hat diese Erfah
rung seit über hundert Jahren. Zuerst im Sc
hriftguß, dann im Fotosatz. Berthold-Schri
ften sind weltweit geschätzt. Im Schriftena
telier München wird jeder Buchstabe in der
Größe von zwölf Zentimetern neu gezeich
net. Mit messerscharfen Konturen, um für

1,86 mm (7 p) 20 30 40

Berthold-Schriften überzeugen durch S
chärfe und Qualität. Schriftqualität ist ei
ne Frage der Erfahrung. Berthold hat di
ese Erfahrung seit über hundert Jahren
Zuerst im Schriftguß, dann im Fotosatz
Berthold-Schriften sind weltweit gesch
ätzt. Im Schriftenatelier München wird j
eder Buchstabe in der Größe von zwölf
Zentimetern neu gezeichnet. Mit messe

2,00 mm (7,5 p) 20 30

Berthold-Schriften überzeugen durch
Schärfe und Qualität. Schriftqualität i
st eine Frage der Erfahrung. Berthold
hat diese Erfahrung seit über hundert
Jahren. Zuerst im Schriftguß, dann im
Fotosatz. Berthold-Schriften sind wel
tweit geschätzt. Im Schriftenatelier M
ünchen wird jeder Buchstabe in der G
röße von zwölf Zentimetern neu geze

2,15 mm (8 p) 20 30

Hermann Zapf
1977
International Typeface Corp.
H. Berthold AG

ABCDEFGHIJKLMNOPQ
RSTUVWXYZ
abcdefghijklmnopqrstuvwxyz
1/1234567890%
(.,-;:!¡?¿–) · [’‘„”“»«]
+−=/$£†*&§
ÄÅÆÖØŒÜäåæıöøœßü
ÁÀÂÃÇČÉÈÊËÍÌÎÏĹŇÑÓÒ
ÔÕŔŘŠŤÚÙÛŴẄÝŶŸŽ
áàâãçčéèêëíìîïĺňñóòôõŕřš
úùûŵẅýỳÿž

Berthold-Schriftweite weit
Berthold-Schriftweite normal
Berthold-Schriftweite eng
Berthold-Schriftweite sehr eng
Berthold-Schriftweite extrem eng

Berlin
3,75 mm (14 p)

Berlin
4,25 mm (16 p)

Berlin
4,75 mm (18 p)

Berlin
5,30 mm (20 p)

Berlin
6,35 mm (24 p)

Berlin
7,40 mm (28 p)

Berlin
8,50 mm (32 p)

Berlin
9,55 mm (36 p)

Größe mm	p	Zeilenabstand kp	Êp	Ex	100 Zeichen 0	−1	−2
1,33	5	2,13	2,31	2,00	102	99	96
1,60	6	2,50	2,81	2,50	120	116	112
1,86	7	2,94	3,25	3,00	138	134	130
2,15	8	3,38	3,75	3,50	157	152	147
2,40	9	3,75	4,19	3,75	176	170	164
2,65	10	4,19	4,63	4,25	194	187	180
2,92	11	4,56	5,06	4,75	212	205	198
3,20	12	5,00	5,56	5,25	230	222	214
3,45	13	5,44	6,00	5,75	248	240	232
3,72	14	5,81	6,44	–	266	257	248
3,98	15	6,25	6,94	–	284	275	266
4,25	16	6,69	7,38	–	302	292	282

WZ 15 E, NSW +1, MZB 0,73, F 0,14:0,038 (3,7), III
H 1–x 0,71–k 1,14–p 0,42–Ê 1,31–kp 1,56–Êp 1,73
BF 089 0719, Belegung 051: 086 2553 (096 2553)

Berthold-Schriften überzeugen du
rch Schärfe und Qualität. Schriftq
ualität ist eine Frage der Erfahrung
Berthold hat diese Erfahrung seit
über hundert Jahren. Zuerst im Sc
hriftguß, dann im Fotosatz. Berth
old-Schriften sind weltweit gesch
ätzt. Im Schriftenatelier München

2,40 mm (9 p) 20 30

Berthold-Schriften überzeugen
durch Schärfe und Qualität. Sc
hriftqualität ist eine Frage der
Erfahrung. Berthold hat diese
Erfahrung seit über hundert Ja
hren. Zuerst im Schriftguß, da
nn im Fotosatz. Berthold-Schri
ften sind weltweit geschätzt. I

2,65 mm (10 p) 10 20

Berthold-Schriften überzeu
gen durch Schärfe und Qual
ität. Schriftqualität ist eine Fr
age der Erfahrung. Berthold
hat diese Erfahrung seit über
hundert Jahren. Zuerst im Sc
hriftguß, dann im Fotosatz
Berthold-Schriften sind welt

2,92 mm (11 p) 10 20

Berthold-Schriften überze
ugen durch Schärfe und Q
ualität. Schriftqualität ist
eine Frage der Erfahrung
Berthold hat diese Erfahr
ung seit über hundert Jah
ren. Zuerst im Schriftguß
dann im Fotosatz. Bertho

3,20 mm (12 p) 10 20

Berthold-Schriften über
zeugen durch Schärfe u
nd Qualität. Schriftquali
tät ist eine Frage der Erf
ahrung. Berthold hat die
se Erfahrung seit über h
undert Jahren. Zuerst im
Schriftguß, dann im Fot

3,45 mm (13 p) 10 20

normal
medium
normal

ZAPF INTERNATIONAL

normal
chiaro tondo
normal

Berthold-Schriften überzeugen durch Schärfe und Qualität Schriftqualität ist eine Frage der Erfahrung. Berthold hat diese Erfahrung seit über hundert Jahren. Zuerst im Schriftguß, da nn im Fotosatz. Berthold-Schriften sind weltweit geschätzt Im Schriftenatelier München wird jeder Buchstabe in der Gr öße von zwölf Zentimetern neu gezeichnet. Mit messerschar fen Konturen, um für die Schriftscheiben das Optimale an Kon turenschärfe herauszuholen. Um die Qualität des Einzelzeic hens im Belichtungsvorgang zu bewahren, wird durch die

4,25 mm (16 p), Zeilenabstand 6,75 mm

ZAPF INTERNATIONAL MEDIUM

In general, bodytypes are measured in the typographical point size. The sizes of Ber thold Fototype faces can be exactly deter mined. All faces of same point size have t he same capital height–irrespective of the ir x-height. In hot metal and many other p hototypesetting systems the capital heigh ts often differ considerably from one face to the other. For measuring point sizes, a tr ansparent size gauge is provided. To deter mine the point size, bring a capital letter in to coincidence with that field which preci sely circumscribes the letter at its upper a nd lower margin. Below the field you find the typographical point and below that th e millimeter value, which also refers to the height of a capital letter. In Berthold-photo typesetting, the typewidth can be modifi ed. The standard setting width of typefac es is determined by the principle of optim um legibility. You should not depart from this typewidth without congent reason. A

2,40 mm (9 p), Zeilenabstand 4,25 mm

ZAPF INTERNATIONAL NORMAL

La valeur de la force de corps des cara ctères de labeur èst généralement ex primée en points typographiques. La force de corps des caractères Berthol d Fototype peut être déterminée avec précision. Tous les caractères du m ême corps ont des capitales d'une ha uteur identique, indépendamment de la hauteur des bas de casse sans jam bage. Dans la composition plomb, ai nsi que dans certains systèmes de photocomposition la hauteur des cap itales, varie souvent d'un caractère à l'autre. Pour déterminer la force de corps de nos caractères, nous avons mis au point une réglette de hauteur d'œil transparente. On cherche le rec tangle qui délimite exactement la hau teur d'œil d'une capitale du caractère choisi. Sous le rectangle corresponda

2,65 mm (10 p), Zeilenabstand 4,69 mm

La indicación de las dimensiones para cuerpos de letra básicos tiene lugar en general en puntos tipográficos. Los cue rpos de letra de los caracteres Berthold Fototype pueden determinarse exacte mente par medición. Con independen cia de la altura de sus longitudes centr ales, todos los caracteres de idéntico cu erpo de letra presentan altura de mayú

2,15 mm (8 p), –1, Zeilenabstand 3,38 mm

123,– $	456,– £	7890,– DM	1 %
234,– $	789,– £	1234,– DM	2 %
567,– $	12,– £	5678,– DM	3 %
890,– $	345,– £	9012,– DM	4 %
123,– $	678,– £	3456,– DM	5 %
456,– $	901,– £	7890,– DM	6 %
789,– $	234,– £	1234,– DM	7 %
12,– $	567,– £	5678,– DM	8 %
345,– $	890,– £	9012,– DM	9 %

BF 089 0720

Le misure relative al corpo dei caratteri vengono generalmente indicate in punti tipografici. Il corpo dei caratteri Fototyp es può essere determinato con esattezza per semplice misurazione. Tutti i caratte ri di uguale grandezza in punti hanno, i ndipendentemente dalla loro lunghezza uguale altezza delle maiuscole. Nella com posizione in piombo ed in molti altri sis

2,15 mm (8 p), –2, Zeilenabstand 3,38 mm

kursiv
italic
italique

ZAPF INTERNATIONAL

cursiva
corsivo
kursiv

Måttangivelse för grundstilsg rader sker i allmänhet i typog rafiska punkter. Stilar av Ber thold Fototype kan efter mät ning exakt gradbestämmas Alla typsnitt är av samma pu nktstorlek och har oberoende av x-höjden en identisk versal höjd. I blysättning och i mån ga andra fotosättsystem vari erar versalhöjden avsevärt fr ån typsnitt till typsnitt. För mätning av stilgrader finns en transparent mätlinjal. Vid mätningen placerar man en versal bokstav så att rutorna begränsar tecknet upptill och nedtill. Under rutorna finns stilstorleken i typografiska di

2,92 mm (11 p), Zeilenabstand 4,69 mm

Hermann Zapf
1977
International Typeface Corp.
H. Berthold AG

ABCDEFGHIJKLMNOPQ
RSTUVWXYZ
abcdefghijklmnopqrstuvwxyz
1/1234567890%
(.,-;:!¡?¿–)·['‘„”“»«]
+–=/$£†&§*
ÄÅÆÖØŒÜäåæıöøœßü
ÁÀÂÃÇČÉÈÊËÍÌÎÏĹŇÑÓÒÔÕ
ŔŘŠŤÚÙÛŴẄÝỲŶŸŽ
áàâãçčéèêëíìîïĺňñóòôõŕřš
úùûŵẅýỳŷÿž

Berthold-Schriftweite weit
Berthold-Schriftweite normal
Berthold-Schriftweite eng
Berthold-Schriftweite sehr eng
Berthold-Schriftweite extrem eng

In general, bodytypes are measured in the typograp hical point size. The sizes of Berthold Fototype faces can be exactly determined. All faces of same point size ha ve the same capital heig th–irrespective of their x-he igth. In hot metal and many other phototypesetting syst ems the capital heigths oft en differ considerably from one face to the other. For measuring point sizes, a tr ansparent size gauge is pr ovided. To determine the point size, bring a capital

3,20 mm (12 p), Zeilenabstand 5,25 mm

ZAPF INTERNATIONAL

Die Maßangabe zu Grundschriftgrößen er folgt im allgemeinen in typographischen Punkten. Die Schriftgrößen der Berthold-Fo tosatz-Schriften sind nach Messung exakt bestimmbar. Alle Schriften gleicher Punkt größe weisen, unabhängig von der Höhe ih rer Mittellängen, eine identische Versalhöhe auf. Im Bleisatz und bei vielen anderen Foto satz-Systemen differieren die Versalhöhen von Schrift zu Schrift oft erheblich. Zum Messen von Schriftgrößen steht ein transpa rentes Größenmaß zur Verfügung. Zum Messen wird ein Versalbuchstabe mit dem Feld in Deckung gebracht, das den Buchsta ben oben und unten scharf begrenzt. Unter dem Feld ist die Schriftgröße in typographi schen Didot-Punkten, darunter in Millime tern angegeben. Auch die Millimeteranga

2,40 mm (9 p), Zeilenabstand 4 mm

ZAPF INTERNATIONAL

La valeur de la force de corps des carac tères de labeur èst généralement expri mée en points typographiques. La force de corps des caractères Berthold-Foto type peut être déterminée avec précision Tous les caractères du même corps ont des capitales d'une hauteur identique indépendamment de la hauteur des bas de casse sans jambage. Dans la compo sition plomb, ainsi que dans certains systèmes de photocomposition, la hau teur des capitales, varie souvent d'un ca ractère à l'autre. Pour déterminer la force de corps de nos caractères, nous avons mis au point une réglette de hauteur d'œil transparente. On cherche le rectangle qu

2,65 mm (10 p), Zeilenabstand 4,50 mm

La indicación de las dimensiones para cuerpos de le tra vásicos tiene lugar en general en puntos tipográfi cos. Los cuerpos de letra de los caracteres Berthold Fototype pueden determinarse exactemente par me dición. Con independencia de la altura de sus longi tudes centrales, todos los caracteres de idéntico cuer po de letra presentan altura de mayúsculas idéntica En la composición en plomo y en muchos otros siste mas de fotocomposición, las alturas de mayúsculas varían frecuentemmente en forma considerable de ti po de letra a tipo de letra. Para medir los cuerpos de letra se dispone de un tipómetro, véase la figura. Para

1,60 mm (6 p), Zeilenabstand 2,50 mm

Größe		Zeilenabstand			100 Zeichen		
mm	p	kp	Êp	Ex	0	–1	–2
1,33	5	2,13	2,31	–	96	93	90
1,60	6	2,56	2,81	2,50	112	108	104
1,86	7	3,00	3,25	–	129	125	121
2,15	8	3,44	3,75	3,38	147	142	137
2,40	9	3,88	4,19	4,00	165	159	153
2,65	10	4,25	4,56	4,50	182	175	168
2,92	11	4,69	5,06	4,69	198	191	184
3,20	12	5,13	5,56	5,25	215	207	199
3,45	13	5,50	5,94	–	232	224	216
3,72	14	5,94	6,44	–	249	240	231
3,98	15	6,38	6,88	–	266	257	248
4,25	16	6,81	7,31	–	283	273	263

WZ 15 E, NSW 0, MZB 0,68, F 0,12:0,042 (2,9), III
H 1–x 0,70–k 1,17–p 0,42–Ê 1,30–kp 1,59–Êp 1,72
BF 089 0721, Belegung 051: 086 2554 (096 2554)

Le misure relative al corpo dei caratteri vengono generalmente indicate in punti tipografici. Il corpo dei caratteri Foto types può essere determinato con esat tezza per semplice misurazione. Tutti i caratteri di uguale grandezza in punti hanno, indipendentemente dalla loro lunghezza, uguale altezza delle maius cole. Nella composizione in piombo ed in

2,15 mm (8 p), Zeilenabstand 3,38 mm

halbfett
demi
demi-gras

ZAPF INTERNATIONAL

seminegra
neretto
halvfet

Berthold-Schriften überzeugen durch Schärfe und Qualität. Schriftqualität ist eine Frage der Erfahrung. Berthold hat diese Erfahrung seit über hundert Jahren. Zuerst im Schriftguß, da nn im Fotosatz. Berthold-Schriften sind weltw eit geschätzt. Im Schriftenatelier München wi rd jeder Buchstabe in der Größe von zwölf Zen timetern neu gezeichnet. Mit messerscharfen Konturen, um für die Schriftscheiben das Opti

1,60 mm (6 p), Zeilenabstand 2,50 mm

Berthold-Schriften überzeugen durch Schärfe und Qualität. Schriftqualität ist eine Frage der Erfahrung. Berthold hat diese Erfahrung seit über hundert Jahr en. Zuerst im Schriftguß, dann im Fotosa tz. Berthold-Schriften sind weltweit ges chätzt. Im Schriftenatelier München wi rd jeder Buchstabe in der Größe von zwö

1,86 mm (7 p), Zeilenabstand 3,00 mm

Berthold-Schriften überzeugen dur ch Schärfe und Qualität. Schriftqua lität ist eine Frage der Erfahrung. Be rthold hat diese Erfahrung seit über hundert Jahren. Zuerst im Schriftg uß, dann im Fotosatz. Berthold-Sch riften sind weltweit geschätzt. Im Sc hriftenatelier München wird jeder

2,15 mm (8 p), Zeilenabstand 3,50 mm

Hermann Zapf
1977
International Typeface Corp.
H. Berthold AG

ABCDEFGHIJKLMNOPQ
RSTUVWXYZ
abcdefghijklmnopqrstuvw
xyz 1/1234567890%
(.,-;:!¡?¿–)·['‘„”“»«]
+−=/$£†*&§
ÄÅÆÖØŒÜäåæıöøœßü
ÁÀÂÃÇČÉÈÊËÍÌÎÏĹŇÑÓÒÔÕ
ŔŘŠŤÚÙÛŴẄÝỲŸŽ
áàâãçčéèêëíìîïĺňñóòôõŕřš
úùûŵẅýỳÿž

Berthold-Schriftweite weit
Berthold-Schriftweite normal
Berthold-Schriftweite eng
Berthold-Schriftweite sehr eng
Berthold-Schriftweite extrem eng

In general, bodytypes a re measured in the typo graphical point size. The sizes of Berthold Fototy pe faces can be exactly determined. All faces of same point size have the same capital heigth–irr espective of their x-heig th. In hot metal and ma ny other phototypesetti ng systems the capital h eigths often differ cons iderably from one face t o the other. For measuri ng point sizes, a transpa rent size gauge is provid

3,20 mm (12 p), Zeilenabstand 5,25 mm

Berthold's quick brown fox jumps over the lazy dog and feels as if
3,75 mm (14 p)

Berthold's quick brown fox jumps over the lazy dog and f
4,25 mm (16 p)

Berthold's quick brown fox jumps over the lazy dog
4,75 mm (18 p)

Berthold's quick brown fox jumps over the laz
5,30 mm (20 p)

Berthold's quick brown fox jumps over
6,35 mm (24 p)

Berthold's quick brown fox jum
7,40 mm (28 p)

Berthold's quick brown fox j
8,50 mm (32 p)

Berthold's quick brown f
9,55 mm (36 p)

Berthold-Schriften überzeugen durch Schärfe und Qualität. Sc hriftqualität ist eine Frage der E rfahrung. Berthold hat diese Erf ahrung seit über hundert Jahre n. Zuerst im Schriftguß, dann im Fotosatz. Berthold-Schriften sin d weltweit geschätzt. Im Schrift

2,40 mm (9 p), Zeilenabstand 4,00 mm

Größe		Zeilenabstand			100 Zeichen		
mm	p	kp	Êp	Ex	0	−1	−2
1,33	5	2,06	2,38	–	109	106	103
1,60	6	2,50	2,81	2,50	128	124	120
1,86	7	2,94	3,25	3,00	147	143	139
2,15	8	3,38	3,75	3,50	167	162	157
2,40	9	3,75	4,19	4,00	187	181	175
2,65	10	4,13	4,63	4,00	206	199	192
2,92	11	4,56	5,13	–	225	218	211
3,20	12	5,00	5,63	5,25	245	237	229
3,45	13	5,38	6,06	–	264	256	248
3,72	14	5,81	6,50	–	283	274	265
3,98	15	6,19	6,94	–	302	293	284
4,25	16	6,63	7,44	–	321	311	301

WZ 15 E, NSW 0, MZB 0,78, F 0,23:0,050 (4,6), III
H 1–x 0,71–k 1,13–p 0,42–Ê 1,32–kp 1,55–Êp 1,74
BF 089 0722, Belegung 051: 086 2555 (096 2555)

Berthold-Schriften überzeu gen durch Schärfe und Quali tät. Schriftqualität ist eine Fr age der Erfahrung. Berthold hat diese Erfahrung seit über hundert Jahren. Zuerst im Sc hriftguß, dann im Fotosatz B erthold-Schriften sind weltw

2,65 mm (10 p), Zeilenabstand 4,00 mm

kursiv halbfett
demi italic
italique demi-gras

ZAPF INTERNATIONAL

seminegra cursiva
neretto corsiva
kursiv halvfet

Berthold-Schriften überzeugen durch Schärfe und Qualität. Schriftqualität ist eine Frage der Erfahrung. Berthold hat diese Erfahrung seit über hundert Jahren. Zuerst im Schriftguß, da nn im Fotosatz. Berthold-Schriften sind weltw eit geschätzt. Im Schriftenatelier München wird jeder Buchstabe in der Größe von zwölf Zentim etern neu gezeichnet. Mit messerscharfen Kon turen, um für die Schriftscheiben das Optimale

1,60 mm (6 p), Zeilenabstand 2,50 mm

Berthold-Schriften überzeugen durch Sc härfe und Qualität. Schriftqualität ist ei ne Frage der Erfahrung. Berthold hat die se Erfahrung seit über hundert Jahren Zuerst im Schriftguß, dann im Fotosatz Berthold-Schriften sind weltweit geschä tzt. Im Schriftenatelier München wird je der Buchstabe in der Größe von zwölf Ze

1,86 mm (7 p), Zeilenabstand 3,00 mm

Berthold-Schriften überzeugen dur ch Schärfe und Qualität. Schriftqua lität ist eine Frage der Erfahrung. Be rthold hat diese Erfahrung seit über hundert Jahren. Zuerst im Schriftg uß, dann im Fotosatz. Berthold-Sch riften sind weltweit geschätzt. Im Sc hriftenatelier München wird jeder

2,15 mm (8 p), Zeilenabstand 3,50 mm

Hermann Zapf
1977
International Typeface Corp.
H. Berthold AG

ABCDEFGHIJKLMNOPQ
RSTUVWXYZ
abcdefghijklmnopqrstuvw
xyz 1/1234567890%
(.,-;:!¡?¿–)·['',,""»«]
+−=/$£†*&§
ÄÅÆÖØŒÜäåæıöøœßü
ÁÀÂÃÇČÉÈÊËÍÌÎÏĹŇÑÓÒÔÕ
ŔŘŠŤÚÙÛŴẄÝỲŸŽ
áàâãçčéèêëíìîïĺňñóòôõŕřš
úùûŵẅýỳÿž

Berthold-Schriftweite weit
Berthold-Schriftweite normal
Berthold-Schriftweite eng
Berthold-Schriftweite sehr eng
Berthold-Schriftweite extrem eng

In general, bodytypes a re measured in the typo graphical point size. The sizes of Berthold Fototy pefaces can be exactly d etermined. All faces of s ame point size have the same capital heigth–irr espective of their x-heig th. In hot metal and ma ny other phototypesetti ng systems the capital h eigths often differ cons iderably from one face t o the other. For measuri ng point sizes, a transp arent size gauge is prov

3,20 mm (12 p), Zeilenabstand 5,25 mm

Berthold's quick brown fox jumps over the lazy dog and feels as if
3,75 mm (14 p)

Berthold's quick brown fox jumps over the lazy dog and fe
4,25 mm (16 p)

Berthold's quick brown fox jumps over the lazy dog
4,75 mm (18 p)

Berthold's quick brown fox jumps over the laz
5,30 mm (20 p)

Berthold's quick brown fox jumps over
6,35 mm (24 p)

Berthold's quick brown fox jum
7,40 mm (28 p)

Berthold's quick brown fox j
8,50 mm (32 p)

Berthold's quick brown f
9,55 mm (36 p)

Berthold-Schriften überzeugen d urch Schärfe und Qualität. Schr iftqualität ist eine Frage der Erfa hrung. Berthold hat diese Erfah rung seit über hundert Jahren Zuerst im Schriftguß, dann im F otosatz. Berthold-Schriften sind weltweit geschätzt. Im Schriften

2,40 mm (9 p), Zeilenabstand 4,00 mm

Größe mm	p	Zeilenabstand kp	Êp	Ex	100 Zeichen 0	−1	−2
1,33	5	2,06	2,31	—	107	104	101
1,60	6	2,50	2,81	2,50	126	122	118
1,86	7	2,88	3,25	3,00	145	141	137
2,15	8	3,31	3,75	3,50	165	160	155
2,40	9	3,75	4,19	4,00	185	179	173
2,65	10	4,13	4,56	4,00	204	197	190
2,92	11	4,50	5,06	—	223	216	209
3,20	12	4,94	5,56	5,25	242	234	226
3,45	13	5,38	5,94	—	261	253	245
3,72	14	5,75	6,44	—	280	271	262
3,98	15	6,19	6,88	—	299	290	281
4,25	16	6,56	7,31	—	318	308	298

WZ 15 E, NSW 0, MZB 0,77, F 0,21:0,050 (4,2), III
H 1–x 0,71–k 1,13–p 0,41–Ê 1,31–kp 1,54–Êp 1,72
BF 089 0723, Belegung 051: 086 2556 (096 2556)

Berthold-Schriften überzeug en durch Schärfe und Qualit ät. Schriftqualität ist eine Fr age der Erfahrung. Berthold hat diese Erfahrung seit über hundert Jahren. Zuerst im Sc hriftguß, dann im Fotosatz. B erthold-Schriften sind weltw

2,65 mm (10 p), Zeilenabstand 4,00 mm

fett
heavy
gras

ZAPF INTERNATIONAL

negra
nero
fet

Berthold-Schriften überzeugen durch Sch ärfe und Qualität. Schriftqualität ist eine F rage der Erfahrung. Berthold hat diese Erf ahrung seit über hundert Jahren. Zuerst im Schriftguß, dann im Fotosatz. Berthold-Sc hriften sind weltweit geschätzt. Im Schrift enatelier München wird jeder Buchstabe in der Größe von zwölf Zentimetern neu geze ichnet. Mit messerscharfen Konturen, um f

1,60 mm (6 p), Zeilenabstand 2,50 mm

Berthold-Schriften überzeugen dur ch Schärfe und Qualität. Schriftquali tät ist eine Frage der Erfahrung. Bert hold hat diese Erfahrung seit über h undert Jahren. Zuerst im Schriftguß dann im Fotosatz. Berthold-Schriften sind weltweit geschätzt. Im Schrifte natelier München wird jeder Buchst

1,86 mm (7 p), Zeilenabstand 3,00 mm

Berthold-Schriften überzeugen durch Schärfe und Qualität. Schr iftqualität ist eine Frage der Erfa hrung. Berthold hat diese Erfah rung seit über hundert Jahren. Z uerst im Schriftguß, dann im Fot osatz. Berthold-Schriften sind w eltweit geschätzt. Im Schriftenat

2,15 mm (8 p), Zeilenabstand 3,50 mm

Hermann Zapf
1977
International Typeface
H. Berthold AG

ABCDEFGHIJKLMNOPQ
RSTUVWXYZ
abcdefghijklmnopqrst
uvwxyz+−=/$£*&§
1/1234567890%
(.,-;:!¡?¿–)·['‚"“»«]
ÄÅÆÖØŒÜäåæıöøœßü
ÁÀÂÃÇČÉÈÊËÍÌÎÏĹŇÑÓÒ
ÔÕŔŘŠŤÚÙÛŴẄÝỲŸŽ
áàâãçčéèêëíìîïĺňñóòôõŕřš
úùûŵẅýỳÿž

Schriftweite weit
Schriftweite normal
Schriftweite eng
Schriftweite sehr eng
Schriftweite extrem eng

In general, bodytypes are measured in the t ypographical point si ze. The sizes of Berth old Fototype faces can be exactly determine d. All faces of same po int size have the same capital height–irresp ective of their x-heigh t. In hot metal and ma ny other phototypese tting systems the capi tal heights often differ considerably from on e face to the other. For measuring point sizes

3,20 mm (12 p), Zeilenabstand 5,25 mm

Berthold's quick brown fox jumps over the lazy dog and feel
3,75 mm (14 p)

Berthold's quick brown fox jumps over the lazy dog
4,25 mm (16 p)

Berthold's quick brown fox jumps over the lazy
4,75 mm (18 p)

Berthold's quick brown fox jumps over the
5,30 mm (20 p)

Berthold's quick brown fox jumps
6,35 mm (24 p)

Berthold's quick brown fox ju
7,40 mm (28 p)

Berthold's quick brown fo
8,50 mm (32 p)

Berthold's quick brown
9,55 mm (36 p)

Berthold-Schriften überzeu gen durch Schärfe und Qualit ät. Schriftqualität ist eine Fra ge der Erfahrung. Berthold h at diese Erfahrung seit über hundert Jahren. Zuerst im Sc hriftguß, dann im Fotosatz. B erthold-Schriften sind weltw

2,40 mm (9 p), Zeilenabstand 4,00 mm

Größe		Zeilenabstand			100 Zeichen		
mm	p	kp	Êp	Ex	0	−1	−2
1,33	5	2,06	2,31	–	118	115	112
1,60	6	2,50	2,75	2,50	138	134	130
1,86	7	2,88	3,19	3,00	159	155	151
2,15	8	3,31	3,69	3,50	181	176	171
2,40	9	3,75	4,13	4,00	203	197	191
2,65	10	4,13	4,56	4,00	224	217	210
2,92	11	4,50	5,00	–	244	237	230
3,20	12	4,94	5,50	5,25	265	257	249
3,45	13	5,38	5,94	–	286	278	270
3,72	14	5,75	6,38	–	307	298	289
3,98	15	6,19	6,81	–	328	319	310
4,25	16	6,56	7,31	–	348	338	328

WZ 16 E, NSW 0, MZB 0,84, F 0,32:0,054 (5,8), III
H 1–x 0,73–k 1,13–p 0,41–Ê 1,30–kp 1,54–Êp 1,71
BF 089 0724, Belegung 051: 086 2557 (096 2557)

Berthold-Schriften überz eugen durch Schärfe und Qualität. Schriftqualität ist eine Frage der Erfahrung Berthold hat diese Erfahr ung seit über hundert Jah ren. Zuerst im Schriftguß dann im Fotosatz. Berthol

2,65 mm (10 p), Zeilenabstand 4,00 mm

kursiv fett
heavy italic
italique gras

ZAPF INTERNATIONAL

negra cursiva
nero corsivo
kursiv fet

Berthold-Schriften überzeugen durch Schärfe und Qualität. Schriftqualität ist eine Frage der Erfahrung. Berthold hat diese Erfahrung seit über hundert Jahren. Zuerst im Schriftguß, dann im Fotosatz. Berthold-Schriften sind weltweit geschätzt. Im Schriftenatelier München wird jeder Buchstabe in der Größe von zwölf Zentimetern neu gezeichnet. Mit messerscharfen Konturen, um f

1,60 mm (6 p), Zeilenabstand 2,50 mm

Berthold-Schriften überzeugen durch Schärfe und Qualität. Schriftqualität ist eine Frage der Erfahrung. Berthold hat diese Erfahrung seit über hundert Jahren. Zuerst im Schriftguß, dann im Fotosatz. Berthold-Schriften sind weltweit geschätzt. Im Schriftenatelier München wird jeder Buchsta

1,86 mm (7 p), Zeilenabstand 3,00 mm

Berthold-Schriften überzeugen durch Schärfe und Qualität. Schriftqualität ist eine Frage der Erfahrung. Berthold hat diese Erfahrung seit über hundert Jahren Zuerst im Schriftguß, dann im Fotosatz. Berthold-Schriften sind weltweit geschätzt. Im Schriften

2,15 mm (8 p), Zeilenabstand 3,50 mm

Hermann Zapf
1977
International Typeface
H. Berthold AG

ABCDEFGHIJKLMNOPQ
RSTUVWXYZ
abcdefghijklmnopqrstuvw
xyz+−=/$£‡&§*
1/1234567890%
(.,-;:!¡?¿–)·[’‘„”“»«]
ÄÅÆÖØŒÜäåæıöøœßü
ÁÀÂÃÇČÉÈÊËÍÌÎÏĹŇÑÓÒ
ÔÕŔŘŠŤÚÙÛŴẄÝỲŸŽ
áàâãçčéèêëíìîïĺňñóòôõŕřš
úùûŵẅýỳÿž

Schriftweite weit
Schriftweite normal
Schriftweite eng
Schriftweite sehr eng
Schriftweite extrem eng

In general, bodytypes are measured in the typographical point size. The sizes of Berthold Fototype faces can be exactly determined. All faces of same point size have the same capital heigth–irrespective of their x-heigth In hot metal and many other phototypesetting systems the capital heigths often differ considerably from one face to the other. For measuring point sizes, a

3,20 mm (12 p), Zeilenabstand 5,25 mm

Berthold's quick brown fox jumps over the lazy dog and feels
3,75 mm (14 p)

Berthold's quick brown fox jumps over the lazy dog a
4,25 mm (16 p)

Berthold's quick brown fox jumps over the lazy
4,75 mm (18 p)

Berthold's quick brown fox jumps over the
5,30 mm (20 p)

Berthold's quick brown fox jumps o
6,35 mm (24 p)

Berthold's quick brown fox ju
7,40 mm (28 p)

Berthold's quick brown fox
8,50 mm (32 p)

Berthold's quick brown
9,55 mm (36 p)

Berthold-Schriften überzeugen durch Schärfe und Qualität. Schriftqualität ist eine Frage der Erfahrung. Berthold hat diese Erfahrung seit über hundert Jahren. Zuerst im Schriftguß, dann im Fotosatz. Berthold-Schriften sind weltweit

2,40 mm (9 p), Zeilenabstand 4,00 mm

Größe		Zeilenabstand			100 Zeichen		
mm	p	kp	Êp	Ex	0	−1	−2
1,33	5	2,06	2,31	—	115	112	109
1,60	6	2,50	2,81	2,50	135	131	127
1,86	7	2,88	3,25	3,00	156	152	148
2,15	8	3,31	3,75	3,50	177	172	167
2,40	9	3,69	4,19	4,00	198	192	186
2,65	10	4,06	4,63	4,00	219	212	205
2,92	11	4,50	5,06	—	239	232	225
3,20	12	4,94	5,56	5,25	259	251	243
3,45	13	5,31	6,00	—	280	272	264
3,72	14	5,75	6,44	—	300	291	282
3,98	15	6,13	6,94	—	320	311	302
4,25	16	6,56	7,38	—	341	331	321

WZ 15 E, NSW 0, MZB 0,82, F 0,29:0,042 (7,0), III
H 1–x 0,70–k 1,11–p 0,42–Ê 1,31–kp 1,53–Êp 1,73
BF 089 0725, Belegung 051: 086 2558 (096 2558)

Berthold-Schriften überzeugen durch Schärfe und Qualität. Schriftqualität ist eine Frage der Erfahrung. Berthold hat diese Erfahrung seit über hundert Jahren. Zuerst im Schriftguß dann im Fotosatz. Berthol

2,65 mm (10 p), Zeilenabstand 4,00 mm

normal
regular
normal

Zentenar-Fraktur

normal
chiaro tondo
normal

Berthold-Schriften überzeugen durch Schärfe und Qualität. Schriftq
ualität isteine Frage der Erfahrung. Berthold hat diese Erfahrung seit
über hundert Jahren. Zuerst im Schriftguß, dann im Fotosatz. Bertho
ld-Schriften sind weltweit geschätzt. Im Schriftenatelier München wird
jeder Buchstabe in der Größe von zwölf Zentimetern neu gezeichnet
Mit messerscharfen Konturen, um für die Schriftscheiben das Optimale
an Konturenschärfe herauszuholen. Um die Qualität des Einzelzeiche
ns im Belichtungsvorgang zu bewahren, wird durch die ruhende, nicht
rotierende Schriftscheibe belichtet. Dieses optische System, verbunden

1,60 mm (6 p), Zeilenabstand 2,50 mm

Berthold-Schriften überzeugen durch Schärfe und Qualität
Schriftqualität ist eine Frage der Erfahrung. Berthold hat di
ese Erfahrung seit über hundert Jahren. Zuerst im Schriftguß
dann im Fotosatz. Berthold-Schriften sind weltweit geschätzt
Im Schriftenatelier München wird jeder Buchstabe in der Gr
öße von zwölf Zentimetern neu gezeichnet. Mit messerscharfen
Konturen, um für die Schriftscheiben das Optimale an Kontu
renschärfe herauszuholen. Um die Qualität des Einzelzeiche

1,86 mm (7 p), Zeilenabstand 3,00 mm

Berthold-Schriften überzeugen durch Schärfe und Qu
alität. Schriftqualität ist eine Frage der Erfahrung
Berthold hat diese Erfahrung seit über hundert Jahren
Zuerst im Schriftguß, dann im Fotosatz. Berthold-Sch
riften sind weltweit geschätzt. Im Schriftenatelier Mü
nchen wird jeder Buchstabe in der Größe von zwölf Zen
timetern neu gezeichnet. Mit messerscharfen Konturen
um für die Schriftscheiben das Optimale an Konturens

2,15 mm (8 p), Zeilenabstand 3,50 mm

F. H. Ernst Schneidler
1937
Fundicion Tipografica Neufville
H. Berthold AG

ABCDEFG
HIJKLMNOPQRSTU
VWXYZÄÖÜ
abcdefghijklmnopqrsſ
tuvwxyzäöü
chckſſfifl ſtllſiſſſtßttz
1234567890
1234567890%
(.,-;:!?–)·[',"»«]
/+–=×~∞ø°/
₵†*&§

Berthold-Schriftweite weit
Berthold-Schriftweite normal
Berthold-Schriftweite eng
Berthold-Schriftweite sehr eng
Berthold-Schriftweite extrem eng

In general, bodytypes are measured
in the typographical point size. The si
zes of Berthold Fototype faces can be
exactly determined. All faces of same
point size have the same capital heig
th–irrespective of their x-heigth. In
hot metal and many other phototype
setting systems the capital heigths
often differ considerably from one face
to the other. For measuring point siz
es, a transparent size gauge is provid
ed. To determine the point size, bring a
capital letter into coincidence with th
at field which precisely circumscribes
the letter at its upper and lower marg
in. Below the field you find the typo
graphical point and below that the m

3,20 mm (12 p), Zeilenabstand 5,25 mm

Berthold's quick brown fox jumps over the lazy dog and feels as if he were in the seventh heaven of typog
3,75 mm (14 p)

Berthold's quick brown fox jumps over the lazy dog and feels as if he were in the seventh he
4,25 mm (16 p)

Berthold's quick brown fox jumps over the lazy dog and feels as if he were in the s
4,75 mm (18 p)

Berthold's quick brown fox jumps over the lazy dog and feels as if he were
5,30 mm (20 p)

Berthold's quick brown fox jumps over the lazy dog and feels
6,35 mm (24 p)

Berthold's quick brown fox jumps over the lazy dog
7,40 mm (28 p)

Berthold's quick brown fox jumps over the laz
8,50 mm (32 p)

Berthold's quick brown fox jumps over t
9,55 mm (36 p)

Berthold-Schriften überzeugen durch Schärfe
und Qualität. Schriftqualität ist eine Frage der
Erfahrung. Berthold hat diese Erfahrung seit üb
er hundert Jahren. Zuerst im Schriftguß, dann im
Fotosatz. Berthold-Schriften sind weltweit gesch
ätzt. Im Schriftenatelier München wird jeder
Buchstabe in der Größe von zwölf Zentimetern
neu gezeichnet. Mit messerscharfen Konturen, um

2,40 mm (9 p), Zeilenabstand 4,00 mm

Größe		Zeilenabstand			100 Zeichen		
mm	p	kp	Êp	Ex	0	–1	–2
1,00	5	1,01	1,04		71	00	05
1,60	6	2,19	2,31	2,50	84	80	76
1,86	7	2,50	2,69	3,00	97	93	89
2,15	8	2,94	3,13	3,50	110	105	100
2,40	9	3,25	3,50	4,00	123	117	111
2,65	10	3,56	3,88	4,00	136	129	122
2,92	11	3,94	4,25	–	148	141	134
3,20	12	4,31	4,63	5,25	161	153	145
3,45	13	4,63	5,00	–	174	166	158
3,72	14	5,00	5,38	–	186	177	168
3,98	15	5,38	5,75	–	199	190	181
4,25	16	5,75	6,13	–	212	202	192

WZ 11 E, NSW 0, MZB 0,51, F 0,13:0,033 (3,9), I
H 1–x 0,75–k 1,05–p 0,29–Ê 1,15–kp 1,34–Êp 1,44
BF 089 0726, Belegung 025: 085 2595 (095 2595)

Berthold-Schriften überzeugen durch Schä
rfe und Qualität. Schriftqualität ist eine Fr
age der Erfahrung. Berthold hat diese Erfa
hrung seit über hundert Jahren. Zuerst im
Schriftguß, dann im Fotosatz. Berthold
Schriften sind weltweit geschätzt. Im Schri
ftenatelier München wird jeder Buchstabe in
der Größe von zwölf Zentimetern neu gezei

2,65 mm (10 p), Zeilenabstand 4,00 mm

halbfett
medium
demi-gras

Zentenar-Fraktur

seminegra
neretto
halvfet

Berthold-Schriften überzeugen durch Schärfe und Qualität. Schri ftqualität isteine Frage der Erfahrung. Berthold hat diese Erfahrung seit über hundert Jahren. Zuerst im Schriftguß, dann im Fotosatz Berthold-Schriften sind weltweit geschätzt. Im Schriftenatelier Mü nchen wird jeder Buchstabe in der Größe von zwölf Zentimetern neu gezeichnet. Mit messerscharfen Konturen, um für die Schriftscheiben das Optimale an Konturenschärfe herauszuholen. Um die Qual ität des Einzelzeichens im Belichtungsvorgang zu bewahren, wird durch die ruhende, nicht rotierende Schriftscheibe belichtet. Dieses opt

1,60 mm (6 p), Zeilenabstand 2,50 mm

Berthold-Schriften überzeugen durch Schärfe und Qualität Schriftqualität ist eine Frage der Erfahrung. Berthold hat diese Erfahrung seit über hundert Jahren. Zuerst im Schrift guß, dann im Fotosatz. Berthold-Schriften sind weltweit ges chätzt. Im Schriftenatelier München wird jeder Buchstabe in der Größe von zwölf Zentimetern neu gezeichnet Mit messers charfen Konturen, um für die Schriftscheiben das Optimale an Konturenschärfe herauszuholen. Um die Qualität des Ei

1,86 mm (7 p), Zeilenabstand 3,00 mm

Berthold-Schriften überzeugen durch Schärfe und Qualität. Schriftqualität ist eine Frage der Erfahru ng. Berthold hat diese Erfahrung seit über hundert Jahren. Zuerst im Schriftguß, dann im Fotosatz. Ber thold-Schriften sind weltweit geschätzt. Im Schriften atelier München wird jeder Buchstabe in der Grö ße von zwölf Zentimetern neu gezeichnet. Mit messers charfen Konturen, um für die Schriftscheiben das Opt

2,15 mm (8 p), Zeilenabstand 3,50 mm

F. H. Ernst Schneidler
1937
Fundicion Tipografica Neufville
H. Berthold AG

ABCDEFG
HIJKLMNOPQRSTU
VWXYZÄÖÜ
abcdefghijklmnopqrsſ
tuvwxyzäöü
chckffſiſlſtllſiſſiſtßtttz
1234567890
1234567890%
(.,;:!?-)·['„"»«]
/+−=×~∞∅°/
¢†*&§

Berthold-Schriftweite weit
Berthold-Schriftweite normal
Berthold-Schriftweite eng
Berthold-Schriftweite sehr eng
Berthold-Schriftweite extrem eng

In general, bodytypes are measured in the typographical point size. The sizes of Berthold Fototype faces can be exactly determined. All faces of sa me point size have the same capital heigth–irrespective of their x-heigth In hot metal and many other photot ypesetting systems the capital heigt hs often differ considerably from one face to the other. For measuring poi nt sizes, a transparent size gauge is provided. To determine the point si ze, bring a capital letter into coincide nce with that field which precisely cir cumscribes the letter at its upper and lower margin. Below the field you find the typographical point and belo

3,20 mm (12 p), Zeilenabstand 5,25 mm

Berthold's quick brown fox jumps over the lazy dog and feels as if he were in the seventh heaven of ty
3,75 mm (14 p)

Berthold's quick brown fox jumps over the lazy dog and feels as if he were in the seventh
4,25 mm (16 p)

Berthold's quick brown fox jumps over the lazy dog and feels as if he were in the
4,75 mm (18 p)

Berthold's quick brown fox jumps over the lazy dog and feels as if he we
5,30 mm (20 p)

Berthold's quick brown fox jumps over the lazy dog and feel
6,35 mm (24 p)

Berthold's quick brown fox jumps over the lazy dog
7,40 mm (28 p)

Berthold's quick brown fox jumps over the l
8,50 mm (32 p)

Berthold's quick brown fox jumps over
9,55 mm (36 p)

Berthold-Schriften überzeugen durch Schärfe und Qualität. Schriftqualität ist eine Frage der Erfahrung. Berthold hat diese Erfahrung seit über hundert Jahren. Zuerst im Schriftguß, da nn im Fotosatz. Berthold-Schriften sind weltwe it geschätzt. Im Schriftenatelier München wi rd jeder Buchstabe in der Größe von zwölf Zenti metern neu gezeichnet. Mit messerscharfen Kon

2,40 mm (9 p), Zeilenabstand 4,00 mm

Größe		Zeilenabstand			100 Zeichen		
mm	p	kp	Êp	Ex	0	−1	−2
1,33	5	1,75	2,06	–	72	69	66
1,60	6	2,13	2,44	2,50	85	81	77
1,86	7	2,44	2,88	3,00	98	94	90
2,15	8	2,88	3,31	3,50	111	106	101
2,40	9	3,19	3,69	4,00	124	118	112
2,65	10	3,50	4,06	4,00	137	130	123
2,92	11	3,88	4,50	–	150	143	136
3,20	12	4,25	4,88	5,25	163	155	147
3,45	13	4,56	5,25	–	175	167	159
3,72	14	4,88	5,69	–	188	179	170
3,98	15	5,25	6,06	–	201	192	183
4,25	16	5,63	6,50	–	214	204	194

WZ 13 E, NSW 0, MZB 0,52, F 0,17:0,033 (5,0), I
H 1–x 0,76–k 1,03–p 0,28–Ê 1,24–kp 1,31–Êp 1,52
BF 089 0727, Belegung 025: 085 2596 (095 2596)

Berthold-Schriften überzeugen durch Sch ärfe und Qualität. Schriftqualität ist eine Frage der Erfahrung. Berthold hat diese Erfahrung seit über hundert Jahren. Zuerst im Schriftguß, dann im Fotosatz. Berthold Schriften sind weltweit geschätzt. Im Schri ftenatelier München wird jeder Buchstabe in der Größe von zwölf Zentimetern neu gez

2,65 mm (10 p), Zeilenabstand 4,00 mm

LAYOUTS

100

Blankoaufleger
Empty layout
Disposition en blanc

diatronic 0994 000
ads, cps, acs 0980 100
tps, mft, gst 0982 100

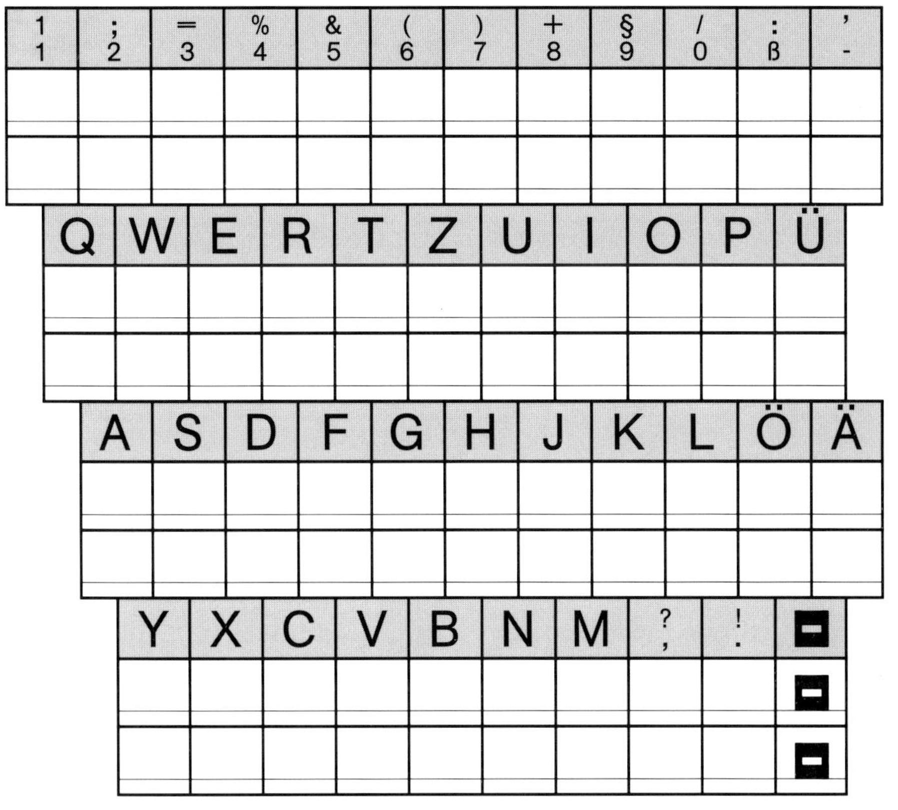

· “ $ „ £ ” / ¿ ¡
[»] « Æ
† * Œ Å
– – ‘ ı Ø

000

Stripscheibe mit Graukeil
Strip disc with sensitometric wedge
Disque de pellicule avec coin neutre échelonné

ads, cps, acs 0980 000

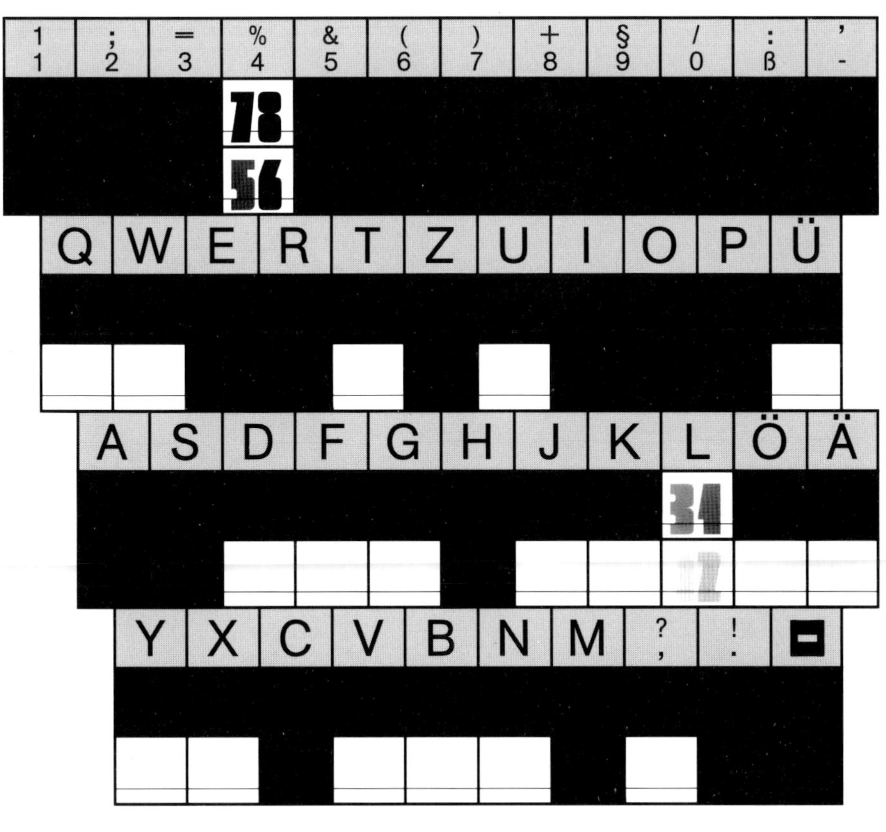

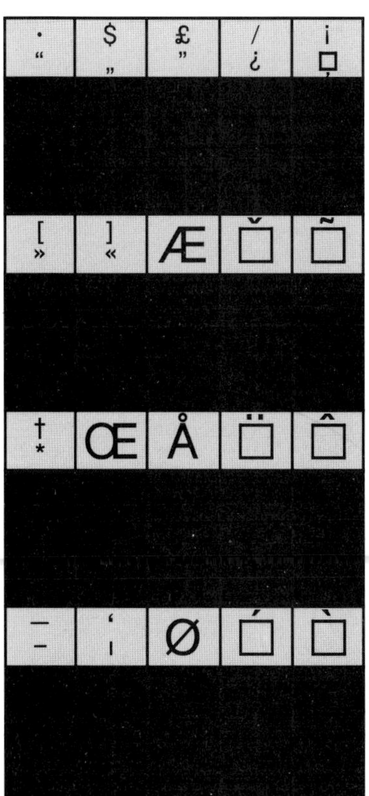

LAYOUTS

001

Formeln 2
Formula 2
Formules 2

diatronic 0994 001
ads, cps, acs 0980 001

1 1	; 2	= 3	% 4	& 5	(6	) 7	+ 8	§ 9	/ 0	: ß	' -
≙	≅	=	(	)	(	)	+	±	/	:	←
1	2	3	4	5	6	7	8	9	0	$\frac{2}{2}$	→

Q	W	E	R	T	Z	U	I	O	P	Ü
Q	*W*	*E*	*R*	*T*	*Z*	*U*	*I*	*O*	*P*	∫
q	*w*	*e*	*r*	*t*	*z*	*u*	*i*	*o*	*p*	∫

A	S	D	F	G	H	J	K	L	Ö	Ä
A	*S*	*D*	*F*	*G*	*H*	*J*	*K*	*L*	≤	≥
a	*s*	*d*	*f*	*g*	*h*	*j*	*k*	*l*	<	>

Y	X	C	V	B	N	M	? ;	! :	■
Y	*X*	*C*	*V*	*B*	*N*	*M*	⇄	⇆	■
y	*x*	*c*	*v*	*b*	*n*	*m*	,	.	■

· "	$ „	£ "	/ ¿	¡ □
·	|	|	2/2	|
$\frac{22}{22}$	{	}	≈	|
[»	] «	Æ	□̆	□̃
[	]	□̄	□̆	□̃
[	]	□̄	□̆	□̃
† *	Œ	Å	□̈	□̂
∑	′	□̇	□̈	□̂
*	°	□̇	□̈	□̂
– –	‘ ı	Ø	□́	□̀
—	√	√	□́	□̀
↔	√	√	□́	□̀

002

Mathematische Formelzeichen 4
Mathematic formula signes 4
Signes de formules mathématiques 4

diatronic 0994 002
ads, cps, acs 0980 002

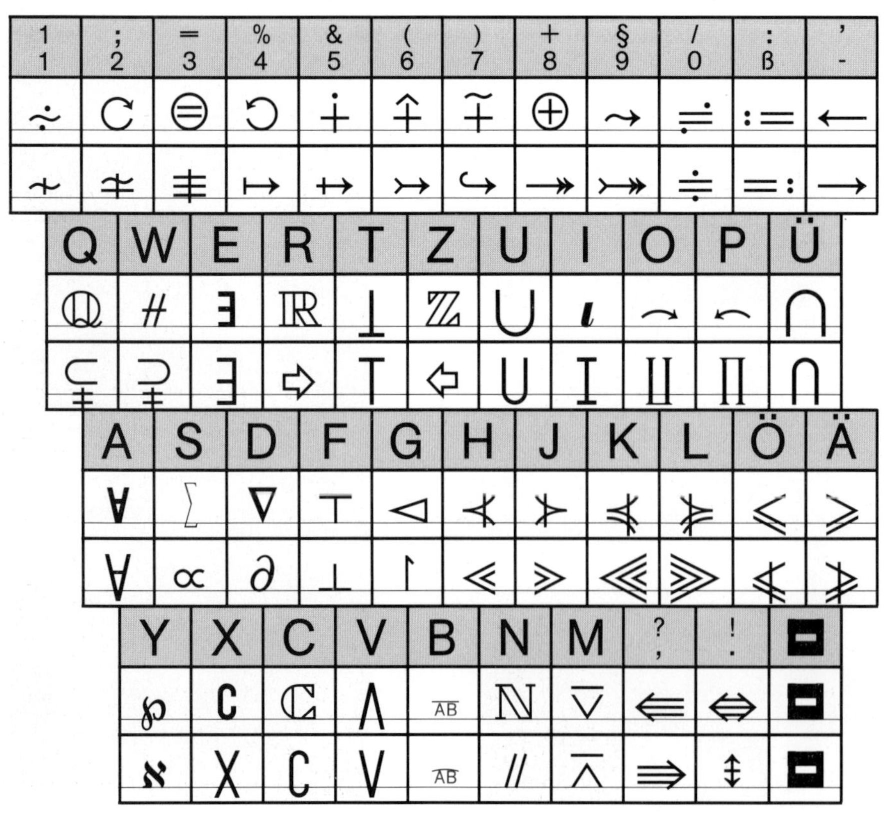

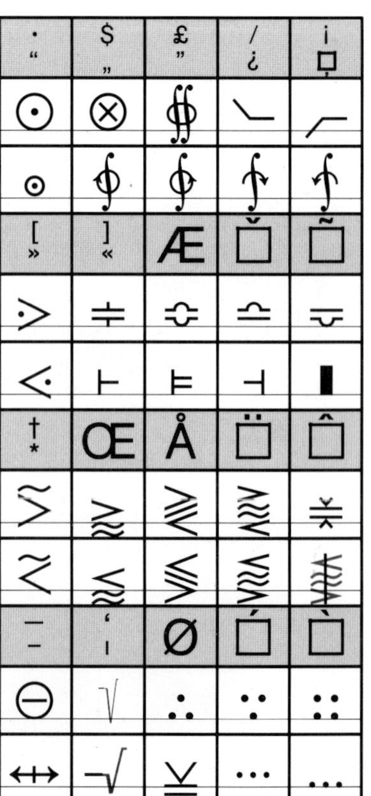

003

Berthold-Arabisch I
Arabic type faces I
Ecritures arabes I

diatronic 0994 003
ads, cps, acs 0980 003

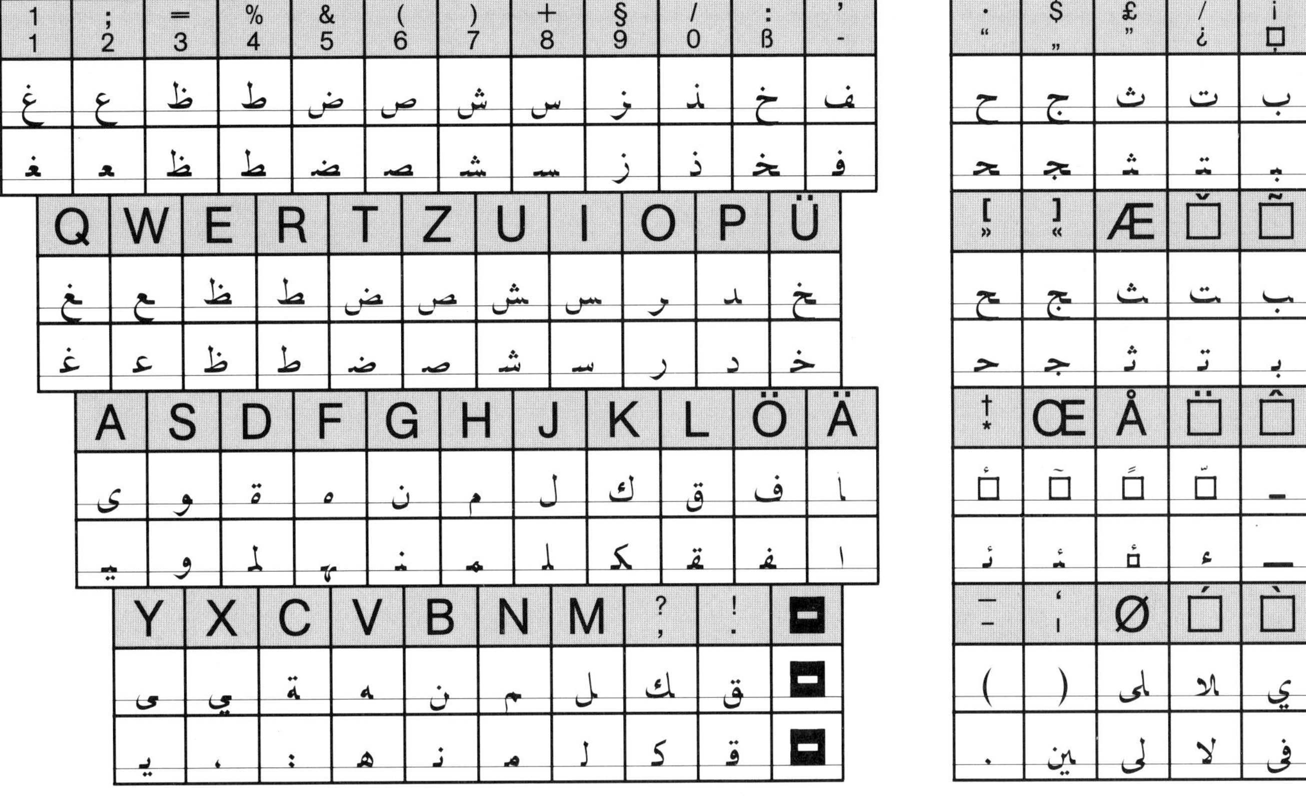

004

Berthold-Arabisch II
Arabic type faces II
Ecritures arabes II

diatronic 0994 003
ads, cps, acs 0980 003

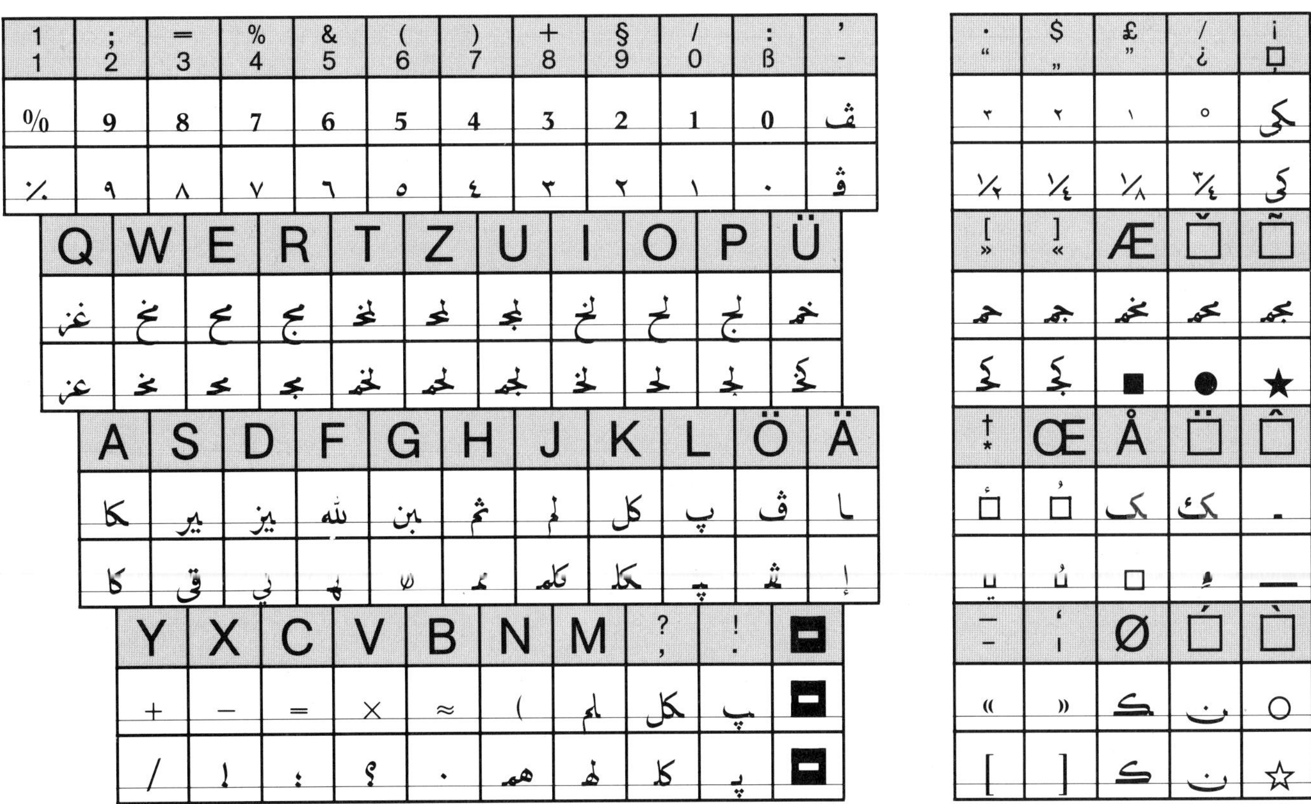

005

Berthold-Persisch I
Farsi type faces I
Ecritures perses I

diatronic 0994 005
ads, cps, acs 0980 005

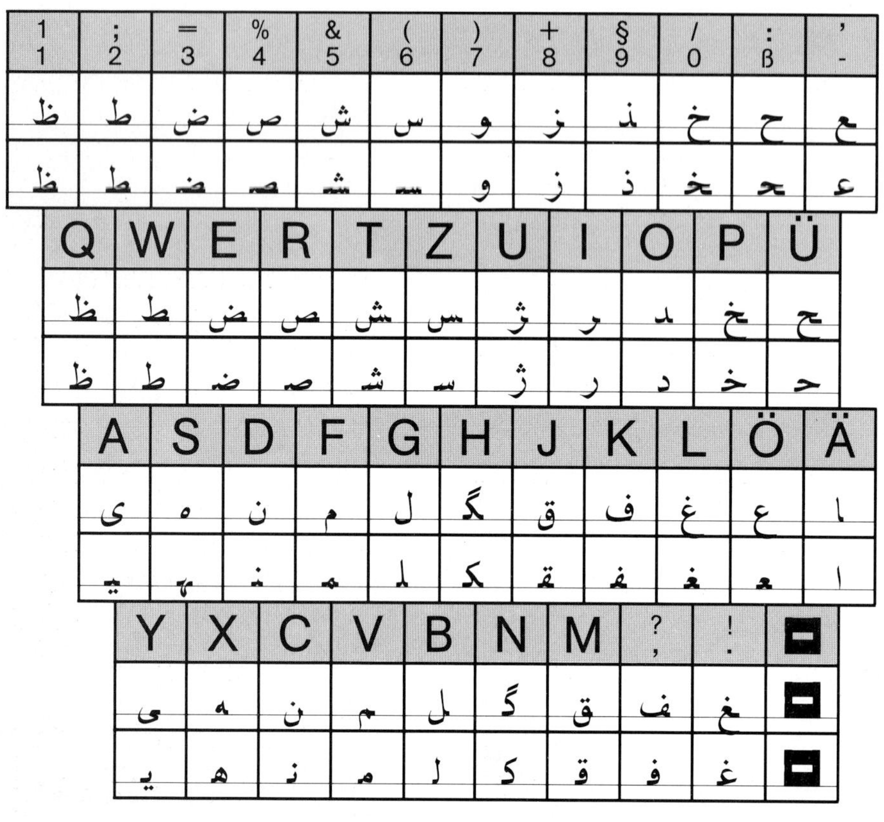

006

Berthold-Persisch II
Farsi type faces II
Ecritures perses II

diatronic 0994 005
ads, cps, acs 0980 005

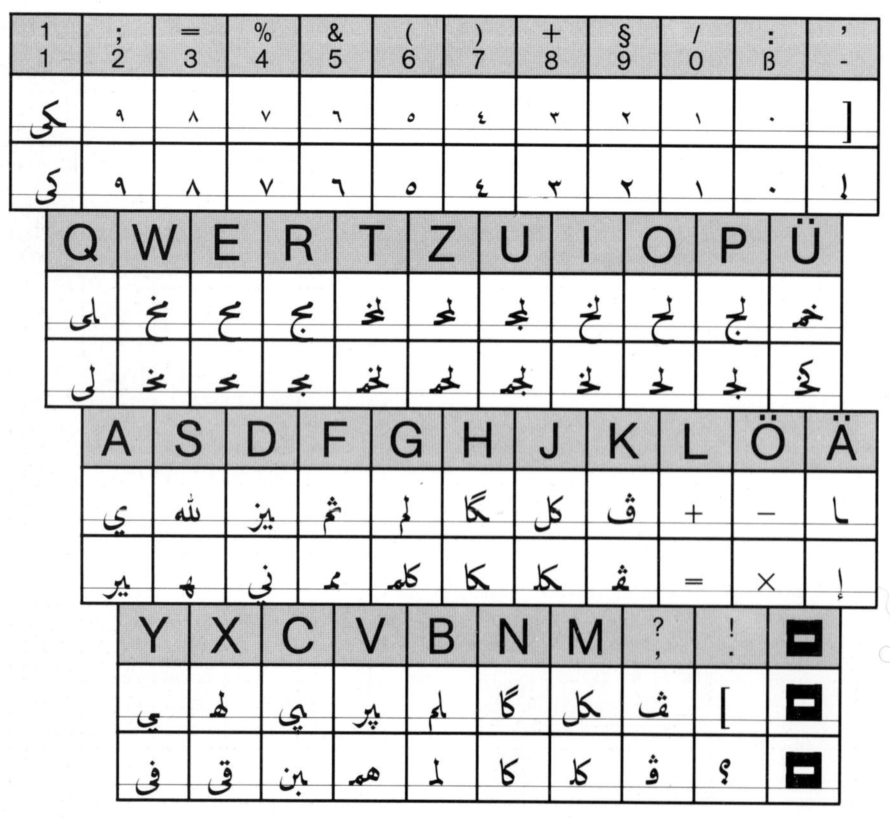

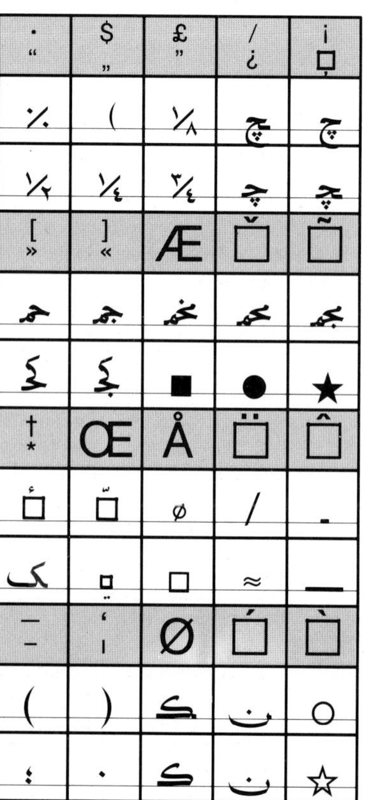

007

Pi-font
Pi-font
Pi-font

diatronic 0994 007

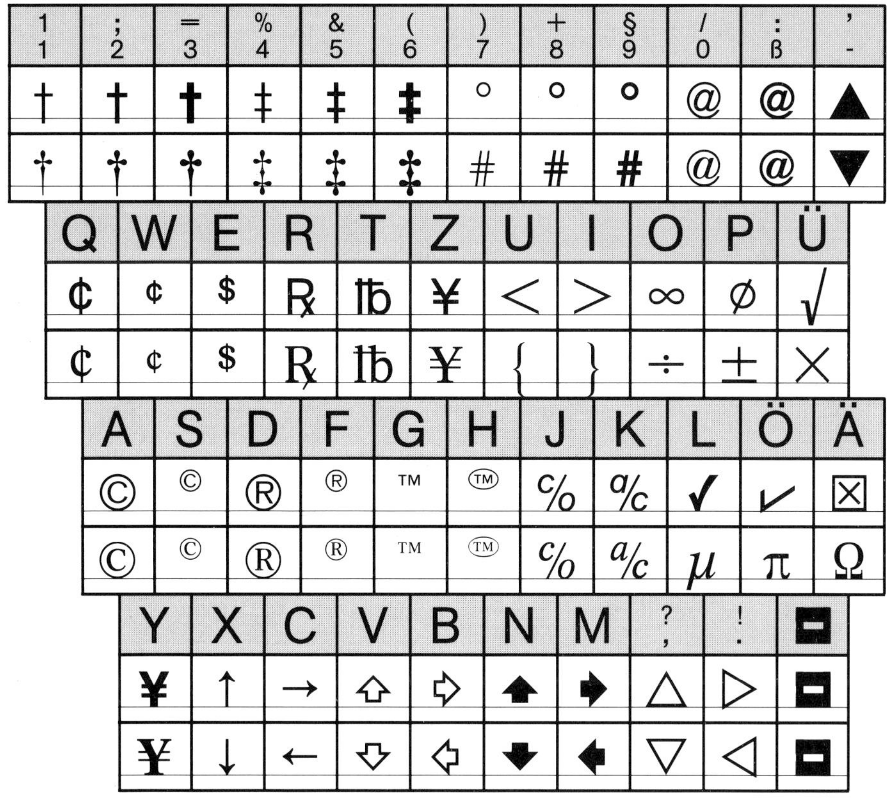

008

Mathematische Formelzeichen 3
Mathematic formula signs 3
Signes de formules mathématiques 3

diatronic 0994 001
ads, cps, acs 0980 001

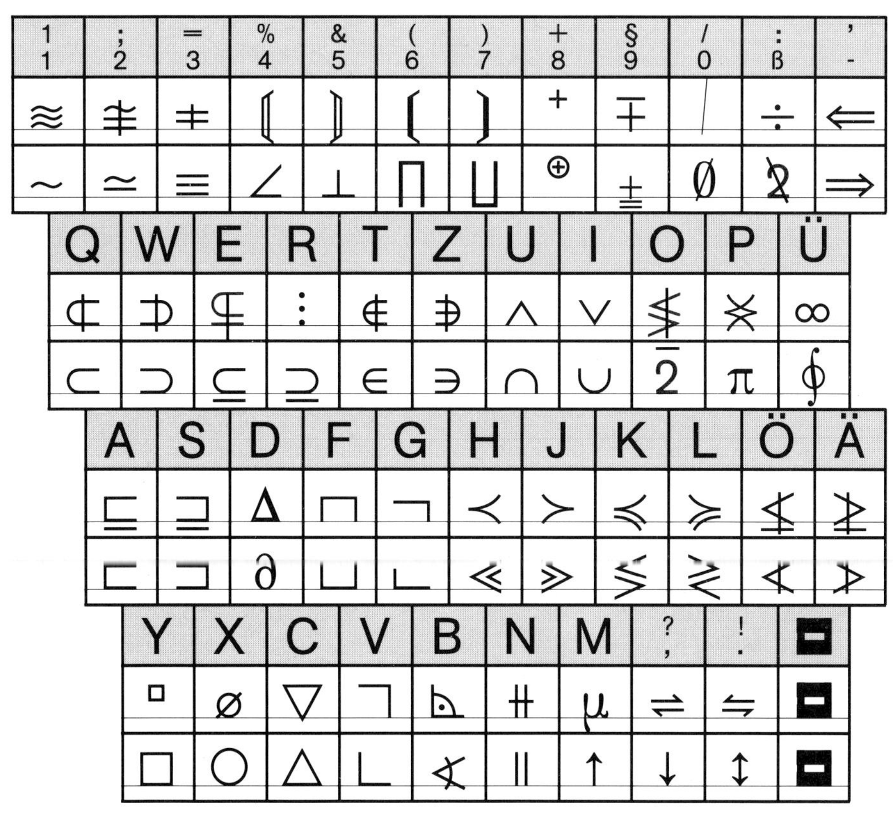

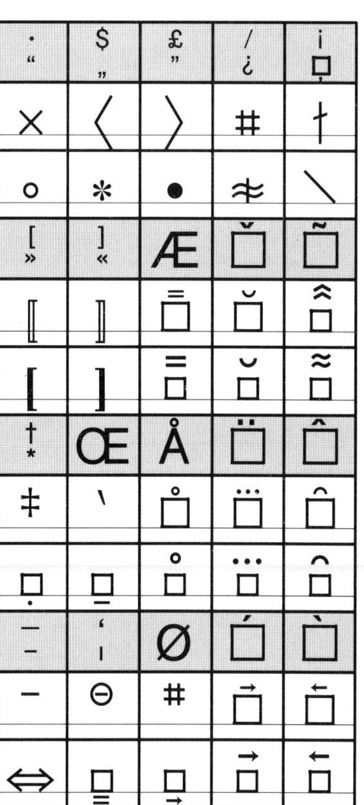

010

Ziffern im Kreis und Quadrat
Numbers in circle and square
Chiffres en cercle et en carré

diatronic 0994 010

1 1	; 2	= 3	% 4	& 5	(6	) 7	+ 8	§ 9	/ 0	: ß	’ -
●1	●2	●3	●4	●5	●6	●7	●8	●9	●10	●11	■26
○1	○2	○3	○4	○5	○6	○7	○8	○9	○10	○11	□26
Q	W	E	R	T	Z	U	I	O	P	Ü	
●17	●18	●19	●20	●21	●22	●23	●24	●25	●26	●27	
○17	○18	○19	○20	○21	○22	○23	○24	○25	○26	○27	
A	S	D	F	G	H	J	K	L	Ö	Ä	
■1	■2	■3	■4	■5	■6	■7	■8	■9	■10	■11	
□1	□2	□3	□4	□5	□6	□7	□8	□9	□10	□11	
Y	X	C	V	B	N	M	? ;	! :	▬		
■17	■18	■19	■20	■21	■22	■23	■24	■25	▬		
□17	□18	□19	□20	□21	□22	□23	□24	□25	▬		

· “	$ „	£ ”	/ ¿	¡ □̣
●12	●13	●14	●15	●16
○12	○13	○14	○15	○16
[»	] «	Æ	□̌	□̃
●28	●29	●30	●31	□
○28	○29	○30	○31	○
† *	Œ	Å	□̈	□̂
■12	■13	■14	■15	■16
□12	□13	□14	□15	□16
– –	‘ ı	Ø	□́	□̀
■27	■28	■29	■30	■31
□27	□28	□29	□30	□31

012

Phonetische Zeichen
Phonetic signs
Caractères phonétiques

diatronic 0994 012
ads, cps, acs 0980 012
tps, mft, gst 0982 012

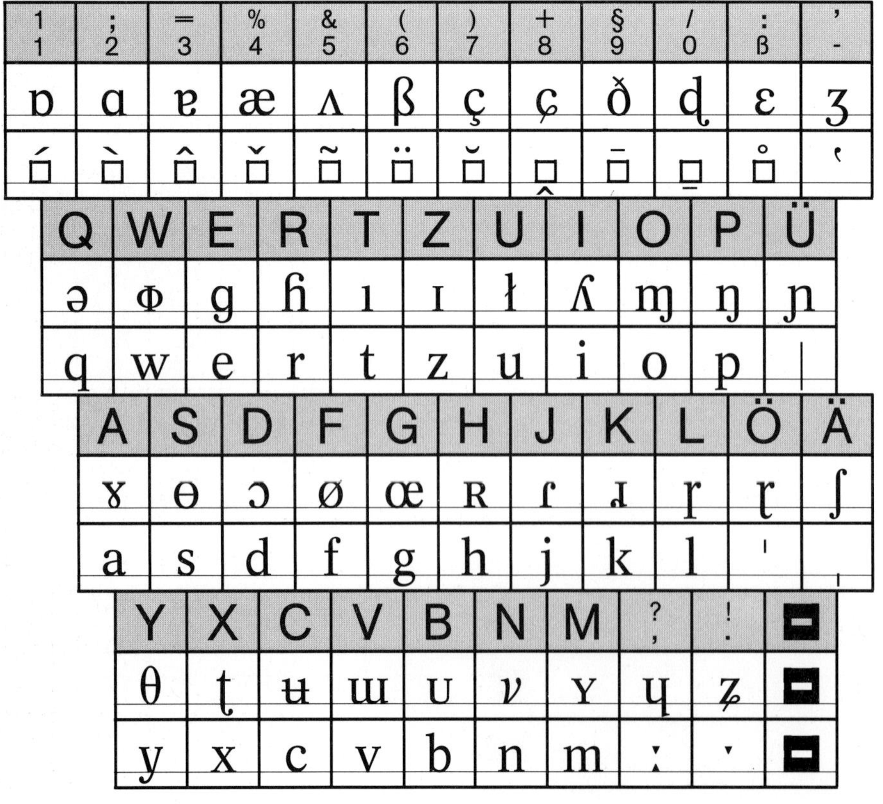

013

Baskerville mit Formelzeichen
Baskerville with mathematic formula signs
Baskerville avec signes de formules mathématiques

diatronic 0994 013

1 1	; 2	= 3	% 4	& 5	(6	) 7	+ 8	§ 9	/ 0	: ß	’ -
1	;	=	%	&	(	)	+	§	/	:	’
1	2	3	4	5	6	7	8	9	0	ß	-

Q	W	E	R	T	Z	U	I	O	P	Ü
Q	W	E	R	T	Z	U	I	O	P	Ü
q	w	e	r	t	z	u	i	o	p	ü

A	S	D	F	G	H	J	K	L	Ö	Ä
A	S	D	F	G	H	J	K	L	Ö	Ä
a	s	d	f	g	h	j	k	l	ö	ä

Y	X	C	V	B	N	M	? ;	! .	▬
Y	X	C	V	B	N	M	?	!	▬
y	x	c	v	b	n	m	,	.	▬

· “	$ „	£ ”	/ ¿	¡ □̣
·	>	<	≈	°
“	„	”	~	∅
[»	] «	Æ	□̌	□̃
[	]	Ω	≡	≭
{	}	×	µ	π
† *	Œ	Å	□̈	□̂
α	∫	√	√‾	≧
*	∂	∑	⌐√	≦
‗ -	‘ ı	Ø	□́	□̀
—	→	↓	′	±
‘	←	↑	≉	∞

014

Times New Roman mit chemischen Formelzeichen
Times New Roman with chemical formula signs
Times New Roman avec signes de formules chimiques

diatronic 0994 014

1 1	; 2	= 3	% 4	& 5	(6	) 7	+ 8	§ 9	/ 0	: ß	’ -
1	2	3	4	5	6	7	8	9	0	:	’
1	2	3	4	5	6	7	8	9	0	ß	-

Q	W	E	R	T	Z	U	I	O	P	Ü
Q	W	E	R	T	Z	U	I	O	P	Ü
q	w	e	r	t	z	u	i	o	p	ü

A	S	D	F	G	H	J	K	L	Ö	Ä
A	S	D	F	G	H	J	K	L	Ö	Ä
a	s	d	f	g	h	j	k	l	ö	ä

Y	X	C	V	B	N	M	? ;	! .	▬
Y	X	C	V	B	N	M	?	!	▬
y	x	c	v	b	n	m	,	.	▬

· “	$ „	£ ”	/ ¿	¡ □̣
+	–	·	′	°
α	β	γ	µ	Å
[»	] «	Æ	□̌	□̃
⊖	⊕	I	V	X
·	—	+	=	≡
† *	Œ	Å	□̈	□̂
□̄	*	↑	↓	⇌
[	]	±	~	≈
‗ -	‘ ı	Ø	□́	□̀
>	<	⇄	→	←
;	%	(	)	/

017

Univers 55 mit Bruchziffern und Sonderzeichen
Univers 55 with fractions and special signs
Univers 55 avec fractions et signes spéciaux

diatronic 0994 017

1 / 1	; / 2	= / 3	% / 4	& / 5	(/ 6	) / 7	+ / 8	§ / 9	/ / 0	: / ß	' / -
1	;	=	%	&	(	)	+	§	/	:	'
1	2	3	4	5	6	7	8	9	0	ß	-

Q	W	E	R	T	Z	U	I	O	P	Ü
Q	W	E	R	T	Z	U	I	O	P	Ü
q	w	e	r	t	z	u	i	o	p	ü

A	S	D	F	G	H	J	K	L	Ö	Ä
A	S	D	F	G	H	J	K	L	Ö	Ä
a	s	d	f	g	h	j	k	l	ö	ä

Y	X	C	V	B	N	M	? / ,	! / .	■
Y	X	C	V	B	N	M	?	!	■
y	x	c	v	b	n	m	,	.	■

· / "	$ / „	£ / "	/ / ¿	¡ / □̦
>	<	2/2	'	¡
"	„	"	"	□̦
[/ »	] / «	Æ	□̌	□̃
1	2	3	4	5
1	2	3	4	5
† / *	Œ	Å	□̈	□̂
6	7	8	9	0
6	7	8	9	0
– / –	‘ / ı	Ø	□́	□̀
–	‘	Ø	□́	□̀
–	ı	ø	□́	□̀

018

Times New Roman mit Kapitälchen und Sonderzeichen
Times New Roman with small caps and special signs
Times New Roman avec petites capitales et signes spéciaux

diatronic 0994 018

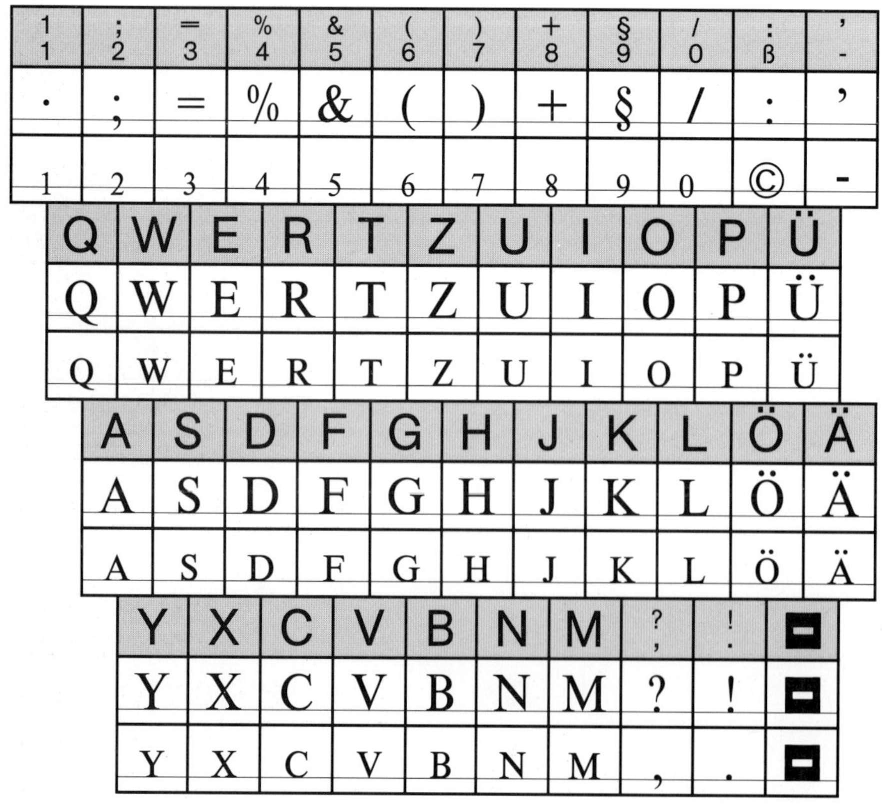

020

Akzidenz-Grotesk mit Ziffern und mathematischen Zeichen
Akzidenz-Grotesk with numbers and mathematic formula signs
Akzidenz-Grotesk avec chiffres et signes de formules mathématiques

diatronic 0994 020
ads, cps, acs 0980 020
tps, mft, gst 0982 020

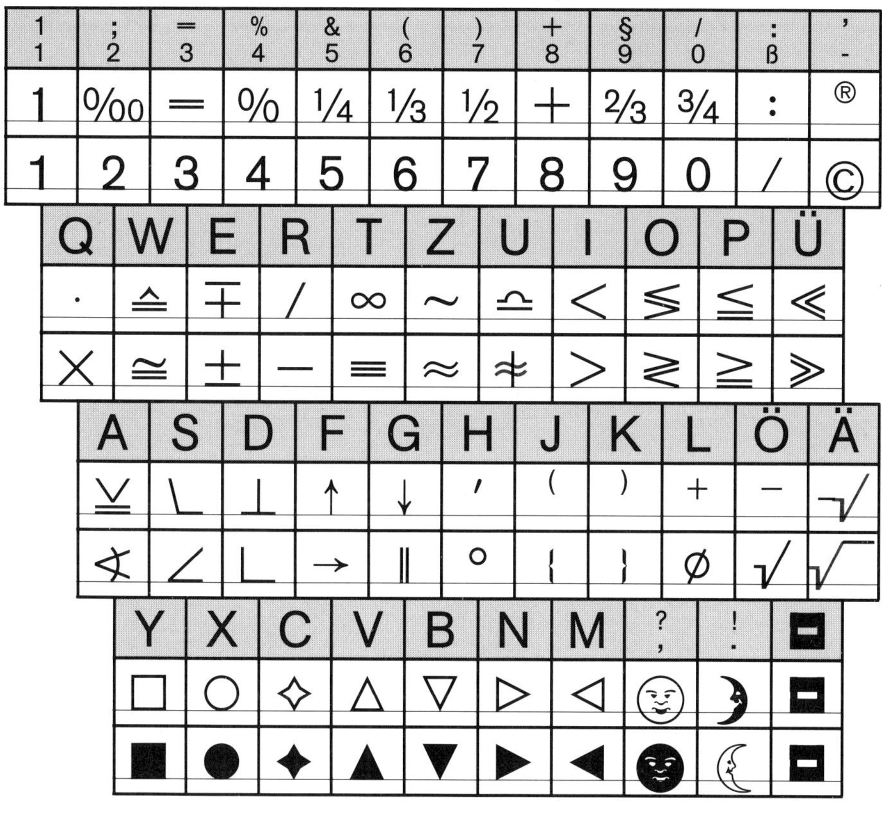

021

Romanische Belegung
Romanic layout
Disposition pour langues romaines

diatronic 0994 021
ads, cps, acs 0980 021

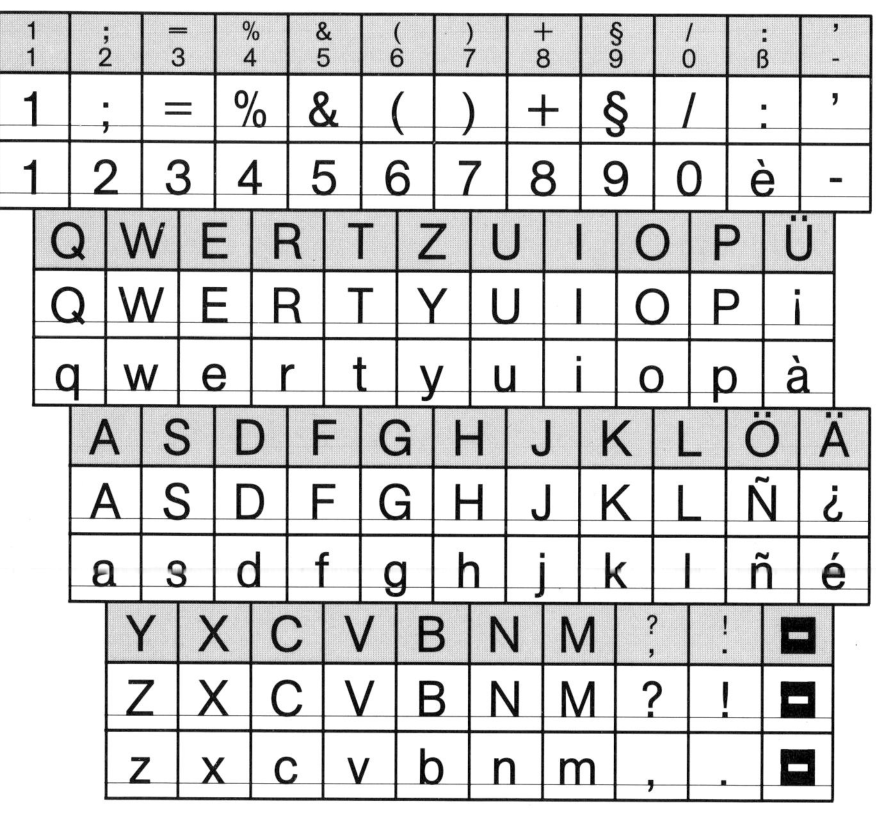

022

Griechische Schriften
Greek type faces
Ecritures grecques

diatronic 0994 022
ads, cps, acs 0980 022
tps, mft, gst 0982 022

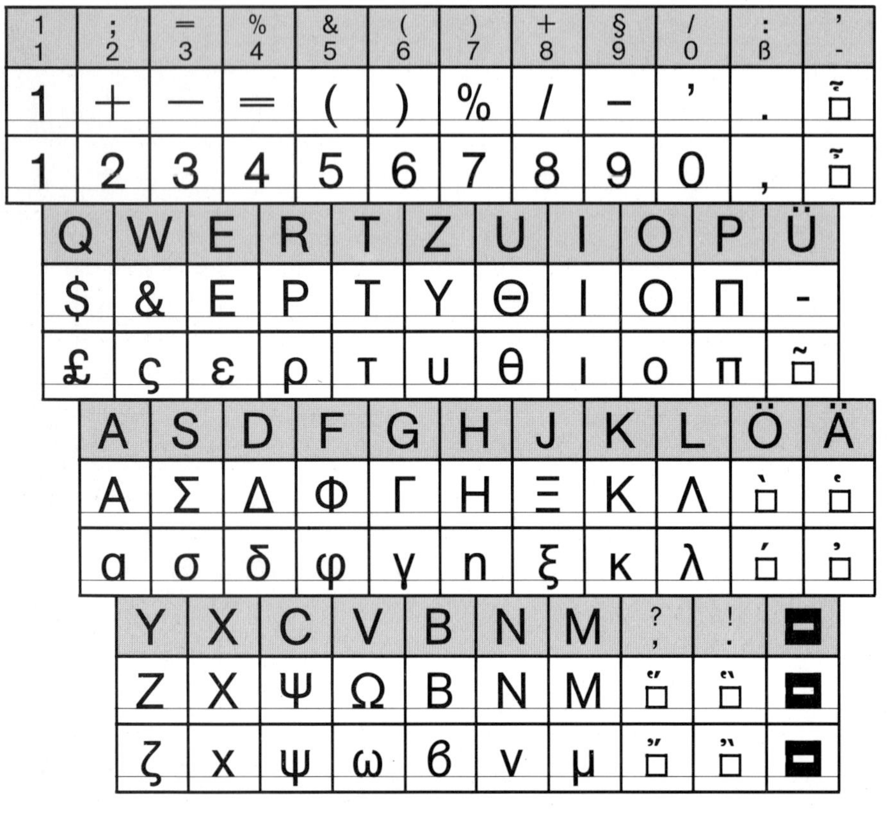

023

Akzidenz-Grotesk griechisch mit Formelzeichen
Akzidenz-Grotesk greek with mathematic formula signs
Akzidenz-Grotesk grec avec signes de formules mathématiques

diatronic 0994 023
ads, cps, acs 0980 023
tps, mft, gst 0982 023

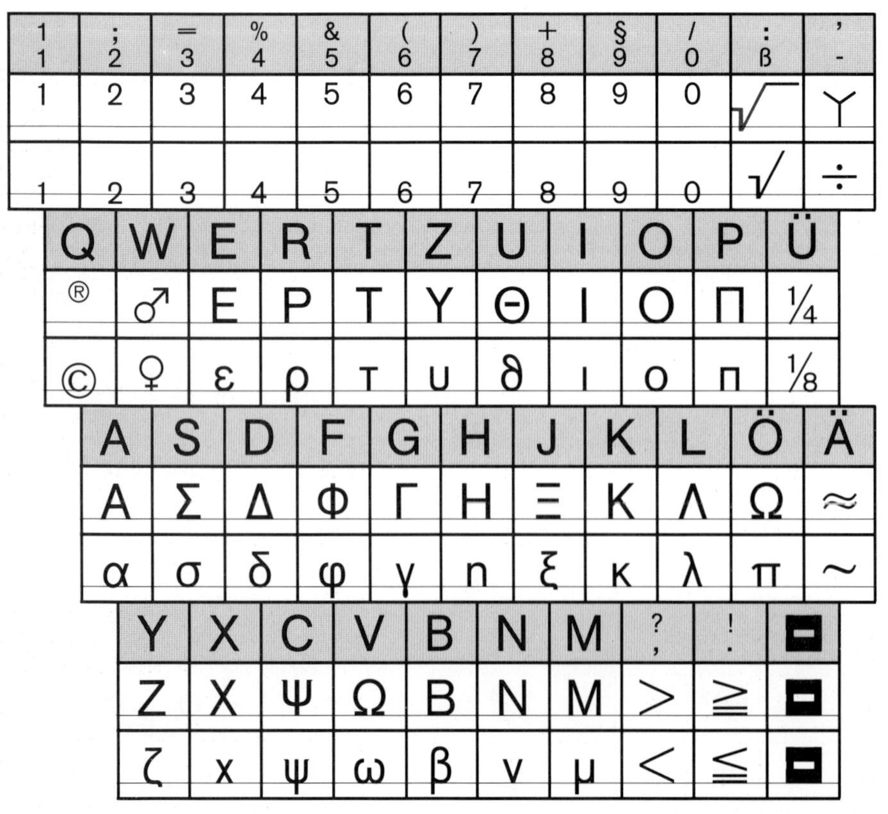

024

Slawische Belegung
Slavonic layout
Disposition pour langues slaves

diatronic 0994 024
ads, cps, acs 0980 024

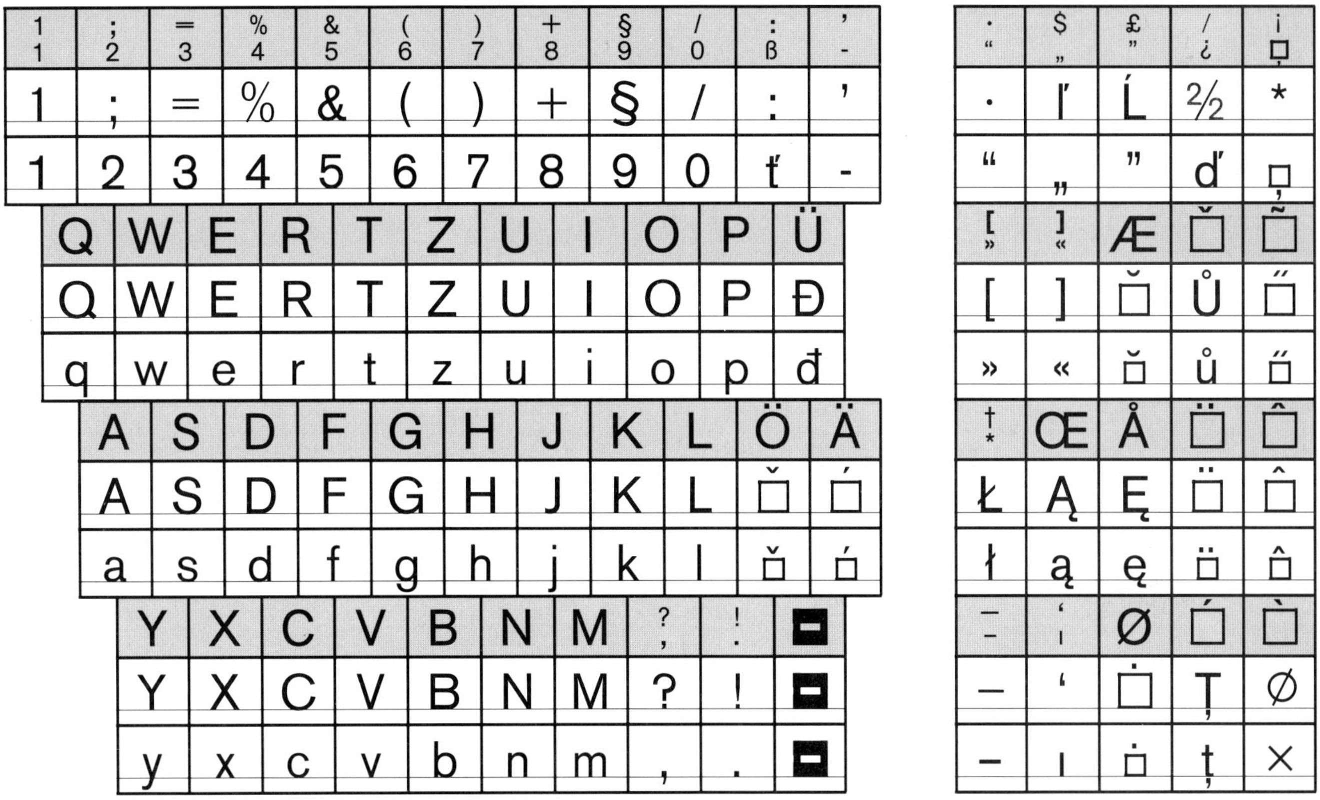

1 / 1	; / 2	= / 3	% / 4	& / 5	(/ 6	) / 7	+ / 8	§ / 9	/ / 0	: / ß	’ / -
1	;	=	%	&	(	)	+	§	/	:	’
1	2	3	4	5	6	7	8	9	0	ť	-

Q	W	E	R	T	Z	U	I	O	P	Ü
Q	W	E	R	T	Z	U	I	O	P	Đ
q	w	e	r	t	z	u	i	o	p	đ

A	S	D	F	G	H	J	K	L	Ö	Ä
A	S	D	F	G	H	J	K	L	□̌	□́
a	s	d	f	g	h	j	k	l	□̌	□́

Y	X	C	V	B	N	M	? / ;	! / :	▬
Y	X	C	V	B	N	M	?	!	▬
y	x	c	v	b	n	m	,	.	▬

· / “	$ / „	£ / ”	/ / ¿	¡ / □̦
·	ľ	Ĺ	2/2	*
“	„	”	ď	□̦
[/ »	**] / «**	**Æ**	**□̌**	**□̃**
[	]	□̆	Ů	□̋
»	«	□̆	ů	□̋
† / *	**Œ**	**Å**	**□̈**	**□̂**
Ł	Ą	Ę	□̈	□̂
ł	ą	ę	□̈	□̂
– / -	**‘ / ı**	**Ø**	**□́**	**□̀**
—	‘	□̇	Ţ	Ø
–	ı	□̇	ţ	×

025

Belegung Fraktur
Gothic layout
Disposition pour caractères gothiques

diatronic 0994 025
ads, cps, acs 0980 025
tps, mft, gst 0982 025

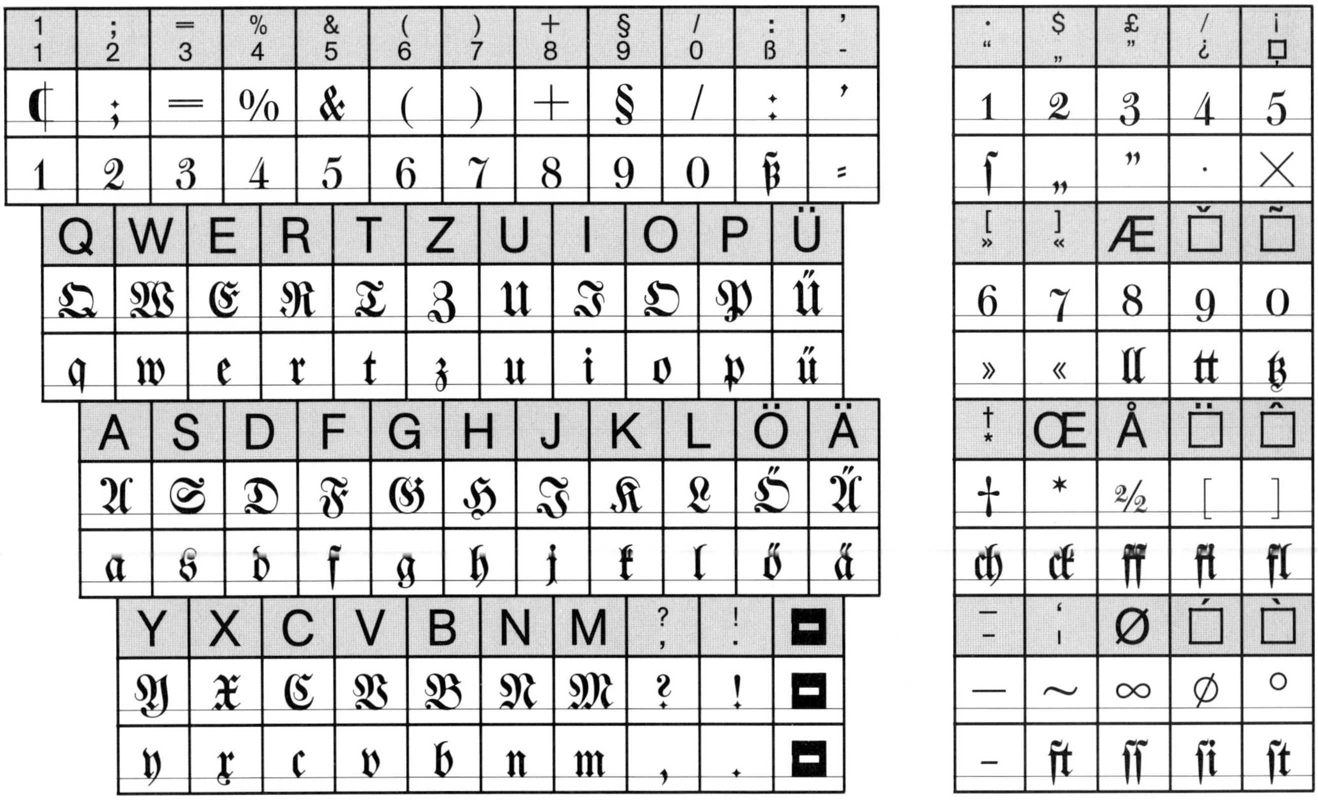

1 / 1	; / 2	= / 3	% / 4	& / 5	(/ 6	) / 7	+ / 8	§ / 9	/ / 0	: / ß	’ / -
¢	;	=	%	&	(	)	+	§	/	:	’
1	2	3	4	5	6	7	8	9	0	ß	=

Q	W	E	R	T	Z	U	I	O	P	Ü
Q	W	E	R	T	Z	U	I	O	P	Ű
q	w	e	r	t	z	u	i	o	p	ű

A	S	D	F	G	H	J	K	L	Ö	Ä
A	S	D	F	G	H	J	K	L	Ő	A̋
a	s	d	f	g	h	j	k	l	ő	a̋

Y	X	C	V	B	N	M	? / ;	! / :	▬
Y	X	C	V	B	N	M	?	!	▬
y	x	c	v	b	n	m	,	.	▬

· / “	$ / „	£ / ”	/ / ¿	¡ / □̦
1	2	3	4	5
ſ	„	”	·	×
[/ »	**] / «**	**Æ**	**□̌**	**□̃**
6	7	8	9	0
»	«	ll	tt	tz
† / *	**Œ**	**Å**	**□̈**	**□̂**
†	*	2/2	[	]
ch	ck	ff	fi	fl
– / -	**‘ / ı**	**Ø**	**□́**	**□̀**
—	~	∞	∅	°
–	ſt	ſſ	ſi	ſt

026

Kyrillische Schriften
Cyrillic type faces
Ecritures cyrilliques

diatronic 0994 026
ads, cps, acs 0980 026
tps, mft, gst 0982 026

1 / 1	; / 2	= / 3	% / 4	& / 5	(/ 6	) / 7	+ / 8	§ / 9	/ / 0	: / ß	’ / -
1	;	=	%	&	(	)	+	§	/	:	’
1	2	3	4	5	6	7	8	9	0	№	-

Q	W	E	R	T	Z	U	I	O	P	Ü
Љ	Њ	Е	Р	Т	З	У	И	О	П	Ђ
љ	њ	е	р	т	з	у	и	о	п	ђ

A	S	D	F	G	H	J	K	L	Ö	Ä
А	С	Д	Ф	Г	Х	Ј	К	Л	Ч	◌́
а	с	д	ф	г	х	ј	к	л	ч	◌́

Y	X	C	V	B	N	M	? / ;	! / .	■
Ѕ	Џ	Ц	В	Б	Н	М	?	!	■
ѕ	џ	ц	в	б	н	м	,	.	■

· / “	$ / „	£ / ”	/ / ¿	¡ / ◌̧
·	*	Й	2/2	Є
“	„	й	ѝ	є
[/ »	] / «	Æ	◌̆	◌̃
V	L	Я	Щ	Ъ
»	«	я	щ	ъ
† / *	Œ	Å	◌̈	◌̂
Ћ	Ш	Э	◌̈	Ь
ћ	ш	э	◌̈	ь
– / –	‘ / ı	Ø	◌́	◌̀
—	Ж	Ю	Ы	І
–	ж	ю	ы	і

027

Kapitälchen
Small caps
Petites majuscules

1 / 1	; / 2	= / 3	% / 4	& / 5	(/ 6	) / 7	+ / 8	§ / 9	/ / 0	: / ß	’ / -
1	;	=	%	&	(	)	+	§	/	:	’
1	2	3	4	5	6	7	8	9	0	©	-

Q	W	E	R	T	Z	U	I	O	P	Ü
Q	W	E	R	T	Z	U	I	O	P	Ü
Q	W	E	R	T	Z	U	I	O	P	Ü

A	S	D	F	G	H	J	K	L	Ö	Ä
A	S	D	F	G	H	J	K	L	Ö	Ä
A	S	D	F	G	H	J	K	L	Ö	Ä

Y	X	C	V	B	N	M	? / ;	! / .	■
Y	X	C	V	B	N	M	?	!	■
Y	X	C	V	B	N	M	,	.	■

· / “	$ / „	£ / ”	/ / ¿	¡ / ◌̧
·	$	£	2/2	¡
“	„	”	¿	◌̧
[/ »	] / «	Æ	◌̆	◌̃
[	]	Æ	◌̆	◌̃
»	«	Æ	◌̆	◌̃
† / *	Œ	Å	◌̈	◌̂
†	Œ	Å	◌̈	◌̂
*	Œ	Å	◌̈	◌̂
– / –	‘ / ı	Ø	◌́	◌̀
–	‘	Ø	◌́	◌̀
–	I	Ø	◌́	◌̀

029 Berthold-Hebräisch

Hebrew type faces
Ecritures hébraïques

diatronic 0994 029
ads, cps, acs 0980 029
tps, mft, gst 0982 029

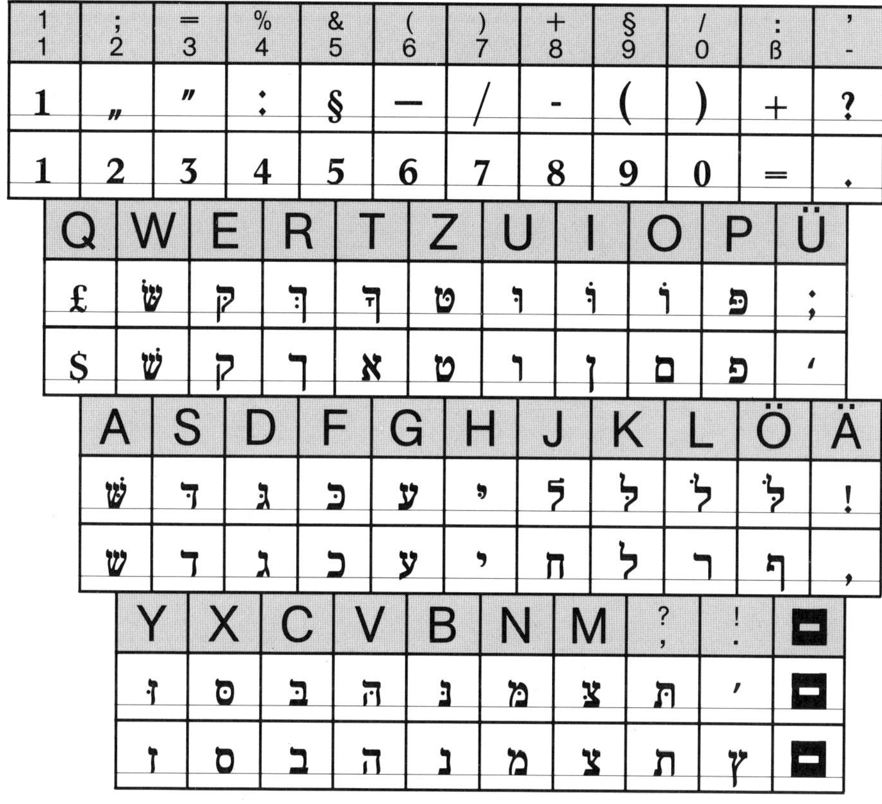

031 Anglo-amerikanische Belegung

English american layout
Disposition pour langues anglo-américaines

diatronic 0994 031
ads, cps, acs 0980 031

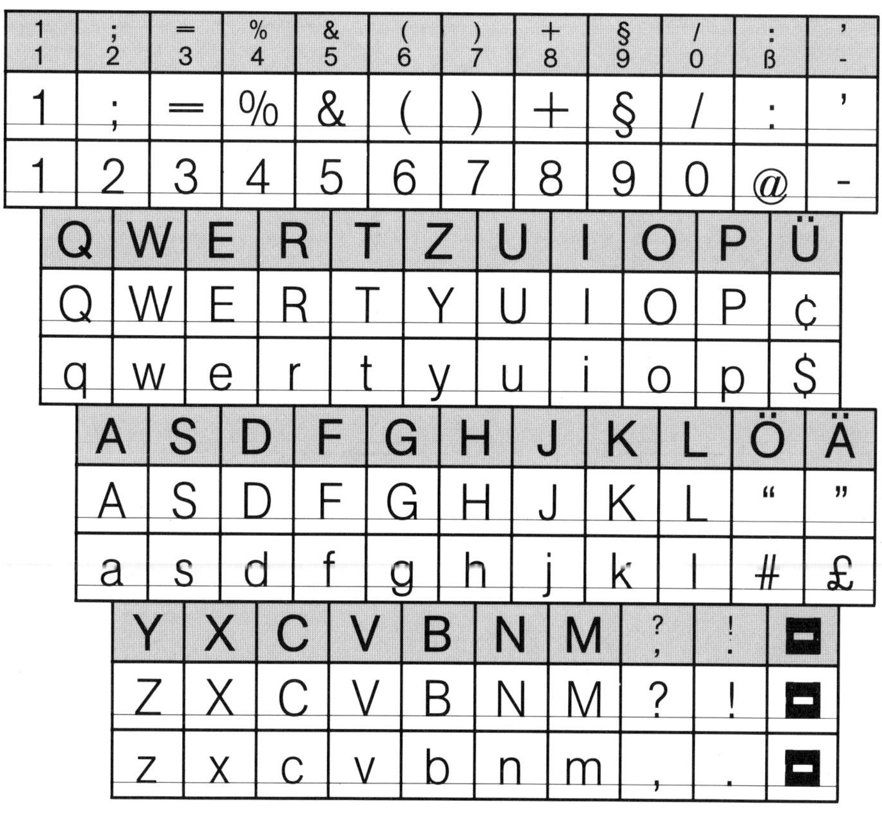

032

Ungarische Belegung
Hungarian layout
Disposition pour hongrois

diatronic 0994 032

1 1	; 2	= 3	% 4	& 5	(6	) 7	+ 8	§ 9	/ 0	: ß	' -
+	*	%	.	!	/	§	=	:	(	)	'
1	2	3	4	5	6	7	8	9	0	&	-

Q	W	E	R	T	Z	U	I	O	P	Ü
Q	W	E	R	T	Z	U	I	O	P	Ő
q	w	e	r	t	z	u	i	o	p	ő

A	S	D	F	G	H	J	K	L	Ö	Ä
A	S	D	F	G	H	J	K	L	É	Á
a	s	d	f	g	h	j	k	l	é	á

Y	X	C	V	B	N	M	? ;	! :	■
Y	X	C	V	B	N	M	?	;	■
y	x	c	v	b	n	m	,	.	■

· "	$ „	£ "	/ ¿	i □
–	[	]	$	£
½	⅓	¼	¾	2/2
[»	] «	Æ	□̌	□̃
Ű	□̊	□́	□̌	Đ
ű	□̊	□́	□̌	đ
† *	Œ	Å	□̈	□̂
Í	Ó	Ú	□̀	—
í	ó	ú	□̀	©
– –	‘ ı	Ø	□́	□̀
Ö	Ü	"	"	Ä
ö	ü	„	ß	ä

035

Univers 57 mit Buchfahrplanzeichen
Univers 57 with time-table signs
Univers 57 avec signes pour horaires

diatronic 0994 035
ads, cps, acs 0980 035

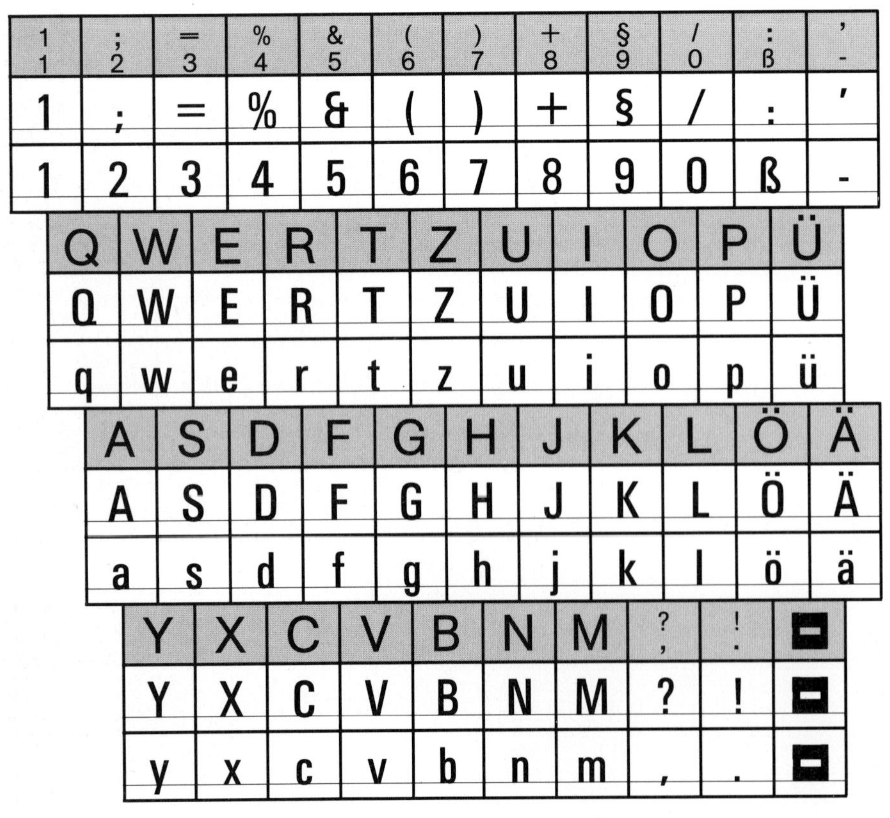

· "	$ „	£ "	/ ¿	i □
□	●	◺	2/2	≷
"	„	⌒	⊢	□̦
[»	] «	Æ	□̌	□̃
▽	▲	Æ	▯	▮
◗	◖	æ	¤	⎵
† *	Œ	Å	□̈	□̂
✕	Œ	Å	□̈	□̂
*	œ	å	□̈	□̂
– –	‘ ı	Ø	□́	□̀
□	■	Ø	□́	□̀
–	ı	ø	□́	□̀

037

Kyrillische Schriften (UdSSR)
Cyrillic type faces (U.S.S.R.)
Ecritures cyrilliques (U.R.S.R.)

diatronic 0994 037
ads, cps, acs 0980 037
tps, mft, gst 0982 037

1 1	; 2	= 3	% 4	& 5	(6	) 7	+ 8	§ 9	/ 0	: ß	’ -
°	1	2	3	4	5	6	7	8	9	0	Ё
§	№	%	2/2	:	,	.	—	?	;	!	ё

Q	W	E	R	T	Z	U	I	O	P	Ü
Й	Ц	У	К	Е	Н	Г	Ш	Щ	З	Х
й	ц	у	к	е	н	г	ш	щ	з	х

A	S	D	F	G	H	J	K	L	Ö	Ä
Ф	Ы	В	А	П	Р	О	Л	Д	Ж	Э
ф	ы	в	а	п	р	о	л	д	ж	э

Y	X	C	V	B	N	M	? ;	! .	▬
Я	Ч	С	М	И	Т	Ь	Б	Ю	▬
я	ч	с	м	и	т	ь	б	ю	▬

· “	$ „	£ ”	/ ¿	¡ ¤
„	“	+	×	>
«	»	■	=	<
[»	] «	Æ	◌̌	◌̃
Ъ	I	V	L	″
ъ	*	·	я́	′
† *	Œ	Å	◌̈	◌̂
(	[	/	İ	á
)	]	’	i	ó
– –	‘ ı	Ø	◌́	◌̀
—	Ї	Є	é	й
-	ї	є	ý	ю́

041

Serif Gothic, Anglo-amerikanische Spezialbelegung
Serif Gothic, anglo-american special layout scheme
Serif Gothic, disposition spécial anglo-américain

diatronic 0994 041

1 1	; 2	= 3	% 4	& 5	(6	) 7	+ 8	§ 9	/ 0	: ß	’ -
1	;	=	%	&	(	)	+	§	/	:	′
1	2	3	4	5	6	7	8	9	0	@	-

Q	W	E	R	T	Z	U	I	O	P	Ü
Q	W	E	R	T	Z	U	I	O	P	¢
q	w	e	r	t	z	u	i	o	p	$

A	S	D	F	G	H	J	K	L	Ö	Ä
A	S	D	F	G	H	J	K	L	“	″
a	s	d	f	g	h	j	k	l	#	£

Y	X	C	V	B	N	M	? ;	! .	▬
Y	X	C	V	B	N	M	?	!	▬
y	x	c	v	b	n	m	,	.	▬

· “	$ „	£ ”	/ ¿	¡ ¤
1	2	3	4	5
ə	e	ʃ	k	r
[»	] «	Æ	◌̌	◌̃
6	7	8	9	0
ʂ	t	ʐ	Є	L
† *	Œ	Å	◌̈	◌̂
†	2/2	‡	$	¢
*	[	]	°	′
– –	‘ ı	Ø	◌́	◌̀
—	´	`	©	8
–	·	×	(	)

043

Vietnamesische Schriften
Vietnamese type faces
Ecritures vietnamiennes

diatronic 0994 043

1 1 | ; 2 | = 3 | % 4 | & 5 | (6 |) 7 | + 8 | § 9 | / 0 | : ß | ’ -
» | □́ | □̀ | □̂ | □̉ | □̃ | □̂́ | □̂̀ | □̂̉ | □̂̃ | □̣ | :
« | □́ | □̀ | □̂ | □̉ | □̃ | □̂́ | □̂̀ | □̂̉ | □̂̃ | □̣ | ;
Q | W | E | R | T | Z | U | I | O | P | Ü
A | Đ | E | R | T | Y | U | I | O | P | Ặ
a | đ | e | r | t | y | u | i | o | p | ặ
A | S | D | F | G | H | J | K | L | Ö | Ä
Q | S | D | Ư | G | H | Ơ | K | L | M | Ậ
q | s | d | ư | g | h | ơ | k | l | m | ậ
Y | X | C | V | B | N | M | ? ; | ! . | ■
! | X | C | V | B | N | . | Ệ | Ộ | ■
? | x | c | v | b | n | , | ệ | ộ | ■

· “ | $ „ | £ ” | / ¿ | ¡ □̣
Ă | Ắ | Ằ | Ẳ | Ẵ
ă | ắ | ằ | ẳ | ẵ
[» |] « | Æ | □̌ | □̃
§ | × | & | ’ | ç
2/2 | + | = | ‘ | $
† * | Œ | Å | □̈ | □̂
) | – | % | ° | ỵ
(| - | / | * | ı
– – | ‘ ı | Ø | □́ | □̀
6 | 7 | 8 | 9 | 0
1 | 2 | 3 | 4 | 5

046

Tschechische Belegung
Czech layout
Disposition pour tchèque

diatronic 0994 046

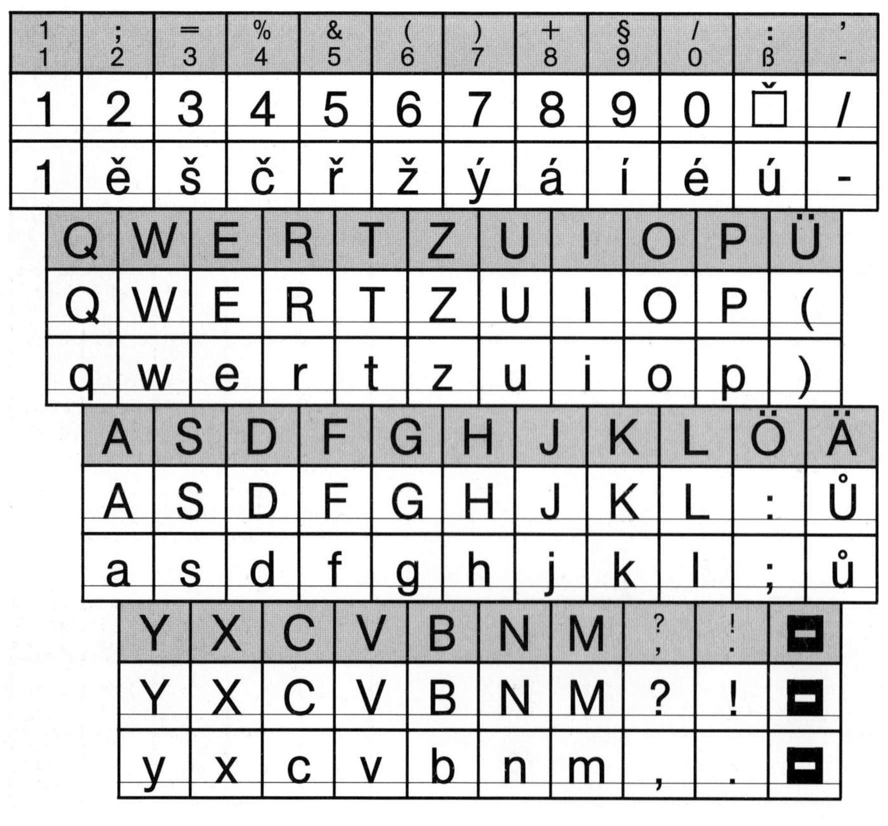

047

Jugoslawische Belegung
Jugoslav layout
Disposition pour yougoslave

diatronic 0994 047

1 / 1	; / 2	= / 3	% / 4	& / 5	(/ 6	) / 7	+ / 8	§ / 9	/ / 0	: / ß	’ / -
1	;	=	%	&	(	)	+	§	/	Ž	:
1	2	3	4	5	6	7	8	9	0	ž	-

Q	W	E	R	T	Z	U	I	O	P	Ü
Q	W	E	R	T	Z	U	I	O	P	Š
q	w	e	r	t	z	u	i	o	p	š

A	S	D	F	G	H	J	K	L	Ö	Ä
A	S	D	F	G	H	J	K	L	Č	Ć
a	s	d	f	g	h	j	k	l	č	ć

Y	X	C	V	B	N	M	? / ;	! / :	■
Y	X	C	V	B	N	M	?	!	■
y	x	c	v	b	n	m	,	.	■

· / “	$ / „	£ / ”	/ / ¿	¡ / □̦
·	×	ø	2/2	°
“	„	”	☎	□̦
[/ »	] / «	Æ	□̌	□̃
[	]	□̊	□̌	□̋
»	«	□̊	□̌	□̋
† / *	Œ	Å	□̈	□̂
Đ	Œ	†	□̈	□̂
đ	œ	*	□̈	□̂
– / –	‘ / ı	Ø	□́	□̀
—	‘	’	□́	□̀
–	ı	ß	□́	□̀

051

Europäische Standardbelegung
European Standard layout scheme
Disposition standard européen

diatronic 0994 051
ads, cps, acs 0980 051
tps, mft, gst 0982 051

1 / 1	; / 2	= / 3	% / 4	& / 5	(/ 6	) / 7	+ / 8	§ / 9	/ / 0	: / ß	’ / -
1	;	=	%	&	(	)	+	§	/	:	’
1	2	3	4	5	6	7	8	9	0	ß	-

Q	W	E	R	T	Z	U	I	O	P	Ü
Q	W	E	R	T	Z	U	I	O	P	Ü
q	w	e	r	t	z	u	i	o	p	ü

A	S	D	F	G	H	J	K	L	Ö	Ä
A	S	D	F	G	H	J	K	L	Ö	Ä
a	s	d	f	g	h	j	k	l	ö	ä

Y	X	C	V	B	N	M	? / ;	! / :	■
Y	X	C	V	B	N	M	?	!	■
y	x	c	v	b	n	m	,	.	■

· / “	$ / „	£ / ”	/ / ¿	¡ / □̦
·	$	£	2/2	¡
“	„	”	¿	□̦
[/ »	] / «	Æ	□̌	□̃
[	]	Æ	□̌	□̃
»	«	æ	□̌	□̃
† / *	Œ	Å	□̈	□̂
†	Œ	Å	□̈	□̂
*	œ	å	□̈	□̂
– / –	‘ / ı	Ø	□́	□̀
—	‘	Ø	□́	□̀
–	ı	ø	□́	□̀

053

Liniensatzscheibe
Ruling grid
Disque pour filets

	1 1	; 2	= 3	% 4	& 5	(6	) 7	+ 8	§ 9	/ 0	: ß	' -
1 mm	0,075	0,1	0,15	0,25	0,375	0,5	0,75	1	1,5	2		

	Q	W	E	R	T	Z	U	I	O	P	Ü
3 mm	0,075	0,1	0,15	0,25	0,375		0,5	0,75	1	1,5	
zentriert	0,075	0,1	0,15	0,25	0,375		0,5	0,75	1	1,5	

	A	S	D	F	G	H	J	K	L	Ö	Ä
invers	0,075	0,1	0,15	0,25	0,375	0,5	0,75	1	1,5		
normal	0,075	0,1	0,15	0,25	0,375	0,5	0,75	1	1,5		

Y	X	C	V	B	N	M	? ;	! .	▬
									▬
									▬

· “	$ „	£ ”	/ ¿	¡
[»	] «	Æ	ˇ	˜
2				
2				
† *	Œ	Å	¨	ˆ
2				
2				
– –	‘ ı	Ø	´	`

057

Zapf-Dingbats 100
Zapf-Dingbats 100
Zapf-Dingbats 100

ads, cps, acs 0980 057
tps, mft, gst 0982 057

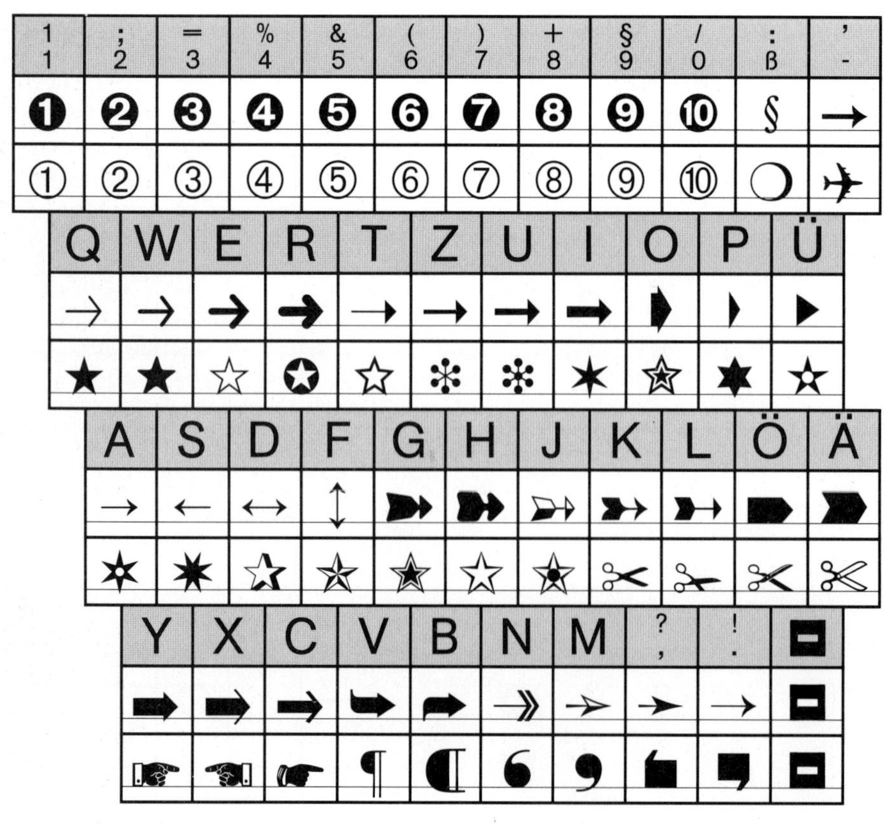

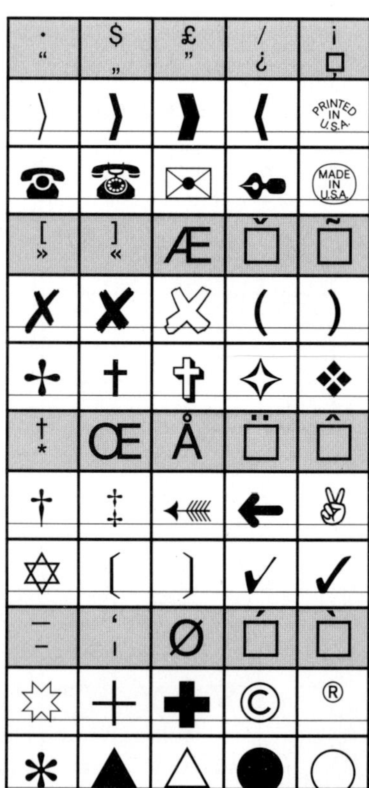

058

Zapf Dingbats 200
Zapf Dingbats 200
Zapf Dingbats 200

ads, cps, acs 0980 058
tps, mft, gst 0982 058

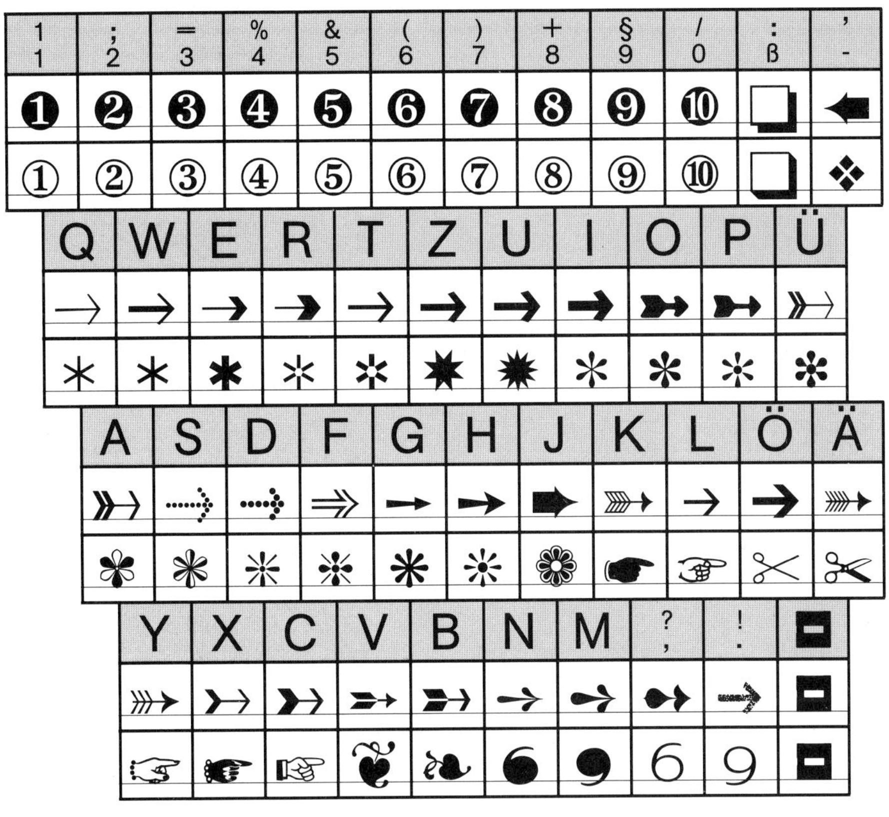

059

Zapf Dingbats 300
Zapf Dingbats 300
Zapf Dingbats 300

ads, cps, acs 0980 059
tps, mft, gst 0982 059

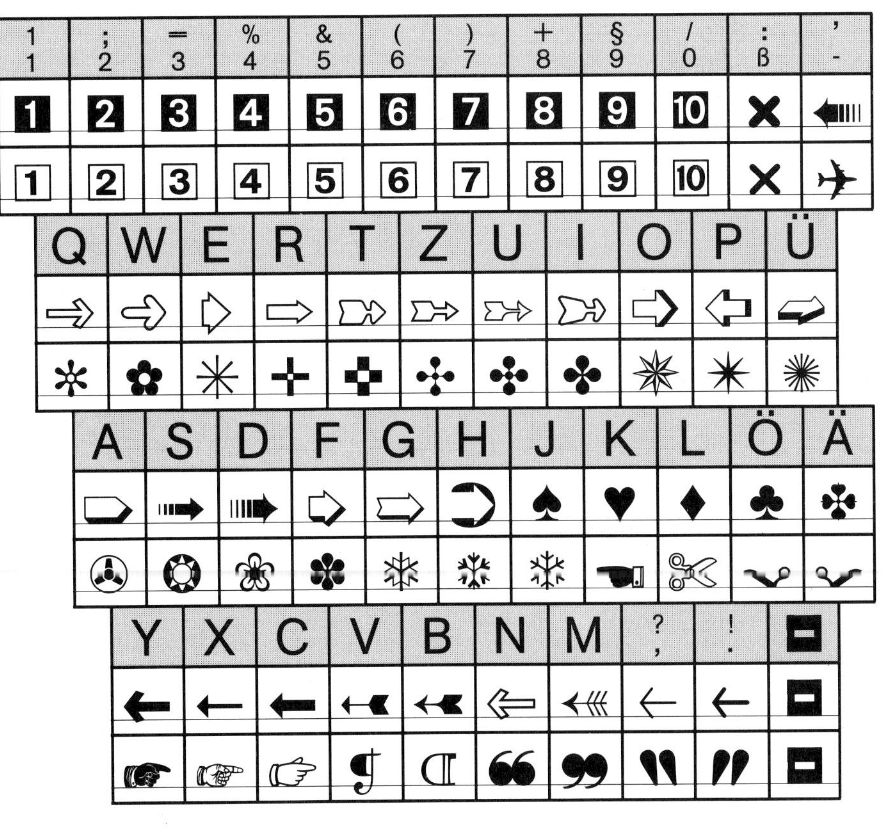

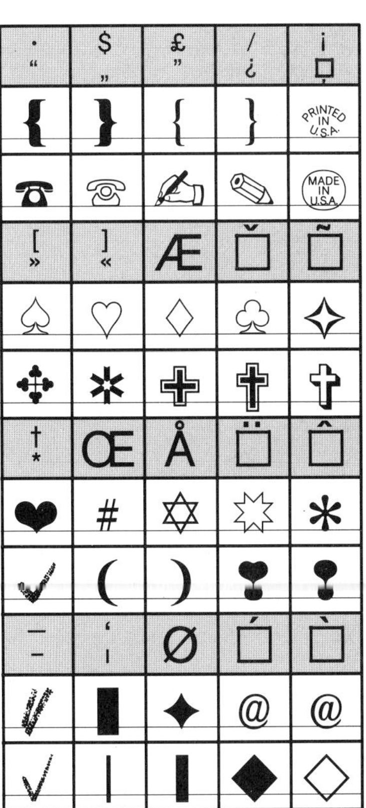

061

Bruchziffernscheiben
Fraction grids
Disques fractions

ads, cps, acs 0980 061
tps, mft, gst 0982 061

1 1	; 2	= 3	% 4	& 5	(6	) 7	+ 8	§ 9	/ 0	: ß	’ -
1	2	3	4	5	6	7	8	9	0	2/2	‘
1	2	3	4	5	6	7	8	9	0	2/2	‘

Q	W	E	R	T	Z	U	I	O	P	Ü
$	$	$	¢	¢	•	¢	‡	′	‘	#
$	$	$	¢	¢	●	¢	‡	′	‘	@

A	S	D	F	G	H	J	K	L	Ö	Ä
1	2	3	4	5	6	7	8	9	0	2/2
1	2	3	4	5	6	7	8	9	0	2/2

Y	X	C	V	B	N	M	? ;	! :	▬
®	$	$	$	¢	¢	¢	‡	′	▬
°	$	$	$	¢	¢	¢	‡	′	▬

· “	$ „	£ ”	/ ¿	¡ □
1	2	3	4	5
1	2	3	4	5
[»	] «	Æ	□̌	□̃
6	7	8	9	0
6	7	8	9	0
† *	Œ	Å	□̈	□̂
1	2	3	4	5
1	2	3	4	5
– –	‘ ı	Ø	□́	□̀
6	7	8	9	0
6	7	8	9	0

062

Bruchziffernscheiben mit Mediäval-Ziffern
Fraction grids with old figures
Disques fraction avec chiffres médiévaux

ads, cps, acs 0980 062
tps, mft, gst 0982 062

1 1	; 2	= 3	% 4	& 5	(6	) 7	+ 8	§ 9	/ 0	: ß	’ -
1	2	3	4	5	6	7	8	9	0	2/2	o
1	2	3	4	5	6	7	8	9	0	2/2	`

Q	W	E	R	T	Z	U	I	O	P	Ü
$	$	$	¢	¢	•	¢	‡	′	`	#
$	$	$	¢	¢	●	¢	‡	′	`	@

A	S	D	F	G	H	J	K	L	Ö	Ä
1	2	3	4	5	6	7	8	9	0	®
1	2	3	4	5	6	7	8	9	0	2/2

Y	X	C	V	B	N	M	? ;	! :	▬
1	2	3	4	5	6	7	8	9	▬
°	$	$	$	¢	¢	¢	‡	′	▬

· “	$ „	£ ”	/ ¿	¡ □
1	2	3	4	5
1	2	3	4	5
[»	] «	Æ	□̌	□̃
6	7	8	9	0
6	7	8	9	0
† *	Œ	Å	□̈	□̂
1	2	3	4	5
1	2	3	4	5
– –	‘ ı	Ø	□́	□̀
6	7	8	9	0
6	7	8	9	0

064

Runde Ecken
Rounded-off corners
Coins arrondis

ads, cps, acs 0980 064
tps, mft, gst 0982 064

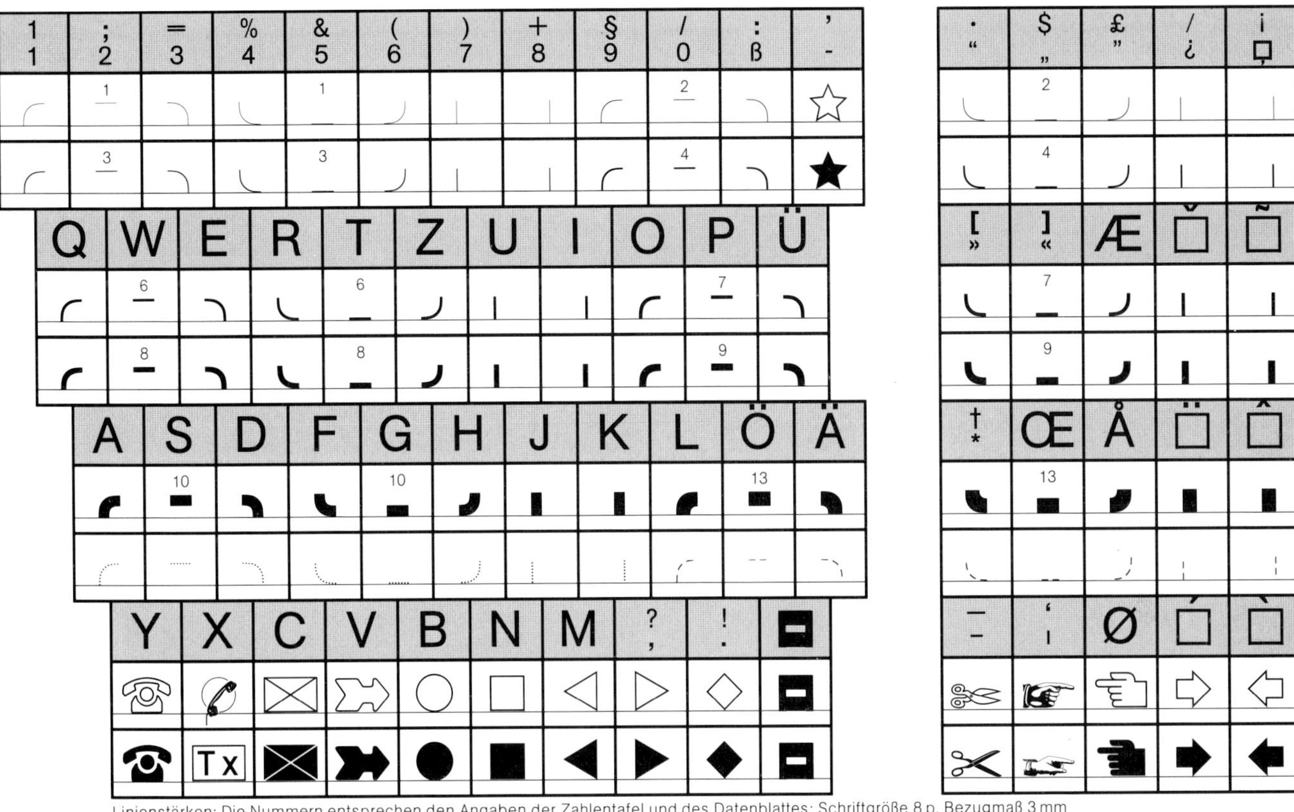

Linienstärken: Die Nummern entsprechen den Angaben der Zahlentafel und des Datenblattes; Schriftgröße 8 p, Bezugmaß 3 mm

065

Katalogziffern
Catalogue figures
Chiffres de catalogue

ads, cps, acs 0980 065
tps, mft, gst 0982 065

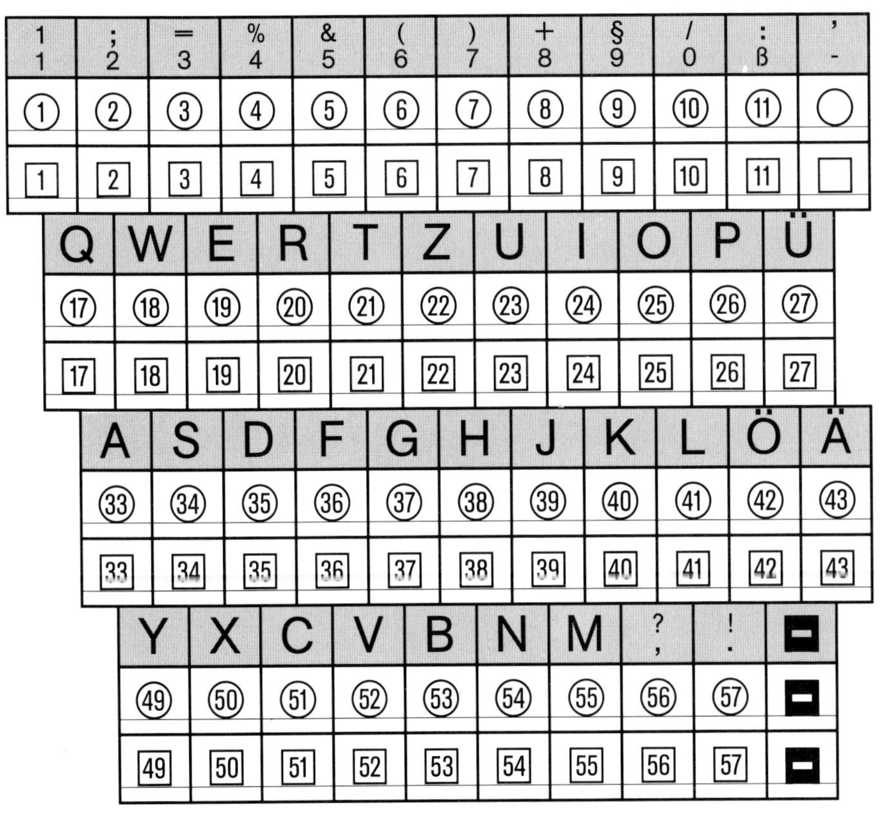

065

Katalogziffern negativ
Catalogue figures negativ
Chiffres de catalogue négatif

085 0140

ads, cps, acs 0980 065
tps, mft, gst 0982 065

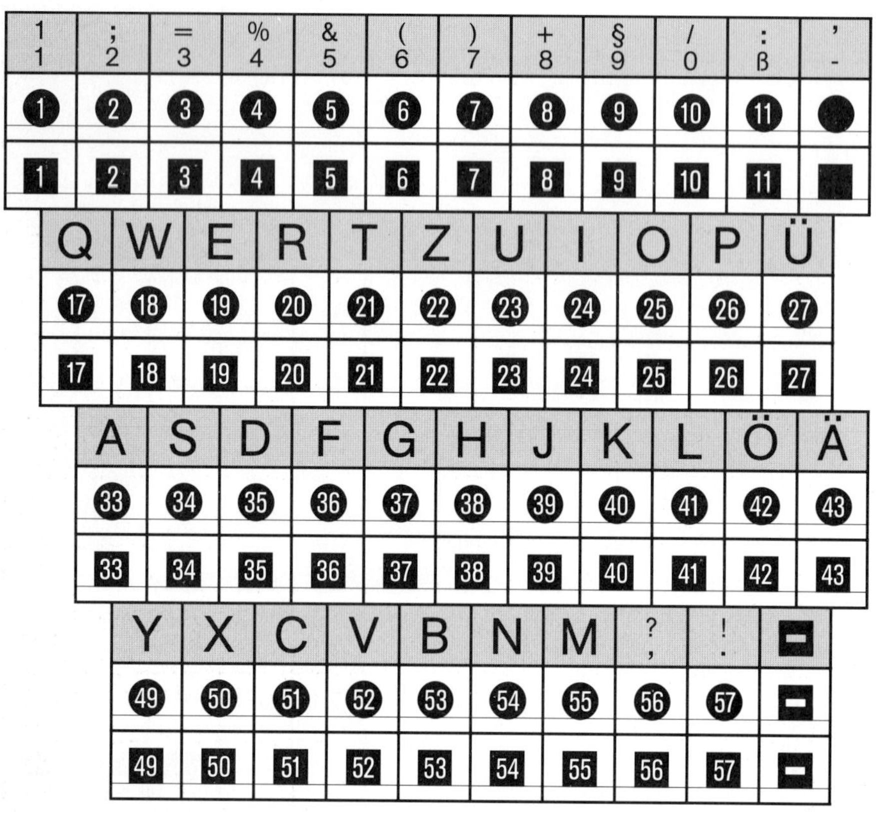

069

Zapf Chancery Swash
Zapf Chancery swash
Zapf Chancery lettres ornées

diatronic 0994 069
ads, cps, acs 0980 069
tps, mft, gst 0982 069

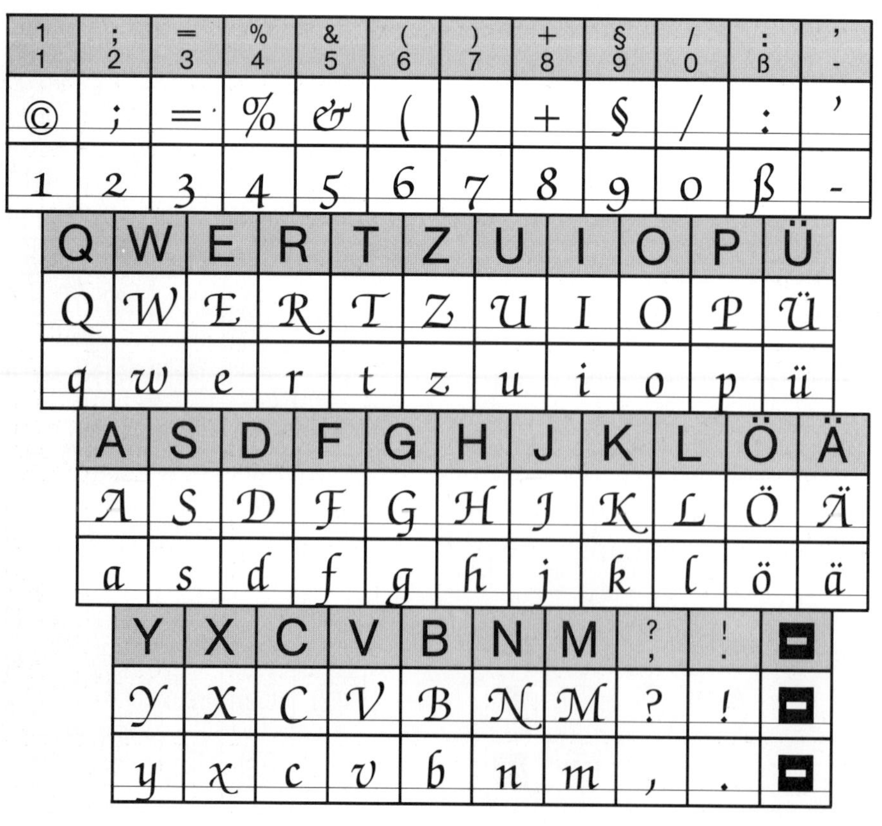

070

DIN 16
DIN 16
DIN 16

ads, cps, acs 0980 070
tps, mft, gst 0982 070

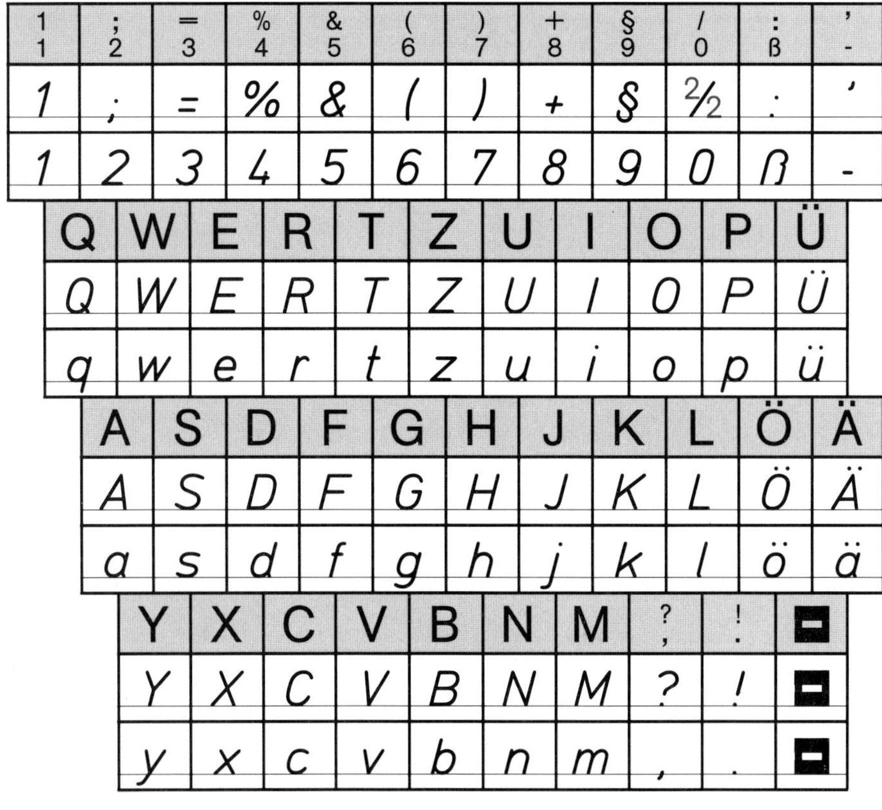

071

Chemische Formeln
Chemical formula signs
Chiemie. Signes de formules

085 0685

ads, cps, acs 0980 071
tps, mft, gst 0982 071

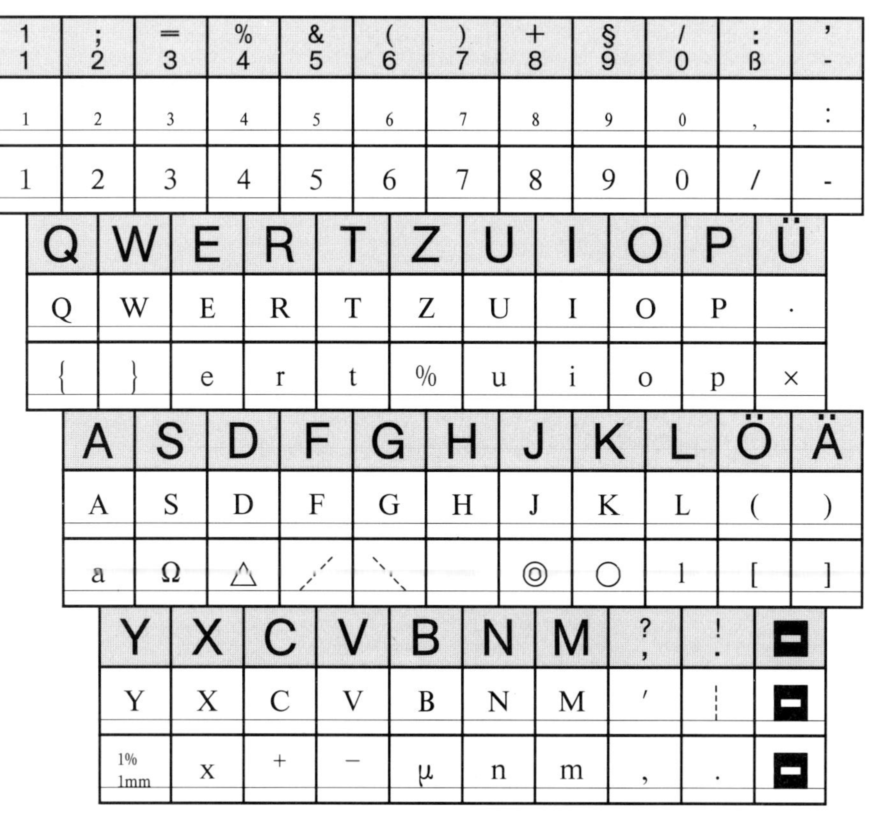

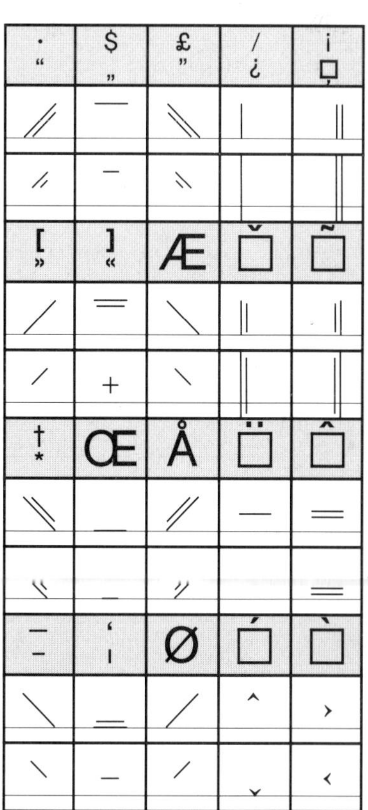

074

Lettisch
Latvian
Letton

ads, cps, acs 0980 080
tps, mft, gst 0982 080

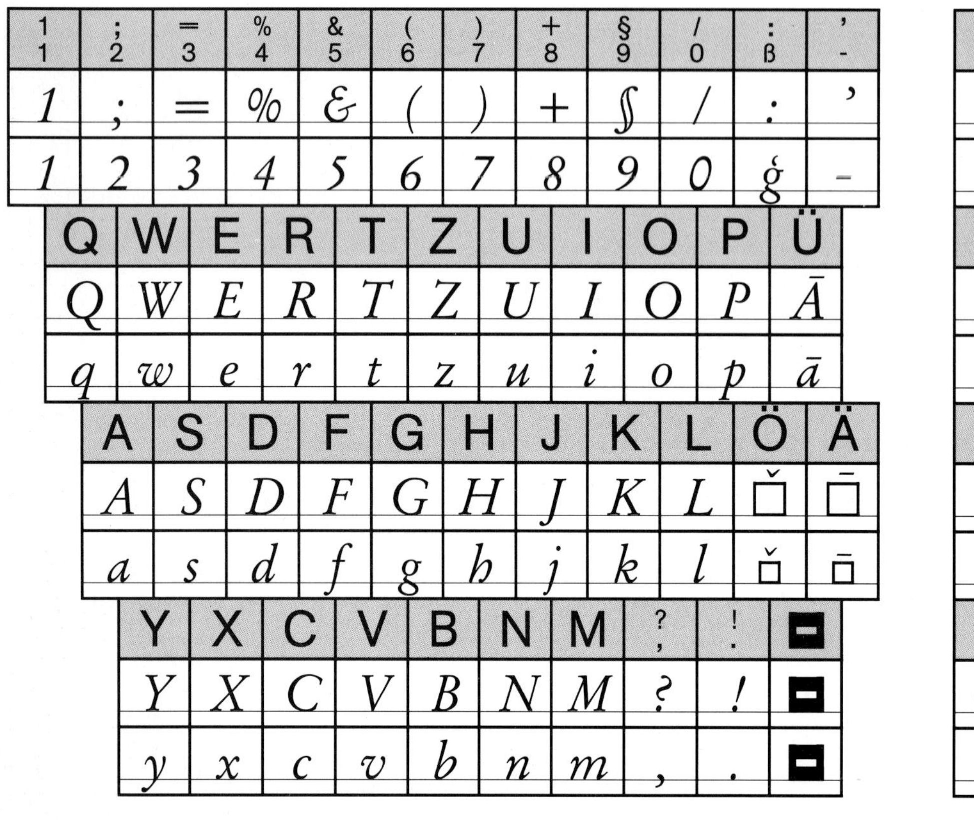

075

Magnum, für Schriftgrößen von 36 bis 60 Punkt
Magnum, for typesizes from 36 to 60 points
Magnum, pour forces de corps de 36 à 60 points

1/1	;/2	=/3	%/4	&/5	(/6	)/7	+/8	§/9	//0	:/ß	'/-
1	**;**	**=**	**%**	**&**	**(**	**)**	**+**	**§**	**/**	**:**	**'**
1	**2**	**3**	**4**	**5**	**6**	**7**	**8**	**9**	**0**	**ß**	**-**

Q	W	E	R	T	Z	U	I	O	P	Ü
Q	**W**	**E**	**R**	**T**	**Z**	**U**	**I**	**O**	**P**	`
q	**w**	**e**	**r**	**t**	**z**	**u**	**i**	**o**	**p**	**ü**

A	S	D	F	G	H	J	K	L	Ö	Ä
A	**S**	**D**	**F**	**G**	**H**	**J**	**K**	**L**	˙	
a	**s**	**d**	**f**	**g**	**h**	**j**	**k**	**l**	**ö**	**ä**

Y	X	C	V	B	N	M	?/,	!/.	■
Y	**X**	**C**	**V**	**B**	**N**	**M**	**?**	**!**	■
y	**x**	**c**	**v**	**b**	**n**	**m**	**,**	**.**	■

·/“	$/„	£/”	//¿	i/̦
·	**$**	**£**	/	**i**
“	**„**	**”**	**¿**	̦
[/»	]/«	Æ	̌	̃
[	**]**	**Æ**	̌	̃
»	**«**	**æ**	̌	̃
†/*	Œ	Å	̈	̂
†	**Œ**	°	̈	̂
*****	**œ**	°	̈	̂
–/–	‘/ı	Ø	́	̀
–	**‘**	**Ø**	́	̀
–	**ı**	**ø**	́	̀

080

DIN 30640
DIN 30640
DIN 30640

ads, cps, acs 0980 080
tps, mft, gst 0982 080

083

ISO 3098 / DIN 6776
ISO 3098 / DIN 6776
ISO 3098 / DIN 6776

ads, cps, acs 0980 083
tps, mft, gst 0982 083

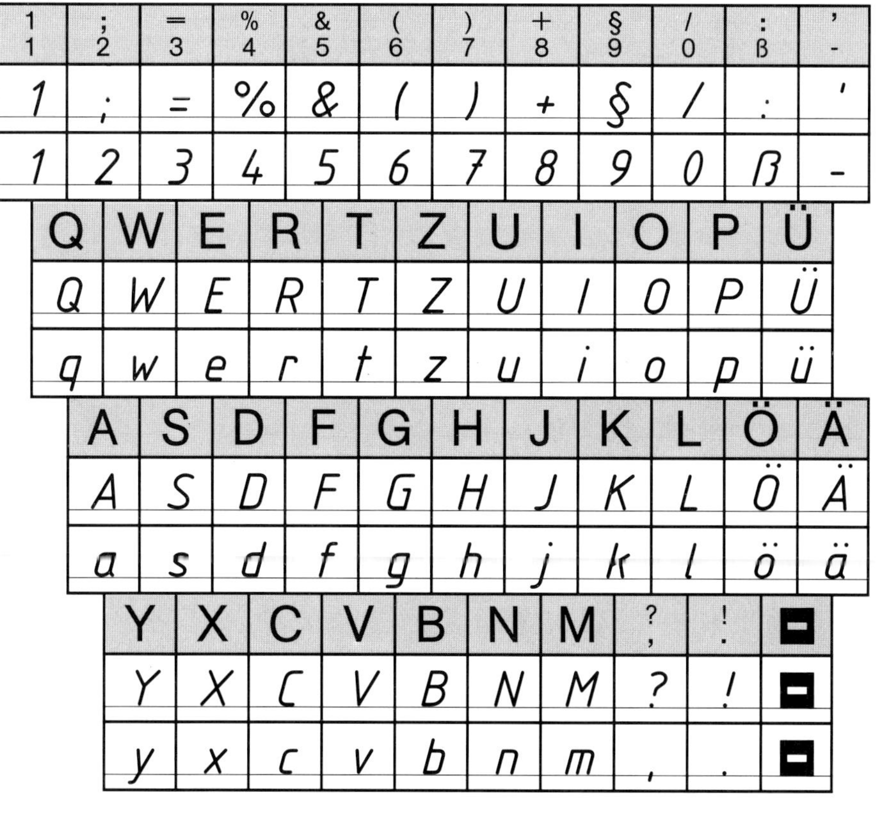

084

Osteuropa Standard
Eastern Europe Standard
Europe orientale Standard

ads, cps, acs 0980 084
tps, mft, gst 0982 084

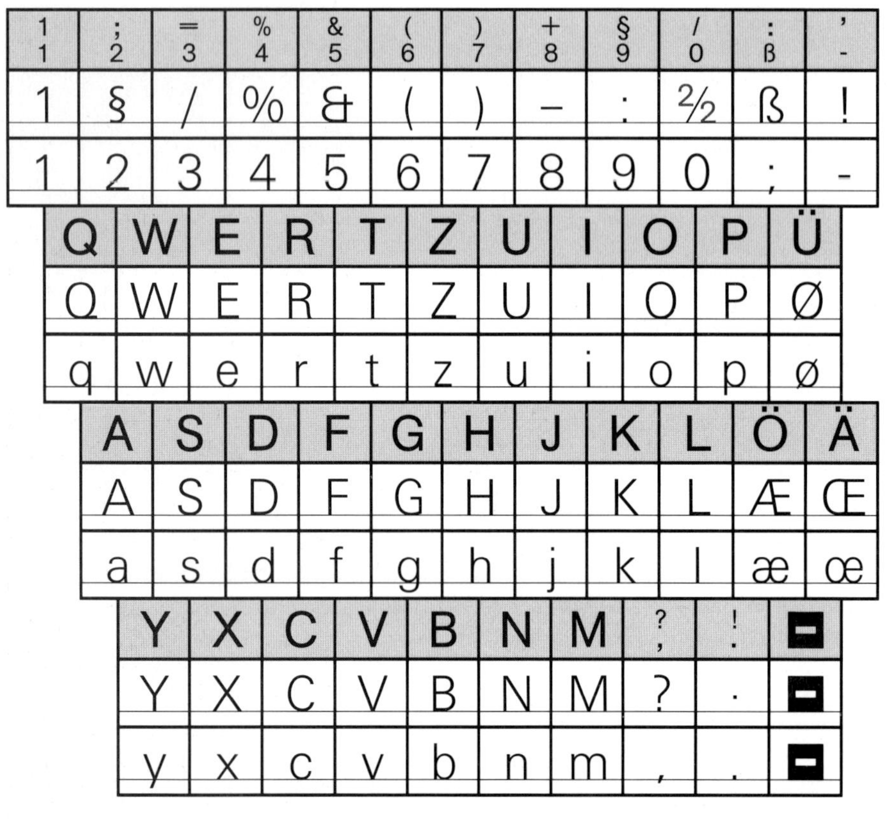

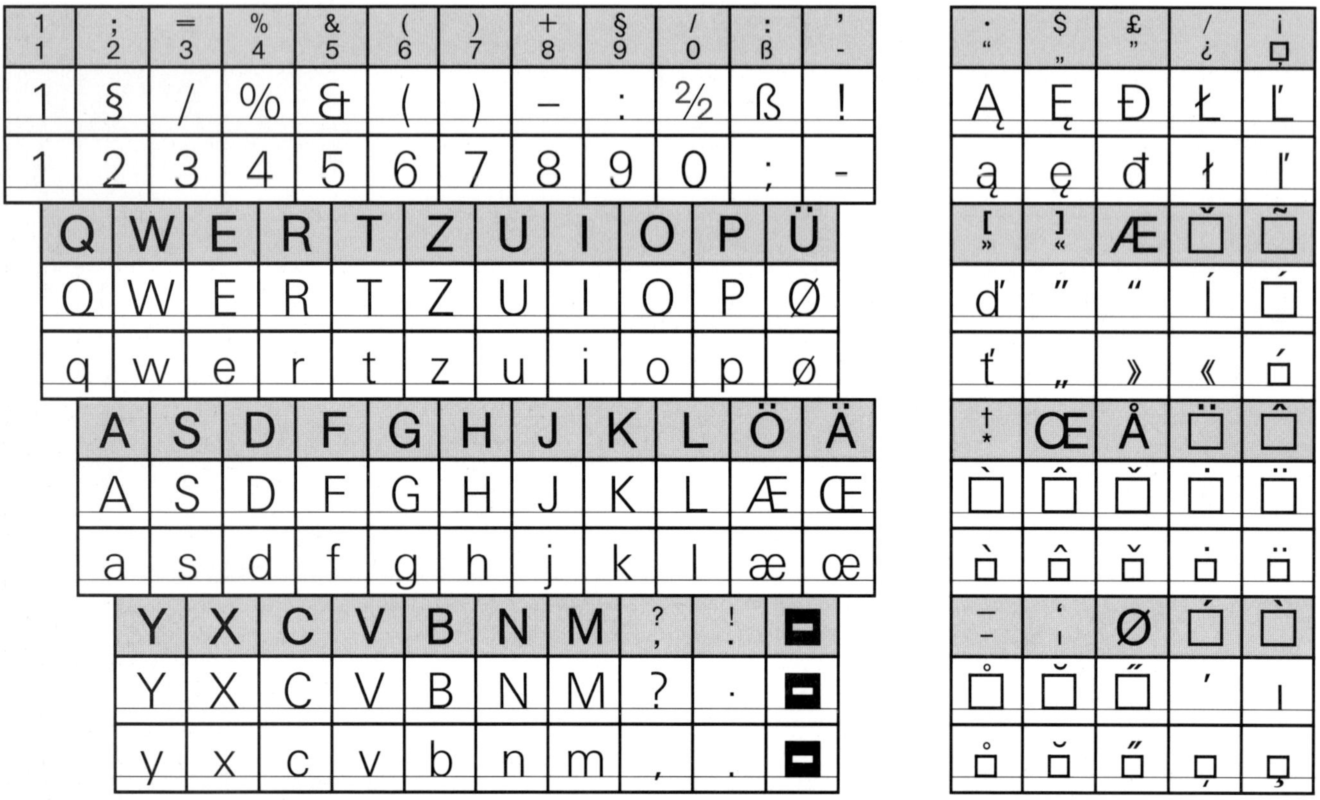

· “	$ „	£ ”	/ ¿	i □̦
Ą	Ę	Đ	Ł	Ľ
ą	ę	đ	ł	ľ
[»	] «	Æ	˘□	˜□
ď	″	‟	Í	´□
ť	„	»	«	´□
† *	Œ	Å	¨□	ˆ□
`□	ˆ□	ˇ□	˙□	¨□
`□	ˆ□	ˇ□	˙□	¨□
– –	‘ ı	Ø	´□	`□
˚□	˘□	˝□	'	ı
˚□	˘□	˝□	˛□	¸□

085

Zusatzscheibe Osteuropa
Additional grid Eastern Europe
Disque supplémentaire Europe orientale

tps, mft, gst 0982 085

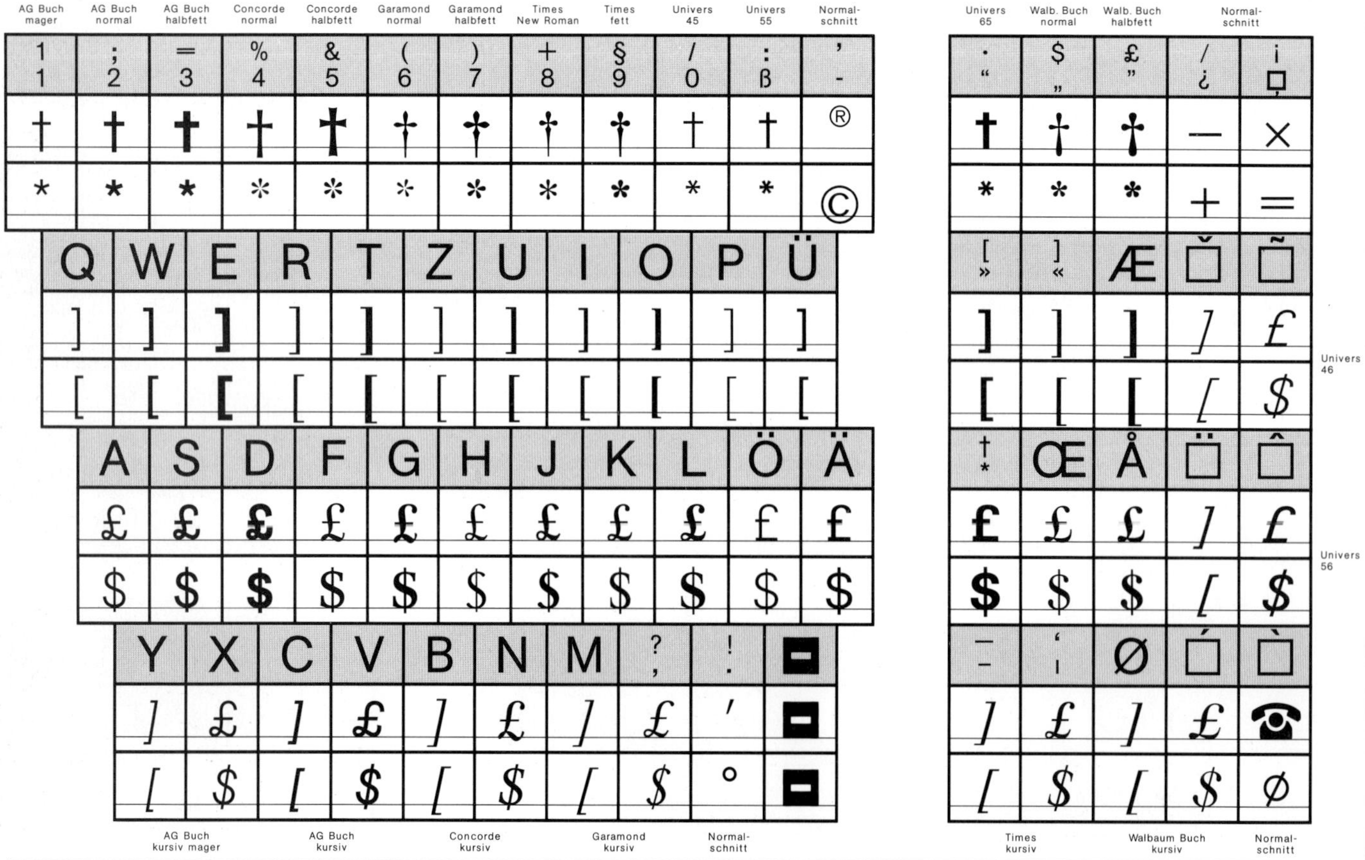

AG Buch mager	AG Buch normal	AG Buch halbfett	Concorde normal	Concorde halbfett	Garamond normal	Garamond halbfett	Times New Roman	Times fett	Univers 45	Univers 55	Normal-schnitt
1 1	; 2	= 3	% 4	& 5	(6	) 7	+ 8	§ 9	/ 0	: ß	' -
†	†	†	†	†	†	†	†	†	†	†	®
*	*	*	*	*	*	*	*	*	*	*	©
Q	W	E	R	T	Z	U	I	O	P	Ü	
]	]	]	]	]	]	]	]	]	]	]	
[	[	[	[	[	[	[	[	[	[	[	
A	S	D	F	G	H	J	K	L	Ö	Ä	
£	£	£	£	£	£	£	£	£	£	£	
$	$	$	$	$	$	$	$	$	$	$	
Y	X	C	V	B	N	M	? ;	!	▬		
]	£	]	£	]	£	]	£	′	▬		
[	$	[	$	[	$	[	$	°	▬		

AG Buch kursiv mager · AG Buch kursiv · Concorde kursiv · Garamond kursiv · Normalschnitt

Univers 65	Walb. Buch normal	Walb. Buch halbfett		Normal-schnitt	
· “	$ „	£ ”	/ ¿	i □̦	
†	†	†	—	×	
*	*	*	+	=	
[»	] «	Æ	˘□	˜□	
]	]	]	]	£	Univers 46
[	[	[	[	$	
† *	Œ	Å	¨□	ˆ□	
£	£	£	]	£	Univers 56
$	$	$	[	$	
– –	‘ ı	Ø	´□	`□	
]	£	]	£	☎	
[	$	[	$	ø	

Times kursiv · Walbaum Buch kursiv · Normalschnitt

089

Kapitälchen, Osteuropa Standard
Small caps Eastern Europe
Petites capitales de l'Europe orientale

tps, mft, gst 0982 089

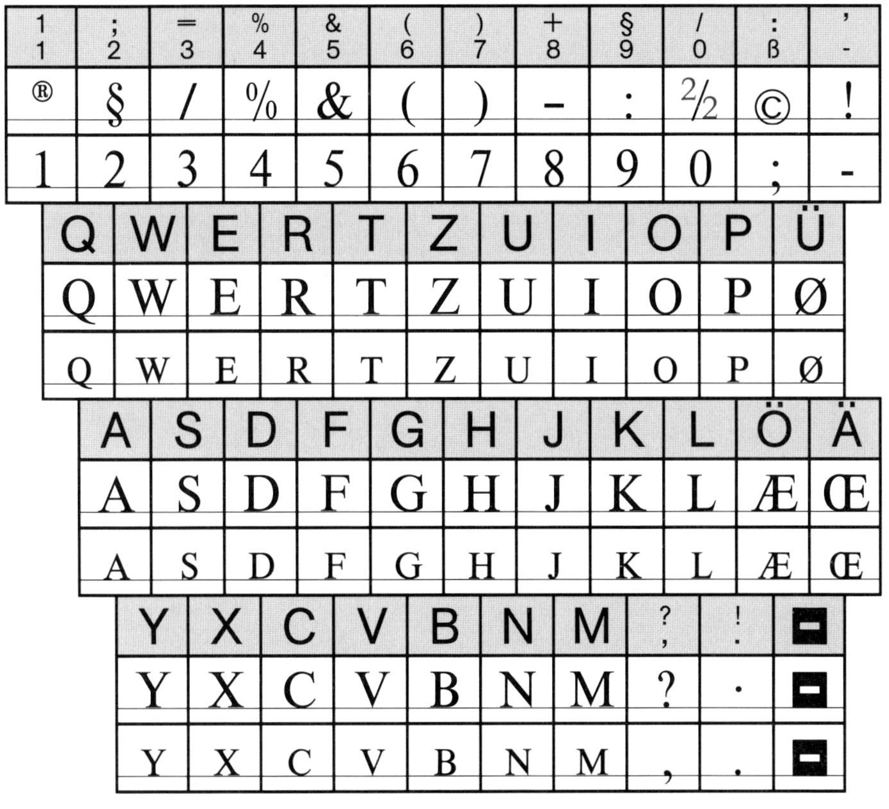

090

Spezialzeichen I
Special signs I
Signes spéciaux I

085 1189

ads, cps, acs 0980 090
tps, mft, gst 0982 090

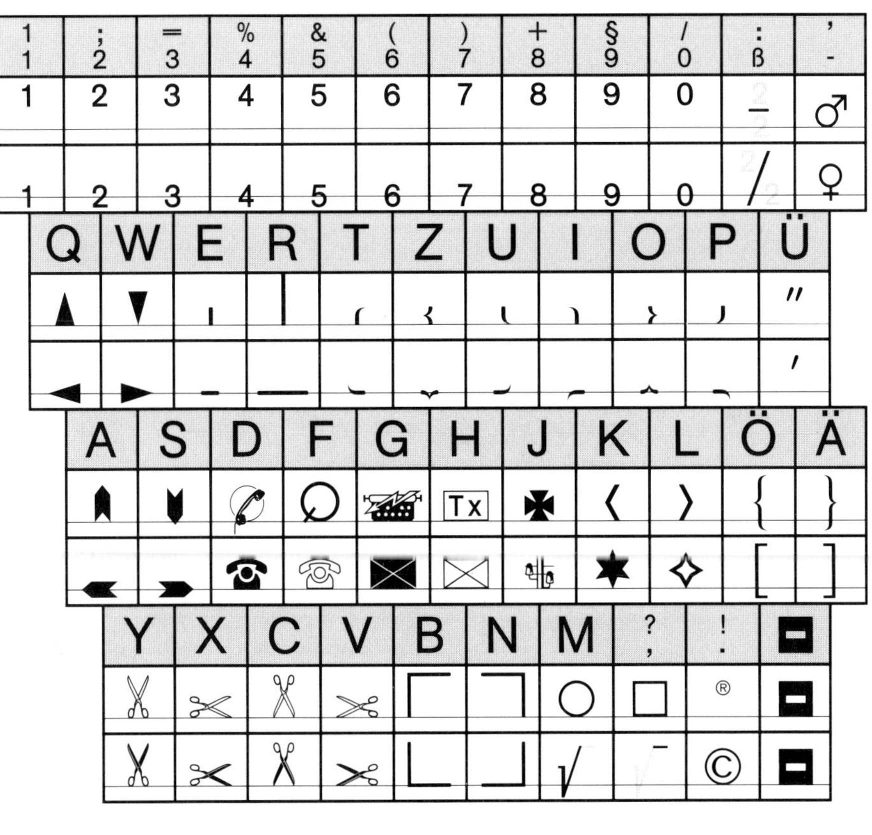

091

Topographische Zahlentafel
Geographical numbers
Chiffres geographiques

085 1203

ads, cps, acs 0980 091
tps, mft, gst 0982 091

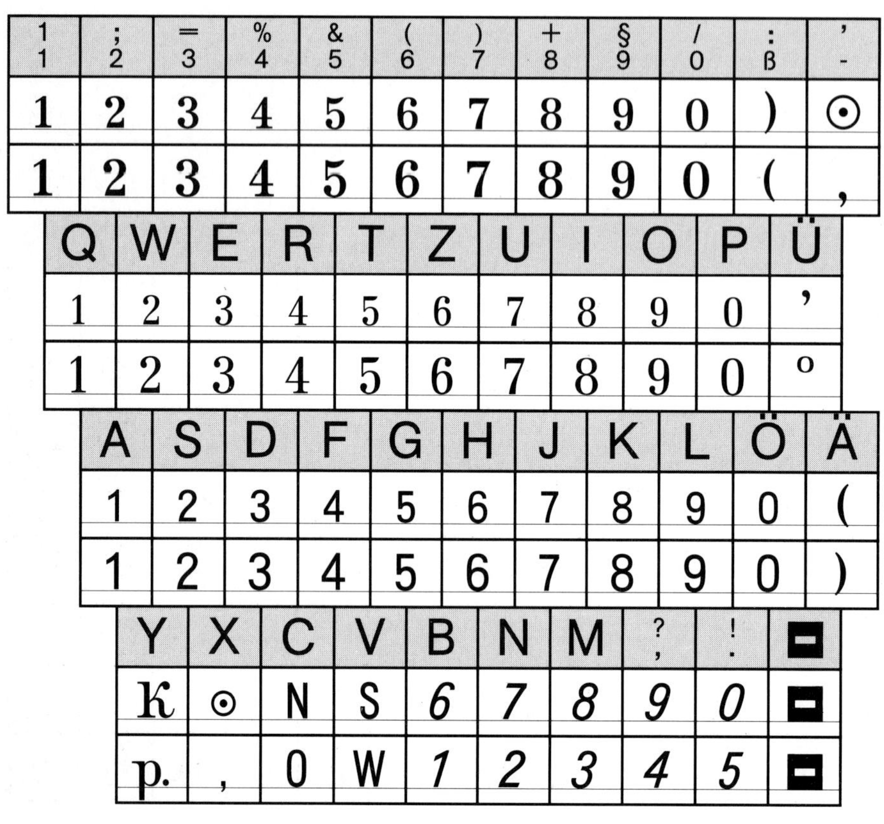

092

OCR B
OCR B
OCR B

085 1208

ads, cps, acs 0980 092
tps, mft, gst 0982 092

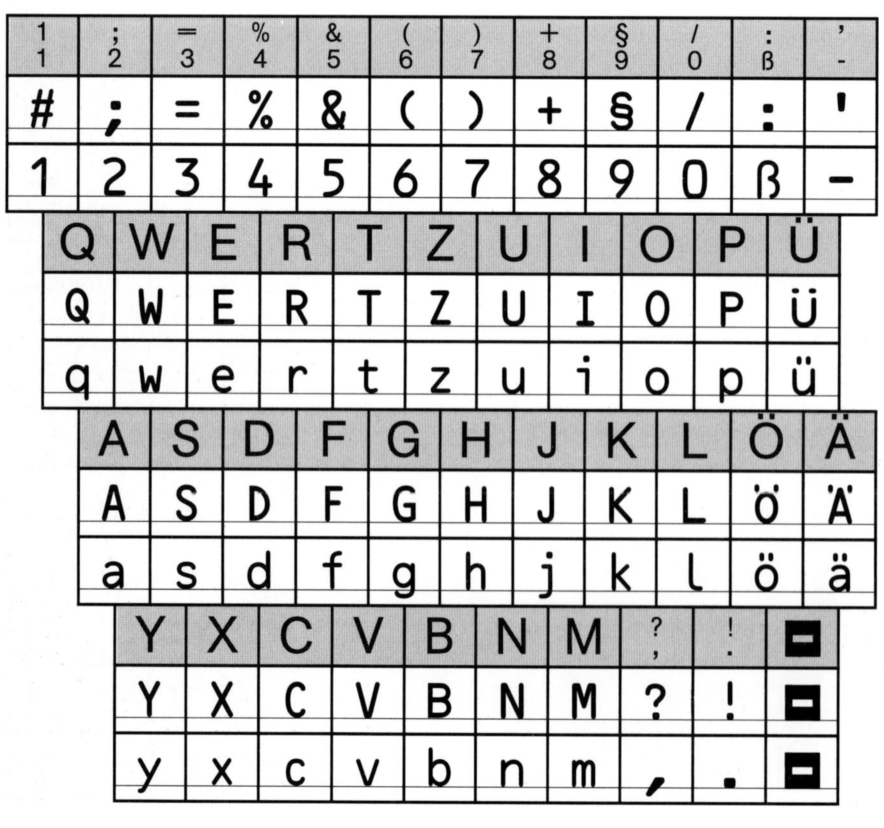

093

OCR A, CMC 7, MICR B 13, Scr Ziffern
OCR A, CMC 7, MICR B 13, Scr numbers
OCR A, CMC 7, MICR B 13, Scr chiffres

085 1209

ads, cps, acs 0980 093
tps, mft, gst 0982 093

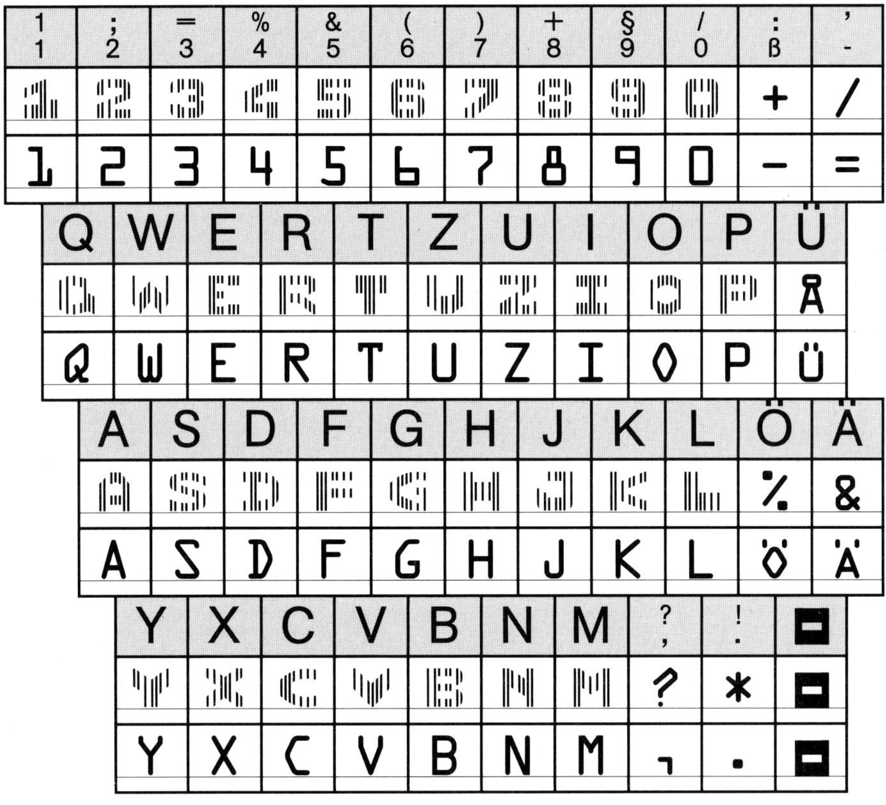

095

Mathematische Formeln I Times
Mathematic formula I Times
Signes de formules mathématiques I Times

085 1240

ads, cps, acs 0980 095
tps, mft, gst 0982 095

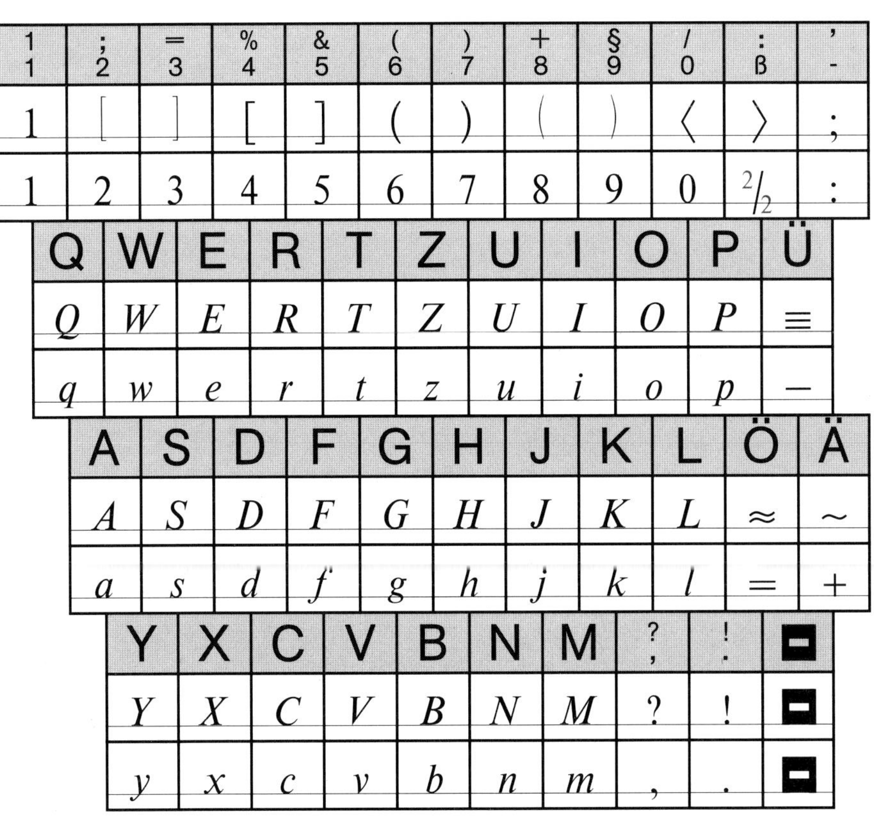

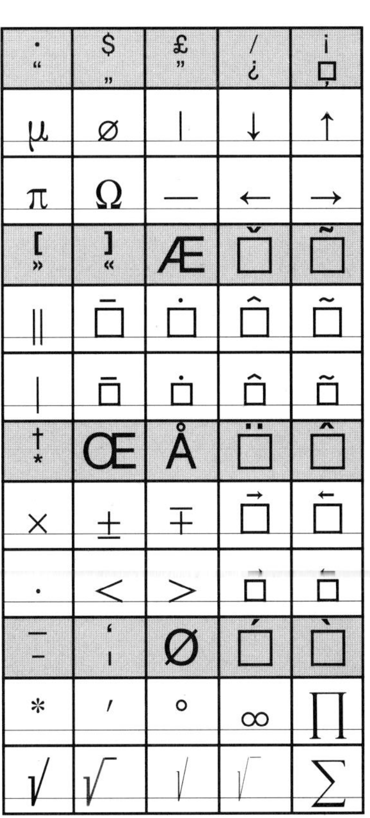

095

Math. Formeln I Concorde
Math. formula signs I Concorde
Math. Signes de formules I Concorde

085 1245

ads, cps, acs 0980 095
cps, mft, gst 0982 095

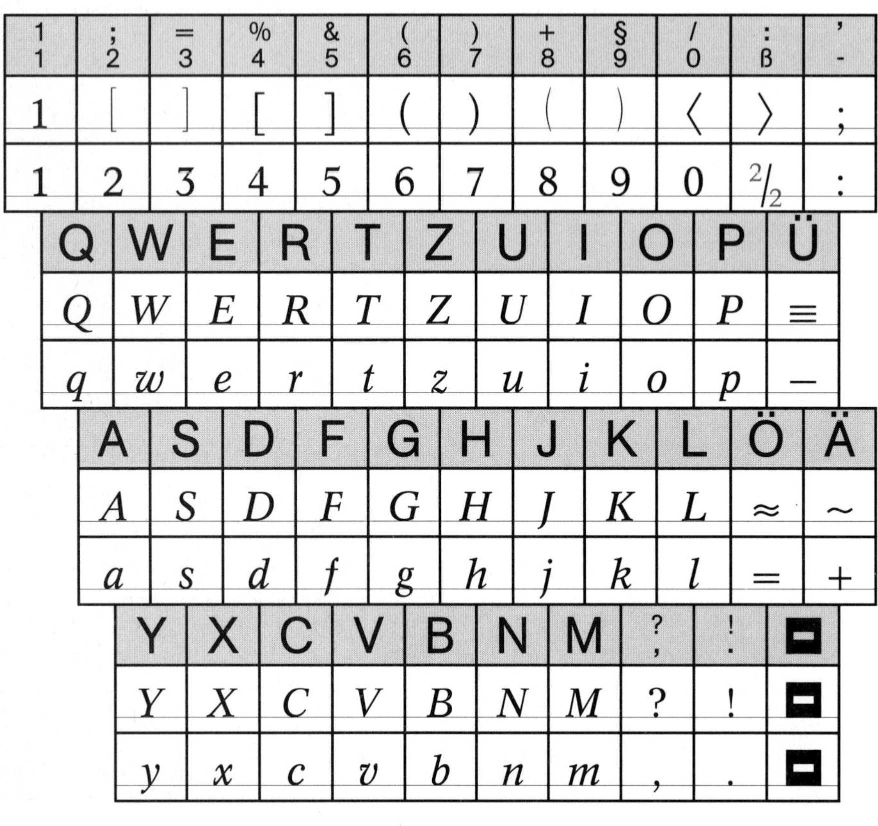

096

Mathematische Formeln 2, griechisch
Mathematic formula 2, greek
Signes de formules mathématiques 2, grec

ads, cps, acs 0980 095
tps, mft, gst 0982 095

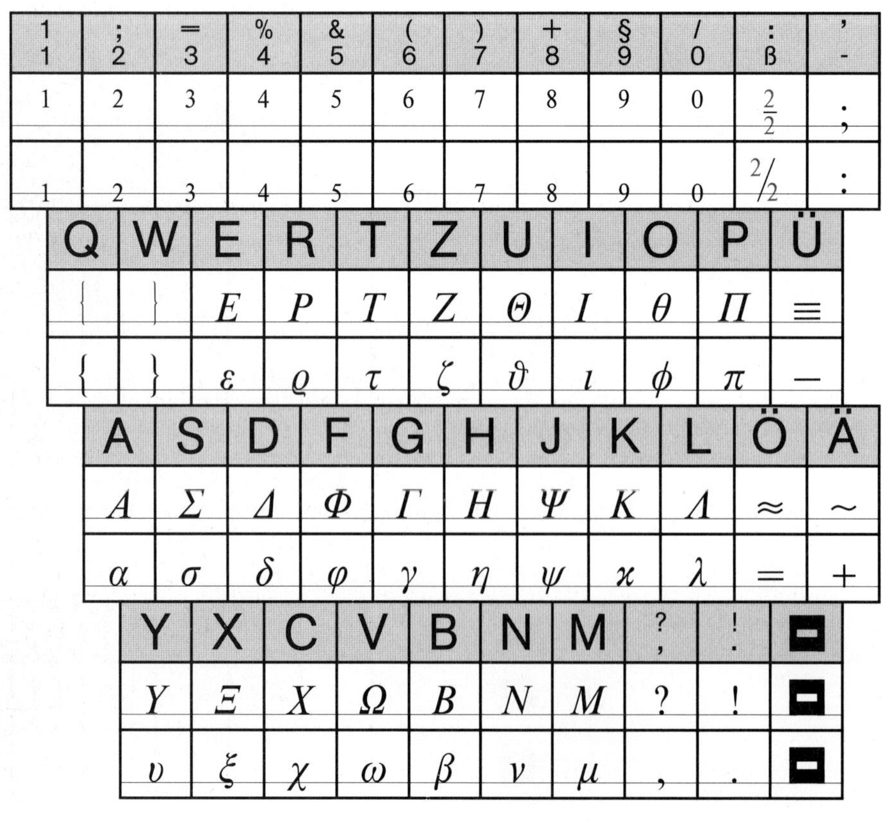

096

Math. Formeln II Concorde
Math. formula signs II Concorde
Math. Signes de formules II Concorde

085 1246

ads, cps, acs 0980 095
tps, mft, gst 0982 095

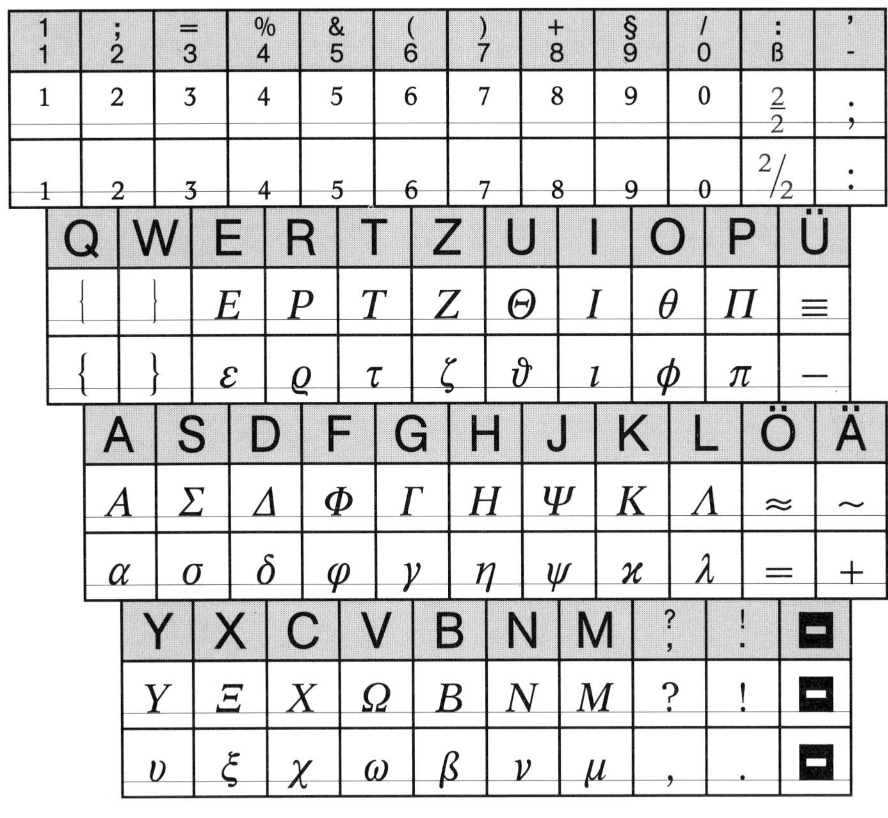

097

Math. Formeln III
Math. formula signs III
Math. Signes de formules III

085 1242

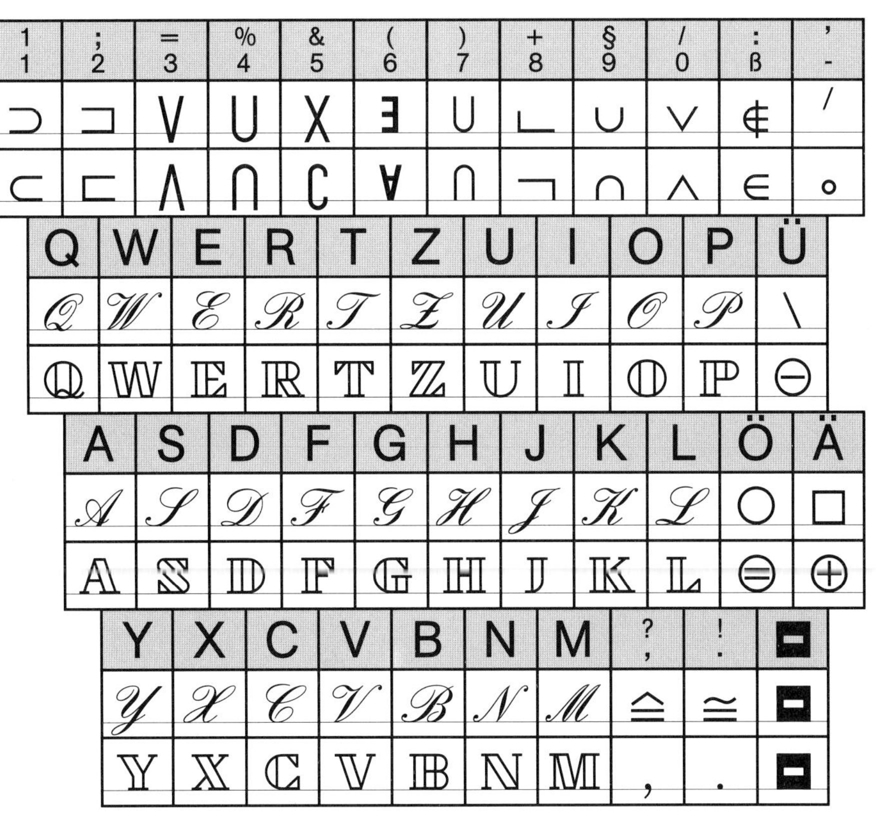

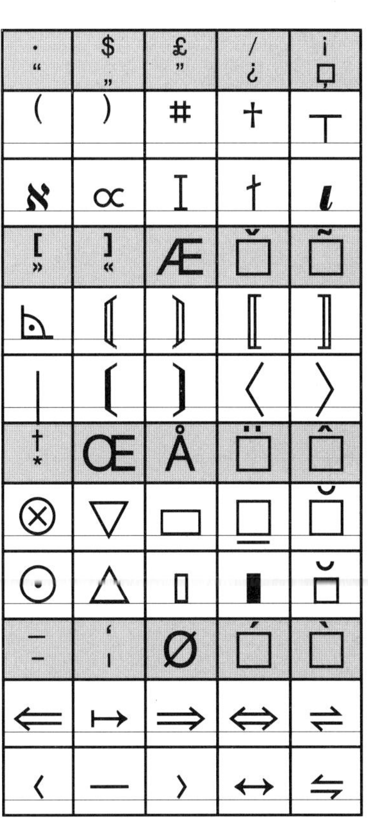

105 Braille / Braille / Braille

085 1261

ads, cps, acs 0980 105
tps, mft, gst 0982 105

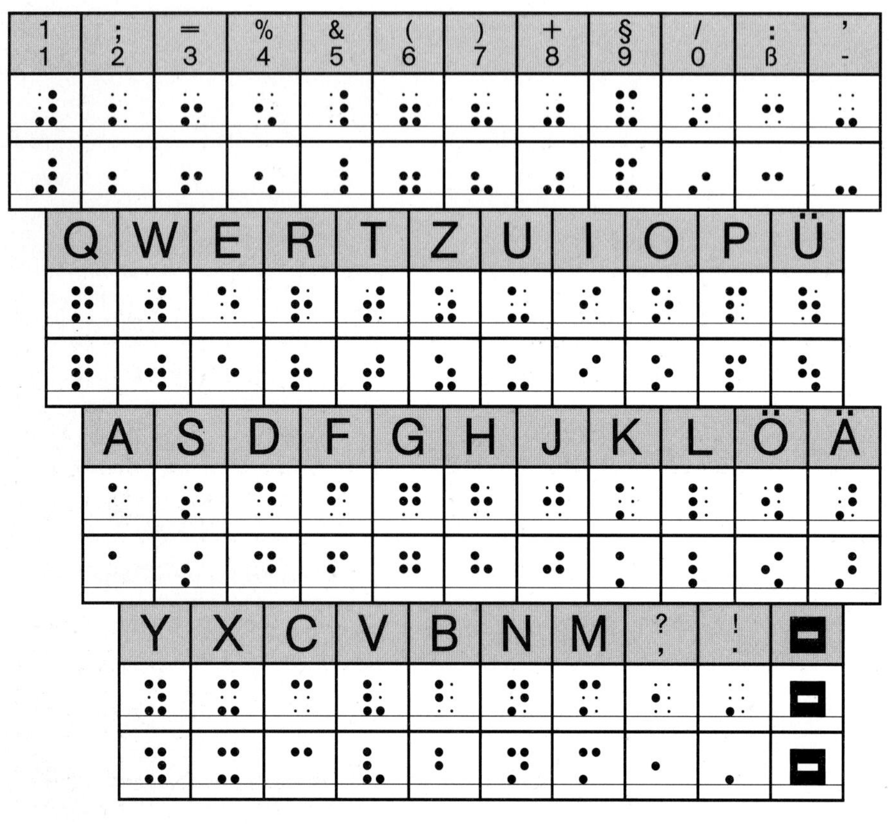

• “	$ „	£ ”	/ ¿	i
[»	] «	Æ	ˇ	˜
† *	Œ	Å	¨	ˆ
‾ –	‘ ı	Ø	´	`

105 Bedeutung der Zeichen / Meaning of Braille-signs / Signification de caractères Braille

Taste	1 1	; 2	= 3	% 4	& 5	(6	) 7	+ 8	§ 9	/ 0	: ß	’ -
Bedeutung	Vorkode Zahlen	;	!	?	Vorkode Sperrung	()	„	“	GE	*	:	-

Taste	Q	W	E	R	T	Z	U	I	O	P	Ü
Bedeutung	Q	W	E	R	T	Z	U	I	O	P	Ü

Taste	A	S	D	F	G	H	J	K	L	Ö	Ä
Bedeutung	A	S	D	F	G	H	J	K	L	Ö	Ä

Taste	Y	X	C	V	B	N	M	? ;	! .
Bedeutung	Y	X	C	V	B	N	M	,	.

Taste	• “	$ „	£ ”	/ ¿	i
Bedeutung	SS	EM	EU	ÄU	AU

Taste	[»	] «	Æ	ˇ	˜
Bedeutung	CH	SCH	ST	UN	IE

Taste	† *	Œ	Å	¨	ˆ
Bedeutung	Vorkode Akzent	Vorkode fremdes Alphabet	ER	EIN	EI

Taste	‾ –	‘ ı	Ø	´	`
Bedeutung	Vorkode Durchstreichung	Vorkode Aufhebung	Vorkode math. Zeichen	Vorkode Versalbuchstabe	Vorkode Versalienfolge

107

Fahrplanzeichen
Time-table signs
Signes pour horaires

085 1300

ads, cps, acs 0980 107
tps, mft, gst 0982 107

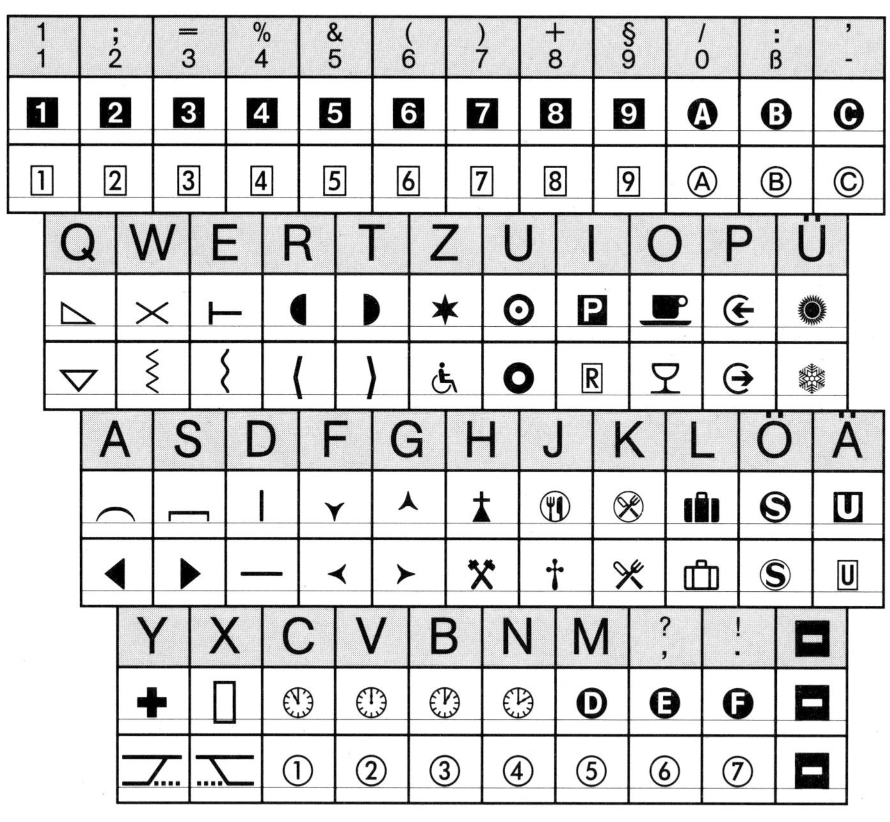

109

Balloon
Balloon
Balloon

085 1254

ads, cps, acs 0980 109
tps, mft, gst 0982 109

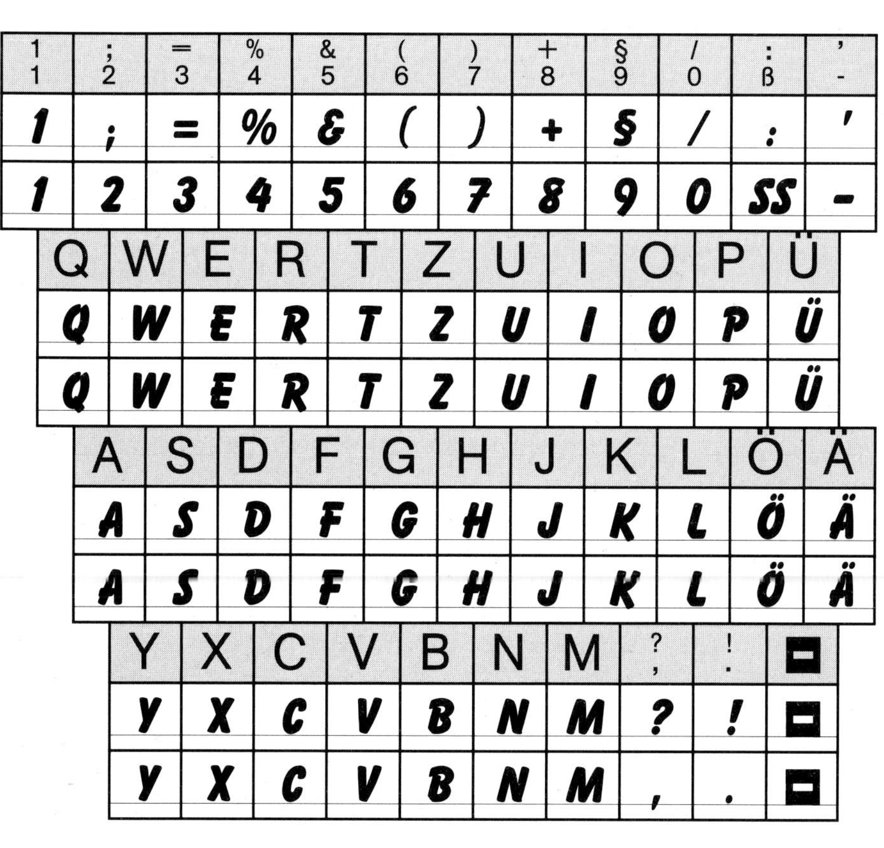

127

Kapitälchen mit Mediävalziffern
Small caps with old figures
Petites capitales avec chiffres médiévaux

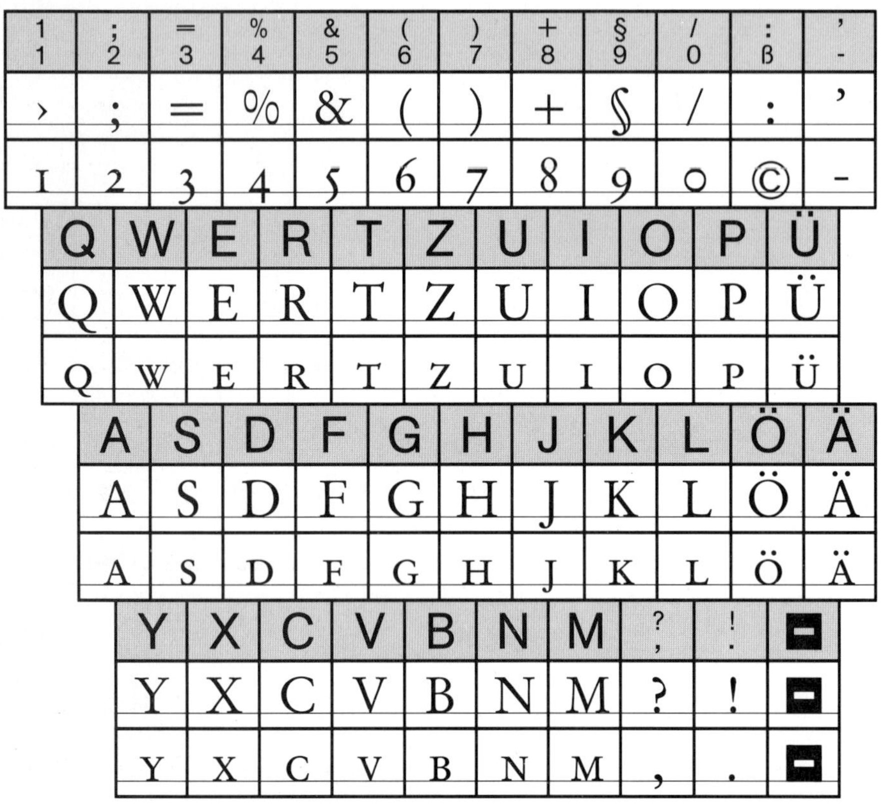

131

Berthold-Devanagari I

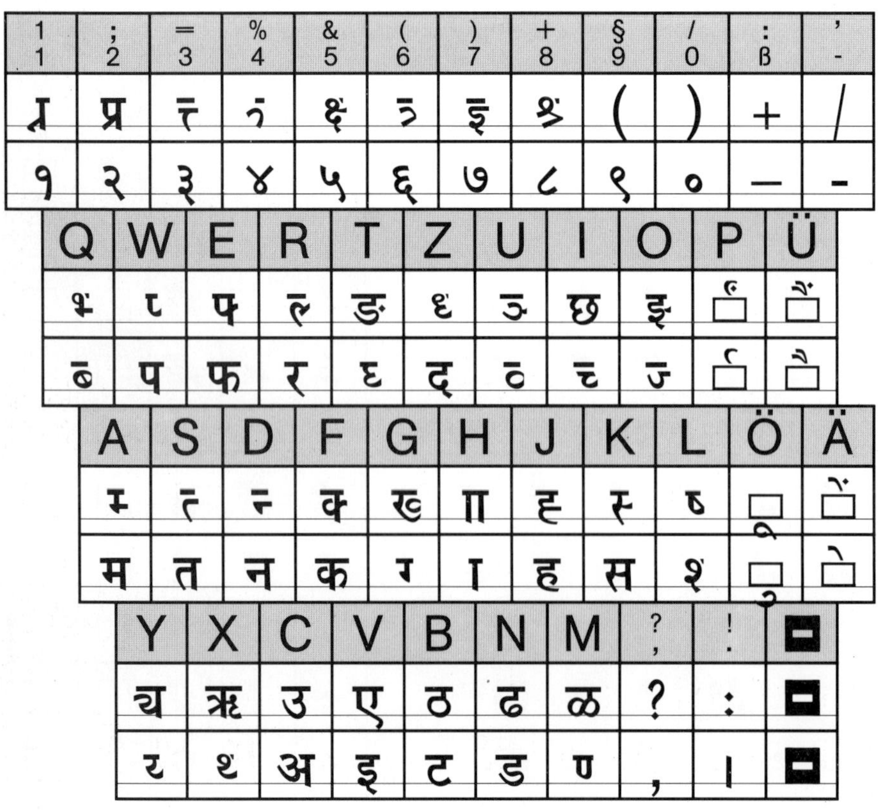

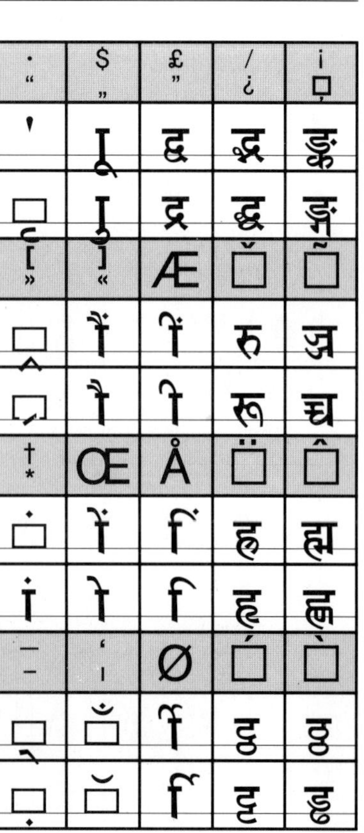

132

Berthold-Devanagari II

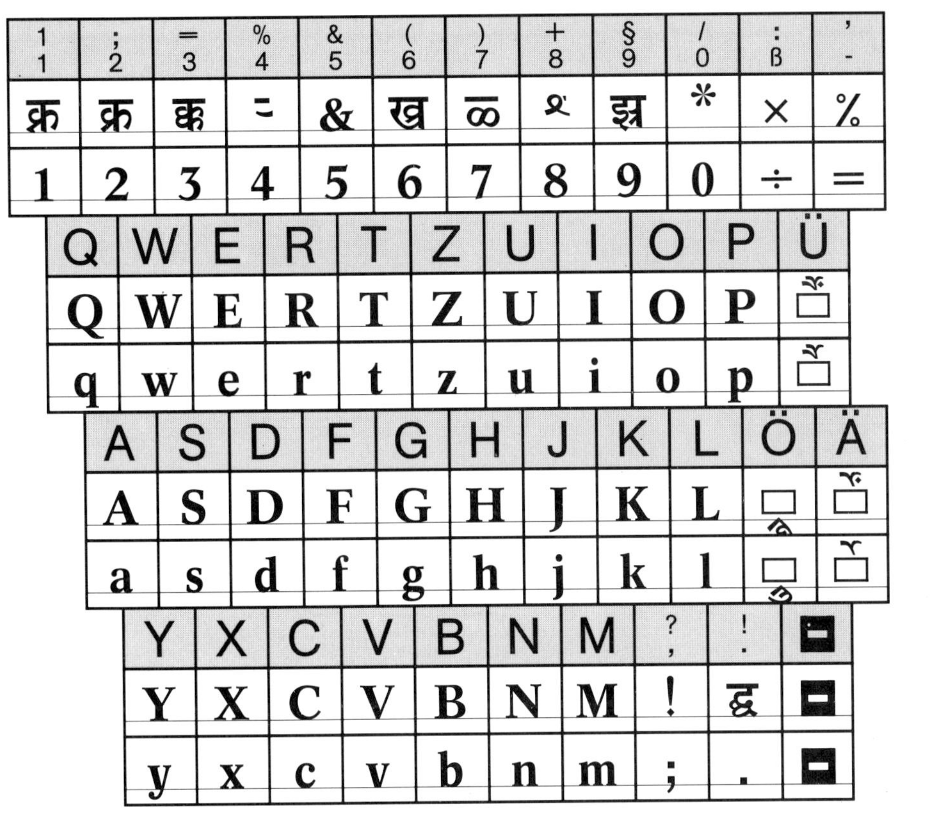

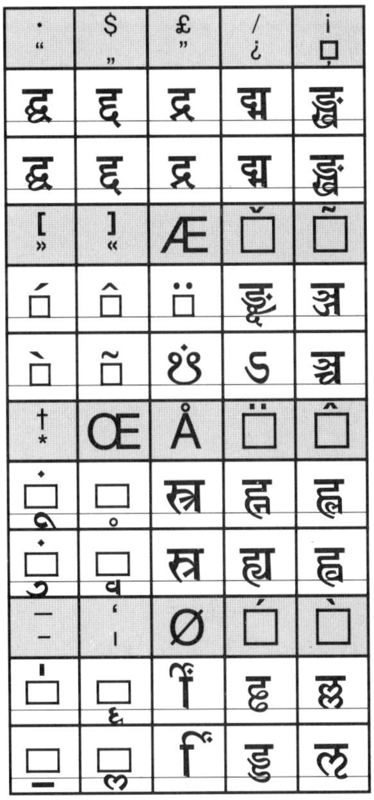

137

Runde Ecken II
Rounded-off corners II
Coins arrondis II

0851395

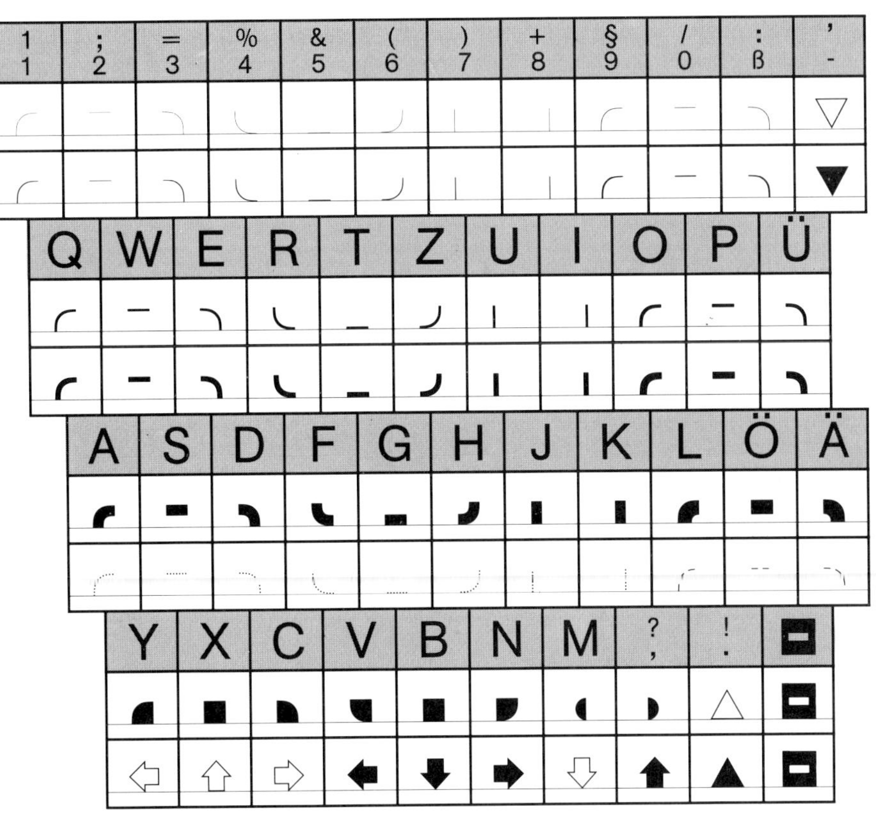

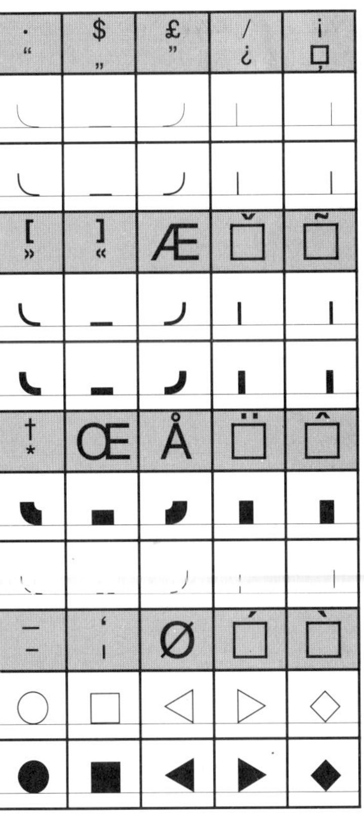

141

Spezialzeichen II
special signs II
signs speciaux II

085 2198

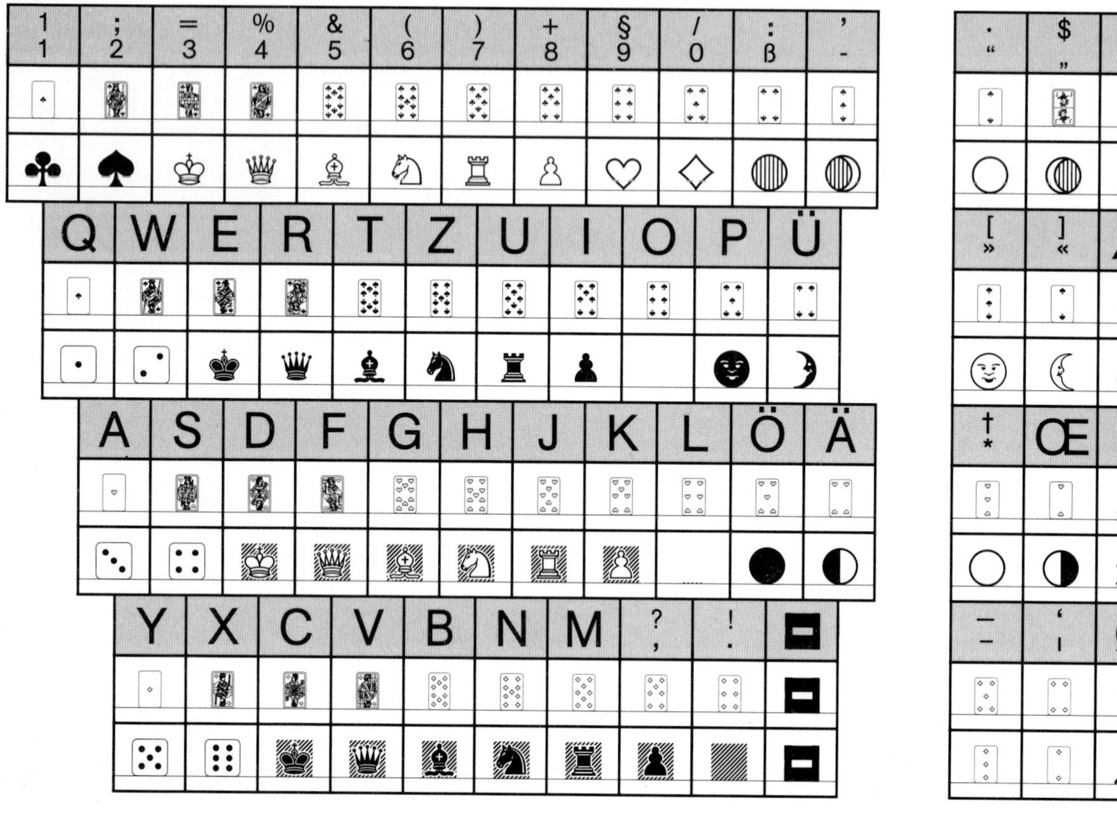

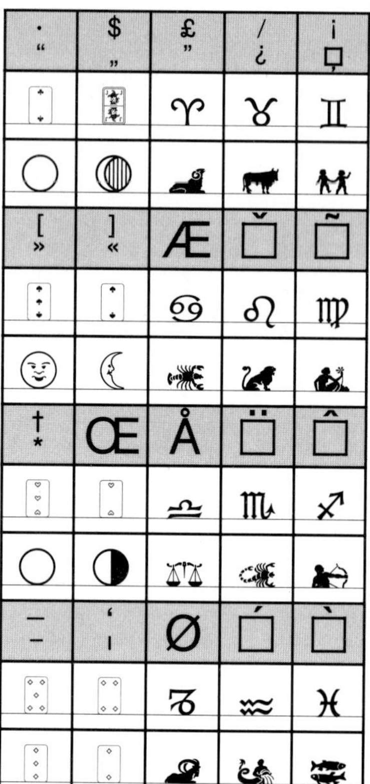

NON LATINS

Schriftprobe	Schrift	Code
Αττικα	Attika	011: sm 081 0128
Αχσιντενς-Γροτεσχ Πουχ	Akzidenz-Grotesk Buch mager light	022: dc 085 0372 022: dig 051 1466
Αχσιντενς-Γροτεσχ Πουχ	Akzidenz-Grotesk Buch normal regular	022: dc 085 0373 022: dig 051 0217
Αχσιντενς-Γροτεσχ Πουχ	Akzidenz-Grotesk Buch kursiv italic	022: dc 085 0378 022: dig 051 0218
Αχσιντενς-Γροτεσχ Πουχ	Akzidenz-Grotesk Buch halbfett medium	022: dc 085 0374 022: dig 051 0219
Αχσιντενς-Γροτεσχ Πουχ	Akzidenz-Grotesk Buch fett bold	022: dc 085 0377
Αχσιντενς-Γροτεσχ Πουχ	Akzidenz-Grotesk Buch schmal condensed	022: dc 085 0375
Αχσιντενς-Γροτεσχ Πουχ	Akzidenz-Grotesk Buch schmalfett bold condensed	022: dc 085 0376
Αχσιντενς-Γροτεσχ Πουχ	Akzidenz-Grotesk Buch breit extended	022: dc 085 0379
Αχσιντενς-Γροτεσχ Πουχ	Akzidenz-Grotesk Buch breitfett bold extended	022: dc 085 0380
Γρίκ Νρ.5	Greek No. 5	011: sm 081 0145
DIN 30640 λεπτή	DIN 30640 mager light	011: sm 081 0212
DIN 30640 λεπτή πλάγια	DIN 30640 kursiv mager light italic	011: sm 081 0226
DIN 30640 ἡμίμαυρα στενά	DIN 30640 schmalhalbfett medium condensed	011: sm 081 0162
DIN 30640 ἡμίμαυρα στενά πλάγια	DIN 30640 kursiv schmalhalbfett medium condensed italic	011: sm 081 0176
Ερακλίτ	Heraklit	011: sm 081 0131
Κονκόρτ	Concorde normal regular	022: dc 085 0353
Κονκόρτ	Concorde kursiv italic	022: dc 085 0354
Κονκόρτ	Concorde halbfett medium	022: dc 085 0355
Μπάσκερβιλ	Baskerville normal regular	022: dc 085 0367
Μπάσκερβιλ	Baskerville kursiv italic	022: dc 085 0368
Μπάσκερβιλ	Baskerville halbfett medium	022: dc 085 0369
Σεντσουρυ ALTGRIECHISCH	Century Schoolbook normal regular	022: dc 085 0370 022: dig 051 0535
Σεντσουρυ ALTGRIECHISCH	Century Schoolbook kursiv italic	022: dc 085 0371 022: dig 051 0179

GRIECHISCH

Schriftprobe	Schrift	Nummern
Τάϊμς	Times New Roman	022: dc 0862359 022: dig 0510132
Τάϊμς	Times kursiv italic	022: dc 0862360 022: dig 0510228
Τάϊμς	Times fett bold	022: dc 0862361 022: dig 0510227
Τάϊμς	Times kursiv fett bold italic	022: dc 0850174
Φαίδων	Phaidon kursiv italic	011: sm 0810159

Schriftprobe	Schrift	Nummern
Акцидентный-Гротеск	Akzidenz-Grotesk normal regular	026: dc 0850301 037: dc 0850333 000: sm 0811415
Акцидентный-Гротеск	Akzidenz-Grotesk kursiv italic	026: dc 0852115 037: dc 0852116
Акцидентный-Гротеск	Akzidenz-Grotesk halbfett medium	026: dc 0850302 037: dc 0850334
Акцидентный-Гротеск	Akzidenz-Grotesk fett bold	026: dc 0850303 037: dc 0850341
Акцидентный-Гротеск	Akzidenz-Grotesk schmalfett bold condensed	026: dc 0850304 037: dc 0850338
Амтс Антиква	Amts-Antiqua normal regular	000: sm 0811412
Амтс Антиква	Amts-Antiqua kursiv italic	000: sm 0811413
Амтс Антиква	Amts-Antiqua halbfett medium	000: sm 0811414
Баскервиль	Baskerville normal regular	026: dc 0850315 037: dc 0850335
Баскервиль	Baskerville kursiv italic	026: dc 0850316 037: dc 0850336
Баскервиль	Baskerville halbfett medium	026: dc 0850317 037: dc 0850337
Бодони-Антиква	Bodoni-Antiqua normal regular	026: dc 0850321 037: dc 0850342
Бодони	Bodoni kursiv italic	026: dc 0850322 037: dc 0850343
Бодони-Антиква	Bodoni-Antiqua halbfett medium	026: dc 0850323 037: dc 0850344
Хельветика	Helvetica normal regular	026: dc 0851210 037: dc 0851213 dig 0510597
Хельветика	Helvetica halbfett medium	026: dc 0851211 037: dc 0851214 dig 0510598
Хельветика	Helvetica schmalfett bold condensed	026: dc 0851212 037: dc 0851215 026: dig 0510599
Конкорд	Concorde normal regular	026: dc 0850324 037: dc 0850330
Конкорд	Concorde kursiv italic	026: dc 0850325 037: dc 0850331
Конкорд	Concorde halbfett medium	026: dc 0850326 037: dc 0850332
Таймс Нью Роман	Times New Roman	026: dc 0862311 037: dc 0862338 026: dig 0510607
Таймс	Times kursiv italic	026: dc 0862312 037: dc 0862339 026: dig 0510608
Таймс	Times fett bold	026: dc 0862313 037: dc 0862340 026: dig 0510609

Muster	Schrift	Code
اراكاد	Ara-Garde fett bold	000: sm 081 1612
برتهولد-عربى	Berthold-Arabisch normal regular	003: dc 085 8912 004: dc 085 8919
برتهولد-عربى	Berthold-Arabisch halbfett medium	003: dc 085 8420 004: dc 085 8540 014: sm 081 1421
برتهولد-عربى	Berthold Arabisch normal regular	139: dc 085 1396*) 140: dc 085 1397*)
برتهولد-عربى	Berthold-Arabisch halbfett medium	139: dc 085 1398*) 140: dc 085 1399*)
برتهولد-عربى	Berthold-Arabisch (Persisch) normal regular	005: dc 087 3007 006: dc 087 3008
برتهولد-عربى	Berthold-Arabisch (Persisch) halbfett medium	005: dc 087 3009 006: dc 087 3010
برتهولد - عربى	Berthold-Arabisch licht outline	014: sm 081 1422
موزائيك	Mozaïque mager light	000: sm 081 1619
نيل	Nile halbfett bold	000: sm 081 1613
الحديث	Al Hadith normal regular	139: dc 085 1400*) 140: dc 085 1401*)
الحديث	Al Hadith fett bold	139: dc 085 1402*) 140: dc 085 1403*)
سمبلفايد/عادى IM CHARAKTER	Dib-Arabic-Simplified normal regular	139: dc 085 1511*) 140: dc 085 1512*)
سمبلفايد/عريض IM CHARAKTER	Dib-Arabic-Simplified halbfett medium	139: dc 085 1513*) 140: dc 085 1514*)
كوفى/ عادى	Kufi normal regular	162: dc 085 1679*) 163: dc 085 1683*)

*) Nur verwendbar mit «ads arabic»
*) For use in connection with «ads arabic»
*) Pour utilisation en connection de l'«ads arabic»

Schriftmuster	Schrift	Code
बेठील्द–देवनागरी	Berthold-Devanagari mager light	131: dc 0852172 132: dc 0852173
बेठील्द–देवनागरी	Berthold-Devanagari halbfett medium	131: dc 0852174 132: dc 0852175
ברטלר-עברית	Berthold-Hebräisch	029: dc 0850394
העברעיאש	Hadassah normal regular	000: sm 0811418
העברעיאש	Hadassah fett bold	000: sm 0811419

SPECIALS

STANDARD- UND SPEZIAL-LAYOUTS

	Figurenverzeichnis bitte den entsprechenden Belegungsplänen aus dem Verzeichnis „Berthold Layouts" entnehmen	For character specification refer to the corresponding layout schemes in "Berthold Layouts"	Pour la spécification de caractères veuillez voir aux schémas de disposition s.v.p. en "Berthold Layouts"	
000	Stripscheibe mit Graukeil	Strip disc with sensitometric wedge	Disque de pellicule avec coin neutre échelonné	dc 085 0598
001	Mathematische Formelzeichen 2 mit Concorde kursiv	Mathematic formula discs 2 with Concorde italic	Signes de formules mathématiques 2 avec Concorde italique	dc 085 0930
001	Mathematische Formelzeichen 2 mit Times kursiv	Mathematic formula discs 2 with Times italic	Signes de formules mathématiques 2 avec Times italique	dc 085 0925
002	Mathematische Formelzeichen 4	Mathematic formula discs 4	Signes de formules mathématiques 4	dc 085 0927
003	Berthold-Arabisch I Schriftenverzeichnis auf Seite 1526	Berthold Arabic I type face list page 1526	Berthold Arabe I catalogue de caractères page 1526	
004	Berthold-Arabisch II Schriftenverzeichnis auf Seite 1526	Berthold Arabic II type face list page 1526	Berthold Arabe II catalogue de caractères page 1526	
005	Berthold-Persisch I Schriftenverzeichnis auf Seite 1526	Berthold Farsi I type face list page 1526	Berthold Perse I catalogue de caractères page 1526	
006	Berthold-Persisch II Schriftenverzeichnis auf Seite 1526	Berthold Farsi II type face list page 1526	Berthold Perse II catalogue de caractères page 1526	
007	Pi-font	Pi-font	Pi-font	dc 085 0038
008	Mathematische Formelzeichen 3	Mathematic formula discs 3	Signes de formules mathématiques 3	dc 085 0926
010	Ziffern im Kreis und Quadrat	Numbers in circle and square	Chiffres en cercle et en carré	dc 085 4591
012	Concorde normal phonetische Zeichen	Concorde regular phonetic signs	Concorde normal caractères phonétiques	dc 085 0669
012	Times New Roman phonetische Zeichen	Times New Roman phonetic signs	Times New Roman caractères phonétiques	dc 085 0670
013	Baskerville normal mit Formelzeichen	Baskerville regular with mathematic formula signs	Baskerville normal avec signes de formules mathématiques	dc 085 0507
014	Times New Roman mit chemischen Formelzeichen	Times New Roman with chemical formula signs	Times New Roman avec signes de formules chimiques	dc 086 2509
017	Univers 55 mit Bruchziffern und Sonderzeichen	Univers 55 with fractions and special signs	Univers 55 avec fractions et signes spéciaux	dc 085 4518
018	Times New Roman mit Kapitälchen und Sonderzeichen	Times New Roman with small caps and special signs	Times New Roman avec petites capitales et signes spéciaux	dc 086 2519
020	Akzidenz-Grotesk normal mit Ziffern und mathematischen Zeichen	Akzidenz-Grotesk regular with numbers and mathematic signs	Akzidenz-Grotesk normal avec chiffres et signes mathématiques	dc 085 0502
021	Romanische Belegung Schriftenverzeichnis auf Anfrage	Romanic layout type face list on request	Disposition pour langues romaines catalogue de caractères à la demande	
022	Griechisch Schriftenverzeichnis auf den Seiten 1523 und 1524	Greek type face list pages 1523 and 1524	Grecque catalogue de caractères pages 1523 et 1524	
023	Griechisch Akzidenz Grotesk normal mit Formelzeichen	Greek Akzidenz Grotesk regular with formulae signs	Grecque Akzidenz-Grotesk normal avec signes formules	dc 085 0501
024	Slawisch Akzidenz-Grotesk normal	Slavonic Akzidenz-Grotesk regular	Slave Akzidenz-Grotesk normal	dc 085 0401
024	Slawisch Akzidenz-Grotesk halbfett	Slavonic Akzidenz-Grotesk medium	Slave Akzidenz-Grotesk demi-gras	dc 085 0402
024	Slawisch Akzidenz-Grotesk fett	Slavonic Akzidenz-Grotesk bold	Slave Akzidenz-Grotesk gras	dc 085 0403

STANDARD- UND SPEZIAL-LAYOUTS

	Figurenverzeichnis bitte den entsprechenden Belegungsplänen aus dem Verzeichnis „Berthold Layouts" entnehmen	For character specification refer to the corresponding layout schemes in "Berthold Layouts"	Pour la spécification de caractères veuillez voir aux schémas de disposition s.v.p. en "Berthold Layouts"	
024	Slawisch Baskerville normal	Slavonic Baskerville regular	Slave Baskerville normal	dc 085 0417
024	Slawisch Baskerville kursiv	Slavonic Baskerville italic	Slave Baskerville italique	dc 085 0418
024	Slawisch Baskerville halbfett	Slavonic Baskerville medium	Slave Baskerville demi-gras	dc 085 0443
024	Slawisch Bodoni-Antiqua normal	Slavonic Bodoni-Antiqua regular	Slave Bodoni-Antiqua normal	dc 085 0422
024	Slawisch Bodoni kursiv	Slavonic Bodoni italic	Slave Bodoni italique	dc 085 0423
024	Slawisch Bodoni-Antiqua halbfett	Slavonic Bodoni-Antiqua medium	Slave Bodoni-Antiqua demi-gras	dc 085 0425
024	Slawisch Concorde normal	Slavonic Concorde regular	Slave Concorde normal	dc 085 0491
024	Slawisch Concorde kursiv	Slavonic Concorde italic	Slave Concorde italique	dc 085 0492
024	Slawisch Concorde halbfett	Slavonic Concorde medium	Slave Concorde demi-gras	dc 085 0493
024	Slawisch Garamont Amsterdam normal	Slavonic Garamont Amsterdam regular	Slave Garamont Amsterdam normal	dc 085 8413
024	Slawisch Garamont Amsterdam kursiv	Slavonic Garamont Amsterdam italic	Slave Garamont Amsterdam italique	dc 085 8414
024	Slawisch Garamont Amsterdam halbfett	Slavonic Garamont Amsterdam medium	Slave Garamont Amsterdam demi-gras	dc 085 8411
024	Slawisch Times New Roman	Slavonic Times New Roman	Slave Times New Roman	dc 086 2459
024	Slawisch Times kursiv	Slavonic Times italic	Slave Times italique	dc 086 2460
024	Slawisch Times fett	Slavonic Times bold	Slave Times gras	dc 086 2461
024	Slawisch Univers 55 normal	Slavonic Univers 55 medium	Slave Univers 55 normal	dc 086 0668
024	Slawisch Univers 56 kursiv	Slavonic Univers 56 medium italic	Slave Univers 56 italique	dc 086 0673
025	Belegung Fraktur	Gothic layout	Disposition gothiques	
026	Kyrillische Schriften Schriftenverzeichnis auf Seite 1525	Cyrillic type faces type face list page 1525	Disposition cyrillique catalogue de caractères page 1525	
027	Kapitälchen	Small Caps	Petites capitales	
029	Hebräisch Schriftenverzeichnis auf Seite 1527	Hebrew type face list page 1527	Hébraïque catalogue de caractères page 1527	
031	Anglo-amerikanische Belegung Schriftenverzeichnis auf Anfrage	Anglo-american layout type face list on request	Disposition anglo-américaine catalogue de caractères à la demande	
032	Ungarisch Concorde normal	Hungarian Concorde regular	Hongroise Concorde normal	dc 086 0651
032	Ungarisch Concorde kursiv	Hungarian Concorde italic	Hongroise Concorde italique	dc 086 0653

	Figurenverzeichnis bitte den entsprechenden Belegungsplänen aus dem Verzeichnis „Berthold Layouts" entnehmen	For character specification refer to the corresponding layout schemes in "Berthold Layouts"	Pour la spécification de caractères veuillez voir aux schémas de disposition s. v. p. en "Berthold Layouts"	
032	Ungarisch Concorde halbfett	Hungarian Concorde medium	Hongroise Concorde demi-gras	dc 086 0652
032	Ungarisch Futura Buchschrift	Hungarian Futura book	Hongroise Futura romain labeur	dc 086 0655
032	Ungarisch Futura schräg halbfett	Hungarian Futura medium oblique	Hongroise Futura oblique demi-gras	dc 086 0658
032	Ungarisch Futura kräftig	Hungarian Futura heavy	Hongroise Futura fort	dc 086 0657
032	Ungarisch Futura schräg fett	Hungarian Futura bold oblique	Hongroise Futura oblique gras	dc 086 0661
032	Ungarisch Futura schmalhalbfett	Hungarian Futura medium condensed	Hongroise Futura étroit demi-gras	dc 086 0659
032	Ungarisch Futura schmalfett	Hungarian Futura bold condensed	Hongroise Futura étroit gras	dc 086 0660
032	Ungarisch Times New Roman	Hungarian Times New Roman	Hongroise Times New Roman	dc 086 0662
032	Ungarisch Times kursiv	Hungarian Times italic	Hongroise Times italique	dc 086 0664
032	Ungarisch Times fett	Hungarian Times bold	Hongroise Times gras	dc 086 0663
032	Ungarisch Times kursiv fett	Hungarian Times bold italic	Hongroise Times italique gras	dc 086 0665
032	Ungarisch Univers 45 mager	Hungarian Univers 45 light	Hongroise Univers 45 maigre	dc 086 0666
033	Ungarisch Univers 46 kursiv mager	Hungarian Univers 46 italic	Hongroise Univers 46 italique maigre	dc 086 0670
032	Ungarisch Univers 55 normal	Hungarian Univers 55 regular	Hongroise Univers 55 normal	dc 086 0667
032	Ungarisch Univers 56 kursiv	Hungarian Univers 56 medium italic	Hongroise Univers 56 italique	dc 086 0672
032	Ungarisch Univers 65 halbfett	Hungarian Univers 65 bold	Hongroise Univers 65 demi-gras	dc 086 0669
032	Ungarisch Univers 66 kursiv halbfett	Hungarian Univers 66 bold italic	Hongroise Univers 66 italique demi-gras	dc 086 0674
032	Ungarisch Univers 47 schmalmager	Hungarian Univers 47 light condensed	Hongroise Univers 47 étroit maigre	dc 085 2561
032	Ungarisch Univers 48 kursiv schmalmager	Hungarian Univers 48 light condensed italic	Hongroise Univers 48 italique étroit	dc 085 2566
032	Ungarisch Univers 57 schmal	Hungarian Univers 57 condensed	Hongroise Univers 57 étroit	dc 085 2562
032	Ungarisch Univers 58 kursiv schmal	Hungarian Univers 58 medium condensed italic	Hongroise Univers 58 italique étroit	dc 085 2564
032	Ungarisch Univers 67 schmalhalbfett	Hungarian Univers 67 bold condensed	Hongroise Univers 67 étroit demi-gras	dc 085 2563
032	Ungarisch Univers 68 kursiv schmalhalbfett	Hungarian Univers 68 bold condensed italic	Hongroise Univers 68 Italique étroit demi-gras	dc 085 2565
035	Univers 57 schmal mit Buchfahrplanzeichen	Univers 57 medium condensed with symbols for railway time schedules	Univers 57 étroit avec symboles pour horaire des trains	dc 085 4594

STANDARD- UND SPEZIAL-LAYOUTS

	Deutsch	English	Français	
	Figurenverzeichnis bitte den entsprechenden Belegungsplänen aus dem Verzeichnis „Berthold Layouts" entnehmen	For character specification refer to the corresponding layout schemes in "Berthold Layouts"	Pour la spécification de caractères veuillez voir aux schémas de disposition s.v.p. en "Berthold Layouts"	
037	Kyrillische Schriften (UdSSR) Schriftenverzeichnis auf Seite 1525	Cyrillic type faces (UdSSR) type face list page 1525	Disposition cyrillique (UdSSR) catalogue de caractères page 1525	
041	Serif Gothic Anglo-amerikanische Spezialbelegung	Serif Gothic Anglo-american special layout	Serif Gothic Disposition anglo-américaine	
043	Vietnamesisch Times New Roman	Vietnamese Times New Roman	Vietnamèse Times New Roman	dc 085 0081
043	Vietnamesisch Times fett	Vietnamese Times bold	Vietnamèse Times gras	dc 085 0082
043	Vietnamesisch Univers 55 normal	Vietnamese Univers 55 regular	Vietnamèse Univers 55 normal	dc 085 0083
043	Vietnamesisch Univers 75 fett	Vietnamese Univers 75 extra bold	Vietnamèse Univers 75 gras	dc 085 0084
046	Tschechisch Akzidenz-Grotesk mager	Czech Akzidenz-Grotesk light	Tchèque Akzidenz-Grotesk maigre	dc 085 4142
046	Tschechisch Akzidenz-Grotesk normal	Czech Akzidenz-Grotesk regular	Tchèque Akzidenz-Grotesk normal	dc 085 4153
046	Tschechisch Akzidenz-Grotesk kursiv	Czech Akzidenz-Grotesk italic	Tchèque Akzidenz-Grotesk italique	dc 085 4182
046	Tschechisch Akzidenz-Grotesk halbfett	Czech Akzidenz-Grotesk medium	Tchèque Akzidenz-Grotesk demi-gras	dc 085 4183
046	Tschechisch Akzidenz-Grotesk fett	Czech Akzidenz-Grotesk bold	Tchèque Akzidenz-Grotesk gras	dc 085 4184
046	Tschechisch Concorde normal	Czech Concorde regular	Tchèque Concorde normal	dc 085 4187
046	Tschechisch Concorde kursiv	Czech Concorde italic	Tchèque Concorde italique	dc 085 4511
046	Tschechisch Concorde halbfett	Czech Concorde medium	Tchèque Concorde demi-gras	dc 085 4513
047	Jugoslawisch Akzidenz-Grotesk Buch normal	Jugoslav Akzidenz-Grotesk Buch regular	Yougoslave Akzidenz-Grotesk Buch normal	dc 085 4152
047	Jugoslawisch Akzidenz-Grotesk Buch kursiv	Jugoslav Akzidenz-Grotesk Buch italic	Yougoslave Akzidenz-Grotesk Buch italique	dc 085 4181
047	Jugoslawisch Akzidenz-Grotesk Buch schmal	Jugoslav Akzidenz-Grotesk Buch condensed	Yougoslave Akzidenz-Grotesk Buch étroit	dc 085 4185
047	Jugoslawisch Concorde normal	Jugoslav Concorde regular	Yougoslave Concorde normal	dc 085 4186
047	Jugoslawisch Concorde kursiv	Jugoslav Concorde italic	Yougoslave Concorde italique	dc 085 4190
047	Jugoslawisch Concorde halbfett	Jugoslav Concorde medium	Yougoslave Concorde demi-gras	dc 085 4512
047	Jugoslawisch Univers 55 normal	Jugoslav Univers 55 regular	Yougoslave Univers 55 normal	dc 085 4514
047	Jugoslawisch Univers 56 kursiv	Jugoslav Univers 56 medium italic	Yougoslave Univers 56 italique	dc 085 4515
047	Jugoslawisch Univers 65 halbfett	Jugoslav Univers 65 bold	Yougoslave Univers 65 demi-gras	dc 085 4516
051	Europäische Standardbelegung	European standard layout	Disposition européen normale	

	Figurenverzeichnis bitte den entsprechenden Belegungsplänen aus dem Verzeichnis „Berthold Layouts" entnehmen	For character specification refer to the corresponding layout schemes in "Berthold Layouts"	Pour la spécification de caractères veuillez voir aux schémas de disposition s.v.p. en "Berthold Layouts"	
051	Formeln 1 Concorde normal mit Kursivziffern	Formula 1 Concorde regular with italic figures	Formules 1 Concorde normal avec chiffres italiques	dc 085 0929
051	Formeln 1 Times New Roman mit Kursivziffern	Formula 1 Times New Roman with italic figures	Formules 1 Times New Roman avec chiffres italiques	dc 085 0924
051	Index Akzidenz-Grotesk normal	Index Akzidenz-Grotesk regular	Index Akzidenz-Grotesk normal	dc 085 0551
051	Index Akzidenz-Grotesk kursiv	Index Akzidenz-Grotesk italic	Index Akzidenz-Grotesk italique	dc 087 0816
051	Index Akzidenz-Grotesk halbfett	Index Akzidenz-Grotesk medium	Index Akzidenz-Grotesk demi-gras	dc 085 0552
051	Index Akzidenz-Grotesk eng	Index Akzidenz-Grotesk condensed	Index Akzidenz-Grotesk étroit	dc 085 0553
051	Index Akzidenz-Grotesk schmalfett	Index Akzidenz-Grotesk bold condensed	Index Akzidenz-Grotesk étroit gras	dc 085 0554
051	Index Akzidenz-Grotesk extra	Index Akzidenz-Grotesk extra	Index Akzidenz-Grotesk extra	dc 085 0937
051	Index Akzidenz-Grotesk Buch mager	Index Akzidenz-Grotesk Buch light	Index Akzidenz-Grotesk Buch maigre	dc 085 0949
051	Index Akzidenz-Grotesk Buch normal	Index Akzidenz-Grotesk Buch regular	Index Akzidenz-Grotesk Buch normal	dc 085 0672
051	Index Akzidenz-Grotesk Buch halbfett	Index Akzidenz-Grotesk Buch medium	Index Akzidenz-Grotesk Buch demi-gras	dc 085 0671
051	Index Baskerville normal	Index Baskerville regular	Index Baskerville normal	dc 085 0567
051	Index Concorde normal	Index Concorde regular	Index Concorde normal	dc 085 0561
051	Index Concorde kursiv	Index Concorde italic	Index Concorde italique	dc 085 0562
051	Index Concorde halbfett	Index Concorde medium	Index Concorde demi-gras	dc 085 0563
051	Index Copperplate Gothic normal	Index Copperplate Gothic heavy	Index Copperplate Gothic normal	dc 085 2215
051	Index Copperplate Gothic schmal	Index Copperplate Gothic heavy condensed	Index Copperplate Gothic étroit	dc 085 2216
051	Index Helvetica fett	Index Helvetica fett	Index Helvetica gras	dc 085 0439
051	Index Times New Roman	Index Times New Roman	Index Times New Roman	dc 086 2559
051	Index Times kursiv	Index Times italic	Index Times italique	dc 086 2560
051	Index Univers 55 normal	Index Univers 55 medium	Index Univers 55 normal	dc 085 4564
051	Index Univers 56 kursiv	Index Univers 56 medium italic	Index Univers 56 italique	dc 085 4565
051	Index Univers 65 halbfett	Index Univers 65 bold	Index Univers 65 demi-gras	dc 085 4566
053	Liniensatzscheibe	Ruling disc	Disque pour filets	dc 085 2604

STANDARD- UND SPEZIAL-LAYOUTS

	Figurenverzeichnis bitte den entsprechenden Belegungsplänen aus dem Verzeichnis „Berthold Layouts" entnehmen	For character specification refer to the corresponding layout schemes in "Berthold Layouts"	Pour la spécification de caractères veuillez voir aux schémas de disposition s. v. p. en "Berthold Layouts"	
057	Zapf-Dingbats 100	Zapf-Dingbats 100	Zapf-Dingbats 100	dc 085 0457
058	Zapf-Dingbats 200	Zapf-Dingbats 200	Zapf-Dingbats 200	dc 085 0458
059	Zapf-Dingbats 300	Zapf-Dingbats 300	Zapf-Dingbats 300	dc 085 0459
061	Bruchziffernscheibe Akzidenz-Grotesk Buch	Fraction grid Akzidenz-Grotesk Buch	Disque fractions Akzidenz-Grotesk Buch	dc 085 0477
061	Bruchziffernscheibe Avant Garde Gothic	Fraction grid Avant Garde Gothic	Disque fractions Avant Garde Gothic	dc 085 0483
061	Bruchziffernscheibe Concorde	Fraction grid Concorde	Disque fractions Concorde	dc 085 0485
061	Bruchziffernscheibe Futura	Fraction grid Futura	Disque fractions Futura	dc 085 0482
061	Bruchziffernscheibe Helvetica	Fraction grid Helvetica	Disque fractions Helvetica	dc 085 0478
061	Bruchziffernscheibe Korinna	Fraction grid Korinna	Disque fractions Korinna	dc 085 0484
061	Bruchziffernscheibe Rockwell	Fraction grid Rockwell	Disque fractions Rockwell	dc 085 0481
061	Bruchziffernscheibe Souvenir	Fraction grid Souvenir	Disque fractions Souvenir	dc 085 0480
061	Bruchziffernscheibe Times	Fraction grid Times	Disque fractions Times	dc 085 0479
062	Bruchziffernscheibe mit Mediävalziffern Garamond (Berthold)	Fraction grid with old figures Garamond (Berthold)	Disque fractions avec chiffres médiévaux Garamond (Berthold)	dc 085 0260
062	Bruchziffernscheibe mit Mediävalziffern Palatino	Fraction grid with old figures Palatino	Disque fractions avec chiffres médiévaux Palatino	dc 085 0486
064	Runde Ecken	Rounded-off corners	Coins arrondis	dc 085 0166
065	Katalogziffern positiv	Catalogue figures positiv	Chiffres du catalogue en positif	dc 085 0139
065	Katalogziffern negativ	Catalogue figures negativ	Chiffres du catalogue en négative	dc 085 0140
069	Zapf Chancery Swash	Zapf Chancery swash	Zapf Chancery lettres ornées	
070	DIN 16/17	DIN 16/17	DIN 16/17	
071	Chemische Formeln	Chemical formula signs	Chiemie. Signes de formules	dc 085 0685
074	Lettisch Garamond Stempel normal	Latvian Garamond Stempel regular	Letton Garamond Stempel normal	dc 085 1010
074	Lettisch Garamond Stempel kursiv	Latvian Garamond Stempel italic	Letton Garamond Stempel italique	dc 085 1012
074	Lettisch Garamond Stempel halbfett	Latvian Garamond Stempel medium	Letton Garamond Stempel demi-gras	dc 085 1011
075	Magnum Akzidenz-Grotesk extra	Magnum Akzidenz-Grotesk extra	Magnum Akzidenz-Grotesk extra	dc 087 1013

	Figurenverzeichnis bitte den entsprechenden Belegungsplänen aus dem Verzeichnis „Berthold Layouts" entnehmen	For character specification refer to the corresponding layout schemes in "Berthold Layouts"	Pour la spécification de caractères veuillez voir aux schémas de disposition s.v.p. en "Berthold Layouts"	
075	Magnum Akzidenz-Grotesk kursiv extra	Magnum Akzidenz-Grotesk extra bold condensed italic	Magnum Akzidenz-Grotesk italique étroit extra gras	dc 087 1031
075	Magnum Akzidenz-Grotesk extrafett	Magnum Akzidenz-Grotesk extra bold	Magnum Akzidenz-Grotesk extra gras	dc 087 1012
075	Magnum Akzidenz-Grotesk Buch normal	Magnum Akzidenz-Grotesk Buch regular	Magnum Akzidenz-Grotesk Buch normal	dc 087 1032
075	Magnum Akzidenz-Grotesk Buch schmalhalbfett	Magnum Akzidenz-Grotesk Buch medium condensed	Magnum Akzidenz-Grotesk Buch étroit demi-gras	dc 087 1001
075	Magnum Akzidenz-Grotesk Buch schmalfett	Magnum Akzidenz-Grotesk Buch bold condensed	Magnum Akzidenz-Grotesk Buch étroit gras	dc 087 1014
075	Magnum AG Buch Rounded halbfett	Magnum AG Buch Rounded medium	Magnum AG Buch Rounded demi-gras	dc 087 1028
075	Magnum AG Buch Rounded fett	Magnum AG Buch Rounded bold	Magnum AG Buch Rounded gras	dc 087 1029
075	Magnum AG Buch Rounded schmalfett	Magnum AG Buch Rounded bold condensed	Magnum AG Buch Rounded étroit gras	dc 087 1030
075	Magnum American Typewriter ITC schmalfett	Magnum American Typewriter ITC bold condensed	Magnum American Typewriter ITC étroit gras	dc 087 1033
075	Magnum Antique Olive schmalfett	Magnum Antique Olive bold condensed	Magnum Antique Olive étroit gras	dc 087 1002
075	Magnum Balloon	Magnum Balloon	Magnum Balloon	dc 087 1036
075	Magnum Block eng	Magnum Block extra condensed	Magnum Block extra étroit	dc 087 1015
075	Magnum Block schmal	Magnum Block condensed	Magnum Block étroit	dc 087 1010
075	Magnum Cheltenham eng halbfett	Magnum Cheltenham bold extra condensed	Magnum Cheltenham extra étroit demi-gras	dc 087 1017
075	Magnum Cheltenham schmalhalbfett	Magnum Cheltenham medium condensed	Magnum Cheltenham étroit demi-gras	dc 087 1016
075	Magnum Clearface Gothic fett	Magnum Clearface Gothic bold	Magnum Clearface Gothic gras	dc 087 1021
075	Magnum Clearface Gothic extrafett	Magnum Clearface Gothic ultra bold	Magnum Clearface Gothic extra gras	dc 087 1020
075	Magnum Concorde schmalhalbfett	Magnum Concorde medium condensed	Magnum Concorde étroit demi-gras	dc 087 1018
075	Magnum Concorde schmalfett	Magnum Concorde bold condensed	Magnum Concorde étroit gras	dc 087 1019
075	Magnum Egyptienne schmalfett	Magnum Egyptienne bold condensed	Magnum Egyptienne étroit gras	dc 087 1009
075	Magnum Flyer schmalfett	Magnum Flyer bold condensed	Magnum Flyer étroit gras	dc 087 1022
075	Magnum Folio schmalfett	Magnum Folio bold condensed	Magnum Folio étroit gras	dc 087 1023
075	Magnum Franklin Gothic extra schmal	Magnum Franklin Gothic extra condensed	Magnum Franklin Gothic extra étroit	dc 087 1003
075	Magnum Franklin Gothic schmal	Magnum Franklin Gothic condensed	Magnum Franklin Gothic étroit	dc 087 1024

STANDARD- UND SPEZIAL-LAYOUTS

	Figurenverzeichnis bitte den entsprechenden Belegungsplänen aus dem Verzeichnis „Berthold Layouts" entnehmen	For character specification refer to the corresponding layout schemes in "Berthold Layouts"	Pour la spécification de caractères veuillez voir aux schémas de disposition s. v. p. en "Berthold Layouts"	
075	Magnum Futura extrafett schmal	Magnum Futura extra bold condensed	Magnum Futura étroit extra gras	dc 087 1011
075	Magnum Gill Sans normal	Magnum Gill Sans regular	Magnum Gill Sans normal	dc 087 1034
075	Magnum Gill Sans halbfett	Magnum Gill Sans bold	Magnum Gill Sans demi-gras	dc 087 1035
075	Magnum Gill Sans extra schmalfett	Magnum Gill Sans extra bold condensed	Magnum Gill Sans extra étroit gras	dc 087 1025
075	Magnum Gill Sans ultra schmalfett	Magnum Gill Sans ultra bold condensed	Magnum Gill Sans ultra étroit gras	dc 087 1026
075	Magnum Helvetica normal	Magnum Helvetica regular	Magnum Helvetica normal	dc 087 1037
075	Magnum Helvetica schmalhalbfett	Magnum Helvetica medium condensed	Magnum Helvetica étroit demi-gras	dc 087 1007
075	Magnum Helvetica schmalfett	Magnum Helvetica bold condensed	Magnum Helvetica étroit gras	dc 087 1008
075	Magnum Herold Reklameschrift normal	Magnum Herold Reklameschrift regular	Magnum Herold Reklameschrift normal	dc 087 1027
075	Magnum Palatino normal	Magnum Palatino regular	Magnum Palatino normal	dc 087 1038
075	Magnum Palatino halbfett	Magnum Palatino bold	Magnum Palatino demi-gras	dc 087 1039
075	Magnum Permanent Headline normal	Magnum Permanent Headline regular	Magnum Permanent Headline normal	dc 087 1004
075	Magnum Permanent Headline licht	Magnum Permanent Headline outline	Magnum Permanent Headline éclairé	dc 087 1005
075	Magnum Sorbonne schmalhalbfett	Magnum Sorbonne medium condensed	Magnum Sorbonne étroit demi-gras	dc 087 1006
080	DIN 30640	DIN 30640	DIN 30640	
083	ISO 3098 (DIN 6776)	ISO 3098 (DIN 6776)	ISO 3098 (DIN 6776)	
084	Osteuropa Baskerville normal	Eastern Europe Baskerville regular	Europe orientale Baskerville normal	dc 085 1173 dig 051 1617
084	Osteuropa Baskerville kursiv	Eastern Europe Baskerville italic	Europe orientale Baskerville italique	dc 085 1175 dig 051 1618
084	Osteuropa Baskerville halbfett	Eastern Europe Baskerville medium	Europe orientale Baskerville demi-gras	dc 085 1174 dig 051 1619
084	Osteuropa Concorde normal	Eastern Europe Concorde regular	Europe orientale Concorde normal	dc 085 1483 dig 051 1633
084	Osteuropa Concorde kursiv	Eastern Europe Concorde italic	Europe orientale Concorde italique	dc 085 1484 dig 051 1634
084	Osteuropa Concorde halbfett	Eastern Europe Concorde medium	Europe orientale Concorde demi-gras	dc 085 1485 dig 051 1635
084	Osteuropa Englische Schreibschrift normal	Eastern Europe Englische Schreibschrift regular	Europe orientale Englische Schreibschrift normal	dc 085 2131
084	Osteuropa Englische Schreibschrift halbfett	Eastern Europe Englische Schreibschrift medium	Europe orientale Englische Schreibschrift demi-gras	dc 085 2132

	Figurenverzeichnis bitte den entsprechenden Belegungsplänen aus dem Verzeichnis „Berthold Layouts" entnehmen	For character specification refer to the corresponding layout schemes in "Berthold Layouts"	Pour la spécification de caractères veuillez voir aux schémas de disposition s.v.p. en "Berthold Layouts"	
084	Osteuropa Garamond Berthold normal	Eastern Europe Garamond Berthold regular	Europe orientale Garamond Berthold normal	dc 085 1184
084	Osteuropa Garamond Berthold kursiv	Eastern Europe Garamond Berthold italic	Europe orientale Garamond Berthold italique	dc 085 1186
084	Osteuropa Garamond Berthold halbfett	Eastern Europe Garamond Berthold medium	Europe orientale Garamond Berthold demi-gras	dc 085 1185
084	Osteuropa Garamont Amsterdam normal	Eastern Europe Garamont Amsterdam regular	Europe orientale Garamont Amsterdam normal	dc 085 1486 dig 051 1636
084	Osteuropa Garamont Amsterdam kursiv	Eastern Europe Garamont Amsterdam italic	Europe orientale Garamont Amsterdam italique	dc 085 1487 dig 051 1637
084	Osteuropa Garamont Amsterdam halbfett	Eastern Europe Garamont Amsterdam medium	Europe orientale Garamont Amsterdam demi-gras	dc 085 1488 dig 051 1638
084	Osteuropa Helvetica leicht	Eastern Europe Helvetica light	Europe orientale Helvetica maigre	dc 085 1179 dig 051 1464
084	Osteuropa Helvetica kursiv leicht	Eastern Europe Helvetica light italic	Europe orientale Helvetica italique maigre	dc 085 1182
084	Osteuropa Helvetica normal	Eastern Europe Helvetica regular	Europe orientale Helvetica normal	dc 085 1180 dig 051 0617
084	Osteuropa Helvetica kursiv	Eastern Europe Helvetica italic	Europe orientale Helvetica italique	dc 085 1183 dig 051 1468
084	Osteuropa Helvetica halbfett	Eastern Europe Helvetica medium	Europe orientale Helvetica demi-gras	dc 085 1181 dig 051 0618
084	Osteuropa Helvetica kursiv halbfett	Eastern Europe Helvetica medium italic	Europe orientale Helvetica italique demi-gras	dc 085 2133
084	Osteuropa Primus-Antiqua mager	Eastern Europe Primus-Antiqua light	Europe orientale Primus-Antiqua maigre	dc 085 1176
084	Osteuropa Primus kursiv mager	Eastern Europe Primus light italic	Europe orientale Primus italique maigre	dc 085 1178
084	Osteuropa Primus-Antiqua halbfett	Eastern Europe Primus-Antiqua medium	Europe orientale Primus-Antiqua demi-gras	dc 085 1177
084	Osteuropa Souvenir ITC mager	Eastern Europe Souvenir ITC light	Europe orientale Souvenir ITC maigre	dc 085 2159
084	Osteuropa Souvenir ITC kursiv mager	Eastern Europe Souvenir ITC light italic	Europe orientale Souvenir ITC italique maigre	dc 085 2160
084	Osteuropa Souvenir ITC normal	Eastern Europe Souvenir ITC medium	Europe orientale Souvenir ITC normal	dc 085 2161
084	Osteuropa Souvenir ITC kursiv	Eastern Europe Souvenir ITC italic	Europe orientale Souvenir ITC italique	dc 085 2162
084	Osteuropa Souvenir ITC halbfett	Eastern Europe Souvenir ITC demi-bold	Europe orientale Souvenir ITC demi-gras	dc 085 2163
084	Osteuropa Souvenir ITC fett	Eastern Europe Souvenir ITC bold	Europe orientale Souvenir ITC gras	dc 085 2164
084	Osteuropa Times New Roman	Eastern Europe Times New Roman	Europe orientale Times New Roman	dc 085 1118 dig 051 0626
084	Osteuropa Times kursiv	Eastern Europe Times italic	Europe orientale Times italique	dc 085 1120 dig 051 0627
084	Osteuropa Times fett	Eastern Europe Times bold	Europe orientale Times gras	dc 085 1119 dig 051 0628

STANDARD- UND SPEZIAL-LAYOUTS

	Figurenverzeichnis bitte den entsprechenden Belegungsplänen aus dem Verzeichnis „Berthold Layouts" entnehmen	For character specification refer to the corresponding layout schemes in "Berthold Layouts"	Pour la spécification de caractères veuillez voir aux schémas de disposition s. v. p. en "Berthold Layouts"	
084	Osteuropa Times kursiv fett	Eastern Europe Times bold italic	Europe orientale Times italique gras	dc 085 1299
084	Osteuropa Univers 45 mager	Eastern Europe Univers 45 light	Europe orientale Univers 45 maigre	dc 085 1114
084	Osteuropa Univers 55 normal	Eastern Europe Univers 55 regular	Europe orientale Univers 55 normal	dc 085 1115
084	Osteuropa Univers 56 kursiv	Eastern Europe Univers 56 medium italic	Europe orientale Univers 56 italique	dc 085 1117
084	Osteuropa Univers 65 halbfett	Eastern Europe Univers 65 bold italic	Europe orientale Univers 65 demi-gras	dc 085 1116
084	Osteuropa Univers 47 schmalmager	Eastern Europe Univers 47 light condensed	Europe orientale Univers 47 étroit maigre	dc 085 1480
084	Osteuropa Univers 57 schmal	Eastern Europe Univers 57 medium condensed	Europe orientale Univers 57 étroit	dc 085 1481
084	Osteuropa Univers 67 schmalhalbfett	Eastern Europe Univers 67 bold condensed	Europe orientale Univers 67 étroit demi-gras	dc 085 1482
085	Zusatzbelegung Osteuropa	Supplement layout for Eastern Europe	Schéma supplementaire de l'Europe orientale	dc 085 1127
089	Kapitälchen Osteuropa Standard	Caps Eastern Europe Standard	Petits capitales de l'Europe orientale	dc 085 1187
090	Spezialzeichen I	Special signs I	Signes spéciaux I	dc 085 1189
092	OCR B	OCR B	OCR B	dc 085 1208
093	OCR A, CMC 7, MICR B 13, Scr Ziffern	OCR A, CMC 7, MICR B 13, Scr numbers	OCR A, CMC 7, MICR B 13, Scr chiffres	dc 085 1209
095	Mathematische Formeln I, Times	Mathematic formula I, Times	Signes de formules mathématiques I, Times	dc 085 1240
095	Mathematische Formeln I, Concorde	Mathematic formula I, Concorde	Signes de formules mathématiques I, Concorde	dc 085 1245
096	Mathematische Formeln II, Times	Mathematic formula II, Times	Signes de formules mathématiques II, Times	dc 085 1241
096	Mathematische Formeln II, Concorde	Mathematic formula II, Concorde	Signes de formules mathématiques II, Concorde	dc 085 1246
097	Mathematische Formeln III	Mathematic formula III	Signes de formules mathématiques III	dc 085 1242
105	Braille	Braille	Braille	dc 085 1261
107	Fahrplanzeichen	Time-table signs	Signes pour horaires	dc 085 1300
109	Balloon	Balloon	Balloon	dc 085 1254
127	Kapitälchen	Small Caps	Petites capitales	
131	Berthold-Devanagari I Schriftenverzeichnis auf Seite 1527	Berthold-Devanagari I type face list page 1527	Berthold-Devanagari I catalogue de caractères page 1527	
132	Berthold-Devanagari II Schriftenverzeichnis auf Seite 1527	Berthold-Devanagari II type face list page 1527	Berthold-Devanagari II catalogue de caractères page 1527	

	Figurenverzeichnis bitte den entsprechenden Belegungsplänen aus dem Verzeichnis „Berthold Layouts" entnehmen	For character specification refer to the corresponding layout schemes in "Berthold Layouts"	Pour la spécification de caractères veuillez voir aux schémas de disposition s.v.p. en "Berthold Layouts"	
137	Runde Ecken II	Rounded-off corners II	Coins arrondis II	dc 085 1395
139	Berthold-Arabisch I Schriftenverzeichnis auf Seite 1526	Berthold Arabic I type face list page 1526	Berthold Arabe I catalogue de caractères page 1526	
140	Berthold-Arabisch II Schriftenverzeichnis auf Seite 1526	Berthold Arabic II type face list page 1526	Berthold Arabe II catalogue de caractères page 1526	
141	Spezialzeichen II	Special signs II	Signes spéciaux II	dc 085 2198

PREVIEW

Schrift	Schnitt	Nr.
Bauer Bodoni	normal regular normal	dc 085 1594
Bauer Bodoni	kursiv italic italique	dc 085 1595 sm 081 2852
Bauer Bodoni	halbfett medium demi-gras	dc 085 1596 sm 081 2853
Bauer Bodoni	kursiv halbfett medium italic italique demi-gras	dc 085 1597 sm 081 2854
Bauer Bodoni	fett bold gras	dc 085 1598 sm 081 2855
Bauer Bodoni	kursiv fett bold italic italique gras	dc 085 1599
Bodoni-Antiqua	mager light maigre	dc 085 1694
Caslon Old Face	fett bold gras	dc 085 1680
City	kursiv fett bold italic italique gras	dc 085 1550
Colossal	normal regular normal	dc 085 1573
Colossal	halbfett medium demi-gras	dc 085 1574
Colossal	fett bold gras	dc 085 1575
Daily News	normal regular normal	dc 085 1628 sm 081 2881
Daily News	kursiv italic italique	dc 085 1629 sm 081 2882
Daily News	halbfett medium demi-gras	dc 085 1630 sm 081 2883
Daily News	fett bold gras	dc 085 1633 sm 081 2885
Daily News	extrafett extra bold extra gras	dc 085 1635 sm 081 2887
Daily News	kursiv extrafett extra bold italic italique extra gras	dc 085 1636 sm 081 2888
Grouch ITC		dc 085 1650
Imprimatur	halbfett medium demi-gras	dc 085 1526
Jersey	normal regular normal	dc 085 1610 sm 081 2865
Jersey	kursiv italic italique	dc 085 1611 sm 081 2866
Jersey	halbfett medium demi-gras	dc 085 1612 sm 081 2867
Jersey	kursiv halbfett medium italic italique demi-gras	dc 085 1613 sm 081 2868

Schrift	Schnitt	Nummer
Jersey	fett bold gras	dc 085 1614 sm 081 2869
Jersey	kursiv fett bold italic italique gras	dc 085 1615 sm 081 2870
Jersey	extrafett extra bold extra gras	dc 085 1616 sm 081 2871
Kabel STEMPEL	schmalhalbfett medium condensed étroit demi-gras	dc 085 1648
Kabel STEMPEL	schmalfett bold condensed étroit gras	dc 085 1649 sm 081 2899
Leawood ITC	Buch book romain labeur	dc 085 1684 sm 081 2913
LEAWOOD ITC CAPS	Buch book romain labeur	dc 085 1686
Leawood ITC	Buch kursiv book italic italique romain labeur	dc 085 1685 sm 081 2914
Leawood ITC	normal regular normal	dc 085 1687 sm 081 2915
LEAWOOD ITC CAPS	normal regular normal	dc 085 1689
Leawood ITC	kursiv italic italique	dc 085 1688 sm 081 2916
Leawood ITC	halbfett medium demi-gras	dc 085 1690 sm 081 2917
Leawood ITC	kursiv halbfett medium italic italique demi-gras	dc 085 1691 sm 081 2918
Leawood ITC	fett bold gras	dc 085 1692 sm 081 2919
Leawood ITC	kursiv fett bold italic italique gras	dc 085 1693 sm 081 2920
Marbrook	kursiv halbfett medium italic italique demi-gras	dc 085 1623
Serifa	leicht light maigre	dc 085 1619 sm 081 2875
Serifa	halbfett medium demi-gras	dc 085 1603
Serifa	fett bold gras	dc 085 1604 sm 081 2861
Serifa	schmalhalbfett medium condensed étroit demi-gras	dc 085 1605 sm 081 2862
SYMBOL ITC CAPS	Buch book romain labeur	dc 085 1639
Symbol ITC	normal regular normal	dc 085 1640 sm 081 2891
Symbol ITC	kursiv italic italique	dc 085 1641 sm 081 2892
Symbol ITC	halbfett medium demi-gras	dc 085 1643 sm 081 2893

Schrift	Stil	Nummer
Symbol ITC	fett bold gras	dc 085 1645 sm 081 2895
Symbol ITC	kursiv fett bold italic italique gras	dc 085 1646 sm 081 2896
Van Dijck Book	normal regular normal	dc 085 1496 sm 081 2954
VAN DIJCK BOOK CAPS	normal regular normal	dc 085 1580
Van Dijck Book	kursiv italic italique	dc 085 1497
Videotext		dc 085 1622 sm 081 2878
Weiß-Gotisch		dc 085 1682